HOPPE-SEYLER/THIERFELDER

HANDBUCH DER PHYSIOLOGISCH- UND PATHOLOGISCH-CHEMISCHEN ANALYSE

FÜR ÄRZTE, BIOLOGEN UND CHEMIKER

ZEHNTE AUFLAGE

HERAUSGEGEBEN VON

KONRAD LANG
MAINZ

EMIL LEHNARTZ
MÜNSTER

UNTER MITARBEIT VON

OTTO HOFFMANN-OSTENHOF
WIEN

GÜNTHER SIEBERT
MAINZ

SECHSTER BAND / TEIL A

Springer-Verlag Berlin Heidelberg GmbH
1964

ENZYME

TEIL A

BEARBEITET VON

R. ABRAHAM · E. BALKE · K.-H. BÄSSLER · R. K. BONNICHSEN
H. BREUER · T. BÜCHER · F. C. CHARALAMPOUS · L. W. CUNNINGHAM
G. E. GLOCK · F. HEINZ · O. HOFFMANN-OSTENHOF · S. HOLLMANN
M. KLINGENBERG · K. KRISCH · W. LAMPRECHT · K. LANG · A. L. LEHNINGER
S. LEONHÄUSER · K. LEYBOLD · S. LIAO · W. LUH · L. LUMPER · A. C. MAEHLY
H. R. MAHLER · G. MOHN · A. P. NYGAARD · D. PETTE · G. PFLEIDERER
W. J. RUTTER · K. A. SACK · I. SCHIRRMACHER-GÖLLNER · G. SIEBERT
E. C. SLATER · H. STAUDINGER · F. B. STRAUB · H. SÜLLMANN
E. WERLE · J. N. WILLIAMS JR. · H. G. WILLIAMS-ASHMAN · J. B. WISE

MIT 119 ABBILDUNGEN

Springer-Verlag Berlin Heidelberg GmbH

1964

Alle Rechte, insbesondere das der Übersetzung in fremde Sprachen, vorbehalten

Ohne ausdrückliche Genehmigung des Verlages ist es auch nicht gestattet, dieses Buch oder Teile daraus auf photomechanischem Wege (Photokopie, Mikrokopie) oder auf andere Art zu vervielfältigen

© Springer-Verlag Berlin Heidelberg 1964

Ursprünglich erschienen bei Springer-Verlag Berlin Heidelberg New York 1964

Library of Congress Catalog Card Number 54-28499

ISBN 978-3-662-11690-6   ISBN 978-3-662-11689-0 (eBook)
DOI 10.1007/978-3-662-11689-0

Die Wiedergabe von Gebrauchsnamen, Handelsnamen, Warenbezeichnungen usw. in diesem Werk berechtigt auch ohne besondere Kennzeichnung nicht zu der Annahme, daß solche Namen im Sinn der Warenzeichen- und Markenschutz-Gesetzgebung als frei zu betrachten wären und daher von jedermann benutzt werden dürften

Titel-Nr. 6025

Vorwort.

Als letzten Teil der 10. Auflage des Handbuches der physiologisch- und pathologisch-chemischen Analyse legen wir die Methoden der Enzymbestimmung vor. Während der Bearbeitung dieses Teils des Handbuches hat das Gebiet der Enzymologie eine stürmische Ausweitung erfahren, so daß immer neue Enzyme und immer neue Gesichtspunkte mitberücksichtigt werden mußten. Der Wettlauf zwischen Forschung und Dokumentation ist für die letztere immer aussichtsloser geworden. Die Herausgeber müssen daher um Nachsicht bitten, wenn das vorliegende Werk nicht in allen Punkten den neuesten Stand der Wissenschaft wiedergibt.

Das Interesse an den Enzymen ist in der neueren Zeit größer geworden. Die Verwendung von Enzymreaktionen zur spezifischen analytischen Erfassung von Substanzen in komplexem biologischen Material, die Bestimmung von Enzymaktivitäten zu diagnostischen Zwecken durch den Kliniker, die Zurückführung pharmakologischer Wirkungen auf Beeinflussung von Enzymsystemen, um nur die wichtigsten Beispiele zu nennen, haben den Kreis der mit Enzymen arbeitenden Laboratorien wesentlich erweitert, aber auch die in diesem Werk zu berücksichtigenden Gesichtspunkte vermehrt. Entsprechend der Tradition und dem Titel des Handbuches ist auch in dem vorliegenden Enzymteil der Schwerpunkt der Darstellung auf der Analytik und der präparativen Gewinnung gelegen. Die Herausgeber hielten es aber für wünschenswert — zumal ein umfassenderes Werk über Enzymologie in deutscher Sprache gegenwärtig fehlt — auch noch andere, für den einen oder anderen mit Enzymen arbeitenden Forscher wichtige Gesichtspunkte zu berücksichtigen wie Vorkommen, Kinetik, Aktivatoren und Inhibitoren von Enzymen. Manche Enzyme sind heute käuflich beziehbar. In diesem Falle haben wir von einer eingehenderen Schilderung der präparativen Darstellung Abstand genommen.

Kurz vor Abschluß des Manuskriptes wurde der Bericht über Enzyme der International Union of Biochemistry mit den neuen Vorschriften für Klassifikation und Nomenklatur der Enzyme veröffentlicht. Beides wurde in dem vorliegenden Enzymteil des Handbuches berücksichtigt, zum mindesten soweit, daß die ausgearbeiteten Codenummern und die vorgeschriebene Nomenklatur in den jeweiligen Überschriften aufgeführt sind. Im Text wird dagegen noch in kleinerem oder größerem Umfang von den alten Trivialnamen der Enzyme Gebrauch gemacht.

Infolge der Ausweitung des zu berücksichtigenden Stoffes, der Berücksichtigung der neuen Klassifikation und Nomenklatur der Enzyme, mußten manche Beiträge erneut überarbeitet und ergänzt werden. Es ist den Herausgebern ein wirkliches Bedürfnis, den Autoren herzlich für die damit verbundene Mühe und Geduld zu danken. Ebenso danken die Herausgeber dem Verlag, der keine Mühe und Kosten gescheut hat, alle die vielen notwendig gewordenen Erweiterungen, Ergänzungen und Korrekturen vorzunehmen, um auch dem Enzymband das traditionelle Niveau des Handbuches zu geben.

Eine bedauerliche Lücke in diesem Band bedarf besonderer Rechtfertigung. Herr Dr. K. G. Paul/Stockholm, später Umea wurde im Jahre 1956 dafür gewonnen, das Kapitel „Hämin enthaltende Enzyme" abzufassen. Leider hat Herr Dr. Paul seinen Vertrag nicht erfüllt und Verlag und Herausgeber durch seine bis in das Jahr 1964 aufrechterhaltene Versicherung, er werde das Manuskript schließlich doch noch liefern, daran verhindert, rechtzeitig einen anderen Bearbeiter für dieses Kapitel zu gewinnen.

Mainz, Münster i. Westf., im Juni 1964.   K. Lang, E. Lehnartz

Inhaltsverzeichnis.

Allgemeines.

Klassifikation und Nomenklatur der Enzyme.

Seite

Von Professor Dr. Otto Hoffmann-Ostenhof, Wien 1

    I. Allgemeine Regeln 1
    II. Klassifikation und Numerierung der Enzyme 2
    III. Systematische und triviale Nomenklatur 5
    IV. Die Regeln für die systematische und die triviale Nomenklatur 7
        α) Regeln, welche für alle Enzyme gelten 7
        β) Regeln für die einzelnen Klassen der Enzyme 10
    V. Die Terminologie der Enzymbildung 13

Einheiten der Enzymwirkungen.

Von Professor Dr. Otto Hoffmann-Ostenhof, Wien 14

Grundlagen der Kinetik enzymatisch katalysierter Reaktionen.

Von Dr. Ludwig Lumper, Aachen. Mit 16 Abbildungen 17

    Einleitung 17
    A. Über die Reaktionsgeschwindigkeit und die Reaktionsordnung 17
    B. Einsubstratreaktionen 18
        1. Die wesentlichsten experimentellen Tatsachen 19
        2. Gültigkeitsbereich der Gleichung (6) 20
        3. Die mathematische Formulierung der Gleichung für die Initialgeschwindigkeit einer enzymatisch katalysierten Reaktion I. Ordnung 21
            a) Ableitung der Gleichung von Michaelis und Menten 22
            b) Ableitung der Gleichung für die Initialgeschwindigkeit einer enzymatisch katalysierten Reaktion nach Haldane und Briggs 24
            c) Die integrierten Gleichungen 27
        4. Die Auswertung der Meßergebnisse 28
            a) Bestimmung der Enzymmenge 28
            b) Die Begriffe „katalytische Konstante" und Wechselzahl 28
            c) Bestimmung der Gleichgewichtskonstanten einer Reaktion und die Formel von Haldane 30
            d) Die Bestimmung der Michaelis-Konstanten und der Sättigungsgeschwindigkeit 31
                α) Ermittlung der Substratkonzentration bei Halbsättigungsgeschwindigkeit . . . 32
                β) Die Lineweaver-Burk-Auswertung 32
                γ) Die Methode von Eadie 33
                δ) Bestimmung aus den integrierten Gleichungen 33
                ε) Die Bestimmung einzelner Geschwindigkeitskonstanten 34
        5. Komplizierte Reaktionsmechanismen von Einsubstratreaktionen 35
            a) Einsubstratreaktionen mit mehreren Enzym-Substrat-Komplexen . . . 35
            b) Die Rückreaktion ist eine Umsetzung mit zwei Substraten 36
    C. Zweisubstratreaktionen: $A + B \rightleftharpoons C + D$ 36
        1. Aufstellung der Gleichung einer Zweisubstratreaktion 37
        2. Zur Bestimmung der Konstanten der allgemeinen Gleichung 40
            a) Die Bestimmung der Konstanten K_A, K_B und $V_{\max H}$ 40
            b) Bestimmung von K_B/K_{AB} 42
            c) Die Bestimmung der von Dalziel mit $\emptyset$ bezeichneten Größen . . . 43

Inhaltsverzeichnis. VII

D. Über die Hemmung und Aktivierung von Enzymen 44
  1. Die Hemmung enzymatisch katalysierter Reaktionen 45
    a) Kompetitives Verhalten des Hemmstoffes 45
    b) Gleichungen für nichtkompetitives Verhalten 47
    c) Unkompetitives Verhalten des Hemmstoffes 48
    d) Auswertung der Hemmversuche 48
      α) Methode von Dixon 50
      β) Anwendung des Verfahrens von Eadie bei Hemmversuchen 51
      γ) Das Verfahren von Downs und Hunter 52
    e) Hemmung durch Substrat und Produkt 53
  2. Aktivierung von Enzymen 54
  3. Zur p_H-Abhängigkeit der enzymatischen Katalyse und dem Einfluß der Temperatur . 54

Manometrische Methoden zur Untersuchung des Gewebestoffwechsels.

Von Dr. Heinrich Süllmann, Münster/Westfalen. Mit 58 Abbildungen 55

I. Allgemeiner Teil 57
  A. Theorie manometrischer Messungen 57
    1. Volumenkonstante Messung mit dem offenen Manometer 57
      Die Gefäßkonstante k (Warburg) 58
      α) Thermobarometer 61
      β) Barokomparator 62
    2. Messung mit dem offenen Manometer bei gleichzeitiger Änderung von Druck und Volumen des Gasraumes („freie Manometrie") 62
      Die Gefäßkonstante k' (Burk und Hobby) 63
    3. Steigerung der Empfindlichkeit von Messungen mit dem offenen Manometer . . 64
      a) Volumenkonstante Messung mit extrem kleinen Reaktionsgefäßen 65
      b) Verstärkung des Manometerausschlages mit einem aus der Vertikalen geneigten Manometer 65
      c) Verwendung von Manometerflüssigkeiten mit niedrigem spezifischen Gewicht . 66
      d) Besondere Anordnungen zur Erhöhung der Empfindlichkeit bei volumenkonstanter Messung 66
        α) Anordnung mit stationärem Gasbläschen in der Manometerflüssigkeit als „Indicator" und mit Niveau der Manometerflüssigkeit in der Erweiterung . 66
        β) Anordnung mit zwei Manometerflüssigkeiten von verschiedenem spezifischem Gewicht 67
      e) Besondere Anordnungen zur Erhöhung der Empfindlichkeit bei freier manometrischer Messung 68
        α) Anordnung mit Niveau der Manometerflüssigkeit im offenen Arm in der Capillarerweiterung 68
        β) Anordnung mit je einer Erweiterung in beiden Capillararmen und Luftbläschen als „Indicator" 69
        γ) Anordnung mit verschieden weiten Capillaren 70
    4. Differentialmanometrie 71
      a) Messung mit dem Differentialmanometer mit vertikaler Manometercapillare . 71
        Die Gefäßkonstante k 72
      b) Messung mit dem Differentialmanometer mit einer aus der Vertikalen geneigten Manometercapillare 75
      c) Messung mit dem Differentialvolumeter mit horizontaler Capillare . . . 76
      d) Messungen mit dem Differentialmanometer bei konstantem Gasraumvolumen . 79
        Theorie des Differentialmanometers von Summerson 79
      e) Druckkonstante Messung mit dem Differentialvolumeter 81
  B. Die apparative Ausrüstung 82
    1. Wasserthermostaten mit Misch- und Schüttelvorrichtung 82
      a) Bedeutung der Temperaturregulierung 82
      b) Bedeutung der Schüttelung 83
      c) Verschiedene Thermostatenkonstruktionen 83
    2. Manometer 88
      a) „Offene" Manometer 88
      b) Differentialmanometer 92
      c) Optische Hilfsmittel zum Ablesen der Manometer 96

Inhaltsverzeichnis.

	Seite
3. Reaktionsgefäße	97
4. Manometerflüssigkeiten	101
5. Gase und Gasgemische	103
a) Herstellung von Gasgemischen	103
b) Herstellung anaerober Bedingungen	105
c) Gasverteilungsrohr und Überdruckventil	108
C. Eichung der Gefäße und Manometer	109
1. Eichung der Gefäße in Verbindung mit dem offenen Manometer	109
a) Kombinierte Eichung von Gefäß und Manometercapillare durch Auswiegen von Quecksilber	109
b) Getrennte gravimetrische Eichung von Gefäß und Manometer	110
c) Eichung der Manometercapillaren nach LAZAROW	113
d) Manometrische Eichungen	114
2. Berechnung der Gefäßkonstanten k	118
3. Eichung der Gefäße in Verbindung mit dem Differentialmanometer	120
D. Allgemeines über die Technik der manometrischen Messung	127
1. Reinigen und Füllen der Manometer	127
2. Reinigen der Gefäße	128
3. Gang einer Messung	128
4. Protokollierung und Ausrechnung	133
5. Einige Fehlerquellen bei manometrischen Messungen	134
II. Spezieller Teil	138
A. Versuchsmaterial, Versuchslösungen und Stoffwechselquotienten	138
1. Versuchsmaterial	138
a) Allgemeines	138
b) Anwendung niedriger Temperaturen bei der Aufarbeitung	138
c) Gewebeschnitte	140
d) Isolierte Zellen und Gewebefragmente	145
2. Versuchslösungen	146
a) Allgemeines	146
b) Serum	148
c) Salzlösungen	149
3. Stoffwechselquotienten	153
a) Symbole	153
b) Maßeinheiten	154
c) Bezugsbasen	155
B. Einige besondere Meßbedingungen	159
1. Löslichkeit von Gasen	159
2. Bedingungen bei Verwendung von Hydrogencarbonatlösungen	160
a) Die Beziehung zwischen p_H, Hydrogencarbonat- und Kohlendioxydkonzentration	160
b) Die Retention von Kohlendioxyd und von fixen Säuren	163
c) Die Bildung und Aufnahme von Extrakohlensäure	167
3. Der Sauerstoffverbrauch bei Bildung von Wasserstoffperoxyd	171
4. Verwendung von Cyanwasserstoff, Schwefelwasserstoff und Kohlenmonoxyd in Atmungsversuchen	173
a) Cyanwasserstoff	174
b) Schwefelwasserstoff	176
c) Kohlenmonoxyd	177
C. Methoden	178
1. Atmung und Glykolyse	178
a) Messung der Atmung nach der „direkten Methode" von WARBURG	178
b) Direkte Messung des Sauerstoffverbrauchs unter Verwendung von „CO_2-Puffern"	185
c) Die Messung des Sauerstoffverbrauchs und der aeroben Säurebildung nach der „indirekten Methode" („Gefäßpaarmethode") von WARBURG	191
d) Erweiterung der „Gefäßpaarmethode" zur Bestimmung des respiratorischen Quotienten (LASER und ROTHSCHILD)	201

Inhaltsverzeichnis. IX

Seite

e) Bestimmung der Retention von Kohlensäure und von fixer Säure nach WARBURG, KUBOWITZ und CHRISTIAN 203
  α) Bestimmung der Kohlensäureretention 203
  β) Bestimmung der Säureretention 205
f) Messung des Glykolysevermögens unter anaeroben Bedingungen (nach WARBURG) 206
g) Messung der Glykolyse unter aeroben Bedingungen durch Bestimmung der Hydrogencarbonatabnahme nach NEGELEIN 208
h) Messung des respiratorischen Quotienten und der aeroben Glykolyse nach DICKENS und ŠIMER 209
  α) „Phosphatmethode" von DICKENS und ŠIMER 210
  β) „Hydrogencarbonatmethode" von DICKENS und ŠIMER zur Bestimmung des respiratorischen Quotienten und der aeroben Glykolyse 213
i) Messung der Atmung und der aeroben Glykolyse nach DIXON und KEILIN . . . 222
j) Anwendung des Differentialmanometers von DICKENS und GREVILLE 230
k) Messung von Atmung und aerober Glykolyse mit dem „kombinierten Manometer" von SUMMERSON 232
l) Messung der Partialdrucke von CO_2 und O_2 im Stoffwechselversuch nach WARBURG und KRIPPAHL 234
m) Differentialvolumetrische Messung des Sauerstoffverbrauches 235
  Messung des Sauerstoffverbrauches mit dem Differential-Mikrorespirometer nach FREI und RYSER 236
n) Messung des Sauerstoffverbrauches von Gewebeschnitten ohne oder mit nur kleinen Mengen Versuchslösung 237

2. Manometrische Messung der Aktivität von einzelnen Enzymen und Enzymsystemen 239
  a) Manometrische Messung von Oxydationsvorgängen mit „externen" Wasserstoffacceptoren 239
    α) Verwendung von Phenazin-methosulfat als Wasserstoffacceptor im manometrischen Versuch 240
    β) Manometrische Messung der Aktivität von Dehydrogenasen mit Trinatriumhexacyanoferrat (Ferricyanid) als Wasserstoffacceptor (QUASTEL und WHEATLEY) 243
    γ) Manometrische Messung der Aktivität von Dehydrogenasen mit Mangandioxyd als Wasserstoffacceptor (HOCHSTER und QUASTEL) 244
  b) Katalase 246
  c) Peroxydase 247
  d) Glucoseoxydase (Notatin) 248
  e) Hexokinase 252
  f) Esterasen 254
  g) Proteinasen und Peptidasen 255
  h) Hydrogenase 262

3. Manometrische Bestimmung einzelner Substanzen 267
  a) Bestimmung von Aminosäuren mit Aminosäurendecarboxylasen 267
  b) Decarboxylierung von Aminosäuren, Peptiden und Proteinen mit N-Brombernsteinsäureimid (nach CHAPPELLE und LUCK) 269
  c) Hydrierungen mit Dithionit 271
  d) Hydrierung von Derivaten ungesättigter Fettsäuren (MEAD und HOWTON) . . 272

4. Analyse von Gasen 274
  a) Allgemeines 274
  b) Bestimmung des CO_2-Gehaltes von Gasgemischen 275
    α) Nach KREBS 275
    β) Nach GRAETZ und NEGELEIN 276

The application of the p_H-stat to studies of enzymes.

By Professor Dr. LEON W. CUNNINGHAM, Nashville/Tennessee. With 3 Figures 279

Enzyme kinetics 282
Application of the p_H-stat to problems of protein structure 290

Einfache und zusammengesetzte optische Tests mit Pyridinnucleotiden.

Von Professor Dr. THEODOR BÜCHER, München, Dr. WILFRIED LUH, Kiel und Priv.-Doz. Dr. DIRK PETTE, München. Mit 8 Abbildungen 292

		Seite
A. Allgemeines		292
Einfacher optischer Test		295
Zusammengesetzte optische Tests		297
Tests an ungereinigten Extrakten		298
Auswertung		300
B. Beispiele einfacher und zusammengesetzter Tests		303
I. Einfache Tests		303
1. Glucose-6-phosphat-Dehydrogenase (Zwischenferment)		303
2. Glutamat-Dehydrogenase		304
3. Glycerin-1-phosphat-Dehydrogenase (Glycerophosphat-Dehydrogenase)		304
4. Isocitrat-Dehydrogenase (TPN)		305
5. L-Lactat-Dehydrogenase		306
6. Malat-Dehydrogenase		307
7. Malic Enzyme		307
8. 6-Phosphogluconat-Dehydrogenase		308
II. Zusammengesetzte Tests		308
1. Adenylat-Kinase		308
2. Enolase (Phosphopyruvat-Hydratase)		309
3. Fructose-1,6-diphosphat-Aldolase		310
4. Fructose-6-phosphat-Kinase		311
5. Fructose-1,6-diphosphat-Phosphatase		312
6. Glucosephosphat-Mutase (Phosphoglucomutase)		313
7. Glutamat-Oxalacetat-Transaminase (Aspartat-Aminotransferase)		314
8. Glutamat-Pyruvat-Transaminase (Alanin-Aminotransferase)		315
9. Glyceraldehyd-3-phosphat-Dehydrogenase		315
10. Glycerat-3-phosphat-Kinase (3-Phosphoglycerat-Kinase)		317
11. Hexokinase		318
12. Hexosephosphat-Isomerase		318
13. Kreatin-Kinase (ATP-Kreatin-Transphosphorylase)		319
14. Phosphoglyceromutase (Glyceratphosphat-Mutase)		321
15. Pyruvat-Kinase		322
16. Triosephosphat-Isomerase		322
C. Literaturzusammenstellung		323
I. Einfache Tests (alphabetisch geordnet)		323
II. Zusammengesetzte Tests		330
Sonderfälle		338

Die Messung der Phosphataufnahme bei der oxydativen Phosphorylierung.

Von Privatdozent Dr. MARTIN KLINGENBERG, Marburg/Lahn. Mit 4 Abbildungen . . . 340

  I. Die amperometrische Bestimmung des Sauerstoffverbrauchs 340
    P/O-Bestimmung mit der Platinelektrode 344
  II. Messung des P/O durch Bestimmung des Phosphateinbaues 345

Oxydoreductasen.

Nomenklatur der Nicotinamid-Coenzyme.

Von Professor Dr. OTTO HOFFMANN-OSTENHOF, Wien 348

Alkoholdehydrogenase.

Von Dr. ANDREAS C. MAEHLY und Professor Dr. ROGER K. BONNICHSEN, Stockholm . . . 350

Lactat-Dehydrogenase.

Von Professor Dr. GERHARD PFLEIDERER, Frankfurt/Main. Mit 2 Abbildungen 356

D-β-Hydroxybutyric dehydrogenase.

By Dr. JAMES B. WISE and Professor Dr. ALBERT L. LEHNINGER, Baltimore/Maryland . . 364

Äpfelsäuredehydrogenase.

Von Professor Dr. F. Bruno Straub, Budapest. Mit 1 Abbildung 367

The malic enzymes.

By Dr. William J. Rutter, Urbana/Illinois 377

Isocitratdehydrogenasen.

Von Professor Dr. Günther Siebert, Mainz 387

    DPN$^+$-abhängige Isocitratdehydrogenase 387
    TPN$^+$-abhängige Isocitratdehydrogenase 393

Glucose-6-phosphate dehydrogenase and 6-phosphogluconate dehydrogenase.

By Dr. Gertrude E. Glock, London 414

Steroid-Dehydrogenasen.

Von Professor Dr. Heinz Breuer, Bonn 423

A. Einleitung 423
B. Reaktionsmechanismen der enzymatischen Dehydrierung und Hydrierung von Steroiden 424
    I. Oxydoreduktion von Hydroxysteroiden und Ketosteroiden 424
    II. Oxydation von Δ^5-3-Hydroxysteroiden 425
    III. Reduktion von Doppelbindungen im Steroidring 425
    IV. Steroidring-Dehydrierung 426
C. Zur Biochemie der Steroid-Dehydrogenasen 426
D. Steroid-Dehydrogenasen im Tierreich 429
    I. Tabellarische Übersicht der Steroid-Dehydrogenasen im Tierreich 429
    II. Beschreibung näher definierter Steroid-Dehydrogenasen im Tierreich . . . 494
        1. 3α-Hydroxysteroid-Dehydrogenase aus Rattenleber (nach Tomkins) 496
        2. 3α-Hydroxysteroid-Dehydrogenase aus Rattenleber (nach Hurlock und Talalay) 497
        3. Mikrosomale 3α-Hydroxysteroid-Dehydrogenase aus Rattenleber 499
        4. Δ^4-3α- und 3β-Hydroxysteroid-Dehydrogenase aus Rattenleber 500
        5. Mikrosomale 3β-Hydroxysteroid-Dehydrogenase aus Rindernebenniere 500
        6. 3β-Hydroxysteroid-Dehydrogenase aus Säugetierleber 501
        7. Mikrosomale 11β-Hydroxysteroid-Dehydrogenase aus Rattenleber 501
        8. 11β-Hydroxysteroid-Dehydrogenase aus menschlicher Placenta 502
        9. Oestradiol-17β-Dehydrogenase aus Erythrocyten der Ratte 503
        10. Oestradiol-17β-Dehydrogenase aus menschlicher Placenta 504
        11. NAD-spezifische und NADP-spezifische Oestradiol-17β-Dehydrogenase aus menschlicher Placenta 505
        12. 17β-Hydroxysteroid-(Oestradiol-17β)-Dehydrogenase aus menschlicher Placenta 506
        13. 17β-Hydroxysteroid-Dehydrogenase aus Stierleber 509
        14. NAD-spezifische 17β-Hydroxysteroid-Dehydrogenase aus Leber und Niere des Meerschweinchens 510
        15. NADP-spezifische 17β-Hydroxysteroid-(Testosteron)-Dehydrogenase aus Leber und Niere des Meerschweinchens 511
        16. NADP-spezifische C_{19}-17β-Hydroxysteroid-Dehydrogenase aus Meerschweinchenleber 511
        17. 20α-Hydroxysteroid-Dehydrogenase aus Pferdeleber 513
        18. 20α-Hydroxysteroid-Dehydrogenase aus menschlicher Placenta 513
        19. 20α-Hydroxysteroid-Dehydrogenase aus Rattenovarien 514
        20. Prednisolon-Δ^1-Reductase aus Rattenleber 515
        21. Mikrosomale Δ^4-3-Ketosteroid-Reductasen (5α) aus Rattenleber 516
        22. Cytoplasmatische Δ^4-3-Ketosteroid-Reductase (5β) aus Rattenleber 518
        23. Cytoplasmatische Cortison-4,5β-Reductase aus Rattenleber 519
        24. Cytoplasmatische 4,5β-Reductase (Δ^4-Hydrogenase) aus der Nebenniere des Meerschweinchens 520
        25. 7-Dehydrocholesterin-Δ^7-Reductase aus Mäuseleber 521
        26. Equilin-Dehydrogenase aus Rattenleber 522

E. Steroid-Dehydrogenasen bei Mikroorganismen 523

   I. Tabellarische Übersicht der Steroid-Dehydrogenasen bei Mikroorganismen 523

   II. Beschreibung näher definierter Steroid-Dehydrogenasen bei Mikroorganismen 523
     1. 3α-Hydroxysteroid-Dehydrogenase aus *Pseudomonas testosteroni* 523
     2. 3α-Hydroxysteroid-Dehydrogenase aus *Escherichia freundii* 541
     3. $3\beta,17\beta$-Hydroxysteroid-Dehydrogenase aus *Pseudomonas testosteroni* 542
     4. 20β-Hydroxysteroid-Dehydrogenase aus *Streptomyces hydrogenans* 544
     5. Δ^1-Steroid-Dehydrogenase und Δ^4-5α-Steroid-Dehydrogenase aus *Pseudomonas testosteroni* 546
     6. Δ^1-Steroid-Dehydrogenase, 5α-Δ^4-Steroid-Dehydrogenase und 5β-Δ^4-Steroid-Dehydrogenase aus *Nocardia sp.* 548

Cholinoxydase.

   Von Professor Dr. Dr. EUGEN WERLE, München (unter Mitarbeit von Dr. DETLEV HOSENFELD, Heidelberg). Mit 1 Abbildung 549

     Betainaldehyddehydrogenase 556

Aldehyddehydrogenasen.

   Von Professor Dr. WALTHER LAMPRECHT und Dr. FRITZ HEINZ, München 556

     Allgemeines 556
     Aldehyddehydrogenase aus Leber 557
     Kaliumabhängige Aldehyddehydrogenase 562
     TPN-abhängige Aldehyddehydrogenase aus Hefe 566
     Aldehydoxydase 568

Betaine aldehyde dehydrogenase.

   By Dr. JESSE N. WILLIAMS jr., Bethesda/Maryland 573

3-Phosphoglycerinaldehyd-Dehydrogenase.

   Von Dr. GERTRUD MOHN, Homburg/Saar. Mit 9 Abbildungen 574

   A. Die 3-Phosphoglycerinaldehyd-Dehydrogenase des Muskels 577
   B. Die 3-Phosphoglycerinaldehyd-Dehydrogenase der Hefe 622
   C. Triosephosphat-Dehydrogenasen in höheren Pflanzen und Bakterien 628

Succinate dehydrogenase. (Succinate oxidase system.)

   By Professor Dr. EDWARD C. SLATER, Amsterdam 633

Glutaminsäuredehydrogenase.

   Von Professor Dr. KARL-HEINZ BÄSSLER, Mainz 638

Aminoxydasen.

   Von Professor Dr. Dr. EUGEN WERLE, München (unter Mitarbeit von Dr. DETLEV HOSENFELD, Heidelberg und Dr. ERNST HENNING, Bad Schwalbach). Mit 4 Abbildungen 653

   I. Einteilung und Wirkungsspezifität 653
   II. Allgemeine Bemerkungen zu den Bestimmungsmethoden für Aminoxydasen 654
   III. Die einzelnen Enzyme 654
     1. Monoaminoxydasen 654
     2. Diaminoxydase 678
     3. Sperminoxydase 698
     4. Spermidinoxydase 704

Polyol-Dehydrogenasen, Dehydrogenasen von On- und Uronsäuren, Glucose-Dehydrogenasen.

Von Professor Dr. SIEGFRIED HOLLMANN, Düsseldorf 704

A. Polyalkohol-Dehydrogenasen 704
   I. Tierische Polyalkohol-Dehydrogenasen 704
      1. Sorbit-Dehydrogenase 704
      2. Aldose-Reductase 707
      3. TPN-Xylit-(L-Xylulose)-Dehydrogenase 708
      4. DPN-Xylit-(D-Xylulose)-Dehydrogenase 710
      5. TPN-spezifische Glycerin-Dehydrogenase der Leber 713
   II. Bakterielle Polyalkohol-Dehydrogenasen 714
      1. Ribit-Dehydrogenase 714
      2. D-Mannit-1-phosphat-Dehydrogenase aus *E. coli* 716

B. Glucose-Dehydrogenasen 718
   1. Glucose-Dehydrogenase aus Rinderleber 718
   2. Glucose-Dehydrogenase aus *Bacillus cereus* 720

C. Aldonsäure- und Uronsäure-Dehydrogenasen 721
   1. TPN-L-Gulonat-Dehydrogenase (TPN-L-Hexonat-Dehydrogenase) . . . 721
   2. DPN-L-Gulonat-Dehydrogenase 723
   3. Uronsäure-Reductase aus Erbsen 725
   4. Uronsäure-Dehydrogenase aus *Pseudomonas syringae* 726
   Ketouronsäure-Reductasen 727
   5. D-Altronsäure-Dehydrogenase 727
   6. D-Mannonsäure-Dehydrogenase 729
   Ketogluconat-Reductasen und 2-Keto-D-gluconat-6-phosphat-Reductase . 730
   7. 2-Ketogluconat-Reductase aus *Corynebacterium helvolum* 730
   8. 5-Ketogluconat-Reductase aus *Acetobacter suboxydans* 731
   9. 2-Keto-D-gluconat-6-phosphat-Reductase aus *Aerobacter cloacae* . 732

Weniger bekannte Pyridinnucleotid-Enzyme.

Von Dr. GERTRUD MOHN, Homburg/Saar. Mit 4 Abbildungen 733

Hydroxyl-Dehydrogenasen 736
   1. Sec.-Alkohol-Dehydrogenase aus *Pseudomonas* 736
   2. vic-Glykol-Dehydrogenase A aus *Aerobacter aerogenes*, Stamm ATCC 8724 736
   3. vic-Glykol-Dehydrogenase B aus *Aerobacter aerogenes*, Stamm ATCC 8724 736
   4. TPN-1,2-Propandiol-Dehydrogenase der Säugetiere 737
   5. „Spezifische" 2,3-Butandiol-Dehydrogenase des auf Glucose gewachsenen *Aerobacter aerogenes*, Stamm ATCC 8724 738
   6. Die 2,3-Butandiol-Dehydrogenase des auf Butandiol gewachsenen *Neisseria winogradskyi* 738
   7. „Unspezifische" 2,3-Butandiol-Dehydrogenase (Diacetylmethylcarbinol-Reductase) aus *Micrococcus ureae* und *Corynebacterium* 739
   8. Diacetyl-Reductase aus *Staphylococcus aureus* 740

Hydroxysäure-Dehydrogenasen 741
   9. DPN-abhängige Glykolsäure-Dehydrogenase (Glyoxylsäure-Reductase) der Pflanzen 741
   10. TPN-abhängige Glykolsäure-Dehydrogenase (Glyoxylsäure-Reductase) der Pflanzen 741
   11. Glykolsäure-Dehydrogenase aus *Pseudomonas* 741
   12. β-Hydroxypropionsäure-Dehydrogenase aus Schweineniere 742
   13. β-Hydroxyisobuttersäure-Dehydrogenase aus Schweineniere 742
   14. und 15. γ-Hydroxybuttersäure-Dehydrogenase aus *Pseudomonas* und *Clostridium aminobutyricum* 743
   16. D-Glycerinsäure-Dehydrogenase aus Rinderleber 743
   17. D-Glycerinsäure-Dehydrogenase aus Spinatblättern 744
   18. Glycerinsäure-Dehydrogenase aus *Aspergillus niger* 745
   19. D-Glycerinsäure-Dehydrogenase aus *Pseudomonas ovalis Chester* . 746
   20. Tartronsäure-Dehydrogenase höherer Pflanzen 746
   21. meso-Weinsäure-Dehydrogenase der Rinderherzmitochondrien . . . 746
   22. meso-Weinsäure-Dehydrogenase-Aktivität höherer Pflanzen 747
   23. Oxalglykolsäure-Dehydrogenase-Aktivität der Mitochondrien . . . 747
   24. Diketobernsteinsäure-Reductase höherer Pflanzen 748

Hydroxyl-Dehydrogenasen des Aminosäurestoffwechsels 748
   25. Chinasäure-Dehydrogenase aus *Aerobacter aerogenes,* Mutante A 170–143 S 1 . . . 748
   26. Shikimisäure-Dehydrogenase aus *Escherichia coli,* Stamm W 749
   27. Prephensäure-Dehydrogenase der *Escherichia coli*-Mutante 83–5 750
   28. und 29. α-Keto-β-hydroxysäure-Reductase aus *Neurospora crassa* und *Escherichia coli* 751
   30. α-Hydroxy-β-ketosäure-Reductoisomerase aus *Escherichia coli K-12* 752
   31. L-Homoserin-Dehydrogenase aus Bäckerhefe 753
   32. ω-Hydroxy-L-α-aminosäure-Dehydrogenase aus *Neurospora crassa* 21863-6 A . . 753
   33. L-Threonin-Dehydrogenase (Threonin-Decarboxylase) aus *Rhodopseudomonas spheroides* 753
   34. und 35. Pyridoxol-Dehydrogenase (Pyridoxin-Dehydrogenase) aus Hefe 754
   36. Isopyridoxal-Reductase aus Bäckerhefe 755

Aminosäure- und Iminosäure-Dehydrogenasen 755
   37. und 38. L-Alanin-Dehydrogenasen von Bacillen und anderen Mikroorganismen . . . 755
   39. L-Leucin-Dehydrogenase aus *Bacillus subtilis IRC-1* 757
   40. Phosphatabhängige Aminosäure-Dehydrogenase aus *Clostridium sporogenes* . . . 758
   41. L-Δ^1-Pyrrolin-5-carbonsäure-Reductase aus Rinderleber 758
   42. Δ^1-Pyrrolin-5-carbonsäure-Reductase der löslichen Fraktion der Rattenleber . . . 759
   43. Δ^1-Pyrrolin-5-carbonsäure-Reductase des *Neurospora crassa*-Wildstammes St. Lawrence 74 A 759
   44. Δ^1-Pyrrolin-2-carbonsäure-Reductase aus Rattenniere 760

Aldehydgruppen oxydierende Dehydrogenasen 761
   45. Aldose-Dehydrogenase der Kalbslinse 761
   46. Lösliche Aldose-Dehydrogenase aus *Acetobacter suboxydans* 761
   47. D-Galaktose-Dehydrogenase aus *Pseudomonas saccharophila* 762
   48. L-Arabinose-Dehydrogenase aus *Pseudomonas saccharophila* 762
   49. Malonsäurehalbaldehyd-Dehydrogenase aus *Pseudomonas aeruginosa* 763
   50. und 51. Bernsteinsäurehalbaldehyd-Dehydrogenasen aus *Pseudomonas* 763
   52. DPN$^+$-Bernsteinsäurehalbaldehyd-Dehydrogenase aus Affenhirn 764
   53. γ-Aminobutyraldehyd-Dehydrogenase aus *Pseudomonas fluorescens ATCC 13430* . 764
   54. Δ^1-Pyrrolin-5-carbonsäure-Dehydrogenase aus Rinderleber 765
   55. Phosphatabhängige L-Asparaginsäure-β-halbaldehyd-Dehydrogenase 766

Zweistufig dehydrierende Pyridinnucleotid-Enzyme 767
   56. L-Histidinol-Dehydrogenase aus Hefe und *Arthrobacter histidinolovorans* 767
   57. Uridindiphosphatglucose-Dehydrogenase aus Kalbsleber 768
   58. Uridindiphosphatglucose-Dehydrogenase aus Erbsenkeimlingen 768

Andere Dehydrogenasen 769
   59. Ameisensäure-Dehydrogenase aus *Pisum sativum* 769
   60. Guanosinmonophosphat-Reductase aus *Salmonella typhimurium* 770
   61. Dejodase aus Mikrosomen der Schilddrüse des Schafes 770
   62. Dejodase der löslichen Fraktion der Rattenleber 771

Dihydropyrimidin-Dehydrogenasen 771
   63. und 64. Dihydropyrimidin-Dehydrogenasen aus Leber 772
   65. Dihydrouracil-Dehydrogenase aus *Clostridium uracilicum* 773

Chinon-Reductasen 773
   66. Chinon-Reductase aus Schweineleber 773
   67. Chinon-Reductase aus Erbsensamen 775
   68. Menadion-Reductase aus *Escherichia coli* 775

L-α-Glycerophosphatdehydrogenasen.

   Von Professor Dr. WALTHER LAMPRECHT und Dr. FRITZ HEINZ, München 831

Das Prolinoxydase-System.

   Von Professor Dr. Dr. KONRAD LANG, Mainz 839

Pyridine nucleotide transhydrogenases.

   By Professor Dr. H. G. WILLIAMS-ASHMAN and Dr. SHUTSUNG LIAO, Chicago/Illinois . . . 842

Yellow enzymes.

By Professor Dr. AGNAR P. NYGAARD, Bergen 854

    General properties and procedures 854
    Individual flavoenzymes 857

        I. Enzymes oxidizing pyridine nucleotides 857
            Cytochrome c reductases 857
                1. TPNH-cytochrome c reductase (yeast) 857
                2. TPNH-cytochrome c reductase (animal) 858
                3. DPNH-cytochrome c reductase (animal) 858
                4. DPNH-cytochrome c reductase of *E. coli* 860

            Diaphorases 860
                1. DPNH-diaphorase (animal) 861
                2. TPNH-diaphorase (yeast) 862

            DPNH-Cytochrome b_5 reductase (animal) 863
            TPNH-Oxidase, the old yellow enzyme (yeast) 864
            TPNH (DPNH) nitrate reductase *(Neurospora)* 866
            DPNH peroxidase *(Streptococcus faecalis)* 868
            Glutathione reductase *(Escherichia coli)* 869

       II. Amino acid oxidases 870
            D-Amino acid oxidase (mammals) 870
            D-Aspartic acid oxidase (mammals) 872
            L-Amino acid oxidase (mammals) 873
            L-Amino acid oxidase (snake venom) 874
            L-Amino acid oxidase *(Neurospora)* 875
            Glycine oxidase (mammals) 876

      III. Enzymes oxidizing —CHOH— to —CO 877
            L-Lactate cytochrome c reductase (yeast) 877
            D-Lactate cytochrome c reductase (yeast) 878
            D-Lactate dehydrogenase (yeast) 879
            L-Lactate oxidative decarboxylase *(Mycobacterium phlei)* 880
            Glycolic acid oxidase (plant) 881
            Aldehyde oxidase (animal) 882
            Xanthine oxidase (milk) 883
            Glucose oxidase (mold) 886
            Pyruvate oxidase *(Lactobacillus delbrueckii)* 887

      IV. Hydrogenases 887

Glutathione reductase.

By Dr. SHUTSUNG LIAO and Professor Dr. H. G. WILLIAMS-ASHMAN, Chicago/Illinois . . . 888

Uricase.

By Professor Dr. HENRY R. MAHLER, Bloomington/Indiana 894

Kupferenzyme.

Von Dipl. Chem. INGEBORG SCHIRRMACHER-GÖLLNER, Gießen. Mit 7 Abbildungen 898

    Die einzelnen Enzyme 901
        1. Tyrosinase 901
        2. Ascorbinsäureoxydase 908
        3. Laccase 912

Hydroxylasen.

Von Dipl. Chem. RUDOLF ABRAHAM, Frankfurt a. M., Dr. ERIKA BALKE, Gießen, Privatdozent Dr. KLAUS KRISCH, Gießen, Dr. SENTA LEONHÄUSER, Mannheim, Dr. KARL LEYBOLD, Kiel, Dr. KARL ALBERT SACK, Gießen, und Professor Dr. HANSJÜRGEN STAUDINGER, Gießen. Mit 2 Abbildungen 917

    A. Definition und Begrenzung des Stoffes 917
    B. Vorkommen und Bedeutung von Hydroxylasen 919

	Seite
C. Mechanismen der enzymatischen Hydroxylierung	919
I. Allgemeines	919
II. Einzelne hydroxylierende Systeme	920
1. Steroidhydroxylasen	920
2. Hydroxylierung aliphatischer Carbonsäuren	921
3. Hydroxylasen für aromatische Aminosäuren	921
4. Hydroxylierung von Fremdstoffen	922
5. Der Phenolasekomplex	922
6. Peroxydasesysteme	925
7. Modellsysteme	926
III. Entstehung und Angriff des „aktiven Sauerstoffs"	927
1. Hinweise auf die peroxydische Struktur	927
2. Ionische Substitutionsmechanismen	929
3. Radikalische Substitution	931
IV. Zusammenfassendes Reaktionsschema	932
D. Die Steroidhydroxylasen	935
I. Steroidhydroxylasen bei Warmblütern	935
1. Die C-11β-Hydroxylase	983
2. Die C-21-Hydroxylase	986
II. Steroidhydroxylasen bei Mikroorganismen	987
E. Hydroxylasen für Aminosäuren und verwandte Verbindungen	1010
1. Tyrosinase	1028
2. Dopamin-β-Hydroxylase	1029
3. Tryptophan-5-Hydroxylase	1031
F. Hydroxylasen für Fremdstoffe	1032
G. Enzymatische Hydroxylierung körperfremder Verbindungen	1038

Enzymes involved in the metabolism of myo-inositol.

By Professor Dr. FRIXOS C. CHARALAMPOUS, Philadelphia/Pennsylvania 1049

    1. The inositol-cleaving enzyme from rat kidney 1049
    2. Phosphatidic acid-inositol transferase 1051

Namen- und Sachverzeichnis siehe Bandteil C.

Übersicht über den Inhalt des Bandteiles B.

Oxydoreductasen (Fortsetzung)
Coenzym A-Enzyme
Folic acid-dependent enzymes involved in one-carbon metabolism

Transferasen
Enzymes of transmethylation
Transketolase
Transaldolase
Phosphorylasen
Glycosyltransferases (Transglycosylases)
Glykosyl-Transferasen mit Nucleosiddiphosphat-Zuckern als Donatoren
Transaminasen
Transaminidase
Phosphatübertragende Enzyme
Triosekinasen
Ribonucleasen
Rhodanese

Am Tryptophan-Stoffwechsel beteiligte Enzyme
Phenylalanin-Hydroxylase
Cholinacylasen

Hydrolasen
Carboxylester-Hydrolasen (Carbonsäure-Esterasen)
Cholinesterasen
Phosphoester-Hydrolasen (Phosphoesterasen)
Phosphodiesterasen
3′-Nucleotidase
5′-Nucleotidase
Desoxyribonucleasen
Schwefelsäureester-Hydrolasen
Polysaccharases
Glykosidasen
Mucopolysaccharasen
Aminozuckerspaltende Enzyme
Purin- und Pyrimidin-Phosphorylasen

Übersicht über den Inhalt des Bandteiles C.

Hydrolasen (Fortsetzung)
Peptidasen (Exopeptidasen)
Endopeptidases
Die Gerinnungsfaktoren
The Amidases
Allantoinase und Allantoicase
Deaminases of purines, pyrimidines, nucleosides and nucleotides
Anhydrid-hydrolysierende Enzyme und Phosphoamidase
Contractile Adenosintriphosphatasen
Adenosine triphosphatase activity of mitochondria
Andere Adenosintriphosphatasen
Inosine diphosphatase (nucleoside diphosphatase) from mammalian tissues
Dinucleotid-Pyrophosphatasen

Lyasen
Mit Thiaminderivaten als Coenzym arbeitende Enzyme
Oxalacetic decarboxylase and related enzymes

Pyridoxalphosphatenzyme ohne Transaminasen
Aldolase
Phosphoketolase
Kohlensäureanhydratase
Fumarase
Aconitase
Enolase
Die Glyoxalasen
Les enzymes du catabolisme de la cystéine et de ses dérivés
Déshalogénases

Isomerasen
Mutarotase
Isomerases

Ligasen
Glutamine synthetase and transferase

Gesamtregister
für Bandteile A, B und C

Verzeichnis der in diesem Band über die in DIN 1502 und DIN 1502 (Beiblatt) hinaus besonders stark abgekürzten Buch- und Zeitschriftentitel.

Bücher.

Ammon-Dirscherl, Fermente, Hormone, Vitamine,	Fermente, Hormone, Vitamine und die Beziehungen dieser Wirkstoffe zueinander. Hrsg. von AMMON, R., und W. DIRSCHERL, 2. Aufl., Leipzig: Thieme 1948; 3. erw. Aufl., Stuttgart: Thieme. Bd. I u. II 1959/60, Bd. III in Vorbereitung.
Bamann-Myrbäck	Die Methoden der Fermentforschung. Hrsg. BAMANN, E., und K. MYRBÄCK. 4 Bde. Leipzig: Thieme 1941.
Biochem. Taschenb. (Rauen)	Biochemisches Taschenbuch. Hrsg. RAUEN, H. M., Berlin-Göttingen-Heidelberg: Springer 1956. 2. Aufl. in Vorbereitung.
Boyer-Lardy-Myrbäck	The Enzymes. Ed. BOYER, P. D., H. LARDY and K. MYRBÄCK, 8 Bde. 2. Aufl. New York: Academic Press 1959—1963.
Chargaff-Davidson, Nucleic Acids	The Nucleic Acids. Ed. CHARGAFF, E., and J. N. DAVIDSON. 3 Bde. New York: Academic Press 1955—1960.
Colowick-Kaplan, Meth. Enzymol.	Methods in Enzymology. Ed. COLOWICK, S. P., and N. O. KAPLAN. New York: Academic Press 1955—1963 (Bd. 1—6, Bd. 7 Index in Vorbereitung).
D'Ans-Lax	Taschenbuch für Chemiker und Physiker. Hrsg. D'ANS, J., und E. LAX, 2. Aufl. Berlin-Göttingen-Heidelberg: Springer 1949. 3. Aufl., Bd. 2, 1964, Bd. 1 in Vorbereitung.
Handb. Heffter	Handbuch der experimentellen Pharmakologie. Hauptwerk: begr. von A. HEFFTER, fortgef. von W. HEUBNER, hrsg. von EICHLER, O., und A. FARAH. Ergänzungswerk: hrsg. von HEUBNER, W., und J. SCHÜLLER, ab Bd. XI von EICHLER, O., und A. FARAH. Berlin-Göttingen-Heidelberg: Springer.
McElroy-Glass, Phosphorus Metabolism	Phosphorus Metabolism. MCELROY, W. D., and B. GLASS, Baltimore: John Hopkins Press 1951.
Oppenheimer, Fermente	Die Fermente und ihre Wirkungen. Hrsg. OPPENHEIMER, C. 5. Aufl. Bd. 1—4. Leipzig: Thieme 1924—1929. Suppl. Bd. 1—2. Den Haag: Dr. Junk 1936—1939.
Sumner-Myrbäck	The Enzymes. Ed. SUMNER, J. B., and K. MYRBÄCK. New York: Academic Press 1950—1952.

Zeitschriften.

A.	Justus Liebigs Annalen der Chemie.
A.e.P.P.	Naunyn-Schmiedebergs Archiv für experimentelle Pathologie und Pharmakologie.
Am. Soc.	Journal of the American Chemical Society.
B.	Berichte der Deutschen Chemischen Gesellschaft. Ab Bd. 80, 1947: Chemische Berichte.
B.Z.	Biochemische Zeitschrift.
C.	Chemisches Zentralblatt.
Cr.	Comptes Rendus hebdomadaires des Séances de l'Académie des Sciences.
D.m.W.	Deutsche Medizinische Wochenschrift.
Exper.	Experientia.
H.	Hoppe-Seylers Zeitschrift für physiologische Chemie.
Helv.	Helvetica Chimica Acta.
J.biol.Ch.	Journal of Biological Chemistry.
Kli.Wo.	Klinische Wochenschrift.
M.m.W.	Münchener medizinische Wochenschrift.
Naturwiss.	Die Naturwissenschaften.
Soc.	Journal of the Chemical Society, London.

ENZYME
TEIL A

Allgemeines.

Klassifikation und Nomenklatur der Enzyme.

Von

Otto Hoffmann-Ostenhof[*].

In den letzten Jahrzehnten ist die Anzahl der bekannt gewordenen Enzyme sehr rasch angewachsen. Da es bis vor kurzem keine verbindlichen Regeln für die Klassifikation und die Nomenklatur der Enzyme gab, war eine Situation entstanden, die eine internationale Einigung auf diesem Gebiet erforderlich machte. Der unkontrollierten Bezeichnung von mehr als 700 Enzymen, wobei zahlreiche Enzyme unter mehr als einem Namen bekannt waren und viele Enzymnamen sehr leicht zu Mißverständnissen Anlaß gaben, konnte, obwohl sich Einzelne und Gruppen von Wissenschaftlern um eine Neuregelung der gesamten Enzymnomenklatur oder der Namensgebung in einzelnen Enzymklassen bemühten[1-3], nur durch die Arbeit einer internationalen Kommission, welche die Autorität der Internationalen Union für Biochemie hinter sich hatte, ein Ende bereitet werden. Eine derartige Kommission wurde 1956 gegründet und beendete ihre Tätigkeit 1961 mit der Herausgabe eines Berichtes[4], der neben anderen für die Enzymologie wesentlichen Regelungen als Hauptteil eine Revision der Klassifikation und Nomenklatur der Enzyme enthält.

Bei dieser Arbeit war sich die Kommission wohl der Schwierigkeiten bewußt, die durch eine Abänderung der Namen vieler wohlbekannter Enzyme entstehen könnte: es war ihre Absicht, möglichst viele der existierenden Namen beizubehalten, wenn kein besonderer Grund für eine Änderung bestand. Trotzdem waren, um die vorherrschende Konfusion zu beenden, zahlreiche Neubenennungen erforderlich.

I. Allgemeine Regeln.

Es wird festgestellt, daß Enzymnamen, welche auf -ase enden, grundsätzlich nur für Einzelenzyme verwendet werden sollen. Systeme, welche mehr als ein Enzym enthalten, werden nicht auf diese Weise bezeichnet. Wenn es wünschenswert ist, ein solches System auf Grund der von ihm katalysierten Gesamtreaktion zu benennen, so wird das Wort System in den Namen eingebaut. Beispiel: Das Enzymsystem, welches die Oxydation von Bernsteinsäure durch O_2 katalysiert und aus Succinat-Dehydrogenase, verschiedenen Überträger-Katalysatoren und Cytochromoxydase besteht, wird nicht Succinatoxydase sondern Succinatoxydase-System genannt. Auch für die Klassifikation werden nur Einzelenzyme und keine zusammengesetzten Enzymsysteme berücksichtigt.

Die chemische Reaktion, welche von einem Enzym katalysiert wird, ist diejenige spezifische Eigenschaft, welche die Enzyme voneinander unterscheidet. Da eine Klassifikation auf Grund der chemischen Zusammensetzung der Enzyme zur Zeit — und auch in der näheren Zukunft — nicht als möglich erscheint, ist der einzige logische und systematische Weg zu einer sinnreichen Klassifikation und Nomenklatur, die von den Enzymen

---

[*] Organisch-Chemisches Institut der Universität Wien.
[1] HOFFMANN-OSTENHOF, O.: Adv. Enzymol. 14, 219 (1953). Enzymologie. Wien 1954.
[2] BEINERT, H., D. E. GREEN, P. HELE, O. HOFFMANN-OSTENHOF, F. LYNEN, S. OCHOA, G. POPJAK and R. RUYSSEN: Biochem. J. 64, 782 (1956).
[3] Protokolle der deutschsprachigen Nomenklaturkommission für Enzyme. Berlin 1956 (nur in hektographierter Form erschienen).
[4] Report of the Commission on Enzymes of the International Union of Biochemistry. Oxford 1961.

katalysierten Vorgänge als Grundlage zu benützen. Der Typus der katalysierten Reaktion bestimmt die Klassifikation der Enzyme in verschiedene Gruppen; diese Klassifikation gemeinsam mit den Namen der Substrate stellen die Grundlagen für die Namensgebung dar.

Dabei wird nur die Gesamtreaktion, wie sie in der formalen Reaktionsgleichung ausgedrückt ist, in Betracht gezogen. Somit werden der feinere Reaktionsmechanismus und auch die Bildung von Zwischenprodukten zwischen Enzym und Substraten vernachlässigt: nur die beobachtbare chemische Umsetzung, welche vom Enzym bewirkt wird, gilt als Basis für Klassifikation und Nomenklatur. Allerdings wird in solchen Fällen, wo verschiedene Möglichkeiten der Klassifikation und damit verschiedene Namen zur Auswahl stehen, ein eventuell bekannter Mechanismus zur Entscheidung herangezogen.

Eine Folge des zuletzt Gesagten ist, daß nur solche Enzyme einen systematischen Namen erhalten, von denen die Gleichung der Reaktion, welche sie katalysieren, exakt bekannt ist. Somit dürfen z.B. einige Enzyme, über die man bisher nur weiß, daß sie einen Austausch von Isotopen bewirken, während die zugrunde liegende chemische Reaktion noch unbekannt ist, nicht systematisch benannt werden.

Aber auch, wenn die Reaktion komplett aufgeklärt ist, ist es manchmal erforderlich, eine Wahl zwischen mehreren Möglichkeiten der Klassifikation zu treffen. Ein wichtiges Beispiel dafür stellen die gruppenübertragenden Enzyme dar. Eine enzymkatalysierte Reaktion $X-Y+Z = X+Y-Z$ kann entweder als eine Übertragung der Gruppe Y von X auf Z aufgefaßt werden, oder auch als eine Spaltung der Bindung zwischen X und Y durch die Wirkung von Z. Wenn Z Phosphat, Pyrophosphat oder Arsenat ist, spricht man in solchen Fällen oft von Phosphorolyse, Pyrophosphorolyse oder Arsenolyse und manche Enzyme sind dementsprechend als Phosphorylasen oder Pyrophosphorylasen bekannt. Namen dieses Typus können in der systematischen Nomenklatur nicht verwendet werden, weil durch sie die betreffenden Enzyme von den übrigen Transferasen abgetrennt werden; es ist daher vorzuziehen, sie als Y-Transferasen zu klassifizieren. Allgemein sollte für die Klassifikation diejenige Alternative gewählt werden, welche am besten in das vorliegende Klassifikationssystem paßt.

II. Klassifikation und Numerierung der Enzyme.

Nach dem Vorschlag der Enzymkommission erfolgt die Klassifikation nach einem System, das gleichzeitig eine Grundlage für eine Numerierung bietet (Tabelle 1). Jedes Enzym erhält eine Code-Nummer, die aus vier Teilen besteht, welche durch Punkte voneinander getrennt werden. Die Zuteilung der Code-Nummern erfolgt nach folgenden Prinzipien:

1. Die erste Zahl kennzeichnet die Hauptgruppe der Enzyme, welcher das betreffende Enzym zugeordnet werden muß. Die Enzyme können in 6 Hauptgruppen eingeteilt werden; I. Oxydoreductasen, II. Transferasen, III. Hydrolasen, IV. Lyasen, V. Isomerasen, VI. Ligasen (Synthetasen). Lyasen sind Enzyme, welche auf nichthydrolytische Weise Atomgruppierungen aus ihren Substraten abspalten, wobei eine Doppelbindung im zurückbleibenden Rest des Substratmoleküls entsteht, oder welche den umgekehrten Prozeß, die Anlagerung von Atomgruppierungen an Doppelbindungen, bewirken. Unter Ligasen bzw. Synthetasen werden Enzyme verstanden, welche zwei Moleküle unter gleichzeitiger Spaltung einer Pyrophosphatbindung in ATP oder in einem ähnlichen Triphosphat verknüpfen.

2. Die zweite Zahl bezeichnet die Gruppe. Bei den Oxydoreductasen zeigt sie den Typus der Atomgruppierung in den Donatoren, welche der Oxydation unterliegt (1 bedeutet eine —CHOH-Gruppe, 2 eine Aldehyd- oder Ketogruppe usw., vgl. Tabelle 1); bei den Transferasen legt sie die Atomgruppierung fest, die übertragen wird: bei den Hydrolasen symbolisiert sie den Bindungstypus, der hydrolysiert wird: bei den Lyasen zeigt sie die Bindungsart zwischen dem abgespaltenen Teil und dem Rest des Substrates

Tabelle 1. *Schema der Numerierung und Klassifikation der Enzyme.*

1. Oxydoreductasen.

1.1 Auf die CH—OH-Gruppen von Donatoren wirkend
    1.1.1 Mit NAD oder NADP als Acceptoren
    1.1.2 Mit einem Cytochrom als Acceptor
    1.1.3 Mit O_2 als Acceptor
    1.1.99 Mit anderen Acceptoren

1.2 Auf Aldehyd- oder Ketogruppen von Donatoren wirkend
    1.2.1 Mit NAD oder NADP als Acceptoren
    1.2.2 Mit einem Cytochrom als Acceptor
    1.2.3 Mit O_2 als Acceptor
    1.2.4 Mit Lipoat als Acceptor
    1.2.99 Mit anderen Acceptoren

1.3 Auf CH—CH-Gruppen von Donatoren wirkend
    1.3.1 Mit NAD oder NADP als Acceptoren
    1.3.2 Mit einem Cytochrom als Acceptor
    1.3.3 Mit O_2 als Acceptor
    1.3.99 Mit anderen Acceptoren

1.4 Auf CH—NH_2-Gruppen von Donatoren wirkend
    1.4.1 Mit NAD oder NADP als Acceptoren
    1.4.3 Mit O_2 als Acceptor

1.5 Auf —C—NH-Gruppen von Donatoren wirkend
    1.5.1 Mit NAD oder NADP als Acceptoren
    1.5.3 Mit O_2 als Acceptor

1.6 Auf $NADH_2$ oder $NADPH_2$ als Donatoren wirkend
    1.6.1 Mit NAD oder NADP als Acceptoren
    1.6.2 Mit einem Cytochrom als Acceptor
    1.6.4 Mit einer Disulfidverbindung als Acceptor
    1.6.5 Mit einem Chinon oder einer verwandten Verbindung als Acceptor
    1.6.6 Mit einer stickstoffhaltigen Gruppe als Acceptor
    1.6.99 Mit anderen Acceptoren

1.7 Auf andere stickstoffhaltige Verbindungen als Donatoren wirkend
    1.7.3 Mit O_2 als Acceptor
    1.7.99 Mit anderen Acceptoren

1.8 Auf Schwefelgruppen von Donatoren wirkend
    1.8.1 Mit NAD oder NADP als Acceptoren
    1.8.3 Mit O_2 als Acceptor
    1.8.4 Mit einer Disulfidverbindung als Acceptor
    1.8.5 Mit einem Chinon oder einer verwandten Verbindung als Acceptor
    1.8.6 Mit einer stickstoffhaltigen Gruppe als Acceptor

1.9 Auf Hämgruppen von Donatoren wirkend
    1.9.3 Mit O_2 als Acceptor
    1.9.6 Mit einer stickstoffhaltigen Gruppe als Acceptor

1.10 Auf Diphenole und verwandte Stoffe als Donatoren wirkend
    1.10.3 Mit O_2 als Acceptor

1.11 Auf H_2O_2 als Donator wirkend

1.98 Enzyme, welche H_2 als reduzierendes Agens benützen

1.99 Enzyme, welche O_2 als oxydierendes Agens benützen
    1.99.1 Hydroxylasen
    1.99.2 Oxygenasen

2. Transferasen.

2.1 C_1-Transferasen
    2.1.1 Methyltransferasen
    2.1.2 Hydroxymethyl-, Formyl- und verwandte Transferasen
    2.1.3 Carboxyl- und Carbamoyltransferasen

2.2 Transferasen für Aldehyd- oder Ketonreste

2.3 Acyltransferasen
    2.3.1 Acyltransferasen
    2.3.2 Aminoacyltransferasen

2.4 Glykosyltransferasen
    2.4.1 Hexosyltransferasen
    2.4.2 Pentosyltransferasen

2.5 Transferasen für Alkylgruppen und verwandte Gruppen

2.6 Transferasen für stickstoffhaltige Gruppen
    2.6.1 Aminotransferasen
    2.6.2 Amidinotransferasen
    2.6.3 Oximinotransferasen

2.7 Transferasen für phosphorhaltige Gruppen
    2.7.1 Phosphotransferasen mit einer Alkoholgruppe als Acceptor
    2.7.2 Phosphotransferasen mit einer Carboxylgruppe als Acceptor
    2.7.3 Phosphotransferasen mit einer stickstoffhaltigen Gruppe als Acceptor
    2.7.4 Phosphotransferasen mit einer Phosphogruppe als Acceptor
    2.7.5 Scheinbar intramolekular wirkende Phosphotransferasen
    2.7.6 Pyrophosphotransferasen
    2.7.7 Nucleotidyltransferasen
    2.7.8 Transferasen für anders substituierte Phosphogruppen

2.8 Transferasen für schwefelenthaltende Gruppen
    2.8.1 Schwefeltransferasen
    2.8.2 Sulfotransferasen
    2.8.3 CoA-Transferasen

Tabelle 1. (Fortsetzung.)

3. Hydrolasen.

3.1 Auf Esterbindungen wirkend
   3.1.1 Carboxylester-Hydrolasen
   3.1.2 Thiolester-Hydrolasen
   3.1.3 Phosphomonoester-Hydrolasen
   3.1.4 Phosphodiester-Hydrolasen
   3.1.5 Triphosphomonoester-Hydrolasen
   3.1.6 Schwefelsäureester-Hydrolasen

3.2 Auf glykosidische Bindungen wirkend
   3.2.1 Glykosid-Hydrolasen
   3.2.2 Hydrolasen für N-Glykosylverbindungen
   3.2.3 Hydrolasen für S-Glykosylverbindungen

3.3 Auf Ätherbindungen wirkend
   3.3.1 Thioäther-Hydrolasen

3.4 Peptid-Hydrolasen
   3.4.1 α-Aminopeptid-Aminoacidohydrolasen
   3.4.2 α-Carboxypeptid-Aminoacidohydrolasen
   3.4.3 Dipeptid-Hydrolasen
   3.4.4 Peptid-Peptidohydrolasen

3.5 Auf —C—N-Bindungen wirkend
   3.5.1 In geradkettigen Amiden
   3.5.2 In cyclischen Amiden
   3.5.3 In geradkettigen Amidinen
   3.5.4 In cyclischen Amidinen
   3.5.99 In anderen Verbindungen

3.6 Auf Säureanhydrid-Bindungen wirkend
   3.6.1 In phosphorylhaltigen Anhydriden

3.7 Auf —C—C-Bindungen wirkend
   3.7.1 In Ketonkörpern

3.8 Auf Halogen-Bindungen wirkend
   3.8.1 In C-Halogen-Verbindungen
   3.8.2 In P-Halogen-Verbindungen

3.9 Auf >P—N-Bindungen wirkend

4. Lyasen.

4.1 C—C-Lyasen
   4.1.1 Carboxy-Lyasen
   4.1.2 Aldehyd-Lyasen
   4.1.3 Ketosäure-Lyasen

4.2 C—O-Lyasen
   4.2.1 Hydro-Lyasen
   4.2.99 Andere C—O-Lyasen

4.3 C—N-Lyasen
   4.3.1 Ammoniak-Lyasen
   4.3.2 Amidin-Lyasen

4.4 C—S-Lyasen

4.5 C-Halogen-Lyasen

5. Isomerasen.

5.1 Racemasen und Epimerasen
   5.1.1 Auf Aminosäuren und ihre Derivate wirkend
   5.1.2 Auf Hydroxysäuren und ihre Derivate wirkend
   5.1.3 Auf Kohlenhydrate und ihre Derivate wirkend

5.2 *Cis-trans*-Isomerasen

5.3 Intramolekulare Oxydoreductasen
   5.3.1 Aldose-Ketose-Isomerasen
   5.3.2 Keto-Enol-Isomerasen
   5.3.3 C=C-Bindungen verschiebend

5.4 Intramolekulare Transferasen
   5.4.1 Acylgruppen übertragend
   5.4.2 Phosphogruppen übertragend
   5.4.99 Andere Gruppen übertragend

5.5 Intramolekulare Lyasen

6. Ligasen.

6.1 C—O-Ligasen
   6.1.1 Aminosäure-RNA-Ligasen

6.2 C—S-Ligasen
   6.2.1 Säure-Thiol-Ligasen

6.3 C—N-Ligasen
   6.3.1 Säure-Ammoniak-Ligasen (Amid-Synthetasen)
   6.3.2 Säure-Aminosäure-Ligasen (Peptid-Synthetasen)
   6.3.3 Cycloligasen
   6.3.4 Andere C—N-Ligasen
   6.3.5 C—N-Ligasen mit Glutamin als N-Donator

6.4 C—C-Ligasen

an; bei den Isomerasen wird die Art der Isomerisierung festgelegt: bei den Ligasen schließlich bezeichnet sie die Art der Bindung, die entsteht.

3. Die dritte Zahl bezeichnet die Untergruppe. Im Falle der Oxydoreductasen legt sie für jeden Fall eines Donors den Typus des Acceptors fest (1 bedeutet ein Coenzym, NAD oder NADP, 2 ein Cytochrom, 3 molekularen Sauerstoff usw.). Damit kennzeichnen

die drei ersten Teile der Enzymnummer eindeutig die Natur des Enzyms; 1.2.3 bedeutet z. B. eine Oxydoreductase mit einem Aldehyd als Donator und O_2 als Acceptor. In den anderen Gruppen gibt die dritte Zahl ebenfalls eine weitergehende Präzisierung über die Spezifität.

4. Die vierte Zahl in der Enzymnummer ist schließlich die Ordnungsnummer des Enzyms in seiner Untergruppe.

In einigen wenigen Fällen ist es notwendig, das Wort „andere" in der Bezeichnung von Gruppen oder Untergruppen aufzunehmen. In solchen Fällen wird die Zahl 99 eingesetzt (wenn erforderlich, auch 98, 97 usw.), damit genügend Möglichkeiten für neue Unterteilungen offengelassen werden.

Diese Methode der Numerierung stellt ein System der Klassifikation dar und zeigt exakt die Natur der von einem Enzym katalysierten Reaktion an. Daneben hat sie auch noch den Vorteil, daß die Entdeckung eines neuen Enzyms einer bereits bekannten Klasse nicht die gesamte Numerierung stört, wie das bei einer fortlaufenden Numerierung der Fall wäre. Man wird in solchen Fällen das neue Enzym an das Ende derjenigen Untergruppe stellen, zu welcher es gehört und ihm die erste freie Nummer geben. Damit ist es zwar meist nicht möglich, es genau neben das Enzym zu stellen, dem es am meisten ähnlich ist; es wird aber auf jeden Fall richtig klassifiziert sein. Ebenso wird es bei Bedarf möglich sein, neue Hauptgruppen, Gruppen und Untergruppen zu schaffen, ohne die bisherige Systematik zu verändern.

Die von der Kommission den einzelnen Enzymen zugeteilten Nummern sollen immer denselben Enzymen als ein Mittel der Identifizierung zugeordnet bleiben. Auch bei einer künftig notwendig erscheinenden Revision der Enzymliste, sollen die Enzymnummern nicht verändert werden. Neue Code-Nummern sollen nur auf Grund eines Beschlusses eines dafür autorisierten Komitees (das zur Zeit bestehende ständige Komitee für Enzyme der Internationalen Union für Biochemie[1] oder eine erneuerte Enzymkommission) zugeordnet werden; eine Numerierung von neuentdeckten Enzymen durch den Entdecker ist unerwünscht.

III. Systematische und triviale Nomenklatur.

In Analogie zu anderen Wissenschaftszweigen, wie z. B. der Botanik oder der Zoologie, werden die Enzyme mit zwei Arten von Namen bezeichnet. Von diesen ist der eine ein systematischer Name und der andere ein Trivialname. Der systematische Name eines Enzyms ist nach ganz bestimmten Regeln gebildet: er gibt eine exakte Angabe über die Natur der katalysierten Reaktion und erlaubt somit eine komplette Identifizierung. Diese systematischen Namen sind allerdings in vielen Fällen von einer unhandlichen Länge: außerdem würde ihre alleinige Einführung bewirken, daß fast alle bekannten Enzyme umbenannt werden müßten. Zur Vermeidung dieser Schwierigkeiten wurde eine Trivialnomenklatur geschaffen; diese gibt kürzere Namen, welche nicht immer sehr systematisch oder exakt, aber in den meisten Fällen mit den bisher üblichen Namen identisch sind. Nur wenn tatsächlich die Gefahr von Mißverständnissen besteht oder ein anderer wichtiger Grund vorliegt, hat die Kommission bei der Trivialnomenklatur Änderungen der üblichen Bezeichnungen vorgenommen. Eine Liste dieser Änderungen findet sich in Tabelle 2.

Bezüglich der Verwendung der beiden Nomenklatur-Reihen wird folgendes bestimmt: In einer Arbeit, die sich mit einem bestimmten Enzym befaßt, sollen bei der ersten Erwähnung dieses Enzyms seine Code-Nummer, sein systematischer Name (wo ein solcher existiert) und seine Herkunft genannt werden; bei späteren Nennungen im Text kann dann der Trivialname verwendet werden. In Arbeiten, die sich nicht vorwiegend mit einem Enzym befassen, können Enzyme bei ihrer ersten Nennung durch ihre Code-Nummer identifiziert werden.

---

[1] Sekretär: Dr. E. C. WEBB, Department of Biochemistry, Tennis Court Road, Cambridge, England.

Es wird als besonders wichtig angesehen, daß die systematische Nomenklatur in Kurzreferaten Verwendung findet, da hier die Gefahr der Verwechslung die größte ist und wesentliche Folgen haben kann. Es wird somit empfohlen, daß in allen Kurzreferaten („Abstracts") die Enzyme durch ihre Code-Nummer, den systematischen Namen und die Herkunft genau identifiziert werden.

Neuentdeckte Enzyme und Enzyme, welche noch nicht in der Liste der Enzymkommission enthalten sind, können vom Entdecker entsprechend den unten gegebenen Regeln sowohl mit einem systematischen als auch mit einem Trivialnamen benannt werden; hingegen soll keine Code-Nummer zugeteilt werden.

Tabelle 2. *Enzymnamen, die nach der neuen Nomenklaturregelung nicht mehr verwendet werden sollten.*

Bisheriger Name	System-Nummer	Systematischer Name	Trivialname
Aconitase	4.2.1.3	Citrat-(Isocitrat)-Hydro-Lyase	Aconitat-Hydratase
Adenylosuccinase	4.3.2.2	Adenylosuccinat-AMP-Lyase	Adenylosuccinat-Lyase
Ali-esterase	3.1.1.1	Carboxylester-Hydrolase	Carboxylesterase
Alliinase	4.4.1.4	Alliin-Allylsulfenat-Lyase	Alliin-Lyase
„Altes gelbes Ferment"	1.6.99.1	$NADPH_2$:(Acceptor)-Oxydoreductase	$NADPH_2$-Diaphorase
Argininosuccinase	4.3.2.1	L-Argininosuccinat-Arginin-Lyase	Argininosuccinat-Lyase
Aspartase	4.3.1.1	L-Aspartat-Ammoniak-Lyase	Aspartat-Ammoniak-Lyase
α-Carboxylase	4.1.1.1	2-Oxosäure-Carboxy-Lyase	Pyruvat-Decarboxylase
Citrat-kondensierendes Enzym („condensing enzyme")	4.1.3.7	Citrat-Oxalacetat-Lyase (CoA-acetylierend)	Citratsynthase
Crotonase	4.2.1.17	L-3-Hydroxyacyl-CoA-Hydro-Lyase	Enoyl-CoA-Hydratase
Diaphorase	1.6.4.3	$NADH_2$:Lipoamid-Oxydoreductase	Lipoamid-Dehydrogenase
Elastase	3.4.4.7		Pankreatopeptidase E
Enolase	4.2.1.11	D-2-Phosphoglycerat-Hydro-Lyase	Phosphopyruvat-Hydratase
Enterokinase	3.4.4.8		Enteropeptidase
Farnesylpyrophosphat-Synthetase	2.5.1.1	Dimethylallylpyrophosphat: Isopentenylpyrophosphat-Dimethylallyltransferase	Dimethylallyltransferase, Prenyltransferase
Fibrinolysin	3.4.4.14		Plasmin
Fumarase	4.2.1.2	L-Malat-Hydro-Lyase	Fumarat-Hydratase
Glutaminsäure-Oxalessigsäure-Transaminase	2.6.1.1	L-Aspartat:2-Oxoglutarat-Aminotransferase	Aspartat-Aminotransferase, Aspartat-Transaminase
Glutaminsäure-Brenztraubensäure-Transaminase	2.6.1.2	L-Alanin:2-Oxoglutarat-Aminotransferase	Alanin-Aminotransferase, Alanin-Transaminase
Glyoxalase I	4.4.1.5	S-Lactoylglutathion-Methylglyoxal-Lyase	Lactoylglutathion-Lyase
Glyoxalase II	3.1.2.6	S-2-Hydroxyacylglutathion-Hydrolase	Hydroxyacylglutathion-Hydrolase
Grenzdextrinase	3.2.1.10	Dextrin-6-Glucanohydrolase	Oligo-1,6-glucosidase
Histidin-α-Desaminase	4.3.1.3	L-Histidin-Ammoniak-Lyase	Histidin-Ammoniak-Lyase
Hyaluronidase	4.2.99.1	Hyaluronat-Lyase	Hyaluronat-Lyase
Invertase	3.2.1.26	β-D-Fructofuranosid-Fructohydrolase	β-Fructofuranosidase

Tabelle 2. (Fortsetzung.)

Bisheriger Name	System-Nummer	Systematischer Name	Trivialname
Kollagenase	3.4.4.19		Clostridiopeptidase A
Laccase	1.10.3.2	p-Diphenol:O$_2$-Oxydoreductase	p-Diphenoloxydase
Lipoxydase	1.99.2.1		Lipoxygenase
Lysolecithin-Migratase	5.4.1.1	Lysolecithin-2,3-Acylmutase	Lysolecithin-Acylmutase
„malic enzyme"	1.1.1.38 und 1.1.1.39	L-Malat:NAD-Oxyreductase (decarboxylierend)	Decarboxylierende Malat-Dehydrogenase
	1.1.1.40	L-Malat:NADP-Oxydoreductase (decarboxylierend)	
Parapepsin	3.4.4.2		Pepsin B
PR-Enzym	3.1.3.17	Phosphorylase-Phosphohydrolase	Phosphorylase-Phosphatase
Protaminase	3.4.2.2		Carboxypeptidase B
Pseudocholinesterase	3.1.1.8	Acylcholin-Acylhydrolase	Cholinesterase
Rhodanese	2.8.1.1	Thiosulfat:Cyanid-Schwefeltransferase	Thiosulfat-Schwefeltransferase
Serindesaminase	4.2.1.13	L-Serin-Hydro-Lyase (desaminierend)	L-Serin-Dehydratase
Subtilisin	3.4.4.16		Subtilopeptidase A
Sucrosephosphorylase (Saccharosephosphorylase)	2.4.1.7	Disaccharid-Glucosyltransferase (unspezifisch)	Saccharose-Glucosyltransferase
Thioltransacetylase A	2.3.1.12	Acetyl-CoA:Dihydrolipoat-S-Acetyltransferase	Lipoat-Acetyltransferase
Thioltransacetylase B	2.3.1.11	Acetyl-CoA:Thioäthanolamin-S-Acetyltransferase	Thioäthanolamin-Acetyltransferase
„Zwischenferment"	1.1.1.49	D-Glucose-6-phosphat:NADP-Oxydoreductase	Glucose-6-phosphat-Dehydrogenase

IV. Die Regeln für die systematische und die triviale Nomenklatur.

α) Regeln, welche für alle Enzyme gelten.

Systematische Nomenklatur

1. Die Namen von Substraten, die Teile der Enzymnamen bilden, werden so präzis wie irgend möglich angegeben; dabei sind allgemein die offiziellen Regeln der IUPAC-Kommissionen zu beachten.

2. Wenn das Substrat normalerweise in Anionform vorliegt, wird der Name des Salzes (auf -at) verwendet. Beispiel: Lactat-Dehydrogenase (nicht Lacticodehydrogenase). Ausnahme: 2-Oxosäure-Carboxylyase.

Triviale Nomenklatur

Allgemein bekannte Trivialnamen von Substraten können benützt werden. D kann für die üblichen Zucker, L für die üblichen Aminosäuren ausgelassen werden. Eine Bezeichnung der Stellungen von Substituenten in den Trivialnamen ist nur dort vorzunehmen, wo Verwechslungen möglich sind.

Systematische Nomenklatur	Triviale Nomenklatur

Systematische Nomenklatur

3. Allgemein übliche Abkürzungen von Substratnamen, welche für den Chemiker trivial sind (z. B. ATP), werden in den systematischen Enzymnamen verwendet; es soll aber keine Neuschaffung solcher Abkürzungen vorgenommen werden.

4. In der deutschen Sprache ohne Belang.

5. Die Bezeichnung von Enzymen mit beschreibenden Namen, wie z. B. „condensing enzyme", „Zwischenferment", „acetataktivierendes Enzym", „pH 5-Enzym", „malic enzyme", ist nur so lange zugelassen, bis die vom Enzym bewirkte Reaktion bekannt ist. Das Wort „aktivierend" sollte nicht im Sinne einer Umformung des Substrats in eine Substanz, die dann weiter reagieren kann, verwendet werden. In Wahrheit aktivieren ja alle Enzyme ihre Substrate, weshalb die Verwendung des Wortes in einem anderen Sinn zu Mißverständnissen Anlaß geben könnte.

6.

7.

8. Ein systematischer Enzymname besteht grundsätzlich aus zwei Teilen, von denen der erste der Name des Substrates bzw. bei bimolekularen Reaktionen die Namen der beiden Substrate getrennt durch ein Colon (Doppelpunkt) ist. Der zweite Teil, der auf -ase endet, bezeichnet die Natur des katalysierten Vorgangs* (vgl. auch Regel 13).

9. Die Endung -ese (wie z. B. in Rhodanese) soll nicht mehr verwendet werden.

10. Der systematische Name enthält immer eine der folgenden Bezeichnungen, wel-

Triviale Nomenklatur

Enzymnamen sollen im Text von Arbeiten keinesfalls abgekürzt werden (z. B. LDH).

In denjenigen Fällen, in welchen der systematische Name genügend kurz ist, um auch als Trivialnamen gebraucht zu werden, besteht kein Bedarf nach einem gesonderten Trivialnamen.

Wenn es irgendwie vermieden werden kann, soll ein Trivialname eines Enzyms nicht auf dem Namen einer Substanz basieren, die selbst kein Substrat des Enzyms ist. Beispiel: Der Name „Crotonase" ist abzulehnen.

Dasselbe gilt auch für die meisten Trivialnamen; allerdings genügt eine weniger exakte Bezeichnungsweise. Die Mehrzahl der Trivialnamen ist mit den bisher allgemein üblichen Enzymnamen identisch. In Einzelfällen wird ein Trivialname auch für mehrere Enzyme verwendet.

Trivialnamen können unter Verwendung dieser und noch weiterer Bezeichnungen ge-

---

* Hier besteht im Deutschen eine Schwierigkeit der Rechtschreibung, die in anderen Sprachen nicht auftritt. Der Verfasser ist der Auffassung, daß in einem systematischen Enzymnamen der bzw. die beiden Namen der Substrate ebenso wie der zweite Teil des Enzymnamens mit Großbuchstaben beginnen sollten und daß die Verbindung der zwei Teile des Enzymnamens durch einen Bindestrich erfolgen sollte. Beispiel: L-Aspartat:2-Oxoglutarat-Aminotransferase.

Systematische Nomenklatur

che die Art der katalysierten Reaktion erkennen lassen: *Oxyreductase, Racemase, Isomerase, Epimerase, Lyase, Ligase, Hydrolase, Transferase, Mutase*. Die Endung -ase wird grundsätzlich niemals an den Namen des Substrats angehängt.

11.

12. Bei reversiblen Reaktionen wird für alle Enzyme einer bestimmten Klasse dieselbe Reaktionsrichtung zur Grundlage für die Nomenklatur gemacht, selbst wenn in einem speziellen Falle diese Richtung experimentell noch niemals beobachtet wurde. Systematische Namen werden somit unter Umständen auf Grund einer Reaktionsgleichung gebildet, die bisher nur in der umgekehrten Richtung bekannt ist.

13. Wenn die von einem Enzym katalysierte Reaktion gleichzeitig zwei voneinander verschiedene Veränderungen des Substrats bewirkt —, z.B. eine oxydative Demethylierung — wird die zweite Funktion durch Zusatz eines entsprechenden Partizips in Klammern bezeichnet. Beispiele: Sarkosin:O_2-Oxydoreductase (demethylierend): D-Aspartat:O_2-Oxydoreductase (desaminierend). Andere Partizipien dieser Art sind: (decarboxylierend), (cyclisierend), (acceptoracylierend), (isomerisierend).

14. Wenn ein Enzym mehr als einen Reaktionstypus katalysiert oder auf mehr als ein Substrat bzw. ein Substratpaar einwirkt, kann sich der Name in der Regel nur auf ein Substrat bzw. Substratpaar und auf eine Reaktion beziehen. Eine allgemeine Regel für solche Fälle konnte nicht aufgestellt werden. Jedes dieser Probleme wurde nach den besonderen Gegebenheiten beurteilt und die getroffene Wahl ist immer bis zu einem gewissen Grad willkürlich. Manchmal ist es möglich, einen Begriff für die Enzymnomenklatur zu benützen, welcher eine ganze Gruppe von Substraten umfaßt.

Triviale Nomenklatur

bildet werden: hier sind auch *Tautomerase, Kinase, Reductase, Oxydase, Dehydrogenase, Peroxydase, Decarboxylase, Carboxylase, Dehydratase, Hydratase, Aldolase* erlaubt. Die direkte Anhängung der Nachsilbe -ase an den Substratnamen erfolgt nur bei Hydrolasen. Ausnahmen; Thiaminase, Ribonuclease.

Der Name „Dehydrase", der in verschiedenen Sprachen sowohl für dehydrogenierende als auch für dehydratisierende Enzyme gebraucht wurde, wird nicht mehr verwendet. Für die zuerstgenannten Enzyme wird Dehydrogenase, für die zuletzt genannten Dehydratase vorgeschrieben.

Trivialnamen werden im allgemeinen nach der Reaktionsrichtung gebildet, die tatsächlich beobachtet wurde. Beispiele; Dehydrogenase oder Reductase; Decarboxylase oder Carboxylase.

β) Regeln für die einzelnen Klassen der Enzyme.
I. Hauptklasse.

Systematische Nomenklatur

15. Alle Enzyme, welche Oxydoreduktionen katalysieren, werden in der systematischen Nomenklatur als *Oxydoreductasen* bezeichnet; die kompletten Namen werden nach dem Schema Donator:Acceptor-Oxydoreductase gebildet.

16. Bei Oxydoreductasen, bei deren Reaktionen NAD oder NADP beteiligt sind, wird das Coenzym grundsätzlich als Acceptor im Enzymnamen genannt; als Ausnahme zu dieser Regel gelten die Enzyme der Gruppe 1.6. Wenn das Enzym für beide Nicotinamid-Coenzyme spezifisch ist, wird dies durch die Bezeichnung NAD(P) angezeigt.

17. Wenn bei einer Oxydoreductase der natürliche Acceptor noch nicht bekannt ist, die Aktivität des Enzyms also bisher nur mit zugesetzten künstlichen Acceptoren gemessen werden kann, wird das Wort (Acceptor) in Klammern an Stelle der Nennung des Acceptors gesetzt, z.B. Succinat:(Acceptor)-Oxydoreductase.

18. Für die Enzyme, welche ihre Substrate in Gegenwart von $NADH_2$ oder $NADPH_2$ und O_2 hydroxylieren, existieren bisher keine systematischen Namen. Diese Reaktionen sind zur Zeit noch nicht genügend erforscht, um dabei die Beteiligung zweier Enzyme auszuschließen.

Triviale Nomenklatur

Die Bezeichnungen *Dehydrogenase* und *Reductase* werden im selben Sinn wie bisher angewandt; Reductase somit in denjenigen Fällen, wo eine Wasserstoffübertragung von derjenigen Substanz, die in der systematischen Nomenklatur als Donator bezeichnet wird, nicht oder nur schwer nachweisbar ist. Der Name *Transhydrogenase* wird für die bisher so benannten Enzyme beibehalten. *Oxydase* darf nur dann verwendet werden, wenn O_2 als Acceptor fungiert, und *Oxygenase* nur in denjenigen Fällen, wenn das O_2-Molekül — zumindest teilweise — in das Substrat eingebaut wird. *Peroxydase* wird für Enzyme verwendet, bei welchen H_2O_2 den Acceptor darstellt: der Name *Katalase* wird beibehalten. In der Trivialnomenklatur wird allgemein nur eines der beiden Substrate im Enzymnamen genannt.

In der Trivialnomenklatur können diese Enzyme nach dem Schema „Substrat-n-Hydroxylase" bezeichnet werden: hier ist n eine Zahl, die angibt, in welcher Stellung des Substrats Hydroxylierung erfolgt.

II. Hauptklasse.

19. Enzyme, welche die Übertragung von Atomgruppen katalysieren, werden *Transferasen* genannt. Ihre Namen werden nach

In der Trivialnomenklatur dürfen die Namen Aminotransferase usw. durch Transaminase usw. ersetzt werden. Weiter gibt

Systematische Nomenklatur

dem Schema „Donator:Acceptor-Übertragene Gruppe-Transferase" gebildet. Beispiel: ATP:Acetat-Phosphotransferase. Eine Zahl kann eingesetzt werden, um die Stellung im Acceptormolekül, an welche die Gruppe übertragen wird, zu kennzeichnen. Beispiel: ATP:D-Fructose-1-Phosphotransferase.

20. Bei allen Phosphotransferasen, bei welchen ATP als eines der Substrate bzw. Reaktionsprodukte fungiert, wird es grundsätzlich als Donator genannt. Bei den Aminotransferasen mit 2-Oxoglutarat (α-Ketoglutarat) als Reaktionsteilnehmer wird diese Substanz immer als Acceptor genannt.

21. Der Teil des Namens, welcher die Natur der übertragenen Gruppe bezeichnet, wird so gewählt, daß daraus keine Rückschlüsse auf den möglichen Mechanismus gezogen werden können (z.B. *Phospho-*, nicht aber „Phosphat-" oder „Phosphoryl-"!).

Triviale Nomenklatur

es einige spezielle Begriffe, um Reaktionstypen zu kennzeichnen, z.B. *Kinase*, wodurch ein Enzym bezeichnet wird, das eine Phosphatübertragung von ATP auf ein genanntes Substrat bewirkt (z.B. Acetokinase); *Pyrophosphokinase* für den analogen Transfer eines Pyrophosphatrestes; *Phosphomutase* für eine scheinbar intramolekulare Phosphatübertragung. Die Namen *Phosphorylase* und *Pyrophosphorylase* passen, wie oben (S. 2) ausgeführt wurde, nicht in das von der Kommission zugrunde gelegte Schema der Enzymklassifikation; manche dieser Namen sind aber so allgemein verbreitet, daß ihr Gebrauch in der Trivialnomenklatur erlaubt werden muß.

III. Hauptklasse.

22. Hydrolysierende Enzyme werden nach dem Muster „Substrat-Hydrolase" benannt. Wenn das Enzym für die Abspaltung einer bestimmten Gruppe spezifisch ist, wird der Name dieser Gruppe vor Hydrolase gesetzt. Beispiel: Adenosin-Aminohydrolase. Diese Gruppe kann in vielen Fällen vom Enzym auch auf andere Moleküle als Wasser übertragen werden; die Hydrolyse kann somit als Sonderfall der Übertragung auf Wasser angesehen werden.

Die allgemeine Bezeichnungsweise der Hydrolasen in der Trivialnomenklatur besteht in der Anhängung des Suffixes -ase an den Substratnamen. Nur wenn dies schwierig ist, soll das Wort Hydrolase verwendet werden. Beispiel; Acetyl-CoA-Hydrolase. Es gibt einige spezielle Namen, die für bestimmte Hydrolasetypen verwendet werden dürfen, z.B. Phosphatase, Desaminase. Normalerweise sollen Enzyme nicht auf Grund der optimalen Bedingungen für ihre Aktivität benannt werden; die „alkalischen" und „sauren" Phosphatasen sowie die ATPasen müssen als Spezialfälle gewertet werden. Eine gleichartige Benennung soll aber in der Zukunft vermieden werden.

23. Eine systematische Nomenklatur der Peptidhydrolasen (eiweißspaltenden En-

Die zur Zeit üblichen Namen der Peptidhydrolasen können weiter als Trivialnamen

| Systematische Nomenklatur | Triviale Nomenklatur |

zyme) ist zur Zeit wegen der Überschneidungen der Spezifität nicht möglich.

gebraucht werden. Trivialnamen neuer Enzyme dieser Gruppe sollen nach dem Muster „Ursprung-Peptidase" gebildet und zur Unterscheidung von anderen Enzymen desselben Ursprungs mit Buchstaben versehen werden. Beispiel: Aspergillopeptidase A. Namen, welche auf bestimmten Proteinsubstraten basieren (z.B. „Kollagenase", „Elastase") oder Namen wie „Koagulase", „Paratrypsin" und „Homotrypsin" sollen nicht mehr verwendet werden.

IV. Hauptklasse.

24. Enzyme, welche auf nicht-hydrolytische Weise Atomgruppierungen aus ihren Substraten abspalten, wobei Doppelbindungen zurückbleiben, sowie Enzyme, welche die inverse Reaktion katalysieren, werden in der systematischen Nomenklatur als *Lyasen* bezeichnet. Präfixe wie *Hydro-*, *Ammoniak-* dienen dazu, um die Natur der Reaktion zu charakterisieren. Beispiel: L-Malat-Hydro-Lyase. *Decarboxylasen* werden als Carboxy-Lyasen bezeichnet. Vor „-Lyase" wird immer ein Bindestrich gesetzt, damit Verwechslungen mit Hydrolasen, Carboxylasen usw. vermieden werden.

Die Namen *Decarboxylase*, *Aldolase* und *Dehydratase* werden beibehalten. „Synthetase" soll nicht für Enzyme dieser Hauptklasse verwendet werden; in den Fällen, wo das bisher üblich war, soll, um die synthetische Wirkung der Reaktion zu betonen, *Synthase* gebraucht werden. Dies gilt auch für diejenigen Enzyme, welche gleichzeitig mit der Anlagerung eine Spaltung einer Thioesterbindung katalysieren.

25. Im Namen von Lyasen wird das komplette Substratmolekül und nicht einer der Teile, in welche es gespalten wird, genannt.

In der Trivialnomenklatur kann, wenn das bisher gebräuchlich war oder wenn die Gleichgewichtslage der Reaktion stark auf Seite der Synthese ist, die synthetisierende Reaktionsrichtung zur Grundlage der Namen genommen werden, man spricht demnach von *Hydratasen*, *Carboxylasen* usw. Beispiel: Fumarat-Hydratase (nicht Fumarase, was ein Enzym bedeuten würde, das Fumarat hydrolytisch spaltet!). *Carbonat-Anhydrase* ist ein Sonderfall; dieser Name wird beibehalten.

V. Hauptklasse.

26. Der allgemeine Name für Enzyme dieser Klasse ist *Isomerase*.

Die Mehrzahl der Trivialnamen der Isomerasen ist mit den systematischen Namen identisch: in einigen Fällen werden kleine Vereinfachungen vorgenommen.

27. Der Typus der Isomerisierung wird durch Präfixe festgelegt; z.B. Maleat-*cis*, *trans*-Isomerase: Phenylpyruvat-keto-enol-Isomerase: 3-Ketosteroid-Δ^4-Δ^5-Isomerase. Enzyme, welche eine Aldose-Ketose-Umwandlung bewirken, werden als *Ketoiso-*

Systematische Nomenklatur

merasen bezeichnet; z.B. L-Arabinose-Ketolisomerase. Wenn die Isomerisierung eine intramolekulare Gruppenübertragung darstellt, wird das Enzym als *Mutase* bezeichnet; ein Enzym, dessen Wirkung als intramolekulare Lyase-Reaktion aufgefaßt werden kann, wird *Lyase (decyclisierend)* genannt: z.B. 4-Carboxymethyl-4-hydroxyisocrotonolacton-Lyase (decyclisierend).

28. Isomerasen, welche Inversionen asymmetrischer Gruppen katalysieren, werden als *Racemasen* oder *Epimerasen* bezeichnet, je nachdem ob das Substrat ein oder mehr Asymmetriezentren enthält. Eine Zahl vor dem Wort Epimerase kennzeichnet die Stellung im Substratmolekül, an der Inversion erfolgt.

Triviale Nomenklatur

VI. Hauptklasse.

29. Enzyme, welche die Verbindung von zwei Substraten unter gleichzeitiger Spaltung einer Pyrophosphatbindung in einem Nucleosidtriphosphat katalysieren, werden als *Ligasen* bezeichnet. Diese Enzyme wurden bisher Synthetasen genannt; dieser Name wurde aber auch für synthetisierende Enzyme gebraucht, bei welchen keine Spaltung eines Nucleosidtriphosphats erfolgt.

30. Die systematischen Namen der Ligasen werden nach dem Schema „$X:Y$-Ligase (ADP)" gebildet, wobei X und Y die beiden Moleküle sind, welche miteinander verbunden werden. Die Substanz, welche in Klammer angeführt ist (in den meisten Fällen ADP oder AMP), ist das Produkt, das aus dem Triphosphat entsteht. Dementsprechend steht der Ausdruck (AMP) für (AMP-freisetzend); es zeigt an, daß ATP das an der Reaktion beteiligte Triphosphat ist und daß die mittlere Pyrophosphatbindung gespalten wird. Die Reaktion ist somit

$$X + Y + \text{ATP} = X - Y + \text{AMP} + \text{PP}.$$

31. In dem Spezialfall, wo Glutamin als Ammoniak-Donator fungiert, darf der Name *Amidoligase* verwendet werden.

Für die Trivialnomenklatur wird die Bezeichnung dieser Enzyme als *Synthetasen* beibehalten, um eine allzu weitgehende Änderung der bestehenden Nomenklatur zu vermeiden. Synthetase darf nicht für Enzyme benützt werden, bei deren Reaktion kein Nucleosidtriphosphat gleichzeitig gespalten wird (vgl. dazu auch Regel 24).

Die Trivialnamen werden nach dem Schema „$X-Y$-Synthetase" gebildet: $X-Y$ ist dabei das Produkt, das durch die Verbindung von X und Y entsteht. Wenn Y CO_2 ist, darf der Name „X-Carboxylase" verwendet werden. Namen des Typus „X-aktivierendes Enzym" sollen nicht mehr gebraucht werden.

V. Die Terminologie der Enzymbildung.

Auch die Bezeichnung der Begriffe, welche bei der Beschreibung der sog. adaptiven Enzymbildung Verwendung finden, bedurfte einer Regelung. Es wurde allgemein empfunden, daß der Begriff „enzymatische Adaptation" nicht sehr glücklich gewählt ist, weil das Wort Adaptation in der Biologie eine spezifische Bedeutung hat; es bezeichnet Modifikationen der Struktur oder der Funktion, welche dem betreffenden Organismus oder der Zelle eine verbesserte Anpassung an gegebene Umstände verleihen. Dementsprechend wäre eine „enzymatische Adaptation" eine Modifikation der Enzymausrüstung, welche dem betreffenden Organismus oder der Zelle die Möglichkeit einer besseren Anpassung an die Lebensumstände verleiht; dies ist aber nicht immer der Sinn, in dem der Begriff gebraucht wird.

Einem Vorschlag einer Reihe von Forschern auf diesem Gebiet[1] folgend, hat die Enzymkommission der Internationalen Union für Biochemie festgelegt, daß der Leitbegriff auf diesem Gebiet nicht mehr Adaptation, sondern Induktion sein soll, worauf sich die gesamte Terminologie aufbauen soll.

Somit wird eine erhöhte Synthese eines spezifischen Enzymproteins unter dem Einfluß einer chemischen Verbindung als *Induktion eines Enzyms* bezeichnet; die Substanz, welche diesen Vorgang bewirkt *(induziert)*, ist der *Induktor*. Ein enzymbildendes System, welches auf diese Weise aktiviert werden kann, wird *induzierbar* genannt und das so entstehende Enzym als *induziert* bezeichnet.

Viele Enzyme werden auch in Abwesenheit eines exogenen Induktors gebildet; für diese wird der Begriff *konstitutiv* beibehalten. Ein einziger Induktor, welcher gleichzeitig ein Substrat ist, kann in manchen Fällen die Bildung einer ganzen Reihe von Enzymen induzieren. Dies kommt offenbar dadurch zustande, daß der ursprüngliche exogene Induktor in eine Reihe von Stoffwechselprodukten umgewandelt wird, von denen jedes wieder als Induktor für dasjenige Enzym fungieren kann, daß seine Umsetzung zum nächsten Glied der Stoffwechselkette bewirkt. Diese Erscheinung wird als *sequentielle Induktion* (nicht simultane oder sukzessive Adaptation) bezeichnet.

Bisher wurden Enzymvorstufen nach zwei verschiedenen Prinzipien benannt. In vielen Fällen wurde an den Enzymnamen das Suffix -ogen angehängt; Beispiele: Trypsinogen, Pepsinogen. Aber auch die Vorsilbe Pro- wurde für denselben Zweck benützt, wie z. B. in Prorennin, Prothrombin. Die Enzymkommission hat zur Vereinheitlichung festgelegt, daß in der Zukunft in allen derartigen Fällen die Vorsilbe Prä- zur Anwendung gelangen soll; die bereits eingeführten Namen sollen allerdings nicht verändert werden.

Einheiten der Enzymwirkungen.

Von

Otto Hoffmann-Ostenhof*.

Es ist nur bei einigen wenigen Enzymen möglich, ihre quantitative Bestimmung auf Grund ihres chemischen oder spektroskopischen Verhaltens vorzunehmen. Dazu ist erforderlich, daß das zu bestimmende Enzym eine charakteristische, leicht nachweisbare chemische Struktur enthält, was aber nur selten der Fall ist. Meist kann eine quantitative Bestimmung von Enzymen nur durch Messung der von ihnen spezifisch katalysierten Reaktionen vorgenommen werden; die Menge des Enzyms wird durch die ihr unter geeigneten Bedingungen proportionale Reaktionsgeschwindigkeit bestimmt.

Da es nun in den meisten Fällen nicht möglich ist, die Menge eines Enzyms in absoluten Werten, d. h. in mg oder Mol Enzym, auszudrücken, werden allgemein sog. Enzymeinheiten verwendet. Eine Enzymeinheit steht in einer willkürlich festgelegten Beziehung zur Geschwindigkeit der Enzymreaktion, d. h., 1 Einheit eines Enzyms ist üblicherweise definiert als diejenige Enzymmenge, die unter festgelegten Bedingungen eine bestimmte Reaktionsgeschwindigkeit bewirkt.

Nur in denjenigen Fällen, in denen ein Enzym bereits in gereinigtem Zustand erhalten wurde, kann man die Reaktionsgeschwindigkeit auch in eine direkte Beziehung zur

---

* Organisch-Chemisches Institut der Universität Wien.
[1] COHN, M., J. MONOD, M. R. POLLOCK, S. SPIEGELMAN and R. Y. STANIER: Nature **172**, 1096 (1953).

absoluten Menge des Enzyms bringen. Dazu muß die spezifische Aktivität des reinen Enzyms (in Einheiten pro mg) oder seine molekulare Aktivität (in Einheiten pro Mikromol) bestimmt werden, woraus sich auch für unreine Präparationen auf Grund der gemessenen Enzymeinheiten die Menge des Enzyms in mg oder Mikromol berechnen läßt. Allerdings ist die Reinheitsbestimmung eines Enzyms recht schwierig und bisher auch nur bei vergleichsweise wenigen Enzymen exakt durchgeführt worden.

Bisher herrschte auf dem Gebiet der Enzymeinheiten eine ziemliche Verwirrung, da für die verschiedenen Enzyme — in einigen Fällen sogar für ein und dasselbe Enzym — verschieden definierte Einheiten vorgeschlagen wurden. Weder in bezug auf die Meßbedingungen noch bezüglich der Zeiteinheit oder des Ausdrucks für die umgesetzte Substratmenge bestand irgendwelche Einheitlichkeit. Dies hatte zur Folge, daß die Aktivitäten verschiedener Enzyme nicht miteinander verglichen werden konnten; in manchen Fällen war es sogar unmöglich, Messungen an ein und demselben Enzym miteinander zu vergleichen, da die verschiedenen Versuchsbedingungen eine exakte Festlegung eines Umrechnungsfaktors unmöglich machten.

Aus diesen Gründen hat kürzlich die Enzymkommission der Internationalen Union für Biochemie[1] eine Standardeinheit für Enzyme definiert, welche für alle Enzyme anwendbar sein soll und die Aktivität in absoluten Werten angibt. Dadurch werden die oben geschilderten Schwierigkeiten beseitigt. Es ist sehr zu hoffen, daß durch diese Festlegung alle anderen, bisher gebrauchten Einheiten der Enzymwirkung ersetzt werden können.

Nach den Empfehlungen dieser Kommission lautet die Definition der Enzymeinheit:
Eine Einheit (E) eines jeden Enzyms ist diejenige Enzymmenge, welche die Umwandlung von 1 Mikromol Substrat pro min unter definierten Bedingungen katalysiert. Die Bedingungen werden folgendermaßen festgelegt: *Die Temperatur soll 25° C betragen; die anderen Reaktionsbedingungen, insbesondere p_H und Substratkonzentration, sollen optimal sein.*

Was die Grunddefinition betrifft, müssen hier zwei Spezialfälle erwähnt werden:

a) Wenn das Substrat einer Enzymreaktion ein Protein, ein Polysaccharid oder ein anderes Molekül, von dem durch das Enzym mehr als eine Bindung angegriffen werden kann, ist, soll in der Definition an Stelle von „1 Mikromol Substrat" „1 Mikroäquivalent der angegriffenen Gruppe" eingesetzt werden. Es wird somit z.B. die Zahl der Peptid- oder Glykosidbindungen, welche bei der Reaktion gelöst werden, als Maß für die Reaktion genommen.

b) Im Falle einer bimolekularen Reaktion $A + B = C + D$ beruht die Definition der Einheit selbstverständlich entweder auf 1 Mikromol von Substrat A *oder* 1 Mikromol von Substrat B. Im Sonderfall, daß A und B identisch sind, muß man auf 2 Mikromol Substrat beziehen, damit eine vollständige Reaktion das Maß für die Geschwindigkeit darstellt.

Es kann angenommen werden, daß die Temperatur von 25° C für praktisch alle Enzymreaktionen anwendbar ist. Sie ist hoch genug, um eine gut meßbare Aktivität erwarten zu lassen, und andererseits nicht so hoch, daß eine Denaturierung der meisten Enzyme zu befürchten ist. Außerdem ist sie diejenige Temperatur, welche allgemein in physikalisch-chemischen Arbeiten als Standardtemperatur angewendet wird; sie wird auch im „National Formulary" (USA) für Enzymbestimmungen vorgeschlagen.

Außer in den wenigen Fällen, in denen es bekannt ist, daß die Reaktionsgeschwindigkeit während der ganzen Meßperiode konstant bleibt, soll man für Enzymbestimmungen möglichst die Messung der Anfangsgeschwindigkeiten der katalysierten Reaktion heranziehen. Bei einem stärkeren Abfall der Reaktionsgeschwindigkeit während der Meßperiode, der z.B. durch Bildung von inhibierenden Produkten oder auch durch eine nicht vernachlässigbare Rückreaktion in reversiblen Systemen bedingt sein kann, ist die umgesetzte Substratmenge nicht mehr der Enzymkonzentration proportional.

---

[1] Report of the Commission on Enzymes of the International Union of Biochemistry 1961. Oxford: Pergamon Press. 1961.

Bei der Messung der Anfangsgeschwindigkeit soll die Ausgangskonzentration an Substrat hoch genug sein, um eine völlige Substratsättigung des Enzyms zu ermöglichen; dadurch sollte die zu messende Reaktion annähernd nullter Ordnung werden. In manchen Fällen kann allerdings eine Substratsättigung des Enzyms wegen begrenzter Löslichkeit des Substrats oder auch wegen einer zu niedrigen Affinität des Enzyms zum Substrat nicht erreicht werden. Hier wird empfohlen, die MICHAELIS-Konstante zu bestimmen und auf diese Weise die gemessene Reaktionsgeschwindigkeit auf diejenige Geschwindigkeit umzurechnen, welche bei vollkommener Substratsättigung des Enzyms vorliegen müßte. Wenn die bei einer Substratkonzentration S gemessene Geschwindigkeit gleich v ist, so ist die Geschwindigkeit bei Sättigung $V = v(1 + K_m/S)$. Wenn die Substratkonzentration im Vergleich zur MICHAELIS-Konstante sehr klein ist, besteht zwischen v und V die Beziehung $v = (V/K_m)S$. In solchen Fällen war es bisher oft üblich, die Aktivitäten in Werten der Geschwindigkeitskonstante erster Ordnung k anzugeben. Da nun $v = k \cdot S$, läßt sich V durch Multiplikation von k mit K_m errechnen.

Die oben vorgeschlagene Einheit ist eine absolute Einheit; es lassen sich mit ihrer Hilfe die Aktivitäten verschiedener Enzyme vergleichen. Allerdings haben die einzelnen Enzyme oft sehr verschieden große Aktivitäten; Unterschiede um viele Zehnerpotenzen sind nicht selten. Zur Vermeidung von unhandlich großen oder kleinen Zahlenwerten ist es erlaubt, die Präfixe des metrischen Systems zu verwenden und die Resultate in Millieinheiten (mE), Kiloeinheiten (kE) usw. anzugeben.

Es gibt eine Anzahl von Enzymen, deren Aktivitäten gewöhnlich durch die von ihnen bewirkten physikalischen Änderungen des Substrats, wie z.B. durch die Viscositätsänderung, ausgedrückt werden, wobei es oft nicht bekannt ist, in welcher quantitativen Beziehung die beobachtete physikalische Änderung zu der ihr zugrunde liegenden chemischen Veränderung des Substrates steht. Um zu den oben definierten Enzymeinheiten zu gelangen, ist es hier unbedingt erforderlich, die quantitativen Zusammenhänge zwischen physikalischen und chemischen Enzymwirkungen zu bestimmen; wenn diese nicht proportional sein sollten, ist es meist möglich, Kurven zu konstruieren, aus denen dann die Einheiten abgelesen werden können.

Abgeleitete Größen. Mit Hilfe der oben gegebenen Definition der Einheit der Enzymwirkung ist es möglich, eine Anzahl anderer Größen zu definieren:

Die *Konzentration einer Enzymlösung* (nicht ihre Reinheit) wird normalerweise in Einheiten pro ml angegeben.

Die *spezifische Aktivität einer Enzympräparation* wird als Einheiten pro mg Protein definiert. Sie ist der Reinheit einer Präparation direkt proportional. Wenn die spezifische Aktivität der Präparation durch die spezifische Aktivität des reinen Enzyms dividiert wird, erhält man die Reinheit als den Bruchteil des Gesamtproteins, der aus Enzym besteht.

Die *molekulare Aktivität eines Enzyms* wird definiert als die Zahl Substratmoleküle (oder Äquivalente der angegriffenen Gruppen), welche pro min von 1 Molekül Enzym bei optimaler Substratkonzentration umgesetzt wird; man kommt zur selben Größe, wenn man sie als Einheiten pro Mikromol Enzym definiert, da ja die Einheit durch Mikromol Substrat festgelegt ist.

Wenn ein Enzym eine quantitativ bestimmbare prosthetische Gruppe oder ein katalytisches Zentrum, dessen Konzentration gemessen werden kann, besitzt, kann die Wirksamkeit als *Aktivität pro katalytisches Zentrum* ausgedrückt werden. Diese läßt sich als die Zahl der Substratmoleküle definieren, welche in der Minute pro katalytisches Zentrum umgesetzt werden. Die molekulare Aktivität und die Aktivität pro katalytisches Zentrum werden dann identisch, wenn das Enzymmolekül nur ein aktives Zentrum enthält; wenn n Zentren vorliegen, ist die molekulare Aktivität das n-fache der Aktivität pro katalytisches Zentrum.

Die Kommission empfiehlt schließlich, die Ausdrücke „turnover number" bzw. Wechselzahl nicht mehr zu verwenden, da diese Begriffe in der Vergangenheit in verschiedenen Bedeutungen gebraucht wurden und deshalb zu Verwirrungen Anlaß geben.

Grundlagen der Kinetik enzymatisch katalysierter Reaktionen.

Von

Ludwig Lumper*.

Mit 16 Abbildungen.

Einleitung.

Enzyme beschleunigen die Geschwindigkeit einer chemischen Umsetzung, lassen jedoch die Lage ihres Gleichgewichtes unverändert und weisen sich dadurch als Katalysatoren aus. Ihre Wirkungsweise kann mit den Methoden der Reaktionskinetik[1] verfolgt werden, welche den Ablauf einer chemischen Reaktion in der Zeit unter definierten Bedingungen beschreibt. Es ist so möglich, über folgende drei Punkte Aussagen zu machen:

1. den Reaktionsweg (welche Zwischenstufen durchlaufen die Ausgangsstoffe, bis sie in die Endprodukte verwandelt sind?);
2. die Reaktionsordnung (wieviele Reaktionsteilnehmer beteiligen sich an einem einzelnen Schritt der Umsetzung?);
3. den Einfluß in der Bruttogleichung nicht erscheinender Stoffe (Katalysatoren) und von Änderungen der äußeren Bedingungen (z. B. Temperatur, Lösungsmittel, Ionenstärke des Mediums) auf die Geschwindigkeit des untersuchten Vorganges.

Die Erfassung der Konzentrationsänderungen während der Umsetzung als Funktionen der Zeit macht die Charakterisierung der Enzyme und ihre quantitative Bestimmung möglich und erweitert die Kenntnis vom Mechanismus der Enzymwirkung[2]. Im Stoffwechsel der lebenden Zelle wirkt eine Vielzahl von Enzymen zusammen. Die experimentelle und mathematische Analyse solcher Enzymketten[3] ist noch in den Anfängen. Erster Einblick wurde durch die Anwendung spektroskopischer Methoden und die Bestimmung der stationären Zwischenstoffkonzentrationen gewonnen[4]. Die folgende Darstellung soll sich auf Reaktionen in geschlossenen Systemen beschränken, die durch ein einziges Enzym katalysiert werden. In diesen bleibt die Stoffmenge stets konstant, in offenen kann eine Zufuhr von Materie oder deren Abtransport stattha ben. In lebenden Zellen haben wir offene Systeme vor uns[5].

A. Über die Reaktionsgeschwindigkeit und die Reaktionsordnung.

GULDBERG u. WAAGE (1879) betrachteten bei der kinetischen Ableitung der Gleichgewichtskonstanten folgende reversible Umsetzung:

$$(A) + (B) + (C) \cdots + (K) \rightleftharpoons (Z) + (Y) + (X) + \cdots + (P) \qquad (1)$$

---

* Physiologisch-Chemisches Institut der Universität Freiburg i. Br. (Direktor: Prof. Dr. H. HOLZER).
Neue Anschrift: Deutsches Wollforschungsinstitut an der Technischen Hochschule Aachen (Direktor: Prof. Dr. H. ZAHN).
Ich danke Herrn Professor Dr. H. HOLZER aufrichtig für viele Diskussionen, die mir die Zusammenstellung dieser Übersicht ermöglicht haben.

[1] HUISGEN, R.: Houben-Weyl, 4. Aufl., Bd. III/1, S. 99. — LAIDLER, K. J.: Chemical Kinetics. New York 1950. — HINSHELWOOD, C. N.: Kinetics of Chemical Change. Oxford 1941. — FROST, A. A., and R. G. PEARSON: Kinetics and Mechanism. New York 1955.

[2] WALLENFELS, K., u. H. SUND; in: Künstliche radioaktive Isotope in Physiologie, Diagnostik und Therapie. 2. Aufl. (Hrsg. SCHWIEGK, H., u. F. TURBA). Bd. I, S. 1142. Berlin-Göttingen-Heidelberg 1961. — HALDANE, J. S. B.: Enzymes. London 1930. — LAIDLER, K. J.: The Chemical Kinetics of Enzyme Action. Oxford 1958. — DIXON, M., and E. C. WEBB: Enzymes. London 1958. — BRAY, H. G., and K. WHITE: Kinetics and Thermodynamics in Biochemistry. London 1957.

[3] DIXON, M.: Multi-Enzyme Systems. Cambridge 1951.

[4] CHANCE, B., B. HESS, D. GARFINKEL and J. HIGGINS: J. biol. Ch. 235, 2426 (1960). — HOLZER, H.: Ergebn. med. Grundl.-Forsch. 1, 191 (1956). — LUNDEGARDH, H.: Biochim. biophys. Acta 35, 340 (1959).

[5] HEARON, J. Z., S. A. BERNHARD, S. L. FRIESS, D. J. BOTTS and M. F. MORALES: Boyer-Lardy-Myrbäck, Enzymes Bd. I, S. 55.

Da das Gleichgewicht von beiden Seiten aus erreicht werden kann, trennten sie die im reversiblen Vorgang enthaltenen „Halbreaktionen" voneinander:

$$(A) + (B) + (C) \cdots + (K) \to (Z) + (Y) + (X) \cdots + (P) \tag{2}$$

und

$$(Z) + (Y) + (X) \cdots + (P) \to (A) + (B) + (C) \cdots + (K) \tag{2a}$$

Der Ablauf einer Halbreaktion wurde von den beiden Autoren durch die Änderung der Konzentration eines Reaktionspartners in der Zeiteinheit erfaßt (Dimension: Mol/l sec) und als *Reaktionsgeschwindigkeit* (v) bezeichnet. Diese ist den Konzentrationen (Mol/l) der sich miteinander umsetzenden Moleküle proportional. Für (2) gilt:

$$v_H = k_1 (A)(B)(C) \ldots (K)^*, \tag{3}$$

und für (2a):

$$v_R = k_2 (Z)(Y)(X) \ldots (P)^*. \tag{4}$$

Der Proportionalitätsfaktor k wird *Geschwindigkeitskonstante* oder *spezifische Reaktionsgeschwindigkeit* (k) genannt. Sie ist gleich der Geschwindigkeit einer Halbreaktion, wenn die Teilnehmer der Umsetzung die Konzentration 1 annehmen. Die Zahl der Konzentrationen, von denen die Geschwindigkeit einer Halbreaktion abhängt, bezeichnet die *Ordnung der Reaktion*[1]. Bestimmen z.B. die Konzentrationen zweier Reaktionspartner die Geschwindigkeit einer Umsetzung, so liegt eine Reaktion II. Ordnung vor. Da die Geschwindigkeit immer die gleiche Dimension besitzt, muß die Geschwindigkeitskonstante die ihre mit der Reaktionsordnung ändern (ist die Zahl der Konzentrationen n, so ist die Dimension von k: $(\text{Mol/Liter})^{-(n-1)} t^{-1} = (\text{Mol/Liter})^{(1-n)} t^{-1}$).

Die Geschwindigkeit der Gesamtreaktion (1) ist durch die Differenz $v_H - v_R$ gegeben. Zumeist denkt man sich eine Reaktion in alleiniger Anwesenheit der Substanzen der linken Gleichungsseite gestartet; deshalb bezeichnet man die Halbreaktion (2) als Hinreaktion und die gegenläufige Umsetzung (2a) als Rückreaktion. Im Gleichgewicht sind die Geschwindigkeiten von Hin- und Rückreaktion gleich und konstant. Bevor dieser Zustand erreicht ist, ändern sich die Konzentrationen der Teilnehmer und folglich auch die Reaktionsgeschwindigkeit in jeder noch so kleinen Zeitspanne. v muß deshalb als differentielle Größe geschrieben werden:

$$v = \frac{dc}{dt} \; (c = \text{Konzentration}, t = \text{Zeit}). \tag{5}$$

Der Wert von v kann negativ oder positiv sein, je nachdem die betrachtete Konzentration zu- oder abnimmt. Wird ein reversibler Vorgang in Abwesenheit der Stoffe einer Seite der Bruttogleichung gestartet, so verläuft sie unter der Bedingung $t \to 0$ irreversibel. Die Geschwindigkeit des Gesamtvorganges wird gleich derjenigen der (praktisch) allein ablaufenden Halbreaktion. Bei enzymatischen Vorgängen mißt man vornehmlich diese *Anfangsgeschwindigkeit (Initialgeschwindigkeit)* (v_0), da sich während des Fortganges der Umsetzung nicht nur der Einfluß der Rückreaktion, sondern noch andere, schwer übersehbare Faktoren (Enzyminaktivierung, p_H-Änderung) bemerkbar machen[2].

B. Einsubstratreaktionen.

Die einfachsten, enzymatisch katalysierten Reaktionen werden durch folgende Gleichung beschrieben:

$$S + E \rightleftharpoons P + E, \tag{6}$$

wobei S das Substrat, E das Enzym und P das Produkt bezeichnen. (Die wichtigsten Abkürzungen werden in Tabelle 1 erklärt.) Hierdurch ist, bezogen auf das Substrat, eine Reaktion I. Ordnung formuliert.

---

* Die International Union of Biochemistry empfiehlt, nicht mehr k_1 und k_2, sondern k_{+1} und k_{-1} zu schreiben.

[1] EUCKEN, A., u. E. WICKE: Grundriß der physikalischen Chemie. 8. Aufl. Leipzig 1956.
[2] SLATOR, A.: Soc. 89, 128 (1906).

Tabelle 1. *Zusammenstellung der Abkürzungen.*
Die unter der Spalte „Vorgeschlagene Abkürzungen" angegebenen Symbole sind von der IUB empfohlen[1].

Abkürzung	Bedeutung	Vorgeschlagene Abkürzungen	Dimension
E	Enzym	E	Mol
ES	Enzym-Substrat-Komplex	ES	Mol
I	Hemmstoff	I	Mol
P	Produkt	P	Mol
S	Substrat	S	Mol
K	Gleichgewichtskonstante: wenn m Zahl der Konzentrationen der rechten Seite, n Zahl der Konzentrationen der linken Seite	K	$\left(\dfrac{\text{Mol}}{\text{Liter}}\right)^{m-n}$
K_D	Dissoziationskonstante		$\left(\dfrac{\text{Mol}}{\text{Liter}}\right)^{n-m}$
K_i	Hemmkonstante (Gleichgewichtskonstante der Reaktion zwischen Hemmstoff und Enzym)	K_i	$\left(\dfrac{\text{Mol}}{\text{Liter}}\right)^{-1}$
K_M	MICHAELIS-Konstante eines Substrates oder Produktes	K_m	$\left(\dfrac{\text{Mol}}{\text{Liter}}\right)$
k	Geschwindigkeitskonstante n. Ordnung	k	$\left(\dfrac{\text{Mol}}{\text{Liter}}\right)^{(1-n)} t^{-1}$
v	Reaktionsgeschwindigkeit	v	$\dfrac{\text{Mol}}{\text{Liter} \cdot \text{sec}}$
v_0	Initialgeschwindigkeit		$\dfrac{\text{Mol}}{\text{Liter} \cdot \text{sec}}$
V_{max}	Sättigungsgeschwindigkeit	V	$\dfrac{\text{Mol}}{\text{Liter} \cdot \text{sec}}$
(X)	Konzentration	(X)	$\dfrac{\text{Mol}}{\text{Liter}}$
$(X)_0$	Betrag der Konzentration beim Start der Reaktion		$\dfrac{\text{Mol}}{\text{Liter}}$
$(X)_t$	Betrag der Konzentration im Zeitpunkt t der Reaktion		$\dfrac{\text{Mol}}{\text{Liter}}$
(x)	konstante vorgegebene Konzentration		$\dfrac{\text{Mol}}{\text{Liter}}$
...H	betrifft die Hinreaktion		
...R	betrifft die Rückreaktion		

1. Die wesentlichsten experimentellen Tatsachen.

Zu Beginn des 20. Jahrhunderts wurden folgende grundlegenden und auch heute noch allgemeingültigen Beobachtungen gemacht[2]:

a) Die Reaktionsgeschwindigkeit ist der Enzymkonzentration direkt proportional:

$$v \sim \text{Enzymkonzentration},$$

wenn diese die einzige variable Größe des Systems ist (Abb. 1).

b) Die Reaktionsgeschwindigkeit ist bei konstant gehaltener Enzymkonzentration und gleichen äußeren Bedingungen von der Substratkonzentration abhängig. Im Bereich

---
[1] Report of the Commission on Enzymes of the International Union of Biochemistry, S. 13. Oxford 1961.
[2] HENRI, V.: Cr. **133**, 891 (1901). H. **39**, 194 (1901/02). — BROWN, A.: Soc. **81**, 373 (1902). — MICHAELIS, L., u. M. L. MENTEN: B. Z. **49**, 333 (1913).

niedriger Substratkonzentration ist die Abhängigkeit linear. Die Steigerung der Umsatzgeschwindigkeit wird mit höheren Konzentrationen an Substrat jedoch geringer und nähert sich schließlich Null. Die Umsetzung hat dann unter den Versuchsbedingungen ihre maximale Geschwindigkeit *(Sättigungsgeschwindigkeit)* (V_{max}) erreicht. Die graphische Darstellung der Abhängigkeit der Reaktionsgeschwindigkeit von der Substratkonzentration wird Sättigungskurve genannt (Abb. 2). Sie hat die Form eines Hyperbelastes. Seltener beschreibt ein anderer Kurvenverlauf den Zusammenhang zwischen v_0 und $(S)_0$[1].

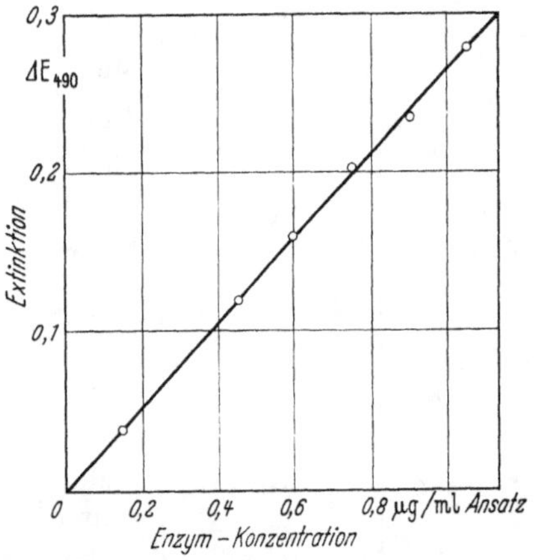

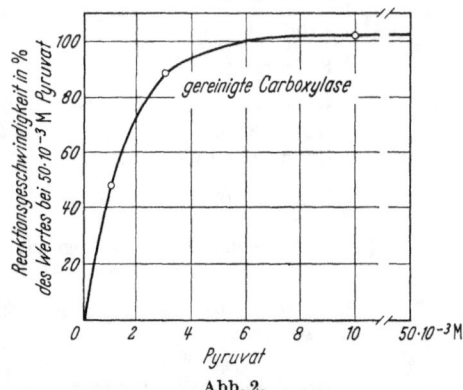

Abb. 1. Abb. 2.

Abb. 1. Die Abhängigkeit der Reaktionsgeschwindigkeit von der Enzymkonzentration wird an der Isomerisierung von Glucose-6-phosphat zu Fructose-6-phosphat durch die Phosphoglucoisomerase gezeigt. Die gebildete Menge Fructose-6-phosphat wird durch Reaktion mit Äthanol/Resorcin/Salzsäuregemisch und Messung der Extinktion bei 405 mµ nachgewiesen[2]. (Temperatur 25° C; Reaktionszeit 1 min; Konzentration an Glucose-6-phosphat 3×10^{-6} M/Liter; p_H 8,0.)

Abb. 2. Sättigungskurve mit Pyruvat bei gereinigter Carboxylase[3]. Optischer Carboxylasetest: 0,16 M Citrat p_H 6,0 + 0,05 M Pyruvat + 0,5 mg enzymatisch reduziertes DPNH + etwa 0,02 mg Alkoholdehydrogenase. Start mit Carboxylase. $d = 1$ cm; Gesamtvolumen 3,0 ml; Wellenlänge 366 mµ; Temperatur 20° C.

c) WURTZ (1880) beobachtete, daß beim Abbau von Fibrin durch Papain eine unlösliche Substanz ausfällt[4]. Seitdem vermutet man als Zwischenstufe des katalytischen Umsatzes durch ein Enzym eine Verbindung zwischen diesem und dem Substrat. Erst in neuerer Zeit war es jedoch möglich, experimentelles Beweismaterial für die Bildung von Enzym-Substrat-Komplexen vorzulegen. Die Verbindungsbildung zwischen Katalase bzw. Peroxydase und Wasserstoffperoxyd[5] und die Arbeiten über die Bindung der Coenzyme an Dehydrogenasen[6] sowie Studien an Proteinasen lassen keinen Zweifel mehr an der Allgemeingültigkeit dieser Vorstellung.

2. Gültigkeitsbereich der Gleichung (6).

Gl. (6) gilt, strenggenommen, nur für Isomerisierungsreaktionen am Enzym oder den Zerfall eines Substratmoleküls, wenn auch während der Zwischenstufen der Reaktion keine Bindung mit einem dritten Stoff eingegangen wird. Die Gleichung wird jedoch auf alle enzymatisch bewirkten Solvolysen anwendbar, wenn das mitreagierende Lösungsmittel oder, allgemeiner, das zweite Substrat in solchem Überschuß vorhanden ist, daß seine Konzentration bis zur Einstellung des Gleichgewichts als konstant angesehen werden kann. (Die Konzentrationen dieser Stoffe bleiben unverändert. Daher treten sie bei der Formu-

---

[1] BOTTS, J.: Trans. Faraday Soc. **54**, 593 (1958). — NORTHROP, J. H.: J. gen. Physiol. **2**, 471 (1920); **6**, 723 (1924). — ADLER, A. J., and G. B. KISTIAKOWSKY: Am. Soc. **84**, 695 (1962).
[2] NOLTMANN, E., u. F. H. BRUNS: B. Z. **331**, 436 (1959).
[3] HOLZER, H., G. SCHULZ, C. VILLAR-PALASI u. J. JÜNTGEN-SELL: B. Z. **327**, 331 (1956).
[4] WURTZ, A.: Cr. **91**, 787 (1880).
[5] KEILIN, D., and T. MANN: Proc. R. Soc. London (B) **122**, 119 (1937). — CHANCE, B.: J. biol. Ch. **151**, 553 (1943). Science, N.Y. **109**, 204 (1949).
[6] DALZIEL, K.: Acta chem. scand. **11**, 1706 (1957). — THEORELL, H., A. P. NYGAARD and R. K. BONNICHSEN: Acta chem. scand. **9**, 1148 (1955). — PFLEIDERER, G., D. JECKEL u. T. WIELAND: B. Z. **329**, 10 (1957). — TAKENAKA, Y., and G. W. SCHWERT: J. biol. Ch. **223**, 157 (1956). — CZERLINSKI, G.: Biochim. biophys. Acta **64**, 199 (1962).

lierung quantitativer Zusammenhänge nicht in Erscheinung, weil diese Größen nicht von den Geschwindigkeitskonstanten getrennt werden können. Die Beschreibung einer solchen Reaktion kann mit den für Gl. (6) entwickelten Formeln erfolgen.) Die Reaktion verläuft also nur scheinbar nach der I. Ordnung[1].

3. Die mathematische Formulierung der Gleichung für die Initialgeschwindigkeit einer enzymatisch katalysierten Reaktion I. Ordnung.

Nimmt man mit MICHAELIS und MENTEN[2] an, daß der erste Schritt einer enzymatisch katalysierten Reaktion die Bildung einer Verbindung zwischen Enzym und Substrat ist, so muß Gl. (6) folgendermaßen geschrieben werden:

$$S + E \underset{k_2}{\overset{k_1}{\rightleftharpoons}} ES \underset{k_4}{\overset{k_3}{\rightleftharpoons}} P + E. \qquad (7)$$

Die Geschwindigkeit der Gesamtreaktion wird sowohl durch das Verschwinden des Substrates als auch durch die Bildungsrate des Produktes angegeben. Für die Reaktion (7) können die folgenden Gleichungen aufgestellt werden:

$$\frac{d(S)_t}{dt} = k_2(ES)_t - k_1(S)_t(E)_t, \qquad (8)$$

$$\frac{d(P)_t}{dt} = k_3(ES)_t - k_4(P)_t(E)_t, \qquad (9)$$

$$\frac{d(ES)_t}{dt} = k_1(S)_t(E)_t + k_4(P)_t(E)_t - k_2(ES)_t - k_3(ES)_t. \qquad (10)$$

Die drei Gleichungen sind voneinander unabhängig. Eine simultane und allgemeingültige Lösung des Gleichungssystems wurde versucht[3]. Wird das Verhalten des Enzym-Substrat-Komplexes während der Umsetzung durch besondere Annahmen festgelegt, so kommt man zu einfachen Lösungen der Gln. (8)—(10). Ob diese Annahmen für die betrachtete Enzymreaktion gelten, sollte durch das Experiment geprüft werden[4].

Es werden zwei Möglichkeiten unterschieden:

α) Befindet sich die erste Teilreaktion der Umsetzung (7)

$$E + S \rightleftharpoons ES$$

im Gleichgewicht, so ist die Konzentration von $(ES)_t$ in jedem Zeitpunkt festgelegt. Dies tritt ein, wenn k_1 und $k_2 \gg k_3$ sind und somit der Zerfall der Enzym-Substrat-Verbindung der geschwindigkeitsbestimmende Schritt der Reaktion wird[2]. Möglichkeiten, festzustellen, ob dies der Fall ist, werden von GUTFREUND und BERNHARD[5] erwähnt.

β) Da die besprochene Annahme nicht allgemeingültig sein kann, nehmen BRIGGS und HALDANE eine stationäre Konzentration von ES_t (stationärer Zustand*, steady state) an[6].

---

* Die Definition des „stationären Zustandes" ist nicht mit der thermodynamischen identisch (s. S. R. DE GROOT: Thermodynamik irreversibler Prozesse. S. 54. Mannheim 1960). Der „stationäre Zustand" bedeutet in dieser Abhandlung die Konstanterhaltung einer Konzentration trotz Materie- und Energiefluß. Es ist die Übersetzung des Begriffs „steady state" und wird synonym mit „Fließgleichgewicht" gebraucht.

[1] FRIEDENWALD, J. S., and G. MAENGWYN-DAVIES; in: Symposium on the Mechanism of Enzyme Action (Hrsg. McELROY and GLASS). S. 156. Baltimore 1954.
[2] MICHAELIS, M., u. M. L. MENTEN: B. Z. 49, 333 (1913).
[3] GUTFREUND, H.: Discuss. Faraday Soc. 20, 167 (1955). — LAIDLER, K. J.: Canad. J. Chem. 33, 1614 (1955). — MORALES, M. F., and D. E. GOLDMAN: Am. Soc. 77, 6069 (1955). — SWOBODA, P. A. T.: Biochim. biophys. Acta 23, 70 (1957). — MILLER, W. G., and R. A. ALBERTY: Am. Soc. 80, 5146 (1958).
[4] KARLSON, P., u. H. LIEBAU: H. 326, 135 (1961).
[5] BERNHARD, S. A., and H. GUTFREUND: Progr. Biophysics 10, 121 (1960).
[6] BRIGGS, G. E., and J. S. B. HALDANE: Biochem. J. 19, 338 (1925). — s. a. WALEY, S. G.: Biochim. biophys. Acta 10, 27 (1953).

Kurz nach Beginn der Reaktion soll sich ein während des größten Teils der Reaktion gleichbleibender Spiegel an Enzym-Substrat-Verbindung gebildet haben, da Bildungs- und Zerfallsgeschwindigkeit von ES gleich geworden sind. Solange dieses Fließgleichgewicht besteht, gilt:

$$\frac{d(ES)_t}{dt} \to 0. \tag{11}$$

Gl. (10) darf deshalb gleich Null gesetzt werden:

$$k_1 (S)_t (E)_t + k_4 (P)_t (E)_t - k_2 (ES)_t - k_3 (ES)_t = 0. \tag{12}$$

Die unter diesen Voraussetzungen erhaltenen Gleichungen für den Ablauf einer enzymatisch katalysierten Reaktion gelten in keinem Fall für ihren allerersten Beginn und das Ende der Reaktion[1]. Kritische Betrachtungen über die tatsächliche Gültigkeit der Steady-State-Hypothese wurden von B. CHANCE und F. A. HOMMES angestellt.

Da $(E)_t$ nur in den seltensten Fällen meßbar ist, darf eine Gleichung für die Reaktionsgeschwindigkeit diese Größe nicht enthalten. In geschlossenen Systemen gilt das Gesetz von der Konstanz der Stoffmengen (Erhaltungsbedingung). Es besagt, daß in jedem Augenblick einer Umsetzung die Summe aus der Konzentration des freien Enzyms $(E)_t$ und des im Enzym-Substrat-Komplex gebundenen Enzyms $(ES)_t$ gleich der Konzentration der gesamten, im Versuch eingesetzten Enzymmenge $(E)_0$ ist:

$$(E)_0 = (E)_t + (ES)_t. \tag{13}$$

Diese Beziehung ermöglicht die Eliminierung von $(E)_t$. Die analoge Aussage gilt auch für das Substrat:

$$(S)_0 = (S)_t + (P)_t + (ES)_t. \tag{14}$$

Wenn die Enzymkonzentration sehr viel kleiner ist als diejenige des Substrates, wird unter den Bedingungen $(P) \to 0$ und $t \to 0$:

$$(S)_0 = (S)_t. \tag{15}$$

a) Ableitung der Gleichung von MICHAELIS und MENTEN.

MICHAELIS und MENTEN[2] behandelten die erste Möglichkeit für das Verhalten von ES (s. S. 21). Zusätzlich dachten sie sich den Zerfall von ES als irreversibel und setzten deshalb in Gl. (7) $k_4 = 0$ (s. auch S. 31). Die Reaktion wird dann durch (16) beschrieben:

$$E + S \underset{k_2}{\overset{k_1}{\rightleftarrows}} ES \overset{k_3}{\to} E + P. \tag{16}$$

Die Gleichung für die Bildungskonstante des Enzym-Substrat-Komplexes — Konzentrationen der rechten Seite der Gleichung $E + S \rightleftharpoons ES$ im Zähler! — gibt unter den angenommenen Bedingungen die Momentankonzentration von ES an:

$$K = \frac{(ES)_t}{(E)_t (S)_t}. \tag{17}$$

Wird in (17) für $(E)_t$ der Wert aus (13) eingesetzt und nach $(ES)_t$ aufgelöst, erhält man:

$$K = \frac{(ES)_t}{((E)_0 - (ES)_t)(S)_t} \ ; \ (ES)_t (1 + (S)_t K) = (E)_0 (S)_t K \ ; \ (ES)_t = \frac{(E)_0 (S)_t K}{1 + K(S)_t}. \tag{18}$$

Die Geschwindigkeit der Bildung des Reaktionsproduktes P ist

$$\frac{d(P)_t}{dt} = v = k_3 (ES)_t. \tag{19}$$

---

[1] HIRSCHFELDER, J. O.: J. chem. Physics **26**, 271 (1957). — LAIDLER, K. J.: Canad. J. Chem. **33**, 1614 (1955). — MILLER, W. G., and R. A. ALBERTY: Am. Soc. **80**, 5146 (1958). — CHANCE, B.: J. biol. Ch. **235**, 2440 (1960). — HOMMES, F. A.: Arch. Biochem. **96**, 28 u. **96**, 32 (1962).
[2] MICHAELIS, M., u. M. L. MENTEN: B. Z. **49**, 333 (1913).

(19) entspricht (9) für $k_4 = 0$, wenn der Zerfall von ES für den Ablauf der Reaktion geschwindigkeitsbestimmend ist. Man erhält durch Kombinieren von (18) mit (19):

$$v_\mathrm{H} = k_3 (\mathrm{ES})_t = \frac{K k_3 (\mathrm{E})_0 (\mathrm{S})_t}{1 + K (\mathrm{S})_t}. \tag{20}$$

Wird die Initialgeschwindigkeit des Vorganges betrachtet $((\mathrm{S})_t = (\mathrm{S})_0)$, so lautet die Gl. (20):

$$v_{0\mathrm{H}} = \frac{K k_3 (\mathrm{E})_0 (\mathrm{S})_0}{1 + K (\mathrm{S})_0}. \tag{21}$$

Diese Gleichung wurde erstmals von MICHAELIS und MENTEN abgeleitet. In die von den beiden Autoren angegebene Form ging allerdings nicht die Bildungskonstante des Enzym-Substrat-Komplexes ein, sondern dessen Zerfallskonstante. Diese ist der Kehrwert von K:

$$K_\mathrm{D} = \frac{1}{K} = \frac{(\mathrm{E})_t (\mathrm{S})_t}{(\mathrm{ES})_t}. \tag{22}$$

Durch Einsetzen von (22) in (21) erhält man

$$v_{0\mathrm{H}} = \frac{k_3 (\mathrm{E})_0 (\mathrm{S})_0 \cdot \frac{1}{K_\mathrm{D}}}{1 + \frac{(\mathrm{S})_0}{K_\mathrm{D}}} = \frac{k_3 (\mathrm{E})_0 (\mathrm{S})_0}{K_\mathrm{D} + (\mathrm{S})_0}. \tag{23}$$

Die Gl. (23) beschreibt den Verlauf der Sättigungskurve (Abb. 2 und 3):

1. Bei sehr großem Substratüberschuß ist K_D im Nenner vernachlässigbar $((\mathrm{S})_0 \gg K_\mathrm{D})$. Die Gl. (23) nimmt die Form

$$v_0 = k_3 (\mathrm{E})_0 \tag{24}$$

an. Bezogen auf das Substrat liegt eine Reaktion 0. Ordnung vor. Die Reaktionsgeschwindigkeit ist also unabhängig von der Substratkonzentration. Durch (24) wird die Parallele zur (S)-Koordinate beschrieben, welcher sich die Sättigungskurve bei hohen Werten von (S) nähert (Abb. 3). Diese Parallele gibt den Wert der unter festgelegten Bedingungen maximal erreichbaren Geschwindigkeit an. Die sogenannte Sättigungsgeschwindigkeit (V_max) wurde anfänglich als Reaktionsgeschwindigkeit bei unendlich großer Substratkonzentration definiert. Hält man sich an diese Definition von V_max, so würde sich ihr Wert mit der Konzentration von Hemmstoffen und Aktivatoren, durch p_H-Änderung oder bei Betrachtung der Reaktion zu einem Zeitpunkt ändern, in welchem der rückläufige Vorgang nicht mehr vernachlässigt werden darf. Deshalb wird besser das Produkt aus der Geschwindigkeitskonstanten der Zerfallsreaktion von ES und der Enzymkonzentration bei $t = 0$, $(\mathrm{E})_0$, diesem Begriff zugrunde gelegt. Die Sättigungsgeschwindigkeit hat den Wert der Zerfallsgeschwindigkeit der Enzym-Substrat-Verbindung, wenn alles Enzym sich mit Substrat vereinigt hat, also kein freies Enzym mehr vorhanden ist[1]:

$$V_{\mathrm{max}\,\mathrm{H}} = k_3 (\mathrm{E})_0. \tag{25}$$

Setzt man $V_{\mathrm{max}\,\mathrm{H}}$ in (23) ein, so erhält man:

$$v_{0\mathrm{H}} = \frac{V_{\mathrm{max}\,\mathrm{H}} (\mathrm{S})_0}{K_\mathrm{D} + (\mathrm{S})_0}. \tag{26}$$

2. Für kleine Konzentrationen von S stellt sich die Sättigungskurve durch folgende Gleichung dar $(K_\mathrm{D} > (\mathrm{S})_0)$:

$$v_{0\mathrm{H}} = \frac{k_3 (\mathrm{E})_0 (\mathrm{S})_0}{K_\mathrm{D}} \quad \text{oder} \quad v_{0\mathrm{H}} = V_{\mathrm{max}\,\mathrm{H}} K (\mathrm{E})_0 (\mathrm{S})_0. \tag{27}$$

Diese Gleichung beschreibt den linearen Anstieg der Sättigungskurve (Abb. 3). In diesem Abschnitt haben wir es mit einer Reaktion I. Ordnung zu tun, wenn die Enzym-

---
[1] SEGAL, H. L.: Boyer-Lardy-Myrbäck, Enzymes, Bd. I, S. 29.

konzentration konstant bleibt. Nach (26) ist K_D durch Messung der Abhängigkeit der Initialgeschwindigkeit von der Konzentration $(S)_0$ leicht zu bestimmen. Wie schon ausgeführt, ist sie die Gleichgewichtskonstante der Reaktion

$$ES \underset{k_2}{\overset{k_1}{\rightleftharpoons}} E + S.$$

Ihre kinetische Ableitung zeigt, daß sie der Quotient zweier Geschwindigkeitskonstanten ist. Im Gleichgewicht sind die Geschwindigkeiten von Hin- und Rückreaktion einer Umsetzung identisch.

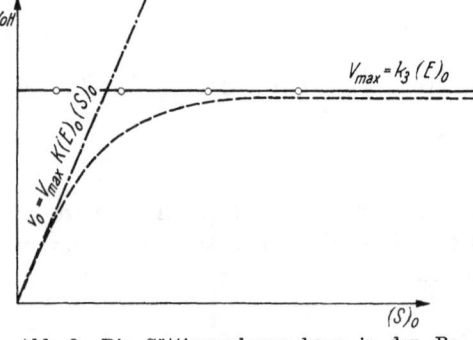

Abb. 3. Die Sättigungskurve kann in den Bereichen hoher und niedriger Substratkonzentration durch eine Gerade ersetzt werden.

Da

$$v_{hin} = k_1 (E)_t (S)_t$$

und

$$v_{rück} = k_2 (ES)_t,$$

gilt im Gleichgewicht:

$$k_1 (E)_t (S)_t = k_2 (ES)_t,$$

$$K_D = \frac{k_2}{k_1} = \frac{(E)_t (S)_t}{(ES)_t}. \tag{28}$$

K_D ist als thermodynamische Gleichgewichtskonstante ein Maß für die Affinität zwischen Enzym und Substrat und wird als *Substratkonstante*[1] bezeichnet.

Wie BRIGGS und HALDANE (s. S. 21) gezeigt haben, ist die in der Gleichung von MICHAELIS und MENTEN enthaltene Konstante nicht notwendigerweise identisch mit K_D. Dies ist allein dann der Fall, wenn die Bildung des Enzym-Substrat-Komplexes sich im Gleichgewicht befindet. Es wird deshalb die in den Gleichungen für die Initialgeschwindigkeit enthaltene Konstante K als MICHAELIS-*Konstante* (K_M) bezeichnet; sie ist diejenige Substratkonzentration, für welche $v_0 = V_{max}/2$.

Ableitung: $v_0 = \frac{V_{max H}}{2}$; einsetzen in Gl. (26): $v_0 = \frac{V_{max H} (S)_0}{K_D + (S)_0}$; $\frac{V_{max H}}{2} = \frac{V_{max H} (S)_0}{K_D + (S)_0}$;

$$\frac{1}{2} K_D + \frac{1}{2} (S)_0 = (S)_0; \quad K_D = (S)_0.$$

b) Ableitung der Gleichung für die Initialgeschwindigkeit einer enzymatisch katalysierten Reaktion nach HALDANE und BRIGGS.

Die Gleichung nach MICHAELIS und MENTEN läßt sich auch unter Annahme eines Fließgleichgewichtes für ES ableiten. Unter dieser Voraussetzung wird die Gleichung für die reversible Einsubstratreaktion

$$E + S \underset{k_2}{\overset{k_1}{\rightleftharpoons}} ES \underset{k_4}{\overset{k_3}{\rightleftharpoons}} E + P \tag{7}$$

abgeleitet. Die Formulierungen für die Initialgeschwindigkeit der isolierten Hin- und Rückreaktion lassen sich als Grenzfälle aus dieser allgemeinen Gleichung entwickeln[2].

Zur Beschreibung eines nach (7) ablaufenden Vorganges benötigt man die 3 Gln. (8), (9) und (10) (s. S. 21). Im stationären Zustand ist $d(ES)/dt = 0$, folglich ändert sich (10) zu (12):

$$k_1 (S)_t (E)_t + k_4 (P)_t (E)_t - k_2 (ES)_t - k_3 (ES)_t = 0. \tag{12}$$

Wird $(E)_t = (E)_0 - (ES)_t$ gesetzt, erhalten wir:

$$k_1 (S)_t ((E)_0 - (ES)_t) + k_4 (P)_t ((E)_0 - (ES)_t) - k_2 (ES)_t - k_3 (ES)_t = 0;$$

---

[1] Report of the Commission on Enzymes of the International Union of Biochemistry, S. 13. Oxford 1961.
[2] ALBERTY, R. A.: Mechanism of Enzyme Action; in: Biophysical Science — A Study Program (Hrsg. ONCLEY, J. L.). S. 177, New York 1959.

Auflösen nach $(ES)_t$ ergibt:

$$(k_1(S)_t + k_2 + k_3 + k_4(P)_t)(ES)_t = k_1(S)_t(E)_0 + k_4(E)_0(P)_t;$$

$$(ES)_t = \frac{k_1(S)_t(E)_0 + k_4(P)_t(E)_0}{(k_1(S)_0 + k_2 + k_3 + k_4(P)_t)}. \tag{29}$$

Die Geschwindigkeit der Gesamtreaktion wird durch die Bildungsrate des Produktes ausgedrückt. Diese ist durch (9) gegeben. Durch Einsetzen von (29) in diese Gleichung entsteht

$$\frac{d(P)_t}{dt} = k_3(ES)_t - k_4(P)_t(E)_t = \frac{k_3(k_1(S)_t(E)_0 + k_4(P)_t(E)_0)}{k_1(S)_t + k_2 + k_3 + k_4(P)_t} - k_4(P)_t(E)_t.$$

Für die Umsetzungsgeschwindigkeit des Substrates gilt nach (8) und (29):

$$\frac{d(S)_t}{dt} = k_2(ES)_t - k_1(E)_t(S)_t = \left(\frac{k_2 k_1(E)_0(S)_t + k_4(E)_0(P)_t}{k_1(S)_t + k_2 + k_3 + k_4(P)_t}\right) - k_1(E)_t(S)_t.$$

In beiden Gleichungen werden folgende Rechenschritte ausgeführt:
1. $(E)_t$ wird durch $(E)_0 - (ES)_t$ ersetzt,
2. die rechte Seite wird auf den gemeinsamen Nenner gebracht,
3. es wird mit $1/k_1$ erweitert und $k_2 + k_3/k_1$ mit K_{MS} bezeichnet.

Man erhält:

$$\frac{d(P)_t}{dt} = \frac{k_3(E)_0(S)_t - \dfrac{k_2 k_4}{k_1}(E)_0(P)_t}{(S)_t + \dfrac{k_4}{k_1}(P)_t + k_2 + k_3 K_{MS}}, \tag{30}$$

$$\frac{d(S)_t}{dt} = \frac{\dfrac{k_4 k_2}{k_1}(E)_0(P)_t - k_3(E)_0(S)_t}{(S)_t + \dfrac{k_4}{k_1}(P)_t + k_2 + k_3 K_{MS}}. \tag{31}$$

Der Vergleich zeigt, daß

$$\frac{d(P)_t}{dt} = -\frac{d(S)_t}{dt}. \tag{32}$$

Bei einer reversiblen Reaktion wird im stationären Zustand genau soviel Substrat in der Zeiteinheit verbraucht, wie Produkt gebildet wird. Durch die Gln. (30) und (31) läßt sich die Geschwindigkeit der Gesamtreaktion ausdrücken.

Die endgültige Formulierung für die Geschwindigkeit der reversiblen Umsetzung bekommt man aus (31) nach Erweitern mit $1/K_{MS}$ und der Einführung von K_{MP} für $(k_2 + k_3)/k_4$:

$$v = \frac{\dfrac{k_3(E)_0(S)_t}{K_{MS}} - \dfrac{k_2(E)_0(P)_t}{K_{MP}}}{1 + (S)_t/K_{MS} + (P)_t/K_{MP}}. \tag{33}$$

Durch die Gl. (33) ist der Ablauf der Umsetzung (7) während der ganzen Reaktionszeit beschrieben mit Ausnahme der prästationären Phase und dem Ende der Reaktion. Da zumeist Initialgeschwindigkeiten gemessen werden, also folgende Bedingungen gegeben sind:

$$t \to 0 \text{ und } \begin{matrix}(S)_t \to (S)_0 \\ (P)_t \to 0\end{matrix} \text{ (Hinreaktion)}$$

oder

$$t \to 0 \text{ und } \begin{matrix}(P)_t \to (P)_0 \\ (S)_t \to 0\end{matrix} \text{ (Rückreaktion)},$$

muß die Form der Gleichung unter diesen Gegebenheiten geprüft werden. Ist das Reaktionsprodukt abwesend, dann werden alle den Faktor $(P)_t$ enthaltenden Glieder in (11) bis (13) Null und die Gl. (33) vereinfacht sich zu

$$v_{0H} = \frac{k_3(E)_0(S)_0}{(S)_0 + K_{MS}} \quad \left(K_{MS} = \frac{k_2 + k_3}{k_1}\right). \tag{34}$$

Wird dagegen die Umsetzung mit Substrat gestartet, dann ist

$$v_{0R} = \frac{k_2 (E)_0 (P)_0}{(P)_0 + K_{MP}} \quad \left(K_{MP} = \frac{k_2 + k_3}{k_4}\right). \tag{35}$$

Diese beiden Gleichungen haben die Form der Gleichung von MICHAELIS und MENTEN und beschreiben die isolierte Hin- bzw. Rückreaktion der Umsetzung (7). Die Konstanten K haben jedoch einen anderen Wert als diejenige in Gl. (23).

Die MICHAELIS-Konstanten K_{MS} und K_{MP} sind keine Gleichgewichtskonstanten, da sie sonst wie K_D (s. Gl. (23)!) aus zwei Geschwindigkeitskonstanten zusammengesetzt sein müßten. Bei den Reaktionen

$$\text{E} + \text{S} \rightleftharpoons \text{ES} \quad \text{und} \quad \text{E} + \text{P} \rightleftharpoons \text{ES}$$
(Bildung des Enzym-Substrat-Komplexes aus dem Substrat) (Bildung des Enzym-Substrat-Komplexes aus dem Produkt)

haben die Dissoziationskonstanten für ES den Wert

$$K_{DS} = \frac{k_2}{k_1} \quad \text{und} \quad K_{DP} = \frac{k_3}{k_4},$$

während die MICHAELIS-Konstanten sich zu

$$K_{MS} = \frac{k_2 + k_3}{k_1} \quad \text{und} \quad K_{MP} = \frac{k_2 + k_3}{k_4}$$

ergeben. Die MICHAELIS-Konstanten sind also nur dann mit den Dissoziationskonstanten identisch, wenn k_3 bzw. k_2 gegenüber k_2 bzw. k_3 vernachlässigt werden kann. Die MICHAELIS-Konstanten sind deshalb kein Maß für die Affinität zwischen Enzym und Substrat. HOGNESS und NIEMANN haben zudem gezeigt, daß nicht einmal das Verhältnis der Affinität zweier Substrate zu einem Enzym aus der Kenntnis ihrer MICHAELIS-Konstanten festgelegt werden darf[1]. Nach

$$K_M = K_D + \frac{k_m}{k_n} \quad (m = 3,2; \; n = 1,4) \tag{36}$$

ist die MICHAELIS-Konstante als der maximal erreichbare Wert von K_D zu betrachten. Nur durch getrennte Bestimmung von K_D und K_M kann gezeigt werden, ob die beiden Größen miteinander übereinstimmen oder verschieden sind. Auf diese Weise wurde festgelegt, daß bei einer Anzahl enzymatischer Umsetzungen K_M und K_D den gleichen Wert besitzen (z.B. Chymotrypsin, Myosin, Trypsin, Saccharase). WALLENFELS u. Mitarb. haben bei der Hydrolyse von o-Nitrophenyl-β-D-galaktosid eine geringe Temperaturabhängigkeit von K_{MS} beobachtet[2]. Die Sättigungsgeschwindigkeit der Hydrolyse besitzt dagegen einen wesentlich größeren Temperaturkoeffizienten, obwohl nach dem Ansatz von BRIGGS und HALDANE V_{maxH} und K_{MS} miteinander durch k_3 verbunden sind. Eine Erklärung der nicht gleichsinnigen Temperaturabhängigkeit beider Größen kann leicht gegeben werden, wenn die Änderung der Temperatur vornehmlich den Teilschritt des Zerfalls von ES in Enzym und Produkt beeinflußt. Ist dann k_2 wesentlich größer als k_3, so ändern sich die Werte von K_{MS} und V_{maxH} als Funktionen von T unabhängig voneinander. Diese Beobachtung kann auch bei anderen Enzymen erste Kenntnis über das Verhältnis von K_{MS} zu K_D des Enzym-Substrat-Komplexes vermitteln. Mit großer Wahrscheinlichkeit darf dies auch angenommen werden, wenn ein Enzym kompetitiv gehemmt wird (s. S. 47)[3]. Die MICHAELIS-Konstanten sind zur Charakterisierung eines Enzyms wohlgeeignete Größen. Physikalisch entscheidend sind die Gleichgewichtskonstanten für die Bildung der Verbindungen aus Enzym und Substrat.

[1] HOGNESS, S., and C. NIEMANN: Am. Soc. 74, 3183 (1952).
[2] WALLENFELS, K., I. LEHMANN u. O. P. MALHOTRA: B. Z. 333, 209 (1960).
[3] SEGAL, H. L., J. F. KACHMAR and P. D. BOYER: Enzymologia 15, 87 (1952). — LAIDLER, K. J.: Discuss. Faraday Soc. 20, 84 (1955).

Die Michaelis-Konstanten für Substrat und Produkt sollten sich voneinander unterscheiden. Meßwerte bei Einsubstratreaktionen sind jedoch kaum in der Literatur vorhanden. Für die Phosphoglucoisomerase der Erythrocyten wurde nur eine geringfügige Differenz festgestellt (K_M für Fructose-6-phosphat: $1,6 \times 10^{-3}$ M/l, K_M für Glucose-6-phosphat: $1,8 \times 10^{-3}$ M/l)[1]. An der Fumarase wurde folgendes Wertepaar bestimmt[2]: K_M der Fumarsäure: $1,37 \times 10^{-3}$ M/l, K_M der Äpfelsäure: $4,81 \times 10^{-3}$ M/l).

In den Gln. (33)—(35) finden sich noch zwei weitere Konstanten, die Produkte $k_3(E)_0$ und $k_2(E)_0$. Sie sind die Sättigungsgeschwindigkeiten der Hin- und Rückreaktion:

$$V_{\max H} = k_3(E)_0 \quad \text{und} \quad V_{\max R} = k_2(E)_0. \tag{36}$$

Werden diese Ausdrücke in Gln. (33)—(35) eingesetzt, so erhält man den Zusammenhang zwischen Reaktionsgeschwindigkeit und den Sättigungsgeschwindigkeiten. Für die reversible Umsetzung gilt:

$$v = \frac{\dfrac{V_{\max H}(S)_t}{K_{MS}} - \dfrac{V_{\max R}(P)_t}{K_{MP}}}{1 + \dfrac{(S)_t}{K_{MS}} + \dfrac{(P)_t}{K_{MP}}} \tag{37}$$

und für die Initialgeschwindigkeiten:

$$v_{0H} = \frac{V_{\max H}(S)_0}{(S)_0 + K_{MS}} \quad \text{(Hinreaktion)} \tag{38}$$

und

$$v_{0R} = \frac{V_{\max R}(P)_0}{(P)_0 + K_{MP}} \quad \text{(Rückreaktion)}. \tag{39}$$

c) Die integrierten Gleichungen.

Jeder bis jetzt gewonnene Ausdruck enthält die Geschwindigkeit der Reaktion. Diese ist der Differentialquotient aus einer Konzentration und der Zeit. Betrachtet man die Konzentrationsänderung über einen längeren Zeitraum, so ist es nicht mehr möglich, anzunehmen, daß $(X)_t = (X)_0$ $(X = S, P)$. Die Abnahme der Stoffkonzentration ist so erheblich, daß die Geschwindigkeit der Reaktion am Anfang und Ende des betrachteten Zeitraumes nicht mehr die gleiche ist. Um die Abnahme der Substratkonzentration zu verfolgen, benötigt man deshalb die integrierten Gleichungen[3]. Es soll hier nur die Integration der Formel für die Initialgeschwindigkeit am Beispiel der Hinreaktion durchgeführt werden[4]:

$$v_0 = -\frac{d(S)_t}{dt} = \frac{k_3(E)_0}{1 + \dfrac{K_{MS}}{(S)_t}}.$$

Diese Gleichung kann leicht durch Trennung der Variablen integriert werden:

$$k_3(E)_0 \int_{t=0}^{t} dt = -\int_{(S)_0}^{(S)_t} \left(1 + \frac{K_{MS}}{(S)_t}\right) d(S)_t;$$

$$k_3(E)_0 \int_{t=0}^{t} dt = -\int_{(S)_0}^{(S)_t} d(S)_t - \int_{(S)_0}^{(S)_t} K_{MS} \frac{d(S)_t}{(S)_t};$$

$$k_3(E)_0 t = ((S)_0 - (S)) + K_{MS} \ln \frac{(S)_0}{(S)};$$

$$k_3(E)_0 t = ((S)_0 - (S)) + 2,3 K_{MS} \log \frac{(S)_0}{(S)}.$$

---
[1] Tsuboi, K., J. Estrada and P. B. Hudson: J. biol. Ch. **231**, 19 (1958).
[2] Bock, R. M., and R. A. Alberty: Am. Soc. **75**, 1921 (1953).
[3] Miller, W. G., and R. A. Alberty: Am. Soc. **80**, 5146 (1958). — Laidler, K. J., and L. Ouellet: Canad. J. Chem. **34**, 146 (1956). — Alberty, R. A.: Boyer-Lardy-Myrbäck, Enzymes Bd. I, S. 151.
[4] Walker, A. C., and C. A. Schmidt: Arch. Biochem. **5**, 445 (1944). — Huang, H. T., and C. Niemann: Am. Soc. **73**, 1541 (1951).

Wird der erste Ausdruck der rechten Seite gleich (P) gesetzt und im logarithmischen Glied umgestellt, so erhält man:

$$k_3 (\text{E})_0 t = (\text{P})_t - 2{,}3\, K_{\text{MS}} \log\left(1 - \frac{(\text{P})_t}{(\text{S})_0}\right) \tag{40}$$

oder

$$V_{\max \text{H}}\, t = (\text{P})_t - 2{,}3\, K_{\text{MS}} \log\left(1 - \frac{(\text{P})_t}{(\text{S})_0}\right). \tag{41}$$

4. Die Auswertung der Meßergebnisse.

a) Bestimmung der Enzymmenge.

Die Geschwindigkeit einer enzymatisch katalysierten Reaktion ist unter vorgegebenen Versuchsbedingungen in jedem Teil der Sättigungskurve proportional der Enzymkonzentration. Im linearen Bereich verändert sich auch während kurzer Beobachtungszeit die Geschwindigkeit der Reaktion infolge des Absinkens der Substratkonzentration, so daß kinetische Bestimmungen der Enzymmenge nur im Bereich der Reaktion 0. Ordnung ausgeführt werden können. Ist keine Proportionalität zwischen Enzymmenge und der Umsetzungsgeschwindigkeit bei Substratsättigung zu erreichen, so ist dies in Sekundärreaktionen begründet (Enzyminaktivierung, Hemmung durch Produktanhäufung, Einsetzen der Gegenreaktion)[1]. Die Bestimmung der Enzymmenge geschieht also durch Messung der Abnahme der Substratkonzentration oder durch Verfolgen der Bildung der Reaktionsprodukte in einer bestimmten Zeit. Hohe Substratkonzentrationen oder zu geringes Spaltungsausmaß lassen letztgenanntes Vorgehen zweckmäßiger erscheinen.

Dieses Maß für die (in einer Lösung) vorhandene Enzymmenge ist nicht von der Kenntnis der physikalisch-chemischen Eigenschaften des reinen Enzyms abhängig. Als Maßzahl benutzt man die Aktivität/ml. Die *Aktivität* einer Enzymlösung wird in Einheiten gemessen. Es sind zwei Wege denkbar, die Einheit der Enzymaktivität zu definieren (s. Tabelle 2)[2]:

1. Die Einheit ist die Substratmenge, welche in einer festgelegten Zeit umgesetzt wird.
2. Die Einheit ist die für einen festgelegten Substratumsatz benötigte Zeit.

Als Einheit sollte für biochemische Untersuchungen nur noch die Größe 1 μM je min × ml verwendet werden. Bei diagnostischen Untersuchungen von Körperflüssigkeiten (z.B. Serum, Exsudate) gibt man der Größe 1 μM/min × 1000 ml den Vorzug[3]. Als Vergleichsgröße bei der Anreicherung eines Enzyms und zur Feststellung der Verunreinigung des Enzymproteins bei bekannten katalytischen Eigenschaften des reinen Enzyms wurde die *spezifische Aktivität* eingeführt. Man erhält sie durch Division der im Milliliter enthaltenen Aktivität durch die im gleichen Volumen vorhandene Proteinmenge in Milligramm (Dimension: Aktivität/min × ml × mg Protein).

b) Die Begriffe „katalytische Konstante" und Wechselzahl.

Zum Vergleich der katalytischen Fähigkeiten der Enzyme können verschiedene Größen benutzt werden. Sie beziehen sich auf den Substratumsatz bei Sättigung unter vorgegebenen, allerdings jeweils mit dem Enzym wechselnden Testbedingungen. Es wurden folgende Definitionen vorgeschlagen (s. dazu Kommissions-Empfehlungen auf S. 16 unten):

1. Umgesetzte Mole Substrat pro min und mg Enzym.
2. Die Mole Substrat, welche per min von 100 000 g Enzymprotein umgesetzt werden. Diese Größe wird als *Umsatzzahl* bezeichnet. Sie wird häufig dann benutzt, wenn das Molekulargewicht des Enzymproteins nicht bekannt ist.

---

[1] BEISENHERZ, G., H.-J. BOLTZE, T. BÜCHER, R. CZOK, K. H. GARBADE, E. MEYER-ARENDT u. G. PFLEIDERER: Z. Naturforsch. 8b, 555 (1953).
[2] AEBI, H.: Kinetik; in: Biochem. Taschenb. (RAUEN), S. 680ff.
[3] RICHTERICH, R., P. SCHAFROTH, J. P. COLOMBO u. F. TEMPERLI: Kli. Wo. **1961**, 987.

Tabelle 2. *Wahl der Enzymeinheit.*
(Tabelle wurde von AEBI übernommen und modifiziert.)

Prinzip	Die in einer festgelegten Zeitspanne unter Standardbedingungen umgesetzte Substrat- oder entstandene Produktmenge wird bestimmt.	Durch Verfolgen des Verlaufs der Zeit-Umsatzkurve wird diejenige Versuchsdauer ermittelt, welche zur Erzielung eines bestimmten Umsatzes erforderlich ist.
Konstante Bedingungen	Alle kontrollierbaren Versuchsbedingungen	
	+ Versuchsdauer	+ Umsatz [Spaltungsausmaß: abgebautes Substrat: $(S-x)$, gebildetes Produkt: x]
Variable	Spaltungsausmaß	Zeit
Definition der Einheit	$\dfrac{\text{Umgesetzte Substratmenge}}{\text{Versuchsdauer}}$	$\dfrac{\text{Zeit}}{\text{Standardumsatz}}$
Dimension der Einheit	$\dfrac{\text{Mol}}{\text{min} \times \text{ml}}$	$\dfrac{\text{min}}{\text{Mol} \times \text{ml}}$
Voraussetzungen der Anwendbarkeit	Da einfach auszuführen, in der Praxis sehr beliebt (Serienversuche). *Bedingung:* direkte Proportionalität zwischen Enzymkonzentration, Zeit und Umsatz (Reaktion 0. Ordnung). $k' = k \cdot (E)$ andernfalls Verzerrung. $$\frac{E_1}{E_2} = \frac{A_1}{A_2} = \frac{k'_1}{k'_2}$$	Enzymkinetisch korrektes Verfahren (komplizierter). *Vorteil:* direkte Proportionalität zwischen Enzymkonzentration und reziproker Zeit besteht auch bei Reaktion höherer Ordnung: ohne Rücksicht auf den Verlauf der Zeit-Umsatzkurve. $$\frac{E_1}{E_2} = \frac{1}{t_1} : \frac{1}{t_2} = \frac{U_1}{U_2}$$
Beispiel	Aktivität der Saccharase [zit. nach SUMNER und SOMERS, Chemistry and Methods of Enzymes (1947)]	
	Einheit nach SUMNER und HOWELL: Aktivität derjenigen Enzymmenge, welche in einer saccharosehaltigen Lösung genau beschriebener Zusammensetzung in 5 min (20° C, pH 4,5) genau 1 mg „Invertzucker" freisetzt: x mg $= x$ Einheiten	Einheit nach O'SULLIVAN und THOMPSON: Anzahl Minuten, die benötigt werden, um die im Ansatz befindlichen 4 g Saccharose (15,5° C; pH 4,5) bis zur optischen Aktivität 0 zu invertieren: $\dfrac{1}{x}$ min $= x$ Einheiten.

3. Als „katalytische Konstante" wurde von DIXON[1] die molare Wirksamkeit bezeichnet. Sie ist diejenige Zahl, welche angibt, wieviel Mole in 1 min von einem Mol Enzym umgesetzt werden.

4. Dividiert man diesen Wert durch die Menge der aktiven Stellen pro Mol Enzym, so erhält man die von WARBURG[2] erstmals definierte Wechselzahl (Turn-over number) eines Enzyms.

5. Alle angeführten Größen ändern sich mit den äußeren Bedingungen und der Substratkonzentration. LAIDLER[3] benutzt deshalb eine reaktionsspezifische Konstante,

---
[1] DIXON, M., and E. C. WEBB: Enzymes. S. 16. London 1958.
[2] WARBURG, O., u. W. CHRISTIAN: B. Z. **266**, 377 (1933).
[3] LAIDLER, K. J.: The Chemical Kinetics of Enzyme Action. S. 164. New York 1958.

welche nicht mehr von der Substratkonzentration abhängt. Ist $K(S)_0 < 1$, so kann die MICHAELIS-MENTEN-Gleichung

$$v = k_3 K (E)_0 (S)_0$$

geschrieben werden (s. S. 23). Die Konstante

$$k = k_3 K \qquad \left(\text{Dimension}: \frac{\text{Mol}}{1 \cdot \text{sec}}\right) \tag{42}$$

ist eine Geschwindigkeitskonstante II. Ordnung und allein von den äußeren Bedingungen abhängig. Die Konstanten k verschiedener (enzymatisch) katalysierter Reaktionen können miteinander verglichen werden.

c) Bestimmung der Gleichgewichtskonstanten einer Reaktion und die Formel von HALDANE.

Das Gleichgewicht einer Reaktion stellt sich durch enzymatische Katalyse schnell ein. Dies ermöglicht die Bestimmung der Gleichgewichtskonzentration bei Vorgängen, welche ohne Zugabe eines Katalysators nur sehr langsam verlaufen.

Es besteht ein Zusammenhang zwischen der Gleichgewichtskonstanten der Gesamtreaktion K und den Geschwindigkeitskonstanten der einzelnen Stufen der Reaktion. Kennt man die Gleichgewichtskonstante K der Reaktion bei den Bedingungen, unter welchen die kinetische Analyse durchgeführt wurde, so läßt sich die Messung der Geschwindigkeitskonstanten nachprüfen (HALDANE-Beziehung)[1]. Gewöhnlich arbeitet man mit der scheinbaren Gleichgewichtskonstanten (apparent equilibrium constant), beachtet also nicht das Ausmaß der Bindung von Reaktionsteilnehmern an das Enzym.

Im Gleichgewicht ergeben sich für eine nach Gl. (7) erfolgende Umsetzung nachstehende Zusammenhänge:

a) die Gleichgewichtskonstante für die Bildung von ES aus E und S ist:

$$K_{ES} = \frac{k_1}{k_2} = \frac{(ES)}{(E)(S)}, \tag{43}$$

b) die Gleichgewichtskonstante für den Zerfall von ES in E und P ist:

$$K_{EP} = \frac{k_3}{k_4} = \frac{(E)(P)}{(ES)}. \tag{44}$$

Die Gleichgewichtskonstante der Gesamtreaktion erhält man durch Auflösen von Gl. (44) nach (ES) und Einsetzen des so erhaltenen Ausdruckes in Gl. (43):

$$K_{ES} = \frac{(E)(P)}{(E)(S)} \cdot \frac{1}{K_{EP}}, \quad K = K_{ES} K_{EP} = \frac{(E)(P)_{gleich}}{(E)(S)_{gleich}}$$

(P) und (S) werden mit dem Suffix „gleich" versehen, da es sich um die Gleichgewichtskonzentrationen handelt:

$$K = \frac{(P)_{gleich}}{(S)_{gleich}}. \tag{45}$$

Ein zweiter Wert für das Produkt $K_{ES} \cdot K_{EP}$ wird ebenfalls aus Gl. (43) und (44) abgeleitet:

$$K = K_{ES} K_{EP} = \frac{k_1 \cdot k_3}{k_2 \cdot k_4}. \tag{46}$$

Setzt man die rechten Seiten der beiden letzten Gleichungen einander gleich, so erhält man die von HALDANE angegebene Formel:

$$\frac{(P)_{gleich}}{(S)_{gleich}} = \frac{k_1 k_3}{k_2 k_4}. \tag{47}$$

---

[1] HALDANE, J. S. B.: Enzymes. S. 80. London 1930.

Um die Gleichung häufig anwenden zu können, müssen die Geschwindigkeitskonstanten durch leicht bestimmbare Größen wie folgt ersetzt werden:

1. durch Multiplizieren von Nenner und Zähler der rechten Seite in Gl. (44) mit $(E)_0$,
2. durch Verwenden des Quotienten aus

$$K_{MS} = \frac{k_2 + k_3}{k_1} \quad \text{und} \quad K_{MP} = \frac{k_2 + k_3}{k_4} : \frac{K_{MP}}{K_{MS}} = \frac{k_1}{k_4}, \tag{48}$$

3. durch Einsetzen von Gl. (48) in (47) und Einführen der Größen $V_{\max S} = k_3(E)_0$ und $V_{\max R} = k_2(E)_0$.

Die Endformel lautet:

$$\frac{(P)_{gleich}}{(S)_{gleich}} = \frac{V_{\max H} K_{MP}}{V_{\max R} K_{MS}}. \tag{49}$$

Für Umsetzungen, die nicht der Gl. (7) folgen, ergeben sich andere in gleicher Art abgeleitete Ausdrücke. Die Gültigkeit von Gl. (49) wurde von verschiedenen Autoren für die β-Glucosidase gezeigt[1]. Neuere Untersuchungen stammen von ALBERTY[2] und KISTIAKOWSKY[3]. Es muß allerdings beachtet werden, daß die HALDANE-Gleichung nur bei niedriger Enzymkonzentration gilt. Bei hohen Konzentrationen des Enzyms muß der Anteil der an das Enzym gebundenen Reaktionspartner berücksichtigt werden.

ALBERTY hat mit der Gleichung von HALDANE auf einen häufig begangenen Denkfehler hingewiesen. Seit MICHAELIS und MENTEN wird angenommen, daß bei einer ganz nach einer Seite hin ablaufenden Reaktion $k_4 = 0$ sein muß. Diese Bedingung ist ausreichend, jedoch nicht notwendig. Die Gl. (47) fordert für Umsetzungen nach Gl. (7) beim Überwiegen der Substanzen einer Seite im Gleichgewicht:

$$\text{oder} \quad \left. \begin{array}{l} (S)_{gleich} \gg (P)_{gleich}, \quad k_2 k_4 > k_1 k_3 \\ (P)_{gleich} \gg (S)_{gleich}, \quad k_1 k_3 > k_2 k_4. \end{array} \right\} \tag{50}$$

Durch die Ungleichung ist nur das Verhältnis zweier Produkte festgelegt, jedoch keine Aussage über die Größe einer einzelnen Geschwindigkeitskonstanten gemacht.

d) Die Bestimmung der MICHAELIS-Konstanten und der Sättigungsgeschwindigkeit.

Die Verfahren beruhen auf der graphischen Auswertung der Gleichung von MICHAELIS und MENTEN. Sobald sich die Formulierung der Kinetik einer Umsetzung auf diese Gleichung zurückführen läßt, sind diese Methoden anwendbar. Dieses Ziel wird immer angestrebt.

Da der Betrag der einzelnen Meßpunkte bei mehreren Bestimmungen streut und ihre Verbindung zur Kurve meist nicht das ideale Funktionsbild der durch theoretische Überlegungen ermittelten Gleichungen ergibt, sollten häufiger die Fehlerrechnung und andere statistische Methoden herangezogen werden, wenn unter verschiedenen experimentellen Bedingungen erhaltene Ergebnisse miteinander verglichen werden müssen. Nach G. N. WILKINSON[4] ist der Hauptzweck einer statistischen Analyse nicht allein, bessere Werte zu erhalten, sondern eine Messung der Genauigkeit unserer Verfahren. Die folgenden Beispiele sollen ein Hinweis auf die Originalliteratur sein. INAGAMI und STURTEVANT[5] haben mit der Methode der kleinsten Quadrate die „beste" gerade Linie für die Menge ihrer Meßpunkte bei der Auswertung nach EADIE bestimmt. Die Regressionsanalyse wurde von WILKINSON angewendet[4]. Auch der Arbeitskreis um C. NIEMANN beschäftigt sich mit diesen Überlegungen[6].

---
[1] JOSEPHSON, K.: H. **147**, 155 (1925).
[2] ALBERTY, R. A.: in: Boyer-Lardy-Myrbäck, Enzymes Bd. I, S. 146. 1959.
[3] VOE, H. DE, and G. B. KISTIAKOWSKY: Am. Soc. **83**, 274 (1961).
[4] WILKINSON, G. N.: Biochem. J. **80**, 324 (1961).
[5] INAGAMI, T., and J. M. STURTEVANT: Biochim. biophys. Acta **38**, 64 (1960).
[6] ALMOND jr., H. R., and C. NIEMANN: Biochim. biophys. Acta **44**, 143 (1960). — ABRASH, H. I., A. N. KURTZ and C. NIEMANN: Biochim. biophys. Acta **45**, 378 (1960).

α) *Ermittlung der Substratkonzentration bei Halbsättigungsgeschwindigkeit.*

Die MICHAELIS-Konstante hat den Wert derjenigen Substratkonzentration, bei welcher die Umsatzgeschwindigkeit halb so groß wie bei Sättigung ist.

Sind

$$v_{0H} = \frac{V_{\max H}}{2} \quad \text{bzw.} \quad v_{0R} = \frac{V_{\max R}}{2}$$
$$(S)_0 = K_{MS} \quad \text{und} \quad (P)_0 = K_{MP}. \tag{51}$$

dann werden

(Die MICHAELIS-Konstanten einer Einsubstratreaktion haben die Dimension Mol/Liter.)

Sind für verschiedene $(S)_0$ bzw. $(P)_0$ die Anfangsgeschwindigkeiten bestimmt, dann wird die Sättigungskurve gezeichnet. Man markiert auf der v_0-Achse die Sättigungsgeschwindigkeit, halbiert sie und zieht durch den Halbierungspunkt eine Parallele zur $(S)_0$-Achse bzw. $(P)_0$-Achse. Die zum Schnittpunkt mit der Sättigungskurve gehörende $(S)_0$- bzw. $(P)_0$-Koordinate hat den Wert der gesuchten MICHAELIS-Konstanten (Abb. 4). Bei diesem Vorgehen muß der Bereich der Halbsättigung genau vermessen werden und die Sättigungsgeschwindigkeit mit Sicherheit feststehen. Substrathemmungen oder Verunreinigungen der Substrate bewirken oft einen Kurvenverlauf, bei welchem nur kurz ein Maximum erreicht wird und die Geschwindigkeit danach sofort wieder absinkt. Solche Fälle sind zur genauen Bestimmung der MICHAELIS-Konstanten nach dieser Methode ungeeignet.

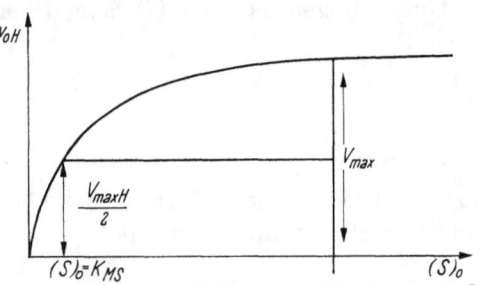

Abb. 4. Bestimmung der MICHAELIS-Konstanten aus der Sättigungskurve.

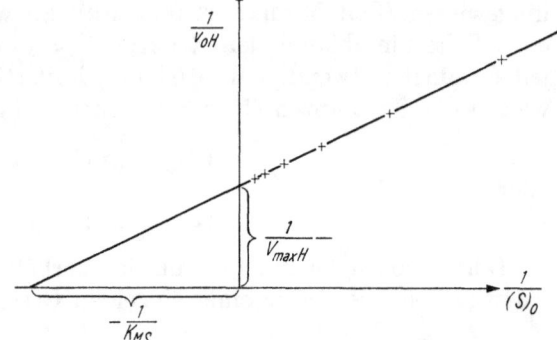

Abb. 5. LINEWEAVER-BURK-Auswertung.

β) *Die LINEWEAVER-BURK-Auswertung.*

Um der oben genannten Schwierigkeit aus dem Weg zu gehen, haben LINEWEAVER und BURK[1] zwei Verfahren angegeben, bei denen schon aus wenigen Punkten ein ausreichendes Stück der Kurve gezeichnet werden kann. Es ist daher nicht nötig, die Sättigungsgeschwindigkeit zu kennen. Der Meßbereich soll sich im linearen Anstieg der Sättigungskurve befinden.

Die Gl. (38) wird entweder nach $(S)_0/v_{0H}$ und v_{0H} oder nach $1/v_{0H}$ und $1/(S)_0$ aufgelöst. Letzteres ist die am häufigsten gebrauchte Methode zur Bestimmung von MICHAELIS-Konstanten. Wird nach $1/v_{0H}$ aufgelöst, dann nimmt die Gleichung folgende Gestalt an:

$$v_{0H} = \frac{V_{\max H}(S)_0}{K_{MS}+(S)_0}, \quad \frac{1}{v_{0H}} = \frac{K_{MS}+(S)_0}{V_{\max S}} \frac{1}{(S)_0}; \quad \frac{1}{v_{0H}} = \frac{K_{MS}}{V_{\max H}} \frac{1}{(S)_0} + \frac{(S)_0}{V_{\max H}(S)_0};$$

$$\frac{1}{v_{0H}} = \frac{K_{MS}}{V_{\max H}} \frac{1}{(S)_0} + \frac{1}{V_{\max H}}. \tag{52}$$

Durch Gl. (52) wird eine Gerade der Form $y = mx + a$ beschrieben, wobei $x = 1/(S)_0$ (Abszisse) und $y = 1/v_{0H}$ (Ordinate) sind. Der Faktor m ist die Steigung der Geraden:

$$m = \frac{K_{MS}}{V_{\max H}}.$$

---
[1] LINEWEAVER, H., and D. BURK: Am. Soc. **56**, 658 (1934).

Die Bestimmung der MICHAELIS-Konstanten und der Sättigungsgeschwindigkeit.

Läßt man $1/v_{0H}$ Null werden, dann ist

$$\frac{1}{(S)_0} = -\frac{1}{K_{MS}}.$$

Diese Strecke ist der Abschnitt auf der $1/(S)_0$-Achse für $1/v_{0H} = 0$ (Abb. 5). Der Ordinatenabschnitt wird $1/V_{max\,H}$, wenn $1/(S)_0$ den Wert 0 annimmt. Man trägt also die reziproken Werte von v_0 und $(S)_0$ bzw. $(P)_0$ gegeneinander auf und erhält als Koordinaten der Schnittpunkte der Geraden mit den Achsen die reziproken Werte von K_M und V_{max}.

γ) Die Methode von EADIE.

Die MICHAELIS-MENTEN-Gleichung kann auch nach $v_{0H}/(S)_0$ und v_{0H} aufgelöst werden. Das Verfahren von EADIE[1] soll befriedigender sein als das von LINEWEAVER-BURK, da keine Häufung von Punkten auf einer Seite der Geraden auftritt und die $1/(S)_0$-Koordinate bei kleinen Werten der Substratkonzentration nicht gegen Unendlich strebt[2]. HOFSTEE hat auch gezeigt, daß sich nach dem Verfahren von EADIE Fehler leichter erkennen lassen (z. B. Nebenreaktion durch das Vorhandensein eines zweiten Enzyms). Gl. (38) wird auf folgende Weise nach $v_{0H}/(S)_0$ aufgelöst:

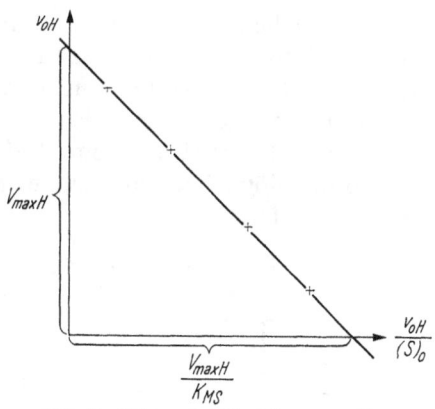

Abb. 6. Skizze zum Verfahren von EADIE.

$$v_{0H} K_{MS} + v_{0H}(S)_0 = V_{max\,H}(S)_0;$$

$$v_{0H} K_{MS} = V_{max\,H}(S)_0 - v_{0H}(S)_0;$$

$$v_{0H} = V_{max\,H} - K_{MS}\frac{v_{0H}}{(S)_0}; \quad (53\text{a})$$

$$\frac{v_{0H}}{(S)_0} = \frac{V_{max\,H}}{K_{MS}} - \frac{v_{0H}}{K_{MS}}. \quad (53\text{b})$$

v_{0H} (Ordinate) wird gegen $v_{0H}/(S)_0$ aufgetragen (Abb. 6). Die Gerade hat eine Steigung von $-K_{MS}$. Der Abschnitt auf der v_{0H}-Achse wird $V_{max\,H}$, derjenige auf der Abszisse $V_{max\,H}/K_{MS}$. Wählt man $v_{0H}/(S)_0$ als Ordinate, so müssen die Achsenabschnitte vertauscht werden. Die Steigung ist jetzt $-1/K_{MS}$. Die MICHAELIS-Konstante erhält man durch Division aus den Achsenabschnitten oder aus der Steigung[3-5].

δ) Bestimmung aus den integrierten Gleichungen.

Nach WALKER und SCHMIDT gilt Gl. (41):

$$V_{max\,H}\, t = (P)_t - 2{,}3\, K_{MS} \log\left(1 - \frac{(P)_t}{(S)_0}\right) \quad (\text{s. S. 28}).$$

Da

$$(P)_t = ((S)_0 - (S)),$$

erhält man

$$V_{max\,H}\, t = (P)_t - 2{,}3\, K_{MS} \log\frac{(S)_t}{(S)_0}$$

und

$$V_{max\,H}\, t = (P)_t + 2{,}3\, K_{MS} \log\frac{(S)_0}{(S)_t}. \quad (54)$$

---

[1] EADIE, G. S.: J. biol. Ch. **146**, 85 (1942).
[2] HOFSTEE, B. H. J.: Science, N.Y. **116**, 329 (1952). — LAIDLER, K. J.: The Chemical Kinetics of Enzyme Action. S. 67. Oxford 1958. — SCATCHARD, G.: Ann. N.Y. Acad. Sci. **51**, 669 (1949).
[3] LAIDLER, K. J.: The Chemical Kinetics of Enzyme Action, S. 66. New York 1958.
[4] GUTFREUND, H., and J. M. STURTEVANT: Proc. nat. Acad. Sci. USA **42**, 719 (1956). — INAGAMI, T., and J. M. STURTEVANT: Biochim. biophys. Acta **38**, 64 (1960).
[5] STROMINGER, J. L., and M. S. SMITH: J. biol. Ch. **234**, 1822 (1959).

Die Gl. (54) wird umgeformt:
$$2{,}3\, K_{MS} \log \frac{(S)_0}{(S)_t} = V_{\max H}\, t - (P)_t$$
und mit t multipliziert

$$\frac{1}{t}\, 2{,}3 \log \frac{(S)_0}{(S)_t} = \frac{V_{\max H}}{K_{MS}} - \frac{1}{K_{MS}} \frac{(P)_t}{t}. \tag{55}$$

Wählt man $1/t\, 2{,}3 \log (S)_0/(S)_t$ als Ordinate mit $(P)_t/t$ zur Abszisse, dann stellt sich Gl. (55) als Gerade dar, deren Steigung $-1/K_{MS}$ ist. Sie schneidet die $(P)/t$-Achse im Punkt $V_{\max H}$. Auf der anderen Achse hat der Abschnitt die Größe $V_{\max H}/K_{MS}$. Die MICHAELIS-Konstante kann aus diesen zwei Bestimmungsstücken leicht ermittelt werden. Die graphische Darstellung gleicht dem beim Verfahren nach EADIE gewonnenen Bild (s. S. 33); auf den Koordinatenachsen werden allerdings andere Größen aufgetragen. Die Methode kann angewendet werden, wenn zu verschiedenen Zeiten der Reaktion die verbliebene Substratkonzentration bestimmt wurde. Das hier erwähnte Vorgehen ist noch wenig benutzt worden[1]. WALKER und SCHMIDT haben die MICHAELIS-Konstante der Histidase bestimmt[2]. NIEMANN hat gezeigt, daß die Hydrolyse von Acetyl- und Nicotinyl-L-tryptophanamid in wäßrigen Lösungen (25° C, p_H 7,9) durch diese Gleichungen beschrieben werden kann, bis ein Abbau der beiden Substanzen um 40% erfolgt ist $[(S)_0 = 0{,}02\, M]$[3]. Bei höherem Hydrolysegrad setzt Substrathemmung ein. In Tabelle 3 werden die Möglichkeiten zur Bestimmung von K_M und der Sättigungsgeschwindigkeit zusammengefaßt.

Tabelle 3. *Zusammenfassende Tabelle zur Bestimmung von K_M und $V_{\max}$.*
$[(X), (Y) = (S), (P)]$.

Methode	Gemessene Größen	Aufgetragene Größen		Steigung der Geraden	Abschnitte auf	
		Y-Achse	X-Achse		Y-Achse	X-Achse
Sättigungskurve	v_0 $(X)_0$	v_0	$(X)_0$	—	—	—
LINEWEAVER-BURK I	v_0 $(X)_0$	$\dfrac{1}{v_0}$	$\dfrac{1}{(X)_0}$	$\dfrac{K_{MS}}{V_{\max}}$	$\dfrac{1}{V_{\max}}$	$-\dfrac{1}{K_M}$
II	v_0 $(X)_0$	$\dfrac{(X)_0}{v_0}$	$(X)_0$	$\dfrac{1}{V_{\max}}$	$\dfrac{K_M}{V_{\max}}$	$-K_M$
EADIE	v_0 $(X)_0$	$\dfrac{v_0}{(X)_0}$	v_0	$-\dfrac{1}{K_M}$	$\dfrac{V_{\max}}{K_M}$	$V_{\max}$
WALKER und SCHMIDT	$(X)_0$; $(X)_t$, $(Y)_t$ bei verschiedenen t	$\dfrac{2{,}3 \cdot \log (X)_0/(X)_t}{t}$	$\dfrac{(Y)_t}{t}$	$-\dfrac{1}{K_M}$	$\dfrac{V_{\max}}{K_M}$	$V_{\max}$

ε) Die Bestimmung einzelner Geschwindigkeitskonstanten.

ALBERTY hat gezeigt, daß in den seltenen Fällen, für welche die Reaktion durch Gl. (7) beschrieben wird, die sämtlichen Geschwindigkeitskonstanten aus folgenden Bestim-

---
[1] SWEAT, M. L., R. LUMRY and L. T. SAMUELS: J. biol. Ch. **185**, 75 (1950). — LEVENBERG, B., I. MELNICK and J. M. BUCHANAN: J. biol. Ch. **225**, 163 (1957). — Ausbau der Methode: JENNINGS, R. R., and C. NIEMANN: Am. Soc. **77**, 5432 (1955).
[2] WALKER, A. C., and C. A. SCHMIDT: Arch. Biochem. **5**, 445 (1944). — HUANG, H. T., and C. NIEMANN: Am. Soc. **73**, 1541 (1951).
[3] HUANG, H. T., and C. NIEMANN: Am. Soc. **73**, 1541 (1951).

mungsgleichungen errechnet werden können[1]:

$$k_1 = \frac{V_{\max H}/(E)_0 + V_{\max R}/(E)_0}{K_{MS}} \qquad (56)$$

und

$$k_4 = \frac{V_{\max H}/(E)_0 + V_{\max R}/(E)_0}{K_{MP}},$$

$$k_2 = V_{\max R}/(E)_0,$$

$$k_3 = V_{\max H}/(E)_0.$$

Ist es nicht möglich, die Rückreaktion zu beobachten, da das Gleichgewicht sehr weit auf der Seite der Produkte liegt, müssen zwei weitere Gleichungen benutzt werden:

$$K = \frac{k_1 k_3}{k_2 k_4} \quad (46) \quad \text{und} \quad v = \frac{\dfrac{V_{\max H}(S)_t}{K_{MS}} - \dfrac{V_{\max R}(P)_t}{K_{MP}}}{1 + \dfrac{(S)_t}{K_{MS}} + \dfrac{(P)_t}{K_{MP}}}. \qquad (57)$$

Aus Gl. (38) lassen sich die fehlenden Bestimmungsstücke zur Berechnung der Geschwindigkeitskonstanten gewinnen, wenn man die Initialgeschwindigkeit bei gegebenem $(S)_0$ und $(P)_0$ (beide nicht Null!) mißt.

Die isolierte Bestimmung von k_2 und k_3 aus den Sättigungsgeschwindigkeiten macht keine Schwierigkeiten, jedoch können mit den Gleichungen der MICHAELIS-MENTEN-Kinetik k_1 und k_4 nicht einzeln gefaßt werden. Dazu muß man eine Reaktionsperiode betrachten, für welche die Annahme $d(ES)/dt = 0$ nicht gilt. Hat man eine sehr empfindliche Meßmethode und mißt schon äußerst kurze Zeit nach Reaktionsbeginn (0,001 bis 0,01 sec), dann ist es möglich, aus der Zeitdauer der Induktionsperiode, welche vor dem stationären Zustand liegt, die beiden Geschwindigkeitskonstanten zu bestimmen[2].

In Gegenwart eines Hemmstoffs oder Aktivators kann k_1 bestimmt werden, wenn dieser nur die Umwandlung von ES in das Produkt beeinflußt. Das Verfahren darf nicht voraussetzungslos angewandt werden[3]. Für die Succinodehydrogenase wurde auf diesem Wege die Dissoziationskonstante von ES zu 3×10^{-5} (Mol/l) und die MICHAELIS-Konstante zu $4,8 \times 10^{-4}$ (Mol/l) bestimmt.

5. Komplizierte Reaktionsmechanismen von Einsubstratreaktionen.

a) Einsubstratreaktionen mit mehreren Enzym-Substrat-Komplexen.

Die Formulierung der reversiblen und enzymatisch katalysierten Reaktion durch

$$E + S \rightleftharpoons ES \rightleftharpoons E + P \qquad (58)$$

beachtet nicht eine mögliche Umwandlung des Substrates am Enzym in mehreren Stufen. Die Beschreibung der Umsetzung ist dann durch

$$E + S \underset{k_2}{\overset{k_1}{\rightleftharpoons}} ES \underset{k_4}{\overset{k_3}{\rightleftharpoons}} EP \rightleftharpoons \ldots \underset{k_6}{\overset{k_5}{\rightleftharpoons}} E + P \qquad (59)$$

gegeben. Der Vorgang kann durch eine Geschwindigkeitskonstante beherrscht werden, wenn diese wesentlich kleiner als alle anderen ist[4]. Es ist von Interesse, zu erfahren, welche

---

[1] ALBERTY, R. A.: Mechanism of Enzyme Action; in: Biophysical Science — A Study Program (Hrsg. ONCLEY, J. L.). S. 177. New York 1959.
[2] LAIDLER, K. J.: Canad. J. Chem. **33**, 1614 (1955). — ROUGHTON, F. J.: Discuss. Faraday Soc. **17**, 116 (1954). — SWOBODA, P. A. T.: Biochim. biophys. Acta **23**, 70 (1957). — MORALES, M. F., and D. E. GOLDMAN: Am. Soc. **77**, 6069 (1955). — ALBERTY, R. A., and W. G. MILLER: Am. Soc. **80**, 5146 (1958). — HEARON, J. Z., S. A. BERNHARD, S. L. FRIESS, D. J. BOTTS and M. F. MORALES; in: Boyer-Lardy-Myrbäck, Enzymes Bd. I, S. 55. (1959).
[3] SLATER, E. C., and W. D. BONNER: Biochem. J. **52**, 185 (1952). — SLATER, E. C.: Discuss. Faraday Soc. **20**, 231 (1955). s. dazu auch die Diskussionsbeiträge.
[4] BERNHARD, S. A., and H. GUTFREUND: Mechanism of Enzyme Catalyzed Transfer Reactions. Progr. Biophysics **10**, 115 (1960).

Form die Gleichung für die Initialgeschwindigkeit dieses vielstufigen Prozesses annimmt. Hier soll eine Lösung für die Hinreaktion gegeben werden unter Annahme des Fließgleichgewichtes bei zwei Enzym-Substrat-Komplexen ($K_6 = D$). Es gilt:

$$\frac{d(\text{ES})_t}{dt} = k_1 (\text{E})_t (\text{S})_t + k_4 (\text{EP})_t - k_3 (\text{ES})_t - k_2 (\text{ES})_t, \tag{60}$$

$$\frac{d(\text{EP})_t}{dt} = k_3 (\text{ES})_t - k_4 (\text{EP})_t - k_5 (\text{EP})_t, \tag{61}$$

$$v_H = K_6 (\text{EP})_t.$$

Da $d(\text{ES})_t/dt$ und $d(\text{EP})_t/dt$ nach Voraussetzung Null sind, können durch

$$(\text{E})_0 = (\text{E})_t + (\text{ES})_t + (\text{ET})_t \ldots \tag{62}$$

$$(\text{S})_0 = (\text{S})_t + (\text{ES})_t + (\text{ET})_t \ldots + (\text{P})_t \tag{63}$$

die mit t indizierten Größen eliminiert werden. Nach umständlicher Rechnung wird folgendes Endergebnis erhalten:

$$v_{0H} = \frac{\dfrac{k_3 k_5}{k_3 + k_4 + k_5} (\text{E})_0 (\text{S})_0}{(\text{S})_0 + \dfrac{k_2 k_4 + k_2 k_5 + k_3 k_5}{k_1 (k_3 + k_4 + k_5)}}. \tag{64}$$

Schreibt man statt

$$\frac{k_3 k_5}{k_3 + k_4 + k_5} (\text{E})_0, \; V_{\max H} \text{ und setzt den Ausdruck } \frac{k_2 k_4 + k_2 k_5 + k_3 k_5}{k_1 (k_3 + k_4 + k_5)}$$

der MICHAELIS-Konstanten K_{MS} gleich, so haben wir die MICHAELIS-MENTEN-Gleichung vor uns. Den beiden Konstanten dieser Gleichung ist mit wechselndem Reaktionsmechanismus ein anderer Ausdruck zuzuschreiben, dem keinerlei physikalische Bedeutung unterlegt werden kann.

DIXON und WEBB[1] haben eine Regel für die Werte dieser beiden Konstanten bei beliebig vielen Zwischenverbindungen aufgestellt. Ist die Zahl der Zwischenverbindungen n, so werden

$$K_{MS} = \frac{\text{Summe aller erlaubten Kombinationen der } n \text{ Konstanten, welche } k_1 \text{ nicht enthalten}}{\text{Summe aller erlaubten Kombinationen der } n \text{ Konstanten, welche } k_1 \text{ enthalten}}$$

$$\frac{V_{\max S}}{(\text{E})_0} = \frac{\text{Produkt aller Konstanten mit ungeradem Koeffizienten außer } k_1}{\text{Summe aller erlaubten Kombinationen der erlaubten } (n-1) \text{ Konstanten, welche } k_1 \text{ oder } k_2 \text{ nicht enthalten}}$$

Erlaubte Kombinationen sind alle, deren Faktoren nicht aufeinanderfolgende Koeffizienten haben.

Mechanismen mit verschieden vielen Zwischenverbindungen lassen sich durch die Formel von HALDANE unterscheiden, da die Gleichgewichtskonstanten sich mit der Zahl der intermediären Verbindungen ändern[2].

b) Die Rückreaktion ist eine Umsetzung mit zwei Substraten.

Die Hinreaktion folgt den oben besprochenen Reaktionswegen. Für die Rückreaktion sind verschiedene Mechanismen denkbar, deren Gleichungen die Form des allgemeinen Ausdrucks für die Zweisubstratreaktionen haben (s. folgenden Abschnitt).

C. Zweisubstratreaktionen: $A + B \rightleftharpoons C + D$.

Die enzymatisch katalysierten Reaktionen, bei welchen zwei Substrate gleichzeitig umgesetzt werden, sind weit verbreitet. Bei der Betrachtung der Kinetik solcher Vorgänge

---

[1] DIXON, M., and E. C. WEBB: Enzymes. S. 111. London 1958.
[2] ALBERTY, R. A.: Am. Soc. 75, 1931 (1953).

können das Coenzym und das Substrat als Reaktanden nicht voneinander unterschieden werden, wenn beide reversibel an das Enzym gebunden sind[1].

Auch hier entstehen Enzym-Substrat-Komplexe, es ist also die Bildung binärer (Enzym und ein Substrat) und ternärer (Enzym und zwei Substrate) Komplexe möglich[2]. Die Substrate addieren sich entweder wahllos an das Enzym (random order) oder in festgelegter Reihenfolge (compulsory order). Bei der DPN-L-Milchsäuredehydrogenase und der D-Ribitdehydrogenase liegen Beweise vor, daß die Umsetzung des Substrates mit dem Coenzym auf die zweite Art erfolgt. Eine Unterscheidung zwischen random und compulsory addition der Reaktanten an das Enzym ist durch die Arbeit von FROMM und NELSON möglich geworden[3]. Die rechnerische Durcharbeitung der Kinetik solcher Umsetzungen ist schwieriger als die Beschreibung von Einsubstratreaktionen. Es wird deshalb hier auf die Darlegung der einzelnen denkbaren Mechanismen verzichtet[4].

1. Aufstellung der Gleichung einer Zweisubstratreaktion.

Das Enzym soll sich in einer nicht festgelegten Reihenfolge zuerst mit einem Substrat zum binären Komplex, dann mit dem zweiten unter Bildung eines ternären Komplexes verbinden. Dieser wandelt sich zu einer ternären Verbindung der beiden Produkte mit dem Enzym um, welche in zwei Schritten in die freien Verbindungen zerfällt.

Werden mit E das Enzym, die Substrate durch S_1 und S_2 und die Produkte mit S_1' und S_2' bezeichnet, dann können folgende Reaktionsschritte unterschieden werden:

$$E + S_1 \rightleftharpoons ES_1 \, (K_1) \qquad ES_1' \rightleftharpoons E + S_1' \, (K_1').$$
$$E + S_2 \rightleftharpoons ES_2 \, (K_2) \qquad ES_2' \rightleftharpoons E + S_2' \, (K_2').$$
$$ES_1 + S_2 \rightleftharpoons ES_1S_2 \, (K_3) \qquad ES_1'S_2' \rightleftharpoons ES_1' + S_2' \, (K_3').$$
$$ES_2 + S_1 \rightleftharpoons ES_1S_2 \, (K_4) \qquad ES_1'S_2' \rightleftharpoons ES_2' + S_1' \, (K_4').$$
$$ES_1S_2 \xrightleftharpoons{k} ES_1'S_2'.$$

Als langsamste Reaktion soll die Umwandlung der ternären Verbindungen angenommen werden. Die Partner der vorangehenden und nachfolgenden Reaktionsschritte können sich ins Gleichgewicht setzen, da deren Geschwindigkeitskonstanten wesentlich größer sind. Die Geschwindigkeit der Hinreaktion $((S_1')_t$ und $(S_2')_t \to 0)$ ist unter den gegebenen Voraussetzungen:

$$v_H = k(ES_1S_2)_t. \qquad (65)$$

Die gesamte Enzymkonzentration wird durch Gl. (66) angegeben:

$$(E)_0 = (E)_t + (ES_1)_t + (ES_2)_t + (ES_1S_2)_t. \qquad (66)$$

Da bis auf die Umwandlung der ternären Verbindungen alle Teilreaktionen im Gleichgewicht sind, ist es möglich, die in Gl. (47) enthaltenen Konzentrationen von E, ES_1 und ES_2 mit Hilfe der Ausdrücke für die Gleichgewichtskonstanten K_1, K_3 und K_4 zu substituieren. Man kommt so zur Gl. (67):

$$(ES_1S_2)_t = \frac{(E)_0}{1 + \dfrac{1}{K_4(S_1)_t} + \dfrac{1}{K_3(S_2)_t} + \dfrac{1}{K_1 K_3 (S_1)_t (S_2)_t}}. \qquad (67)$$

Zu Beginn des Reaktionsablaufes dürfen $(S_1)_t$ bzw. $(S_2)_t$ den Größen $(S_1)_0$ bzw. $(S_2)_0$ gleichgesetzt werden. Die Gleichung für die Initialgeschwindigkeit lautet folglich nach Einführen der Dissoziationskonstanten:

$$v_{0H} = \frac{k(E)_0}{1 + \dfrac{K_{D4}}{(S_1)_0} + \dfrac{K_{D3}}{(S_2)_0} + \dfrac{K_{D1} K_{D3}}{(S_1)_0 (S_2)_0}}. \qquad (68)$$

---
[1] THEORELL, H.: Advanc. Enzymol. 20, 31 (1958).
[2] FROMM, H. J.: Biochim. biophys. Acta 52, 199 (1961).
[3] FROMM, H. J., and D. R. NELSON: J. biol. Ch. 237, 215 (1962).
[4] CLELAND, W. W.: Biochem. biophys. Acta 67, 104 (1963).

Es ist möglich, diese Gleichung in die Form der MICHAELIS-MENTEN-Gleichung zu bringen[1]. Bei konstanter Konzentration von $S_2 = (s_2)$ wird zu Anfang der Umsetzung aus Gl. (68)

$$v_{0H} = \frac{k(E)_0 (S_2)_0 (S_1)_0}{(S_1)_0 ((s_2)_0) + K_{D3} + K_{D4}(s_2)_0 + K_{D1}K_{D3}}. \tag{69}$$

Nach Erweitern mit $((s_2)_0 + K_{D4})$ erhält man:

$$v_{0H} = \frac{\frac{k(E)_0 (s_2)_0}{((s_2)_0 + K_{D3})}(S_1)_0}{\frac{K_{D4}(s_2)_0 + K_{D1}K_{D3}}{(s_2)_0 + K_{D3}} + (S_1)_0}. \tag{70}$$

Diese Gleichung hat die gewünschte Form:

$$v_{0H} = \frac{\text{Konstante}_1 (S)_0}{\text{Konstante}_2 + (S)_0}.$$

Die Quotienten $\quad \dfrac{k(E)_0 (s_2)_0}{((s_2)_0 + K_{D3})} \quad$ und $\quad \dfrac{K_{D4}(s_2)_0 + K_{D1}K_{D3}}{(s_2)_0 + K_{D3}}$

entsprechen den Größen $V_{\max H}$ bzw. K_{MS_1}.

Wird die Konzentration von S_1 so gewählt, daß während des Reaktionsbeginns diese als konstant angesehen werden kann $((s_1)_0)$, ergibt sich ein zweites Wertepaar, in welchem $(s_2)_0$ durch $(s_1)_0$ ersetzt worden ist.

Bei Zweisubstratreaktionen hängen (im allgemeinen) die Werte der MICHAELIS-Konstanten und der Maximalgeschwindigkeiten eines Substrates von der Konzentration des zweiten ab. Dies zeigen die Meßwerte von MCQUATE und UTTER für die Pyruvatkinase[2]. Läßt die Bindung des einen Substrats an das Enzym die Affinität für das zweite unbeeinflußt, so gilt dieser Zusammenhang nicht. Die Definition der MICHAELIS-Konstanten kann jedoch von der Konzentration des zweiten Substrates unabhängig gemacht werden, wenn man diejenigen Konzentrationen von S_1 bzw. S_2 als die MICHAELIS-Konstanten K_{MS_1} und K_{MS_2} bestimmt, bei welchen v_{0H} gleich $V_{\max H}/2$ wird, wenn $(S_2)_0$ bzw. $(S_1)_0$ so groß gehalten werden, daß weitere Erhöhungen ihrer Konzentrationen keinen Einfluß auf die Reaktionsgeschwindigkeit mehr ausüben[3]. Haben $(S_2)_0$ bzw. $(S_1)_0$ diesen Wert erreicht, so werden der zweite und dritte Ausdruck des Nenners im ersten Fall, der erste und dritte im zweiten Fall vernachlässigbar. Läßt man beide Substratkonzentrationen gleichzeitig sehr groß („unbegrenzt") werden, dann sind alle $(S_1)_0$ und $(S_2)_0$ enthaltenden Addenden des Nenners von Gl. (49) vernachlässigbar klein gegen 1. Mißt man nicht unter dieser Voraussetzung, so erhält man die scheinbare Maximalgeschwindigkeit. Die Geschwindigkeit erreicht einen maximalen Wert:

$$V_{\max H} = k(E)_0. \tag{71}$$

Unter Verwendung von Gln. (49) und (52) erhält man die Bestimmungsgleichungen für die beiden MICHAELIS-Konstanten:

$$v_{0H} \atop (s_2) = \frac{V_{\max H}}{1 + \dfrac{K_{D4}}{(S_1)_0}} \quad \text{und} \quad v_{0H} \atop (s_1) = \frac{V_{\max H}}{1 + \dfrac{K_{D3}}{(S_2)_0}}. \tag{72}$$

((s) bedeutet „unbegrenzt" große und konstante Konzentration des Substrates.)

Da nur unter den hier gemachten Voraussetzungen über den Mechanismus der Zweisubstratreaktion die MICHAELIS-Konstanten die Werte der Dissoziationskonstanten von

---

[1] LAIDLER, K. J., and I. M. SOCQUET: Arch. Biochem. 25, 171 (1950). — LAIDLER, K. J., and I. M. SOCQUET: J. physic. Colloid Chem. 54, 519 (1950). — INGRAHAM, L. L., and B. J. MAKOVER: J. physic. Chem. 58, 266 (1954). — THEORELL, H., and B. CHANCE: Acta chem. scand. 5, 1127 (1951).
[2] MCQUATE, J., and M. F. UTTER: J. biol. Ch. 234, 2151 (1959); s. jedoch REYNARD, A. M., L. F. HASS, D. D. JACOBSEN and P. D. BOYER: J. biol. Ch. 236, 2277 (1961).
[3] ALBERTY, R. A.: Am. Soc. 75, 1928 (1953).

Tabelle 4. *Reaktionswege bei Zweisubstratreaktionen.*

Reaktionsmechanismus	Schema des Reaktionsablaufes	Gleichung für die Initialgeschwindigkeit der Hinreaktion	Beispiele
Es wird ein binärer Komplex gebildet	$E + S_1 \underset{k_2}{\overset{k_1}{\rightleftarrows}} ES_1$ $ES_1 + S_2 \xrightarrow{k_3} E + S_1' + S_2'$	$v_{0H} = \dfrac{k_3(E)_0(S_1)_0}{1 + \dfrac{k_2 + k_3(S_1)_0}{k_1(S_2)_0}}$	Hefealkoholdehydrogenase [THEORELL, H., and B. CHANCE: Acta chem. scand. **5**, 1127 (1951)]
Es werden zwei binäre Komplexe gebildet	$E + S_1 \rightleftarrows ES_1$ $ES_1 + S_2 \rightleftarrows ES_1' + S_2'$ $ES_2' \rightleftarrows E + S_2'$	$v_{0H} = \dfrac{V_{\max H}}{1 + \dfrac{K_A}{(S_1)_0} + \dfrac{K_B}{(S_2)_0} + \dfrac{K_{AB}}{(S_1)_0(S_2)_0}}$	
Es wird ein ternärer Komplex gebildet	$E + S_1 \rightleftarrows ES_1$ $ES_1 + S_2 \rightleftarrows (ES_1S_2) \rightleftarrows ES_1' + S_2'$ $ES_1' \rightleftarrows E + S_1'$	$v_{0H} = \dfrac{V_{\max H}}{1 + \dfrac{K_A}{(S_1)_0} + \dfrac{K_B}{(S_2)_0} + \dfrac{K_{AB}}{(S_1)_0(S_2)_0}}$	
Bei wahlloser Addition der Substrate an das Enzym werden zwei ternäre Komplexe gebildet. Ihre Umwandlung ineinander ist geschwindigkeitsbestimmend: a) die Gegenwart des einen Substrats beeinflußt *nicht* die Affinität des zweiten zum Enzym	$E + S_1 \rightleftarrows ES_1;\ E + S_2 \rightleftarrows ES_2$ $ES_1 + S_2 \rightleftarrows ES_1S_2;\ ES_2 + S_1 \rightleftarrows ES_1S_2$ $ES_1S_2 \rightleftarrows ES_1'S_2'$ $ES_1'S_2' \rightleftarrows ES_1' + S_2';\ ES_1'S_2' \rightleftarrows ES_1 + S_2'$	$v_{0H} = \dfrac{V_{\max H}}{1 + \dfrac{K_A}{(S_1)_0} + \dfrac{K_B}{(S_2)_0} + \dfrac{K_A K_B}{(S_1)_0(S_2)_0}}$	$K_{AB} = K_A \cdot K_B$ D-Gluconsäure-6-phosphat-Dehydrogenase [PONTREMOLI, S., A. DE FLORA, E. GRAZI, G. MANGIAROTTI, A. BONSIGNORI, and B. L. HORECKER: J. biol. Ch. **236**, 2975 (1961)]
b) die Gegenwart des einen Substrates beeinflußt die Affinität des zweiten zum Enzym		$v_{0H} = \dfrac{V_{\max H}}{1 + \dfrac{K_A}{(S_1)_0} + \dfrac{K_B}{(S_2)_0} + \dfrac{K_{AB}}{(S_1)_0(S_2)_0}}$	
Ein Substrat reagiert mit dem Enzym und bildet das Produkt	$E + S_1 \rightleftarrows (ES_1) \rightleftarrows E' + S_1'$ $E' + S_2 \rightleftarrows (E'S_2) \rightleftarrows E + S_2'$	$v_{0H} = \dfrac{V_{\max H}}{1 + \dfrac{K_A}{(S_1)_0} + \dfrac{K_B}{(S_2)_0}}$	Glutaminsäure-Oxalacetat-Transaminase [D. D. DAVIES and R. J. ELLIS: Biochem. J. **78**, 623 (1961)]

Teilschritten der Reaktion annehmen, wird die allgemeine Gleichung in folgender Form geschrieben:

$$v_{0\,H} = \frac{V_{\max H}}{1 + \dfrac{K_A}{(S_1)_0} + \dfrac{K_B}{(S_2)_0} + \dfrac{K_{AB}}{(S_1)_0 (S_2)_0}}. \tag{73}$$

K_A und K_B sind Konstanten II. Ordnung, während K_{AB} eine III. Ordnung ist. In Tabelle 4 wird gezeigt, wie sich die Gleichung bei wechselndem Reaktionsmechanismus ändert. Häufig wird auch folgende Form der Gl. (54) gebraucht[1]:

$$\frac{V_{\max H}}{v_{0\,H}} = 1 + \frac{K_A}{(S_1)_0} + \frac{K_B}{(S_2)_0} + \frac{K_{AB}}{(S_1)_0 (S_2)_0}. \tag{74}$$

Für die Rückreaktion kommt man mit dem gleichen Vorgehen zu den entsprechenden Aussagen. Bei der von der Schule THEORELLs gewählten Indizierung ist es nur nötig, die einzelnen Größen zu apostrophieren, um die Gleichungen für die rückläufige Reaktion zu erhalten (s. S. 37).

DALZIEL verzichtete auf die Definition von MICHAELIS-Konstanten und charakterisierte den Umsatz zweier Substrate an einem Enzym durch die allgemeinen Konstanten von Gl. (73), welche er aus Formel (75) entwickelte[2]:

$$\frac{1}{v_{0\,H}} = \frac{1}{V_{\max H}} + \frac{K_A}{V_{\max H}\,(S_1)_0} + \frac{K_B}{V_{\max H}\,(S_2)_0} + \frac{K_{AB}}{V_{\max H}\,(S_1)_0 (S_2)_0}. \tag{75}$$

Die Quotienten aus den Konstanten werden mit $\emptyset$ bezeichnet:

$$\frac{(E_0)}{v_{0\,H}} = \emptyset_0 + \frac{\emptyset_1}{(S_1)_0} + \frac{\emptyset_2}{(S_2)_0} + \frac{\emptyset_{1,2}}{(S_1)_0 (S_2)_0}. \tag{76}$$

Die aus Gl. (56) ersichtliche Bedeutung der Größen $\emptyset$ gilt nur für den eingangs beschriebenen Mechanismus. Der Zusammenhang zwischen den Größen $\emptyset$ und den von ALBERTY verwendeten Größen K ist durch folgende Gleichungen gegeben:

$$\frac{\emptyset_1}{\emptyset_0} = K_A \quad \text{und} \quad \frac{\emptyset_2}{\emptyset_0} = K_B. \tag{77}$$

Zur Charakterisierung von Zweisubstratreaktionen können ganz allgemein die Konstanten der Gln. (73) oder (76) verwendet werden.

Bei Zweisubstratreaktionen müssen die äußeren Bedingungen sehr genau festgelegt sein. Schon geringfügige p_H-Änderungen bedingen einen Wechsel des Reaktionsmechanismus und damit der Konstanten der Gleichungen. Dies haben THEORELL und NYGAARD für die Umsetzung von DPN und Äthylalkohol an der Hefe-Alkoholdehydrogenase beobachtet[3].

FRIEDEN[4] hat an der TPNH-abhängigen Glutaminsäuredehydrogenase die kinetische Analyse für eine „Halb"-reaktion versucht, bei welcher zwei Substrate und ein Coenzym verbraucht werden.

2. Zur Bestimmung der Konstanten der allgemeinen Gleichung.

a) Die Bestimmung der Konstanten K_A, K_B und $V_{\max H}$.

Die Konstanten K_A und K_B können nach den für die MICHAELIS-Konstante der Einsubstratreaktionen angegebenen Methoden bestimmt werden, wenn im Testsystem die Reaktionsgeschwindigkeit nur von einer Substratkonzentration bestimmt wird, da die Gleichung der Zweisubstratreaktion, wie auf S. 38 gezeigt wurde, in eine erster Ordnung übergeht[5].

---

[1] NIRENBERG, M. W., and W. B. JAKOBY: J. biol. Ch. **235**, 954 (1960).
[2] DALZIEL, K.: Acta chem. scand. **11**, 1706 (1957).
[3] NYGAARD, A. P., and H. THEORELL: Acta chem. scand. **9**, 1300 (1955).
[4] FRIEDEN, C.: J. biol. Ch. **234**, 2891 (1959).
[5] FLORINI, J. R., and C. S. VESTLING: Biochim. biophys. Acta **25**, 575 (1957). — PONTREMOLI, S., A. DE FLORA, E. GRAZI, G. MANGIAROTTI, A. BONSIGNORI and B. L. HORECKER: J. biol. Ch. **236**, 2975 (1961).

Die Bestimmung der Konstanten K_A, K_B und $V_{max\,H}$.

Die Gln. (72) lassen sich nach LINEWEAVER-BURK auflösen und auswerten:

$$\frac{1}{v_{0\,H}_{(\text{"}s_2\text{"})}} = \frac{1}{V_{max\,H}} + \frac{K_A}{V_{max\,H}} \cdot \frac{1}{(S_1)_0}, \tag{78a}$$

$$\frac{1}{v_{0\,H}_{(\text{"}s_1\text{"})}} = \frac{1}{V_{max\,H}} + \frac{K_B}{V_{max\,H}} \cdot \frac{1}{(S_2)_0}. \tag{78b}$$

(("s") bedeutet unbegrenzt hohe und konstante Substratkonzentration.)

Es ist möglich, beide Geraden in einer Zeichnung aufzutragen, wenn gleiche Dimensionen gewählt werden (Ordinate: $1/v_{0\,H}$-Achse; Abszisse: $1/(S)_0$-Achse). Die Achsenabschnitte haben den Wert folgender Größen (Abb. 7):

a) *Abschnitte auf der Abszisse:*

in Gl. (78a) $\quad -\dfrac{1}{K_A}$,

und Gl. (78b) $\quad -\dfrac{1}{K_B}$.

b) *Abschnitte auf der Ordinate:*

für Gl. (78a) und (78b) $\quad \dfrac{1}{V_{max\,H}}$.

Beide Gleichungen haben für $1/(S)_0 = 0$ dieselbe Lösung; sie schneiden sich also auf der Ordinate in Höhe von $V_{max\,H}$.

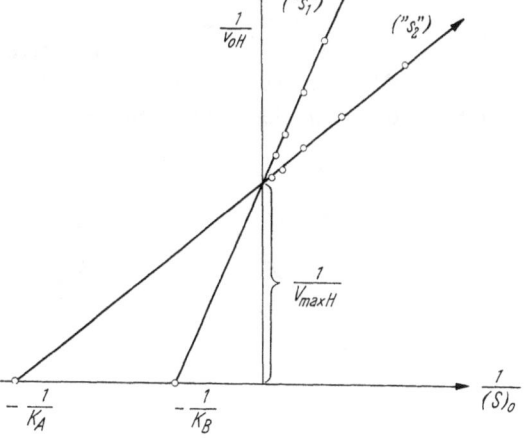

Abb. 7. Zur Bestimmung von K_A und K_B.

Mit dem LINEWEAVER-BURK-Verfahren werden die MICHAELIS-Konstanten bei sehr hohem Überschuß des zweiten Substrates bestimmt. Solche Substratkonzentrationen können jedoch Hemmung oder Aktivierung der Reaktion bewirken. Es ist deshalb die Bestimmung der MICHAELIS-Konstanten unter der Voraussetzung angegeben worden, daß die Konzentration eines Substrates auf vergleichbarer Größe mit der MICHAELIS-Konstanten gehalten wird und die Konzentration des anderen Substrates variabel ist[1]. Unter diesen Bedingungen kann eine Größe $V'_{max\,H}$ wie folgt festgelegt werden $((S_2)_0 \approx K_B)$:

$$V'_{max\,H} = \frac{V_{max\,H}}{1 + \dfrac{K_A}{(S_1)_0}}. \tag{79}$$

Wird $V_{max\,H}$ durch $V'_{max\,H}$ ausgedrückt und in Gl. (73) eingesetzt, dann erhält man:

$$v_{0\,H} = \frac{V'_{max\,H}}{\dfrac{1 + \dfrac{K_A}{(S_1)_0} + \dfrac{K_B}{(s_2)_0} + \dfrac{K_{AB}}{(S_1)_0(s_2)_0}}{1 + \dfrac{K_A}{(S_1)_0}}} = \frac{V'_{max\,H}}{\dfrac{1 + \dfrac{K_A(s_2)_0 + K_{AB}}{(S_1)_0(s_2)_0} + \dfrac{K_B}{(s_2)}}{1 + \dfrac{K_A}{(S_1)_0}}}$$

$$v_{0\,H} = \frac{V'_{max\,H}}{\dfrac{(S_1)_0(s_2)_0 + K_B(S_1)_0}{(S_1)_0(s_2)_0 + K_B(S_1)_0} + \dfrac{K_A(s_2)_0 + K_{AB}}{(S_1)_0(s_2)_0 + K_B(S_1)_0}}$$

$$v_{0\,H} = \frac{V'_{max\,H}}{1 + \dfrac{K_A(s_2)_0 + K_{AB}}{(S_1)_0(s_2)_0} \dfrac{1}{(S_1)_0}}.$$

---

[1] ALBERTY, R. A.: Enzyme Kinetics. Advanc. Enzymol. **17**, 15 (1956).

Der Gleichung wird gewöhnlich folgende Form gegeben:

$$v_{0H} = \frac{V'_{\max H}}{1 + \frac{K'_A}{(S_1)_0}}. \tag{80}$$

Durch Vergleichen läßt sich aus Gln. (80) und (81) der Wert von K'_A leicht ersehen.

Zur Bestimmung von K_A, K_B, und $V_{\max H}$ werden die Größen $V'_{\max H}$ und K'_A bei mehreren Werten von $(s_2)_0$ gemessen[1]. Das Verfahren ist auch auf andere Mechanismen anwendbar.

b) Bestimmung von K_B/K_{AB}.

Abb. 8 ist die graphische Darstellung der Gl. (78a) als Funktion von $1/v_{0H}$ gegen $1/(S_1)_0$ bei konstantem $(S_2)_0 = (s_2)_0$. Dies wurde für verschiedene Werte von $(s_2)_0$ durchgeführt. Die konstanten Konzentrationen von $(s_2)_0$ sollen alle nicht das Enzym sättigen. Wir beobachten unter dieser Voraussetzung, daß sich sämtliche Geraden in einem Punkte auf der negativen Seite der Abszisse schneiden[2].

Für diesen Punkt gilt:

$$\frac{1}{v_{0H(s_2)_1}} = \frac{1}{v_{0H(s_2)_2}} \quad \text{und} \quad \frac{1}{(S_1)_{(s_2)_1}} = \frac{1}{(S_1)_{(s_2)_2}}.$$

Schreibt man Gl. (73) für zwei verschiedene Werte von S_2 in der reziproken Form, so erhält man:

$$\frac{1}{v_{0H(s_2)_1}} = \frac{1}{V_{\max H}} + \frac{K_A}{(S_1)_0 V_{\max H}} +$$
$$+ \frac{K_B}{(s_2)_1 V_{\max H}} + \frac{K_{AB}}{(S_1)_0 (s_2)_1 V_{\max H}};$$

$$\frac{1}{v_{0H(s_2)_2}} = \frac{1}{V_{\max H}} + \frac{K_A}{(S_1)_0 V_{\max H}} +$$
$$+ \frac{K_B}{(s_2)_2 V_{\max H}} + \frac{K_{AB}}{(S_1)(s_2)_2 V_{\max H}}.$$

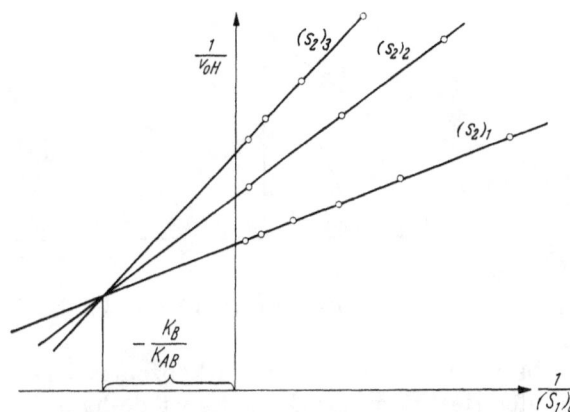

Abb. 8. Zur Bestimmung der Dissoziationskonstanten der Verbindung aus Enzym und Substrat S_1 nach FRIEDEN[2].

Die $1/(S_1)_0$ enthaltenden Glieder werden zusammengefaßt und die beiden Ausdrücke einander gleichgesetzt. Man erhält:

$$\left(\frac{1}{V_{\max H}} + \frac{K_B}{(s_2)_1 V_{\max H}}\right) + \frac{1}{(S_1)_0}\left(\frac{K_A}{V_{\max H}} + \frac{K_{AB}}{(s_2)_1 V_{\max H}}\right)$$
$$= \left(\frac{1}{V_{\max H}} + \frac{K_B}{(s_2)_2 V_{\max H}}\right) + \frac{1}{(S_1)_0}\left(\frac{K_A}{V_{\max H}} + \frac{K_{AB}}{(s_2)_2 V_{\max H}}\right);$$

$$\frac{K_B}{(s_2)_1} - \frac{K_B}{(s_2)_2} = \frac{1}{(S_1)_0}(K_A - K_A) + \frac{1}{(S_1)_0}\left(\frac{K_{AB}}{(s_2)_2} - \frac{K_{AB}}{(s_2)_1}\right);$$

$$K_B\left(\frac{1}{(s_2)_1} - \frac{1}{(s_2)_2}\right) = \frac{K_{AB}}{(S_1)_0}\left(\frac{1}{(s_2)_2} - \frac{1}{(s_2)_1}\right).$$

Der Ausdruck in der Klammer kann nach Vorzeichenumkehr auf der rechten Seite gekürzt werden.

Als $1/(S_1)_0$-Koordinate des Schnittpunktes der Geraden ergibt sich

$$-\frac{K_B}{K_{AB}}. \tag{81a}$$

---

[1] DAVIES, D. D., and R. J. ELLIS: Biochem. J. **78**, 623 (1961).
[2] FRIEDEN, C.: Am. Soc. **79**, 1894 (1957). — FLORINI, J. R., and C. S. VESTLING: Biochim. biophys. Acta **25**, 575 (1957).

Die Abszisse des Schnittpunkts der durch Auftragen von $1/(S_2)_0$ gegen $1/v_{0\,H}$ bei konstanten Werten von $(S_1)_0$ erhaltenen Geraden ist:

$$-\frac{K_A}{K_{AB}}. \tag{81b}$$

Für beide Geradenscharen ist die Ordinate des Schnittpunktes gemeinsam:

$$\frac{K_{AB} - K_A K_B}{K_{AB} - V_{\max H}}. \tag{81c}$$

Da für alle durch die Gl. (73) beschriebenen Reaktionsmechanismen von Zweisubstratreaktionen

$$\frac{K_{AB}}{K_B} = \frac{k_2}{k_1}$$

ist, ermöglicht diese Methode die Bestimmung der Dissoziationskonstanten der Verbindung des Substrates S_1 mit dem Enzym aus den Anfangsgeschwindigkeiten der Reaktion. Die physikalische Bedeutung von K_{AB}/K_B bleibt auch bei Reaktionen erhalten, welche mehr als zwei ternäre Komplexe durchlaufen. Eine Ausnahme macht derjenige Mechanismus, für welchen eine wahllose Addition der Substrate an das Enzym angenommen wird und die Umwandlung der ternären Komplexe nicht geschwindigkeitsbestimmend ist. Die Untersuchungen von HORECKER u. Mitarb. an kristalliner D-Glucuronsäure-6-phosphatdehydrogenase ergaben, daß alle Geraden sich auf der Abszisse schneiden. Ein anderes Beispiel wurde von REYNARD u. Mitarb. angegeben[1]. Dies kennzeichnet eine Zweisubstratreaktion, bei welcher die Umwandlung der ternären Komplexe der langsamste Teilschritt ist und die Affinität des Enzyms zum Substrat die gleiche wie diejenige des binären Komplexes aus Enzym und dem zweiten Substrat ist. Für diese Umsetzung werden in der auf S. 37 aufgeführten Reaktionsfolge $K_1 = K_4$ und $K_2 = K_3$. In der Formel für die Anfangsgeschwindigkeit wird $K_{AB} = K_A K_B$. Setzt man diesen Wert für K_{AB} in Gl. (81c) ein, so wird dieser Ausdruck Null. Wenn $K_{AB} = 0$, so schneiden sich die Linien in keinem Punkt.

c) Die Bestimmung der von DALZIEL mit Ø bezeichneten Größen.

DALZIEL hat die Bestimmung der Größen Ø mit unterhalb des Sättigungswertes liegenden Konzentrationen beider Substrate nach dem Verfahren des „double reciprocal plot" von LINEWEAVER und BURK beschrieben[2]. Gl. (76) kann folgendermaßen umgeformt werden:

$$\frac{(E)_0}{v_{0\,H}} = \emptyset_0 + \frac{\emptyset_2}{(S_2)_0} + \left(\emptyset_1 + \frac{\emptyset_{1,2}}{(S_2)_0}\right)\frac{1}{(S_1)_0}, \tag{82}$$

$$\frac{(E)_0}{v_{0\,H}} = \emptyset_0 + \frac{\emptyset_1}{(S_1)_0} + \left(\emptyset_2 + \frac{\emptyset_{1,2}}{(S_1)_0}\right)\frac{1}{(S_2)_0}. \tag{82a}$$

Die Durchführung dieser graphischen Methode wird an Gl. (82) gezeigt:

Bei konstantem Wert von $(S_2)_0$ macht man Meßreihen mit variabler Konzentration von S_1. Sie werden nach LINEWEAVER-BURK aufgetragen, wobei man $(E)_0/v_{0\,H}$ und $1/(S_1)_0$ als Koordinaten wählt.

Die Geraden schneiden die $(E)_0/v_{0\,H}$-Achse in Höhe von

$$A_{0,1,2\ldots} = \left(\emptyset_0 + \frac{\emptyset_2}{(S_2)_{0,1,2\ldots}}\right). \tag{83}$$

Ihre Steigungen betragen:

$$m_{0,1,2\ldots} = \left(\emptyset_1 + \frac{\emptyset_{1,2}}{(S_2)_{0,1,2\ldots}}\right). \tag{84}$$

---

[1] PONTREMOLI, S., A. DE FLORA, E. GRAZI, G. MANGIAROTTI, A. BONSIGNORI and B. L. HORECKER: J. biol. Ch. **236**, 2975 (1961). — REYNARD, A. M., L. F. HASS, D. D. JACOBSEN and P. D. BOYER: J. biol. Ch. **236**, 2277 (1961).
[2] DALZIEL, K.: Acta chem. scand. 11, 1706 (1957). — HAKALA, M. T., A. J. GLAID and G. W. SCHWERT: J. biol. Ch. **221**, 191 (1956). — THEORELL, H., and J. S. MCKINLEY MCKEE: Nature 192, 47 (1961). Acta chem. scand. **15**, 1797 (1961). — RAVAL, D. N., and R. G. WOLFE: Biochemistry 1, 263 (1962).

Es ergeben sich aus den Geraden folgende Wertegruppen:

$$(s_2)_0, \quad (s_2)_1, \quad (s_2)_2, \quad (s_2)_3 \ldots$$
$$m_0, \quad m_1, \quad m_2, \quad m_3 \ldots$$
$$(A)_0, \quad (A)_1, \quad (A)_2, \quad (A)_3 \ldots$$

Aus einer genügenden Menge solcher Werte lassen sich zwei weitere Geraden zeichnen:

1. m als Funktion von $1/(s_2)$; es folgt aus der Bestimmungsgleichung

$$m = \emptyset_1 + \frac{\emptyset_{1,2}}{(s_2)}, \tag{85}$$

daß die Steigung der Funktion $\emptyset_{1,2}$ ist und ihr Abschnitt auf der m-Achse $\emptyset_1$. Der absolute Wert des Abschnittes auf der (s_2)-Achse ist

$$\frac{\emptyset_1}{\emptyset_{1,2}}.$$

2. Auch dann erhält man eine Gerade, wenn A gegen $1/(s_2)$ aufgetragen wird; sie wird durch die Gleichung

$$(A) = \emptyset_0 + \frac{\emptyset_2}{(s_2)} \tag{86}$$

beschrieben. Ihre Steigung ist $\emptyset_2$, die Achsenabschnitte sind durch folgende Ausdrücke bestimmt:

für die (A)-Achse: $\emptyset_0$;

für die $1/(s_2)$-Achse: $-\dfrac{\emptyset_0}{\emptyset_2}$.

Wird $(S_2)_0$ variiert bei konstantem, das Enzym nicht sättigenden Wert von $(S_1)_0$, so erhält man nach der folgenden Zusammenstellung die Werte:

Aufgetragene Größen	Steigung (m)	Achsenabschnitt (A) auf der Ordinate
$(E)_0/v_0$ H $(S_2)_0$	$\emptyset_2 + \dfrac{\emptyset_{1,2}}{(s_1)_0}$	$\emptyset_0 + \dfrac{\emptyset_1}{(s_1)_0}$
Steigung m gegen $1/(s_1)_0$	$\emptyset_{1,2}$	$\emptyset_2$
Achsenabschnitt A gegen $1/(s_1)_0$	$\emptyset_1$	$\emptyset_2$

Nachteilig ist die Notwendigkeit der Kenntnis von $(E)_0$. Deshalb hat HAUGE[1] nicht die von DALZIEL angegebenen Größen, sondern ihre Quotienten mit $(E)_0$ bestimmt.

D. Über die Hemmung und Aktivierung von Enzymen.

Die Geschwindigkeit einer enzymatischen Reaktion kann von Stoffen beeinflußt werden, welche nicht für die Umsetzung erforderlich sind. Diese Substanzen *(Effektoren[2])* können die Reaktionsgeschwindigkeit erhöhen *(Aktivatoren)* oder herabsetzen *(Hemmstoffe, Inhibitoren)*.

---

[1] HAUGE, J. G.: Biochim. biophys. Acta 45, 263 (1960).
[2] BERSIN, T.: Kurzes Lehrbuch der Enzymologie. 4. Aufl. S. 45. Leipzig 1954.

1. Die Hemmung enzymatisch katalysierter Reaktionen.

Die Minderung der Enzymaktivität ist reversibel, wenn nach Entfernung des Inhibitors mit chemischen oder physikalischen Mitteln die Aktivität zurückkehrt. Bei einer irreversiblen Reaktion der Hemmstoffe mit einem Ferment ist bei Anwesenheit von mindestens einem Äquivalent Hemmstoff seine Wirkung allein von der Geschwindigkeit der Reaktion zwischen diesen beiden Substanzen abhängig. Als Beispiel wird die irreversible Hemmung der Katalase genannt, welche in ihrer Kinetik von MARGOLIASH und SCHEJTER[1] untersucht worden ist.

Die reversible Hemmung[2] kann durch verschiedene Angriffsweisen am Enzymmolekül bewirkt werden. Man bezeichnet Hemmstoffe dann als *kompetitiv*, wenn sie mit dem Substrat um die gleiche Stelle des Enzyms konkurrieren. Ein *nichtkompetitives* Verhalten liegt vor, wenn andere Stellen im Enzym reagieren, wobei die Affinität zwischen Enzym und Substrat beeinflußt werden kann oder nicht[3]. Eine dritte Möglichkeit ist, abgesehen von Sonderfällen des vorgenannten Verhaltens, dann gegeben, wenn der Hemmstoff sich allein mit dem Enzym-Substrat-Komplex verbindet. Diese Art von Hemmung wird im amerikanischen Schrifttum „uncompetitive" genannt[4]. NETTER hat diesen Ausdruck unverändert ins Deutsche übernommen.

GRUBER und WESSELIUS haben folgende Ursachen für das Eintreten einer unkompetitiven Hemmung angegeben[5]: a) die Freisetzung des Reaktionsproduktes wird durch eine Kompetition des Inhibitorstoffes mit Wasser in einer hydrolytischen Reaktion behindert, oder b) ein zweites Substrat wird fest an das Enzym gebunden, reagiert aber nur langsam.

Es werden im folgenden diejenigen Gleichungen besprochen, die für Einsubstratreaktionen gelten. Die für Umsetzungen mit zwei Substraten gültigen Beziehungen wurden jüngst von SCHWERT u. Mitarb.[6] diskutiert.

a) Kompetitives Verhalten des Hemmstoffes.

Neben der Umsetzung

$$E + S \rightleftharpoons ES \rightleftharpoons E + P \quad [Gl. (7)]$$

läuft noch ein weiterer Vorgang gleichzeitig ab:

$$E + I \underset{k'_i}{\overset{k_i}{\rightleftharpoons}} EI. \tag{87}$$

Der Enzym-Inhibitor-Komplex kann nicht mehr weiterreagieren. Deshalb stellt sich im Teilschritt Gl. (90) sehr schnell Gleichgewicht ein. Befindet sich ES im steady-state-Gleichgewicht, und wird nur die Hinreaktion ($k_4 = 0$) untersucht, so gelten folgende Gleichungen:

$$(E)_t = (E)_0 - (ES)_t - (EI)_t; \tag{88}$$

$$\frac{d(ES)_t}{dt} = k_1(E)_t(S)_t - k_2(ES)_t - k_3(ES)_t \tag{89}$$

und

$$\frac{d(EI)_t}{dt} = k_i(E)_t(I) - k'_i(EI)_t. \tag{90}$$

---

[1] MARGOLIASH, E., and A. SCHEJTER: Biochem. J. **74**, 349 (1960).
[2] SEGAL, H. L., J. F. KACHMAR and P. D. BOYER: Enzymologia **15**, 87 (1952).
[3] s. jedoch: KRUPKA, R. M., and K. J. LAIDLER: Nature **190**, 916 (1961).
[4] NETTER, H.: Theoretische Biochemie. S. 584. Berlin, Göttingen, Heidelberg 1959. — KUHN, R.: H. **125**, 1 (1923).
[5] GRUBER, M., and J. C. WESSELIUS: Biochim. biophys. Acta **57**, 171 (1962).
[6] NOVOA, W. B., A. D. WINER, A. J. GLAID and G. W. SCHWERT: J. biol. Ch. **234**, 1143 (1959). — NOVOA, W. B., and G. W. SCHWERT: J. biol. Ch. **236**, 2150 (1961). — DALZIEL, K.: Acta chem. scand. **11**, 1706 (1957). — REYNARD, A. M., L. F. HASS, D. D. JACOBSEN and P. D. BOYER: J. biol. Ch. **236**, 2277 (1961).

Die linken Seiten der beiden letzten Gleichungen haben den Wert 0 (Fließ- oder Gleichgewicht!):

$$k_1(E)_t(S)_t - (k_2 + k_3)(ES)_t = 0$$

und

$$k_i(E)_t(S)_t - k_i'(EI)_t = 0.$$

Gl. (90) ist der Ausdruck für den Gleichgewichtszustand zwischen Enzym und Inhibitor, muß also wie folgt geschrieben werden:

$$K_i = \frac{k_i}{k_i'} = \frac{(EI)_t}{(E)_t(I)_t}. \tag{91}$$

K_i ist die Gleichgewichtskonstante für die Reaktion zwischen Inhibitor und Enzym. Sie wird *Hemmkonstante* genannt[1]. Von vielen Autoren (DIXON, BOYER) wird mit K_i die Dissoziationskonstante von EI bezeichnet. Der Report of the Commission on Enzymes läßt beide Möglichkeiten zu. Aus Gln. (86)—(90) erhält man durch Elimination von $(E)_t$ und $(EI)_t$ und Auflösen nach $(ES)_t$:

$$(ES)_t = \frac{k_1(S)_t(E)_0}{(k_2 + k_3) + k_1(S)_t + (k_2 + k_3)(I)_t K_i}. \tag{92}$$

Die Geschwindigkeit der Reaktion ist mit

$$v_H = k_3(ES)_t$$

anzugeben. Für die Initialgeschwindigkeit ergibt sich folgende Gleichung, wenn $t \to 0$ geht, $(S)_0 \gg (E)_0$ und bei kleinem K_i also $(I)_t = (I)$ sind

$$v_{0H} = \frac{k_3 k_1(S)_0(E)_0}{(k_2 + k_3) + k_1(S)_0 + (k_2 + k_3)(I)K_i}. \tag{93}$$

Da $V_{\max H} = k_3(E)_0$ wird

$$v_{0H} = \frac{V_{\max H}(S)_0}{K_{MS}(1 + (I)K_i) + (S)_0}. \tag{94}$$

Der Ausdruck erhält den Aufbau der MICHAELIS-MENTEN-Gleichung, wenn K_{MS}' für $K_{MS}(1 + (I)K_i)$ gesetzt wird.

Durch Einwirkung eines kompetitiven Hemmstoffes ändert sich die Sättigungsgeschwindigkeit des Enzyms nicht $((S)_0 \gg K_{MS}')$. Wird Gl. (94) nach LINEWEAVER-BURK aufgelöst, so ist

$$\frac{1}{v_{0H}} = \frac{K_{MS}(1 + (I)K_i)}{V_{\max H}} \cdot \frac{1}{(S)_0} + \frac{1}{V_{\max H}} \tag{95}$$

oder unter Verwendung von K_{MS}':

$$\frac{1}{v_{0H}} = \frac{K_{MS}'}{V_{\max H}} \cdot \frac{1}{(S)_0} + \frac{1}{V_{\max H}}. \tag{96}$$

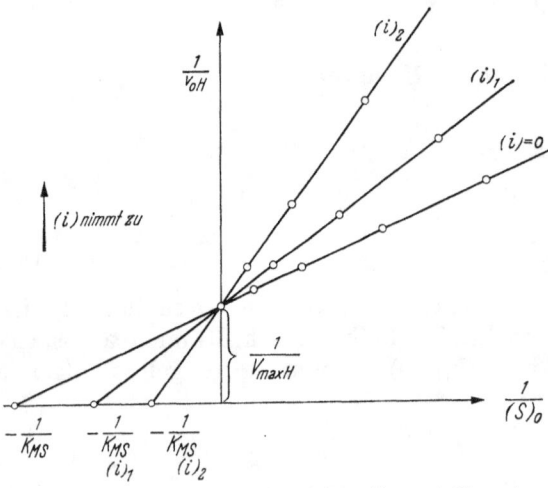

Abb. 9. Kompetitives Verhalten eines Hemmstoffes, Auswertung nach dem Verfahren von LINEWEAVER und BURK (i = konstante Hemmstoffkonzentration).

Drei Eigenschaften der diese Gleichungen beschreibenden Geraden lassen sich leicht beweisen (Abb. 9):

1. Ihre Steigung wird mit wachsender Inhibitorkonzentration größer,

2. der Abschnitt auf der $1/(S)_0$-Achse beträgt $1/K_{MS}(1 + (I)K_i)$,

3. die für mehrere Hemmstoffkonzentrationen erhaltenen Geraden schneiden sich auf der $1/v_{0H}$-Achse in einem Punkt mit der Koordinate $1/V_{\max H}$[2].

---

[1] Report of the Commission on Enzymes of the International Union of Biochemistry, S. 13. Oxford 1961.
[2] DAHLQVIST, A.: Acta chem. scand. **13**, 2156 (1959); **14**, 70 (1960).

Ein kompetitiver Hemmstoff ändert allein die MICHAELIS-Konstante des Enzyms. Bei hohen, allerdings nicht immer im Experiment erreichbaren Substratkonzentrationen wird die Wirkung des kompetitiven Hemmstoffs völlig aufgehoben. Bei allen Inhibitorkonzentrationen kann wenigstens theoretisch die Sättigungsgeschwindigkeit des ungehemmten Enzyms erreicht werden.

b) Gleichungen für nichtkompetitives Verhalten.

Der Enzym-Substrat-Komplex wie auch das freie Enzym reagieren mit dem Inhibitor. Die Affinität von beiden zum Hemmstoff sind gleich:

$$E + I \rightleftharpoons EI \qquad K_i = \frac{(EI)}{(E)(I)}, \tag{97}$$

$$ES + I \rightleftharpoons ESI \qquad K_i = \frac{(ESI)}{(E)(I)}, \tag{98}$$

$$E + S \rightleftharpoons ES \rightleftharpoons E + P, \quad K = \frac{(ES)}{(E)(S)}. \tag{99}$$

Sind die Gleichgewichtskonstanten beider Reaktionen des Effektors nicht identisch, so spricht man von einer gemischten Hemmung[1].

Jeder Teilschritt befindet sich im Gleichgewicht.

$$(E)_0 = (E)_t + (ES)_t + (EI)_t + (ESI)_t. \tag{100}$$

Aus Gln. (98) und (100) wird:

$$(E)_0 = (E)_t \left(1 + K(S)_0 + K_i(I) + K K_i(S)_t(I)\right). \tag{101}$$

Führt man in diese Gleichung $(ES)_t = K(E)_t(S)_t$ ein und kombiniert mit

$$v_H = k_3(ES)_t,$$

dann werden

$$v_{0H} = \frac{k_3 K(E)_0 (S)_0}{1 + K(S)_0 + K_i(I) + K K_i(S)_0(I)} \tag{102}$$

und

$$v_{0H} = \frac{k_3 K(E)_0 (S)_0}{(1 + K(S)_0)(1 + K_i(S)_0)}. \tag{103}$$

Die mit ESI bezeichnete Verbindung zerfällt nicht in das Produkt. Wird die Hinreaktion betrachtet, und befinden sich alle Teilschritte des Vorganges im Gleichgewicht[2], so ergibt sich nach Division von Gl. (102) mit $K + K_i K(I)$:

$$v_{0H} = \frac{\frac{k_3 K(E)_0}{K + K_i K(I)}(S)_0}{\frac{1 + K_i(I)}{K + K_i K(I)} + (S)_0} = \frac{\frac{k_3(E)_0}{1 + K_i(I)}(S)_0}{\frac{1 + K_i(I)}{K(1 + K_i(I))} + (S)_0};$$

$\frac{1 + K_i(I)}{K(1 + K_i(I))}$ hat den Wert von $K_{MS} = K_D$ und $V'_{max\,H} = \frac{k_3(E)_0}{1 + K_i(I)}$

ist das $V_{max\,H}$ entsprechende Glied der MICHAELIS-MENTEN-Gleichung.

Wird Gl. (103) nach $1/v_{0H}$ aufgelöst, bekommt man die Gleichung einer Geraden mit den beiden Variablen $1/v_{0H}$ und $1/(S)_0$:

$$\frac{1}{v_{0H}} = \frac{1 + K_i(I)}{k_3 K(E)_0} \frac{1}{(S)_0} + \frac{1 + K_i(I)}{k_3(E)_0}. \tag{104}$$

Ihre Steigung ist

$$\frac{-K_{MS}}{V'_{max\,H}}.$$

---
[1] DIXON, M., and E. C. WEBB: Enzymes. S. 178 (1958).
[2] LAIDLER, K. J.: Discuss. Faraday Soc. **20**, 83 (1955).

Sie schneidet die $1/(S)_0$-Achse in Höhe von $-1/K_{MS}$ (Abb. 10).

Durch einen nichtkompetitiven Hemmstoff wird die Sättigungsgeschwindigkeit zu einer von der Inhibitorkonzentration abhängigen Größe. Die MICHAELIS-Konstante wird nicht verändert. Das erkennt man, wenn Gl. (103) in anderer Weise formuliert wird:

$$v_{0H} = \frac{V'_{max\,H}(S)_0}{K_{MS} + (S)_0} \quad (105)$$

und

$$V'_{max\,H} = \frac{k_3(E)_0}{1 + (I)K_i}. \quad (106)$$

Alle durch graphische Darstellung von $1/v_{0H}$ gegen $1/(S)_0$ erhaltenen und jeweils für eine andere, konstante Hemmstoffkonzentration aufgenommenen Geraden schneiden sich auf der $1/(S)_0$-Achse beim Wert $-1/K_{MS}$.

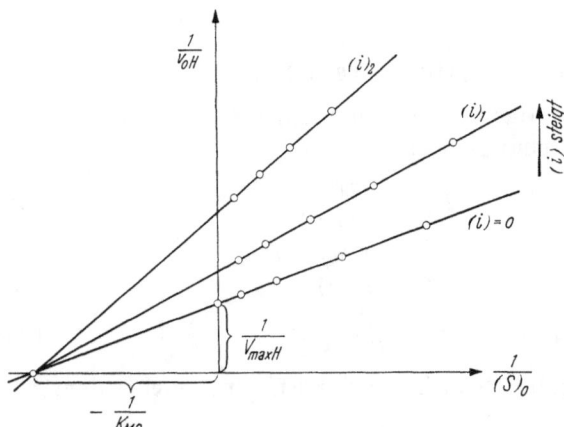

Abb. 10. Nichtkompetitive Hemmung (Verfahren nach LINEWEAVER und BURK). Die scheinbare Sättigungsgeschwindigkeit $V'_{max\,H}$ ist kleiner als $V_{max\,H}$.

c) Unkompetitives Verhalten des Hemmstoffes.

Das unkompetitive Verhalten und einige Sonderformen der Einwirkung von Hemmstoffen auf Enzyme sollen hier nur gestreift werden. In Tabelle 5 werden Kennzeichen dieser Verhaltensweise angeführt. Es wurden auch viele Spezialfälle der Einwirkung eines Hemmstoffes untersucht, so auch die Hemmung, wenn der Inhibitor sich an mehreren Stellen des Enzyms festsetzt[1].

Die in den letzten Abschnitten angeführten Gleichungen sind unter Voraussetzung der „equilibrium kinetics" (BOYER) abgeleitet worden. Formulierungen unter Voraussetzung eines Fließgleichgewichtes wurden von verschiedenen Autoren entwickelt[2].

Wird der Hemmstoff sehr fest an das Enzym gebunden, so sind die zur Hemmung benötigten Konzentrationen des Hemmstoffes derjenigen des Enzyms vergleichbar (K_i ist sehr groß)[3] (sog. starke Hemmung, strong inhibition).

d) Auswertung der Hemmversuche.

Die meisten Formeln des Abschnittes D 1 lassen sich in der Gestalt

$$\frac{A(S)_0}{B + (S)_0}$$

darstellen.

Die Werte der Konstanten für die MICHAELIS-MENTEN-Gleichung sind bekannt. In den eine Hemmstoffwirkung beschreibenden Gleichungen werden die Konstanten mit $V'_{max\,H}$ und K'_{MS} oft auch als „scheinbare MICHAELIS-Konstante" und „scheinbare Sättigungsgeschwindigkeit" bezeichnet, da sie von (I) abhängig geworden sind.

Das Verfahren von LINEWEAVER und BURK wurde schon im Vorangehenden auf die Hemmversuche ausgedehnt. Es gibt viele Beispiele seiner Anwendung[4].

---

[1] KELLER, H., W. MÜLLER-BEISSENHIRTZ u. H. D. OHLENBUSCH: H. **316**, 172 (1959). — GRUBER, W., K. WARZECHA, G. PFLEIDERER u. T. WIELAND: B. Z. **336**, 107 (1962).

[2] BOTTS, J., and M. F. MORALES: Trans. Faraday Soc. **49**, 696 (1953). — LAIDLER, K. J.: Trans. Faraday Soc. **51**, 528 (1955). Discuss. Faraday Soc. **20**, 83 (1955).

[3] EASSON, L. H., and E. STEDMAN: Proc. R. Soc. London (B) **121**, 142 (1936). — STRAUS, O. H., and A. GOLDSTEIN: J. gen. Physiol. **26**, 559 (1943). — GOLDSTEIN, A.: J. gen. Physiol. **27**, 529 (1944).

[4] YAGI, K., T. OZAWA and T. NAGATSU: Biochim. biophys. Acta **43**, 310 (1960). — ANDERSON, B. M., and N. O. KAPLAN: J. biol. Ch. **234**, 1226 (1959). — NIRENBERG, M. W., and W. B. JAKOBY: Proc. nat. Acad. Sci. USA **46**, 206 (1960).

Auswertung der Hemmversuche.

Tabelle 5. *Sonderformen des Verhaltens von Hemmstoffen.*

Beschreibung und Benennung der Einwirkung des Hemmstoffes	Mechanismus	Gleichungen (Alle Gleichungen haben die Form der MICHAELIS-MENTEN-Gleichung. Die Gestalt der Formeln hängt davon ab, ob die Gleichgewichts- oder die Dissoziationskonstanten verwendet werden. K'_{MS} und $V'_{max\,H}$ sind sofort ablesbar. Sind beide Größen nicht identisch mit den Konstanten von Gleichung (38), dann liegt „gemischte Hemmung" vor[1].)	
Sind die Gleichgewichtskonstanten der Bildung von EI und von EIS aus ES verschieden und können sowohl EIS wie auch ES das Produkt freisetzen, dann sind untenstehende Möglichkeiten denkbar:	$E + S \rightleftharpoons ES\ (K_S)$ $E + I \rightleftharpoons EI\ (K_i)$ $ES + I \rightleftharpoons EIS\ (K'_S)$ $EI + S \rightleftharpoons EIS\ (K'_i)$		
A. *Partiell kompetitive Hemmung.* Die Geschwindigkeitskonstanten beider das Produkt liefernden Reaktionen sind gleich, $k = k'$ [2].	$ES \xrightarrow{k} E + P$ $EIS \xrightarrow{k'} EI + P$	$v_{0H} = \dfrac{k(E)_0(S)_0}{K_S\left(1 + \dfrac{K_i K'_S (I)}{K_S}\right) \dfrac{1}{1 + (I) K_i} + (S)_0}$	(107)
		$v_{0H} = \dfrac{k(E)_0(S)_0}{K_{DS}\left(\dfrac{K_{Di}K'_{DS} + K'_{DS}(I)}{K_{Di}K'_{DS} + K_{DS}(I)}\right) + (S)_0}$	
B. *Partiell kompetitive und nichtkompetitive Hemmung.* Die Geschwindigkeitskonstanten beider Reaktionen sind verschieden, $k \neq k'$ [3].		$v_{0H} = \dfrac{(k + k' K'_i(I))(E)_0(S)_0}{\dfrac{1 + K_i(I)}{K_S} + (S)_0}$	(108)
		$v_{0H} = \dfrac{(k K'_{DS} K_{Di} + k' K_{DS}(I))(E)_0(S)_0}{K'_{DS}(K'_{DS} K_{Di} + K'_{DS}(I)) + (S)_0(K'_{DS} K_{Di} + K'_{DS}(I))}$	
„apparent competitive" *Hemmung.* Der Hemmstoff beeinflußt nicht die Affinität des Substrates zum Enzym. Die Geschwindigkeiten des Zerfalls von ES und EIS sind verschieden[4].	$E + S \rightleftharpoons ES\ (K_S)$ $EI + S \rightleftharpoons EIS\ (K_S)$ $E + I \rightleftharpoons EI\ (K_i)$ $ES + I \rightleftharpoons EIS\ (K_i)$ $ES \xrightarrow{k} E + P$ $EIS \xrightarrow{k'} EI + P$	$v_{0H} = \dfrac{k(1 + K_i(I))(E)_0}{1 + \dfrac{k K_i(I)}{k} \Big/ K_{DS} + (S)_0}$	
Unkompetitive Hemmung. Der Hemmstoff reagiert allein mit dem Enzym-Substrat-Komplex, $K'_{MS} < K_{MS}$ [5].	$E + S \rightleftharpoons ES\ (K_S)$ $ES + I \rightleftharpoons EIS\ (K_i)$ $ES \xrightarrow{k} E + P$	$v_{0H} = \dfrac{k_3(E)_0(S)_0}{\dfrac{1}{(1 + K_i(I))K_S} \dfrac{1}{1 + (I)K_i} + (S)_0}$	(109)

---

[1] DIXON, M., and E. C. WEBB: Enzymes. S. 178. London (1958). — SEGAL, H. L.: The Development of Enzyme Kinetics; in: Boyer-Lardy-Myrbäck, Enzymes, Bd. I, S. 24. (1959).
[2] ROY, A. B.: Biochem. J. **79**, 293 (1961).
[3] ROY, A. B.: Biochem. J. **82**, 66 (1962).
[4] ALBERTY, R. A.: Adv. Enzymol. **17**, 15 (1956).
[5] DODGSON, K. S., B. SPENCER and K. WILLIAMS: Nature **177**, 432 (1956). — EBERSOLE, E. R., C. GUTTENTAG and P. W. WILSON: Arch. Biochem. **3**, 399 (1943/44).

α) Methode von DIXON.

DIXON hat gezeigt, wie man durch Auflösen der Gleichungen für kompetitives und nichtkompetitives Verhalten nach $1/v_{0H}$ und (I) Kenntnis über den Hemmungstyp erhält. Es werden $1/v_{0H}$ und (I) bei konstanter Substratkonzentration $[(s)_{1,2}\ldots]$ variiert.

1. Bei *kompetitiver Hemmung* schneiden sich alle Geraden in einem Punkt. Da im Schnittpunkt

$$1/v_{0H_1} = 1/v_{0H_2} \quad \text{und} \quad (I)_1 = (I)_2$$

sind, ergibt sich aus Gl. (95):

$$\frac{K_{MS}}{V_{max\,H}(s)_1} + \frac{K_{MS}K_i}{V_{max\,H}(s)_1}(I) + \frac{K_{MS}}{V_{max\,H}} = \frac{K_{MS}}{V_{max\,H}(s)_2} + \frac{K_{MS}K_i}{V_{max\,H}(s)_2}(I) + \frac{K_{MS}}{V_{max\,H}}. \quad (110)$$

Es folgt weiter:

$$\frac{1}{(s)_1}(1 + (I)K_i) = \frac{1}{(s)_2}(1 + (I)K_i). \quad (111)$$

Dies kann nur der Fall sein, wenn

$$\frac{1}{(s)_1} = \frac{1}{(s)_2} \quad \text{oder} \quad (I) = -\frac{1}{K_i}.$$

Nach Voraussetzung kann der erste Fall nicht eintreten, es trifft der zweite zu (Abb. 11). Aus der nämlichen Zeichnung kann auch K_{MS} ermittelt werden, schneidet doch jede Linie die (I)-Achse im Punkt

$$-K_i((s)/K_{MS} + 1).$$

Kennt man die MICHAELIS-Konstante aus Messungen mit dem ungehemmten Enzym, so sind nur noch Versuche bei einer konstanten Substratkonzentration auszuführen. [Da

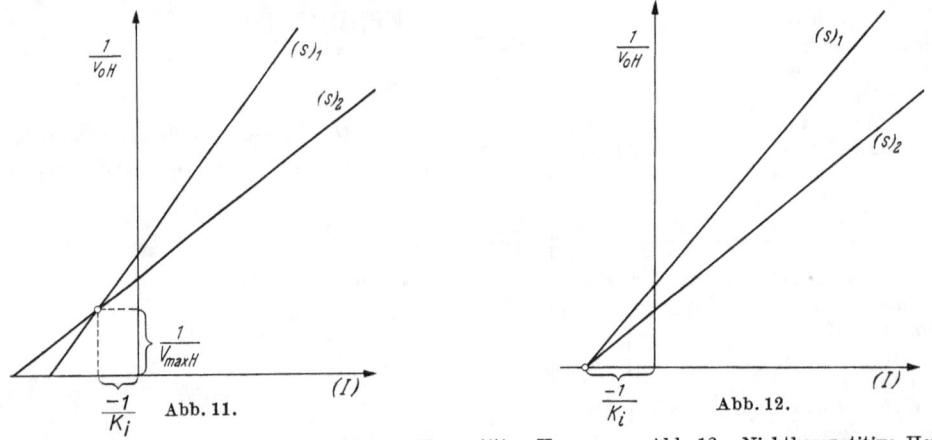

Abb. 11 u. 12. Zur Methode von DIXON[1]. Abb. 11. Kompetitive Hemmung. Abb. 12. Nichtkompetitive Hemmung.

die Koordinate des Schnittpunktes auf der $1/v_{0H}$-Achse ((I) = $-1/K_i$ setzen!) den Wert $V_{max\,H}$ besitzt, wird $1/v_{0H}$ gegen (I) bei einer konstanten Substratkonzentration graphisch dargestellt und für das ungehemmte System $V_{max\,H}$ bestimmt (Sättigungskurve! Verfahren von EADIE!). Man sucht nun die zu $V_{max\,H}$ gehörende Hemmstoffkonzentration auf. Sie ist der negative, reziproke Wert der Hemmkonstanten.

2. Beim Vorliegen einer *nichtkompetitiven Hemmung* schneiden sich alle Geraden in einem Punkt auf der (I)-Achse mit der Koordinaten (I) = $-1/K_i$ (Abb. 12).

Ableitung: Gl. (104) wird Null gesetzt.

$$\left(\frac{1}{V_{max\,H}} + \frac{K_{MS}}{V_{max\,H}(s)_0}\right)(1 + (I)K_i) = 0. \quad (112)$$

$$(1 + (I)K_i) = 0; \quad (I) = -1/K_i.$$

---
[1] DIXON, M.: Biochem. J. **55**, 161 (1953). — Anwendungsbeispiele: MASSEY, V.: Biochem. J. **55** 173 (1953). — GAL, E. M.: Arch. Biochem. **90**, 278 (1960).

β) Anwendung des Verfahrens von EADIE *bei Hemmversuchen.*

Es ist möglich, die aufgeführten Gleichungen für alle drei Arten der Hemmung nach v_{0H} aufzulösen. Die Funktion v_{0H} von $v_{0H}/(S)_0$ ist immer eine Gerade[1]:

1. Bei *kompetitiver Hemmung* gilt:

$$v_{0H} = V_{\max H} - K_{MS}(1 + (I)K_i) \cdot \frac{v_{0H}}{(S)_0}. \tag{113}$$

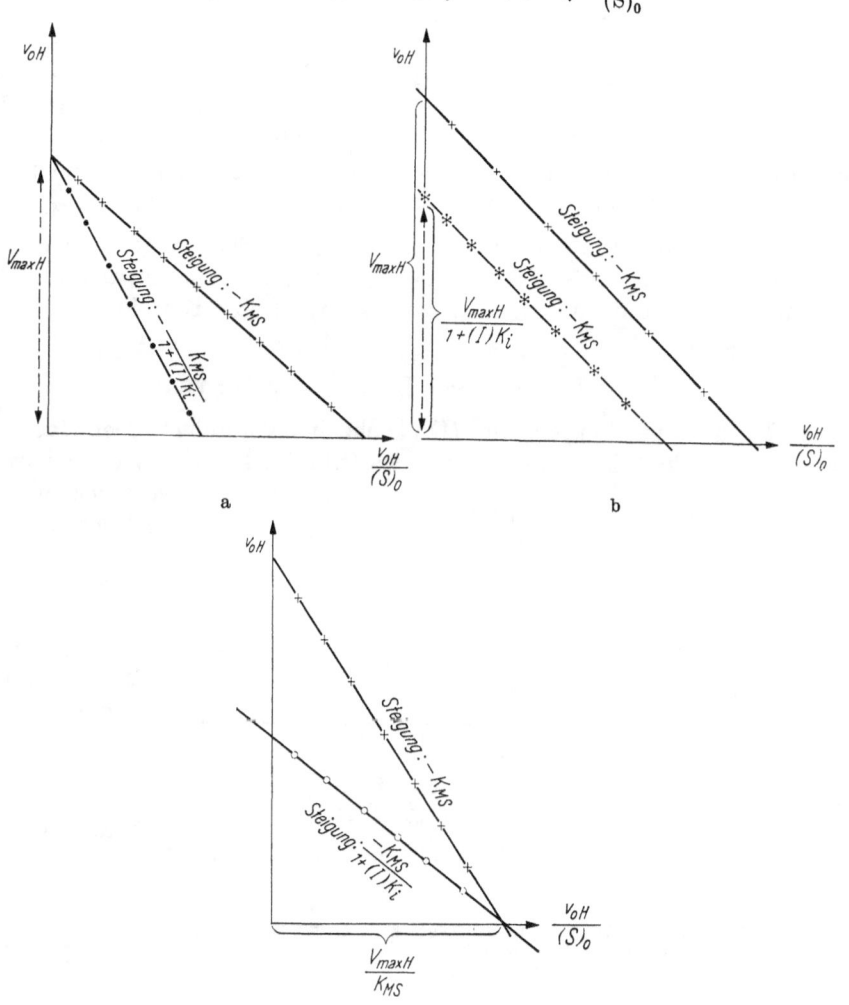

Abb. 13a—c. Verfahren von EADIE: a bei kompetitivem, b bei nichtkompetitivem Verhalten des Hemmstoffes; c zeigt unkompetitives Verhalten. (●—●—● kompetitiv gehemmt; ●—*—● nichtkompetitiv gehemmt; ○—○—○ unkompetitiv gehemmt; ×—×—× nicht gehemmt.)

Die Geraden für das Verhalten des gehemmten Enzyms und des ungehemmten Enzyms haben verschiedene Steigungen, nämlich

$$-K_{MS}/(1 + (I)K_i) \quad \text{bzw.} \quad -K_{MS} \text{ (Abb. 13a).}$$

2. Für *nichtkompetitive Hemmung* gilt:

$$v_{0H} = \frac{V_{\max H}}{1 + (I)K_i} - K_{MS}\frac{v_{0H}}{(S)_0}. \tag{114}$$

In Gegenwart eines nichtkompetitiven Hemmstoffes hat die Gerade die gleiche Steigung wie bei Abwesenheit des Effektors, jedoch sind die Ordinatenabschnitte verschieden.

---
[1] HOFSTEE, B. H. J.: Enzymologia **17**, 273 (1954—1956). — Beispiel: FRIEDEN, E., G. W. WESTMARK and J. M. SCHOOR: Arch. Biochem. **92**, 176 (1961).

Bei ungehemmtem Enzym beträgt er $V_{\max H}$, bei Anwesenheit eines nichtkompetitiven Inhibitors:

$$V_{\max H}/(1 + (I)\,K_i) \quad \text{(Abb. 13b)}.$$

3. *Unkompetitive Hemmung.* Aus der Gl. (109) gewinnt man:

$$v_{0H} = \frac{V_{\max H}}{(1 + (I)K_i)} - \frac{K_{MS}}{(1 + (I)K_i)} \frac{v_{0H}}{(S)_0}. \tag{115}$$

Unkompetitives Verhalten des Hemmstoffs bewirkt eine gegenüber der dem MICHAELIS-MENTEN-Verhalten entsprechenden Geraden veränderte Steigung [ohne Hemmstoff: $-K_{MS}$, in seiner Gegenwart $-K_{MS}/(1+(I)K_i)$] (Abb. 13c). Für diese Wirkungsweise von Inhibitoren ist kennzeichnend, daß die Geraden für gehemmtes und ungehemmtes Enzym den gleichen Abschnitt auf der Abszisse haben, nämlich $V_{\max H}/K_{MS}$.

In der Arbeit von HOFSTEE[1] findet sich eine weitere und ähnliche Methode zur Analyse von Versuchen mit Hemmstoffen. Es wird $(S)_0$ konstant gehalten und die Hemmstoffkonzentration variiert. Die Funktion v_{0H} von $v_{0H}(I)$ ist eine Gerade.

γ) *Das Verfahren von* DOWNS *und* HUNTER[2].

Bei dieser Methode werden $(S)_0$ und (I) gleichzeitig verändert. Der Quotient aus der Reaktionsgeschwindigkeit bei Anwesenheit des Inhibitors und derjenigen in seiner Abwesenheit wird mit α bezeichnet (Abb. 14):

$$\alpha = \frac{v_{0H,I}}{v_{0H}}. \tag{116}$$

Bildet man für *kompetitive Hemmung* den Ausdruck

$$\frac{\alpha}{1-\alpha}, \tag{117}$$

so bekommt man:

$$(I)\,\frac{\alpha}{1-\alpha} = \frac{1}{K_i} + \frac{(S)_0}{K_{MS}K_i}. \tag{118}$$

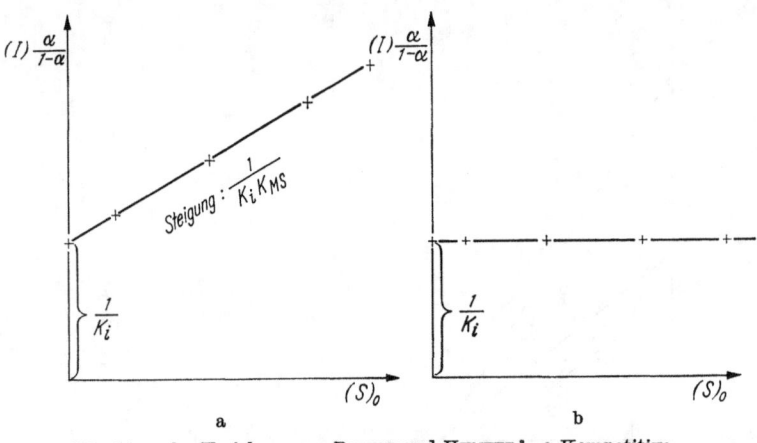

Abb. 14a u. b. Verfahren von DOWNS und HUNTER[3]. a Kompetitive, b nichtkompetitive Hemmung.

Dies folgt aus:

$$\alpha = \frac{v_{0H(I)}}{v_{0H}} = \frac{K_{MS} + (S)_0}{K_{MS}(1+(I)K_i) + (S)_0};$$

$$1 - \alpha = 1 - \frac{K_{MS} + (S)_0}{K_{MS}(1+(I)K_i) + (S)_0} = \frac{K_{MS}(I)K_i}{K_{MS}(1+(I)K_i) + (S)_0};$$

$$\frac{\alpha}{1-\alpha} = \frac{(K_{MS} + (S)_0)(K_{MS}(1+(I)K_i) + (S)_0)}{K_{MS}(I)K_i};$$

$$\frac{\alpha}{1-\alpha} = \frac{K_{MS} + (S)_0}{K_{MS}(I)K_i} = \frac{K_{MS}}{K_{MS}(I)K_i} + \frac{(S)_0}{(K_{MS}(I)K_i)}.$$

---

[1] HOFSTEE, B. H. J.: Enzymologia **17**, 273 (1954—1956). — Beispiel: FRIEDEN, E., G. W. WESTMARK and J. M. SCHOOR: Arch. Biochem. **92**, 176 (1961).
[2] HUNTER, A., and C. E. DOWNS: J. biol. Ch. **157**, 427 (1945). — Anwendung durch HOLZER, H., u. H. W. GOEDDE: B. Z. **329**, 192 (1957). — BRÜGGEMANN, J., K. SCHLOSSMANN, M. MERKENSCHLAGER u. M. WALDSCHMIDT: B. Z. **335**, 392 (1962).
[3] DIXON, M., and E. C. WEBB: Enzymes. S. 26. London 1958.

Zeichnet man (I) $\alpha/1-\alpha$ gegen $(S)_0$, so erhält man eine Gerade mit der Steigung (Abb. 14a):

$$\frac{1}{K_i \cdot K_{MS}},$$

welche die Ordinate bei K_i schneidet.

Da

$$(I)\frac{\alpha}{1-\alpha} = (I)\frac{v_{0H(I)}/v_{0H}}{1-\frac{v_{0H,I}}{v_{0H}}} = (I)\frac{v_{0H(I)}}{v_{0H}-v_{0H,I}}, \tag{119}$$

läßt sich die linke Seite der Gl. (118) aus den gemessenen Initialgeschwindigkeiten leicht berechnen. Eine nichtkompetitive Hemmung verlangt nach Gl. (104):

$$(I)\frac{\alpha}{1-\alpha} = \frac{1}{K_i}. \tag{120}$$

Die Gerade ist eine Parallele zur $(S)_0$-Achse (Abb. 14b).

e) Hemmung durch Substrat und Produkt.

Bei der Aufnahme einer Sättigungskurve zeigt sich in vielen Fällen, daß die Reaktion nicht eine bis zu praktisch unendlicher Substratkonzentration gleichbleibende Sättigungsgeschwindigkeit erreicht. Vielmehr durchschreitet die Reaktionsgeschwindigkeit häufig ein Maximum und fällt mit wachsender Substratkonzentration auf einen konstanten Wert oder sogar auf Null ab. Von dieser Substrathemmung oder Überschußhemmung (NETTER) ist die Hemmung durch die Anhäufung der Produkte zu unterscheiden.

Letztere kann wie eine kompetitive Hemmung beschrieben werden[1]. Allerdings hat ALBERTY darauf aufmerksam gemacht, daß die Wirkung der Produktanhäufung sich gut mit den für reversible Reaktionen gültigen Gleichungen erfassen läßt[2]. Die Integration der Gleichungen möglicher Reaktionsmechanismen für die Hemmung durch das Produkt wurde von SCHWIMMER durchgeführt und auf die Vorgänge bei der Hydrolyse von S-Äthyl-L-cystein durch eine C—S-Lyase aus *Albizzia lophanta* angewendet[3].

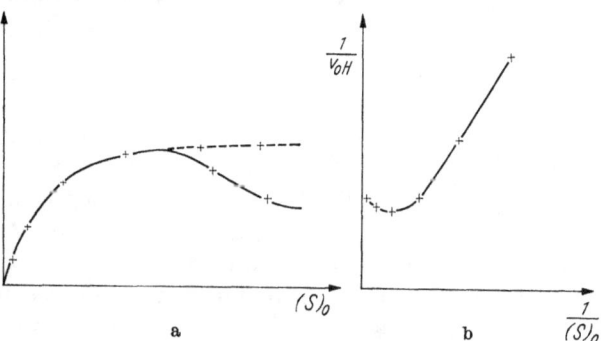

Abb. 15a u. b. Substrathemmung. a Sättigungskurve (ausgezogene Kurve zeigt Normalverhalten; gestrichelter Kurventeil bezeichnet Abweichung bei höherer Substratkonzentration, wenn Substrathemmung vorliegt). b Auswertung nach LINEWEAVER und BURK bei Substrathemmung.

Die Ableitungen von Gleichungen für die Substrathemmung gehen häufig von der Annahme zweier aktiver Stellen im Enzymmolekül aus. Diese Voraussetzung dürfte wohl nicht immer zutreffen. So kann eine Substrathemmung bei der Äpfelsäuredehydrogenase beobachtet werden, obwohl dieses Enzym mit Sicherheit nur eine aktive Stelle pro Mol besitzt[4]. Mathematische Formulierungen stammen von HALDANE, LAIDLER und NIEMANN[5]. Auf die Herleitung und Aufzählung dieser Gleichungen sei hier verzichtet.

---

[1] LAIDLER, K. J.: The Chemical Kinetics of Enzyme Action. S. 101. London 1958. — FOSTER, R. J., and C. NIEMANN: Proc. nat. Acad. Sci. USA **39**, 999 (1953). Am. Soc. **77**, 1886 (1955). — APPLEWHITE, T. H., and C. NIEMANN: Am. Soc. **77**, 4923 (1955). — JENNINGS, R. R., and C. NIEMANN: Am. Soc. **77**, 5431 (1955).

[2] MILLER, W. G., and R. A. ALBERTY: Am. Soc. **80**, 5146 (1958); s. dazu auch FOSTER, R. J., and C. NIEMANN: Proc. nat. Acad. Sci. USA **39**, 999 (1953).

[3] SCHWIMMER, S.: Biochim. biophys. Acta **48**, 132 (1961).

[4] PFLEIDERER, G., u. E. HOHNHOLZ: B. Z. **331**, 245 (1959).

[5] HALDANE, J. S. B.: Enzymes, S. 84. London 1930. — LAIDLER, K. J., and J. P. HOARE: Am. Soc. **71**, 2699 (1949). — FOSTER, R. J., and C. NIEMANN: Proc. nat. Acad. Sci. USA **39**, 371 1953). — KRUPKA, R. M., and K. J. LAIDLER: Nature **190**, 916 (1961).

Es soll nur durch Abb. 15 gezeigt werden, wie die Sättigungskurve bei einer Hemmung durch Substrat verläuft und welche Abweichung von einer Geraden bei der Auswertung nach LINEWEAVER-BURK in diesem Fall zu erwarten ist.

2. Aktivierung von Enzymen.

Die Aktivierung eines Enzyms erfolgt meist durch Metallionen[1], seltener durch einen Überschuß an Substrat[2]. Die graphische Darstellung der Beziehung zwischen der Reaktionsgeschwindigkeit und der Konzentration des Aktivators bei konstanter Substratkonzentration ist die typische Form der Sättigungskurve. Die der Halbsättigungsgeschwindigkeit entsprechende Metallionenkonzentration ist nicht unbedingt gleich der Dissoziationskonstanten der Enzym-Aktivatorverbindung. Selbst unter Voraussetzung des Gleichgewichtes für die Bindung zwischen Enzym und Aktivator würde dies nur eine von mehreren Möglichkeiten sein, welche sich durch die Art der Reaktion des aktivierenden Ions mit dem Protein unterscheiden.

Einführende Zusammenfassungen der quantitativen Behandlung dieser Vorgänge wurden von DIXON und WEBB sowie von LAIDLER geschrieben[3]. Beispiele für die methodische Durchführung einer solchen Untersuchung sind die unter[4] aufgezählten Arbeiten.

3. Zur p_H-Abhängigkeit der enzymatischen Katalyse und dem Einfluß der Temperatur.

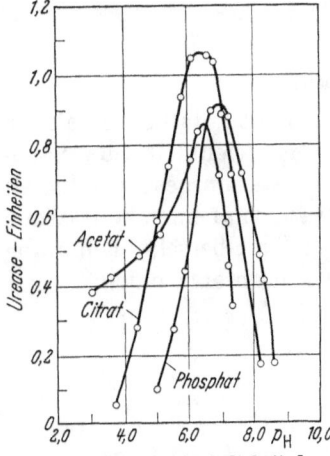

Abb. 16. Die Geschwindigkeit der enzymatischen Reaktion ist p_H-abhängig. Dies wird am Beispiel der Urease gezeigt[5].

Die Geschwindigkeit der enzymatischen Reaktion und die MICHAELIS-Konstanten sind p_H-abhängig (Abb. 16). Die Halbsättigungsgeschwindigkeit wird jeweils bei einer anderen Substratkonzentration erreicht. Bei der Urease nimmt die MICHAELIS-Konstante zwischen $p_H = 7$ und $p_H = 5$ um mehr als eine Zehnerpotenz ab[5]. Will man die p_H-Abhängigkeit der Umsatzgeschwindigkeit des Enzyms bestimmen, so muß man mit einer Substratkonzentration arbeiten, bei der im gesamten p_H-Bereich Sättigung vorliegt. Der Einfluß der Wasserstoffionenkonzentration auf die aktiven Gruppen im Enzymmolekül wurde von BRUICE und SCHMIR[6] untersucht. In jüngster Zeit konnte auch die p_H-Abhängigkeit der kompetitiven Hemmung der Fumarase quantitativ erfaßt werden[7].

Die Geschwindigkeiten enzymatisch katalysierter Reaktionen sind temperaturabhängig. Sie nehmen mit der Temperatur zu. Der Quotient der Reaktionsgeschwindigkeiten für eine Temperaturdifferenz von 10° C (meist mit Q_{10} bezeichnet) ist ein Maß für den Zusammenhang zwischen Geschwindigkeit und Temperaturerhöhung. In Tabelle 6 werden einige Q_{10}-Werte angeführt[8]. Auch der Wert von K_M ist eine Funktion der Temperatur.

---

[1] MALMSTRÖM, G. B., and A. ROSENBERG: Adv. Enzymol. 21, 131 (1959).
[2] WOLF, J. P., and C. NIEMANN: Am. Soc. 81, 1012 (1959).
[3] LAIDLER, K. J.: The Chemical Kinetics of Enzyme Action. S. 117. London 1958. — ALBERTY, R. A.: J. cellul. comp. Physiol. 47, 245 (1956). — DIXON, M., and E. C. WEBB: Enzymes. S. 123. London 1958.
[4] SMITH, R. M., and R. A. ALBERTY: Am. Soc. 78, 2376 (1956). — ROBBINS, E. A., and P. D. BOYER: J. biol. Ch. 223, 121 (1957). — RABIN, B. R., and E. M. CROOK: Biochim. biophys. Acta 19, 550 (1956). — MALMSTRÖM, B. G.: Biochim. biophys. Acta 51, 375 (1961).
[5] SUMNER, B., and G. F. SOMERS: Chemistry and Methods of Enzymes. S. 150. 2. Aufl. New York 1947.
[6] BRUICE, T., and G. L. SCHMIR: Am. Soc. 81, 4553 (1959).
[7] WIGLER, P. W., and R. A. ALBERTY: Am. Soc. 82, 5482 (1960).
[8] SUMNER, B., and G. F. SOMERS: Chemistry and Methods of Enzymes. S. 14, Tabelle 13, 2. Aufl. New York 1947.

Tabelle 6. *Temperaturkoeffizienten (Q_{10}-Werte) einiger enzymatisch katalysierter Reaktionen.*
(Als Q_{10}-Wert versteht man die Änderung der Reaktionsgeschwindigkeit bei einer Temperaturerhöhung um 10° C.)

Enzym	Substrat	Temperaturintervall (0° C)	Q_{10}-Wert
Pankreaslipase	Äthylbutyrat	20—30	1,26
Hefesaccharase	Rohrzucker	25—35	1,61
Maltase	Maltose	20—30	1,44
Emulsin	Salicin	20—30	2,62
Pankreasamylase	Stärke	30—40	2,0
Malzamylase	Stärke	20—30	1,96
Urease aus Jack-Bohnen	Harnstoff	0—10	1,95
		10—20	1,79
		20—30	1,63
		30—40	1,49
		40—50	1,34
Katalase	Wasserstoffperoxyd	0—10	1,5

Die hier dargelegten Ergebnisse der Enzymkinetik ermöglichen die quantitative Beschreibung der katalytischen Eigenschaften eines Enzyms durch Bestimmung der MICHAELIS-Konstanten und der maximalen Initialgeschwindigkeit. Da die zur Deutung von Reaktionsmechanismen nötigen Methoden und der Zusammenhang zwischen Thermodynamik und Kinetik[1] hier nicht erwähnt wurden, konnte es nicht das Ziel dieser Arbeit sein, eine vollständige Darstellung des Gesamtgebietes der Kinetik enzymatisch katalysierter Reaktionen zu geben.

Manometrische Methoden zur Untersuchung des Gewebestoffwechsels.

Von

Heinrich Süllmann[*].

Mit 58 Abbildungen.

Gasometrische Methoden werden bei biochemischen Untersuchungen häufig angewendet, in erster Linie dann, wenn Stoffwechselvorgänge, die unter Bildung oder unter Verbrauch von Gas ablaufen, gemessen werden sollen. Sie ermöglichen es, den Umsatz selbst sehr geringer Gasmengen quantitativ zu erfassen und — da der Reaktionsablauf durch die Messung im allgemeinen nicht unterbrochen wird — mit kleinen Mengen Versuchsmaterial auch den zeitlichen Verlauf der in Betracht kommenden Reaktionen zu messen. Die Messung der Zellatmung, bei der Sauerstoff verbraucht wird und Kohlendioxyd entsteht, die Messung der pflanzlichen Assimilation, bei der Kohlendioxyd aufgenommen und Sauerstoff freigesetzt wird, oder die Messung der unter Kohlendioxydbildung erfolgenden Gärungen sind hier vor allem zu nennen. Hinzu kommen die hauptsächlich von Bakterien bewirkten Vorgänge, bei denen noch andere Gase als O_2 und CO_2 umgesetzt werden (z.B. H_2, N_2), die gasometrisch direkt gemessen werden können. Andere biochemische Vorgänge lassen sich mit gasometrischen Methoden auf eine indirekte Weise verfolgen, z.B. die Glykolyse oder Esterspaltungen, indem man die durch die gebildete Menge Säure aus Hydrogencarbonat freigesetzte Kohlendioxydmenge mißt. Verschiedene Wege werden eingeschlagen, um Reaktionen, an denen Gase nicht unmittelbar beteiligt

---
[*] Medizinische Klinik der Universität Münster i. Westf.
[1] BOYER, P. D.: Arch. Biochem. 82, 387 (1959). — LUMRY, R.: Some Aspects of the Thermodynamics and Mechanism of Enzymic Catalysis; in: Boyer-Lardy-Myrbäck, Enzymes, Bd. I, S. 157.

sind, mit gasbildenden oder gasverbrauchenden Reaktionen zu koppeln und so gasometrisch messen zu können. Auch für die quantitative Bestimmung von Substanzen haben gasometrische Methoden in der Biochemie Bedeutung erlangt.

Der Gasumsatz wird entweder manometrisch oder volumetrisch gemessen. Manometrische Methoden — Druckmethoden — werden am häufigsten herangezogen. Für ihre ausgedehnte Verwendung zur Untersuchung des Stoffwechsels von Zellen und Geweben oder des von gelösten Enzymen katalysierten Stoffumsatzes sind Arbeiten von O. WARBURG grundlegend, der die Theorie und die Technik der heute bei biochemischen Untersuchungen am häufigsten angewendeten Form der manometrischen Messung entwickelt hat. Die volumenkonstante Messung mit dem einseitig zur Luft hin offenen Manometer ist am engsten mit dem Namen von WARBURG verknüpft; sie gehört zu den Standardmethoden biochemischer Laboratorien und wird in dieser Darstellung am ausführlichsten behandelt werden. Daneben tritt die Differentialmanometrie mit dem BARCROFTschen Manometer. Diese Methoden (Monographien und Handbuchartikel s.[1]) haben einen Meßbereich von einigen bis zu mehreren hundert μl Gas; ohne wesentliche Änderung der apparativen Ausrüstung kann ihr Meßbereich nach oben oder unten noch erheblich ausgedehnt werden. Besondere Mikro- und Ultramikromethoden (s.[2]) erlauben die Messung von wenigen μl bis herunter zu Bruchteilen von 1 μl Gas. Diese letzten Methoden, die zum Teil ganz spezielle apparative Vorrichtungen und eine besondere Meßtechnik erfordern, fallen nicht in den Rahmen der vorliegenden Darstellung. Nur auf einige gasometrische Mikromethoden, die sich enger an die hier hauptsächlich zu beschreibenden manometrischen Methoden anschließen, wird kurz hingewiesen werden. Im übrigen sei auf Bd. II, S. 419ff. verwiesen.

Manometrische (und andere gasometrische) Messungen sind an und für sich unspezifisch, d.h., die Messung gibt keine Auskunft über die Gasart. Die Art des Gases, dessen Menge sich ändert und gemessen werden soll, muß bekannt sein oder nachgewiesen werden. Der Nachweis kann häufig im manometrischen Versuch selbst, z.B. durch Einführung eines spezifischen Absorptionsmittels, geschehen. Damit ist auch eine von den Möglichkeiten angedeutet, den Umsatz einer einzigen Gasart messen zu können, wenn gleichzeitig noch eine andere Gasart entsteht oder verschwindet.

Der Gasumsatz wird aus dem Manometerausschlag mit Hilfe der für die betreffende manometrische Anordnung geltenden „Konstanten" berechnet. Für die Ableitung dieser Konstanten werden die Gasgesetze angewendet. Das geschieht in einer allgemeinen theoretischen Behandlung manometrischer Messungen. In bestimmten Fällen muß der aus dem Manometerausschlag berechnete Gasumsatz korrigiert werden, um den wirklichen Gasumsatz oder dessen Äquivalent zu erhalten. Das setzt gewisse, zur speziellen manometrischen Methodik gehörende Kenntnisse über das Reaktionssystem voraus.

Im ersten, allgemeinen Teil werden die theoretischen Grundlagen manometrischer Messungen, die apparative Ausrüstung, die Eichung des Meßsystems (Manometer und Gefäße) und die allgemeine Meßtechnik behandelt. Im zweiten, speziellen Teil wird die Anwendung manometrischer Methoden auf die Untersuchung von Stoffwechselvorgängen und auf die quantitative Bestimmung von Substanzen beschrieben*.

---

* Herr Ingenieur F. SCHUMANN (Solingen) hatte die Freundlichkeit, eine Reihe von Zeichnungen anzufertigen. Weiteres Abbildungsmaterial wurde — soweit es nicht Originalarbeiten entstammt — Druckschriften von Herstellerfirmen mit deren Erlaubnis entnommen.

[1] WARBURG, O.: Über den Stoffwechsel der Tumoren. Berlin 1926. — KREBS, H. A.: Methode der manometrischen Messung von Atmung und Gärung. Oppenheimer, Fermente, Bd. III, S. 635—670. — DICKENS, F.: Die manometrische Methode. Bamann-Myrbäck, Bd. I, S. 985—1022. — DIXON, M.: Manometric Methods. 3. Aufl., Cambridge 1951. — UMBREIT, W. W., R. H. BURRIS and J. F. STAUFFER: Manometric Techniques. 3. Aufl., Minneapolis 1957. — NEGELEIN, E.: Manometrische Meßmethode. Rauen, Biochem. Taschenb., S. 997—1009. — WARBURG, O. H.: Weiterentwicklung der zellphysiologischen Methoden. Stuttgart 1962.

[2] TOBIAS, J. M.: Physiol. Rev. 23, 51 (1943). — GLICK, D.: Techniques of Histo- and Cytochemistry. New York 1949. — HOLTER, H., and K. LINDERSTRØM-LANG: Physical Techniques in Biological Research. Vol. III. New York 1956. — DUSPIVA, F.: dieses Werk, Bd. II, S. 419.

I. Allgemeiner Teil.
A. Theorie manometrischer Messungen.

Allgemeines. Aus der Weglänge, um die eine Flüssigkeitssäule in einem mit dem Reaktionsgefäß verbundenen Capillarrohr verschoben wird, kann unter einigen bekannten Bedingungen auf die gebildete oder verbrauchte Gasmenge geschlossen werden. Diese Beziehung kann auf verschiedene Arten hergestellt werden: 1. indem man die Druckänderung bei konstant gehaltenem Volumen des Gasraumes mißt („volumenkonstante Druckmessung"), 2. indem man die Volumenänderung des Gasraumes bei konstant gehaltenem Druck mißt („druckkonstante Volumetrie") und 3. indem man die Verschiebung der Manometerflüssigkeit abliest, wenn Druck und Volumen des Gasraumes zur Zeit der Messung gleichzeitig geändert sind („freie Manometrie", „Differentialmanometrie", „Differentialvolumetrie").

Dementsprechend sind verschiedene Anordnungen zur manometrischen oder volumetrischen Messung des Gaswechsels von Zellen und Geweben entwickelt worden, teilweise unter Zuhilfenahme von noch anderen physikalischen Prinzipien. Wegen seiner Einfachheit in Theorie und Praxis wird das WARBURGsche „offene Manometer", hervorgegangen aus dem Blutgasmanometer von BARCROFT und HALDANE[1], für Messungen des Gewebestoffwechsels am häufigsten angewendet, dann das BARCROFTsche Differentialmanometer[2,3], ein in ähnlicher Form für andere Zwecke bereits von E. WARBURG[4] benutztes Manometer. Sowohl mit dem offenen Manometer als auch mit dem Differentialmanometer kann der Gasumsatz auf verschiedene Weise gemessen werden. Im allgemeinen und in der von WARBURG eingeführten Anordnung dient das offene Manometer zur Messung der Druckänderung bei Volumenkonstanz (reine Manometrie); nur in besonderen Fällen wird es bisher zur freien manometrischen Messung herangezogen. Mit dem Differentialmanometer erfolgt die Messung üblicherweise unter der oben an dritter Stelle genannten Bedingung. Das Differentialmanometer kann aber auch so angewendet werden, daß die Druckänderung bei einem konstant gehaltenen Gasraumvolumen abgelesen wird; Theorie und Wirkungsweise des „Differentialmanometers" sind dann auf die des offenen Manometers bei volumenkonstanter Messung zurückgeführt. Sowohl beim offenen Manometer als auch beim Differentialmanometer kann die Meßcapillare vertikal, horizontal oder in einer beliebigen Zwischenlage angeordnet sein. Die Weglänge, um die die Manometerflüssigkeit bei Änderung des Gasdruckes verschoben wird, hängt mit von der Lage der Capillare ab, was bei der Berechnung des Gaswechsels zu berücksichtigen ist. In den gewöhnlichen manometrischen Anordnungen findet die Verschiebung der Manometerflüssigkeit in einer vertikal ausgerichteten Capillare statt. Die Neigung der Meßcapillare aus der Vertikalen bewirkt eine gewisse Erhöhung der Empfindlichkeit der manometrischen Messung (d.h. das Verhältnis von Manometerausschlag zu umgesetzter Gasmenge ist größer), wovon bei der Konstruktion von „Mikrorespirometern" besonders häufig Gebrauch gemacht wird. Noch andere und wirksamere Möglichkeiten zu einer Verstärkung des Manometerausschlages werden später zu besprechen sein.

Bei der Anwendung manometrischer Methoden erfolgt die Berechnung des Gasumsatzes aus den beobachteten Druckänderungen mit Hilfe der „Gefäßkonstanten"; sie werden im folgenden für verschiedene Meßanordnungen abgeleitet.

1. Volumenkonstante Messung mit dem offenen Manometer.

Das Manometer besteht aus einer U-förmig gebogenen, vertikal ausgerichteten Capillare, die am unteren (gebogenen) Teil mit einem aus Gummischlauch gebildeten Reservoir

---

[1] BARCROFT, J., and S. HALDANE: J. Physiol., London **28**, 232 (1902).
[2] BARCROFT, J.: J. Physiol., London **37**, 12 (1908).
[3] WARBURG, O., u. E. NEGELEIN: Z. physikal. Chem. **102**, 236 (1922). — WARBURG, O.: B. Z. **177**, 471 (1926).
[4] WARBURG, E.: S.-Ber. preuß. Akad. Wiss. **34**, 712 (1900) [WARBURG, O.: Über den Stoffwechsel der Tumoren. S. 1. Berlin 1926].

für die Manometerflüssigkeit kommuniziert. Der rechte Schenkel des Manometers ist mit dem Reaktionsgefäß verbunden; der linke Schenkel ist zur Luft hin offen. Als Manometerflüssigkeit (Sperrflüssigkeit), deren Säulenhöhe in den Capillaren durch Verstärkung oder Verminderung des Druckes auf das Reservoir verändert werden kann, dient eine Lösung von bekanntem spezifischem Gewicht. In dem Reaktionsgefäß befindet sich eine bekannte Flüssigkeitsmenge. Das Volumen oberhalb des Flüssigkeitsspiegels bis zum Meniscus der Manometerflüssigkeit im rechten Capillararm bildet den (von der Luft abgeschlossenen) Gasraum. Das Gefäß taucht in das Wasser des Thermostaten.

Findet in dem Gefäß eine Reaktion statt, bei der Gas entsteht oder verschwindet, so bewirkt die eintretende Druckänderung eine Verschiebung der Manometerflüssigkeit: Bei Gasentwicklung sinkt das Niveau der Manometerflüssigkeit in dem mit dem Gefäß verbundenen Schenkel und steigt in dem offenen Schenkel, und umgekehrt bei Gasverbrauch. Gegenüber dem Anfangszustand haben sich jetzt im Gasraum Druck und Volumen geändert. Indem man mit Hilfe einer an dem Reservoir angebrachten Druckvorrichtung den Meniscus der Manometerflüssigkeit in dem mit dem Gefäß verbundenen Capillararm bei jeder Ablesung — am Anfang und nach erfolgtem Gasumsatz — auf dieselbe Marke (Null- oder Eichmarke) einstellt, wird das Volumen des Gasraumes konstant gehalten, und die Änderung der Säulenhöhe der Manometerflüssigkeit in dem offenen Schenkel ist nur noch durch die Änderung des Druckes im Gasraum bedingt. Die Druckänderung erfolgt gegen den unendlichen Gasraum der Atmosphäre, es tritt mithin kein kompensatorisch wirkender Gegendruck auf. Änderungen des Barometerdruckes (und der Temperatur) beeinflussen die von der Manometerflüssigkeit angezeigte Druckänderung.

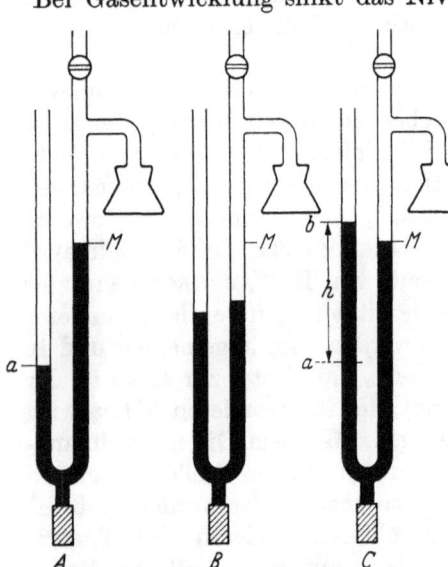

Abb. 1. Volumenkonstante Messung mit dem offenen Manometer. *A* Einstellung bei Meßbeginn (Ablesung: *a* mm); *B* Niveauänderung im Versuchsverlaufe (bei Gasentwicklung); *C* Einstellung zur Ablesung der Druckänderung *h* mm (=*b*—*a*); *M* Eichmarke.

Abb. 1 zeigt schematisch den Stand der Manometerflüssigkeit *A* am Anfang (Meniscus im rechten Schenkel auf der Eichmarke, im linken Schenkel auf einem beliebig gewählten Teilstrich der Capillargraduierung), *B* nach Verschiebung der Manometerflüssigkeit durch Gasentwicklung und *C* nach Wiedereinstellen des Meniscus im rechten Schenkel auf die Eichmarke. Das Niveau der Manometerflüssigkeit im linken Schenkel wird bei *A* und *C* abgelesen. Die Niveauänderung bei *C* gegenüber dem Niveau bei *A* zeigt die Druckänderung *h* in mm der Manometerflüssigkeit bei volumenkonstanter Messung an.

Die Gefäßkonstante *k* (WARBURG)[1].

Die Höhe der von einer bestimmten Gasmenge, die in dem Reaktionsgefäß entsteht oder verschwindet, bewirkten Druckänderung hängt von der Größe des Gasraumes, von der Menge des in Lösung gehenden oder aus der Lösung austretenden Gases (entsprechend der Partialdruckänderung des in Betracht kommenden Gases) und von der Versuchstemperatur ab. Diese Beziehungen umfaßt die „Gefäßkonstante". Sie liefert den Proportionalitätsfaktor, mit dem die am Manometer abgelesene Druckänderung zu multiplizieren ist, um das entstandene oder verschwundene Gasvolumen zu erhalten.

Da die Druckänderung in mm der Manometerflüssigkeit abgelesen wird, werden auch alle übrigen Drucke in mm der Manometerflüssigkeit ausgedrückt. Ist D das spezifische Gewicht der Manometerflüssigkeit, so ist der Normaldruck $P_0 = 760 \text{ mm Hg} = 760 \cdot \dfrac{13{,}596}{D}$ mm

---

[1] WARBURG, O.: B. Z. **100**, 230 (1919).

Manometerflüssigkeit. Druckänderungen, die auf Gasentwicklung zurückzuführen sind, werden mit positivem Vorzeichen, Druckänderungen, die auf Gasverbrauch zurückzuführen sind, mit negativem Vorzeichen versehen. Alle Volumina werden in μl ausgedrückt. Gasvolumina werden auf Normalbedingungen (0° C und 760 mm Hg) reduziert.

Es bedeuten:

x = gebildete oder verbrauchte Gasmenge in μl, nach Reduktion auf Normalbedingungen (0° C und 760 mm Hg).
h = am Manometer abgelesene Druckänderung, ausgedrückt in mm der Manometerflüssigkeit.
v_G = Volumen des Gasraumes in μl.
v_F = Flüssigkeitsvolumen (μl) in dem Reaktionsgefäß.
P_0 = Normaldruck (760 mm Hg) in mm der Manometerflüssigkeit.
P = Anfangsdruck im Gasraum. P kann unter gewöhnlichen Bedingungen dem Barometerdrucke gleichgesetzt werden. Befindet sich in dem Reaktionsgefäß eine wäßrige Lösung, so ist der von dem Gas allein ausgeübte Druck $p = P - p_w$ mm Manometerflüssigkeit.
p_w = Wasserdampfdruck der Versuchslösung bei der Versuchstemperatur T, in mm der Manometerflüssigkeit.
T = Temperatur in absoluten Graden ($T = 273 + t$).
t = Temperatur in Graden Celsius.
α = BUNSENscher Absorptionskoeffizient = Löslichkeit des betreffenden Gases, ausgedrückt in μl Gas (reduziert auf Normalbedingungen) pro μl der im Gefäße vorhandenen Lösung, bei einem Partialdruck des Gases von 760 mm Hg und bei der Versuchstemperatur T.
D = spezifisches Gewicht der Manometerflüssigkeit.

Entsteht in einem Gasraum v_G, in dem das Gas den Druck p ausübt und der sich bei der Temperatur T befindet, ein Gasvolumen x', so würde das Volumen des neuen Gasraumes bei unverändertem Druck und unveränderter Temperatur $v_G + x'$ betragen. Drückt man dieses Gasvolumen wieder auf das ursprüngliche Volumen v_G zusammen, so steigt der Druck des Gases von p auf $p \cdot \dfrac{v_G + x'}{v_G}$. Dieser Druck ist gleich der Summe aus dem Anfangsdruck p des Gases und dem am linken (offenen) Manometerarm nach Wiederherstellen des Gasraumvolumens v_G abgelesenen Druckanstieg h:

$$p + h = p \cdot \frac{v_G + x'}{v_G}, \qquad (p + h) \cdot v_G = p \cdot (v_G + x').$$

Die Auflösung nach x' ergibt:

$$x' = h \cdot \frac{v_G}{p}.$$

x' ist das entstandene Gasvolumen bei der Temperatur T und dem Anfangsdruck p des Gases. Das auf Normalbedingungen reduzierte Gasvolumen ist:

$$x_0 = h \cdot \frac{v_G \cdot 273 \cdot p}{p \cdot T \cdot P_0} = h \cdot \frac{v_G \cdot 273}{P_0 \cdot T}. \tag{1}$$

Der Anfangsdruck p des Gases hebt sich also heraus; er kann beliebige Werte haben. Es besteht insbesondere also Unabhängigkeit von der Höhe des äußeren Luftdruckes — sofern dieser während der Messung konstant bleibt — und auch von der Höhendifferenz der Menisken der Manometerflüssigkeit in den beiden Capillararmen.

x_0 ist das im Gasraum vermehrt vorhandene Gasvolumen, reduziert auf Normalbedingungen. Das ist aber — bei Vorhandensein von Flüssigkeit in dem Reaktionsgefäß — noch nicht die ganze Gasmenge, die in dem Gefäß entstanden ist. Zu berücksichtigen ist die Gasmenge, die entsprechend der Partialdruckänderung h des Gases in Lösung geht. Ist v_F das Flüssigkeitsvolumen in dem Reaktionsgefäß, α der Löslichkeitskoeffizient des entstandenen Gases, so ist $v_F \cdot \alpha$ das Gasvolumen, das sich bei einem 760 mm Hg äquivalenten Partialdruck ($= P_0$) des Gases und bei der Versuchstemperatur T in der Flüssigkeit löst und keine Druckänderung im Gasraum bewirkt. Einer Zunahme des Partialdruckes um h mm entspricht also ein in Lösung gehendes Gasvolumen von

$$h \cdot \frac{v_F \cdot \alpha}{P_0}.$$

Die Addition dieses Gasvolumens zu dem nach Gl. (1) erhaltenen Gasvolumen x_0, das in den Gasraum übergetreten ist und die Druckzunahme h bewirkt hat, ergibt das gesuchte (insgesamt entstandene) Gasvolumen x:

$$x = h \cdot \frac{v_G \cdot 273}{P_0 \cdot T} + h \cdot \frac{v_F \cdot \alpha}{P_0} = h \cdot \left[\frac{v_G \cdot \frac{273}{T} + v_F \cdot \alpha}{P_0} \right]. \tag{2}$$

Das entstandene Gasvolumen x ist proportional der am Manometer abgelesenen Druckänderung h. Der Proportionalitätsfaktor, mit dem die beobachtete Druckänderung zu multiplizieren ist, um das gesuchte Gasvolumen x zu erhalten, ist der in Gl. (2) in eckige Klammern gesetzte Ausdruck; er wird als „Gefäßkonstante" (k) bezeichnet:

$$\boxed{k = \frac{v_G \cdot \frac{273}{T} + v_F \cdot \alpha}{P_0}}. \tag{3}$$

Die Gefäßkonstante k hat die Dimension mm², wenn alle Volumina in μl (mm³) und alle Drucke in mm ausgedrückt werden. Sie gibt also die Anzahl μl Gas (reduziert auf Normalbedingungen) an, die pro mm Druckänderung im Versuch entsteht oder verschwindet. Die Gefäßkonstante hat immer einen positiven Wert. Verschwindet aus dem Gasraum ein bestimmtes Gasvolumen, so wird h mit negativem Vorzeichen versehen, und der Wert von x ist dann ebenfalls negativ. Wir erhalten also das gesuchte Gasvolumen x, das im Versuch entstanden oder verschwunden ist, nach der Gleichung:

$$x = \pm h \cdot k. \tag{4}$$

Die am Manometer abgelesene Druckänderung h ist die Änderung im Partialdruck des entstandenen oder verschwundenen Gases; sie ist unabhängig vom Gesamtdruck, also auch unabhängig von der Anwesenheit anderer Gase im Gasraum, wenn sich deren Partialdruck nicht ändert. Wird z.B. nur O_2 verbraucht und befindet sich Luft im Gasraum, so ändert sich nur der Partialdruck von O_2, die Partialdrucke aller übrigen Gase bleiben unverändert, da ja das Gasraumvolumen konstant gehalten wird. Deshalb braucht auch nur die Änderung in der Löslichkeit des reagierenden Gases berücksichtigt zu werden.

$P_0 = 760$ mm Hg ist — ebenso wie h — in mm der verwendeten Manometerflüssigkeit auszudrücken. In der Regel wird als Manometerflüssigkeit eine Lösung (BRODIE-Lösung) verwendet, deren spezifisches Gewicht bei Raumtemperatur 1,033—1,034 beträgt; P_0 kann dann mit genügender Genauigkeit gleich 10000 mm Manometerflüssigkeit gesetzt werden. Für die Gefäßkonstante wird in diesem Falle erhalten:

$$\boxed{k = \frac{v_G \cdot \frac{273}{T} + v_F \cdot \alpha}{10000}}. \tag{5}$$

Das Volumen des Gasraumes, v_G, wird unter Berücksichtigung des verwendeten Flüssigkeitsvolumens nach Eichung des Reaktionsgefäßes und Manometers erhalten (S. 109 ff.). Der Absorptionskoeffizient α kann in den meisten Fällen Tabellenwerken entnommen werden (s. Tabellen 30—34, S. 278); er ist für verschiedene Gase und Flüssigkeiten verschieden, und nur wegen der verschiedenen Löslichkeit z.B. von O_2 und von CO_2 unterscheidet sich die Gefäßkonstante für Sauerstoff (k_{O_2}) von der für Kohlensäure (k_{CO_2}).

Entstehen oder verschwinden gleichzeitig mehrere Gase, so ist die am Manometer abgelesene Druckänderung h gleich der Summe der Partialdruckänderungen der beteiligten Gase. Wird z.B. O_2 verbraucht und CO_2 entwickelt, so ist:

$$\pm h = -h_{O_2} + h_{CO_2}.$$

Die beobachtete Druckänderung h gibt in diesem Falle keinen Aufschluß darüber, wieviel O_2 verbraucht und CO_2 entwickelt wurde. Besondere Versuchsanordnungen gestatten es jedoch, den Anteil, den jedes der reagierenden Gase an der Druckänderung hat, zu ermitteln. Sie werden bei den Methoden angeführt.

Bei der üblichen apparativen Anordnung befindet sich nicht der ganze Gasraum v_G bei der konstant gehaltenen Temperatur T des Thermostaten; das in der Manometercapillare bis zum Niveau der Eichmarke eingeschlossene Gasvolumen befindet sich zum größten Teil etwa bei der Temperatur T' des Arbeitsraumes. Das ist bei der Ableitung der Gefäßkonstanten k unberücksichtigt geblieben. Da der Gasraum des (bei der Temperatur T gehaltenen) Gefäßes im Verhältnis zu dem Gasraum in der Manometercapillare für gewöhnlich sehr groß ist, ist diese Vernachlässigung statthaft (s. auch S. 64).

α) Thermobarometer.

Da ein Manometerschenkel zur Luft hin offen ist, wirkt auf die Manometerflüssigkeit der äußere Luftdruck. Ist der Luftdruck am Anfang und am Ende der Messung nicht gleich groß, so kann die von der Manometerflüssigkeit angezeigte Druckänderung nicht nur auf den Gasumsatz in dem Versuchsgefäß zurückgeführt werden; die vom Manometer angezeigte Druckänderung wird von Schwankungen des Luftdruckes beeinflußt. Außerdem ergeben sich Druckänderungen als Folge von Temperaturschwankungen, die nicht vollständig ausgeschlossen werden können. Die von der Manometerflüssigkeit angezeigten Druckänderungen bedürfen also einer Korrektur für die durch Schwankungen des atmosphärischen Druckes und der Temperatur verursachten Druckänderungen, die nicht auf einen Gaswechsel in dem Versuchsgefäß zurückgeführt werden können. Dazu dient ein weiteres Gefäß mit Manometer („Thermobarometer"), in dem keine Gasentwicklung oder -absorption stattfindet, das aber unter den gleichen Bedingungen von Temperatur und atmosphärischem Druck abgelesen wird wie das Versuchsmanometer.

Schwankungen des atmosphärischen Druckes wirken auf den Stand der Manometerflüssigkeit in allen Manometern in der gleichen Richtung und in gleichem Maße, d.h., sie heben oder senken den Meniscus der Manometerflüssigkeit um die gleiche Anzahl Millimeter, unabhängig von dem Volumen des Gasraumes und von dem in den Gefäßen herrschenden Druck. Die durch Temperaturschwankungen bewirkten Druckänderungen sind ebenfalls unabhängig von der Größe des Gasraumes, sie hängen aber von dem in den Gefäßen bestehenden Druck ab. Bei den üblicherweise geringen Unterschieden der Gasdrucke können jedoch die in den verschiedenen Gefäßen infolge von Temperaturschwankungen auftretenden Druckänderungen als praktisch gleich angesehen werden.

Tabelle 1.
Korrektur der Manometerablesungen für die vom Thermobarometer angezeigten Druckänderungen.

	min	Manometer 1	Thermobarometer 1	Manometer 2	Thermobarometer 2
Ablesung (mm)	0	180,5	164	54	142,5
Ablesung (mm)	10	167	166	76,5	141
Differenz (mm)		−13,5	2	22,5	−1,5
Korr. Differenz ($= h$ mm)		−15,5		24	

Die durch Luftdruck- und Temperaturschwankungen erforderliche Korrektur kann mithin in der Weise erfolgen, daß man die vom Thermobarometer in mm der Manometerflüssigkeit angezeigte Druckänderung unter Berücksichtigung der Vorzeichen von den an den Versuchsmanometern abgelesenen Druckänderungen subtrahiert (oder indem man sie mit umgekehrtem Vorzeichen addiert). Tabelle 1 enthält zwei Beispiele hierfür. h ist — auch wenn das nicht besonders erwähnt wird — die für den Ausschlag des Thermobarometers korrigierte Druckänderung in dem Versuchsgefäß.

β) Barokomparator.

Um die Manometerablesungen von Luftdruckschwankungen unabhängig zu machen, kann man den offenen Manometerarm durch einen Gummischlauch mit einem großen Gefäß verbinden. Das nunmehr von der äußeren Atmosphäre abgeschlossene Manometer bildet mit dem als „Barokomparator" bezeichneten Gefäß ein von Luftdruckschwankungen nicht beeinflußbares System. Das Gefäß kann eine etwa 2—3 l fassende, mit einem durchbohrten Gummistopfen versehene Enghalsflasche sein. Es ist mit wasserdampfgesättigter Luft gefüllt und befindet sich in demselben Thermostaten wie die Versuchsgefäße. Die Verschiebung der Manometerflüssigkeit findet jetzt zwar nicht gegen den unendlichen Raum der äußeren Atmosphäre statt, sondern gegen den geschlossenen Raum des Barokomparators. Ändert sich der Stand der Manometerflüssigkeit in dem mit dem Komparatorgefäß verbundenen Manometerarm (bei Druckänderungen im Reaktionsgefäß), so nimmt das Gasvolumen und damit der Gasdruck in dem Komparator zu oder ab. Diese Gasdruckänderung wirkt kompensatorisch zu der Gasdruckänderung in dem Reaktionsgefäß. Eine einfach anzustellende Überschlagsrechnung zeigt jedoch, daß die Druckänderung in einem Komparatorgefäß von etwa der angegebenen Größe bei den im allgemeinen vorkommenden Manometerausschlägen unbedeutend ist. Man kann den ganzen am Thermostaten befindlichen Manometersatz mit dem Barokomparator verbinden.

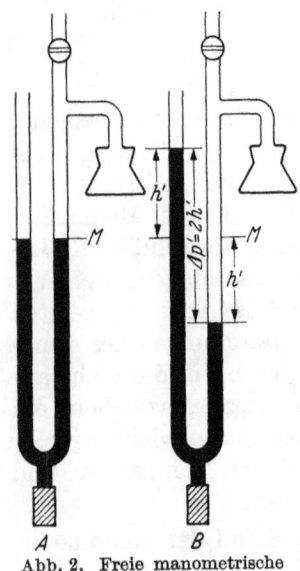

Abb. 2. Freie manometrische Messung. A Niveau der Manometerflüssigkeit bei Meßbeginn; B Niveauänderung der Manometerflüssigkeit und Ablesung des Manometers nach Gasentwicklung; M Eichmarke.

Ändert sich die Temperatur im Gasraum des Reaktions- und des Komparatorgefäßes um den gleichen Betrag, so steigt oder sinkt der Druck in den beiden Gefäßen ebenfalls um den gleichen Betrag. Durch Temperaturschwankungen bedingte Druckänderungen in dem Reaktionsgefäß würden so durch die entgegengesetzt wirkenden, gleich großen Druckänderungen in dem Komparator ausgeglichen. Trotzdem kann das Komparatorgefäß nur in beschränktem Maße der Kompensation des Temperatureinflusses dienen, weil Temperaturänderungen den Gasdruck in dem Barokomparator viel langsamer beeinflussen als den Gasdruck in dem kleinen Reaktionsgefäß. Ein in Form eines Röhrensystems mit großer Oberfläche ausgebildeter Barokomparator würde für den Temperaturausgleich günstigere Voraussetzungen mitbringen und könnte am ehesten als „Thermobarokomparator" besonders den Einfluß von kontinuierlichen, während längerer Versuchszeiten möglicherweise auftretenden Temperaturänderungen (z.B. durch Kontaktfehler in dem Thermoregulator) eliminieren. Schließt man das als Thermobarometer vorgesehene Manometer ebenfalls an den Barokomparator an, so liefert die Ablesung dieses Manometers die Korrektur für die allein auf Temperaturschwankungen zurückzuführenden Druckänderungen.

Die Anordnung mit dem Barokomparator wird im allgemeinen nur in besonderen Fällen verwendet, z.B. bei Messungen über eine lange Versuchszeit, vor allem aber, wenn Maßnahmen angewendet werden, die die Empfindlichkeit des offenen Manometers erhöhen (S. 64 ff.). Sie wird ferner bei einigen Formen von „Mikrorespirometern" angewendet (an Stelle eines Kompensationsgefäßes von gleicher oder annähernd gleicher Größe wie das Reaktionsgefäß).

2. Messung mit dem offenen Manometer bei gleichzeitiger Änderung von Druck und Volumen des Gasraumes („freie Manometrie")[1, 2].

Bei der volumenkonstanten Messung ist die durch ein Gasvolumen x bewirkte Druckänderung Δp gleich der Niveauänderung h der Manometerflüssigkeit in dem offenen Manometerarm. Verzichtet man darauf, bei der Messung das Volumen des Gasraumes konstant zu halten, benutzt man also nicht die Druckvorrichtung an dem Flüssigkeitsreservoir des üblichen offenen Manometers, so verschiebt sich die Manometerflüssigkeit entsprechend der Druckänderung in dem Gefäß in beiden Capillararmen, und zwar gegen einen von der Druckänderung in dem Gefäß unabhängigen Außendruck (Luftdruck). Dieses ist der Zustand, in dem das Manometer nach Umsatz einer Gasmenge x abgelesen wird („freie Manometrie"). Die bei freier Beweglichkeit der Manometerflüssigkeit auftretende Druckänderung $\Delta p'$ ist — bei einem Manometer mit gleich weiten Capillaren auf beiden Seiten — gleich der doppelten Weglänge, um die die Manometerflüssigkeit

---

[1] GOLDSTEIN, A.: Science, N.Y. **110**, 400 (1949).
[2] BURK, D., and G. HOBBY: Science, N.Y. **120**, 640 (1954).

in einem der Capillararme verschoben wird, oder gleich der Höhendifferenz zwischen den Meniscen der Flüssigkeit in beiden Armen, wenn die Meniscen der Flüssigkeit in beiden Armen zu Beginn auf gleicher Höhe standen (vgl. Abb. 2). $\Delta p'$ ist verschieden von $\Delta p = h$ bei volumenkonstanter Messung, weil $\Delta p'$ die Druckänderung bei gleichzeitig stattfindender Änderung des Gasraumvolumens ist. $\Delta p'$ ist immer kleiner als Δp.

Die Gefäßkonstante k' (Burk und Hobby)[1].

Wird die Niveauänderung h' nur an einem der beiden Schenkel abgelesen, so beträgt die Druckänderung $\Delta p' = 2h'$. Ist der Querschnitt der Manometercapillare a (mm²), so hat das Volumen des Gasraumes (bei Gasentwicklung) um $a \cdot h'$ — von v_G am Anfang auf $v_G + a \cdot h'$ am Ende — zugenommen und der Druck ist um $2h'$ — von p auf $p + 2h'$ — gestiegen. Die Manometer befinden sich — im Gegensatz zu den Gefäßen — nicht bei der Temperatur T des Thermostaten, sondern bei der Temperatur T' des Arbeitsraumes und damit auch das Gasvolumen $a \cdot h'$. Zu berücksichtigen ist ferner der Wasserdampfdruck bei der Temperatur T'; statt p (dem Anfangsdruck des trockenen Gases in dem Gefäß) wird deshalb p^* als Anfangsdruck des trockenen Gases in der Manometercapillare gesetzt. Das auf Normalbedingungen reduzierte Volumen des Gasraumes beträgt also zur Zeit der Messung von h':

(a)
$$\frac{v_G \cdot 273 \cdot (p + 2h')}{T \cdot P_0} + \frac{ah' \cdot 273 \cdot (p^* + 2h')}{T' \cdot P_0}$$
$$= \frac{v_G \cdot 273 \cdot p}{T \cdot P_0} + \frac{v_G \cdot 273 \cdot 2h'}{T \cdot P_0} + \frac{ah' \cdot 273 (p^* + 2h')}{T' \cdot P_0}.$$

Am Anfang war das Volumen des Gasraumes:

(b)
$$\frac{v_G \cdot 273 \cdot p}{T \cdot P_0}.$$

(a) — (b) ergibt die Zunahme des Gasvolumens in dem Gasraum:

(c)
$$\text{(a)}-\text{(b)} = \frac{v_G \cdot 273 \cdot 2h'}{T \cdot P_0} + \frac{ah' \cdot 273 \cdot (p^* + 2h')}{T' \cdot P_0}$$
$$= \frac{v_G \cdot 273 \cdot 2h'}{T \cdot P_0} + a \cdot \frac{273}{T'} \cdot \left(\frac{h' \cdot (p^* + 2h')}{P_0}\right).$$

Von der insgesamt entstandenen Gasmenge ist ein der Druckzunahme $\Delta p' = 2h'$ entsprechender Teil in Lösung gegangen. Diese Gasmenge beträgt:

(d)
$$\frac{2h' \cdot v_F \cdot \alpha}{P_0}.$$

Die insgesamt entstandene Gasmenge ist (c) + (d) = x:

$$x = \frac{v_G \cdot \frac{273}{T} \cdot 2h' + (2h' \cdot v_F \cdot \alpha)}{P_0} + a \cdot \frac{273}{T'} \cdot \left(\frac{h'(p^* + 2h')}{P_0}\right).$$

Daraus wird nach Ausklammern von h' erhalten:

$$x = h' \left[2 \left(\frac{v_G \cdot \frac{273}{T} + v_F \cdot \alpha}{P_0} \right) + \left(a \cdot \frac{273}{T'} \right) \cdot \left(\frac{p^* + 2h'}{P_0} \right) \right]. \tag{6}$$

In eckigen Klammern von Gl. (6) steht die Gefäßkonstante k', mit der bei freier Manometrie die in einem der beiden Manometerarme beobachtete Niveauänderung h' zu multiplizieren ist, um das entstandene oder verschwundene Gasvolumen zu erhalten. Sie ist also gleich der doppelten Gefäßkonstanten k, die für die Berechnung bei volumenkonstantem

---

[1] Burk, D., and G. Hobby: Science, N.Y. **120**, 640 (1954).

Gasraum zu verwenden ist, vermehrt um einen durch die Verschiebung der Manometerflüssigkeit bestimmten Ausdruck:

$$k' = 2k + \left(a \cdot \frac{273}{T'}\right) \cdot \left(\frac{p^* + 2h'}{P_0}\right).\tag{7}$$

In Gl. (6) und (7) ist $(p^* + 2h')/P_0$ von untergeordneter Bedeutung und kann unter üblichen Bedingungen mit einem Fehler von weniger als 1 % in der Gefäßkonstanten vernachlässigt werden (p^* ist gewöhnlich nicht sehr verschieden von P_0, und $2h'$ ist im Verhältnis zu p^* und P_0 immer sehr klein). Unter Berücksichtigung des Vorzeichens von h' wird die vereinfachte Gl. (8) erhalten:

$$x \cong \pm h' \cdot 2k + \left(a \cdot \frac{273}{T'}\right).\tag{8}$$

Da $k' > 2k$ (um $a \cdot 273/T'$) und $h \cdot k = h' \cdot k'$, ist $2h'$ kleiner als h, und $\Delta p' = 2h'$ ist kleiner als $\Delta p = h$. Das bedeutet, daß unter gleichen Bedingungen die Empfindlichkeit der freien manometrischen Messung geringer ist als die der volumenkonstanten Messung. Die Empfindlichkeit (d.h. das Verhältnis des Manometerausschlages zu dem entwickelten oder verbrauchten Gasvolumen) der freien Manometrie wird um so mehr herabgesetzt, je größer a ist im Vergleich zu k, die beide meistens von der Größenordnung 1 mm^2 sind. Unter diesen Bedingungen beträgt h'/h etwa $1/3$, und die Empfindlichkeit (ausgedrückt durch h'/x bei freier und h/x bei volumenkonstanter Messung) der freien Manometrie ist nur etwa $1/3$ so groß wie die der volumenkonstanten Messung oder $2/3$ so groß, wenn die Niveauänderung in beiden Manometerarmen abgelesen wird. Im letzten Falle ist die „Gefäßkonstante" $= k'/2$.

Die hier gegebene Ableitung der Gefäßkonstanten k' setzt voraus, daß die Capillaren am geschlossenen und am offenen Manometerarm den gleichen Querschnitt haben. Andernfalls würde die Höhe, um die die Manometerflüssigkeit verschoben wird, auf beiden Seiten verschieden sein (die Niveauänderungen würden im umgekehrten Verhältnis zu den Capillarquerschnitten stehen).

Wegen ihrer geringeren Empfindlichkeit wird die freie Manometrie seltener zu Stoffwechselmessungen herangezogen. Sie hat gegenüber der Messung bei Volumenkonstanz unter Umständen jedoch Vorteile, besonders dann, wenn relativ große Gasumsätze zu messen sind oder wenn es sich darum handelt, den zeitlichen Verlauf sich schnell abwickelnder Reaktionen zu messen, da die Einstellung der Manometerflüssigkeit auf die Nullmarke wegfällt.

3. Steigerung der Empfindlichkeit von Messungen mit dem offenen Manometer.

Die Weglänge (mm), um die die Manometerflüssigkeit pro μl umgesetztes Gas verschoben wird, kann als Maß der „Empfindlichkeit" der manometrischen Messung betrachtet werden, d.h., die Empfindlichkeit ist um so größer, je größer das Verhältnis h/x ist. Da $h/x = 1/k$, ist es naheliegend und ratsam, bei niedrigen Gasumsätzen die Bedingungen so zu wählen, daß die Gefäßkonstante k möglichst klein ist. Das geschieht in erster Linie mit kleinen Reaktionsgefäßen. Mit der gewöhnlichen apparativen Anordnung ist es nicht zweckmäßig, Reaktionsgefäße mit einem kleineren Rauminhalt als etwa 5 ml zu verwenden, vor allem deswegen nicht, weil dann das in der Manometercapillare eingeschlossene Gasraumvolumen, das sich nicht bei der Temperatur T des Thermostaten befindet und Schwankungen der Raumtemperatur ausgesetzt ist, im Verhältnis zu dem Gasraumvolumen in dem Reaktionsgefäß groß wird (s. auch S. 61).

Bei der Anwendung von Maßnahmen, die einer Erhöhung der Empfindlichkeit der manometrischen Messung dienen sollen, ist besondere Sorgfalt auch in der übrigen Versuchsausführung erforderlich.

a) Volumenkonstante Messung mit extrem kleinen Reaktionsgefäßen.

Einen Weg, sehr kleine Gasumsätze (0,001—0,5 μl) unter Verwendung von extrem kleinen „Reaktionskammern" (Rauminhalt etwa 15 μl) mit dem offenen Manometer bei Volumenkonstanz messen zu können, hat GREGG[1] angegeben (Abb. 3). Die Reaktionskammer A, in der sich bei D ein mit Lauge befeuchtetes Stückchen Filtrierpapier (zur Absorption von CO_2) und bei E das Versuchsmaterial in einem kleinen Tropfen Versuchslösung befindet, läuft in eine (etwa 0,1 mm weite) Capillare B aus. Die Capillare ist mit einer Marke (M) versehen; sie enthält einen winzigen Tropfen BRODIE-Lösung als „Indicator". Die Reaktionskammer ist innen leicht paraffiniert und wird nach ihrer Beschickung am unteren Ende mit weichem Paraffin geschlossen. Die Capillare ist über ein Rohr mit mehreren Abgängen, die den Anschluß von mehreren Reaktionskammern erlauben, mit dem einen Schenkel des Manometers C verbunden. Nimmt der Gasdruck in der Reaktionskammer durch O_2-Verbrauch ab, so sinkt die Indicatorflüssigkeit in der Capillare unter die Einstellmarke. Mit Hilfe der Druckvorrichtung an dem offenen Manometer wird der Druck in dem Raum über der Indicatorflüssigkeit soweit vermindert, bis der Meniscus der Indicatorflüssigkeit wieder auf der Einstellmarke der Capillare steht. Diese Einstellung erfolgt unter mikroskopischer Beobachtung. Die Druckänderung wird an dem offenen Manometer C abgelesen. Da die Druckmessung bei Volumenkonstanz vorgenommen wird, gilt zur Berechnung des Gasverbrauches die Gefäßkonstante k.

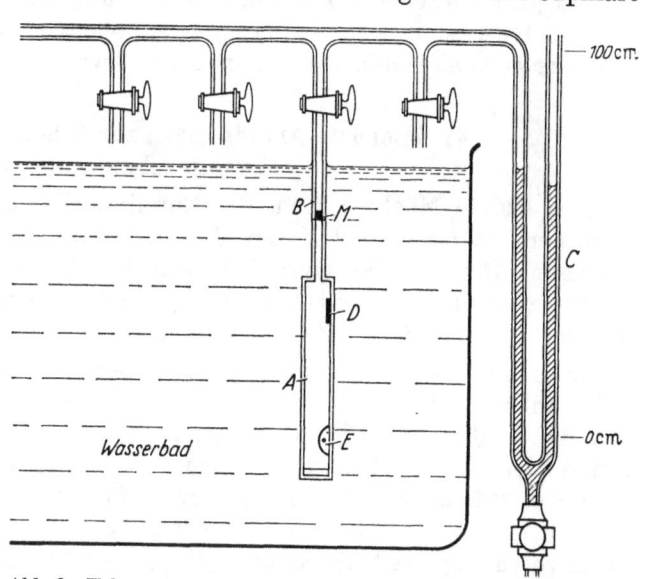

Abb. 3. Volumenkonstante Messung mit dem offenen Manometer mit extrem kleinen Reaktionsgefäßen nach GREGG[1] (s. Text).

Das gleiche Prinzip hat PROP[2] bei der Konstruktion eines Mikrorespirometers angewendet, wobei jedoch die Messung durch Verbindung des offenen Manometerschenkels mit einem als Barokomparator dienenden Gefäß stabilisiert (s. S. 62) und die Druckänderung an einem zweiten, fast in horizontaler Lage befindlichen Manometer (s. unten) abgelesen wird.

b) Verstärkung des Manometerausschlages mit einem aus der Vertikalen geneigten Manometer.

Die bei volumenkonstanter Messung von der Manometerflüssigkeit angezeigte Druckänderung ist direkt proportional der Säulenhöhe h, um die die Manometerflüssigkeit in dem offenen Arm in vertikaler Richtung verschoben wird. In einer aus der Vertikalen geneigten Capillare muß die Manometerflüssigkeit um eine größere Strecke verschoben werden, um — bei gleicher Druckänderung — einen ebenso großen hydrostatischen Druck auszuüben wie in einer vertikalen Capillare. Es ist also der Neigungswinkel (ϑ), den das Manometer mit der Vertikalen bildet, zu berücksichtigen (s. auch S. 75). Ist (bei gleicher Druckänderung Δp) h die Manometerablesung bei vertikaler Capillare, h^* die Ablesung bei einer von der Vertikalen abweichenden Capillare, so ist $h^* = h/\cos\vartheta$. Bei vertikaler Capillare ist $\cos\vartheta = 1$, bei horizontaler Capillare ist $\cos\vartheta = 0$. Beträgt der Neigungswinkel z. B. 80° ($\cos\vartheta = 0,1736$), so ist h^* fast sechsmal so groß wie h. Mit

---

[1] GREGG, J. R.: Rev. sci. Instr. 18, 514 (1947).
[2] PROP, F. J. A.: Exp. Cell Res. 7, 303 (1954).

h^* erhält man bei volumenkonstanter Messung die umgesetzte Gasmenge nach: $x = h^* \cdot \cos \vartheta \cdot k$. Weil eine schräge Lage der Manometer apparativ ungünstiger ist als eine vertikale, wird von dieser Möglichkeit einer Verstärkung des Manometerausschlags fast nur bei besonderen Mikrorespirometerkonstruktionen, von denen eine oben erwähnt wurde, Gebrauch gemacht.

c) Verwendung von Manometerflüssigkeiten mit niedrigem spezifischen Gewicht.

Mit einer Manometerflüssigkeit von geringerem spez. Gew. (D) wird bei gegebenem Gasumsatz x ein größerer Manometerausschlag erreicht, weil dann der hydrostatische Druck ($h \cdot D$) pro mm Manometerflüssigkeit geringer ist: Die Empfindlichkeit der manometrischen Messung ist umgekehrt proportional dem spez. Gew. der Manometerflüssigkeit. Die auf diese Weise erreichbaren Verstärkungsmöglichkeiten halten sich naturgemäß jedoch in engen Grenzen. Für den umgekehrten Zweck — zur Herabsetzung des Manometerausschlags, wenn besonders hohe Gasumsätze zu messen sind — werden Manometerflüssigkeiten von hohem spez. Gew. (S. 102) verwendet.

d) Besondere Anordnungen zur Erhöhung der Empfindlichkeit bei volumenkonstanter Messung.

Auf andere Möglichkeiten, die Empfindlichkeit sowohl der volumenkonstanten als auch der freien manometrischen Messung zu erhöhen, wird von BURK und HOBBY[1] hingewiesen. Die zum Teil ganz erhebliche Empfindlichkeitssteigerung wird unter Zuhilfenahme hydraulischer Prinzipien und ohne oder mit verhältnismäßig geringen Änderungen an den üblichen offenen Manometern erreicht.

Im folgenden werden einige von diesen Verstärkungsmöglichkeiten — zuerst bei volumenkonstanter, dann bei freier manometrischer Messung — angeführt. Sie erfordern, daß die Capillare des offenen Manometerarmes oben in einer zylindrischen Erweiterung ausmündet. Diese Erweiterung, die bei der normalen Messung zum Nachfüllen von Manometerflüssigkeit und als Reservoir für überschießende Manometerflüssigkeit vorgesehen ist, ist bei manchen von den üblichen Manometerkonstruktionen in geeigneter Form vorhanden; sie fehlt bei den „Doppelcapillarmanometern" (S. 90). Die zylindrische Erweiterung sollte etwa 30—40 mm hoch sein und einen Querschnitt von etwa 30—50 mm² haben (bei einem Querschnitt der Manometercapillare von nur etwa 0,5—3 mm²).

α) Anordnung mit stationärem Gasbläschen in der Manometerflüssigkeit als „Indicator" und mit Niveau der Manometerflüssigkeit in der Erweiterung.

Die Manometerflüssigkeit wird bis in den erweiterten Teil der offenen Capillare heraufgedrückt. Mit Hilfe einer langen Capillare, die an einer Spritze oder an einem Gummibällchen befestigt ist, wird in das untere Drittel der Flüssigkeitssäule in dem offenen Arm eine kleine Luftblase gebracht. (An die Stelle von Luft kann ein anderes Gas oder eine mit der Manometerflüssigkeit nicht mischbare Flüssigkeit treten.) Die Luftblase soll nur wenig länger sein, als der Durchmesser der Capillare beträgt. Bei nicht zu groben äußeren Störungen bleibt ihre Lage in der Manometerflüssigkeit stationär. Sie dient als „Indicator" für die bei Druckänderungen stattfindende Verschiebung der Manometerflüssigkeit in der Capillare. Die Niveauänderung der Grenzfläche, die die Luftblase mit der Manometerflüssigkeit bildet, wird abgelesen. Im offenen Manometerarm steht das Niveau der Manometerflüssigkeit während der ganzen Messung in der Erweiterung; die Ablesung erfolgt nach Einstellen der Manometerflüssigkeit im geschlossenen (mit dem Gefäß verbundenen) Arm auf die Eichmarke.

Der Querschnitt der Erweiterung sei A mm², der der Capillare a mm². Einer Druckänderung von Δp entspricht eine Niveauänderung der Manometerflüssigkeit (gegenüber

---
[1] BURK, D., and G. HOBBY: Science, N.Y. **120**, 640 (1954).

der Luft in dem erweiterten Capillarteil) um h mm (Δp ist bei volumenkonstanter Messung $=h$). Das Volumen der in der Erweiterung bewegten Flüssigkeit beträgt somit $h \cdot A$ μl. Dasselbe Flüssigkeitsvolumen muß auch in der Capillare verschoben werden; die Luftblase folgt der Flüssigkeitsverschiebung in der Capillare. Die Niveauänderung H der Luftblase wird also durch das Verhältnis A/a bestimmt: $H = h \cdot A/a$, d.h., der durch die Bewegung der Luftblase angezeigte Manometerausschlag wird um den Faktor A/a verstärkt. Um aus H (nach Korrektur für das Thermobarometer) das entwickelte oder verbrauchte Gasvolumen zu berechnen, hat man dementsprechend H oder die nach Gl. (3) erhaltene Gefäßkonstante k durch A/a zu dividieren. Man erhält:

$$\boxed{x = H \cdot \frac{a}{A} \cdot k = H \cdot k''}. \tag{9}$$

Da H des Thermobarometers von dem Verhältnis A/a seines Manometers abhängt, ist die Thermobarometerablesung H zuerst mit a/A zu multiplizieren; der erhaltene Wert ist mit umgekehrtem Vorzeichen zu $H \cdot a/A$ jedes der Versuchsmanometer zu addieren. Diese Rechnung erübrigt sich, wenn die Werte a/A sämtlicher Manometer nahe genug beieinander liegen und wenn der Ausschlag des Thermobarometers klein ist.

A und a können durch Kalibrierung mit Quecksilber bestimmt werden. Da aber nur das Verhältnis von A/a bekannt zu sein braucht, besteht eine andere Möglichkeit: Man mißt gleichzeitig die (durch Druck auf das Gummischlauchreservoir bewirkten) Niveauänderungen der Manometerflüssigkeit in der Erweiterung und der Luftblase in der Capillare. Man erzeugt möglichst große Niveauänderungen, um eine genügende Genauigkeit zu erhalten.

Mit dieser Anordnung kann eine beliebige Verstärkung erreicht werden. In der Praxis wird die Empfindlichkeitssteigerung jedoch unter anderem durch die Ungenauigkeit begrenzt, mit der der Meniscus der Manometerflüssigkeit im geschlossenen Arm ohne optische Hilfsmittel auf die Eichmarke eingestellt wird. Unter den üblichen Bedingungen der Manometerablesung kann eine bis zu 15—30fache Verstärkung mit Vorteil ausgenutzt werden.

β) Anordnung mit zwei Manometerflüssigkeiten von verschiedenem spezifischem Gewicht.

Mit Hilfe einer zweiten Manometerflüssigkeit, deren spez. Gew. d kleiner ist als das spez. Gew. D der anderen Flüssigkeit, und unter Ausnutzung der Capillarerweiterung am offenen Schenkel kann eine wesentliche Verstärkung des Manometerausschlages erreicht werden. Die leichtere Flüssigkeit, die mit der schweren nicht mischbar sein darf (und die nicht flüchtig sein soll), wird auf die dichtere Flüssigkeit in der Capillare des offenen Manometerarmes bis in die Erweiterung geschichtet. Beobachtet wird die Niveauänderung H' der Grenzschicht zwischen den beiden Flüssigkeiten in der offenen Capillare nach Einstellen des Meniscus im geschlossenen Arm auf die Eichmarke.

Entsteht in dem Gefäß ein Gasvolumen x, so beträgt — bei einer Niveauänderung der Grenzschicht in der Capillare um H' — die Niveauänderung in der Erweiterung $H' \cdot a/A$ (a = Querschnitt der Capillare, A = Querschnitt der Erweiterung). Gegenüber dem Anfangszustande ist die Säulenhöhe der spezifisch leichteren Flüssigkeit im offenen Manometerarm kleiner geworden, weil die Niveauänderung in der Erweiterung geringer ist als in der Capillare. Die Abnahme der Säulenhöhe beträgt $H' - H' \cdot a/A$. Das bedeutet eine Verminderung des Druckes dieser Säule um $(H' - H' \cdot a/A) \cdot d$. Gemessen an der beobachteten Niveauänderung H' mit dem Druck $H' \cdot D$, würde Δp (= die von einem Gasvolumen x bei volumenkonstanter Messung bewirkte Druckänderung) um diesen Betrag zu hoch ausfallen. Es ist also:

$$\Delta p = H'D - \left(H' - H' \cdot \frac{a}{A}\right)d = H'D - H'd + H' \cdot \frac{a}{A} \cdot d = H'\left[D - d\left(1 - \frac{a}{A}\right)\right].$$

Δp, in mm Manometerflüssigkeit ausgedrückt, ist:

$$\frac{H'\left[D - d\left(1 - \frac{a}{A}\right)\right]}{D}.$$

Dieser Ausdruck entspricht h bei der üblichen volumenkonstanten Messung mit nur einer Manometerflüssigkeit. Da $x = h \cdot k$, wird für das entwickelte Gasvolumen erhalten:

$$\boxed{x = \frac{H'\left[D - d\left(1 - \frac{a}{A}\right)\right]}{D} \cdot k}, \qquad (10)$$

wobei die Gefäßkonstante k mit $P_0 = 760 \cdot \frac{13{,}6}{D}$ zu berechnen ist (s. S. 58).

Da bei der üblichen volumenkonstanten Messung (mit nur einer Manometerflüssigkeit) $x = h \cdot k$, so ist:

$$h \cdot k = \frac{H'\left[D - d\left(1 - \frac{a}{A}\right)\right]}{D} \cdot k,$$

und

$$\frac{H'}{h} = \frac{D}{\left[D - d\left(1 - \frac{a}{A}\right)\right]}.$$

Das Verhältnis $D/[D - d(1 - a/A)]$ drückt die Erhöhung der Empfindlichkeit dieser Meßanordnung gegenüber der einfachen volumenkonstanten Messung aus. Sowohl mit einer Verminderung von a/A als auch von $D - d$ nimmt der Manometerausschlag zu. Es ist zu ersehen, daß eine Verschiedenheit von a und A Voraussetzung für eine Steigerung der Empfindlichkeit ist, einerlei, wie verschieden D und d sind. Wenn a/A sich Null nähert (bei unendlicher Abnahme des Capillarquerschnittes oder unendlicher Zunahme des Querschnittes der Erweiterung), nähert sich H'/h dem Verhältnis $D/D - d$. Bei nicht zu großem Verhältnis von a/A kann die Empfindlichkeit allein mit Hilfe der verschiedenen Dichte der Manometerflüssigkeiten in einem ziemlich weiten Bereiche variiert werden. Ist z. B. $d = 0{,}99\,D$ und $a/A = 0{,}02$, so wird H'/h ungefähr 100, und bei $d = 0{,}9\,D$ (BRODIE-Lösung — Isocapronsäure) wird H'/h ungefähr 10.

e) Besondere Anordnungen zur Erhöhung der Empfindlichkeit bei freier manometrischer Messung.

α) *Anordnung mit Niveau der Manometerflüssigkeit im offenen Arm in der Capillarerweiterung.*

Mit dem Niveau der Manometerflüssigkeit des offenen Armes in dem erweiterten Capillarende wird bei der freien manometrischen Messung eine Erhöhung der Empfindlichkeit auf folgende Weise erreicht:

Ist bei einer Druckänderung $\Delta p''$ die Niveauänderung im geschlossenen Capillararm H'', so beträgt das sowohl in der Capillare als auch das in der Erweiterung verschobene Flüssigkeitsvolumen $H'' \cdot a$ (wenn a der Querschnitt der Capillare ist). Die Höhe, um die die Flüssigkeit in den beiden ungleich weiten Teilen verschoben wird, ist aber verschieden; sie ist umgekehrt proportional dem Querschnitt der beiden Teile. Ist H'' die Niveauänderung in der geschlossenen Capillare mit dem Querschnitt a und ist A der Querschnitt der Erweiterung, so beträgt die Niveauänderung in der Erweiterung $H'' \cdot a/A$. Die Höhe der insgesamt verschobenen Flüssigkeitssäule $= \Delta p''$ ist mithin $H'' + H'' \cdot a/A = H''(1 + a/A)$.

Bei gegebenen Werten von x, k und a ist die Niveauänderung der Manometerflüssigkeit bei der freien manometrischen Messung ohne oder mit Benutzung der Capillarerweiterung gleich groß: es ist $2h'$ bei der gewöhnlichen freien Manometrie (S. 62) gleich

$H''(1 +a/A)$ bei der hier befolgten Anordnung. Dieser letzte Wert kann also für $2h'$ in Gl. 6 (S. 63) eingesetzt werden. Wir erhalten:

$$x = H''\left(1+\frac{a}{A}\right)\left[\left(\frac{v_G \cdot \frac{273}{T}+v_F \cdot \alpha}{P_0}\right)+\left(a\cdot\frac{273}{T'}\right)\cdot\left(\frac{p^*+H''\left(1+\frac{a}{A}\right)}{P_0}\right)\right],$$

oder nach Einführung der Gefäßkonstanten k und nach leichter Umformung:

$$x = H''\left[k\left(1+\frac{a}{A}\right)+\left(a\cdot\frac{273}{T'}\right)\cdot\left(\frac{p^*+H''\left(1+\frac{a}{A}\right)}{P_0}\right)\right]. \tag{11}$$

Vernachlässigung des letzten Gliedes ergibt die vereinfachte Gleichung:

$$\boxed{x \cong H''\left[k\cdot\left(1+\frac{a}{A}\right)+\left(a\cdot\frac{273}{T'}\right)\right].} \tag{11a}$$

Der in Gl. (11) bzw. (11a) in eckigen Klammern stehende Ausdruck ist die Gefäßkonstante k'' für die hier befolgte Meßanordnung.

Im Vergleich zur freien manometrischen Messung ohne Benutzung der Capillarerweiterung wird die Empfindlichkeit in dieser Anordnung also dadurch erhöht, daß bei gleich großer Niveauänderung der Manometerflüssigkeit das in der Capillare verschobene Flüssigkeitsvolumen — und damit die Höhe der in der Capillare verschobenen Flüssigkeitssäule — vergrößert wird. Eine Betrachtung der Gefäßkonstanten k'' und k zeigt, daß die Empfindlichkeit dieser Meßanordnung nicht die der einfachen volumenkonstanten Messung (ohne Verstärkerprinzip) erreicht. Die Empfindlichkeit der freien Manometrie in der hier angegebenen Anordnung nähert sich aber der der letzteren, wenn a/A und a sehr klein sind, da dann $k'' \approx k$ wird.

Verwendet man in dieser Anordnung zusätzlich ein Gasbläschen in der Manometerflüssigkeit des offenen Capillararmes als „Indicator" für die in diesem Arme bewegte Flüssigkeitssäule (S. 66), und liest man die Niveauänderung in beiden (gleich weiten) Capillararmen ab, so erhält man einen doppelt so großen Manometerausschlag. Unter günstigsten Bedingungen kann dadurch die Empfindlichkeit — immer beurteilt nach: mm Manometerausschlag pro μl Gas — der freien Manometrie gegenüber der einfachen volumenkonstanten Messung fast verdoppelt werden. Mit den Vorteilen, die die freie manometrische Messung gelegentlich bietet, kann also auf einfache Weise eine Empfindlichkeit verbunden werden, die der der einfachen volumenkonstanten Messung fast gleichkommt oder sie noch etwas übertrifft.

β) Anordnung mit je einer Erweiterung in beiden Capillararmen und Luftbläschen als „Indicator".

Um die freie manometrische Messung empfindlicher zu gestalten, muß die durch eine gegebene Gasmenge x bewirkte Druckänderung Δp^* möglichst klein gehalten werden, um dafür eine große Volumenänderung einzutauschen. Δp^* kann auf ein Minimum reduziert werden, wenn die Niveauänderung der Manometerflüssigkeit in beiden Armen auf ein Minimum herabgesetzt wird. Diesem Zwecke dient ein Manometer mit einer zweiten Erweiterung, die am oberen Teil des geschlossenen Capillararmes angebracht ist und die die gleichen Dimensionen wie die Erweiterung am Ende des offenen Capillararmes hat. (Der Querschnitt der Capillaren muß auf beiden Seiten ebenfalls gleich sein.) Das Niveau der Manometerflüssigkeit befindet sich in den Erweiterungen. Bei einer Änderung des Gasvolumens in dem Reaktionsgefäß um x wird in den Erweiterungen und Capillaren beider Arme ein gleich großes Volumen Manometerflüssigkeit verschoben. Der im Vergleich zum Capillarquerschnitt a große Querschnitt A der zweiten Erweiterung bewirkt jedoch, daß die Niveauänderung der Manometerflüssigkeit in den beiden Erweiterungen im Verhältnis zu x klein ist. Somit ist die eintretende Druckänderung Δp^* klein, weil

Δp bei freier Manometrie gleich der Summe aus den Niveauänderungen auf beiden Seiten des Manometers ist. Da für eine gegebene Gasmenge bei konstanter Temperatur $p \cdot v =$ konstant gilt, so wird durch Verminderung von Δp^* eine Vermehrung des Gasraumvolumens und damit eine Vermehrung des Volumens an Manometerflüssigkeit, das verschoben wird, erreicht.

Die Niveauänderung in den Erweiterungen ergibt sich aus der Weglänge H^*, um die ein in einen der beiden Capillararme gebrachtes Luftbläschen (S. 66) verschoben wird, und aus den Werten für a und A. Wir erhalten für die Summe der Niveauänderungen in den Erweiterungen $= \Delta p^* = H^* \cdot a/A + H^* \cdot a/A = 2 H^* \cdot a/A$, für die Änderung des Gasraumvolumens $H^* \cdot a$. Bei Gasentwicklung ist der Druck (in dem bei der Raumtemperatur T' befindlichen Gasraumteil des Manometers, s. S. 61) von p^* auf $p^* + 2 H^* \times a/A$ gestiegen. Das entwickelte Gasvolumen ist:

$$x = 2 H^* \cdot \frac{a}{A} \cdot \left(\frac{v_G \cdot \frac{273}{T} + v_F \cdot \alpha}{P_0} \right) + \left(\frac{H^* \cdot a \cdot 273 \cdot \left(p^* + 2 H^* \cdot \frac{a}{A} \right)}{T' \cdot P_0} \right). \tag{12}$$

Bei Verwendung von k für $(v_G \cdot 273/T + v_F \cdot \alpha)/P_0$ (= Gefäßkonstante bei volumenkonstanter Messung), und nach einer zulässigen Vereinfachung wird erhalten:

$$\boxed{x \cong H^* \left[2 k \cdot \frac{a}{A} + a \cdot \frac{273}{T'} \right]}. \tag{12a}$$

Ist a/A sehr klein, so nähert sich der in eckigen Klammern stehende Ausdruck (k^*) dem Werte von $a \cdot 273/T'$, und mit abnehmendem Capillarquerschnitt a nähert k^* sich Null (die Verstärkung wird dann unendlich). Mit Capillaren eines Querschnittes von weniger als 0,05 mm² (entsprechend einem Durchmesser von weniger als 0,25 mm) ist manometrisch aber schwierig zu arbeiten, wenigstens mit der für gewöhnlich verwendeten Manometerflüssigkeit. Mit $a \approx 0{,}05$ mm², $A \approx 30$ mm² und $k \approx 1$ mm² wird eine etwa 20fach höhere Empfindlichkeit erreicht als bei der üblichen volumenkonstanten Messung. Der Capillarquerschnitt muß unter 1 mm² liegen, um einen nennenswerten Verstärkungseffekt zu erzielen, da sonst $a \cdot 273/T'$ in Gl. (12) oder (12a) zu sehr ins Gewicht fällt.

γ) Anordnung mit verschieden weiten Capillaren.

Die beiden Capillararme des Manometers haben verschiedene Querschnitte. Die dünnere Capillare (am besten als offener Capillararm) besitzt am oberen Ende eine Erweiterung. Die Manometerflüssigkeit ist in der dünneren Capillare durch ein Luftbläschen, das als „Indicator" dient (S. 66), unterbrochen.

$\overline{H}$ sei die Niveauänderung des Luftbläschens, A der Querschnitt der Erweiterung, a der Querschnitt der in die Erweiterung mündenden dünnen Capillare und a^* der Querschnitt der weiten Capillare des geschlossenen Manometerarmes. Bei einer Druckänderung $\overline{\Delta p}$ wird das Niveau der Manometerflüssigkeit in der Erweiterung um $\overline{H} \cdot a/A$, in der weiteren Capillare um $\overline{H} \cdot a/a^*$ verschoben. Es ist also:

$$\overline{\Delta p} = \overline{H} \cdot \frac{a}{A} + \overline{H} \cdot \frac{a}{a^*} = \overline{H} \left(\frac{a}{A} + \frac{a}{a^*} \right).$$

Das Volumen des Gasraumes hat sich durch die Verschiebung der Manometerflüssigkeit in der geschlossenen Capillare um $\overline{H} \cdot a$ geändert. Damit wird für die entwickelte Gasmenge erhalten:

$$\begin{aligned} x &= \overline{H} \left(\frac{a}{A} + \frac{a}{a^*} \right) \cdot k + \frac{\overline{H} \cdot a \cdot 273 \cdot p^* + \overline{H} \left(\frac{a}{A} + \frac{a}{a^*} \right)}{T' \cdot P_0} \\ &= \overline{H} \left[k \left(\frac{a}{A} + \frac{a}{a^*} \right) + \left(a \cdot \frac{273}{T'} \right) \cdot \frac{p^* + \overline{H} \left(\frac{a}{A} + \frac{a}{a^*} \right)}{P_0} \right], \end{aligned} \tag{13}$$

oder nach zulässiger Vereinfachung:

$$x \cong \overline{H}\left[k\left(\frac{a}{A}+\frac{a}{a^*}\right)+\left(a\cdot\frac{273}{T'}\right)\right].\qquad(13\text{a})$$

($T'=$ Raumtemperatur, bei der sich das Manometer befindet, $p^*=$ Anfangsdruck im Gasraum der Manometercapillare, $k=$ Gefäßkonstante bei volumenkonstanter Messung.)

Mit $a=0{,}05$ mm², $a^*=3$ mm² und $A=50$ mm² wird mit dieser Anordnung gegenüber der volumenkonstanten Messung eine etwa 16fach höhere Empfindlichkeit erreicht.

Von BURK und HOBBY[1] wird eine Manometerkonstruktion angegeben, die ein Auswechseln der Capillararme gestattet und die für alle der hier bis jetzt erwähnten Meßarten mit dem offenen Manometer — volumenkonstante und freie manometrische Messungen, ohne oder mit „Verstärkungsmechanismen" — verwendet werden kann (s. S. 91).

4. Differentialmanometrie.

Sie besteht in der Messung von Druckdifferenzen: Die durch Gasentwicklung oder -verbrauch in dem Reaktionsgefäß auftretende Druckänderung bewirkt durch Verschieben der Manometerflüssigkeit gegen den abgeschlossenen Gasraum des Kompensationsgefäßes einen Gegendruck; der Manometerausschlag zeigt den zwischen beiden Seiten vorhandenen Druckunterschied an. Gegenüber der Messung mit dem offenen Manometer hat die Differentialmanometrie den Vorteil einer größeren „Stabilität" (Unabhängigkeit von Luftdruck- und Temperaturschwankungen). Es werden Differentialmanometer mit vertikaler, geneigter und horizontaler Capillare benutzt (im letzten Falle geht die Differentialmanometrie in eine Differentialvolumetrie über); der Rauminhalt von Reaktions- und Kompensationsgefäß wird entweder gleich groß, oder der des Kompensationsgefäßes wird größer gewählt. Das Verhältnis der Manometerablesung zu dem gesuchten Gasvolumen ist in jedem der Fälle ein anderes.

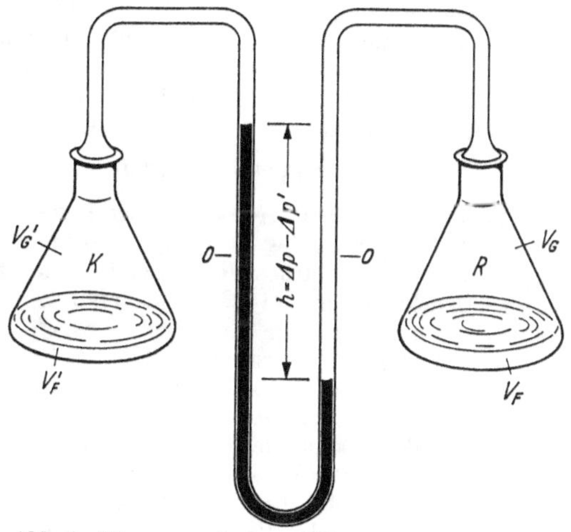

a) Messung mit dem Differentialmanometer mit vertikaler Manometercapillare.

Wir betrachten hier die Theorie des BARCROFTschen Differentialmanometers mit vertikaler Capillare.

Das Differentialmanometer besteht aus einer U-förmig gebogenen Capillare, deren Enden je mit einem Gefäß verbunden sind. Es bildet in Verbindung mit den Gefäßen

Abb. 4. Messung mit dem Differentialmanometer mit vertikaler Meßcapillare. R Reaktionsgefäß; K Kompensationsgefäß; v_F und v'_F Versuchslösung; v_G und v'_G Gasraum (= Raum über dem Flüssigkeitsspiegel bis zur Eichmarke 0); h (mm) Niveaudifferenz der Flüssigkeitssäulen nach Gasentwicklung in dem Reaktionsgefäß.

also ein geschlossenes System. Die am offenen Manometer vorhandene Vorrichtung (Druckreservoir) zur Verschiebung der Manometerflüssigkeit fällt weg. Das rechte Gefäß wird meistens als Reaktionsgefäß verwendet; es wird mit dem vollständigen Reaktionsgemisch beschickt. Das andere (linke) Gefäß dient als Kompensationsgefäß; es erhält die gleiche Menge Flüssigkeit wie das Reaktionsgefäß, aber kein Versuchsmaterial (oder kein Substrat). Die Gefäße haben in der Regel den gleichen Rauminhalt. Der Raum über dem Flüssigkeitsspiegel in jedem der Gefäße bis zum Niveau der Manometerflüssigkeit in dem zugehörigen Capillarschenkel bildet den Gasraum der betreffenden Manometerseite. Die Gefäße befinden sich bei gleicher Temperatur (Thermostat). Temperaturschwankungen beeinflussen die Messung nicht, da ihre Wirkung auf den Gasdruck im

---
[1] BURK, D., and G. HOBBY: Science, N.Y. **120**, 640 (1954).

Reaktionsgefäß durch ihre ebenso große Wirkung auf den Gasdruck im Kompensationsgefäß ausgeglichen wird. Als geschlossenes System ist das Differentialmanometer vor allem unabhängig von Schwankungen des Barometerdruckes. Ein Thermobarometer wird also nicht benötigt.

Entsteht oder verschwindet in dem Reaktionsgefäß eine Menge Gas, so wird durch die Druckänderung die Manometerflüssigkeit, die am Anfang in beiden Armen auf gleicher Höhe stehe, verschoben. Die Höhendifferenz h zwischen den Menisken in den beiden Capillaren wird abgelesen (Abb. 4). h hat hier aber nicht dieselbe Bedeutung wie der Messung mit dem offenen Manometer bei Volumenkonstanz oder wie $2h'$ bei „freier Manometrie", weil sich mit dem Druck gleichzeitig auch das Volumen des Gasraumes im Reaktionsgefäß ändert und die Druckänderung gegen den abgeschlossenen Gasraum des Kompensationsgefäßes erfolgt. Die Theorie des Differentialmanometers ist deshalb komplexer als die des offenen Manometers, bei dem die Verschiebung der Manometerflüssigkeit gegen einen von der Druckänderung im Reaktionsgefäß unabhängigen Außendruck stattfindet und bei dessen Anwendung das Gasraumvolumen üblicherweise konstant gehalten wird.

Die Gefäßkonstante K.

Die zur Berechnung der Gefäßkonstanten für das Differentialmanometer benötigten Gleichungen wurden am vollständigsten von WARBURG[1] und daran anschließend von DIXON[2] entwickelt (s. auch STAUFFER[3]).

Es bedeuten:

x = gebildete (oder verbrauchte) Gasmenge in μl, reduziert auf Normalbedingungen (0° C und 760 mm Hg).

h = Niveauänderung der Manometerflüssigkeit in beiden Schenkeln, in mm. Stehen zu Beginn die Menisken auf beiden Seiten gleich hoch, so ist h gleich der bei Druckänderung auftretenden Höhendifferenz zwischen den beiden Menisken.

P_0 = Normaldruck (760 mm Hg), ausgedrückt in mm der Manometerflüssigkeit. Ist D das spez. Gew. der Manometerflüssigkeit, so ist $P_0 = 760 \cdot \frac{13,6}{D}$ mm.

P = Anfangsdruck (Barometerdruck) in den Gefäßen, in mm Manometerflüssigkeit. $P - p_w = p$ ist der Anfangsdruck des trockenen Gases in dem Gasraum.

p_w = Wasserdampfdruck der Versuchslösung bei der Temperatur T.

Δp = Druckzunahme im Reaktionsgefäß (mm Manometerflüssigkeit).

$\Delta p'$ = Druckzunahme im Kompensationsgefäß (mm Manometerflüssigkeit).

v_G = Volumen des Gasraumes auf der Seite des Reaktionsgefäßes (μl).

v_G' = Volumen des Gasraumes auf der Seite des Kompensationsgefäßes (μl).

v_F = Flüssigkeitsvolumen (μl) im Reaktionsgefäß.

v_F' = Flüssigkeitsvolumen (μl) im Kompensationsgefäß.

α = BUNSENscher Absorptionskoeffizient des reagierenden Gases (s. S. 59).

T = absolute Versuchstemperatur ($= 273 + t$ °C).

a = Querschnitt der Manometercapillare (mm^2).

In dem Reaktionsgefäß finde Gasentwicklung statt. Die Gasräume auf der Seite des Reaktions- und Kompensationsgefäßes enthalten nur das reagierende (wasserdampfgesättigte) Gas; p sei der Partialdruck des trockenen Gases am Anfang. Die Manometerflüssigkeit stehe zu Beginn in beiden Armen auf gleicher Höhe.

Wir betrachten zunächst die Bedingungen auf der Seite des Reaktionsgefäßes. Am Anfang beträgt das Volumen des Gasraumes, reduziert auf Normalbedingungen:

$$v_G \cdot \frac{273}{T} \cdot \frac{p}{P_0}. \tag{14}$$

Entsteht in dem Reaktionsgefäß ein Gasvolumen x, so bewirkt das in den Gasraum übertretende Gas einen Druckanstieg von p auf $p + \Delta p$. Ist die auftretende Höhen-

---

[1] WARBURG, O.: Über den Stoffwechsel der Tumoren. S. 8—11. Berlin 1926. — WARBURG, O., u. E. NEGELEIN: Z. physikal. Ch. 102, 236 (1922).
[2] DIXON, M.: Manometric Methods. 3. Aufl., S. 25—33. Cambridge 1951.
[3] STAUFFER, J. F.; in: Manometric Techniques (Umbreit-Burris-Stauffer). 3. Aufl., S. 79—83. Minneapolis 1957.

differenz zwischen den Meniscen der Manometerflüssigkeit h, so hat sich die Manometerflüssigkeit in jedem der Schenkel um $h/2$ verschoben. Das Volumen des Gasraumes nimmt infolgedessen auf der Seite des Reaktionsgefäßes von v_G auf $v_G + a \cdot h/2$ zu. Die Gasmenge, die entsprechend der Druckzunahme Δp in Lösung geht, ist $v_F \cdot \alpha \cdot \Delta p/P_0$. Zur Zeit der Ablesung von h ist das auf Normalbedingungen reduzierte Volumen des Gasraumes, vermehrt um das in Lösung gegangene Gasvolumen, also:

$$\left(v_G + a \cdot \frac{h}{2}\right) \cdot \frac{273}{T} \cdot \frac{p + \Delta p}{P_0} + \frac{\Delta p}{P_0} \cdot v_F \cdot \alpha$$

$$= \frac{v_G \cdot 273 \cdot p}{T \cdot P_0} + \frac{v_G \cdot 273 \cdot \Delta p}{T \cdot P_0} + \frac{a \cdot 273}{2 \cdot T} \cdot \frac{h \cdot p + h \cdot \Delta p}{P_0} + \frac{\Delta p}{P_0} \cdot v_F \cdot \alpha. \qquad (15)$$

Die Subtraktion des nach Gl. (14) am Anfang vorhandenen Gasvolumens von dem nach Gl. (15) am Schluß insgesamt vorhandenen ergibt das gebildete Gasvolumen x:

$$x = \frac{v_G \cdot 273 \cdot \Delta p}{T \cdot P_0} + \frac{a \cdot 273}{2 \cdot T} \cdot \frac{h \cdot p + h \cdot \Delta p}{P_0} + \frac{\Delta p}{P_0} \cdot v_F \cdot \alpha,$$

und daraus:

$$x = \Delta p \left(\frac{v_G \cdot \frac{273}{T} + v_F \cdot \alpha}{P_0} + \frac{a \cdot 273}{2 \cdot T} \cdot \frac{\frac{h}{\Delta p} \cdot p + h}{P_0} \right). \qquad (16)$$

Im Kompensationsgefäß ist kein Gas entstanden ($x = 0$). Durch die Verschiebung der Manometerflüssigkeit hat das Volumen des Gasraumes um $a \cdot h/2$ abgenommen, der Druck ist um $\Delta p'$ gestiegen, und das in Lösung gegangene Gasvolumen ist $v'_F \cdot \alpha \cdot \Delta p'/P_0$. Auf dem gleichen Wege, der zu Gl. (16) führte, wird für das Kompensationsgefäß erhalten:

$$0 = \Delta p' \left(\frac{v'_G \cdot \frac{273}{T} + v'_F \cdot \alpha}{P_0} - \frac{a \cdot 273}{2 \cdot T} \cdot \frac{\frac{h}{\Delta p'} \cdot p + h}{P_0} \right),$$

und daraus:

$$\Delta p' = h \left(\frac{\frac{a}{2} \cdot \frac{273}{T} \cdot (p + \Delta p')}{v'_G \cdot \frac{273}{T} + v'_F \cdot \alpha} \right). \qquad (17)$$

h gibt die zwischen Reaktions- und Kompensationsgefäß bestehende Druckdifferenz an. Es ist also:

$$h = \Delta p - \Delta p'$$

und

$$\Delta p = h + \Delta p'. \qquad (18)$$

Wir setzen für $\Delta p'$ in Gl. (18) den dafür in Gl. (17) erhaltenen Ausdruck ein:

$$\Delta p = h + h \left(\frac{\frac{a}{2} \cdot \frac{273}{T} (p + \Delta p')}{v'_G \cdot \frac{273}{T} + v'_F \cdot \alpha} \right) = h \left(1 + \frac{\frac{a}{2} \cdot \frac{273}{T} \cdot (p + \Delta p')}{v'_G \cdot \frac{273}{T} + v'_F \cdot \alpha} \right). \qquad (19)$$

Substitution von Δp in Gl. (16) durch den dafür in Gl. (19) gewonnenen Ausdruck ergibt:

$$x = h \left[\left(1 + \frac{\frac{a}{2} \cdot \frac{273}{T} \cdot (p + \Delta p')}{v'_G \cdot \frac{273}{T} + v'_F \cdot \alpha} \right) \cdot \left(\frac{v_G \cdot \frac{273}{T} + v_F \cdot \alpha}{P_0} + \frac{a \cdot 273}{2 \cdot T} \cdot \frac{\frac{h}{\Delta p} \cdot p + h}{P_0} \right) \right]. \qquad (20)$$

In eckigen Klammern steht der vollständige Ausdruck für die „Gefäßkonstante" K des Differentialmanometers. Δp und $\Delta p'$, die in Gl. (20) noch als Unbekannte auftreten, werden auf dem Wege von Vereinfachungen eliminiert.

Streng genommen ist K in Gl. (20) keine Konstante, da im zweiten und im letzten Glied veränderliche Größen vorkommen. Das bedeutet, daß die Ablesung h nicht über die ganze Länge der Manometerskala der gebildeten Gasmenge genau proportional ist. Die Ausdrücke mit den Variabeln sind unter den üblichen Bedingungen jedoch von untergeordneter Bedeutung.

Das dritte Glied in Gl. (20) ist gleich der Gefäßkonstanten k für das offene Manometer bei volumenkonstanter Messung, das zweite Glied berücksichtigt die Wirkung des Kompensationsgefäßes und das vierte Glied die Volumenänderung des Gasraumes im Reaktionsgefäß infolge Verschiebung der Manometerflüssigkeit. Es ist ersichtlich, daß das dritte Glied den Hauptausdruck darstellt und daß das zweite und vierte Glied nur die Bedeutung von Korrektionsgliedern haben. In diesen letzten Gliedern können Vereinfachungen ohne einen in Betracht fallenden Fehler vorgenommen werden. Δp ist nicht sehr verschieden von h; $h/\Delta p$ kann daher ~ 1 gesetzt werden. Gegenüber p (das in der Regel etwa 10000 mm der Manometerflüssigkeit beträgt) können h und $\Delta p'$ in den Korrektionsgliedern vernachlässigt werden. p kann P_0 gleichgesetzt werden, und $v'_F \cdot \alpha$ kann gegenüber v'_G vernachlässigt werden. Es ergibt sich die vereinfachte Gleichung:

$$x \cong h\left[\left(1 + \frac{a \cdot P_0}{2 \cdot v'_G}\right) \cdot \left(\frac{v_G \cdot \frac{273}{T} + v_F \cdot \alpha}{P_0} + \frac{a \cdot 273}{2 \cdot T}\right)\right]. \qquad (21)$$

Die Zulässigkeit dieser Vereinfachungen[1] kann ein Beispiel[2] veranschaulichen. Bei der Messung mit dem BARCROFTschen Differentialmanometer betragen üblicherweise v_G und v'_G etwa 30000 μl; a ist kleiner als 0,5 mm^2; Δp und $\Delta p'$ sind von h kaum um mehr als 50% verschieden; h kann höchstens 300 mm betragen; T wird meistens nicht über 310° (absolut) sein; $v_F \cdot \alpha$ und $v'_F \cdot \alpha$ sind nicht größer als 5% des Wertes von v_G und v'_G, auch nicht für das leicht lösliche CO_2; p wird selten weniger als 95% von P_0 betragen. Werden die angeführten Zahlen als Maximalwerte in die vollständige Gefäßkonstante von Gl. (20) eingesetzt, so erhält man:

$$x = h(1 + 0{,}07) \cdot (2{,}9 + 0{,}13).$$

Der zweite Ausdruck beträgt nur etwa $^1/_{15}$ des ersten und der vierte Ausdruck nur etwa $^1/_{20}$ des dritten. Der Fehler, der durch die erwähnten Vereinfachungen im zweiten und vierten Gliede entsteht, beträgt weniger als 1%, vorausgesetzt, daß der Querschnitt der Manometercapillare unter 0,5 mm^2 liegt.

Unberücksichtigt ist geblieben, daß sich bei der üblichen apparativen Anordnung der Gasraum unmittelbar über der Manometerflüssigkeit nicht bei der Temperatur T des Thermostaten, sondern annähernd bei der Temperatur T' des Raumes befindet (s. im Abschnitt „freie Manometrie", S. 63). Bei der Reduktion des Gasvolumens $a \cdot h/2$ auf Normalbedingungen hätte im zweiten und vierten Ausdruck von Gl. (20) also nicht T, sondern T' stehen sollen. Da T' im allgemeinen niedriger ist als T, wirkt sich diese Vernachlässigung jedoch so aus, daß der bei der Vereinfachung von Gl. (20) entstehende Fehler kleiner wird. In dem Gasraum über der Manometerflüssigkeit besteht ferner nicht der Wasserdampfdruck p_w bei der Temperatur T, sondern der Wasserdampfdruck p_w^* bei der Temperatur T'. Es ist also $P - p_w^* = p^* > P - p_w = p$, und die bei der Vereinfachung von Gl. (20) vorgenommene Gleichsetzung von p mit P_0 ist dadurch mit einem noch geringeren Fehler behaftet.

Bei der Herleitung der Gefäßkonstanten wurde außerdem vorausgesetzt, daß sich im Gasraum der beiden Gefäße nur das Gas befindet, dessen Menge sich im Reaktionsgefäß ändert; α ist der Absorptionskoeffizient des reagierenden Gases. Befindet sich im Gasraum ein zweites Gas, so ändert sich nicht nur der Partialdruck des reagierenden Gases, sondern wegen der stattfindenden Verschiebung der Manometerflüssigkeit auch der des zweiten Gases. Ist das zweite Gas z.B. CO_2 und findet in dem Reaktionsgefäß ein Verbrauch von O_2 statt, so nimmt der Partialdruck von CO_2 zu, und eine dieser Zunahme des Partialdruckes entsprechende Menge CO_2 geht in Lösung, verschwindet also aus dem Gasraum. Die durch die Volumenänderung des Gasraumes (infolge der Verschiebung der Manometerflüssigkeit) bedingte Änderung des Partialdruckes ist aber sehr gering. Der hierdurch in die für O_2 berechnete Gefäßkonstante eingeführte Fehler beträgt weniger als 0,1%, wenn das Gasgemisch etwa 10% an dem in Wasser leicht löslichen CO_2 enthält, und der Fehler ist noch geringer mit weniger löslichen Gasen (z.B. N_2) in dem Gasgemisch.

Die Gefäßkonstante K in Gl. (21) ergibt sich nach den von DIXON in Gl. (20) eingeführten Vereinfachungen. Nach WARBURG wird — ebenfalls nach Vereinfachungen — für K

---

[1] DIXON, M.: Manometric Methods. 3. Aufl., S. 29—32. Cambridge 1951.
[2] STAUFFER, J. F.; in: Manometric Techniques (Umbreit-Burris-Stauffer). 3. Aufl., S. 83. Minneapolis 1957.

ein etwas anderer Ausdruck erhalten, nämlich:

$$\left[\left(1+\frac{\dfrac{a\cdot 273}{2\cdot T}}{\dfrac{v'_G\cdot\dfrac{273}{T}+v'_F\cdot\alpha'}{P_0}}\right)\cdot\left(\frac{v_G\cdot\dfrac{273}{T}+v_F\cdot\alpha}{P_0}+\frac{a\cdot 273}{2\cdot T}\right)\right]. \qquad (22)$$

α', das in Gl. (21) nicht auftritt, ist der Absorptionskoeffizient für das Gasgemisch, mit dem Reaktions- und Kompensationsgefäß gefüllt sind; $v'_F\cdot\alpha'$ ist die in der Flüssigkeit des Kompensationsgefäßes gelöste Gasmenge.

In einem von WARBURG[1] angeführten Zahlenbeispiel betragen v_G und v'_G je 16 530 μl, v_F und v'_F je 37 000 μl, a ist 0,158 mm^2, T 283°, P_0 11 160 mm, α_{O_2} 0,038 und α_{CO_2} 1,182. Reaktions- und Kompensationsgefäß sind mit 5% CO_2 in Luft gefüllt; α' ist 0,08.

Mit diesen Werten, in die von WARBURG formulierte Gefäßkonstante Gl. (22) eingesetzt, wird erhalten:

$$K_{O_2} = 1{,}045\cdot(1{,}555+0{,}076) = 1{,}70,$$
$$K_{CO_2} = 1{,}045\cdot(5{,}348+0{,}076) = 5{,}67.$$

Mit denselben Werten, in die von DIXON formulierte Gefäßkonstante Gl. (21) eingesetzt, wird erhalten:

$$K_{O_2} = 1{,}053\cdot(1{,}555+0{,}076) = 1{,}72,$$
$$K_{CO_2} = 1{,}053\cdot(5{,}348+0{,}076) = 5{,}71.$$

In diesem Zahlenbeispiel ist das Flüssigkeitsvolumen sehr groß gewählt. Legt man der Rechnung häufiger angewendete Versuchsbedingungen (v_F und $v'_F \sim 3000$, v_G und $v'_G \sim 30000$) zugrunde, so ergeben sich nur ganz unbedeutende Unterschiede zwischen den nach Gl. (21) und Gl. (22) berechneten Gefäßkonstanten.

b) Messung mit dem Differentialmanometer mit einer aus der Vertikalen geneigten Manometercapillare.

Die Druckdifferenz ($\Delta p - \Delta p'$), die bei einer Änderung der Gasmenge in dem Reaktionsgefäß zwischen den beiden Seiten des Manometers auftritt, entspricht der vertikalen Differenz der Meniscen der Manometerflüssigkeit. Die Manometerablesung h ist also nur dann gleich $\Delta p - \Delta p'$, wenn die Manometercapillare vertikal angeordnet ist. Besitzt das Manometer eine von der Vertikalen abweichende Neigung, so ist der Neigungswinkel zu berücksichtigen.

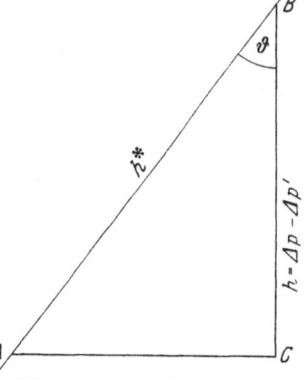

Abb. 5. Zum Differentialmanometer mit einer aus der Vertikalen geneigten Meßcapillare (von der Seite gesehen).

In Abb. 5 soll AB die Neigung der Manometercapillare, mit dem Niveau der Manometerflüssigkeit in dem einen Schenkel auf der Höhe von A, in dem anderen Schenkel auf der Höhe von B, andeuten. Die am Manometer abgelesene Höhendifferenz h^* ist gleich der Strecke AB. Die dazu gehörige vertikale Höhendifferenz wird durch die Strecke BC angegeben; sie entspricht dem hydrostatischen Druck der Manometerflüssigkeit bei einer Höhendifferenz h^* zwischen den Meniscen in den geneigten Capillararmen. BC ist gleich der Manometerablesung $h = \Delta p - \Delta p'$ bei vertikaler Capillare. Aus der Manometerablesung h^* und dem Neigungswinkel ϑ, den das Manometer mit der Vertikalen bildet, kann die Höhe von $BC = h = \Delta p - \Delta p'$ berechnet werden. Es ist:

$$\frac{\Delta p - \Delta p'}{h^*} = \cos\vartheta,$$

$$\Delta p = h^*\cdot\cos\vartheta + \Delta p'. \qquad (18\text{a})$$

Bei vertikaler Manometercapillare ist $\cos\vartheta = 1$; mit $\cos\vartheta = 1$ ist Gl. (18a) also identisch mit Gl. (18). In den gleichen Schritten, die von Gl. (18) zu der vereinfachten

---
[1] WARBURG, O.: Über den Stoffwechsel der Tumoren. S. 10—11. Berlin 1926.

Gl. (21) führten, wird unter Berücksichtigung des Neigungswinkels die entwickelte Gasmenge nach folgender Gleichung erhalten:

$$x \cong h^* \left[\left(\cos \vartheta + \frac{a \cdot P_0}{2 \cdot v_G'} \right) \cdot \left(\frac{v_G \cdot \dfrac{273}{T} + v_F \cdot \alpha}{P_0} + \frac{a \cdot 273}{2 \cdot T} \right) \right]. \quad (21\mathrm{a})$$

Die in eckigen Klammern stehende, nach Vereinfachungen erhaltene Gefäßkonstante K gilt sowohl für das Differentialmanometer mit vertikaler Capillare (wo $h^* = h$ und $\cos \vartheta = 1$ ist) als auch für das Differentialmanometer mit einer aus der Vertikalen geneigten Capillare.

Mit zunehmender Neigung der Capillare aus der Vertikalen nimmt bei gleicher umgesetzter Gasmenge der Manometerausschlag also zu. Von dieser Erhöhung der Meßempfindlichkeit macht man gelegentlich Gebrauch, z.B. bei einigen Formen von „Mikrorespirometern". Für gewöhnlich werden Differentialmanometer mit vertikal stehenden Capillaren verwendet, was auch ihre Anbringung an die für einfache Manometer vorgesehene Schüttelvorrichtung erleichtert.

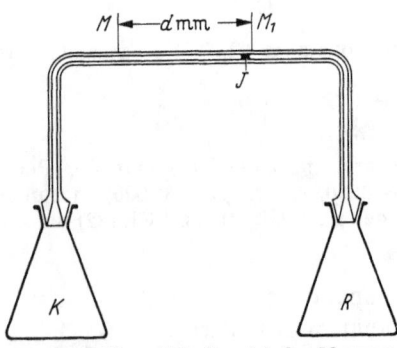

Abb. 6. Differentialvolumetrische Messung. Anordnung mit horizontaler Capillare. R Reaktionsgefäß; K Kompensationsgefäß; J Flüssigkeitstropfen. Nach Gasverbrauch in R wurde der Flüssigkeitstropfen um d mm — von M nach M_1 — verschoben.

c) Messung mit dem Differentialvolumeter mit horizontaler Capillare.

Reaktions- und Kompensationsgefäß sind mit den Enden einer genau horizontal gelagerten Capillare von gleichmäßigem innerem Durchmesser verbunden. In die Capillare wird ein kleiner Flüssigkeitstropfen als „Indicator" gebracht. Findet in dem Reaktionsgefäß ein Verbrauch oder eine Entwicklung von Gas statt, so wird der Flüssigkeitstropfen um eine bestimmte Weglänge d verschoben (Abb. 6). Die Weglänge d wird gemessen.

Am Anfang und am Ende der Messung besteht auf beiden Seiten Druckgleichheit, und dementsprechend ist auch die bei Gasverbrauch oder -entwicklung auftretende Druckänderung Δp auf beiden Seiten gleich groß. Die Weglänge d, multipliziert mit dem Capillarquerschnitt a, zeigt nunmehr die Gasvolumenänderung bei der Druckänderung Δp an. Gegenüber den bei den Differentialmanometern (mit vertikaler oder geneigter Capillare) gegebenen Bedingungen spielt der hydrostatische Druck der Sperrflüssigkeit bei der Flüssigkeitsverschiebung in der horizontalen Capillare keine Rolle; $\cos \vartheta$ ist Null (s. S. 75). Das bedeutet eine höhere Meßempfindlichkeit. Die Theorie dieses Differentialvolumeters, die sich auf die des Differentialmanometers zurückführen läßt (s. Dixon[1]), wird dadurch vereinfacht, daß Δp auf beiden Seiten gleich groß ist.

Wir betrachten den Fall, daß in dem Reaktionsgefäß Gas verbraucht wird (für folgende Ableitung s.[2-4]). Alle Drucke werden in mm Hg ausgedrückt. $p = P - p_w$ ist der Anfangsdruck des trockenen Gases in den Gefäßen; P ist gleich dem Barometerdruck.

Am Anfang beträgt das auf Normalbedingungen reduzierte Gasraumvolumen auf der Seite des Reaktionsgefäßes:

(a) $\qquad v_G \cdot \dfrac{273}{T} \cdot \dfrac{p}{P_0} \,.$

---

[1] Dixon, M.: Manometric Methods. 3. Aufl., S. 46—47. Cambridge 1951.
[2] Cunningham, B., and P. L. Kirk: J. gen. Physiol. 24, 135 (1940).
[3] Grunbaum, B. W., B. V. Siegel, A. R. Schulz u. P. L. Kirk: Mikrochim. Acta 1955, 1069.
[4] Frei, J., u. H. Ryser: Clin. chim. Acta, Amsterdam 3, 288 (1958).

Wird die Flüssigkeit in der Capillare um d mm verschoben, beträgt der Capillarquerschnitt a mm² und die Druckabnahme Δp mm, so ist jetzt das Gasvolumen in dem Reaktionsgefäß:

$$(v_G - da) \cdot \frac{273}{T} \cdot \frac{p - \Delta p}{P_0}.$$

Mit der Druckabnahme Δp nimmt das Gasvolumen ab, das in der Flüssigkeit gelöst ist, und zwar um:

$$v_F \cdot \alpha \cdot \frac{\Delta p}{P_0}.$$

Dieses Gasvolumen tritt in den Gasraum über und kompensiert zum Teil die durch den Gasverbrauch bewirkte Volumenänderung. Nach Verbrauch von $x\,\mu$l Gas beträgt das Gasvolumen — korrigiert für das aus der Lösung austretende Gasvolumen — in dem Reaktionsgefäß also:

(b) $$(v_G - da) \cdot \frac{273}{T} \cdot \frac{p - \Delta p}{P_0} - \frac{\Delta p}{P_0} \cdot v_F \cdot \alpha.$$

Die Subtraktion dieses Endvolumens Gl. (b) von dem am Anfang vorhandenen Gasvolumen Gl. (a) ergibt das verbrauchte Gasvolumen x:

$$x = v_G \cdot \frac{273}{T} \cdot \frac{p}{P_0} - \left[(v_G - da) \cdot \frac{273}{T} \cdot \frac{p - \Delta p}{P_0} - \frac{\Delta p}{P_0} \cdot v_F \cdot \alpha\right]$$

(c) $$= \frac{\Delta p}{P_0}\left[(v_G - da) \cdot \frac{273}{T} + v_F \cdot \alpha\right] + da \cdot \frac{273}{T} \cdot \frac{p}{P_0}.$$

Zur Berechnung von Δp werden die Bedingungen auf der Seite des Kompensationsgefäßes, in dem kein Gasverbrauch stattfindet, betrachtet. Hier ist $x = 0$, und das Gasraumvolumen nimmt durch die Verschiebung des Flüssigkeitstropfens in der Capillare von v'_G auf $v'_G + da$ zu. Wir können wie bei der Berechnung von x verfahren und erhalten:

$$0 = v'_G \cdot \frac{273}{T} \cdot \frac{p}{P_0} - \left[(v'_G + da) \cdot \frac{273}{T} \cdot \frac{p - \Delta p}{P_0} - \frac{\Delta p}{P_0} \cdot v'_F \cdot \alpha\right]$$

$$= \frac{\Delta p}{P_0}\left[(v'_G + da) \cdot \frac{273}{T} + v'_F \cdot \alpha\right] - da \cdot \frac{273}{T} \cdot \frac{p}{P_0}.$$

Daraus ergibt sich:

$$da \cdot \frac{273}{T} \cdot p = \Delta p \left[(v'_G + da) \cdot \frac{273}{T} + v'_F \cdot \alpha\right].$$

Für Δp wird erhalten:

$$\Delta p = \frac{da \cdot \dfrac{273}{T} \cdot p}{(v'_G + da) \cdot \dfrac{273}{T} + v'_F \cdot \alpha}.$$

Der für Δp gewonnene Ausdruck wird in die oben stehende Gl. (c) eingesetzt. Es wird erhalten:

$$x = \frac{da \cdot \dfrac{273}{T} \cdot p}{P_0\left[(v'_G + da) \cdot \dfrac{273}{T} + v'_F \cdot \alpha\right]} \cdot \left[(v_G - da) \cdot \frac{273}{T} + v_F \cdot \alpha\right] + da \cdot \frac{273}{T} \cdot \frac{p}{P_0},$$

$$x = da \cdot \frac{273}{T} \cdot \frac{p}{P_0} \cdot \left[\frac{(v_G - da) + v_F \cdot \alpha}{(v'_G + da) + v'_F \cdot \alpha} + 1\right]. \tag{23}$$

[Bei Gasentwicklung steht im Zähler des in eckige Klammern gesetzten Ausdrucks $(v_G + da)$ und im Nenner $(v'_G - da)$.]

Gl. (23) läßt sich für die meisten Zwecke, für die Differentialvolumeter mit horizontaler Capillare verwendet werden (s. Mikrorespirometer S. 236), vereinfachen: Im Vergleich zu v_G und v'_G ist die Änderung des Gasraumvolumens um $d \cdot a$ im allgemeinen — jedenfalls bei den S. 236 angeführten Mikrorespirometertypen — gering und kann dann vernachlässigt werden. Im Falle der Messung von O_2-Verbrauch können auch $v_F \cdot \alpha$ und $v'_F \cdot \alpha$ wegen der geringen Löslichkeit von O_2 unberücksichtigt bleiben. Mit diesen Vereinfachungen wird die folgende Gl. (24) erhalten:

$$x \cong d\,a \cdot \frac{273}{T} \cdot \frac{p}{P_0} \cdot \left[\frac{v_G}{v'_G} + 1\right]. \tag{24}$$

Befindet sich im Gasraum von Reaktions- und Kompensationsgefäß nicht nur das reagierende Gas, so ist zu berücksichtigen, daß sich bei der Druckänderung um $\varDelta p$ auch der Partialdruck und damit die gelöste Menge der anderen Gase ändert. Bei hohen Anforderungen an die Genauigkeit der Messung ist Gl. (23) entsprechend zu erweitern.

Ist $v_G = v'_G$, so ist das im Reaktionsgefäß verbrauchte Gasvolumen annähernd $2d \cdot a$ (vor der Reduktion auf Normalbedingungen). Wird v'_G größer gehalten als v_G, so wird der Ausschlag — die Strecke d — größer. Mit $v'_G \infty$ (im Vergleich zu dem Volumen des Reaktionsgefäßes) wird bei gegebener Capillarweite der maximale Ausschlag erhalten; das verbrauchte Gasvolumen x wird dann gleich $d \cdot a$, und die Weglänge d ist unabhängig von dem Volumen des Reaktionsgefäßes (s. z.B. die Mikrorespirometer von GERARD und HARTLINE[1] oder von THIMANN und COMMONER[2]). Es ist ersichtlich, daß die Empfindlichkeit der Messung (hier definiert durch das Verhältnis $x:d$) mit Verringerung des Verhältnisses $v_G:v'_G$ und mit Verringerung des Capillarquerschnittes gesteigert wird. Von diesen Möglichkeiten einer Empfindlichkeitssteigerung wird — unter Zuhilfenahme von optischen Mitteln bei der Ablesung der Capillare — bei der Konstruktion von bestimmten Mikrorespirometertypen Gebrauch gemacht.

Es sind jedoch einige Bedingungen zu beachten, damit diese Empfindlichkeitssteigerungen nicht auf Kosten der „Stabilität" der Messung erfolgen. Wählt man das Kompensationsgefäß größer als das Reaktionsgefäß, so wirken sich Temperaturschwankungen auf beiden Seiten des Differentialvolumeters (oder auch eines Differentialmanometers) nicht gleichzeitig in genau gleichem Maße aus, weil der Temperaturausgleich mit dem kleinen Gefäß schneller erfolgt als mit dem großen. Ein Thermostat mit besonders guter Temperaturregulierung und möglichst ohne Temperaturfeldbildung ist dann erforderlich. Da die durch Temperaturänderung hervorgerufene Änderung des Gasvolumens proportional dem Gasraumvolumen ist, werden thermisch bedingte Störungen auf ein Minimum herabgesetzt, wenn das Volumen des Reaktionsgefäßes möglichst klein gehalten wird. Einer Empfindlichkeitserhöhung der Messung durch Verringerung des Capillarquerschnittes ist dadurch eine Grenze gesetzt, daß die freie Beweglichkeit der Indicatorflüssigkeit in sehr engen Capillaren gehemmt ist. Selten werden Meßcapillaren verwendet, deren innerer Durchmesser weniger als 0,2 mm beträgt. Um Capillarkräfte zu überwinden und den Indicatortropfen in Bewegung zu setzen, muß der bei Druckänderung in dem Reaktionsgefäß an beiden Seiten des Tropfens auftretende initiale Druckunterschied eine gewisse Höhe erreichen[3]. Auch aus diesem Grunde werden bei der volumetrischen Messung von kleinen Gasumsätzen kleine Reaktionsgefäße (oder Reaktionskammern) verwendet, obgleich bei differentialvolumetrischen Messungen der Rauminhalt des Reaktionsgefäßes an und für sich nur im Verhältnis zu dem Rauminhalt des Kompensationsgefäßes von Bedeutung ist.

Im Gebrauch soll die Wandung des horizontalen Teiles der Capillare mit der Indicatorflüssigkeit benetzt gehalten werden. Der Querschnitt a der trockenen Capillare wird vorher mit Hg bestimmt (s. S. 121). Nach Benetzung der Capillarwandung ist das Volumen

---

[1] GERARD, R. W., and H. K. HARTLINE: J. cellul. comp. Physiol. **4**, 141 (1934). — TOBIAS, J. M., and R. W. GERARD: Proc. Soc. exp. Biol. Med. **47**, 531 (1941).
[2] THIMANN, K. V., and B. COMMONER: J. gen. Physiol. **23**, 333 (1940).
[3] KOK, B., G. W. VELTKAMP and W. P. GELDERMAN: Biochim. biophys. Acta **11**, 7 (1953).

$d \cdot a$ um das Volumen zu korrigieren, das von dem an der Wandung haftenden Flüssigkeitsfilm eingenommen wird. Dazu mißt man, um wieviel der Indicatortropfen beim Verschieben um eine bestimmte Strecke in der (trockenen) Capillare abnimmt. Beispiel[1]: In einer sehr engen Capillare (deren Durchmesser knapp 0,15 mm betrage) nehme die Länge eines Kerosintröpfchens, das über eine Strecke von 11,5 cm verschoben werde, um 1,5 mm ab. Dann ist $11,5 - 0,15/11,5 = 0,987$ der Faktor, mit dem $d \cdot a$ vor Einsetzen in Gl. (23) oder (23a) zu multiplizieren ist, um das korrigierte Volumen zu erhalten. Mit weitlumigeren Capillaren beträgt diese Volumenkorrektur weniger als 0,5% (s. [2]).

Mit stetiger Verringerung des Verhältnisses $v_G : v'_G$ nähert man sich zunehmend der reinen volumetrischen Messung. Sie wird für eine andere apparative Anordnung S. 81 kurz betrachtet.

d) Messungen mit dem Differentialmanometer bei konstantem Gasraumvolumen.

Die bisher betrachteten Differentialmessungen betreffen Messungen, bei denen sich Gasdruck und Gasvolumen gleichzeitig ändern. In geeigneter Form läßt sich das Differentialmanometer aber auch zur volumenkonstanten Messung von Druckdifferenzen verwenden. Wird das Gasraumvolumen sowohl auf der Seite des Reaktionsgefäßes als auch auf der des Kompensationsgefäßes konstant gehalten — z.B. durch Höhenverschiebung der Manometerschenkel relativ zueinander wie bei dem zweiarmigen Manometer von DICKENS und GREVILLE (S. 94), oder durch Benutzung der Druckvorrichtungen über den Flüssigkeitsreservoiren wie bei dem vierarmigen Manometer von SUMMERSON (S. 95) — und findet in dem Kompensationsgefäß keine Änderung der Gasmenge statt, so zeigt die Niveaudifferenz der Manometerflüssigkeit direkt die Gasdruckänderung $\Delta p = h$ an, die in dem Reaktionsgefäß bei einer Entwicklung oder einem Verbrauch von $x\,\mu l$ Gas in dem Gasraumvolumen v_G stattgefunden hat. Die „volumenkonstante Differentialmessung" erfolgt dann gegen den konstanten Druck des Gases im Kompensationsgefäß, und damit wirkt das volumenkonstante Differentialmanometer wie das volumenkonstante offene Manometer, bei dem der konstante Gegendruck der (durch das Thermobarometer korrigierte) Druck der äußeren Atmosphäre ist. Bei volumenkonstanten Druckmessungen wird die Theorie des Differentialmanometers auf die des offenen Manometers zurückgeführt. Die Gefäßkonstante k aus Gl. (3) ist dann auch für das Differentialmanometer der Proportionalitätsfaktor, mit dem der Manometerausschlag — im Falle des Differentialmanometers die Höhendifferenz zwischen den Menisken der Manometerflüssigkeit — zu multiplizieren ist, um die umgesetzte Gasmenge zu erhalten. Bei volumenkonstanter Messung ist die Empfindlichkeit des Differentialmanometers ebenso groß wie die des offenen Manometers.

Dient ein Gefäß des volumenkonstanten Differentialmanometers nur der Temperaturkompensation, so ist $x = h \cdot k$; die beiden Gefäße brauchen nicht gleich groß zu sein. Werden in beiden Gefäßen (I und II) gleichzeitig verschiedene Mengen Gas (x_I und x_{II}) entwickelt und ist die Gefäßkonstante für die betreffende Gasart von beiden Gefäßen gleich groß, so ist $\pm(x_I - x_{II}) = h \cdot k$.

Theorie des Differentialmanometers von SUMMERSON.

Für volumenkonstante Messungen mit dem Differentialmanometer gibt es verschiedene Anordnungen. Hier sei die Theorie des von SUMMERSON[3] eingeführten volumenkonstanten Differentialmanometers betrachtet, die zwar zu dem eben erwähnten, allgemein für volumenkonstante Druckmessungen geltenden Ergebnis führt, wegen der besonderen Form des Manometers aber etwas zu erläutern ist.

---

[1] FENN, W. O.: Amer. J. Physiol. **84**, 110 (1928).
[2] CUNNINGHAM, B., and P. L. KIRK: J. gen. Physiol. **24**, 135 (1940).
[3] SUMMERSON, W. H.: J. biol. Ch. **131**, 579 (1939).

Das Manometer (schematisch in Abb. 7; s. auch Abb. 21) besitzt zwei vertikale, miteinander kommunizierende Capillararmpaare mit je einem Druckreservoir. Mit Hilfe der letzteren wird die Manometerflüssigkeit in den beiden äußeren Capillaren, die mit den Gefäßen verbunden sind, vor jeder Ablesung auf die Eichmarken eingestellt. So wird das Gasraumvolumen auf beiden Seiten konstant gehalten. Eine zwischen den beiden Seiten auftretende Druckdifferenz wird durch den Niveauunterschied der Manometerflüssigkeit in den beiden inneren Capillaren angezeigt.

P_L und P_R seien die Anfangsdrucke in dem linken bzw. in dem rechten Gefäß, P_U sei der Druck in dem abgeschlossenen Gasraum über der Manometerflüssigkeit in den beiden inneren Capillaren. h_L und h_R seien die Manometerablesungen für die beiden Gefäße am Anfang, wobei die Ablesung für jede Gefäßseite die Differenz ist zwischen dem Stand der Manometerflüssigkeit in der mit dem Gefäß verbundenen Capillare (Meniscus auf Eichmarke) und dem Stand der Manometerflüssigkeit in der benachbarten inneren Capillare. Die Ablesungen werden mit positivem Vorzeichen versehen, wenn das Niveau in der inneren Capillare über dem Niveau in der äußeren Capillare liegt, und mit negativem Vorzeichen, wenn das Niveau in der inneren Capillare unter dem in der äußeren Capillare liegt. Die Beziehung zwischen dem Druck in jedem der Gefäße und der korrespondierenden Manometerablesung ist:

$$P_L = h_L + P_U$$
$$P_R = h_R + P_U.$$

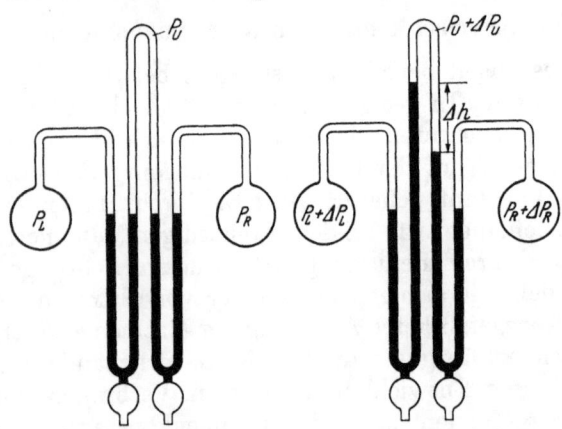

Abb. 7. Volumenkonstante Messung mit dem Differentialmanometer nach SUMMERSON. Links: Niveau der Manometerflüssigkeit am Anfang in den vier Capillararmen auf der Höhe der Eichmarken (auf beiden Seiten besteht Druckgleichheit). Rechts: Niveauänderung der Manometerflüssigkeit in den inneren Capillararmen nach Druckzunahme ($\Delta P_L > \Delta P_R$) und nach Einstellen der Manometerflüssigkeit in den äußeren Capillararmen auf die Eichmarke.

Ändert sich der Druck in dem linken Gefäß um ΔP_L, in dem rechten Gefäß um ΔP_R, so sind — bei konstant gehaltenen Gasraumvolumina — die zugehörigen Manometerablesungen $(h_L + \Delta h_L)$ und $(h_R + \Delta h_R)$, und der Druck in dem abgeschlossenen capillaren Gasraum beträgt $(P_U + \Delta P_U)$. Wir erhalten jetzt:

(a) $$P_L + \Delta P_L = (h_L + \Delta h_L) + (P_U + \Delta P_U)$$
(b) $$P_R + \Delta P_R = (h_R + \Delta h_R) + (P_U + \Delta P_U).$$

Die Subtraktion (a) — (b) ergibt:

$$(P_L + \Delta P_L) - (P_R + \Delta P_R) = (h_L + \Delta h_L) - (h_R + \Delta h_R). \tag{25}$$

Sind die Anfangsdrucke P_L und P_R gleich groß (was unter den üblichen Versuchsbedingungen der Fall ist), so ist auch $h_L = h_R$. Aus Gl. (25) wird dann erhalten:

$$\Delta P_L - \Delta P_R = \Delta h_L - \Delta h_R. \tag{25a}$$

$\Delta P_L - \Delta P_R = \Delta P$ ist die zwischen den beiden Gefäßen bestehende Druckdifferenz. Die dazugehörige Differenz $(\Delta h_L - \Delta h_R)$ der beiden Manometerablesungen ist gleich dem Niveauunterschied Δh zwischen den Meniscen in den inneren Schenkeln:

$$\Delta P = \Delta h. \tag{26}$$

Gl. (26) gilt auch dann, wenn die Anfangsdrucke in den beiden Gefäßen nicht gleich sind, da die Differenz der Anfangsdrucke $(P_L - P_R)$ gleich ist der Differenz der Manometerablesungen $(h_L - h_R)$. Wendet man diese letzte Beziehung auf Gl. (25) an, so wird ebenfalls Gl. (26) erhalten.

Die Druckdifferenz ΔP beruht allein auf der Entwicklung oder dem Verbrauch von Gas in dem Reaktionsgefäß, wenn in dem anderen Gefäß (Kompensationsgefäß) sich die Gasmenge nicht geändert hat. Da ΔP bei konstant gehaltenem Gasraumvolumen gemessen wird und $\Delta P = \Delta h$, so ist das umgesetzte Gasvolumen x direkt proportional Δh. Der Proportionalitätsfaktor ist die „volumenkonstante Gefäßkonstante" k aus Gl. (3). Das umgesetzte Gasvolumen wird mithin erhalten nach:

$$\boxed{x = \Delta h \cdot k}. \tag{27}$$

e) Druckkonstante Messung mit dem Differentialvolumeter.

Hält man bei allen Messungen den Druck (und die Temperatur) konstant, so gelangt man zu der reinen volumetrischen Messung des Gaswechsels. Man mißt das Volumen ΔV, um das der Gasraum des Versuchsgefäßes, in dem ein Gasvolumen x verbraucht oder entwickelt worden ist, verringert oder vergrößert werden muß, um den Anfangsdruck wieder herzustellen. Das geschieht mit Hilfe einer Pipetten- oder Spritzenvorrichtung (z.B. „Agla"-Mikrometerspritze). Um die volumetrische Messung von Schwankungen des Barometerdruckes und weitgehend auch von Temperaturschwankungen des Thermostaten unabhängig zu machen, verwendet man Differentialvolumeter: Bei jeder Messung wird Druckgleichheit zwischen Versuchs- und Kompensationsgefäß hergestellt; ein mit beiden Gefäßen verbundenes Manometer zeigt an, wenn dieser Zustand erreicht ist. Das (einige Tropfen Wasser enthaltende) Kompensationsgefäß liefert also den konstanten Vergleichsdruck.

Ist ΔV das an der Pipette oder an der Spritze abgelesene Volumen, so wird nach Reduktion auf Normalbedingungen erhalten:

$$x_0 = \Delta V \cdot \frac{273 \cdot p}{T \cdot P_0}.$$

($p = P - p_w$ ist der Anfangsdruck des trockenen Gases in den Gefäßen, P der Barometerdruck am Anfang, p_w der Wasserdampfdruck bei der Temperatur T, $P_0 = 760$ mm Hg und T die absolute Versuchstemperatur.)

x_0 ist gleich dem umgesetzten Gasvolumen x, wenn keine Korrektur für die gelöste Gasmenge anzubringen ist. Eine Löslichkeitskorrektur fällt weg, wenn keine Änderung der Partialdrucke der im Gasraum vorhandenen Gase stattfindet. Diese Bedingung ist bei der Messung des O_2-Verbrauches mit O_2 im Gasraum erfüllt. Die volumetrische Messung erfordert dann keine „Gefäßkonstante" und keine Volumenkalibrierung des Gefäßes. Mit diesem Vorteil werden Differentialvolumeter hauptsächlich zur Messung der Atmung verwendet (wobei entstehendes CO_2 durch Lauge absorbiert wird).

Soll jedoch die Entwicklung von CO_2 gemessen werden, so ist zu berücksichtigen, daß der Partialdruck von CO_2 im Gasraum zunimmt (um den Betrag Δp) und eine dieser Partialdruckzunahme entsprechende Menge CO_2 in der Versuchslösung gelöst bleibt. Das gelöste Volumen CO_2 ist:

$$v_F \cdot \alpha \cdot \frac{\Delta p}{P_0}.$$

Da

$$\Delta p = \frac{\Delta V}{v_G + \Delta V} \cdot p,$$

so ist

$$CO_2 \text{ (gelöst)} = v_F \cdot \alpha \cdot \frac{\Delta V}{v_G + \Delta V} \cdot \frac{p}{P_0}.$$

Die insgesamt entwickelte Menge CO_2 ist:

$$x = x_0 + v_F \cdot \alpha \cdot \frac{\Delta V}{v_G + \Delta V} \cdot \frac{p}{P_0}.$$

Korrekturen für die gelöste Gasmenge fallen um so mehr ins Gewicht, je löslicher das Gas und je kleiner das Gasraumvolumen v_G im Verhältnis zu ΔV ist.

Es sei: $v_G = 5000\ \mu l$, $v_F = 1000\ \mu l$, $\alpha_{CO_2}(37°\ C) = 0{,}54\ \mu l$, $\Delta V = 50\ \mu l$ und $p = 730$ mm Hg. Dann ist: $x_0 = 42{,}3\ \mu l$, CO_2 (gelöst) $= 5{,}1\ \mu l$ und $x = 47{,}4\ \mu l$. — Unter diesen Bedingungen und bei etwa gleich großen Partialdruckänderungen brauchen die gelösten Mengen von so wenig löslichen Gasen wie N_2 und O_2 kaum berücksichtigt zu werden.

Differentialvolumeter werden in verschiedenen Konstruktionen verwendet. Es sei nur auf einige als Differentialvolumeter wirkende „Respirometer" hingewiesen[1-6], die zum Teil für die Messung eines kleinen O_2-Verbrauches vorgesehen sind.

B. Die apparative Ausrüstung.

Sie besteht aus dem Thermostaten, den Manometern und den Gefäßen. Die auf Spannleisten befestigten Manometer werden üblicherweise außen an den Thermostaten gehängt; nur die Gefäße und ein kurzes Capillarstück des Seitenarmes der Manometer befinden sich im Thermostaten bei der Meßtemperatur T. In den meisten Fällen ist eine Schüttelvorrichtung zur ständigen Durchmischung von Gas- und Flüssigkeitsphase in den Gefäßen erforderlich. Als ergänzende Ausrüstung sind etwa zu nennen: Ständer zum Aufheben der Manometer, Stahlflaschen für Gase und Gasgemische, Vorrichtung zum Entzug von Sauerstoff aus Gasen (für Messungen unter anaeroben Bedingungen), Gasverteilungsrohr zur gleichzeitigen Durchgasung von mehreren Gefäßen. Für die Gasfüllung der Gefäße nach dem Evakuierungsverfahren (s. S. 131) und für die Herstellung von Gasgemischen (s. S. 103) werden weitere entsprechende Einrichtungen benötigt.

1. Wasserthermostaten mit Misch- und Schüttelvorrichtung.

Die an diesen Teil der Apparatur zu stellenden Anforderungen betreffen in erster Linie die Temperaturkonstanz und die Schüttelung der mit den Manometern verbundenen Reaktionsgefäße. Außerdem ist es wünschenswert, daß der Thermostat bei geringer Raumbeanspruchung möglichst viele Manometer aufnehmen kann.

a) Bedeutung der Temperaturregulierung.

Temperaturschwankungen beeinflussen die Messung aus verschiedenen Gründen: 1. indem sie auf die Geschwindigkeit der zu messenden Reaktion einwirken, 2. weil sie die für eine bestimmte Temperatur T berechnete Gefäßkonstante in gewissen Grenzen unsicher machen und 3. indem sie Druckänderungen hervorrufen, die nicht auf Bildung oder Verbrauch von Gas beruhen. Temperaturschwankungen, die aus den beiden zuerst genannten Gründen störend wirken könnten, sind leicht zu vermeiden; hierdurch entstehen im allgemeinen erst dann merkbare Fehler, wenn die Schwankungen etwa 0,5° C überschreiten. Schwerwiegender sind die zuletzt genannten durch Temperaturschwankungen bewirkten Druckänderungen. Bei einem Volumen des Gasraumes von 15 000 μl würde ein Temperaturanstieg von 37 auf 37,1° C einen der Entwicklung von rund 5 μl Gas äquivalenten Druckanstieg ergeben. Durch die Mitführung eines Thermobarometers (S. 61) soll die Ablesung des Versuchsmanometers zwar für diese durch Temperaturschwankungen hervorgerufenen Druckänderungen korrigiert werden. Dazu müßten Thermobarometer und Versuchsmanometer genau gleichzeitig abgelesen werden, was routinemäßig jedoch nur so weit möglich ist, daß man anstrebt, die Zeit zwischen der Ablesung des Thermobarometers und der Versuchsmanometer möglichst kurz zu halten.

---

[1] WINTERSTEIN, H.: B. Z. **46**, 440 (1912).
[2] DIXON, M.: Manometric Methods. 3. Aufl., S. 6—8. Cambridge 1951.
[3] UMBREIT, W. W.; in: Manometric Techniques (Umbreit-Burris-Stauffer). 3. Aufl., S. 111. Minneapolis 1957.
[4] KOGA, M.: Kumamoto med. J. **8**, 6 (1955).
[5] SMITH, P. J. C.: Clin. chim. Acta, Amsterdam **3**, 586 (1958).
[6] RIDGE, J. W.: Biochem. J. **67**, 177 (1957).

Plötzliche Temperaturschwankungen können deshalb zu fehlerhaften Messungen führen; der Fehler ist um so größer, je kleiner der zu messende Gasumsatz ist. Die Messung kleiner Gasumsätze — z.B. unter Anwendung der S. 64—71 angeführten „Verstärkerprinzipien" für das offene Manometer — erfordern darum eine besonders gute Temperaturkonstanz. Die Temperaturregulierung soll nicht nur zeitlich, sondern auch örtlich wirksam sein. Temperaturdifferenzen innerhalb des Wasserbades führen in jedem Falle zu fehlerhaften Messungen, da sich dann das Gefäß des Thermobarometers (bei Messungen mit dem offenen Manometer) oder das Kompensationsgefäß (bei Messungen mit dem Differentialmanometer) bei einer anderen Temperatur befinden würde als die Versuchsgefäße. Zur Vermeidung örtlicher Temperaturdifferenzen ist eine gute Durchmischung des Wassers in dem Thermostatenbehälter erforderlich. Der Thermostat sollte eine zeitlich und örtlich gleichmäßige Temperatur gewährleisten, die um nicht mehr als 0,05° C schwankt; besonders empfindliche manometrische Anordnungen erfordern eine bessere Temperaturkonstanz.

Die Aufstellung des Thermostaten in einem Raum von möglichst gleichbleibender Temperatur begünstigt die hinsichtlich der Temperaturkonstanz an den Thermostaten gestellten Anforderungen. Schwankungen der Raumtemperatur würden auch deshalb ungünstig wirken, weil die Manometerflüssigkeit und vor allem der Gasraum über der Manometerflüssigkeit diesen Schwankungen ausgesetzt sein würden. Fenster- und Türnähe ist als Aufstellplatz möglichst zu vermeiden. Zugluft kann störende Luftdruck- und Temperaturschwankungen hervorrufen.

b) Bedeutung der Schüttelung.

Die Schüttelung des Gefäßinhaltes hat dafür zu sorgen, daß Flüssigkeits- und Gasphase (sowie eventuelle Gewebeteile als dritte Phase) sich jederzeit im Gasgleichgewicht befinden, da manometrisch nur die Änderung des Gasdruckes im Gasraum, nicht die in der Flüssigkeit erfaßt wird. Hohe Gasumsätze erfordern eine besonders intensive Durchmischung der Flüssigkeit mit dem darüber befindlichen Gas, damit die zu messende Reaktionsgeschwindigkeit nicht durch die Diffusionsgeschwindigkeit des Gases begrenzt wird (s. S. 135). Eine optimale Schüttelung gewährt einen ausreichenden Gasaustausch, vermeidet möglichst aber Gewebeschädigungen und Schaumbildung auf der Flüssigkeitsoberfläche. Amplitude und Frequenz der Schüttelung sollen regulierbar sein und den Versuchsbedingungen angepaßt werden können.

Bei einer Schüttelfrequenz von z.B. 100 vollen Schwingungen pro min und einer Amplitude (das ist der Abstand zwischen den beiden Umkehrpunkten) von z.B. 3 cm beträgt die mittlere Geschwindigkeit der Schüttelung $2 \cdot 100 \cdot 3/60 = 10$ cm/sec.

c) Verschiedene Thermostatenkonstruktionen[1].

Ein zum großen Teil mit den Mitteln einer Institutswerkstatt herstellbarer Thermostat ist in den Grundzügen etwa folgendermaßen gebaut (vgl. WARBURG[2], DIXON[3]): Als Wasserbehälter dient eine große rechteckige Wanne aus Kupferblech, die in einen mit Füßen versehenen Eisenrahmen eingesetzt wird. An den beiden Längsseiten des Behälters ist oben oder unten je eine horizontal bewegliche Schiene angebracht, die zusammen mit einem Antriebmotor und einem Vorgelege die Schüttelvorrichtung bildet. Die Schienen sind durch bewegliche Metallstücke exzentrisch mit der Achse des Vorgeleges verbunden. An den Schienen werden die auf Spannleisten montierten Manometer mit Hilfe von Messingtaschen befestigt. Durch einfache Maßnahmen (Verstellen des Exzenters, Umlegen des Antriebriemens auf verschieden große Scheiben des Vorgeleges) können Amplitude und Frequenz der Schüttelung variiert werden. Durch Umlegen der Riemen

---
[1] Über die Entwicklung von Thermostaten für manometrische Messungen s. QUADBECK, G.: Chem.-Ing.-Techn. 21, 373 (1949).
[2] WARBURG, O.: B. Z. 142, 317 (1923).
[3] DIXON, M.: Manometric Methods. 3. Aufl., S. 16—23. Cambridge 1951.

auf Leerlaufscheiben ist der Schüttelmechanismus arretierbar, und zwar getrennt auf jeder Seite des Wasserbades. Durch eine über dem Wasserbade angebrachte Schiene ist die Achse des Rührpropellers geführt. Der Motor, der die Schüttelung betreibt, dient über das Vorgelege auch zum Antrieb des Rührers. Das Wasser des Thermostaten wird durch elektrische Heizkörper erwärmt. Die Aufheizung des Wassers bis zu der gewünschten Temperatur erfolgt mit der vollen Kapazität der Heizkörper; nur ein Teil der Kapazität, die wiederum auf mehrere Heizkörper verteilt ist, dient als Regulierheizung. Die am Boden der Wanne angebrachten Heizkörper nehmen eine größere Fläche ein, um die Ausbildung von Temperaturfeldern möglichst zu unterdrücken; Tauchsieder sind zur Regulierung der Temperatur deshalb schlecht geeignet. Die Wattleistung der Heizkörper ist der Größe des Wasserbades und den räumlichen Temperaturverhältnissen angepaßt. Die Temperatur wird durch den Thermoregulator, der über ein Relais die Regulierheizung ein- oder ausschaltet, automatisch kontrolliert. Zur Thermoregulation dient ein Toluol-Quecksilberregulator (Beschreibung s. DIXON[1]) oder ein Kontaktthermometer.

Der Thermoregulator soll auf kleine Temperaturdifferenzen reagieren. Die Kapazität der Regulierheizung soll den Bedingungen so angepaßt sein, daß die Temperaturabnahme schnell ausgeglichen wird, ohne daß es zu einem „Überschießen" der Temperatur kommt. Die zeitlichen Intervalle zwischen Ein- und Ausschalten der Regulierheizung sollen etwa gleich lang sein. Die Durchmischung des Wassers soll so vollständig sein, daß die von den Heizkörpern abgegebene Wärme fast augenblicklich auf das ganze Wasservolumen verteilt wird. Die Konstanthaltung der Temperatur wird durch ein großes Wärmespeicherungsvermögen des Thermostaten unterstützt. Manche Thermostatenwannen fassen deshalb 100—150 l Wasser. Bei gut abgestimmter Temperaturregulierung und bei nicht zu ungünstigen räumlichen Temperaturverhältnissen lassen sich mit etwa gleich gutem Erfolg hinsichtlich der Temperaturkonstanz Thermostatenbehälter verwenden, die kaum mehr als 15 l Wasser fassen; sie bieten außerdem weniger Gelegenheit zur Ausbildung von Temperaturfeldern.

Serienmäßig werden Thermostaten für manometrische Messungen in verschiedenen Abwandlungen hergestellt. Gegenüber der oben skizzierten einfachen Konstruktion betreffen die Änderungen und Verbesserungen hauptsächlich:

1. Die Form des Thermostatenbehälters. An die Stelle der rechteckigen Wanne tritt ein runder Behälter (aus Metall oder Plexiglas), mit dem Vorteil einer besseren Raumausnützung, da zur Anbringung der Manometer der ganze Umfang des Behälters ausgenützt werden kann. An einem von LARDY, GIBSON, HIPPLE und BURRIS[2] angegebenen Thermostaten, der einen Durchmesser von 55 cm hat, können 18 Manometer befestigt werden. Ein runder Behälter bietet auch günstigere Bedingungen für die Wasserzirkulation (Wegfall des „toten Raumes" in den Ecken rechteckiger Wannen).

2. Art und Arretierung der Schüttelung. Nach WARBURG[3] erfolgt die Schüttelung durch seitlich schaukelnde Bewegungen der Gefäße um eine am unteren Manometerende befindliche Achse. Diese Art der Schüttelung ist sehr wirksam und für das Gewebe schonend. Sie bewirkt schon bei mäßiger Schüttelgeschwindigkeit eine gute Durchmischung der Flüssigkeit mit dem Gas, erfordert jedoch, daß die Manometer beim Ablesen wieder in vertikale Stellung gebracht werden müssen. Verschiedene andere Arten der Schüttelung werden angewendet, zum Teil mit der Absicht, einen möglichst ruhigen Lauf der Apparatur zu erreichen, oder auch, um bei geringstmöglicher Bewegung von Manometer und Manometerflüssigkeit eine Ablesung der Manometer während der Schüttelung zu gestatten. Zum Beispiel erfolgt die Schüttelung durch Vor- und Zurückkippen der Gefäße um eine in halber Höhe der Manometer angebrachte Achse, so daß die Gefäße auf einem Kreisbogen in vertikaler Richtung geschüttelt werden. Oder die Gefäße be-

---

[1] DIXON, M.: Manometric Methods. 3. Aufl., S. 16—23. Cambridge 1951.
[2] LARDY, H. A., W. E. GIBSON, J. HIPPLE and R. H. BURRIS: Analyt. Chem., Washington 20, 1100 (1948).
[3] WARBURG, O.: B. Z. 100, 230 (1919).

schreiben eine kreisbogenförmige Bewegung in horizontaler Ebene, entweder indem die an einer runden Platte befestigten Manometer durch Hin- und Herdrehung der Platte bewegt werden, oder indem die Manometer um ihren Drehpunkt — um ihre durch die Mitte der beiden Capillarschenkel führende Längsachse — hin und her bewegt werden[1]. Diese letzte Art der Schüttelung bietet günstige Bedingungen für eine Einstellung und Ablesung der Meniscen ohne Unterbrechung der Schüttelung, da die Manometerskalen nur wenig bewegt werden. Die meisten Apparaturen sind mit einer Schüttelung in horizontaler Ebene ausgerüstet, entweder geradlinig seitwärts oder — besonders bei runden Thermostatenbehältern — kreisbogenförmig. Bei einigen Modellen sind die Manometer einzeln arretierbar, so daß Versuchsfehler, die durch eine längere Unterbrechung der Schüttelung während der Ablesung einer ganzen Manometerreihe oder beim „Kippen" einer größeren Anzahl von Gefäßen (s. weiter unten) entstehen können, auf ein geringes Maß reduziert werden. Die Konstruktion von runden Modellen erlaubt es, daß die Schüttelvorrichtung mit den Manometern als Ganzes drehbar ist. Der Untersucher braucht dann bei der Ablesung der Manometer seinen Platz nicht zu wechseln, und die Apparatur braucht nicht von allen Seiten zugänglich zu sein.

Anordnungen, in der nur die Gefäße geschüttelt werden und die Manometer feststehen, werden gelegentlich unter anderem dann verwendet, wenn der Stand der Manometerflüssigkeit in sehr kurzen zeitlichen Abständen abgelesen werden soll[2]. Die dazu erforderliche biegsame und gasdichte Verbindung zwischen Gefäß und Manometer wird am besten durch ein Stück Teflonschlauch hergestellt.

3. Die Durchmischung und Temperierung des Wassers. Bei einigen Modellen fällt der Rührer weg. Die Durchmischung des Wassers erfolgt mit einer Umwälzpumpe. Anschluß der in dem Thermostaten untergebrachten Kühlschlangen an die Wasserleitung oder an ein

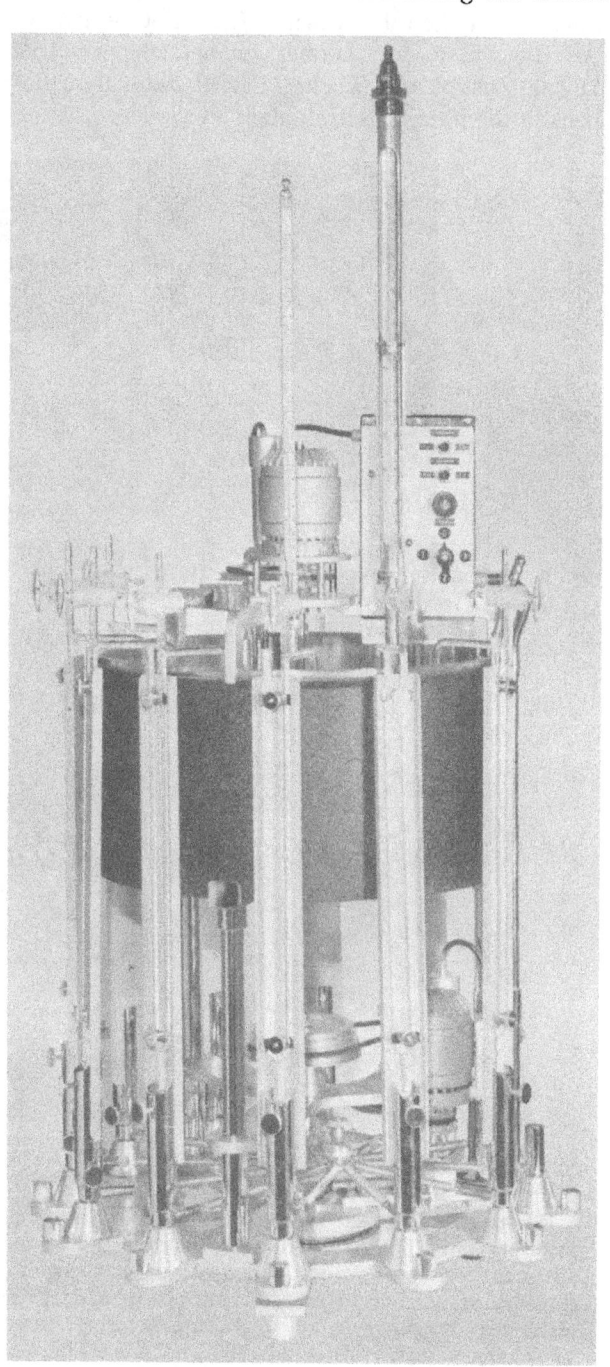

Abb. 8. Thermostat, System W. MÖHLE, mit Manometern (Hersteller: Ludwig Hormuth, Inh. W. E. Vetter, Heidelberg).

---
[1] LARDY, H. A., W. E. GIBSON, J. HIPPLE and R. H. BURRIS: Analyt. Chem., Washington 20, 1100 (1948).
[2] KERN, W., u. L. DULOG: Makromolek. Chem. 29, 199 (1959).

Kühlaggregat erlaubt Messungen unterhalb der Zimmertemperatur (bis herunter zu etwa 2°C über der Temperatur des Kühlmittels, mit Wasser im Thermostatenbecken also noch Messungen bei etwa 2°C). (Über einen speziellen Kühlthermostaten s. ARONOFF[1].) An die Stelle von Immersionsheizkörpern tritt eine trägheitslose Elektrodenheizung. Durch Zusatz von Kochsalz wird dann dem destillierten Wasser in dem Thermostatenbecken die nötige Leitfähigkeit verliehen.

Abb. 9. Thermostat, Modell S der Firma B. Braun (Melsungen), mit einzeln arretierbaren Manometern.

DARBRE und SPEIRS[2] schalten in den Heizstromkreis des mit Kontaktthermometer, Immersionsheizkörper und Rührer ausgerüsteten Thermostaten einen stufenlos regulierbaren Transformator. Die Aufheizung erfolgt mit der vollen Wechselstromspannung, die nach Erreichen der gewünschten Temperatur mit Hilfe des Transformators auf 75 V reduziert wird. Die Verwendung von verschiedenen Heizkörpern für Aufheizung und Temperaturregulierung wird dadurch unnötig. Die Temperaturschwankungen in der Mitte des 20 l fassenden Thermostaten betragen mit diesem Heizsystem nur $\pm 0{,}001°$ C, und die Temperaturdifferenzen zwischen beliebigen Orten des Wasserbades sind nicht größer als $\pm 0{,}006°$ C.

Die Abb. 8 und 9 geben zwei Modelle von in Deutschland hergestellten Apparaturen mit angehängten Manometern in ihrer Gesamtansicht wieder. Der Abb. 10 sind Einzelheiten über den Bau eines runden Thermostatenmodells zu entnehmen (s. im übrigen Druckschriften der Herstellerfirmen).

---

[1] ARONOFF, S.: Plant Physiol. 21, 393 (1946).
[2] DARBRE, A., and R. L. SPEIRS: Nature 181, 364 (1958).

Sonderausführungen sowohl runder als auch rechteckiger Thermostatenformen sehen vor, daß der Thermostat für photochemische Arbeiten mit Glühlampen, Leuchtstoffröhren oder mit UV-Strahlern versehen werden kann. Die Bestrahlung erfolgt im allgemeinen so, daß das Licht in vertikaler Richtung durch den Gefäßboden in die im Gefäß befindliche Lösung oder Suspension eintritt. Von Bedeutung ist, daß die Lichtquellen so

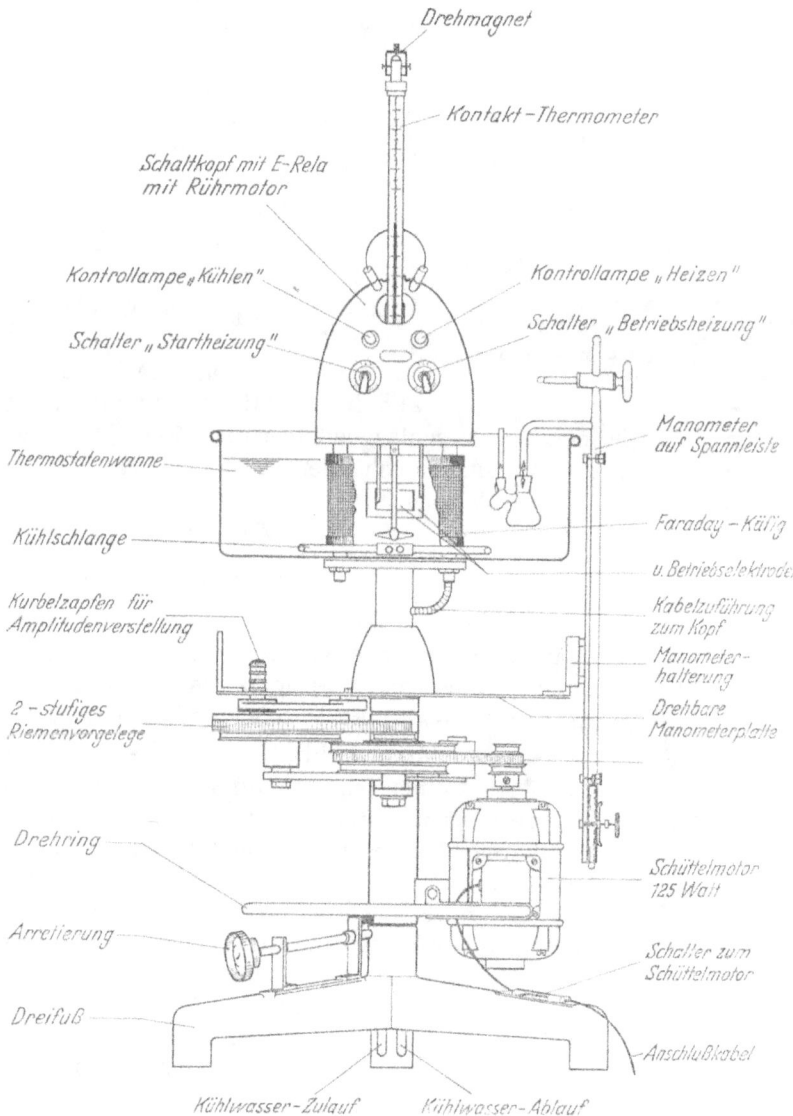

Abb. 10. Konstruktionsmerkmale einer Apparatur mit runder Thermostatenwanne (B. Braun, Melsungen).

angeordnet sind und daß die Schüttelbewegungen in der Weise erfolgen, daß eine gleichmäßige und konstante Belichtung der Versuchsgefäße erreicht wird.

Bei den üblichen Apparaturen befinden sich die Manometer außerhalb des Wasserbades und damit bei einer Temperatur T' (Raumtemperatur), die in der Regel niedriger ist als die Temperatur des Thermostaten. Der in der Manometercapillare eingeschlossene Gasraum hat nicht die Temperatur T des Thermostaten (wie bei der Berechnung der Gefäßkonstanten k angenommen wird), sondern eine zwischen T und T' liegende Temperatur. Die Manometerausschläge sind dadurch in gewissem Maße den Schwankungen der Raumtemperatur unterworfen. Von Zapp[1] wird eine Apparatur (schematisch in Abb. 11)

Zapp, F. J.: H. **307**, 36 (1957).

angegeben, die diese Fehlerquelle ausschaltet: Nicht nur die Gefäße, sondern auch die Manometer werden in das Wasser des Thermostaten eingesetzt. Die Ablesung der Manometer erfolgt durch die Glaswände des Thermostaten. Das Niveau der Manometerflüssigkeit wird mittels einer langen, zu dem Reservoir führenden Druckschraube von oben her eingestellt. Die Apparatur ist mit einer Kippvorrichtung versehen, mit der alle Gefäße gleichzeitig im Wasserbad gekippt werden können, ohne daß dazu also die Gefäße aus dem Wasserbad herausgenommen werden müssen. Die Temperaturregulierung erfolgt elektrisch, die Durchmischung des Wassers mittels eines Propellerrührers und einer Umwälzpumpe. Die Manometerkonstruktion und die Form der Gefäße sind den durch die besondere apparative Anordnung gegebenen Bedingungen angepaßt.

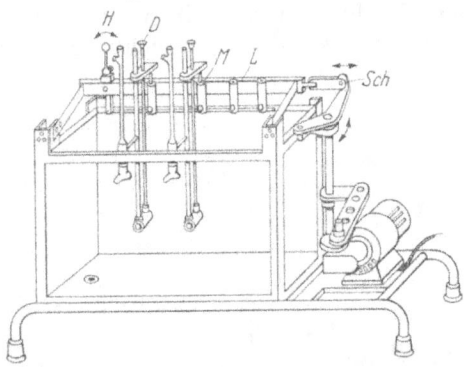

Abb. 11. Thermostat von ZAPP mit im Wasserbad befindlichen Manometern. *Sch* Schüttelvorrichtung; *L* Aufhängeleiste für Manometer; *H* Handhebel der Kippvorrichtung; *M* eingesetzte Manometer; *D* Druckschraube.

Die weitere apparative Entwicklung zielt auf die Schaffung von automatischen Druckregistriergeräten hin. Die hierzu vorgeschlagenen Konstruktionen[1-3] scheinen jedoch in der manometrischen Praxis noch nicht eingehender erprobt zu sein.

2. Manometer.

a) „Offene" Manometer.

Das für die üblichen Messungen am häufigsten benutzte Manometer ist das vertikale, zweischenklige und einseitig offene Manometer; es wird als WARBURG- oder auch als BARCROFT-WARBURG-Manometer bezeichnet.

Standardform (Abb. 12). Das U-förmig gebogene Capillarrohr hat einen inneren Durchmesser von etwa 0,8—1 mm. An der Basis kommuniziert das U-Rohr mit einem kurzen capillaren Ansatzstück, über das ein etwa 8 cm langer, am unteren Ende mit einem kurzen Glasstab verschlossener Gummischlauch geschoben wird. Der Gummischlauch dient als Reservoir für die Manometerflüssigkeit. Die beiden Capillararme tragen über eine Länge von 30 cm Millimetereinteilung, beginnend mit Null an den unteren — noch vertikalen — Enden. Der linke Arm ist am oberen Ende zur Luft hin offen; die Capillare mündet hier in einer zylindrischen, etwa 2 cm langen Erweiterung. Die Erweiterung vermindert die Gefahr eines Überlaufens von Flüssigkeit beim Hochdrücken der Manometerflüssigkeit; sie erleichtert außerdem das Nachfüllen von Manometerflüssigkeit.

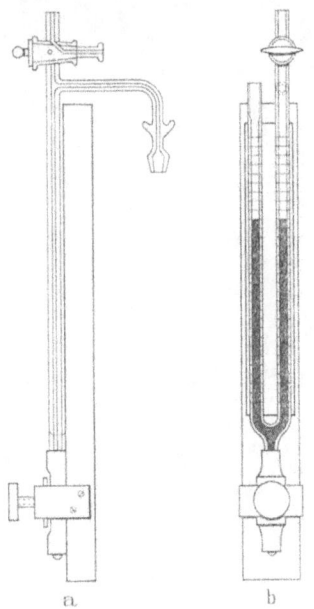

Abb. 12a u. b. Standardform des offenen Manometers auf Spannleiste. a Seitlich, b von vorne gesehen.

Der rechte Manometerarm besitzt am oberen, verlängerten Ende einen Dreiwege-Schwanzhahn, durch den die rechte Manometerseite von der Luft abgeschlossen oder zu ihr hin geöffnet werden kann. Außer einer durchgehenden Bohrung hat das Küken des Hahnes eine einseitige Bohrung, die in dem an seinem Ende offenen Schwanzteil mündet. Sie hat den Zweck, daß das Manometer nach der Durchgasung verschlossen werden kann, ohne daß dazu die Gaszufuhr abgestellt werden muß. Die rechte Manometer-

---
[1] ARNOLD, W., E. W. BURDETTE and J. B. DAVIDSON: Science, N.Y. **114**, 364 (1951).
[2] KOK, B.: Biochim. biophys. Acta, **16**, 35 (1955).
[3] Siehe Druckschrift der Firma B. Braun, Melsungen.

capillare besitzt oberhalb der Graduierung und unterhalb des Hahnes einen capillaren Seitenarm, der an seinem rechtwinklig abgebogenen Ende einen Schliff trägt, in dessen Bohrung die Manometercapillare mündet und an den das Reaktionsgefäß angeschlossen wird. Die Schliffabmessungen sind genormt. Über dem Schliff angeschmolzene Häkchen dienen der Festigung der Verbindung zwischen Gefäß und Manometer mit Spiralfedern oder Gummibändchen. Der horizontale und der senkrecht nach unten führende Teil des Seitenarmes sind meistens je etwa 7—8 cm lang. Die Abmessungen des Seitenarmes müssen so sein, daß das mit dem Manometer verbundene Gefäß nach dem Einhängen des (auf der Spannleiste befestigten) Manometers in die Schüttelvorrichtung vollständig — bis einige Zentimeter über dem Schliff — in das Wasser des Thermostaten taucht.

Die Weite der Capillaren ist außerhalb einer ziemlich weiten Toleranz von Bedeutung: Bei engen Capillaren (mit der gebräuchlichen Manometerflüssigkeit etwa unter 0,4 mm) können sich beim Einstellen der Manometerflüssigkeit Grenzflächenspannungserscheinungen unangenehm bemerkbar machen. Andererseits vergrößert ein großer Capillarquerschnitt den Anteil des Gasraumes, der sich außerhalb des Thermostaten, also nicht bei der Versuchstemperatur befindet. Das stört die Meßergebnisse um so mehr, je kleiner der Gasraum im Gefäß ist. Mit der Capillarweite nimmt ferner die Genauigkeit ab, mit der die Meniscen der Manometerflüssigkeit eingestellt und abgelesen werden können. Für volumenkonstante Druckmessungen ist es nicht wichtig, wenn die Capillarquerschnitte auf beiden Seiten etwas ungleich sind; wird das Manometer jedoch für freie manometrische Messungen benutzt, so sollten die Capillaren — falls man umständliche rechnerische Korrekturen vermeiden will — auf beiden Seiten und über ihre ganze Länge genau gleich weit sein.

Die Manometer werden auf Leisten aus Holz oder Leichtmetall mittels Klammern befestigt. Zur besseren Ablesbarkeit der Manometer sind die Spannleisten mit Spiegelglas belegt. Das als Reservoir dienende Gummischlauchstück befindet sich unter einem aus dickem Messingblech gebildeten Bügel, der einige Zentimeter über dem unteren Ende auf der Vorderseite der Spannleiste angebracht ist. Mit Hilfe einer durch eine Gewindebuchse in dem Bügel geführten Schraube und einer untergelegten Metallplatte (zur Vergrößerung der Druckfläche) kann der Gummischlauch mehr oder weniger angepreßt und so der Stand der Manometerflüssigkeit reguliert werden.

Manometer mit Zwischenhahn und Verschlußvorrichtung. Um die Verbindung zwischen Gefäß und Manometercapillare zeitweise unterbrechen zu können, setzt CREMER[1] in den senkrecht nach unten führenden Teil des Manometerarmes — also oberhalb des Manometerschliffes — einen Dreiwegehahn ein. Die Manometerkonstruktion bleibt sonst unverändert.

WARBURG[2] verwendet für besondere Versuche eine drucksichere Verschlußvorrichtung, mit der der offene Manometerschenkel verschlossen werden kann. Die Vorrichtung dient dazu, das Manometer während des durch Erwärmen einer im Gefäß befindlichen Chlorellasuspension auf 46 oder 65° entstehenden Überdrucks abzuschließen; die manometrische Messung erfolgt bei 20°.

Manometer mit unten geschlossener Schliffbohrung. Der zeitweiligen Unterbrechung der Verbindung zwischen Manometer und Gefäß dienen auch Manometer, deren Schliffbohrung unten geschlossen ist. Die Manometercapillare mündet in dem Hohlraum der Schliffbohrung. In der Wandung des Manometerschliffes befindet sich eine Öffnung, die bei passender Drehung des Gefäßes mit einer Aussparung im Gefäßschliff zur Deckung gebracht werden kann. Der Gasraum des Gefäßes kommuniziert dann mit dem Hohlraum des Manometerschliffes und mit der Manometercapillare. Durch eine andere Drehung des Gefäßes kann diese Verbindung unterbrochen werden. R. MEIER[3]

---

[1] CREMER, W.: B. Z. **206**, 228 (1929).
[2] WARBURG, O., u. G. KRIPPAHL: Z. Naturforsch. **11**b, 718 (1956).
[3] MEIER, R.: B. Z. **231**, 447 (1931). — Siehe auch GAFFRON, H.: J. gen. Physiol. **26**, 241 (1942).

verwendet in Versuchen mit Gewebekulturen ein Manometer mit ähnlich konstruiertem Manometerschliff, um den Gasraum des Gefäßes zeitweilig von der in den Schliffhohlraum eingebrachten Lauge (als Absorptionslösung für CO_2) abzuschließen.

Manometer mit verschiebbarer Skala. Um die Ausrechnung etwas zu erleichtern, macht ODENHEIMER[1] den Vorschlag, unter dem linken Capillarschenkel eine bewegliche Skala anzubringen, deren Nullmarke zur Zeit $t' = 0$ auf das Niveau der Manometerflüssigkeit im linken Schenkel eingestellt wird, und deren Graduierung in der Verschiebungsrichtung der Manometerflüssigkeit verläuft (bei der Messung von Gasaufnahme wird also eine Skala mit der Marke 0 an ihrem oberen Ende verwendet). Die Skala kann man sich aus Millimeterpapier, das auf dünne Streifen Blech oder Plastik aufgeklebt wird, anfertigen. Durch zwei auf der linken Streifenseite oben und unten angebrachte Schlitze führt je eine Schraube, mit deren Hilfe die Skala auf der Spannleiste festgemacht wird, nachdem sie zu Beginn der Messung in die richtige Lage verschoben worden ist. Der Vorteil dieser Skalenanordnung ist, daß die Druckänderung direkt abgelesen werden kann, die sonst erforderliche Ausrechnung der Differenz zwischen zwei Ablesungen also wegfällt.

„Doppelcapillarmanometer"[2] (Abb. 13). Die U-förmig gebogene Capillare ist bei diesem Modell durch einen einzigen, etwa 10—11 mm dicken Glasstab ersetzt, der von zwei Capillaren durchzogen ist. Die Capillaren münden an ihren unteren Enden in dem als Reservoir für die Manometerflüssigkeit dienenden Gummischlauch. Da der Abstand der Capillaren nur etwa 2—3 mm beträgt, genügt eine einzige Graduierung für beide Capillaren. Hinter den Capillaren befindet sich eine weiße Email-Schicht, die die Ablesung der gefärbten Manometerflüssigkeit erleichtert, oder die Manometer sind aus Klarglas hergestellt und für die Ablesung mit hintergelegtem Spiegel vorgesehen. Das Doppelcapillarmanometer beansprucht in der Breite wenig Platz und kann darum auf schmalen Spannleisten befestigt werden. Es ist etwas handlicher und bruchfester als die sonst übliche zweiarmige Manometerform. Wegen des kleinen Abstandes der beiden Capillaren ist es auch leichter während des Schüttelns abzulesen, besonders leicht dann, wenn die Schüttelung durch Drehbewegungen der Manometer um ihre

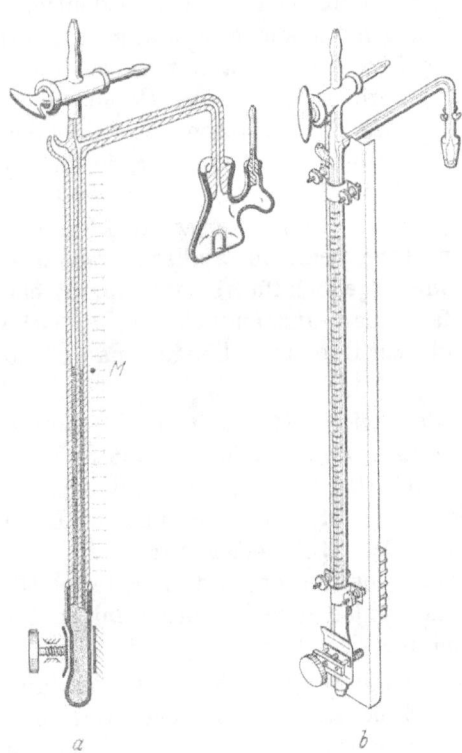

Abb. 13 a u. b. Offenes Manometer als „Doppelcapillarmanometer". a Längsschnitt; b auf Spannleiste.

Längsachse erfolgt. Das obere offene Ende der linken Manometercapillare mündet in einer kleinen, schalenförmigen Erweiterung, die im Glasstabe liegt oder seitlich angeschmolzen ist. Wegen des Fehlens einer zylindrischen Erweiterung kann das Doppelcapillarmanometer nicht für die S. 66ff. erwähnten Verstärkungsmöglichkeiten benutzt werden. Es bietet vorläufig auch noch keine günstige Möglichkeit, das offene Ende der Manometercapillare z.B. mit einem Barokomparator (S. 62) oder mit einer zur Gasfüllung der Gefäße nach der Evakuierungsmethode (S. 131) vorgesehenen Vorrichtung zu verbinden, ein Umstand, der sich im Bedarfsfalle jedoch durch Verlängerung der seitlich angebrachten Erweiterung wohl leicht beseitigen ließe.

Modifiziertes Manometer von MCGILVERY[3] (Abb. 14). Das Flüssigkeitsreservoir ist am unteren Teil des rechten Capillararmes angebracht. Der bei der Standardform von

---

[1] ODENHEIMER, K. F.: Arch. Biochem. **36**, 482 (1952).
[2] Hersteller: B. Braun, Melsungen.
[3] MCGILVERY, R. W.; in: Manometric Techniques (Umbreit-Burris-Stauffer). 3. Aufl., S. 108. Minneapolis 1957.

dem Reservoir eingenommene Platz wird zur Verlängerung des linken Capillararmes benutzt, dessen graduierte Skala auf 45 cm ausgedehnt wird. Dadurch wird ein größerer Meßbereich gewonnen, bei sogar etwas geringerer Gesamthöhe des auf der Spannleiste befestigten Manometers. Auf dem rechten Capillararm ist die — im allgemeinen nicht ausgenutzte — durchgehende Graduierung durch nur eine Marke (Eichmarke) ersetzt. An die Stelle des in der vertikalen Verlängerung des rechten Manometerarmes beim Standardmodell befindlichen Schwanzhahnes tritt ein in den Seitenarm eingesetzter Dreiwegehahn mit capillaren Bohrungen, durch den das Gefäß mit dem rechten Manometerarm verbunden oder zur Luft hin geöffnet werden kann. Für die Durchgasung besitzt der Hahn ein capillares Ansatzstück.

Manometer mit verschieden weiten und auswechselbaren Capillaren (Abb. 15). BURK und HOBBY[1] beschreiben eine offene Manometerform mit verschieden weiten und auswechselbaren Capillaren (a und a^*), je einer Erweiterung (A und A^*) am oberen Ende beider Manometerarme und einem am unteren Ende des rechten Manometerarmes angebrachten Flüssigkeitsreservoir. Das Manometer ist allgemeiner anwendbar; es erlaubt — je nach Zusammenstellung — sowohl volumenkonstante Druckmessungen, druckkonstante Volumenmessungen als auch freie manometrische Messungen, ohne oder mit Anwendung der S. 66ff. erwähnten und von anderen Verstärkungsmöglichkeiten. Der innere Querschnitt von A und A^* beträgt etwa 30 mm². Der Querschnitt a der offenen Capillare liegt wahlweise zwischen etwa 0,25 und 2 mm², und der Querschnitt a^* der geschlossenen Capillare beträgt wahlweise 1—2 mm². Die Capillaren sind in dem das Reservoir für die Manometerflüssigkeit bildenden Gummischlauch leicht auswechselbar. Die übliche Graduierung der Capillaren (in der Zeichnung nicht ausgeführt) wird auf die Erweiterungen ausgedehnt. Die Anbringung des Reservoirs als Teil des rechten Manometerarmes erlaubt es, den linken Manometerarm von 0—500 mm (statt üblicherweise von 0—300 mm) zu graduieren; das Manometer kann dann noch auf den normalen Spannleisten befestigt werden. Durch Änderung des Verhältnisses von a/a^*, a/A^*, a^*/A^* usw.

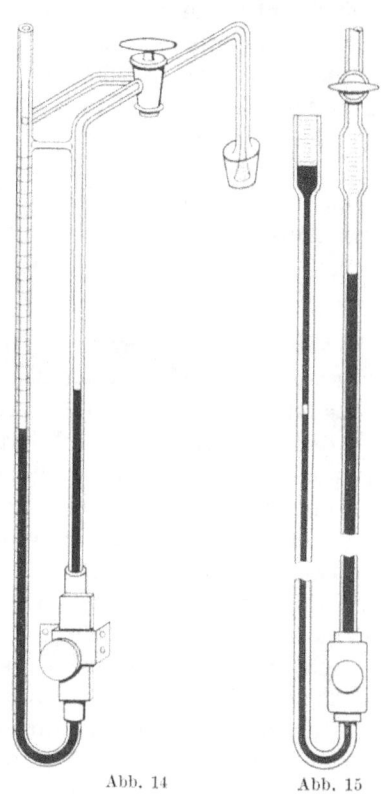

Abb. 14. Offenes Manometer nach MCGILVERY, Fußn.[3] S. 90.
Abb. 15. Offenes Manometer mit verschieden weiten und auswechselbaren Capillararmen nach BURK und HOBBY[1]. Im linken Schenkel befindet sich ein Gasbläschen als „Indicator".

(s. S. 70) kann die Meßempfindlichkeit variiert werden. In der Zeichnung ist die Verwendung eines Gasbläschens als „Indicator" im linken Manometerarm angedeutet.

„*Mikromanometer*" *nach* BROW *und* SCHWERTZ[2]. Es handelt sich um ein „Zweiflüssigkeitsmanometer" mit verschieden weiten Capillarteilen. Der Meniscus zwischen den beiden Flüssigkeiten befindet sich in dem engeren Capillarteil. Eine kleine Änderung in der Höhe der Flüssigkeitssäule in dem weitlumigen Teil bewirkt eine relativ große Verschiebung des Meniscus in dem engen Capillarteil.

Manometer mit schraubenförmig gewundener Capillare[3]. Diese Manometerform ist für die Messung von kleineren Gasumsätzen vorgesehen; gegenüber dem offenen Manometer üblicher Konstruktion besitzt es eine sechs- bis siebenmal höhere Empfindlichkeit. Die linke, oben offene Capillare ist schraubenförmig gewunden, wogegen die rechte Capillare nur in halber Höhe eine Windung hat, „um den Flüssigkeitsstand mit gleicher Empfindlichkeit auf konstantem Niveau halten zu können".

---

[1] BURK, D., and G. HOBBY: Science, N.Y. **120**, 640 (1954).
[2] BROW, J. E., and F. A. SCHWERTZ: Rev. sci. Instr. **18**, 183 (1947).
[3] Hersteller: B. Braun, Melsungen.

Die Ganghöhe der Schraubenwindung beträgt etwa 1,5 cm, der Windungsdurchmesser etwa 3,5 cm, so daß die Sperrflüssigkeit bei einer Druckänderung von 1 cm Wassersäule 7 cm Capillarlänge durchlaufen muß". (Die Angaben sind der Druckschrift der Herstellerfirma entnommen.)

„*Mikromanometer*" *nach* ZAPP[1]. Die von ZAPP angegebene Apparatur (S. 88), bei der sich nicht nur die Gefäße, sondern auch die Manometer bei der Temperatur des Thermostaten befinden, erlaubt es, die Empfindlichkeit der Messung mit dem offenen Manometer durch Verwendung kleiner und sehr kleiner Gefäße zu steigern (s. S. 64), ohne daß Störungen durch Änderungen der Raumtemperatur, die sich bei der gewöhnlichen Anbringung der Manometer außerhalb des Thermostaten und bei kleinem Gefäßvolumen in erheblichem Maße bemerkbar machen können, auftreten. Es werden drei Manometertypen beschrieben: ein „Ultra-Mikromanometer" zur Messung von Gasumsätzen mit sehr kleinen Mengen Versuchsmaterial (Tropfengröße, einzelne Insekten usw.), ein „Mikromanometer", das mit etwa 1 ml Versuchslösung angewendet wird, und ein „Manometer zur Bestimmung des respiratorischen Quotienten", mit dem der O_2-Verbrauch direkt und die gebildete CO_2-Menge nach Absorption durch Lauge und anschließender Freisetzung durch Säure gemessen wird.

b) Differentialmanometer.

Mit Differentialmanometern werden Druckdifferenzen zwischen zwei abgeschlossenen Gasräumen — dem des Reaktionsgefäßes und dem des Kompensationsgefäßes — gemessen. Es sind zwei Typen von Differentialmanometern zu unterscheiden: Bei dem ersten Typ — dem BARCROFTschen Differentialmanometer — wird die Druckdifferenz nach freier Bewegung der Manometerflüssigkeit und nachdem sich sowohl Gasdruck als auch Gasraumvolumen auf beiden Seiten des Manometers geändert haben, gemessen. Bei dem anderen Typ des Differentialmanometers wird das Gasraumvolumen auf beiden Seiten konstant gehalten; die gemessene Druckdifferenz wird — wie bei der volumenkonstanten Messung mit dem offenen Manometer — nur von der in dem Reaktionsgefäß aufgetretenen Druckänderung verursacht.

Gegenüber dem offenen Manometer bieten Differentialmanometer den Vorteil einer größeren „Stabilität" der Messung, weil die gemessene Druckdifferenz unabhängig von Luftdruck- und Temperaturschwankungen ist. (Temperaturschwankungen haben allerdings dann einen Einfluß, wenn sie Reaktions- und Kompensationsgefäß in ungleichem Maße betreffen. Das kann bei Temperaturfeldern im Thermostaten und bei sehr verschieden großen Gefäßen auf beiden Seiten des Manometers vorkommen.) Bei dem BARCROFTschen Differentialmanometer wird die Genauigkeit der Messung noch dadurch erhöht, daß die Einstellung der Manometerflüssigkeit auf eine bestimmte Marke wegfällt. Mit gleich großen Gefäßen auf beiden Seiten bieten Differentialmanometer außerdem die Möglichkeit, mit einem Manometer und in einem Meßgange den Gasumsatz des „Leerversuches" (z.B. Gewebe ohne Substrat) aus dem Meßergebnis zu eliminieren, indem man das Kompensationsgefäß für den Leerversuch und das Reaktionsgefäß für den vollständigen Versuch verwendet. Diesen Vorteilen stehen einige Nachteile gegenüber: Das Differentialmanometer ist nicht ganz so einfach zu handhaben wie das offene Manometer, und es beansprucht am Thermostaten mehr Platz als das offene Manometer; die Empfindlichkeit der Messung mit dem BARCROFTschen Differentialmanometer ist etwas geringer als die der volumenkonstanten Messung, und die Eichung sowie die Ausrechnung der „Gefäßkonstanten" des BARCROFTschen Differentialmanometers sind umständlicher. Ob man das offene Manometer oder ein Differentialmanometer verwenden soll, hängt hauptsächlich von der Beurteilung der erwähnten Vor- und Nachteile ab, abgesehen von bestimmten Messungen, für die ein Differentialmanometer vorgesehen ist.

BARCROFTsches *Differentialmanometer* (Abb. 16 und 17). Das Manometer ist symmetrisch gebaut. Beide Schenkel sind je mit einem zu dem zugehörigen Gefäß führenden

---

[1] ZAPP, F. J.: H. **312**, 237 (1958).

Seitenarm und an ihren oberen Enden je mit einem Hahn versehen. Das Druckreservoir für die Manometerflüssigkeit fällt weg und damit das beim offenen Manometer an der Basis vorhandene kurze Ansatzrohr. Beide Capillararme sind auf einer Länge von 20 oder 30 cm in Millimetern graduiert, mit den einander entsprechenden Marken auf gleicher Höhe. Der Durchmesser der Capillaren, wie überhaupt die ganze Ausführung, soll auf beiden Seiten genau gleich sein. Wegen der bei der Herleitung der Gefäßkonstanten K eingeführten Vereinfachungen (s. S. 74) ist es wünschenswert, daß der innere Querschnitt der U-Capillare nur 0,1—0,2 mm² beträgt.

Das BARCROFTsche Differentialmanometer wird mit vertikaler oder mit einer aus der Vertikalen geneigten Meßcapillare verwendet. Das Manometer mit vertikaler Capillare (schematisch in Abb. 16) hat den Vorteil, daß es ohne weiteres an der üblichen Schüttelvorrichtung des Thermostaten befestigt werden kann, während für das Manometer mit geneigter Capillare dazu eine besondere Befestigungsvorrichtung erforderlich ist. Abb. 17 zeigt ein Differentialmanometer mit geneigter Meßcapillare in der von DIXON und ELLIOTT[1] verwendeten Form. Bei

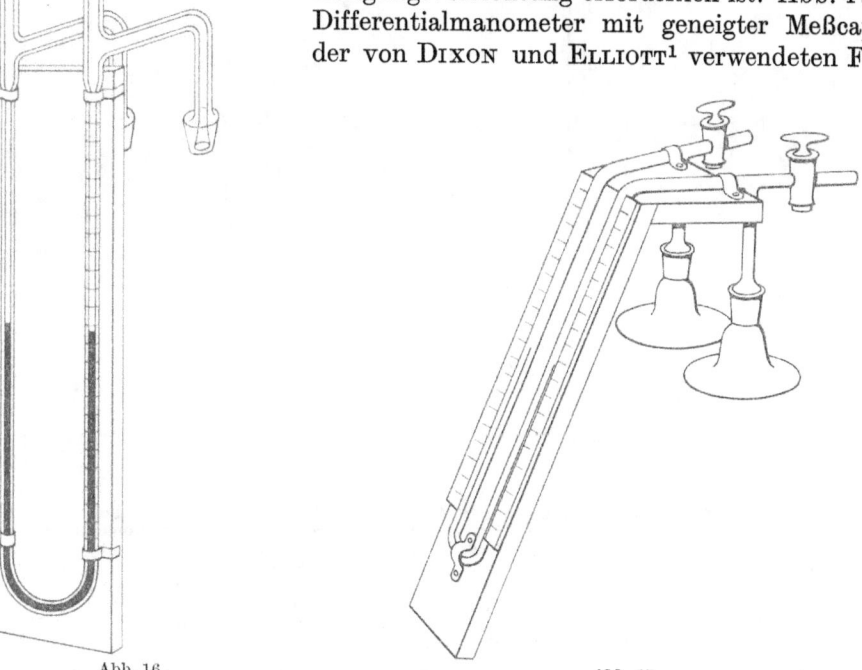

Abb. 16. BARCROFTsches Differentialmanometer mit vertikaler Capillare.
Abb. 17. BARCROFTsches Differentialmanometer mit geneigter Capillare nach DIXON und ELLIOTT[1].

diesem Manometer muß der Neigungswinkel der Meßcapillare berücksichtigt werden (s. S. 75).

Eine zweckmäßige Form des BARCROFTschen Manometers ist das „Differential-Doppelcapillarmanometer"[2] (Abb. 18). Bei diesem in zwei Ausführungen hergestellten Modell sind die beiden (in einem Glasstab dicht nebeneinander liegenden) Capillaren im unteren Manometerende entweder direkt miteinander verbunden, oder das untere Manometerende ist offen, und die Capillaren kommunizieren in einem mit Manometerflüssigkeit gefüllten Gummischlauchstück. Die (mit einem Ausgang zur Luft versehenen) Manometerhähne sind in die Seitenarme eingesetzt.

Differentialmanometer von DICKENS und GREVILLE[3] (Abb. 19a und b). Das Manometer ermöglicht volumenkonstante Messungen von Druckdifferenzen; es kann auch als

---
[1] DIXON, M., and K. A. C. ELLIOTT: Biochem. J. 24, 820 (1930).
[2] Hersteller: B. Braun, Melsungen.
[3] DICKENS, F., and G. D. GREVILLE: Biochem. J. 27, 213 (1933).

einfaches offenes Manometer benutzt werden. Die beiden unten offenen Capillaren sind mit den Enden eines Gummischlauches verbunden. Ihre Seitenarme führen zu den Gefäßen (Reaktions- und Kompensationsgefäß). Der Gummischlauch enthält Manometerflüssigkeit. Die Capillaren können (zur Einstellung der Manometerflüssigkeit) unabhängig voneinander in den federnden Befestigungsklammern auf der Spannleiste herauf oder herunter geschoben werden; die Verbindung durch den Gummischlauch ermöglicht es auch, daß sie (zum Mischen des Gefäßinhalts) einzeln von der Spannleiste abgenommen werden können. Die linke Capillare hat in der Mitte ihrer Länge eine einzige Marke, auf die das Niveau der Manometerflüssigkeit bei jeder Ablesung eingestellt wird. Die rechte

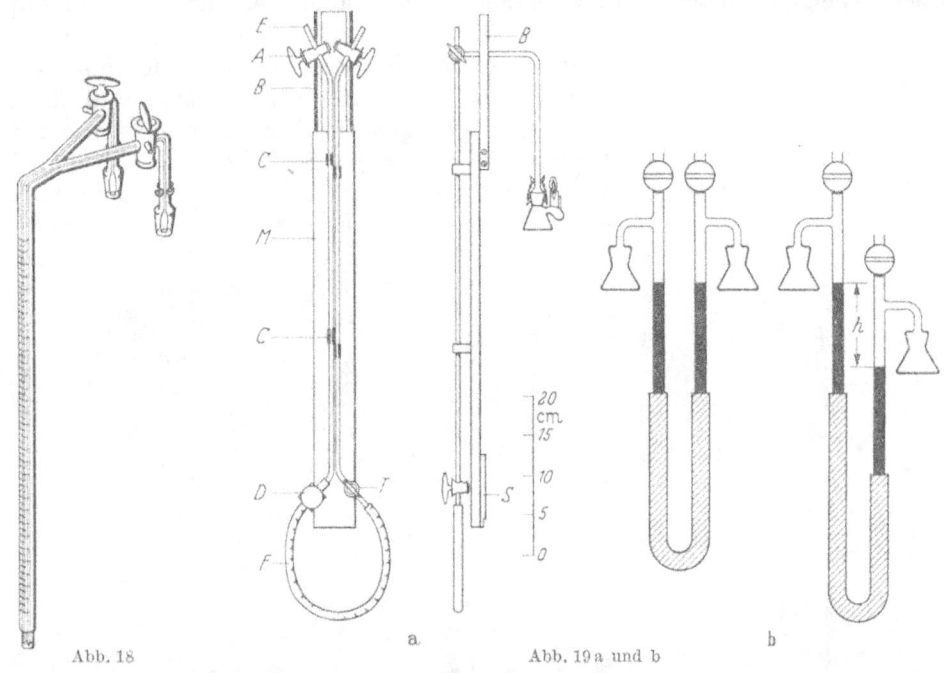

Abb. 18. BARCROFTsches Differentialmanometer in der Ausführung als Doppelcapillarmanometer. In dem wiedergegebenen Modell sind die beiden Capillaren unten offen; sie kommunizieren in einem mit Manometerflüssigkeit gefüllten Gummischlauch.

Abb. 19 a u. b. Differentialmanometer für volumenkonstante Messung nach DICKENS und GREVILLE[1]. a Links von vorne, rechts von der Seite gesehen; b Niveauregulierung beim Einstellen der Manometerflüssigkeit durch Höhenverschiebung eines Manometerschenkels; A Dreiweghähne; B Schlitze zur Führung der horizontalen Seitenarme; C Klammern; D Druckschraube; F Gummischlauch; M Spannleiste; S Messingtasche zur Befestigung an der Schüttelvorrichtung; T Hahn zur Immobilisierung der Manometerflüssigkeit.

Capillare trägt Millimetergraduierung, mit 0 am oberen und 300 am unteren Ende. Das Niveau der Manometerflüssigkeit wird in dieser Capillare bei jeder Ablesung auf die Marke 150 eingestellt. Die Graduierung ist auf der inneren Seite der Capillare angebracht, damit auch das Niveau der Manometerflüssigkeit in der linken Capillare an der Graduierung der rechten Capillare genau abgelesen werden kann. Die beiden Capillaren sind auf der Spannleiste dicht nebeneinander angeordnet. Die horizontalen Seitenarme der Capillaren werden in vertikalen Schlitzen am oberen Ende der Spannleiste geführt und dadurch beim Verschieben der Manometerarme in einem rechten Winkel zu der Spannleiste gehalten. Eine Druckschraube mit untergelegter Metallplatte erlaubt durch Verstärkung oder Lockerung des Druckes auf den Gummischlauch eine Nachregulierung des Flüssigkeitsniveau in den Capillaren, was sich wegen der Elastizität des Gummischlauches bei der Einstellung der Manometerflüssigkeit auf die Eichmarken als notwendig erweist. Bei diesem Manometer muß der Querschnitt der mit den Gefäßen verbundenen Seitenarmcapillaren sehr klein gehalten werden, weil sonst wegen der mit der Einstellung der Manometerflüssigkeit (durch Höhenverschiebung der Capillaren) wechselnden Eintauchtiefe der Seitenarme in dem Wasser des Thermostaten unregelmäßige

---
[1] DICKENS, F., and G. D. GREVILLE: Biochem. J. 27, 213 (1933).

Druckänderungen auftreten würden. Der innere Durchmesser der Capillarstücke — von den an den oberen Enden angebrachten Dreiwegehähnen („⊤-Hähne") bis zu den Manometerschliffen — soll 0,3 mm betragen; der innere Durchmesser der Meßcapillaren beträgt etwa 1 mm. Die ⊤-Hähne sind an den Abgängen der Seitenarme angebracht; dadurch kann der Gasraum der Gefäße (oder nur eines der Gefäße) zeitweilig von der Verbindung mit der Meßcapillare (und der Luft) abgeschlossen werden, was bei einer bestimmten Art der Anwendung dieses Manometers wesentlich ist (s. S. 230).

Durch Herauf- oder Herunterschieben von einem der Capillararme (relativ zu dem anderen Capillararm) werden die Säulenhöhen der Manometerflüssigkeit bei jeder Ablesung so weit verändert, daß die Meniscen auf beiden Seiten auf den Eichmarken (0 bzw. 150) stehen. Auf diese Weise wird das Gasraumvolumen auf jeder Seite konstant gehalten, und die vertikale Differenz h zwischen der Manometerflüssigkeit in den beiden Capillararmen ist gleich der auf beiden Seiten des Manometers vorhandenen Druckdifferenz Δp. Zur Berechnung des entstandenen oder verschwundenen Gasvolumens ist daher die für das offene Manometer bei volumenkonstanter Messung abgeleitete Gefäßkonstante k [Gl. (3), (S. 60)] anzuwenden. Es ist zu ersehen, daß die Empfindlichkeit dieses Differentialmanometers ebenso groß ist wie die des offenen Manometers.

Das Manometer wird bei der S. 230 angeführten Messung als „kombiniertes Manometer", d.h. sowohl als Differential- als auch als einfaches Manometer benutzt, mit genau gleich großen Gefäßen auf beiden Seiten. Das Kompensationsgefäß dient dabei als zweites Versuchsgefäß („Kontrollgefäß"), was die Bestimmung des Atmungs- und aeroben Glykolysevermögens in einem einfachen Meßgang gestattet.

Das „kombinierte Manometer" von SUMMERSON[1] (Abb. 20). Das Manometer ist eine Kombination von zwei spiegelbildlichen einfachen Manometern, deren offene, nach oben etwas verlängerte Capillararme nebeneinander angeordnet sind und die durch einen Dreiwegehahn („⊤-Hahn") abgeschlossen, miteinander verbunden oder zur Luft hin geöffnet werden können. Die beiden äußeren, oben durch einen Hahn verschließbaren Capillararme werden mit den Gefäßen verbunden. Mit Hilfe der Druckvorrichtung an den beiden Flüssigkeitsreservoiren werden die Meniscen der Manometerflüssigkeit in den beiden äußeren Capillararmen auf die Eichmarken eingestellt; die vertikale Höhendifferenz zwischen den Meniscen der Manometerflüssigkeit in den inneren Capillararmen wird abgelesen.

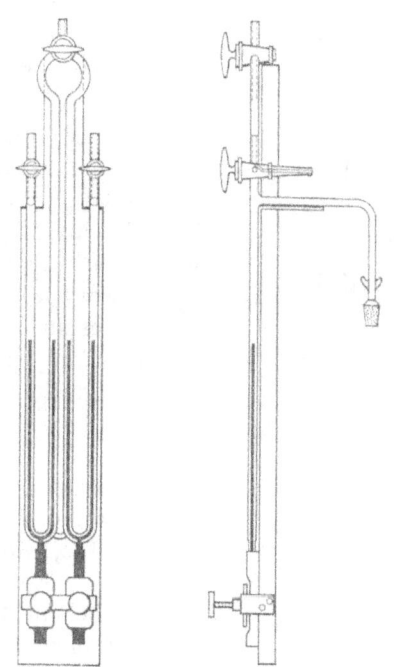

Abb. 20. „Kombiniertes Manometer" für volumenkonstante Messungen nach SUMMERSON[1]. Links von vorne, rechts von der Seite gesehen.

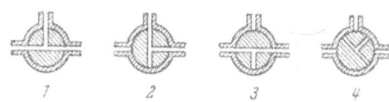

Abb. 21. Hahnstellungen bei Messungen mit dem „kombinierten Manometer". Siehe Text.

Wenn der ⊤-Hahn in Stellung 1 gedreht ist (Abb. 21), so sind die beiden inneren Capillararme zur Luft hin geöffnet, und es werden zwei voneinander unabhängige einfache Manometer erhalten. In Stellung 2 wird die eine Manometerhälfte vollständig abgeschlossen, während die andere Manometerhälfte als einfaches (offenes) Manometer wirkt. In Stellung 3 werden die beiden inneren Capillararme miteinander verbunden; es wird ein Differentialmanometer erhalten, bei dem der Druck in dem einen Gefäß durch die Gas- und Flüssigkeitsphase in den Capillararmen gegen den Druck in dem anderen Gefäß wirkt. Zwischenstellungen des ⊤-Hahnes, wie in Stellung 4, werden benutzt, wenn es nötig

---

[1] SUMMERSON, W. H.: J. biol. Ch. **131**, 579 (1939).

ist, die Manometerflüssigkeit gegenüber Druckänderungen in einem oder in beiden Gefäßen zu immobilisieren.

Die Verwendung des Manometers als volumkonstantes offenes Manometer braucht nicht näher erläutert zu werden. Differentialmessungen (⊤-Hahn in Stellung 3) erfolgen in der Weise, daß das Niveau der Manometerflüssigkeit in jedem der äußeren Capillararme auf die Eichmarke eingestellt wird (wodurch das Gasvolumen auf der Seite der Gefäße konstant gehalten wird); dann wird die Höhendifferenz Δh zwischen den Menicsen der Manometerflüssigkeit in den inneren Capillararmen abgelesen (vgl. Abb. 7, S. 80). Da Δh bei konstantem (und bei auf beiden Seiten gleich großem) Gasraumvolumen gemessen wird, wird aus Δh nach Multiplikation mit der für volumkonstante Druckmessungen abgeleiteten Gefäßkonstanten k [Gl. (3), S. 60] das in dem Reaktionsgefäß umgesetzte Gasvolumen erhalten (s. S. 80).

Die vier Manometerarme sollen möglichst einander parallel sein und in dieser Weise auf der Spannleiste befestigt werden; andernfalls treten — auch wenn auf beiden Seiten Druckgleichheit besteht — Niveaudifferenzen zwischen der Manometerflüssigkeit in den inneren Capillararmen auf, die berücksichtigt werden müssen. Sie sind als „Leerwert" (das ist die Ablesung am Anfang) von den folgenden Ablesungen zu subtrahieren. Die Länge der inneren Capillararme kann in praktischen Grenzen nach Belieben gewählt werden. Beträgt die graduierte Länge z. B. 450 mm und liegt die Gefäßkonstante bei 1,5, so lassen sich Gasumsätze von 600—700 μl messen, ohne daß dazu die Manometerflüssigkeit neu eingestellt werden muß. Der von dem kombinierten Manometer am Thermostaten beanspruchte Platz wird hauptsächlich durch die Form und Größe der Gefäße bestimmt. Gefäße, wie sie zur Messung der Atmung und Glykolyse mit diesem Manometer benutzt werden (S. 232), erfordern eine Distanz der beiden seitlichen Manometerarme von 6—7 cm. Der Umstand, daß weniger kombinierte als einfache Manometer an den Thermostaten gehängt werden können, wird jedoch dadurch ausgeglichen, daß an Stelle von zwei einfachen Manometern ein kombiniertes Manometer verwendet werden kann.

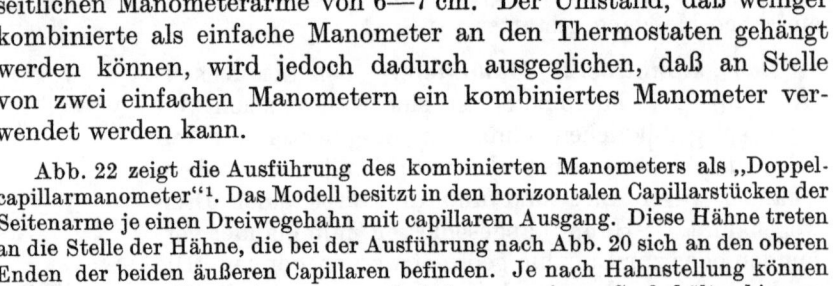

Abb. 22. Kombiniertes Manometer nach SUMMERSON in der Ausführung als „Doppelcapillarmanometer"[1].

Abb. 22 zeigt die Ausführung des kombinierten Manometers als „Doppelcapillarmanometer"[1]. Das Modell besitzt in den horizontalen Capillarstücken der Seitenarme je einen Dreiwegehahn mit capillarem Ausgang. Diese Hähne treten an die Stelle der Hähne, die bei der Ausführung nach Abb. 20 sich an den oberen Enden der beiden äußeren Capillaren befinden. Je nach Hahnstellung können Gefäße und Manometer durch den capillaren Ausgang zur Luft bzw. zu einem Gasbehälter hin verbunden oder davon abgeschlossen werden. Die Hähne erlauben auch, die Verbindung zwischen Gefäß und Manometer zu unterbrechen, was für gewisse Messungen während einer bestimmten Zeit wünschenswert sein kann.

Für die S. 232 angegebene Methode zur Messung von Atmung und Glykolyse wird das kombinierte Manometer sowohl als Differentialmanometer als auch als offenes Manometer angewendet.

c) Optische Hilfsmittel zum Ablesen der Manometer.

Der Stand der Manometerflüssigkeit wird im allgemeinen mit bloßem Auge auf 0,5 mm genau abgelesen. Genauere Ablesungen erfordern eine Lupe, Handlinse oder eine mikroskopische Einrichtung. WARBURG und KUBOWITZ[2] verwenden für besondere Versuche das Kathetometermikroskop, mit dem die Manometer auf 0,05 mm genau abgelesen

---

[1] Hersteller: B. Braun, Melsungen.
[2] WARBURG, O., u. F. KUBOWITZ: B. Z. **214**, 19 (1929).

werden können. Burk und Hobby[1] bringen eine bikonvexe Linse von ziemlich großem Durchmesser in der Weise an der Schüttelvorrichtung vor der Manometerfront an, daß das jeweils abzulesende Manometer ohne Unterbrechung der Schüttelung für das Auge stationär erscheint. So ist eine Manometerablesung selbst bei hoher Schüttelfrequenz möglich.

3. Reaktionsgefäße.

Reaktionsgefäße und Manometer werden durch ihre Normalschliffe miteinander verbunden. Angeschmolzene Glashäkchen am Hals der Gefäße und über dem Manometerschliff erlauben eine Verstärkung der Befestigung durch Spiralfedern. Manometer und

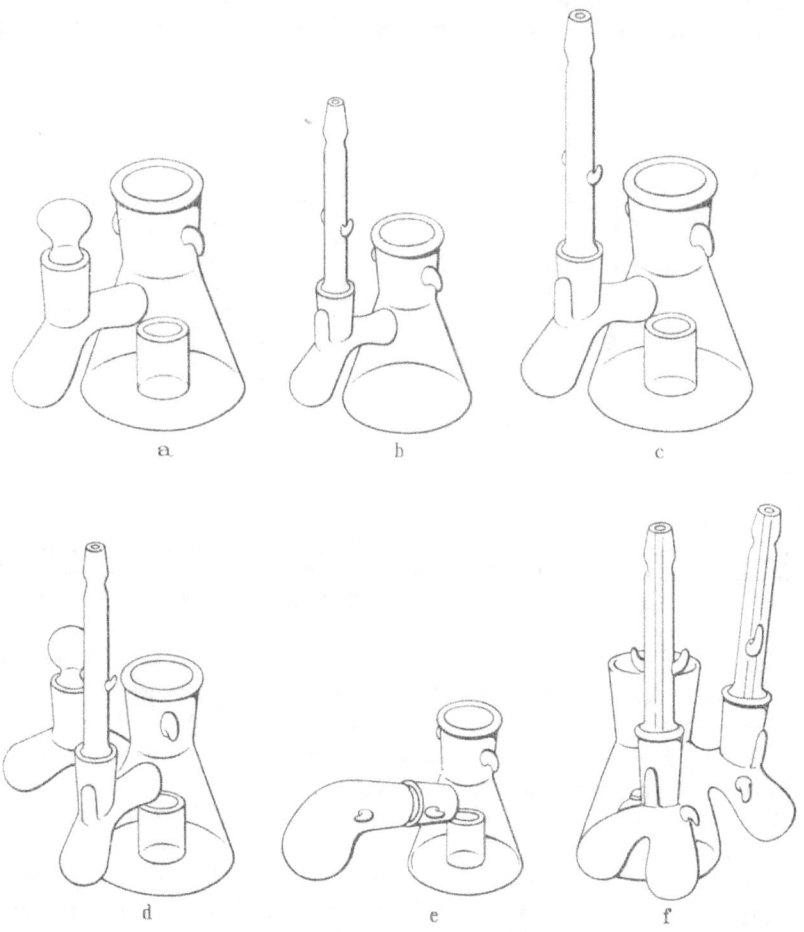

Abb. 23 a—f. Verschiedene kegelförmige Gefäße. a Gefäß mit zentralem Einsatz und einem Anhang mit Massivstopfen. b Gefäß mit einem Anhang mit Ventilstopfen. c Gefäß mit zentralem Einsatz und einem Anhang mit Ventilstopfen. d Gefäß mit zentralem Einsatz und zwei Anhängen mit Ventil- bzw. Massivstopfen. e Gefäß mit zentralem Einsatz und einem im Schliff drehbaren Anhang. f Gefäß mit einem einfachen und mit einem in zwei Kammern unterteilten Anhang.

Gefäße sind numeriert, zu jedem Manometer gehört also ein bestimmtes Gefäß. Falls Manometer und Gefäße getrennt voneinander geeicht werden (S. 110), sind sie in beliebiger Kombination verwendbar.

Die Gefäße sollen ihrer Form und Größe nach so beschaffen sein, daß sie einen ausreichenden Gasaustausch zwischen Flüssigkeits- und Gasphase ermöglichen; im übrigen richten sich Einzelheiten der Gefäßkonstruktion nach den Erfordernissen der durchzuführenden Versuche. Die Erreichung des Gasgleichgewichtes wird begünstigt, wenn Flüssigkeits- und Gasphase in den Gefäßen gut durchmischt werden können und wenn

---

[1] Burk, D., and G. Hobby: Science, N.Y. **120**, 640 (1954).

das Verhältnis von Oberfläche zu Volumen der in den Gefäßen befindlichen Flüssigkeit groß gehalten werden kann. In dieser Hinsicht sind besonders dann die günstigsten Gefäßraumverhältnisse anzustreben, wenn die in der Zeiteinheit umgesetzte Gasmenge groß ist oder wenn man die Intensität der Schüttelung (z.B. zur Schonung von empfindlichem Gewebe) möglichst klein halten will. Für die üblichen Messungen werden aus praktischen Gründen häufig Gefäße verwendet, die ihrer Form nach nicht die günstigsten Bedingungen für eine große Flüssigkeitsoberfläche bieten, bei nicht zu großer Flüssigkeitsmenge, bei nicht sehr großen Gasumsätzen und bei der meist zulässigen Schüttelintensität aber einen ausreichenden Gasaustausch gewähren.

Je nach Art der Untersuchung werden Gefäße von sehr verschiedener Form und Größe verwendet. In den Abb. 23—24 sind einige von den gebräuchlicheren, hauptsächlich in Verbindung mit dem offenen Manometer benutzten „WARBURG-Gefäßen" wiedergegeben.

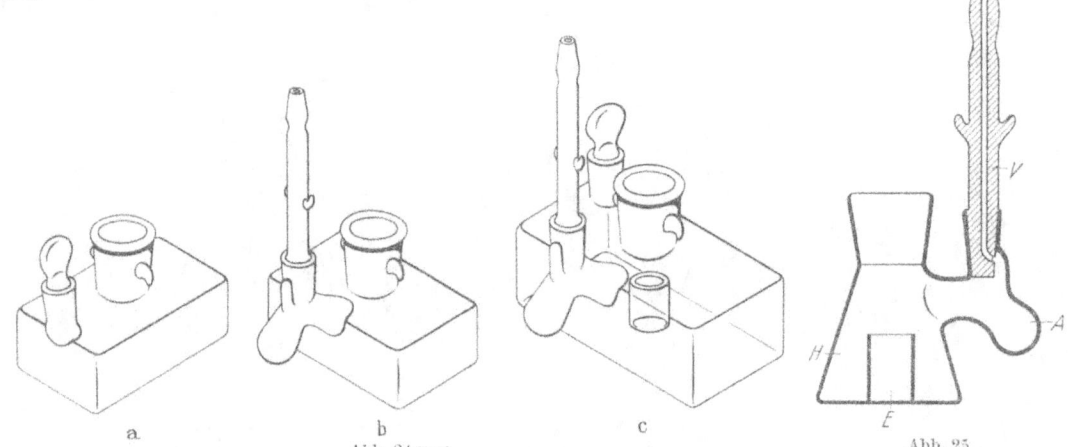

Abb. 24a—c. Kästchenförmige Gefäße. a Gefäß mit Einfülltubus mit Massivstopfen. b Gefäß mit Anhang mit Ventilstopfen. c Gefäß mit Einsatz, einem seitlichen Einfülltubus mit Massivstopfen und mit einem Anhang mit Ventilstopfen.
Abb. 25. Raumeinteilung eines kegelförmigen Gefäßmodells. H Hauptraum; E Einsatz; A Anhang; V Ventilstopfen.

Gefäße von der Form, die Abb. 23c veranschaulicht, kann man als zur Standardausrüstung der üblichen manometrischen Apparatur gehörend betrachten. Sie sind unterteilt in den „Hauptraum", einem in der Mitte des Bodens (oder — um das Einführen der Pipette in den Hauptraum zu erleichtern — etwas exzentrisch) angeschmolzenen „Einsatz" und einem birnenförmigen „Anhang" (Abb. 25). Der Hauptraum wird in der Regel mit dem Versuchsmaterial und der Versuchslösung beschickt; der Einsatz dient zur Aufnahme eines Absorptionsmittels (z.B. Lauge zur Absorption von CO_2 bei der Messung des O_2-Verbrauches); in den Anhang werden Lösungen gegeben, die erst bei Versuchsbeginn oder zu einem anderen Zeitpunkt in den Hauptraum gekippt werden sollen. Zum Einfüllen der Lösung besitzt der Anhang einen Tubus, der mit einem Massivstopfen oder zweckmäßiger mit einem im Tubusschliff drehbaren Ventilstopfen[1] (Capillarstopfen) versehen ist. In der in Abb. 25 gezeichneten Stellung des Ventilstopfens ist der Gasraum des Gefäßes zur Luft hin offen; durch eine halbe Drehung des Ventilstopfens kann der Gasraum des mit dem Manometer verbundenen Gefäßes von der Luft abgeschlossen werden. Der Ventilstopfen, dessen oberes Ende sich im Thermostaten über der Wasseroberfläche befindet, ermöglicht eine Durchgasung der Gefäße im Thermostaten, wogegen Gefäße, die nur einen Massivstopfen besitzen, außerhalb des Thermostaten durchgast werden müssen. Besitzt das Gefäß mehr als einen Anhang, so braucht für den erwähnten Zweck nur einer der Anhänge mit Ventilstopfen versehen zu sein. Der Anhang muß so geblasen sein[2], daß die in ihm befindliche Lösung beim „Kippen" der

---

[1] WARBURG, O., F. KUBOWITZ u. W. CHRISTIAN: B. Z. **242**, 170 (1931).
[2] WARBURG, O., u. G. KRIPPAHL: Z. Naturforsch. **13**b, 434 (1958).

Gefäße (Neigen des oberen Endes des mit dem Gefäß verbundenen Manometers nach vorn) leicht ausläuft und daß andererseits beim Schütteln der Gefäße kein Überspritzen von Flüssigkeit aus dem Anhang in den Hauptraum und umgekehrt stattfinden kann. Die Gefahr eines Überspritzens von Flüssigkeit besteht vor allem dann, wenn in den Hauptraum oder in den Anhang ein im Verhältnis zu deren Fassungsvermögen großes Flüssigkeitsvolumen gegeben wird und außerdem bei ruckartigen Schüttelbewegungen. In den Anhang von Gefäßen mit einem Rauminhalt um 15 ml kann für gewöhnlich etwa 0,5 ml Flüssigkeit ohne Gefahr eines Überspritzens beim Schütteln pipettiert werden. Der Anhang kann aber auch so geblasen sein, daß er ein Vielfaches dieser Flüssigkeitsmenge aufnehmen kann. Zum Beispiel verwenden KREBS und EGGLESTON[1] bei manometrischen und präparativen Versuchen über den Stoffwechsel von Acetessigsäure Gefäße (mit einem Rauminhalt von 25 ml oder mehr), deren Anhang 10 ml Lösung aufnehmen kann.

Um zwei Lösungen außerhalb des Hauptraumes zunächst trennen und zur gewünschten Zeit miteinander mischen zu können, verwendet WARBURG[2] Gefäße mit einem in der Mitte durch einen Glaswulst geteilten Anhang („siamesische Birne"). Abb. 23f zeigt ein Gefäß mit einem in zwei Kammern geteilten Anhang.

Statt mit einem fest angeblasenen Anhang können die Gefäße mit einem im Schliff drehbaren Anhang versehen werden (Abb. 23e). Durch eine Drehung des Anhangs kann man die in ihm befindliche Lösung in den Hauptraum einfließen lassen, ohne dazu die mit den Manometern verbundenen Gefäße für den Kippvorgang aus dem Thermostaten herausnehmen zu müssen. Auf diese Weise werden Temperaturänderungen im Gasraum des Gefäßes, die beim Kippen auftreten, vermieden. Allerdings erlaubt der drehbare Anhang so keine quantitative Überführung der Flüssigkeit, was man sonst durch ein Zurückkippen der Flüssigkeit vom Hauptraum in den Anhang und von diesem wieder in den Hauptraum erreichen kann. Auch der drehbare Anhang kann mit einem Ventilstopfen versehen werden (s. die Gefäße von DIXON und KEILIN, S. 223; ferner HERBAIN[3]).

Viereckige (kästchenförmige) Gefäße[4], die außer in der flachen (Abb. 24) auch in einer hohen Form verwendet werden, bieten günstige Oberflächenverhältnisse für den Gasaustausch zwischen Flüssigkeits- und Gasphase. Sie werden mit diesem Vorteil z.B. für die „Gefäßpaarmethode" von WARBURG verwendet, bei der eines der Gefäße ein großes Flüssigkeitsvolumen enthält. Die eckigen Gefäße sind nicht ganz so leicht zu reinigen wie die kegelförmigen.

Abb. 26 zeigt die flache Form eines zylinderförmigen Gefäßes. In der wiedergegebenen Ausführung ist vorgesehen, daß das Gefäß durch ein Schliffzwischenstück (Z) mit dem Manometer verbunden wird und daß die Verbindung zwischen Gefäßraum und Manometercapillare durch Drehen des Gefäßes unterbrochen werden kann. Um letzteres zu ermöglichen, besitzt der Hohlraum des unten geschlossenen Schliffkernes des Zwischenstückes im Schliff eine seitliche Öffnung und das Gefäß in der Schliffhülse eine entsprechende Aussparung.

Eine in Verbindung mit dem BARCROFTschen Differentialmanometer häufig benutzte Gefäßform ist in Abb. 27 schematisch wiedergegeben. Da es schwierig ist, das Differentialmanometer zu „kippen", tritt hier an die Stelle eines fest angeblasenen Anhanges ein kleines Gefäß („KEILIN-Röhrchen")[5], das mittels eines Platinhäkchens lose an den Rand des Einsatzes gehängt wird und das durch eine passende Bewegung mit seinem Inhalt in den Hauptraum gekippt werden kann. Im übrigen erfordert das Differentialmanometer keine besondere Gefäßform.

---

[1] KREBS, H. A., and L. V. EGGLESTON: Biochem. J. **39**, 408 (1945).
[2] WARBURG, O.: Z. Naturforsch. **9**b, 302 (1954). — „Universalgefäße" mit siamesischer Birne, zwei einfachen Anhängen und „Wanne" s. WARBURG, O. H.: Weiterentwicklung der zellphysiologischen Methoden. S. 555. Stuttgart 1962.
[3] HERBAIN, M.: Bull. Soc. Chim. biol. **32**, 1062 (1950).
[4] WARBURG, O.: B. Z. **152**, 51 (1924).
[5] KEILIN, D.: Proc. R. Soc. London (B) **104**, 206 (1929).

Von Warburg und Krippahl[1] angegebene Gefäße (Abb. 28a—c) besitzen statt des üblichen Einsatzes eine über dem Gefäßboden (zentral im Gasraum) angebrachte „Wanne". Gegenüber den Gefäßen mit zylindrischem Einsatz auf dem Gefäßboden bieten Wannengefäße günstigere Bedingungen für die Gasabsorption, weil sich die Wanne zentral im Gasraum befindet und weil die Absorptionslösung in der Wanne eine größere Oberfläche hat und beim Schütteln stärker bewegt wird. Eine Einbuchtung im Rand der Wanne erleichtert das Einpipettieren in den Hauptraum. Gefäße, bei denen die Wanne mit einem Anhang verbunden ist (Abbildung 28b und c) ermöglichen es, gasabsorbierende oder gasentwickelnde Lösungen in der Wanne in einem beliebigen Zeitpunkt herzustellen. In diesem Sinne verwenden Warburg und Krippahl[2] Wannengefäße, um z. B. von aeroben zu anaeroben Meßbedingungen überzugehen. Einige weitere Beispiele für die Anwendung von Wannengefäßen werden später angeführt. Auch kästchenförmige Gefäße können mit Wanne verwendet werden.

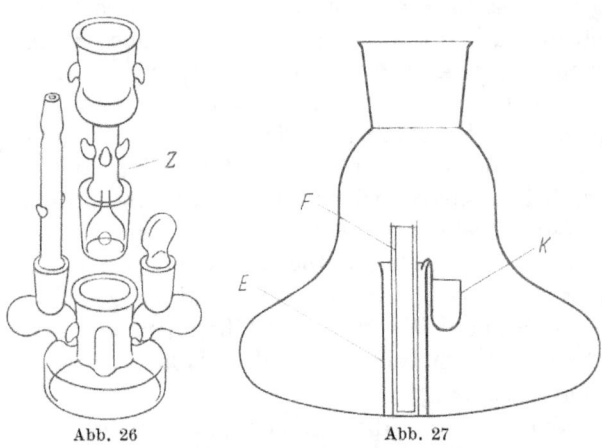

Abb. 26. Flachzylinderförmiges Reaktionsgefäß mit Schliffzwischenstück (Z).

Abb. 27. In Verbindung mit dem Barcroftschen Differentialmanometer häufig benutzte Gefäßform. E Einsatz; F Filtrierpapierzylinder; K an den Einsatz lose angehängtes kleines Gefäß („Keilin-Röhrchen").

Von McKhann und Tower[3] wird ein Gefäß mit einem seitlichen, 13 mm weiten Tubus, der mit einem Gummiverschluß versehen ist, angegeben. Der Gummiverschluß kann mit einer Injektions-

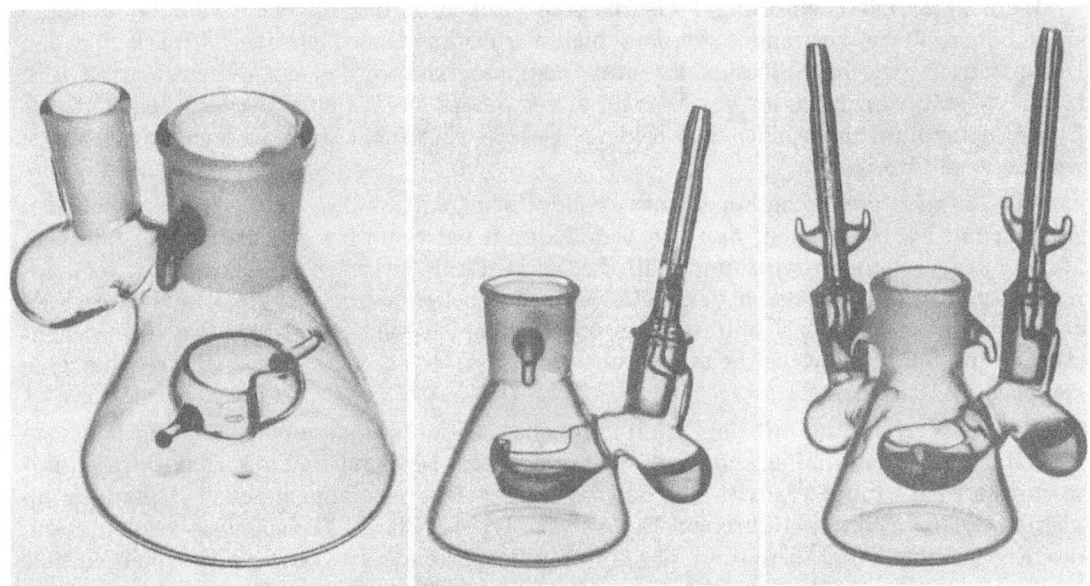

Abb. 28a—c. Kegelförmige „Wannengefäße" nach Warburg und Krippahl.

nadel durchstochen werden, um Material in den Hauptraum einzubringen oder ihm zu entnehmen. Für die Untersuchung der Kinetik der Cholinesterasehemmung wird von Adie und Tuba[4] ein Gefäß

---

[1] Warburg, O., u. G. Krippahl: Z. Naturforsch. **13**b, 434 (1958); **14**b, 561 (1959).
[2] Warburg, O., u. G. Krippahl: Z. Naturforsch. **15**b, 786 (1960).
[3] McKhann, G. M., and D. B. Tower: Analyt. Biochem., N.Y. **1**, 511 (1960).
[4] Adie, P. A., and J. Tuba: Biochim. biophys. Acta **50**, 70 (1961).

mit zwei Tuben, die ebenfalls durch Gummikappen verschlossen sind, verwendet. Nach Durchstechen der Gummikappen wird aus Tuberkulinspritzen, die während der Messung mit dem Gefäß verbunden bleiben, Substrat und Inhibitor in das Gefäß injiziert. Es wird eine schnelle Mischung des Gefäßinhalts erreicht, und die Gefäße brauchen nicht — wie sonst beim „Kippen" — aus dem Wasserbad herausgenommen zu werden.

Die zu wählende Größe der Gefäße richtet sich vor allem nach den zu erwartenden Gasumsätzen. Je kleiner diese sind, um so kleiner wird man den Rauminhalt der Gefäße wählen. Mit einer so erreichten Steigerung der Empfindlichkeit nehmen bei dem offenen Manometer allerdings auch die Störmöglichkeiten durch Temperatur- und Luftdruckschwankungen zu (s. S. 64). Mit dem offenen Manometer lassen sich — bei nicht zu ungünstigen Temperatur- und Luftdruckverhältnissen in dem Arbeitsraum — Messungen mit Gefäßen von etwa 5 ml Rauminhalt noch gut durchführen. Für die im allgemeinen zu messenden Gasumsätze (etwa zwischen 20 und 200 μl) sind Gefäße mit einem Rauminhalt von 10—20 ml zweckmäßig. Verwendet man mit dem BARCROFTschen Differentialmanometer besonders kleine Gefäße, so ist zu überprüfen, wie weit die Vereinfachungen in Gl. (20), die zu Gl. (21) oder (21a) führten, noch zulässig sind.

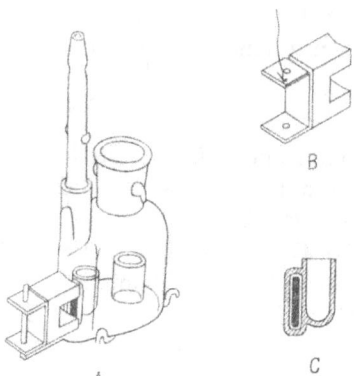

Abb. 29 A—C. Reaktionsgefäß mit „magnetischer Betätigung". *A* Glockenförmiges Reaktionsgefäß mit Magnet, magnetischem Einsatzgefäß, exzentrisch angeordnetem Einsatz (für Lauge usw.) und seitlich am Gefäß angebrachtem Tubus für Ventilstopfen; *B* Magnet; *C* Einsatzgefäß (Rauminhalt etwa 0,4 ml) mit eingeschmolzenem Eisenkern.

Um die Gefäße zum Einkippen einer Lösung in den Hauptraum nicht aus dem Wasserbad herausnehmen zu müssen, können Gefäße mit einer magnetischen Vorrichtung[1, 2] verwendet werden. Das Reaktionsgefäß (Abb. 29) besitzt keinen Anhang; an dessen Stelle tritt ein kleines Einsatzgefäß mit einem eingeschmolzenen Eisenkern. Das Einsatzgefäß wird mit Inhalt in den Hauptraum des Reaktionsgefäßes gebracht. Durch einen außen an dem Gefäß mit Drahtbügelhalterung befestigten Magneten wird dieses Gläschen an der Innenwandung des Reaktionsgefäßes in aufrechter Stellung festgehalten. Soll die in dem Einsatzgefäß befindliche Flüssigkeit zu der im Hauptraum vorhandenen hinzugefügt werden, so wird der Magnet abgezogen; das Einsatzgefäß fällt um und wird durch die Schüttelbewegungen, die nicht unterbrochen werden, ausgespült.

Gelegentlich ist es wünschenswert, daß der Gefäßhals einen weiteren Durchmesser hat als üblich, z.B. zum Einführen besonderer Gefäße in den Innenraum. Damit die weithalsigen Gefäße mit den normalen Schliffen der Manometer verbunden werden können, werden Reduzierstücke verwendet, deren Außenschliff zu dem Schliff des Gefäßes und deren Innenschliff zu dem Schliff des Manometers paßt. Ferner werden manchmal Manometer und Gefäß durch ein Zwischenstück (mit normalen Schliffen) verbunden, wenn Versuche unter sterilen Bedingungen durchgeführt werden sollen, oder auch, um den Übertritt pathogener Keime in das Manometer zu verhindern. Das Zwischenstück wird dann mit einem Wattebausch versehen und nötigenfalls sterilisiert. Die Eichung von Manometer und Gefäß muß in diesen Fällen natürlich in Verbindung mit dem Reduzier- bzw. Zwischenstück erfolgen.

Einige für besondere Messungen vorgesehene Gefäßformen werden bei den betreffenden Methoden beschrieben.

4. Manometerflüssigkeiten.

Das spez. Gew. der Manometerflüssigkeit muß bekannt sein; es wird nötigenfalls mit dem Pyknometer bestimmt. Der Normaldruck = 760 mm Hg ist $760 \cdot \dfrac{13,6}{D}$ mm Manometerflüssigkeit, wenn D das spez. Gew. der Manometerflüssigkeit ist. Die Manometer-

---
[1] KELLER, H.: Naturwiss. **39**, 109 (1952).
[2] Hersteller: B. Braun, Melsungen.

flüssigkeit soll ein gutes Benetzungsvermögen besitzen. Die Manometer sollen in nicht allzu langen Zeitabständen mit frischer Lösung gefüllt werden, auf jeden Fall dann, wenn in der Lösung Ausscheidungen auftreten. Durch Verdünnung (Aufnahme von Wasserdampf) oder Verdunstung kann sich das spez. Gew. der in den Manometern befindlichen Flüssigkeit merklich ändern.

Brodiesche Lösung. Als Manometer- oder Sperrflüssigkeit wird am häufigsten BRODIE-Lösung verwendet. Zusammensetzung: 23 g NaCl + 5 g Natriumcholat, mit Wasser ad 500 ml. Zur Konservierung werden der filtrierten Lösung einige Tropfen einer konzentrierten alkoholischen Thymollösung zugesetzt. Um die Lösung kontrastreicher zu machen, wird sie mit Evansblau, Methylenblau oder Säurefuchsin angefärbt. Das spez. Gew. der BRODIE-Lösung ist bei Zimmertemperatur 1,033—1,034, so daß 10000 mm der Lösung dem Normaldruck von 760 mm Hg gleichgesetzt werden können.

Manometerflüssigkeit nach KREBS[1] (modifizierte BRODIE-Lösung). Natriumcholat wird als Netzmittel mit Vorteil durch nichtionisierende Detergentien ersetzt. Es werden Detergentien vom Typus des Alkylarylpolyäthoxyäthanols

$$\text{Alkyl} - \langle \text{C}_6\text{H}_4 \rangle - \text{O} - (\text{CH}_2 - \text{CHOH})_n - \text{CH}_2 - \text{CH}_2\text{OH}$$

empfohlen. An die Stelle von NaCl tritt NaBr, um Trübungen zu vermeiden. Zusammensetzung: 44 g NaBr (bei 105—110°C getrocknet) + 1 g Stergen oder Lissapol N (beide als 30%iger Sirup) + 0,3 g Evansblau, mit Wasser ad 1000 ml. Die Lösung hat bei 20°C ein spez. Gew. von 1,033. Ihre Vorteile gegenüber der BRODIE-Lösung bestehen in einem besseren Reinigungsvermögen (und damit besserer Benetzung von fettig gewordenen Capillaren), einer längeren Haltbarkeit und in einem schnelleren Verschwinden von Luftblasen, die gelegentlich in der mit Flüssigkeit gefüllten Manometercapillare auftreten können.

Die drei folgenden Lösungen haben ein höheres spez. Gew. als die BRODIE-Lösung. Sie werden als Manometerflüssigkeiten verwendet, wenn größere Gasdruckänderungen zu messen sind. In entsprechenden Fällen dient dazu auch Hg.

Bleiperchloratlösung. Sie wird nach KREBS[2] folgendermaßen hergestellt: 100 g Perchlorsäure (spez. Gew. 1,67) werden mit 20 ml Wasser verdünnt. Zu der Lösung wird so viel Bleicarbonat hinzugegeben, bis sich das zugefügte Bleicarbonat nicht mehr löst. Vom ungelösten Bleicarbonat wird abzentrifugiert. Die klare Lösung wird mit 0,1% cholsaurem Natrium versetzt. Nach Filtrieren wird die Lösung mit Wasser verdünnt, bis das spez. Gew. 2,068 (also das Doppelte des spez. Gew. der BRODIE-Lösung) beträgt. 5000 mm der Perchloratlösung entsprechen dann 760 mm Hg.

Kaliumquecksilberjodid-Lösung. Eine konzentrierte Lösung von K_2HgJ_4 mit dem spez. Gew. 3,1 wurde von FRANKE und MÖNICH[3] als Manometerflüssigkeit verwendet. Herstellung der Lösung nach BREGOFF und KAMEN[4]: 166 g KJ werden in 100 ml dest. Wasser gelöst. Die Lösung wird zu 227 g HgJ_2 gegeben. Die Lösung (191 ml) hat ein spez. Gew. von etwa 2,6. Sie wird im Vakuum über konzentrierter Schwefelsäure bis auf ein Volumen von 140 ml eingeengt; Kristalle werden abfiltriert. Die konzentrierte Lösung hat ein spez. Gew. von 3,10, so daß 3333 mm der Lösung 760 mm Hg entsprechen.

Clerici-Lösung. Zusammensetzung: 7 g Thalliummalonat + 7 g Thalliumformiat + 1 ml Wasser. Die Lösung kann von Merck bezogen werden. Manche Untersucher fügen der Lösung eine kleine Menge (0,1%) Natriumtaurocholat hinzu. Um die manchmal eintretende Ausscheidung von Kristallen in der Manometercapillare zu vermeiden, läßt man die Lösung etwa 2 Tage lang bei einigen Graden unterhalb der Raumtemperatur

---

[1] KREBS, H. A.: Biochem. J. 48, 240 (1951).
[2] KREBS, H. A.: B. Z. 220, 250 (1930).
[3] FRANKE, W., u. J. MÖNICH: B. Z. 319, 174 (1948).
[4] BREGOFF, H. M., and M. D. KAMEN: Arch. Biochem. 36, 202 (1952).

stehen und filtriert sie dann[1]. Das spez. Gew. der Lösung wird bei Raumtemperatur bestimmt (es beträgt bei 15° C 4,05—4,06). Der als Reservoir am Manometer dienende Gummischlauch muß einige Zeit mit der CLERICI-Lösung vorbehandelt werden, um ein Dunkelwerden der Lösung im Manometer zu verhindern. Zu der im Manometer befindlichen CLERICI-Lösung darf kein Wasser gelangen, weil sich dadurch das spez. Gew. der Lösung erheblich ändern würde. Bei der Durchgasung der Manometer wird der feuchte Gasstrom deshalb durch ein mit Watte beschicktes Röhrchen geleitet, um ein Übertreten von mitgerissenen Wassertröpfchen in die Manometerflüssigkeit zu verhindern.

Organische Flüssigkeiten. Um höhere Manometerausschläge als mit den wäßrigen Lösungen zu erreichen, werden organische Flüssigkeiten mit einem spez. Gew. von weniger als 1 gewählt. Die Eignung einer organischen Flüssigkeit als Manometerflüssigkeit hängt von verschiedenen Eigenschaften ab: sie soll chemisch beständig und nicht aggressiv oder toxisch sein, und sie soll einen niedrigen Dampfdruck haben; außerdem soll ihre Viscosität nicht hoch sein.

Für Differentialmanometer wird häufig (mit Sudan III angefärbtes) flüssiges Paraffin (spez. Gew. etwa 0,88) verwendet. Die zwischen 160 und 190° C siedende Fraktion von flüssigem Paraffin hat einen niedrigen Dampfdruck und ist auch in engen Capillaren gut beweglich, ebenso die als Kerosin bezeichnete Rohölfraktion. Zur Reinigung — besonders zur Entfernung von ungesättigten Verbindungen, die zur Entstehung von harzigen Niederschlägen an den Capillarwandungen führen können — wird Kerosin während einiger Tage mit konzentrierter Schwefelsäure behandelt und dann in einem geschlossenen Gefäß über festem Natriumhydroxyd aufgehoben. WARBURG[2] benutzt für Differentialmanometer Capronsäure, deren Normaldruck bei 16° C 11160 mm beträgt. Als Manometerflüssigkeit von niedrigem spez. Gew. (0,692) kann Trimethylpentan dienen. Bei volumetrischen Messungen ist als „Indexflüssigkeit" in engen Capillaren 2,7-Dimethyloctan (Isodecan) wegen seiner leichten Beweglichkeit besonders geeignet[3].

5. Gase und Gasgemische.

Manche Messungen erfordern, daß die Luft im Gasraum des Versuchsgefäßes durch ein reines Gas oder durch ein Gasgemisch von bekannter Zusammensetzung ersetzt wird. Die für manometrische Messungen am häufigsten verwendeten Gase und Gasgemische können in der Regel in Stahlzylindern bezogen werden. Die Gasflaschen werden mit einem Manometer und einem Reduzierventil mit Feinregulierung versehen. Um eine Entmischung zu unterdrücken, werden Gasgemische enthaltende Stahlflaschen wenigstens während des Nichtgebrauchs horizontal gelagert.

a) Herstellung von Gasgemischen.

Gasgemische in Stahlflaschen können im Laboratorium aus käuflichen Gasen auf folgende Weise hergestellt werden[4]: Eine reines Gas enthaltende, mit Manometer versehene Spenderflasche A wird durch ein dünnes Kupferrohr (von 3 mm lichter Weite und 6 mm äußerem Durchmesser) mit der (kleineren) Empfängerflasche B, die das Gasgemisch enthalten soll, verbunden. Ist das Ventil von B geschlossen, das Ventil von A geöffnet, so zeigt das Manometer den Druck in der Flasche A an; ist das Ventil von A geschlossen und von B geöffnet, so zeigt das Manometer den Druck in B an. Um auch kleinere Überdrucke genau genug ablesen zu können, werden eventuell zwei Manometer benötigt. Soll z.B. ein Gasgemisch hergestellt werden, das 5 Vol.-% Kohlendioxyd in Stickstoff enthält, so wird die Empfängerflasche B zuerst mit Stickstoff „gespült", indem man N_2 in die Flasche einleitet und dann wieder entweichen läßt. Dann wird A durch

---

[1] DIXON, M., and D. KEILIN: Biochem. J. **27**, 86 (1933).
[2] WARBURG, O.: Über den Stoffwechsel der Tumoren. S. 3. Berlin 1926.
[3] TOBIAS, J. M., and R. W. GERARD: Proc. Soc. exp. Biol. Med. **47**, 531 (1941).
[4] WARBURG, O.: B. Z. **152**, 51 (1924). — KREBS, H. A.; in: Oppenheimer, Fermente. Bd. IV, S. 640.

eine mit Kohlensäure gefüllte Stahlflasche ersetzt. B wird mit CO_2 bis zu einem Überdruck von 5 Atmosphären, anschließend mit N_2 bis zu einem Überdruck von 100 Atmosphären gefüllt.

Sind Gasgemische häufiger herzustellen, so dürfte sich die Anschaffung einer von BARTELS, BÜCHERL, HERTZ, RODEWALD und SCHWAB[1] angegebenen, von den Draeger-Werken, Lübeck, hergestellten Einrichtung (Abb. 30) empfehlen.

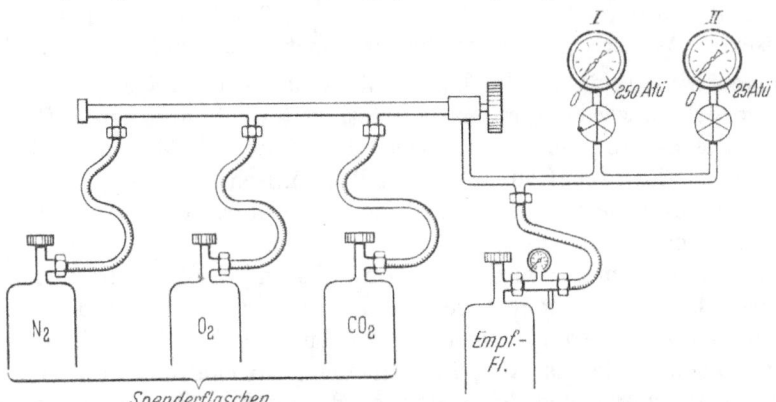

Abb. 30. Einrichtung zur Herstellung von Gasgemischen (nach BARTELS, BÜCHERL, HERTZ, RODEWALD und SCHWAB[1]).

BARTELS et al.[1] weisen auch auf folgendes hin: „O_2 soll möglichst nicht zuletzt eingefüllt werden, da Gefahrenmomente mit steigendem Druck zunehmen. Als Gemischflaschen sollen immer die gleichen Flaschen verwendet werden. Sie dürfen dann nicht mehr zur Füllung mit reinem O_2 weggegeben werden, da aus den N_2-Flaschen Ölspuren überführt worden sein können und es bei Sauerstofffüllung unter hohen Drucken zur Explosion kommen kann. Im übrigen sei auf die Vorschriften der ‚Druckgasverordnung'[2] hingewiesen."

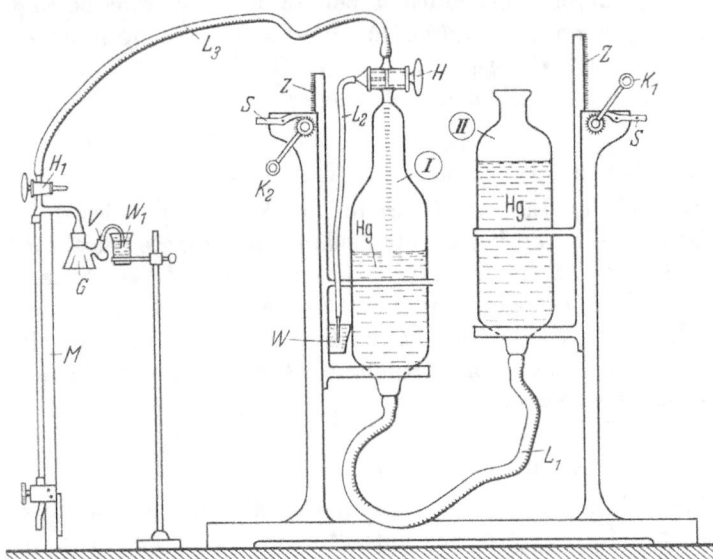

Abb. 31. Vorrichtung für die Herstellung von Gasgemischen und zur Durchgasung der Manometer (nach WARBURG, KUBOWITZ und CHRISTIAN[3]). I und II Zylinder aus starkwandigem Glas von je 2 Liter Inhalt, Zylinder I mit geeichter Teilung; Hg Quecksilber; Z Zahnstangen; K_1 und K_2 Kurbeln; S Sperrvorrichtung zur Feststellung der Zylinder in beliebiger Stellung; H und H_1 Schwanzhähne; G Versuchsgefäß; M Manometer; V Ventilstopfen; W und W_1 Gefäße mit Sperrwasser; L_1, L_2, L_3 Gummischläuche.

Kleinere Mengen von Gasgemischen lassen sich in graduierten Flaschen aus Glas herstellen, indem man aus der Flasche bestimmte Volumina einer gesättigten Salzlösung (in der Gase im allgemeinen weniger löslich sind als in Wasser) durch die einzelnen Gase verdrängt. Zur Gasfüllung der Gefäße und Manometercapillare verdrängt man das Gasgemisch aus der Flasche durch Zulaufenlassen von Wasser aus einer höher gestellten zweiten Flasche. Enthält das Gasgemisch CO_2, so ist das zufließende Wasser vorher mit CO_2 (von möglichst gleichem Partialdruck wie in dem Gasgemisch) zu sättigen,

---

[1] BARTELS, H., E. BÜCHERL, C. W. HERTZ, G. RODEWALD u. M. SCHWAB: Lungenfunktionsprüfungen. S. 395. Berlin-Göttingen-Heidelberg 1959.
[2] ENGEL, G.: Druckgasverordnung. Bonner Univ.-Buchdruckerei 1935 u. 1952.
[3] WARBURG, O., F. KUBOWITZ u. W. CHRISTIAN: B. Z. **242**, 170 (1931).

da sich sonst wegen der hohen Löslichkeit von CO_2 in Wasser die Zusammensetzung des Gasgemisches ändert. Wegen der Löslichkeit von Gasen auch in gesättigten Salzlösungen besteht immer die Möglichkeit, daß sich die Zusammensetzung des Gasgemisches nach einiger Zeit mehr oder weniger geändert hat.

Zur Herstellung und zum Aufbewahren von kleineren Mengen Gasgemisch sind Quecksilber-Gasometer besser geeignet. In ihnen können auch reine Gase, die mit Wasser oder mit Sauerstoff reagieren (z. B. Stickoxyde) aufbewahrt werden. Abb. 31 veranschaulicht eine von WARBURG, KUBOWITZ und CHRISTIAN[1] angegebene Vorrichtung. Durch Senken des Hg-Niveaus in II können zur Herstellung des Gemisches in I bestimmte Gasvolumina eingesaugt werden; durch Zufließenlassen von Hg aus II erfolgt die Durchgasung des mit I verbundenen Manometers und Gefäßes. Ein anderer Quecksilber-Gasometer wird von HARTREE und HARPLEY[2] angegeben.

Über die Darstellung von Kohlenmonoxyd s. Bd. II, S. 248—249.

Die quantitative Zusammensetzung von Gasgemischen wird im Gasanalysenapparat nach HALDANE (Bd. II, S. 195), im Mikrogasanalysenapparat nach SCHOLANDER (Bd. II, S. 204) oder im manometrischen Apparat nach VAN SLYKE (Bd. II, S. 254) kontrolliert. Der CO_2-Gehalt läßt sich manometrisch auch nach den hier S. 275 angegebenen Methoden bestimmen.

Gummi ist ziemlich leicht durchlässig für CO_2. Gummischlauchverbindungen sollen deshalb bei Verwendung von CO_2 enthaltenden Gasgemischen immer möglichst kurz gehalten werden.

b) Herstellung anaerober Bedingungen.

Um in dem Versuchsgefäß anaerobe Bedingungen zu schaffen, wird der Gasraum mit einem sauerstofffreien Gas oder Gasgemisch gefüllt, oder Spuren von Sauerstoff, die in dem verwendeten ungereinigten Füllgas vorhanden sind, werden im Versuchsgefäß durch ein Absorptionsmittel gebunden. Am häufigsten wird für diesen Zweck Stickstoff oder CO_2 in Stickstoff als Füllgas verwendet. Stickstoff ist für tierische Gewebe indifferent, ebenso Argon und Helium. Manche Bakterien können N_2 assimilieren; außerdem beeinflußt N_2 den Stoffwechsel von bestimmten Bakterien[3]. In diesen Fällen ist N_2 also nicht indifferent. Auch H_2 ist für mehrere Bakterienarten nicht indifferent. Da unter Druck aufbewahrter Stickstoff Spuren von giftigen Stickoxyden enthalten kann, verwendet WARBURG für Stoffwechselmessungen Argon an Stelle von Stickstoff.

Der käufliche, technische Stickstoff kann bis zu etwa 5% Sauerstoff enthalten. Da die Zellatmung erst bei extrem niedrigen O_2-Drucken beträchtlich absinkt, muß diese Menge aus dem Stickstoff (oder aus einem anderen Füllgas) für anaerobe Versuche entfernt werden. Besonders gereinigter Stickstoff (mit weniger als 0,01% O_2) kann von der Gesellschaft für Linde's Eismaschinen, Nürnberg, oder von der Knapsack-Griesheim Aktiengesellschaft, Dortmund, bezogen werden.

Nach WARBURG und KUBOWITZ[4] beträgt die Atmung von Hefezellen bei einem O_2-Druck von 0,41 mm Hg noch 65% der in Luft gemessenen Atmung. Nach TIEDEMANN[5] ist die Atmung von EHRLICH-Ascitestumorzellen (Maus) in reinem O_2 und in Luft gleich groß, in 2 Vol.-% O_2 nur um etwa 30% geringer. Homogenate von Rattengehirn nehmen nach ELLIOTT und HENRY[6] bei einem O_2-Druck von 4 mm Hg ebenso viel Sauerstoff auf wie in Luft. Mit Mitochondrien aus Rattenleber fanden BÄNDER und KIESE[7], daß die O_2-Aufnahme bei 37° C erst bei einem O_2-Partialdruck von 1 mm Hg auf die Hälfte herabgesetzt ist. Dagegen ist die Atmung von Gewebeschnitten bei sehr niedrigen

---

[1] WARBURG, O., F. KUBOWITZ u. W. CHRISTIAN: B. Z. **242**, 170 (1931).
[2] HARTREE, E. F., and C. H. HARPLEY: Biochem. J. **44**, 637 (1949).
[3] BREGOFF, H. M., and M. D. KAMEN: Arch. Biochem. **36**, 202 (1952).
[4] WARBURG, O., u. F. KUBOWITZ: B. Z. **214**, 5 (1929).
[5] TIEDEMANN, H.: Z. ges. exp. Med. **119**, 272 (1952).
[6] ELLIOTT, K. A. C., and M. HENRY: J. biol. Ch. **163**, 351 (1946).
[7] BÄNDER, A., u. M. KIESE: A.e.P.P. **224**, 312 (1955).

O_2-Drucken nur noch gering, weil dann nur die oberflächlichsten Zellen mit Sauerstoff versorgt werden.

Der als Verunreinigung im Handelsstickstoff vorhandene Sauerstoff kann verhältnismäßig bequem entfernt werden, wenn man den Stickstoff (oder auch das N_2 und CO_2 enthaltende Gasgemisch) über Kupferdrahtspäne leitet, die sich in einem Verbrennungsrohr befinden und auf etwa 600° C erhitzt werden. Die Vorrichtung kann als elektrisch geheiztes Gerät in einer Werkstatt hergestellt werden[1, 2]. Das Rohr aus schwer schmelzbarem Glas (z.B. Jenaer Geräteglas oder Pyrex-Glas Nr. 172) ist etwa 70 cm lang; es hat einen inneren Durchmesser von 16 mm und einen äußeren Durchmesser von 20 mm. Es wird an einem Ende lang ausgezogen und mit einer Schlaucholive versehen. Das Rohr wird in Strecken von je 5 cm abwechselnd mit dicht gewickelten und an die Wandung eng anschließenden Rollen aus feinem Kupferdrahtnetz und mit kurzen Stückchen Kupferdraht beschickt. Die Füllung muß so geschehen, daß sich kein durchgehender

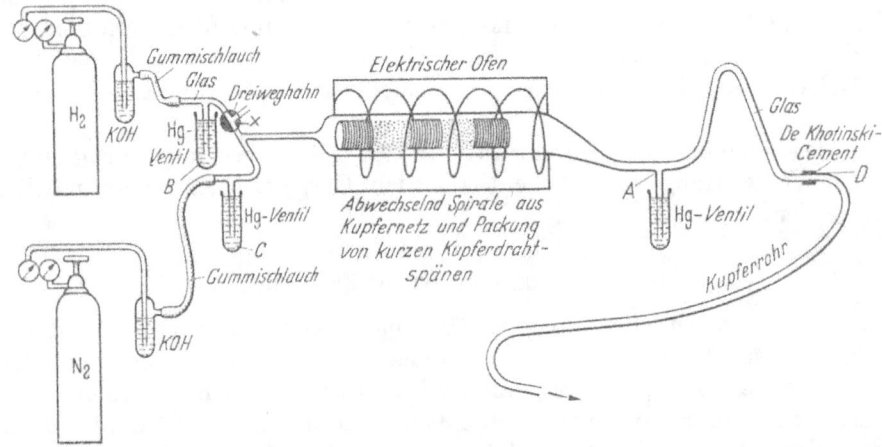

Abb. 32. Vorrichtung zur Befreiung der Gase von Sauerstoff (schematisch nach MICHAELIS und RONA[1]). *A*, *B* und *C* Quecksilberventile; *D* Verbindungsstelle zwischen Glas- und Kupferrohr. Die relativen Größenverhältnisse der einzelnen Teile entsprechen nicht der Wirklichkeit.

Luftkanal bildet. Je einige Zentimeter von den Enden entfernt wird das Rohr außen mit zwei Lagen von dünnem Asbestpapier versehen und gleichmäßig (3—3,5 Windungen pro cm) mit etwa 1,2 m Widerstandsdraht (z.B. Nichrom, 0,065 Ohm/cm bei 110 Volt) umwickelt. Die Drahtwindungen werden mit zwei Lagen Asbestpapier, das mit Asbestschnur dicht umwickelt wird, und durch eine 15 mm dick aufgetragene Schicht von Asbestpaste isoliert. Nach dem Trocknen der Asbestpaste wird das Rohr mit einer weiteren Lage Asbestpapier versehen, die durch ein paar Drahtwindungen festgehalten wird. Die Vorrichtung wird schräg gelagert oder an einem Stativ aufrecht befestigt. Die Gaseinleitung erfolgt am oberen Ende. Die Verbindung des unteren Endes mit den Manometern geschieht über eine kleine Waschflasche (in der das bei der Reduktion des Kupferoxyds entstehende Wasser aufgefangen wird) durch möglichst kurze Gummischlauchstücke. Die Aufheizung dauert etwa 20 min. Nach Beendigung der Durchgasung und nach dem Ausschalten der elektrischen Heizung leitet man bis zur Abkühlung noch Gas durch. Die Regeneration des teilweise oxydierten Kupfers geschieht durch langsames Überleiten von Wasserstoff. Zur Verdrängung von Luftsauerstoff aus dem Verbrennungsrohr wird H_2 bereits vor dem Aufheizen eingeleitet; dann erst wird das Gerät unter weiterem Durchleiten von H_2 geheizt. Durch einen Zweiwegehahn kann man je nach Bedarf das zu reinigende Gas oder den Wasserstoff in das Rohr eintreten lassen.

In Abb. 32 ist eine Vorrichtung zur Befreiung der Gase von O_2 schematisch wiedergegeben. Diese Anordnung enthält zusätzlich Quecksilberventile; das Glasrohr wird nach

---

[1] MICHAELIS, L., u. P. RONA: Praktikum der physikalischen Chemie. 4. Aufl., S. 209. Berlin 1930.
[2] ELLIOTT, K. A. C.: Canad. J. Res. (F) **27**, 299 (1949).

der Füllung an beiden Enden ausgezogen, und das eine (abführende) Glasrohrende wird mit einem Kupferrohr verbunden.

Diese Reinigungsmethode ist wirksam und wird häufig angewendet. Beachtung verdient, daß beim Überleiten von N_2 über glühendes Kupfer nach KEILIN und HARTREE[1] Stickoxyde entstehen können, die die Wirkung von Katalase hemmen.

Von MEYER und RONGE[2] wird zur Entfernung von O_2 an Diatomeenerde präcipitiertes Kupferhydroxyd ($Cu(OH)_2$), das getrocknet und mit H_2 reduziert wird, empfohlen. Dieses Präparat ist bereits bei 200—300° C wirksam. Entfernung von O_2 mit Vanadylsulfat und Zn-Hg-Amalgam s. [3].

Alkalische Pyrogallollösung, in Gaswaschflaschen eingefüllt, wird gelegentlich zur Entfernung von O_2 verwendet. Die alkalische Lösung bindet aber auch CO_2, und unter bestimmten Bedingungen soll sie Kohlenmonoxyd abgeben. Auch das Reagens von FIESER[4] absorbiert sowohl O_2 als auch CO_2. Es enthält in 100 ml 16 g Natriumdithionit ($Na_2S_2O_4$), 13,3 g NaOH und 2 g Anthrachinon-β-sulfonat.

Eine strenge Anaerobiose während der Messung wird nach WARBURG[5] erreicht, wenn man in den Einsatz oder in den Anhang des Reaktionsgefäßes dünne Stäbchen (von 2—3 mm Durchmesser) von frischgeschmolzenem gelbem Phosphor gibt, zusammen mit 0,1—0,2 ml Wasser. (Das Wasser löst das bei der Oxydation von P entstehende P_2O_5 unter Bildung von Phosphorsäure.) Es ist zu beachten, daß Phosphordämpfe auf Zellen giftig wirken können. Bei Versuchstemperaturen über 30° C sollte Phosphor wegen seines dann erheblichen Dampfdruckes nicht angewendet werden[6]. Im übrigen hat Phosphor den Vorzug, daß er auch in Gegenwart von CO_2 als Absorptionsmittel für O_2 anwendbar ist.

Mit Hilfe von Phosphor kann man auch Gase vor dem Einfüllen in die Versuchsgefäße von O_2 befreien. Dazu gibt man in eine größere (mit Zu- und Ableitung versehene) Flasche oder in einen Erlenmeyerkolben etwas Wasser und 1—2 g Stückchen von gelbem Phosphor (dessen Oxydschicht man vorher durch Abkratzen unter Wasser entfernt). Die Phosphorstückchen werden von dem Wasser nur dann vollständig bedeckt, wenn man das Gefäß schräg stellt; auf diese Weise kann man den Phosphor von dem Gasraum abschließen oder ihn — bei aufrechter Stellung des Gefäßes — zum Gasraum hin freilegen. Man verdrängt die Luft aus dem Gefäß mit dem von O_2 zu befreienden Gas oder Gasgemisch (zweckmäßig durch Einströmenlassen des Gases in das vorher evakuierte Gefäß und Wiederholung dieses Vorganges). Oder man füllt das Gefäß zuerst mit Wasser, trägt zerkleinerten Phosphor ein und verdrängt das Wasser bis auf einen kleinen Rest mit dem zu reinigenden Gas in ein höher gelegenes Reservegefäß[7]. Man verschließt das Gefäß gut und läßt den Phosphor mehrere Tage bei Raumtemperatur und im Dunkeln auf das Gas einwirken. Ist das Gas vollständig von O_2 befreit, so treten beim Schütteln keine weißen Nebel mehr auf (an der Nebelbildung sind noch O_2-Spuren von 0,001% zu erkennen[8]). Zur Füllung der Gefäße mit dem auf diese Weise von O_2 befreiten Gas wendet man die Evakuierungsmethode (S. 131) an, da jeweils nur kleine Gasmengen zur Verfügung stehen.

Wie Phosphor bietet auch eine Lösung von Chrom(II)-chlorid den Vorteil, O_2 ohne Änderung des CO_2-Druckes zu absorbieren. Die Chrom(II)-chloridlösung darf nicht stark sauer sein, weil sie dann Wasserstoff entwickelt. Eine geeignete Lösung von Chrom(II)-chlorid, die bei 38° C wenig Wasserstoff entwickelt und die Sauerstoff auch bei sehr kleinen Drucken mit großer Geschwindigkeit absorbiert, wird nach einer von WARBURG,

---

[1] KEILIN, D., and E. F. HARTREE: Nature 152, 626 (1943).
[2] MEYER, F. R., u. G. RONGE: Angew. Chem. 52, 637 (1939).
[3] MEITES, L., and T. MEITES: Analyt. Chem., Washington 20, 984 (1948).
[4] FIESER, L. F.: Am. Soc. 46, 2639 (1924).
[5] WARBURG, O.: B. Z. 177, 471 (1926).
[6] WARBURG, O., F. KUBOWITZ u. W. CHRISTIAN: B. Z. 242, 170 (1931).
[7] FRUNDER, H.: H. 297, 267 (1954).
[8] STRUTT, R. J.: Physik. Z. 14, 215 (1913).

Kubowitz und Christian[1] wiedergegebenen Vorschrift von Negelein wie folgt erhalten: 5,5 g reines Chrom werden zu 100 ml 2 n HCl, die sich in einem kleinen, mit Bunsenventil versehenen Kolben befindet, gegeben. Das Chrom löst sich unter Erwärmen; nach etwa 18 Std ist die Wasserstoffentwicklung beendet. Die Lösung, die nur einige Sekunden dem Luftsauerstoff ausgesetzt werden darf, soll auch in dicker Schicht blau (nicht violett) sein. Sie wird in Röhrchen gefüllt, die mit einem Glasstopfen luftfrei verschlossen werden; sie kann so wochenlang aufgehoben werden. 0,2 ml dieser Lösung können 1120 μl O_2 absorbieren. 45 μl O_2 (erzeugt aus $KMnO_4 + H_2O_2$) werden in etwa 5 min vollständig absorbiert.

Nach Warburg und Krippahl[2] ist es vorzuziehen, statt einer Lösung von $CrCl_2$ festes und trockenes $CrCl_2$ (Riedel de Haen) in das Gefäß zu bringen und es erst im Gefäß zu lösen. Dazu wird ein Gefäß mit Wanne, die mit dem Gefäßanhang in Verbindung steht, verwendet (S. 100, Abb. 28). Um das $CrCl_2$ vor Wasserdämpfen zu schützen, wird es mit wasserfreiem $CaCl_2$ gemischt; es absorbiert dann nur wenig O_2. Zum Beispiel gibt man 12 mg $CrCl_2$ mit 20 mg $CaCl_2$ in den Anhang und 0,4 ml Wasser in die Wanne. Zur gegebenen Zeit — vor Beginn der Messung, wenn man im Gefäß von Anfang an anaerobe Bedingungen herstellen will, oder zur Zeit t_1, wenn man im Verlaufe der Versuchszeit von aeroben zu anaeroben Bedingungen übergehen will oder wenn man den zur Zeit t_1 vorhandenen O_2-Druck messen will — kippt man den Inhalt aus dem Anhang in die

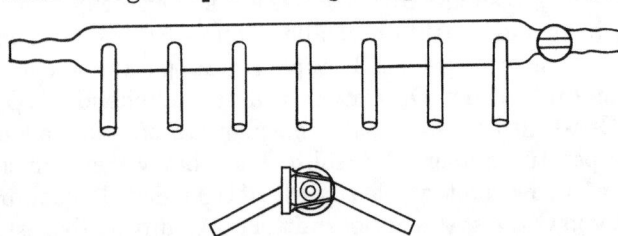

Abb. 33. Gasverteilungsrohr (schematisch) mit seitlichen Abgängen zum Anschluß von 14 Manometern.

Wanne. Das $CrCl_2$ löst sich schnell auf und absorbiert dann den im Gasraum vorhandenen O_2 in wenigen min. 12 mg $CrCl_2$ können 560 μl O_2 absorbieren. (Nötigenfalls — wenn dieses Verfahren zur Messung des O_2-Druckes angewendet wird — ist der beim Überführen des Salzgemisches aus dem Anhang in die Wanne entstehende „Einkippdruck" zu berücksichtigen. Der mit einem anderen Gefäß und Manometer gemessene Einkippdruck [mm Manometerflüssigkeit] wird mit umgekehrtem Vorzeichen zu der im Versuchsgefäß nach der O_2-Absorption gemessenen Druckänderung addiert.)

Werden Absorptionsmittel für O_2 in das Versuchsgefäß gebracht, so ist ein Kontrollgefäß mit der gleichen Menge Absorptionsmittel und mit dem gleichen Gas mitzuführen. Am Stand der Manometerflüssigkeit ist die Beendigung der O_2-Absorption und auch eine etwaige Gasentwicklung aus dem Absorptionsmittel zu erkennen.

c) Gasverteilungsrohr und Überdruckventil.

Um mehrere Manometer mit Gefäßen gleichzeitig durchgasen zu können, verwendet man ein Gasverteilungsrohr (Abb. 33). Es besteht aus einem weiten Glasrohr mit englumigeren Abgängen, die durch möglichst kurze Gummischläuche mit den gefäßführenden Manometerarmen verbunden werden. Das eine, mit einer Schlaucholive versehene Ende des Verteilungsrohres wird — unter Zwischenschaltung eines Ventils (siehe unten) und einer Waschflasche — mit dem Gasbehälter verbunden. Durch einen an dem anderen Ende angebrachten Hahn kann der Gasstrom nach Beendigung der Manometerdurchgasung abgeleitet werden. Nach dem Abstellen der Gaszufuhr sind das Verteilungsrohr und die Gummischläuche noch mit dem betreffenden Gas gefüllt, so daß bei (zu dem Rohr hin) geöffneten Manometerhähnen nötigenfalls ein Ausgleich des Druckes in den Gefäßen mit dem atmosphärischen Druck abgewartet und auch die Einstellung der Manometerflüssigkeit ohne Gefahr eines Luftzutritts vorgenommen werden kann. Das

---

[1] Warburg, O., F. Kubowitz u. W. Christian: B. Z. **242**, 170 (1931).
[2] Warburg, O., u. G. Krippahl: Z. Naturforsch. **15**b, 786 (1960). — Verbesserung der Methode s. Warburg, O., G. Krippahl, A.-W. Geissler u. S. Lorenz: Z. Naturforsch. **17**b, 281 (1962).

Gasverteilungsrohr wird am zweckmäßigsten über dem Thermostaten angebracht. Es erlaubt die Durchgasung eines ganzen Manometersatzes (z.B. von 14 Manometern mit Gefäßen) bei der Temperatur des Thermostaten. Bei runden Thermostaten wird statt eines Gasverteilungsrohres eine Gasverteilungskugel verwendet, falls der Thermostat nicht schon mit einer kranzförmig angeordneten Gasverteilung versehen ist.

Als Ventil gegen einen zu starken Gasstrom, der die Sperrflüssigkeit aus dem offenen Manometerarm herausdrücken könnte, kann man zwischen Gasflasche und Verteilungsrohr ein T-förmiges Glasrohr schalten, dessen langer, senkrecht nach unten führender Arm in einen etwa 30 cm hoch mit Wasser gefüllten Glaszylinder taucht (vgl. Abb. 55, S. 231). Man wählt die Eintauchtiefe des Rohres so, daß bei plötzlichem Überdruck Gas aus dem unteren Ende des Rohres entweicht, bevor die Manometerflüssigkeit herausgedrückt werden kann.

Die Gasfüllung von Manometern und Gefäßen nach dem Durchströmungs- oder Evakuierungsverfahren wird S. 129ff. näher beschrieben.

C. Eichung der Gefäße und Manometer.

Zur Berechnung der Gefäßkonstanten muß das Gasraumvolumen bekannt sein. Dazu wird das Volumen des Gefäßes, einschließlich das der Manometercapillare bis zum Niveau der Sperrflüssigkeit, bestimmt. Aus diesem „Systemvolumen" wird nach Abzug des in das Gefäß eingebrachten Volumens an Flüssigkeit und eventuell an festen Körpern das Gasraumvolumen erhalten. Die Eichung erfolgt auf gravimetrischem, volumetrischem oder manometrischem Wege. Wir beschreiben einige Eichmethoden für die Gefäße 1. in Verbindung mit dem offenen Manometer und 3. in Verbindung mit dem Differentialmanometer. Unter 2. werden verschiedene Verfahren zur Berechnung der Gefäßkonstanten k nach der durchgeführten Eichung behandelt.

1. Eichung der Gefäße in Verbindung mit dem offenen Manometer.

a) Kombinierte Eichung von Gefäß und Manometercapillare durch Auswiegen von Quecksilber.

Die gravimetrische Methode, bei der das Volumen durch Auswiegen der zur Füllung des Gefäßes und des Capillarstückes nötigen Quecksilbermenge bestimmt wird, ist wohl die genaueste. Die Eichung mit Hg erfolgt vor der Befestigung der Manometer auf den Spannleisten und vor dem Einfüllen der Manometerflüssigkeit. Der Hahnschliff des Manometers ist eingefettet; der Helmschliff wird nicht eingefettet. Gefäß und Capillarstück werden etwa auf dem folgenden Wege, der auch von SCHALES[1] beschrieben worden ist (s. Abb. 34), in einem Gange mit Quecksilber gefüllt.

Zum Auffangen überschießenden Quecksilbers wird das Reaktionsgefäß in eine Wanne mit niedrigem Rand gestellt, und das untere Ende des Manometers wird durch einen Gummischlauch verschlossen. Das Gefäß wird mit Quecksilber luftblasenfrei gefüllt. Der Helmschliff des senkrecht gehaltenen Manometers wird mit einer ziemlich schnellen Bewegung in den Hals des gefüllten Gefäßes eingeführt. Die Verbindung zwischen Gefäß und Manometer wird durch Spiralfedern befestigt. Bei dem Aufsetzen des Manometers auf das Gefäß gelangt Hg in den seitlichen Capillararm; es muß diesen bis zur Einmündung in den vertikalen Teil der Manometercapillare füllen (1 in Abb. 34). Durch vorsichtiges Klopfen oder Einblasen von Luft durch den Manometerhahn werden Quecksilbertröpfchen, die in den vertikalen Capillarteil gelangt sind, entfernt. Das am unteren Ende des Manometers zum Auffangen dieser Quecksilbertröpfchen aufgesetzte Gummischlauchstück wird entfernt. Das mit dem gefüllten Gefäß verbundene Manometer wird auf einem Dreifuß oder mit Hilfe eines Stativs in eine horizontale Lage (A in Abb. 34) gebracht. Auf den Schwanzteil des Manometerhahnes (2 in Abb. 34) wird ein unten verschlossener

---
[1] SCHALES, O.: Arch. Biochem. **3**, 475 (1944).

und mit Hg gefüllter dickwandiger Gummischlauch geschoben. Mit Hilfe einer Schraubklemme und bei der in A veranschaulichten Hahnstellung wird aus dem Schlauch langsam Hg in die Manometercapillare hineingedrückt. Das hineingedrückte Hg soll sich mit dem in der Seitencapillare befindlichen Hg vereinigen, wobei besonders darauf zu achten ist, daß dieses luftblasenfrei geschieht. Durch leichten Druck auf den Gummischlauch bringt man das Quecksilber genau bis zur „Eichmarke" („Nullmarke", „Einstellmarke"), die meistens bei 150 mm der Capillargraduierung gewählt wird. Der Hahn wird dann um 45° gedreht, so daß die Öffnungen der beiden Hahnbohrungen dem Beobachter zugekehrt sind (B). Der Gummischlauch wird entfernt. Das Manometer wird durch Anheben am oberen Ende in eine schräge Lage gebracht. Wenn die Quecksilbersäule sich etwa 2 bis 3 cm zum unteren Ende hin bewegt hat, wird der Hahn um 180° gedreht (C), so daß das in der Hahnbohrung vorhandene Hg abfließt. Das Manometer wird wieder horizontal gelegt, und durch Drehung des Hahnes (Stellung A) läßt man das Hg aus der graduierten Capillare durch die seitliche Bohrung in ein gewogenes Schälchen abfließen. Das Gefäß wird vom Manometer vorsichtig abgenommen und das darin vorhandene Hg mit dem in dem Schälchen bereits befindlichen Hg vereinigt. Die Temperatur wird gemessen, und die Quecksilbermenge wird gewogen. Dividieren des Gewichtes durch das spez. Gew. von Hg bei der gemessenen Temperatur (Tabelle 35) ergibt das gesuchte Volumen. Der Tabelle 35 kann auch das spezifische Volumen von Hg (ml Hg pro 1 g Hg) zur Berechnung des gesuchten Volumens entnommen werden.

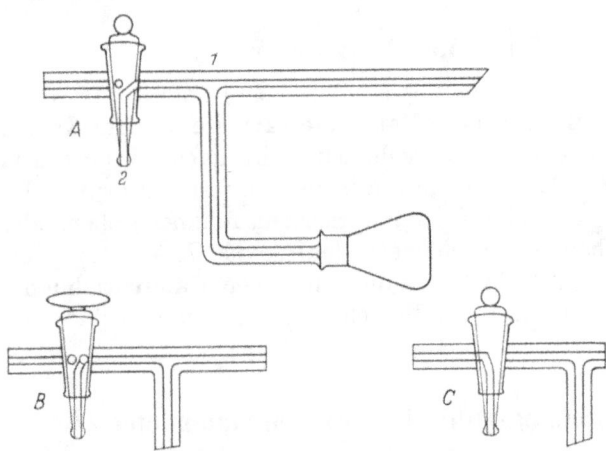

Abb. 34 A—C. Zur Eichung von Gefäß und Manometercapillare mit Quecksilber (Erläuterung s. Text).

Die Füllung der vertikalen Capillare bis zur Eichmarke mit Hg kann — statt seitlich durch den Schwanzhahn — auch vom unteren Ende des Manometers aus geschehen, indem man die obere Öffnung des linken Schenkels verschließt und das mit Hg gefüllte Gummischlauchstück mit einer schnellen Bewegung auf das untere Manometerstück aufsetzt. Bei entsprechender Neigung des Manometers und nach Abnehmen des Gummischlauches läßt man das Hg bis zur Eichmarke durch den Hahn ablaufen.

Es ist leicht zu erreichen, daß bei einer Wiederholung des Eichvorganges die Hg-Menge um nicht mehr als 0,2 g von der bei der ersten Eichung gefundenen Hg-Menge verschieden ist. Mit dieser Abweichung und bei einem Gefäßvolumen von etwa 15 ml wird das gesuchte Volumen aus dem Mittelwert von Doppelbestimmungen mit einem Fehler von etwa 0,05% erhalten. Wie erwähnt, ist bei der Eichung besonders darauf zu achten, daß das Gefäß luftblasenfrei mit Quecksilber gefüllt ist und daß sich das im seitlichen Arm befindliche Hg mit dem in die vertikale Capillare hineingedrückten Hg vollkommen vereinigt. Aus dem mit Hg gefüllten Gefäß lassen sich Luftblasen leicht mit Hilfe einer Glascapillare entfernen. Die S. 100 erwähnten „Wannengefäße" mit Hg zu eichen, ist nicht zu empfehlen.

b) Getrennte gravimetrische Eichung von Gefäß und Manometer.

Da Manometer und Reaktionsgefäße jetzt immer mit Normalschliffen versehen werden, ist die Möglichkeit gegeben, ein beliebiges Gefäß mit einem beliebigen Manometer zu verbinden. Dieser Vorteil kann für die manometrische Messung aber nur dann ausgenutzt werden, wenn man Manometer und Gefäße getrennt voneinander eicht. Das geschieht am zweckmäßigsten mit Hilfe von zwei „Vergleichsstücken", nämlich einem Eichgefäß (G_e) und einem Eichcapillarstopfen (K_e). Die Versuchsgefäße (G_v) werden in Verbindung mit dem Capillarstopfen (K_e), die Manometercapillaren (M_k) in Verbindung mit dem Eichgefäß (G_e) geeicht, außerdem wird das Volumen des Eichgefäßes (G_e) in Verbindung mit dem Capillarstopfen (K_e) bestimmt. Es werden die folgenden Volumina erhalten:

$$G_v + K_e = v'$$
$$M_k + G_e = m'$$
$$G_e + K_e = c'.$$

Das gesuchte Volumen v ($= G_v + M_k$) von Versuchsgefäß + Manometercapillare ist: $v' + m' - c'$. Aus den Werten ($m' - c'$) für jedes Manometer und v' für jedes Reaktionsgefäß kann das Volumen v bei einer beliebigen Kombination von Manometern und Gefäßen leicht berechnet werden.

DICKENS[1] verwendet als Vergleichsstücke (s. Abb. 35) ein Eichgefäß mit Schliff von etwa 10 ml Inhalt und einen eingeschliffenen, mit einer kurzen Capillare versehenen Eichstopfen. Der Schliff des Eichstopfens besitzt die gleichen Abmessungen wie der Helmschliff der Manometer. (Nach einem Vorschlag von MÖHLE[2] kann man einen vom Manometer abgebrochenen Schliff, der noch ein kurzes Capillarstück besitzt, als Eichstopfen verwenden.) Das Eichgefäß mit Eichstopfen wird leer gewogen, dann nach Füllung mit Hg bis in das obere Capillarende. Aus dem Gewicht des Hg wird das Volumen (c') des mit dem Capillarstopfen verschlossenen Eichgefäßes erhalten. Die Eichung der

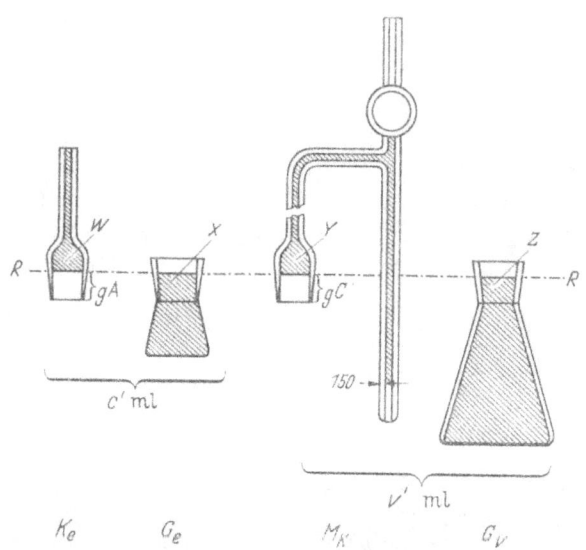

Abb. 35. Zur getrennten gravimetrischen Eichung von Reaktionsgefäß und Manometer nach DICKENS[1]. K_e Eichstopfen; G_e Eichgefäß; M_k Manometercapillare; G_v Eichgefäß. (Für die anderen Bezeichnungen s. Text.)

Reaktionsgefäße und der Manometer erfolgt getrennt mit Hilfe des Capillarstopfens bzw. des Eichgefäßes. Das Reaktionsgefäß wird mit Hg gefüllt und der Capillarstopfen so eingesetzt, daß die Capillare mit Hg gefüllt ist. Das aus dem Quecksilbergewicht erhaltene Volumen ist v' ml. Das mit Hg gefüllte Eichgefäß wird dann so auf den Helm des Manometers gesetzt, daß die seitliche Manometercapillare bis zu ihrer Einmündung in den vertikalen Manometerschenkel mit Hg gefüllt ist. Der vertikale Teil der Manometercapillare (bis zur Eichmarke) wird auf eine der oben angegebenen Arten ebenfalls mit Hg gefüllt. Aus dem Quecksilbergewicht ergibt sich das Volumen m' von Eichgefäß + Manometercapillare.

Durch die in Abb. 35 wiedergegebene Darstellung begründet DICKENS dieses Eichprinzip geometrisch. Die Niveaulinie RR führt durch Schliffquerschnitte von gleichem Durchmesser (der nicht bekannt zu sein braucht). Die von dieser Niveaulinie aus gesehenen Quecksilbervolumina (schattiert) sind mit w, x, y und z bezeichnet; das unterhalb der Niveaulinie von dem Glas der Schliffe eingenommene Volumen ist für den Eichstopfen mit g_A und für den Manometerschliff mit g_C bezeichnet. Es ist:

$$c' = x + w - g_A,$$
$$m' = x + y - g_C,$$
$$v' = w + z - g_A,$$

---

[1] DICKENS, F.: Biochem. J. **48**, 385 (1951).
[2] MÖHLE, W.: Chem.-Ing.-Techn. **1951**, 576. — Siehe auch MÖHLE, W.: Chem.-Ing.-Techn. **1950**, 416.

und daher
$$v' + m' - c' = z + (y - g_C) = v.$$

Das gleiche Prinzip wendet MÖHLE[1] zur getrennten Eichung von Manometern und Gefäßen an. Der Eichstopfen (Abb. 36, A) ist mit Behältern zum Auffangen von überschießendem Quecksilber versehen. Die in Abb. 36, B wiedergegebene Vorrichtung erleichtert die Eichung der Manometer. 1_G entspricht hier dem Eichgefäß. Es ist über die Capillarstücke c_1 und c_2 mit dem Reservoir d, das mit Hg gefüllt wird, verbunden. Das Capillarstück c_2 ist im Schliff f drehbar und kann vor der Einmündung in das Eichgefäß 1_G durch den Hahn e abgeschlossen werden. Die Manometer werden nacheinander bei senkrechter Stellung der Manometerschenkel in den Schliff von 1_G eingesetzt und mit Federn gesichert. Durch Öffnen des Hahnes e läßt man Hg in das Eichgefäß und in die Manometercapillare einlaufen. Während der Füllung wird das Manometer durch Drehung im Schliff f in waagerechte Lage gebracht. Dadurch wird eine luftblasenfreie Füllung des Eichgefäßes, der einzelnen Capillarstücke bis zum Verschlußhahn des Manometers und bis zu der gewählten Eichmarke der Manometergraduierung leicht möglich. Der Hahn e wird geschlossen, die in 1_G und in dem Manometer vorhandene Quecksilbermenge wird in ein Wägeglas geschüttet und gewogen. Das aus dem Quecksilbergewicht erhaltene Volumen entspricht m'. Das davon abzuziehende Volumen c' ergibt sich aus dem Gewicht der Hg-Menge, die nach Füllung des mit dem Eichstopfen versehenen Eichgefäßes 1_G mit Hg erhalten wird. Das Volumen v' wird in der angegebenen Weise mit Versuchsgefäß und Eichstopfen erhalten.

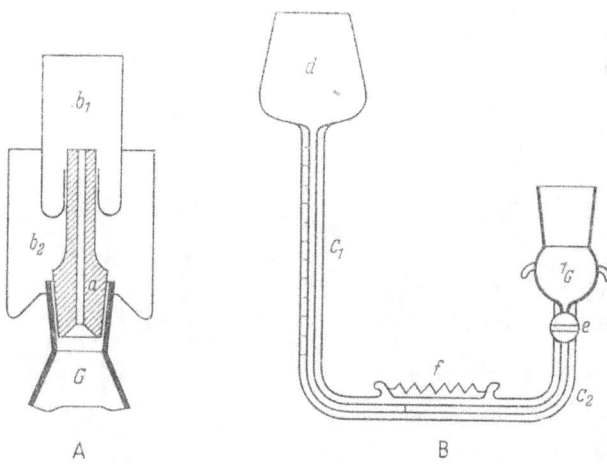

Abb. 36 A u. B. Zur getrennten gravimetrischen Eichung von Reaktionsgefäß und Manometer nach MÖHLE[1]. A Zu eichendes Reaktionsgefäß G mit Eichstopfen a und Behältern b_1 und b_2 zum Auffangen von Quecksilber; B Vorrichtung zur Eichung von Manometern (s. Text).

Die von MÖHLE angegebene Vorrichtung zur Manometereichung gestattet eine bequeme Eichung der mit dem Gefäß verbundenen Manometercapillare nicht nur bis zu dem als Nullmarke vorgesehenen Teilstrich der Graduierung, sondern auch über die ganze Capillarlänge. Dazu wird — ohne daß Hg aus dem Reservoir nachläuft — in dem graduierten und geeichten Capillarstück c_1 das Hg-Volumen gemessen, das zur Füllung des Rauminhaltes von je 100 mm der Manometercapillare benötigt wird. Diese Capillareichung erlaubt dann eine beliebige Wahl der Nullmarke bei der manometrischen Messung.

Ohne besondere Hilfsmittel kann man Manometer und Gefäße getrennt nach ALLEN[2] eichen. In ein Reaktionsgefäß wird so viel Hg gegeben, daß letzteres bei der Verbindung von Gefäß und Manometer bis etwa 1 oder 2 cm über dem Helmschliff in die Manometercapillare gelangt. Die Höhe des Hg-Meniscus wird an der Capillare markiert (z.B. mit einem schmalen Streifen von gummiertem Papier). Dieser Vorgang wird mit demselben Gefäß und der gleichen Hg-Menge mit allen Manometern eines Satzes vollzogen. Jetzt ermittelt man für die übrigen Gefäße die Hg-Menge, die erforderlich ist, damit der Hg-Meniscus beim Anschließen des betreffenden Gefäßes an ein beliebiges Manometer die an der Capillare angebrachte Marke erreicht. Das so bis zu dieser Marke volumenkalibrierte Gefäß kann in Verbindung mit irgendeinem Manometer des Satzes verwendet werden.

Das Volumen der Manometercapillare von der am Seitenarm angebrachten Markierung bis zu der Eichmarke wird für jedes Manometer durch Füllen dieses Capillar-

---
[1] MÖHLE, W.: Chem.-Ing.-Techn. **1951**, 576. — Siehe auch MÖHLE, W.: Chem.-Ing.-Techn. **1950**, 416.
[2] ALLEN, S. C.: Science, N.Y. **107**, 604 (1948).

stückes mit Hg bestimmt. Dazu neigt man das Manometer so, daß der Seitenarm etwas nach aufwärts gerichtet ist. Auf das obere Ende des rechten Manometerarmes schiebt man ein einseitig verschlossenes, mit Hg gefülltes und mit einer Klemmschraube versehenes Gummischlauchstück, so daß das Hg durch den offenen Hahn bis nahe an die Eichmarke und an die am Seitenarm angebrachte Marke gelangt. Durch passendes Neigen des Manometers und mit Hilfe der Klemmschraube auf dem Gummischlauch wird das Hg-Niveau genau auf die beiden Marken gebracht. Der Manometerhahn wird geschlossen, und die in der Capillare vorhandene Hg-Menge wird in einem gewogenen Gläschen aufgefangen. Aus dem „Gefäßvolumen" (das das Volumen eines Stückes der Manometercapillare einschließt) und dem Capillarvolumen wird das „Systemvolumen" erhalten. (Bei dieser Eichmethode können gewisse Schwierigkeiten auftreten, wenn die Manometerschliffe sehr verschieden tief in die Gefäßschliffe eingehen.)

Gefäßstopfen (Massiv- oder Ventilstopfen im Tubus des Anhanges) sind im allgemeinen ohne das Risiko von Volumenänderungen nicht austauschbar. Die Gefäße müssen deshalb bei jeder Eichung mit ihren eigenen Stopfen versehen sein, und jeder Stopfen trägt die Nummer des zugehörigen Gefäßes.

c) **Eichung der Manometercapillaren nach LAZAROW[1].**

Um die für gewöhnlich etwas mühsame Füllung der Manometercapillare bis zur Eichmarke mit Quecksilber zu umgehen, gibt LAZAROW einen „Manometerkalibrator" an. Der Kalibrator (Abb. 37a) besteht aus einem Mikrometer A (eingeteilt in 0,01 mm). Auf der Mikrometerspindel C sitzt ein Kolben aus rostfreiem Stahl, dessen Querschnitt genau 1 cm² beträgt. Auf das Ende des Mikrometers wird eine Metallhülse (aus rostfreiem Stahl) D geschoben. Das obere Ende dieser Metallhülse ist mit einem Gewinde versehen, das den aus plastischem Material (Lucite) bestehenden „Kopf" E des Kalibrators aufnimmt. Der zylindrische Kopf besitzt eine Bohrung G, die bei H konisch zuläuft und hier auf dem Manometerschliff paßt. F ist ein zwischen Metallhülse und dem plastischen Material gepreßter Dichtungsring, der den Kolben in dem Kopf abdichtet,

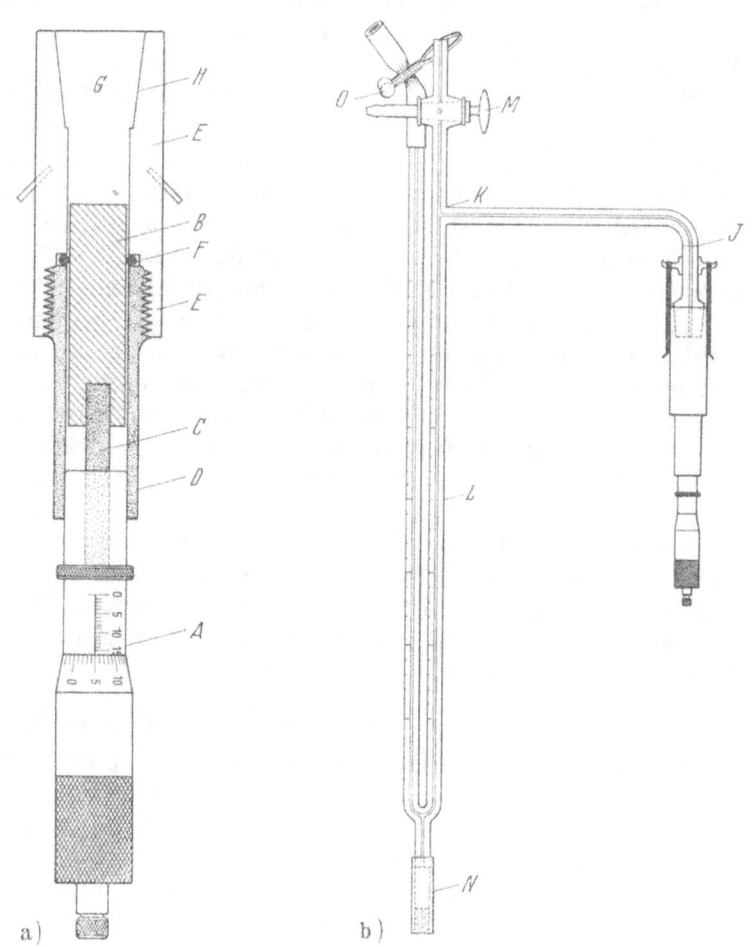

Abb. 37a u. b. Manometereichung nach LAZAROW[1]. a „Manometerkalibrator"; b Manometer mit angesetztem Kalibrator (Erläuterung s. Text).

---
[1] LAZAROW, A.: J. Lab. clin. Med. **34**, 1702 (1949). — Über einen Kalibrator zur kombinierten Eichung von Gefäß und Manometer s. LAZAROW, A.: J. Lab. clin. Med. **38**, 767 (1951). Vgl. auch den Kalibrator von BROWN, J. H. U., and J. A. BAIN: J. Lab. clin. Med. **45**, 822 (1955).

aber eine Verschiebung des Kolbens in dem Raume G gestattet. (Der Kalibrator wird hergestellt von Micrometric Instrument Company, 7529 Kinsman Ave., Cleveland 4, Ohio.)

Der plastische Zylinder wird bei zurückgedrehter Spindel mit Wasser gefüllt. Der Kalibrator wird mit dem (zuvor gereinigten) Manometer in der in Abb. 37b dargestellten Weise verbunden. In der Kammer G soll sich gerade soviel Wasser befinden, daß jetzt — nach Verbindung von Manometer und Kalibrator — nur eine kleine Luftblase in dem plastischen Zylinder bleibt. Das Manometer wird in vertikaler Stellung gehalten, der Manometerhahn M wird geöffnet, und die anderen offenen Enden des Manometers werden durch Gummischlauch (N) und Klemme (0) verschlossen. Der Mikrometerkolben wird vorwärts gedreht, bis die in der Kammer G vorhandene Luft vollständig entfernt ist. Der Meniscus des Wassers wird durch weitere Drehung der Mikrometerschraube auf die oberhalb des Manometerschliffes angebrachte Marke J eingestellt. (Bis zu der Marke J wird das Reaktionsgefäß durch Auswiegen von Quecksilber geeicht.) Die Mikrometerskala wird abgelesen. Das Manometer wird nun in eine horizontale Lage gebracht, und der Kolben des Mikrometers wird so weit vorwärts bewegt, bis der Wassermeniscus bei K steht. Durch weitere Drehung der Mikrometerschraube wird der Capillarteil von K bis zum Manometerhahn M mit Wasser gefüllt. Wenn das Wasser die Bohrung des Hahnes erreicht, wird der Hahn geschlossen, und die Klemme 0 wird geöffnet. Jetzt wird das Wasser bis zu der Eichmarke L des Manometers bewegt. Die Mikrometerskala wird wieder abgelesen. Aus der Differenz zwischen der ersten und der letzten Ablesung wird das gesuchte Volumen der Manometercapillare erhalten. Da der Kolben einen Querschnitt von genau 1 cm² hat, entspricht 1 mm der Mikrometergraduierung (2 Umdrehungen = 100 Teilstriche) 0,10 ml Wasser. Durch Zurückdrehen der Mikrometerschraube wird das Wasser aus der Manometercapillare entfernt, und der Eichvorgang kann wiederholt werden. Mit feuchten Manometercapillaren beobachtet man bei der Wiederholung der Eichung, daß die zur Füllung der Capillare benötigte Wassermenge etwas geringer ist als bei der ersten Eichung. Das beruht auf dem Wasserrest, der an der Capillarwandung haftengeblieben ist. Statt mit Wasser kann die Eichung auch mit Hg vorgenommen werden. Mit dieser Methode kann das Volumen der Manometercapillare mit hoher Genauigkeit bestimmt werden. Fehlerquellen s.[1].

d) Manometrische Eichungen.

Die manometrischen Eichmethoden beanspruchen weniger Zeit als die gravimetrischen, und sie bieten besonders dann Vorteile, wenn die Füllung mit Quecksilber wegen einer besonderen Gefäßform Schwierigkeiten bereitet oder wenn die Löslichkeit des reagierenden Gases in der Versuchslösung nicht bekannt ist. Die manometrische Eichung ist jedoch nicht immer so zuverlässig und genau wie die gravimetrische. Zu ihrer Kontrolle verfügt man darum am besten über wenigstens ein gravimetrisch geeichtes Manometer mit Gefäß.

Manometrische Eichung nach WARBURG[2]. Das Manometer wird mit dem die Manometerflüssigkeit enthaltenden Reservoir versehen, auf der Spannleiste befestigt und — nach Einfetten des Hahn- und Helmschliffes — mit dem trockenen Reaktionsgefäß verbunden. Das Manometer wird in die Schüttelvorrichtung des bei Zimmertemperatur gehaltenen Thermostaten eingehängt. Bei geöffnetem Manometerhahn wird der Druck auf das Reservoir so weit vermindert, daß die Meniscen der Manometerflüssigkeit unter dem Anfangsteil der Skala (unter Null) stehen. Man warte etwa eine halbe Stunde, bis die Flüssigkeit in den Capillaren völlig nachgelaufen ist. Dann stellt man die Meniscen auf eine bestimmte Marke („Anfangsmarke") der Graduierung (z.B. auf die Marke 0 oder 50) ein und schließt den Manometerhahn. Die Manometerflüssigkeit wird jetzt hochgedrückt, bis der Meniscus im rechten Schenkel auf der Eichmarke (z.B. 150 mm) steht. Im linken Schenkel stehe dann die Manometerflüssigkeit um h_1 mm über dem

---
[1] MORRIS, R. W.: J. Lab. clin. Med. 58, 779 (1961).
[2] WARBURG, O.: B. Z. 142, 317 (1925).

Niveau der Eichmarke. Dieser Vorgang — Einstellen der Manometerflüssigkeit bei geöffnetem Hahn auf „Anfangsmarke", dann Einstellen bei geschlossenem Hahn auf Eichmarke im geschlossenen Schenkel — wird wiederholt, nachdem man in das Reaktionsgefäß ein bestimmtes Volumen (a μl) Hg eingefüllt hat. Im linken Schenkel steigt die Manometerflüssigkeit jetzt höher als beim ersten Male, weil die gleiche Gasmenge x in einen kleineren Raum hineingedrückt wird. Der Meniscus stehe bei der zweiten Messung um h_2 mm über dem Niveau der Eichmarke. Es ist, Konstanz von Temperatur und Barometerdruck vorausgesetzt: $h_1 \cdot v = h_2 (v-a)$ und damit das gesuchte Volumen v (μl) von Gefäß + Capillare bis zur Eichmarke:

$$v = a \cdot \frac{h_2}{h_2 - h_1}.$$

Die „Anfangsmarke" wird so gewählt, daß bei a etwa $v/2$ zur Messung von h_2 die linke Manometergraduierung bis fast zu ihrem oberen Ende ausgenutzt wird. Das genaue Volumen a der eingefüllten Quecksilbermenge wird aus dem Gewicht und dem spez. Gew. des Hg bei der Raumtemperatur erhalten. Zwischen den beiden Messungen soll die Raumtemperatur um nicht mehr als 0,5° und der Barometerdruck um nicht mehr als 5 mm schwanken; anderenfalls bringt man die Temperatur- und Druckänderungen in Anrechnung (s.[1]).

Zur Volumenreduktion kann statt Hg Wasser in das Reaktionsgefäß eingefüllt werden. Dann mißt man h_1 nicht mit dem innen trockenen, sondern mit dem innen feuchten Reaktionsgefäß. Füllt man zur Messung von h_2 statt Hg Wasser in das Gefäß, so stimmen die Ergebnisse von Doppelmessungen manchmal nicht gut überein; der Grund dafür ist eine verzögerte Einstellung des Gasgleichgewichtes zwischen Gasraum und Wasser bei der durch Hochdrücken der Manometerflüssigkeit auftretenden Druckzunahme.

Mit Wasser als Hilfsmittel zur Änderung des Gasraumvolumens geht man — um gleichartigere Bedingungen bei den aufeinanderfolgenden Messungen zu haben — besser so vor, daß man bereits die erste Messung (mit der h_1 erhalten wird) mit einem abgemessenen Wasservolumen a ausführt, und dann in das Gefäß für die zweite Messung (mit der h_2 erhalten wird) ein größeres Wasservolumen A gibt. Das gesuchte Volumen v von Gefäß + Manometercapillare (bis zur Eichmarke) ist dann:

$$v = \frac{A \cdot h_2 - a \cdot h_1}{h_2 - h_1}.$$

Eichung nach Ross und Gifford[2]. Die Eichung erfolgt mit Hilfe eines durch Auswiegen von Hg bereits geeichten Gefäßes und Manometers. Außerdem muß der Capillarquerschnitt von allen Manometern bekannt sein, um aus der Verschiebung der Manometerflüssigkeit im geschlossenen Capillararm die Änderung des Gasraumvolumens berechnen zu können.

Wird ein abgeschlossenes Gasvolumen v, das sich bei dem Druck P befindet, auf ein Volumen $v-x$ gebracht, so steigt der Druck bei konstanter Temperatur auf $P+h$. Da $P \cdot v = (P+h)(v-x)$, ist $P = \frac{h(v-x)}{x}$. Für zwei verschiedene Gefäße und Manometercapillaren ist

$$P = \frac{h_1(v_1 - x_1)}{x_1} = \frac{h_2(v_2 - x_2)}{x_2},$$

und somit:

$$v_2 = \left[\frac{h_1}{h_2} \cdot \frac{x_2}{x_1} (v_1 - x_1)\right] + x_2.$$

Die trockenen Gefäße werden mit ihren Manometern verbunden und in das Wasser des Thermostaten gebracht. Die Manometerflüssigkeit wird auf eine beliebige Marke (z.B. 50 mm) des unteren Teiles der Graduierung gestellt; sie soll in beiden Capillararmen

---

[1] Damjanovic, Z. M., and R. J. Walen: Biochim. biophys. Acta 15, 586 (1954).
[2] Ross, J. D., and G. E. Gifford: J. Lab. clin. Med. 49, 802 (1957).

gleich hoch stehen. Nach dem Temperaturausgleich wird der Manometerhahn geschlossen. Die Manometerflüssigkeit wird im rechten Schenkel hochgedrückt, wodurch das Volumen v des Gasraumes um x µl verringert wird. Der Druckanstieg h ist gleich der Höhendifferenz der Meniscen im offenen und geschlossenen Capillararm.

Ist das Gasraumvolumen v_1 bekannt (gravimetrisch geeichtes Gefäß mit Manometer), so wird das unbekannte Gasraumvolumen v_2 nach der vorstehenden Gleichung erhalten. v ist jeweils das Gasraumvolumen des Gefäßes bis zum Anfangsniveau (z. B. 50 mm) der Manometerflüssigkeit. Wird später für die eigentlichen Messungen ein anderes Niveau der Manometerflüssigkeit gewählt (üblicherweise bei 150 mm), so ist das dann maßgebende Gasraumvolumen unter Berücksichtigung des Höhenunterschiedes und des Capillarquerschnittes auszurechnen (s. auch Korrektur der Gefäßkonstanten bei freier Wahl der Nullmarke, S. 120). Diese Methode der Eichung bietet Vorteile, wenn aus irgendeinem Grunde eine häufigere Nacheichung vorgenommen werden soll oder wenn in die Versuchsgefäße feste Gegenstände gebracht werden, deren Volumen unbekannt und von Versuch zu Versuch verschieden ist. Jedoch besteht der Umstand, daß das eingedrückte Gasvolumen x bekannt sein muß ($x = a \cdot b$, wenn a der Capillarquerschnitt in mm^2 ist, und b die Anzahl Millimeter bedeutet, um die die Manometerflüssigkeit im rechten Capillararm hochgedrückt wird).

Eichung durch Änderung der Gasmenge. Eine manometrische Eichung kann auch so erfolgen, daß man die Gasmenge in dem mit seinem Manometer verbundenen Gefäß um einen bestimmten Betrag ändert und die dabei auftretende Druckänderung bei konstant gehaltenem Gasraumvolumen am Manometer abliest.

Dazu kann man mit Hilfe einer kalibrierten Gasbürette (s. auch S. 125), die man durch ein Gummischlauchstück mit dem gefäßführenden Schenkel des Manometers verbindet, dem Gasraum eine bestimmte Menge Gas zuführen. Das gesuchte Volumen v (ml) ist dann $x \cdot \dfrac{P - p_w}{h} + v_F$, wenn x die zugeführte Gasmenge (in ml bei Meßbedingungen), v_F das Wasservolumen (ml) in dem Reaktionsgefäß, P der Barometerdruck, p_w der Wasserdampfdruck bei der Meßtemperatur (Thermostat) und h die am linken Manometerschenkel abgelesene Druckänderung ist (alle Drucke in mm Manometerflüssigkeit). Bei den in Verbindung mit dem offenen Manometer üblichen Gefäßgrößen muß das (an der Gasbürette abgelesene) Volumen x klein gehalten werden, damit die Druckänderung h noch ablesbar ist. Die Verwendung einer Gasbürette ist hier deshalb im allgemeinen nicht zweckmäßig. Eine genauere Abmessung kleiner Gasvolumina ist mit Hilfe einer (mit einem Wassermantel versehenen) Spritzenvorrichtung möglich, die von SCHOLANDER, NIEMEYER und CLAFF[1] für die Eichung des offenen Manometers mit Gefäß angewendet wird.

Verfügt man über ein mit Quecksilber geeichtes Gefäß und Manometer, so lassen sich die übrigen Gefäße und Manometer eichen, ohne daß die zugeführte oder entzogene Menge Gas bekannt zu sein braucht. Dazu verbindet man die oberen Enden der rechten Schenkel aller mit ihren Gefäßen versehenen Manometer durch ganz kurze Gummischlauchstücke mit einer kleinen, gut gefetteten und dicht schließenden Spritze. Durch den Dreiwegehahn des Manometers wird Druckausgleich mit der Luft hergestellt, die Manometerflüssigkeit wird rechts auf die Eichmarke eingestellt, und das Manometer wird abgelesen. Man drückt in alle Manometer die gleiche Luftmenge und liest nach Wiedereinstellen der Manometerflüssigkeit auf die Eichmarken die aufgetretenen Druckänderungen an den linken Capillararmen ab. Da das Volumen v von einem Gefäß + Manometer bekannt ist und allen Manometern + Gefäßen die gleiche Gasmenge zugeführt worden ist, lassen sich die Volumina der übrigen Gefäße und Manometer aus den beobachteten Druckänderungen leicht berechnen. Es ist jedoch zu berücksichtigen, daß bei diesem Vorgehen ein „toter Raum", das ist der vom unteren Ende des Spritzenkolbens bis zum unteren Ende der Hahnbohrung reichende Luftraum, mit in das Gasraumvolumen ein-

[1] SCHOLANDER, P. F., H. NIEMEYER and C. L. CLAFF: Science, N.Y. **112**, 437 (1950).

bezogen wird. Die Korrektur kann so erfolgen, daß man den toten Raum mit Wasser oder Quecksilber füllt und das entsprechende Flüssigkeitsvolumen vor der Eichung in das Gefäß bringt. Es erscheint in mancher Hinsicht aber zweckmäßiger, die Änderung der Gasmenge nicht von der Manometerseite, sondern von der Gefäßseite her vorzunehmen, indem man die (mit Hg gefüllte) Capillare des Ventilstopfens mit der Spritze verbindet.

Eine empirische Eichung durch Änderung der Gasmenge unter Heranziehung eines mit Hg geeichten Manometers und Gefäßes als „Standard" empfehlen Burk und Hobby[1] besonders bei der Anwendung der S. 66—71 geschilderten Verstärkungsprinzipien.

Es ist naheliegend, die durch eine chemische Reaktion bewirkte Änderung der Gasmenge für Eichzwecke auszunutzen (s. auch S. 127). Hier sei zunächst die Eichung durch Freisetzen von CO_2 aus einer bekannten Menge Natriumcarbonat angeführt.

In den Hauptraum der Reaktionsgefäße werden 2,0 ml einer 0,0040 m Natriumcarbonatlösung (179 μl CO_2) abgemessen. In den Anhang gibt man 0,2 ml einer etwa 0,5 n H_2SO_4. Die Gefäße werden an die Manometer angeschlossen; die Manometer werden in die Schüttelvorrichtung des Thermostaten, der sich bei Raumtemperatur befindet, eingehängt. Ein weiteres Manometer mit Gefäß, das nur Wasser enthält, dient als Thermobarometer. Mit geschlossenen Manometerhähnen und dem Niveau der Manometerflüssigkeit auf der Eichmarke wird bis zur Konstanz der Manometerablesung geschüttelt. Dann wird die Schwefelsäure in den Hauptraum gekippt, und es wird wieder bis zur konstanten Manometerablesung geschüttelt. Durch die entwickelte CO_2-Menge entsteht ein positiver Druck, der nach Korrektur für die Thermobarometerablesung (S. 61) h mm der Sperrflüssigkeit betrage. Ist x_{CO_2} die einpipettierte Carbonatmenge (in μl CO_2 bei Normalbedingungen), so erhält man aus Gl. (2), S. 60 — unter Beachtung, daß $v = v_G + v_F$ ist — für das gesuchte Volumen:

$$v = \left(\frac{P_0 \cdot x_{CO_2}}{h} - v_F \cdot \alpha\right) \cdot \frac{T}{273} + v_F.$$

Beträgt — wie unter den oben angegebenen Bedingungen — $x_{CO_2} = 179$ μl, $v_F = 2200$ μl (2000 μl Carbonat- + 200 μl Schwefelsäurelösung), $T = 293°$, $\alpha_{CO_2} = 0{,}878$, und ist $h = 118$ mm und $P_0 = 10000$ mm (Brodie-Lösung), so wird für das Volumen v des Gefäßes + Manometercapillare bis zur Eichmarke 16410 μl erhalten.

Verwendet man im Versuche ein Medium von ungewöhnlicher Zusammensetzung, in dem die Löslichkeit von CO_2 nicht bekannt ist, so ist es zweckmäßig, Manometer und Gefäße auf die angegebene Weise zu eichen, indem man also in dem betreffenden Medium bei der Versuchstemperatur eine bekannte CO_2-Menge (x_{CO_2}) entwickelt und die auftretende Druckänderung (h) mißt. Die Gefäßkonstante k_{CO_2} ist dann x_{CO_2}/h. Man umgeht damit die Löslichkeitsbestimmung von CO_2.

Eine weitere chemische Reaktion zur Volumenkalibrierung[2] ist die Entwicklung von Stickstoff aus Hydrazin durch Kaliumferricyanid: $4\,K_3Fe(CN)_6 + NH_2 \cdot NH_2 + 4\,KOH = 4\,K_4Fe(CN)_6 + N_2 + 4\,H_2O$. Die Reaktion wird mit Hydrazin im Überschuß und einer genau abgemessenen Menge $K_3Fe(CN)_6$ ausgeführt. 5 g Hydrazinsulfat werden in 100 ml heißem Wasser gelöst; nach dem Erkalten wird die Lösung filtriert. Die gesättigte Hydrazinsulfatlösung wird mit dem gleichen Volumen einer etwa 20%igen Natronlauge verdünnt. Von dieser Lösung gibt man 0,8 ml in den Anhang. In den Hauptraum pipettiert man z.B. 1,0 ml einer 0,040 m $K_3Fe(CN)_6$-Lösung und 1 ml Lauge. Nach dem Temperaturausgleich (s. oben) wird die Hydrazinlösung in den Hauptraum gekippt. Es wird weiter geschüttelt; die Manometer werden in zeitlichen Abständen von etwa 10 min abgelesen. Nach etwa 30 min ist Druckkonstanz erreicht. Die Manometerablesungen werden für die Ablesung des Thermobarometers korrigiert. Die Berechnung von v aus x_{N_2} und h erfolgt wie bei der Volumenbestimmung durch CO_2-Entwicklung. 1,0 ml 0,040 m $K_3Fe(CN)_6$ entwickelt 224 μl N_2 (reduziert auf Normalbedingungen). Die anzuwendende Menge $K_3Fe(CN)_6$ richtet sich ungefähr nach der Gefäßgröße.

[1] Burk, D., and G. Hobby: Science, N.Y. **120**, 640 (1954).
[2] Michaelis, L., u. P. Rona: Praktikum der physikalischen Chemie. 4. Aufl., S. 241. Berlin 1930.

Mit einem bereits gravimetrisch geeichten Gefäß und Manometer kann man die in Betracht kommenden Lösungen [z.B. Na_2CO_3 oder $K_3Fe(CN)_6$] standardisieren. Dann brauchen die Lösungen nicht analytisch genau eingestellt zu sein; ihr Volumen muß nur in die zu eichenden Gefäße genau eingefüllt werden.

2. Berechnung der Gefäßkonstanten k.

Aus dem nach einer der Eichmethoden ermittelten Systemvolumen v erhält man das Volumen des Gasraumes v_G nach Abzug der im Versuche verwendeten Flüssigkeitsmenge. Werden größere Gewebemengen (oder andere feste Körper, deren Volumen in Betracht fällt) in das Reaktionsgefäß gegeben, so ist auch deren Volumen von v abzuziehen. Die Gefäßkonstante, mit der die im Versuch beobachtete Druckänderung h (in mm der Sperrflüssigkeit) zu multiplizieren ist, um die entstandene oder verschwundene Gasmenge in μl (reduziert auf Normalbedingungen) zu erhalten, läßt sich nun für die volumenkonstante Messung berechnen. Bei volumenkonstanter Messung ist die Gefäßkonstante

$$k = \frac{v_G \cdot \frac{273}{T} + v_F \cdot \alpha}{P_0}.$$

Außer von v_G ist die Gefäßkonstante k also abhängig von der Versuchstemperatur T, dem Flüssigkeitsvolumen v_F, der Löslichkeit des reagierenden Gases und dem Normaldruck P_0 der Manometerflüssigkeit (S. 59). Der Absorptionskoeffizient α kann für wäßrige Lösungen und für die in Betracht kommenden Gase und Temperaturen Literaturwerten entnommen werden (s. Tabellen 30—34). Nur in seltenen Fällen — bei ungewöhnlich zusammengesetzten wäßrigen Lösungen oder bei Verwendung nichtwäßriger Flüssigkeiten — wird α eigens zu bestimmen sein.

Zur Berechnung der Gefäßkonstanten k' für die freie manometrische Messung [Gl. (7), S. 64] ist auch die Kenntnis des Capillarquerschnittes a, der nach S. 121 bestimmt wird, nötig. Die folgenden Ausführungen beziehen sich auf die Gefäßkonstante k bei volumenkonstanter Messung.

Beispiel für die Berechnung von k_{O_2} und k_{CO_2}. $v = 18764\ \mu l$, $v_F = 3200\ \mu l$, $v_G = 15564\ \mu l$, $T\ (38°\ C) = 311°$ absol., P_0 (BRODIEsche Lösung) $= 10000$ mm, $\alpha_{O_2} = 0{,}024\ \mu l$, $\alpha_{CO_2} = 0{,}54\ \mu l$.

$$k_{O_2} = \frac{15564 \cdot \frac{273}{311} + 3200 \cdot 0{,}024}{10000} = 1{,}374;$$

$$k_{CO_2} = \frac{15564 \cdot \frac{273}{311} + 3200 \cdot 0{,}54}{10000} = 1{,}539.$$

Erleichterungen zur Berechnung der Gefäßkonstanten k für verschiedene Bedingungen. Befindet sich in dem Gefäß keine Flüssigkeit, so ist die (hier mit k_0 bezeichnete) Gefäßkonstante:

$$k_0 = \frac{v_G \cdot \frac{273}{T}}{P_0}.$$

Für $\left(\frac{273}{T}/P_0\right) \cdot 1000 = e$ erhält man für verschiedene Temperaturen und mit $P_0 = 10000$ mm (BRODIE-Lösung) die in Tabelle 2 aufgeführten Werte, mit denen man das nach Eichung erhaltene Volumen v (v_G bei leerem Gefäß), ausgedrückt in ml, zu multiplizieren hat, um k_0 zu erhalten: $k_0 = v \cdot e$ (k_0 ist für alle Gasarten gleich). Bringt man in das Gefäß ein bestimmtes Flüssigkeitsvolumen, so wird k_0 um einen bestimmten Betrag f kleiner. Pro ml Flüssigkeit beträgt f:

$$f = \frac{1000 \cdot \alpha - 1000 \cdot \frac{273}{T}}{P_0}.$$

Rechnet man den Wert von f für die in Betracht kommenden Temperaturen und Gase aus, so sind die Gefäßkonstanten für verschiedene Flüssigkeitsmengen leicht zu erhalten. Für einige Temperaturen und für O_2 und CO_2 ist f in Tabelle 2 mitaufgeführt, wobei der Absorptionskoeffizient α für Wasser verwendet und $P_0 = 10000$ mm gesetzt wurde. Man erhält:

$$k_0 = v \cdot e$$
$$k = v \cdot e + v_F \cdot f$$
$$= k_0 + v_F \cdot f,$$

wo v das bei der Eichung erhaltene Volumen (ml) von Gefäß und Manometer (bis zur Eichmarke) und v_F das Flüssigkeitsvolumen ist.

Beispiel für die Anwendung von e und f. Es sind k_{O_2} und k_{CO_2} für $v_F = 3$ ml und für 38° zu berechnen. Das Volumen v betrage 14,27 ml. Dann ist $k_0 = 14,27 \cdot 0,0877 = 1,251$ und:

$$k_{O_2} = 1,251 + (-0,085 \cdot 3) = 1,251 - 0,255 = 0,996,$$
$$k_{CO_2} = 1,251 + (-0,033 \cdot 3) = 1,251 - 0,099 = 1,152.$$

Tabelle 2. *Werte von e und von f zur Berechnung der Gefäßkonstanten k.*

°C	e	$f(O_2)$	$f(CO_2)$
20	0,0931	−0,090	−0,005
25	0,0916	−0,089	−0,0145
30	0,0901	−0,0875	−0,024
38	0,0877	−0,085	−0,033

Der Betrag, den die Löslichkeit des Gases zur Gefäßkonstanten liefert, ist $v_F \cdot \alpha/P_0$. Durch diesen Wert unterscheidet sich die Gefäßkonstante für eine Gasart von der Gefäßkonstanten für eine andere Gasart. Die Differenz $v_F \cdot \alpha_{CO_2}/P_0 - v_F \cdot \alpha_{O_2}/P_0$ z.B. ist der Betrag, um den k_{CO_2} größer ist als k_{O_2} (bei gleichem v_F und bei gleicher Temperatur). Diese Rechnung kann man unter anderem dann anwenden, wenn man bei manometrischer Eichung eines ganzen Gefäß- und Manometersatzes — z.B. durch Entwicklung von CO_2 (S. 117) — unmittelbar die Gefäßkonstanten nur für eine Gasart erhält, aber die Gefäßkonstanten für eine andere Gasart sucht.

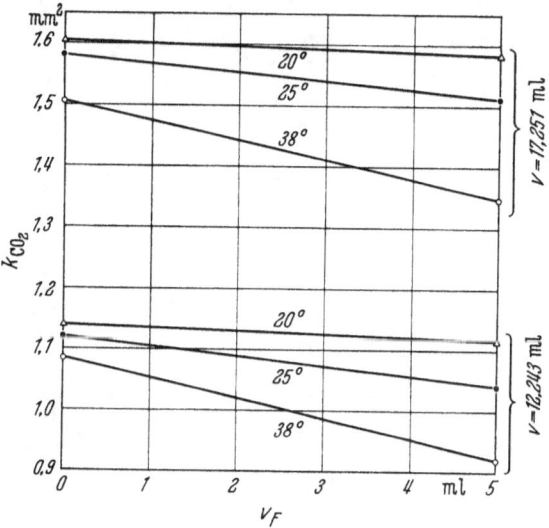

Abb. 38. Die Gefäßkonstante k_{CO_2} in Abhängigkeit von dem Flüssigkeitsvolumen v_F, bei verschiedenen Temperaturen und Eichvolumina v. Beispiel für eine graphische Ermittlung der Gefäßkonstanten k bei Änderung des Flüssigkeitsvolumens v_F.

Weitere Erleichterungen zur Ermittlung der Gefäßkonstanten k bieten graphische Darstellungen. Trägt man die für ein Gefäß + Manometer berechneten Werte von k_0 und von k (k für nur ein bestimmtes v_F ausgerechnet) in ein Koordinatensystem ein (Gefäßkonstanten als Ordinate und Flüssigkeitsvolumina als Abszisse) und zieht durch die beiden Punkte eine Gerade, so läßt sich von der Geraden die Gefäßkonstante für ein beliebiges Flüssigkeitsvolumen ablesen. Bei verschiedenen Werten von v und bei gleicher Temperatur sind die Geraden parallel zueinander verschoben (die Steigung bleibt gleich); bei verschiedenen Temperaturen und gleichen Werten von v ist die Steigung der Geraden verschieden (s. Beispiel in Abb. 38). Hierauf gründet sich eine von MAC LEOD und SUMMERSON[1] angegebene graphische Methode zur Ermittlung von k für verschiedene Flüssigkeitsvolumina und Temperaturen. Das in Abb. 38 angeführte Beispiel veranschau-

---
[1] MAC LEOD, J., and W. H. SUMMERSON: Science, N.Y. 91, 201 (1940).

licht auch den mit der Temperatur abnehmenden Einfluß des Flüssigkeitsvolumens auf den Wert von k_{CO_2}.

Von Dixon[1,2] und von Burris[3] werden Nomogramme zur Ermittlung von k_{O_2} und k_{CO_2} angegeben. In den Abb. 39 und 40 sind Nomogramme nach Dixon[2] wiedergegeben. Man verbindet den für v nach der Eichung erhaltenen Wert mit dem Schnittpunkt der Linien für das Flüssigkeitsvolumen v_F und die Versuchstemperatur t (°C) und liest den Wert für die Gefäßkonstante auf der mittleren Leiter ab. Nach dem in Abb. 39 durch die gestrichelte Linie wiedergegebenen Beispiel beträgt k_{O_2} 1,81, wenn $v = 23$ ml, $v_F = 3$ ml und $t = 30°$ C ist.

Korrektur der Gefäßkonstanten k bei freier Wahl der Nullmarke. In gewissen Fällen — etwa, wenn besonders hohe Gasumsätze zu erwarten sind — ist es wünschenswert, die Manometerflüssigkeit im geschlossenen Arm auf ein anderes Niveau als das der Eichmarke einstellen zu können. Die Gefäßkonstante muß dann entsprechend der dadurch stattfindenden Volumenänderung des Gasraumes korrigiert werden. Ist a der Querschnitt der Manometercapillare in mm², Δh die Entfernung der neu gewählten Nullmarke von der Eichmarke in mm, D das spez. Gew. der Manometerflüssigkeit, so ist zu der für die Eichmarke berechneten Gefäßkonstanten der folgende Ausdruck c algebraisch zu addieren:

$$c = \frac{a \cdot \Delta h \cdot \frac{273}{T}}{760 \cdot \frac{13,6}{D}}. \qquad (29)$$

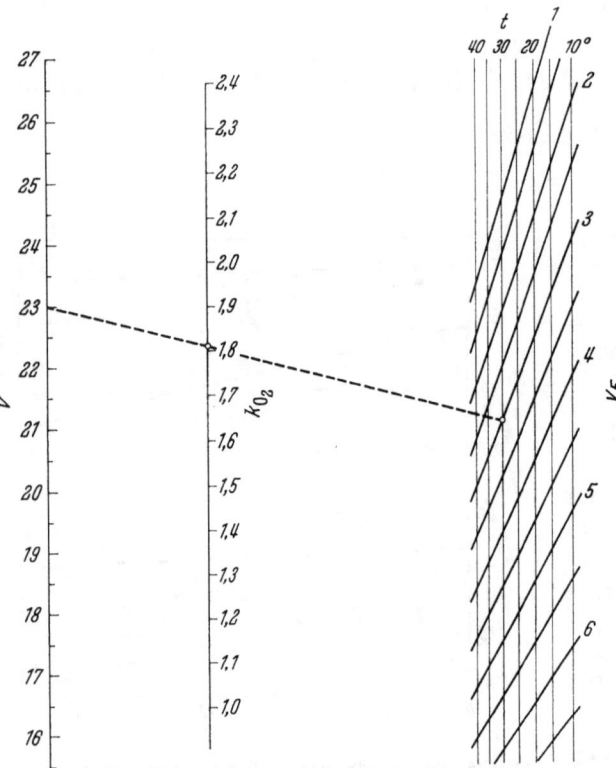

Abb. 39. Nomogramm nach Dixon[2] zur Ermittlung der Gefäßkonstanten für Sauerstoff bei volumenkonstanter Messung mit dem offenen Manometer.

Δh ist positiv (und damit c), wenn das neue Niveau der Manometerflüssigkeit sich unterhalb der Eichmarke befindet, negativ im umgekehrten Falle. Um jederzeit die Möglichkeit zu haben, ein anderes Niveau des Meniscus im geschlossenen Capillararm als Nullmarke wählen zu können, bestimmt man am besten bei der Eichung auch den Querschnitt der Manometercapillare. Dazu mißt man die Länge, die ein Quecksilbertropfen in der Capillare an verschiedenen Stellen einnimmt. Aus dem Volumen v (Gewicht in mg/spez. Gew. von Hg bei der Raumtemperatur) und der durchschnittlichen Länge l (mm) des Quecksilberfadens wird der Querschnitt a (mm²) der Manometercapillare erhalten: $a = v/l$.

3. Eichung der Gefäße in Verbindung mit dem Differentialmanometer.

Die Eichung des Differentialmanometers bietet gegenüber der des offenen Manometers keine prinzipiellen, sondern nur einige technische Besonderheiten. Sie kann ebenfalls auf gravimetrischem Wege — zusammen mit einer Bestimmung des Capillarquerschnittes a —

---

[1] Dixon, M.: Biochem. J. **39**, 427 (1945).
[2] Dixon, M.: Biochem. J. **48**, 575 (1951).
[3] Burris, R. H.; in: Manometric Techniques (Umbreit-Burris-Stauffer). 3. Aufl., S. 63. Minneapolis 1957.

oder auf manometrischem Wege erfolgen. Im folgenden werden Methoden betrachtet, die bei der Eichung des BARCROFTschen Differentialmanometers angewendet werden[1].

Gravimetrische Eichung. Zur Berechnung der Gefäßkonstanten nach Gl. (21) müssen der Querschnitt a der Manometercapillaren und das Volumen der Gefäße, einschließlich das der Capillaren bis zum Anfangsniveau der Manometerflüssigkeit, bekannt sein. Aus den zu bestimmenden Volumina ergeben sich v_G und v_G' nach Subtraktion der im Versuch in den Gefäßen vorhandenen Flüssigkeitsmengen.

Der Querschnitt a wird bestimmt, indem man mit einer fein ausgezogenen Pipette in die Manometercapillare eine kleine, die Capillare in einer Länge von etwa 100 mm füllende Quecksilbermenge bringt. Das Manometer wird flach auf den Tisch gelegt; durch leichte Bewegungen wird der Hg-Faden verschoben. Man mißt die Länge des Fadens in drei bis vier verschiedenen Lagen, um die Gleichmäßigkeit der Manometercapillare zu prüfen. Aus dem Gewicht des Hg und unter Berücksichtigung der Raumtemperatur wird das von dem Hg ausgefüllte Volumen berechnet (Tabelle 35). a wird dann durch Division des Hg-Volumens durch die mittlere Länge des Hg-Fadens erhalten. Die Bestimmung von a wird mit beiden Capillararmen vorgenommen. Das kann bei unten geschlossenen Manometern so geschehen, daß man die in den einen Capillararm eingeführte Hg-Säule nach ihrer Ausmessung in den anderen Arm hinübergleiten läßt.

Das Volumen der Gefäße mit anschließenden Capillarstücken (bis zur Eichmarke, d.h. dem Niveau der Manometerflüssigkeit) wird bestimmt, indem man die Gefäße so weit mit Hg füllt, daß das Hg beim Aufsetzen der Gefäße auf den Manometerschliff etwas

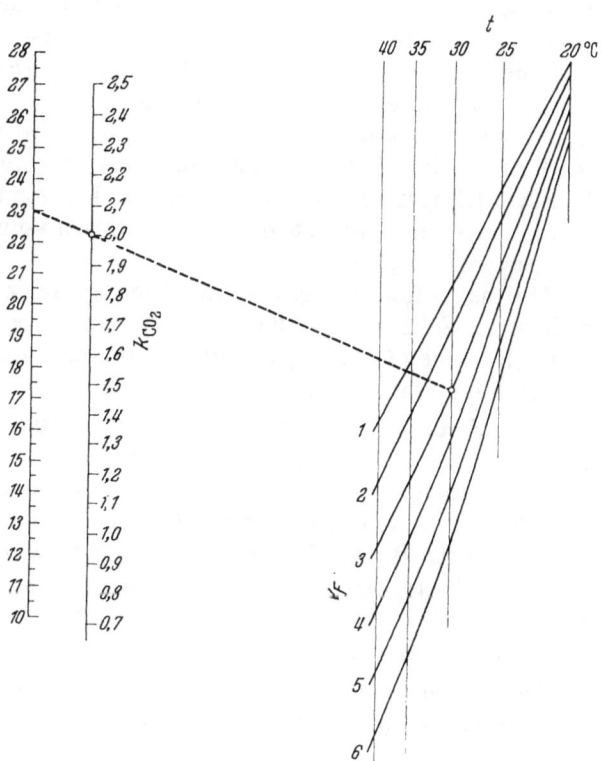

Abb. 40. Nomogramm nach DIXON[2] zur Ermittlung der Gefäßkonstanten für Kohlensäure bei volumenkonstanter Messung mit dem offenen Manometer.

über den Schliff in die Capillare gelangt. Man markiert den Stand des Hg in der Capillare und wiegt die Hg-Menge. Jetzt muß noch das Volumen des von dieser Marke bis zur Eichmarke reichenden Capillarstückes bestimmt werden. (Die Eichmarke wird meistens in der Mitte der Manometergraduierung gewählt.) Dazu wird das Capillarende oberhalb des Hahnes mit einem Gummischlauch verbunden, dessen anderes Ende mit einem kleinen Glastrichter versehen wird. Das Manometer wird umgekehrt und so gehalten, daß ein Meniscus des durch den Glastrichter zugeführten Hg auf der am seitlichen Arm des Manometers angebrachten Marke, der andere Meniscus auf der Eichmarke der vertikalen Capillare steht. Der Hahn wird jetzt geschlossen, und das Gewicht des in der Capillare vorhandenen Hg wird bestimmt. Die Eichung wird für beide Gefäße und die zugehörigen Capillarstücke durchgeführt, unter möglichst gleichbleibenden Temperaturbedingungen. Die Summe aus dem „Gefäßvolumen" und dem „Capillarvolumen" ergibt das gesuchte Volumen. Es soll aus praktischen Gründen auf beiden Seiten um nicht mehr als 0,1—0,2 % verschieden sein.

---

[1] DIXON, M.: Manometric Methods. 3. Aufl., S. 33—39. Cambridge 1951. — STAUFFER, J. F.; in: Manometric Techniques (Umbreit-Burris-Stauffer). 3. Aufl., S. 52—57. Minneapolis 1957.
[2] DIXON, M.: Biochem. J. **48**, 575 (1951).

Differentialmanometer und Gefäße können auch nach dem S. 111 angegebenen Vorgehen von DICKENS geeicht werden. Ferner kann der S. 113 erläuterte Kalibrator (am besten unter Verwendung von Hg) zur Eichung der Manometercapillaren herangezogen werden.

Angleichung der Gefäßvolumina. Es stehen nicht immer Gefäßpaare von hinreichend genau gleichem Rauminhalt zur Verfügung. Man verwendet dann das größere Gefäß als Kompensationsgefäß und reduziert dessen Rauminhalt auf eine der folgenden Arten: 1. Die Größe des Gefäßanhanges wird in der Flamme um einen entsprechenden Betrag kleiner geblasen, und zur „Feinkorrektur" kann der Stopfen des Anhanges so nachgeschliffen werden, daß er tiefer in dem Tubus sitzt. Das läßt sich unschwer erreichen, wenn die Gefäße nicht von vornherein zu verschieden groß sind, und es hat den Vorteil, daß die Volumenkorrektur dauerhaft ist. 2. Der Rauminhalt des Gefäßes wird durch Einbringen von kleinen Glasperlen um den notwendigen Betrag reduziert. Das Volumen der Glasperlen kann man mit Hilfe einer teilweise mit Wasser gefüllten Bürette bestimmen, in die man die Glasperlen gibt und das von ihnen verdrängte Volumen Wasser mißt. 3. Statt Glasperlen verwendet man zur Volumenreduktion einen zylindrischen Glasstab, den man so weit verkürzt, daß er das richtige Volumen hat. Den Glasstab numeriert man wie das zugehörige Gefäß.

Ob die Volumenkorrektur mit hinreichender Genauigkeit durchgeführt wurde, läßt sich in der Weise kontrollieren, daß man in beiden der an das Differentialmanometer angeschlossenen Gefäße genau gleiche Gasmengen entwickelt und den Stand der Menisken in den Capillararmen beobachtet.

Berechnung der Gefäßkonstanten K nach gravimetrischer Eichung. Zur Berechnung der Gefäßkonstanten werden a, v_G und v'_G in den in eckigen Klammern von Gl. (21) stehenden Ausdruck eingesetzt. (v_G und v'_G ergeben sich nach Abzug des in die Gefäße eingefüllten Flüssigkeitsvolumens von dem bei der Eichung erhaltenen Volumen.) P_0 wird unter Berücksichtigung des spez. Gew. der Manometerflüssigkeit erhalten.

Beispiel zur Berechnung von K_{O_2} nach gravimetrischer Eichung des Differentialmanometers. Die Gefäßkonstante soll für 38° C ($T = 311°$ C) und $v_F = v'_F = 3{,}0$ ml berechnet werden. *Bestimmung von a:*

Durchschnittliche Länge des Hg-Fadens in der linken Capillare: 104,5 mm (20° C).
Durchschnittliche Länge des Hg-Fadens in der rechten Capillare: 103,0 mm (20° C).
103,8 mm.

Gewicht des Quecksilbers: 598,3 mg.

$$a = \frac{598{,}3}{103{,}8 \cdot 13{,}546} = 0{,}426 \text{ mm}^2.$$

Bestimmung von v und v':

Gewicht des Hg im rechten Gefäß + Capillare: 280,3 g (20° C).
Gewicht des Hg im linken Gefäß + Capillare: 283,6 g (20° C).

$$v = \frac{280{,}3 \cdot 1000}{13{,}546} - 3000 = 17\,692 \; \mu\text{l}.$$

$$v' = \frac{283{,}6 \cdot 1000}{13{,}546} - 3000 = 17\,938 \; \mu\text{l}.$$

v' ist um 246 μl (1,4%) größer als v. Die Differenz wird z.B. durch Einbringen von Glasperlen (s. oben) in das Kompensationsgefäß ausgeglichen; v' sei dann $= v$.

Bestimmung von P_0:

Das spez. Gew. der Sperrflüssigkeit wird in bekannter Weise mit einem vorher mit Hg geeichten Pyknometer bestimmt. Ist die Sperrflüssigkeit z.B. flüssiges Paraffin mit einem spez. Gew. von 0,881 (bei 20° C), so ist

$$P_0 = \frac{760 \cdot 13{,}6}{0{,}881} = 11\,732 \text{ mm}.$$

Berechnung von K_{O_2} nach Gl. (21):

Der Absorptionskoeffizient $\alpha_{O_2}^{38°}$ ist 0,024.

$$K_{O_2} = 1 + \frac{0,426 \cdot 11732}{2 \cdot 17692} \cdot \frac{17692 \cdot \frac{273}{311} + 3000 \cdot 0,024}{11732} + \frac{0,426 \cdot 273}{2 \cdot 311}$$
$$= (1 + 0,141) \cdot (1,330 + 0,187) = 1,730 \text{ mm}^2.$$

Nomogramme von Dixon[1] zur Ermittlung von K. Nach der Bestimmung von v, v' und von a kann die Gefäßkonstante K mit Hilfe der Nomogramme in zwei Schritten erhalten werden. Es ist: $K_{O_2} = C \cdot D_{O_2}$ und $K_{CO_2} = C \cdot D_{CO_2}$. C wird mit dem in Abb. 41 wiedergegebenen Nomogramm ermittelt, indem man die für a und v_G bestimmten Werte miteinander verbindet. D_{O_2} bzw. D_{CO_2} wird nach Abb. 42 bzw. 43 erhalten. Man verbindet v mit a und errichtet auf der Verbindungslinie eine Senkrechte, die durch die von v_F und t gegebenen Punkte führt. D_{O_2} bzw. D_{CO_2} kann dann abgelesen werden.

Nach dem durch die gestrichelten Linien wiedergegebenen Beispiel wird — für ein Manometer mit einer aus der Vertikalen geneigten Capillare ($\cos \Theta = 0,935$) und wenn $v = 36,03$ ml, $v_F = 3$ ml, $a = 0,38$ mm^2 und $t = 38°$C ist — für C 1,01, für D_{O_2} 2,385 erhalten. Die Gefäßkonstante K_{O_2} ist $1,01 \cdot 2,385 = 2,41$. Die Nomogramme sind für eine Manometerflüssigkeit berechnet, deren Normaldruck 13 100 mm beträgt. Das spez. Gew. der Manometerflüssigkeit ist demnach etwa 0,78, dem die als Kerosin bezeichnete Rohölfraktion entspricht.

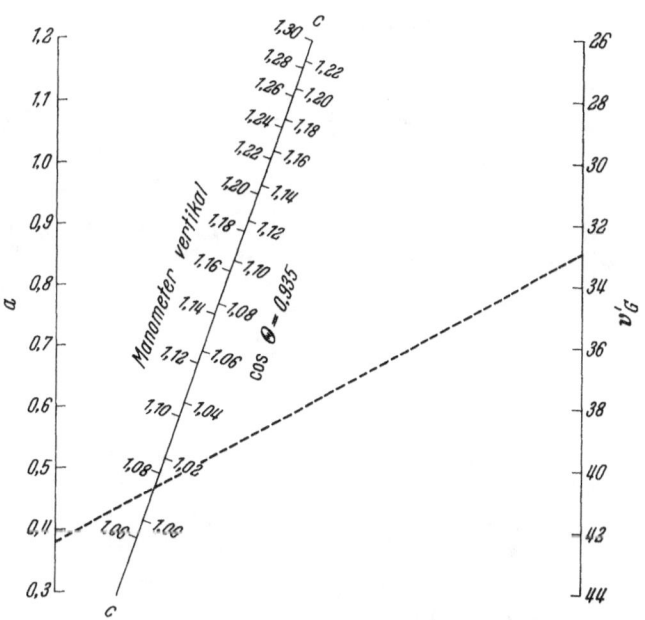

Abb. 41—43. Nomogramme nach Dixon[1] zur Ermittlung der Gefäßkonstanten für Sauerstoff ($K_{O_2} = C \times D_{O_2}$) und Kohlensäure ($K_{CO_2} = C \times D_{CO_2}$) für das Barcroftsche Differentialmanometer (Erklärung s. Text).

Abb. 41. C für das Differentialmanometer.

Manometrische Eichung nach Münzer und Neumann[2]. Mit Hilfe einer sorgfältig kalibrierten Pipette wird dem Gasraum auf der einen Seite des mit den Gefäßen verbundenen Differentialmanometers ein bestimmtes Gasvolumen entzogen oder zugeführt. Die dabei auftretende Druckdifferenz ändert den Stand der Manometerflüssigkeit in den beiden Capillararmen um einen bestimmten Betrag; die Niveaudifferenz wird abgelesen.

In Abb. 44 ist die Anordnung schematisch wiedergegeben (im wesentlichen nach Stauffer[3]). Eine in 1/100 geteilte Pipette (P) von 1 ml Inhalt, deren Graduierung durch Auswiegen von Hg kontrolliert und eventuell rechnerisch korrigiert wird, ist durch einen Gummischlauch mit einem Nivellierrohr (N) verbunden. Einer der Manometerarme wird mit einem englumigen Rohr versehen, dessen Abzweigungen zu der Meßpipette P und dem einseitig offenen Manometer M führen und das an seinem offenen Ende einen Hahn (H) trägt. Die Verbindungen werden durch kurze Stücke eines dickwandigen Gummischlauches hergestellt. Das U-Rohr des offenen Manometers M, das den Druckausgleich mit der Atmosphäre anzeigt, hat einen inneren Durchmesser von etwa 3 mm. Die

---

[1] Dixon, M.: Biochem. J. **48**, 575 (1951).
[2] Münzer, E., u. W. Neumann: B. Z. **81**, 319 (1917).
[3] Stauffer, J. F.; in: Manometric Techniques (Umbreit-Burris-Stauffer). 3. Aufl., S. 54. Minneapolis 1957.

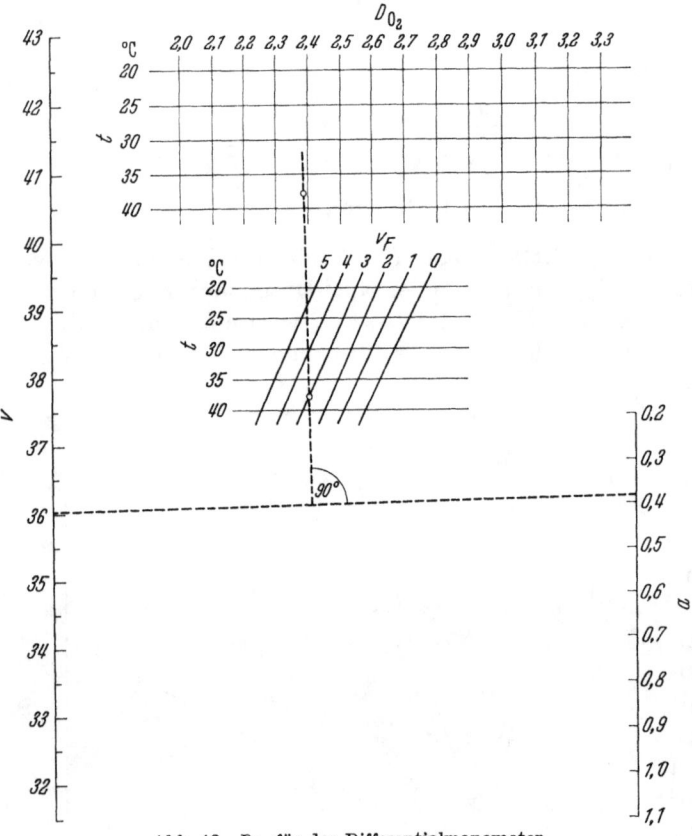

Abb. 42. D_{O_2} für das Differentialmanometer.

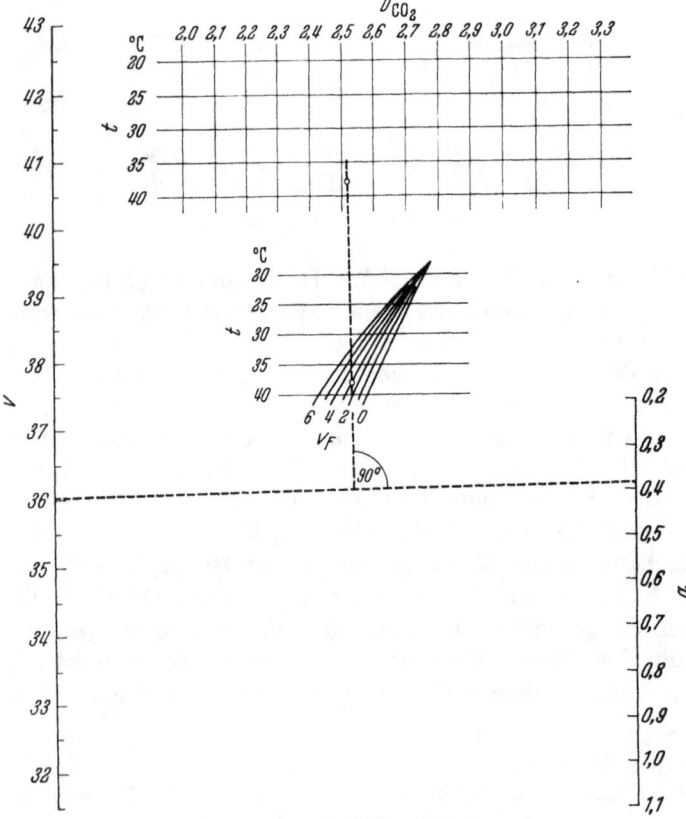

Abb. 43. D_{CO_2} für das Differentialmanometer.

U-Capillare des Differentialmanometers D enthält so viel Paraffin. liqu. (oder eine andere Manometerflüssigkeit), daß die Meniscen sich auf den Nullmarken (die gewöhnlich bei 100 oder 150 mm der Capillargraduierungen gewählt werden) befinden. (Ist der Querschnitt der beiden Capillararme genau gleich, so steht die Manometerflüssigkeit auf beiden Seiten gleich hoch.) Das offene Manometer M wird etwa bis zur Hälfte mit flüssigem Paraffin gefüllt. Alle Schliffe werden gefettet. Während der Eichung befinden sich die Manometergefäße, die Pipette mit dem Nivellierrohr und das Manometer M in einem mit Wasser gefüllten Behälter, dessen Vorderwand durchsichtig ist. Als Behälter ist z. B. ein genügend tiefes Aquarium geeignet. Die mit dem Differentialmanometer verbundene Vorrichtung wird durch Stativklammern gehalten. Das Nivellierrohr wird in einer Klammer so befestigt, daß es verschiebbar ist. Die U-Capillare des Differentialmanometers ist auf der Spannleiste befestigt. Bei der Anbringung an das Wasserbad ist darauf zu achten, daß sich die Capillararme in gleicher Stellung befinden wie bei der eigentlichen Messung (das in Abb. 44 gezeichnete Manometer also in vertikaler Stellung).

In die beiden Gefäße des Differentialmanometers wird die gleiche Flüssigkeitsmenge, die später im Versuch verwendet werden soll, pipettiert. (Das Volumen der eventuell verwendeten Lauge wird durch ein gleiches Volumen Wasser ersetzt.) Die mit dem Manometer verbundenen Gefäße werden in das Wasserbad eingesetzt. Bei geöffneten Manometerhähnen und geöffnetem Hahn H wartet man den Temperaturausgleich ab (etwa 15 min). Dann wird die Pipette P und das Manometer M (die sich ebenso wie das Nivellierrohr N seit mindestens 15 min in dem Wasserbade befinden) mit der Seite des Reaktionsgefäßes des Differentialmanometers verbunden. Man mischt die in der Pipette und in dem angeschlossenen Gefäß vorhandene Luft, indem man — nach Schließen des Hahnes H — durch Verschieben des Nivellierrohres das Hg in der Pipette auf- und absteigen läßt. Diesen Vorgang wiederholt man mehrere Male. Danach öffnet man den Hahn H wieder.

Es folgt die 1. Ablesung („Nullablesung"). Der Hahn H und der Manometerhahn auf der Seite des Kompensationsgefäßes werden geschlossen, und der Stand der Manometerflüssigkeit in beiden Schenkeln des Differentialmanometers (mm) und der Stand des Hg in der Pipette (μl) werden abgelesen. Dann wird — unter Beobachten der Niveauverschiebung der Manometerflüssigkeit in D — mit Hilfe des Nivellierrohres die Quecksilbersäule in der Pipette gesenkt, und der Manometerhahn auf der Seite des Reaktionsgefäßes wird geschlossen. Im Gasraum des Reaktionsgefäßes befindet sich jetzt eine kleinere Gasmenge als am Anfang. Um in der Pipette wieder den Ausgangsdruck (Atmosphärendruck) herzustellen, wird das Niveau des Hg in der Pipette mittels des Nivellierrohres so verändert, daß die Flüssigkeit in den beiden Schenkeln des Manometers M wieder gleich hoch steht. Dann werden die Meniscen der Sperrflüssigkeit im Differentialmanometer und des Hg in der Pipette abgelesen (2. Ablesung). Bei beiden Ablesungen werden die Temperatur des Wasserbades und der Barometerdruck notiert. Zur Kontrolle, daß sich die Temperatur des Wasserbades und der Barometerdruck während dieser Messungen nicht geändert haben und daß keine Undichtigkeiten vorhanden sind,

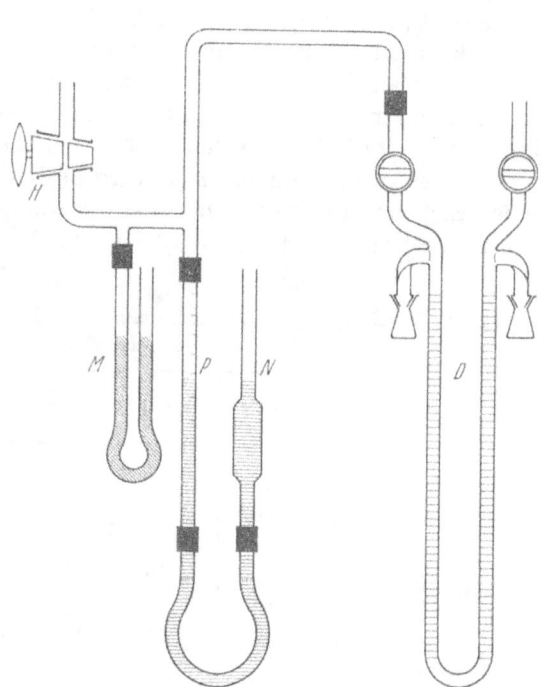

Abb. 44. Anordnung zur manometrischen Eichung des BARCROFTschen Differentialmanometers nach der Methode von MÜNZER und NEUMANN[1].

wird nach der 2. Ablesung der Manometerhahn auf der Seite des Reaktionsgefäßes geöffnet und das Hg-Niveau in der Pipette so eingestellt, daß die Meniscen der Sperrflüssigkeit im Differentialmanometer auf dem gleichen Niveau wie bei der ersten Ablesung stehen; der Meniscus des Hg in der Pipette sollte dann ebenfalls auf der gleichen Marke stehen wie bei der ersten Ablesung.

Aus der Differenz zwischen der 1. und 2. Ablesung der Pipette erhält man die Gasmenge x_1 (in μl), um die die im Gefäß (+Manometercapillarstück) vorhandene Gasmenge vermindert wurde. Die bei der 2. Ablesung gefundene Höhendifferenz h_1 zwischen den Meniscen der Sperrflüssigkeit des Differentialmanometers (nötigenfalls korrigiert für eine Ungleichheit des Standes der Meniscen bei der 1. Ablesung) entspricht der zwischen beiden Seiten des Manometers aufgetretenen Druckdifferenz. Die nach wiederholten Messungen für x_1/h_1 erhaltenen Werte sollen um nicht mehr als 1% voneinander abweichen. Reduziert auf Normalbedingungen erhält man:

$$K_1 = \frac{x_1 \cdot 273 \cdot (P - p_w)}{h_1 \cdot T_1 \cdot P_0}. \tag{30}$$

(K_1 = Gefäßkonstante [für Luft] für die Eichtemperatur T_1 und den Barometerdruck P; p_w = Wasserdampfdruck bei T_1; P_0 = Normaldruck).

[1] MÜNZER, E., u. W. NEUMANN: B. Z. 81, 319 (1917).

Die Konstante K_1 gilt nur für die Temperatur und den Druck, bei der die Eichung ausgeführt wurde. Weicht die Versuchstemperatur T von der Eichtemperatur ab, so ist — unter der Voraussetzung, daß $v_F \cdot \alpha$ gegenüber v_G in Gl. (21) vernachlässigt werden kann — in Gl. (30) an die Stelle von T_1 die Versuchstemperatur T einzuführen; es wird die im Versuch (bei der Temperatur T) zu verwendende Konstante K erhalten:

$$K = \frac{x_1 \cdot 273 \cdot (P - p_w)}{h_1 \cdot T \cdot P_0}. \qquad (30\,a)$$

K ist nur dann als Gefäßkonstante anwendbar, wenn — wie erwähnt — $v_F \cdot \alpha$ vernachlässigt werden kann. Das trifft nur für so wenig lösliche Gase wie O_2, N_2 und H_2 zu. Ist das Gas O_2, so beträgt $v_F \cdot \alpha$ bei 38° C und einem Flüssigkeitsvolumen von 3000—5000 μl 70—120, kann also bei einem v_G etwa von 15000—30000 unberücksichtigt bleiben. Daraus ist auch zu ersehen, daß es zur Bestimmung der Konstanten für Sauerstoff (K_{O_2}) genügt, die Eichung mit Luft, statt mit reinem Sauerstoff im Gasraum auszuführen. Demgegenüber ist K_{CO_2} auf diesem Wege wegen der hohen Löslichkeit von CO_2 in wäßrigen Lösungen schwieriger zu bestimmen. K_{CO_2} wird deshalb besser durch Berechnung nach gravimetrischer Eichung ermittelt oder — etwas weniger genau —, indem man in dem Reaktionsgefäß eine bekannte Menge CO_2 sich entwickeln läßt.

Tabelle 3. *Beispiel für die Bestimmung von K_{O_2} nach der Methode von* MÜNZER *und* NEUMANN. $T_1 = 293°$ C (absolut); $P = 753$ mm Hg; $p_w = 17{,}5$ mm Hg; $v_F = 4{,}0$ ml.

Ablesung	Pipette	x_1 (μl)	Manometer		Differenz	h_1 (mm)	x_1/h_1
			links	rechts			
1.	38		150,5	150,0	0,5		
2.	219	−181	108,0	192,5	−84,5	−85,0	2,130
1.	40		151,0	150,3	0,7		
2.	208	−168	111,2	190,0	−78,8	−79,5	2,113
1.	35		150,7	150,5	0,2		
2.	249	−214	100,2	201,2	−101,0	−101,2	2,115
						$x_1/h_1 =$	2,119

$$K_{O_2}(38°) = 2{,}119 \cdot \frac{273 \cdot (753 - 17{,}5)}{311 \cdot 760} = 1{,}80.$$

Manometrische Eichung nach GIBSON[1]. Nach dieser Methode wird die Absorption von O_2 durch eine eingestellte Lösung von Ferrohydroxyd bei alkalischer Reaktion gemessen. Die Eichung wird unter den Bedingungen des eigentlichen Versuches durchgeführt.

Eisen(II)-sulfatlösung: 4,6—4,8 g $FeSO_4 \cdot 7\,H_2O$ werden in 50 ml 0,2 n H_2SO_4 gelöst und mit Wasser auf 500 ml gebracht. Zur genauen Gehaltsbestimmung werden unmittelbar vor Gebrauch 50 ml der Lösung mit 0,10 n $KMnO_4$-Lösung titriert.

Aus einer Mikrobürette werden 2,0 ml der Eisensulfatlösung in den Hauptraum des Versuchsgefäßes gebracht. In ein „KEILIN-Röhrchen" (S. 100) werden 0,2 ml einer etwa 2,5 n Natronlauge pipettiert. Die Gefäße werden an dem Manometer befestigt. Temperaturausgleich 30 min im Thermostaten bei 37° C. Die Manometerhähne werden geschlossen und die erste Ablesung wird vorgenommen. Dann wird das Röhrchen mit der Natronlauge in die Eisensulfatlösung gekippt und nach 30 min langem Schütteln (120 volle Schwingungen pro min) erfolgt die Endablesung.

Die Neutralisation der Säure und die Präcipitation von $Fe(OH)_2$ bewirkt eine Erhöhung des Wasserdampfdruckes. (Durch Änderungen des Wasserdampfdruckes bewirkte Druckänderungen hängen nicht von der Größe der Gefäßkonstanten ab.) Die dadurch erforderliche Korrektur der Manometerablesung läßt sich nach der folgenden Formel berechnen:

---
[1] GIBSON, Q. H.: J. Physiol., London **102**, 83 (1943). Biochem. J. **41**, 44 (1947).

$C = (0{,}027 + 2{,}14 \text{ Fe}) \cdot 0{,}288\, p_w/D \cdot \cos \vartheta$, wo C die Korrektur in mm Manometerflüssigkeit, Fe die Konzentration von Eisen in g-Molekülen pro Liter, p_w der Dampfdruck von Wasser bei der Temperatur des Thermostaten, D das spez. Gew. der Manometerflüssigkeit und $\cos \vartheta$ der Neigungswinkel der Manometercapillare ist. (Bei vertikalen Manometern ist $\cos \vartheta = 1$). Voraussetzung für die Anwendbarkeit dieser Formel ist, daß die $FeSO_4$-Lösung Schwefelsäure in einer Endkonzentration von 0,02 n enthält.

Beispiel. Die Endablesung des Kontrollmanometers ergibt — 3,3 mm, des Versuchsmanometers — 136,8 mm; die Druckänderung beträgt also 133,5 mm der Manometerflüssigkeit (spez. Gew. 0,8). Dazu kommen 1,8 mm als Korrektur für die Dampfdruckerhöhung, die durch Präcipitation und Neutralisation verursacht wird. Es wurden 2,0 ml einer 0,0347 n $FeSO_4$-Lösung angewendet, entsprechend einer O_2-Aufnahme von 389 μl. Die Gefäßkonstante für Sauerstoff (K_{O_2}) ist also 389 zu 135,3 = 2,87.

Diese Methode liefert Ergebnisse, die innerhalb von ±0,5% mit denen auf gravimetrischem Wege erhaltenen übereinstimmen. Bei Zimmertemperatur fällt die Änderung des Dampfdruckes weniger ins Gewicht als bei 37° C.

Andere manometrische Eichmethoden. Die Freisetzung von Sauerstoff aus H_2O_2 mit $KMnO_4$ oder mit Katalase oder die Aufnahme von Sauerstoff durch Cystein in Gegenwart von Fe^{++} kann zur Bestimmung von Gefäßkonstanten herangezogen werden. SUMMERSON[1] schlägt vor, aus einer alkalischen Hydrazinlösung mit einer eingestellten Lösung von Kaliumbijodat N_2 zu entwickeln (s. auch [2]). Ferner bietet die durch Natriumtetrathionat katalysierte Entwicklung von N_2 aus Natriumazid und J_2 (2 $NaN_3 + J_2 \rightarrow$ 3 N_2 + 2 NaJ) wegen ihrer Kinetik und ihres quantitativen Verlaufes günstige Bedingungen zur Eichung (HOLTER und LØVTRUP[3], LØVTRUP[4]. SMITH[5]). Damit wird unmittelbar zwar die Gefäßkonstante für N_2 erhalten, die praktisch aber mit der Gefäßkonstanten für O_2 gleichgesetzt werden kann.

D. Allgemeines über die Technik der manometrischen Messung.

1. Reinigen und Füllen der Manometer.

Zur gründlichen Reinigung der Capillaren werden die Manometer etwa einen Tag lang in einen mit Kaliumdichromat-Schwefelsäure gefüllten Zylinder gestellt; anschließend wird Wasser, Alkohol und Äther durchgesaugt. Die Manometerhähne werden mit üblichem Bürettenfett oder mit Siliconfett eingefettet.

Die als Reservoir dienenden Gummischlauchstücke werden in Wasser ausgekocht und an einem Ende mit einem kurzen Stück eines dicken Glasstabes verschlossen. Das Reservoir wird mehrere Male mit der Manometerflüssigkeit ausgespült und dann mit der Manometerflüssigkeit gefüllt. Das gefüllte Reservoir wird über das untere Ende der Manometercapillare geschoben. Die Manometerflüssigkeit gelangt dabei in das untere Drittel der Manometercapillaren. Der Stand der Manometerflüssigkeit in den Capillararmen läßt sich leicht korrigieren, z.B. durch Änderung der in das Reservoir gegebenen Flüssigkeitsmenge oder, bei angeschlossenem Reservoir, indem man die Flüssigkeit im linken Schenkel in die Erweiterung drückt (wozu man den Manometerhahn und die Schlifföffnung des Seitenarmes — letztere mit dem Daumen oder mit dem Reaktionsgefäß — verschließt) und mit einer Pipette Flüssigkeit absaugt oder zuführt. In Differentialmanometer mit unten geschlossener Capillare wird die Manometerflüssigkeit — bis zum Niveau der Nullmarken — vom oberen Ende aus eingefüllt. Man benutzt dazu eine lang ausgezogene Pipette, die man durch die Bohrung von einem der Manometerhähne führt.

---

[1] SUMMERSON, W. H.: J. biol. Ch. **131**, 579 (1939).
[2] SLYKE, D. D. VAN, A. HILLER and K. C. BERTHELSEN: J. biol. Ch. **74**, 659 (1927).
[3] HOLTER, H., u. S. LØVTRUP: C. r. Lab. Carlsberg, Sér. chim. **27**, 72 (1949).
[4] LØVTRUP, S.: C. r. Lab. Carlsberg, Sér. chim. **27**, 63 (1949).
[5] SMITH, P. J. C.: Clin. chim. Acta, Amsterdam **3**, 586 (1958).

Die Manometer werden auf den Spannleisten befestigt (mit dem Reservoir in dem Bügel auf den Leisten) und in einem Ständer aufgehoben. Vor dem Versuch werden die Helmschliffe der Manometer mäßig stark eingefettet: beim Ansetzen der Gefäße soll sich das Fett gleichmäßig über die ganze Schliffläche verteilen, es soll aber kein Fett über das Schliffende hinaus in den Gefäßraum gelangen. Als Einfettungsmittel sind Vaseline, Siliconfett oder in vielen Fällen auch wasserfreies Lanolin geeignet. (Lanolin ist mit Vorsicht zu benutzen, wenn hydrogencarbonathaltige Versuchslösungen verwendet werden.) Nach dem Versuch wird das Fett von den Manometerschliffen mit einem Läppchen entfernt, und die Schliffe werden mit einem organischen Lösungsmittel gereinigt.

2. Reinigen der Gefäße.

Nach Abschluß des Versuches werden die Gefäße von den Manometern abgenommen. Die Schliffe der Gefäße werden mit einem Lappen oder mit Zellstoff ausgewischt, dann mit einem mit organischem Lösungsmittel (z.B. Toluol) befeuchteten Läppchen entfettet. Die Gefäße werden mit Wasser ausgespült und über Nacht oder wenigstens während einiger Stunden in Kaliumdichromat-Schwefelsäure gelegt. (Kaliumdichromat-Schwefelsäure: 50—60 g $K_2Cr_2O_7$, techn., werden mit etwa 200 ml Wasser erhitzt und nach dem Abkühlen mit konzentrierter Schwefelsäure auf 1 l gebracht.) Die Gefäße werden gründlich mit heißem Wasser, dann mit glasdestilliertem Wasser gespült und bei etwa 100° C getrocknet.

Schneller kann man die Gefäße reinigen, indem man sie während 1 Std in ein heißes Gemisch aus gleichen Teilen konzentrierter Schwefelsäure und Salpetersäure legt (Abzug!). Auch synthetische Netzmittel können zur Reinigung der Gefäße verwendet werden. Bewährt hat sich z.B. „Haemo-Sol". Die Gefäße werden etwa $1/2$ Std lang in die kurz vor dem Kochen gehaltene Lösung des Netzmittels (etwa 10 g Pulver auf 2 Liter Wasser) gelegt und dann mit Wasser gespült. Die Lösung von Haemo-Sol kann mehrere Male verwendet werden.

In jedem Falle ist mit Wasser sorgfältig nachzuspülen. Versuche mit radioaktivem ^{51}Cr haben gezeigt[1], daß nach der Behandlung von Glasgeräten mit Dichromat-Schwefelsäure Chrom äußerst hartnäckig von Glas festgehalten wird.

3. Gang einer Messung.

Der Vorgang einer manometrischen Messung und die Bedingungen, die dabei im allgemeinen zu erfüllen sind, sollen zusammenfassend beschrieben werden. Es wird dafür die Messung mit dem offenen Manometer bei Volumenkonstanz zugrunde gelegt.

1. Der Thermostat wird auf die Versuchstemperatur gebracht.
2. Die Schliffe der Manometer werden eingefettet (s. oben).
3. Die Reaktionsgefäße werden mit der Versuchslösung und mit dem Versuchsmaterial beschickt. Ein Gefäß, das an das als Thermobarometer dienende Manometer angeschlossen wird, erhält nur Versuchslösung oder Wasser.

Erfolgt die Messung mit einem anderen Gas als Luft im Gasraum, so wird die Versuchslösung vor dem Einpipettieren in die Gefäße mit dem betreffenden Gas bei der Temperatur des Thermostaten durchströmt oder — bei eiweißhaltigen Lösungen — tonometriert.

Lösungen, die erst bei Meßbeginn oder zu einem anderen Zeitpunkt mit der im Hauptraum befindlichen Lösung zusammengebracht werden sollen, werden in den Anhang pipettiert. Der Anhang, der bei den üblichen Gefäßgrößen etwa 0,8—1,5 ml Flüssigkeit faßt, darf nur teilweise mit der Lösung gefüllt sein: 1. damit während des Schüttelns keine Lösung aus dem Anhang in den Hauptraum gelangt, und 2. um die Oberfläche der Lösung im Verhältnis zu ihrem Volumen möglichst groß zu halten (anderenfalls ist die Erreichung des Verteilungsgleichgewichtes zwischen Gas- und Flüssigkeitsphase nicht gewährleistet).

---
[1] BUTLER, E. B., and W. H. JOHNSTON: Science, N.Y. **120**, 543 (1954).

Soll — wie bei der Messung des O_2-Verbrauches nach der „direkten Methode" (S. 178) — CO_2 absorbiert werden, so werden in den zentralen Einsatz des Gefäßes 0,2 ml einer 10%igen Kalilauge pipettiert. Um die Geschwindigkeit der CO_2-Absorption zu erhöhen, führt man mit einer Pinzette einen mehrfach (akkordionähnlich) gefalteten Streifen von stärkefreiem Filtrierpapier ein; der Streifen soll einige Millimeter über den Rand des Einsatzes ragen.

4. Die Gefäße werden an die Manometer, deren Hahn zur Luft hin geöffnet ist, angeschlossen und mit Spiralfedern befestigt. Durch drehende Hin- und Herbewegungen und unter leichtem Andrücken der Gefäße sorgt man für einen engen Kontakt zwischen den Schliffen. Die in gleicher Art wie die Manometerschliffe eingefetteten Stopfen werden in den dafür vorgesehenen Tubus der Gefäße eingesetzt.

Die mit den Gefäßen verbundenen Manometer werden mit geöffnetem Hahn in die Schüttelvorrichtung eingehängt. Die Gefäße sollen vollständig — bis einige Zentimeter über ihrem Schliff — in das Wasser des Thermostaten tauchen. Bei Gefäßen mit Ventilstopfen ragt das obere Ende der Capillare aus dem Wasser heraus. Ist die Temperatur des Thermostaten höher als die Raumtemperatur, so erweicht das Fett zwischen den Schliffen. Zur Sicherung der Schliffverbindungen drückt man mit der einen Hand die Gefäße unter leichtem Hin- und Herdrehen an den Manometerschliff, wobei man mit der anderen Hand einen entsprechenden Gegendruck auf den Seitenarm ausübt. Auch das Festsitzen des Gefäßstopfens wird kontrolliert.

5. Erfolgt die Messung mit Luft im Gasraum, so wird die Schüttelvorrichtung in Gang gesetzt. Nach etwa 10 min ist der Temperaturausgleich erreicht. (Große Gefäße erfordern bis zum Temperaturausgleich eine längere Zeit als kleine Gefäße.) Bei noch geöffnetem Manometerhahn wird die Manometerflüssigkeit in den Capillararmen auf eine passende Höhe gebracht (bei Gasverbrauch in der Regel mit dem Niveau im unteren, bei Gasentwicklung im oberen Teil der Capillararme). Die Manometerhähne (und die Ventilstopfen) werden geschlossen. Die Manometerflüssigkeit wird im rechten Schenkel auf die Nullmarke (Eichmarke) eingestellt.

5a. *Durchgasung im Thermostaten.* Erfolgt die Messung mit einem anderen Gas als Luft, so werden die mit den Gefäßen verbundenen und am Thermostaten befestigten Manometer an das Gasverteilungsrohr (S. 108) angeschlossen. Die Ventilstopfen sind zur Luft hin geöffnet. Zur Sättigung mit Wasserdampf läßt man das Gas vor dem Eintritt in das Gasverteilungsrohr durch Wasser (oder durch Versuchslösung) perlen, das sich in einer kleinen, am Ausgang mit einem Wattefilter versehenen Waschflasche bei der Temperatur des Thermostaten befindet. Die Manometerflüssigkeit wird bis in den oberen Teil der Capillararme gedrückt. Die Gaszufuhr wird so reguliert, daß die Manometerflüssigkeit im rechten Schenkel etwa 5 cm tiefer steht als im linken. (Bei einem zu kräftigen Gasstrom und ohne Benutzung des S. 109 erwähnten Ventils wird die Sperrflüssigkeit aus dem offenen Capillarschenkel herausgetrieben; die Manometer müssen dann neu gefüllt werden.) Wenn nötig, wird die Durchgasung einzelner Manometer mit Hilfe von Schraubklemmen reguliert, die auf den Verbindungsschläuchen zwischen Verteilungsrohr und Manometer angebracht sind. Während der Durchgasung läßt man die Manometerflüssigkeit im rechten Schenkel einige Male bis unterhalb der Einmündung des Seitenarmes steigen, um die in der Capillare vorhandene Luft zu entfernen; dazu drückt man mit dem Finger auf das Reservoir. In der Regel erfolgt die Durchgasung im Thermostaten unter Schütteln, um den Gasaustausch mit der in den Gefäßen befindlichen Lösung zu begünstigen. Im allgemeinen genügt eine etwa 3 min lange Gasdurchströmung; längere Zeiten sind erforderlich, wenn die letzten Spuren von Luft aus den Gefäßen vertrieben werden sollen, wenn die Versuchslösung vorher nicht mit dem Gas gesättigt wurde oder wenn sich viel Flüssigkeit in den Gefäßen befindet. Soll die Durchgasung beendigt werden, so dreht man den Manometerhahn mit der einen Hand so, daß das Manometer von der Gaszufuhr abgeschlossen ist und das noch strömende Gas aus dem Schwanzteil des Hahnes austreten kann; unmittelbar danach schließt man durch Drehen des Ventilstopfens mit der anderen Hand das Gefäß. Das Schließen von Manometer und Gefäß erfolgt in der Weise, daß keine Luft in das Gefäß gelangen kann: In dem rechten Capillararm soll das Niveau der Sperrflüssigkeit tiefer stehen als in dem linken Capillararm. Dann wird die Gaszufuhr abgestellt.

Besitzt das Gasverteilungsrohr einen Auslaßhahn (S. 108), so öffnet man diesen bei Beendigung der Durchgasung, stellt die Gaszufuhr ab und schließt danach die Ventilstopfen und Manometerhähne.

Enthalten die Gefäße im Verhältnis zu ihrem Rauminhalt viel Flüssigkeit, so ist es ratsam, die Durchgasung zur Sicherung des Absorptionsgleichgewichtes zu wiederholen, nachdem die Gefäße nach der ersten Durchgasung etwa 10 min lang im Thermostaten geschüttelt worden sind. Das ist in diesem Falle besonders dann geboten, wenn die erste Durchgasung außerhalb des Thermostaten und ohne Schütteln erfolgt war (s. anschließend).

5b. *Durchgasung außerhalb des Thermostaten.* Wenn die Gefäße nicht mit Ventilstopfen, sondern nur mit einfachen Massivstopfen versehen sind, so muß die Durchgasung vor dem Befestigen der Manometer in der Schüttelvorrichtung, also außerhalb des Thermostaten geschehen. Der Stopfen wird so weit gelockert, daß Gas aus dem Gefäß ausströmen kann, oder die Stopfen werden ganz abgenommen. Die Manometer und Gefäße werden nach der Durchgasung geschlossen (s. oben), und die Manometer werden in der Schüttelvorrichtung befestigt. Liegt die Versuchstemperatur über der Raumtemperatur, so entsteht beim Eintauchen der Gefäße in das Wasserbad ein Überdruck, durch den die Sperrflüssigkeit ohne Gegenmaßnahmen aus dem offenen Ende des Manometers herausgedrückt werden würde. Unmittelbar nach dem Einhängen des Manometers wird deshalb der Manometerhahn zur Luft hin geöffnet und noch während des Ansteigens der Sperrflüssigkeit in dem rechten Capillararm wieder geschlossen. Dieser Vorgang wird wiederholt, falls im weiteren Verlaufe des Temperaturausgleiches die Manometerflüssigkeit wieder in das untere Ende des rechten Schenkels gedrückt wird. Bei kurzem Öffnen des Manometerhahnes gelangt keine Luft in den Gasraum, wenn die Manometerflüssigkeit in dem mit dem Gefäß verbundenen Capillararm tiefer steht als in dem offenen Capillararm.

5c. *Evakuierungsmethode zur Gasfüllung der Gefäße.* Der Gasraum der Gefäße (+ Manometercapillare) läßt sich auch nach einer voraufgehenden Evakuierung mit dem zu verwendenden Gas (oder Gasgemisch) füllen. Die Evakuierungsmethode hat gegenüber der Durchströmungsmethode den Vorteil eines geringen Gasverbrauches. Sie ist bei Versuchen mit giftigen Gasen (wie Kohlenmonoxyd) der Gasdurchströmung vorzuziehen. Wenn Gefäße ohne Stopfen verwendet werden, ist die Evakuierungsmethode die einzige praktische Möglichkeit zur Einführung von Fremdgasen in die Gefäße.

Die Evakuierungsmethode wurde von DIXON und TUNNICLIFFE[1] zur Füllung der an das Differentialmanometer angeschlossenen Gefäße mit dem Gas verwendet. Beide Seiten des Differentialmanometers werden mittels eines dickwandigen Gummischlauches und eines T-Stückes mit einem Dreiwegehahn verbunden. Durch Drehen des Hahnes können die Manometer und angeschlossenen Gefäße wahlweise mit der Wasserstrahlpumpe oder mit dem Gasreservoir verbunden werden. Ein zwischen den Hahn und das Manometer geschaltetes Quecksilbermanometer zeigt den jeweiligen Druck in den Gefäßen an.

Eine Anordnung nach BURRIS[2] zur Begasung von Manometer und Gefäß nach der Evakuierungsmethode ist schematisch in Abb. 45 wiedergegeben. Beide Manometerschenkel (des offenen Manometers) werden durch kurze Gummischläuche mit einem Glasrohrverbindungsstück versehen, das einerseits zu dem Gasreservoir, andererseits zu dem Vakuum (Wasserstrahlpumpe) führt. Zu Beginn wird die Sperrflüssigkeit in das untere Manometerende verschoben. Bei geöffnetem Manometerhahn wird die (durch eine Schraubklemme A versperrbare) Verbindung zur Wasserstrahlpumpe hergestellt, und es wird so weit evakuiert, daß der noch verbleibende Druck, der durch den Stand des Hg

---

[1] DIXON, M., and H. E. TUNNICLIFFE: Proc. R. Soc. London (B) **94**, 266 (1923).
[2] BURRIS, R. H.; in: Manometric Techniques (Umbreit-Burris-Stauffer). 3. Aufl., S. 71. Minneapolis 1957.

in dem Rohr C angezeigt wird, etwa 75 mm beträgt. A wird nun geschlossen, und durch Öffnen der Schraubklemme bei B wird die Verbindung zu dem Gasbehälter E hergestellt. Durch Zulaufenlassen von Wasser aus dem Gefäß D wird aus E Gas verdrängt, bis wieder Atmosphärendruck erreicht ist. Evakuieren und Füllen werden zweimal (dann ist in den Gefäßen nur noch etwa 0,1% Luft vorhanden) oder öfter wiederholt. Nach der letzten Füllung wartet man ein Ansteigen des Gasdruckes ab, bis Gas aus dem Manometerrohr C durch das Quecksilber austritt. Dann wird die zu den Manometern führende Schlauchverbindung bei F gelöst, wodurch in den Gefäßen Atmosphärendruck hergestellt wird. Unmittelbar danach werden die Manometerhähne geschlossen.

Mit dieser Anordnung können bequem bis zu sieben Manometer gleichzeitig begast werden. Die Begasung kann vor oder nach Anbringen der Manometer an dem Thermostaten erfolgen. Bei der Evakuierung wird der als Reservoir für die Manometerflüssigkeit dienende Gummischlauch zusammengedrückt, und die Manometerflüssigkeit steigt in den Capillararmen. Deshalb soll für das Reservoir ein etwas dickwandigerer Gummischlauch verwendet werden.

6. Während der Durchgasung nimmt man die ersten Manipulationen zur Einstellung der Manometerflüssigkeit vor. Mit Hilfe der über dem Reservoir angebrachten Schraubvorrichtung wird der Meniscus der Flüssigkeit im rechten Schenkel auf die Eich-

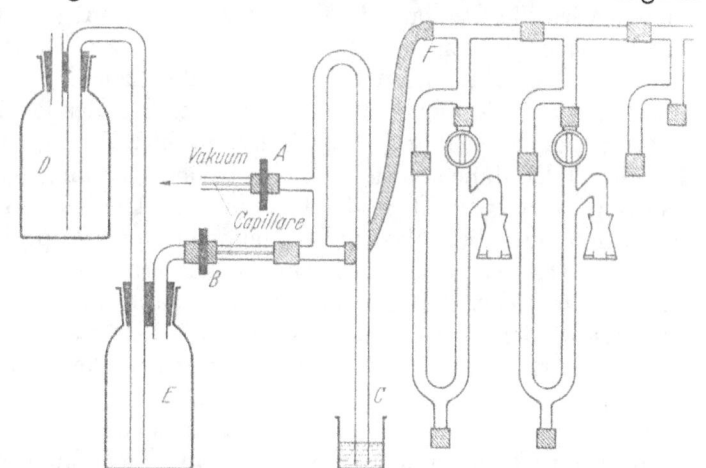

Abb. 45. Anordnung für die Begasung von Manometern und Gefäßen nach dem Evakuierungsverfahren (im wesentlichen nach BURRIS, Fußn. 2, S. 130).

marke eingestellt. Dabei sollte die Manometerflüssigkeit im linken Schenkel möglichst hoch stehen, wenn größere negative Drucke (z.B. hoher O_2-Verbrauch) zu erwarten sind. Das erreicht man, indem man die Manometerflüssigkeit bei geöffnetem Manometerhahn — zur Luft hin geöffnet bei Messung mit Luft im Gasraum (s. unter 5.), zum Gasreservoir hin geöffnet bei Durchgasung — in den unteren Teil der Manometerschenkel bringt. Stellt man dann bei geschlossenem Manometerhahn (nach der Durchgasung) die Sperrflüssigkeit im rechten Schenkel auf die Eichmarke ein, so gelangt die Sperrflüssigkeit links in den oberen Teil der Capillare. Sind hohe positive Drucke zu erwarten (z.B. CO_2-Entwicklung), so sollte die Sperrflüssigkeit links möglichst tief stehen. Dazu drückt man die Sperrflüssigkeit möglichst hoch in die Capillararme hinauf (wobei darauf zu achten ist, daß keine Flüssigkeit in die Capillare des Seitenarmes gelangt). Wird dann nach der Durchgasung der Manometerhahn geschlossen und wird die Manometerflüssigkeit rechts auf die Eichmarke eingestellt, so gelangt sie links in den unteren Teil der Capillare. Auf diese Weise kann die Graduierung der linken Manometercapillare zur Messung der auftretenden Druckänderungen über eine große Länge ausgenutzt werden.

7. Mit Gefäßen von der üblichen Größe (12—20 ml), mit einem Flüssigkeitsvolumen von 2—4 ml und bei einer Thermostatentemperatur von 37°C sind zum vollständigen Temperatur- und Druckausgleich (der vor Meßbeginn erreicht sein muß) 10—15 min nötig. Nach dem Einbringen der Gefäße in den Thermostaten, nach der Durchgasung (falls diese vorgenommen wird) und nach der Einstellung der Manometerflüssigkeit wird mit geschlossenen Manometerhähnen und Ventilstopfen mit der gewählten Frequenz und Amplitude bis zum vollständigen Ausgleich geschüttelt. Durch zwei „Vorablesungen" des Thermobarometers überzeugt man sich am Ende der Ausgleichsperiode davon, daß Druckkonstanz erreicht ist.

Die Ausgleichsperiode kann allenfalls auf etwa 5 min verkürzt werden, wenn sehr kleine Reaktionsgefäße und geringe Flüssigkeitsmengen verwendet werden oder wenn die Thermostatentemperatur nur um einige Grade von der Raumtemperatur abweicht. Nach FESTENSTEIN[1] dauert der Ausgleich etwas länger, wenn die Gasfüllung nach der Vakuummethode vorgenommen wurde. Die Schüttelung erfolgt im allgemeinen mit etwa 100 vollen Schwingungen pro min und einem Ausschlag von 3—6 cm. Besondere Fälle erfordern eine hiervon abweichende Frequenz und Amplitude der Schüttelung (s. auch weiter unten).

Nach der Ausgleichsperiode folgt die erste Ablesung der Manometer (Meßbeginn $=t_0$). Die Schüttelung wird dazu unterbrochen. Der Meniscus der Manometerflüssigkeit wird im rechten Capillararm genau auf die Eichmarke eingestellt. Der Stand der Manometerflüssigkeit im linken Schenkel wird notiert. Sofort nach der Ablesung des ersten Manometers wird die Stoppuhr in Gang gesetzt. In möglichst gleichen zeitlichen Abständen werden auch die übrigen Manometer abgelesen. Die Schüttelung wird wieder eingeschaltet. Die nächsten Ablesungen erfolgen auf die gleiche Weise (Einstellen der Manometerflüssigkeit auf die Eichmarke, Notieren des Standes der Manometerflüssigkeit im linken Schenkel) nach Ablauf einer bestimmten Zeit (z. B. 10, 20, 30 min usw. nach Meßbeginn). Der Stand der Manometerflüssigkeit wird auf 0,5 mm genau abgelesen. Wenn eine größere Genauigkeit angestrebt wird (etwa bei sehr kleinen Gasumsätzen), nimmt man für die Einstellung und die Ablesung der Manometer eine Lupe zu Hilfe (s. S. 96).

Die Ablesungen sollen möglichst schnell erfolgen, damit die Schüttelung nur während einer kurzen Zeit unterbrochen zu werden braucht. Können die Manometer einzeln arretiert werden, so wird natürlich nur die Schüttelung des jeweils abzulesenden Manometers unterbrochen. Steht die Manometerflüssigkeit vor der Ablesung im rechten Schenkel unter der Eichmarke (bei Gasentwicklung), so drückt man sie bei der Einstellung zunächst etwas über die Eichmarke hinaus, um die Capillarwandung an dieser Stelle zu benetzen; dann nimmt man die genaue Einstellung auf die Eichmarke vor. Findet ein größerer Gasverbrauch statt, so steigt die Manometerflüssigkeit weit über die Eichmarke; bringt man sie bei der Ablesung auf die Eichmarke zurück, so läuft Flüssigkeit, die an der Capillarwandung haftengeblieben ist, nach. Deshalb ist es ratsam, den Stand der Manometerflüssigkeit vor der Ablesung — und ohne das Schütteln zu unterbrechen — bis nahe an die Eichmarke zu senken; die genaue Einstellung erfolgt dann bei der Ablesung.

Bei unerwartet hohen Gasumsätzen kann es vorkommen, daß die Manometerflüssigkeit, nachdem man sie rechts auf die Eichmarke eingestellt hat, im linken Schenkel über oder unter der Skaleneinteilung steht. Um dennoch die Ablesung vornehmen zu können, kann man folgendermaßen vorgehen (vgl. hierzu[2]): Man stellt den Meniscus der Manometerflüssigkeit rechts so ein, daß der Meniscus im linken Schenkel in den Bereich der Graduierung gelangt. Der Stand der Manometerflüssigkeit wird auf beiden Seiten abgelesen. Dann ändert man das Niveau der Manometerflüssigkeit im rechten Schenkel um eine bestimmte Höhe und liest wieder links und rechts ab. Die Eichmarke sei M, die beiden aufeinanderfolgenden Einstellungen seien rechts A und B, die zugehörigen Ablesungen links Y und Z. Bei Einstellung der Manometerflüssigkeit im rechten Schenkel auf die Eichmarke erhält man den gesuchten Stand W der Manometerflüssigkeit nach der Formel:

$$W = Y - \left[\frac{A-M}{B-A}(Z-Y)\right].$$

Beispiel:

rechts (mm)	links (mm)
$A = 160$	$Y = 11$
$B = 170$	$Z = 29$
$M = 150$	$W = -7$

---

[1] FESTENSTEIN, G. N.: Biochem. J. 59, 605 (1955).
[2] VOGLER, K. G.: J. gen. Physiol. 26, 103 (1942). — CHENG, P-Y.: Arch. Biochem. 36, 489 (1952).

8. In den Anhang gegebene Lösung wird auf die folgende Weise in den Hauptraum übergeführt: Nach einer unmittelbar vorhergehenden Ablesung nimmt man das Manometer mit dem Gefäß aus der Schüttelvorrichtung heraus, wobei man den linken Manometerarm mit dem Finger verschließt, weil sonst wegen der Abkühlung des Gefäßes Manometerflüssigkeit aus der rechten Capillare in die Capillare des Seitenarmes und in das Gefäß gesaugt würde. Durch Neigen des Manometers läßt man die Flüssigkeit aus dem Anhang in den Hauptraum fließen, mischt kurz durch eine rotierende Bewegung und spült — wenn die Überführung quantitativ sein soll — den im Anhang befindlichen Rest der Flüssigkeit mit einem Teil der Lösung aus dem Hauptraum aus. Beim „Kippen" ist darauf zu achten, daß keine Lauge (oder ein anderes in den Einsatz gegebenes Absorptionsmittel) aus dem Einsatz in den Hauptraum gelangt. Der Kippvorgang soll möglichst schnell vonstatten gehen, um die durch die Temperaturänderung (beim Herausnehmen der Gefäße aus dem Wasserbade) und durch die Unterbrechung der Schüttelung bedingten Fehlermöglichkeiten klein zu halten. Der Zeitpunkt des Kippens wird notiert. Betrachtet man als Versuchsbeginn den Zeitpunkt des Kippens, so wird nach dem Kippen des ersten Gefäßes (bei t_0) die Stoppuhr in Gang gesetzt; die übrigen Gefäße werden in den gleichen zeitlichen Abständen gekippt, in denen die späteren Ablesungen der einzelnen Manometer vorgenommen werden.

Sind die Gefäße mit einer magnetischen Kippvorrichtung (S. 101) ausgerüstet, so brauchen sie natürlich nicht aus dem Wasserbade herausgenommen zu werden, ebensowenig bei der S. 88 erwähnten Thermostatenkonstruktion von ZAPP oder wenn die Gefäße einen im Schliff drehbaren Anhang besitzen.

Beim Mischen verschiedener Lösungen können Änderungen im Wasserdampfdruck auftreten, die unter Umständen eine erhebliche Gasaufnahme oder -abgabe vortäuschen. „Einkippdrucke" können auch andere Ursachen haben (z.B. Entwicklung oder Verbrauch von Gas). Die beim Kippen auftretende Druckänderung ist deshalb in einem besonderen Leerversuch — mit den gleichen Lösungen, aber unter Weglassung von Enzym oder von Substrat oder mit inaktiviertem Enzym — festzustellen. (Durch Änderungen des Wasserdampfdruckes bewirkte Druckänderungen werden vor Anwendung der Gefäßkonstanten — wie bei der Korrektur für das Thermobarometer — in Anrechnung gebracht.) Falls die Art des Versuches es erlaubt — z.B. wenn man weiß, daß die zu messende Reaktion während einer längeren Zeit mit konstanter Geschwindigkeit verläuft — können diese störenden Druckänderungen auch dadurch eliminiert werden, daß man nach dem Kippen bis zum Ausgleich (etwa 2—4 min lang) schüttelt und danach die erste Ablesung (t_0) vornimmt.

9. Nach der letzten Ablesung werden die Manometerhähne geöffnet. Die Manometer werden von dem Thermostaten entfernt und in den Manometerständer gebracht. Die Gefäße werden abgenommen und gereinigt (S. 128). Von den Manometerschliffen wird das Fett entfernt. Die Druckschraube am Reservoir der Manometer wird zurückgedreht, damit der Gummischlauch nicht während längerer Zeit angepreßt ist.

4. Protokollierung und Ausrechnung.

Die Manometerablesungen werden auf großformatigen Blättern notiert. Die Blätter sind so unterteilt, daß sie die Niederschrift der Ablesungen des ganzen Manometersatzes gestatten; auch die Ausrechnung kann auf demselben Blatte erfolgen. Die am Kopf des Blattes angeführte Versuchsnummer weist auf die vollständige Wiedergabe der Versuchsanordnung in dem Tagebuch hin.

Die Differenz (Δ) zwischen der zu Meßbeginn (bei t_0) und den nach Ablauf bestimmter Zeiten (z.B. $t = 5, 10, 15 \cdots$ min) gemachten Ablesungen gibt die nach diesen Zeiten aufgetretenen Druckänderungen, ausgedrückt in mm der Sperrflüssigkeit, an. Diese Druckänderungen sind für die am Thermobarometer beobachteten Druckänderungen zu korrigieren (S. 61). Es wird die Druckänderung h erhalten, die nach Multiplizieren mit der Gefäßkonstanten k [Gl. (3), S. 60] das Volumen x an verbrauchtem oder gebildetem Gas ergibt. Tabelle 4 zeigt den Weg der Ausrechnung einer Messung mit dem offenen Manometer bei Volumenkonstanz.

Tabelle 4. *Ausrechnung eines Atmungsversuches mit Hefe.*
Vers.-Nr. 76; *Datum:* 25. 4. 55; *Gas:* Luft; *Einsatz:* KOH; *Temperatur:* 25° C; v_F: 3,2 ml.

t (min)	Manometer 1 (k_{O_2} =1,843)				Thermobarometer	
	Ablesung	Δ	h	x (μl O_2)	Ablesung	Δ
0	210				162	
10	192	−18	−17	−31,4	161	−1
20	174,5	−35,5	−35,5	−65,5	162	0
30	157,5	−52,5	−54,5	−100,3	164	+2

Anstatt — wie in dem Beispiel — h und x für die seit Meßbeginn jeweils verstrichene Zeit auszurechnen, kann die Ausrechnung auch für die einzelnen Zeitintervalle (0—10, 10—20 min usw.) vorgenommen werden; Δ ist dann die Differenz zu der jeweils vorhergehenden Ablesung.

Häufig dient die Ablesung von nur einem Thermobarometer zur Korrektur der in der gleichen Zeitspanne erfolgenden Ablesungen von allen übrigen Manometern. Das ist nur dann zulässig, wenn Temperatur und Luftdruck während der Zeit, die die Ablesung aller Manometer beansprucht, genügend konstant sind. Da diese Bedingungen nicht immer gegeben sind, ist es für besonders genaue Messungen angezeigt, unmittelbar nach der Ablesung eines Versuchsmanometers eine Ablesung des Thermobarometers vorzunehmen. Die Verwendung von zwei Thermobarometern (je eines am Anfang und in der Mitte der Manometerreihe) ist immer ratsam, wenn eine größere Anzahl von Manometern im gleichen Zeitraum abgelesen wird. Die Ablesung von einem Thermobarometer sollte für die Korrektur der unmittelbar anschließenden Ablesungen von höchstens sechs Versuchsmanometern verwendet werden.

5. Einige Fehlerquellen bei manometrischen Messungen.

Es ist eine allgemein geübte Praxis, manometrische Messungen als Doppelbestimmungen auszuführen und den Mittelwert aus den Bestimmungen als Ergebnis zu verwenden. Weicht der Mittelwert von den Einzelmessungen um nicht mehr als 2% ab, so kann man bei der Messung mit dem offenen Manometer und unter den üblichen Bedingungen die Übereinstimmung als gut betrachten. Die Fehlerbreite hängt nicht nur von der manometrischen Messung selbst ab (Fehler bei der Bestimmung der Gefäßkonstanten, Ungenauigkeit bei der Einstellung und Ablesung der Manometerflüssigkeit u.a.), sondern mindestens ebenso sehr von den übrigen Gegebenheiten bei der Versuchsausführung, die für manometrische Messungen nicht spezifisch sind (z.B. Ungleichartigkeit des Versuchsmaterials in den Gefäßen, Ungenauigkeit bei der Abmessung des Versuchsmaterials und der Zusätze usw.).

Hier soll auf einige Fehlermöglichkeiten bei der manometrischen Messung selbst hingewiesen werden.

In der Manometerflüssigkeit dürfen keine Luftblasen auftreten. Bei nicht richtiger Einfüllung der Manometerflüssigkeit in das Reservoir, wenn das Reservoir nicht gut an dem Ansatzstück des Manometers befestigt ist oder wenn der Verschluß am unteren Ende des Reservoirs undicht ist, können während einer Messung beim Hochdrücken der Manometerflüssigkeit mehr oder weniger große Luftblasen in die in den Capillararmen befindliche Flüssigkeitssäule gelangen. Das Meßergebnis kann dadurch erheblich gefälscht werden. (Ohne das Reservoir abnehmen zu müssen, lassen sich Luftblasen manchmal so entfernen, daß man durch entsprechenden Druck auf das Reservoir die Manometerflüssigkeit in den Capillararmen mehrmals schnell auf- und absteigen läßt.) Schlecht benetzbare (nicht genügend gereinigte) Capillaren begünstigen ein Festsitzen von Luftblasen. Noch wesentlicher ist, daß schlecht benetzbare Capillarwandungen die Ausbildung des Flüssigkeitsmeniscus hindern. Die Manometer sind dann gründlich zu reinigen (S. 127) und neu mit Manometerflüssigkeit zu füllen. Es ist erforderlich, die Manometer von Zeit zu Zeit mit frischer Lösung zu füllen, da sich das spez. Gew. der Lösung in den offenen Manometern nach längerem Stehen ändern kann (eventuell auch durch Wasserverdunstung durch die Wandungen des für das Reservoir benutzten Gummischlauches).

In die Capillare des Seitenarmes darf keine Flüssigkeit gelangen. Das kann geschehen, wenn die Manometerflüssigkeit in dem geschlossenen Capillararm zu hoch — bis in die Einmündung des Seitenarmes — gedrückt wird, wenn Flüssigkeit aus dem Gefäß bis in die Schliffbohrung des Seitenarmes spritzt (was besonders leicht bei einem großen Flüssigkeitsvolumen in den Gefäßen passieren kann; s. hierzu S. 192) oder wenn man nach Abschluß des Versuches die Gefäße aus dem warmen Wasserbade herausnimmt, ohne vorher die Manometerhähne zur Luft hin geöffnet zu haben. Ist die Capillare des Seitenarmes durch einen Flüssigkeitstropfen verschlossen, so macht sich das beim Einstellen der Manometerflüssigkeit an einer sprunghaften Niveauänderung bemerkbar, und bei unmittelbar aufeinanderfolgenden Einstellungen fallen die Ablesungen des linken Manometerschenkels verschieden aus. In den meisten Fällen ist es am besten, das Manometer vollständig zu reinigen und wieder zu füllen.

Undichtigkeit des Manometerhahnes kann Ursache von Fehlmessungen sein. Die Schliffe der Manometerhähne sind von Zeit zu Zeit zu reinigen, zu fetten und fest einzusetzen. Die bei jedem Versuch vorzunehmende Abdichtung der Schliffverbindungen zwischen Manometer und Gefäß sowie zwischen Stopfen und Gefäßtubus wurde weiter oben beschrieben.

Besonders ist auch auf ungenügend gereinigte Reaktionsgefäße als Fehlerquelle hinzuweisen. Eine bestimmte Art der Reinigung (s. S. 128) kann sich lange Zeit bewähren, bis sich — z.B. bei der Untersuchung einer anderen enzymatischen Reaktion — bei der manometrischen Messung Unregelmäßigkeiten zeigen, die nicht selten auf ungenügend gereinigte Gefäße zurückzuführen sind. Man wird manchmal also besondere Reinigungsmethoden anwenden müssen, die sich routinemäßig nicht ohne weiteres durchführen lassen. Abgesehen von der Reinigung können in diesem Zusammenhange zu erwähnende Schwierigkeiten dadurch auftreten, daß Glas selbst nicht immer indifferent ist (s. Versuche über Autoxydationen unter Verwendung von Quarzgefäßen von WARBURG[1], ferner Versuche über die Lecithinspaltung durch Phospholipase A unter Verwendung von silikonisierten Reaktionsgefäßen von HABERMANN[2]).

Eine sowohl in ihrer Art als auch in ihrer Intensität den Versuchsbedingungen nicht angepaßte Schüttelung kann zu stark fehlerhaften und wertlosen Messungen führen. Heftige Schüttelbewegungen können Schaumbildung und mechanische Schädigungen von Zellen und Geweben bewirken, mit nicht leicht übersehbaren Folgen für den zu untersuchenden Stoffwechselvorgang. Andererseits muß die Durchmischung von Gas- und Flüssigkeitsphase intensiv genug sein, daß zwischen den beiden Phasen jederzeit ein durch die Löslichkeit des Gases bestimmtes Gasgleichgewicht besteht. Nur unter dieser Bedingung ist eine manometrische Messung möglich. Hohe Gasumsätze — auch wenn es sich um Gasentwicklung handelt — erfordern eine intensivere Durchmischung der Flüssigkeit mit dem darüber befindlichen Gas als kleine Gasumsätze (s. Messung der Katalaseaktivität, S. 246).

Eine nicht optimale Schüttelung kann besonders bei der Messung des Sauerstoffverbrauches zu erheblichen Fehlern führen. Wird der Flüssigkeit durch den O_2-Verbrauch des Gewebes mehr O_2 entzogen, als gleichzeitig aus der Gasphase ersetzt wird, so wird

---

[1] WARBURG, O.: Schwermetalle als Wirkungsgruppen von Fermenten. S. 42. Berlin 1948.
[2] HABERMANN, E.: B. Z. **328**, 474 (1957).

der gemessene O_2-Verbrauch nicht von dem Atmungsvermögen des Gewebes bestimmt, sondern er wird von der Geschwindigkeit begrenzt, mit der Sauerstoff aus dem Gasraum durch Diffusion in die Flüssigkeit übertritt. Reaktionen, deren Geschwindigkeit stark vom O_2-Druck abhängt (z.B. die durch Schwermetalle katalysierte Oxydation von Cystein[1], oder durch Hämatin und Nicotin-Hämatin katalysierte Oxydationen[2]), erfordern eine besonders sorgfältige Berücksichtigung dieser Bedingungen.

Nach Atmungsversuchen von Dixon und Elliott[3] mit Hefe und mit dem Differentialmanometer ist ein O_2-Verbrauch von etwa 800 μl pro Std bei einer Schüttelfrequenz von 120 Schwingungen pro min und einer Amplitude von 2,5 cm ohne Diffusionsfehler meßbar. In diesen Versuchen betrug das Gefäßvolumen 35 ml; die Schichtdicke von 3 ml der Versuchslösung betrug 1,5 mm. Die häufiger, besonders in Verbindung mit dem offenen Manometer verwendeten Gefäße, die einen Rauminhalt von etwa 15 ml haben und die meistens mit 2—4 ml Lösung beschickt werden, bieten weniger günstige Verhältnisse für den Gasaustausch zwischen Gas- und Flüssigkeitsphase. Bei einem O_2-Verbrauch von etwa 200 μl pro Std darf unter diesen Bedingungen eine Schüttelfrequenz von 100 vollen Schwingungen (bei einer Amplitude von etwa 3 cm) kaum unterschritten werden. Eine hohe Viscosität des Lösungsgemisches (z.B. Homogenat + Hyaluronsäure[4]) hemmt die Durchmischung und damit die Gasdiffusion beim Schütteln.

Die Kontrolle für einen ausreichenden Gasaustausch zwischen Versuchslösung und Gasraum ist dadurch gegeben, daß man die Schüttelintensität erhöht; der gemessene Gasumsatz darf dann nicht größer sein als bei der geringeren im Versuch angewendeten Schüttelintensität. Sie kann auch so vorgenommen werden, daß man bei gleicher Schüttelintensität die Menge des Versuchsmaterials variiert; die beobachteten Druckänderungen sollten proportional der Menge des Versuchsmaterials sein.

Bei der Verwendung von Absorptionsmitteln können Fehler dadurch entstehen, daß zur Zeit der Druckablesung das Absorptionsgleichgewicht nicht erreicht ist. Wenn das in das Gefäß eingeführte Absorptionsmittel z.B. die Aufgabe hat, zur Herstellung anaerober Bedingungen den im Gasraum vorhandenen Sauerstoff zu binden, so muß die O_2-Bindung vor Beginn der Messung vollständig sein (oder sie muß wenigstens einen konstant bleibenden Wert erreicht haben); anderenfalls würden die gemessenen Druckänderungen durch die weiter vor sich gehende O_2-Absorption mitbestimmt sein. Bei der direkten Messung des Sauerstoffverbrauchs wird Lauge zur Absorption von Atmungs-CO_2 verwendet. Ist die Absorption vollständig, so ist der CO_2-Druck im Gasraum nahezu 0; die gebildete CO_2-Menge bewirkt dann keine Druckänderung, und die gemessene Druckänderung kann — wenn andere Gase nicht beteiligt sind — allein auf den Sauerstoffverbrauch bezogen werden. Es ist jedoch zu beachten, daß die CO_2-Absorption Zeit beansprucht (s. hierzu auch Myers und Matsen[5]), was sich besonders dann bemerkbar macht, wenn größere CO_2-Mengen plötzlich entwickelt werden.

Brock, Druckrey und Richter[6] beobachteten in Atmungsversuchen mit Seeigeleiern und mit 0,3 ml 10%iger Kalilauge im Einsatz der Gefäße bei der Ablesung der Manometer gelegentlich nur geringe negative Drucke oder sogar beträchtliche positive Drucke, obgleich ein hoher O_2-Verbrauch zu erwarten war. Das konnte darauf zurückgeführt werden, daß die Absorption der entwickelten CO_2-Mengen im Zeitpunkt der Messungen nicht vollständig war, die durch den O_2-Verbrauch bewirkten negativen Drucke von den durch die noch nicht absorbierten CO_2-Mengen bewirkten positiven Drucken teilweise oder ganz überdeckt wurden. Eine durch Zusatz von Säure zu einer

---

[1] Elliott, K. A. C.: Biochem. J. 24, 310 (1930).
[2] Krebs, H. A.: B. Z. 204, 322 (1929).
[3] Dixon, M., and K. A. C. Elliott: Biochem. J. 24, 820 (1930).
[4] Schmidt-Matthiesen, H.: Naturwiss. 42, 468 (1955).
[5] Myers, J., and F. A. Matsen: Arch. Biochem. 55, 373 (1955).
[6] Brock, N., H. Druckrey u. R. Richter: B. Z. 303, 286 (1939).

Hydrogencarbonat-Carbonatlösung entwickelte CO_2-Menge von 100 μl gelangte erst nach etwa 10 min zur vollständigen Absorption.

Bei der Wahl der Versuchsmaterialmengen für die Messung des O_2-Verbrauches unter CO_2-Absorption hat man mit in Betracht zu ziehen, daß die Absorptionsgeschwindigkeit mit der Bildungsgeschwindigkeit von CO_2 Schritt halten kann. Das ist besonders wichtig, wenn zur CO_2-Absorption andere Absorptionsmittel (s. S. 185) als starke Laugen verwendet werden. Überdies wird man die Absorptionsverhältnisse — die ja auch durch die Schüttelung begünstigt werden — durch Schaffung möglichst großer Oberflächen zu fördern versuchen. Der Durchmesser des das Absorptionsmittel aufnehmenden Einsatzes sollte deshalb so groß sein, wie die Größe und Einteilung des Gefäßes es erlaubt. Ein gefalteter oder gerollter Filtrierpapierstreifen in dem Lauge enthaltenden Einsatz (s. S. 129) begünstigt die Geschwindigkeit der CO_2-Absorption nur dann bedeutend, wenn er über den Rand des Einsatzes ragt. Filtrierpapier kann Substanzen enthalten, die in alkalischer Lösung durch Autoxydation O_2 aufnehmen[1]. Die Qualität des verwendeten Filtrierpapiers ist daraufhin in einem Leerversuch zu prüfen.

Tritt an die Stelle des zylindrischen Einsatzes die von WARBURG und KRIPPAHL[2] angegebene, in das Gefäß eingeschmolzene Wanne (s. S. 100), so sind wesentlich günstigere Bedingungen für die Gasabsorption gegeben. Mit Lauge in der Wanne eines kegelförmigen Gefäßes von etwa 20 ml Rauminhalt werden 150 μl CO_2 bei 20° C in etwa 7 min vollständig absorbiert; mit Lauge im zylindrischen Einsatz ist die CO_2-Absorption dagegen erst in etwa 30 min abgeschlossen.

Größere und plötzliche Schwankungen der Raumtemperatur können die Messung stören, vor allem deshalb, weil sich die Manometer üblicherweise außerhalb des Thermostaten befinden (vgl. S. 61). Diese Temperaturempfindlichkeit kann besonders dann eine Fehlerquelle sein, wenn Messungen über eine lange Zeit ausgedehnt werden und nur kleine Druckänderungen zu erwarten sind; im Verhältnis zu den durch den Gewebestoffwechsel bewirkten Druckänderungen können dann die durch Schwankungen der äußeren Temperatur hervorgerufenen Druckänderungen ziemlich groß sein (s. hierzu z. B. KIRK und HANSEN[3]). Auf alle Fälle sollte die Apparatur in einem Raum von möglichst gleichmäßiger Temperatur aufgestellt werden.

Bei Messungen, die einen bestimmten CO_2-Partialdruck im Gasraum erfordern, ist die mit steigender Temperatur beträchtlich abnehmende Löslichkeit von CO_2 in wäßrigen Lösungen zu beachten. Erfolgt die Durchgasung von Manometern und Gefäßen bei Raumtemperatur — außerhalb des Thermostaten — und ist die Versuchstemperatur höher als die Raumtemperatur, so tritt beim Einbringen der Gefäße in den Thermostaten CO_2 aus der Flüssigkeit aus und verändert so den CO_2-Partialdruck im Gasraum, und das um so mehr, je größer der Temperaturunterschied und die Flüssigkeitsmenge in den Gefäßen ist. Die Füllung von Gefäßen und Manometern mit CO_2 enthaltendem Gasgemisch sollte deshalb möglichst bei der Temperatur des Thermostaten vorgenommen werden.

Bringt man in die Gefäße flüchtige Substanzen, deren Dampfdruck sich im Verlaufe der Messung (durch Umsetzung oder Absorption) ändert, so entstehen bei der manometrischen Messung Fehler, wenn man diese Dampfdruckänderungen nicht beachtet oder sie durch die Versuchsanordnung nicht beseitigt. Bei Versuchen z. B. mit Cyanwasserstoff (S. 173), Schwefelwasserstoff (S. 176), Kohlenmonoxyd (S. 177) und Äther[4] sind einige besondere Bedingungen zu berücksichtigen. Enthält die Versuchslösung oder das Versuchsmaterial Ammoniumsalze, so können p_H-Änderungen eine Änderung des Dampfdruckes von Ammoniak im Gasraum bewirken.

---

[1] DIXON, M., and K. A. C. ELLIOTT: Biochem. J. **24**, 820 (1930).
[2] WARBURG, O., u. G. KRIPPAHL: Z. Naturforsch. **13**b, 434 (1958); **14**b, 561 (1959).
[3] KIRK, J. E., and P. F. HANSEN: J. biol. Ch. **199**, 675 (1952).
[4] JOWETT, M., and J. H. QUASTEL: Biochem. J. **31**, 1101 (1937).

II. Spezieller Teil.

In diesem Abschnitt werden manometrische Methoden beschrieben, wie sie bei Untersuchungen über den Gewebestoffwechsel und bei anderen biochemischen Untersuchungen angewendet werden. Der Beschreibung einzelner Methoden selbst (S. 178—278) werden einige Angaben und Hinweise über das Versuchsmaterial, die Versuchslösungen und über die Auswertung der Meßergebnisse in Form von Stoffwechselquotienten vorausgeschickt. Außerdem werden einige Fragen, die besondere Meßbedingungen betreffen, vorweg behandelt.

A. Versuchsmaterial, Versuchslösungen und Stoffwechselquotienten.

1. Versuchsmaterial.

a) Allgemeines.

Zur Gewinnung des biologischen Versuchsmaterials (einzelne Zellen, Gewebeschnitte, Homogenate, Extrakte, strukturierte Zellbestandteile usw.) sind hier nur einige Hinweise zu geben, da darüber an anderer Stelle dieses Werkes (Bd. II, S. 537) Näheres zu finden ist. In erster Linie sollen hier Fragen, die bei der Anwendung der „Gewebeschnittmethode" auftreten, berücksichtigt werden, weil Gewebeschnitte im manometrischen Versuch häufiger als in anderen Versuchen verwendet werden.

Eine schonende Gewinnung und Aufarbeitung des Versuchsmaterials ist dann besonders wichtig, wenn aus dem in vitro gemessenen Stoffwechsel nicht nur in qualitativer, sondern auch quantitativer Beziehung auf die Stoffwechselleistungen in vivo geschlossen werden soll. Gewebeschädigungen, die den Stoffwechsel in nicht leicht zu übersehender Weise beeinflussen können, setzen möglicherweise bereits mit dem Aufhören der Blutzirkulation ein. Auch während der Aufarbeitung befinden sich die Gewebe wenigstens zeitweise unter Bedingungen, die keine genügende Versorgung der Zellen mit Sauerstoff und Nährstoffen und keine ausreichende Abfuhr von Stoffwechselprodukten gewährleisten. Eine möglichst schnelle Präparation der Gewebe für den manometrischen Versuch ist darum in der Regel geboten. Die von der Tötung des Tieres bis zum Meßbeginn verstreichende Zeit ist häufig mitbestimmend dafür, wie lange der untersuchte Stoffwechselvorgang mit konstanter Geschwindigkeit verläuft.

b) Anwendung niedriger Temperaturen bei der Aufarbeitung.

Die Präparation der Gewebe soll unter Bedingungen erfolgen, die die an dem zu untersuchenden Stoffwechselvorgang beteiligten Enzyme, Coenzyme und anderen aktiven Zellbestandteile möglichst konservieren. Das kann in vielen Fällen durch eine schnelle Abkühlung des Organes und durch Anwendung von niedrigen Temperaturen auch bei der weiteren Aufarbeitung geschehen. Das Sauerstoffbedürfnis der Gewebe ist in der Kälte vermindert und damit der herrschende Sauerstoffmangel nicht so schwerwiegend. Endogene Substrate werden durch Abkühlung geschont. Im ganzen sind enzymatisch katalysierte Reaktionen, deren unkontrollierter Ablauf in dem Organ Schaden anrichten könnte, in abgekühltem Gewebe verlangsamt.

Zur Abkühlung gibt man das Organ sofort nach seiner Entnahme in ein durch Eis gekühltes Gefäß und hält es bis zur weiteren Aufarbeitung bei der Temperatur von schmelzendem Eis. Zum Transport von Schlachttierorganen verwendet KREBS[1] Dewargefäße, in die 250 ml Wasser, 250 g Eis, 3,5 g NaCl, 15 ml 1,15%ige KCl-Lösung und 12 ml 0,11 m $CaCl_2$-Lösung gegeben werden. Nach dem Einlegen des Organes schmilzt der größte Teil des Eises; die Lösung enthält dann Na, K, und Ca in ungefähr physiologischen

---
[1] KREBS, H. A.: Biochim. biophys. Acta 4, 249 (1950).

Konzentrationen. Zur Aufarbeitung von Organen in der Kälte werden feuchte und gekühlte Kammern angegeben[1-3], in denen alle mit dem Gewebe bis zur Herstellung der Gewebeschnitte vorzunehmenden Maßnahmen und unter Umständen auch die Beschickung der Reaktionsgefäße erfolgen. Es handelt sich dabei im wesentlichen um einen Kasten, in den man von vorne mit den Händen hineinreichen kann und der einen Deckel aus durchsichtigem Glas hat. Der Boden der Kammer wird mit mehreren Lagen von feucht gehaltenem Filtrierpapier ausgelegt. Zur Kühlung besitzt die Kammer Kühlschlangen, oder man kühlt die Kammer im Eisschrank vor. Die Kammer enthält das Organ, alle Lösungen, Instrumente und Gefäße.

Bei der Herstellung von Gewebehomogenaten (und -extrakten) werden in der Regel eisgekühlte Lösungen verwendet, und auch das Homogenisieren selbst erfolgt unter Kühlung mit Eis.

Daß Kälte vor den durch O_2-Mangel bedingten Schädigungen schützt, wurde an mehreren Gewebearten gezeigt[4]. Durch Temperaturen über dem Gefrierpunkt (0,2° C während 60 min) wird der O_2-Verbrauch von Schnitten der Gehirnrinde[5], der Nierenrinde[5] und der Leber[6] bei der anschließenden Messung bei 37,5° C nicht beeinträchtigt gefunden. Die Anwendung von Kälte darf jedoch nicht als eine immer zweckmäßige und unbedingt vorzunehmende Konservierungsmaßnahme betrachtet werden. In bestimmten Fällen wird man gerade eine Abkühlung der Gewebe unter die Körpertemperatur tunlichst zu vermeiden haben, um den Ablauf der zu untersuchenden Stoffwechselvorgänge nicht zu stören. Abkühlung von Gewebe kann zu Änderungen im Wasser-[7,8] und Elektrolythaushalt[9] sowie zu einer Anhäufung von Stoffwechselprodukten[10,11] führen. Die Atmung von Herzmuskelschnitten ist herabgesetzt, wenn das isolierte Organ oder die Schnitte länger als 30 min bei Eisschranktemperatur gehalten werden[10]. Andererseits zeigen Leber-[10] und Herzgewebe[11] bei der Messung in vitro einen erhöhten O_2-Verbrauch, wenn die Tiere vor der Tötung niedrigen Temperaturen ausgesetzt werden.

Einfrieren der Gewebe führt zu Gewebeschädigungen, vielleicht durch die Erzeugung eines hypertonischen Elektrolytmilieus, weil Zellwasser als Eis abgeschieden wird[12]. Der Sauerstoffverbrauch und das Glykolysevermögen von Gewebestücken und Gewebeschnitten (Leber, Gehirn, Muskel, Haut) nehmen beträchtlich ab, wenn die Gewebe vor der Messung auch nur kurze Zeit bei Gefriertemperaturen gehalten werden[13]. In flüssiger Luft gefrorenes Carcinomgewebe besitzt nach dem Auftauen kein Glykolysevermögen mehr[14]. Ob man Gewebe zur Konservierung oder zum Aufschließen der Zelle einfrieren darf, hängt davon ab, ob die Aktivität des zu untersuchenden Enzyms dabei erhalten bleibt. Das ist in Vorversuchen zu prüfen. Zellfreie Homogenate und reine Enzymlösungen werden durch Gefrieren und Auftauen im allgemeinen nicht oder weniger geschädigt als die intakte Zelle. Jedoch werden auch hier Enzymschädigungen nach Gefrieren beobachtet. Gefrieren bewirkt z. B. eine Aktivitätsabnahme von Carboxylaselösungen (aus Weizenkeimlingen) und von Carboanhydrataselösungen (aus Blut). Gelegent-

---

[1] FIELD II, J.: Meth. med. Res. 1, 289 (1948). — FUHRMAN, F. A., and J. FIELD II: J. biol. Ch. 153, 515 (1944).
[2] SPERRY, W. M., and F. C. BRAND: Proc. Soc. exp. Biol. Med. 42, 147 (1939).
[3] ELLIOTT, K. A. C.: Proc. Soc. exp. Biol. Med. 63, 234 (1946).
[4] DRUCKREY, H.: A.e.P.P. 180, 231 (1936).
[5] FUHRMAN, F. A., and J. FIELD II: Amer. J. Physiol. 139, 193 (1943).
[6] FUHRMAN, F. A., and J. FIELD II: Arch. Biochem. 6, 337 (1945).
[7] HANNON, J. P., and S. F. COOK: Amer. J. Physiol. 187, 155 (1956).
[8] ADOLPH, E. F., and J. RICHMOND: Amer. J. Physiol. 187, 437 (1956).
[9] CONWAY, E. J., H. GEORGHEGAN and J. I. MCCORMACK: J. Physiol., London 130, 427 (1955).
[10] PESCHEL, E., and R. GEORGIADE: J. Lab. clin. Med. 52, 410 (1958).
[11] HANNON, J. P.: Proc. Soc. exp. Biol. Med. 97, 368 (1958). Amer. J. Physiol. 198, 740 (1960).
[12] LOVELOCK, J. E.: Biochim. biophys. Acta 10, 414 (1953). Nature 173, 659 (1954).
[13] FUHRMAN, F. A.: J. appl. Physiol. 10, 224 (1957).
[14] WARBURG, O., K. POSENER u. E. NEGELEIN: B. Z. 152, 309 (1924).

lich werden nach Gefrieren auch Enzymaktivierungen beobachtet[1]. Über die oxydative Phosphorylierung durch Homogenate und Mitochondrien nach Einwirkung von Gefriertemperaturen s.[2].

c) Gewebeschnitte.

Sie wurden von WARBURG[3] für manometrische Stoffwechselmessungen eingeführt. Für die meisten tierischen Organe bieten Gewebeschnitte die einzige Möglichkeit, den Stoffwechsel am „überlebenden Gewebe", bei weitgehend erhaltener Zellstruktur, in vitro untersuchen zu können. Die Einschränkung, die für die Verwendung ganzer Organe oder Organteile für Stoffwechselmessungen in vitro besteht, ist durch ihre zu große Dicke gegeben, die wegen der Langsamkeit der Diffusion eine ausreichende Versorgung der inneren Gewebeteile mit Sauerstoff und Substraten verhindert. Nur wenige Gewebe (z.B. Netzhaut, Zwerchfell, Chorion, Uterus von Ratten) sind so dünn, daß sie als solche für Stoffwechselmessungen verwendet werden können. Im durchbluteten Organ sind günstigere Diffusionsbedingungen gegeben, als sie mit dem isolierten Gewebe erreicht werden können, da der mittlere Abstand zwischen Capillarwand und Zelle kleiner ist als der Abstand zwischen den Oberflächen und dem zentralen Teil (halbe Schnittdicke) selbst eines sehr dünnen Gewebeschnittes. Die für manometrische Messungen verwendeten Gewebeteile müssen deshalb so dünn sein, daß alle Zellen ausreichend mit Sauerstoff und Substrat versorgt sind, der Stoffumsatz also nicht durch die Diffusionsgeschwindigkeit begrenzt wird. Die „Grenzschnittdicke"[3], unterhalb der die Diffusion als begrenzender Vorgang wegfällt, hängt außer von den Diffusionskoeffizienten der reagierenden Stoffe unter anderem von der Höhe des Stoffumsatzes ab und ist deshalb nicht für alle Gewebe und Stoffe gleich. Für den Fall der Messung von Sauerstoffverbrauch hat WARBURG[3] zur Berechnung der Grenzschnittdicke, bei der die O_2-Konzentration im zentralen Teil des Schnittes gerade den Wert Null erreicht, die folgende Gleichung entwickelt:

$$d' = \sqrt{8 \cdot c_0 \cdot \frac{D_{O_2}}{A}}. \tag{31}$$

In der Gleichung bedeuten: d' = Grenzschnittdicke in cm, c_0 = Sauerstoffkonzentration außerhalb des Schnittes (ausgedrückt in Atm.), D_{O_2} = Diffusionskoeffizient für O_2 im Gewebe (in ml O_2 pro cm² Gewebefläche und pro min, wenn der O_2-Druck 1 Atm. beträgt), A = O_2-Verbrauch in ml pro min und pro ml Gewebe.

Tabelle 5 enthält einige mit verschiedenen Geweben bestimmte Werte für $D_{O_2}^{38°}$ (s. hierzu auch[4]).

Beträgt $D_{O_2}^{38°}$ $1{,}4 \cdot 10^{-5}$, d.h. diffundieren bei 38° C bei einem O_2-Druckgefälle von einer Atmosphäre pro cm durch einen Gewebequerschnitt von 1 cm² pro min $1{,}4 \cdot 10^{-5}$ ml O_2 (reduziert auf Normalbedingungen) und ist $A = 5 \cdot 10^{-2}$ (entsprechend einem Q_{O_2}-Wert von etwa -12), so ist die Grenzschnittdicke d' bei der Atmungsmessung in reinem O_2

Tabelle 5. *Diffusionskoeffizienten für Sauerstoff bei 38° C für verschiedene Gewebearten.*

Gewebe	$D_{O_2}^{38°}$
Bindegewebe[5]	$1{,}36 \cdot 10^{-5}$
Diaphragma[5]	$1{,}65 \cdot 10^{-5}$
Aorta[6]	
Media ...	$1{,}39 \cdot 10^{-5}$
Intima ..	$1{,}20 \cdot 10^{-5}$
Leber[7]	$1{,}14 \cdot 10^{-5}$

---

[1] NORD, F. F., and F. E. M. LANGE: Nature **135**, 1001 (1935).
[2] PORTER, V. S., N. P. DEMING, R. C. WRIGHT and E. SCOTT: J. biol. Ch. **205**, 883 (1953). — PRIVITERA, C. A., D. GREIFF, D. R. STRENGTH, M. ANGLIN and H. PINKERTON: J. biol. Ch. **233**, 524 (1958).
[3] WARBURG, O.: B. Z. **142**, 317 (1923).
[4] HILL, A. V.: Proc. R. Soc. London (B) **104**, 39 (1928). — CLARK, A. J., and G. KINGISEPP: Quart. J. exp. Physiol. **25**, 279 (1935). — FUHRMAN, F. A., and J. FIELD II: Arch. Biochem. **6**, 337 (1945). Neuere Versuche über die O_2-Diffusion in Gewebeschnitte s. LONGMUIR, I. S., and A. BOURKE: Nature **184**, Suppl. 9, 634 (1959). Biochem. J. **76**, 225 (1960).
[5] KROGH, A.: J. Physiol., London **52**, 391 (1919).
[6] KIRK, J. E., and J. S. LAURSEN: J. Gerontol. **10**, 288 (1955).
[7] GREVEN, K.: Pflügers Arch. **269**, 38 (1959).

($c_0 = 1$) $4{,}7 \cdot 10^{-2}$ cm, in Luft ($c_0 = 0{,}2$) $2{,}1 \cdot 10^{-2}$ cm. Das bedeutet, daß bei der Messung der Atmung z.B. von Lebergewebe ($Q_{O_2} \sim -12$) mit Luft im Gasraum der Gefäße die Schnitte dünner als 0,21 mm sein müßten, damit die am tiefsten (in der Schicht der halben Schnittdicke) gelegenen Zellen überhaupt noch Sauerstoff erhalten. So dünne Schnitte lassen sich nicht immer leicht herstellen und handhaben. Dagegen können Schnitte von etwa 0,3 mm Dicke an im allgemeinen ohne besondere Schwierigkeiten gewonnen werden. Um nicht sehr dünne, leicht zerreißende Schnitte verwenden zu müssen, ist es vorzuziehen, die Atmung nicht mit Luft, sondern mit reinem Sauerstoff im Gasraum zu messen. Sehr dünne Schnitte haben auch den Nachteil, daß von der insgesamt vorhandenen Zellmenge ein verhältnismäßig hoher Anteil geschädigt ist.

Die Anwendbarkeit der Grenzschnittdicke als Maß für die bei Atmungsmessungen höchstens zulässige Schnittdicke setzt voraus, daß die Atmung der Zelle bei sehr kleinen O_2-Drucken noch maximal ist. Unabhängigkeit der Atmungsintensität bis zu niedrigen O_2-Partialdrucken wurde für verschiedene Zellen und Zellbestandteile nachgewiesen[1-3] (s. auch S. 105). Die in der tiefsten Zellschicht eines Gewebeschnittes vorhandene Sauerstoffkonzentration c_1 (ausgedrückt in Atm.) läßt sich nach der Gleichung berechnen[1]:

$$c_1 = c_0 - \frac{A \cdot d'^2}{D \cdot 8}.$$

Mißt man die Atmung eines 0,3 mm dicken Leberschnittes in reinem Sauerstoff ($c_0 \sim 1$), so ist die nach dieser Gleichung mit den oben angeführten Werten berechnete O_2-Konzentration in der am tiefsten gelegenen Zellschicht (halbe Schnittdicke) noch etwa 0,6 Atm.

Die Diffusionskonstante der Kohlensäure ist wesentlich größer als die des Sauerstoffs; sie beträgt für verschiedene tierische Gewebe $4 \cdot 10^{-4}$ bis $7 \cdot 10^{-4}$. WARBURG[1] hat berechnet, daß der Kohlensäuredruck in der tiefsten Zellschicht etwa $^3/_{100}$ Atm. = 3 Vol.-% CO_2 beträgt, wenn ein Leberschnitt von der Grenzschnittdicke 0,47 mm in reinem Sauerstoff atmet und wenn der Kohlensäuredruck auf der Schnittoberfläche auf Null gehalten wird. Das ist die höchste im Schnitt vorhandene Kohlensäurekonzentration; innerhalb des Schnittes nimmt die Konzentration von innen nach außen ab.

Ob der Schnitt oder das Gewebestück für die Messung der Atmungsgröße dünn genug ist, kann experimentell so geprüft werden, daß entweder die Schnittdicke oder der O_2-Druck variiert wird.

Mißt man die Atmung mit verschieden dicken (aber sonst gleichartigen) Schnitten eines Gewebes, so sollen die gleichen Atmungsgrößen erhalten werden, d.h., es darf kein Einfluß der Schnittdicke auf die pro Gewichts- und Zeiteinheit bezogene Atmung bestehen. Findet man eine Abnahme der Atmung mit zunehmender Schnittdicke, so darf man das als ein Zeichen dafür ansehen, daß die zulässige Schnittdicke überschritten ist. Nach MINAMI[4] ist der bei 37,5° C und einem O_2-Partialdruck von 700 mm Hg gemessene O_2-Verbrauch von 0,21—0,38 mm dicken Rattenleberschnitten ($Q_{O_2} = 10{,}2$) oder von 0,19—0,49 mm dicken Carcinomschnitten ($Q_{O_2} = 8{,}3$) unabhängig von der Schnittdicke. Die maximal zulässige Schnittdicke beträgt nach Atmungsversuchen von FIELD[5] mit Schnitten von Rattenorganen (in reinem O_2 und bei 37,5° C) für Gehirnrinde ($Q_{O_2} = 12$) 0,60 mm, für Leber ($Q_{O_2} = 7{,}5$) 0,59 mm, für Niere ($Q_{O_2} = 20{,}7$) 0,40 mm und für Herzventrikel ($Q_{O_2} = 10{,}4$) 0,57 mm.

Tabelle 6 zeigt den Einfluß der Schnittdicke auf den O_2-Verbrauch von Rattenherzschnitten bei verschiedenen O_2-Spannungen. Unter optimalen Bedingungen (hinsichtlich O_2-Versorgung der Schnitte und Zusammensetzung der Versuchslösung) wurde in dieser

---

[1] WARBURG, O.: B. Z. **142**, 317 (1923).
[2] WARREN, C. O. jr.: J. cellul. comp. Physiol. **19**, 193 (1942).
[3] ELLIOTT, K. A. C., and M. HENRY: J. biol. Ch. **163**, 351 (1946).
[4] MINAMI, S.: B. Z. **142**, 334 (1923).
[5] FIELD II, J.: Meth. med. Res. **1**, 289 (1948).

Untersuchungsreihe für Q_{O_2} im Mittel 17,4 erhalten. Die nach Gl. (31) berechneten Grenzschnittdicken würden dann bei 100% O_2 0,43 mm, bei 80% O_2 0,37 mm, bei 60% O_2 0,33 mm, bei 40% O_2 0,32 mm, bei 30% O_2 0,29 mm und bei 21% O_2 0,26 mm betragen[1].

Tabelle 6. *Einfluß der Schnittdicke auf den O_2-Verbrauch von Rattenherzschnitten bei verschiedenen O_2-Spannungen*[1].

Schnittdicke (mm)	% O_2						
	100	80	60	50	40	30	21
0,18—0,30	17,2	18,7	19,1		15,0	11,0	11,5
0,31—0,40	17,5	16,6	17,5	15,3	11,3	11,2	10,4
0,41—0,50	17,3	18,8	16,6	14,6	12,5	11,9	9,3
0,51—0,60	16,3	17,7	15,6	14,3	13,6	11,4	8,8
0,61—0,70	15,9	15,3	14,9	14,5	10,9	10,3	8,5
0,71—0,80	15,7	17,1	15,3	13,1			6,9
0,81—0,90	14,2						
0,91—1,00	10,2			12,7		9,0	
1,01—1,24	9,1						3,8

Bei der Schnittherstellung sucht man Schnitte von möglichst großer Fläche zu gewinnen. Von der Leber z.B. kann man 50—100 mm² große Schnitte erhalten. Es ist besser, pro Gefäß einen großen Schnitt als zwei Schnitte von je halber Größe zu verwenden. Schnitte von Skeletmuskeln enthalten eine besonders große Anzahl von geschädigten Zellen. Vom Skeletmuskel werden deshalb mit Vorteil isolierte Faserbündel genommen[2]. Manche den Muskelstoffwechsel überhaupt betreffenden Fragen können am Diaphragma (von jungen Mäusen und Ratten) untersucht werden, das dünn genug ist, um im manometrischen Versuch als Stückchen verwendet werden zu können.

Die Gewebeschnitte überträgt man meistens nicht direkt in die Versuchsgefäße, sondern zunächst in ein mit (eventuell gekühlter) Versuchslösung gefülltes Gefäß (Schale oder kleines Becherglas). Durch die Badeflüssigkeit läßt man Luft, O_2 oder $O_2 + CO_2$ (letzteres bei HCO_3^- enthaltenden Lösungen) perlen. Der Stoffwechsel von Herzschnitten ist gegenüber O_2-Mangel besonders empfindlich[3]. Leberschnitte neigen zur Quellung, wenn sie nicht genügend mit Sauerstoff versorgt werden[4]. Werden Leberschnitte selbst nur kurze Zeit in Anaerobiose gehalten, so atmen sie bei der anschließenden Übertragung in Sauerstoff nicht mehr[5]. Durch leichtes Schwenken der Schnitte in der Badeflüssigkeit werden Zelltrümmer, die den Schnitten von der Herstellung her anhaften, entfernt. Das „Baden" der Schnitte ist nicht immer unbedenklich, da dabei einige aktive Zellbestandteile aus den Schnitten herausgelöst werden. Auf alle Fälle soll die Zeit, während der man die Schnitte in dem Bad beläßt, möglichst kurz und für alle Schnitte gleich gehalten werden.

Geringe Aufmerksamkeit scheint man bisher der Frage nach einer genügenden CO_2-Versorgung der Gewebepräparate während ihrer Vorbereitung geschenkt zu haben. In einer mit Luft oder mit reinem O_2 durchströmten Badeflüssigkeit befinden sich die Schnitte bei einer unphysiologisch niedrigen CO_2-Spannung. Ob der Stoffwechsel dadurch unter den üblichen Bedingungen der Versuchsvorbereitung (kurze Zeit, Temperatur nicht über Raumtemperatur) nachteilig beeinflußt wird, ist unbekannt. Siehe hierzu Beobachtungen von DANES und KIELER[6] über den Einfluß der CO_2-Spannung während der

---

[1] PESCHEL, E., and R. GEORGIADE: J. Lab. clin. Med. **52**, 410 (1958).
[2] RICHARDSON, H. B., E. SHORR and R. O. LOEBEL: J. biol. Ch. **86**, 551 (1930).
[3] BERNHEIM, F., and M. L. C. BERNHEIM: Amer. J. Physiol. **142**, 195 (1944). — PEARSON, O. H., A. B. HASTINGS und H. BUNTING: Amer. J. Physiol. **158**, 251 (1949). — BARRON, E. S. G., W. P. SIGHTS u. W. WILDER: A.e.P.P. **219**, 338 (1953).
[4] AEBI, H.: Helv. physiol. Acta **8**, 525 (1950).
[5] DRUCKREY, H.: Naturwiss. **23**, 796 (1935). A.e.P.P. **180**, 231 (1936).
[6] DANES, S., u. J. KIELER: C. R. Lab. Carlsberg **31**, 61 (1958).

Vorinkubation (bis zu 5 Std bei 37°C) von Yoshida-Ascitestumorzellen auf die anschließend gemessene Atmungsgröße der Zellen.

Von den in größerer Zahl hergestellten Schnitten sucht man die am gleichmäßigsten ausgefallenen aus und schneidet sie mit einer scharfen Schere zu ungefähr rechteckigen Stückchen zurecht.

Zur Bestimmung der Schnittdicke gibt man die zugeschnittenen Schnitte in eine mit der Versuchslösung beschickte Glasschale mit planem Boden und zählt die Quadrate aus, die von der Fläche des Schnittes auf einem unter der Schale liegenden Millimeterpapier bedeckt werden. Das Volumen des Schnittes kann mit genügender Genauigkeit dem Schnittgewichte (mg) gleichgesetzt werden. Die mittlere Dicke (mm) des Schnittes ergibt sich dann aus Gewicht/Fläche. Nach einigen Erfahrungen kann man Schnitte der richtigen Dicke an ihrer Transparenz erkennen, und es erübrigt sich dann eine besondere Bestimmung der Schnittdicke.

Zu beachten ist, daß die aus dem Anfangsgewicht und dem Flächeninhalt berechneten Schnittdicken nicht mehr den bei der manometrischen Messung maßgebenden Schnittdicken entsprechen, wenn die Schnitte in der Versuchslösung quellen (vgl. Versuche von AEBI[1] mit Leberschnitten sowie von FUHRMAN und FUHRMAN[2] mit Hautstückchen).

Die Schnittgewichte werden auf einer Torsionswaage* festgestellt. Als Unterlage für die Schnitte ist Wachspapier gut geeignet. Zur Überführung der Schnitte benutzt man eine breite Pinzette oder einen kleinen Spatel. Vor dem Wägen wird adhärierende Flüssigkeit von den Schnitten durch vorsichtiges Abtupfen mit hartem Filtrierpapier entfernt. Nach dem Wägen werden die Schnitte in die mit Versuchslösung beschickten Reaktionsgefäße übergeführt. Gefäße + Versuchslösung hat man — wenn das für den Versuch als zweckmäßig erscheint — vorher auf etwa 5°C abgekühlt. Die Schnitte sollen sich auf der Versuchslösung flach ausbreiten. Manche Untersucher befestigen die Schnitte auf einem in den Boden des Reaktionsgefäßes eingeschmolzenen Glasdorn. Für die meisten Untersuchungen verwendet man etwa 50—100 mg Gewebe pro Gefäß, und es genügen dann — wenn man die Schnitte von dem Organ groß genug herstellen kann — 2—3 Schnitte pro Versuch. In der Regel kann man in 10—15 min genügend Schnitte herstellen, um einen ganzen Satz von 10—14 Gefäßen zu beschicken.

Zur Bestimmung der Gewebetrockengewichte werden die Schnitte den Reaktionsgefäßen nach Beendigung des Versuches mit einer gebogenen Platinöse oder mit einer Pinzette entnommen, kurz in destilliertem Wasser gespült und auf kleinen (etwa 300 mg schweren) gewichtskonstanten Schälchen während ungefähr 2 Std bei 100—110°C getrocknet. Man erhält das „Endtrockengewicht" der Schnitte. In manchen Fällen, so bei leicht zerfallenden Geweben, ist es vorzuziehen, das „Anfangstrockengewicht" der Schnitte zu ermitteln. Dazu bestimmt man auf die bereits angegebene Weise das „Feucht-" oder „Frischgewicht" der in jedem Versuch verwendeten Schnitte. Von anderen Schnitten oder von einem größeren Teil des Organs, von dem die Schnitte stammen, wird das Trockengewicht bestimmt und zur Berechnung des Trockengewichtes der im Versuch eingesetzten Schnitte verwendet. Falls man das Gewebetrockengewicht nicht als Bezugsbasis heranzieht, fallen Trockengewichtsbestimmungen natürlich weg (s. auch S. 155).

Einige Bemerkungen zur Gewebeschnittmethode. Bei erhaltener Zellstruktur vollzieht sich der Stoffwechsel in Gewebeschnitten noch in der Weise, daß es kaum zu einem Abbruch von Reaktionsketten und zu einer Anhäufung von Intermediärprodukten kommt. Schnitte sind darum besonders geeignet, um die „Bilanz" des Stoffwechselvermögens eines Gewebes und um zelleigene Regulationsvorgänge zu untersuchen, gegenüber Homogenaten und Extrakten, die mit Vorteil dazu verwendet werden, um Teilreaktionen des gesamten Stoffwechsels kennenzulernen und die Aktivität einzelner Enzyme

---

* Geeignet ist z. B., besonders auch zu Trockengewichtsbestimmungen, die von der Firma Sartorius AG, Göttingen, hergestellte Mikro-Torsionswaage.

[1] AEBI, H.: Helv. physiol. Acta 8, 525 (1950).
[2] FUHRMAN, F. A., and G. J. FUHRMAN: J. appl. Physiol. 10, 219 (1957).

zu bestimmen. Die Reaktion des Gewebestoffwechsels auf chemische[1] und elektrische[2] Reize läßt sich mit Gewebeschnitten und noch mit kleineren Gewebefragmenten untersuchen, nicht oder kaum noch mit Präparaten, die nach Zerstörung der Zellstrukturen gewonnen werden.

Bei der Herstellung der Gewebeschnitte wird ein Teil der Zellen mechanisch geschädigt. Zelltrümmer können ein anderes Stoffwechselverhalten zeigen als intakte Zellen[3]; der Gehalt an energiereichen Phosphatverbindungen nimmt in ihnen schnell ab[4]. Deshalb und auch aus praktischen Gründen wird man keine wesentlich dünneren Schnitte verwenden als notwendig.

Für Atmungsmessungen mit Gewebeschnitten ist meistens die Anwendung einer unphysiologisch hohen Sauerstoffspannung erforderlich. KREBS[5] zieht in Betracht, daß die hohe O_2-Spannung mitverantwortlich sein könnte für den im Laufe der Messung mehr oder weniger schnell eintretenden Abfall der Gewebeatmung.

Zur Berechnung der Grenzschnittdicke für Atmungsmessungen wird in Gl. (31) (S. 140) der O_2-Verbrauch als ein vom Partialdruck des Sauerstoffs unabhängiger Wert eingesetzt, weil angenommen werden darf, daß der O_2-Verbrauch von Zellen bis herunter zu sehr kleinen O_2-Partialdrucken noch mit maximaler Geschwindigkeit verläuft. Bei der Anwendung der Gewebeschnittmethode sind aber auch die Fälle zu betrachten, in denen die Geschwindigkeit des zu untersuchenden Vorgangs von der jeweiligen im Schnitt vorhandenen Substratkonzentration abhängt. Die Substratkonzentration im Schnitt ist eine andere als im Medium. Sie ist in den meisten Fällen unbekannt oder nur unter gewissen Voraussetzungen näherungsweise berechenbar. Außerdem besteht für das Substrat innerhalb des Schnittes ein Konzentrationsgradient. Ist die Umsatzgeschwindigkeit des Substrates größer als die Diffusionsgeschwindigkeit, so gelangt man in den Bereich der konzentrationsabhängigen Reaktionsgeschwindigkeit, da dann die Sättigungskonzentration, oberhalb der die Reaktionsgeschwindigkeit von der Substratkonzentration unabhängig ist, unterschritten wird. Hiermit sei nur angedeutet, daß es manchmal schwierig sein kann, mit der Gewebeschnittmethode zu quantitativen Aussagen über den untersuchten Stoffwechselvorgang zu gelangen. LEUTHARDT[6], der in diesen Zusammenhang gehörende Diffusionsprobleme eingehender untersucht hat, hat am Beispiel der Harnstoffsynthese in der Leber gezeigt, daß auch bei relativ gut diffundierenden Stoffen (Größenordnung der Diffusionskonstanten 10^{-2} bis 10^{-3} cm²/Std) die Diffusionsgeschwindigkeit zum „Auffüllen" des Schnittes ungenügend sein kann. Wenn ein bestimmtes der Außenlösung zugesetztes Substrat von dem Gewebeschnitt nicht oder nur langsam umgesetzt wird, darf man noch nicht auf ein Fehlen oder auf einen wenig ausgebildeten Enzymapparat zur Umsetzung dieses Substrates schließen. Es gibt verschiedene Beispiele dafür, daß auch kleinmolekulare, als Bestandteile der Zelle bekannte Stoffe — besonders solche mit sauren Gruppen — nur schwer in die Zelle einzudringen vermögen.

Der lange Diffusionsweg hat weiter zur Folge, daß Endprodukte des Stoffwechsels im Innern des Schnittes in größerer Konzentration vorhanden sind als in der Schnittoberfläche. Der im Gewebeschnitt von innen nach außen bestehende Konzentrationsgradient für Atmungskohlensäure wurde oben bereits angeführt. Ähnlich ist damit zu rechnen, daß die Konzentration an H^+, Milchsäure und an anderen Stoffwechselendprodukten innerhalb des Schnittes von innen nach außen höher ist als in dem Medium[7]. Anderer-

---

[1] DEUTSCH, W., and H. S. RAPER: J. Physiol., London 87, 275 (1936). — BROCK, N., H. DRUCKREY u. H. HERKEN: B. Z. 300, 1 (1938). A.e.P.P. 191, 687 (1939).
[2] MCILWAIN, H.: Biochem. J. 50, 132 (1951). — MCILWAIN, H., and H. L. BUDDLE: Biochem. J. 53, 412 (1933). — AYRES, P. J. W., and H. MCILWAIN: Biochem. J. 55, 607 (1953). — MCILWAIN, H.: Biochem. J. 55, 618 (1953). — RODNIGHT, R., and H. MCILWAIN: Biochem. J. 57, 649 (1954).
[3] WOODS, M.: J. nat. Cancer Inst. 17, 615 (1956).
[4] FRUNDER, H., H. BÖRNIG, W. FISCHER u. K. STADE: H. 305, 274 (1956).
[5] KREBS, H. A.: Biochim. biophys. Acta 4, 249 (1950).
[6] LEUTHARDT, F.: B. Z. 299, 281 (1938).
[7] ELLIOTT, K. A. C., and M. K. BIRMINGHAM: J. biol. Ch. 177, 51 (1949).

seits ist eine Verdünnungswirkung des Mediums, in dem die Schnitte suspendiert werden, in Betracht zu ziehen. Durch das im Verhältnis zur Gewebemenge meistens große Volumen der Versuchslösung kann unter Umständen eine Herabsetzung der Konzentration von diffusiblen und gewebeeigenen Metaboliten, Co-Enzymen, Aktivatoren usw. unter die optimale Konzentration erfolgen („Auswascheffekte"). Diesem Umstande sucht man in besonderen Versuchsanordnungen Rechnung zu tragen (s. S. 237).

Die „Überlebensdauer" von Gewebeschnitten ist beschränkt; sie kann im manometrischen Versuch unter günstigen Bedingungen auf einige Std veranschlagt werden. Wachsende oder ausgewachsene Zellkulturen, die Messungen über mehrere Tage gestatten, können zur Beantwortung zellphysiologischer Fragen Gewebeschnitten in mancher Beziehung überlegen sein; sie werden in zunehmendem Maße auch für manometrische Messungen herangezogen.

d) Isolierte Zellen und Gewebefragmente.

Die besonderen Diffusionsprobleme, die bei der Anwendung der Gewebeschnittmethode auftreten, fallen bei Versuchen mit einzelnen Zellen weg; der Stoffaustausch ist dann im wesentlichen eine Frage der Zellpermeabilität.

Von KALTENBACH[1] wird eine Methode angegeben, mit der größere Mengen von Suspensionen ganzer Zellen aus Leber erhalten werden können. Die Methode besteht im wesentlichen darin, daß Leberschnitte unter geringem Druck durch ein Sieb gepreßt werden, ein Vorgang, der mehrere Male mit Sieben von immer kleinerer Maschenweite wiederholt wird. Die Integrität der suspendierten Zellen wird im Stoffwechselversuch geprüft: Auf Zusatz von Cytochrom c oder von Succinat steigt die am O_2-Verbrauch gemessene Aktivität der Succinoxydase der Zellsuspension nicht oder nur wenig an, wogegen die Aktivität von Homogenaten in ausgesprochenem Maße von der zugesetzten Menge Cytochrom c oder Succinat abhängt (s. „Cytolysequotienten" von POTTER[2]). Der Vorteil einer Suspension ganzer Zellen gegenüber Homogenaten ist, daß die Zellmembran und die intracellulären Strukturen intakt sind und daß die intracellulären Substanzen nicht dispergiert sind. Gegenüber Gewebeschnitten haben die Zellsuspensionen den Vorteil, daß Fragen der Diffusion auf ein Mindestmaß reduziert sind und daß jede Zelle in unmittelbarem Kontakt mit den zugesetzten Ergänzungsstoffen, Substraten usw. steht. Die Atmung einzelner Zellen kann bei einem physiologischen oder noch kleineren O_2-Partialdruck untersucht werden. Es erscheint so möglich, Gewebezellen in der Weise wie Blutzellen oder Ascitestumorzellen für Stoffwechselversuche zu verwenden.

Für die Untersuchung von Fragen, die den Tumorstoffwechsel betreffen, werden von WARBURG Suspensionen von Ascitestumorzellen auch deshalb bevorzugt, weil sie ein einheitlicheres Versuchsmaterial bieten, wogegen Tumorschnitte wechselnde Mengen von Bindegewebe und einen hohen Anteil von nekrotischen Zellen enthalten können.

Um sehr kleine Mengen Gewebe, wie sie bei der Biopsie oder oft von Kleintieren erhalten werden und die zur Herstellung von Schnitten nicht geeignet sind, in eine für Stoffwechselversuche geeignete Form zu bringen, geben McILWAIN und BUDDLE[3] einen „Gewebezerhacker" an. Die mit den erhaltenen (prismatischen) Gewebefragmenten und vergleichsweise mit Schnitten und Homogenaten von demselben Organ ausgeführten Stoffwechselversuche (O_2-Verbrauch, aerobe Milchsäurebildung, Reaktion auf elektrische Reize) lassen erkennen, daß sich die Gewebefragmente in ihrem Stoffwechselverhalten kaum von den Gewebeschnitten unterscheiden. Gegenüber einem Gewebebrei üblicher Herstellungsart sind die mit dem Zerhacker gewonnenen Gewebepräparate besser definiert und besser reproduzierbar. Aus der folgenden Tabelle 7 ist die bedeutende Zunahme des Verhältnisses Flächeninhalt : Gewicht der Gewebefragmente gegenüber Gewebeschnitten

---

[1] KALTENBACH, J. P.: Exp. Cell Res. **7**, 568 (1954).
[2] POTTER, V. R.: J. biol. Ch. **163**, 437 (1946).
[3] McILWAIN, H., and H. L. BUDDLE: Biochem. J. **53**, 412 (1953).

zu ersehen. Durch die Oberflächenvergrößerung sind in Versuchen mit den Fragmenten auch günstigere Diffusionsverhältnisse gegeben.

Tabelle 7. *Gewicht und Flächeninhalt verschiedener Gewebepräparate* (nach McIlwain und Buddle[1]).

Gewebepräparat (mm)	Zahl der Teile pro 70 mg	Gewicht eines Teiles (mg)	Fläche eines Teiles (mm²)	Gesamtfläche der Teile pro 70 mg (mm²)
Schnitt 0,35 · 20 · 10	1	70	421	421
Fragmente 0,2 · 0,2 · 2 . . .	875	0,08	1,68	1470
Fragmente 0,067 · 0,067 · 2 .	7875	0,009	0,545	4292

Nach einigen Beobachtungen[2-4] zeigen durch mechanische Gewebezerreißung gewonnene, morphologisch anscheinend intakte Zellen nicht in allen Einzelheiten das gleiche Stoffwechselverhalten wie Gewebeschnitte.

Ein anderer Weg zur Gewinnung von Zellen aus Organen ist die Behandlung des Gewebes mit Trypsin[5]. Zum Beispiel wird[6] möglichst bindegewebefrei präparierte, kleingeschnittene Nierenrinde von etwa 3 Monate alten Kaninchen während einiger Std bei 33° C unter Rühren in einem Medium von folgender Zusammensetzung inkubiert: 2,5 g Trypsin „Difco 1:250", 8,0 g NaCl, 0,2 g KCl, 1,15 g $Na_2HPO_4 \cdot 2\ H_2O$, 0,2 g KH_2PO_4, 0,1 g $MgCl_2 \cdot 6\ H_2O$; mit bidestilliertem Wasser auf 1 l. Die freigesetzten Zellen werden alle 30 min abgegossen. Der erste Abguß wird verworfen. Die weiteren Abgüsse werden sofort auf 0° C abgekühlt und 10 min bei $100 \times g$ zentrifugiert. Zur manometrischen Messung von Atmung und Glykolyse werden die Zellen in inaktiviertem Mäuseascites-Serum suspendiert.

Trypsinbehandlung von Milchdrüsenschnitten (Meerschweinchen) zur Zellisolierung s.[7]. Trypsinempfindlichkeit von (auf mechanischem Wege) isolierten Leberzellen (Maus) s.[8].

2. Versuchslösungen.

a) Allgemeines.

Die Versuchslösungen sind das Milieu, oder sie beeinflussen das Milieu, in dem in vitro die Stoffwechselvorgänge ablaufen. Sie können eine entscheidende Wirkung auf den Stoffwechsel ausüben. Die Feststellung der „optimalen" Zusammensetzung der zu verwendenden Versuchslösung („Suspensionslösung", „Medium") ist eine besondere Aufgabe, die in vielen Fällen eigene Voruntersuchungen erfordert. Je nach Art des Versuchsmaterials und der zu untersuchenden Stoffwechselreaktion können die an die Zusammensetzung der Versuchslösung zu stellenden Anforderungen sehr verschieden sein. Die zu wählenden Milieubedingungen hängen auch von der Absicht ab, mit der die Messung durchgeführt wird (z. B. davon, ob die Milieubedingungen möglichst den physiologischen Verhältnissen angeglichen werden sollen oder ob davon abgesehen wird und lediglich gleichbleibende, für Vergleichsmessungen geeignete Bedingungen hergestellt werden sollen).

Bei Versuchen mit „überlebendem" Gewebe (Gewebestückchen, Gewebeschnitte) oder mit „überlebenden" Einzelzellen (Blutzellen, Ascitestumorzellen) ist man im allgemeinen bestrebt, die Zusammensetzung der Versuchslösung der des Zellmilieus im Körper — der inter- oder extracellulären Flüssigkeit — anzugleichen. Man sucht, hauptsächlich die

---

[1] McIlwain, H., and H. L. Buddle: Biochem. J. **53**, 412 (1953).
[2] Laws, J. O., and L. H. Stickland: Nature **178**, 309 (1956).
[3] Kalant, H., and F. G. Young: Nature **179**, 816 (1957).
[4] Zimmerman, M., T. M. Devlin and M. P. Pruss: Nature **185**, 315 (1960).
[5] Dulbecco, R., and M. Vogt: J. exp. Med. **99**, 167 (1954).
[6] Warburg, O., K. Gawehn u. A.-W. Geissler: Z. Naturforsch. **13**b, 588 (1958).
[7] Turba, F., u. H. Hilpert: B. Z. **334**, 487 (1961).
[8] Habermehl, K.-O., u. W. Diefenthal: Kli. Wo. **39**, 488 (1961).

ionale Zusammensetzung von Blutserum oder anderen Körperflüssigkeiten mehr oder weniger vollständig nachzuahmen, wobei auch der p_H-Wert und der osmotische Druck berücksichtigt werden. Derartige „physiologische Salzlösungen", die eventuell durch Zusatz von Substraten ergänzt werden, genügen manchmal den an das Milieu zu stellenden Anforderungen; ihre Zusammensetzung kann sich in anderen Fällen als unzureichend erweisen, nämlich dann, wenn das Gewebe morphologisch oder im Stoffwechselverhalten „Schädigungen" erkennen läßt. Mit Salzlösungen, die hinsichtlich eines oder mehrerer Bestandteile „unphysiologisch" zusammengesetzt sind, können solche Gewebeschädigungen manchmal vermieden oder verringert werden, und man verwendet im besonderen Fall auch entsprechend zusammengesetzte Salzlösungen. Als Kriterien für die „richtige" Zusammensetzung einer Versuchslösung können dienen: Konstanz der Stoffwechselgeschwindigkeit während einer längeren Meßzeit, Erhaltung des ursprünglichen Quellungszustandes, des Mineralgehaltes und des Gehaltes an Co-Enzymen und anderen N-haltigen Stoffen sowie an Kohlenhydraten der Gewebe. Abgesehen davon, daß man über diese Kriterien kaum je vollständig verfügt, reichen sie nicht aus, um die Frage, ob der Gewebestoffwechsel durch die Versuchslösung in irgendeiner Weise geschädigt wird, sicher beurteilen zu können. Die verwendete „Salzlösung" sollte im Stoffwechselversuch — wenigstens zur Beantwortung von gewissen Stoffwechselproblemen — einer für das betreffende Gewebe in Betracht kommenden Körperflüssigkeit als Medium nicht unterlegen sein. Bei Versuchen mit Gewebeschnitten ist es deshalb häufig nützlich, vor der ausgedehnteren Anwendung einer bestimmten Salzlösung vergleichsweise Messungen mit einer Körperflüssigkeit, z.B. mit Serum, auszuführen.

Atmung und Glykolyse verschiedener Gewebearten können in Serum höher und zeitlich konstanter sein als in bestimmten glucosehaltigen Salzlösungen (s. [1]), ein Hinweis darauf, daß der Stoffwechsel durch die verwendeten Salzlösungen ungünstig beeinflußt wurde. In Salzlösungen zeigen auch normale Gewebe häufig ein beträchtliches aerobes Glykolysevermögen, das mit Serum als Medium nicht oder in geringerem Umfange beobachtet wird[2,3]. Salzlösungen haben nach WARBURG[3,4] eine die Atmung entkoppelnde Wirkung und werden von ihm deshalb als ungeeignet betrachtet, wenn es sich um die Untersuchung von Fragen handelt, die mit dem Energiehaushalt der Zelle zusammenhängen; in diesen Fällen ist nach WARBURG Serum (Blutserum oder Ascitesserum) zu verwenden (vgl. hierzu [5]). Zum Beispiel bewirkt arsenige Säure eine Entkoppelung der Atmung, d.h. ein Hervortreten des latenten Glykolysevermögens der normalen Zelle. Diese Wirkung von As_2O_3 ist aber nur in Serum, kaum in Salzlösungen festzustellen, weil die Atmung im letzten Falle zum größten Teil bereits entkoppelt ist[3].

Nach den gleichen Überlegungen, die bei der Wahl des Mediums für Gewebeschnitte angestellt werden, wäre es sinnvoll, Stoffwechselvorgänge, die nach Zerstörung der Zelle — mit Homogenaten, isolierten Zellpartikeln und gelösten Enzymen — untersucht werden, in einer dem intracellulären Milieu angepaßten Versuchslösung ablaufen zu lassen. Dabei ist jedoch zu berücksichtigen, daß der Zellinhalt inhomogen und darum das Milieu, in dem eine bestimmte und in der Zelle örtlich abgegrenzte Reaktion abläuft, nicht bekannt ist. Außerdem sind nach mehr oder weniger weitgehender Zerstörung der äußeren und inneren Zellstrukturen und nach der meistens vorzunehmenden Verdünnung des Zellinhalts Verhältnisse gegeben, die weniger die Frage nach dem „physiologischen Milieu"

---

[1] MEYERHOF, O., u. K. LOHMANN: B. Z. **171**, 381 (1926). — CHANG, T., and R. GERARD: Amer. J. Physiol. **111**, 697 (1935). — FRIEND, D. G., and A. B. HASTINGS: Proc. Soc. exp. Biol. Med. **45**, 137 (1940). — WARREN, C. O. jr.: J. biol. Ch. **156**, 559 (1944); **167**, 543 (1947). — VOGEL, G.: Virchows Arch. **325**, 710 (1954). — WOODS, M.: J. nat. Cancer Inst. **17**, 615 (1956). — GAUTHERON, D., et F. MATRAY: Bull. Soc. Chim. biol. **40**, 1911 (1958). — WARBURG, O., W. SCHRÖDER, H. S. GEWITZ u. W. VÖLKER: Z. Naturforsch. **13b**, 591 (1958).
[2] NEGELEIN, E.: B. Z. **158**, 121 (1925).
[3] WARBURG, O., K. GAWEHN u. A.-W. GEISSLER: Z. Naturforsch. **12b**, 115 (1957).
[4] WARBURG, O.: Naturwiss. **42**, 401 (1955). Science, N.Y. **123**, 309 (1956).
[5] DRUCKREY, H., F. BRESCIANI u. H. SCHNEIDER: Z. Naturforsch. **13b**, 516 (1958).

aufkommen lassen, sondern mehr die Frage nach den erforderlichen Zusätzen, die für eine maximale oder doch zeitlich konstante Aktivität des untersuchten Vorgangs nötig sind, in den Vordergrund stellen. Um z.B. Mitochondrien ohne deutlich erkennbare Schäden zu erhalten, werden ganz unphysiologisch zusammengesetzte Versuchslösungen verwendet.

Der Einfluß des Mediums auf den Stoffwechsel ist im allgemeinen so groß, daß Ergebnisse von Stoffwechselmessungen ohne Angaben über die Zusammensetzung oder wenigstens über die Art der verwendeten Versuchslösung kaum beurteilt werden können.

Nachstehend werden einige Versuchslösungen angeführt, die bei manometrischen Messungen vorwiegend als „extracelluläre" Medien, also in erster Linie in Versuchen mit Gewebeschnitten, Gewebestückchen und Einzelzellen, angewendet werden.

b) Serum.

Das arteigene Blutserum darf man für die meisten Gewebe des Tierkörpers als eine den physiologischen Bedingungen angepaßte Versuchslösung betrachten. Das gilt zwar nicht ganz ohne Einschränkung, unter anderem wegen des im Vergleich zur intercellulären Flüssigkeit hohen Eiweißgehaltes des Serums. Der ausgedehnten Verwendung von Serum im manometrischen Versuch stehen einige Umstände entgegen: Es ist von Kleintieren nicht immer in genügender Menge zu beschaffen; es retiniert CO_2 und fixe Säuren; wegen seines Hydrogencarbonatgehaltes ist es zur Messung des O_2-Verbrauches bei Abwesenheit von CO_2 im Gasraum nicht geeignet.

Natives Serum. Nach dem Gerinnen des Blutes wird das Serum möglichst sofort abgetrennt, da sonst durch die glykolytische Aktivität der Blutzellen größere Änderungen im Gehalt an Glucose, Milchsäure und Hydrogencarbonat auftreten können. Die Hydrogencarbonatkonzentration soll etwa 0,025 m sein; sie wird nötigenfalls mit $NaHCO_3$-Lösung auf diese Konzentration gebracht. Der Glucosegehalt des Serums wird auf 150 bis 200 mg-% eingestellt. Zur Inaktivierung hält man das Serum während 30 min bei 57°C. OKAMOTO[1] inaktiviert Pferdeserum, indem er das Serum auf 55° vorwärmt und dann 2 Std bei 58°C hält. Am nächsten Tag wird das Serum wieder vorgewärmt und nochmals $^1/_2$ Std lang auf 58°C erhitzt. Heterologe Seren, auch inaktivierte, können auf manche Stoffwechselvorgänge ungünstig wirken; sie sollten deshalb nur nach entsprechenden Kontrollversuchen mit homologen Seren verwendet werden. Serum enthält Stoffe, die die anaerobe Glykolyse von Ascitestumorzellen fördernd[2] oder hemmend[3] beeinflussen. In nichtinaktiviertem artfremdem Serum werden Tumorzellen aufgelöst[2]. Steriles Serum wird durch Filtration durch Berkefeld-Kerzen, durch Seitz-Filter oder durch Membranfilter erhalten; es kann in kleinen sterilen Gefäßen im Kühlschrank aufgehoben werden. Zur Hemmung von Bakterienwachstum werden dem Serum manchmal Antibiotica zugesetzt; jedoch hat man vorher zu prüfen, ob sie den zu untersuchenden Stoffwechselvorgang beeinflussen.

Um während der Messung einen definierten p_H-Wert aufrechtzuerhalten, kann Serum wegen seines Hydrogencarbonatgehaltes nur mit CO_2 im Gasraum verwendet werden (s. hierzu S. 160). Vor dem Einfüllen in die Gefäße wird das Serum in einem Tonometer (oder in einem Schütteltrichter, den man während der Durchströmung langsam schaukelt) mit dem CO_2 enthaltenden Gasgemisch gesättigt.

Ergänztes Serum. Der Gehalt des Serums an Atmungssubstraten ist nicht immer ausreichend, um eine genügende Versorgung des Gewebes zu sichern. Um die Bedingungen in dieser Hinsicht günstiger zu gestalten, wird von KREBS[4] ein ergänztes Serum vorgeschlagen (Tabelle 8). Das nach dem in der letzten Spalte angegebenen Volumen-

---

[1] OKAMOTO, Y.: B. Z. **160**, 52 (1925).
[2] NEGELEIN, E., H. GRAETZ u. K.-H. MENKE: Z. Naturforsch. **14**b, 434 (1959).
[3] LANDSCHÜTZ, C.: Z. Naturforsch. **11**b, 663 (1956).
[4] KREBS, H. A.: Biochim. biophys. Acta **4**, 249 (1950).

verhältnis hergestellte Lösungsgemisch wird vor dem Versuch mit einem etwa 5 Vol.-% CO_2 enthaltenden Gasgemisch ins Gleichgewicht gebracht (s. oben).

WARBURG, GAWEHN und GEISSLER[2] setzen dem Serum L(+)-Milchsäure zu, weil die vorhandene, meist kleine Milchsäurekonzentration des Serums im Versuchsverlaufe schnell verbraucht wird und dann die Atmung der Zellen absinkt, deren Atmungssubstrat Milchsäure ist. Dem an Milchsäure armen Rattenserum werden 2 mg L(−)-Natriumlactat pro ml zugegeben.

Tabelle 8. *Ergänztes Serum* (nach KREBS[1]).

Stammlösung	m	Volumenteile
Serum . . .		100
Na-pyruvat .	0,16	3
Na-fumarat .	0,1	6
Na-L-glutamat	0,16	3
Glucose . . .	0,3	5

Im Serum vorhandene Substrate (z.B. Milchsäure[3]) können eine Erhöhung der Gewebeatmung bewirken, was bei einem Vergleich mit der Atmung in einem anderen Medium, in dem diese Substrate nicht von vorneherein vorhanden sind, zu berücksichtigen ist.

Neutralisiertes Serum[3,4]. Es kann zur Messung der Atmung bei Abwesenheit von CO_2 im Gasraum der Gefäße verwendet werden, allerdings mit dem Nachteil, daß es kein oder nur wenig Hydrogencarbonat enthält. Die dem Serum zur „Neutralisation" zugesetzte Säuremenge kann so bemessen werden, daß das vorhandene Hydrogencarbonat vollständig oder nur teilweise zersetzt wird. Bei Abwesenheit von CO_2 im Gasraum ist im letzten Falle der p_H-Wert der Lösung weniger gut definiert.

Vollständig neutralisiertes Serum wird hergestellt, indem man zu Serum bis p_H 5 Säure gibt, das freigesetzte CO_2 im Vakuum entfernt und das Serum dann mit Lauge auf p_H 7,4 einstellt. Teilweise neutralisiertes Serum wird durch Zusatz von 0,1 n HCl bis p_H etwa 6,6 erhalten; nach dem Entfernen von CO_2 im Vakuum beträgt der p_H-Wert dann etwa 7,4. Bei diesem p_H-Wert wird das Serum gepuffert. Statt Vakuum zur Entfernung von CO_2 anzuwenden, kann man die im Einzelversuch zu verwendende Serummenge in die Reaktionsgefäße pipettieren, mit der nötigen Menge Salzsäure versetzen und das Gemisch während etwa 1 Std unter Schütteln im Thermostaten äquilibrieren[5]. Zur Zersetzung des im Serum vorhandenen Hydrogencarbonats sind pro 1 ml Serum etwa 0,025 mÄq Säure erforderlich.

Andere Versuchslösungen biologischer Herkunft. Für Ascitestumorzellen wird (zellfreies) Ascitesserum und für embryonale Gewebe Fruchtwasser oder Embryopreßsaft als adäquates Medium verwendet. Ascitesserum, das auch von Kleintieren (z.B. Mäusen) in ausreichender Menge erhalten werden kann, ist als Medium auch für normale Gewebe geeignet[2]. Der Ascites wird zentrifugiert und 10 min auf 57° C erhitzt. Da Ascitesserum fast keine Glucose enthält, werden 2 mg Glucose pro ml zugesetzt. Ascites enthält eine ausreichende Menge Lactat (etwa 2 mg pro ml).

c) Salzlösungen.

Nachstehend werden einige von den bei manometrischen Messungen — besonders mit Gewebeschnitten oder isolierten Zellen — mehr oder weniger häufig verwendeten „synthetischen" Versuchslösungen aufgeführt. Im Einzelfall mag keine die „optimalen" Bedingungen bieten; die Kenntnis ihrer Zusammensetzung und Eigenschaften kann aber das Auffinden von günstiger zusammengesetzten Lösungen erleichtern. Für die Zusammensetzung von Reaktionsgemischen, wie sie in bestimmten Fällen bei Messungen mit Homogenaten angewendet werden, werden später bei der Beschreibung von manometrischen Methoden einige Beispiele angegeben.

---

[1] KREBS, H. A.: Biochim. biophys. Acta **4**, 249 (1950).
[2] WARBURG, O., K. GAWEHN u. A.-W. GEISSLER: Z. Naturforsch. **12b**, 115 (1957).
[3] MEYERHOF, O., u. K. LOHMANN: B. Z. **171**, 381 (1926).
[4] MACLEOD, J., and C. P. RHOADS: Proc. Soc. exp. Biol. Med. **41**, 268 (1939). — WARREN, C. O. jr.: Amer. J. Physiol. **128**, 455 (1939). — FRIEND, D., and A. B. HASTINGS: Proc. Soc. exp. Biol. Med. **45**, 137 (1940).
[5] SHACTER, B.: J. biol. Ch. **184**, 697 (1950).

Salzlösungen mit Hydrogencarbonat erfordern zur Aufrechterhaltung eines bestimmten p_H-Wertes die Anwesenheit von CO_2 in der Gasphase. Ohne CO_2 in der Gasphase gelangen hydrogencarbonatfreie oder doch an Hydrogencarbonat arme Lösungen zur Verwendung. Hydrogencarbonatfreie Medien werden meistens durch Phosphat gepuffert (etwa im Verhältnis von 100 Volumenteilen der Salzlösung zu 10 Volumenteilen isotonischen Phosphatpuffers von p_H 7,4). Versuche mit stark glykolysierendem Material (z.B. Tumoren) erfordern eine stärkere Pufferung des hydrogencarbonatfreien Mediums. Zu beachten ist, daß bei hohen Phosphatkonzentrationen das Löslichkeitsprodukt für Calciumphosphat in den üblichen calciumhaltigen Salzlösungen überschritten wird (die Löslichkeit von sekundärem Calciumphosphat beträgt bei 25° C 0,02%), die Lösung also übersättigt, „metastabil" ist und die Konzentration an ionisiertem Ca unter der physiologischen Konzentration liegt. Nur gelegentlich — etwa zur Untersuchung von Ioneneffekten — werden an Stelle von Phosphat andere Puffersubstanzen (z.B. „Tris" = Tris-(hydroxymethyl)-aminomethan oder Borat) verwendet.

In vielen Fällen wird den Salzlösungen Glucose bis zu einer Endkonzentration von 0,2% zugesetzt. Vor dem Zusatz wird die Glucose-Stammlösung (z.B. eine 10%ige Glucoselösung) 5 min lang im kochenden Wasserbad erhitzt.

Glucose wird fast immer als Substrat zugesetzt, wenn das Glykolysevermögen gemessen werden soll. Auch Atmungsmessungen erfolgen meistens in Anwesenheit von Glucose. Die „endogene Atmung" wird in substratfreien Versuchslösungen gemessen. Die Atmung normaler Gewebe wird im allgemeinen durch Glucose gesteigert oder nicht beeinflußt[1]. Dagegen wird die Atmung von Mäuseascitestumorzellen von Glucose am Anfang in bedeutendem Maße gehemmt[2].

Ringerlösung. Ihre Zusammensetzung geht auf Beobachtungen von RINGER[3] über den Einfluß verschiedener Salzlösungen auf das isolierte Froschherz zurück. Ringerlösung wird aus blutisotonischen Lösungen von NaCl, KCl und $CaCl_2$ hergestellt; je nach der Tierart, von der das zu untersuchende Gewebe stammt, werden die Volumenverhältnisse etwas variiert. Für Säugetiergewebe verwendet man im allgemeinen eine Ringerlösung von der in Tabelle 9 angegebenen Zusammensetzung.

Tabelle 9. *Zusammensetzung der Ringerlösung für Säugetiergewebe.*

Stammlösungen	m	g/Liter	Volumenteile
NaCl	0,154	9,0	96
KCl	0,154	11,5	2
$CaCl_2$	0,110	12,2	2

Die dem Eigenserum angeglichene Ringerlösung gewährt nicht unbedingt den größten Stoffumsatz. Zum Beispiel ist die Atmung von Herzschnitten von einigen meerbewohnenden Tieren in einer dem Eigenserum angeglichenen Ringerlösung bedeutend geringer als in der Säugetier-Ringerlösung[4].

Die mit glasdestilliertem Wasser hergestellten Stammlösungen werden in dem in der letzten Spalte angegebenen Volumenverhältnis gemischt. Der Gehalt der $CaCl_2$-Lösung wird durch Chloridbestimmung kontrolliert; 5 ml der Lösung sollen 11 ml 0,1 n $AgNO_3$ verbrauchen (Kaliumchromat als Indicator).

Ringer-Hydrogencarbonatlösung. Außer den drei in Tabelle 9 angegebenen Stammlösungen hält man als vierte eine 0,155 m Lösung von Natriumhydrogencarbonat (13 g $NaHCO_3$ im l) vorrätig. Zu 100 Volumenteilen der Ringerlösung fügt man 20 Volumenteile der $NaHCO_3$-Lösung; der Gehalt an Hydrogencarbonat entspricht dann etwa dem

---

[1] ELLIOTT, K.A.C., and Z. BAKER: Biochem. J. **29**, 2433 (1935). — DICKENS, F., and G. D. GREVILLE: Biochem. J. **27**, 832 (1933). — ROBINSON, R.: Biochem. J. **45**, 68 (1949). — GAUTHERON, D., et F. MATRAY: Bull. Soc. Chim. biol. **40**, 1911 (1958).
[2] CRABTREE, C.: Biochem. J. **23**, 536 (1929). — BRIN, M., and R. W. MCKEE: Cancer Res. **16**, 364 (1956). — DANES, B. S., u. J. KIELER: C. R. Lab. Carlsberg **31**, 61 (1958). — AVINERI-SHAPIRO, S., and B. SHAPIRO: Bull. Res. Council Israel, Sect. E **6**, 49 (1956). — TIEDEMANN, H.: Z. ges. exp. Med. **119**, 272 (1952). — HESS, B., u. B. CHANCE: Naturwiss. **46**, 248 (1959).
[3] RINGER, S.: J. Physiol., London **3**, 380 (1882); **4**, 29 (1883); **7**, 291 (1886).
[4] BARRON, E. S. G., W. P. SIGHTS u. V. WILDER: A.e.P.P. **219**, 338 (1953).

Hydrogencarbonatgehalt des Serums. Da Natriumhydrogencarbonat meistens etwas Carbonat enthält, das mit Ca^{++} schwer lösliches $CaCO_3$ bildet, ist die Hydrogencarbonatlösung vor dem Zusatz zu der Ringerlösung mit reiner Kohlensäure etwa 1 Std lang zu durchströmen; die Lösung darf Phenolphthalein nicht röten. Die Ringer-Hydrogencarbonatlösung wird aus den Stammlösungen am Versuchstage frisch hergestellt (beim Stehen fällt allmählich $CaCO_3$ aus) und mit dem bei der manometrischen Messung zur Verwendung kommenden Gasgemisch gesättigt.

Hydrogencarbonatarme Ringerlösung. Die Lösung wird gelegentlich für Atmungsmessungen verwendet. Sie wird durch Mischung von 100 Volumenteilen Ringerlösung und 2 Volumenteilen 1,3 %iger Natriumhydrogencarbonatlösung hergestellt.

Salzlösungen nach KREBS *und* HENSELEIT[1]. Der Gehalt dieser Lösungen an anorganischen Ionen entspricht weitgehend dem des Säugetierserums, mit Ausnahme des Chloridgehaltes, der in der Salzlösung rund 20% höher ist (Tabelle 10).

Diese Lösung reagiert sauer. Sie wird mit Zusatz a) von Phosphatpuffer oder b) von Natriumhydrogencarbonat verwendet.

Tabelle 10. *Salzlösung nach* KREBS *und* HENSELEIT[1].

Stammlösungen	m	g/Liter	Volumenteile
NaCl	0,154	9,0	100
KCl	0,154	11,5	4
$CaCl_2$	0,110	12,2	3
KH_2PO_4	0,154	21,1	1
$MgSO_4 \cdot 7 H_2O$	0,154	38,2	1

a) Zu 109 Volumenteilen der Lösung nach Tabelle 10 gibt man 21 Volumenteile einer 0,1 m Phosphatpufferlösung. Eine 0,1 m Pufferlösung von Natriumphosphat, $p_H = 7,4$, wird erhalten, wenn man 17,8 g $Na_2HPO_4 \cdot 2 H_2O$ und 20 ml 1 n HCl mit Wasser auf 1 l bringt.

b) Zu 109 Volumenteilen der Lösung nach Tabelle 10 gibt man 21 Volumenteile einer 0,155 m (1,3 %igen) $NaHCO_3$-Lösung, die vorher mit Kohlensäure durchströmt worden ist.

Atmungslösungen nach KREBS[2]. KREBS hat drei Lösungen angegeben (Medium I, II und III) und sie in Atmungsversuchen mit Gewebeschnitten von verschiedenen Organen und Tieren verwendet. Außer anorganischen Salzen enthalten die Medien organische Verbindungen, die für die Atmung von Bedeutung sind.

Die Stammlösung von $NaHCO_3$ wird mit CO_2 bis $p_H = 7,4$ durchströmt. Die Lösungen 8—11 sind 1 Woche im Eisschrank haltbar, falls in ihnen keine Bakterienentwicklung eintritt. Sie werden aber am besten frisch hergestellt.

Medium I wird mit dem etwa 5 Vol.-% CO_2 enthaltenden Gasgemisch gesättigt. Sein Hydrogencarbonatgehalt erfordert zur Konstanthaltung eines p_H-Wertes von etwa 7,4

Tabelle 11. *Atmungslösungen nach* H. A. KREBS[2].

Stammlösungen	m	%	Volumenteile für		
			Medium I	Medium II	Medium III
1. NaCl	0,154	0,9	80	83	95
2. KCl	0,154	1,15	4	4	4
3. $CaCl_2$	0,11		3	0	3
4. KH_2PO_4	0,154	2,11	1	1	1
5. $MgSO_4 \cdot 7 H_2O$		3,82	1	1	1
6. $NaHCO_3$	0,154	1,3	21	3	3
7. Phosphatpuffer*			0	18	3
8. Na-pyruvat**	0,16		4	4	4
9. Na-fumarat	0,1		7	7	7
10. Na-L-glutamat	0,16		4	4	4
11. Glucose	0,3	5,4	5	5	5

* 100 Volumenteile 0,1 m Na_2HPO_4 + 25 Volumenteile 0,1 m NaH_2PO_4.
** Oder Na-L-lactat.

[1] KREBS, H. A., u. K. HENSELEIT: H. **210**, 33 (1932).
[2] KREBS, H. A.: Biochim. biophys. Acta **4**, 249 (1950).

die Anwesenheit von 5 Vol.-% CO_2 im Gasraum. Mit diesem Medium kann der O_2-Verbrauch deshalb nur nach einer der „indirekten Methoden" gemessen werden. Die hydrogencarbonatarmen Medien II und III gestatten die Anwendung der „direkten Methode" (mit Lauge im Einsatz). Medium III besitzt eine geringe Pufferungskapazität, weil der verminderte Gehalt an $NaHCO_3$ nicht durch Phosphatpuffer kompensiert ist. Die Unterschiede in der Zusammensetzung dieser Medien bestehen in einem verschiedenen Gehalt an Ca^{++}, HCO_3^- oder $HPO_4^=$.

Für die Atmung von Gewebeschnitten von Nierenrinde, Lunge und Milz sind die Medien II und III etwa gleichwertig. Die Atmung von Schnitten von Leber und besonders von Gehirnrinde zeigt in den verschiedenen Medien größere Unterschiede. Mit Gehirnrinde fand KREBS[1] bei vergleichsweise ausgeführten Messungen die folgenden Q_{O_2}-Werte (Tabelle 12).

Die hohen Q_{O_2}-Werte in dem calciumfreien, phosphatreichen Medium II entsprechen vielleicht am wenigsten den physiologischen Verhältnissen.

Tabelle 12. *Atmung von Schnitten der Gehirnrinde in verschiedenen Medien nach* KREBS[1].

Gehirnschnitte vom	Q_{O_2}		
	Medium I	Medium II	Medium III
Meerschweinchen	−18,6	−34,2	−16,4
Kaninchen	−17,5	−23,9	−15,6
Schaf	−13,5	−17,6	−12,4
Rind	− 9,9	−15,9	−10,8
Pferd	−13,7	−16,5	−13,7

Modifizierte Ringerlösung nach LEVY und SCHWOB[2]. Sie enthält in mÄq pro Liter: Na 152,4, K 4,8, Ca 1,7, Mg 1,8, Cl 127,6, SO_4 1,8 und PO_4 31,3 (p_H 7,2). Der Lösung wird Glucose in einer Endkonzentration von 0,01 m zugesetzt. Herzschnitte atmen in dieser Lösung maximal[3].

Kaliumreiches Medium nach AEBI[4]. Nach Versuchen von AEBI mit Leberschnitten von Meerschweinchen bietet ein mit Phosphat (Endkonzentration 0,04 m) bei p_H 7,2 gepuffertes Medium, das wie Serum pro Liter etwa 2 mM Ca, aber gegenüber Serum doppelt soviel K (etwa 10 mM) enthält, hinsichtlich zeitlicher Konstanz der Atmung und Aufrechterhaltung des physiologischen Quellungszustandes der Schnitte die günstigsten Bedingungen. In der gepufferten Lösung sind enthalten (in mMol pro l): Na 170, K 11, Ca 2,2, Mg 1,5.

Tabelle 13. *Isotonische Pufferlösungen von Natriumphosphat.* Die angegebenen ml 0,63 m NaOH sind mit 0,164 m NaH_2PO_4 auf 100 ml zu bringen.

p_H	ml NaOH	p_H	ml NaOH
5,4	1,4	6,8	12,1
5,6	1,7	7,0	14,2
5,8	2,6	7,2	16,1
6,0	3,8	7,4	17,5
6,2	5,3	7,6	18,4
6,4	7,5	7,8	19,2
6,6	10,25	8,0	19,6

Isotonische Pufferlösungen von Natriumphosphat (HINSBERG und LANG[5]). Isotone Phosphat-Stammlösung (0,164 m): 164 ml einer 0,5 m Lösung von NaH_2PO_4 werden mit Wasser auf 500 ml gebracht. — Lösung von Natriumhydroxyd (0,63 m): 63 ml 1 n Natronlauge werden mit Wasser auf 100 ml gebracht. — Mit dem Serum (Gefrierpunktsdepression −0,56° C) isotone Pufferlösungen erhält man, wenn man die in Tabelle 13 angegebenen Volumina NaOH mit der Phosphatlösung auf 100 ml auffüllt.

Herstellung steriler Lösungen nach OKAMOTO[6]. Zur Herstellung einer sterilen Lösung von Natriumhydrogencarbonat wird von wasserfreiem Natriumcarbonat ausgegangen, weil sowohl festes als auch gelöstes $NaHCO_3$ sich bei höheren Temperaturen zersetzt. Um eine sterile 1,3%ige Lösung von $NaHCO_3$ zu erhalten, werden 0,82 g Na_2CO_3 (wasserfrei) in einem Durchlüftungskolben bei 170° C trocken sterilisiert. Dann werden

---

[1] KREBS, H. A.: Biochim. biophys. Acta **4**, 249 (1950).
[2] LEVY, J., et A. SCHWOB: Bull. Soc. chim. biol. **28**, 642 (1946).
[3] PESCHEL, E., and R. GEORGIADE: J. Lab. clin. Med. **52**, 410 (1958).
[4] AEBI, H.: Helv. physiol. Acta **8**, 525 (1950).
[5] HINSBERG, K., u. K. LANG: Medizinische Chemie. 3. Aufl., S. 1120. München, Berlin, Wien 1957.
[6] OKAMOTO, Y.: B. Z. **160**, 52 (1925).

100 ml Wasser, das vorher im KOCHschen Dampftopf während 1 Std erhitzt wird, zugegeben. Durch die Lösung wird unter häufigem Umschütteln während 40 min ein kräftiger Strom von reiner Kohlensäure geleitet. (Das Gas passiert vor dem Eintritt in die Lösung Wattefilter.) Carbonat wird dadurch in Hydrogencarbonat übergeführt, und die Lösung wird mit Kohlensäure gesättigt. Um eine physiologische Konzentration an gelöster Kohlensäure zu erhalten, wird 10 min lang ein 5% CO_2 enthaltendes Gasgemisch durchgeleitet. Zur Aufbewahrung der Lösung werden Gaseinleitungsrohr und -ableitungsrohr mit Gummistopfen verschlossen.

Glucoselösung (z.B. 5,6 g Glucose in 100 ml Wasser) wird an zwei aufeinanderfolgenden Tagen je $1/4$ Std lang im KOCHschen Dampftopf erhitzt.

Salzlösungen (ohne Hydrogencarbonat) werden im Dampftopf einmal 1 Std lang erhitzt.

Werden 200 ml der sterilen Salzlösung mit 40 ml der sterilen Hydrogencarbonatlösung und 9 ml der sterilen Glucoselösung in einem Durchlüftungskolben gemischt und mit einem 5% CO_2 enthaltenden Gasgemisch bei 37° C und bei einem Barometerstand von 760 mm gesättigt, so beträgt die Konzentration an Glucose 0,2%, an Hydrogencarbonat $2,5 \cdot 10^{-2}$ M/l und an freier Kohlensäure $1,18 \cdot 10^{-3}$ M/l. Der berechnete p_H-Wert (s. S. 160) liegt dann bei 7,5.

Ausschaltung von Schwermetallspuren. Wenn es notwendig ist, den Einfluß von Schwermetallspuren auszuschalten, kann man dem Medium komplex- und chelatbildende Substanzen zusetzen. Fe kann durch Adsorption an Calciumphosphat entfernt werden[1]. Auch Kationenaustauscher werden zur Entfernung von Schwermetallen und anderen unerwünschten Kationen verwendet[2].

3. Stoffwechselquotienten.

Die „Stoffwechselaktivität" wird in der Regel durch „Stoffwechselquotienten" ausgedrückt, indem man die in einer bestimmten Zeit unter standardisierten Bedingungen umgesetzten Gasvolumina oder Substratmengen auf eine Mengeneinheit des Versuchsmaterials bezieht. Die Mengeneinheit kann in Gewicht, Volumen oder Zellenanzahl ausgedrückt werden. Bei der Wahl der „Bezugsbasis" sind verschiedene Gesichtspunkte leitend; die Art des Versuchsmaterials und die Fragestellung sind dabei von Bedeutung. Im allgemeinen sollen Stoffwechselquotienten, die immer nur ein relatives Maß für die Stoffwechselaktivität sind, Vergleiche in einem über eine einzige Versuchsreihe hinausgehenden Umfange ermöglichen.

a) Symbole.

WARBURG[3] drückt durch den Buchstaben Q das Gasvolumen in μl aus, das von einer 1 mg Trockengewicht entsprechenden Menge Gewebe in 1 Std verbraucht oder gebildet wird. Beträgt die bei m mg Trockengewicht in t min aufgenommene oder gebildete Gasmenge $x\ \mu l$, so ist

$$Q = \frac{x \cdot 60}{m \cdot t}.$$

Der Wert Q erhält negatives Vorzeichen, wenn Gas aufgenommen, positives Vorzeichen, wenn Gas gebildet wurde. Zur näheren Bezeichnung wird dem Buchstaben Q das chemische Zeichen für das umgesetzte Gas und in der Regel auch das Zeichen für das im Gasraum vorhandene Gas beigefügt. Kohlensäure entsteht im Stoffwechsel bei der Atmung und Gärung; sie erscheint bei der manometrischen Messung als „Extrakohlensäure",

---

[1] BARD, R. C., and I. C. GUNSALUS: J. Bact. **59**, 387 (1950).
[2] PERLMAN, D., W. W. DORRELL and M. J. JOHNSON: Arch. Biochem. **11**, 131 (1946). — WEBB, M.: J. gen. Microbiol. **2**, 275 (1948). — ABELSON, P. H., and E. ALDOUS: J. Bact. **60**, 401 (1950). — SHANKAR, K., and R. C. BARD: J. Bact. **63**, 279 (1952).
[3] WARBURG, O.: B. Z. **142**, 317 (1923); **164**, 481 (1925).

wenn im Stoffwechsel Säuren gebildet werden, die aus dem Hydrogencarbonat der Versuchslösung CO_2 freisetzen. Die Herkunft der Kohlensäure sollte durch entsprechende Indices kenntlich gemacht werden. Die folgenden Symbole werden am häufigsten verwendet:

$Q_{O_2} = \dfrac{x_{O_2} \cdot 60}{m \cdot t}$ (Sauerstoffverbrauch bei der Atmung),

$Q_{CO_2}^{O_2} = \dfrac{x_{CO_2} \cdot 60}{m \cdot t}$ (Atmungskohlensäure),

$Q_M^{N_2} = \dfrac{x_M \cdot 60}{m \cdot t}$ (anaerob gebildete „Extrakohlensäure"; anaerobe Glykolyse),

$Q_M^{O_2} = \dfrac{x_M \cdot 60}{m \cdot t}$ (aerob gebildete „Extrakohlensäure"; aerobe Glykolyse),

$Q_S^{O_2} = \dfrac{x_S \cdot 60}{m \cdot t}$ (Gesamtsäurebildung = Bildung von Atmungskohlensäure + „Extrakohlensäure", bei der alkoholischen Gärung außerdem + Gärungskohlensäure).

Bei Q_M und x_M steht der Index M für Milchsäure, die in μl CO_2 ausgedrückt wird. Q_M oder x_M ist der gebildeten Milchsäuremenge äquivalent, wenn Milchsäure als einzige „fixe Säure" entsteht. Diese Annahme darf nicht ohne weiteres gemacht werden, da die manometrisch gemessene „Extrakohlensäure" auch von anderen Säuren, die in Versuchen mit biologischem Material entstehen können, freigesetzt werden kann. WARBURG[1] fand mit einer Anzahl von Säugetiergeweben Äquivalenz zwischen den anaerob entwickelten Mengen an Extra-CO_2 und den chemisch bestimmten Milchsäuremengen. Mit Herzschnitten von einigen Invertebraten beobachteten BARRON, SIGHTS und WILDER[2], daß die manometrisch gemessene anaerobe Säurebildung die chemisch bestimmte Milchsäuremenge weit übersteigt (s. z.B. auch[3,4]). An Stelle von Q_M wird in der angelsächsischen Literatur manchmal Q_A (A = Acidum, Acidogenese) oder Q_G (G = Glykolyse) verwendet, um die Unspezifität hinsichtlich der Natur der Säure oder Säuren, die bei der Glykolyse oder einem anderen säurebildenden Vorgang aus Hydrogencarbonat CO_2 freisetzen, zum Ausdruck zu bringen.

Unter aeroben Bedingungen ist die Glykolyse vollständig oder teilweise ausgeschaltet (PASTEURsche Reaktion). Den Wirkungsgrad der Atmung auf die Glykolyse drückt WARBURG[1] durch den MEYERHOF-Quotienten (MQ) aus:

$$MQ = \dfrac{Q_M^{N_2} - Q_M^{O_2}}{Q_{O_2}}.$$

Der MEYERHOF-Quotient gibt also an, wieviel μl Milchsäure (gemessen als „Extrakohlensäure") pro μl verbrauchten Sauerstoffes unter aeroben Bedingungen weniger gebildet werden als unter anaeroben.

b) Maßeinheiten.

Gelegentlich wird die umgesetzte Gasmenge nicht in μl, sondern in Mikromolen (μM) ausgedrückt. Da 1 μM (= 1 · 10^{-6} M) eines Gases unter Normalbedingungen ein Volumen von (rund) 22,4 μl einnimmt, ergibt die Division des gemessenen Gasvolumens durch 22,4 die Anzahl μMole des entstandenen oder verschwundenen Gases. (Das Molvolumen von CO_2 beträgt 22,26 l; es wird aber meistens wie das der anderen Gase gleich 22,4 l gesetzt). Durch diese Beziehung kann andererseits die Menge von nichtgasförmigen Substanzen in μl Gas ausgedrückt werden (z.B. 1 μM Milchsäure = 90,08 μg = 22,4 μl).

---

[1] WARBURG, O., K. POSENER u. E. NEGELEIN: B. Z. **152**, 309 (1924).
[2] BARRON, E. S. G., W. P. SIGHTS u. V. WILDER: A.e.P.P. **219**, 338 (1953).
[3] TERNER, C.: Biochem. J. **52**, 229 (1952).
[4] STECKEL, R. H., and J. R. MURLIN: Cancer Res. **11**, 330 (1951).

1 μM Sauerstoff = 22,4 μl ist chemisch äquivalent 2 μM Wasserstoff = 44,8 μl.

Aus den Stoffwechselquotienten kann man die umgesetzten Gasmengen in mg pro 100 mg Gewebe und pro Std berechnen. Ist die Bezugsbasis für Q das Gewebetrockengewicht, so erhält man den Umsatz pro Std in % des Trockengewichtes:

Sauerstoffverbrauch in %: $\quad Q_{O_2} \cdot \dfrac{32 \cdot 100}{22400} = Q_{O_2} \cdot 0{,}143$,

Kohlensäurebildung in %: $\quad Q_{CO_2} \cdot \dfrac{44 \cdot 100}{22400} = Q_{CO_2} \cdot 0{,}196$,

Milchsäurebildung in %: $\quad Q_M \cdot \dfrac{90 \cdot 100}{22400} = Q_M \cdot 0{,}402$.

Anwendbarkeit von Stoffwechselquotienten. Die Vergleichbarkeit der durch Q-Werte ausgedrückten Ergebnisse ist an die Bedingung geknüpft, daß Gasverbrauch oder -entwicklung zeitlich linear verlaufen und daß die umgesetzten Gasmengen direkt proportional den eingesetzten Mengen Versuchsmaterial sind. Nicht selten ist der Reaktionsverlauf nur in den ersten Meßzeiten linear. Die Q-Werte werden dann von dem noch linearen Teil der den zeitlichen Reaktionsverlauf wiedergebenden Kurve berechnet. Nimmt die Reaktionsgeschwindigkeit von Beginn an ab, so werden Stoffwechselquotienten im Sinne der Q-Werte fragwürdig; auf alle Fälle ist dann der Reaktionsverlauf darzustellen und die Zeit anzugeben, aus der Q berechnet wurde. Verläuft die Reaktion wenigstens eine Zeitlang nach einer bestimmten Ordnung, so kann mit der Geschwindigkeitskonstanten eine lineare Beziehung zwischen Enzymmenge und der Größe des Stoffumsatzes erhalten werden, auch bei zeitlich nicht linearem Reaktionsverlauf.

c) Bezugsbasen.

Bei den WARBURGschen Stoffwechselquotienten ist das Gewebetrockengewicht die Bezugsbasis: Die Stoffwechselaktivität wird im Verhältnis zum Gewebetrockengewicht ausgedrückt. Ohne andere Angaben sollte man durch „Q" symbolisierte Stoffwechselquotienten als in diesem Sinne gemeint betrachten dürfen. Je nach der Beschaffenheit des Versuchsmaterials und je nach der durch die Messungen zu beantwortenden Frage werden Stoffwechselquotienten auch mit anderen Bezugsbasen gebildet. Siehe hierzu auch[1].

Sind isolierte Zellen das Versuchsobjekt und kennt man die Anzahl der im Versuch verwendeten Zellen, so ist es am naheliegendsten und im allgemeinen auch am sinnvollsten, den Stoffumsatz auf eine bestimmte Anzahl Zellen, z.B. auf 10^6 Zellen, zu beziehen. Den O_2-Verbrauch von 10^6 Zellen pro Std wird man durch Q_{O_2} (10^6 Zellen) symbolisieren. Um das Auszählen der Zellen zu ersparen, verwendet man auch das Zellvolumen als Bezugsbasis, wobei man das Volumen („gepacktes Zellvolumen") der in einer Suspension vorhandenen Zellmenge im Hämatokritröhrchen (z.B. Röhrchen nach WINTROBE) nach Zentrifugieren bestimmt.

Will man den in vitro mit einem Gewebestückchen gemessenen Stoffumsatz auf den Stoffumsatz im ganzen Organ, dessen Gewicht man kennt, umrechnen, so ist das Frischgewicht eine geeignete Bezugsbasis, wobei gewisse Bedingungen bei der Bestimmung des Frischgewichtes von Gewebeschnitten zu beachten sind (S. 156). Der Stoffwechselquotient (μl Gas/mg Frischgewicht/Std) kann dann durch „q" dargestellt werden; jedoch wird hier noch mit einiger Willkür verfahren. Um Aktivitätsvergleiche in verschiedenen Versuchsreihen anzustellen — z.B. in Versuchen mit Lebern von verschieden gefütterten Tieren —, wird man das Frischgewicht nur dann als Bezugsbasis wählen, wenn eine genügende Konstanz der Bestandteile, die wesentlich zum Gewebegewicht beitragen — also in erster Linie des Wassers — angenommen werden kann. Änderungen im Wassergehalt oder im Gehalt an anderen Bestandteilen können eine Zu- oder Abnahme der Enzymmenge (oder -aktivität) im ganzen Organ vortäuschen oder überdecken.

---

[1] RICHTERICH, R., P. SCHAFROTH, J. P. COLOMBO u. F. TEMPERLI: Kli. Wo. **1961**, 987.

Aus Tabelle 14 sind die unter gewöhnlichen Bedingungen auftretenden Schwankungen im Wassergehalt von einigen Rattenorganen zu ersehen. Der Wassergehalt hängt vom Alter der Tiere und bei manchen Organen von ihrem Funktionszustand ab; verschiedene Teile desselben Organs können erhebliche Unterschiede im Wassergehalt aufweisen.

Tabelle 14. *Verhältnis von Frischgewicht: Trockengewicht von Organen der Ratte* (nach ELLIOTT, GREIG und BENOY[1]). Das Trockengewicht ist das „Anfangstrockengewicht". Der Wassergehalt wurde aus den Verhältniszahlen berechnet.

Organ	Frischgewicht/Trockengewicht		Wasser %	
	Streuung	Mittel	Streuung	Mittel
Niere . .	4,1—5,2	4,5	75,6—80,7	77,8
Leber . .	3,9—5,0	4,35	74,6—80,0	77,0
Gehirn .	7,1—8,9	8,1	85,9—88,8	87,6
Testis . .	7,2—7,7	7,4	86,1—87,0	86,5

Die Leber von Ratten enthält 4—6% Blut[2]. Zur Korrektur für den Blutgehalt der isolierten Organe s.[2]. Spektrophotometrische Bestimmung von Blut bzw. Hämoglobin in Gewebehomogenaten s.[2-4].

Bei der Wahl des Trockengewichts als Bezugsbasis wird der Wassergehalt als Variable ausgeschaltet. In Versuchen mit Gewebeschnitten tritt die Frage auf, ob man das „Anfangs-" oder das „Endtrockengewicht" (S. 143) für die Berechnung von Stoffwechselquotienten verwenden soll. Das Anfangstrockengewicht ist mehr oder weniger unsicher, wenn die Schnitte mit angefeuchtetem Messer hergestellt werden oder wenn sie vor dem Wägen in der Versuchslösung gebadet werden, da dann das Frischgewicht der Schnitte — aus dem das Anfangstrockengewicht berechnet wird (s. S. 143) — etwas unbestimmt ist. Auch die Entfernung von adhärierender Lösung von den Schnitten (S. 143) bietet Fehlermöglichkeiten. Günstiger sind hierfür die Bedingungen, wenn die Gewebeschnitte mit nicht angefeuchtetem Messer in einer feuchten und gekühlten Kammer (S. 139), in der sie bis zum Übertragen in die Versuchslösung auch aufgehoben werden können, hergestellt werden. Außerdem werden in das Anfangstrockengewicht die Zellen mit einbezogen, die sich während der manometrischen Messung von dem Gewebe ablösen und dann möglicherweise eine andere Stoffwechselaktivität haben als die Zellen im Gewebeverbande. Man kann diesen Einwand umgekehrt auf die Verwendung des Endtrockengewichtes als Bezugsbasis anwenden: Das Endtrockengewicht ist um den Betrag zu niedrig, um den die Schnitte durch Ablösung von Zellen und Zellbestandteilen an Gewicht verlieren.

Nach DICKENS und WEIL-MALHERBE[5] ist das von aliquoten Teilen der Darmmucosa bestimmte Anfangstrockengewicht größer als das Endtrockengewicht der im Versuch verwendeten Schnitte; dementsprechend werden wesentlich kleinere Stoffwechselquotienten erhalten, wenn das Anfangstrockengewicht als Bezugsbasis gewählt wird. Siehe hierzu auch [6]. BACH[7] fand in manometrischen Versuchen mit Leberschnitten in hydrogencarbonathaltigem Medium einen vom Schnittgewicht und von der Dauer der Inkubationszeit abhängigen Verlust an Gewebesubstanzen. Der Substanzverlust betrug mit 50 mg Gewebe (Frischgewicht) nach 60 min langer Versuchszeit bis zu 50%; geringere Substanzverluste wurden mit größeren Gewebemengen oder bei kürzerer Versuchszeit beobachtet. Die Größe der pro mg Endtrockengewicht und pro Std berechneten Stoffwechselquotienten kann nach diesen Versuchen also in erheblichem Maße von der eingesetzten Gewebemenge und von der Dauer des Versuches abhängen; um vergleichbare Stoffwechselquotienten — mit dem Endtrockengewicht als Bezugsbasis — zu erhalten, wird man also innerhalb der betreffenden Versuchsreihen die Messungen mit möglichst gleichen Gewebemengen und bei gleich langen Versuchszeiten ausführen. Der Substanzverlust hängt außer von

---

[1] ELLIOTT, K. A. C., M. E. GREIG and M. P. BENOY: Biochem. J. **31**, 1003 (1937).
[2] HOLZER, H., G. SEDLMAYER u. M. KIESE: B. Z. **328**, 176 (1956).
[3] NEUFELD, H. A., A. N. LEVAY, F. V. LUCAS, A. P. MARTIN and E. STOTZ: J. biol. Ch. **233**, 209 (1958).
[4] HOHORST, H. J., F. H. KREUTZ u. TH. BÜCHER: B. Z. **332**, 18 (1959).
[5] DICKENS, F., u. H. WEIL-MALHERBE: Biochem. J. **35**, 7 (1941).
[6] KIDD, I. D., R. J. WINZLER and D. BURK: Cancer Res. **4**, 547 (1944).
[7] BACH, S. J.: Biochem. J. **38**, 156 (1944).

der Gewebeart, der Integrität des Gewebeschnittes[1] und den erwähnten Verhältnissen auch von der Zusammensetzung des Mediums ab. Ein unter Umständen beträchtlicher Substanzverlust während der Versuchszeit wird nach AEBI[2] besonders dann beobachtet, wenn die Schnitte in der Versuchslösung quellen.

Dem Verlust des Gewebeschnittes an Eiweiß tragen STADIE, RIGGS und HAUGAARD[3] dadurch Rechnung, daß sie das Trockengewicht des Niederschlages bestimmen, der am Ende des Versuches nach Zusatz von Trichloressigsäure zu dem ganzen Gefäßinhalt erhalten wird. Der Niederschlag wird auf einem gewogenen Glasfilter gesammelt, mit Trichloressigsäure gewaschen und im Trockenschrank getrocknet. (Trichloressigsäure wird beim Trocknen zersetzt und verflüchtigt.)

In gewissen Fällen wird das Trockengewicht für den Gehalt an Fett, Glykogen oder Bindegewebe korrigiert[4]. Wenn man den Stickstoffgehalt des fett- oder glykogenfreien Trockengewebes einmal bestimmt, kann man — unter der Voraussetzung, daß die Stickstoffmenge in dem Gewebe nicht wesentlich schwankt — in weiteren Versuchen mit der gleichen Gewebeart die entsprechend korrigierten Trockengewichte durch N-Bestimmungen erhalten (vgl. WARREN[5]).

ITZHAKI und WERTHEIMER[6] bestimmen das fettfreie Trockengewicht (von Fettgewebe), indem sie die Schnitte nach Beendigung des Versuches in 10 ml Alkohol-Aceton (1:1) bringen und darin über Nacht belassen. Nach dem Abdekantieren der Lösung werden 10 ml Äther zugegeben, der Äther wird bis zum Sieden erhitzt, 1 Std bei Zimmertemperatur stehengelassen und wieder zum Sieden erhitzt. Das Gewebe wird dann zwischen Filtrierpapier abgepreßt, und die Extraktion mit Äther wird wiederholt. Das entfettete Gewebe wird im Trockenschrank bei etwa 50° C während 20 min getrocknet und gewogen.

Das fettfreie Trockengewicht von Enzymlösungen (Homogenate u.a.) wird nach SLATER[7] bestimmt, indem man 1 ml der Enzymlösung mit 5 ml Wasser verdünnt und mit 1 ml 20%iger Trichloressigsäure fällt. Die Fällung wird abzentrifugiert, und die überstehende Lösung wird abgesaugt. Dann wird die Fällung mit 5 ml 50%igem Alkohol und anschließend mit 5 ml 96%igem Alkohol gewaschen. Das ausgewaschene Präcipitat wird bei 100° C bis zur Gewichtskonstanz getrocknet. (Man erhält so im wesentlichen die Eiweißmenge.)

Tabelle 15. *Anteil des fettfreien Trockengewichtes am Frischgewicht des mesenterialen Fettgewebes von normal ernährten und hungernden Ratten* (nach ITZHAKI und WERTHEIMER[8]).

Ernährungszustand	$\dfrac{\text{Fettfreie Trockensubstanz} \cdot 100}{\text{Frischgewicht}}$
Normal ernährt	3,33
1 Tag Hunger	3,66
2 Tage Hunger	4,0
3 Tage Hunger	6,12
5 Tage Hunger	8,52

Tabelle 15 läßt am Beispiel des Fettgewebes erkennen, in welchem Ausmaße der prozentuale Anteil der fettfreien Trockensubstanz am Frischgewicht im Tierexperiment schwanken kann. Einige Werte für den bindegewebigen Anteil (Kollagene und Elastine) sind in Tabelle 16 aufgeführt.

Die Stoffwechselaktivität wird häufig auch im Verhältnis zur Eiweiß- oder Eiweißstickstoffmenge ausgedrückt z.B. Q_{O_2} (Prot.) oder Q_{O_2} (N), besonders in Versuchen mit Homogenaten, Extrakten und gereinigten Enzymlösungen. Der Erfolg von Reinigungsoperationen wird im allgemeinen in dieser Weise kontrolliert. Durch die Wahl von Eiweiß (oder Eiweiß-N) als Bezugsbasis wird eine Anzahl von stoffwechselinaktiven und variablen Gewebebestandteilen bei der Berechnung von Q-Werten ausgeschaltet. Mit

---

[1] BERNHEIM, F., and M. L. C. BERNHEIM: Amer. J. Physiol. **142**, 195 (1944).
[2] AEBI, H.: Helv. physiol. Acta **8**, 525 (1950).
[3] STADIE, W. C., B. C. RIGGS and N. HAUGAARD: J. biol. Ch. **160**, 191 (1945).
[4] LOWRY, O. H., D. R. GILLIGAN and E. M. KATERSKY: J. biol. Ch. **139**, 795 (1941).
[5] WARREN, C. O. jr.: Amer. J. Physiol. **128**, 455 (1939).
[6] ITZHAKI, S., and E. WERTHEIMER: Endocrinology **61**, 72 (1957).
[7] SLATER, E. C.: Biochem. J. **45**, 1 (1949).
[8] ITZHAKI, S., and E. WERTHEIMER: Endocrinology **61**, 72 (1957).

dem Gesamteiweiß als Bezugsbasis kann natürlich auch nur ein bedingtes Maß für die Stoffwechselaktivität erhalten werden. Wenn der Anteil des Eiweißkomplexes, der nicht mit dem Eiweiß der untersuchten Enzyme identisch ist, zu- oder abnimmt, so ist der mit dem Gesamteiweiß als Bezugsbasis gebildete Stoffwechselquotient erniedrigt oder erhöht, obgleich die Enzymmenge konstant geblieben sein kann.

Tabelle 16. *Gehalt an Kollagen und Elastin in Organen der Ratte* (nach NEUMAN und LOGAN[1]). Werte in Prozent des fettfreien Trockengewichts.

Organ	Kollagen	Elastin
Haut	67,8	
Aorta	25,7	47,7
Magen (Cardia) .	23,7	1,6
Magen (Pylorus)	13,9	1,3
Lunge	11,3	4,9
Muskel	5,8	
Milz	3,5	0,6
Nierenrinde . .	3,4	0,5
Leber	0,7	0
Gehirn	0,2	0

Die Mengen der bisher angeführten Zellbestandteile sind mehr oder weniger variabel und damit auch die im Verhältnis zu diesen Mengen ausgedrückten Stoffwechselgrößen. Untersuchungen von BOIVIN, VENDRELY und VENDRELY[2], von MIRSKY und RIS[3] und von anderen haben die Aussicht eröffnet, einen pro Zelle in seiner Menge konstanten Bestandteil — Desoxyribonucleinsäure — als Bezugsbasis verwenden zu können. Für eine gegebene Species ist danach der Gehalt an Desoxyribonucleinsäure in den Zellkernen mit gleicher Chromosomenzahl verschiedener Organe gleich; von Tierart zu Tierart bestehen gewisse Unterschiede. Der Desoxyribonucleinsäuregehalt von diploiden Körperzellen liegt bei Säugetieren etwa zwischen 5 bis $6 \cdot 10^{-6}$ µg; er wird z.B. durch Hungernlassen der Tiere nicht beeinflußt[4]. So kann mit Hilfe von Desoxyribonucleinsäure-Bestimmungen die Stoffwechselaktivität pro Zelle berechnet werden. Im Zusammenhang mit Fragen des Gewebewachstums haben DAVIDSON und LESLIE[5] die Verwendbarkeit von Desoxyribonucleinsäure als Bezugsbasis ausführlicher besprochen.

Die verfügbaren Methoden zur Bestimmung von Desoxyribonucleinsäure[6] erfordern einige Erfahrung, um hinreichend genaue Ergebnisse zu liefern; einigen von diesen — an sich für Serienanalysen besonders geeigneten — Methoden fehlt die erforderliche Spezifität.

Tabelle 17. *Mit verschiedenen Bezugsbasen berechnete Q_{O_2}-Werte* (nach FIALA[7]). Tgew = 1 mg Trockengewicht; Zk = $1 \cdot 10^6$ Zellkerne; DNS = $5 \cdot 10^{-6}$ µg Desoxyribonucleinsäure.

Gewebe	Q_{O_2}		
	Tgew	Zk	DRN
Normale Leber (Ratte)	12,0	8,0	8,0
Leber nach Fütterung von 3′-Methyl-4-dimethylaminoazobenzol	8,0	4,0	3,53
Hepatom (NOVIKOFF)	9,8	1,6	1,25
Ascitestumor (EHRLICH)	5,0	2,7	1,1

GRAY und DELUCA[8] untersuchten den Einfluß von Eiweißmangelfütterung auf O_2-Verbrauch, Glucoseverbrauch und Glykogenbildung im Rattenzwerchfell. Die Stoffwechselgrößen nahmen zu, wenn die Werte je g Frischgewicht des Gewebes berechnet wurden;

---

[1] NEUMAN, R. E., and M. A. LOGAN: J. biol. Ch. **186**, 549 (1950). — s. a. KAO, K.-Y. T., and T. H. MCGAVACK: Proc. Soc. exp. Biol. Med. **101**, 153 (1959).
[2] BOIVIN, A., R. VENDRELY et C. VENDRELY: Cr. **226**, 1061 (1948). — VENDRELY, R., et C. VENDRELY: Exper. **4**, 434 (1948); **5**, 327 (1949). — VENDRELY, R.; in: Chargaff-Davidson, Nucleic Acids, Bd. II, S. 155.
[3] MIRSKY, A. E., and H. RIS: Nature **163**, 665 (1949).
[4] DAVIDSON, J. N., and W. M. MCINDOE: Biochem. J. **45**, XVI (1949). — MANDEL, P., M. JACOB et L. MANDEL: Bull. Soc. Chim. biol. **32**, 80 (1950).
[5] DAVIDSON, J. N., and I. LESLIE: Cancer Res. **10**, 587 (1950). Nature **165**, 49 (1950).
[6] VOLKIN, E., and W. E. COHN: Meth. biochem. Analysis **1**, 287 (1954). — WEBB, J. M., and H. B. LEVY: Meth. biochem. Analysis **6**, 1 (1958).
[7] FIALA, S.: Naturwiss. **45**, 369 (1958).
[8] GRAY, D. E., and H. A. DELUCA: Amer. J. Physiol. **184**, 301 (1956).

sie ließen keinen Einfluß von Eiweißmangel erkennen, wenn die Berechnung auf Desoxyribonucleinsäure als Bezugsbasis erfolgte.

Auch das Verhältnis, das man für die Stoffwechselaktivitäten von verschiedenen Geweben erhält, kann je nach der gewählten Bezugsbasis sehr verschieden ausfallen. Bei der Prüfung der Frage, ob und in welchem Ausmaße die Atmung von Leber nach Verfütterung eines Carcinogens sowie die Atmung der Tumorzelle vermindert ist, erhielt FIALA[1] mit Trockengewicht, Zellkernzahl und Desoxyribonucleinsäuregehalt als Bezugsbasis die in Tabelle 17 aufgeführten Q_{O_2}-Werte.

B. Einige besondere Meßbedingungen.

1. Löslichkeit von Gasen.

Die Löslichkeit von Gasen in Flüssigkeiten wird durch den Absorptionskoeffizienten α ausgedrückt. α ist das auf Normalbedingungen (0°C und 760 mm Hg) reduzierte Gasvolumen, das bei der Temperatur t in einem Volumenteil der Flüssigkeit gelöst ist (ml Gas in 1 ml Flüssigkeit). α ist von der Natur des Gases und der Flüssigkeit sowie von der Temperatur abhängig (Tabellen 30—34, S. 278).

Die gelöste Gasmenge ist dem Partialdruck p des betreffenden Gases direkt proportional. Bei einem Partialdruck von p mm Hg sind in 1 ml Flüssigkeit $p \cdot \dfrac{\alpha}{760}$ ml des Gases gelöst. Befindet sich eine einzige Gasart über einer wäßrigen Lösung, deren Wasserdampfdruck bei der Temperatur t gleich p_w ist, und beträgt der Gesamtdruck im Gasraum P (in der Regel etwa gleich dem Barometerdruck), so ist der Partialdruck des Gases $p = P - p_w$ und das in 1 Volumenteil der Flüssigkeit bei der Temperatur t gelöste Gasvolumen (reduziert auf Normalbedingungen): $\text{Gas}_{(\text{gelöst})} = (P - p_w) \cdot \dfrac{\alpha}{760}$. Sind noch andere Gase im Gasraum vorhanden, so ist deren Anteil am Gesamtdruck bei der Berechnung von p für ein bestimmtes Gas zu berücksichtigen. Ist der Gehalt eines Gasgemisches an einem bestimmten Gas in Volumenprozenten bekannt, so ist der Partialdruck dieses Gases in einem eine wäßrige Lösung enthaltenden, abgeschlossenen Gefäße:

$$p = \frac{(P - p_w) \cdot \text{Vol.-\% Gas}}{100}. \tag{32}$$

Das bei dem Partialdruck p (mm Hg) in 100 ml Flüssigkeit gelöste Gasvolumen (ml) ist:

$$\text{Vol.-\% Gas}_{(\text{gelöst})} = \frac{\alpha \cdot p}{7{,}6}.$$

Die molare Konzentration (Mol pro l) des in der Flüssigkeit gelösten Gases ist bei dem Partialdruck p:

$$[\text{Gas}] = \frac{p \cdot \alpha \cdot 1000}{760 \cdot 22400} = 0{,}0000588 \cdot p \cdot \alpha, \tag{33}$$

wo α in ml Gas pro ml Lösung und p in mm Hg ausgedrückt ist. (Das Molvolumen von CO_2 ist 22,26 l; für $[CO_2]$ wird erhalten: $0{,}0000591 \cdot p \cdot \alpha_{CO_2}$.)

Beispiel. Der Löslichkeitskoeffizient $\alpha_{CO_2}^{38°}$ für menschliches Plasma beträgt 0,509 (Tabelle 33, S. 279). Für $p_{CO_2} = 1$ mm Hg ist $[CO_2]$ (38° C) in mMol pro l Plasma: $0{,}0591 \cdot 0{,}509 = 0{,}0301$, für $p_{CO_2} = 1$ mm BRODIE-Lösung: $0{,}0301 \cdot \dfrac{760}{10000} = 0{,}00229$.

Der Gesamtdruck P in dem mit dem Manometer verbundenen Gefäß kann in den meisten Fällen dem äußeren Luftdruck gleichgesetzt werden. Falls der Einfluß einer Ungleichheit des Standes der Manometerflüssigkeit in den beiden Armen des offenen Manometers auf die gelöste Gasmenge zu berücksichtigen ist, so geschieht das wie folgt: Ist B der Barometerdruck, P_0 der Normaldruck (760 mm Hg), p_w der Wasserdampfdruck

---

[1] FIALA, S.: Naturwiss. **45**, 369 (1958).

bei der Versuchstemperatur (alle Drucke in mm der Manometerflüssigkeit) und A der Stand der Manometerflüssigkeit im offenen Arm in mm über oder unter dem Niveau der Eichmarke $= 0$, so ist $B - p_w \pm A$ der Partialdruck des (reinen) Gases, und das gelöste Gasvolumen pro Volumeneinheit Versuchslösung ist:

$$\frac{\alpha \cdot B - p_w \pm A}{P_0}.$$

Bei den meisten manometrischen Messungen selbst interessiert nicht die tatsächlich gelöste Gasmenge, sondern nur die Änderung des in dem Flüssigkeitsvolumen v_F gelösten Gasvolumens mit der von dem betreffenden Gas bewirkten Druckänderung h. Die Korrektur des zu messenden Gasvolumens für die Änderung des gelösten Gasvolumens wird beim Multiplizieren von h mit der Gefäßkonstanten ausgeführt.

Von den bei Stoffwechseluntersuchungen am häufigsten vorkommenden Gasen hat Kohlendioxyd die größte Löslichkeit in Wasser und wäßrigen Lösungen. CO_2 reagiert mit Wasser nach:

$$CO_2 + H_2O \rightleftharpoons H_2CO_3,$$

wird also zum Teil hydratisiert. Das Verhältnis $CO_2 : H_2CO_3$ beträgt in wäßriger Lösung bei gewöhnlicher Temperatur etwa $680:1$[1]. Die durch α_{CO_2} ausgedrückte Löslichkeit von CO_2 in Wasser umfaßt die Summe $CO_2 + H_2CO_3$. Die Löslichkeit von CO_2 wird durch Elektrolyte vermindert; sie nimmt mit steigender Wasserstoffionenkonzentration ab. Durch die im Serum vorhandenen Salze wird α_{CO_2} um 3% herabgesetzt; durch die Serumproteine (weil sie den lösenden Raum des Serums verkleinern) um einige Prozente[2]. Insgesamt wird dadurch die Löslichkeit von CO_2 in normalem Serum auf 93—94% der Löslichkeit in Wasser herabgesetzt. Lipoide erhöhen die Löslichkeit von CO_2. In lipämischen Seren kann darum die Löslichkeit von CO_2 größer sein als in Wasser.

Durch den Absorptionskoeffizienten α wird das in „physikalischer Lösung" befindliche Gasvolumen wiedergegeben. Reagiert das Gas mit einem Bestandteil der Lösung, wird es also chemisch gebunden, so spricht man von einer „Retention" des Gases. Die Retention von Gasen (in erster Linie von CO_2) spielt bei manometrischen Messungen unter bestimmten Versuchsbedingungen eine wichtige Rolle (s. S. 163).

2. Bedingungen bei Verwendung von Hydrogencarbonatlösungen.

Einige Bedingungen, die bei manometrischen Messungen mit Hydrogencarbonat enthaltenden Versuchslösungen zu beachten sind, sollen hier in allgemeiner Weise betrachtet werden. Sie betreffen: 1. die Beziehungen zwischen p_H, Hydrogencarbonatkonzentration und Kohlendioxyddruck in einem von HCO_3^- und CO_2 gebildeten Puffersystem, 2. die Retention von CO_2 und von fixen Säuren (Milchsäure oder anderen starken Säuren), wenn in der Hydrogencarbonatlösung noch andere puffernd wirkende Substanzen vorhanden sind, und 3. die Freisetzung oder Bindung von CO_2 in Hydrogencarbonatlösungen, wenn Umsetzungen stattfinden, bei denen sich die Dissoziationskonstanten der reagierenden Stoffe ändern.

a) Die Beziehung zwischen p_H, Hydrogencarbonat- und Kohlendioxydkonzentration.

Die Dissoziationsgleichung der Kohlensäure in wäßriger Lösung kann wiedergegeben werden durch:

$$CO_2 + H_2O \rightleftharpoons H_2CO_3 \rightleftharpoons H^+ + HCO_3^- \rightleftharpoons H^+ + CO_3^=. \tag{34}$$

---

[1] ROUGHTON, F. J. W.: Harvey Lect. (1943/44) **39**, 96 (1945).
[2] SLYKE, D. D. VAN, J. SENDROY jr., A. B. HASTINGS and J. M. NEILL: J. biol. Ch. **78**, 765 (1928).

Betrachten wir nur die erste Dissoziationsstufe und setzen an Stelle des undissoziierten Anteils der wirklichen Kohlensäure ($[H_2CO_3]$) die Gesamtkonzentration $[CO_2] + [H_2CO_3]$ ein, so ist die scheinbare erste Dissoziationskonstante der Kohlensäure gegeben durch:

(a) $$K_1' = \frac{[H^+] \cdot [HCO_3^-]}{[CO_2] + [H_2CO_3]}.$$

Die Konzentration des gelösten, nicht dissoziierten Anteils der Kohlensäure ($[CO_2] + [H_2CO_3]$) kann man der aus dem CO_2-Druck mit Hilfe des Absorptionskoeffizienten α_{CO_2} nach Gl. (33) berechenbaren Gesamtkonzentration an gelöster Kohlensäure ($[CO_2]$) gleichsetzen. Gl. (a), nach $[H^+]$ aufgelöst, ergibt dann:

$$[H^+] = K_1' \cdot \frac{[CO_2]}{[HCO_3^-]},$$

und indem man von $[H^+]$ den negativen Logarithmus bildet:

$$-\log[H^+] = p_H = -\log K_1' - \log\frac{[CO_2]}{[HCO_3^-]} = -\log K_1' + \log\frac{[HCO_3^-]}{[CO_2]}.$$

Ebenso wie $-\log[H^+] = p_H$, ist $-\log K_1' = pK_1'$. Mit pK_1' wird erhalten:

$$p_H = pK_1' + \log\frac{[HCO_3^-]}{[CO_2]}. \tag{35}$$

Hydrogencarbonat bildet als Salz einer schwachen Säure im Gleichgewicht mit CO_2 in wäßriger Lösung ein Puffersystem. Setzt man, unter Vernachlässigung der von der gelösten Kohlensäure gelieferten HCO_3-Ionen, in Gl. (35) $[HCO_3^-]$ gleich der Konzentration an Hydrogencarbonat ($[BHCO_3]$), so lautet die auf dieses System angewendete Puffergleichung (HENDERSON-HASSELBALCHsche Gleichung):

$$p_H = pK_1' + \log\frac{[BHCO_3]}{[CO_2]}. \tag{36}$$

Mit p_{CO_2} (in mm Hg), an Stelle von $[CO_2]$, lautet diese Gleichung:

$$p_H = pK_1' + \log[BHCO_3] - \log p_{CO_2} - \log\frac{\alpha}{760 \cdot 22{,}26}.$$

Der p_H-Wert einer im Gleichgewicht mit CO_2 stehenden Hydrogencarbonatlösung ist von dem Konzentrationsverhältnis $[BHCO_3]:[CO_2]$ abhängig. Ist dieses Verhältnis 1, so ist $pK_1' = p_H$. Zur Berechnung des p_H-Wertes eines Hydrogencarbonat-CO_2-Puffers aus den Konzentrationen der beiden Komponenten nach Gl. (36) wird der Wert von pK_1' der Kohlensäure benötigt. Der Wert von pK_1' hängt von der Temperatur und von den Aktivitäten der in der Lösung vorhandenen Elektrolyte ab. Der Einfluß der CO_2-Konzentration ist sehr gering[1]. Tabelle 18 enthält einige für unendlich verdünnte Lösungen (Ionenstärke = 0) extrapolierte Werte von pK_1' ($pK_1' \infty$).

Tabelle 18. *Der negative Logarithmus der scheinbaren ersten Dissoziationskonstanten der Kohlensäure für unendlich verdünnte Lösungen* ($pK_1' \infty$).

°C	$pK_1' \infty$	Lit.
15	6,429	4
	6,42	1
25	6,343	3
	6,366	4
	6,351	1
38	6,33	2
	6,309	3
	6,317	4
	6,300	1

Eine weniger gute Übereinstimmung besteht hinsichtlich des Wertes für pK_1' der Kohlensäure bei endlichen Elektrolytkonzentrationen. Nach HASSELBALCH[5] beträgt pK_1' (38° C) bei einer Hydrogencarbonatkonzentration von 0,015 M pro Liter 6,36. Mit 0,16 m Lösungen von $NaHCO_3$ und $NaCl$ finden DANIELSON, CHU und HASTINGS[6] pK_1' (38° C) = 6,09. Nach CULLEN, KEELER und ROBINSON[7] beträgt pK_1' (38° C) für Blutserum vom

---

[1] HARNED, H. S., and R. DAVIS jr.: Am. Soc. **65**, 2030 (1943).
[2] HASTINGS, A. B., and J. SENDROY jr.: J. biol. Ch. **65**, 445 (1925).
[3] MACINNES, D. A., and D. BELCHER: Am. Soc. **55**, 2630 (1933).
[4] SHEDLOVSKY, T., and D. A. MACINNES: Am. Soc. **57**, 1683, 1705 (1935).
[5] HASSELBALCH, K. A.: B. Z. **78**, 112 (1917).
[6] DANIELSON, J. S., H. I. CHU and A. B. HASTINGS: J. biol. Ch. **131**, 243 (1939).
[7] CULLEN, G. E., H. R. KEELER and H. W. ROBINSON: J. biol. Ch. **66**, 301 (1925).

Menschen 6,095, und der Temperaturkoeffizient ist $-0,005$ Einheiten pro $1°$ C Temperaturanstieg. Die Beziehung zwischen pK_1' und der Ionenstärke μ läßt sich nach den Messungen von HASTINGS und SENDROY[1] mit Hydrogencarbonat- und Hydrogencarbonat-Natriumchloridlösungen bei $38°$ C ausdrücken durch: $pK_1' = 6{,}33 - 0{,}5 \sqrt{\mu}$, wogegen nach McINNES und BELCHER[2] pK_1' mit der Ionenstärke nur um $0{,}08\,\mu$ abnimmt. Aus den von HARNED und DAVIS[3] angeführten Meßergebnissen geht hervor, daß pK_1' ($25°$ C) bei $\mu = 0{,}07$ um ungefähr 0,015 Einheiten kleiner ist als bei $\mu = 0$. Eine von LASSEN[4] nach eigenen Messungen wiedergegebene Kurve läßt einen ziemlich steilen Abfall von pK_1' im Bereich von 0—0,2 m $NaHCO_3$ erkennen. Siehe ferner[5, 6].

In der manometrische Messungen betreffenden Literatur besteht eine gewisse Unsicherheit über den genauen Wert von pK_1' der Kohlensäure, der bei der Berechnung des p_H-Wertes von Hydrogencarbonat-CO_2-Pufferlösungen einzusetzen ist. Unter Vernachlässigung des Einflusses der Ionenaktivitäten wird hierfür von UMBREIT[7] bei $38°$ C der Wert 6,317 verwendet, der pro Grad Temperaturverminderung um 0,005 Einheiten erhöht wird. WARBURG[8] sowohl wie DIXON[9] setzen für eine etwa 0,025 M $NaHCO_3$/l enthaltende Ringerlösung pK_1' ($38°$ C) $= 6{,}14$.

Durch passende Wahl des Verhältnisses von $[NaHCO_3]:[CO_2]$ kann man einen bestimmten p_H-Wert der Hydrogencarbonatlösung herstellen. Verwenden wir die von HASTINGS und SENDROY[1] angegebene Beziehung: pK_1' ($38°$ C) $= 6{,}33 - 0{,}5 \sqrt{\mu}$, so werden nach Gl. (36) für 0,005—0,20 m Hydrogencarbonatlösungen, die mit 5 Vol.-% CO_2 oder mit 100 Vol.-% CO_2 bei $38°$ C und bei $P = 760$ mm Hg im Gleichgewicht stehen, die in Tabelle 19 aufgeführten p_H-Werte erhalten.

Tabelle 19. p_H *von Hydrogencarbonatlösungen im Gleichgewicht mit einem 5 Vol.-% CO_2 bzw. 100 Vol.-% CO_2 enthaltenden Gasgemisch bei $38°C$ und einem Barometerdruck von 760 mm Hg.*
Berechnet mit pK_1' ($38°$) $= 6{,}33 - 0{,}5 \sqrt{\mu}$ und $\alpha_{CO_2}^{38°} = 0{,}538$.

Konzentration an NaHCO₃ m	p_H der Lösung im Gleichgewicht mit	
	5 Vol.-% CO₂	100 Vol.-% CO₂
0,005	6,97	5,67
0,010	7,23	5,93
0,015	7,39	6,09
0,020	7,51	6,21
0,025	7,59	6,29
0,030	7,66	6,36
0,035	7,73	6,43
0,040	7,78	6,48
0,045	7,82	6,52
0,050	7,86	6,56
0,10	8,12	6,81
0,20	8,36	7,06

Beispiele. 1. Es ist der p_H-Wert einer Ringer-Hydrogencarbonatlösung von der S. 150 angegebenen Zusammensetzung zu berechnen. $[NaHCO_3]$ dieser Lösung ist 0,0258 m, μ ist 0,157. Die Lösung stehe bei $38°$ C und einem Barometerdruck von 750 mm Hg mit einem 5 Vol.-% CO_2 enthaltenden Gasgemisch im Gleichgewicht. $\alpha_{CO_2}^{38°}$ ist 0,536; der Wasserdampfdruck $p_w^{38°}$ ist 49,7 mm Hg. pK_1' ($38°$ C) werde berechnet nach: $pK_1' = 6{,}33 - 0{,}5 \sqrt{\mu}$.

Nach Gl. (32) ist:

$$p_{CO_2} = \frac{(750 - 49{,}7) \cdot 5}{100} = 35 \text{ mm Hg}.$$

Nach Gl. (33) ist die Konzentration an gelöster Kohlensäure:

$$[CO_2] = \frac{35 \cdot 0{,}536 \cdot 1000}{760 \cdot 22260} = 0{,}00112 \text{ m}.$$

$$pK_1' = 6{,}33 - 0{,}5 \sqrt{0{,}157} = 6{,}13.$$

---

[1] HASTINGS, A. B., and J. SENDROY jr.: J. biol. Ch. **65**, 445 (1925).
[2] MACINNES, D. A., and D. BELCHER: Am. Soc. **55**, 2630 (1933).
[3] HARNED, H. S., and R. DAVIS jr.: Am. Soc. **65**, 2030 (1943).
[4] LASSEN, M.: Biochem. J. **69**, 360 (1958).
[5] SEVERINGHAUS, J. W., M. STUPFEL and A. F. BRADLEY: J. appl. Physiol. 9, 189, 197 (1956).
[6] A Symposium on p_H and Blood Gas Measurement (R. F. WOOLMER, Edit.). London 1959.
[7] UMBREIT, W. W.; in: Manometric Techniques (Umbreit-Burris-Stauffer). 3. Aufl., S. 20—23. Minneapolis 1957.
[8] WARBURG, O.: B. Z. **160**, 307 (1925).
[9] DIXON, M.: Manometric Methods. 3. Aufl., S. 88. Cambridge 1951.

Nach Gl. (36) ist:

$$p_H = 6{,}13 + \log \frac{0{,}0258}{0{,}00112} = 7{,}49.$$

2. Dieses Beispiel soll die Berechnung der in einem Versuch mit atmendem und glykolysierendem Gewebe etwa zu erwartenden p_H-Verschiebung zeigen. Die Versuchslösung sei Ringer-Hydrogencarbonatlösung mit 0,0258 Mol/l $NaHCO_3$; im Gasraum befinde sich 5 Vol.-% CO_2 in O_2. Unter den Bedingungen des ersten Beispiels ist p_H am Anfang $\sim 7{,}49$. Durch Glykolyse werden in der Versuchszeit aus dem Hydrogencarbonat 120 μl CO_2 freigesetzt. Dadurch sinkt [$NaHCO_3$] — wenn das Volumen der Versuchslösung 3 ml beträgt — auf 0,0242 m, und p_{CO_2} steigt — wenn die Gefäßkonstante für Kohlensäure nahe bei 1 liegt — um etwa 120 mm BRODIE-Lösung = 9 mm Hg von 35 mm Hg auf 44 mm Hg. [CO_2] ist dann 0,0014 m. Man erhält:

$$p_H = 6{,}13 + \log \frac{0{,}0242}{0{,}0014} = 7{,}37.$$

Werden in der gleichen Zeit außerdem 120 μl Atmungs-CO_2 gebildet, so steigt p_{CO_2} auf 53 mm Hg an, [CO_2] ist dann 0,0017 m. Bei der durch die Atmung nicht veränderten Hydrogencarbonatkonzentration von 0,0242 m liegt der p_H-Wert am Ende bei 7,28, also um rund 0,2 Einheiten tiefer als am Anfang.

Bei der Berechnung des p_H-Wertes nach Gl. (36) kann man in den meisten Fällen [$NaHCO_3$] der Hydrogencarbonatkonzentration der Versuchslösung gleichsetzen. Allenfalls sind die mit dem Versuchsmaterial eingebrachten Hydrogencarbonatmengen zu berücksichtigen; sie sind hier jedoch nur dann von Bedeutung, wenn sie mehr als 10% des für [$NaHCO_3$] eingesetzten Wertes betragen.

b) Die Retention von Kohlendioxyd und von fixen Säuren.

Mit Lösungen, die noch andere Puffersubstanzen als $HCO_3^- - CO_2$ enthalten, wird die manometrische Messung der Atmungs- und Gärungskohlensäure sowie der Glykolyse im physiologischen p_H-Bereich durch die Retention[1] von CO_2 und von fixen Säuren kompliziert. „Retention von CO_2" bedeutet, daß ein Teil der im Stoffwechsel gebildeten Kohlensäure von den Puffersubstanzen der Versuchslösung oder des Versuchsmaterials als Hydrogencarbonat (bei bestimmten p_H-Verhältnissen auch als Carbonat) gebunden wird und nicht als freie CO_2 erscheint. „Retention von Säure" bedeutet, daß ein Teil der glykolytisch (oder durch hydrolytische Spaltung) gebildeten Säuremenge von den Puffersubstanzen neutralisiert wird und darum nicht mit dem Hydrogencarbonat der Versuchslösung unter Freisetzung von „Extra-CO_2" reagiert. In beiden Fällen ist die beobachtete Druckänderung kleiner, als der gebildeten Menge an CO_2 oder an fixen Säuren entspricht.

Ist BP das Salz einer schwachen Säure (z.B. Alkaliproteinat) und HM eine fixe Säure (z.B. Milchsäure), so läßt sich die Retention von Kohlensäure nach Gl. (a) und die Retention von fixer Säure nach Gl. (b) wiedergeben:

(a) $\qquad\qquad BP + H_2CO_3 = BHCO_3 + HP;$

(b) $\qquad\qquad BP + HM \;\;\;= BM + HP.$

Das Retentionsvermögen einer Versuchslösung ist Ausdruck ihres Pufferungsvermögens. Als retinierende Substanzen kommen besonders in Betracht: Eiweiß, Aminosäuren, Phosphate und andere eventuell verwendete Puffersubstanzen. Im Serum wird CO_2 vor allem von den Proteinen gebunden. Auch Carbonate wirken retinierend. Sie können aus Hydrogencarbonat in Mengen, die für die Retention in Betracht kommen, entstehen, wenn das nicht durch geeignete Wahl des Verhältnisses [$NaHCO_3$]:[CO_2] ausgeschlossen wird. Das sei zunächst betrachtet.

---
[1] WARBURG, O.: B. Z. **164**, 481 (1925).

Die zweite Dissoziationsstufe der Kohlensäure ($HCO_3^- \rightleftharpoons H^+ + CO_3^=$) hat zur Folge, daß ein $NaHCO_3$—CO_2-Puffer immer eine bestimmte Menge Carbonat enthält. Carbonat wirkt dadurch retinierend, daß es mit einem Teil der im Stoffwechselversuch entstehenden Säuren (CO_2, Milchsäure u. a.) unter Bildung von Hydrogencarbonat reagiert, nach: $H^+ + CO_3^= \rightarrow HCO_3^-$. Die in einer $NaHCO_3$—CO_2-Lösung vorhandene Carbonatmenge läßt sich aus den Dissoziationskonstanten der Kohlensäure berechnen (s. WARBURG[1]). Die Gleichungen für die Dissoziationskonstanten der Kohlensäure sind:

$$K_1' = \frac{[H^+] \cdot [HCO_3^-]}{[CO_2]} \sim 4 \cdot 10^{-7},$$

$$K_2 = \frac{[H^+] \cdot [CO_3^=]}{[HCO_3^-]} \sim 5 \cdot 10^{-11}.$$

Durch Division wird erhalten:

$$\frac{K_1'}{K_2} = \frac{[HCO_3^-]^2}{[CO_3^=] \cdot [CO_2]} \sim 0{,}8 \cdot 10^4.$$

Daraus ergibt sich für die Konzentration an Carbonationen:

$$[CO_3^=] = \frac{[HCO_3^-]^2}{[CO_2] \cdot 8000}.$$

Steht z. B. eine 0,02 m Hydrogencarbonatlösung bei 38° C und Normaldruck mit einem 5 Vol.-% CO_2 ($[CO_2] = 0{,}00112$ m) enthaltenden Gasgemisch im Gleichgewicht, so ist:

$$[CO_3^=] = \frac{(0{,}02)^2}{0{,}00112 \cdot 8000} \sim 4{,}5 \cdot 10^{-5} \text{ m}.$$

Die unter diesen Bedingungen vorhandene Carbonatmenge kann vernachlässigt werden. Geht man zu Hydrogencarbonatkonzentrationen von etwa 0,1 m über, so gelangt man mit 5 Vol.-% CO_2 im Gasraum in einen Bereich, in dem die Carbonatkonzentration schon von der Größenordnung 10^{-3} m ist. Steht eine Hydrogencarbonatlösung mit einem CO_2-freien Gas in Berührung, so wird die Carbonatkonzentration unbestimmt, und der p_H-Wert wird nach der alkalischen Seite hin verschoben. Eine nicht mit CO_2 ins Gleichgewicht gesetzte Hydrogencarbonatlösung ist wegen der Carbonatbildung zur Messung von Substrat-CO_2 (Atmungs-CO_2, Gärungs-CO_2) und von fixen Säuren (als Extra-CO_2) unbrauchbar. Bei der Messung des O_2-Verbrauches nach der „direkten Methode", bei der zur Absorption von CO_2 Lauge in den Einsatz des Gefäßes gegeben wird, werden manchmal hydrogencarbonatarme Versuchslösungen (S. 151) verwendet. Hier ist die Retention von Säuren ohne Interesse; wegen der Carbonatbildung kann sich die Reaktion jedoch nach der alkalischen Seite verschieben, wenn die Lösung nicht anderweitig genügend abgepuffert ist.

Die manometrische Messung von Substrat-CO_2 und von Extra-CO_2 mit retinierenden Lösungen erfordert mithin eine Korrektur für die Retention. Diese Korrektur kann in die Gefäßkonstante eingeführt werden. Bezeichnen wir mit r_{CO_2} die pro 1 ml Versuchslösung und pro 1 mm Druckänderung retinierte Menge CO_2 (in μl), mit r_M die pro 1 ml Versuchslösung und pro 1 mm Druckänderung retinierte Menge an fixer Säure (in μl CO_2) und ist k_{CO_2} die mit α_{CO_2} für Ringerlösung berechnete Gefäßkonstante, so ist:

(c) $\quad x_{CO_2} = h(k_{CO_2} + v_F \cdot r_{CO_2}) = h \cdot k_{CO_2}^r,$

(d) $\quad x_M = h(k_{CO_2} + v_F \cdot r_M) = h \cdot k_M^r.$

Die „Retention von CO_2" und die „Retention von Säure" sind getrennt zu behandeln. Die Annahme sei, daß p_H in beiden Fällen — bei Bildung von CO_2 oder von fixen Säuren in einer Hydrogencarbonat enthaltenden und retinierenden Lösung — um den gleichen Betrag (Δp_H) abnehme. Im Falle der CO_2-Entwicklung nimmt die Konzentration an

---

[1] WARBURG, O.: B. Z. **152**, 51 (1924).

Hydrogencarbonat ([NaHCO$_3$]) in der retinierenden Versuchslösung zu; im Falle der Milchsäurebildung nimmt [NaHCO$_3$] ab. Da die p$_H$-Änderungen beide Male gleich groß sind, können die beobachteten Druckänderungen (Δp_{CO_2} bzw. Δp_M) nicht gleich groß sein, weil Δp_{CO_2} und Δp_M durch die Puffergleichung Gl. (36) mit Δp_H und mit der Änderung von [NaHCO$_3$] verknüpft sind. Wegen der Zunahme von [NaHCO$_3$] bei CO$_2$-Retention und der Abnahme von [NaHCO$_3$] bei der Retention von fixen Säuren ist — bei gleichem Δp_H — die Druckänderung Δp_{CO_2} größer als die Druckänderung Δp_M.

Die Zunahme an Hydrogencarbonat bei CO$_2$-Entwicklung ist gleich der retinierten Menge CO$_2$. Bei verschiedenen Flüssigkeitsvolumina (v_F) nimmt die Menge von NaHCO$_3$ in gleichem Maße zu wie v_F: Bei $v_F = 1$ ml wird eine halb so große Menge CO$_2$ retiniert wie bei $v_F = 2$ ml; die Zunahme der Konzentration von NaHCO$_3$ ist in beiden Fällen gleich, und bei gleichem Δp_H sind deshalb auch die Druckänderungen Δp_{CO_2} beide Male gleich groß. Die pro ml Flüssigkeit und pro mm Δp_{CO_2} retinierte CO$_2$-Menge (r_{CO_2}) ist mithin unabhängig von v_F. r_{CO_2} ist auch unabhängig vom Gasraumvolumen v_G, weil — bei gegebenem Δp_H — [NaHCO$_3$] im Verhältnis der Druckänderung Δp_{CO_2} ansteigt.

Die Abnahme an Hydrogencarbonat bei Milchsäurebildung (oder bei Bildung von anderen fixen Säuren) beruht auf der CO$_2$-Ausscheidung durch den nicht retinierten Teil der Milchsäuremenge. Ändert sich der p$_H$-Wert um Δp_H, so nimmt [NaHCO$_3$] um so stärker ab, je kleiner v_F ist. Bei kleinem v_F muß daher auch Δp_M kleiner sein als bei großem v_F, da Δp_H in beiden Fällen gleich sein soll. Das bedeutet, daß r_M — die pro ml Flüssigkeit und pro mm Druckänderung retinierte Milchsäuremenge — bei kleinem v_F größer ist als bei großem v_F. Bei kleinem Gasraumvolumen (v_G) erfolgt die p$_H$-Änderung um Δp_H weniger auf Kosten einer Abnahme von [NaHCO$_3$] als bei großem v_G, weil der Druckanstieg Δp_M im ersten Falle größer ist als im letzten. Bei kleinem v_G ist daher r_M kleiner als bei großem v_G. Die Retention von fixen Säuren (pro mm Druckänderung und pro ml Lösung) ist also von v_F und von v_G abhängig. Das bedeutet, daß r_M in Gl. (d) nur für die Bedingungen (v_F, v_G, T) des Stoffwechselversuches gilt. Experimentell wird darum die Retention von fixen Säuren in der Regel genau unter den Bedingungen des Stoffwechselversuches bestimmt.

Die „Retention von CO$_2$" (r_{CO_2}) wird bestimmt, indem man in einem beliebigen, mit der retinierenden Lösung beschickten Versuchsgefäß eine bekannte Menge CO$_2$ entwickelt und nach Erreichen des Gleichgewichtszustandes die Druckänderung Δp_{CO_2} mißt. $\Delta p_{CO_2} \times k_{CO_2}$ ist die nach erfolgter Retention noch vorhandene CO$_2$-Menge. Die Differenz zu der berechneten CO$_2$-Menge ist die von dem Flüssigkeitsvolumen v_F bei der Druckänderung Δp_{CO_2} retinierte CO$_2$-Menge. Es ist:

$$r_{CO_2} = \frac{CO_2 \text{ (retiniert)}}{v_F \cdot \Delta p_{CO_2}}.$$

Das mit der betreffenden retinierenden Lösung einmal bestimmte r_{CO_2} kann in allen weiteren Versuchen mit der gleichen Lösung zur Korrektur der Gefäßkonstanten nach Gl. (c) angewendet werden. Die „Retention von Säure" wird bestimmt, indem man in die Hydrogencarbonat enthaltende Pufferlösung eine bekannte (kleine) Menge Säure (Milchsäure, Weinsäure oder Citronensäure) kippt und die Druckänderung Δp_M mißt. $\Delta p_M \cdot k_{CO_2}$ ist die entwickelte Menge Extra-CO$_2$. Die Differenz dieser CO$_2$-Menge zu der berechneten CO$_2$-Menge ist die der retinierten Säuremenge äquivalente CO$_2$-Menge. Es ist:

$$r_M = \frac{CO_2\text{-Äquivalent (retiniert)}}{v_F \cdot \Delta p_M}.$$

Da die „Säureretention" in der Regel in unmittelbarem Anschluß an den Stoffwechselversuch mit dem gleichen Gefäß und dem gleichen Flüssigkeitsvolumen bestimmt wird, kann man sich die Ausrechnung von r_M sparen: Ist a die der zugekippten Säuremenge äquivalente Menge CO$_2$ und Δp_M die im Retentionsversuch beobachtete Druckänderung, so ist die „Retentionskonstante für Milchsäure" $k'_M = \dfrac{a}{\Delta p_M}$. Strenggenommen sind r_{CO_2}

und r_M für eine gegebene retinierende Lösung keine von den Druckänderungen unabhängigen konstanten Größen, sondern sie werden mit zunehmendem Kohlensäuredruck kleiner. Diese Abweichungen sind jedoch im Bereiche kleiner bis mittlerer CO_2-Drucke nicht bedeutend.

In manometrischen Versuchen mit retinierenden Hydrogencarbonatlösungen ist der Einfluß einer Verdünnung auf den Druck im Gasraum zu beachten (NEGELEIN, zit. nach WARBURG[1]). Verdünnt man eine Hydrogencarbonat enthaltende Lösung, die mit einer bestimmten CO_2-Konzentration im Gleichgewicht steht, mit Wasser, so nimmt die Konzentration an Hydrogencarbonat ab, die Konzentration an Kohlensäure bleibt konstant. Infolgedessen sinkt der p_H-Wert der Lösung, weil das Verhältnis $[NaHCO_3]/[CO_2]$ kleiner wird. Sind gleichzeitig andere Puffersubstanzen vorhanden, so reagieren sie mit den von der gelösten Kohlensäure gelieferten H^+ nach: $H^+ + HCO_3^- + BP = BHCO_3 + HP$. Es stellt sich ein neues Gleichgewicht ein, indem CO_2 aus dem Gasraum entsprechend der chemisch gebundenen Kohlensäuremenge in Lösung geht; der CO_2-Druck im Gasraum nimmt dadurch ab. Diese allein durch Verdünnen der retinierenden Lösung entstehende Druckänderung ist zu berücksichtigen, wenn dem Medium eine Lösung ohne oder mit anderem Gehalt an Hydrogencarbonat zugekippt wird (vgl. S. 205).

Die Theorie der Retention hat WARBURG[1] ausführlich behandelt und auf Messungen mit bestimmten „Modellösungen" (peptidhaltige Ringer-Hydrogencarbonatlösungen) angewendet. Auf dieser Grundlage ist für eine Berechnung der Retention die Kenntnis der Dissoziationskonstanten der reagierenden Stoffe, der Konzentration der retinierenden Substanzen und der Anfangskonzentrationen von Hydrogencarbonat und von freier Kohlensäure erforderlich (vgl. hierzu auch KREBS und DONEGAN[2], DIECKMANN und MOHR[3], GRAETZ und NEGELEIN[4]). Sehr häufig jedoch sind die zur Berechnung der Retention erforderlichen Größen nicht vollständig bekannt — wie z.B. in Versuchen mit Serum — oder nur unter bestimmten Voraussetzungen auf umständliche Weise zu ermitteln. Die Retention wird deshalb im allgemeinen experimentell bestimmt.

Ein verhältnismäßig einfaches, allerdings nur beschränkt anwendbares Verfahren zur rechnerischen Berücksichtigung der Kohlensäureretention hat JOHNSON[5] angegeben. Da CO_2 bei den in Betracht kommenden p_H-Werten unter Bildung von HCO_3^- retiniert wird, ist die von einer retinierenden Lösung insgesamt zurückgehaltene CO_2-Menge gleich der Summe aus der als Hydrogencarbonat in Lösung gehenden und der physikalisch gelösten CO_2-Menge („effektiv gelöste CO_2-Menge"): $\alpha'_{CO_2} = HCO_3^- + CO_2$. Die Korrektur für CO_2-Retention erfolgt in der Weise, daß man die Gefäßkonstante mit α'_{CO_2} (an Stelle des wahren Absorptionskoeffizienten α_{CO_2}) berechnet. Ist die Versuchslösung gepuffert und ihr p_H-Wert bekannt, so wird — unter Heranziehung der Puffergleichung Gl. (36) — erhalten:

$$\frac{\alpha'}{\alpha} = \frac{[HCO_3^-] + [CO_2]}{[CO_2]} = \frac{[HCO_3^-]}{[CO_2]} + 1 = [\text{num}(p_H - pK_1')] + 1. \qquad (37)$$

Die mit α' korrigierte Gefäßkonstante für CO_2 ($k^r_{CO_2}$) ist:

$$k^r_{CO_2} = \frac{v_G \cdot \dfrac{273}{T} + v_F \cdot \alpha[\text{num}(p_H - pK_1')] + 1}{P_0}. \qquad (38)$$

Setzt man für pK_1' bei 38° C 6,13 ein (s. S. 161), so werden für α'/α bei verschiedenen p_H-Werten die in Tabelle 20 aufgeführten Verhältniszahlen erhalten.

Diese rechnerische Korrektur für die CO_2-Retention setzt voraus, daß der p_H-Wert der Versuchslösung konstant bleibt, die Lösung also ausreichend gepuffert ist. Anderen-

---

[1] WARBURG, O.: B. Z. **164**, 481 (1925).
[2] KREBS, H. A., u. J. F. DONEGAN: B. Z. **210**, 7 (1929).
[3] DIECKMANN, H., u. H. MOHR: B. Z. **292**, 332 (1937).
[4] GRAETZ, H., u. E. NEGELEIN: B. Z. **329**, 463 (1958).
[5] JOHNSON, M. J.: zit. nach Manometric Techniques (Umbreit-Burris-Stauffer). 2. Aufl., S. 19. Minneapolis 1951.

falls sind die eingetretenen p_H-Änderungen zu berücksichtigen. Ist p_H am Anfang und am Ende der Versuchszeit bekannt und verläuft die CO_2-Entwicklung in dieser Zeit linear, so kann der p_H-Wert — und damit α' — für beliebige Zwischenzeiten interpoliert werden. Bei p_H-Werten unter 5 ist die CO_2-Retention sehr gering und wird im allgemeinen vernachlässigt. Bei p_H-Werten über 6,5 nimmt die CO_2-Retention so stark zu, daß kleine p_H-Änderungen sehr ins Gewicht fallen; die rechnerische Korrektur ist dann mit erheblichen Fehlern behaftet. Überhaupt hängt die Genauigkeit, mit der diese Rechnung durchgeführt werden kann, von der Genauigkeit der für p_H und pK_1' eingesetzten Werte ab.

Rechenbeispiel. Bei p_H 6,5 beträgt die effektive Löslichkeit (α') nach Tabelle 20 das 3,34fache der wahren Löslichkeit (α) von CO_2. Bei 38° C ist α' also $3,34 \cdot 0,54 = 1,8$ (wo $0,54 = \alpha_{CO_2}$ für Ringerlösung ist). Ist v_G 14,5 ml, v_F 2,0 ml und die Manometerflüssigkeit BRODIE-Lösung, so ist $k^r_{CO_2}$ — die bei volumenkonstanter Messung mit dem offenen Manometer und im Falle von CO_2-Retention an Stelle von k_{CO_2} zu verwendende Gefäßkonstante:

$$k^r_{CO_2} = \frac{14500 \cdot \frac{273}{311} + 2000 \cdot 1,8}{10000} = 1,63.$$

Nach einem graphischen Verfahren von BAIN und RUSCH[1] läßt sich die Säureretention in Gefäßen mit beliebigem (bekanntem) Gasraumvolumen ermitteln, nachdem man das Retentionsvermögen des betreffenden Mediums mit nur einem der Gefäße bestimmt hat.

c) Die Bildung und Aufnahme von Extrakohlensäure.

Als „Extrakohlensäure" oder „Äquivalentkohlensäure" wird die Kohlensäure bezeichnet, die aus Hydrogencarbonat freigesetzt oder aus dem Gasraum aufgenommen wird, wenn die Versuchslösung saurer oder alkalischer wird. Im Stoffwechsel entstehende oder verbrauchte Kohlensäure („Substratkohlensäure") wird also von Extrakohlensäure unterschieden. Über die Bildung und den Verbrauch von Extra-CO_2 lassen sich zahlreiche Vorgänge, an denen CO_2 nicht unmittelbar beteiligt ist, manometrisch messen.

Tabelle 20. *Verhältnis der effektiven Löslichkeit (α') zu der wahren Löslichkeit (α) von CO_2 in gepufferten (retinierenden) Lösungen bei 38° C und bei verschiedenen p_H-Werten.*
Berechnet nach Gl. (37) mit pK_1' (CO_2) = 6,13.

p_H	α'/α
4,0	1,007
5,0	1,07
5,5	1,23
6,0	1,74
6,5	3,34
7,0	8,41

Im physiologischen p_H-Bereich praktisch vollständig dissoziierte Säuren ($K > 10^{-5}$) setzen aus Hydrogencarbonat eine äquivalente Menge CO_2 frei. Ist die Säure nicht vollständig dissoziiert, so entsteht nur eine dem dissoziierten Anteil äquivalente Menge an freiem CO_2. Der Dissoziationsgrad

$$\alpha = \frac{K}{H^+ + K}$$

einer Säure mit der Dissoziationskonstanten $K = 10^{-6}$ beträgt bei p_H 7,4 rund 0,96, d.h. die Säure ist zu 96% dissoziiert. Auf diese Weise kann man eine unvollständige Dissoziation und die dadurch bedingte unvollständige Reaktion der gebildeten Säuremenge mit dem Hydrogencarbonat berücksichtigen.

Werden in einer durch Hydrogencarbonat-CO_2 gepufferten Lösung basische Substanzen gebildet (z.B. Ammoniak) oder verschwindet Säure, so wird CO_2 aus dem Gasraum aufgenommen oder in der Versuchslösung zurückgehalten. Bei der Verbrennung von organischen Säuren, die in dem Hydrogencarbonat-CO_2-Puffer als Salze vorliegen, wird ein Teil des bei der Verbrennung entstehenden CO_2 in der Lösung gebunden und bewirkt keine Druckänderung, z.B. bei der Veratmung von milchsaurem Natrium nach:

$$CH_3 \cdot CHOH \cdot COONa + 3 O_2 = NaHCO_3 + 2 CO_2 + 2 H_2O.$$

Nach MEYERHOF und LOHMANN[2] kann man auf diese Weise die veratmete Milchsäuremenge messen, indem man die Zunahme an Hydrogencarbonat in der Versuchslösung bestimmt. Dazu wird das Hydrogencarbonat durch Zugeben eines Überschusses von Säure zersetzt.

---
[1] BAIN, J. A., and H. P. RUSCH: J. biol. Ch. **153**, 659 (1944).
[2] MEYERHOF, O., u. K. LOHMANN: B. Z. **171**, 381 (1926).

Von anderen Beispielen für Reaktionen, bei deren Ablauf das Hydrogencarbonat enthaltende Medium alkalischer und CO_2 aus dem Gasraum aufgenommen wird, sei die Zersetzung von Cyanat durch „Cyanase" (aus *E. coli*[1]) und die Oxydation von ascorbinsaurem Natrium durch Chinon[2] genannt.

Entsteht in einer Hydrogencarbonatlösung eine bekannte Säure aus einer neutralen Verbindung (z.B. Milchsäure aus Glucose) und finden gleichzeitig keine anderen Vorgänge statt, die das Säuren-Basengleichgewicht in der Versuchslösung beeinflussen, so läßt sich die gebildete Säuremenge in einfacher Weise aus der freigesetzten Menge an Extra-CO_2 berechnen. Wenn gleichzeitig basisch reagierende Stoffe gebildet werden oder wenn Ausgangs- und Endprodukt Verbindungen mit verschiedenen Dissoziationskonstanten sind, so liefert die manometrische Messung unübersichtlichere Ergebnisse. Das Verhalten von Phosphorsäure und von organischen Phosphorsäureverbindungen ist in diesem Zusammenhang besonders zu beachten.

Die meisten organischen Phosphorsäureverbindungen sind stärkere Säuren als die Orthophosphorsäure (Dissoziationskonstanten s.[3]). Bei der Spaltung z.B. von Hexosephosphaten entsteht aus einer stärkeren Säure eine schwächere; die Reaktion wird alkalischer und CO_2 wird aus dem Gasraum aufgenommen. Bei der Synthese von Hexosephosphaten wird die Reaktion saurer, und aus einer Hydrogencarbonatlösung wird CO_2 entwickelt. Wie stark dadurch die manometrische Messung (etwa der Milchsäurebildung) beeinflußt werden kann, läßt sich aus dem Dissoziationsgrad der beteiligten Phosphorsäureverbindungen abschätzen.

Es sei die Spaltung von Glucose-6-phosphat in Glucose und anorganisches Phosphat bei p_H 7,4 betrachtet. Im physiologischen p_H-Bereich ist nur die (scheinbare) zweite Dissoziationskonstante der Orthophosphorsäure und ihrer Ester von Bedeutung. Sie beträgt für Orthophosphorsäure $10^{-6,83}$, für Glucose-6-phosphorsäure (und für Fructose-6-phosphorsäure) $10^{-6,11}$. Der Dissoziationsgrad α ist bei p_H 7,4:

$$\alpha_{(\text{Phosphorsäure})} = \frac{10^{-6,83}}{10^{-6,83} + 10^{-7,4}} = 0,79,$$

$$\alpha_{(\text{Glucose-6-phosphorsäure})} = \frac{10^{-6,11}}{10^{-6,11} + 10^{-7,4}} = 0,95.$$

Ein Mol Hexosephosphorsäure entspricht bei p_H 7,4 also 0,95, 1 Mol Phosphorsäure 0,79 Säureäquivalenten; bei der Spaltung von 1 Mol der Hexosephosphorsäuren verschwinden also $0,95 - 0,79 = 0,16$ Säureäquivalente. Erfolgt die Spaltung in einem Hydrogencarbonat-CO_2-Puffer, so tritt eine entsprechende Menge CO_2 aus dem Gasraum in die Lösung über.

Wenn bei der Vergärung von Hexosemonophosphat gleichzeitig Hexosediphosphat entsteht, so sind die Dissoziationskonstanten von drei Substanzen zu berücksichtigen: der Orthophosphorsäure, des Mono- und des Di-esters. Für eine genauere Berechnung der „Veresterungskorrektur" ist auch die in der Versuchszeit eintretende p_H-Änderung und die Änderung der Pufferkonzentration (Ionenstärke) einzubeziehen. MEYERHOF und LOHMANN[4] haben diese Rechnung bei der Untersuchung der glykolytischen Spaltung von Hexosephosphaten im Muskelextrakt durchgeführt.

Um den Einfluß von Veresterungen, Umesterungen und Esterspaltungen auf die manometrische Messung der Glykolyse zu erfassen, sind chemische Bestimmungen einzelner Phosphatfraktionen und unter Umständen sehr komplexe Rechnungen erforderlich. Bei der üblichen manometrischen Messung des Glykolysevermögens verzichtet man deshalb meistens auf eine Veresterungskorrektur; man muß sich dann jedoch darüber klar sein, daß die gemessene Menge Extra-CO_2 nicht unbedingt der gebildeten Menge an Milchsäure

---

[1] TAUSSIG, A.: Biochim. biophys. Acta 44, 510 (1960).
[2] WARBURG, O. H.: Weiterentwicklung der zellphysiologischen Methoden. S. 541. Stuttgart 1962.
[3] WEIL-MALHERBE, H.: dieses Werk, Bd. III/1, S. 472. Rauen, biochem. Taschenb., S. 136.
[4] MEYERHOF, O., u. K. LOHMANN: B. Z. 185, 113 (1927). — MEYERHOF, O., u. J. SURANYI: B. Z. 178, 427 (1926).

äquivalent ist und daß das im manometrischen Versuch erhaltene Ergebnis richtiger nur als Ausdruck der durch den Gewebestoffwechsel geänderten Säuren-Basenverhältnisse in der Hydrogencarbonatlösung zu werten ist. Diese Einschränkung ist im allgemeinen auch deshalb zu machen, weil neben Milchsäure noch andere Säuren, die Extra-CO_2 freisetzen, gebildet werden können. Eine Veresterungskorrektur fällt natürlich ganz weg, wenn sich die Verteilung der verschiedenen Phosphatverbindungen nicht ändert.

Den verschiedenen Dissoziationsgrad von Orthophosphorsäure und Glucose-1-phosphorsäure ($K_2' = 10^{-6,51}$) nutzen TREVELYAN, MANN und HARRISON[1] dazu aus, um die Gleichgewichtskonstante der von der Phosphorylase katalysierten Reaktion

$$\text{Glucose-1-phosphat} \xrightleftharpoons{\text{Phosphorylase}} \text{Orthophosphat} + \text{Polysaccharid}$$

manometrisch zu messen. Die Reaktion läßt man in Hydrogencarbonat-CO_2-Puffer ablaufen. Die Menge an Gesamtphosphat (Ortho-P + Ester-P) wird konstant gehalten; das Verhältnis von Ortho-P : Ester-P $= a$ wird variiert. Verläuft die Reaktion von links nach rechts, so wird CO_2 aus dem Gasraum aufgenommen, in umgekehrter Richtung wird CO_2 aus Hydrogencarbonat freigesetzt. Die aufgenommenen oder freigesetzten CO_2-Mengen werden gegen die Werte von a aufgetragen. Die Gleichgewichtslage der Reaktion ist durch den Wert von a gegeben, bei dem CO_2 weder aufgenommen noch entwickelt wird. Dieser Wert von a für $x_{CO_2} = 0$ wird durch graphische Interpolation erhalten.

Der Umsatz von bestimmten organischen Phosphatverbindungen kann auch zu einer Änderung der Zahl der ionisierten Gruppen führen. Zusätzliche Säuregruppen entstehen a) bei der Spaltung von sekundären Phosphorsäureestern (z.B. Nucleinsäuren, in denen zwei OH-Gruppen der Phosphorsäure verestert sind), b) bei der Spaltung von Phosphorsäureanhydriden (z.B. ATP, Acetylphosphat), c) bei der Übertragung einer Phosphorsäuregruppe von ATP auf ein alkoholisches Hydroxyl (z.B. Hexokinasereaktion).

(a)   Hydrolyse von sekundären Phosphorsäureestern:

$$R-O-\overset{\overset{O}{\|}}{\underset{\underset{O^-}{|}}{P}}-O-R' \rightarrow R-O-\overset{\overset{O}{\|}}{\underset{\underset{O^-}{|}}{P}}-O^- + R' \rightarrow HO-\overset{\overset{O}{\|}}{\underset{\underset{O^-}{|}}{P}}-O^- + R' + R$$

(b)   Hydrolyse von Adenosintriphosphat:

$$R-O-\overset{\overset{O}{\|}}{\underset{\underset{O^-}{|}}{P}}-O-\overset{\overset{O}{\|}}{\underset{\underset{O^-}{|}}{P}}-O-\overset{\overset{O}{\|}}{\underset{\underset{O^-}{|}}{P}}-O^- \rightarrow R-O-\overset{\overset{O}{\|}}{\underset{\underset{O^-}{|}}{P}}-O-\overset{\overset{O}{\|}}{\underset{\underset{O^-}{|}}{P}}-O^- + HO-\overset{\overset{O}{\|}}{\underset{\underset{O^-}{|}}{P}}-O^-$$

ATP → ADP + anorganisches P

(c)   Hexokinasereaktion:

$$R-OH + R'-O-\overset{\overset{O}{\|}}{\underset{\underset{O^-}{|}}{P}}-O-\overset{\overset{O}{\|}}{\underset{\underset{O^-}{|}}{P}}-O-\overset{\overset{O}{\|}}{\underset{\underset{O^-}{|}}{P}}-O^- \rightarrow R-O-\overset{\overset{O}{\|}}{\underset{\underset{O^-}{|}}{P}}-O^- + R'-O-\overset{\overset{O}{\|}}{\underset{\underset{O^-}{|}}{P}}-O-\overset{\overset{O}{\|}}{\underset{\underset{O^-}{|}}{P}}-O^-$$

Glucose   ATP   →   Glucose-6-phosphat   ADP

Verlaufen diese Reaktionen in Hydrogencarbonatlösung, so wird unter geeigneten Bedingungen pro 1 M Substrat 1 M CO_2 freigesetzt. Zum Beispiel kann die Ribonucleasewirkung[2] nach (a), die ATPase-Wirkung[3] nach (b) und die Hexokinasewirkung[4] (s. S. 252) nach (c) manometrisch gemessen werden.

---

[1] TREVELYAN, W. E., P. F. E. MANN and J. S. HARRISON: Arch. Biochem. **39**, 419 (1952).
[2] BAIN, J. A., and H. P. RUSCH: J. biol. Ch. **153**, 659 (1944).
[3] PAPPIUS, H. M., and K. A. C. ELLIOTT: Canad. J. Biochem. **32**, 471 (1954).
[4] COLOWICK, S. P., and H. M. KALCKAR: J. biol. Ch. **148**, 117 (1943).

Die Dissoziationsverhältnisse von Substrat und Reaktionsprodukten sind bei der manometrischen Messung der Peptidspaltung[1] (s. S. 255) und in manchen Fällen auch bei der manometrischen Messung der Hydrolyse von Fettsäureestern von Bedeutung.

Bei der Hydrolyse von Fettsäureestern mit Alkoholen wird in Hydrogencarbonatlösung pro Mol abgespaltener Fettsäure annähernd 1 Mol CO_2 freigesetzt (die Dissoziationskonstanten der Fettsäuren von C_1 bis C_8 liegen zwischen 21 bis $1,1 \cdot 10^{-5}$). Weniger einfache Bedingungen sind gegeben, wenn die bei der Hydrolyse freiwerdende OH-Gruppe ionisiert ist. Das ist bei phenolischen OH-Gruppen in geringerem oder höherem Grade der Fall. Die Dissoziation von Phenol selbst ist gering; K ist von der Größenordnung 10^{-10}. Stärker dissoziert sind z.B. Chlorphenole[2].

GAWRON, GRELECKI und DUGGAN[3] untersuchten den Einfluß von verschiedenen Substituenten auf die Hydrolyse von Phenylacetat durch Lipase bei p_H 7,63. Da einige von den bei der Spaltung entstehenden Phenolderivaten in nicht zu vernachlässigendem Maße ionisiert sind, ist die bei der Hydrolyse gemessene CO_2-Menge für die CO_2-Menge zu korrigieren, die infolge der phenolischen Acidität freigesetzt wird:

$$X-C_6H_4OH + HCO_3^- = X-C_6H_4O^- + CO_2 + H_2O.$$

Die Dissoziationskonstante des (substituierten) Phenols ist:

$$K = \frac{(H^+) \cdot (X-C_6H_4O^-)}{(X-C_6H_4OH)}.$$

Die bei der Esterhydrolyse insgesamt freigesetzte CO_2-Menge (in μMol) sei a, die der abgespaltenen Menge Essigsäure äquivalente CO_2-Menge sei x, und die den Phenolationen entsprechende CO_2-Menge sei y:

$$a = x + y.$$

In die Dissoziationsgleichung des Phenols kann y für Phenolation, $x - y$ für undissoziiertes Phenol eingesetzt werden:

$$K = \frac{(H^+) \cdot (y)}{(x-y)}.$$

Da $y = a - x$, ist

$$K = \frac{(H^+) \cdot (a-x)}{(x-(a-x))} = \frac{(H^+) \cdot (a-x)}{(2x-a)},$$

und

$$x = a \cdot \left[\frac{K + (H^+)}{2K + (H^+)}\right].$$

Nach Multiplizieren der gemessenen CO_2-Menge mit dem in eckigen Klammern stehenden Korrekturfaktor wird die der Esterhydrolyse äquivalente CO_2-Menge erhalten; die von den bei der Spaltung entstehenden und verschieden stark dissoziierenden Phenolen freigesetzten CO_2-Mengen werden dadurch eliminiert.

Die Dissoziationskonstanten der Phenolderivate lassen sich nach einer manometrischen Methode von GAWRON, DUGGAN und GRELECKI[4] bestimmen. Dabei wird die durch eine bestimmte (geringe) Menge des Phenols aus Hydrogencarbonat-CO_2-Puffer von bestimmtem p_H freigesetzte CO_2-Menge gemessen. Der negative Logarithmus der Dissoziationskonstanten (pK) wird erhalten nach:

$$pK = pK_1' + \log \frac{(HCO_3^-)_0 - (CO_2)_e}{(CO_2)_0 + (CO_2)_e} + \log \frac{(HA)_0 - (CO_2)_e}{(CO_2)_e}.$$

pK_1' ist die erste scheinbare Dissoziationskonstante von Kohlensäure; (HA) ist hier die molare Konzentration des undissoziierten Phenols; die Indices 0 und e beziehen sich auf die zu Beginn vorhandenen bzw. auf die nach Phenolzusatz freigesetzten Konzen-

---

[1] KREBS, H. A., u. J. F. DONEGAN: B. Z. **210**, 7 (1929).
[2] BYRDE, R. J. W., and A. H. FIELDING: Biochem. J. **61**, 337 (1955).
[3] GAWRON, O., C. J. GRELECKI and M. DUGGAN: Arch. Biochem. **44**, 455 (1953).
[4] GAWRON, O., M. DUGGAN and C. J. GRELECKI: Analyt. Chem., Washington **24**, 969 (1952).

trationen. Die Methode ist wahrscheinlich allgemeiner zur annähernd genauen Bestimmung der Dissoziationskonstanten von schwachen Säuren und Basen (mit pK-Werten zwischen 6 und 11) anwendbar.

3. Der Sauerstoffverbrauch bei Bildung von Wasserstoffperoxyd.

Von manchen Enzymen wird die Oxydation ihrer Substrate unter Bildung von Wasserstoffperoxyd katalysiert. Hierher gehören Flavinenzyme (z.B. Glucoseoxydase, Xanthinoxydase, D- und L- Aminosäureoxydasen, Aminoxydasen, Uricase, Glycinoxydase). H_2O_2 entsteht auch, wenn für den Wasserstofftransport vom Substrat zum Sauerstoff bestimmte Farbstoffe (wie Methylenblau) verwendet werden. In allen Fällen, in denen H_2O_2 entsteht, sind gewisse Bedingungen zu beachten, wenn man den gemessenen O_2-Verbrauch zur oxydierten Substratmenge in Beziehung setzen will.

Erfolgt die Oxydation unter Bildung von H_2O_2, z.B. nach:

(a) $$R H_2 + O_2 = R + H_2O_2,$$

so werden pro 1 Mol Wasserstoff 2 Atome Sauerstoff verbraucht, wogegen bei einer über das Cytochromoxydase-Cytochromsystem verlaufenden Oxydation, bei der kein H_2O_2 entsteht, pro 1 Mol oxydiertem Wasserstoff nur 1 Atom Sauerstoff aufgenommen wird:

(b) $$R H_2 + {}^1/_2 O_2 = R + H_2O.$$

Wird das in Gl. (a) entstehende Wasserstoffperoxyd durch Katalase gespalten:

$$H_2O_2 = H_2O + {}^1/_2 O_2,$$

so geht Gl. (a) in (b) über. Bei der manometrischen Messung des O_2-Verbrauches von Reaktionen, bei denen H_2O_2 entsteht, ist also die An- oder Abwesenheit von Katalase oder von katalatisch wirkenden Verbindungen zu berücksichtigen.

Rohe Enzymlösungen sind katalatisch meistens genügend aktiv, um das anfallende H_2O_2 quantitativ zu zersetzen. Bei teilweise gereinigten Enzymlösungen können Zweifel hinsichtlich ihrer katalatischen Aktivität bestehen, und der gemessene O_2-Verbrauch ist dann — falls H_2O_2 gebildet wird — nicht eindeutig der Aktivität des untersuchten Enzyms oder der oxydierten Substratmenge zuzuordnen. Außerdem zerfällt immer eine kleine Menge H_2O_2 spontan, so daß Gl. (a) nie genau erfüllt ist. Um diese Unsicherheit zu vermeiden, setzt man häufig einen Überschuß von Katalase hinzu; dann folgt der O_2-Verbrauch Gl. (b). Statt reiner Katalase kann man dem Reaktionsgemisch von 2—4 ml eine kleine Menge (etwa 0,1 ml) einer 1:100 verdünnten Erythrocytensuspension hinzufügen. Die Beseitigung von anfallendem H_2O_2 durch Katalase kann auch deshalb erforderlich sein, um das Enzym vor einer Inaktivierung zu schützen. Der Manometerausschlag wird durch die katalytische H_2O_2-Zersetzung allerdings auf die Hälfte herabgesetzt.

Manchmal wird auch der Weg gewählt, durch Vergiftung der vorhandenen Katalase mit Cyanid, Azid oder Hydroxylamin eine katalatische H_2O_2-Spaltung auszuschließen; dann erfolgt der O_2-Verbrauch nach Gl. (a). Bei Oxydationsvorgängen, bei denen H_2O_2 entsteht und die in Anwesenheit von Katalase verlaufen, bewirken Katalaseinhibitoren also eine erhöhte O_2-Aufnahme (sofern die Substratoxydation selbst durch die Inhibitoren nicht beeinträchtigt wird). Beobachtet man eine „Beschleunigung" der Oxydation z.B. durch Cyanid[1], so ist als Ursache dafür unter anderen eine Hemmung der katalatischen H_2O_2-Zersetzung durch Cyanid in Betracht zu ziehen.

Wasserstoffperoxyd vermag manche der primär entstehenden Reaktionsprodukte weiter zu oxydieren, so etwa die bei der Oxydation von Glykokoll durch die Glycinoxydase in Abwesenheit von Katalase entstehende Glyoxylsäure oder α-Ketosäuren, die bei der oxydativen Desaminierung von Aminosäuren gebildet werden. Hier verschwindet H_2O_2, ohne daß dadurch der Sauerstoffverbrauch beeinflußt wird. Das gleiche ist bei Anwesenheit von Katalase der Fall, wenn Katalase peroxydatisch wirken kann. Eine Anzahl von

---
[1] WARBURG, O., u. W. CHRISTIAN: B. Z. **266**, 377 (1935).

Verbindungen[1] (Methanol, Äthanol, n-Propanol, Äthylenglykol, β-Aminoäthanol, Aldehyde, Ameisensäure, Nitrite, Mn^{++} u.a.) werden in Gegenwart von Katalase durch entstehendes H_2O_2 oxydiert. Von der peroxydatischen Wirkung der Katalase macht man Gebrauch, um das entstehende H_2O_2 zu entfernen, ohne die Empfindlichkeit der manometrischen Messung herabzusetzen.

In Anwesenheit von Katalase kann man einen der Primärreaktion entsprechenden O_2-Verbrauch auch so erreichen, daß man Peroxydase und einen geeigneten Acceptor zusetzt[2]. Zum Beispiel[3] wird bei der Oxydation von Spermin durch katalasehaltige Extrakte aus *Neisseria perflava* pro 1 Mol Substrat 1 Atom Sauerstoff verbraucht. Zusatz von Peroxydase und Resorcin bewirkt eine annähernde Verdoppelung des O_2-Verbrauches. Daraus darf man schließen, daß bei der Oxydation von Spermin H_2O_2 entsteht und daß in der Primärreaktion 2 Atome Sauerstoff pro oxydiertes Substratmolekül aufgenommen werden.

Aus dem Vorstehenden ist auch zu ersehen, daß es verschiedene Möglichkeiten gibt, im manometrischen Versuch einen indirekten Nachweis für die Bildung von Wasserstoffperoxyd zu führen.

Drei Beispiele sollen die Bedeutung der Bildung von H_2O_2 und dessen Weiterreaktion für die Messung des O_2-Verbrauches zeigen.

1. Dehydrierung von Bernsteinsäure. a) Mit Methylenblau (M) als Zwischenacceptor für den Substratwasserstoff erfolgt die Dehydrierung von Bernsteinsäure durch den Komplex der Succinodehydrogenase nach:

$$\text{Succinat} + M \xrightarrow{\text{Dehydrogenasen-Komplex}} \text{Fumarat} + M H_2.$$

Bei Abwesenheit von Katalase (oder nach Vergiftung der Katalase mit KCN) reagiert das entstandene Leukomethylenblau mit molekularem Sauerstoff nach:

$$M H_2 + O_2 \rightarrow M + H_2O_2.$$

Die Bilanzgleichung ist:

$$\text{Succinat} + O_2 \rightarrow \text{Fumarat} + H_2O_2.$$

b) Im System der Succinoxydase, ohne Methylenblau, erfolgt der Transport der beiden Wasserstoffatome vom Succinat zum Sauerstoff über Cytochrome, wahrscheinlich nach[4]: Succinat → Succinodehydrogenase → Cytochrom b → unbekannter Faktor → Cytochrom c → Cytochrom a → Cytochrom a_3 → O_2. Es entsteht kein H_2O_2; die Oxydation verläuft nach der Gleichung:

$$\text{Succinat} + {}^1/_2 O_2 \rightarrow \text{Fumarat} + H_2O.$$

Pro Mol dehydriertes Succinat wird im Falle a) 1 M O_2, im Falle b) $^1/_2$ M O_2 verbraucht. In Gegenwart von Katalase wäre der O_2-Verbrauch in beiden Fällen gleich groß.

2. Oxydative Desaminierung von Aminosäuren. Nach den Untersuchungen von KREBS[5] über die oxydative Desaminierung von D-Aminosäuren entsteht in rohen Nierenextrakten aus Alanin unter Verbrauch von $^1/_2$ M O_2 die äquivalente Menge Brenztraubensäure und Ammoniak:

$$CH_3 \cdot CHNH_2 \cdot COOH + {}^1/_2 O_2 = CH_3 \cdot CO \cdot COOH + NH_3.$$

---

[1] KEILIN, D., and E. F. HARTREE: Proc. R. Soc. London (B) 119, 141 (1935). Biochem. J. 39, 293 (1945); 42, 230 (1948); 60, 310 (1955). — LASER, H.: Biochem. J. 61, 122 (1955). — KENTEN, R. H., and P. J. G. MANN: Biochem. J. 52, 125 (1952); 53, 498 (1935). — AEBI, H., u. E. FREI: Helv. 41, 361 (1958).
[2] KOHN, H. I.: Biochem. J. 31, 1693 (1937).
[3] WEAVER, R. H., and E. J. HERBST: J. biol. Ch. 231, 647 (1958).
[4] SLATER, E. C., and W. D. BONNER: Biochem. J. 52, 185 (1952).
[5] KREBS, H. A.: H. 217, 191 (1933). Biochem. J. 29, 1620 (1935).

Mit reinem Enzym fanden NEGELEIN und BRÖMEL[1], daß aus Alanin unter Verbrauch von 1 M O_2 pro Mol Alanin die äquivalente Menge Essigsäure, Kohlendioxyd und Ammoniak entsteht:

$$CH_3 \cdot CHNH_2 \cdot COOH + O_2 = CH_3 \cdot COOH + CO_2 + NH_3.$$

Die Erklärung[1] für den verschiedenen Ablauf der Reaktion liegt in der Anwesenheit von Katalase in den rohen Extrakten. Primär verläuft die oxydative Desaminierung unter Aufnahme von 1 M O_2 und unter Bildung von H_2O_2 nach der Gleichung:

$$CH_3 \cdot CHNH_2 \cdot COOH + O_2 + H_2O = CH_3 \cdot CO \cdot COOH + H_2O_2 + NH_3,$$

entsprechend der von WARBURG und CHRISTIAN[2] nachgewiesenen Bildung von H_2O_2 bei der Oxydation der reduzierten Stufe von gelben Enzymen durch molekularen Sauerstoff. Durch die in den rohen Extrakten vorhandene Katalase wird H_2O_2 unter Entwicklung von Sauerstoff zersetzt. Bei Abwesenheit von Katalase wird die in der primären Reaktion entstehende Brenztraubensäure durch das gebildete Wasserstoffperoxyd oxydiert:

$$CH_3 \cdot CO \cdot COOH + H_2O_2 = CH_3 \cdot COOH + CO_2 + H_2O.$$

Bei Abwesenheit von Katalase ist mithin der O_2-Verbrauch bei der Desaminierung von Alanin doppelt so groß wie in Gegenwart von Katalase, obgleich kein Wasserstoffperoxyd in Erscheinung tritt.

3. Oxydation von Glucose durch Glucoseoxydase. Die Oxydation von Glucose durch Glucoseoxydase (Notatin) erfolgt nach:

$$\text{Glucose} + O_2 + H_2O = \text{Gluconsäure} + H_2O_2.$$

(Die Oxydation von 1 mg Glucose erfordert 124,4 μl O_2.)

In Gegenwart von Katalase ist die Bilanzgleichung:

$$\text{Glucose} + 1/2\, O_2 = \text{Gluconsäure}.$$

(Pro 1 mg Glucose werden 62,2 μl O_2 verbraucht.)

In Gegenwart von Katalase und einer kleinen Menge Äthylalkohol[3] erfolgt die Glucoseoxydation nach:

$$\text{Glucose} + \text{Äthanol} + O_2 = \text{Gluconsäure} + \text{Acetaldehyd} + H_2O.$$

(Pro 1 mg Glucose werden 124,4 μl O_2 verbraucht.)

In Anwesenheit von Katalase erreicht man also durch den Zusatz von Äthylalkohol eine Verdoppelung des O_2-Verbrauches. Katalase wirkt hier peroxydatisch, indem sie die Oxydation von Äthylalkohol durch das primär entstehende Wasserstoffperoxyd beschleunigt (s. auch S. 251).

4. Verwendung von Cyanwasserstoff, Schwefelwasserstoff und Kohlenmonoxyd in Atmungsversuchen.

In Anwesenheit von flüchtigen und sauren oder basischen Stoffen (z.B. HCN, H_2S oder NH_3) können durch p_H-Änderungen der Versuchslösung, durch Einführung von alkalischen oder sauren Absorptionslösungen in den Gasraum sowie durch chemische Umsetzungen mit Bestandteilen der Versuchslösung oder des Versuchsmaterials Druckänderungen auftreten, die auf Änderungen des Dampfdruckes dieser Stoffe beruhen und die als Fehlerquelle auszuschalten sind. Auch Kohlenmonoxyd ist zu Umsetzungen befähigt, die die manometrische Messung stören können.

---

[1] NEGELEIN, E., u. H. BRÖMEL: B. Z. **300**, 225 (1939).
[2] WARBURG, O., u. W. CHRISTIAN: B. Z. **266**, 377 (1933).
[3] KEILIN, D., and E. F. HARTREE: Biochem. J. **42**, 230 (1948).

a) Cyanwasserstoff.

Lösungen von Cyaniden (NaCN, KCN) sind wegen ihrer stark alkalischen Reaktion vor dem Zusatz zu der Versuchslösung zu neutralisieren. Zum Beispiel neutralisiert man eine 0,1 m Lösung von KCN mit HCl bis zum Umschlag von Phenolrot. Durch Zusatz von $BaCl_2$ kann man KCN-Lösungen carbonatfrei erhalten.

Wegen der hohen Löslichkeit von HCN in Wasser — $\alpha_{HCN}^{20°}$ beträgt[1] in 0,5 m KH_2PO_4-Lösung etwa 240 — ist der Dampfdruck wäßriger Lösungen von HCN niedrig, und das Verteilungsgleichgewicht zwischen Gas- und Flüssigkeitsphase liegt stark zugunsten der Flüssigkeitsphase. Mit Hilfe von α kann man den Dampfdruck einer wäßrigen Blausäurelösung von bestimmter Konzentration berechnen[1, 2]. Ist x_{HCN} die in μl Gas ausgedrückte HCN-Menge, v_F das Wasservolumen, v_G das Volumen des Gasraumes, p_{HCN} der Dampfdruck und P_0 der Normaldruck (760 mm Hg), so ist:

$$p_{HCN} = \frac{x_{HCN} \cdot P_0}{v_G \cdot \frac{273}{T} + v_F \cdot \alpha}. \tag{39}$$

Ist die Endkonzentration von HCN in der Versuchslösung 10^{-2} m, so erhält man mit $\alpha = 240\,\mu l$, $v_F = 2000\,\mu l$, $v_G = 12000\,\mu l$, T (absolut) $= 293°C$ und $P_0 = 10000$ mm (BRODIE-Lösung) für den Dampfdruck von HCN bei 20° C 10 mm BRODIE-Lösung. Im allgemeinen betragen die zur Hemmung der Atmung verwendeten Blausäurekonzentrationen 10^{-5} bis 10^{-3} m. Der Partialdruck von HCN im Gasraum ist dann sehr gering und kann vernachlässigt werden. Ebenso ist eine Änderung des Partialdruckes von HCN im Verlaufe des Versuches (s. unten) für den manometrischen Ausschlag ohne Bedeutung, wenn die HCN-Konzentration nicht höher als 10^{-3} m ist.

HCN ist eine sehr schwache Säure. Die Konzentration an freier HCN in den Versuchslösungen kann praktisch der zugesetzten Menge an Cyaniden (unter Berücksichtigung des Flüssigkeitsvolumens) gleichgesetzt werden; sie beträgt bei p_H 7,5 und 38° C etwa 95 % der zugesetzten Cyanidmenge.

Wegen seiner Flüchtigkeit und sauren Natur wird HCN von alkalischen Absorptionsmitteln schnell gebunden. Befindet sich im Einsatz der Gefäße z.B. Lauge (zur Absorption von CO_2) und ist die HCN-Konzentration in der Versuchslösung klein (etwa 10^{-4} m), so wird die ganze HCN-Menge in kurzer Zeit von der Lauge absorbiert. Das kann zu falschen Schlüssen hinsichtlich der Blausäurewirkung auf den untersuchten Stoffwechselvorgang führen. Ist die HCN-Konzentration groß, so entstehen bei der manometrischen Messung Fehler dadurch, daß der Partialdruck von HCN im Gasraum wegen der Absorption ständig abnimmt, wodurch ein entsprechender Gasverbrauch im Stoffwechsel vorgetäuscht werden würde. Es ist darum erforderlich, daß Konzentration und Partialdruck von HCN im Gefäß während der Versuchsdauer konstant gehalten werden. Diesem Zwecke dienen an Stelle von reiner Lauge Absorptionslösungen, die so viel Cyanid enthalten, daß die Partialdrucke von HCN über der Absorptionslösung und über der Versuchslösung gleich groß sind.

KREBS[3] verwendet zur Bindung von CO_2 in Versuchen mit Cyanid Absorptionslösungen, die KOH und KCN in bestimmten Konzentrationsverhältnissen enthalten (Tabelle 21).

Die bei Atmungsmessungen nach der „direkten Methode" (S. 178) und in Gegenwart von Blausäure durch Absorption von HCN auftretenden Fehlermöglichkeiten wurden

Tabelle 21. *KOH-KCN-Absorptionslösungen nach* KREBS[3].

Molare HCN-Konzentration in der Versuchslösung	Absorptionslösung
10^{-2}	10 ml 2 n KCN + 0,2 ml 1 n KOH
10^{-3}	10 ml 1 n KCN + 1 ml 1 n KOH
10^{-4}	5 ml 1 n KCN + 5 ml 1 n KOH
10^{-5}	1 ml 1 n KCN + 10 ml 1 n KOH

---

[1] WARBURG, O.: B. Z. 189, 354 (1927).
[2] WARBURG, O.: Schwermetalle als Wirkungsgruppen von Fermenten. Berlin 1948.
[3] KREBS, H. A.: Biochem. J. 29, 1620 (1935).

von ROBBIE und LEINFELDER[1], ROBBIE[2, 3] und von RIGGS[4] weiter untersucht. Danach sind KOH-KCN-Lösungen als Absorptionslösungen geeignet, wenn die HCN-Konzentration in der Versuchslösung kleiner als 10^{-3} m ist. Empfohlen werden Lösungsgemische von Calciumhydroxyd und Calciumcyanid. Nach Angaben von ROBBIE[3] ist in Tabelle 22 die Zusammensetzung von einigen aus $Ca(CN)_2$ und $Ca(OH)_2$ bestehenden Absorptionslösungen wiedergegeben, deren HCN-Dampfdruck mit dem der Versuchslösungen bei 37,5° C und bei den in der ersten Spalte angegebenen HCN-Konzentrationen im Gleichgewicht steht. Die Lösungsgemische werden aus einer titrierten Stammlösung von $Ca(CN)_2$ und aus einer 10%igen Suspension von $Ca(OH)_2$ hergestellt. Zur Bereitung der Calciumcyanidlösung wird aus KCN mit Schwefelsäure HCN freigesetzt und mit einem Luftstrom in eine $Ca(OH)_2$-Suspension übergeführt.

CO_2 wird von diesen Lösungen ohne p_H-Änderung absorbiert. Die Konzentration von Cyanid ist in den $Ca(OH)_2$-$Ca(CN)_2$-Lösungen so groß, daß keine Gefahr einer Konzentrationsänderung von HCN beim Durchgasen der Gefäße besteht; außerdem ist sie ausreichend, nach einer Ausgleichszeit (von etwa 20 min bei 37,5° C) die gewünschte HCN-Konzentration in der Versuchslösung zu erzeugen (ohne daß man also der Versuchslösung Cyanid zuzusetzen braucht).

Tabelle 22. *$Ca(OH)_2$-$Ca(CN)_2$-Absorptionslösungen* (nach ROBBIE[3]).

Mol/l HCN in der Versuchslösung	Mol/l $Ca(CN)_2$ (Stammlösung)	Absorptionslösungen $Ca(CN)_2$*(ml)	$Ca(OH)_2$**(ml)
$1 \cdot 10^{-2}$	1,45	12,0 +	0
$0,46 \cdot 10^{-2}$	1,45	8,9 +	3,2
$0,22 \cdot 10^{-2}$	1,45	5,2 +	6,8
$1 \cdot 10^{-3}$	1,45	2,7 +	9,4
$0,46 \cdot 10^{-3}$	1,45	1,3 +	10,7
$0,22 \cdot 10^{-3}$	1,45	0,65 +	11,4
$1 \cdot 10^{-4}$	0,078	5,8 +	6,2
$1 \cdot 10^{-5}$	0,078	0,71 +	11,3
$1 \cdot 10^{-6}$	0,0046	1,3 +	10,7

* Stammlösung. ** 10%ige Suspension.

Der wenn auch verhältnismäßig geringe Partialdruck von HCN in wäßrigen Lösungen reicht aus, daß beim Durchgasen der Gefäße die Konzentration von HCN in der Versuchslösung erheblich abnehmen kann. Das ist besonders bei den Messungen zu beachten, bei denen keine den HCN-Partialdruck äquilibrierende alkalische Absorptionslösung im Versuchsgefäß vorhanden sein darf (z. B. bei Messungen nach der „Gefäßpaarmethode" von WARBURG). Um HCN-Verluste beim Durchgasen zu vermeiden, führt man das Gas vor dem Eintritt in die Manometer durch zwei Waschflaschen, die mit HCN enthaltender Lösung von der im Versuch verwendeten Konzentration gefüllt sind und die sich bei der Temperatur des Thermostaten befinden.

Zur Herstellung definierter Blausäurekonzentrationen im manometrischen Versuch — wenn keine Lauge zur Absorption von CO_2 benötigt wird — setzen GEWITZ und VÖLKER[5] Blausäure im bereits durchgasten und geschlossenen Gefäß aus Quecksilbercyanid frei: $Hg(CN)_2 + 2 HCl = HgCl_2 + 2 HCN$. Dazu werden Gefäße mit „Wanne" und einem damit verbundenen Anhang benutzt (Abb. 28, S. 100). Zum Beispiel gibt man in die Wanne 0,2 ml einer 0,02 m Lösung von $Hg(CN)_2$ (= 8 μM HCN), in den Anhang 0,2 ml einer 10%igen Lösung von NaCl in 5 n H_2SO_4. Nach beendeter Gasdurchleitung und nach Schließen von Manometerhahn und Ventilstopfen wird die saure NaCl-Lösung in die Wanne gekippt. Nach 10 min langem Schütteln ist das Verteilungsgleichgewicht für HCN zwischen der im Hauptraum befindlichen Versuchslösung (4 ml) und der Lösung in der Wanne erreicht. Unter Vernachlässigung der im Gasraum vorhandenen Menge HCN läßt sich die in der Versuchslösung gelöste Menge HCN berechnen nach: μMol

---

[1] ROBBIE, W. A., and P. J. LEINFELDER: J. industr. Hyg. **27**, 269 (1945).
[2] ROBBIE, W. A.: J. cellul. comp. Physiol. **27**, 181 (1946).
[3] ROBBIE, W. A.: Meth. med. Res. **1**, 307 (1948).
[4] RIGGS, B. C.: J. biol. Ch. **161**, 381 (1945).
[5] GEWITZ, H. S., u. W. VÖLKER: Z. Naturforsch. **15** b, 625 (1960).

HCN in der Versuchslösung $= x \cdot a/(a+b)$, wenn $x = \mu$Mol HCN, die aus $Hg(CN)_2$ freigesetzt wurden, $a =$ ml Versuchslösung im Hauptraum und $b =$ ml Flüssigkeit in Wanne + Anhang sind.

Titrimetrische Bestimmung von HCN mit $AgNO_3$ unter Zusatz von KJ s. z.B.[1].

Chemische Reaktionen können zu einem Schwund von HCN in der Versuchslösung führen (vgl. WARBURG[2]). Unter Cyanhydrinbildung reagieren schnell mit HCN z.B. die folgenden Verbindungen: Methylglyoxal, Brenztraubensäure, Glycerinaldehyd, Glycerinaldehydphosphorsäure. Die Oxydation von Fructose[3] in Phosphatlösungen wird durch 10^{-3} m HCN zu Beginn vollständig gehemmt; nach einigen Stunden ist die Hemmung erloschen, weil HCN von Fructose allmählich unter Bildung des Cyanhydrins aufgebraucht wird. Bei Versuchen mit Blut und blutreichen Organen ist die Reaktion von HCN mit Methämoglobin zu beachten. Durch Muskelgewebe wird HCN anscheinend zu Cyansäure oxydiert[4].

b) Schwefelwasserstoff.

Vor dem Versuch neutralisiert man eine Lösung von Natriumsulfid unter Eiskühlung mit HCl.

Der Partialdruck, den eine Schwefelwasserstofflösung entwickelt, kann nach der auf S. 174 für HCN angegebenen Gl. (39) berechnet werden. Bei 20° C beträgt α_{H_2S} 2,58, bei 40° C 1,66. Gibt man 2 ml einer 10^{-2} m Lösung von H_2S ($\sim 450\ \mu$l H_2S bei 0° C und 760 mm Hg) in ein abgeschlossenes Gefäß, dessen Gasraumvolumen 12 ml ist, so beträgt der Partialdruck von H_2S in dem Gasraum bei 20° C etwa 275 mm, bei 40° C etwa 330 mm BRODIE-Lösung. Hieraus ist zu ersehen, daß Änderungen des Partialdruckes, die im Versuche möglicherweise durch Verbrauch von H_2S auftreten, den Manometerausschlag bei noch geringeren Konzentrationen an freiem H_2S erheblich beeinflussen können. Diese Partialdruckänderungen sind zu berücksichtigen, wenn man z.B. den O_2-Verbrauch in Gegenwart von H_2S und von Schwermetallen, die die Oxydation von H_2S katalysieren, untersucht[5]. Die am Manometer abgelesene Druckänderung zeigt dann die Summe der Partialdruckänderungen an, die durch das Verschwinden von zwei Gasarten (O_2 und H_2S) verursacht ist.

Ist die Gesamtmenge an H_2S (H_2S gelöst + H_2S im Gasraum) in freier Form vorhanden, so läßt sich nach Gl. (40) die in der Flüssigkeit in Abhängigkeit vom Gasraumvolumen gelöste H_2S-Menge berechnen[6]. Es ist:

$$\frac{\text{Gesamtmenge } H_2S}{\text{gelöste Menge } H_2S} = \frac{v_G \cdot \dfrac{273}{T} + v_F \cdot \alpha}{v_F \cdot \alpha},$$

$$\text{gelöste Menge } H_2S = \frac{\text{Gesamtmenge } H_2S \cdot v_F \cdot \alpha}{v_G \cdot \dfrac{273}{T} + v_F \cdot \alpha}. \tag{40}$$

Mit den Zahlen des oben angeführten Beispiels erhält man für 20° C:

$$\mu\text{l } H_2S \text{ gelöst} = \frac{450 \cdot 2000 \cdot 2{,}58}{12\,000 \cdot \dfrac{273}{293} + 2000 \cdot 2{,}58}$$

$$= 142\ \mu\text{l } (= 3{,}15 \cdot 10^{-3} \text{ m } H_2S).$$

In Lösungen, die im physiologischen p_H-Bereich gepuffert sind, liegt H_2S nur zum Teil in freier Form vor. Entsprechend dem Dissoziationsgrad bei gegebenem p_H wird

---

[1] TREADWELL, F. P.: Lehrbuch der analytischen Chemie. 11. Aufl. Bd. 2, S. 617. Leipzig u. Wien 1923.
[2] WARBURG, O.: Schwermetalle als Wirkungsgruppen von Fermenten. S. 23. Berlin 1948.
[3] KREBS, H. A.: B. Z. **180**, 377 (1926).
[4] ELLINGER, P.: H. **154**, 85 (1926).
[5] KREBS, H. A.: B. Z. **204**, 343 (1929).
[6] NEGELEIN, E.: B. Z. **165**, 203 (1925).

H_2S von der Lösung gebunden. Die Dissoziationskonstante K_1 (18°C) von H_2S ist $9{,}1 \cdot 10^{-8}$. Bei p_H 7,5 ist der Dissoziationsgrad von H_2S

$$\frac{9{,}1 \cdot 10^{-8}}{10^{-7,5} + 9{,}1 \cdot 10^{-8}} = 0{,}74,$$

d. h., daß bei p_H 7,5 rund 74% der Schwefelwasserstoffmenge dissoziert und in der Lösung gebunden sind, von 450 μl H_2S also $450 \cdot 0{,}74 = 333$ μl. Die restlichen $26\% = 117$ μl H_2S sind in freier Form vorhanden und verteilen sich auf Flüssigkeits- und Gasphase. Die Menge an freiem H_2S in der Lösung von p_H 7,5 ist mit den Zahlen unseres Beispiels nach Gl. (40):

$$\frac{117 \cdot 2000 \cdot 2{,}58}{12000 \cdot \frac{273}{293} + 2000 \cdot 2{,}58} = 37 \, \mu l.$$

Von den 450 μl H_2S befinden sich insgesamt $333 + 37 = 370$ μl in der Lösung.

Im sauren Bereich ist die Dissoziation von H_2S gering; bei p_H etwa 5 kann die zugesetzte Sulfidmenge praktisch der Menge an freiem Schwefelwasserstoff gleichgesetzt werden.

Alkalische Absorptionsmittel (für CO_2) dürfen in Versuchen mit Schwefelwasserstoff nicht verwendet werden.

c) Kohlenmonoxyd.

CO reagiert mit Lauge unter Bildung von Formiat: $CO + KOH \rightarrow HCOOK$. 1 m 5%ige Kalilauge absorbiert[1] bei einem Kohlenoxyddruck von 760 mm Hg pro Std be 20°C 2 μl, bei 37°C 17 μl CO. Bei Atmungsversuchen in Gegenwart von Kohlenmonoxyd und Anwendung der „direkten Methode" (Lauge im Einsatz) ist deshalb ein Kontrollgefäß mitzuführen, das kein Versuchsmaterial, aber die gleichen Mengen Lauge und CO enthält wie das Versuchsgefäß. Da die infolge der Bindung von CO durch Lauge auftretende Druckabnahme in den ersten 5—10 min am größten ist, wählt man in Versuchen mit CO eine längere Ausgleichszeit als üblich.

Kohlenmonoxyd wird in wäßriger Lösung in Gegenwart von bestimmten Häminverbindungen durch molekularen Sauerstoff oxydiert[2], ein Vorgang, der wahrscheinlich auch durch Gewebe bewirkt werden kann[3]. Außerdem ist eine Beschleunigung der Hydratisierung von CO zu Ameisensäure ($CO + H_2O \rightarrow HCOOH$) durch Zellen und Gewebe bei manometrischen Messungen mit CO als mögliche Fehlerquelle in Betracht zu ziehen (s. WARBURG)[4]. Von bestimmten Bakterienarten wird CO zu Methan reduziert[5]. Diese Reaktionen können in Atmungsversuchen vortäuschen, daß in Gegenwart von CO ebensoviel oder sogar mehr O_2 verbraucht wird wie in Abwesenheit von CO. Das ist in Versuchen mit schwach atmenden Zellen besonders zu beachten[4], weil dann ein CO-Verbrauch im Verhältnis zu dem O_2-Verbrauch stark ins Gewicht fallen würde. Um die durch Oxydation, Hydratisierung und Absorption von CO möglichen Fehlerquellen auszuschalten, führt man ein Kontrollgefäß mit, das genau wie das Versuchsgefäß beschickt wird, im Gasraum aber keinen Sauerstoff enthält.

Bei hohen Partialdrucken von CO und dementsprechend niedrigen Partialdrucken von O_2 besteht die Möglichkeit einer unzureichenden O_2-Versorgung von nicht hinreichend dünnen Versuchsobjekten[4]. Da das Verhältnis der Partialdrucke $CO : O_2$ groß gehalten

---

[1] WARBURG, O., F. KUBOWITZ u. W. CHRISTIAN: B. Z. **242**, 170 (1931).
[2] NEGELEIN, E.: B. Z. **243**, 386 (1931).
[3] SCHMITT, F. O., and M. G. SCOTT: Amer. J. Physiol. **107**, 85 (1934). — STANNARD, J. N.: Amer. J. Physiol. **129**, 195 (1940). — CLARK, R. T., J. N. STANNARD and W. O. FENN: Amer. J. Physiol. **161**, 40 (1950). — DALES, S., and K. C. FISHER: Canad. J. Biochem. Physiol. **37**, 623 (1959).
[4] WARBURG, O.: Schwermetalle als Wirkungsgruppen von Fermenten. Berlin 1948.
[5] FISCHER, F., R. LIESKE u. K. WINZER: B. Z. **236**, 247 (1931). — KLUYVER, A. J., and C. G. T. P. SCHNELLEN: Arch. Biochem. **14**, 57 (1947).

werden muß (s. WARBURG[1]), um eine deutliche Hemmung der Zellatmung beobachten zu können, sind Gewebeschnitte wegen ihrer zu großen Dicke für Versuche mit Kohlenmonoxyd ungeeignet (vgl. TIEDEMANN[2]). Im allgemeinen hemmt CO die Atmung um 50%, wenn das Verhältnis $CO:O_2$ von der Größenordnung 10 ist[3]. Bei einem Verhältnis $CO:O_2 = 40$ wird die Atmung von Ascitestumorzellen der Maus nur um etwa 30% gehemmt[2]. Es ist unerläßlich, in Kontrollversuchen mit N_2 an Stelle von CO den Einfluß der erniedrigten O_2-Spannung auf die Atmungsgröße zu prüfen. Die prozentuale Hemmung der Atmung durch CO drückt man dann in Beziehung auf die Atmung der „Stickstoffkontrolle" aus.

Um den Lichteinfluß auf die Kohlenmonoxydhemmung und um — bei Versuchen mit pflanzlichem Material — photosynthetische Einflüsse auszuschalten, kann man die Gefäße mit Aluminiumfolie umkleiden.

C. Methoden.

An erster Stelle werden Methoden zur Messung von Atmung und Glykolyse beschrieben, dann Methoden zur Messung von einzelnen enzymatisch katalysierten Reaktionen und zur manometrischen Bestimmung von Substanzen. Der Anwendungsbereich gasometrischer Methoden in der Biochemie kann mit der hier getroffenen Auswahl nur angedeutet werden. Der Beschreibung der einzelnen Methoden werden nach Möglichkeit Versuchsbeispiele angeschlossen, die die Versuchsbedingungen, die Ausführung der Messungen und besonders die manchmal etwas komplizierten Berechnungen weiter erläutern sollen.

Zur allgemeinen Meßtechnik s. S. 128—134. Ohne andere Angabe ist bei der Ausführung der wiedergegebenen Methoden das offene Manometer bei volumenkonstanter Messung vorgesehen. Nur einige Methoden erfordern die Verwendung des Differentialmanometers, das immer an Stelle des offenen Manometers benutzt werden kann. Als Beispiel für die Anwendung der S. 76 behandelten Differentialvolumetrie wird die Messung mit einer Form von Mikrorespirometern angeführt.

1. Atmung und Glykolyse.

a) Messung der Atmung nach der „direkten Methode" von WARBURG[4].

Die „direkte Methode" wird am häufigsten zur Messung nur des Sauerstoffverbrauches angewendet. Das geschieht mit nur einem Reaktionsgefäß. Sie wird hier in der Anordnung wiedergegeben, die eine gleichzeitige Messung auch der gebildeten Kohlensäuremenge gestattet. Dazu werden zwei oder — wenn CO_2 retiniert wird — drei Reaktionsgefäße benötigt.

Befindet sich in einem mit seinem Manometer verbundenen Reaktionsgefäß atmendes Gewebe, so ändert sich gleichzeitig der Partialdruck von zwei Gasarten, weil mit dem Verbrauch von Sauerstoff die Bildung von Atmungskohlensäure einhergeht. Die am Manometer abgelesene Druckänderung h' ist die algebraische Summe dieser Partialdruckänderungen: $h' = h'_{O_2} + h'_{CO_2}$ (bei O_2-Verbrauch ist h'_{O_2} negativ). Die Druckänderung h' kann also keinen Aufschluß darüber geben, wieviel O_2 verbraucht und wieviel CO_2 gebildet wurde. Schaltet man in einem weiteren Gefäß die durch CO_2 bewirkte Partialdruckänderung aus, indem man ein Absorptionsmittel für CO_2 in dieses Gefäß einführt, so ist die abgelesene Druckänderung h die allein durch den O_2-Verbrauch verursachte Partialdruckänderung: $h = h_{O_2}$, woraus nach Multiplizieren mit der Gefäßkonstanten für O_2 (k_{O_2}) die verbrauchte Menge Sauerstoff (x_{O_2}) erhalten wird. Wenn gleiche Mengen Versuchsmaterial in gleichen Zeiten in beiden Gefäßen gleich viel O_2 aufnehmen, so läßt

---

[1] WARBURG, O.: B. Z. **177**, 471 (1926).
[2] TIEDEMANN, H.: Z. ges. exp. Med. **119**, 272 (1952).
[3] WARBURG, O.: Schwermetalle als Wirkungsgruppen von Fermenten. Berlin 1948.
[4] WARBURG, O.: B. Z. **142**, 317 (1923). — WARBURG, O., u. M. YABUSOE: B. Z. **146**, 380 (1924). — WARBURG, O.: Über den Stoffwechsel der Tumoren. Berlin 1926.

sich jetzt aus der ersten Gleichung die entstandene Menge CO_2 (x_{CO_2}) berechnen. „Direkt" wird also nur der O_2-Verbrauch gemessen.

Entsteht außer durch Atmung keine Kohlensäure, so liefert das Verhältnis x_{CO_2}/x_{O_2} den respiratorischen Quotienten (s. weiter unten). Bei der alkoholischen Gärung wird unter aeroben Bedingungen außer Atmungs-CO_2 auch Gärungs-CO_2 gebildet, die manometrisch nicht zu unterscheiden sind. In diesem Falle ist x_{CO_2} die Summe von Atmungs- und Gärungskohlensäure. Die Menge an Gärungs-CO_2 kann berechnet werden, wenn der respiratorische Quotient des Versuchsobjektes (z.B. Hefe) bekannt ist.

Diese Anordnung kann auch in anderen Fällen, in denen sich die Partialdrucke von zwei Gasarten gleichzeitig ändern, zur Messung des Gaswechsels angewendet werden. Zum Beispiel entstehen bei der sog. phosphoroklastischen Spaltung von Brenztraubensäure durch *Clostridium butylicum* oder bei dem Abbau von Desoxyribose durch *E. coli* als Gase H_2 und CO_2. Will man die entstandenen Mengen sowohl von H_2 als auch von CO_2 wissen, so führt man die Messung (in N_2-Atmosphäre) mit zwei Gefäßen durch, wobei mit einem Gefäß nur die Partialdruckänderung von H_2 (Absorption von CO_2), mit dem anderen Gefäß die Summe der Partialdruckänderungen von H_2 und CO_2 gemessen wird.

Die entstandene Kohlensäuremenge kann nach der „direkten Methode" auch mit nur einem Gefäß bestimmt werden, wenn man am Ende des Versuchs die von der Lauge absorbierte CO_2-Menge durch einen Überschuß von Säure freisetzt und mißt. Man verwendet dann eine durch Behandlung mit $BaCl_2$ carbonatfrei gemachte Lauge. Ein anderer Weg zur gleichzeitigen Messung von O_2-Verbrauch und CO_2-Entwicklung mit einem Gefäß ist dadurch gegeben, daß die elektrische Leitfähigkeit einer Bariumhydroxydlösung nach der Absorption von CO_2 infolge der Ausscheidung von $BaCO_3$ abnimmt[1]. Das Gefäß enthält dann eine kleine, mit Platinelektroden versehene Leitfähigkeitszelle, in die die Bariumhydroxydlösung gegeben wird. Auf diese Weise können sowohl der O_2-Verbrauch (manometrisch) als auch die CO_2-Entwicklung (konduktometrisch) gleichzeitig und fortlaufend gemessen werden[2].

Um h_{O_2} messen zu können, wird Lauge (im Einsatz) als Absorptionsmittel für CO_2 verwendet. Der Partialdruck von CO_2 im Gasraum dieses Gefäßes ist dann während der Messung praktisch Null. Das erfordert Versuchslösungen ohne Hydrogencarbonat (s. S. 164). (Bei gleichzeitiger Messung von Atmungs-CO_2 ist Hydrogencarbonat hier auch deshalb auszuschließen, weil sonst die Druckänderung in dem Gefäß ohne Lauge bei Glykolyse durch die Entwicklung von „Extra-CO_2" mitbestimmt wäre.) Am häufigsten werden phosphatgepufferte Lösungen verwendet. In dem für Zellen des Tierkörpers physiologischen p_H-Bereich binden sie Kohlensäure, etwa nach der Gleichung:

$$Na_2HPO_4 + CO_2 + H_2O = NaH_2PO_4 + NaHCO_3.$$

Auch andere Puffer sowie Eiweiß binden im physiologischen p_H-Bereich CO_2. Die in der Lösung retinierte Menge CO_2 wird in der Weise berücksichtigt, daß man sie am Ende des Versuches durch Zukippen von Säure[3] in Freiheit setzt. Bei p_H etwa 5 und darunter ist die CO_2-Retention sehr gering und kann vernachlässigt werden, z.B. in Versuchen mit Hefe, deren Atmung und Gärung bei schwach saurer Reaktion untersucht wird.

Ausführung:

Die Menge von Gewebe oder anderem Versuchsmaterial wird ungefähr dem zu erwartenden Sauerstoffverbrauch angepaßt. In Versuchen mit den meisten tierischen Geweben kann das Frischgewicht der pro Gefäß zu verwendenden Schnitte etwa zwischen 30 und 100 mg liegen.

Als Versuchslösung wird z.B. eine mit Phosphat beim gewünschten p_H gepufferte Salzlösung, eine durch verschiedene Substanzen ergänzte „Atmungslösung" (S. 151) oder

---

[1] FENN, W. O.: Amer. J. Physiol. **84**, 110 (1928).
[2] CHAPON, L.: Bull. Soc. Chim. biol. **37**, 171 (1955). — Siehe auch das „Radiorespirometer" von GOKSØYR, J.: Analyt. Biochem., N.Y. **3**, 439 (1962).
[3] WARBURG, O.: H. **92**, 231 (1914).

"neutralisiertes Serum" (S. 149) verwendet. Falls die "endogene Atmung" gemessen werden soll, enthält die Versuchslösung kein Substrat. Sonst wird ihr Substrat (z.B. 0,2% Glucose) von vornherein zugesetzt, oder das Substrat wird bei Meßbeginn oder im späteren Verlauf der Messung aus dem Anhang dem Inhalt im Hauptraum zugekippt. In die üblichen Gefäße von etwa 15 ml Inhalt gibt man meistens 2 oder 3 ml Versuchslösung.

Im Gasraum befindet sich Luft oder reiner Sauerstoff. Bei Versuchen mit Gewebeschnitten ist die Füllung des Gasraumes mit reinem Sauerstoff die Regel.

Die Gefäße besitzen zur Aufnahme von Lauge einen Einsatz und zur Aufnahme von Salzsäure (wenn gebundene CO_2 freizusetzen ist) einen Anhang. Ein zweiter Anhang ist nötig, wenn Substrat oder ein anderes Agens vor der Messung vom Inhalt des Hauptraumes getrennt gehalten werden soll. Für jeden vollständigen Versuch (einschließlich Berücksichtigung der retinierten und der präformierten CO_2-Menge) sind drei Versuchsgefäße und ein Gefäß für das Thermobarometer erforderlich.

In die Versuchsgefäße und in das Thermobarometergefäß werden die gleichen Mengen Versuchslösung pipettiert. Die drei Versuchsgefäße erhalten die gleiche oder annähernd die gleiche Menge Versuchsmaterial. Gefäß I dient zur Bestimmung des Sauerstoffverbrauches. Es erhält in seinen Einsatz 0,2 ml 10%ige Kalilauge und zur Beschleunigung der CO_2-Absorption eventuell einen gefalteten Filtrierpapierstreifen (S. 129). Die Einsätze von Gefäß II und III bleiben leer. Die Anhänge von Gefäß II und III werden mit 0,2 ml oder 0,3 ml einer etwa 3 n Salzsäure beschickt. Die Säuremenge muß ausreichen, alle gebundene Kohlensäure aus der im Hauptraum befindlichen Lösung auszutreiben und die Atmung des Gewebes zu stoppen (kongosaure Reaktion nach dem Kippen).

Die Gefäße werden mit ihren Manometern verbunden und mit geöffnetem Manometerhahn in das Wasser des auf die Versuchstemperatur einregulierten Thermostaten gebracht. Die Manometerflüssigkeit steht zu Beginn im unteren Teil der Capillararme. Falls die Messungen mit Luft im Gasraum erfolgen, wird bis zum Temperaturausgleich (etwa 10 min) geschüttelt. Manometerhähne (und Ventilstopfen) werden geschlossen. Dann wird die Manometerflüssigkeit hochgedrückt und in dem rechten Capillararm auf die Eichmarke eingestellt. Im linken Capillararm des Manometers von Gefäß I sollte die Flüssigkeit möglichst hoch stehen, da in diesem Gefäße stärkere negative Druckänderungen zu erwarten sind. Nach weiterem Schütteln überzeugt man sich durch Ablesungen des Thermobarometers von der Vollständigkeit des Temperatur- und Druckausgleiches.

Soll die Messung mit reinem Sauerstoff im Gasraum geschehen, so werden die Manometer nach dem Einhängen in die Schüttelvorrichtung (mit geöffnetem Gefäßventilstopfen) an das Gasverteilungsrohr angeschlossen. Eine 2—3 min lange Durchströmung der Gefäße mit Sauerstoff ist ausreichend. Nach dem Abstellen des Gasstromes und Öffnen des Auslaßhahnes am Verteilungsrohr werden Ventilstopfen und Manometerhähne geschlossen. Es folgt die Einstellung der Manometerflüssigkeit und Beobachtung des vollständigen Temperaturausgleiches wie oben. Die Schüttelung erfolgt gewöhnlich mit einer Frequenz von etwa 100 Schwingungen pro min bei einem Ausschlag von etwa 5 cm.

Nach der Ausgleichsperiode, zur Zeit t_0, werden alle Manometer abgelesen. Dann wird die im Anhang von Gefäß III befindliche Säure sofort in den Hauptraum gekippt. Dadurch wird die mit dem Versuchsmaterial und mit der Versuchslösung eingebrachte Menge an gebundenem CO_2 (präformierte CO_2-Menge) freigesetzt. Nach 10—15 min langem Schütteln wird das Manometer von Gefäß III in zeitlichen Abständen von einigen min abgelesen, bis Druckkonstanz erreicht ist. Die Ablesung des Manometers von Gefäß I erfolgt in zeitlichen Abständen von 5, 10 oder 15 min, je nach der Höhe des O_2-Verbrauches. Am Ende der Versuchszeit (z.B. nach $t' = 60$ min) wird die Säure aus dem Anhang von Gefäß II in den Hauptraum gekippt. Dadurch wird die in der Lösung am Ende der Versuchszeit vorhandene Menge an gebundener CO_2, die aus der präformierten und der retinierten CO_2-Menge besteht, in Freiheit gesetzt. Nachdem Druckkonstanz erreicht ist, wird das Manometer von Gefäß II abgelesen.

Ist keine Retention von CO_2 zu berücksichtigen (bei p_H-Werten unter 5), so fällt Gefäß III weg, ebenso die Säure im Anhang von Gefäß II. Das Manometer von Gefäß II wird dann — wie das Manometer von Gefäß I — in bestimmten Zeitintervallen abgelesen. Man kann jetzt den zeitlichen Verlauf sowohl des O_2-Verbrauches als auch den der CO_2-Entwicklung messen. Soll nur der Sauerstoffverbrauch gemessen werden, so geschieht das — einerlei, ob in der Versuchslösung CO_2 retiniert wird oder nicht — nur mit dem im Einsatz Lauge enthaltenden Gefäß I.

Berechnung:

Alle aus den Manometerablesungen erhaltenen Druckänderungen werden für die in der gleichen Zeit am Thermobarometer beobachteten Druckänderungen korrigiert (S. 61).

Die in der Zeit von t_0 bis t' in Gefäß I aufgetretene Druckabnahme, die auf dem Verbrauch von O_2 beruht, betrage h mm (BRODIE-Lösung). Ist die nach Gl. (5) berechnete Gefäßkonstante für Sauerstoff von Gefäß I k_{O_2}, so ist die aufgenommene Menge Sauerstoff in μl:

(a) $$\boxed{x_{O_2} = h \cdot k_{O_2}}.$$

Die in Gefäß II nach Zukippen der Säure zur Zeit t' aufgetretene Druckänderung (von t_0 an gerechnet) betrage h^{II} mm. Diese Druckänderung beruht auf dem O_2-Verbrauch, auf der Entwicklung von frei in den Gasraum übergetretener Atmungs-CO_2 und auf der durch die zugefügte Säure freigesetzten gebundenen CO_2, die ihrerseits die in der Versuchszeit retinierte Atmungs-CO_2 und die präformierte CO_2 einschließt. Enthalten die Gefäße die gleiche Menge Versuchsmaterial, so wird angenommen, daß der O_2-Verbrauch in Gefäß I und II gleich groß ist. Die durch gleichen O_2-Verbrauch in den beiden Gefäßen bewirkten Druckänderungen sind aber verschieden, wenn die Gefäßkonstanten verschieden sind. Ist $k_{O_2}^{II}$ die Gefäßkonstante für Sauerstoff von Gefäß II und ist x_{O_2} die nach Gl. (a) erhaltene verbrauchte Sauerstoffmenge, so ist $x_{O_2}/k_{O_2}^{II} = h_{O_2}^{II}$ die durch den O_2-Verbrauch in Gefäß II bewirkte Partialdruckänderung. Dann ist

$$h^{II} - \frac{x_{O_2}}{k_{O_2}^{II}} = h_{CO_2}^{II}$$

die Partialdruckänderung, die durch die gesamte in Gefäß II zur Zeit t' vorhandene Menge CO_2 verursacht ist. (x_{O_2} ist negativ; $x_{O_2}/k_{O_2}^{II}$ wird in der obenstehenden Gleichung also als positiver Wert zu h^{II} addiert). Ist $k_{CO_2}^{II}$ die Gefäßkonstante für Kohlensäure von Gefäß II, so ist die gesamte Menge CO_2 ($x_{CO_2}^{gesamt}$) in Gefäß II:

(b) $$x_{CO_2}^{gesamt} = \left(h^{II} - \frac{x_{O_2}}{k_{O_2}^{II}}\right) \cdot k_{CO_2}^{II},$$

oder:

$$x_{CO_2}^{gesamt} = h_{CO_2}^{II} \cdot k_{CO_2}^{II}.$$

Die in Gefäß III nach dem Zukippen der Säure zur Zeit t_0 aufgetretene Druckänderung h^{III} beruht auf der im Gewebe und in der Versuchslösung präformiert vorhandenen CO_2-Menge ($x_{CO_2}^{präformiert}$). Diese Menge ist:

(c) $$x_{CO_2}^{präformiert} = h^{III} \cdot k_{CO_2}^{III},$$

wenn $k_{CO_2}^{III}$ die Gefäßkonstante für Kohlensäure von Gefäß III ist.

Subtrahiert man Gl. (c) von (b), so erhält man die in der Zeit von t_0 bis t' von dem Gewebe gebildete Menge Kohlensäure (x_{CO_2}):

(d) $$\boxed{x_{CO_2} = \left(h^{II} - \frac{x_{O_2}}{k_{O_2}^{II}}\right) \cdot k_{CO_2}^{II} - h^{III} \cdot k_{CO_2}^{III}},$$

oder:

$$x_{CO_2} = x_{CO_2}^{gesamt} - x_{CO_2}^{präformiert}.$$

x_{CO_2} ist Atmungskohlensäure, wenn im Stoffwechsel anderweitig keine Kohlensäure entsteht. x_{CO_2}/x_{O_2} ist dann der respiratorische Quotient.

Sind die Mengen Versuchsmaterial in den Gefäßen ungleich, so rechnet man x_{O_2} in Gl. (a) und $x_{CO_2}^{präformiert}$ in Gl. (c) für die in Gefäß II vorhandene Menge Versuchsmaterial aus und führt dann die weitere Rechnung wie angegeben durch. Beträgt die Menge des Versuchsmaterials in Gefäß I m_1, in Gefäß II m_2 und in Gefäß III m_3, so erhält man — bezogen auf die Menge m_2 — für x_{O_2} in Gl. (a) und für $x_{CO_2}^{präformiert}$ in Gl. (c):

$$x_{O_2} = h \cdot \frac{m_2}{m_1} \cdot k_{O_2};$$

$$x_{CO_2}^{präformiert} = h^{III} \cdot \frac{m_2}{m_3} \cdot k_{CO_2}^{III}.$$

Diese Umrechnung von $x_{CO_2}^{präformiert}$ auf gleiche Gewebegewichte setzt voraus, daß die präformierte CO_2-Menge in der Versuchslösung vernachlässigt werden kann. Bei ungleichen Gewebegewichten ist andernfalls die präformierte CO_2-Menge in der Versuchslösung allein mit einem weiteren Gefäß zu bestimmen (vgl. S. 212).

Falls es interessiert, kann man die freie und die retinierte CO_2 in Gefäß II getrennt bestimmen. Dann liest man die in der Zeit t_0 bis t' aufgetretene Druckänderung h^{II} vor dem Zukippen der Säure ab und berechnet daraus nach Gl. (b) die Menge der freien Kohlensäure; an die Stelle von $x_{CO_2}^{gesamt}$ tritt $x_{CO_2}^{frei}$. Aus der nach dem Zukippen der Säure auftretenden Druckänderung ($h_{CO_2}^{gebunden}$) erhält man nach Multiplikation mit $k_{CO_2}^{II}$ die Menge an gebundener Kohlensäure. Subtraktion der präformierten CO_2-Menge von der gebundenen CO_2-Menge ergibt die retinierte CO_2-Menge. Die Summe aus freier und retinierter CO_2-Menge ist die insgesamt gebildete CO_2-Menge (x_{CO_2}). In dem Versuchsbeispiel auf S. 184 wird diese Rechnung ausgeführt.

$x_{CO_2}^{frei}$ ist gleich der bei der Atmung (oder bei Gärung) entstandenen CO_2-Menge (x_{CO_2}), wenn keine Retention zu berücksichtigen ist und wenn aus präformierten Carbonaten des Versuchsmaterials und der Versuchslösung kein CO_2 als Folge von Säurebildung (Glykolyse) freigesetzt wurde.

Die von einer im physiologischen p_H-Bereich gepufferten Versuchslösung durch chemische Bindung zurückgehaltene CO_2-Menge kann in anderer Weise als durch Freisetzen mit Säure berücksichtigt werden. Bestimmt man das Retentionsvermögen der Lösung für CO_2 nach der S. 203 angegebenen Methode, so erhält man die insgesamt entstandene CO_2-Menge nach der Gleichung:

$$x_{CO_2} = \left(h^{II} - \frac{x_{O_2}}{k_{O_2}^{II}}\right) \cdot (k_{CO_2}^{II} + v_F \cdot r_{CO_2}).$$

(Über die Möglichkeit einer rechnerischen Korrektur für CO_2-Retention s. S. 166.)

Ist das Verhältnis $x_{CO_2}/x_{O_2} = q$ genau bekannt und während der Versuchszeit konstant, so kann man mit nur einem Gefäß (ohne Lauge im Einsatz) aus der beobachteten Druckänderung h sowohl x_{O_2} als auch x_{CO_2} berechnen (wobei zu beachten ist, daß der Wert von q negatives Vorzeichen trägt):

$$x_{O_2} = h \cdot \frac{k_{CO_2} \cdot k_{O_2}}{k_{CO_2} + q \cdot k_{O_2}}, \quad x_{CO_2} = h \cdot \frac{k_{CO_2} \cdot k_{O_2}}{\frac{k_{CO_2}}{q} + k_{O_2}}.$$

Mit retinierenden Lösungen tritt $k_{CO_2}^r$ an die Stelle von k_{CO_2} (vgl. S. 204).

Anmerkungen:

Bei der Berechnung von x_{CO_2} nach Gl. (d) wird angenommen, daß x_{O_2} — bezogen auf die gleiche Menge Versuchsmaterial — in Gefäß II ebenso groß ist wie in Gefäß I. Eine Voraussetzung dafür ist Gleichartigkeit des Versuchsmaterials in beiden Gefäßen, d.h., pro Gewichts- oder Volumeneinheit des atmenden Materials muß der O_2-Verbrauch gleich groß sein. Diese Bedingung ist in Versuchen mit Gewebeschnitten nur dann mit großer Wahrscheinlichkeit erfüllt, wenn die Schnitte von histologisch identischen Stellen des Organes gewonnen wurden. Auch hiervon abgesehen, sind die

Versuchsbedingungen in den beiden Gefäßen nicht ganz gleich: x_{O_2} wird mit Gefäß I in Abwesenheit von CO_2 in der Gasphase gemessen, wogegen sich im Gasraum von Gefäß II die durch Atmung gebildete CO_2-Menge befindet. Falls die Atmung durch CO_2 beeinflußt wird (s. unten), ist x_{O_2} in beiden Gefäßen verschieden, und dann entspricht auch das aus den Messungen berechnete Verhältnis x_{CO_2}/x_{O_2} nicht seinem wahren Wert.

Der Ausschluß des Hydrogencarbonat-CO_2-Puffersystems begrenzt die Anwendbarkeit der „direkten Methode" zur Messung der Gewebeatmung, weil damit unphysiologische Bedingungen gegeben sind, die die Atmung wenigstens in einigen Fällen stark beeinflussen können. LASER[1] fand, daß die Atmung von Retina und von Sarkomschnitten in Ringer-Hydrogencarbonatlösung fast doppelt so hoch ist wie in einer Ringer-Phosphatlösung. Ähnliche Ergebnisse erhielten CRAIG und BEECHER[2], die auch den Einfluß verschiedener O_2- und CO_2-Spannungen untersuchten, in Atmungsversuchen mit Retina. Nach CRAIG[3] hängt der O_2-Verbrauch von Gehirnrinde bei p_H 8,1 in bedeutendem Maße von dem CO_2-Partialdruck ab, wogegen bei p_H 7,48 kein Einfluß des CO_2-Partialdruckes zu erkennen ist. WARREN[4] beobachtete mit Hydrogencarbonat-CO_2-Puffer eine um 20—40% größere Atmung von Knochenmark, Leber und Nierenrinde. Nach DANES und KIELER[5] wird der O_2-Verbrauch von YOSHIDA-Ascitestumorzellen und von Mäusefibroblasten (L-Stamm) in Hydrogencarbonatlösung schon durch kleine Konzentrationen CO_2 stimuliert, wobei die optimale CO_2-Konzentration in der Gasphase zwischen 0,5 und 3% CO_2 liegt. Außerdem verkürzt CO_2 die anfängliche Hemmung des O_2-Verbrauchs von Ascitestumorzellen durch Glucose (s. S. 150).

Zur Bestimmung des „wahren" respiratorischen Quotienten von Geweben wendet man deshalb Methoden an, die eine bessere Anpassung der Versuchsbedingungen an die physiologischen Verhältnisse gestatten, die vor allem also die Anwendung eines Hydrogencarbonat-CO_2-Puffers ermöglichen. Die „direkte Methode" — in der hier wiedergegebenen Anordnung — kann aber vor der Anwendung umständlicherer Verfahren gute Dienste tun, wenn man sich über das Ausmaß der CO_2-Bildung orientieren will oder wenn man sehen will, ob bei der untersuchten Reaktion überhaupt Kohlendioxyd gebildet wird. Bei ihrer häufigsten Anwendung — der Messung nur des O_2-Verbrauches — ist der Ausschluß des Hydrogencarbonat-CO_2-Puffers wenigstens dann ohne oder von geringerem Nachteil, wenn die mit dem gleichen Versuchsmaterial erhaltenen Ergebnisse lediglich vergleichsweise verwertet werden sollen. Unter Beibehaltung des Prinzips der „direkten Methode" kann überdies der O_2-Verbrauch auch in Gegenwart von Hydrogencarbonat-CO_2-Puffer gemessen werden, wenn statt Lauge ein „CO_2-Puffer" als Absorptionslösung verwendet wird (S. 185).

Nach Abschluß des Versuchs sollte eine wenigstens orientierende Kontrolle des p_H-Wertes der Versuchslösung (mit Indicatorpapier) vorgenommen werden. Eine p_H-Verschiebung (Ansäuerung) kann besonders in Versuchen mit aerob stark glykolysierendem Material und in Anwesenheit von Glucose stattfinden. In diesen Fällen kann der p_H-Wert auch verhältnismäßig gut gepufferter Medien im Verlaufe der Messung um 0,5 Einheiten oder mehr sinken. Eine in Betracht kommende p_H-Verschiebung nach der alkalischen Seite kann unter anderem dann eintreten, wenn Salze organischer Säuren veratmet werden; ist die CO_2-Spannung Null (wie im Gasraum des Gefäßes, das im Einsatz Lauge enthält), so kommt es zur Bildung einer mehr oder weniger bedeutenden Carbonatmenge in der Versuchslösung. In solchen Fällen ist die Pufferkapazität der Versuchslösung zu erhöhen, die Menge des Versuchsmaterials möglichst klein oder die Versuchszeit möglichst kurz zu halten. Nichtbeachtung des Einflusses von p_H-Änderungen während des Versuchs kann dazu führen, daß auf spezifische Wirkungen zugesetzter Substanzen (z.B. von Glucose oder von Hydrogencarbonat) auf die Atmung geschlossen wird, wo in Wirklichkeit eine Beeinflussung des Stoffwechsels durch die Wasserstoffionenkonzentration vorliegt (vgl. BIRMINGHAM und ELLIOTT[6]).

Falls den Versuchslösungen autoxydable Substanzen zugesetzt werden — wie z.B. bei der Bestimmung der Cytochromoxydase-Aktivität —, so muß die von diesen Substanzen in nichtenzymatischer Reaktion aufgenommene O_2-Menge berücksichtigt werden. In der Regel wird die spontan aufgenommene O_2-Menge in einem Leerversuch bestimmt und von der im vollständigen Versuch gemessenen O_2-Menge abgezogen. Da Gewebe und rohe Enzymlösungen Stoffe enthalten können, die die Autoxydation hemmen oder beschleunigen, ist der in einem einfachen Leerversuch mit der fraglichen Substanz gefundene O_2-Verbrauch für die Korrektur möglicherweise zu hoch oder zu niedrig. Man kann dem Leerversuch die inaktivierte (erhitzte) Enzymlösung zusetzen, jedoch ist nicht sicher, daß das inaktivierte Enzymmaterial die Autoxydation ebenso stark beeinflußt wie das aktive. Das zweite Versuchsbeispiel zeigt einen anderen Weg, der in manchen Fällen vorzuziehen ist, um diese Korrektur durchzuführen.

Verwendet man das BARCROFTsche Differentialmanometer (z.B. zur Bestimmung der Cytochromoxydaseaktivität), so sucht man meistens den Einfluß der Autoxydation des Substrates (z.B.

---

[1] LASER, H.: Nature 136, 184 (1935). Biochem. J. 36, 319 (1942).
[2] CRAIG, F. N., and H. K. BEECHER: J. gen. Physiol. 26, 473 (1943).
[3] CRAIG, F. N.: J. gen. Physiol. 27, 325 (1944).
[4] WARREN, C. O. jr.: J. biol. Ch. 156, 559 (1944).
[5] DANES, B. S., and J. KIELER: C.R. Lab. Carlsberg 31, 61 (1958).
[6] BIRMINGHAM, M. K., and K. A. C. ELLIOTT: J. biol. Ch. 189, 73 (1951).

p-Phenylendiamin oder Ascorbinsäure) in der Weise zu berücksichtigen, daß man in das rechte Gefäß den Ansatz mit dem aktiven Enzymmaterial, in das linke Gefäß den Ansatz gleicher Zusammensetzung mit inaktiviertem (gekochtem) Enzymmaterial gibt. Ob dieses Vorgehen ganz richtig ist, hängt — wie oben erwähnt — davon ab, ob die Autoxydation durch das aktive und das inaktivierte Material gleich stark beeinflußt wird.

Versuchsbeispiele:

1. Oxydation von Fructose in konzentrierten Phosphatlösungen (WARBURG und YABUSOE[1]). Das Beispiel[2] soll die Berechnung der nach der „direkten Methode" mit einer retinierenden Lösung gemessenen O_2-Aufnahme und CO_2-Entwicklung zeigen. Die freie und die retinierte Kohlensäure in Gefäß II werden getrennt bestimmt und berechnet. Die Säure befindet sich hier nicht im Anhang, sondern im Einsatz der Gefäße II und III; außerdem werden größere Volumina Säure und Lauge verwendet als sonst bei Stoffwechselversuchen mit Geweben.

Substratlösung:

Fructose-phosphatlösung (F.-P.): 5 g Fructose + 95 ml 1 m sek. Phosphat + 5 ml 1 m primäres Phosphat. T (absolut) = 311° C.

	Gefäß I ($v=29$ ml)	Gefäß II ($v=29$ ml)	Gefäß III ($v=30$ ml)
Hauptraum	2 ml F.-P.	2 ml F.-P.	2 ml F.-P
Einsatz	1 ml 5%ige KOH	1,5 ml 3 n H_2SO_4	1,5 ml 3 n H_2SO_4
v_F	3,0 ml	3,5 ml	3,5 ml
Gefäßkonstanten	$k_{O_2} = 2{,}30$	$k_{O_2}^{II} = 2{,}25$ $k_{CO_2}^{II} = 2{,}44$	$k_{CO_2}^{III} = 2{,}53$
Druckänderungen in I und II nach $t' = 300$ min	h (mm) −380	h^{II} (mm) −330	h^{III} (mm)
nach Einkippen der Säure		bei t' $h_{CO_2}^{gebunden}$ +85	bei t_0 +21

Nach Gl. (a): $x_{O_2} = -380 \cdot 2{,}30 = \underline{-874\ \mu l}$,

nach Gl. (b): $x_{CO_2}^{frei} = -330 \cdot 2{,}44 + \dfrac{874}{2{,}25} \cdot 2{,}44 = \underline{+145\ \mu l}$,

nach Gl. (c): $x_{CO_2}^{präformiert} = 21 \cdot 2{,}53 = +53$

$x_{CO_2}^{retiniert} = 208 - 53 = \underline{+155\ \mu l}$,

$x_{CO_2} = 145 + 155 = \underline{+300\ \mu l}$.

2. Messung der Aktivität von Cytochromoxydase mit Ascorbinsäure als Substrat (SCHNEIDER und POTTER[3]). Das Beispiel soll eine indirekte Korrektur des O_2-Verbrauches im vollständigen System für die Autoxydation des zugesetzten Reduktionsmittels (Ascorbinsäure) zeigen. Der O_2-Verbrauch wird mit verschiedenen Enzymmengen und mit einer konstanten Menge autoxydabler Substanz gemessen. Durch Extrapolation wird der O_2-Verbrauch für die Homogenatmenge Null ermittelt; dieser O_2-Verbrauch entfällt auf die Autoxydation von Ascorbinsäure. Die hier rechnerisch ausgeführte Korrektur kann bequemer auf graphischem Wege vorgenommen werden.

---

[1] WARBURG, O., u. M. YABUSOE: B. Z. **146**, 380 (1924).
[2] KREBS, H. A.; in: Oppenheimer, Fermente, Bd. III, S. 665.
[3] SCHNEIDER, W. C., and V. R. POTTER: J. biol. Ch. **149**, 217 (1943).

Reagentien:
1. Rattenleberhomogenat.
2. 0,1 m Phosphatpuffer, p_H 7,4.
3. $2,4 \cdot 10^{-4}$ m Cytochrom c.
4. 0,114 m Ascorbinsäure, neutralisiert bis p_H 7,4.
5. $4 \cdot 10^{-3}$ m $AlCl_3$.
6. 2 n NaOH.

Ausführung:
Die Gefäße enthalten: Rattenleberhomogenat, 1,0 ml Phosphatpuffer, 1,0 ml Cytochrom c, 0,3 ml Ascorbinsäure, 0,3 ml $AlCl_3$; mit Wasser wird auf 3,0 ml ergänzt. Im Einsatz 0,2 ml 2 n NaOH. O_2-Verbrauch in μl pro 10 min; Homogenatmenge in mg Leberfrischgewicht. $a =$ gemessener O_2-Verbrauch, $b = O_2$-Mehrverbrauch pro 0,5 mg Leber, $c = O_2$-Verbrauch, berechnet aus b für die eingesetzte Menge Leber, $d = a - c =$ unabhängig von der Homogenatmenge durch Autoxydation von der Ascorbinsäure aufgenommene O_2-Menge, $e = a - d =$ für Autoxydation korrigierter O_2-Verbrauch.

mg Leber	a	b	c	d	e
1,0	30,4	12,8	25,0	5,4	24,8
1,5	43,2	12,8	37,5	5,7	37,6
2,0	56,0	11,9	50,0	6,0	49,4
2,5	67,9	12,5	62,5	5,4	62,3
				5,6	

3. Ermittlung der maximalen Cytochromoxydaseaktivität (SLATER[1]).

Nach Versuchen mit Herzmuskelpräparaten steigt der O_2-Verbrauch mit Erhöhung der Cytochrom c-Konzentration immer weiter an; die Sättigungskonzentration, bei der O_2 mit maximaler Geschwindigkeit aufgenommen wird, kann im Experiment mit 0,5 mg Herzmuskelpräparat nicht erreicht werden. Die maximale Aktivität wird durch Extrapolation (nach LINEWEAVER und BURK[2]) auf unendliche Cytochrom c-Konzentration erhalten (s. auch S. 241): Die Anfangsgeschwindigkeit der O_2-Aufnahme (z.B. in den ersten 5 oder 10 min, ausgedrückt durch Q_{O_2}) wird mit verschiedenen, bekannten Cytochrom c-Konzentrationen ($[S]$) gemessen. Die reziproken Werte der Anfangsgeschwindigkeiten ($1/Q_{O_2}$) werden als Ordinate gegen die reziproken Werte der Cytochrom c-Konzentrationen ($1/[S]$) aufgetragen. Die Verbindungslinie schneidet die Ordinate auf der Höhe des reziproken Wertes der maximalen Anfangsgeschwindigkeit, woraus $Q_{O_2}^{max}$ erhalten wird.

b) Direkte Messung des Sauerstoffverbrauches unter Verwendung von „CO_2-Puffern".

Um den Sauerstoffverbrauch nach der direkten Methode in Anwesenheit einer etwa als physiologisch zu betrachtenden CO_2-Konzentration messen zu können, wird von PARDEE[3] an Stelle von Lauge eine Lösung von Diäthanolamin als Absorptionsmittel für CO_2 vorgeschlagen.

In verdünnter Lösung reagiert Diäthanolamin mit CO_2 hauptsächlich nach der Gleichung:

$$NH(CH_2 \cdot CH_2OH)_2 + CO_2 + H_2O \rightleftharpoons HCO_3^- + {}^+NH_2(CH_2 \cdot CH_2OH)_2.$$

Steht die Base mit einer bestimmten CO_2-Konzentration im Gleichgewicht, so wird im Stoffwechsel gebildete CO_2 gebunden; wird CO_2 verbraucht, so wird es durch den umgekehrten Vorgang ersetzt. Der CO_2-Druck im Gasraum wird so konstant gehalten; Diäthanolamin wirkt als „CO_2-Puffer". Die Druckänderung, die ein anderes Gas —

---
[1] SLATER, E. C.: Biochem. J. **44**, 305 (1949).
[2] LINEWEAVER, H., and D. BURK: Am. Soc. **56**, 658 (1934).
[3] PARDEE, A. B.: J. biol. Ch. **179**, 1085 (1949).

z. B. O_2 — hervorruft, kann in Anwesenheit des Puffers direkt gemessen werden. Die im Gleichgewichtszustande vorhandene CO_2-Konzentration hängt von dem Pufferungsvermögen der Absorptionslösung ab. In den verhältnismäßig konzentrierten Lösungen, die zur Erreichung einer genügend hohen CO_2-Konzentration im Gasraum angewendet werden müssen, reagiert Diäthanolamin mit CO_2 auch unter Carbonat und Carbamatbildung.

KREBS[1] hat die Theorie von „CO_2-Puffern" eingehender behandelt und die Anwendung des PARDEEschen Puffers überprüft. Ein „CO_2-Puffer" wurde bei manometrischen Messungen zuerst von WARBURG[2] in Form einer Hydrogencarbonat und Carbonat enthaltenden Suspensionslösung für Algen angewendet (s. auch S. 190). Bei Verbrauch oder Entwicklung von CO_2 wird der Kohlensäuredruck mit diesem Gemisch durch die Reaktion: $2\,NaHCO_3 \rightleftharpoons Na_2CO_3 + H_2O + CO_2$ konstant gehalten.

Die Bedingungen, unter denen mit Diäthanolamin das Absorptionsgleichgewicht bei einer Änderung des CO_2-Partialdruckes erreicht wird, sind nicht ganz so einfache wie mit Lauge als Absorptionsmittel. Ein größeres Volumen der Diäthanolaminlösung mit einer möglichst großen Oberfläche bei einem kleinen Volumen des Gasraumes begünstigen den angestrebten Zustand.

Die Absorptionslösung von PARDEE. Aus technischem Diäthanolamin wird durch Verdünnen mit Wasser eine 60volumenprozentige Lösung hergestellt. Die Lösung wird in der Wärme mit Holzkohle behandelt, um den größten Teil von Farb- und Geruchsstoffen zu entfernen. Zu 10 ml der 60%igen Diäthanolaminlösung werden bestimmte Volumina 6 n HCl gegeben; das Volumen wird mit Wasser auf 15 ml ergänzt. In der Lösung werden 3 g pulverisiertes $KHCO_3$ unter gelegentlichem Umschütteln gelöst. Die Lösung ist haltbar und kann in geschlossenen Flaschen aufgehoben werden.

Durch den Zusatz verschiedener Mengen HCl werden Pufferlösungen erhalten, die mit verschiedenen CO_2-Konzentrationen im Gleichgewicht stehen. Mit 1, 2, 3, 4 oder 5 ml 6 n HCl in dem Lösungsgemisch von der angegebenen Zusammensetzung betragen die Gleichgewichtskonzentrationen ungefähr 0,4, 0,85, 1,4, 3 und 5 Vol.-% CO_2.

Für die mit den Pufferlösungen ausgeführten Versuche werden kegelförmige Gefäße von 12—16 ml verwendet. Der Einsatz der Gefäße hat einen inneren Durchmesser von 8 mm und ist 15 mm hoch. Der Rand des Einsatzes wird eingefettet, um ein Kriechen der Pufferlösung zu verhindern. In den Einsatz werden 0,6 ml der Diäthanolaminpufferlösung pipettiert. Zwei Filtrierpapierstreifen (22 × 40 mm), von denen der eine zu einem Zylinder gerollt und der andere akkordeonartig gefaltet ist, werden in die im Einsatz befindliche Pufferlösung so hineingebracht, daß sie etwa 7 mm über den Rand des Einsatzes hinausragen. Der Hauptraum der Gefäße enthält 3 ml Versuchslösung und das Versuchsmaterial. Die mit ihren Manometern verbundenen Gefäße werden im Thermostaten bei 38° C intensiv geschüttelt.

Mit dem Puffer im Einsatz und ohne CO_2 in der Gasphase zu Beginn wird die Gleichgewichtskonzentration von CO_2 im Gasraum in etwa 10 min erreicht, falls die CO_2-Konzentration am Ende nicht höher als 1,5 Vol.-% ist. Wenn man in den Gasraum der Gefäße von vornherein etwas CO_2, z.B. Ausatmungsluft, einbringt, so wird die Zeit bis zur Erreichung des Gleichgewichtes verkürzt, und zwar besonders bei höheren Gleichgewichtskonzentrationen von CO_2. Dieses betrifft die Erreichung eines konstanten CO_2-Druckes in der Vorperiode, bevor mit den Messungen begonnen werden kann. Wird dann in den Gefäßen CO_2 entwickelt, so muß es genügend schnell und vollständig absorbiert werden, um die Messung des O_2-Verbrauches nicht zu fälschen. Versuche mit dem System der Oxalessigsäureoxydase und mit verschiedenen Homogenatmengen zeigen, daß die CO_2-Absorption durch das Puffergemisch ebenso wirksam ist wie die CO_2-Absorption durch Lauge, wenn die Gleichgewichtskonzentration von CO_2 nicht über 1,5 Vol.-%

---

[1] KREBS, H. A.: Biochem. J. 48, 349 (1951).
[2] WARBURG, O.: B. Z. 100, 230 (1919). — WARBURG, O., H. GELEICK u. K. BRIESE: Z. Naturforsch. 7b, 141 (1952).

beträgt und wenn pro 10 min nicht mehr als etwa 50 μl CO_2 entwickelt werden. Man kann mit den entsprechenden Puffergemischen Messungen bei Gleichgewichtskonzentrationen von über 1,5 Vol.-% CO_2 (bis zu 3 Vol.-% CO_2) durchführen, wenn man Gefäße wählt, die einem größeren Volumen Pufferlösung eine ausreichend große Oberfläche bieten. Dafür sind z.B. die von DICKENS und ŠIMER angegebenen Gefäße (S. 214) geeignet.

Die Absorptionslösungen von KREBS. Unter verschiedenen Aminen hat Diäthanolamin als „CO_2-Puffer" den Vorrang. Diäthanolamin nimmt Sauerstoff auf, unter anscheinend gleichen Bedingungen in wechselnden Mengen. Zum Beispiel verbrauchten 1 ml 4 m Diäthanolaminlösungen, im Gleichgewicht mit 5% CO_2 in O_2, bei 40° C pro Std zwischen 15 und 100 μl O_2. Lösungen aus umkristallisiertem Diäthanolamin nehmen in den ersten 30 min nur wenig Sauerstoff auf; im weiteren Verlaufe steigt der O_2-Verbrauch jedoch stark an. Als Antioxydantien sind Dithizon und Thioharnstoff wirksam. Thioharnstoff ist als Antioxydans vorzuziehen, weil es die Autoxydation des Amins über längere Zeit unterdrückt. Thioharnstoff sollte auch den PARDEEschen Puffern (in einer Konzentration von 0,1%) hinzugefügt werden.

Eine Puffer-Stammlösung wird folgendermaßen hergestellt: Durch $^1/_3$ des Volumens einer 4 m Lösung von Diäthanolamin wird reine Kohlensäure bis zur Sättigung geleitet (p_H etwa 8; Prüfung mit Phenolphthalein). Dazu benutzt man am besten einen Gasverteiler mit gesinterter Glasplatte. Die Sättigung wird dann in etwa 30 min erreicht. Dann werden die übrigen $^2/_3$ von der unbehandelten Diäthanolaminlösung der mit CO_2 gesättigten Lösung hinzugefügt. In dieser Stammlösung wird 0,1% Thioharnstoff gelöst. In Gegenwart von Thioharnstoff sind technisches und umkristallisiertes Diäthanolamin gleich brauchbar. Vor dem Gebrauch wird diese Lösung bei der Versuchstemperatur während 1—2 Std mit dem Gasgemisch durchströmt, das im manometrischen Versuch verwendet wird. Dazu wird wieder ein Gasverteiler benutzt. Im geschlossenen Glaszylinder kann der mit dem Gasgemisch äquilibrierte Puffer einige Wochen aufgehoben werden.

Die Wirksamkeit des Puffers kann durch die prozentuale Absorption (oder Retention) ausgedrückt werden. Die in Gegenwart einer CO_2-absorbierenden Lösung entwickelte CO_2-Menge wird erhalten nach:

$$x_{CO_2} = h \cdot (k_{CO_2} + v_F \cdot r_{CO_2}),$$

wo h die Druckzunahme bei Absorptionsgleichgewicht, k_{CO_2} die Gefäßkonstante für Kohlensäure, v_F das Volumen der absorbierenden Pufferlösung und r_{CO_2} die pro mm Druckzunahme und pro ml Puffer absorbierte CO_2-Menge bedeuten (s. S. 164). Die von v_F ml Pufferlösung pro mm Druckzunahme absorbierte CO_2-Menge ist $v_F \cdot r_{CO_2}$. Die im Gefäß mit „CO_2-Puffer" pro mm Druckzunahme entwickelte CO_2-Menge ist:

$$\frac{x_{CO_2}}{h} = k_{CO_2} + v_F \cdot r_{CO_2}.$$

Die prozentuale Absorption oder Retention ist:

$$\frac{v_F \cdot r_{CO_2} \cdot 100}{k_{CO_2} + v_F \cdot r_{CO_2}}.$$

Im günstigsten Falle — bei nahezu vollständiger Absorption der entwickelten CO_2-Menge — liegt der Wert für diesen Ausdruck nahe bei 100. Es ist zu ersehen, daß die Retention von CO_2 — bei gegebener Retentionskapazität des Diäthanolaminpuffers — begünstigt wird, wenn k_{CO_2} möglichst klein oder wenn das Volumen v_F des Puffers möglichst groß gehalten wird. KREBS[1] hat die Puffermengen berechnet, die bei zwei verschieden großen Gefäßkonstanten und bei verschiedenen Gleichgewichtskonzentrationen von CO_2 zu einer 90 und 95%igen Retention der entwickelten CO_2-Menge nötig sind (Tabelle 23).

---

[1] KREBS, H. A.: Biochem. J. **48**, 349 (1951).

Die zu einer 95 %igen Absorption erforderlichen Puffermengen können in den zylindrischen Einsätzen der üblichen Gefäße nicht mehr untergebracht werden. Die Gefäße von DICKENS und ŠIMER (S. 214) oder von WARBURG, KUBOWITZ und CHRISTIAN (S. 203) können in ihrem zentralen Teil oder in ihrem äußeren Ring ein genügend großes Volumen Pufferlösung aufnehmen, daß bei Gleichgewichtskonzentrationen von 1—2 Vol.-% CO_2 eine 98 %ige Absorption, bei höheren Gleichgewichtskonzentrationen (bis zu 4 Vol.-% CO_2) eine mindestens 95 %ige Absorption der gebildeten CO_2-Menge erreicht wird. Eine „vollständige" Absorption ist nicht zu erreichen. Entwickelt man in einem Gefäß in Gegenwart des Diäthanolaminpuffers und des betreffenden Gasgemisches durch Zukippen von Säure zu einer $NaHCO_3$-Lösung eine bekannte Menge CO_2, so läßt sich die Unvollständigkeit der Absorption unter den gewählten Bedingungen feststellen und im Hauptversuch in Anrechnung bringen.

Die mit der Pufferlösung, der Versuchslösung und mit dem Versuchsmaterial beschickten Gefäße werden mit ihren Manometern verbunden und im Thermostaten mit dem CO_2 enthaltenden Gasgemisch, das eine im Thermostaten befindliche Waschflasche mit Wasser passiert, unter Schütteln durchströmt, bis Gasgleichgewicht erreicht ist. Das ist im allgemeinen nach etwa 20 min langer Durchströmung der Fall. Werden die Manometerhähne und Ventilstopfen der Gefäße geschlossen, so darf sich der Druck in den Gefäßen, die kein aktives Material enthalten, nach weiterem Schütteln nur unwesentlich ändern. In jeder Versuchsreihe ist ein Gefäß, das den Puffer, aber kein aktives Material enthält, als Kontrolle mitzuführen. Dieses Gefäß kann gleichzeitig als Thermobarometergefäß dienen. Temperaturempfindliches Material kann man nach erfolgter Äquilibrierung in den Anhang der Gefäße geben, wozu man die Gefäße einzeln aus dem Thermostaten herausnimmt, den Ventilstopfen entfernt, die Zellsuspension oder dergleichen in den Anhang pipettiert und die Gefäße schnell wieder schließt[2].

Tabelle 23. *Erforderliche Puffermengen (äquilibrierte 4 m Diäthanolaminlösungen) in ml für 90- und 95%ige Absorption von entwickeltem CO_2, in Abhängigkeit von den Gefäßkonstanten, den Gleichgewichtskonzentrationen von CO_2 und von der Temperatur* (nach H. A. KREBS[1]).

CO_2 (Vol. %)	r_{CO_2}	Temperatur (°C)	$k_{CO_2}=1{,}5$ Absorption		$k_{CO_2}=2{,}5$ Absorption	
			90 %	95 %	90 %	95 %
1	50	40	0,27	0,57	0,45	0,95
2	28	40	0,48	1,02	0,50	1,79
3	17	40	0,80	1,68	1,32	2,80
4	12	40	1,10	2,33	1,88	3,95
1	29	25	0,47	0,98	0,78	1,64
2	26	25	0,52	1,10	0,87	1,83
3	17	25	0,80	1,68	1,32	2,80
4	10	25	1,35	2,85	2,35	4,75

Die CO_2-Absorption durch den Puffer erfolgt in der ersten Zeit der CO_2-Entwicklung nicht in dem zu erwartenden Maße. Erst wenn der CO_2-Druck im Gefäß um einen gewissen Betrag, der besonders von der entwickelten CO_2-Menge, dann auch von Form und Größe der Gefäße sowie von der Schüttelgeschwindigkeit abhängt, über dem Gleichgewichtsdruck liegt, verläuft die Absorption erwartungsgemäß. Das Absorptionsgleichgewicht wird im allgemeinen — bei nicht zu starken CO_2-Entwicklungen — in 20—40 min erreicht (s. Versuchsbeispiel 1). Wenn in den Versuchen von vornherein CO_2 entsteht, fällt ein großer Teil dieser Zeit in die Ausgleichsperiode.

Bei der Anwendung des Diäthanolaminpuffers ist eine sorgfältige Äquilibrierung des Puffers — auch des von PARDEE angegebenen Puffers — mit dem zu verwendenden Gasgemisch und eine genügende Schüttelintensität wichtig. Die Durchmischung des Puffers wird unterstützt, wenn in den den Puffer enthaltenden Raum der Gefäße einige Glasperlen gegeben werden. Ferner sollte in Vorversuchen geprüft werden, ob die CO_2-Absorption durch den Puffer bei der im Stoffwechselversuch zu erwartenden CO_2-Entwicklung ausreichend ist. Die Menge des Versuchsmaterials wird man im allgemeinen so wählen, daß nicht mehr als 6—10 μl CO_2 pro min entstehen.

[1] KREBS, H. A.: Biochem. J. **48**, 349 (1951).
[2] BARTLEY, W.: Biochem. J. **53**, 305 (1953).

Der Diäthanolaminpuffer wurde von BARTLEY[1] als Absorptionslösung bei Untersuchungen über den Einfluß von Hydrogencarbonat auf die Oxydation von Brenztraubensäure durch Nierenhomogenate verwendet.

Versuchsbeispiele (nach KREBS).

Zwei Beispiele sollen die Anwendung des Diäthanolaminpuffers bei der Messung des O_2-Verbrauches zeigen. Vergleichsweise wurde der O_2-Verbrauch auch mit Natronlauge als Absorptionsmittel gemessen.

1. O_2-Verbrauch von Hefe. Einfluß der entwickelten CO_2-Menge auf die Wirksamkeit des „CO_2-Puffers". Gefäße nach DICKENS und ŠIMER. Je 3 ml Zellsuspension von verschiedener Zelldichte in 0,07%iger KH_2PO_4-Lösung werden in den äußeren Ring der Gefäße gegeben. Im Anhang: Glucoselösung (Endkonzentration 0,033 m nach dem Einkippen in den äußeren Ring). Im zentralen Teil: 3 ml „CO_2-Puffer" bzw. 3 ml 2 n NaOH. Im Gasraum: 3,6% CO_2 in O_2 bzw. $O_2 \cdot T$ (absolut) = 298° C. Schüttelung: 90 Schwingungen/min; Amplitude 5 cm. Frischgewicht der Zellen pro Gefäß in mg. Nachdem Gasgleichgewicht nach Durchgasung erreicht ist, Zukippen der Glucoselösung (Meßbeginn).

Die Messungen in Gegenwart von „CO_2-Puffer" sind nicht für unvollständige Absorption korrigiert. — Mit den größeren Zellmengen überschreiten die Druckänderungen die Länge der Manometerskala; das Niveau der Manometerflüssigkeit wurde durch Injektion von O_2 in die Gefäße neu eingestellt.

Meß-periode (min nach Kippen)	Sauerstoffverbrauch in μl							
	„CO_2-Puffer"; 3,6% CO_2 in O_2				NaOH; O_2			
	8 mg	16 mg	32 mg	64 mg	8 mg	16 mg	32 mg	64 mg
0—10	7	14	22	32	9	32	50	—
10—20	19	42	80	152	18	47	104	214
20—30	29	61	115	233	32	69	135	285
30—50	64	134	266	540	81	161	329	687
50—70	80	160	319	624	86	177	338	689
70—90	79	163	313	627	81	160	338	707

Der Versuch zeigt: In den ersten 10 min nach Zukippen des Substrates ist Diäthanolamin als Absorptionslösung Lauge bei allen Zellmengen unterlegen. Von der zweiten 10 min Meßperiode an ist der O_2 Verbrauch mit den beiden niedrigsten Hefemengen in Gegenwart von „CO_2-Puffer" und von Lauge etwa gleich groß. Mit der nächst höheren Hefemenge (32 mg) wird das Absorptionsgleichgewicht mit „CO_2-Puffer" erst nach 50 min erreicht. Mit der größten Hefemenge, mit der die CO_2-Entwicklung über 30 μl pro min beträgt, wird das Absorptionsgleichgewicht bis zum Ende der Meßzeit nicht erreicht.

2. O_2-Verbrauch von Escherichia coli. Gefäße nach DICKENS und ŠIMER. Im äußeren Teil: 2 ml Bakteriensuspension in 0,01 m Phosphat, p_H 6,8 (Zelltrockengewicht pro Gefäß 4 mg). Im Anhang: Substratlösung. Im zentralen Teil: 3 ml „CO_2-Puffer" bzw. 3 ml 2 n NaOH (je +5 Glasperlen). Im Gasraum: 3% CO_2 in O_2 bzw. $O_2 \cdot T$ (absolut) = 313° C. Schüttelung: 100 Schwingungen pro min. Endkonzentrationen an Substrat: 0,033 m. Beginn der Ablesungen: 20 min nach Zukippen der Substratlösungen. Doppelversuche.

Meßzeiten	Substrat	Q_{O_2}	
		„CO_2-Puffer"; 3% CO_2 in O_2	NaOH; O_2
Erste 40 min	Glucose	32,6; 36,7	31,3; 30,7
Zweite 40 min	Glucose	36,7; 42,4	34,1; 33,0
Erste 40 min	Na-fumarat	63,4; 63,0	66,0; 65,7
Zweite 40 min	Na-fumarat	69,2; 65,5	63,7; 62,6

Der Versuch zeigt: Die mit „CO_2-Puffer" (im Gleichgewicht mit 3 Vol.-% CO_2) und mit Lauge als Absorptionslösungen erhaltenen Ergebnisse für den O_2-Verbrauch von Colibakterien liegen nahe beieinander. Bei völlig unbeeinflußter Atmung durch CO_2 wären in den Versuchen mit „CO_2-Puffer" wegen unvollständiger Absorption von CO_2 (etwa 96%) niedrigere Werte zu erwarten gewesen als in den Versuchen mit Lauge; der mit „CO_2-Puffer" gemessene O_2-Verbrauch ist durchschnittlich jedoch etwas höher. Der Einfluß von CO_2 auf die Bakterienatmung kann aber nur gering sein.

---

[1] BARTLEY, W.: Biochem. J. **53**, 305 (1953).

Tabelle 24. *Hydrogencarbonat-Carbonatgemische als „CO_2-Puffer"* (nach WARBURG, GEISSLER und LORENZ[1]).

Gemische von 3 m Lösungen. p_{CO_2} = gemessener CO_2-Gleichgewichtsdruck (mm BRODIE). r_{CO_2} = retinierte CO_2-Menge (μl) pro ml „CO_2-Puffer" und pro mm Druckänderung bei 20° C.

ml KHCO$_3$ / ml K$_2$CO$_3$	p_H	p_{CO_2}		r_{CO_2} (20°C)	ml KHCO$_3$ / ml K$_2$CO$_3$	p_H	p_{CO_2}		r_{CO_2} (20°C)
		20° C	38° C				20° C	38° C	
30/70	10,83	10,5	22,0	146,2	80/20	9,75	320,0	545,0	16,7
50/50	10,40	45,5	82,5	102,5	85/15	9,47	470,0	780,0	11,5
70/30	9,92	150,0	272,5	38,7	90/10	9,30	700,0	1450,0	5,6
75/25	9,89	186,0	374,0	25,4	95/5	9,14	1240,0	—	4,5

Hydrogencarbonat-Carbonatlösungen als „CO_2-Puffer" nach WARBURG[1,2]. Mit Lösungsgemischen von Hydrogencarbonat und Carbonat kann man den CO_2-Druck im Gasraum ebenfalls konstant halten, gemäß der Beziehung:

$$\frac{[NaHCO_3]^2}{[Na_2CO_3] \cdot [CO_2]} = K.$$

Drückt man $[CO_2]$ durch den Gleichgewichtsdruck p_{CO_2} (in mm BRODIE) aus, so wird mit 3 m Gemischen von $KHCO_3$ und K_2CO_3 für K im Mittel ($=\overline{K}$) bei 20° C $3{,}35 \times 10^{-2}$, bei 38° C $1{,}79 \times 10^{-2}$ erhalten[1]. Mit Hilfe von $\overline{K}$ kann man die ungefähren CO_2-Drucke berechnen, die mit den Hydrogencarbonat-Carbonatgemischen im Gleichgewicht stehen. Tabelle 24 enthält die gemessenen CO_2-Gleichgewichtsdrucke für verschiedene Mischungsverhältnisse von 3 m $KHCO_3$- und 3 m K_2CO_3-Lösungen. Mit diesen Lösungen können CO_2-Drucke entsprechend etwa 1—12 Vol.-% CO_2 im Gasraum konstant gehalten werden. Allerdings nimmt das Retentionsvermögen mit steigendem CO_2-Gleichgewichtsdruck ab. Zur Beschleunigung der Hydratisierung und Dehydratisierung der Kohlensäure muß den Carbonatgemischen Kohlensäureanhydratase zugesetzt werden. WARBURG und KRIPPAHL[2] geben auch Carbonatgemische von geringerer Konzentration an.

Für Messungen mit den Carbonatgemischen werden Gefäße von der in Abb. 46 wiedergegebenen Form vorgeschlagen[2].

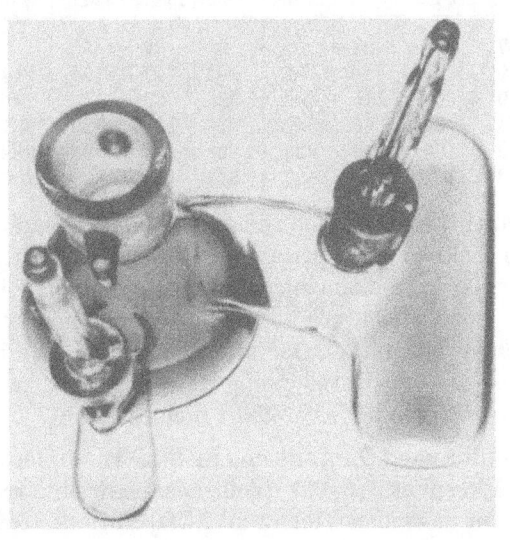

Abb. 46. Gefäß mit „Anhänger" nach WARBURG und KRIPPAHL[2] für Messungen mit Hydrogencarbonat-Carbonatgemischen als Absorptionslösungen.

Das Gefäß hat ein Gesamtvolumen von etwa 40 ml; zur Aufnahme des Puffergemisches besitzt es einen „Anhänger" von etwa 15 ml Rauminhalt. Zur Messung von O_2-Verbrauch gibt man z.B. in den Hauptraum 3 ml Zellsuspension und in den Anhänger 3 ml Carbonatgemisch + 2 mg Kohlensäureanhydratase (Cartase der Schering AG).

Genau genommen erfordert die Verwendung von „CO_2-Puffern" bei der Berechnung des O_2-Verbrauches die Berücksichtigung der „Retentionskonstanten für CO_2" ($k^r_{CO_2}$ an Stelle k_{CO_2}). Entstehen oder verschwinden gleichzeitig O_2 und CO_2, ist q das Verhältnis x_{CO_2}/x_{O_2} und befindet sich in dem Gefäß eine CO_2 retinierende Lösung, so ist:

$$x_{O_2} = h \cdot \frac{k^r_{CO_2} \cdot k_{O_2}}{k^r_{CO_2} + q \cdot k_{O_2}} = h \cdot K_{O_2}.$$

---
[1] WARBURG, O., A.-W. GEISSLER u. S. LORENZ: Z. Naturforsch. **16**b, 283 (1961).
[2] WARBURG, O., u. G. KRIPPAHL: Z. Naturforsch. **15**b, 364 (1960).

Der Fehler, den man macht, wenn man den O_2-Verbrauch nach $h \cdot k_{O_2}$, statt nach $h \cdot K_{O_2}$ berechnet, ist um so geringer, je größer $v_F \cdot r_{CO_2}$ ist, da sich dann der Wert von K_{O_2} dem Wert von k_{O_2} nähert.

Beispiel für die Auswirkung der Retention auf die Messung des O_2-Verbrauches[1]. Mit $k_{CO_2} = 3{,}85$, $k_{O_2} = 3{,}41$, $v_F = 3$ ml, $r_{CO_2} = 35\,\mu l$ und $q = -1$ wird nach der oben angeführten Gleichung erhalten:

$$x_{O_2} = h \cdot \frac{(3{,}85 + 3 \cdot 35) \cdot k_{O_2}}{(3{,}85 + 3 \cdot 35) - 1 \cdot 3{,}41} = h \cdot \frac{108{,}9}{105{,}4} = h \cdot 1{,}03 \cdot k_{O_2}.$$

Der den Einfluß der Retention berücksichtigende Korrektionsfaktor für k_{O_2} beträgt also 1,03. Mit $q = -0{,}7$ würde der Korrektionsfaktor unter den gleichen Bedingungen 1,02, und mit $q = -1{,}3$ würde er 1,04 betragen.

Zur Bestimmung der Kohlensäuredrucke über Hydrogencarbonat-Carbonatlösungen siehe[2].

c) Die Messung des Sauerstoffverbrauches und der aeroben Säurebildung nach der „indirekten Methode" („Gefäßpaarmethode") von O. WARBURG[3].

Die Methode erlaubt die fortlaufende Messung des O_2-Verbrauches (x_{O_2}) und der aeroben Säurebildung (x_S) in Gegenwart von Hydrogencarbonat und von freier CO_2. Mit aerob glykolysierendem Zellmaterial umfaßt die gemessene Menge Säure x_S die Atmungskohlensäure (x_{CO_2}) und die durch fixe Säuren aus dem Hydrogencarbonat freigesetzte Extrakohlensäure ($x_M^{O_2}$). Die aerobe Glykolyse kann berechnet werden, wenn der respiratorische Quotient des Versuchsmaterials bekannt ist.

Ändert sich im Gasraum eines Gefäßes gleichzeitig der Partialdruck von O_2 und von CO_2, so ist die beobachtete Druckänderung h die algebraische Summe aus den Partialdruckänderungen:

$$h = h_{O_2} + h_{CO_2}.$$

Im Falle von O_2-Verbrauch und von CO_2-Entwicklung ist h_{O_2} negativ und h_{CO_2} positiv. Angenommen, es werde gleichzeitig ebensoviel O_2 verbraucht wie CO_2 entwickelt. Befindet sich in dem Gefäß keine Flüssigkeit, so verschwindet aus dem Gasraum ein ebenso großes Gasvolumen wie in ihn hineingelangt; der Gesamtdruck ist unverändert. Befindet sich in dem Gefäß Wasser, so sind die durch O_2-Verbrauch und CO_2-Entwicklung entstehenden Partialdruckänderungen verschieden, und der Gesamtdruck ändert sich gegenüber dem Anfangszustande. Das beruht auf der verschieden großen Löslichkeit von O_2 und CO_2 in Wasser. Die verschieden große Löslichkeit der beiden Gasarten — α_{CO_2} ist für Wasser bei 38° C fast 25mal so groß wie α_{O_2} — bedingt, daß die Gefäßkonstanten k_{CO_2} und k_{O_2} bei gleichem Gasraum- und Flüssigkeitsvolumen verschieden sind. Der Unterschied im Werte von k_{CO_2} und k_{O_2} ist um so geringer, je kleiner das Flüssigkeitsvolumen (v_F) ist, und umgekehrt. Das ist aus dem Ausdruck für die Gefäßkonstante in Gl. (5) zu ersehen. Bei kleiner werdendem v_F und größer werdendem v_G nähert sich das Verhältnis $k_{CO_2} : k_{O_2}$ dem Werte 1. Da die durch eine bestimmte Gasmenge bewirkte Druckänderung im umgekehrten Verhältnis zu den Gefäßkonstanten steht, wird h_{CO_2} annähernd h_{O_2}, und die beobachtete Druckänderung h ist klein. Mit wachsendem v_F und abnehmendem v_G steigt das Verhältnis von $k_{CO_2} : k_{O_2}$ an; der beobachtete Druckausschlag wird größer. Der Löslichkeitsunterschied von O_2 und CO_2 wirkt sich in jedem Falle so aus, daß im Gasraum der Partialdruck von O_2 stärker abnimmt, als der von CO_2 zunimmt (weil von der verbrauchten O_2-Menge ein relativ großer Anteil aus dem Gasraum aufgenommen wird, wogegen von der entwickelten CO_2-Menge ein relativ großer Anteil in der Flüssigkeit gelöst bleibt). Bei kleinem v_F und großem v_G hat die Druckänderung h deshalb einen

---
[1] WARBURG, O., u. G. KRIPPAHL: Z. Naturforsch. **15**b, 364 (1960).
[2] WARBURG, O. H.: Weiterentwicklung der zellphysiologischen Methoden. S. 578. Stuttgart 1962.
[3] WARBURG, O.: B. Z. **152**, 51 (1924); **164**, 481 (1925).

kleinen negativen Wert (bei gleich großem Umsatz der beiden Gasarten nähert sich h_{O_2} dem Werte von h_{CO_2}); bei großem v_F und kleinem v_G hat h einen größeren negativen Wert ($h_{O_2} > h_{CO_2}$). Unabhängig von v_F und v_G kann h positiv werden, wenn das Verhältnis $x_S : x_{O_2}$ größer wird. Das Vorzeichen und die Höhe von h hängen somit von dem Verhältnis $x_S : x_{O_2}$ und von dem Verhältnis der Gefäßkonstanten $k_{CO_2} : k_{O_2}$ ab.

Mit nur atmenden Geweben erhält man negative Druckänderungen; mit Geweben, die aerob auch glykolysieren, treten in Hydrogencarbonatlösung mehr oder weniger große positive Druckänderungen auf. Diese Tatsachen können angewendet werden, um in einfacher Weise durch Beobachtung der Druckrichtung aerob nicht (oder nur wenig) glykolysierende Gewebe von aerob deutlich glykolysierenden Geweben qualitativ zu unterscheiden oder um das „Manifestwerden" der aeroben Glykolyse unter bestimmten Bedingungen zu erkennen (s. WARBURG[1]).

Mißt man die mit gleichen Mengen Versuchsmaterial auftretenden Druckänderungen (h und H) unter beiden der hier betrachteten Bedingungen — erstens bei kleinem v_F und großem v_G, zweitens bei großem v_F und kleinem v_G —, so ist h von H verschieden, obgleich der Gasumsatz in beiden Fällen gleich groß ist. Aus diesem Unterschied, der auf der verschiedenen Löslichkeit der beiden Gase beruht, gewinnt WARBURG die Ansätze zur Berechnung von x_{O_2} und x_S.

Die Bedingungen, unter denen bei gleichen Gasumsätzen in beiden Gefäßen h und H verschieden groß sind, können auch so erfüllt werden, daß man die Druckänderungen bei gleichem v_F, aber bei verschiedenem v_G (also in sehr verschieden großen Gefäßen) mißt; das Verhältnis der Gefäßkonstanten für CO_2 und für O_2 ist in beiden Fällen ebenfalls verschieden. Diese zweite Anordnung hat manchmal Vorteile, besonders dann, wenn ein Einfluß ungleicher Verdünnungen (s. S. 197) auf den Stoffwechsel in Betracht kommt. Bei beiden Anordnungen erfolgen die Messungen und Berechnungen auf die gleiche Weise. Im folgenden wird die Messung nach der „Gefäßpaarmethode" in der ersten Anordnung — mit verschiedenen Flüssigkeitsmengen in den etwa gleich großen Gefäßen — beschrieben. Versuchsbeispiele am Ende dieses Abschnittes zeigen die Anwendung der Gefäßpaarmethode auch in der Anordnung mit gleichen Flüssigkeitsmengen in verschieden großen Gefäßen.

Ausführung:

Die Gefäße haben ein Volumen von etwa 15 ml; sie besitzen einen Tubus, um die Durchgasung zu ermöglichen. Zweckmäßig sind hier flache kästchenförmige Gefäße (Abb. 24), in denen die Oberfläche auch größerer Flüssigkeitsmengen günstige Bedingungen für den Gasaustausch bietet. Besitzen die Gefäße einen Anhang, so muß dieser ziemlich hoch an die Gefäße angeblasen sein, damit beim Schütteln keine Flüssigkeit aus dem Hauptraum in den Anhang gelangt. Ein Anhang ist zur Aufnahme von Milchsäure oder Weinsäure erforderlich, wenn der Stoffwechselmessung eine Retentionsbestimmung angeschlossen werden soll. Gefäßtubus oder Anhang sollten einen Ventilstopfen besitzen, damit die Durchgasung im Thermostaten vorgenommen werden kann. Ein Einsatz ist überflüssig, weil kein Absorptionsmittel verwendet wird. Um die Gefahr des Überspritzens von Flüssigkeitströpfchen aus dem Gefäß mit dem großen Flüssigkeitsvolumen in die Manometercapillare zu vermindern, kann man die konische Bohrung in dem Helmschliff des Manometers mit hochschmelzendem Paraffin auskleiden.

Die Versuchslösung, der meistens Glucose in einer Endkonzentration von 0,2% zugesetzt wird, enthält etwa 0,025 Mol $NaHCO_3$ pro l (z.B. Ringer-$NaHCO_3$ oder hydrogencarbonathaltige Salzlösung nach KREBS und HENSELEIT, S. 151). Werden anderweitig gepufferte Lösungen, etwa Serum, verwendet, so ist die Retention von CO_2 und von fixen Säuren zu berücksichtigen. Das gilt auch, wenn das Versuchsmaterial retiniert.

In Gefäß I gibt man 2 oder 3 ml, in Gefäß II 8 oder 7 ml Versuchslösung. Gefäß 0 (Thermobarometer) erhält 5 ml Versuchslösung. Das Versuchsmaterial wird der Flüssigkeit in Gefäß I und II hinzugefügt.

---

[1] WARBURG, O. H.: Weiterentwicklung der zellphysiologischen Methoden. S. 489, 496, 505, 509, 557. Stuttgart 1962.

Die Mengen des Versuchsmaterials kann man so wählen, daß beide Gefäße etwa gleich große (genau bekannte) Mengen enthalten, oder man wählt sie so, daß die Mengen in Gefäß I und II im gleichen Verhältnis zu den in den Gefäßen vorhandenen Flüssigkeitsvolumina stehen. Von Gewebeschnitten nimmt man für beide Gefäße meistens annähernd gleich große Mengen (die genauen Schnittgewichte werden vor oder nach der Messung — s. S. 156 — bestimmt). Bei Versuchen mit einzelnen Zellen wählt man in der Regel den zweiten Weg, beschickt das Gefäßpaar also mit der gleichen Zellkonzentration (nicht gleiche Zellmenge).

Die mit den Gefäßen verbundenen Manometer werden mit geöffneten Hähnen und mit geöffneten Ventilstopfen der Gefäße in die Schüttelvorrichtung des Thermostaten eingehängt und an das Gasverteilungsrohr angeschlossen. Die Durchgasung mit 5 Vol.-% CO_2 in O_2 erfolgt unter Schütteln während 5—8 min. Nach der Durchgasung werden die Manometerhähne und die Ventilstopfen der Gefäße geschlossen, die Manometerflüssigkeit wird eingestellt, und es wird bis zur Konstanz der Thermobarometerablesung mit einer Frequenz von etwa 120 Schwingungen pro min geschüttelt. Dann erfolgt die erste Ablesung (t_0); die weiteren Ablesungen werden in zeitlichen Abständen von z.B. 15 min vorgenommen.

Werden retinierende Lösungen verwendet, so werden die Anhänge der beiden Gefäße vor dem Versuche mit einer passenden, genau abgemessenen Menge Säure (z.B. 0,20 ml einer etwa 0,025 n Weinsäurelösung, die bei 80° C eingetrocknet wird) beschickt. Die Säure wird zur Bestimmung der Säureretention nach Abschluß der Stoffwechselmessung in den Hauptraum der Gefäße gespült. Das CO_2-Äquivalent der zugekippten Säuremenge wird in einem gesonderten Versuch mit einfacher Hydrogencarbonatlösung bestimmt. Ein besonderes Gefäß ist zur Messung der CO_2-Retention erforderlich. Die Retentionsbestimmungen erfolgen nach S. 203.

Berechnung:

Sind in den beiden Gefäßen verschiedene Mengen Versuchsmaterial vorhanden, so werden die beobachteten (für den Ausschlag des Thermobarometers korrigierten) Druckänderungen — die in diesem Falle mit h' (Gefäß I) und mit H' (Gefäß II) bezeichnet werden sollen — auf gleiche Mengen Versuchsmaterial umgerechnet. Man kann die Druckausschläge z.B. pro mg Trockengewicht ausrechnen, indem man h' und H' durch die Trockengewichtsmenge in Gefäß I bzw. Gefäß II dividiert. Oder man rechnet die mit einem der Gefäße beobachtete Druckänderung auf die in dem anderen Gefäße vorhandenen Menge Versuchsmaterial um. Beträgt diese Menge in Gefäß I m_1, in Gefäß II m_2 (mg, Zellenzahl usw.), so ist die für die Menge m_2 berechnete Druckänderung in Gefäß I $h' \cdot m_2/m_1$. In der folgenden Berechnung bedeuten h und H die durch die gleichen Mengen Versuchsmaterial und in der gleichen Zeit in Gefäß I bzw. II bewirkten Druckänderungen (in mm Manometerflüssigkeit). Bei Druckanstieg sind h und H als positive, bei Druckabnahme als negative Werte einzusetzen.

Die Rechnung erfolgt a) für den Fall, daß die Lösung nicht retiniert, und b) für den Fall, daß eine Retention von CO_2 und Säure zu berücksichtigen ist.

a) Die Gefäßkonstanten von Gefäß I sind k_{O_2} und k_{CO_2}; die Gefäßkonstanten von Gefäß II sollen hier mit K_{O_2} und K_{CO_2} bezeichnet werden. Da der Gaswechsel — bezogen auf gleiche Mengen Versuchsmaterial — in beiden Gefäßen als gleich groß zu betrachten ist, brauchen x_{O_2} und x_S nicht für jedes Gefäß gesondert bezeichnet zu werden. x_S wird an die Stelle von x_{CO_2} gesetzt, um auszudrücken, daß die entwickelte CO_2-Menge aus Atmungskohlensäure und (bei aerob säurebildendem Versuchsmaterial) aus Extrakohlensäure besteht.

Die in den Gefäßen entstehenden Druckänderungen (h, H) beruhen auf O_2-Verbrauch und auf CO_2-Entwicklung; die zugehörigen Partialdruckänderungen sind h_{O_2} und h_{CO_2} bzw. H_{O_2} und H_{CO_2}. Es ist:

$$h = h_{O_2} + h_{CO_2}, \qquad \text{(Gefäß I)}$$

$$H = H_{O_2} + H_{CO_2}. \qquad \text{(Gefäß II)}$$

Da die von einem bestimmten Gasvolumen bewirkte Druckänderung gleich Gasvolumen/Gefäßkonstante ist (also $h_{O_2} = x_{O_2}/k_{O_2}$, usw.), so kann man für die obenstehenden Gleichungen schreiben:

(a) $$h = \frac{x_{O_2}}{k_{O_2}} + \frac{x_S}{k_{CO_2}}, \qquad \text{(Gefäß I)}$$

$$H = \frac{x_{O_2}}{K_{O_2}} + \frac{x_S}{K_{CO_2}}, \qquad \text{(Gefäß II)}$$

Nach x_S aufgelöst:

$$x_S = \left(h - \frac{x_{O_2}}{k_{O_2}}\right) \cdot k_{CO_2}, \qquad \text{(Gefäß I)}$$

$$x_S = \left(H - \frac{x_{O_2}}{K_{O_2}}\right) \cdot K_{CO_2}. \qquad \text{(Gefäß II)}$$

Die in den beiden Gleichungen rechts stehenden Ausdrücke können gleichgesetzt werden. Dadurch wird x_S eliminiert, und als Unbekannte bleibt nur x_{O_2} übrig:

$$\left(h - \frac{x_{O_2}}{k_{O_2}}\right) \cdot k_{CO_2} = \left(H - \frac{x_{O_2}}{K_{O_2}}\right) \cdot K_{CO_2}.$$

Die Gleichung wird ausmultipliziert und umgeformt:

$$h \cdot k_{CO_2} - \frac{x_{O_2}}{k_{O_2}} \cdot k_{CO_2} = H \cdot K_{CO_2} - \frac{x_{O_2}}{K_{O_2}} \cdot K_{CO_2},$$

$$\frac{x_{O_2}}{K_{O_2}} \cdot K_{CO_2} - \frac{x_{O_2}}{k_{O_2}} \cdot k_{CO_2} = H \cdot K_{CO_2} - h \cdot k_{CO_2},$$

$$x_{O_2} \left(\frac{K_{CO_2}}{K_{O_2}} - \frac{k_{CO_2}}{k_{O_2}}\right) = H \cdot K_{CO_2} - h \cdot k_{CO_2}.$$

Die Auflösung nach x_{O_2} ergibt den gesuchten Sauerstoffverbrauch:

(b) $$\boxed{x_{O_2} = \frac{H \cdot K_{CO_2} - h \cdot k_{CO_2}}{\dfrac{K_{CO_2}}{K_{O_2}} - \dfrac{k_{CO_2}}{k_{O_2}}}}.$$

Zur Berechnung der entwickelten Menge Kohlendioxyd werden die beiden Gleichungen von (a) zunächst nach x_{O_2} aufgelöst:

$$x_{O_2} = \left(h - \frac{x_S}{k_{CO_2}}\right) \cdot k_{O_2}, \qquad \text{(Gefäß I)}$$

$$x_{O_2} = \left(H - \frac{x_S}{K_{CO_2}}\right) \cdot K_{O_2}. \qquad \text{(Gefäß II)}$$

Indem die rechts stehenden Ausdrücke gleichgesetzt werden, wird x_{O_2} eliminiert. Die weiteren Rechnungsschritte sind den bei der Berechnung von x_{O_2} befolgten analog. Für die Gesamtsäurebildung ($x_{CO_2} + x_M = x_S$) wird erhalten:

(c) $$\boxed{x_S = \frac{H \cdot K_{O_2} - h \cdot k_{O_2}}{\dfrac{K_{O_2}}{K_{CO_2}} - \dfrac{k_{O_2}}{k_{CO_2}}}}.$$

In allen Gleichungen ist die Richtung der Druckänderungen zu beachten. Insbesondere sind bei der Anwendung der Gl. (b) und (c) die richtigen Vorzeichen von h und H einzusetzen. Die in Gl. (b) bzw. in (c) im Nenner stehenden Ausdrücke kann man in einer Größe zusammenfassen, um die Ausrechnung von weiteren Versuchen zu erleichtern, die unter den gleichen Bedingungen (v_G, v_F, T) ausgeführt werden (s. Versuchsbeispiel 2 auf S. 200).

x_{O_2} in Gl. (b) und x_S in Gl. (c) bedeuten μl O_2 bzw. μl CO_2 für die Menge Versuchsmaterial und für die Versuchszeit, für die h und H gelten. Beträgt die Menge m, die Versuchszeit t (min), so ist:

$$Q_{O_2} = \frac{x_{O_2} \cdot 60}{m \cdot t}; \qquad Q_S = \frac{x_S \cdot 60}{m \cdot t}.$$

x_S schließt die Atmungskohlensäure (x_{CO_2}) und die durch Bildung fixer Säuren aus dem Hydrogencarbonat freigesetzte (Extra-)Kohlensäure ($x_M^{O_2}$) ein:

(d)
$$x_S = x_{CO_2} + x_M^{O_2},$$
$$x_M^{O_2} = x_S - x_{CO_2}.$$

Die Methode liefert keine getrennten Meßwerte für x_{CO_2} und $x_M^{O_2}$. Die aerobe Säurebildung kann berechnet werden, wenn der respiratorische Quotient — das Verhältnis x_{CO_2}/x_{O_2} — für das untersuchte Gewebe bekannt ist. Das Verhältnis x_{CO_2}/x_{O_2} sei hier mit q bezeichnet. Ist $q = -1$, so ist $x_{CO_2} = -x_{O_2}$. In Gl. (d) kann dann x_{CO_2} durch $-x_{O_2}$ ersetzt werden, und man erhält dann für die aerob entstandene Menge an fixen Säuren:

(e)
$$x_M^{O_2} = x_S + x_{O_2}.$$

x_{O_2} und x_S sind nach Gl. (b) und (c) bekannt. Hat q einen anderen Wert, so ist $x_{CO_2} = -q \cdot x_{O_2}$, und man erhält:

(f)
$$x_M^{O_2} = x_S + q \cdot x_{O_2}.$$

(Bei O_2-Verbrauch ist x_{O_2} negativ und damit auch das Produkt $q \cdot x_{O_2}$). $x_M^{O_2}$ in Gl. (e) oder (f) ist bei Bildung fixer Säuren positiv; es kann negativ sein, wenn aus der Versuchslösung Säuren verschwinden oder wenn basische Stoffe entstehen (s. S. 167 und 197).

Ist der respiratorische Quotient von dem untersuchten Material hinreichend genau bekannt, so erlaubt die „Gefäßpaarmethode" also die Berechnung der aeroben Glykolyse aus fortlaufenden Messungen. Nimmt man für den respiratorischen Quotienten einen in gewissen Grenzen unsicheren Wert an, so ist der dadurch bei der Berechnung von $x_M^{O_2}$ entstehende Fehler klein, wenn die aerobe Glykolyse groß ist gegenüber der Atmung. Findet jedoch eine nur geringe Glykolyse bei großer Atmung statt, so wird durch die Annahme eines mehr oder weniger willkürlichen Wertes für den respiratorischen Quotienten bei der Berechnung von $x_M^{O_2}$ unter Umständen ein erheblicher Fehler eingeführt. Die gleichen Überlegungen wie bei der Berechnung von $x_M^{O_2}$ sind bei der Berechnung von Gärungskohlensäure im aeroben Hefestoffwechsel anzustellen.

b) Erfolgen die Messungen mit einer retinierenden Lösung (z. B. mit Serum) und mit atmendem und aerob glykolysierendem Zellmaterial, so sind bei der Berechnung von x_{O_2} und x_S sowohl die CO_2-Retention als auch die Säureretention zu berücksichtigen. Die Retentionsbestimmungen werden nach der auf S. 203 wiedergegebenen Methode von WARBURG, KUBOWITZ und CHRISTIAN vorgenommen. Es werden die „Retentionskonstanten für Kohlensäure" ($k_{CO_2}^r$ für Gefäß I und $K_{CO_2}^r$ für Gefäß II) und die „Retentionskonstanten für Milchsäure" (k_M^r bzw. K_M^r) erhalten. Da O_2 nicht retiniert wird, gelten k_{O_2} und K_{O_2} gleicherweise für einfache Salzlösungen und für Serum.

Für die in den beiden Gefäßen beobachteten Druckänderungen, die sich aus den durch Sauerstoffverbrauch (x_{O_2}), durch Bildung von Atmungskohlensäure (x_{CO_2}) und von Extrakohlensäure (x_M) bedingten Partialdruckänderungen zusammensetzen, erhält man:

$$h = \frac{x_{O_2}}{k_{O_2}} + \frac{x_{CO_2}}{k_{CO_2}^r} + \frac{x_M}{k_M^r},$$

$$H = \frac{x_{O_2}}{K_{O_2}} + \frac{x_{CO_2}}{K_{CO_2}^r} + \frac{x_M}{K_M^r}.$$

Die beiden Gleichungen enthalten die drei Unbekannten x_{O_2}, x_{CO_2} und x_M. Die dritte zur Lösung benötigte Gleichung gewinnt man, indem man den respiratorischen Quotienten

(q) einführt. Es ist: $x_{CO_2} = -q \cdot x_{O_2}$. An die Stelle von x_{CO_2} wird $-q \cdot x_{O_2}$ in die obenstehenden Gleichungen eingesetzt. Die beiden Gleichungen enthalten dann nur noch zwei Unbekannte. Es genügt jedoch, für q einen Näherungswert anzunehmen. Da q bei Anwesenheit von Glucose in den meisten Fällen nahe bei -1 liegt, kann hier $x_{CO_2} = -x_{O_2}$ gesetzt werden. Es werden die beiden Gleichungen erhalten:

$$h = \frac{x_{O_2}}{k_{O_2}} - \frac{x_{O_2}}{k^r_{CO_2}} + \frac{x_M}{k^r_M},$$

$$H = \frac{x_{O_2}}{K_{O_2}} - \frac{x_{O_2}}{K^r_{CO_2}} + \frac{x_M}{K^r_M}.$$

Durch Ausklammern von x_{O_2} erhält man:

$$h = x_{O_2}\left(\frac{1}{k_{O_2}} - \frac{1}{k^r_{CO_2}}\right) + \frac{x_M}{k^r_M},$$

$$H = x_{O_2}\left(\frac{1}{K_{O_2}} - \frac{1}{K^r_{CO_2}}\right) + \frac{x_M}{K^r_M}.$$

Der Einfachheit wegen wird $(1/k_{O_2} - 1/k^r_{CO_2}) = k$ und $(1/K_{O_2} - 1/K^r_{CO_2}) = K$ gesetzt:

(g)
$$h = x_{O_2} \cdot k + \frac{x_M}{k^r_M},$$

$$H = x_{O_2} \cdot K + \frac{x_M}{K^r_M}.$$

Die beiden Gleichungen werden nach x_M aufgelöst; die für x_M erhaltenen Ausdrücke werden gleichgesetzt. Es wird erhalten:

$$H \cdot K^r_M - x_{O_2} \cdot K \cdot K^r_M = h \cdot k^r_M - x_{O_2} \cdot k \cdot k^r_M,$$

oder:

$$H \cdot K^r_M - h \cdot k^r_M = x_{O_2}(K \cdot K^r_M - k \cdot k^r_M).$$

Die Auflösung nach x_{O_2} ergibt den gesuchten Sauerstoffverbrauch in der retinierenden Lösung:

(h)
$$\boxed{x_{O_2} = \frac{H \cdot K^r_M - h \cdot k^r_M}{K \cdot K^r_M - k \cdot k^r_M}}.$$

Aus den beiden Gleichungen von (g) wird nach Eliminieren von x_{O_2} x_M berechnet. Die Auflösung ergibt:

(i)
$$x_M = \frac{h \cdot K - H \cdot k}{\dfrac{K}{k^r_M} - \dfrac{k}{K^r_M}}.$$

Aus Gl. (h) und (i) werden die in der retinierenden Lösung aerob gebildeten Mengen an Atmungskohlensäure und Extrakohlensäure erhalten:

(j)
$$\boxed{x_S = x_M - x_{O_2}}.$$

Diese Berechnungsart, bei der sowohl die Retention von CO_2 als auch die Retention von Milchsäure (von fixer Säure) berücksichtigt werden, ist unabhängig von der Größe der Atmung und der Glykolyse anwendbar.

Wenn nur Atmung, keine Glykolyse stattfindet, so erübrigt sich die Bestimmung der Milchsäureretention, und die Rechnung wird dann nur mit $k^r_{CO_2}$ und $K^r_{CO_2}$ durchgeführt. Dieses Vorgehen ist auch dann noch erlaubt, wenn die Glykolyse klein ist im Vergleich zur Atmung. Atmung ohne oder mit nur geringer Glykolyse ist nach den Untersuchungen von WARBURG bei den meisten normalen Geweben in Serum der Fall. Unter diesen

Voraussetzungen tritt in Gl. (b) und (c) $k^r_{CO_2}$ bzw. $K^r_{CO_2}$ an die Stelle von k_{CO_2} bzw. K_{CO_2}. Es wird erhalten:

(k) $$x_{O_2} = \frac{H \cdot K^r_{CO_2} - h \cdot k^r_{CO_2}}{\dfrac{K^r_{CO_2}}{K_{O_2}} - \dfrac{k^r_{CO_2}}{k_{O_2}}},$$

(l) $$x_S = \frac{H \cdot K_{O_2} - h \cdot k_{O_2}}{\dfrac{K_{O_2}}{K^r_{CO_2}} - \dfrac{k_{O_2}}{k^r_{CO_2}}}.$$

Bei einer im Vergleich zur Atmung großen Glykolyse kann man die CO_2-Retention ohne einen erheblichen Fehler vernachlässigen. Eine im Verhältnis zur Atmung hohe aerobe Glykolyse findet man nach WARBURG bei Tumoren auch im Serum. Unter diesen Voraussetzungen tritt in Gl. (b) und in (c) k^r_M bzw. K^r_M an die Stelle von k_{CO_2} bzw. K_{CO_2}. Es wird erhalten:

(m) $$x_{O_2} = \frac{H \cdot K^r_M - h \cdot k^r_M}{\dfrac{K^r_M}{K_{O_2}} - \dfrac{k^r_M}{k_{O_2}}},$$

(n) $$x_S = \frac{H \cdot K_{O_2} - h \cdot k_{O_2}}{\dfrac{K_{O_2}}{K^r_M} - \dfrac{k_{O_2}}{k^r_M}}.$$

Ist die Glykolyse etwa ebenso groß wie die Atmung, so sind auf alle Fälle sowohl die CO_2-Retention als auch die Säureretention zu berücksichtigen, und es wird das zuerst angegebene Rechenverfahren angewendet.

Die beobachteten Druckänderungen h und H liefern nach Berücksichtigung der Retention nur die Meßwerte zur Bestimmung von x_{O_2} und x_S, nicht jedoch zur Bestimmung von x_{CO_2} (Atmungskohlensäure) und von $x_M^{O_2}$ (aerobe Glykolyse). Der nach Gl. (d) für $x_M^{O_2}$ berechnete Wert entspricht nur dann dem wahren Wert von $x_M^{O_2}$, wenn der genaue Wert des respiratorischen Quotienten in Gl. (d) eingesetzt wurde. Der respiratorische Quotient muß mit anderen Methoden bestimmt werden.

Bemerkungen:

Die „Gefäßpaarmethode" bietet gegenüber der „direkten Methode" — sofern bei der letzteren Lauge im Einsatz der Gefäße verwendet wird — die Möglichkeit, den O_2-Verbrauch in Gegenwart von Hydrogencarbonat und von freier CO_2 untersuchen zu können. Außerdem vermag sie — mit den erwähnten Einschränkungen — gleichzeitig wertvolle Aufschlüsse über das aerobe Glykolysevermögen zu geben. Die Konzentrationen an freier CO_2 und an HCO_3^- können variiert werden, unter Beachtung der Beziehung CO_2–HCO_3^-–p_H (S. 160). Das Prinzip der Methode kann auch zur Messung des Umsatzes von anderen Gasen als O_2 und CO_2 angewendet werden, sofern die Löslichkeit der Gase genügend voneinander verschieden ist (z. B. H_2 und CO_2).

Entsteht im Stoffwechsel Ammoniak (aus Eiweiß, Aminosäuren), so wird ein Teil der Atmungskohlensäure als Ammoniumhydrogencarbonat gebunden und entgeht der Messung. Nach WARBURG[1] kann die von den meisten Geweben, mit Ausnahme der Niere, in glucosehaltiger Lösung gebildete Menge an gebundener CO_2 gegenüber x_S vernachlässigt werden, in glucosefreier Lösung dagegen nicht (s. auch DICKENS und ŠIMER[2]). Um die gesamte gebildete CO_2-Menge zu erhalten, muß in diesen Fällen die manometrische Messung durch Ammoniakbestimmungen ergänzt werden.

Die Genauigkeit der Ergebnisse hängt sehr davon ab, daß die umgesetzten Gasmengen, bezogen auf gleiche Mengen Versuchsmaterial und auf gleiche Zeiten, in beiden Gefäßen gleich groß sind. Dazu ist Gleichartigkeit des Versuchsmaterials in beiden Gefäßen erforderlich. Das ist besonders zu beachten, wenn Gewebeschnitte untersucht werden. Die auf die beiden Gefäße verteilten Schnitte sollten histologisch identisch sein. Man verwendet am besten aufeinanderfolgende Schnitte, oder man halbiert die Schnitte und verteilt die Hälften gleichmäßig auf das Gefäßpaar.

Auch dann, wenn die Bedingung einer Gleichartigkeit des Versuchsmaterials erfüllt ist, besteht noch die Frage, ob die Stoffwechselgrößen in beiden Gefäßen — wenn diese mit etwa gleichen Mengen Versuchsmaterial, aber mit verschiedenen Flüssigkeitsmengen beschickt werden — gleich sind. „Auswasch-" und „Verdünnungseffekte" könnten den Stoffwechsel in dem großen Flüssigkeitsvolumen

---

[1] WARBURG, O.: B. Z. **152**, 51 (1924).
[2] DICKENS, F., and F. ŠIMER: Biochem. J. **24**, 1301 (1930).

stärker beeinflussen als in dem kleineren Flüssigkeitsvolumen. Es ist dabei an den Austritt von endogenen Substraten, Enzymen, Co-Enzymen und Endprodukten des Stoffwechsels aus den Zellen in die Suspensionslösung zu denken. Dem Medium zugesetzte Substanzen, die vom Gewebe aufgenommen oder umgesetzt werden oder die autoxydabel sind, sind bei gleichen Konzentrationen in den beiden Gefäßen in verschiedenen absoluten Mengen vorhanden. Außerdem ist in Betracht zu ziehen, daß mit aerob stark glykolysierenden Geweben (Tumor) und mit etwa gleich großen Gewebemengen in beiden Gefäßen die in der Versuchszeit eintretenden p_H-Änderungen in dem kleinen Flüssigkeitsvolumen größer sind als in dem großen Flüssigkeitsvolumen. Man nimmt dann tunlichst kleine Gewebemengen, damit die p_H-Verschiebungen für den Stoffwechsel ohne nennenswerte Bedeutung sind. Diese Fragen wurden wiederholt geprüft; sie lassen sich aber nicht für alle Fälle einheitlich beantworten.

Falls ein Einfluß von ungleichen Verdünnungs- und Auswascheffekten auf den Stoffwechsel in Betracht zu ziehen ist, läßt er sich jedoch unter Beibehaltung des Prinzips der „Gefäßpaarmethode" nach verschiedenen von WARBURG gemachten und angewendeten Vorschlägen umgehen: 1. Man wählt die Mengen des Versuchsmaterials so, daß sie im gleichen Verhältnis zueinander stehen wie die Flüssigkeitsvolumina in den beiden Gefäßen (bei isolierten Zellen also nicht gleiche Zell*mengen*, sondern gleiche Zell*konzentrationen*). 2. Die Messungen in dem großen und dem kleinen Flüssigkeitsvolumen erfolgen mit dem gleichen Gewebestückchen unmittelbar aneinander anschließend. Man muß sich jedoch davon überzeugen, daß der Stoffwechsel während der Versuchszeiten unverändert geblieben ist, indem man das Gewebestückchen in das Anfangsvolumen zurückbringt und die Messung wiederholt. Diese Anordnung wurde von LASER[1] in Versuchen mit Gewebekulturen in speziellen Gefäßen angewendet. 3. Man verwendet Gefäße von sehr verschiedener Größe, gibt aber in beide Gefäße das gleiche Flüssigkeitsvolumen. Das Verhältnis v_F/v_G ist dann für die beiden Gefäße verschieden und damit auch das Verhältnis von k_{O_2}/k_{CO_2} (für das kleinere

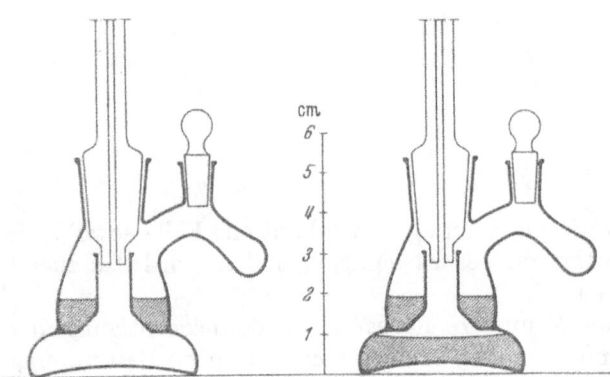

Abb. 47. „Doppelstockgefäße" nach SCHULER und MEIER 3 für die Gefäßpaarmethode.

Gefäß) und K_{O_2}/K_{CO_2} (für das größere Gefäß). Für diesen Fall benutzten WARBURG und KRIPPAHL[2] als Gefäßpaar hohe kästchenförmige Gefäße mit einem unmittelbar unter dem Gefäßhals angesetzten Anhang, der mit einem Ventilstopfen versehen ist. Das eine Gefäß hat ein Volumen von etwa 30 ml, das andere von etwa 18 ml. Wenn der Anhang im richtigen Winkel angesetzt ist, besteht keine Gefahr, daß durch das Schütteln während der Gasdurchleitung Flüssigkeit an den Ventilstopfen anschlägt und durch den geöffneten Stopfen nach außen gedrückt wird.

Um die durch eine ungleiche Verdünnung gegebenen Fehlermöglichkeiten auszuschalten, werden von SCHULER und MEIER[3] besondere Gefäßformen („Doppelstockgefäße") angegeben (Abb. 47). Sie besitzen zwei übereinander angeordnete Räume. Der obere Raum ist mit einem Anhang verbunden. Die beiden Räume stehen durch einen weiten „Kamin" miteinander in Verbindung. In den oberen Raum beider Gefäße bringt man 2 ml Versuchslösung und annähernd gleiche Mengen des zu untersuchenden Gewebes. In den unteren Raum von nur einem der beiden Gefäße kommen 6 ml Versuchslösung. Das Gewebe ist in beiden Gefäßen also in dem gleichen Volumen Versuchslösung suspendiert; v_G und v_F sind in beiden Gefäßen aber verschieden.

Leistungsfähigkeit und Fehlerquellen der „indirekten Methode", besonders in der Anordnung mit verschiedenen Gefäßvolumina und gleichen Flüssigkeits- und Zellmengen und im Hinblick auf Photosynthesemessungen, haben PIRSON, KROLLPFEIFFER und SCHAEFER[4] ausführlich untersucht. Die Beziehungen, die in diesem Falle zwischen dem Verhältnis der Druckänderungen (h und H), der Menge der umgesetzten Gase (x_{O_2} und x_{CO_2}) und dem Stoffwechselquotienten (x_{CO_2}/x_{O_2}) bestehen, werden einer mathematischen Behandlung unterzogen und durch graphische Darstellungen veranschaulicht.

Versuchsbeispiele:

Die folgenden Beispiele, deren Versuchsdaten Arbeiten von WARBURG et al. entnommen sind, sollen die Anwendung der „Gefäßpaarmethode" 1. in der Anordnung mit verschiedenen Flüssigkeitsmengen in annähernd gleich großen Gefäßen und 2. mit gleich

---

[1] LASER, H.: B. Z. 251, 2 (1932).
[2] WARBURG, O., u. G. KRIPPAHL: Z. Naturforsch. 13b, 434 (1958).
[3] SCHULER, W., u. R. MEIER: Helv. physiol. Acta 2, C 10 (1944).
[4] PIRSON, A., I. KROLLPFEIFFER u. G. SCHAEFER: S.-B. Ges. Naturwiss. Marburg 76, 3 (1953).

großen Flüssigkeitsmengen in sehr verschieden großen Gefäßen zeigen. Die Beispiele geben Versuche wieder, deren Auswertung unter Berücksichtigung der CO_2- und der Säureretention, nur der CO_2-Retention oder nur der Säureretention erfolgt. Auf die Anführung eines Versuchsbeispiels für die Messung mit nichtretinierenden Lösungen kann verzichtet werden, weil die Messung durch den Wegfall von Retentionsbestimmungen einfacher ist und dementsprechend auch die Ausrechnung.

1. Messung des Sauerstoffverbrauches (x_{O_2}) und der aeroben Säurebildung (x_S) einer Erythrocytensuspension (nach WARBURG, KUBOWITZ und CHRISTIAN[1]). Gefäßpaar mit verschiedenen Flüssigkeitsvolumina. Versuchslösung: Ringer-$NaHCO_3$-Glucose. T (absolut) 311°. Berücksichtigung der Retention von Kohlensäure und von Milchsäure durch die Zellsuspension. $k^r_{CO_2}$ und $K^r_{CO_2}$ werden nach Bestimmung von r_{CO_2} (s. S. 203) ermittelt, k^r_M und K^r_M im Anschluß an die Stoffwechselmessung (s. unten). Das CO_2-Äquivalent der Milchsäurelösung ($= 102\ \mu l\ CO_2$) wird in einem gesonderten Versuch durch Einkippen der genau abgemessenen Milchsäurelösung in eine Hydrogencarbonatlösung bestimmt.

	Gefäß I	Gefäß II
Hauptraum	3 ml Zellsuspension	7 ml Zellsuspension
Anhang	0,1 ml Milchsäure	0,1 ml Milchsäure
Gasraum	5% CO_2 in Luft	5% CO_2 in Luft
Gefäßkonstanten	$v_F = 3,1$; $v_G = 12,12$	$v_F = 7,1$; $v_G = 8,5$
	$k_{O_2} = 1,072$	$K_{O_2} = 0,763$
	$k_{CO_2} = 1,232$	$K_{CO_2} = 1,129$
	$k^r_{CO_2} = 1,695$	$K^r_{CO_2} = 2,209$
	$k^r_M = 2,15$	$K^r_M = 2,69$
Vor Einkippen der Milchsäure	mm (h)	mm (H)
10 min	$+3$	$+5$
20 min	$+6$	$+10$
30 min	$+9,5$	$+14,5$
40 min	$+12,5$	$+19,5$
50 min	$+17\}+3$	$+26\}+5$
60 min	$+20$	$+31$
Nach Einkippen der Milchsäure (102 $\mu l\ CO_2$)		
10 min	$+50,5$	$+43$

$$h_M = 50,5 - 3 = 47,5; \qquad H_M = 43 - 5 = 38;$$

$$k^r_M = \frac{102}{47,5} = 2,15; \qquad K^r_M = \frac{102}{38} = 2,69.$$

Ausrechnung pro 7 ml Zellsuspension und pro Std:

$$h = \frac{20 \cdot 7}{3} = +46,5; \qquad H = +31$$

$$k = \frac{1}{k_{O_2}} - \frac{1}{k^r_{CO_2}} = \frac{1}{1,072} - \frac{1}{1,695} = 0,342,$$

$$K = \frac{1}{K_{O_2}} - \frac{1}{K^r_{CO_2}} = \frac{1}{0,763} - \frac{1}{2,209} = 0,857.$$

$$x_{O_2} = \frac{31 \cdot 2,69 - 46,5 \cdot 2,15}{0,857 \cdot 2,69 - 0,342 \cdot 2,15} = \frac{-16,5}{1,575} = -11,$$

$$\left(x_M = \frac{46,5 \cdot 0,857 - 31 \cdot 0,342}{\dfrac{0,857}{2,15} - \dfrac{0,342}{2,69}} = \frac{29,4}{0,273} = +108\right),$$

$$x_S = 108 - (-11) = +119.$$

---

[1] WARBURG, O., F. KUBOWITZ u. W. CHRISTIAN: B. Z. **242**, 170 (1931).

2. Aerober Stoffwechsel von Chorion + Amnion der Maus in Ascitesserum (WARBURG, GAWEHN und GEISSLER[1]).

Pro Gefäß werden 2—3 Häute der Fruchtblase (Chorion + Amnion) junger Mäuseembryonen in Mäuse-Ascitesserum bei 38° C suspendiert. Gasraum: 5 Vol.-% CO_2 in O_2. Gefäßpaar mit sehr verschieden großen Gefäßen. Es wird nur die CO_2-Retention (S. 196) berücksichtigt. Retention von CO_2 in 7 ml Ascitesserum: 0,50 μl CO_2 pro mm Druckänderung. — Die Berechnung erfolgt nachstehend nur aus den Mittelwerten der Einzelmessungen.

	Kleines Gefäß ($v = 16{,}10$ ml)	Großes Gefäß ($v = 23{,}84$ ml)
Trockengewicht	9,06 mg	9,06 mg
v_F	7,15 ml	7,15 ml
Gefäßkonstanten	$k_{O_2} = 0{,}804$	$K_{O_2} = 1{,}437$
	$k_{CO_2} = 1{,}191$	$K_{CO_2} = 1{,}825$
	$k^r_{CO_2} = 1{,}191 + 0{,}5 = 1{,}691$	$K^r_{CO_2} = 1{,}825 + 0{,}5 = 2{,}325$
Druckänderungen pro 30 min . .	h (mm)	H (mm)
	$-58{,}5$	-26
	$-54{,}5$	-26
	$-48{,}5$	-21
	$-44{,}0$	-19
Mittel	$-51{,}4$	-23

$$x_{O_2} = \frac{-23 \cdot 2{,}325 - (-51{,}4) \cdot 1{,}691}{\dfrac{2{,}325}{1{,}437} - \dfrac{1{,}691}{0{,}804}} = \frac{33{,}44}{-0{,}486} = -68{,}8 \,.$$

$$x_S = \frac{-23 \cdot 1{,}437 - (-51{,}4) \cdot 0{,}804}{\dfrac{1{,}437}{2{,}325} - \dfrac{0{,}804}{1{,}691}} = \frac{8{,}28}{0{,}142} = +58{,}3 \,.$$

$$Q_{O_2} = \frac{-68{,}8 \cdot 60}{9{,}06 \cdot 30} = -15{,}2; \quad Q_S = \frac{58{,}3 \cdot 60}{9{,}06 \cdot 30} = +12{,}9 \,.$$

($Q^{O_2}_M = 12{,}9 - 15{,}2 = -2{,}3$. Die Fruchtblasenhäute zeigen in Ascitesserum keine aerobe Glykolyse.)

Rechenerleichterung. Der im Nenner stehende Ausdruck wird ausgerechnet. Die im Zähler stehenden Konstanten werden einzeln durch die für den Nenner erhaltene Größe dividiert. Man erhält für die Bedingungen dieses Versuchsbeispiels:

$$x_{O_2} = H \cdot -4{,}75 - h \cdot -3{,}46;$$
$$x_S = H \cdot 10{,}1 - h \cdot 5{,}63 \,.$$

Auf diese Weise werden Einzelmessungen einer Versuchsreihe und von anderen Versuchsreihen, die unter den gleichen Bedingungen durchgeführt werden, ausgerechnet.

3. Aerober Stoffwechsel von Ascites-Tumorzellen der Maus in Ascitesserum

(WARBURG, GAWEHN und GEISSLER[1]). Sechs Tage nach Überimpfung von 0,3 ml unverdünnter Ascitesflüssigkeit pro Maus entnommener Ascites wird mit Ascitesserum (S. 149) bis zur gewünschten Zellkonzentration verdünnt (etwa auf das 50fache). Messungen in sehr verschieden großen Gefäßen bei 38° C. Gasraum: 5 Vol.-% CO_2 in O_2. Es wird nur die Milchsäureretention berücksichtigt. $r_M \cdot v_F$ (7 ml Ascitesserum) = 0,93 μl CO_2 pro mm Druckänderung. — Die Ausrechnung erfolgt nachstehend nur mit den Mittelwerten.

---

[1] WARBURG, O., K. GAWEHN u. A.-W. GEISSLER: Z. Naturforsch. 11b, 657 (1956).

	Kleines Gefäß ($v=16{,}10$ ml)	Großes Gefäß ($v=23{,}34$ ml)
Zelltrockengewicht	9,30 mg	9,30 mg
v_F	6,65 ml	6,65 ml
Gefäßkonstanten	$k_{O_2} = 0{,}846$	$K_{O_2} = 1{,}497$
	$k_{CO_2} = 1{,}207$	$K_{CO_2} = 1{,}840$
	$k_M^r = 1{,}207 + 0{,}93 = 2{,}137$	$K_M^r = 1{,}840 + 0{,}93 = 2{,}770$
Druckänderungen pro 15 min	h (mm)	H (mm)
	$+18{,}5$	$+16$
	$+19{,}5$	$+17$
	$+18{,}5$	$+16{,}5$
	$+15{,}5$	$+14{,}5$
Mittel	$+18{,}0$	$+16{,}0$

$$x_{O_2} = \frac{16 \cdot 2{,}77 - 18 \cdot 2{,}137}{\dfrac{2{,}77}{1{,}479} - \dfrac{2{,}137}{0{,}846}} = \frac{5{,}85}{-0{,}653} = -8{,}9.$$

$$x_S = \frac{16 \cdot 1{,}479 - 18 \cdot 0{,}846}{\dfrac{1{,}479}{2{,}77} - \dfrac{0{,}846}{2{,}137}} = \frac{8{,}43}{0{,}139} = +60{,}7.$$

$$Q_{O_2} = \frac{-8{,}9 \cdot 60}{9{,}3 \cdot 15} = -3{,}8; \quad Q_S = \frac{60{,}7 \cdot 60}{9{,}3 \cdot 15} = +26.$$

($Q_M^{O_2} = -3{,}8 + 26 = 22{,}2$. Ascitestumorzellen in Ascitesserum haben im Vergleich zu ihrer Atmung ein hohes aerobes Glykolysevermögen.)

d) Erweiterung der „Gefäßpaarmethode" zur Bestimmung des respiratorischen Quotienten (LASER und ROTHSCHILD[1]).

Zur Bestimmung des respiratorischen Quotienten in einem Hydrogencarbonat enthaltenden Medium und in Anwesenheit von freiem CO_2 wird das „Gefäßpaar" durch zwei weitere Gefäße und Manometer ergänzt. In dem „Gefäßpaar" (Gefäß I und II) werden die Druckänderungen h und H, aus denen der Sauerstoffverbrauch (x_{O_2}) und die Gesamtsäurebildung (x_S) berechnet werden, fortlaufend gemessen. Mit Gefäß III wird durch Zukippen eines Säureüberschusses die bei Versuchsbeginn (t_0) in Lösung und Versuchsmaterial vorhandene Hydrogencarbonatmenge bestimmt (Druckänderung h_B). In Gefäß IV atmet und glykolysiert das Gewebe von t_0 bis t'; bei t' wird die gesamte Kohlensäuremenge durch Säure freigesetzt. Die nach dem Säurezusatz in Gefäß IV auftretende Druckänderung h' ist die algebraische Summe aus verschiedenen Partialdruckänderungen:

$$h' = h'_{O_2} + h'_{CO_2} + h'_B + h'_M.$$

Die durch O_2-Verbrauch bewirkte Partialdruckänderung h'_{O_2} kann aus x_{O_2}, das durch die Druckänderungen in Gefäß I und II gegeben ist, berechnet werden. Die in Gefäß IV am Ende des Versuches insgesamt vorhandene Menge CO_2 ist $(h'_{CO_2} + h'_B + h'_M) \cdot k_{CO_2}^{IV}$, wobei $(h'_B + h'_M) \cdot k_{CO_2}^{IV}$ gleich der am Anfang vorhandenen Hydrogencarbonatmenge ist, die in Gefäß III bestimmt wird. Die entstandene Menge Atmungs-CO_2 (x_{CO_2}) kann somit berechnet werden. Aus x_{O_2}, x_{CO_2} und x_S wird der respiratorische Quotient und das aerobe Glykolysevermögen ($x_M^{O_2}$) erhalten.

LASER und ROTHSCHILD haben auf diese Weise den respiratorischen Quotienten von Seeigeleiern bestimmt; auf die gleiche Art kann auch der Stoffwechsel von Gewebeschnitten gemessen werden.

---

[1] LASER, H., and Lord ROTHSCHILD: Proc. R. Soc. London (B) **126**, 539 (1939).

Ausführung:

Das „Gefäßpaar" besteht aus zwei verschieden großen Gefäßen. Gefäß I hat einen Inhalt von etwa 12 ml, Gefäß II von etwa 25 ml. Gefäße III und IV (und das Thermobarometergefäß) sind von mittlerer Größe (Inhalt etwa 18 ml). Sämtliche Gefäße haben einen Anhang mit Ventilstopfen.

Die Gefäße I—IV werden im Hauptraum mit der Hydrogencarbonat enthaltenden Versuchslösung und mit dem Versuchsmaterial beschickt. Das Flüssigkeitsvolumen beträgt in den Gefäßen I und II je 5 ml. In den Gefäßen III und IV wird weniger Versuchslösung eingemessen (je nach Hydrogencarbonatgehalt z.B. 1 ml oder 2 ml), damit die nach dem Freisetzen der gebundenen CO_2-Mengen auftretende Druckänderung noch in den Bereich der Manometerskala fällt. In den Anhang von Gefäß III und IV werden je 0,3 ml einer 2 n Säure pipettiert. Die mit ihren Manometern verbundenen Gefäße werden wie üblich im Thermostaten mit dem Gasgemisch (CO_2 in O_2) durchströmt.

Die Gefäße III und IV sollen genau gleiche Mengen Versuchsmaterial enthalten. Mit Geweben erreicht man das durch Auswiegen auf einer Torsionswaage oder auch, indem man in jedes Gefäß die gleiche Anzahl von untereinander möglichst gleichen Schnitten gibt.

Zur Zeit t_0 wird die Säure aus dem Anhang von Gefäß III in den Hauptraum gekippt. Nach Druckkonstanz wird der Druckanstieg h_B abgelesen; die in Gefäß III bei Versuchsbeginn vorhandene Hydrogencarbonatmenge ist $h_B \cdot k_{CO_2}^{III}$. Die in den Gefäßen I und II auftretenden Druckänderungen werden in zeitlichen Intervallen abgelesen; bei Versuchsende betrage die Druckänderung in Gefäß I h und in Gefäß II H. In Gefäß IV wird die Säure bei Versuchsende in den Hauptraum gekippt. Die von t_0 an gerechnete Druckänderung h' ist das Ergebnis von Gasaufnahme und -verbrauch durch den Stoffwechsel während der Zeit t_0 bis t' und von CO_2-Entwicklung aus der bei t' noch vorhandenen Hydrogencarbonatmenge.

Berechnung:

Aus den Druckänderungen h und H werden x_{O_2} nach Gl. (b), S. 194, und x_S nach Gl. (c), S. 194, berechnet. Das Gewebegewicht (Trockengewicht), für das x_{O_2} und x_S berechnet wurden, betrage m mg. In den Gefäßen III und IV befinde sich je n mg Gewebe. Die in Gefäß IV durch O_2-Verbrauch aufgetretene Partialdruckänderung ist dann:

$$h'_{O_2} = \frac{x_{O_2} \cdot n}{k_{CO_2}^{IV} \cdot m}.$$

Addiert man h'_{O_2} (mit umgekehrtem, also positivem Vorzeichen) zu h', so erhält man die durch die gesamte (freigewordene und gebundene) CO_2-Menge in Gefäß IV bewirkte Druckänderung. Es ist:

(a) $\qquad x_{CO_2}^{gesamt} = (h' + h'_{O_2}) \cdot k_{CO_2}^{IV}.$

Die mit dem Hydrogencarbonat eingeführte CO_2-Menge ist in den Gefäßen III und IV gleich groß. Sie ist nach der mit Gefäß III bei t_0 durchgeführten Messung:

(b) $\qquad x_B = h_B \cdot k_{CO_2}^{III}.$

Aus der Differenz Gl. (a)—(b) wird die in der Zeit von t_0 bis t' von n mg Gewebe gebildete Menge an Atmungs-CO_2 erhalten:

$$\boxed{x_{CO_2} = x_{CO_2}^{gesamt} - x_B}.$$

Aus x_{CO_2} und x_{O_2}, beide für n mg Gewebe berechnet, ergibt sich der respiratorische Quotient x_{CO_2}/x_{O_2}. Retinierende Lösungen erfordern die Berücksichtigung der CO_2-Retention.

Rechnet man x_S ebenfalls für n mg Gewebe aus, so ist die aerobe Glykolyse:

$$\boxed{x_M^{O_2} = x_S - x_{CO_2}}.$$

e) Bestimmung der Retention von Kohlensäure und von fixer Säure nach WARBURG, KUBOWITZ und CHRISTIAN[1].

Auf S. 163 wurden allgemeinere Hinweise zur Retention von CO_2 und von fixen Säuren in Versuchslösungen, die außer Hydrogencarbonat noch andere Puffersubstanzen enthalten, gegeben.

α) Bestimmung der Kohlensäureretention.

Die pro ml retinierender Lösung und pro mm Druckzunahme retinierte CO_2-Menge hängt von der Natur der retinierenden Lösung und von der Temperatur ab; sie ist unabhängig von dem Volumen des Gasraumes (v_G) und von dem Volumen der Lösung (v_F). Die CO_2-Retention wird bestimmt, indem man in einem Gefäß, getrennt von der retinierenden Lösung, eine bekannte Menge CO_2 entwickelt und die nach erfolgter Retention (Aufnahme von CO_2 aus dem Gasraum durch die Lösung) übriggebliebene CO_2-Menge mißt. (Über die Bestimmung der in Pufferlösungen ohne Hydrogencarbonatzusatz retinierten CO_2-Menge durch Freisetzen der am Ende des Versuchs vorhandenen gebundenen CO_2-Menge s. S. 180.)

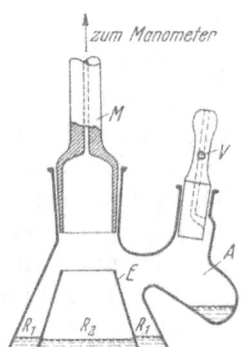

Abb. 48. Gefäß zur Bestimmung der CO_2-Retention nach WARBURG, KUBOWITZ und CHRISTIAN 1. *M* Manometerschliff; *V* Ventilstopfen; *A* Anhang; *E* großer Einsatz; R_1 Außenraum für Ringer-Hydrogencarbonatlösung; R_2 Innenraum für die retinierende Lösung.

Ausführung:

Es werden zwei Gefäße von der in Abb. 48 wiedergegebenen Form verwendet. Beide Gefäße erhalten in den Anhang (*A*) das gleiche, genau abgemessene Volumen einer Milchsäurelösung (z. B. je 0,10 ml einer etwa 0,05 m Milchsäure) und in den Außenraum (R_1) 2 ml Ringer-Hydrogencarbonatlösung (etwa 0,025 m an $NaHCO_3$). In den Innenraum (R_2) von Gefäß II gibt man 2 ml der retinierenden Lösung. Der Innenraum von Gefäß I, das zur Bestimmung des CO_2-Äquivalents der Milchsäurelösung dient, bleibt leer. Die Gefäße werden mit ihren Manometern verbunden, in den bei Versuchstemperatur befindlichen Thermostaten gebracht und mit dem gleichen, meistens 5% CO_2 enthaltenden Gasgemisch durchströmt, das im Stoffwechselversuch verwendet wird. Nach der Ausgleichsperiode wird die Milchsäure quantitativ in die Hydrogencarbonatlösung (in R_1) der beiden Gefäße gekippt. Es wird bis zur Druckkonstanz geschüttelt, die Manometer werden abgelesen, und die gemessenen Druckzunahmen werden für die vom Thermobarometer angezeigten Druckänderungen korrigiert.

In beiden Gefäßen wird aus der Hydrogencarbonatlösung die gleiche Menge CO_2 freigesetzt; in Gefäß II wird beim Schütteln von der retinierenden Lösung (in R_2) aber ein Teil davon aufgenommen, und nach Erreichen von Druckkonstanz ist die im Gasraum verbleibende CO_2-Menge in diesem Gefäß geringer als in Gefäß I.

Ist das Retentionsvermögen von Medium + stoffwechselaktivem Material zu messen, so wird die Beendigung der CO_2-Retention nicht durch Druckkonstanz angezeigt, und es ist die während der Retentionsphase durch den Stoffwechsel bewirkte Druckänderung zu berücksichtigen, etwa in der Weise, wie das bei der Bestimmung der Säureretention in Gegenwart von stoffwechselaktivem Material angeführt ist (S. 205). Manchmal ist vielleicht auch der Weg gangbar, die Retention mit hitzeinaktiviertem Material zu bestimmen. Es besteht dabei jedoch die Gefahr, daß sich das Pufferungsvermögen besonders von Eiweiß durch die Inaktivierung ändert.

Bei Messungen der Photosynthese in Kulturlösungen verwendet WARBURG[2] zur Bestimmung der CO_2-Retention hohe kästchenförmige Gefäße mit einem in zwei Kammern

---

[1] WARBURG, O., F. KUBOWTZ u. W. CHRISTIAN: B. Z. **242**, 170 (1931).
[2] WARBURG, O.: Z. Naturforsch. **9b**, 302 (1954). — WARBURG, O., u. G. KRIPPAHL: Z. Naturforsch. **13b**, 434 (1958).

geteilten Anhang. In den Hauptraum von jedem der beiden Gefäße werden 7 ml Lösung gegeben; die Anhänge enthalten in ihrer einen Kammer 0,20 ml 0,05 m $NaHCO_3$ und in ihrer anderen Kammer 0,2 ml 1 n H_2SO_4. Nach dem Durchströmen mit dem CO_2 enthaltenden Gasgemisch wird die Schwefelsäure (die hier im Überschuß vorhanden ist) mit der Hydrogencarbonatlösung im Anhang gemischt.

Zur Bestimmung der CO_2-Retention verwenden WARBURG und KRIPPAHL[1] neuerdings Gefäße mit „Wanne" (Abb. 28, S. 100). In den Hauptraum bringt man 3 ml Wasser bzw. 3 ml der retinierenden Lösung, in die Wanne 10 μMol $NaHCO_3$, gelöst in 0,4 ml Wasser, und in den mit der Wanne verbundenen Anhang etwa 20 mg $KHSO_4$ (das zur Vermeidung von Einkippdrucken nicht in Wasser gelöst ist). Den Gasraum füllt man mit dem CO_2 enthaltenden Gasgemisch, das auch im Versuch verwendet wird. Wird das (im Überschuß vorhandene) $KHSO_4$ in die Wanne gegeben, so wird aus dem Hydrogencarbonat in beiden Gefäßen die gleiche Menge CO_2 entwickelt, von der aber in dem Gefäß mit der retinierenden Lösung ein Teil chemisch gebunden wird.

Berechnung:

Die in Gefäß I freigesetzte CO_2-Menge ist $h_1 \cdot k_1$; die in Gefäß II nach erfolgter Retention noch frei vorhandene CO_2-Menge ist $h_2 \cdot k_2$ (wo h_1 und h_2 die Druckänderungen, k_1 und k_2 die Gefäßkonstanten für CO_2 von Gefäß I und II bedeuten; k_2 wird für Ringerlösung berechnet, also als ob die Lösung in R_2 nicht retinieren würde). Die Differenz: $h_1 \cdot k_1 - h_2 \cdot k_2$ ergibt die von 2 ml der zu prüfenden Lösung (in R_2) retinierte CO_2-Menge. Die Retention ist im üblichen Meßbereiche annähernd proportional dem CO_2-Druck, so daß dür die Retention (μl CO_2) pro mm Manometerflüssigkeit und pro ml retinierender Flüssigkeit erhalten wird:

(a) $$r_{CO_2} = \frac{h_1 \cdot k_1 - h_2 \cdot k_2}{h_2 \cdot v_F}.$$

Die im Hauptversuch (mit Gewebe oder anderem Material) in Gegenwart der retinierenden Flüssigkeit gebildete CO_2-Menge ist:

(b) $$x_{CO_2} = h(k_{CO_2} + v_F \cdot r_{CO_2}),$$

wo k_{CO_2} die für Ringerlösung berechnete Gefäßkonstante des Versuchsgefäßes bedeutet. Der in Klammern stehende Ausdruck ist die „Retentionskonstante für CO_2", die im Versuch mit der retinierenden Lösung zu verwenden ist; sie sei mit $k^r_{CO_2}$ bezeichnet. Nach der Bestimmung von r_{CO_2} kann $k^r_{CO_2}$ für ein beliebiges Gefäß und Flüssigkeitsvolumen berechnet werden. [In Gl. (a) und (b) bezieht sich v_F nur auf das Volumen der retinierenden Lösung.]

Versuchsbeispiel:

Bestimmung von r_{CO_2} für eine Suspension von Erythrocyten in Ringer-Hydrogencarbonatlösung bei 38° C (nach WARBURG, KUBOWITZ und CHRISTIAN[2]). Retentionsbestimmung zu dem auf S. 199 angeführten Versuchsbeispiel mit Erythrocyten.

	Gefäß I	Gefäß II
In R_1	2 ml $R.$-$NaHCO_3$	2 ml $R.$-$NaHCO_3$
In R_2	leer	2 ml Zellsuspension
Anhang	0,1 ml Milchsäure	0,1 ml Milchsäure
Gasraum	5 % CO_2 in Luft	5 % CO_2 in Luft
v_F	2,1 ml	4,1 ml
v_G	17,77 ml	15,56 ml
k_{CO_2} (RINGER)	$k_1 = 1,673$	$k_2 = 1,587$
Nach Einkippen der Milchsäure (in 10 min)	(h_1) $+ 61$ mm $= + 102$ μl	(h_2) $+ 54$ mm $= + 85,5$ μl

[1] WARBURG, O., u. G. KRIPPAHL: Z. Naturforsch. **14**b, 561 (1959).
[2] WARBURG, O., F. KUBOWITZ u. W. CHRISTIAN: B. Z. **242**, 170 (1931).

Retention in 2 ml der Erythrocytensuspension: $102 - 85{,}5 = 16{,}5\ \mu l\ CO_2$.

$$r_{CO_2} = \frac{16{,}5}{54 \cdot 2} = 0{,}154.$$

Werden im Hauptversuch 3 ml der Zellsuspension verwendet und beträgt k_{CO_2} (für Ringerlösung) des Versuchsgefäßes 1,232, so ist:

$$k^r_{CO_2} = 1{,}232 + 3 \cdot 0{,}154 = 1{,}694.$$

β) *Bestimmung der Säureretention.*

Der Einfluß, den die Retention von fixer Säure (bei Glykolyse in erster Linie also von Milchsäure) auf den manometrischen Ausschlag hat, hängt — außer von der Natur der Lösung (Pufferungsvermögen, p_H, Hydrogencarbonatgehalt) und von der Temperatur — auch von dem Volumen des Gasraumes und dem der Flüssigkeit ab (S. 164). Die Säureretention wird darum am besten unter den Bedingungen des eigentlichen Versuches bestimmt, d.h. in denselben Gefäßen und mit den gleichen Flüssigkeitsvolumina wie im eigentlichen Versuch. Man geht in der Regel so vor, daß man die Retentionsbestimmung mit der Stoffwechselmessung verbindet.

In einen Anhang der Gefäße gibt man vor Versuchsbeginn 0,10 ml einer etwa 0,025 m Weinsäurelösung, die bei 80° C eingetrocknet wird. Die Abmessung der Weinsäurelösung muß sehr genau erfolgen, mit einer völlig fettfreien Capillarpipette. Das CO_2-Äquivalent der verwendeten Weinsäuremenge wird in einem gesonderten Versuch mit 3 ml 0,025 m Hydrogencarbonatlösung bestimmt. Die Gefäße werden dann für die Stoffwechselmessung beschickt. Nach Abschluß der Stoffwechselmessung wird die in weiteren 10 min auftretende Druckänderung (y mm) gemessen und in unmittelbarem Anschluß daran die Weinsäure in den Hauptraum gespült. Die auftretende Druckänderung (z mm) wird nach 10 min langem Schütteln abgelesen. In einer Nachperiode von weiteren 10 min kontrolliert man, ob der Stoffwechsel mit der gleichen Geschwindigkeit verläuft wie unmittelbar vor dem Einkippen der Weinsäure.

Die Differenz ($z - y$) ergibt die durch den Zusatz der Weinsäure zu der retinierenden Lösung bewirkte Druckänderung. Ist diese Druckänderung h_M und die Menge der eingekippten Weinsäure (ausgedrückt in $\mu l\ CO_2$) a, so ist die „Retentionskonstante für fixe Säuren":

(c)
$$\boxed{k^r_M = \frac{a}{h_M}}.$$

In Versuchen mit retinierenden Lösungen tritt k^r_M an die Stelle von k_{CO_2} zur Berechnung des Säureäquivalents — z.B. zur Berechnung der gebildeten Milchsäuremenge — aus den durch die freigesetzte Menge Extrakohlensäure bewirkten Druckänderungen. k^r_M gilt nur für die Versuchsbedingungen (Natur der retinierenden Lösung, v_G, v_F, Temperatur), unter denen die Retentionsbestimmung erfolgte. Sie muß — ebenso wie $k^r_{CO_2}$ — für jede Serumprobe besonders bestimmt werden.

Durch das Eintrocknen der Weinsäurelösung wird eine Verdünnung der Hydrogencarbonatlösung vermieden. Letzteres hätte (S. 166) — da die Konzentration an freier Kohlensäure durch die Verdünnung nicht beeinflußt wird — eine Abnahme des Druckes zur Folge, weil Kohlensäure mit dem Eiweiß reagiert (NEGELEIN, zit. nach WARBURG[1]). Kippt man z.B. zu 3 ml Serum, das mit 5 Vol.-% CO_2 im Gleichgewicht steht, 0,3 ml physiologische Kochsalzlösung, so erhält man — bei $k_{CO_2} = 1$ — einen Manometerausschlag von etwa -12 mm. Nimmt man die Retentionsbestimmung mit Milchsäure vor, so hat man das Volumen der Milchsäurelösung im Verhältnis zu dem Volumen der retinierenden Lösung möglichst klein zu halten und die gemessene Druckänderung durch die in einem „Verdünnungsversuch" mit dem gleichen Volumen Kochsalzlösung beobachtete Druckänderung zu korrigieren. In einem Versuch von WARBURG[1] mit 1 ml Serum

---
[1] WARBURG, O.: B. Z. **164**, 481 (1925).

betrug — bei $v_F = 1{,}1$ ml und $v_G = 18{,}8$ ml — die Druckänderung nach dem Zukippen von 0,1 ml Milchsäurelösung $+13{,}1$ mm, im Verdünnungsversuch mit 0,1 ml Kochsalzlösung -3 mm. Die korrigierte, durch Milchsäure bewirkte Druckänderung war also $13{,}1 - (-3) = 16{,}1$ mm.

f) Messung des Glykolysevermögens unter anaeroben Bedingungen (nach WARBURG[1]).

Das Glykolysevermögen tierischer Gewebe unter anaeroben Bedingungen wird in der Weise bestimmt, daß man die aus einer Hydrogencarbonatlösung freigesetzte Menge „Extrakohlensäure" mißt. Aus der beobachteten Druckzunahme wird also „direkt" auf die gebildete Menge an „fixen Säuren" geschlossen. Das ist zulässig, wenn anaerob im Stoffwechsel durch Decarboxylierungsreaktionen keine Kohlensäure gebildet wird. Entsteht z.B. „Gärungs-CO_2", so ergeben sich aus der „direkten" Druckmessung zu hohe Werte für die Glykolyse. Eine manometrische Kontrolle der „direkten" Messung ist dadurch möglich, daß man die Abnahme an Hydrogencarbonat mißt.

Da die manometrische Methode keine Auskunft über die Natur der Säuren gibt, die aus Hydrogencarbonat CO_2 freisetzen, kann aus der gebildeten Menge Extra-CO_2 nicht ohne Vorbehalt auf die gebildete Menge Milchsäure geschlossen werden. Sehr häufig wird in Versuchen mit tierischen Geweben eine gute Übereinstimmung zwischen der manometrisch gemessenen und auf Milchsäure bezogenen Menge Extra-CO_2 und der chemisch bestimmten Milchsäuremenge festgestellt; treten Differenzen auf, so sind meistens die aus der manometrischen Messung berechneten Milchsäuremengen größer als die chemisch bestimmten (s. S. 154), als Zeichen dafür, daß in diesen Fällen neben Milchsäure noch andere fixe Säuren entstanden sind. Werden von dem Gewebe basische Substanzen gebildet (entsteht z.B. Ammoniak[2]), so wird weniger Extra-CO_2 freigesetzt, als der entstandenen Menge an fixen Säuren entspricht. Jedoch ist die Ammoniakbildung von allen untersuchten Geweben unter anaeroben Bedingungen und in Gegenwart von Glucose sehr klein[2]. Noch vereinzelte Beobachtungen weisen darauf hin, daß die manometrische Messung des Glykolysevermögens durch Carboxylierungsreaktionen (bzw. durch Bildung von „aktivem CO_2") beeinflußt werden kann, sofern dabei CO_2 aus dem Gasraum aufgenommen wird. FODOR, TOMASHEFSKY und FUNK[3] erhielten mit Tumorhomogenaten (und ähnlich mit Leberhomogenaten), denen Adenosinmonophosphorsäure zugesetzt wurde, nach chemischer Bestimmung um 10—60% höhere Milchsäuremengen, als aus den bei den manometrischen Messungen erhaltenen Mengen an Extra-CO_2 zu berechnen war. Ein Defizit an Extra-CO_2 wurde dann beobachtet, wenn die Ansätze mit ATP inkubiert wurden und die ATPase-Aktivität hoch war. CO_2 wird hier offenbar in der Reaktion: $ATP + CO_2 \rightarrow AMP\text{-}CO_2 + $ Pyrophosphat aufgenommen (siehe auch[4]). Über „Veresterungskorrekturen" s. S. 168.

Die Versuchsanordnung zur Messung der anaeroben Glykolyse ist einfach. Sie wird auch zur Messung einer Reihe von anderen Vorgängen, bei denen saure Äquivalente frei werden (S. 167), benutzt. Einige hierher gehörende Methoden werden später angeführt.

Ausführung und Berechnung:

Die üblichen Gefäße (die keinen Einsatz zu besitzen brauchen) werden mit 2 oder 3 ml Versuchslösung (z.B. Ringer-$NaHCO_3$) und dem Versuchsmaterial beschickt. Die Versuchslösung enthält etwa 0,025 Mole $NaHCO_3$ und in der Regel 2 g Glucose pro Liter. Die an die Manometer angeschlossenen Gefäße werden im Thermostaten mit einem aus 5% CO_2 in N_2 bestehenden Gasgemisch unter Schütteln etwa 5 min lang durchströmt.

---

[1] WARBURG, O.: B. Z. **142**, 317 (1923). — WARBURG, O., K. POSENER u. E. NEGELEIN: B. Z. **152**, 309 (1924). — WARBURG, O.: Über den Stoffwechsel der Tumoren. Berlin 1926.
[2] WARBURG, O., K. POSENER u. E. NEGELEIN: B. Z. **152**, 309 (1924).
[3] FODOR, P. J., P. TOMASHEFSKY and C. FUNK: Arch. Biochem. **71**, 403 (1957).
[4] BACHHAWAT, B. K., and M. J. COON: Am. Soc. **79**, 1505 (1957). J. biol. Ch. **231**, 625 (1958).

Das Gasgemisch wird — z.B. durch Überleiten über erhitztes Kupfer (S. 106) — von O_2 befreit. Die Manometerflüssigkeit wird im linken Capillararm auf ein möglichst tiefes Niveau gebracht. Die nach der Ausgleichsperiode und der ersten Ablesung der Manometer auftretenden Druckänderungen werden in zeitlichen Abständen von z.B. 10 min abgelesen.

Die (für das Thermobarometer korrigierte) Druckänderung h, multipliziert mit der Gefäßkonstanten für CO_2, ergibt die durch Glykolyse aus dem Hydrogencarbonat unter anaeroben Bedingungen freigesetzte CO_2-Menge:

$$\boxed{x_M^{N_2} = h \cdot k_{CO_2}}.$$

$Q_M^{N_2}$ wird nach Ermittlung des Gewebetrockengewichtes berechnet. Aus $x_M^{N_2} \cdot 0{,}004$ wird die gebildete Menge Milchsäure in mg erhalten, wenn die Freisetzung von Extra-CO_2 nur auf Milchsäurebildung beruht.

Häufig setzt man einen Parallelversuch mit Versuchslösung ohne Glucose an. Die hier auftretende Druckänderung zeigt die Säurebildung aus endogenen Substraten an. Aus der Differenz zu der Druckänderung in dem Versuch mit Glucose ergibt sich das Ausmaß des glykolytischen Abbaues der zugesetzten Glucose. Durch chemische Bestimmung des Glucoseschwundes kann die manometrische Messung überprüft werden.

Säureretention (vgl. NEGELEIN[1]). Erfolgt die Messung mit einer retinierenden Lösung, so muß die Milchsäuremenge berücksichtigt werden, die infolge von Abpufferung nicht mit dem Hydrogencarbonat reagiert hat. Dazu mißt man nach S. 205 die Druckänderung, die beim Zugeben einer bekannten, im Anhang des Gefäßes eingetrockneten Weinsäuremenge zu der retinierenden Lösung entsteht. Diese Messung, die unter den Bedingungen des Hauptversuches erfolgen muß (s. S. 164), kann unmittelbar nach Abschluß der Stoffwechselmessung mit dem Versuchsgefäß vorgenommen werden. Durch Beobachtung einer Vor- und Nachperiode von je 10 min korrigiert man die in 10 min nach Zukippen der Weinsäure auftretende Druckänderung für die in dieser Zeit durch den weiteren Ablauf der Glykolyse bewirkte Druckänderung. Das CO_2-Äquivalent der Weinsäuremenge wird in einem gesonderten Versuch durch Einkippen in eine Hydrogencarbonatlösung bestimmt. Nach S. 205 erhält man die „Retentionskonstante für Milchsäure" k_M^r. Die in dem Versuch mit der retinierenden Lösung gebildete Menge „Milchsäure", ausgedrückt in $\mu l\, CO_2$, ist:

$$\boxed{x_M^{N_2} = h \cdot k_M^r}.$$

Die Bedeutung der Schnittdicke auch bei der Messung der Glykolyse ist aus Versuchen von MINAMI[2] zu ersehen: Bei einer Tumorschnittdicke von z.B. 0,29 mm betrug Q_M 23,1, bei einer Schnittdicke von 0,79 mm nur 9,2.

Ohne O_2 im Gasraum vollständig auszuschließen, wird die anaerobe Glykolyse manchmal auch so gemessen, daß man die Zellatmung mit Blausäure (etwa 1 bis $2 \cdot 10^{-3}$ m Endkonzentration) vergiftet.

Beispiel:

Messung der anaeroben Glykolyse mit Gehirnhomogenat. Gewebehomogenate (und -extrakte) müssen wegen der bei ihrer Herstellung vorgenommenen Verdünnung durch Zusatz von glykolytisch aktiven Substanzen ergänzt werden, um eine nur durch die vorhandenen Enzyme begrenzte glykolytische Aktivität zu erzielen. Die hierzu erforderlichen Ergänzungen hängen von der Gewebeart, der Homogenatverdünnung und von noch anderen Bedingungen ab. Wir wählen als Beispiel für die Zusammensetzung eines Reaktionsgemisches die Messung der Glykolyse von Gehirnhomogenaten (Ratte) nach Untersuchungen von UTTER[3] über die Hemmung der Gehirnglykolyse durch Na^+.

---

[1] NEGELEIN, E.: B. Z. **158**, 121 (1925).
[2] MINAMI, S.: B. Z. **142**, 334 (1923).
[3] UTTER, M. F.: J. biol. Ch. **185**, 499 (1950).

Der Rauminhalt der Gefäße beträgt 7—9 ml. Das Volumen des Reaktionsgemisches ist 1—1,2 ml. Das Reaktionsgemisch im Hauptraum enthält (Endkonzentrationen): $1,4 \cdot 10^{-2}$ m Glucose, $1 \cdot 10^{-3}$ m ATP, $4 \cdot 10^{-3}$ m $MgCl_2$, 2,4 bis $4,8 \cdot 10^{-2}$ m $KHCO_3$, $4,7 \cdot 10^{-4}$ m Glutathion (GSH), $5 \cdot 10^{-4}$ m DPN, $1,3 \cdot 10^{-3}$ m Nicotinsäureamid (zur Hemmung von DPNase); eventuell wird noch $2,5 \cdot 10^{-3}$ m Hexosediphosphat zugesetzt. In den Anhang kommen: 0,05 ml 0,08 m $KHCO_3$, 0,05 ml 0,08 m Ammoniumphosphatpuffer (p_H 7,4) und 0,15 ml Homogenat (1:10 in $1,6 \cdot 10^{-4}$ m Ammoniumphosphatpuffer). Das Homogenat muß sich im Anhang zusammen mit dem Puffer befinden, da sonst während der Ausgleichsperiode (7—9 min bei 38° C) eine Inaktivierung stattfindet. Gas: N_2/CO_2. — Die in den ersten 15 min nach dem Kippen entwickelte CO_2-Menge ist nicht immer sicher auf die gebildete Milchsäuremenge zu beziehen, da in dieser Periode die CO_2-Entwicklung durch hydrolytische Spaltung von ATP und andere Seitenreaktionen (s. S. 169) beeinflußt wird. Die in der Zeit zwischen 15 und 60 min entwickelte CO_2-Menge wird als Maß der glykolytischen Aktivität gewertet.

g) Messung der Glykolyse unter aeroben Bedingungen durch Bestimmung der Hydrogencarbonatabnahme nach NEGELEIN[1].

Mit atmendem und glykolysierendem Versuchsmaterial in Hydrogencarbonatlösung beruht die unter aeroben Bedingungen auftretende Druckänderung auf dem Verbrauch von O_2, auf der Bildung von Atmungs-CO_2 und auf der Bildung von Extra-CO_2 durch Glykolyse. Die beobachtete Druckänderung vermag also keinen Aufschluß über das Glykolysevermögen zu geben, es sei denn, daß man den respiratorischen Quotienten des Gewebes kennt und den O_2-Verbrauch in einem getrennten Versuch bestimmt. Die durch Glykolyse gebildete Menge an Extra-CO_2 wird für sich erfaßt, wenn man die Abnahme des Hydrogencarbonatgehaltes der Versuchslösung mißt. Dazu wird der Hydrogencarbonatgehalt in parallelen Ansätzen zu Beginn und am Ende des Versuches durch Zukippen eines Überschusses von Säure bestimmt.

Ausführung:

Die Messungen erfolgen mit drei Versuchsgefäßen und einem Thermobarometergefäß. Die Gefäße haben ein Volumen von etwa 20 ml und besitzen zur Aufnahme der Säure einen Anhang. Als Versuchslösung dient eine Ringerlösung mit etwa $2 \cdot 10^{-2}$ Mol $NaHCO_3$ pro Liter. (Bei der Zersetzung von 1 ml dieser Lösung werden rund 450 μl CO_2 frei. Das entspricht — bei k_{CO_2} von z.B. 1,8 — einer Druckzunahme von 250 mm BRODIE-Lösung.) Die Lösung wird vor dem Versuch mit dem Gasgemisch (5% CO_2 in N_2) durchströmt.

Das Thermobarometergefäß erhält in den Hauptraum 1 ml Versuchslösung. Die Gefäße I, II und III werden im Hauptraum mit (genau) 1,0 ml Versuchslösung und im Anhang mit 0,2 ml einer 4%igen Citronensäurelösung beschickt. In die Versuchslösung der Gefäße II und III wird das Gewebe gebracht, dessen Glykolyse untersucht werden soll.

Die Gefäße werden mit ihren Manometern verbunden, in den Thermostaten gegeben und mit dem Gasgemisch durchströmt. Da nach dem Zukippen der Säure größere Druckänderungen auftreten, wird die Manometerflüssigkeit im linken Schenkel möglichst tief eingestellt. Nach etwa 10 min langem Schütteln ist der Temperaturausgleich erreicht. Die Manometer I und II werden abgelesen (Zeit: t_0); die Säure wird dann sofort in den Hauptraum der mit diesen Manometern verbundenen Gefäße gekippt. Der durch die freigesetzten CO_2-Mengen (x_{BI} und x_{BII}) bewirkte Druckanstieg wird nach 10—15 min langem Schütteln abgelesen. Gefäß III wird bis zum Versuchsende (z.B. $t' = 30$ min, von t_0 an gerechnet) geschüttelt. Das mit diesem Gefäß verbundene Manometer wird abgelesen, und die Citronensäure wird in den Hauptraum gekippt. Der nach dem Zukippen der Säure erfolgende Druckanstieg, aus dem x_{BIII} erhalten wird, wird nach Schütteln bis zur Druckkonstanz gemessen.

---
[1] NEGELEIN. E.: B. Z. **158**, 121 (1925).

Nach der Ablesung der Manometer II und III werden die Schnitte aus den Gefäßen genommen, kurz in destilliertem Wasser abgespült und bei 105° getrocknet (falls man nicht das Anfangstrockengewicht als Bezugsbasis wählt). Leberschnitte zerfallen leicht in dem angesäuerten Milieu; sie sollen deshalb möglichst sofort aus den Gefäßen herausgenommen werden[1].

Berechnung:

Die gemessenen (für das Thermobarometer korrigierten) Drucke, multipliziert mit den zugehörigen Gefäßkonstanten für CO_2, ergeben die in den Gefäßen I, II und III aus dem vorhandenen Hydrogencarbonat durch Zukippen der Säure freigesetzten CO_2-Mengen. Die Rechnung wird hier in der Annahme ausgeführt, daß die Mengen Versuchsmaterial in den Gefäßen nicht gleich sind. Das Gewebetrockengewicht betrage in Gefäß II m_2 mg, in Gefäß III m_3 mg. Es ist, ausgedrückt in μl CO_2:

x_{BI} = Hydrogencarbonatmenge in 1 ml Versuchslösung;

x_{BII} = Hydrogencarbonatmenge zur Zeit t_0 in 1 ml Versuchslösung + m_2 mg Gewebe;

x_{BIII} = Hydrogencarbonatmenge zur Zeit t' in 1 ml Versuchslösung + m_3 mg Gewebe.

Zu berücksichtigen ist, daß vom Einbringen der Schnitte in die Versuchslösung bis zu der bei t_0 vorgenommenen Ablesung bereits durch Glykolyse in den Gefäßen II und III aus dem Hydrogencarbonat der Versuchslösung CO_2 freigesetzt wurde; andererseits enthalten die Gewebeschnitte gebundenes CO_2. Die von m_2 mg Gewebe (in Gefäß II) während der Ausgleichsperiode zersetzte Hydrogencarbonatmenge, plus der in m_2 mg Gewebe enthaltenen gebundenen CO_2-Menge, ist $x_{BI} - x_{BII}$; umgerechnet auf das Gewebegewicht m_3 (in Gefäß III) sind diese Mengen $x_{BI} - x_{BII} \cdot m_3/m_2$. Die in Gefäß III bei Meßbeginn (t_0) insgesamt vorhandene Menge an gebundenem CO_2 ist dann:

$$x_{B^0_{III}} = x_{BI} - (x_{BI} - x_{BII}) \cdot \frac{m_3}{m_2}.$$

Die Differenz zwischen der zur Zeit t_0 in Gefäß III vorhandenen Hydrogencarbonatmenge ($x_{B^0_{III}}$) und der nach Ablauf der Versuchszeit (t' min) in Gefäß III gemessenen Hydrogencarbonatmenge (x_{BIII}) ergibt die von m_3 mg Gewebe in der Versuchszeit gebildete Menge an Extrakohlensäure, die der gebildeten Menge an Milchsäure (bzw. an fixen Säuren) äquivalent ist:

$$\boxed{x_M^{O_2} = x_{B^0_{III}} - x_{BIII}}.$$

Findet unter den aeroben Bedingungen eine Oxydation von organischen Säuren (Milchsäure, Brenztraubensäure u.a.) statt, so wird dadurch der Hydrogencarbonatgehalt der Lösung vermehrt (s. S. 167), und die Messung der aeroben Glykolyse an der Veränderung des Hydrogencarbonatgehaltes wird dementsprechend unsicher.

Will man nach dieser Methode die aerobe Glykolyse in Serum messen, so ist zu berücksichtigen, daß eine Retention sowohl von fixer Säure als auch von Atmungskohlensäure stattfindet. Die Retention von Atmungs-CO_2 vermehrt den Gehalt der Lösung an gebundenem CO_2; um diesen Betrag ist x_{BIII} dann zu groß. Um hier eine Korrektur durch Bestimmung der CO_2-Retention einführen zu können, müßte die allein durch Bildung von Atmungs-CO_2 bewirkte Druckänderung bekannt sein.

h) Messung des respiratorischen Quotienten und der aeroben Glykolyse nach DICKENS und ŠIMER[2].

DICKENS und ŠIMER haben zwei Methoden zur Bestimmung des respiratorischen Quotienten angegeben. Die „Phosphatmethode" gestattet die fortlaufende Messung des O_2-Verbrauches und die Messung der bis zum Versuchsende gebildeten Kohlensäuremenge.

---

[1] FRUNDER, H.: H. 297, 267 (1954).
[2] DICKENS, F., u. F. ŠIMER: Handb. biol. Arb.-Meth. Abt. IV, Teil 13, S. 435 (1933). — DICKENS, F.; in: Bamann-Myrbäck Bd. III, S. 2425.

Sie erfordert ein Medium ohne HCO_3^--CO_2-Puffer. Die „Hydrogencarbonatmethode" erlaubt die Messung des respiratorischen Quotienten und der aeroben Glykolyse in einem HCO_3^--CO_2-Puffersystem. Sie ermöglicht keine Messungen in zeitlichen Intervallen, sondern liefert nur die Meßwerte für den am Versuchsende durch Atmung und Glykolyse bewirkten Zustand.

α) „Phosphatmethode" von DICKENS und ŠIMER[1].

Der O_2-Verbrauch wird in Gefäß I bei gleichzeitiger Absorption der entwickelten CO_2-Menge durch Barytlauge direkt gemessen. Am Ende der Versuchszeit wird die gesamte CO_2-Menge, die in der Versuchslösung, in dem Gewebe und in der Absorptionslösung vorhanden ist, durch Säure freigesetzt. In Gefäß II, das mit dem gleichen Inhalt wie Gefäß I beschickt ist, wird die (präformierte) CO_2-Menge am Anfang des Versuches freigesetzt. Die Differenz ergibt die in der Versuchszeit gebildete Menge an Atmungs-CO_2.

In ähnlicher Weise haben bereits MEYERHOF und SCHMITT[2] den respiratorischen Quotienten von Nerven bestimmt.

Ausführung:

Es werden Gefäße von besonderer Form verwendet (Abb. 49). Die Gefäße besitzen einen ringförmigen Trog B, der zum Einfüllen von Absorptionslösung mit einem Tubus versehen ist, und einen Anhang A, aus dem Salzsäure in Trog und Hauptraum C gekippt werden kann. Der Tubus besitzt einen Massivstopfen, der Anhang zweckmäßigerweise einen Ventilstopfen. Das Gefäßvolumen beträgt etwa 20 ml. Die Gefäße müssen so angefertigt sein, daß beim Schütteln keine Lösung überspritzen kann.

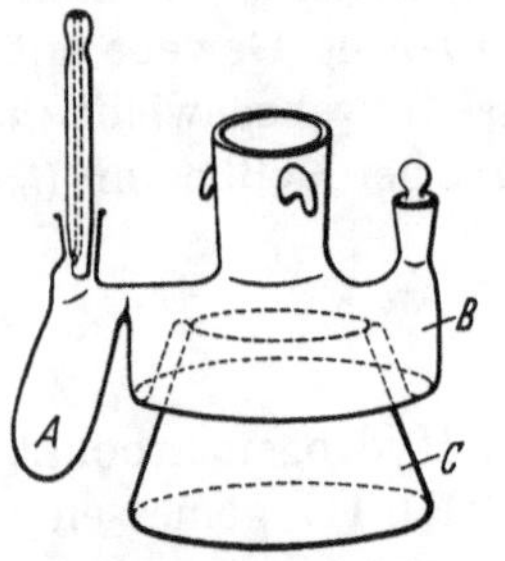

Die zur Verwendung kommenden Lösungen werden in der Weise hergestellt, daß sie nur geringe Mengen an präformierten Carbonaten enthalten.

Abb. 49. Gefäß zur Bestimmung des respiratorischen Quotienten nach der „Phosphatmethode" von DICKENS und ŠIMER[1].

Die Versuchslösung ist eine mit Phosphat gepufferte Salzlösung (z.B. Ringerlösung + Phosphat). Die Salzlösung wird vor dem Zusatz des Phosphats 10—15 min lang ausgekocht und dann unter Durchleiten von CO_2-freiem O_2 vollkommen abgekühlt; mit ausgekochtem destilliertem Wasser wird sie wieder auf das ursprüngliche Volumen gebracht. Der isotone Phosphatpuffer, p_H 7,4, enthält 2,43 g NaH_2PO_4 und 12,68 g Na_2HPO_4 in 1 l; er wird mit ausgekochtem Wasser hergestellt und in einer mit einem Natronkalkrohr verschlossenen Vorratsbürette aufgehoben. Zu 100 ml Salzlösung werden 10 ml des Phosphatpuffers gegeben. Stark glykolysierende Gewebe erfordern eine stärkere Pufferung der Versuchslösung. Wegen der Übersättigung mit Calciumphosphat ist es wichtig, daß die Salzlösung vor dem Phosphatzusatz vollständig abgekühlt ist. Sind die Gefäße vollkommen sauber, so bleibt die Lösung im allgemeinen mehrere Stunden klar. Die Versuchslösung wird mit CO_2-freiem O_2 gesättigt. Wenn Glucose zugegen sein soll, so setzt man zu 100 ml der Phosphat-Salzlösung 2 ml einer 10%igen, vorher im kochenden Wasserbade 5 min lang erhitzten Glucoselösung hinzu. Die Versuchslösung wird mit einer Pipette, deren untere Marke (2,0 ml) sich über dem Auslauf befindet, oder aus einer mit Natronkalkröhrchen versehenen Bürette in die Gefäße eingefüllt.

Die Barytlösung wird hergestellt, indem man 60 g Bariumhydroxyd (krist., p.a.) und 5 g Bariumchlorid in 1 l heißem Wasser löst. Die Lösung wird filtriert und in einer mit eingefettetem Glasstopfen verschlossenen Flasche aufgehoben. Sie wird aus einer 10 ml fassenden Bürette in die Versuchsgefäße gegeben. Zur Füllung der Bürette verbindet man deren Spitze durch ein Stück Gummischlauch mit einem geraden Glasrohr, das in

---

[1] DICKENS, F., and F. ŠIMER: Biochem. J. **24**, 905 (1930).
[2] MEYERHOF, O., u. F. O. SCHMITT: B. Z. **208**, 445 (1929).

die Lösung taucht; durch Ansaugen am oberen Ende der Bürette zieht man die Barytlösung hoch. Die Bürette wird durch ein Natronkalkrohr verschlossen. Die Bürettenspitze taucht in 0,05 n HCl; vor dem Gebrauch wird die Spitze mit einem Stückchen Filtrierpapier abgewischt. Beim Füllen der Bürette ist darauf zu achten, daß ein Niederschlag von Bariumcarbonat in der Barytlösung nicht aufgewirbelt wird.

Die Gewebeschnitte werden während 5 min in etwa 20 ml der Versuchslösung gelegt, die sich in einem Glaszylinder befindet und durch die ein ziemlich lebhafter Strom von CO_2-freiem O_2 geleitet wird. Den Sauerstoff läßt man vor dem Eintritt in die Versuchslösung ein mit Natronkalk gefülltes, genügend langes Rohr passieren. Diese Vorbehandlung dient dazu, einen möglichst gleichmäßigen Gehalt an präformiertem, gebundenem CO_2 in den Schnitten zu erhalten.

Wenn eben möglich, gibt man in jedes der Gefäße gleiche Gewichtsmengen Gewebe. Dazu wiegt man eine passende Anzahl von Schnitten auf der Torsionswaage (auf etwa 5 mg genau), nachdem man die Schnitte durch vorsichtiges Abtupfen mit Filtrierpapier von adhärierender Flüssigkeit befreit hat. Verwendet man für die beiden Gefäße ungleiche Gewebemengen, so ist für den Versuch ein drittes Gefäß erforderlich, das nur mit den Lösungen beschickt wird. Die Gewebemenge pro Gefäß wählt man so, daß in 2—3 Std etwa 300 μl O_2 verbraucht werden.

In den Anhang der Gefäße gibt man 0,3 ml 2,5 n HCl. Möglichst schnell hintereinander beschickt man den Hauptraum der Gefäße mit 2 ml der Versuchslösung und mit den vorbehandelten Schnitten. Das Gefäß des Thermobarometers erhält nur einige ml Versuchslösung. Die Gefäße werden sofort an die Manometer angeschlossen und mit CO_2-freiem O_2 durchströmt. Die Durchgasung, die ziemlich kräftig sein soll, erfolgt außerhalb des Thermostaten. Während des Durchströmens bürettiert man in den ringförmigen Trog 0,5 ml der Bariumhydroxydlösung. Die Durchströmung wird eine weitere Minute fortgesetzt. Dann wird der O_2-Strom abgestellt, die Gefäße werden mit ihren Stopfen, die Manometer durch Drehen ihrer Hähne geschlossen, und die Verbindung der Manometer mit dem Gasverteilungsrohr wird gelöst. Die beiden Manometer von Gefäß I und II werden gleichzeitig am Thermostaten befestigt; der Einfluß der Temperatur auf die Gewebeatmung soll während der Ausgleichsperiode gleich groß sein. Beim Einbringen der Gefäße in den (meistens auf 38° einregulierten) Thermostaten öffnet man kurz die Manometerhähne, um den entstehenden Überdruck auszugleichen. Diese Manipulation führt man so aus, daß der Meniscus der Sperrflüssigkeit im offenen Arm des Manometers von Gefäß I am oberen Ende der Skala, im offenen Arm des Manometers von Gefäß II etwa auf der Höhe der Eichmarke steht. Es wird mit 100 Schwingungen pro min und einer Exkursion von etwa 5 cm geschüttelt.

Unmittelbar nach dem Temperaturausgleich (der nicht länger als 10 min dauern soll) wird die erste Ablesung der Manometer vorgenommen (Zeit: t_0). In Gefäß II wird dann sofort die Säure mit der $Ba(OH)_2$-Lösung im Trog und mit der Versuchslösung + Gewebe im Hauptraum durch Hin- und Herkippen gemischt. Nach weiterem Schütteln und nachdem Druckkonstanz erreicht ist (nach 10—15 min), wird die durch die freigesetzte präformierte CO_2-Menge bewirkte Druckänderung h'_{CO_2} (korrigiert für die Thermobarometerablesung) abgelesen.

An dem mit Gefäß I verbundenen Manometer werden die durch den O_2-Verbrauch hervorgerufenen Druckänderungen in bestimmten Zeitintervallen abgelesen, um den zeitlichen Verlauf der Atmung zu kontrollieren. Unmittelbar nach der letzten Ablesung (Zeit: t', von t_0 an gerechnet), aus der h_{O_2} erhalten wird, wird der Inhalt von Gefäß I durch Hin- und Herkippen gemischt und der Druckanstieg $h^0_{CO_2}$, der durch die Freisetzung der am Ende des Versuchs vorhandenen gebundenen CO_2-Menge bewirkt wird, nach dem Erreichen von Druckkonstanz gemessen.

Nach Beendigung des Versuches werden die Gewebeschnitte kurz in destilliertem Wasser abgespült, bei 100° C getrocknet und gewogen.

Berechnung:

Die Menge des in der Zeit von t_0 bis t' verbrauchten Sauerstoffs (Gefäß I) ist:

(a) $$\boxed{x_{O_2} = h_{O_2} \cdot k_{O_2}}.$$

Die nach dem Zusatz von Säure am Ende des Versuchs in Gefäß I entwickelte CO_2-Menge ist:

(b) $$x^0_{CO_2} = h^0_{CO_2} \cdot k_{CO_2},$$

und entsprechend die in Gefäß II bei Versuchsbeginn freigesetzte CO_2-Menge:

(c) $$x'_{CO_2} = h'_{CO_2} \cdot k'_{CO_2}.$$

Aus der Differenz Gl. (b)—(c) wird die in der Versuchszeit gebildete Menge Atmungskohlensäure erhalten:

(d) $$\boxed{x_{CO_2} = x^0_{CO_2} - x'_{CO_2}}.$$

Der respiratorische Quotient ist:

(e) $$\boxed{RQ = \frac{x_{CO_2}}{x_{O_2}}}.$$

Die Löslichkeit von CO_2 ist in der sauren Lösung, die beim Mischen der Versuchslösung mit den Lösungen von HCl und $Ba(OH)_2$ entsteht, deutlich geringer als in Wasser oder Ringerlösung. Nach DICKENS und ŠIMER[1] beträgt α_{CO_2} im vorliegenden Falle bei 38° C 0,517. Dieser Wert von α ist bei der Berechnung der Gefäßkonstanten für CO_2 einzusetzen.

Korrektur für ungleiche Gewebegewichte. Da O_2-Verbrauch und CO_2-Bildung in Gefäß I von ein und derselben Gewebemenge bestimmt werden, sind ungleiche Gewebemengen in Gefäß I und II nur insofern von Bedeutung, als die in den Schnitten präformiert vorhandene gebundene CO_2-Menge in den beiden Gefäßen nicht gleich ist. Die präformierte CO_2-Menge in den Schnitten beträgt im allgemeinen nur einen geringen Teil von der mit Gefäß I bestimmten Gesamtmenge an CO_2, so daß bei nur wenig voneinander abweichenden Gewebegewichten eine diesbezügliche Korrektur meistens unterbleiben kann. Sind die Gewebegewichte in Gefäß I und II sehr verschieden, so ist mit Hilfe eines dritten Gefäßes, in dem die nur in den Lösungen vorhandene gebundene CO_2-Menge durch Zukippen von HCl bestimmt wird, eine Korrektur für ungleiche Gewebegewichte vorzunehmen.

Die Gewebemenge (Trockengewicht) betrage in Gefäß I m_1 mg, in Gefäß II m_2 mg. Zieht man die mit Gefäß III bestimmte CO_2-Menge, die allein in den Lösungen vorhanden ist, von der mit Gefäß II gemessenen CO_2-Menge (x'_{CO_2}) ab, so erhält man die in m_2 mg Gewebe präformiert vorhandene CO_2-Menge. Multiplizieren dieses Wertes mit m_1/m_2 ergibt die in m_1 mg Gewebe des ersten Gefäßes präformiert vorhandene CO_2-Menge. Addition dieser CO_2-Menge (präformiert in m_1 mg Gewebe) zu der in Gefäß III bestimmten ergibt die in Gewebe + Lösungen von Gefäß I vorhandene präformierte CO_2-Menge. Dieser korrigierte Wert ist an Stelle von x'_{CO_2} in Gl. (d) zur Berechnung von x_{CO_2} einzusetzen (s. Versuchsbeispiel).

Anmerkungen:

Für die Genauigkeit der Messungen ist es wichtig, daß der Gehalt an präformiertem CO_2 in den Lösungen möglichst niedrig und außerdem in den auf verschiedene Gefäße verteilten Schnitten möglichst gleich groß gehalten wird. Der (in einem Kontrollversuch eventuell zu bestimmende)

---
[1] DICKENS, F., and F. ŠIMER: Biochem. J. **24**, 1301 (1930).

CO_2-Gehalt von 0,5 ml der Bariumhydroxydlösung soll 6 μl nicht übersteigen; der Gehalt an gebundenem CO_2 von 2 ml der Ringer-Phosphatlösung beträgt in der Regel etwa ebenso viel. Der Gehalt an präformiertem CO_2 in den Lösungen ist leichter konstant zu erhalten als der in den Schnitten. Die als präformiert bestimmte CO_2-Menge schließt die Menge an Atmungskohlensäure ein, die von dem Gewebe in der Vorperiode (bis zur Ablesung bei t_0) gebildet und von der Versuchslösung gebunden wurde. Deshalb sollen die Gefäße I und II möglichst gleichzeitig mit Gewebe beschickt und in den Thermostaten gebracht werden; außerdem soll das Einkippen der Salzsäure in Gefäß II genau bei t_0 erfolgen. Wählt man die Gewebemengen und die Versuchsdauer so, daß nahezu die ganze Länge der Manometercapillare von Gefäß I zur Messung der Druckänderungen ausgenutzt wird, so sind kleine Variationen im Gehalt der Versuchslösungen und der Gewebeschnitte an präformiertem CO_2 von geringer Bedeutung. Bei richtiger Versuchstechnik wird die Atmungskohlensäure in Doppelversuchen mit einer Abweichung von weniger als 2%, entsprechend einer Differenz zwischen den RQ-Werten von weniger als 0,02, gemessen.

Versuchsbeispiel:

Bestimmung des respiratorischen Quotienten von Gehirnrindenschnitten der Ratte (nach DICKENS und ŠIMER). Versuchslösung: Ringer-Phosphatlösung mit 0,2% Glucose. Temperatur: 38° C. Im Gasraum: O_2. Versuchsdauer: 3 Std. Druckänderungen (Δp in mm BRODIE-Lösung) korrigiert für den Ausschlag des Thermobarometers.

	Gefäß I $k_{O_2}=1,54$ $k_{CO_2}=1,678$	Gefäß II $k'_{CO_2}=1,832$	Gefäß III $k''_{CO_2}=1,774$
Ringer-Phosphat	2,0 ml	2,0 ml	2,0 ml
Ba(OH)$_2$-Lösung	0,5 ml	0,5 ml	0,5 ml
Salzsäure	0,3 ml	0,3 ml	0,3 ml
Schnitte (Trockengewicht)	8,01 mg	11,79 mg	—
	Δp in 30 min-Intervallen: $-36,5$ $-34,0$ $-36,5$ $-34,0$ $-33,5$ $-35,0$ $h_{O_2} = -209,5$ $x_{O_2} = -323,0$ Δp nach Kippen bei $t' = 180$ min: $+206,5$ $x^0_{CO_2} = +346,5$	Δp nach Kippen zur Zeit t_0: $+14,5$ $h'_{CO_2} = +14,5$ $x'_{CO_2} = +26,6$	Δp nach Kippen: $+6,0$ $h''_{CO_2} = +6,0$ $x''_{CO_2} = +10,6$

μl CO_2 präformiert in 8,01 mg Gewebe $= \dfrac{(26,6 - 10,6) \cdot 8,01}{11,79} = +10,9$.

μl CO_2 präformiert in 8,01 mg Gewebe + Lösungen $= 10,9 + 10,6 = +21,5$.

x_{CO_2} pro 8,01 mg Gewebe und 180 min $= 346,5 - 21,5 = +325$.

x_{O_2} pro 8,01 mg Gewebe und 180 min $= -323$.

$$RQ = \frac{325}{-323} = -1,01.$$

$$Q_{O_2} = \frac{-323 \cdot 60}{8,01 \cdot 180} = -13,4.$$

$$Q_{CO_2} = \frac{325 \cdot 60}{8,01 \cdot 180} = +13,5.$$

β) „Hydrogencarbonatmethode" von DICKENS und ŠIMER[1] *zur Bestimmung des respiratorischen Quotienten und der aeroben Glykolyse.*

Durch die Verwendung von Hydrogencarbonat enthaltenden Salzlösungen oder von Serum bietet die Methode bessere Milieubedingungen für tierische Gewebe als die „Phos-

---
[1] DICKENS, F., and F. ŠIMER: Biochem. J. **25**, 973 (1931).

phatmethode"; sie gestattet außerdem die Bestimmung sowohl des respiratorischen Quotienten als auch der aeroben Glykolyse.

Für einen Versuch sind drei Reaktionsgefäße und ein Thermobarometergefäß erforderlich. Die im Stoffwechselversuch mit Gefäß I durchzuführenden Messungen sind: 1. die Druckänderung in der Versuchszeit (sie ist die algebraische Summe der durch O_2-Verbrauch sowie Bildung von Atmungs-CO_2 und Extra-CO_2 bewirkten Partialdruckänderungen), 2. die durch Freisetzung der am Ende der Versuchszeit vorhandenen Menge an gebundenem CO_2 bewirkte Druckänderung und 3. die durch Absorption der jetzt insgesamt vorhandenen CO_2-Mengen auftretende Druckänderung. Gefäß II dient zur Bestimmung der am Anfang des Versuches (zur Zeit t_0) im Gasraum und in der Versuchslösung + Gewebe vorhandenen CO_2-Menge. Gefäß III wird zur Messung der allein im Gasraum vorhandenen Menge CO_2 verwendet. Der O_2-Verbrauch wird als Differenzwert erhalten.

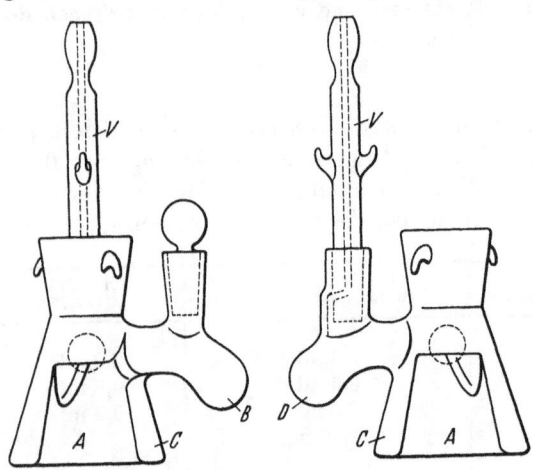

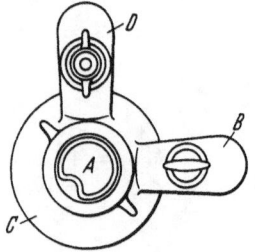

Abb. 50. Gefäßform I für die Bestimmung von RQ nach der „Hydrogencarbonatmethode" von DICKENS und ŠIMER[1]. Oben: Längsschnitt; unten: Aufsicht.

Die CO_2-Absorption erfolgt, indem man Kaliumpermanganat und Natriumjodid zu gegebener Zeit in den Gefäßen zusammenfügt und dadurch eine stark alkalisch reagierende Lösung erzeugt (S. 275).

Ausführung:

Die Gefäße (Abb. 50) haben einen Inhalt von etwa 20 ml. Sie besitzen einen großen konischen „Innenraum" A, der mit einem mit Massivstopfen versehenen Anhang B in Verbindung steht. Der „Außenraum" C steht mit einem zweiten, mit Ventilstopfen V versehenen Anhang D in Verbindung. Eine andere Gefäßform (Abb. 51), bei der an die Stelle von Anhang B ein Einsatz E in dem Innenraum tritt, kann ebenfalls verwendet werden.

Da größere Druckänderungen auftreten, wird als Manometerflüssigkeit (auch für das Thermobarometer) CLERICI-Lösung verwendet (S. 102). Der Lösung wird 0,1% Natriumcholat zugesetzt. Das spez. Gew. der fertigen, filtrierten Lösung wird mit dem Pyknometer genau bestimmt. Hat die Versuchslösung einen niedrigeren Hydrogencarbonatgehalt als z. B. Serum, kann auch Bleiperchloratlösung (S. 102) als Manometerflüssigkeit verwendet werden. Beim Gebrauch dieser schweren Lösungen ist darauf zu achten, daß keine zufällige Verdünnung der Manometerflüssigkeit durch Wassertröpfchen stattfindet.

Die Schliffverbindungen, Manometerhähne und Gefäßstopfen sind besonders gut abzudichten.

Zur Absorption von CO_2 werden Lösungen von Kaliumpermanganat und von Natriumjodid getrennt hergestellt. Die Kaliumpermanganatlösung enthält in 1 l einer 0,002 n Schwefelsäure 0,2 Mol $KMnO_4$. Die 30%ige Lösung von Natriumjodid wird kurz vor dem Versuch mit Schwefelsäure angesäuert, so daß die Endkonzentration an H_2SO_4 0,002 n ist.

Als Versuchslösungen werden Salzlösungen (mit Hydrogencarbonat) oder Serum verwendet. Als Salzlösung kann z. B. Ringer-Hydrogencarbonatlösung oder die von KREBS angegebene Salzlösung (S. 151) dienen. Den Lösungen wird 0,2% Glucose zugesetzt. Der Glucosegehalt des Serums wird ebenfalls auf eine Endkonzentration von 0,2% gebracht. Zu beachten ist auch der Milchsäuregehalt des Serums, der den respiratorischen

---
[1] DICKENS, F., and F. ŠIMER: Biochem. J. **25**, 973 (1931).

Quotienten von manchen Geweben beeinflussen kann (S. 149). Die Abmessung der Versuchslösung in die Gefäße muß sehr genau erfolgen.

Das pro Gefäß zu verwendende Gewebegewicht richtet sich nach der Größe der Gewebeatmung. Für eine genaue Bestimmung des respiratorischen Quotienten soll der O_2-Verbrauch insgesamt etwa 300 μl betragen; andererseits soll die pro Std aufgenommene O_2-Menge 100 μl nicht wesentlich übersteigen, damit keine Fehler durch die langsame Diffusion von O_2 auftreten. Diese Bedingungen erfordern mehrstündige Versuchszeiten. Aerob stark glykolysierende Gewebe (vor allem Tumorgewebe) bewirken in so langen Versuchszeiten eine beträchtliche Abnahme des Hydrogencarbonatgehaltes der Versuchslösung. Unter diesen Umständen werden für die aerobe Glykolyse zu niedrige Werte erhalten, und sie wird dann besser für sich bei kürzeren Versuchszeiten bestimmt. Die Gewichte der auf die Gefäße I und II zu verteilenden Schnitte sollen möglichst gleich sein, um etwas umständliche Rechnungen zu ersparen. Man bestimmt dazu das Frischgewicht der Schnitte auf einer Torsionswaage und verkleinert den schwereren Schnitt.

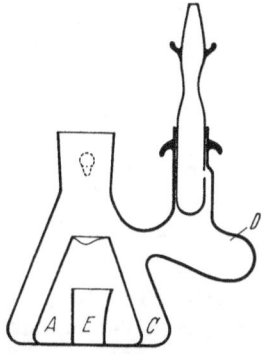

Abb. 51. Gefäßform *II* für die Bestimmung von *RQ* nach der „Hydrogencarbonatmethode" von DICKENS und ŠIMER[1].

Damit der Gehalt der Schnitte an Hydrogencarbonaten weitgehend gleich ist, werden die Gewebeschnitte in 10—20 ml der Versuchslösung suspendiert; durch die Lösung wird 5 min lang das zur Verwendung kommende Gasgemisch (meistens 5% CO_2 in O_2) geleitet. Die Gewebeschnitte werden dann kurz in einer hydrogencarbonatfreien Salzlösung abgespült, um das den Schnitten anhaftende Hydrogencarbonat zu entfernen. Beim Überführen der Schnitte in die Gefäße ist darauf zu achten, daß von der hydrogencarbonathaltigen Versuchslösung, die sich in den Gefäßen befindet, nichts verlorengeht (etwa durch Berühren der Flüssigkeit mit der zum Überführen benutzten Pinzette).

Die Gefäße werden wie folgt beschickt:

Gefäßraum	Gefäße I und II	Gefäß III
Innen (*A*)	1,5 ml Versuchslösung + Gewebe	1 ml Wasser
Außen (*C*)	2 ml KMnO$_4$	2 ml KMnO$_4$
Anhang (*D*)	0,4 ml NaJ	0,4 ml NaJ
Anhang (*B*)	0,2 ml 2,5 n HCl	

Die Gefäße werden so an den Manometern befestigt, daß die Anhänge in einem Winkel von etwa 45° C zur Schüttelrichtung stehen, damit keine Vermischung von Lösungen während des Schüttelns stattfindet. Die beiden Gewebe enthaltenden Gefäße werden gleichzeitig (s. S. 211) in das Wasser des Thermostaten gebracht. Manometer und Gefäße werden unter Schütteln (100—130 Schwingungen pro min bei einer Exkursion von 3,5 cm) bei der Temperatur des Thermostaten mit 5% CO_2 in O_2 durchgast. Für die Genauigkeit der Messung ist es wichtig, daß der Gasraum vollständig mit dem Gasgemisch gefüllt ist. Während der Durchgasung und ohne das Schütteln zu unterbrechen, wird die Manometerflüssigkeit bis zur Höhe des Seitenarmes hochgedrückt, um die Luft aus der Manometercapillare zu entfernen. Dann wird das Niveau der Manometerflüssigkeit auf die Eichmarke eingestellt. Je nach dem Hydrogencarbonatgehalt der Versuchslösung und dem spez. Gew. der Manometerflüssigkeit wird man unter Umständen eine von der Eichmarke abweichende Nullmarke als Niveau wählen müssen (über die dabei anzuwendende Korrektur der Gefäßkonstanten s. S. 120), damit die Manometerflüssigkeit weder beim Druckanstieg nach dem Zukippen der Säure noch beim Druckabfall nach der Kohlensäureabsorption aus den Bereich der Capillargraduierung gelangt. Am Ende der Durchgasung, die etwa 10 min lang erfolgt, werden Manometerhähne und Ventilstopfen geschlossen. Die Manometerflüssigkeit muß bei dieser Anordnung in beiden Capillararmen gleich hoch stehen, damit der Anfangsdruck in allen Gefäßen gleich ist.

---

[1] DICKENS, F.; in: Bamann-Myrbäck Bd. III. S. 2425.

Dazu ist ein kurzes Öffnen des Manometerhahnes notwendig, wobei darauf zu achten ist, daß keine Luft in die Manometer gelangt (Verbindung mit dem Gasverteilungsrohr erst jetzt lösen). Hierbei wird die Schüttelung nur kurze Zeit unterbrochen.

Nach dem Temperaturausgleich (nachdem die Gefäße sich seit 15 min im Wasserbad befinden) werden alle Manometer abgelesen (Zeit: t_0). Dann wird sofort durch vorsichtiges Neigen des Manometers die Säure von Gefäß II in den Innenraum gekippt. Nach etwa 10 und 15 min (bis zur Druckkonstanz) wird das mit diesem Gefäß verbundene Manometer abgelesen; die (für das Thermobarometer korrigierte) Druckzunahme sei h'_B. Die in Gefäß I im Verlauf der Versuchszeit auftretende Druckänderung ist nicht groß; ihr Vorzeichen hängt davon ab, ob Atmung oder ob Glykolyse überwiegt. Vom Zukippen der Säure in Gefäß II (bei t_0) an gerechnet, läßt man Atmung und Glykolyse in Gefäß I während einer bestimmten Zeit (t') vor sich gehen, bis schätzungsweise 300 μl O_2 verbraucht sind. Die zwischen t_0 und t' in Gefäß I aufgetretene Druckänderung h wird abgelesen; sie ist das Ergebnis aus den Druckänderungen durch O_2-Verbrauch sowie durch Entwicklung von Atmungs- und von Extrakohlensäure. Unmittelbar nach der letzten Ablesung (bei t') wird in Gefäß I die gebundene CO_2-Menge durch Einkippen der Säure in den Innenraum freigesetzt; die nach Schütteln bis zur Druckkonstanz abgelesene Druckzunahme sei h_B. In den Gefäßen I, II und III ist jetzt die gesamte Kohlensäure in freiem Zustand vorhanden. Zu ihrer Messung werden NaJ- und $KMnO_4$-Lösung in allen Gefäßen durch Kippen gemischt. Wenn die Absorption vollständig ist — nach 15—20 min langem Schütteln — wird die aufgetretene Druckabnahme an den drei Manometern abgelesen. Die Druckabnahme in Gefäß I sei mit h_C, in Gefäß II mit h'_C und in Gefäß III mit H bezeichnet. (h_C, h'_C und H werden mit umgekehrtem, also positivem Vorzeichen versehen.) Nach Beendigung des Versuches werden die Schnitte zur Trockengewichtsbestimmung aus den Gefäßen herausgenommen.

Beim Vermischen der NaJ- und $KMnO_4$-Lösung entsteht eine kleine negative Druckänderung, die nicht auf CO_2-Absorption beruht. Für diese Druckänderung braucht hier keine Korrektur angebracht zu werden, da sie sich bei der Berechnung heraushebt.

Nach Zugabe des Säureüberschusses, der zur Bestimmung des Hydrogencarbonatgehaltes in den Versuchslösungen erforderlich ist, bilden einige Seren (z. B. vom Pferd, Rind und Schwein) ein Gel, was eine stark verzögerte Freisetzung der letzten 5—10% CO_2 bewirkt. Bei der Messung von h'_B und von h_B und bei Verwendung von bestimmten Seren als Versuchslösung muß deshalb eine längere Zeit vorgesehen werden, bis vollständige Druckkonstanz nach dem Säurezusatz erreicht ist. Um leicht zerreißende Gewebe (wie Retina) aus den gelierten Seren herausnehmen zu können, werden die Gefäße nach Versuchsende mit Leitungswasser oder mit Hydrogencarbonatlösung gefüllt, wodurch die Gelierung teilweise rückgängig gemacht wird. Mit Seren von Kaninchen oder Schafen treten diese Schwierigkeiten nicht auf[1].

Berechnung:

Da der Partialdruck eines Gases unabhängig vom Gasvolumen ist und nur vom Barometerdruck abhängt, ist H bei gegebenem Barometerdruck für die drei Gefäße gleich groß, unbeschadet der verschiedenen CO_2-Mengen, die mit dem Gasgemisch in die (meistens nicht gleich großen) Gefäße eingeführt werden. Die mit dem Gasgemisch zugeführte CO_2-Menge kann daher für alle weiteren Rechnungen in der einfachen Weise eliminiert werden, daß man H von h_C und von h'_C abzieht. Durch Multiplikation der so korrigierten Druckänderungen mit den Gefäßkonstanten für CO_2 (k_{CO_2} für Gefäß I, k'_{CO_2} für Gefäß II) wird erhalten:

(a) $\qquad\qquad\qquad\qquad x_C = (h_C - H) \cdot k_{CO_2},$

(b) $\qquad\qquad\qquad\qquad x'_C = (h'_C - H) \cdot k'_{CO_2}.$

---
[1] Dixon, M.: Biochem. J. **31**, 924 (1937).

x_C ist die bei Versuchsende, x'_C die bei Versuchsbeginn vorhandene Menge an gebundener und freier Kohlensäure (nach der Eliminierung der mit dem Gas eingeführten CO_2-Menge). Eine Zunahme der gesamten CO_2-Menge im Versuch (Gefäß I) kann nur auf der Bildung von CO_2 durch das Gewebe beruhen. Aus der Differenz Gl. (a)—(b) wird also die in der Versuchszeit gebildete Menge an Atmungskohlensäure erhalten:

(c) $$\boxed{x_{CO_2} = x_C - x'_C}.$$

Die in Gefäß I in der Versuchszeit aufgetretene Druckänderung h ist die algebraische Summe der Partialdruckänderungen, die durch O_2-Verbrauch und Entwicklung von freier Kohlensäure bedingt sind. Die entwickelte Menge an freiem CO_2 besteht aus Atmungskohlensäure und aus Extrakohlensäure (letztere ist die durch Glykolyse aus dem Hydrogencarbonat freigesetzte Kohlensäure). Der Beitrag, den die Atmungskohlensäure für die Druckänderung liefert, ist x_{CO_2}/k_{CO_2}. Die Menge, die in Gefäß I an Extrakohlensäure entwickelt worden ist, ergibt sich aus der Differenz des Hydrogencarbonatgehaltes am Anfang (Gefäß II) und am Ende (Gefäß I) des Versuches. Diese Differenz ist $h'_B \cdot k'_{CO_2} - h_B \cdot k_{CO_2} = x'_B - x_B$, und die dazu gehörende Druckänderung ist $(x'_B - x_B)/k_{CO_2}$. Wir erhalten für die Druckänderung:

$$h = \frac{x_{CO_2}}{k_{CO_2}} + \frac{x'_B - x_B}{k_{CO_2}} + \frac{x_{O_2}}{k_{O_2}}$$

und daraus für die aufgenommene Menge Sauerstoff:

(d) $$\boxed{x_{O_2} = h \cdot k_{O_2} - \left(\frac{x_{CO_2}}{k_{CO_2}} + \frac{(x'_B - x_B)}{k_{CO_2}}\right) \cdot k_{O_2}}.$$

Der respiratorische Quotient ist:

$$\boxed{RQ = \frac{x_{CO_2}}{x_{O_2}}}.$$

Die durch Glykolyse aus dem Hydrogencarbonat freigesetzte CO_2-Menge ($x_M^{O_2}$) entspricht der Differenz zwischen der am Beginn und am Ende des Versuches vorhandenen Hydrogencarbonatmenge. Es ist also (für eine Ringer-Hydrogencarbonatlösung):

(e) $$\boxed{x_M^{O_2} = x'_B - x_B}.$$

Die nach dieser Methode für die Atmungskohlensäure (x_{CO_2}) erhaltenen Werte gelten unabhängig von einer stattfindenden Retention, da x_{CO_2} aus der Änderung der gesamten CO_2-Menge (freie + gebundene CO_2-Menge) erhalten wird. Dagegen ist die Berechnung von $x_M^{O_2}$ nach Gl. (e) nur dann richtig, wenn die Versuchslösung kein CO_2 und keine Milchsäure retiniert. Die Messung von $x_M^{O_2}$ z.B. im Serum erfordert also die Berücksichtigung des Retentionsvermögens des Serums (s. unten). In einer nichtretinierenden Lösung ist die Änderung der gebundenen CO_2-Menge nach Gl. (e) äquivalent der gebildeten Menge an fixen Säuren, und $x_M^{O_2}$ ist positiv. Werden dagegen organische Säuren (Milchsäure, Brenztraubensäure usw.) verbrannt, so nimmt der Gehalt an gebundenem CO_2 zu; bei Abwesenheit von Glykolyse wird $x'_B - x_B = x_M^{O_2}$ dann negativ.

Korrektur für verschiedene Gewebegewichte. Falls die am Ende des Versuches bestimmten Gewebetrockengewichte in den beiden Gefäßen innerhalb zulässiger Grenzen nicht übereinstimmen, ist eine Korrektur erforderlich. Dazu muß der Hydrogencarbonatgehalt von 1,50 ml der Versuchslösung allein bestimmt werden. Das geschieht mit einem weiteren Gefäß (von beliebiger Form) nach Sättigung der Lösung mit dem Gasgemisch durch Zukippen von Säure wie im Hauptversuch. Die Hydrogencarbonatmenge in der

Versuchslösung, ausgedrückt in μl CO_2, sei x_{B_0}, das Gewebegewicht in Gefäß I m_1, in Gefäß II m_2.

Bis zum Beginn des Versuches, d.h. bis zur Vornahme der ersten Ablesung zur Zeit t_0, hat bereits eine Änderung im Hydrogencarbonatgehalt der Lösung durch das Gewebe stattgefunden. Diese Änderung beträgt in Gefäß II, umgerechnet auf das Gewebegewicht in Gefäß I:

$$\frac{x'_B - x_{B_0} \cdot m_1}{m_2}.$$

Durch algebraische Addition dieses Ausdruckes zu x_{B_0} wird die bei Meßbeginn (t_0) in Gefäß I vorhandene Hydrogencarbonatmenge, bezogen auf das Gewebegewicht in Gefäß I, korrigiert; aus x'_B wird also:

$$x_{B_0} + \frac{x'_B - x_{B_0} \cdot m_1}{m_2}.$$

Subtrahiert man von diesem Ausdruck die in Gefäß I gemessene Hydrogencarbonatmenge (x_B), so erhält man die in der Versuchszeit von dem Gewebegewicht m_1 freigesetzte Menge an Extrakohlensäure:

$$x_M^{O_2} = x_{B_0} + \frac{x'_B - x_{B_0} \cdot m_1}{m_2} - x_B.$$

Zieht man von x_C [Gl. (a)] und x'_C [Gl. (b)] den Hydrogencarbonatgehalt der Versuchslösung (x_{B_0}) ab, so erhält man die am Ende in Gefäß I und am Anfang in Gefäß II vorhandene Menge an freiem CO_2. Bezogen auf das Gewebegewicht m_1 in Gefäß I ist die Menge an freiem CO_2 in Gefäß II

$$\frac{x'_C - x_{B_0} \cdot m_1}{m_2}.$$

Die Differenz zu $(x_C - x_{B_0})$ ergibt die von dem Gewebegewicht m_1 gebildete Menge an Atmungskohlensäure:

$$x_{CO_2} = (x_C - x_{B_0}) - \frac{(x'_C - x_{B_0}) \cdot m_1}{m_2}.$$

Indem man die nach Korrektur für die verschiedenen Gewebegewichte für x_{CO_2} und für $x_M^{O_2}$ ($= x'_B - x_B$) erhaltenen Werte in Gl. (d) einsetzt, erhält man den Sauerstoffverbrauch (x_{O_2}) von m_1 mg Gewebe in der Zeit von t_0 bis t'.

Messung der aeroben Glykolyse in retinierenden Lösungen. Im Serum oder in einer anderen retinierenden Lösung ist die durch glykolysierende Gewebe bewirkte Abnahme an Hydrogencarbonat ($x'_B - x_B$) geringer als die gebildete Menge an fixen Säuren ($x_M^{O_2}$). Die Differenz $x_M^{O_2} - (x'_B - x_B) = \varDelta_x$ beruht auf der Anwesenheit von Puffern (anderen als Hydrogencarbonat), die einen Teil der glykolytisch gebildeten Säuremenge neutralisieren und einen Teil der Atmungskohlensäure binden. Die Retention von Atmungskohlensäure spielt — wie erwähnt — für die Berechnung von x_{CO_2} nach Gl. (c) keine Rolle; sie ist aber ebenso wie die Retention von Milchsäure bei der Berechnung von $x_M^{O_2}$ zu berücksichtigen. Die Retention von CO_2 und von Milchsäure kann in einem Gang bestimmt werden. DICKENS und ŠIMER haben zwei Methoden zur Retentionsbestimmung angegeben.

1. Zur Bestimmung von $\varDelta_x$ werden zwei Gefäße, O und I, der beschriebenen Form (Abb. 50) verwendet. Gefäß I ist identisch mit dem im Hauptversuch benutzten Gefäß. In den Anhang B beider Gefäße werden genau gleiche Volumina einer Weinsäurelösung eingemessen und bei 80° C eingetrocknet (s. S. 205). Konzentration und Volumen der einpipettierten Weinsäurelösung sollen so gewählt werden, daß die Säuremenge möglichst nahe von x_M ist. In den Anhang D beider Gefäße wird nun eine Weinsäuremenge pipettiert, die genau der im Hauptversuch bestimmten Menge Atmungskohlensäure (x_{CO_2}) entspricht. Die in B und D einpipettierten Volumina werden durch Wägen der Gefäße vor und nach dem Einpipettieren kontrolliert. In den Innenraum von Gefäß I gibt man 1,5 ml der retinierenden Lösung (z. B. Serum), in den von Gefäß O 1,5 ml Ringer-Hydrogencarbonatlösung

In den Außenraum beider Gefäße wird Ringer-Hydrogencarbonatlösung pipettiert, deren Volumen so bemessen wird, daß das gesamte Flüssigkeitsvolumen v_F in jedem der Gefäße gleich v_F im Hauptversuch ist. Die Gefäße werden an die Manometer angeschlossen, in den Thermostaten gebracht und mit dem Gasgemisch durchströmt. Nach dem Ausgleich, Schließen von Manometerhähnen und Ventilstopfen wird der Stand der Manometerflüssigkeit abgelesen. Die Säure wird aus den Anhängen B und D durch Hin- und Herkippen quantitativ in den Innen- bzw. Außenraum gespült. Der nach dem Schütteln bis zur Druckkonstanz aufgetretene Druck sei in Gefäß $0 = h^0$, in Gefäß $I = \Delta_p$. Die diesen Drucken entsprechenden CO_2-Mengen sind dann $h^0 \cdot k^0_{CO_2}$ bzw. $\Delta_p \cdot k_{CO_2}$. Die Differenz $h^0 \cdot k^0_{CO_2} - \Delta_p \cdot k_{CO_2}$ ist die unter den Bedingungen des Retentionsversuches retinierte Säuremenge $\Delta_{x'} \cdot \Delta_{x'}$ ist nur dann gleich der im Hauptversuch retinierten Säuremenge Δ_x, wenn die in den Anhang B gegebene Säuremenge genau gleich x_M ist. Um dieses zu erreichen, sind unter Umständen mehrere Vorversuche nötig. Ist diese Bedingung jedoch mit genügender Annäherung erfüllt, so kann Δ_x nach der folgenden Gleichung erhalten werden:

$$\Delta_x = \frac{\Delta_{x'}}{\Delta_p} \cdot \frac{x_{CO_2} + (x'_B - x_B)}{k_{CO_2}}.$$

Δ_x ist die Säuremenge (ausgedrückt in $\mu l\ CO_2$), die im Hauptversuch von 1,5 ml Serum retiniert wurde; sie ist der nach Gl. (e) erhaltenen CO_2-Menge hinzuzufügen. Für die Berechnung der aeroben Glykolyse in Serum gilt:

(g) $$\boxed{x_M^{O_2} = (x'_B - x_B) + \Delta_x}.$$

2. Um die Retention nicht für jeden einzelnen Versuch bestimmen zu müssen, haben DICKENS und ŠIMER[1] eine weitere Methode angegeben, nach der die Retention zu der auftretenden p_H-Änderung in Beziehung gesetzt wird. Ist diese Beziehung, die durch die „Retentionskurve" dargestellt wird, für die verwendete Serumprobe bekannt, so läßt sich die Retention für alle Versuche, die mit derselben Serumprobe gemacht werden, ermitteln.

Retentionskurve:

Es können beliebige Gefäße mit einem Anhang verwendet werden, jedoch ist es zweckmäßig, Gefäße von der gleichen Form wie zur Bestimmung des respiratorischen Quotienten zu benutzen. Manometerflüssigkeit ist ebenfalls wieder CLERICI-Lösung. Die trockenen Gefäße werden ohne Stopfen gewogen. In die Anhänge B werden passende Mengen einer verdünnten Weinsäurelösung pipettiert (z.B. 0,2—0,5 ml einer etwa 0,05 m Weinsäure); die einpipettierte Menge wird durch Wägung genau festgestellt und dann bei 80° C eingetrocknet. Von dem vorher mit dem Gasgemisch (5% CO_2 in O_2) gesättigten Serum werden 1,5 ml in den Innenraum der Gefäße (bzw. in den Hauptraum der üblichen Gefäße) pipettiert. Um kleine Änderungen des Wasserdampfdruckes beim Zukippen der Säure auszugleichen, kann man in den Außenraum C ein abgemessenes Volumen physiologischer NaCl-Lösung geben. Ein Gefäß dient zur Bestimmung des CO_2-Äquivalentes der Weinsäurelösung; es erhält statt Serum 1,5 ml einer Ringer-Hydrogencarbonatlösung. Ein weiteres Gefäß wird zur Bestimmung des anfänglichen Hydrogencarbonatgehaltes im Serum verwendet; es erhält in den Anhang einen Überschuß an Weinsäure oder Milchsäure (z.B. 0,1 ml 6 n Milchsäure). Die Gefäße werden an den Manometern befestigt und im Thermostaten mit dem Gasgemisch durchströmt. Die Meniscen der Manometerflüssigkeit werden auf gleiche Höhe gebracht, und die Manometer werden abgelesen. Dann wird die Säure durch Hin- und Herkippen aus den Anhängen quantitativ in die Innenräume der Gefäße gespült. Nach Schütteln, und nachdem Druckkonstanz erreicht ist, werden die Manometer abgelesen.

---

[1] DICKENS, F., and F. ŠIMER: Biochem. J. **26**, 90 (1932).

Die Retention Δ_x (in μl CO_2) in 1,5 ml Serum wird aus der Differenz des CO_2-Äquivalents und der von der gleichen Säuremenge im Serum entwickelten CO_2-Menge erhalten. Beträgt das CO_2-Äquivalent der zugekippten Weinsäuremenge a μl und die im Serum freigesetzte CO_2-Menge $h_M \cdot k_{CO_2}$ μl, so ist

$$\Delta_x = a - h_M \cdot k_{CO_2}.$$

Die mit verschiedenen Säuremengen für Δ_x erhaltenen Werte werden zu den p_H-Änderungen, die beim Zukippen der betreffenden Säuremengen im Serum entstehen, in Beziehung gesetzt. Dazu werden die p_H-Werte vor und nach dem Säurezusatz mit Hilfe der Puffergleichung (36), S. 161, aus dem jeweils vorhandenen Gehalt an Hydrogencarbonat und an freiem gelöstem CO_2 berechnet. Der genaue Gehalt des Gasgemisches an CO_2 muß bekannt sein oder bestimmt werden. Der Partialdruck von CO_2 im Gasraum (in mm der Manometerflüssigkeit) sei am Anfang p_{CO_2}, nach dem Zusatz von Säure, die einen Druckanstieg von h_M bewirkt, $p_{CO_2} + h_M$; P_0 sei der Normaldruck (ebenfalls in mm der Manometerflüssigkeit). Dann ist die am Anfang bzw. nach Säurezusatz in 1,5 ml Serum gelöste CO_2-Menge:

$$\frac{p_{CO_2} \cdot 1500 \cdot \alpha_{CO_2}}{P_0} \quad \text{bzw.} \quad \frac{(p_{CO_2} + h_M) \cdot 1500 \cdot \alpha_{CO_2}}{P_0}.$$

Beträgt der Hydrogencarbonatgehalt von 1,5 ml Serum am Anfang x'_B, nach dem Zusatz einer bestimmten Säuremenge x_B, so ist p_H am Anfang ($=p_{H_0}$) und am Ende ($=p_{H_1}$) der Retentionsbestimmung:

$$p_{H_0} = pK'_1 + \log \frac{x'_B \cdot P_0}{p_{CO_2} \cdot 1500 \cdot \alpha_{CO_2}},$$

$$p_{H_1} = pK'_1 + \log \frac{x_B \cdot P_0}{(p_{CO_2} + h_M) \cdot 1500 \cdot \alpha_{CO_2}};$$

$$\Delta_{p_H} = p_{H_0} - p_{H_1}.$$

Auf diese Weise werden Δ_x und Δ_{p_H} für verschiedene Säuremengen bestimmt. Trägt man Δ_{p_H} als Abszisse gegen Δ_x als Ordinate auf, so erhält man die „Retentionskurve", aus der die Retention — in μl CO_2 pro 1,5 ml der verwendeten Serumprobe — bei der im Hauptversuch auftretenden p_H-Änderung entnommen werden kann.

Durch die Beziehung $\Delta_x : \Delta_{p_H}$ wird sowohl die Milchsäure- als auch die Kohlensäureretention berücksichtigt. Mit Pferde- und Schafserum wird ein nahezu linearer Verlauf der Retentionskurve erhalten. Der Quotient Δ_x/Δ_{p_H} beträgt bei normalem Pferde- oder Schafserum ungefähr 150 μl pro 1 ml Serum.

Die im Hauptversuch stattfindende p_H-Änderung (Δ_{p_H}) wird ebenfalls nach Gl. (36) berechnet. Die Hydrogencarbonatmenge ist am Anfang x'_B, am Ende der Versuchszeit x_B. Die Menge an freiem gelöstem CO_2 beträgt am Anfang:

$$\frac{h'_C - h'_B}{P_0} \cdot 1500 \cdot \alpha_{CO_2}$$

und am Ende der Versuchszeit

$$\frac{h_C - h_B}{P_0} \cdot 1500 \cdot \alpha_{CO_2}.$$

p_H am Anfang (p_{H_0}) und am Ende (p_{H_1}) der Versuchszeit ist:

$$p_{H_0} = pK'_1 + \log \frac{x'_B}{\frac{h'_C - h'_B}{P_0} \cdot 1500 \cdot \alpha_{CO_2}},$$

$$p_{H_1} = pK'_1 + \log \frac{x_B}{\frac{h_C - h_B}{P_0} \cdot 1500 \cdot \alpha_{CO_2}}.$$

Subtraktion ergibt die in der Versuchszeit stattgefundene p_H-Änderung; es wird erhalten:

(h) $$\Delta_{p_H} = p_{H_0} - p_{H_1} = \log \frac{x'_B}{x_B} + \log \frac{h_C - h_B}{h'_C - h'_B}.$$

h'_C und h_C werden hier für die kleine Druckänderung korrigiert, die beim Mischen der NaJ- und KMnO$_4$-Lösung auftritt. Diese Druckänderung, die nichts mit der Absorption von CO$_2$ zu tun hat, beträgt etwa -2 mm CLERICI-Lösung.

Das der p_H-Änderung Δ_{p_H} zwischen p_{H_0} und p_{H_1} entsprechende Δ_x wird der Retentionskurve entnommen. Für die aerob in Serum gebildete Milchsäuremenge (in μl CO$_2$) ergibt sich dann:

$$\boxed{x_M^{O_2} = (x'_B - x_B) + \Delta_x}.$$

DICKENS und ŠIMER setzen $pK_1^{'38°} = 6{,}10$ und $\alpha_{CO_2}^{38°} = 0{,}51$. Der für pK' eingesetzte Wert ist hier unwesentlich, da er bei der Bildung der Differenz ($p_{H_0} - p_{H_1}$) herausfällt.

Versuchsbeispiele
(nach DICKENS und ŠIMER):

1. Bestimmung des respiratorischen Quotienten der Rattenleber in Serum. Leberschnitte in inaktiviertem Pferdeserum mit 0,2% Glucose. Gasraum: 4,5 Vol.-% CO$_2$ in O$_2$. Versuchsdauer: 3 Std. Temperatur: 38° C. Manometerflüssigkeit: CLERICI-Lösung; spez. Gew. 3,975. Gefäßform: Abb. 50. Beschickung der Gefäße nach S. 215.

	Gefäß Nr.		
	I	II	III
Schnitte (mg):			
Frischgewicht	90	90	
Trockengewicht	18,7		
Gefäßkonstanten:			
k_{CO_2}	6,74	6,18	
k_{O_2}	5,97		
Druckänderungen (mm):			
h	$-30{,}5$		
h'_B		113	
h_B	103,5		
h'_C		235	
h_C	280		
H			111
Ausrechnung:			
x_C	1139		
x'_C		766	
x_B	697		
x'_B		698	
$x'_B - x_B$	1		
x_{CO_2} [nach Gl. (c)]	373		
x_{O_2} [nach Gl. (d)]	-514		
RQ	$-0{,}73$		
Q_{O_2}	$-9{,}15$		

2. Berechnung der aeroben Glykolyse von Leberschnitten. Die Berechnung erfolgt für das vorstehende Versuchsbeispiel. Nach der oben erwähnten Korrektur ist $h_C = 278$, $h'_C = 233$ mm. Für Δ_{p_H} wird nach Gl. (h) erhalten:

$$\Delta_{p_H} = \log 698 - \log 697 + \log (278 - 103{,}5) - \log (233 - 113) = 0{,}0006 + 0{,}1626 = 0{,}163.$$

Die Retentionsbestimmung mit der verwendeten Serumprobe (s. nachstehendes Beispiel) ergibt im Mittel

$$\frac{\Delta_x}{\Delta_{p_H}} = 248.$$

Δ_x im Versuch ist daher $248 \cdot 0{,}163 = 41$ μl CO$_2$. Für die aerobe Glykolyse in Serum wird erhalten:

$$x_M^{O_2} = (x'_B - x_B) + \Delta_x = 1 + 41 = 42,$$

$$Q_M^{O_2} = \frac{42}{18{,}7 \cdot 3} = +0{,}75.$$

Bestimmung der Retentionskurve für Serum.

Inaktiviertes Pferdeserum im Gleichgewicht mit 4,5 Vol.-% CO_2 (Partialdruck $CO_2 = 110$ mm CLERICI-Lösung vom spez. Gew. 3,976). $P_0 = 2600$ mm; $P_0 - p_w = 2430$ mm. Temperatur 38° C.

Retentionsbestimmung zu Versuch (2). $p_{CO_2} = \dfrac{2430 \cdot 4{,}5}{100} = 110$ mm.

	Gefäß Nr.					
	1	2	3	4	5	6
Versuch	$BHCO_3$-Bestimmung	Retentionsversuche				Bestimmung des CO_2-Äquivalents
ml Serum	1,50	1,50	1,50	1,50	1,50	1,50 R.-$NaHCO_3$
Anhang	0,1 ml 6 n Milchsäure	0,203	0,303	0,406	0,494	0,299
		g Weinsäurelösung (etwa n/20), vor dem Versuch eingetrocknet				
Gefäßkonstanten (k_{CO_2})	6,29	6,14	6,70	6,56	6,29	6,29
Druck nach Kippen (mm)	(H_B) + 108,5	(h) + 27	+ 40	+ 53,5	+ 66,5	+ 55,5
$\mu l\ CO_2$ ($h \cdot k_{CO_2}$)	—	166	268	351	418	349
CO_2-Äquivalent (μl)	—	237	354	474	577	—
Δ_x (μl)	—	71	86	123	159	—
$BHCO_3$ ($\mu l/1{,}5$ ml)	(x'_B) 683	(x_B) 517	415	332	265	—
p_{CO_2} (mm)	110	137	150	163,5	176,5	
„H_2CO_3" gelöst = $\dfrac{p_{CO_2}}{P_0} \times 0{,}51 \cdot 1500$ ($\mu l/1{,}5$ ml)	32,4	40,3	44,1	48,2	51,9	—
$pH = 6{,}10 + \log \dfrac{(BHCO_3)}{(„H_2CO_3")}$	(pH_0) 7,43	(pH_1) 7,21	7,07	6,94	6,81	
Δ_{pH}		0,22	0,36	0,49	0,62	—
$\dfrac{\Delta_x}{\Delta_{pH}}$		(322)	238	250	256	Mittel: 248

i) Messung der Atmung und der aeroben Glykolyse nach DIXON und KEILIN[1].

In den Grundzügen entspricht diese Methode der „Hydrogencarbonatmethode" von DICKENS und ŠIMER. Die Messung und die Berechnung werden durch die Verwendung des BARCROFTschen Differentialmanometers etwas einfacher.

Die beiden mit dem Manometer verbundenen Gefäße werden in genau gleicher Weise mit Versuchslösung, Gewebe und mit dem CO_2 enthaltenden Gasgemisch beschickt. Bei Versuchsbeginn wird in einem der Gefäße durch Einkippen von Säure die gesamte gebundene CO_2-Menge freigesetzt und der Gewebestoffwechsel unterdrückt. Zur Bestimmung des respiratorischen Quotienten sind nur zwei Messungen auszuführen: 1. die Messung der Druckdifferenz h_1 nach Ablauf der Versuchszeit, und nachdem auch in dem zweiten Gefäß die gebundene CO_2 freigesetzt ist, und 2. die Messung der Druckdifferenz h_2 nach Absorption der gesamten CO_2-Mengen in beiden Gefäßen. Aus h_2 wird unmittelbar der O_2-Verbrauch erhalten. Die Druckdifferenz h_1 beruht auf Verbrauch von Sauerstoff und Entwicklung von Atmungskohlensäure in dem Stoffwechselgefäß; die Menge an Atmungs-CO_2 kann somit aus $h_1 - h_2$ berechnet werden. Zur Bestimmung der aeroben Glykolyse muß außerdem — vor der Messung von h_1 und h_2 — die in der Versuchszeit durch Bildung von Atmungs-CO_2 und von Extra-CO_2 entstehende Druckänderung h gemessen werden. Aus $h - h_1$ wird die durch Glykolyse unter aeroben Bedingungen entstandene Menge an Extrakohlensäure erhalten. Bei der Messung der aeroben Glykolyse in Serum ist eine Korrektur für die Retention erforderlich. Das Retentionsvermögen des Serums wird getrennt von der Stoffwechselmessung bestimmt.

---

[1] DIXON, M., and D. KEILIN: Biochem. J. **27**, 86 (1933).

Ausführung:

Die Gefäße (Abb. 52, nach Dixon[1]) besitzen einen im Schliff drehbaren und mit einem Ventilstopfen (V) versehenen Anhang (A). Unter dem Boden des Gefäßes befindet sich ein Hahn (H), der im Kern eine einseitige (nicht durchgehende) Bohrung hat. Der von der Bohrung gebildete Hohlraum faßt etwa 0,5 ml und dient zur Aufnahme von Kalilauge. Bei passender Drehung des Hahnes (wie bei b in Abb. 52) kommuniziert die Bohrung mit dem (auch im Boden offenen) Einsatz (E) des Gefäßes. Das Gefäßvolumen beträgt etwa 40 ml; es können aber auch kleinere Gefäße verwendet werden. Das Volumen der Gefäße (+ dem zugehörigen Stück der Manometercapillare) muß genau gleich groß sein (innerhalb von etwa 0,1 %), weil sonst bei der Bestimmung der Atmungskohlensäure größere Fehler entstehen. (Bei der Berechnung von x_{CO_2} wird vorausgesetzt, daß der Druck, der auf beiden Seiten nach Freisetzen der als Hydrogencarbonat gebundenen CO_2-Mengen entsteht, ausbalanciert ist, was bei ungleich großen Gefäßen nicht zutrifft.) Der einfachste Weg, kleinere Volumenunterschiede genau auszugleichen, besteht darin (s. auch S. 122), die Länge der Glasstäbchen, die zur Verdrängung der Lauge aus der Hahnbohrung benutzt werden (s. unten), entsprechend zu verändern[2]. Die Glasstäbchen werden wie das zugehörige Gefäß numeriert. Der Hahn wird mit einem gut dichtenden Fett eingefettet.

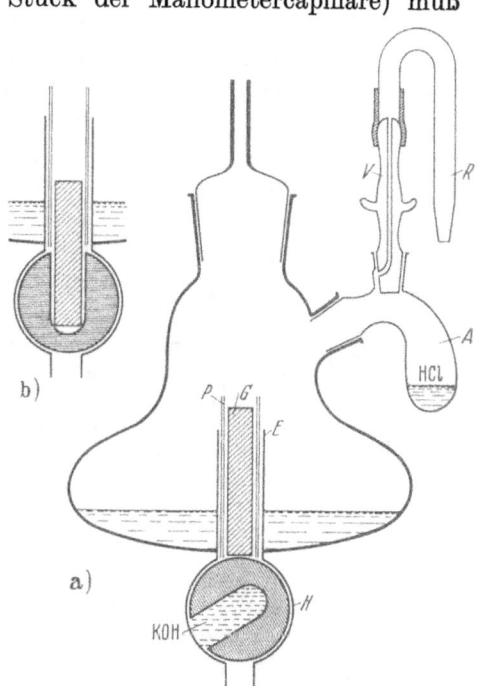

Abb. 52. Gefäßform nach Dixon und Keilin[1]. A Im Schliff drehbarer Anhang; V Ventilstopfen; R Röhrchen; E im Boden offener Einsatz; G Glasstab; P Filtrierpapierrolle; H Hahn mit halbseitiger Bohrung im Kern. Bei der Hahnstellung (a) ist die Lauge in der Bohrung eingeschlossen; bei der Hahnstellung (b) verdrängt der Glasstab die Lauge aus der Bohrung in den Einsatz.

Als Manometerflüssigkeit wird Clerici-Lösung (S. 102) verwendet. In engen Capillaren wirksame Grenzflächenkräfte bewirken eine etwas träge und mit Unregelmäßigkeiten verbundene Einstellung dieser Lösung[3]. Meßfehler, die dadurch entstehen können, werden vermieden[4], wenn die Manometercapillaren einen größeren Querschnitt als üblich haben. Dixon und Keilin verwenden Manometer mit einem Capillarquerschnitt zwischen 0,6 und 1,5 mm^2; nach Dixon[4] soll der Capillarquerschnitt etwa 2 mm^2 betragen. [Trotz des großen Capillarquerschnittes kann bei Verwendung der spezifisch schweren Clerici-Lösung als Manometerflüssigkeit zur Berechnung die vereinfachte Gl. (21) bzw. (21a) angewendet werden.] Der Clerici-Lösung setzt man am besten kein Natriumcholat zu[4].

Die beiden Gefäße werden genau gleich beschickt, zuerst mit 40%iger Kalilauge in der Hahnbohrung. Dazu wird das Gefäß auf den Kopf gestellt, und der eingefettete Hahn wird so gedreht, daß die Bohrung durch das an die Hahnhülse angeschmolzene Röhrchen mittels einer ausgezogenen Pipette vollständig mit Lauge gefüllt werden kann. Durch eine knappe Vierteldrehung des Hahnes (wie bei a in Abb. 52) wird die Lauge in der Bohrung eingeschlossen; es dürfen keine Luftblasen in der Lauge vorhanden sein. Das Gefäß wird wieder aufrechtgestellt. In den Einsatz wird ein gerolltes Stück Filtrierpapier (P), das etwa 5 mm über den oberen Rand des Einsatzes hinausragt und der Wandung dicht anliegt, sowie ein 2—3 cm langer Glasstab (G) gegeben. Der Glasstab fällt

---
[1] Dixon, M.: Manometric Methods. 3. Aufl. S. 107. Cambridge 1951.
[2] Summerson, W. H.: J. biol. Ch. **131**, 579 (1939).
[3] Elliott, K. A. C., and E. F. Schroeder: Biochem. J. **28**, 1920 (1934).
[4] Dixon, M.: Biochem. J. **31**, 924 (1937).

in die Lauge, wenn die Bohrung (am Ende des Versuchs) durch Drehen des Hahns mit dem Einsatz verbunden wird. Die dadurch aus der Bohrung verdrängte Lauge wird von dem Filtrierpapier aufgesaugt, und das im Gasraum vorhandene CO_2 wird absorbiert. In den Anhang jedes Gefäßes gibt man 0,3 ml 3 n HCl, in den Hauptraum genau 3,0 ml der mit dem Gasgemisch gesättigten Versuchslösung (z.B. Ringer-$NaHCO_3$, Serum) und gleiche Gewichtsmengen Gewebe. Die Gefäße werden sofort an das Manometer angeschlossen und mit geöffnetem Ventilstopfen in das Wasser des Thermostaten gebracht. Beide Gefäße werden gleichzeitig unter Schütteln mit dem Gasgemisch (5 Vol.-% CO_2 in O_2) durchströmt. Es ist wichtig, daß die Gefäße mit dem Gasgemisch vollständig gefüllt sind. Durch jedes Gefäß sollen etwa 200 ml Gas pro min treten (DIXON und KEILIN verwenden einen zwischen Gasflasche und Manometer geschalteten Durchflußmesser). Das obere Ende der Ventilstopfen kann man durch kurze Gummischlauchstücke je mit einem gebogenen Glasröhrchen (R) verbinden, deren Spitzen man in das Wasser des Thermostaten tauchen läßt. Die aus den Röhrchen austretenden Gasblasen dienen zur Kontrolle dafür, daß beide Gefäße gleichmäßig durchgast werden. Während der Durchgasung werden die Schliffverbindungen kontrolliert; es ist zweckmäßig, den unter dem Gefäß befindlichen Hahn nicht ganz so fest zu drehen wie die übrigen Schliffe. Nach 10 min langer Durchgasung wird der Hahn des Gasverteilungsrohres zur Luft hin geöffnet; die Gaszufuhr wird abgestellt. Der Anfangsdruck soll in beiden Gefäßen gleich sein. Dazu werden die Manometer weitere 5 min geschüttelt, wobei die Manometerhähne noch geöffnet bleiben und die Verbindung mit dem Gasverteilungsrohr noch nicht gelöst wird. Dann werden die Manometerhähne geschlossen, und die Verbindungsschläuche zum Verteilungsrohr werden abgenommen. Bei vollständigem Ausgleich ist die Manometerablesung (Höhendifferenz der beiden Menisken) Null. Für geringe Niveauunterschiede am Anfang werden die später abgelesenen Druckdifferenzen korrigiert.

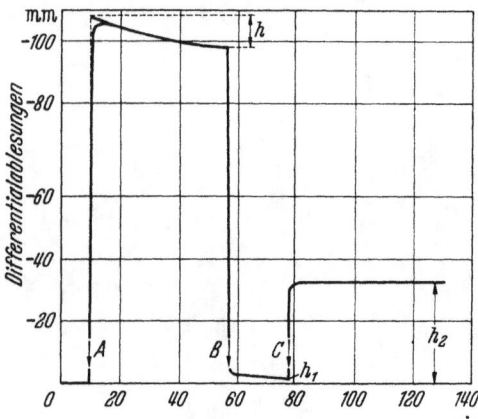

Abb. 53. Diagramm zur Erläuterung des Meßvorganges nach DIXON und KEILIN[1].

Zur Zeit t_0 wird die Säure durch Drehen des Anhanges (ohne dabei das Manometer vom Thermostaten zu nehmen) in den Hauptraum des linken Gefäßes übergeführt. In diesem Gefäß wird dadurch das gebundene CO_2 freigesetzt (A in Abb. 53) und der Stoffwechsel des Gewebes gestoppt. Wenn nur die Atmung gemessen werden soll, so wird jetzt keine Ablesung vorgenommen; soll auch die Glykolyse gemessen werden, so werden zwei oder drei Ablesungen in Abständen von 5 min gemacht, um h — die in der Versuchszeit infolge des Gewebestoffwechsels im rechten Gefäß bewirkte Änderung im Stand der Manometerflüssigkeit — durch Extrapolation zu ermitteln. Diese Extrapolation auf den Versuchsbeginn zur Zeit t_0, die in der in Abb. 53 veranschaulichten Weise ausgeführt wird, ist deshalb nötig, weil das gebundene CO_2 im linken Gefäß nicht augenblicklich vollständig freigesetzt wird, in der bis zur vollständigen Freisetzung verstreichenden Zeit (von einigen Minuten) jedoch bereits Druckänderungen durch den Gewebestoffwechsel im rechten Gefäß entstehen. Am Ende der Versuchszeit (z.B. $t' = 45$ min) läßt man die Säure aus dem Anhang des rechten Gefäßes in den Hauptraum einfließen (B der Kurve); nach weiterem, etwa 15 min langem Schütteln wird das Manometer abgelesen ($=h_1$). Dann wird durch Drehen des unter dem Gefäßboden befindlichen Hahnes die Lauge gleichzeitig in beide Gefäße eingeführt (C der Kurve). Nachdem die CO_2-Absorption vollständig ist — nach etwa 15 min — wird das Manometer abgelesen ($=h_2$). Gewebeschnitte werden aus den Gefäßen herausgenommen und wie üblich getrocknet und gewogen.

---

[1] DIXON, M., and D. KEILIN: Biochem. J. 27, 86 (1933).

Berechnung:

Die Gefäßkonstante für das Differentialmanometer (S. 74) wird unter Berücksichtigung des spezifischen Gewichtes der CLERICI-Lösung berechnet. Druckdifferenzen, die einen Schwund von Gas im rechten Gefäß (in dem der Gewebestoffwechsel stattfindet) oder eine Entwicklung von Gas im linken Gefäß anzeigen, werden mit negativem Vorzeichen versehen, und umgekehrt.

Zu Beginn, bei t_0, ist die gesamte (freie und gebundene) CO_2-Menge in beiden Gefäßen gleich groß. Die Ablesung h_2 drückt den Zustand aus, nachdem das Gewebe während der Versuchszeit im rechten Gefäß geatmet und glykolysiert hat und die gesamte CO_2-Menge in beiden Gefäßen absorbiert worden ist. Die nach der Absorption abgelesene Druckdifferenz h_2 ist also allein auf den O_2-Verbrauch durch das Gewebe während der Zeit t_0 bis t' zu beziehen. Es ist daher:

(a) $$\boxed{x_{O_2} = h_2 \cdot K_{O_2}}.$$

Die Druckdifferenz h_1 ist die algebraische Summe der durch O_2-Verbrauch und Bildung von Atmungs-CO_2 bewirkten Partialdruckänderungen. Die allein auf die Bildung von Atmungs-CO_2 entfallende Druckänderung ist $h_1 - h_2$. Die in der Versuchszeit gebildete Menge an Atmungskohlensäure ist also:

(b) $$\boxed{x_{CO_2} = (h_1 - h_2) \cdot K_{CO_2}}.$$

Die Druckänderung h ist die algebraische Summe aus den durch O_2-Verbrauch (x_{O_2}), durch Bildung von Atmungskohlensäure (x_{CO_2}) und von Extrakohlensäure (x_M) bewirkten Druckänderungen. Es ist also [entsprechend Gl. (e) auf S. 217, in der $x'_B - x_B = x_M$]:

$$h = \frac{x_{O_2}}{K_{O_2}} + \frac{x_{CO_2}}{K_{CO_2}} + \frac{x_M}{K_{CO_2}}.$$

x_{O_2}/K_{O_2} ist gleich h_2, und x_{CO_2}/K_{CO_2} ist gleich $h_1 - h_2$. Die Substitution in der obenstehenden Gleichung ergibt:

$$h = h_2 + (h_1 - h_2) + \frac{x_M}{K_{CO_2}}.$$

Daraus wird für die aerobe Glykolyse, das ist die in der Versuchszeit aus dem Hydrogencarbonat freigesetzte CO_2-Menge $x_M^{O_2}$, erhalten:

(c) $$\boxed{x_M^{O_2} = (h - h_1) \cdot K_{CO_2}}.$$

$x_M^{O_2}$ läßt sich auf diese Weise nur dann berechnen, wenn in dem Medium keine Retention stattfindet, gilt also nicht für Messungen z.B. mit Serum. x_{O_2} und x_{CO_2} sind unabhängig von einer stattfindenden Retention.

Berücksichtigung der Retention. x_{O_2} und x_{CO_2} werden in Serum auf die gleiche Weise gemessen wie in Ringer-Hydrogencarbonatlösung. Wenn außerdem auch $x_M^{O_2}$ bestimmt werden soll, so sind einige von DIXON[1] angegebene Änderungen der Meßtechnik erforderlich. Ebenso wie bei der „Hydrogencarbonatmethode" von DICKENS und ŠIMER wird die Retention ($\varDelta_x$) aus der stattgefundenen p_H-Änderung ($\varDelta_{p_H}$) berechnet; das zu einem bestimmten $\varDelta_{p_H}$ gehörige $\varDelta_x$ wird der „Retentionskurve" für das verwendete Serum entnommen. $\varDelta_{p_H}$ wird aus der Änderung des Hydrogencarbonatgehaltes und des CO_2-Druckes nach der Puffergleichung (36), S. 161, erhalten.

Für die Stoffwechselmessungen werden nur 2,0 ml Serum pro Gefäß verwendet, und die Lauge wird nicht gleichzeitig, sondern nacheinander in die Gefäße eingeführt. Das

---

[1] DIXON, M.: Biochem. J. **31**, 924 (1937).

Diagramm (Abb. 54) veranschaulicht die durchzuführenden Messungen. Die Atmung (x_{O_2} und x_{CO_2}) und die Änderung im Hydrogencarbonatgehalt (hier mit $x_{B'}$ bezeichnet; sie ist gleich der gebildeten Menge Extra-CO_2) werden — wie in den Versuchen mit Ringer-Hydrogencarbonatlösung — aus den Manometerablesungen h, h_1 und h_2 berechnet:

$$x_{O_2} = h_2 \cdot K_{O_2};$$
$$x_{CO_2} = (h_1 - h_2) \cdot K_{CO_2};$$
$$x_{B'} = (h_1 - h) \cdot K_{CO_2};$$

oder

$$x_{B'} = (h_{B_2} - h_{B_1}) \cdot K_{CO_2}.$$

($x_{B'}$ wird als negativ betrachtet, wenn eine Abnahme des Hydrogencarbonatgehaltes stattgefunden hat.)

Die in der Versuchszeit eingetretene p_H-Änderung wird aus den Hydrogencarbonatgehalten und den CO_2-Drucken am Anfang und am Ende des Versuches berechnet. Die Hydrogencarbonatgehalte sind durch die Änderungen der Druckdifferenzen (h_{B_1} und h_{B_2}) gegeben, die nach dem Zufügen der Salzsäure am Anfang (linkes Gefäß) und am Ende des Versuches (rechtes Gefäß) abgelesen werden. Der Punkt auf der Ordinate, von dem aus h gemessen wird, wird durch Extrapolation erhalten (s. oben); h_{B_1} muß natürlich von demselben Punkt aus gemessen werden. Nach Ablauf der Versuchszeit und nachdem in beiden Gefäßen die gesamte Hydrogencarbonatmenge durch HCl freigesetzt worden ist, wird die Lauge zuerst in das linke Gefäß eingeführt. Nachdem die Absorption vollständig und die Änderung der Druckdifferenz h_{C_1} abgelesen ist, wird die Lauge in das rechte Gefäß gebracht; nach vollständiger CO_2-Absorption betrage die Druckänderung (gegenüber der vorhergehenden Ablesung) h_{C_2}. Vor dem Zukippen der Salzsäure ist der CO_2-Druck am Anfang $h_{C_1} - h_{B_1}$, am Ende $h_{C_2} - h_{B_2}$. Für die p_H-Änderung in der Versuchszeit wird erhalten:

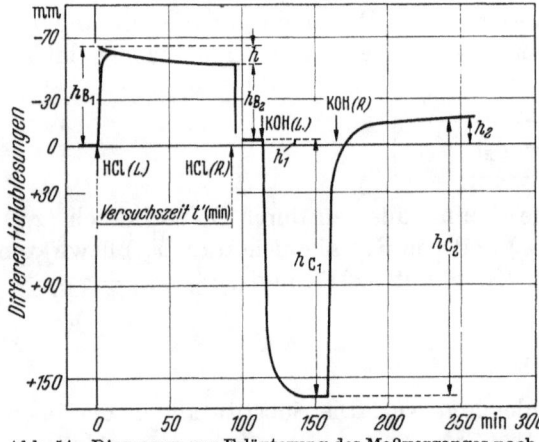

Abb. 54. Diagramm zur Erläuterung des Meßvorganges nach der Methode von DIXON und KEILIN bei Anwendung von Serum als Versuchslösung. (Versuch mit Rattennetzhaut von DIXON[1].)

$$\Delta_{p_H} = \log \frac{h_{B_2}}{h_{B_1}} + \log \frac{h_{C_1} - h_{B_1}}{h_{C_2} - h_{B_2}}.$$

Da Differentialmanometer verwendet werden, ist der CO_2-Druck am Anfang bzw. am Ende nicht genau gleich $h_{C_1} - h_{B_1}$ bzw. $h_{C_2} - h_{B_2}$, sondern $C \cdot (h_{C_1} - h_{B_1})$ bzw. $C \cdot (h_{C_2} - h_{B_2})$, wo C ein Korrekturfaktor von der Bedeutung

$$C = \cos \vartheta + \frac{A \cdot P_0}{2 \cdot v_G}$$

ist (s. die Ableitung der Gefäßkonstanten für das Differentialmanometer, S. 72). C liegt immer nahe bei 1, und bei vertikalen Manometercapillaren ($\cos \vartheta = 1$) kann es überhaupt vernachlässigt werden. Es ist zu beachten, daß h_1 und h_2 die am Manometer direkt abgelesenen Druckdifferenzen (zwischen den beiden Gefäßen) sind, wogegen h, h_{B_1}, h_{B_2}, h_{C_1} und h_{C_2} Änderungen von Druckdifferenzen bedeuten.

Das Δ_{p_H} entsprechende Δ_x wird der „Retentionskurve" entnommen. Die im Serum in der Versuchszeit aufgetretene Änderung im Hydrogencarbonatgehalt ist $x_{B'}$; nach

---

[1] DIXON, M.: Biochem. J. **31**, 924 (1937).

Korrektur für die Retention wird für die aerobe Glykolyse in Serum erhalten:

(d) $$\boxed{x_M^{O_2} = -x_{B'} + \Delta_x}.$$

(Da $x_{B'}$ als negativ betrachtet wird, wenn der Hydrogencarbonatgehalt abgenommen hat, ist $-x_{B'}$ bei Säurebildung positiv).

Das Retentionsvermögen der verwendeten Serumprobe kann nach BREKKE und DIXON[1] mit nur einem Differentialmanometer bestimmt werden. Dazu wird die Hahnbohrung des rechten Gefäßes mit 20%iger Kalilauge gefüllt. In zwei „KEILIN-Röhrchen" (S. 99) werden verschiedene Mengen einer vorher manometrisch standardisierten, etwa 0,1 n Weinsäurelösung eingewogen. Die Weinsäurelösung wird im Vakuumexsiccator über Schwefelsäure eingetrocknet. Die Röhrchen werden an die Einsätze der beiden Gefäße gehängt. Damit sie getrennt voneinander in das Serum „gekippt" werden können, wird das Röhrchen in dem auf der linken Manometerseite befindlichen Gefäß durch ein knapp 1 mm langes Häkchen, in dem auf der rechten Seite befindlichen Gefäß durch ein etwa 2,5 mm langes Häkchen befestigt. Durch einen leichten Stoß fällt dann das Röhrchen in dem linken Gefäß in das Serum, wogegen dazu für das andere Röhrchen eine heftigere Bewegung erforderlich ist. In den Hauptraum beider Gefäße werden genau je 2,0 ml Serum eingemessen. Filtrierpapierzylinder und Glasstäbchen gibt man auch in den Einsatz des linken Gefäßes (in das keine Lauge eingeführt wird), damit das Gasraumvolumen auf beiden Seiten gleich groß ist. In den Anhang des linken Gefäßes pipettiert man 0,3 ml 3 n HCl, in den rechts 0,3 ml Wasser (zum Volumenausgleich). Das mit seinen Gefäßen verbundene Manometer wird am Thermostaten befestigt. Die Durchströmung mit dem Gasgemisch, Schließen von Manometerhähnen und Gefäßventilstopfen erfolgen wie im Hauptversuch.

Nachdem der Stand der Manometerflüssigkeit auf beiden Seiten abgelesen ist, läßt man das Röhrchen in dem linken Gefäß in das Serum fallen. Nach etwa 20 min langem Schütteln wird die Druckdifferenz h abgelesen, aus der nach Multiplizieren mit der Gefäßkonstanten K_{CO_2} die von der eingewogenen Weinsäuremenge aus Serum freigesetzte CO_2-Menge (hier mit $x_{CO_2}^S$ bezeichnet) erhalten wird. Dann läßt man die Salzsäure aus dem Anhang in den Hauptraum einfließen. Jetzt ist die gesamte gebundene CO_2-Menge im linken Gefäß freigesetzt. Die abgelesene Druckdifferenz h_0, multipliziert mit K_{CO_2}, ergibt den Hydrogencarbonatgehalt (x_B) am Anfang der Bestimmung. Dann wird das (mit einer anderen Weinsäuremenge beschickte) Röhrchen in dem rechten Gefäß in das Serum gebracht. Aus der auf die vorhergehende Ablesung bezogenen Druckdifferenz h wird nach Multiplizieren mit K_{CO_2} $x_{CO_2}^S$ für die jetzt eingekippte Weinsäuremenge erhalten. Nunmehr wird die Lauge in das rechte Gefäß eingeführt. Die Änderung der Druckdifferenz (gegenüber der vorher abgelesenen Differenz) ergibt nach Multiplizieren mit dem Korrektionsfaktor C den CO_2-Druck (p_{CO_2}) im rechten Gefäß nach dem Zufügen der Weinsäure.

Die von 2 ml der Serumprobe retinierte Säuremenge, ausgedrückt in μl CO_2, ist:

$$\Delta_x = x_{CO_2}^R - x_{CO_2}^S,$$

wo $x_{CO_2}^R$ das CO_2-Äquivalent der jeweils zugefügten Weinsäuremenge ist. Δ_x wird für die beiden Mengen Weinsäure ausgerechnet. Subtrahiert man von der am Anfang vorhandenen Hydrogencarbonatmenge x_B die freigesetzte CO_2-Menge $x_{CO_2}^S$, so erhält man die Hydrogencarbonatmengen x_B, die im linken und rechten Gefäß nach dem Zukippen der verschiedenen Weinsäuremengen noch vorhanden sind. Der im rechten Gefäß nach dem Zukippen der Weinsäure vorhandene CO_2-Druck wurde bestimmt. Zieht man davon die Druckdifferenz h ab, die nach dem Zufügen der Weinsäure im rechten Gefäß entstanden ist, so wird p_{CO_2} für den Anfangszustand erhalten. Addiert man zu diesem Anfangswert von p_{CO_2} die Druckdifferenz h, die nach dem Zufügen der im linken Gefäß befindlichen Wein-

---

[1] BREKKE, B., and M. DIXON: Biochem. J. **31**, 2000 (1937).

säuremenge entstanden ist, so erhält man p_{CO_2} für den dann bestehenden Zustand. Damit sind die Hydrogencarbonatgehalte (x_B) und die Partialdrucke von CO_2 (p_{CO_2}) am Anfang und nach dem Zufügen von zwei verschiedenen Weinsäuremengen bekannt. Die in 2 ml Serum gelöste Menge Kohlensäure („H_2CO_3") ist (s. auch S. 159):

$$\text{„}H_2CO_3\text{"} = \frac{p_{CO_2} \cdot 2000 \cdot \alpha_{CO_2}}{P_0},$$

wobei für p_{CO_2} die unter den verschiedenen Bedingungen geltenden Werte einzusetzen sind. Die p_H-Werte werden errechnet nach:

$$p_H = pK_1' + \log \frac{x_B}{\text{„}H_2CO_3\text{"}},$$

mit den Werten von x_B für die verschiedenen Zustände. Der für pK' eingesetzte Wert ist hier unwesentlich, da diese konstante Größe bei der Differenzbildung zur Gewinnung von Δ_{p_H} herausfällt. Trägt man nicht Δ_{p_H}, sondern die p_H-Werte gegen die zugehörigen Werte von Δ_x in das Koordinatensystem ein, so wird eine Retentionskurve mit drei Meßpunkten erhalten, der Δ_x für die im Hauptversuch eingetretene p_H-Änderung entnommen werden kann. Für die meisten Versuche genügt dieses Vorgehen bei der Retentionsbestimmung. Eine genauere Ermittlung der Retentionskurve mit fünf Meßpunkten nach Dixon[1] erfordert drei Differentialmanometer.

Versuchsbeispiele:

In den folgenden Beispielen werden die Ablesungen für jede Seite des Differentialmanometers angegeben.

1. Bestimmung des respiratorischen Quotienten von Leberschnitten (nach Dixon und Keilin). Leberschnitte (0,3 mm) von der Ratte. Versuchslösung: Inaktiviertes Schafserum (ohne Glucosezusatz). Gas: 5% CO_2 in O_2. Temperatur: 39° C. Manometerflüssigkeit: Clerici-Lösung. Gefäßkonstanten: $K_{O_2} = 13,76$, $K_{CO_2} = 14,20$. Schnittgewichte: mg Trockengewicht. — Druckdifferenzen, korrigiert für die Niveaudifferenz am Anfang.

	Links	Rechts	
Hauptraum .	2,0 ml Serum 29,5 mg Leber	2,0 ml Serum 27,1 mg Leber	
Anhang . . .	0,3 ml HCl	0,3 ml HCl	
Hahnbohrung	KOH	KOH	

Zeit (min)	Ablesungen		Druckdifferenz (mm)
0	100,1	100,0	+ 0,1
0	*HCl*		
60		*HCl*	
80	96,9	103,2	
100	96,9	103,2	− 6,4 (= h_1)
100	*KOH*	*KOH*	
170	87,1	112,6	
180	87,1	112,5	− 25,5 (= h_2)

$$x_{O_2} = -25{,}5 \cdot 13{,}76 = -351,$$
$$x_{CO_2} = (-6{,}4 + 25{,}5) \cdot 14{,}20 = +271,$$
$$RQ = \frac{271}{-351} = -0{,}77,$$
$$Q_{O_2} = \frac{-351}{27{,}1} = -13{,}0.$$

---
[1] Dixon, M.: Biochem. J. **31**, 924 (1937).

2. Messung der Atmung und der aeroben Glykolyse der Netzhaut in Serum (nach DIXON[1]). Pro Gefäß drei Rattenretinae. Versuchslösung: Inaktiviertes Schafserum mit 0,2% Glucose. Gas: 5% CO_2 in O_2. Temperatur: 40° C. Versuchszeit: 90 min. Manometerflüssigkeit: CLERICI-Lösung. Gefäßkonstanten: $K_{O_2} = 13{,}68$, $K_{CO_2} = 14{,}13$. Gewebegewicht: mg Trockengewicht. — Die in der letzten Spalte aufgeführten Druckdifferenzen sind noch nicht für die Niveaudifferenz am Anfang korrigiert.

	Links	Rechts	
Hauptraum	2,0 ml Serum 3,9 mg Gewebe	2,0 ml Serum 3,9 mg Gewebe	
Anhang	0,3 ml HCl	0,3 ml HCl	
Hahnbohrung	KOH	KOH	

Zeit (min)	Ablesungen		Differenz (mm)
0	103,2	103,7	− 0,5
0	HCl		
10	71,0	135,1	−64,1
20	72,0	134,3	−62,3
30	72,4	133,8	−61,4
90	75,5	131,0	−55,5
		HCl	
110	102,2	104,5	− 2,3
110	KOH		
170	184,5	20,9	+163,6
170		KOH	
250	96,9	109,6	−12,7

$$h_2 = -12{,}7 - (-0{,}5) = -12{,}2 \qquad x_{O_2} = -167$$

$$h_1 = -2{,}3 - (-0{,}5) = -1{,}8 \qquad x_{CO_2} = +147$$

$$h = -55{,}5 - (-65{,}5) = +10{,}0 \qquad x_{B'} = -167$$

$$h_{B_1} = 65{,}5 - 0{,}5 = 65{,}0$$

$$h_{B_2} = 55{,}5 - 2{,}3 = 53{,}2$$

$$h_{C_1} = 163{,}6 + 2{,}3 = 165{,}9$$

$$h_{C_2} = 163{,}6 + 12{,}7 = 176{,}3$$

$$\Delta_{pH} = \log \frac{53{,}2}{65{,}0} + \log \frac{(165{,}3 - 65{,}0)}{(176{,}3 - 53{,}2)} = -0{,}176.$$

$\Delta_x/\Delta_{pH} = 371$. (Nach Retentionsbestimmung; s. nachstehendes Protokoll.)

$\Delta_x = 0{,}176 \cdot 371 = 66$.

$x_M^{O_2} = 167 + 66 = +233$.

$$Q_{O_2} = \frac{-167 \cdot 60}{3{,}9 \cdot 90} = -28{,}5$$

$$RQ = \frac{147}{-167} = -0{,}88$$

$$Q_M^{O_2} = \frac{233 \cdot 60}{3{,}9 \cdot 90} = +40.$$

3. Bestimmung der Retention in Schafserum (nach BREKKE und DIXON[2]). Retentionsbestimmung zu der in vorstehendem Beispiel wiedergegebenen Messung mit inaktiviertem Schafserum. Gas: 5% CO_2 in O_2. Temperatur: 40° C. Gefäßkonstante: $K_{CO_2} =$

---
[1] DIXON, M.: Biochem. J. **31**, 924 (1937).
[2] BREKKE, B., and M. DIXON: Biochem. J. **31**, 2000 (1937).

14,20. Korrektionsfaktor: $C = 0{,}97$. — Änderungen im Stand der Manometerflüssigkeit (CLERICI-Lösung) nach Zusatz von Weinsäure werden mit h, nach Zusatz von HCl und KOH mit h_0 bezeichnet. Bei der Berechnung von p_H wird $pK' = 6{,}10$ gesetzt. Die für den Anfangszustand geltenden Werte, die für beide Gefäße gleich sind, werden unten im mittleren Teil der Tabelle aufgeführt.

	Links	Rechts
Hauptraum	2,0 ml Serum	2,0 ml Serum
Anhang.	0,3 ml HCl	0,3 ml Wasser
Hahnbohrung	—	20%ige KOH
„KEILIN-Röhrchen" (g 0,1 n Weinsäure)	0,1025	0,2599

Zeit (min)	Ablesungen		Differenz (mm)
0	101,8	102,1	— 0,3
0	*Weinsäure*		
20	95,2	108,7	— 13,5
20	*HCl*		
40	60,1	143,5	— 83,4
40		*Weinsäure*	
60	76,0	128,0	— 52,0
60		*KOH*	
120	4,1	200,5	— 196,4
$h =$	13,2		31,4
$x_{CO_2}^S =$	187		446
$x_{CO_2}^R =$	228		577
$\Delta_x =$	41	0	131
$h_0 =$	83,1		113,0
$x_B =$	993	1180	734
$p_{CO_2} =$	122	110	140
„H_2CO_3" $=$	49,8	44,9	57,1
$p_H =$	7,400	7,525	7,209
$\Delta_x/\Delta_{p_H} =$	**328**		**414** (Mittel: 371)

j) Anwendung des Differentialmanometers von DICKENS und GREVILLE[1, 2].

Mit dem S. 94 beschriebenen volumenkonstanten Differentialmanometer[1] werden Atmung und Glykolyse in ähnlicher Weise gemessen[2] wie nach der Methode von DIXON und KEILIN (S. 222), und die zur Berechnung von x_{O_2}, x_{CO_2} und $x_M^{O_2}$ anzuwendenden Gleichungen (S. 225) haben die gleiche Form. Da hier jedoch Druckdifferenzen bei konstant gehaltenem Gasraumvolumen gemessen werden, tritt an die Stelle der Gefäßkonstanten K für das BARCROFTsche Differentialmanometer die Gefäßkonstante k für volumenkonstante Messung. Der Meßvorgang soll hier nur so weit beschrieben werden, wie es für die Erkennung einiger Besonderheiten, die dieser Manometertyp bei seiner Anwendung bietet, erforderlich ist.

Als Manometerflüssigkeit dient BRODIE-Lösung. Die Form der Gefäße entspricht der „Gefäßform II" (Abb. 51, S. 215) von DICKENS und ŠIMER. Die beiden für ein Manometer verwendeten Gefäße sind von gleicher Größe; sie werden in genau gleicher Weise mit Versuchsmaterial, Versuchslösung (mit Hydrogencarbonat) und Reagentien beschickt. In den Gefäßraum C werden hier Versuchsmaterial und Versuchslösung, in den Anhang D die Säure, in A die Jodlösung und in das Einsatzgefäß E die Kaliumpermanganatlösung gebracht. Zur Durchgasung (mit CO_2 in O_2) werden die beiden mit ihren Gefäßen fest verbundenen und in die Schüttelvorrichtung des Thermostaten eingehängten Mano-

---

[1] DICKENS, F., and G. D. GREVILLE: Biochem. J. **27**, 213 (1933).
[2] DICKENS, F., and G. D. GREVILLE: Biochem. J. **27**, 1479 (1933).

meterarme durch ein T-Stück mit der Gasflasche in der in Abb. 55 veranschaulichten Weise verbunden. Es ist wünschenswert, daß die Durchgasung mit einem kräftigeren Gasstrom erfolgt als üblich. Bei geöffneter Klemmschraube X reguliert man den Gasstrom so, daß aus dem Rohr des „Sicherheitsventils" (S. 109) Gasblasen austreten; dann wird X für die weitere Durchgasung geschlossen. Mit zur Luft hin geöffneten Manometerhähnen wird der Druckausgleich hergestellt. Dann wird der Hahn des mit dem Versuchsgefäß verbundenen Manometerarmes so gedreht, daß das Manometer zu dem Gasraum dieses Gefäßes hin offen ist, wogegen das andere Gefäß (Kontrollgefäß) von dem Manometer (und von der Luft) vollkommen abgeschlossen wird und der Capillararm auf dieser Seite zur Luft hin offen ist. Um die Manometerflüssigkeit zu immobilisieren, wird der Hahn T (Abb. 19a) geschlossen. Der Manometerarm auf der Seite des Kontrollgefäßes wird aus den Klammern gelöst, um die Säure aus dem Anhang in den das Versuchsmaterial und Medium enthaltenden Raum des Gefäßes zu kippen. Der Manometerarm wird nach dem Kippen wieder auf der Spannleiste befestigt, und der Hahn T, der bis jetzt die Manometerflüssigkeit immobilisiert hat, wird geöffnet. Durch die Zugabe des Säureüberschusses zu dem Hydrogencarbonat enthaltenden Medium entsteht in dem Kontrollgefäß ein erheblicher Druck, der den Stand der Manometerflüssigkeit jedoch nicht verändern kann, weil das Kontrollgefäß durch den Dreiwegehahn von seiner Verbindung mit der Manometercapillare abgeschlossen ist. Hierdurch ist es möglich, an Stelle von CLERICI-Lösung BRODIE-Lösung als Manometerflüssigkeit verwenden zu können.

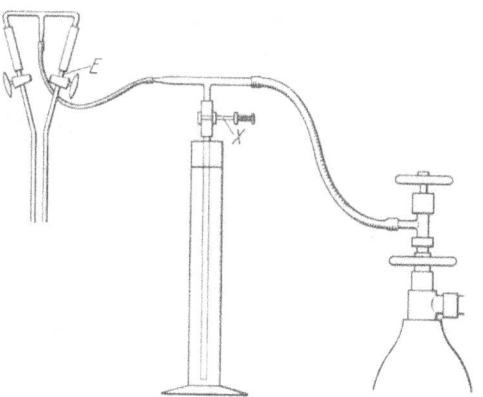

Abb. 55. Anschluß des Differentialmanometers von DICKENS und GREVILLE[1] an die Gasflasche unter Zwischenschaltung eines Überdruckventils.

Nach dem Kippen des Kontrollgefäßes beginnt die Versuchsperiode, während der das Manometer geschüttelt wird. Die Druckänderung h wird in bestimmten Zeitintervallen gemessen, wobei der Meniscus der Manometerflüssigkeit in dem mit dem Versuchsgefäß verbundenen Manometerarm jedesmal auf die Eichmarke eingestellt wird. Das Manometer wirkt jetzt wie ein einfaches offenes Manometer (und wird als solches gehandhabt), da der zweite Manometerschenkel zur Luft hin offen ist. Die Druckänderungen h müssen deshalb auch für die von einem gesondert mitgeführten Thermobarometer angezeigten Druckänderungen korrigiert werden.

Am Ende der Versuchszeit wird das Versuchsgefäß durch den Manometerhahn abgeschlossen, und die Säure wird — in gleicher Weise wie im Kontrollgefäß am Anfang — in den das Medium und das Versuchsmaterial enthaltenden Außenraum gekippt. Da der Gasraum beider Gefäße jetzt abgeschlossen ist und beide Manometerarme zur Luft hin offen sind, steht die Manometerflüssigkeit auf beiden Seiten gleich hoch; die Ablesung ist 0. Es wird einige Zeit geschüttelt. Dann werden beide Manometerhähne gleichzeitig so gedreht, daß die Gefäße mit dem Manometer verbunden und die Manometercapillaren von der Luft abgeschlossen sind. Die Differentialablesung ($=h_1$) wird vorgenommen, nachdem man die Manometerflüssigkeit auf beiden Seiten auf die Eichmarken eingestellt hat (vgl. Abb. 19b, S. 94). Dann wird zur Absorption von CO_2 in beiden Gefäßen die Kaliumpermanganatlösung in die Jodidlösung gekippt. Nach etwa 1 Std langem Schütteln wird die Druckdifferenz h_2 abgelesen. h, h_1 und h_2 haben die gleiche Bedeutung wie bei der Messung nach DIXON und KEILIN; sie sind im vorliegenden Falle jedoch Druckänderungen bzw. Druckdifferenzen bei konstant gehaltenem Gasraumvolumen und sind deshalb in den auf S. 225 zur Berechnung von x_{O_2}, x_{CO_2} und $x_M^{O_2}$ angeführten Gl. (a), (b) und (c) mit k_{O_2} oder k_{CO_2} (an Stelle von K_{O_2} oder K_{CO_2}) zu multiplizieren.

---
[1] DICKENS, F., and G. D. GREVILLE: Biochem. J. **27**, 213 (1933).

k) Messung von Atmung und aerober Glykolyse mit dem „kombinierten Manometer" von SUMMERSON[1].

Das auf S. 95 beschriebene Manometer von SUMMERSON kann sowohl als offenes Manometer als auch als Differentialmanometer verwendet werden. In beiden Fällen wird das Gasraumvolumen konstant gehalten; die Gefäßkonstanten für die Differentialmessungen sind dann gleich den Gefäßkonstanten für das offene Manometer.

Atmung und Glykolyse werden auf ähnliche Weise wie nach der Methode von DIXON und KEILIN gemessen. Die Manometerablesung h gibt die auf O_2-Verbrauch sowie Bildung von Atmungs-CO_2 und von Extra-CO_2 beruhende Gesamtdruckänderung an, die Ablesung h_1 ist durch den Verbrauch von O_2 und die Bildung von Atmungs-CO_2 gegeben, die Ablesung h_2 beruht allein auf dem O_2-Verbrauch. Durch h_1 und h_2 werden Druckdifferenzen zwischen den beiden Gefäßen gemessen, d.h. das Manometer wird dann als Differentialmanometer benutzt. Auf die gleiche Weise kann auch h gemessen werden, jedoch ist es praktisch, dazu die mit dem Stoffwechselgefäß verbundene Manometerhälfte als offenes Manometer zu verwenden. Im letzten Falle muß ein Thermobarometer mitgeführt werden.

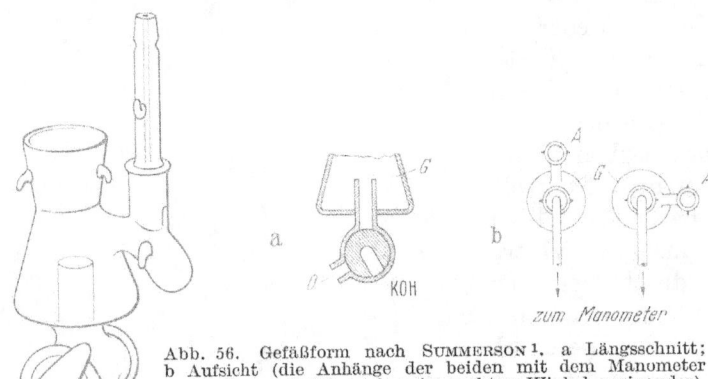

Abb. 56. Gefäßform nach SUMMERSON[1]. a Längsschnitt; b Aufsicht (die Anhänge der beiden mit dem Manometer verbundenen Gefäße stehen im rechten Winkel zueinander). O Einfüllöffnung; G Gefäßraum; A Anhang.

Bei der Schaltung des Manometers als Differentialmanometer sind die Höhen der Flüssigkeitssäulen in den beiden inneren Armen nicht unabhängig voneinander; Änderung des Flüssigkeitsniveau in dem einen Arm beeinflußt das Flüssigkeitsniveau in dem anderen Arm. Deshalb ist darauf zu achten, daß das Niveau der Manometerflüssigkeit in beiden äußeren Manometerarmen auf die Eichmarke eingestellt ist, bevor die inneren Arme abgelesen werden.

Ausführung:

Die Gefäßform (Abb. 56) entspricht mit kleinen Änderungen dem von DIXON und KEILIN angegebenen Gefäßmodell. Die Öffnung zum Einfüllen der Lauge in die Hahnbohrung ist seitlich, in einem Winkel von 120° zu dem mit der Bohrung kommunizierenden Einsatz des Gefäßes angebracht. Das soll unter anderem die Gefahr eines Leckwerdens des Hahnes bei seiner nicht ganz richtigen Handhabung vermindern. Der mit einem Ventilstopfen versehene Anhang hat keine drehbare Schliffverbindung, sondern ist fest angeblasen. Die Anhänge vom linken und rechten Gefäß stehen im rechten Winkel zueinander (Abb. 56, b), so daß beim Kippen entweder nur der Inhalt vom Anhang des linken Gefäßes oder nur der Inhalt vom Anhang des rechten Gefäßes in den Hauptraum des zugehörigen Gefäßes übergeführt werden kann. Die Gefäße haben einen Inhalt von etwa 18 ml. Das Gasraumvolumen beider Gefäße soll genau gleich groß sein; es wird nötigenfalls mit Hilfe der Glasstäbchen auf die bereits S. 122 angegebene Weise korrigiert. Als Manometerflüssigkeit wird BRODIE-Lösung verwendet.

Die Gefäße werden — wie bei der Methode von DIXON und KEILIN — mit Lauge in der Hahnbohrung, Filtrierpapierzylinder und Glasstäbchen im Einsatz, Salzsäure im Anhang und Versuchslösung und Gewebe im Hauptraum beschickt. Die Durchgasung mit dem Gasgemisch (5% CO_2 in O_2) erfolgt bei ziemlich schnellem Gasstrom im Thermostaten und unter Schütteln; der Manometerhahn ist dabei in Stellung 3 (Abb. 21, S. 95)

---
[1] SUMMERSON, W. H.: J. biol. Ch. **131**, 579 (1939).

gedreht, um die Verschiebung der Manometerflüssigkeit durch den Druck des Gasstromes zu vermindern. Nach genügender Durchgasung wird die Gaszufuhr abgestellt; die Verbindung des Manometers mit dem Gasverteilungsrohr wird noch nicht gelöst. Die Gefäße werden durch Drehung des Ventilstopfens geschlossen. Das Verteilungsrohr wird zur Luft hin geöffnet (oder es wird die Verbindung zwischen Gasflasche und Verteilungsrohr gelöst). Der T-Hahn wird in Stellung *1* gedreht, und die Flüssigkeitsmeniscen werden in den äußeren Capillaren ungefähr auf die Eichmarke eingestellt. Zum vollständigen Ausgleich des Druckes in den Gefäßen mit dem atmosphärischen Druck wird noch eine kurze Zeit weiter geschüttelt. Die Manometerflüssigkeit wird in den beiden äußeren Capillaren genau auf die Eichmarke eingestellt, und das Manometer wird durch Drehen des linken und rechten Manometerhahnes und des T-Hahnes nach Stellung *3* geschlossen. Das Niveau der Manometerflüssigkeit steht in den vier Capillararmen gleich hoch. Die Verbindungsschläuche werden erst jetzt vom Manometer abgenommen.

Zur Messung von h — der durch den Gewebestoffwechsel bewirkten Änderung des Gesamtdruckes im rechten Gefäß — wird der T-Hahn in Stellung *2* gedreht. Der nicht mit dem Gefäß verbundene Capillararm des rechten Manometers ist jetzt zur Luft hin geöffnet, und das linke Manometer ist abgeschlossen. Bei t_0 wird das rechte Manometer (und zugleich das Thermobarometer) abgelesen, und die Salzsäure wird aus dem Anhang in den Hauptraum des linken Gefäßes gekippt. Die Gefäße werden eine passende Zeit, während der das Gewebe im rechten Gefäß atmet und glykolysiert, geschüttelt. Am Ende der Versuchszeit (bei t') wird das rechte Manometer abgelesen; nach Korrektur für die Thermobarometerablesung wird die durch Verbrauch von O_2 sowie Bildung von Atmungs-CO_2 und Extra-CO_2 bewirkte Druckänderung h erhalten.

Unmittelbar nach der Ablesung von h wird der T-Hahn in Stellung *4* gedreht und die Salzsäure in den Hauptraum des rechten Gefäßes gekippt. Nach kurzem Schütteln wird der T-Hahn in Stellung *3* gedreht, und h_1 wird abgelesen. Man stellt dazu das Niveau der Manometerflüssigkeit in den beiden äußeren Capillaren auf die Eichmarken ein und liest die Höhendifferenz zwischen den Meniscen in den beiden inneren Capillaren ab. Die durch h_1 angezeigte Druckdifferenz beruht auf dem Verbrauch von O_2 und der Bildung von Atmungs-CO_2 durch das Gewebe in dem rechten Gefäß während der Zeit von t_0 bis t'. Die durch Glykolyse aus dem Hydrogencarbonat gebildete Menge an Extra-CO_2 hat keinen Einfluß auf diese Druckdifferenz, da die gesamte (und gleich große) Hydrogencarbonatmenge in beiden Gefäßen freigesetzt worden ist und der dadurch im linken Gefäß entstehende Druck den im rechten Gefäß entstehenden (gleich großen) Druck ausgleicht. Nach dem Zukippen von Salzsäure in das rechte Gefäß werden Ablesungen in zeitlichen Intervallen vorgenommen, bis für h_1 konstante Werte erhalten werden. (Es kommt dabei nur auf die Konstanz der Höhendifferenz an, nicht auf die Konstanz der numerischen Werte der Ablesungen an jedem der beiden Capillararme.)

Nach der Ablesung von h_1 wird die Lauge aus der Hahnbohrung in beide Gefäße eingeführt. Die Gefäße werden bis zur vollständigen Absorption des Kohlendioxyds geschüttelt. Das dauert etwa 1—1$^1/_2$ Std. Während der ersten Phase der CO_2-Absorption ist der T-Hahn in Stellung *4* gedreht, um die Manometerflüssigkeit zu immobilisieren. Gegen Ende der Absorption wird der T-Hahn wieder in Stellung *3* gedreht. Die Meniscen werden auf beiden Seiten auf die Eichmarken eingestellt, und das Manometer wird bis zur Konstanz der Höhendifferenz h_2 abgelesen. Da jetzt die gesamte CO_2-Menge in beiden Gefäßen absorbiert worden ist, ist h_2 allein auf den Sauerstoffverbrauch zu beziehen.

Berechnung:

Alle Ablesungen werden bei konstantem Gasraumvolumen vorgenommen; es gelten somit die Gefäßkonstanten für das einfache Manometer bei volumenkonstanter Messung. Die Druckänderung h wird wie bei dem einfachen Manometer abgelesen; h_1 und h_2 sind Differentialablesungen. Die Druckänderung h ist bei aerob glykolysierenden Geweben positiv; h_1 ist in der Regel negativ, kann unter bestimmten Bedingungen aber auch einen positiven Wert haben; h_2 ist immer negativ. Das algebraische Vorzeichen der Höhendifferenz h_1 ergibt sich durch Subtraktion der Ablesung des Capillararmes auf der Seite des linken Gefäßes von der Ablesung des Capillararmes auf der Seite des rechten Gefäßes.

Die zur Berechnung des Gaswechsels anzuwendenden Gleichungen haben dieselbe Form wie bei der Methode von DIXON und KEILIN, nur daß hier die Gefäßkonstanten für volumenkonstante Messungen einzusetzen sind:

$$\boxed{x_{O_2} = h_2 \cdot k_{O_2}},$$

$$\boxed{x_{CO_2} = (h_1 - h_2) \cdot k_{CO_2}},$$

$$\boxed{x_M^{O_2} = (h - h_1) \cdot k_{CO_2}}.$$

$x_M^{O_2}$ kann nach der letzten Gleichung nur für Versuche mit nicht retinierenden Lösungen berechnet werden; x_{O_2} und x_{CO_2} sind unabhängig von einer stattfindenden Retention und werden in Serum auf die gleiche Weise gemessen wie in Ringer-Hydrogencarbonatlösung. Bei der Messung der aeroben Glykolyse in Serum ist das Retentionsvermögen des Serums zu berücksichtigen, z.B. auf dem von DIXON (s. S. 225) angegebenen Wege.

Das Differentialmanometer von SUMMERSON wurde (in Verbindung mit Atmungsgefäßen nach DIXON und KEILIN) z.B. von DALES und FISHER[1] für Untersuchungen über den Einfluß von Kohlenmonoxyd auf die Atmung von Zellkulturen angewendet.

Versuchsbeispiel:

Messung von Atmung und aerober Glykolyse von Rattentestis (nach SUMMERSON). Versuchslösung: Ringer-Hydrogencarbonat-Glucose. Manometerflüssigkeit: BRODIE-Lösung. Gefäßkonstanten: $k_{O_2} = 1{,}47$, $k_{CO_2} = 1{,}53$. Links: Kontrollgefäß; rechts: Stoffwechselgefäß. — Es werden nur die Ablesungen am Ende des Versuches aufgeführt.

	Links	Rechts	
h (Druckänderung)		57	$h = 57$
h_1	304	285	$h_1 = 285 - 304 = -19$
h_2	348	202	$h_2 = 202 - 348 = -146$

$$x_{O_2} = -146 \cdot 1{,}47 = -215,$$

$$x_{CO_2} = -19 - (-146) \cdot 1{,}53 = 194,$$

$$x_M^{O_2} = 57 - (-19) \cdot 1{,}53 = 116,$$

$$RQ = \frac{194}{-215} = -0{,}90.$$

l) Messung der Partialdrucke von CO_2 und O_2 im Stoffwechselversuch nach WARBURG und KRIPPAHL[2].

Zur Messung des im Gasraum des Stoffwechselgefäßes vorhandenen CO_2- oder O_2-Partialdruckes werden Gefäße mit „Wanne" und einem damit verbundenen Anhang benutzt (Abb. 28, S. 100). Im vorgesehenen Zeitpunkt wird in der Wanne eine CO_2 oder O_2 absorbierende Lösung erzeugt; die auftretende Druckabnahme wird gemessen (s. auch S. 275). Als Manometerflüssigkeit dient BRODIE-Lösung, wenn der zu messende Partialdruck 200 mm Brodie nicht übersteigt; für höhere Partialdrucke wird Hg als Manometerflüssigkeit verwendet (der Durchmesser der Manometercapillaren sollte dann

---

[1] DALES, S., and K. C. FISHER: Canad. J. Biochem. Physiol. **37**, 623 (1959).
[2] WARBURG, O., u. G. KRIPPAHL: Z. Naturforsch. **14b**, 561 (1959).

0,8—1 mm betragen). Mit einer CO_2 absorbierenden Lösung wird x_{CO_2} direkt, x_{O_2} indirekt erhalten und umgekehrt mit einer O_2 absorbierenden Lösung.

Zur CO_2-Absorption wird eine alkalisch reagierende Lösung aus $KMnO_4$ und $K_4Fe(CN)_6$ erzeugt: $KMnO_4 + 3\,K_4Fe(CN)_6 + 2\,H_2O = MnO_2 + 3\,K_3Fe(CN)_6 + 4\,KOH$. Zum Beispiel gibt man in die Wanne 2,6 mg $KMnO_4$ in 0,2 ml Wasser, in den Anhang 21 mg $K_4Fe(CN)_6$ in 0,2 ml Wasser. Die Lösung, die beim Mischen in der Wanne entsteht, kann mehr als 1000 μl CO_2 binden. Sind größere CO_2-Mengen zu absorbieren, so nimmt man entsprechend größere Mengen $KMnO_4$ und $K_4Fe(CN)_6$. Überführt man die Lösung aus dem Anhang in die Wanne zur Zeit t', so ist die Druckabnahme gleich dem zur Zeit t' im Gefäß vorhandenen CO_2-Partialdruck. Hat man auf die gleiche Weise den am Anfang — zur Zeit t_0 — bestehenden CO_2-Partialdruck bestimmt, so erhält man aus den beiden Messungen die Änderung des CO_2-Partialdruckes h_{CO_2} in der Zeit $t' - t_0$. Enthält das Gefäß atmendes Versuchsmaterial und ist h' die am Manometer zur Zeit t' (vor der CO_2-Absorption) abgelesene Druckänderung, so kann man den Umsatz sowohl von CO_2 als auch von O_2 berechnen:

$$x_{CO_2} = h_{CO_2} \cdot k_{CO_2},$$
$$x_{O_2} = (h' - h_{CO_2}) \cdot k_{O_2}.$$

Mit atmenden Zellen im Hauptraum ist zu berücksichtigen, daß die Atmung während der CO_2-Absorption weiter geht. Das von den Zellen während dieser Zeit gebildete CO_2 wird von der Lösung in der Wanne absorbiert und erzeugt keinen Druck, wogegen der O_2-Verbrauch der Zellen einen negativen Druck bewirkt, für den die CO_2-Messung zu korrigieren ist. Beträgt z.B. die Druckänderung 10 min nach dem Mischen der Lösungen von Anhang und Wanne — 206 mm (Endwert) und sind die Druckänderungen infolge der Atmung in weiteren 5 min-Intervallen — 3 mm, so ist der für den O_2-Verbrauch während der Absorptionszeit (10 min) korrigierte CO_2-Partialdruck $-206 + 6 = 200$ mm.

Enthält die Versuchslösung Hydrogencarbonat, so stellt sich der Endwert bei der Messung des CO_2-Partialdruckes nur schleichend ein, weil aus dem Hydrogencarbonat laufend CO_2 nachgeliefert wird. In diesem Falle werden Wannengefäße mit einem zweiten Anhang, der mit dem Hauptraum in Verbindung steht und der mit überschüssiger Schwefelsäure beschickt wird, verwendet. Setzt man zur Zeit t' durch Einkippen der Schwefelsäure die gebundene CO_2-Menge frei, so erhält man aus dem Druckanstieg den Hydrogencarbonatgehalt in der Versuchslösung zur Zeit t'. Mischt man dann die Lösungen von Anhang und Wanne, so erhält man die gesamte im Gefäß vorhandene CO_2-Menge. Die Differenz: $x_{CO_2}^{gesamt} - x_{CO_2}^{gebunden}$ ergibt die im Gefäß vorhandene Menge an freiem CO_2. Mit glykolysierendem Versuchsmaterial ist in der letzteren auch die durch Glykolyse freigesetzte Menge an Extra-CO_2 (x_M) enthalten. x_M kann für sich aus der Abnahme des Hydrogencarbonatgehaltes bestimmt werden.

Bei hohen Partialdrucken von CO_2 und kleinen Partialdrucken von O_2 kann es zweckmäßiger sein, nicht die CO_2-Menge, sondern die O_2-Menge direkt zu bestimmen. Zur O_2-Absorption dient eine Lösung von Natriumdithionit: $O_2 + Na_2S_2O_4 = Na_2SO_4 + SO_2$. In die Wanne gibt man 0,4 ml Wasser, in den Anhang 20 mg trockenes $Na_2S_2O_4$ und 20 mg trockenes $CaCl_2$ (s. S. 108). Nach dem Überführen der Salze aus dem Anhang in die Wanne beginnt sofort die O_2-Absorption.

m) Differentialvolumetrische Messung des Sauerstoffverbrauches.

Hauptsächlich zur Messung kleiner Gasumsätze sind mehrere Formen von „Mikrorespirometern" beschrieben worden, mit denen nicht Änderungen des Gasdruckes, sondern Änderungen des Gasvolumens gemessen werden. Wir führen hier lediglich ein Beispiel für die differentialvolumetrische Messung des O_2-Verbrauches mit einer Form von Mikrorespirometern an, deren Theorie S. 76 behandelt wurde.

Messung des Sauerstoffverbrauches mit dem Differential-Mikrorespirometer nach FREI und RYSER[1].

Beschreibung des Respirometers (Abb. 57):

Reaktions- und Kompensationsgefäß haben einen Rauminhalt von je 200—300 μl. Sie sind durch Schliffe mit den Enden einer in ihrem Meßteil horizontal gelagerten, 0,25 bis 0,30 mm weiten Capillare verbunden. Im Schliffteil besitzen die Gefäße eine seitliche Öffnung, die nach außen in einem kurzen Röhrchen ausmündet. Bei passender Drehung der Gefäße deckt sich diese Öffnung mit einer seitlichen Öffnung im Schliffteil der Capillarenden. Während der Ausgleichsperiode im Thermostaten können Manometer und Gefäße auf diese Weise zur Luft hin geöffnet werden. In der Capillare befindet sich eine kurze Säule von gefärbtem Kerosin, dessen Verschiebung an einer untergelegten, in 0,5 mm geteilten Skala abgelesen wird. Das Reaktionsgefäß hat zwei Abteile, von denen das größere zur Aufnahme des Homogenates, das kleinere zur Aufnahme eines mit NaOH befeuchteten Filtrierpapierstreifens dient. Die Befestigungsart auf einer Unterlage ist aus der Abbildung zu ersehen.

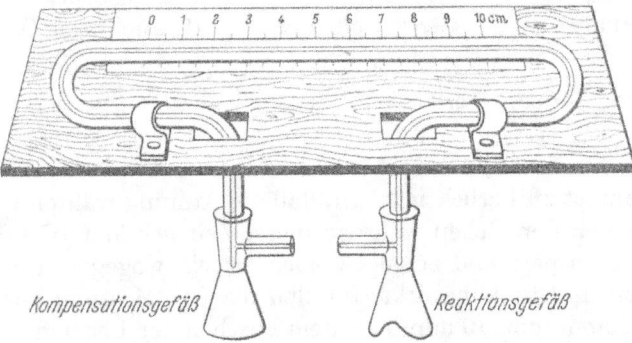

Abb. 57. Mikrorespirometer nach FREI und RYSER[1].

Die gleiche Form eines Mikrorespirometers haben GRUNBAUM, SIEGEL, SCHULZ und KIRK[2] beschrieben. Sie verwenden das Mikrorespirometer in erster Linie zur Messung des O_2-Verbrauches von Gewebekulturen, wobei das Reaktionsgefäß auch als Kulturgefäß dient, eine Überführung der Kultur also wegfällt. Diesem Verwendungszweck sind die Gefäße (mit großer Bodenfläche im Verhältnis zum Gesamtvolumen) angepaßt.

Ausführung der Messung:

In das Kompensationsgefäß kommt die gleiche Flüssigkeitsmenge wie in das Reaktionsgefäß. In den kleineren Raum des Reaktionsgefäßes gibt man ein mit 10 μl 25%iger Natronlauge befeuchtetes Stückchen Filtrierpapier, in den Hauptraum das Reaktionsgemisch (Homogenat, Substrate, Co-Faktoren usw.). Die Gefäße werden mit einem elastischen Band an die leicht (mit Apiezon N, Silicon) gefetteten Schliffe der Capillare so befestigt, daß Verbindung zur Luft hin besteht. Die seitlichen Ansätze an den Gefäßen werden je mit einem etwa 20 cm langen Gummischlauchstück versehen. Das Manometer wird mit den Gefäßen in den Thermostaten gebracht; die Enden der beiden Gummischläuche befinden sich über der Wasseroberfläche. Nach einer Ausgleichszeit von 5 min werden beide Gefäße gleichzeitig um etwa 90° gedreht; das System wird damit von der Luft abgeschlossen. Manometer und Gefäße werden geschüttelt.

Die in der Versuchszeit eintretende Verschiebung des Flüssigkeitsindex (um d mm) wird mit einer Lupe abgelesen. Die Berechnung des O_2-Verbrauches erfolgt nach der vereinfachten Gl. (24), S. 78.

Es ist darauf zu achten, daß der Kerosinfaden nicht unterbrochen ist. Das Kerosin sollte alle 2 Wochen in der Capillare erneuert werden, nachdem man die Capillare mit Aceton gereinigt hat. Das Kerosin wird mit einer fein ausgezogenen Capillare in die Meßcapillare gegeben. Durch Neigen wird das Kerosintröpfchen in der Meßcapillare an die gewünschte Stelle gebracht. Ferner ist darauf zu achten, daß die Capillare nicht durch das an die Schliffe gebrachte Fettungsmittel verschlossen wird. Die Capillare soll in ihrer

---

[1] FREI, J., u. H. RYSER: Clin. chim. Acta, Amsterdam **3**, 288 (1958).
[2] GRUNBAUM, B. W., B. V. SIEGEL, A. R. SCHULZ u. P. L. KIRK: Mikrochim. Acta **1955**, 1069.

ganzen Länge den gleichen inneren Durchmesser haben (vgl. S. 78). Der Capillardurchmesser und die Gefäßvolumina werden durch Auswiegen mit Quecksilber bestimmt. Die Eichung kann durch Freisetzen von CO_2 aus einer bekannten Carbonatmenge kontrolliert werden[1]. Je nach dem zu erwartenden O_2-Verbrauch kann man — in gewissen Grenzen — verschieden weite Capillaren wählen.

Das Mikrorespirometer gestattet die Messung eines O_2-Verbrauches von 0,5—5 μl; die Genauigkeit ist etwa ebenso groß wie die des üblichen „WARBURG-Versuches". Mit α-Ketoglutarat als Substrat und einem Gesamtvolumen an Flüssigkeit von 50 μl wird pro Respirometer eine etwa 1,6 mg Lebergewebe (Frischgewicht) enthaltende Homogenatmenge benötigt (s. auch [2]).

Bei Versuchen mit Zellkulturen[1] werden Zellverklumpungen am Ende des Versuchs durch Behandlung mit 0,1%iger Trypsinlösung bei 37° C während 30—60 min und unter Bewegen der Gefäße gelöst. Die suspendierten Zellen werden dann in einer NEUBAUER-Kammer gezählt.

n) Messung des Sauerstoffverbrauches von Gewebeschnitten ohne oder mit nur kleinen Mengen Versuchslösung.

Der Umstand, daß bei der üblichen manometrischen Messung des Gewebestoffwechsels Schnitte in Lösungen suspendiert werden, deren Zusammensetzung nur annähernd der des Zellmilieus im Körper entsprechen kann und deren großes Volumen (im Verhältnis zu dem der Gewebeschnitte) eine unphysiologische „Verdünnungs-" und „Auswaschwirkung" (s. S. 198) bedingt, hat veranlaßt, die Atmung von Gewebeschnitten ohne oder mit nur ganz geringen Mengen Versuchslösung zu untersuchen.

HUSTON und MARTIN[3] messen den O_2-Verbrauch von Gewebeschnitten in unmittelbarem Kontakt der Schnitte mit der Gasphase, ohne Verwendung einer Suspensionslösung. Dazu werden die (anscheinend in einer feuchten Kammer hergestellten) Gewebeschnitte auf einer aus Glasfäden gebildeten Unterlage ausgebreitet, die einen Zutritt von O_2 von allen Seiten erlaubt. Zur Messung des O_2-Verbrauches (nach der „direkten Methode" von WARBURG) kann die Unterlage mit dem Schnitt in ein gewöhnliches Reaktionsgefäß gebracht werden. Dabei bleiben die Schnitte aber meistens nicht glatt auf der Unterlage ausgebreitet. In einem speziellen, weithalsigen und durch ein Zwischenstück mit dem Manometer verbundenen Gefäß wird die Unterlage mit dem Schnitt auf eine von außen rotierbare Vorrichtung („Paddel") gebracht. Auf dem Boden des Gefäßes befindet sich ein mit Füßchen versehener, herausnehmbarer Trog, unmittelbar darüber die bewegliche Vorrichtung mit dem Gewebeschnitt. Bei der Messung des O_2-Verbrauches befindet sich auf dem Boden des Gefäßes ein mit 0,2 ml 5%iger Kalilauge getränktes Filtrierpapierstückchen und in dem Trog Ringerlösung (um einen normalen Wasserdampfdruck in dem Gefäß zu erhalten). Bei der Bestimmung des respiratorischen Quotienten wird in den Trog Säure gegeben, mit der der Schnitt durch Rotieren des Paddels in Berührung gebracht werden kann. Das entstehende CO_2 wird durch Alkali, das beim Zusammenfügen von Kaliumjodid (im Anhang des Gefäßes) und von Kaliumpermanganat (auf dem Boden des Gefäßes) entsteht (s. S. 275), absorbiert. Ein Schütteln der Gefäße ist überflüssig, und damit werden Gewebeschädigungen, die durch Schütteln entstehen können, vermieden. Die ohne Suspensionslösung gemessene Gewebeatmung nimmt mit der Zeit nur langsam ab; p_H-Änderungen im Gewebe während der Messung scheinen gering zu sein. Die nach dieser Methode erhaltenen Q_{O_2}-Werte sind für einige Gewebearten beträchtlich höher als die bei Verwendung von Salzlösungen (unter den üblichen Meßbedingungen) festgestellten Q_{O_2}-Werte. Aus den Q_{O_2}-Werten wird der O_2-Verbrauch der ganzen Organe berechnet. Der summierte O_2-Verbrauch beträgt nach der neuen Methode 101,8%, nach der Messung in KREBS-RINGER-Phosphatlösung 78,7% und nach der Messung

---
[1] GRUNBAUM, B. W., B. V. SIEGEL, A. R. SCHULZ u. P. L. KIRK: Mikrochim. Acta 1955, 1069.
[2] FREI, J., u. H. RYSER: Clin. chim. Acta, Amsterdam 3, 294 (1958).
[3] HUSTON, M. J., and A. W. MARTIN: Proc. Soc. exp. Biol. Med. 86, 103 (1954).

in dem Medium III von KREBS 90,7% des im Grundumsatzversuch für die schlafende Ratte ermittelten O_2-Verbrauches (229,3 ml O_2/Std für eine 263 g schwere Ratte).

Eine Schüttelung ist auch in einer von CRUICKSHANK[1] gewählten Versuchsanordnung zur mikrorespirometrischen Messung des O_2-Verbrauches von Hautschnitten überflüssig: Die Schnitte werden nicht in der Versuchslösung suspendiert, sondern werden auf der Flüssigkeitsoberfläche ausgebreitet. Versuche mit verschiedenen Schnittgewichten (5 bis 20 mg) und mit verschiedenen Mengen Versuchslösung ergeben pro Gewichts- und Zeiteinheit den gleichen O_2-Verbrauch (der etwas über 1 μl O_2/Frischgewicht/Std beträgt). Während 6 Std verläuft die O_2-Aufnahme verschieden schwerer Schnitte linear. Das zeigt, daß die auf der Flüssigkeitsoberfläche schwimmenden Hautschnitte genügend mit O_2 versorgt werden und daß auch die CO_2-Absorption nicht gestört ist.

DRABKIN und MARSH[2] verwenden zur Messung des O_2-Verbrauches von Gewebeschnitten ein spezielles ,,Respirometer mit feuchter Kammer''. Das 650—660 ml fassende Atmungsgefäß ist durch eine Glasfritte von 9 cm Durchmesser und mit ziemlich weiten Poren in zwei Kammern geteilt. Zur Durchgasung besitzen die Kammern Zu- und Abgänge. Das Manometer besteht aus einem aufsteigenden Glasrohr (mit Schliff am unteren Ende) und einem U-Rohr; es wird auf das Gefäß gesetzt. Das Reaktionsgefäß kann an den üblichen Spannleisten befestigt werden. Die Schnitte werden auf die mit Versuchslösung befeuchtete poröse Platte gelegt; sie werden mit Versuchslösung nur angefeuchtet. Die Gefäßgröße erlaubt die Aufnahme von Schnitten von 3 g Gewebe, das im Anschluß an die manometrische Messung für andere Untersuchungen verwendet wird. Zur Messung des O_2-Verbrauches wird in das Versuchsgefäß ein kleines Becherglas mit Lauge gegeben. Da die Messung nur mit feucht gehaltenen, nicht mit suspendierten Schnitten erfolgt, fällt eine Schüttelung weg. In dieser Versuchsanordnung bleibt die Gewebeatmung über längere Zeit konstant, als wenn die Schnitte in der üblichen Weise in einem verhältnismäßig großen Volumen der Versuchslösung suspendiert werden.

RODNIGHT und MCILWAIN[3] haben den O_2-Verbrauch von Gewebeschnitten (Gehirnrinde, Nierenrinde, Leber und Milz) ohne oder mit nur geringem Zusatz von wäßrigen Lösungen untersucht. Durch Verwendung hochkonzentrierter wäßriger Lösungen oder von Lösungen in nichtwäßrigen Flüssigkeiten wird versucht, eine ausreichende Versorgung des Gewebeschnittes mit Substrat zu erreichen. Die Gewebeschnitte werden auf besonderen Haltern befestigt. Nichtwäßrige Flüssigkeiten werden mit der verwendeten Salzlösung und mit O_2 im Thermostaten äquilibriert. Durch einen am Seitenarm des Manometers angebrachten Hahn kann die Manometerflüssigkeit während der Durchgasung des Atmungsgefäßes abgeschlossen werden, eine besonders bei Verwendung von leicht flüchtigen Siliconen angezeigte Maßnahme. ,,Frische'' Gewebeschnitte werden ohne Verwendung von Salzlösung beim Schneiden gewonnen; ,,feuchte'' Schnitte werden mit einem mit der Salzlösung (eventuell + Substrat) angefeuchteten Messer gemacht, in der Salzlösung gebadet und vor der Befestigung von überschüssiger Salzlösung befreit. Vergleichsweise wird der O_2-Verbrauch der in Salzlösung suspendierten Schnitte wie üblich untersucht. Der O_2-Verbrauch von ,,frischen'' oder ,,feuchten'' Schnitten ist ebenso hoch oder höher als der O_2-Verbrauch von in Salzlösung suspendierten Schnitten. In Silicon, flüssigem Paraffin oder Olivenöl zeigen die Schnitte einen verhältnismäßig hohen O_2-Verbrauch. Substrat kann in genügender Menge entweder bei der Herstellung der Schnitte oder durch die nichtwäßrige Lösung zugeführt werden, ebenso den Stoffwechsel hemmende oder aktivierende Stoffe. ,,Feuchte'' Gehirnschnitte oder Gehirnschnitte in Paraffin reagieren auf den elektrischen Reiz. Die Milchsäurebildung von Gehirnschnitten entspricht bei Verwendung einer minimalen Menge wäßriger Lösung mehr den Verhältnissen in vivo als die mit einem Überschuß wäßriger Lösung gefundene Milchsäurebildung. ,,Feuchte'' Gehirnschnitte, vor dem Atmungsversuch in Glucose-Salzlösung gelegt, be-

---

[1] CRUICKSHANK, C. N. D.: Exp. Cell Res. 7, 374 (1954).
[2] DRABKIN, D. L., and J. B. MARSH: J. biol. Ch. 221, 71 (1956).
[3] RODNIGHT, R., and H. MCILWAIN: Biochem. J. 57, 649 (1954).

wahren ihren Gehalt an Kreatinphosphat während des Atmungsversuches bei 38° C wenigstens 75 min.

Diese Beobachtungen dürften wenigstens zeigen, daß Stoffwechselmessungen an Gewebeschnitten physiologisch durchaus sinnvolle Ergebnisse liefern können, wenn bei der manometrischen Messung kein größeres Volumen einer wäßrigen Lösung zugefügt wird, als die Gewebeschnitte selber besitzen.

2. Manometrische Messung der Aktivität von einzelnen Enzymen und Enzymsystemen.

a) Manometrische Messung von Oxydationsvorgängen mit „externen" Wasserstoffacceptoren.

„Externe" Wasserstoff- oder Elektronenacceptoren können bei manometrischen Messungen von Oxydationsvorgängen sowohl als Zwischenacceptoren (mit O_2 als Endacceptor) als auch als Endacceptoren für den Substratwasserstoff verwendet werden.

Als Zwischenacceptoren dienen im allgemeinen bestimmte Redoxfarbstoffe, deren reduzierte Stufe autoxydabel ist. Der O_2-Verbrauch erfolgt nach den Gleichungen ($RH_2 =$ Substrat, $A =$ oxydierte Stufe des Acceptors):

$$\begin{array}{r}RH_2 + A \xrightarrow{\text{Dehydrogenase}} R + AH_2 \\ AH_2 + O_2 \to A + H_2O_2 \\ \hline RH_2 + O_2 \to R + H_2O_2 \end{array}.$$

Hierzu folgt unten als Beispiel die manometrische Messung der Succinodehydrogenaseaktivität mit Phenazin-methosulfat als Zwischenacceptor.

Die Messung mit externen Endacceptoren kann unter Ausschluß von O_2 erfolgen. Dabei wird davon Gebrauch gemacht, daß bei der Reduktion geeigneter Acceptoren die Lösung saurer oder alkalischer wird, aus Hydrogencarbonatlösung mithin CO_2 freigesetzt oder aus dem Gasraum CO_2 aufgenommen wird. Die Entwicklung von „Extra-CO_2" wird unten bei der Reduktion von Methylenblauchlorid und von Kaliumferricyanid, die Aufnahme von „Extra-CO_2" bei der Reduktion von Mangandioxyd gezeigt. Gelegentlich werden mehrere Acceptoren verwendet, z. B. Ferricyanid als Zwischenacceptor und Mangandioxyd als Endacceptor (S. 245).

Die für ein Enzym (Dehydrogenase) oder für ein System von Enzymen geeigneten Acceptoren müssen jeweils besonders ausgesucht werden. Außer der Reaktionsfähigkeit des Acceptors ist dabei seine (wenigstens relative) Nichttoxicität von Bedeutung. Ferner ist der Einfluß der Acceptorkonzentration auf die Reaktionsgeschwindigkeit zu beachten. Auch in den Fällen, in denen der Acceptor (als Zwischenacceptor) nichtstöchiometrisch mit dem Substrat reagiert, kann eine starke, leicht unbemerkt bleibende Abhängigkeit der Reaktionsgeschwindigkeit von der Acceptorkonzentration bestehen (s. unter Phenazin-methosulfat-Methode). Es sei hierzu auch auf die ausgeprägte Steigerung der im Acceptorversuch gemessenen Erythrocytenatmung mit Erhöhung der Methylenblaukonzentration[1] hingewiesen. Weitere Angaben über Acceptoren s. auch Bd. II, S. 331 ff.

Bei der Verwendung von Zwischenacceptoren ist darauf zu achten, daß die Geschwindigkeit der gemessenen Reaktion (z.B. O_2-Aufnahme) nicht von der Geschwindigkeit begrenzt wird, mit der die Reoxydation der reduzierten Stufe des Zwischenacceptors erfolgt. Durch passende Wahl der Enzymmengen wird erreicht, daß die Substratdehydrierung nicht schneller verläuft als die Reoxydation des Zwischenacceptors.

In einem komplexen, eine mehr oder weniger vollständige „Atmungskette" bildenden Enzymsystem besteht die Möglichkeit, daß ein zugesetzter Acceptor mit verschiedenen Wasserstoff- oder Elektronenüberträgern reagiert. Das ist zu bedenken, wenn die mit ein und demselben Acceptor gemessenen Aktivitäten von Enzympräparaten verschiedener

---

[1] BARRON, E. S. G., and G. A. HARROP jr.: J. biol. Ch. **79**, 65 (1928). — BARRON, E. S. G., and L. A. HOFFMANN: J. gen. Physiol. **13**, 483 (1930). — BRIN, M., and R. H. YONEMOTO: J. biol. Ch. **230**, 307 (1958).

Vorbehandlung oder verschiedener Herkunft miteinander verglichen werden sollen. Aus ungleichen Aktivitäten kann dann nicht ohne weiteres auf eine vermehrte oder verminderte Aktivität einer bestimmten Komponente in den Enzympräparaten geschlossen werden.

α) Verwendung von Phenazin-methosulfat als Wasserstoffacceptor im manometrischen Versuch.

Bei ihren Untersuchungen über die Succinodehydrogenase fanden KEARNEY und SINGER[1] sowie MASSEY und SINGER[2], daß Phenazin-methosulfat zahlreichen anderen in Betracht kommenden Verbindungen (Methylenblau, Brillantkresylblau, 2,6-Dichlorphenolindophenol, Ferricyanid, Cytochrom c u. a.) als Wasserstoffacceptor überlegen ist. Diese Überlegenheit zeigt Phenazin-methosulfat bei der Dehydrierung von Bernsteinsäure sowohl durch reine (lösliche) als auch durch rohe (strukturgebundene Komponenten des Succinoxydasesystems enthaltende) Succinodehydrogenasepräparate. Mit der reinen Succinodehydrogenase (+ Succinat) reagiert z.B. Methylenblau nicht merklich, wogegen es bei der Dehydrierung mit ungereinigten Dehydrogenasepräparaten — je nach Herkunft und Vorbehandlung des Enzympräparates mit wechselnder Geschwindigkeit — als Wasserstoffacceptor auftreten kann. In der Wirksamkeit als Wasserstoffacceptor steht Ferricyanid dem Phenazin-methosulfat am nächsten; es reagiert auch bei der Dehydrierung mit hochgereinigter Succinodehydrogenase, und zwar mit etwa $1/3$ der Geschwindigkeit von der des Phenazin-methosulfats.

Auch bei den von anderen „cytochromreduzierenden Dehydrogenasen" (Cholindehydrogenase, Milchsäuredehydrogenase aus Hefe) katalysierten Dehydrierungen vermag Phenazin-methosulfat als bevorzugter Wasserstoffacceptor zu wirken[3]. DICKENS und GLOCK[4] verwenden Phenazin-methosulfat bei manometrischen Untersuchungen über die Oxydation von Glucose-6-phosphat, 6-Phosphogluconat und Pentose-5-phosphaten durch Enzympräparate aus tierischen Organen.

Die „Phenazin-methosulfat-Methode" zur manometrischen Bestimmung der Aktivität von Succinodehydrogenase sei hier wiedergegeben, weil bei ihrer Ausführung einige besondere Bedingungen beachtet werden müssen, deren Kenntnis auch für bestimmte andere manometrische Messungen nützlich ist.

Die Dehydrierung von Succinat mit Succinodehydrogenase und mit Phenazin-methosulfat als Zwischenacceptor für den Substratwasserstoff erfolgt aerob gemäß den Gleichungen:

$$\frac{\begin{array}{l}\text{Succinat} + \text{Phenazin-methosulfat} \xrightarrow{\text{Dehydrogenase}} \text{Fumarat} + \text{Leukophenazin-methosulfat}\\ \text{Leukophenazin-methosulfat} + O_2 \longrightarrow \text{Phenazin-methosulfat} + H_2O_2\end{array}}{\text{Succinat} + O_2 \longrightarrow \text{Fumarat} + H_2O_2}.$$

Die Geschwindigkeit des O_2-Verbrauches ist ein Maß für die Dehydrogenaseaktivität.

Zu beachten ist: 1. die Bildung von H_2O_2, 2. die Vergiftung von Katalase durch Phenazin-methosulfat, 3. die Inaktivierung von Succinodehydrogenase durch H_2O_2, 4. die Inaktivierung von Succinodehydrogenase in Abwesenheit ihres Substrates durch Phenazin-methosulfat, 5. die Abhängigkeit der Oxydationsgeschwindigkeit von der Konzentration an Phenazin-methosulfat.

Das entstehende H_2O_2 wirkt durch Oxydation essentieller SH-Gruppen im Enzymmolekül inaktivierend, auch in Gegenwart von größeren Mengen Katalase, weil diese von Phenazin-methosulfat in den verwendeten Konzentrationen nahezu vollständig gehemmt wird. Die peroxydatische Fähigkeit der Katalase wird durch Phenazin-methosulfat offenbar nicht oder nicht so stark gehemmt; jedenfalls verläuft die O_2-Aufnahme

---

[1] KEARNEY, E. B., and T. P. SINGER: J. biol. Ch. **219**, 963 (1956).
[2] MASSEY, V., and T. P. SINGER: J. biol. Ch. **229**, 755 (1957). — Vgl. auch REDFEARN, E. J.: Biochim. biophys. Acta **53**, 581 (1961).
[3] SINGER, T. P., E. B. KEARNEY and V. MASSEY: Adv. Enzymol. **18**, 65 (1957).
[4] DICKENS, F., and G. E. GLOCK: Biochem. J. **50**, 81 (1951).

längere Zeit linear, wenn der Reaktionslösung Katalase + Äthylalkohol zugesetzt wird. Eine noch bessere Schutzwirkung haben Cyanid oder 8-Hydroxychinolin. Es ist anzunehmen, daß Cyanid durch Reduktion der durch die Wirkung von H_2O_2 entstandenen Disulfidgruppen reaktivierend wirkt:

$$\begin{array}{c} R\text{---}R' \\ | \quad | \\ S\text{---}S \end{array} + HCN \rightarrow \begin{array}{c} R\text{---}R' \\ | \quad | \\ SH \quad SCN \end{array}$$

Phenazin-methosulfat reagiert als Oxydationsmittel leicht mit Sulfhydrylverbindungen, auch mit SH-Gruppen von Proteinen. Dadurch inaktiviert es die Succinodehydrogenase, wenn es mit dem Enzym in Abwesenheit seines Substrates reagieren kann. Deshalb wird der Farbstoff gleichzeitig mit dem Succinat aus dem Anhang der Enzymlösung hinzugegeben.

Auch in Anwesenheit von Cyanid oder von Katalase + Äthanol ist der Reaktionsverlauf selten länger als 7—8 min linear. Der Aktivitätsbestimmung wird deshalb der in den ersten 5 min erfolgende O_2-Verbrauch zugrunde gelegt. Dabei ist jedoch zu beachten, daß der O_2-Verbrauch von der Konzentration an Phenazin-methosulfat abhängig ist und daß mit (scheinbaren) Sättigungskonzentrationen an Phenazin-methosulfat nicht immer die maximale Reaktionsgeschwindigkeit erreicht wird. Für genaue Aktivitätsbestimmungen ist es deshalb erforderlich, die maximale Reaktionsgeschwindigkeit (V_{max}) durch Extrapolation auf eine unendliche Acceptorkonzentration zu ermitteln. Das geschieht in der Weise, daß die Anfangsgeschwindigkeiten V (μl O_2-Verbrauch in den ersten 5 min) mit verschiedenen Konzentrationen an Phenazin-methosulfat gemessen und (nach LINEWEAVER und BURK[1]) als reziproke Werte ($1/V$) gegenüber den reziproken Werten

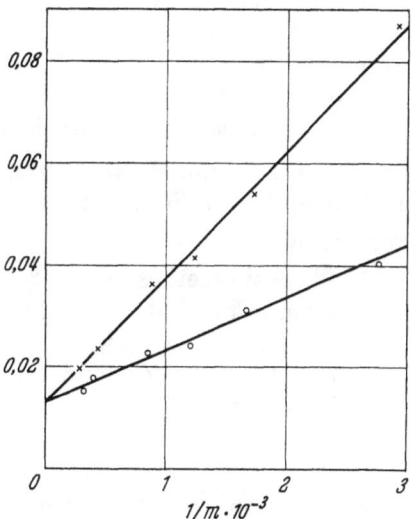

Abb. 58. Vergleich der Wirksamkeit von Phenazin-methosulfat (o) und Phenazinäthosulfat (×) bei der Dehydrierung von Bernsteinsäure durch Succinodehydrogenase. Abszisse: Reziproke millimolare Farbstoffkonzentrationen. Ordinate: Reziproke Anfangsgeschwindigkeiten ($1/\mu l$ O_2 in 5 min).

der zugehörigen Acceptorkonzentrationen ($1/S$; z.B. $1/mg$ Farbstoff pro Ansatz oder 1/millimolare Farbstoffkonzentration) in ein Koordinatensystem eingetragen werden. Mit $1/V$ als Ordinate und $1/S$ als Abszisse schneidet die Verbindungslinie der experimentell gegebenen Punkte die Ordinate auf der Höhe des reziproken Wertes der maximalen Reaktionsgeschwindigkeit. V_{max} für die wahre Sättigungskonzentration des Acceptors kann daraus leicht berechnet werden.

Die Ermittlung der maximalen Anfangsgeschwindigkeit aus den experimentellen Daten ist wichtig, 1. wenn die Konzentration des Acceptors wegen seiner mangelhaften Löslichkeit unterhalb der Sättigungskonzentration gehalten werden muß, 2. wenn die wahre Sättigungskonzentration experimentell nicht festgestellt werden kann, weil der Acceptor in diesem Konzentrationsbereiche die Reaktion hemmt, 3. wenn mit ein und demselben Enzympräparat Aktivitätsvergleiche zwischen verschiedenen Wasserstoffacceptoren gemacht werden sollen, 4. wenn die Aktivität verschiedener Enzympräparate (z.B. verschiedener Präparate der Succinodehydrogenase) mit ein und demselben Acceptor untersucht wird. Hierzu seien einige der von MASSEY und SINGER[2] bei der Untersuchung der Succinodehydrogenase aus Herz gemachten Beobachtungen angeführt. Zu 1.: Die mit einer gesättigten Lösung des wenig löslichen Pyocyanin gemessene Anfangsgeschwindigkeit liegt weit unter der für V_{max} ermittelten Reaktionsgeschwindigkeit. Zu 2.: Leukobenzylviologen und in geringerem Maße auch Phenazin-methosulfat wirken von einer

---

[1] LINEWEAVER, H., and D. BURK: Am. Soc. **56**, 658 (1934).
[2] MASSEY, V., and T. P. SINGER: J. biol. Ch. **229**, 755 (1957).

bestimmten Konzentration an hemmend. Zu 3.: Mit zwei verschiedenen Acceptoren können bei beliebigen endlichen Konzentrationen verschiedene Reaktionsgeschwindigkeiten beobachtet werden; die für unendliche Acceptorkonzentrationen extrapolierten Reaktionsgeschwindigkeiten V_{max} können aber gleich sein. Ein Beispiel hierfür ist die Oxydation von Succinat mit Phenazin-methosulfat und Phenazin-äthosulfat als Acceptoren (Abb. 58). Zu 4.: Die Änderung der beobachteten Anfangsgeschwindigkeit mit der Konzentration des Acceptors ist nicht bei allen Succinodehydrogenasepräparaten gleich. Mit frischen gereinigten Präparaten von Succinodehydrogenase aus Herz oder Hefe weicht die mit Phenazin-methosulfat bei scheinbarer Sättigungskonzentration beobachtete Reaktionsgeschwindigkeit nur wenig von V_{max} ab (V beträgt 85—88% von V_{max}), wogegen in gealterten oder in weiter gereinigten Präparaten die bei der scheinbaren Sättigungskonzentration des Farbstoffes gemessene Anfangsgeschwindigkeit ganz erheblich von V_{max} abweichen kann. Andererseits ist die Aktivität von Succinodehydrogenase aus einem Anaerobier, *Micrococcus lactilyticus*, gemessen in Tris-Puffer (p_H 8,5), in einem weiten Bereiche unabhängig von der Konzentration an Phenazin-methosulfat[1].

Manometrische Bestimmung der Succinodehydrogenaseaktivität mit Phenazin-methosulfat nach WARRINGA *u. Mitarb.*[1]

Reagentien:

1. Phenazin-methosulfat, 1%ig. Darstellung s.[1-4]. Der Farbstoff kann von der Sigma Chemical Company, St. Louis, USA, bezogen werden. Er ist lichtempfindlich. In Wasser (nicht in neutralen Pufferlösungen) hergestellte Lösungen sind in eingefrorenem Zustand und im Dunklen mehrere Monate haltbar. Wegen ihrer Lichtempfindlichkeit wird die Farbstofflösung möglichst ganz kurz vor Beginn der manometrischen Messung in die Reaktionsgefäße pipettiert.
2. 0,3 m Phosphatpuffer, p_H 7,6.
3. 0,2 m Natrium- oder Kaliumsuccinat (neutral).
4. 0,01 m HCN, p_H etwa 8. Herstellung aus KCN + 0,85 Äquivalenten HCl.

Alle Lösungen werden in glasdestilliertem Wasser hergestellt.

Ausführung:

Die Enzymmenge wird so gewählt, daß in 5 min 30—60 μl O_2 aufgenommen werden. Die Schüttelung muß intensiv genug sein, daß bei einer O_2-Aufnahme von etwa 15 μl pro min die Reaktionsgeschwindigkeit nicht durch die Diffusionsgeschwindigkeit von O_2 begrenzt wird. Rechteckige Gefäße (mit Anhang), in denen das Verhältnis Oberfläche/Flüssigkeitsvolumen groß ist, sind für den Gasaustausch vorteilhaft.

In den Hauptraum gibt man 0,5 ml Phosphatpuffer, Enzymlösung und ergänzt mit Wasser auf 2,2 ml. In den Anhang werden 0,3 ml Succinat und 0,2 ml Phenazin-methosulfat pipettiert. Unmittelbar vor dem Anschließen der Gefäße an die Manometer werden in den Hauptraum 0,3 ml Cyanid gegeben. Wegen der Flüchtigkeit von HCN (s. S. 174) werden die Gefäße bei geschlossenem Manometerhahn in den auf 38° C eingestellten Thermostaten gebracht. Der entstehende Überdruck wird durch kurzes Öffnen des Manometerhahnes ausgeglichen. Nach einer Ausgleichsperiode von 7 min wird die Lösung aus dem Anhang in den Hauptraum gekippt. Die Ablesungen erfolgen 2 und 7 min nach dem Kippen.

Zur Bestimmung von V_{max} für das gegebene Enzympräparat mißt man die O_2-Aufnahme (min-Wert) mit 0,5, 1, 2 und 3 mg Phenazin-methosulfat in 3 ml Versuchslösung.

Nach GREEN, MII und KOHOUT[5] wird eine bessere Linearität des Reaktionsverlaufes erhalten, wenn an Stelle des Phosphatpuffers ein Histidinpuffer (p_H 7,5) verwendet wird und wenn die Cyanidkonzentration verdoppelt wird.

---

[1] WARRINGA, M. G. P. J., O. H. SMITH, A. GIUDITTA and T. P. SINGER: J. biol. Ch. **230**, 97 (1958).
[2] SINGER, T. P., and E. B. KEARNEY: Meth. biochem. Analysis, Bd. IV, S. 307, 1957.
[3] KEHRMANN, F., u. E. HAVAS: B. **46**, 343 (1913).
[4] DICKENS, F., and H. MCILWAIN: Biochem. J. **32**, 1615 (1938).
[5] GREEN, D. E., S. MII and P. M. KOHOUT: J. biol. Ch. **217**, 551 (1955).

β) Manometrische Messung der Aktivität von Dehydrogenasen mit Trinatriumhexacyanoferrat (Ferricyanid) als Wasserstoffacceptor (QUASTEL und WHEATLEY[1]).

Bei der Reduktion von Ferricyanid zu Ferrocyanid wird eine äquivalente Menge Säure gebildet. Verläuft die Reduktion in Hydrogencarbonatlösung, so wird pro 1 M reduziertes Ferricyanid 1 M CO_2 freigesetzt:

$$H + [Fe(CN)_6]^{3-} \rightarrow H^+ + [Fe(CN)_6]^{4-}$$
$$H^+ + HCO_3^- \rightarrow H_2CO_3 \rightarrow CO_2 + H_2O.$$

Mit Ferricyanid als Endacceptor für den Substratwasserstoff findet in Hydrogencarbonatlösung also die folgende Reaktion statt:

$$RH_2 + 2\,[Fe(CN)_6]^{3-} + 2\,HCO_3^- \rightarrow R + 2\,[Fe(CN)_6]^{4-} + 2\,CO_2 + 2\,H_2O.$$

Da pro Mol dehydriertes Substrat 2 M CO_2 entstehen, ist die manometrische Messung der Dehydrogenasenaktivität mit Ferricyanid als Acceptor ziemlich empfindlich.

Bei der Reduktion von noch anderen Verbindungen, die als Wasserstoffacceptoren verwendet werden, wird Säure frei. So entsteht in neutraler Lösung bei der Reduktion von Methylenblauchlorid pro Mol reduziertem Farbstoff 1 M Salzsäure, weil Leukomethylenblau eine schwache Base und in Wasser wenig löslich ist[2]. Wird Triphenyltetrazoliumchlorid reduziert, so geht das Tetrazoliumsalz in das unlösliche Formazan über unter Abspaltung von 1 M Salzsäure[3].

Ferricyanid wurde als Wasserstoffacceptor bei der Untersuchung der enzymatischen Dehydrierung einer Anzahl von Substraten (Lactat, Malat, Glycerat, Glycerinaldehyd, α-Ketoglutarat[4], Hexosediphosphat, Succinat, Cholin u.a.) verwendet. Es wird durch hydrierte Codehydrogenase (DPNH) reduziert und vermag deshalb z.B. bei der Dehydrierung von Lactat als Wasserstoffacceptor zu dienen:

$$\text{Lactat} + DPN^+ \xrightleftharpoons{LDH} DPNH + H^+ + \text{Pyruvat}$$
$$DPNH + H^+ + 2\,[Fe(CN)_6]^{3-} \rightarrow DPN^+ + 2\,[Fe(CN)_6]^{4-} + 2\,H^+.$$

(Dabei wird NaCN in einer Endkonzentration von 0,03 m als Abfangmittel für Brenztraubensäure zugesetzt.)

Ferricyanid reagiert auch mit dem Enzym-Substratkomplex nicht DPN-abhängiger Dehydrogenasen. Es kann z.B. als Wasserstoffacceptor bei der Dehydrierung von Succinat durch die Succinodehydrogenase auftreten[5].

Die (nichtenzymatische) Reduktion von Ferricyanid durch DPNH kann nach HAAS[6] zur manometrischen Bestimmung von DPNH herangezogen werden. Auch Glutathion reagiert nichtenzymatisch mit Ferricyanid, ein Vorgang, der zur manometrischen Bestimmung von Glutathion angewendet worden ist[6].

Durch die Reaktion mit SH-Gruppen wirkt Ferricyanid auf einige Enzyme toxisch. So oxydiert es SH-Gruppen der Succinodehydrogenase und wirkt auf diese Weise inaktivierend[7]. Durch Zusatz von kristallisiertem Serumalbumin wird diese Inaktivierung vermindert[8].

Ausführung von Messungen mit Ferricyanid als Wasserstoffacceptor. Ferricyanid wird nach QUASTEL und WHEATLEY im allgemeinen nach der folgenden Versuchsanordnung angewendet:

---

[1] QUASTEL, J. H., and A. H. M. WHEATLEY: Biochem. J. **32**, 936 (1938).
[2] REID, A.: B. Z. **223**, 487 (1930); **242**, 159 (1931).
[3] BORN, W.: Z. inn. Med. 9, 861 (1954). — REMMELE, W.: Acta haematol., Basel **13**, 103 (1955).
[4] SANADI, D. R., J. W. LITTLEFIELD and R. M. BOCK: J. biol. Ch. **197**, 851 (1952).
[5] TSOU, C. L.: Biochem. J. **49**, 512 (1951). — KEARNEY, E. B., and T. P. SINGER: J. biol. Ch. **219**, 963 (1956).
[6] HAAS, E.: B. Z. **291**, 79 (1937).
[7] BARRON, E. S. G., and T. P. SINGER: J. biol. Ch. **157**, 221 (1945).
[8] GREEN, D. E., S. MII and P. M. KOHOUT: J. biol. Ch. **217**, 551 (1955).

Hauptraum: Gewebeschnitt oder Enzymlösung + Substrat in hydrogencarbonathaltiger Salzlösung (0,025 m $NaHCO_3$). Anhang: 0,2 ml Ferricyanid-$NaHCO_3$ (5 ml 10%iges $Na_3[Fe(CN)_6]$ + 1 ml 0,16 m $NaHCO_3$). Gas: 95% N_2 + 5% CO_2. Nach der Ausgleichsperiode im Thermostaten wird die Ferricyanidlösung in den Hauptraum gekippt. In zeitlichen Abständen wird die entwickelte Menge an Extra-CO_2 gemessen.

Bei Versuchen mit Gewebeschnitten gibt man in den Einsatz der Gefäße Stückchen von gelbem Phosphor, um Sauerstoff vollständig auszuschließen.

Als Beispiel für die Verwendung von Ferricyanid im manometrischen Versuch sei die Vorschrift von SINGER und KEARNEY[1] zur *Messung der Aktivität von Succinodehydrogenase* wiedergegeben.

Manometrische Bestimmung der Succinodehydrogenaseaktivität unter Verwendung von Trinatriumhexacyanoferrat nach SINGER und KEARNEY[1].

Reagentien:
1. 0,2 m Natrium- oder Kaliumsuccinat (neutral).
2. 1 m Trinatriumhexacyanoferrat (Kaliumferricyanid).
3. 0,2 m Natriumhydrogencarbonat.
4. Serumalbumin (krist.), 3%ig; Lösung wird auf p_H 7,4—7,6 eingestellt.

Alle Lösungen werden in glasdestilliertem Wasser hergestellt.

Ausführung:

Hauptraum: Enzym, 0,4 ml $NaHCO_3$, 20—30 mg (0,66—1 ml) Albumin; mit Wasser ad 2,5 ml. Anhang: 0,1 ml Ferricyanid, 0,1 ml $NaHCO_3$, 0,3 ml Succinat. Durchgasung mit 95% N_2 + 5% CO_2. Temperatur des Thermostaten: 38° C. Nach dem Temperaturausgleich wird der Inhalt aus dem Anhang in den Hauptraum gekippt. Erste Manometerablesung 2 min nach dem Kippen; die weiteren Ablesungen in Intervallen von 5 min. Falls die Reaktionsgeschwindigkeit nicht länger linear ist, wird die Aktivität aus der zwischen der 2. und 7. min entwickelten Gasmenge berechnet.

Um genaue Ergebnisse zu erhalten, ist es ratsam, die CO_2-Entwicklung bei verschiedenen Ferricyanidkonzentrationen zu messen und aus den Anfangsgeschwindigkeiten die maximale Reaktionsgeschwindigkeit V_{max} für unendliche Ferricyanidkonzentration auf die S. 241 angegebene Weise zu ermitteln.

Enthält das Succinodehydrogenasepräparat noch andere Komponenten des Wasserstoff-(Elektronen-)transportes, so ist die Anwendbarkeit der „Ferricyanidtechnik" zur Aktivitätsbestimmung von Succinodehydrogenase begrenzt, da Ferricyanid dann wahrscheinlich nicht nur in der primären Dehydrierungsreaktion als Acceptor wirkt.

γ) *Manometrische Messung der Aktivität von Dehydrogenasen mit Mangandioxyd als Wasserstoffacceptor* (HOCHSTER und QUASTEL[2]).

Bei der Untersuchung respiratorischer Vorgänge unter anaeroben Bedingungen bietet Mangandioxyd als Endacceptor für den Substratwasserstoff den Vorteil der Ungiftigkeit. Das bei der Reduktion von MnO_2 entstehende $Mn(OH)_2$ nimmt aus dem Gasraum CO_2 auf:

$$RH_2 + MnO_2 = Mn(OH)_2 + R$$
$$Mn(OH)_2 + CO_2 = MnCO_3 + H_2O.$$

Die manometrisch meßbare Geschwindigkeit der Gasaufnahme entspricht der Geschwindigkeit, mit der MnO_2 von dem Substratwasserstoff reduziert wird.

Mangandioxyd vermag reduziertes Cytochrom c zu oxydieren, nicht jedoch reduzierte Co-Dehydrogenasen (wie $DPNH_2$) und Diaphorase. MnO_2 kann so unter anaeroben Bedingungen die Cytochromoxydase ersetzen, benötigt für den über Pyridinnucleotide und

---

[1] SINGER, T. P., and E. B. KEARNEY: Meth. biochem. Analysis 4, 322 (1957).
[2] HOCHSTER, R. M., and J. H. QUASTEL: Arch. Biochem. 36, 132 (1952).

gelbe Enzyme (Flavoproteide) verlaufenden Wasserstofftransport jedoch die Teilnahme von Zwischenacceptoren, die ihrerseits von MnO_2 oxydiert werden können. Als Zwischenacceptoren werden in diesen Fällen Natriumferricyanid (in einer Endkonzentration von 0,005 m) oder Methylenblau (0,0008 m) zugesetzt.

Das folgende — unvollständige und nicht in allen Einzelheiten endgültige — Schema veranschaulicht die Substratdehydrierung mit Mangandioxyd als Endacceptor und mit Ferricyanid oder Methylenblau als Zwischenacceptoren:

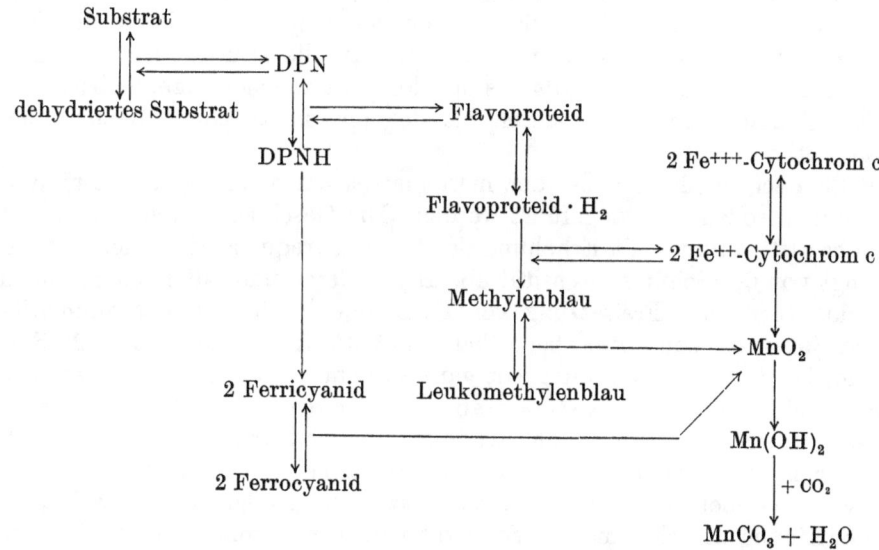

Ferricyanid oder Methylenblau wirken in kleinen Konzentrationen als intermediäre H-Acceptoren — mit MnO_2 als terminalem H-Acceptor — unter anderem bei der anaeroben Oxydation von Äthanol, Lactat, α-Glycerophosphat und Hexosediphosphat durch Hefe, von Succinat und Cholin durch Rattenleber und von Lactat durch Kaninchenmuskel. Eine Anzahl von Substanzen reagiert nichtenzymatisch mit MnO_2, z.B. Ascorbinsäure, Glutathion, Cystein, Dihydroxyphenylalanin.

Darstellung von reinem MnO_2. 1 l einer 0,1 m $MnSO_4$-Lösung wird langsam unter Rühren zu 1 l einer 0,1 m $KMnO_4$-Lösung gegeben. Es wird weitere 45 min gerührt. Der Niederschlag wird abzentrifugiert und auf der Zentrifuge gewaschen: viermal mit dest. Wasser, einmal mit 150 ml 0,12 m $NaHCO_3$-Lösung, dann zweimal wieder mit dest. Wasser. Der p_H-Wert des letzten Waschwassers soll nicht unter 7 liegen. Das Präcipitat wird anschließend noch zweimal mit Aceton gewaschen, auf einer Nutsche abgesaugt und unter weiterem Saugen während 1 Std bei Zimmertemperatur getrocknet.

Für den Versuch wird eine MnO_2-Suspension verwendet, die durch Verrühren von 500 mg MnO_2 mit 2,5 ml Wasser im Mörser erhalten wird. Kurz vor dem Gebrauch wird die Suspension in einem Reagensglas mit dem Gasgemisch (93% N_2 + 7% CO_2) durchströmt.

Manometrische Messung. Das Flüssigkeitsvolumen v_F beträgt 3 ml. In den Hauptraum bringt man das Versuchsmaterial (Gewebeschnitt oder Enzymlösung), 0,3 ml 0,25 m $NaHCO_3$-Lösung, 0,2 ml MnO_2-Suspension und x ml Wasser. In den Anhang gibt man 0,2 ml der Substratlösung (Substrat in 0,025 m $NaHCO_3$ gelöst). Die an die Manometer angeschlossenen Gefäße werden mit dem Gasgemisch (93% N_2 + 7% CO_2) durchströmt. Nach dem Temperaturausgleich im Thermostaten wird das Substrat in den Hauptraum gekippt. In zeitlichen Abständen wird die CO_2-Aufnahme gemessen.

Die Ausgleichsperiode wählt man länger — 20—45 min — als üblich, damit die nichtenzymatische Reduktion von MnO_2 durch Verbindungen, die mit dem Versuchsmaterial eingebracht wurden, abgelaufen ist.

b) Katalase.

Es ist naheliegend, die Geschwindigkeit, mit der Sauerstoff in der Reaktion: $2\,H_2O_2 \xrightarrow{\text{Katalase}} 2\,H_2O + O_2$ entwickelt wird, manometrisch zu messen und auf diese Weise die katalatische Aktivität von Enzympräparaten zu bestimmen. Dabei ergeben sich jedoch wesentliche Schwierigkeiten, die die Anwendung der üblichen manometrischen Messung zur Bestimmung der Katalaseaktivität nur mit Vorbehalten zulassen. Mit der üblichen manometrischen Technik ist kaum eine genügend schnelle Gleichgewichtsverteilung des mit hoher Geschwindigkeit entwickelten Sauerstoffs zwischen Flüssigkeits- und Gasphase zu erreichen; unter diesen Umständen wird die gemessene Reaktionsgeschwindigkeit von der Geschwindigkeit begrenzt, mit der O_2 durch die Grenzschicht Flüssigkeit—Gas diffundiert. Besonders wegen der enzyminaktivierenden Wirkung des Wasserstoffperoxyds ist es außerdem wünschenswert, die Druckänderungen in kürzeren Zeitintervallen messen zu können, als das mit der gewöhnlichen manometrischen Technik möglich ist. Ähnliche Probleme treten bei der manometrischen Messung der Carboanhydrataseaktivität auf.

Einige Beobachtungen, die bei der manometrischen Messung der Katalaseaktivität gemacht werden, sollen kurz angeführt werden. Die Geschwindigkeit, mit der O_2 in den Gasraum übertritt, nimmt mit Erhöhung der Schüttelfrequenz zu. Auch der Reaktionsverlauf hängt von der Schüttelintensität ab. Bei niederen und mittleren Schüttelfrequenzen wird eine verzögerte Freisetzung von O_2 in der 1. min nach Zusammenfügen von Enzym und Substrat beobachtet; bei höheren Schüttelfrequenzen (über 120 Schwingungen pro min) ist diese Verzögerung nicht ganz so deutlich, die Reaktionsgeschwindigkeit nimmt dann jedoch mit der Zeit stärker ab. Die Verzögerung, mit der O_2 am Anfang in den Gasraum übertritt, kann durch Erhöhung der Substratkonzentration aufgehoben werden. Bei gegebener Schüttelintensität und oberhalb einer bestimmten Substratkonzentration bewirkt vermehrter Zusatz von Substrat keine größere O_2-Entwicklung. Damit wird eine Sättigung des Enzyms mit Substrat jedoch nur vorgetäuscht; die scheinbaren Sättigungskonzentrationen nehmen mit der Schüttelgeschwindigkeit zu. Bei einer Überprüfung dieser Verhältnisse kommen BEERS und SIZER[1] zu dem Schluß, daß die manometrische Methode für Untersuchungen über die Kinetik der Katalasewirkung ungeeignet ist.

GREENFIELD und PRICE[2] geben eine manometrische Einrichtung zur Messung der Katalaseaktivität an, mit der die erwähnten Schwierigkeiten überwunden werden können. Das Enzym-Substratgemisch wird magnetisch intensiv gerührt und die Druckänderung wird mit einem direkt schreibenden Oscillographen kontinuierlich registriert. Mit Substratkonzentrationen von 0,02—0,1 m H_2O_2 ist der Reaktionsverlauf vom Typus erster Ordnung; die Reaktionskonstante ist direkt proportional der Enzymkonzentration.

Da sich auch mit der gewöhnlichen manometrischen Anordnung Bedingungen herstellen lassen, unter denen O_2 in bestimmten Zeiten mit annähernd konstanter Geschwindigkeit entwickelt wird und unter denen die entwickelte O_2-Menge befriedigend linear mit der Enzymmenge ansteigt (ausgenommen im Bereiche sehr kleiner Enzymmengen), kann jedoch wenigstens die relative Katalaseaktivität gemessen werden, was für manche Fragestellungen ausreichend ist. Die manometrische Messung ist einfach in ihrer Ausführung und deshalb für Reihenversuche besonders geeignet; sie bietet außerdem gelegentlich den Vorteil, im Gegensatz zu optischen, titrimetrischen oder polarographischen Methoden durch Trübungen oder Begleitstoffe in den Enzymlösungen nicht oder weniger gestört zu werden.

Messung der Katalaseaktivität[3]. In den Hauptraum kommen 3 ml 0,01 m Phosphatpuffer (p_H 7) und 0,2 ml 0,2 m Wasserstoffperoxyd. In den Anhang gibt man höchstens 0,1 ml der zu prüfenden Enzymlösung. In einem Leerversuch (ohne Enzym) wird die

---

[1] BEERS jr., R. F., and I. W. SIZER: Science, N.Y. 117, 711 (1953).
[2] GREENFIELD, R. E., and V. E. PRICE: J. biol. Ch. 209, 355 (1954).
[3] MAEHLY, A. C., and B. CHANCE: Meth. biochem. Analysis 1, 357 (1954).

spontane Zersetzung von H_2O_2 gemessen. Im Gasraum befindet sich Luft. Die Messung erfolgt mit einem auf Raumtemperatur oder auf eine tiefere Temperatur (z.B. 5° C) eingestellten Thermostaten. Geschüttelt wird mit mindestens 100 Schwingungen pro min. Nach dem Zukippen der Enzymlösung und Ausspülen des Anhanges wird die Druckzunahme in Abständen von 1, 2 und 3 min abgelesen.

Das „Kippen" soll möglichst ohne Unterbrechung der Schüttelung vorgenommen werden, oder es soll beim Starten der Schüttelung erfolgen. Der Zeitpunkt des Kippens muß genau erfaßt werden. Mit der Enzymlösung beschickte „KEILIN-Röhrchen"[1] oder kleine Gefäße, deren Inhalt durch Lösen eines Magneten in den Hauptraum gebracht wird[2], können hier mit Vorteil an Stelle des Anhangs verwendet werden.

WILLIAMSON und RUDGE[3] benutzen zur Messung der Katalaseaktivität das BARCROFTsche Differentialmanometer, dessen Kompensationsgefäß mit Puffer und H_2O_2 und dessen Reaktionsgefäß mit Puffer, H_2O_2 und Katalaseextrakt beschickt wird. Die Manometerablesung ist dann für die spontane H_2O_2-Zersetzung bereits korrigiert.

Weitere Angaben zur Messung der Katalaseaktivität s. Beitrag PAUL, Bd. VI/C, Anhang.

c) Peroxydase.

Die manometrischen Methoden, die gelegentlich zur Bestimmung der Peroxydaseaktivität und für andere Versuche mit Peroxydasen herangezogen werden, können in drei Gruppen geteilt werden:

1. Bestimmung des nicht umgesetzten Wasserstoffperoxyds. Sie geschieht am Ende des Versuches durch katalytische Zersetzung des noch vorhandenen Wasserstoffperoxyds und Messung der entwickelten O_2-Menge. Als Katalysatoren werden Mangandioxyd[4] oder Katalase[5] verwendet. Über die Ausschaltung der Wirkung von Katalase bei der Messung der Peroxydaseaktivität s.[6].

2. Entwicklung von CO_2 bei der Oxydation von Pyrogallol zu Purpurogallin. Die peroxydatische Oxydation von Pyrogallol zu Purpurogallin verläuft nach WILLSTÄTTER und HEISS[7] gemäß der Summengleichung: $2 C_6H_6O_3 + 3 H_2O_2 = C_{11}H_8O_5 + 5 H_2O + CO_2$. Pro 1 mg Purpurogallin sollten 102 µl CO_2 entwickelt werden. Diese Reaktion wird von ETTORI[8] zur manometrischen Bestimmung der Peroxydaseaktivität verwendet.

Die Messung erfolgt mit dem BARCROFTschen Differentialmanometer bei 20°. Zur Aufnahme von Säure besitzen die Gefäße einen Anhang. Die Säure ist nur dann erforderlich, wenn man im Anschluß an die Messung die Purpurogallinmenge colorimetrisch bestimmen will. Das Reaktionsgefäß enthält im Hauptraum 0,2 ml 5%ige Pyrogallollösung, 0,5 ml 0,25 m Phosphatpuffer (p_H 5,9) und 1,5 ml Wasser, im Anhang (eventuell) 0,5 ml 20%ige Schwefelsäure und in einem an den zentralen Einsatz lose angehängtem Röhrchen 0,10 ml Peroxydaselösung. Das Kompensationsgefäß enthält das gleiche Reaktionsgemisch ohne Peroxydase. Um einen mit rohen Enzymlösungen stattfindenden O_2-Verbrauch als Fehlerquelle auszuschalten, werden die an das Manometer angeschlossenen Gefäße evakuiert und mit 5% CO_2 enthaltendem N_2 gefüllt. Temperaturausgleich im Thermostaten 10 min. Nach dem Schließen der Manometerhähne und der Manometerablesung wird die Peroxydaselösung in den Hauptraum gebracht. Nach 5 min wird die eingetretene Druckänderung abgelesen (und gegebenenfalls sofort die Schwefelsäure in den Hauptraum gekippt).

---

[1] KEILIN, D., and E. F. HARTREE: Proc. R. Soc. London (B) **119**, 141 (1936).
[2] ROTHSCHILD, L.: J. exp. Biol. **26**, 396 (1950).
[3] WILLIAMSON, J., and E. A. RUDGE: Biochem. J. **43**, 15 (1948).
[4] ELLIOTT, K. A. C.: Biochem. J. **26**, 1281 (1932). — KENTEN, R. H., and P. J. G. MANN: Biochem. J. **45**, 255 (1949).
[5] AGNER, K.: Acta physiol. scand. **2**, Suppl. VIII (1941). — ALTSCHUL, A. M., and M. L. KARON: Arch. Biochem. **13**, 161 (1947). — RANDALL, L. O.: J. biol. Ch. **164**, 521 (1946).
[6] MAEHLY, A. C., and B. CHANCE: Meth. biochem. Analysis **1**, 357 (1954).
[7] WILLSTÄTTER, R., u. H. HEISS: A. **433**, 17 (1923).
[8] ETTORI, J.: Biochem. J. **44**, 35 (1949).

3. Entwicklung von O_2 oder Aufnahme von CO_2 bei der Oxydation von anorganischen Verbindungen. Nach KENTEN und MANN[1] katalysiert Peroxydase (aus Meerrettich oder Rüben) in Gegenwart von einwertigen Phenolen oder von Resorcin die Oxydation von Mn^{++} durch H_2O_2; dabei wird Sauerstoff entwickelt. Der Reaktionsverlauf ist wahrscheinlich der folgende: Das in einer primären Reaktion entstehende phenolische Oxydationsprodukt oxydiert Mn, und das oxydierte Mangan reagiert in einer stöchiometrischen Reaktion mit H_2O_2 unter Entwicklung von O_2. Nach Ablauf dieser Reaktionsfolge würden das phenolische Substrat und Mn^{++} wieder regeneriert:

$$\text{Phenol} + H_2O_2 \xrightarrow{\text{Peroxydase}} \text{oxydiertes Phenol},$$

$$\text{oxydiertes Phenol} + MnO \rightarrow \text{Phenol} + Mn_2O_3,$$

$$Mn_2O_3 + H_2O_2 \rightarrow 2\,MnO + O_2 + H_2O.$$

Unter geeigneten Bedingungen wird die vorhandene H_2O_2-Menge vollständig zersetzt. Wird Mn^{++} nicht in genügenden Mengen zugegeben, um das „primäre" phenolische Oxydationsprodukt reduzieren zu können, so wird letzteres zu Produkten weiteroxydiert, die von Mn^{++} nicht mehr reduziert werden können, und die O_2-Entwicklung hört schnell auf. In diesem Falle — bei ungenügenden Mengen Mn^{++} — vermögen kleine Zusätze von Molybdaten, Wolframaten oder Vanadaten sowohl die Geschwindigkeit der O_2-Entwicklung zu beschleunigen als auch die bis zum Abklingen der Reaktion gebildete O_2-Menge zu erhöhen[2].

KENTEN und MANN[2] zeigten ferner, daß pflanzliche Peroxydase auch die Oxydation von Ferrocyanid zu Ferricyanid durch H_2O_2 katalysiert. Pro Mol oxydiertes Ferrocyanid wird dabei 1 H^+ verbraucht:

$$H_2O_2 + 2\,[Fe(CN)_6]^{4-} \rightarrow 2\,[Fe(CN)_6]^{3-} + 2\,H_2O.$$

Läßt man die Reaktion in einem Hydrogencarbonat-CO_2-Puffer ablaufen, so wird eine dem Verbrauch von H^+ äquivalente Menge CO_2 aus dem Gasraum aufgenommen (s. HAAS[3]), gemäß der Gleichgewichtsreaktion:

$$CO_2 + H_2O \rightleftharpoons H_2CO_3 \rightleftharpoons H^+ + HCO_3^-.$$

Aus den beiden Gleichungen ist zu ersehen, daß pro 1 Mol verbrauchtem H_2O_2 2 Mol CO_2 aufgenommen werden. Die CO_2-Aufnahme verläuft linear mit der Zeit, und die in gleichen Zeitintervallen aufgenommene CO_2-Menge ist in einem Bereiche bis zu 16 μg Peroxydase (Purpurogallinzahl 480) proportional der Peroxydasemenge. Die Oxydation von Ferrocyanid wird erheblich beschleunigt, wenn außer Peroxydase und H_2O_2 noch p-Kresol oder Phenol anwesend sind (Pyrogallol und Brenzcatechin sind hier — ebenso wie bei der Oxydation von Mn^{++} — unwirksam).

Der Ansatz zur Messung der Ferrocyanidoxydation enthält in 4,5 ml: Peroxydase, 0,6 ml 0,05 m $K_4[Fe(CN)_6]$, 0,45 ml 0,1 m p-Kresol in 0,0105 m $NaHCO_3$ und (im Anhang) 0,2 ml 0,025 m H_2O_2 in 0,0105 m $NaHCO_3$. Im Gasraum befindet sich 5% CO_2 in N_2. Der p_H-Wert der Versuchslösung ist etwa 7. Meßtemperatur: 25°. In Kontrollversuchen wird entweder p-Kresol oder Peroxydase weggelassen.

d) Glucoseoxydase (Notatin).

Das Enzym wirkt als „Aerodehydrogenase". Die Oxydation von Glucose verläuft (in Abwesenheit von Katalase) nach[4]:

$$\text{Glucose} + O_2 + H_2O \xrightarrow{\text{Glucoseoxydase}} \text{Gluconsäure} + H_2O_2.$$

---

[1] KENTEN, R. H., and P. J. G. MANN: Biochem. J. **45**, 255 (1949); **46**, 67 (1950).
[2] KENTEN, R. H., and P. J. G. MANN: Biochem. J. **50**, 29 (1951).
[3] HAAS, E.: B. Z. **291**, 79 (1937).
[4] FRANKE, W., u. F. LORENZ: A. **532**, 1 (1937). — FRANKE, W., u. M. DEFFNER: A. **541**, 117 (1939).

Das primäre Oxydationsprodukt ist δ-D-Gluconsäurelacton, das spontan zu Gluconsäure hydrolysiert[1]. Spezifisches Substrat der Glucoseoxydase ist β-D-Glucopyranose[2]. α-Glucose wird mit nur geringer Geschwindigkeit oxydiert; das Verhältnis der Oxydationsgeschwindigkeiten von β:α beträgt bei 20° C 100:0,64. Mit β-Glucose = 100 ist die Oxydationsgeschwindigkeit von Mannose, Xylose = 0,98, Trehalose = 0,28, Maltose = 0,19, Altrose = 0,16 und Galaktose = 0,14. Arabinose, Fructose, Fucose, Rhamnose und eine Anzahl von anderen Zuckern werden von Glucoseoxydase überhaupt nicht oxydiert[3]. Wegen ihrer hohen Spezifität kann Glucoseoxydase zur manometrischen Bestimmung von Glucose in biologischem Material und zur manometrischen Messung der Geschwindigkeit von Reaktionen, bei denen Glucose entsteht, verwendet werden. Bei Gegenwart von anderen Zuckern (neben Glucose) ist jedoch zu bedenken, daß die Glucoseoxydase keine absolute Substratspezifität besitzt. Unter Verwendung sehr großer Enzymmengen können mit Glucoseoxydase auch andere Zucker bestimmt werden[4].

Die Geschwindigkeit, mit der Glucose von Glucoseoxydase oxydiert wird, hängt sehr von dem O_2-Partialdruck ab; sie verläuft in reinem O_2 2½mal schneller als in Luft[3]. Ergebnisse von Aktivitätsmessungen mit Glucoseoxydase sind deshalb unter Angabe des O_2-Partialdruckes wiederzugeben. In Gegenwart von Katalase ist der O_2-Verbrauch zwar nur halb so groß wie in Abwesenheit von Katalase, dafür in seiner Größe aber besser definiert (s. S. 171). Deshalb wird bei Messungen mit Glucoseoxydase in der Regel ein Überschuß an Katalase zugesetzt, manchmal zusammen mit einer der „Sekundäroxydation" unterliegenden Verbindung (im letzten Falle wird wieder 1 Mol O_2 pro Mol oxydierte Glucose gemessen).

Die Messung der Glucoseoxydaseaktivität wird durch die Mutarotation der Glucose (α ↔ β) kompliziert. In dem zur Messung verwendeten Phosphatpuffer verläuft die Mutarotation viermal schneller als in Wasser, und Glucoseoxydase ist häufig von der katalytisch noch wirksameren Mutarotase begleitet[2]. Liegen zu Beginn die beiden stereoisomeren Formen der Glucose in dem durch das Gleichgewicht bestimmten Konzentrationsverhältnis vor („Gleichgewichtsglucose"), so erfolgt die Oxydation der β-Form mit großer Geschwindigkeit. Wenn die Geschwindigkeit der Mutarotation in der Richtung α→β mit der Geschwindigkeit, mit der β-Glucose oxydiert wird, nicht Schritt hält, so fällt der O_2-Verbrauch ab. Diese Verhältnisse seien kurz erläutert.

Unter den von KEILIN und HARTREE[2] bei der manometrischen Messung der Kinetik der Oxydation von α- und β-Glucose durch Glucoseoxydase angewendeten Bedingungen (Substratkonzentrationen ∼0,005 m; die MICHAELIS-Konstante K_m für Glucose beträgt 0,0096 m) läßt sich der Reaktionsverlauf durch eine Reaktion erster Ordnung wiedergeben:

$$\log \frac{a}{(a-x)} = \frac{k}{2{,}303} \cdot t,$$

wobei a die am Anfang vorhandene, x die zur Zeit t umgesetzte Glucosemenge und k die Geschwindigkeitskonstante ist. Mit $\log \frac{a}{(a-x)}$ als Ordinate und t als Abszisse wird eine Gerade erhalten, deren Steigung $\frac{k}{2{,}303}$ ist. Die daraus zu berechnende Geschwindigkeitskonstante k kann als Maß der Enzymaktivität dienen. Die mit verschiedenen Enzymmengen aus den Anfangsgeschwindigkeiten ermittelten Werte für k sind einigermaßen proportional den Enzymmengen. Der weitere Verlauf der Oxydationsgeschwindigkeit kann unter Umständen jedoch erheblich von dem Verlauf einer monomolekularen Reaktion abweichen. Mit 10, 80 und 300 μg eines hochgereinigten Glucoseoxydasepräparates und mit β-Glucose als Substrat werden bei der graphischen Darstellung Gerade erhalten, mit

---

[1] BENTLEY, R., and A. NEUBERGER: Biochem. J. **45**, 584 (1949).
[2] KEILIN, D., and E. F. HARTREE: Biochem. J. **50**, 331 (1952).
[3] KEILIN, D., and E. F. HARTREE: Biochem. J. **42**, 221 (1948).
[4] ADAMS jr., E. C., R. L. MAST and A. H. FREE: Arch. Biochem. **91**, 230 (1960).

20 und 40 μg dagegen nicht; in den beiden letzten Fällen fällt die Reaktionsgeschwindigkeit stark ab. Mit den großen Enzymmengen (80 und 300 μg) wird die zugesetzte Menge an β-Glucose so schnell oxydiert, daß die Mutarotation ($\beta \to \alpha$) nicht wirksam werden kann. Mit der kleinsten Enzymmenge verläuft die Oxydation von β-Glucose nicht schneller als die Mutarotation; die Oxydationsgeschwindigkeit wird durch die Reaktion $\alpha \to \beta$ nicht begrenzt. Mit den mittleren Enzymmengen läßt sich der Reaktionsverlauf als Reaktion erster Ordnung wahrscheinlich deshalb nicht durch eine Gerade wiedergeben, weil die in der ersten Zeit der Messung (durch $\beta \to \alpha$) entstehende α-Glucose während des späteren Verlaufes (durch $\alpha \to \beta$) im Verhältnis zur Oxydationsgeschwindigkeit nicht schnell genug in β-Glucose umgewandelt wird; in diesem Falle begrenzt die Mutarotation die Oxydationsgeschwindigkeit. Weitere Angaben zur Mutarotase s. Bd. VI/C.

Zur manometrischen Messung der Glucoseoxydaseaktivität lassen sich die Bedingungen so wählen, daß das Enzym mit β-Glucose (oder mit „Gleichgewichtsglucose") voll gesättigt ist. Dann ist der Reaktionsverlauf von (scheinbar) nullter Ordnung; die aus den Anfangsgeschwindigkeiten berechneten Q_{O_2}-Werte sind in einem bestimmten Bereich proportional den Enzymmengen. Nach KEILIN und HARTREE[1] ist diese Bedingung erfüllt, wenn 10 γ Glucoseoxydase (mit $Q_{O_2} = 40000$ in Luft bei 20°) und Glucose in einer Endkonzentration von 0,1 m verwendet werden. Daraus ergibt sich, daß in Versuchen mit Glucoseoxydasepräparaten unbekannter Aktivität die Enzymmenge so zu wählen ist, daß der O_2-Verbrauch nicht über 400—500 μl/Std beträgt. Mit steigender Temperatur nimmt sowohl die Mutarotations- als auch die Oxydationsgeschwindigkeit zu. Bei Messungen z.B. bei 38° C sind die geeigneten Enzym- und Substratmengen, mit denen eine lineare Anfangsgeschwindigkeit und Proportionalität zwischen Enzymmenge und Q_{O_2} erreicht werden, vorher auszuprobieren. Weitere Angaben zur Glucoseoxydase s. S. 886.

Für die quantitative Bestimmung von Glucose mit Glucoseoxydase ist der Umstand, daß die beiden Isomeren mit verschiedenen Geschwindigkeiten oxydiert werden, ohne Bedeutung, da es hierbei auf den Endwert des O_2-Verbrauches ankommt, der in jedem Falle der Theorie entsprechend erreicht wird. Wird Glucoseoxydase in einem kombinierten Test zur Messung der Geschwindigkeit von Reaktionen verwendet, bei denen Glucose entsteht, so ist die Stereospezifität der Glucoseoxydase zu beachten. Viele natürlich vorkommende Zucker und Zuckerderivate (z.B. Rohrzucker, Glucose-1-phosphat) enthalten α-Glucose, und bei der Spaltung dieser Verbindungen wird Glucose in der α-Form freigesetzt. Es besteht dann die Möglichkeit, daß Glucose langsamer oxydiert wird als sie in der Reaktion, deren Geschwindigkeit gemessen werden soll, freigesetzt wird. Die Versuchsbedingungen (Glucoseoxydasemenge, Temperatur) lassen sich jedoch so wählen, daß die Geschwindigkeit der Glucoseoxydation größer ist als die Geschwindigkeit, mit der Glucose freigesetzt wird.

KEILIN und HARTREE benutzen in ihren Untersuchungen mit Glucoseoxydase das BARCROFTsche Differentialmanometer.

Messung der Glucoseoxydaseaktivität. Obgleich von KEILIN und HARTREE keine besondere Vorschrift zur Bestimmung der Glucoseoxydaseaktivität angegeben wird, sind ihren Untersuchungen[1] dazu die folgenden Bedingungen zu entnehmen. Versuchsansatz: 0,1 Mol/l Glucose, 0,2 m Phosphatpuffer (p_H 5,6), 0,04 ml Katalase (0,44 millimolar hinsichtlich Hämatin) und Glucoseoxydase in kleinen Mengen (s. oben). Das Endvolumen beträgt 3,34 ml; die Meßtemperatur ist 20° C; im Gasraum befindet sich Luft. Das Reaktionsgefäß enthält den vollständigen Ansatz, das Kompensationsgefäß nur das gleiche Volumen Pufferlösung. Die Glucose befindet sich in einem „KEILIN-Röhrchen", das bei Versuchsbeginn durch eine entsprechende Bewegung des Manometers in das im Hauptraum des Reaktionsgefäßes befindliche Lösungsgemisch geworfen wird. Eine Lösung von „Gleichgewichtsglucose" wird durch 10 min langes Erhitzen der Glucoselösung im kochenden Wasserbad erhalten. Ist β-Glucose das Substrat, so wird sie als Substanz in das

---
[1] KEILIN, D., and E. F. HARTREE: Biochem. J. **50**, 331 (1952).

"KEILIN-Röhrchen" eingewogen. Da O_2 in schneller Reaktion aufgenommen wird, muß mit verhältnismäßig großer Frequenz geschüttelt werden.

Messung der Aktivität von Glykosidasen im kombinierten Test mit Glucoseoxydase. Sofern bei der hydrolytischen Spaltung von Disacchariden und Polysacchariden, Glucosiden und anderen Kohlenhydratverbindungen Glucose frei wird, bietet die Verwendung von Glucoseoxydase im manometrischen Versuch eine Möglichkeit, die Aktivität von Glykosidasen und die Kinetik der von ihnen katalysierten Reaktionen zu untersuchen. Der Reaktionsverlauf läßt sich dabei unabhängig von dem Einfluß, den Glucose als Spaltprodukt ausüben kann, messen, da Glucose sofort aus dem Reaktionsgemisch entfernt wird. KEILIN und HARTREE[1] haben derartige Untersuchungen mit Saccharase, Maltase, Amylasen, Emulsin und Sinigrinase gemacht. Die Messung des O_2-Verbrauches erfolgt in Gegenwart von Katalase in Phosphatpuffer (p_H 5,6) bei 22 oder 39° C. Die höhere Meßtemperatur ist aus den oben erwähnten Gründen vorzuziehen, wenn α-Glucose als Spaltprodukt entsteht. Glucoseoxydase wird im Überschuß zugesetzt, so daß die Geschwindigkeit des O_2-Verbrauches von der Geschwindigkeit der hydrolytischen Spaltungsreaktion begrenzt wird. KEILIN und HARTREE betrachten Katalase als einen unerläßlichen Bestandteil des Glucoseoxydasesystems, wenn es sich um die quantitative Erfassung der Glucose handelt. Bei der Spaltung von Amygdalin durch Emulsin wird Blausäure frei, die die dem Test zugesetzte Katalase vergiftet. Um eine Vergiftung der Katalase durch HCN zu verhüten, wird in diesem Falle Methämoglobin zugesetzt, das eine hohe Affinität für HCN hat und einen stabilen Cyanidkomplex bildet.

COHN und MONOD[2] haben diese manometrische Methode mit Glucoseoxydase zur Messung der Aktivität von β-Galaktosidase *(E. coli)*, MONOD und TORRIANI[3] zur Messung der Aktivität von Amylomaltase *(E. coli)* verwendet. MONOD und TORRIANI schalten die Wirkung der in den Enzympräparaten vorhandenen Katalase durch Vergiftung mit Azid aus. Die Messungen erfolgen in Phosphatpuffer bei p_H 7,25 bzw. 6,8. Weitere Angaben zu Glykosidasen s. Bd. VI/B.

Manometrische Bestimmung von Glucose mit Glucoseoxydase (KEILIN und HARTREE[1]). Die hohe Spezifität der Glucoseoxydase ermöglicht eine Bestimmung von Glucose mit diesem Enzym in biologischem Material, das häufig noch andere Zucker und weitere Stoffe enthält, die mit den üblichen zur Glucosebestimmung verwendeten Methoden miterfaßt werden. Die manometrische Messung hat im besonderen den Vorteil, daß sie keine Enteiweißung erfordert. Allerdings benötigt sie größere Materialmengen als chemische Mikromethoden, die zur Glucosebestimmung zur Verfügung stehen.

KEILIN und HARTREE haben Glucose in Blutplasma und in verschiedenen Pflanzensäften manometrisch bestimmt. Um genaue Ergebnisse zu erhalten, muß Vorsorge getroffen werden, daß das in der Glucoseoxydasereaktion gebildete H_2O_2 in einer übersichtlichen, stöchiometrisch faßbaren Reaktion verschwindet. Es zeigt sich, daß trotz eines Überschusses von Katalase der O_2-Verbrauch etwas zu hoch ausfallen kann. Das liegt daran, daß ein Teil des entstehenden Wasserstoffperoxyds in dem komplex zusammengesetzten Reaktionsgemisch der katalatischen Zersetzung durch Sekundäroxydationen (s. S. 173) entzogen wird. Durch Zusatz von Äthylalkohol werden deshalb Bedingungen geschaffen, unter denen das Wasserstoffperoxyd quantitativ in einer (von Katalase beschleunigten) gekoppelten Reaktion verbraucht wird. Der Sauerstoffverbrauch erfolgt dann entsprechend der Gleichung:

$$\text{Glucose} + O_2 + \text{Äthanol} \xrightarrow{\text{Glucoseoxydase}} \text{Gluconsäure} + \text{Wasser} + \text{Acetaldehyd}.$$

1 mg Glucose verbraucht dann 124,4 μl O_2. Im Vollblut kann Glucose auf diese Weise nicht bestimmt werden, weil H_2O_2 mit Oxyhämoglobin unter Bildung von Methämoglobin

---

[1] KEILIN, D., and E. F. HARTREE: Biochem. J. 42, 230 (1948).
[2] COHN, M., et J. MONOD: Biochim. biophys. Acta 7, 153 (1951).
[3] MONOD, J., et A. M. TORRIANI: Ann. Inst. Pasteur 78, 65 (1950). Cr. 227, 240 (1948).

reagiert, wobei Sauerstoff freigesetzt wird. In pflanzlichen Extrakten vorhandene Phenoloxydase muß vorher unwirksam gemacht werden (10—15 min bei 80° C), weil sonst die Oxydase mit ihren in den Extrakten vorhandenen Substraten unter O_2-Verbrauch reagiert. Als Beispiel sei die manometrische Bestimmung von Glucose im Blutplasma angeführt.

Das Reaktionsgefäß des Differentialmanometers erhält 2,0 ml Plasma, 0,1 ml Katalase, 0,1 ml 20 Vol.-% Äthylalkohol und 0,8 ml 0,25 m Phosphatpuffer (p_H 5,6); in einem eingehängten „KEILIN-Röhrchen" befinden sich 0,3 ml Glucoseoxydaselösung (mit 300 μg hochgereinigter Glucoseoxydase). In das Kompensationsgefäß werden 3,3 ml Puffer gegeben. Nach dem Temperaturausgleich im Thermostaten bei 39° C und Ablesung des Manometers wird das Röhrchen mit der Glucoseoxydaselösung in das Reaktionsgemisch gebracht. Die nach Ablauf der Oxydationsreaktion verbrauchte Sauerstoffmenge wird gemessen und auf Glucose umgerechnet.

In Parallelversuchen wurden in 2 ml Plasma (Katze) z. B. gefunden: mit Glucoseoxydase + Alkohol 2,99 mg, ohne Alkohol 3,53 mg, chemisch (nach HAGEDORN und JENSEN) 3,67 mg Glucose. Nach Korrektur des chemisch bestimmten Wertes für nicht vergärbare reduzierende Substanzen wurden 3,01 mg Glucose erhalten.

e) Hexokinase.

Bei der von Hexokinase katalysierten Übertragung einer Phosphatgruppe von Adenosintriphosphat auf Glucose wird ein Säureäquivalent frei (S. 169). Verläuft die Reaktion in Hydrogencarbonatlösung, so wird pro Mol gebildetem Glucose-6-phosphat 1 Mol Extra-CO_2 entwickelt:

$$\text{Glucose} + \text{ATP} + \text{NaHCO}_3 \rightarrow \text{Glucose-6-phosphat} + \text{ADP} + CO_2.$$

Die entwickelte CO_2-Menge ist nur dann der umgeesterten Phosphatmenge äquivalent, wenn der p_H-Wert der Versuchslösung nicht unter 7,5 liegt, da anderenfalls die neugebildete Säuregruppe unvollständig dissoziiert ist. Die Hexokinasereaktion kann nach COLOWICK und KALCKAR[1] manometrisch gemessen werden, ebenso nach COLOWICK und PRICE[2] die von der Phosphohexokinase katalysierte Transphosphorylierung:

$$\text{Fructose-6-phosphat} + \text{ATP} \rightarrow \text{Fructose-1,6-diphosphat} + \text{ADP}.$$

Auf gleiche Weise (Freisetzung von Extra-CO_2) mißt HARVEY[3] in Versuchen mit Trypanosomenlysaten die Phosphorylierung von Glycerin durch ATP. Auch andere Kinasereaktionen können so manometrisch gemessen werden[4,5]. Weitere Angaben über Kinasen s. Bd. VI/B.

In einem kombinierten Test kann die Hexokinasereaktion zur manometrischen Messung der Aktivität von Myokinase herangezogen werden[1]. Bei der von Myokinase katalysierten Reaktion:

$$2 \text{ ADP} \rightleftharpoons \text{ATP} + \text{AMP}$$

ändern sich die Aziditätsverhältnisse nicht deutlich. Bewirkt man durch Zusatz von Hexokinase und Glucose, daß das entstehende ATP eine Phosphatgruppe an Glucose abgibt, so wird ein Säureäquivalent frei. Die Bilanzreaktion ist:

$$\text{ADP} + \text{Glucose} \rightarrow \text{Glucose-6-phosphat} + \text{AMP} + H^+.$$

Mit einem Überschuß an Hexokinase und in Hydrogencarbonatlösung kann so die Myokinaseaktivität manometrisch gemessen werden.

---

[1] COLOWICK, S. P., and H. M. KALCKAR: J. biol. Ch. **148**, 117 (1943).
[2] COLOWICK, S. P., and W. H. PRICE: J. biol. Ch. **159**, 563 (1945).
[3] HARVEY, S. C.: J. biol. Ch. **179**, 435 (1949).
[4] PALADINI, A. C., R. CAPUTTO, L. F. LELOIR, R. E. TRUCCO and C. E. CARDINI: Arch. Biochem. **23**, 55 (1949).
[5] COHEN, S. S.: J. biol. Ch. **189**, 617 (1951).

Bei der manometrischen Messung dieser Reaktionen muß eine anderweitige CO_2-Entwicklung ausgeschlossen werden. Die manometrisch gemessene Hexokinaseaktivität kann dadurch kontrolliert werden, daß man die Abnahme an leicht hydrolysierbarem Phosphat zu der entwickelten CO_2-Menge in Beziehung setzt (s. unten). Zur Hemmung der Glykolyse und der ATPase wird Natriumfluorid verwendet.

In einer aus Glucose, ATP, „altem gelbem Ferment", Glucose-6-phosphatdehydrogenase, TPN, $MgCl_2$, NaF und KCN zusammengesetzten Testlösung mißt Harvey[1] die Hexokinaseaktivität von Trypanosomenhomogenaten an dem Verbrauch von O_2.

Messung der Hexokinaseaktivität von Hämolysaten (nach Christensen, Plimpton und Ball[2]). Hämolysat: Erythrocyten von Ratten werden dreimal mit kalter isotoner Salzlösung gewaschen und bei 5° C abzentrifugiert; Hämolyse mit dem doppelten Volumen kaltem destilliertem Wasser während 15 min bei −2° C. Das Hämolysat wird hochtourig in der Kälte zentrifugiert, um Stroma und auskristallisiertes Hämoglobin zu entfernen. Die Gefäße werden wie folgt beschickt:

	Lösung	Konzentration (m)	ml	Endkonzentration (m) nach Kippen
Hauptraum	$NaHCO_3$	0,2	0,5	0,033
	NaF	0,5	0,2	0,033
	Glucose	2 %	0,1	66 mg-%
	Hämolysat		1,0	
	Wasser		0,95	
Anhang . .	ATP (Na-Salz)	0,04	0,2	0,0026
	$NaHCO_3$	0,1	0,05	
	$MgCl_2$	0,2		0,0033

Im Gleichgewicht mit 5 Vol.-% CO_2 ist der p_H-Wert des Lösungsgemisches 7,5.

Die an die Manometer angeschlossenen Gefäße werden im Thermostaten (37,5° C) mit dem Gasgemisch (5% CO_2 in N_2) durchströmt, Manometerhähne und Ventilstopfen werden geschlossen und nach Erreichen von Druckkonstanz (nach etwa 10 min) wird die erste Ablesung der Manometer vorgenommen. Dann wird der Inhalt aus dem Anhang in den Hauptraum gekippt. Die CO_2-Entwicklung wird in Intervallen von 10 min während 1 Std gemessen.

Die Reaktionsgeschwindigkeit beginnt nach etwa 40 min abzunehmen. Vorversuche mit bekannten Mengen Säure haben gezeigt, daß keine in Betracht fallende Korrektur für CO_2-Retention erforderlich ist.

Die Bestimmung der Abnahme an leicht hydrolysierbarem P (a), der Zunahme an anorganischem P (b), der Zunahme an Glucosephosphat-P (c), der entwickelten CO_2-Menge (d) und der verbrauchten Glucosemenge (e) ergibt nach einer Versuchsdauer von 1 Std die folgenden Werte (Durchschnittswerte aus sechs Versuchen):

a	b	c	d	e
5,28	1,38	4,09	4,96	3,44 μM

Die Abnahme an leicht hydrolysierbarem P (a) und die entwickelte CO_2-Menge (d) sind annähernd äquivalent, beide sind aber größer als die Zunahme an Glucosephosphat-P (c) und als der Glucoseschwund (e). Zieht man von der Abnahme an leicht hydrolysierbarem P (a) die Zunahme an anorganischem P (b) ab, so wird in Annäherung Äquivalenz zwischen der so korrigierten Abnahme an leicht hydrolysierbarem P, der Zunahme an Glucosephosphat-P und der verbrauchten Glucosemenge erhalten. Die Zunahme an anorganischem P könnte auf einer Hydrolyse von ATP zu ADP und anorganischem P beruhen, wobei eine zusätzliche Säuregruppe entsteht (S. 169), die eine äquivalente Menge

---
[1] Harvey, S. C.: J. biol. Ch. **179**, 435 (1949).
[2] Christensen, W. R., C. H. Plimpton and E. G. Ball: J. biol. Ch. **180**, 791 (1949).

CO_2 austreibt. Ohne Fluorid ist die Zunahme an anorganischem Phosphat mit dieser rohen Enzymlösung wesentlich größer, die Zunahme an Glucosephosphat wesentlich geringer, und es wird mehr CO_2 entwickelt (äquivalent der Abnahme an leicht hydrolysierbarem P).

f) Esterasen.

Die bei der hydrolytischen Spaltung von Estern organischer Säuren mit Alkoholen und Phenolen frei werdende Säure setzt aus Hydrogencarbonat CO_2 frei (s. hierzu S. 167). Die sich hierauf gründenden manometrischen Methoden zur Messung der Aktivität von esterspaltenden Enzymen wurden zuerst von RONA und LASNITZKI[1] sowie NICOLAI[2] auf die Spaltung von Tributyrin und Monobutyrin, von AMMON[3] auf die Spaltung von Acetylcholin angewendet. Seither hat die manometrische Messung der Aktivität von esterspaltenden Enzymen mit einer großen Zahl von verschiedenen Substraten eine sehr ausgedehnte Anwendung gefunden.

Die Messung erfolgt im allgemeinen bei einer Hydrogencarbonatkonzentration der Versuchslösung um 0,025 m und mit 5% CO_2 in N_2 im Gasraum. Entsteht bei der Spaltung ein autoxydables Produkt (wie z.B. bei der Hydrolyse von Indoxylestern[4]), so darf das Gasgemisch nur Spuren von O_2 enthalten. Die Substratkonzentration wird oberhalb der Sättigungskonzentration gewählt, um einen Reaktionsverlauf nullter Ordnung zu erzielen. Mit wenig löslichen Substraten wird die wahre Sättigungskonzentration manchmal nicht erreicht. Besondere Verhältnisse bietet auch die Acetylcholinesterase (z.B. der Erythrocyten), die schon durch verhältnismäßig kleine Acetylcholinkonzentrationen abgesättigt wird und deren Aktivität durch größere Acetylcholinmengen gehemmt wird. Wenig lösliche Substrate (wie Tributyrin) werden mit Vorteil in emulgierter Form (z.B. emulgiert mit hitze-inaktiviertem Gummi arabicum in einem Homogenisator) zugegeben. In den Anhang gibt man entweder die Enzym- oder die Substratlösung. Da durch Verdünnen einer mit CO_2 im Gleichgewicht stehenden Hydrogencarbonatlösung Druckänderungen auftreten (s. S. 166), soll die im Anhang befindliche Lösung die gleiche Hydrogencarbonatkonzentration haben wie das Reaktionsgemisch im Hauptraum. In jeder Versuchsreihe führt man Kontrollversuche mit (Enzym ohne Substrat; Substrat ohne Enzym), um die im vollständigen Versuch gemessenen CO_2-Mengen für die von der Enzymlösung allein und vom Substrat allein (durch spontane Hydrolyse) entwickelte CO_2-Menge korrigieren zu können. Eiweißreiche Enzymlösungen und Anwesenheit anderer Puffersubstanzen (neben $NaHCO_3-CO_2$) erfordern unter Umständen eine Berücksichtigung der retinierten Säuremenge. Auf Retention läßt sich prüfen, indem man feststellt, ob beim Zukippen einer bekannten Menge von der bei der Hydrolyse entstehenden Säure (oder einer Säure von ähnlicher Stärke) zu dem Reaktionsgemisch (Versuchslösung + Enzymmaterial) die theoretisch zu erwartende CO_2-Menge entsteht.

Im folgenden werden zwei Beispiele für die manometrische Messung von Esterasewirkungen angeführt (über die Esterspaltung durch Proteinasen s. S. 261).

Messung der Aktivität von Leberesterase *(nach* CONNORS, PIHL, DOUNCE *und* STOTZ[5]*).*
In den Hauptraum des Versuchsgefäßes gibt man: 0,45 ml einer 0,15 m $NaHCO_3$-Lösung, 0,038 ml 100%iges redestilliertes Methylbutyrat (Endkonzentration bei $v_F = 3,3$ ml : 0,10 m) und Wasser bis zu einem Volumen von 2,70 ml. In den Anhang kommen: 0,10 ml der 0,15 m $NaHCO_3$-Lösung, 0,10—0,40 ml von der passend verdünnten Enzymlösung und Wasser bis zu einem Volumen von 0,60 ml. Die an die Manometer angeschlossenen Gefäße werden im Thermostaten (30° C) mit 5% CO_2 in N_2 während 4 min durchgast. Nach dem Schließen der Manometerhähne und Gefäßventilstopfen und nachdem Temperaturausgleich erreicht ist, wird der Inhalt des Anhanges in den Hauptraum gekippt. Die

---

[1] RONA, P., u. A. LASNITZKI: B. Z. **152**, 504 (1924).
[2] NICOLAI, H. W.: B. Z. **174**, 343 (1926).
[3] AMMON, R.: Pflügers Arch. **233**, 486 (1933).
[4] UNDERHAY, E. E.: Biochem. J. **66**, 383 (1957).
[5] CONNORS, W. M., A. PIHL, A. L. DOUNCE and E. STOTZ: J. biol. Ch. **184**, 29 (1950).

durch CO_2-Entwicklung auftretende Druckzunahme wird während 30 min in Intervallen von 4 min abgelesen. Die CO_2-Entwicklung verläuft nach einer Reaktion nullter Ordnung; sie ist der angewendeten Enzymmenge direkt proportional. Die günstigsten Bedingungen sind gegeben, wenn pro Std 200—600 µl CO_2 entwickelt werden.

Messung der Aktivität von Phospholipase A aus Bienengift (nach Habermann[1]). Als Substrat dient chromatographisch gereinigtes Lecithin[2] aus Eigelb; als „Aktivatoren" werden Tween 20, Ca^{++} und Albumin zugesetzt. Das p_H-Optimum der Lecithinspaltung liegt bei p_H 8. Dieser p_H-Wert wird mit einer Hydrogencarbonatkonzentration von 0,05 m in dem Reaktionsgemisch und 5% CO_2 im Gasraum erreicht.

Die Geschwindigkeit, mit der Lecithin von Phospholipase A gespalten wird, ist von der Beschaffenheit des Glases abhängig. Es ist erforderlich, die Gefäßwandungen innen mit einem Silikonfilm zu überziehen. Zum Silikonisieren werden die Gefäße während 30—60 min in heiße Dichromat-Schwefelsäure gelegt, unter Anwendung eines Scheuermittels (Vim) weiter gereinigt und dann mit destilliertem Wasser gründlich gespült. Die trockenen Gefäße werden mit Silikonöl (Desicote der Firma Beckman, Pasadena, Calif.) silikonisiert, mit Leitungswasser und dann mit doppelt destilliertem Wasser gespült und getrocknet. Werden die Gefäße bei häufigem Gebrauch rauh und trübe, so ist das Silikonisieren zu wiederholen.

In den Hauptraum der Gefäße gibt man: 1 ml 2%ige Lecithinemulsion in 0,85%iger Kochsalzlösung, 1 ml 12,5%iges Tween 20, 0,5 ml 0,0033 m $CaCl_2$ und 0,5 ml 0,3 m $NaHCO_3$. In den Anhang gibt man 0,3 ml Enzymlösung, deren Hydrogencarbonatkonzentration 0,05 m ist und die 0,5% Rinderserumalbumin enthält. Die Gefäße werden im Thermostaten (38°C) mit dem Gasgemisch (5% CO_2 in N_2) durchströmt. Nach dem Schließen von Manometerhähnen und Gefäßstopfen, und nachdem Temperaturausgleich erreicht ist, wird die Reaktion durch Einkippen der im Anhang befindlichen Lösung in den Hauptraum gestartet.

Werden in 30 min nicht mehr als 3—4 µM Lecithin gespalten, so besteht Proportionalität zwischen Enzymmenge und Spaltungsgröße.

Weitere Angaben zu Esterasen s. Bd. VI/B u. C.

g) Proteinasen und Peptidasen.

Zur manometrischen Messung der Aktivität von Proteinasen und Peptidasen können verschiedene Reaktionsmöglichkeiten herangezogen werden. Weitere Angaben zu Proteinasen s. Bd. VI/C, zu Peptidasen s. Bd. VI/C.

α) Messung der Peptidspaltung nach Krebs und Donegan[3]. Die Methode wird für die Dipeptide Alanyl-glycin und Leucyl-glycin als Substraten beschrieben. Die Peptide sind stärkere Säuren als die bei der Spaltung entstehenden Aminosäuren. Bei der in Hydrogencarbonat-CO_2-Puffer verlaufenden Peptidspaltung verschwinden darum aus der Lösung Säureanionen, die Lösung wird alkalischer, und CO_2 wird aus dem Gasraum aufgenommen. Ist das Verhältnis:

$$\frac{\text{gespaltene Peptidmenge}}{\text{mm Druckänderung}} = \frac{x}{h} = k_{\text{Dipeptid}}$$

bekannt, so kann aus der im Versuch auftretenden Druckänderung auf die gespaltene Peptidmenge geschlossen werden. Die „Gefäßkonstante für Peptid" (k_{Dipeptid}) wird entweder berechnet oder empirisch gewonnen. Die Berechnung erfordert die Kenntnis einer Anzahl von physikalisch-chemischen Konstanten und ist nur möglich, wenn die Versuchslösung in dieser Beziehung einfache Bedingungen bietet. Sie hat zwar den Vorzug, auch unter in bestimmter Weise abgeänderten Versuchsverhältnissen anwendbar zu sein.

---

[1] Habermann, E.: B. Z. **328**, 474 (1957).
[2] Hanahan, D. J., M. B. Turner and M. E. Jayko: J. biol. Ch. **192**, 623 (1951).
[3] Krebs, H. A., u. J. F. Donegan: B. Z. **210**, 7 (1929).

Der im folgenden angegebene empirische Weg ist allgemein gangbar; er erfordert jedoch, daß k_{Dipeptid} genau unter den Bedingungen bestimmt wird, unter denen die Peptidspaltung untersucht werden soll. k_{Dipeptid} ist abhängig von der Menge und der Zusammensetzung der Versuchslösung (Konzentration von Peptid, Hydrogencarbonat, freier Kohlensäure), von dem Gefäßvolumen und von der Temperatur.

Bestimmung von k_{Dipeptid}. Sie geschieht in zwei Gefäßen, die mit einem Anhang versehen sind (zweckmäßig sind Kästchengefäße). Der Hauptraum beider Gefäße enthält peptidhaltige Versuchslösung (mit Hydrogencarbonat). Das im Hauptversuch verwendete Volumen Enzymlösung wird durch ein gleiches Volumen enzymfreie Lösung ersetzt. Im Anhang von Gefäß I befindet sich eine bekannte Menge des Peptids und im Anhang von Gefäß II eine äquivalente Menge der Spaltprodukte. Der Gasraum enthält CO_2 in N_2 (oder in Argon). Sind h_I und h_{II} die in Gefäß I und II nach dem Kippen gemessenen Drucke, so ist der bei einer Spaltung der zugegebenen Peptidmenge x zu erwartende Druck:

$$h = h_{II} - h_I,$$

und

$$k_{\text{Dipeptid}} = \frac{x}{h}.$$

Die Druckänderung h ist der gespaltenen Peptidmenge x — bei nicht zu großen Änderungen von h und x — nahezu proportional. Das Flüssigkeitsvolumen v_F soll gegenüber dem Volumen des Gasraumes v_G nicht zu klein gehalten werden. Dem folgenden Beispiel sind nähere Angaben für die Bestimmung von k_{Dipeptid} zu entnehmen.

Beispiel für die Bestimmung von k_{Dipeptid}. Da der Gasumsatz in μl ausgedrückt wird, ist es für die Rechnungen praktisch, auch alle anderen Mengen in μl auszudrücken. 1 mg-Atom Säurewasserstoff wird 22260 μl CO_2 (0°, 760 mm Hg) äquivalent gesetzt. — Lösungen: 1. Alanyl-glycin in Wasser (5000 μl Dipeptid pro ml); 2. Alanin und Glykokoll in Wasser (je 5000 μl pro ml); 3. Ringer-Hydrogencarbonatlösung mit Alanyl-glycin (500 μl Dipeptid, 695 μl $NaHCO_3$ pro ml). — Gasgemisch: 5,61% CO_2 in Argon. — Temperatur: 37,5°. — k_{Dipeptid} wird mit zwei verschiedenen Mengen (x_1 und x_2) Alanylglycin bestimmt.

	Gefäß Nr.			
	I	II	III	IV
Anhang	0,203 ml Lösung 1	0,1015 ml Lösung 1 0,1015 ml Wasser	0,203 ml Lösung 2	0,1015 ml Lösung 2 0,1015 ml Wasser
Hauptraum . . .	6,04 ml Lösung 3	6,04 ml Lösung 3	6,04 ml Lösung 3	6,04 ml Lösung 3
v_G (ml)	4,67	4,68	4,15	4,02
Druckänderung nach Kippen .	$+136$ (h_I)	$+64$ (h_I')	$+3$ (h_{II})	-4 (h_{II}')

Ausrechnung:

$$h_1 = (h_{II} - h_I) = -133 \text{ (für } x_1 = -1015\ \mu\text{l)},$$

$$h_2 = (h_{II}' - h_I') = -4 - 64 = -68 \text{ (für } x_2 = -507{,}5\ \mu\text{l)},$$

$$k_{\text{Dipeptid}} = \frac{x_1}{h_1} = \frac{-1015}{-133} = 7{,}63,$$

$$k_{\text{Dipeptid}} = \frac{x_2}{h_2} = \frac{-507{,}5}{-68} = 7{,}47.$$

Die beobachteten Drucke setzen sich aus einem negativen Druck, der als Folge der Verdünnung der Hydrogencarbonatlösung im Hauptraum entsteht (s. S. 254), und dem durch Zufügen der Peptid- bzw. Aminosäurenlösungen bewirkten positiven Druck zusammen. Der durch Verdünnung entstehende negative Druck braucht nicht gesondert gemessen zu werden, da er beim Zufügen der Peptid- und Aminosäurenlösung gleich groß ist.

Messung der Peptidspaltung. Sie erfolgt unter den gleichen Bedingungen, unter denen k_{Dipeptid} bestimmt wurde; das enzymfreie Flüssigkeitsvolumen im Hauptraum wird durch ein entsprechendes Volumen der Enzymlösung ersetzt. Das an das Manometer angeschlossene Gefäß wird in den Thermostaten gebracht und mit dem Gasgemisch durchströmt. Zum Temperatur- und Druckausgleich wird 10—20 min geschüttelt. Dann werden die (negativen) Druckänderungen in bestimmten Zeitintervallen abgelesen. Die durch Peptidspaltung während der Ausgleichsperiode aufgetretene Druckänderung wird durch Extrapolation erhalten. Multiplizieren der für die Thermobarometerablesungen korrigierten Druckänderungen h mit k_{Dipeptid} ergibt die gespaltene Peptidmenge in μl CO_2.

Versuchsbeispiel:

Spaltung von Alanyl-glycin durch Darmschleimhaut der Ratte. — Versuchslösung: Ringerlösung mit 429 μl Hydrogencarbonat und 1845 μl D,L-Alanyl-glycin pro ml. Gas: 4,08 Vol.-% CO_2 in Argon. Temperatur: 37,5° C. — $v_G = 7,34$ ml; $v_F = 4,0$ ml; 0,6 mg Darmschleimhaut (Trockengewicht).

$k_{\text{Alanyl-glycin}} = 18,0$ (für $h = -214$). — Die durch Glykolyse der Darmschleimhaut freigesetzte CO_2-Menge war zu vernachlässigen.

Gesamtdruckänderung $= -214$ mm. Gespaltene Peptidmenge $= 214 \cdot 18,0 = 3850 \mu$l.

Zeit (min)	h (mm)	Zeit (min)	h (mm)
20 (Ausgleich)	(−41,5)	20	−28
20	−41,5	20	−15,5
20	−41,5	40	−5,5
20	−39,5	40	−1

Zugesetzt wurden $4 \cdot 1845 = 7380$ μl D,L-Alanyl-glycin. Es wurde also etwa die Hälfte der zugegebenen Peptidmenge gespalten, in Übereinstimmung damit, daß nur der L-Alanin enthaltende Anteil durch Darmpeptidasen gespalten wird.

β) Messung der Aktivität von Peptidasen nach JOHNSTONE und QUASTEL[1]. Der Methode liegt das Prinzip der „Formoltitration" von Aminosäuren zugrunde: Durch die Reaktion von Formaldehyd mit der Aminogruppe wird der Aciditätsgrad einer Aminosäurenlösung verstärkt; verläuft die Reaktion in einem Hydrogencarbonat-CO_2-Puffer, so wird CO_2 freigesetzt. Die entwickelte CO_2-Menge hängt von der Zahl der reagierenden Aminogruppen und von dem Ausmaße ab, in dem Formaldehyd mit den Aminogruppen reagiert. Die Methode wurde zur Untersuchung der Hydrolyse von Di- und Triglycin durch Suspensionen und Extrakte von Clostridium sporogenes verwendet; sie ist wahrscheinlich aber allgemeiner für die Messung der Aktivität von Peptidasen geeignet.

„Formol-Gleichgewichtskonstante". Die Reaktion zwischen Formaldehyd und Aminogruppen verläuft nicht vollständig; es wird aber ein definiertes Gleichgewicht erreicht. Die Gleichgewichtslage variiert mit der chemischen Natur der Aminoverbindung. Die „Formol-Gleichgewichtskonstante" K_f wird durch das Verhältnis von „theoretisch" zu erwartender zu der tatsächlich beobachteten CO_2-Entwicklung gebildet. Der theoretische Wert wird unter der Annahme erhalten, daß die Reaktion vollständig verläuft und pro 1 M −NH_2 1 M CO_2 freigesetzt wird:

$$K_f = \frac{\text{erwartete } CO_2\text{-Menge}}{\text{beobachtete } CO_2\text{-Menge}}.$$

K_f wird für jede der in Betracht kommenden Verbindungen bestimmt. Unter den unten angegebenen Versuchsbedingungen werden für K_f die in Tabelle 24 aufgeführten Werte erhalten.

Ausführung:

Formollösung: Zu 90 ml reinem Formalin gibt man zwei Tropfen Phenolphthaleinlösung und Lauge bis zur schwachen Rosafärbung. Die Lösung wird mit Wasser auf

---
[1] JOHNSTONE, R. M., and J. H. QUASTEL: Biochim. biophys. Acta, **23**, 88 (1957).

Tabelle 24. *„Formol-Gleichgewichtskonstante" K_f von Peptiden und Aminosäuren.*

Substanz	K_f	Substanz	K_f	Substanz	K_f
Triglycin	1,74, 1,80, 1,88	L-Glutaminsäure	3,10, 2,90	D,L-Alanin . . .	2,21, 1,95
Glycyltyrosin . .	1,79, 1,81, 1,91	L-Glutamin . .	1,14, 1,12	L-Threonin. . .	1,30, 1,35
Diglycin	1,54, 1,54, 1,57	L-Asparaginsäure	3,60, 3,78	L-Tryptophan .	1,92, 2,03
Glycyltryptophan	1,84, 1,86, 1,92	L-Asparagin . .	1,19, 1,28	Ammoniumchlorid	1,30, 1,20
Glycin	1,17, 1,21				

100 ml gebracht, mit Holzkohle behandelt und filtriert. Das klare Filtrat wird mit dem Gasgemisch (93% N_2 + 7% CO_2) gesättigt und in einer gut verschlossenen Flasche im Dunkeln aufbewahrt. Die Lösung wird wöchentlich frisch hergestellt.

Die Werte für K_f werden wie folgt bestimmt.

In den Hauptraum des Reaktionsgefäßes gibt man die zu analysierende Aminosäuren- oder Peptidlösung, 0,2 ml 0,28 m $NaHCO_3$ und so viel Wasser, daß das Volumen 2,5 ml beträgt. In den Anhang pipettiert man 0,7 ml der Formollösung. Ein Leerversuch erhält an Stelle der Aminosäuren- oder Peptidlösung Wasser. Nach dem Durchgasen mit dem Gasgemisch und dem Temperaturausgleich bei 37° C wird die Formaldehydlösung in den Hauptraum gekippt. Die frei werdende CO_2-Menge wird gemessen. In der Regel ist die Gasentwicklung nach etwa 20—25 min beendet. Die im Leerversuch entwickelte CO_2-Menge wird von der im Hauptversuch entwickelten abgezogen.

Die Messung der Peptidaseaktivität (s. auch [1]) geschieht folgendermaßen.

Die enzymatische Hydrolyse (mit Suspensionen oder zellfreien Extrakten von *Cl. sporogenes*) von Triglycin erfolgt in einer 0,028 m Lösung von $NaHCO_3$ und in einer 93% N_2 + 7% CO_2 enthaltenden Atmosphäre. Nach einer bestimmten Inkubationszeit t, gewöhnlich 60 min, werden die Zellen bei 20000 g abzentrifugiert. Werden zellfreie Enzymlösungen verwendet, so wird die inkubierte Lösung während 10 min im kochenden Wasserbad erhitzt. Das koagulierte Eiweiß wird durch Zentrifugieren entfernt. Von der überstehenden Lösung werden 2 ml in den Hauptraum pipettiert. Da diese Lösung die vorgesehene Hydrogencarbonatmenge enthält, wird kein Hydrogencarbonat mehr zugegeben. Das Flüssigkeitsvolumen im Hauptraum wird mit Wasser auf 2,5 ml gebracht. Der Anhang enthält 0,7 ml Formollösung. Die manometrische Messung erfolgt wie bei der Bestimmung von K_f.

In jeder Versuchsreihe werden Kontrollversuche mit der Bakteriensuspension oder dem Extrakt (ohne Tripeptid) mitgeführt. Das ist erforderlich, weil Spuren von Aminosäuren oder Ammoniumchlorid, die je nach Vorbehandlung in den Enzympräparaten in wechselnden Mengen vorhanden sein können, zu einer CO_2-Entwicklung führen.

Berechnung:

Die Formol-Gleichgewichtskonstante des Tripeptids sei $K_{f'}$, die des Glykokolls $K_{f''}$. Es sei ferner: V_0 = Tripeptidmenge am Anfang = A μMol = $22,4 \cdot A$ μl CO_2 (theoretisch) $= \dfrac{22,4 \cdot A}{K_{f'}}$ μl CO_2 gemessen.

Zur Zeit t seien x μMol Tripeptid hydrolysiert. Die bei t noch vorhandene Menge Tripeptid ist daher $A - x$ μMol = $22,4(A-x)$ μl CO_2 (theoretisch) $= \dfrac{22,4(A-x)}{K_{f'}}$ μl CO_2, entwickelt von $A - x$ μMol Tripeptid.

Bei der Hydrolyse von x μMol Tripeptid entstehen $3 \cdot x$ μMol Glykokoll = $67,2 \cdot x$ μl CO_2 (theoretisch) $= \dfrac{67,2 \cdot x}{K_{f''}}$ μl CO_2, die von der bei der Hydrolyse entstehenden Glykokollmenge entwickelt werden.

Das nach der Inkubationszeit t und nach dem Zukippen von Formol entwickelte Gasvolumen V_t ist:

$$V_t = \frac{22,4(A-x)}{K_{f'}} + \frac{67,2\,x}{K_{f''}}\ \mu\text{l}.$$

---

[1] JOHNSTONE, R. M., and J. H. QUASTEL: Biochim. biophys. Acta **23**, 372 (1957).

Die Differenz zwischen den zur Zeit t und 0 gemessenen CO_2-Volumina ergibt das durch die Spaltung von x μMol Tripeptid entstandene CO_2-Volumen:

$$V_t - V_0 = \frac{22{,}4(A-x)}{K_{f'}} + \frac{67{,}2\,x}{K_{f''}} - \frac{22{,}4\,A}{K_{f'}} = x\left(\frac{67{,}2}{K_{f''}} - \frac{22{,}4}{K_{f'}}\right)\mu\text{l}.$$

Daraus wird für die in der Zeit t hydrolysierte Anzahl μMol Tripeptid $= x$ erhalten:

$$x = \frac{V_t - V_0}{\dfrac{67{,}2}{K_{f''}} - \dfrac{22{,}4}{K_{f'}}}.$$

Diese Gleichung setzt voraus, daß Triglycin vollständig in Glycin aufgespalten wird. Das trifft in Versuchen mit *Cl. sporogenes* zu: Diglycin wird von den bakteriellen Peptidasen sehr viel schneller gespalten als Triglycin. Peptide mit zwei oder mehr verschiedenen Aminosäuren erfordern eine Abwandlung der Gleichung.

Versuchsbeispiel:

Hydrolyse von Triglycin durch Suspensionen von Cl. sporogenes. — Bakterien A: Suspensionen von *Cl. sporogenes*, in reiner Hydrogencarbonatlösung vorinkubiert. Bakterien B: Suspensionen von *Cl. sporogenes*, in einer Lösung von 0,05 m Glucose und 0,1 m L-Prolin vorinkubiert.

Versuch	μl CO_2			K_f
	gemessen	korrigiert	theoretisch	
Leerwert	44,5	—	—	—
Glycin (Standard)	147,0	103,5	120	$\dfrac{120}{103{,}5} = 1{,}18 = K_{f''}$
Triglycin (Standard)	198,0	153,5 (V_0)	275	$\dfrac{275}{153{,}5} = 1{,}79 = K_{f'}$
Bakterien A-Leerwert	73,5	—	—	—
Bakterien B-Leerwert	84,5	—	—	—
Nach der Zeit t:				
Bakterien A Triglycin	330,0	256,5 (V_t)	—	—
Bakterien B Triglycin	430,0	345,5 (V_t)	—	—

$$\mu\text{Mol Peptid hydrolysiert (A)} = \frac{256{,}5 - 153{,}5}{44{,}5} = 2{,}31.$$

$$\mu\text{Mol Peptid hydrolysiert (B)} = \frac{345{,}5 - 153{,}5}{44{,}5} = 4{,}31.$$

γ) **Messung der Aktivität von L-Peptidasen mit L-Aminosäureoxydase nach Zeller und Maritz**[1]. Die bei der Spaltung von L-Peptiden entstehenden L-Aminosäuren werden durch L-Aminosäureoxydase aus Schlangengift unter O_2-Verbrauch oxydiert. Da das Aminosäure oxydierende Enzym von Anfang an zugesetzt wird, wird bei geeigneter Wahl der Mengen von Peptidase, Peptid und Schlangengift der Peptidabbau die geschwindigkeitsbestimmende Reaktion. Die Messung erfolgt bei p_H 7,2 und mit Lauge im Einsatz.

Eine ausführlichere Veröffentlichung über diese Methode scheint nicht erfolgt zu sein. Zeller[2] hat auf diesem Wege unter Verwendung von Viperngift als Quelle für L-Aminosäureoxydase die Aktivität von Peptidasen im Gehirn bestimmt. Viperngift enthält eine sehr aktive L-Aminosäureoxydase, jedoch keine L-Peptidasen. Als Peptide wurden in diesen Untersuchungen verwendet: Glycyl-L-leucin, Glycyl-L-tyrosin, L-Leucyl-glycin und L-Leucyl-glycyl-glycin. Da die Aminosäuren durch die Oxydase aus dem Gleichgewicht entfernt werden, wird die Peptidspaltung stark beschleunigt. Zur Messung der Peptidasen-

---
[1] Zeller, E. A., u. A. Maritz: Helv. physiol. Acta **3**, C 6 (1945).
[2] Zeller, E. A.: Helv. physiol. Acta **3**, C 47 (1945).

aktivität werden nur geringe Mengen Gewebe oder Serum benötigt; z.B. läßt sich die Peptidasenaktivität in 0,01—0,02 ml Serum bestimmen.

L-Aminosäureoxydase aus Schlangengift oxydiert eine große Zahl von natürlichen L-Aminosäuren[1]. In der Primärreaktion entstehen — unter Verbrauch von etwa 1 Mol O_2 pro Mol L-Aminosäure — die der Aminosäure entsprechende Ketosäure, Ammoniak und Wasserstoffperoxyd. In Abwesenheit von Katalase wird die Ketosäure durch H_2O_2 oxydativ decarboxyliert. In Gegenwart von Katalase wird etwa $1/2$ Mol O_2 pro Mol oxydierte Aminosäure aufgenommen. Viperngift enthält keine Katalase. Siehe auch [2].

δ) *Messung der proteolytischen Aktivität nach* KREBS[3]. Bei der Spaltung der meisten Eiweißkörper in Hydrogencarbonat-CO_2-Puffer treten positive Drucke auf, weil die Menge an negativ geladenen Ionen zunimmt. Als Maß der Spaltung dient die Zunahme an primärem Amino-N (Δ Amino-N). Die Beziehung von Δ Amino-N zur Druckänderung h wird empirisch ermittelt; sie ist bei einer bestimmten Versuchsanordnung für verschiedene Werte von Δ Amino-N und h praktisch konstant. Der Quotient Δ Amino-N/h liefert den Umrechnungsfaktor ($k_{\text{Amino-N}}$), mit dem die im Versuch beobachtete Druckänderung h zu multiplizieren ist, um die Spaltungsgröße — ausgedrückt als Amino-N — zu erhalten. Δ Amino-N wird in μl gemessen, indem 1 mg-Äquivalent = 14 mg Aminostickstoff = 22400 μl gesetzt wird. Es ist also:

$$x_{\text{Amino-N}} = h \cdot k_{\text{Amino-N}}.$$

Durch Multiplizieren von $x_{\text{Amino-N}}$ mit $\frac{14}{22400} = 6{,}25 \cdot 10^{-4}$ wird der gebildete Amino-N in mg erhalten.

Die „Gefäßkonstante" $k_{\text{Amino-N}}$ ist von den Eigenschaften und Konzentrationen der Eiweißkörper und der Spaltprodukte sowie von dem Medium und dem Gefäßvolumen abhängig; sie ist bei einer Änderung der Versuchsbedingungen neu zu bestimmen.

$k_{\text{Amino-N}}$ wird in der Weise bestimmt, daß mit einem Gefäß die durch die Spaltung bewirkte Druckänderung h gemessen wird, in einem zweiten Gefäß mit genau dem gleichen Reaktionsgemisch zu derselben Zeit die Reaktion durch Zufügen von 1 Volumenteil 0,1 m Phosphorsäure pro Volumenteil Gemisch unterbrochen und der Aminostickstoff nach VAN SLYKE[4] bestimmt wird.

Bei der manometrischen Messung der proteolytischen Wirkung von Papain und deren Beeinflussung durch Komplexbildner findet KREBS[5], daß in Gegenwart höherer Konzentrationen von Pyrophosphat, Blausäure, Cystein und Schwefelwasserstoff CO_2 gebunden wird. $k_{\text{Amino-N}}$ muß jeweils neu bestimmt werden, wenn die Konzentration an Pyrophosphat $> 0{,}5 \cdot 10^{-3}$ m, von HCN $> 1 \cdot 10^{-2}$ m, von Cystein $> 2 \cdot 10^{-2}$ m und von H_2S $> 0{,}5 \cdot 10^{-2}$ m ist.

Beispiel. Spaltung von Casein durch Trypsin. In 0,7 %iger Natriumhydrogencarbonatlösung werden 0,2% Casein (HAMMARSTEN) gelöst. In das Reaktionsgefäß werden 3 ml Caseinlösung und 0,3 ml einer 0,1 %igen Trypsinlösung (Trypsin Merck) gegeben. v_F = 3,3 ml, v_G = 4,6 ml. Gasraum: 5 Vol.-% CO_2 in Argon. Temperatur: 37,5° C.

In den ersten Meßzeiten beträgt h etwa + 40 mm BRODIE-Lösung pro 20 min. $k_{\text{Amino-N}}$, bestimmt nach einer Druckänderung von + 128,5 bzw. + 243,5 mm, beträgt 2,10 bzw. 2,12. In 20 min werden also etwa 85 μl Amino-N abgespalten.

Die in der Zeiteinheit auftretenden Druckänderungen sind (in Versuchen über die tryptische Spaltung von Casein und Gelatine) für etwa die ersten 200 mm konstant; sie nehmen dann langsam ab.

---

[1] ZELLER, E. A., u. A. MARITZ: Helv. **27**, 1888 (1944); **28**, 365 (1954). — SINGER, T. P., and E. B. KEARNEY: Arch. Biochem. **29**, 190 (1950).
[2] DAVIS, N. C., and E. L. SMITH: Meth. biochem. Analysis **2**, 243 (1955).
[3] KREBS, H. A.: B. Z. **220**, 283 (1930).
[4] SLYKE, D. D. VAN: J. biol. Ch. **83**, 425 (1929).
[5] KREBS, H. A.: B. Z. **220**, 289 (1930).

ε) *Messung der proteolytischen Aktivität nach* Hasse *und* Burgardt[1]. Die Acidität von Aminosäuren, Peptiden und Proteinen wird durch Alkohol erhöht; sie lassen sich in alkoholischer Lösung als schwache Säuren titrieren[2]. Bei der hydrolytischen Spaltung von Eiweißkörpern findet eine Aciditätszunahme statt, die durch Zusatz von Alkohol verstärkt werden kann. Die aus Hydrogencarbonatlösung durch die proteolytischen Spaltprodukte freigesetzte CO_2-Menge ist daher in Gegenwart von Alkohol größer als in nur wäßriger Lösung. Auf diese Weise können noch kleine proteolytische Aktivitäten manometrisch gemessen werden.

Die von einem Ampholyten freigesetzte CO_2-Menge hängt außer von der Ampholytmenge von der Alkohol- und der Hydrogencarbonatkonzentration ab. In Lösungen mit 93 Vol.-% Alkohol entwickelt Leucin aus Hydrogencarbonat viermal mehr CO_2 als in Lösungen mit 25 Vol.-% Alkohol; auch bei der höchsten Alkoholkonzentration wird nur ein Bruchteil der theoretisch zu erwartenden CO_2-Menge freigesetzt. Die entwickelte CO_2-Menge ist der Ampholytmenge direkt proportional, wenn Hydrogencarbonat im erforderlichen Überschuß vorhanden ist. Die Beziehung zwischen der proteolytischen Aktivität und der in Freiheit gesetzten CO_2-Menge ist empirischer Natur. Die Methode wurde von Hasse und Burgardt[3] zur Messung der proteolytischen Aktivität von Schwangerenurin verwendet.

Ausführung der Messung. Die Gefäße haben ein Volumen von etwa 15 ml. Zur Bestimmung der proteolytischen Aktivität werden 0,5 ml Substratlösung und 0,5 ml Enzymlösung inkubiert. Für den Leerversuch werden Substrat- und Enzymlösung getrennt inkubiert und erst unmittelbar vor der Messung vereinigt. Die Lösungen werden in den Reaktionsgefäßen mit 2,5 ml Äthylalkohol vermischt. Im Anhang der Gefäße befinden sich 0,5 ml 0,1 n Natriumhydrogencarbonatlösung in 60%igem Alkohol. Die Gefäße werden im Thermostaten, dessen Temperatur zwischen 20 und 25° C eingestellt ist, bis zum Druckausgleich geschüttelt. Nach dem Zukippen der Hydrogencarbonatlösung wird 8—10 min lang weiter geschüttelt. Die Druckzunahme wird abgelesen. Die Differenz zwischen der im inkubierten vollständigen Ansatz und der im Leerversuch entwickelten CO_2-Menge ist ein Maß der proteolytischen Aktivität.

Der Alkoholgehalt der Hydrogencarbonatlösung soll etwa dem der im Hauptraum befindlichen Lösung entsprechen, damit beim Zukippen keine unerwünschten Druckänderungen auftreten. Gegenüber der Substratmenge verwendet man einen etwa zehnfachen Überschuß an Hydrogencarbonat. Der p_H-Wert der Versuchslösungen soll vor dem Einbringen in die Reaktionsgefäße etwa 7 betragen; er wird nötigenfalls mit Lauge oder Säure im Leer- und Hauptversuch auf diesen Wert gebracht.

Versuchsbeispiel:

Gelatineabbau durch Trypsin. Ansatz: 0,5 ml Trypsinlösung (steigender Konzentration), 0,5 ml 5%ige Gelatinelösung. Inkubation: 1 Std bei 37° C. Im Hauptraum +2,5 ml Alkohol; im Anhang 0,5 ml $NaHCO_3$.

mg Trypsin	μl CO_2 nach Abzug des Leerwertes
0,125	5,0 ± 1,5
0,25	8,0 ± 2
0,50	18,5 ± 3
1,0	32 ± 3
2,0	60 ± 3
4,0	103 ± 4

ζ) *Messung der proteolytischen Aktivität mit Aminosäureestern als Substraten.* Von einigen proteolytisch wirkenden Enzymen ist bekannt, daß sie auch Ester von bestimmten Aminosäuren und Aminosäurederivaten zu spalten vermögen. Diese Beobachtung wurde zuerst mit Chymotrypsin und Trypsin[4]

---

[1] Hasse, K., u. L. Burgardt: B. Z. **321**, 296 (1951).
[2] Willstätter, R., u. E. Waldschmidt-Leitz: B. **54**, 2988 (1920). — Grassmann, W., u. W. Heyde: H. **183**, 32 (1929).
[3] Hasse, K., u. L. Burgardt: B. Z. **322**, 221 (1952).
[4] Schwert, G. W., H. Neurath, S. Kaufman and J. E. Snoke: J. biol. Ch. **172**, 221 (1948). — Neurath, H., and G. W. Schwert: Chem. Reviews **46**, 69 (1950).

gemacht, dann z. B. auch mit Plasmin[1] (= Fibrinolysin), Thrombin[2] und mit Proteinasen aus Plasma menschlicher Spermienflüssigkeit[3]. Da bei der Esterhydrolyse eine Carboxylgruppe frei wird, kann die Aktivität der Proteinasen in Hydrogencarbonatlösung manometrisch gemessen werden. Diese manometrische Methode wurde bisher zur Messung der proteolytischen Aktivität von reinen Enzymen oder von teilweise gereinigten Enzympräparaten angewendet.

Messung der Aktivität von Chymotrypsin. Nach Parks und Plaut[4] spaltet kristallisiertes (Rinder-)Chymotrypsin unter anderem die folgenden Ester: L-Phenylalanin-äthylester · HCl (700), L-Tyrosin-äthylester (2200), N-Acetyl-L-phenylalanin-äthylester (3700), N-Acetyl-L-tyrosin-äthylester (18000). Die eingeklammerten Zahlen bedeuten die unter den Meßbedingungen entwickelten μl CO_2 pro mg Chymotrypsin pro min. Das am besten geeignete Substrat ist L-Phenylalanin-äthylester, besonders wegen der guten Wasserlöslichkeit sowohl des Esters als auch der hydrolytischen Spaltprodukte.

Mit einer sorgfältig kalibrierten Mikropipette wird die Enzymlösung in den Anhang des Reaktionsgefäßes (15 ml) pipettiert; das Volumen wird mit Wasser auf 0,3 ml ergänzt. Ist die Enzymlösung stärker sauer, so wird sie bis zum p_H-Optimum (das von der Art des Substrates abhängt) neutralisiert. Der Enzymlösung wird im Anhang kein Hydrogencarbonat zugesetzt, um die Gefahr einer Enzyminaktivierung durch die alkalische Reaktion des Hydrogencarbonats (vor der Durchgasung) zu vermeiden. In den Hauptraum gibt man 2,0 ml einer (frisch zubereiteten und auf p_H 6,5 eingestellten) 0,0375 m Lösung von L-Phenylalanin-äthylester-hydrochlorid und 0,7 ml einer 0,18 m Lösung von Natriumhydrogencarbonat. (Die Endkonzentration an Substrat in dem Reaktionsgemisch ist 0,025 m, an Hydrogencarbonat 0,042 m.) Mit 100% CO_2 im Gasraum wird ein p_H-Wert von 6,5 erhalten. Die Gefäße werden im Thermostaten (30° C) mit reinem CO_2 während 10 min durchgast. Nach einer weiteren Ausgleichsperiode von 5 min wird das Enzym in den Hauptraum gekippt. Die erste Ablesung (Zeit: t_0) wird 2—3 min nach dem Kippen vorgenommen; die weiteren Ablesungen erfolgen bei kleinen Enzymmengen in Intervallen von 10 min, bei größeren Enzymmengen in kürzeren Zwischenzeiten.

Mit 0,02—0,2 mg Chymotrypsin pro ml Reaktionsgemisch ist die CO_2-Entwicklung proportional der Enzymmenge. Die Reaktion verläuft mit der Zeit linear, bis 60% der zugesetzten Estermenge hydrolysiert sind. Wird die Hydrolyse bis zum Ende verfolgt, so zeigt sich, daß mit einer Esterkonzentration von 0,025 m nur 75 % der erwarteten CO_2-Menge entwickelt werden. Das ist auf eine Retention von CO_2 als Folge der Pufferwirkung des Substrates zurückzuführen. Die gemessene CO_2-Menge ist für die retinierte CO_2-Menge zu korrigieren, wenn man das genaue stöchiometrische Verhältnis zwischen CO_2-Entwicklung und Esterhydrolyse erhalten will.

h) Hydrogenase.

Die in einer Anzahl von Bakterienarten vorhandene Hydrogenase (Übersichten s. Gest[5, 6]) katalysiert die Oxydation von molekularem Wasserstoff durch verschiedene Elektronenacceptoren. Als Quelle für Hydrogenase dienen unter anderem: *E. coli, Proteus vulgaris, Clostridium kluyveri, Cl. butylicum, Cl. pasteurianum, Micrococcus lactilyticus, Aerobacter indologenes, Desulphovibrio desulphuricans*. Der in der Hydrogenasereaktion:

$$H_2 \rightleftharpoons 2H^+ + 2e$$

aktivierte Wasserstoff vermag Substanzen wie Methylenblau, Methylviologen oder Benzylviologen, Diäthylsafranin, Flavinmononucleotid, Pyridinnucleotide (DPN und TPN), Ferri-

---

[1] Troll, W., S. Sherry and J. Wachman: J. biol. Ch. **208**, 85 (1954).
[2] Sherry, S., and W. Troll: J. biol. Ch. **208**, 95 (1954).
[3] Lundquist, F., T. Thorsteinsson and O. Buus: Biochem. J. **59**, 69 (1955). — Lassen, M.: Biochem. J. **69**, 360 (1958).
[4] Parks, R. E. jr., and G. W. E. Plaut: J. biol. Ch. **203**, 755 (1953).
[5] Gest, H.: Bact. Rev. **18**, 43 (1954).
[6] Gest, H.; in: McElroy-Glass, Phosphorus Metabolism, Bd. II, S. 522. Baltimore 1952.

cyanid, Cytochrom c, Nitrat, Fumarsäure, Acetaldehyd, Brenztraubensäure, Glutathion (GS—SG) direkt oder in gekoppelten Reaktionen zu reduzieren.

Redoxfarbstoffe wie Methylenblau, Methylviologen oder Benzylviologen werden, soweit ersichtlich, von molekularem Wasserstoff in Anwesenheit von Hydrogenase direkt hydriert. Die Hydrierung von Methylenblau wird zur manometrischen Messung der Aktivität von Hydrogenase benutzt. Für Hydrierungen in gekoppelten Reaktionen seien die folgenden Beispiele angeführt:

Die Hydrierung von Fumarsäure mit Hydrogenase und H_2 erfordert als Zwischenglied einen geeigneten Elektronenüberträger und ein Fumarsäure reduzierendes Enzym (Succinodehydrogenase, Fumarsäurereductase). Mit gereinigten Hydrogenasepräparaten, die eines natürlichen Elektronenacceptors ermangeln, können Farbstoffe wie Methylviologen oder Benzylviologen, Diäthylsafranin und Flavinmononucleotid die Rolle des Elektronenüberträgers übernehmen. Die Reduktion von Fumarsäure erfolgt gemäß den Gleichungen[1]:

(a) $\qquad H_2 + 2\text{ Viologen} \rightleftharpoons 2\text{ Leukoviologen} + 2 H^+$
(b) $\qquad \underline{2\text{ Leukoviologen} + 2H^+ + \text{Fumarat} \rightleftharpoons 2\text{ Viologen} + \text{Succinat}}$
$\qquad\qquad\qquad H_2 + \text{Fumarat} \rightleftharpoons \text{Succinat}$

Reaktion (a) wird von der Hydrogenase katalysiert. Sie verläuft mit Benzylviologen vorwiegend in der Richtung der Bildung der Leukoverbindung. Reaktion (b) wird von Succinodehydrogenase[2] oder von einer bakteriellen Fumarsäurereductase[1] katalysiert; sie verläuft im letzten Falle anscheinend irreversibel.

Brenztraubensäure wird reduziert in dem System: H_2-Hydrogenase-DPN-Milchsäuredehydrogenase-Brenztraubensäure gemäß der Summengleichung[3]:

$$\text{Pyruvat} + H_2 \rightleftharpoons \text{Lactat}.$$

Durch Koppelung von Hydrogenase mit einer TPN-abhängigen Glutathionreductase wird die Disulfidform von Glutathion durch molekularen Wasserstoff reduziert[3]:

$$H_2 + TPN^+ \rightleftharpoons TPNH + H^+$$
$$\underline{TPNH + H^+ + GS\text{—}SG \rightarrow 2\text{ GSH} + TPN}$$
$$H_2 + GS\text{—}SG \rightarrow 2\text{ GSH}$$

Manometrische Messung der Methylenblauhydrierung. Die Methode[4] dient zur Messung der Hydrogenaseaktivität.

Zur Entfernung von Sauerstoff wird der Wasserstoff über erhitztes Kupfer (S. 106) geleitet. Zur Absorption von O_2 und CO_2 im Gasraum der Gefäße wird die Absorptionslösung von FIESER (S. 107) verwendet.

In den Hauptraum kommen: Hydrogenase (z.B. 0,25 ml einer gereinigten Enzymlösung mit 0,5 mg N), 0,15 m Phosphatpuffer, p_H 6,7. In den Anhang gibt man 0,2 ml 0,05 m Methylenblaulösung, in den Einsatz 0,2 ml Absorptionslösung mit einem Streifen Filtrierpapier. $V_f = 3,0$ ml. Die mit den Manometern verbundenen Gefäße werden im Thermostaten während 5 min mit Wasserstoff durchströmt. Nach dem Schließen der Manometerhähne und Gefäßstopfen wird zum Temperatur- und Druckausgleich 1 Std geschüttelt. Dann wird die Reaktion durch Einkippen der Methylenblaulösung in den Hauptraum in Gang gebracht.

Die Enzymmenge wird so gewählt, daß etwa 500 μl H_2 pro Std aufgenommen werden. Die Aktivität wird durch $Q_{H_2}^{\text{Methylenblau}}$ (N), das ist die pro Std pro mg N aufgenommene Wasserstoffmenge, ausgedrückt.

Über die manometrische Messung der Hydrogenlyasereaktion[5] (H_2-Entwicklung aus Formiat) s. z.B. LICHSTEIN und BOYD[6].

---
[1] PECK jr., H. D., O. H. SMITH and H. GEST: Biochim. biophys. Acta **25**, 142 (1957).
[2] SINGER, T. P., and E. B. KEARNEY: Meth. biochem. Analysis **4**, 307 (1954).
[3] KORKES, S.; in: McElroy-Glass, Phosphorus Metabolism, Bd. II, S. 502. Baltimore 1952.
[4] PIETRO, A. S.: Colowick-Kaplan, Meth. Enzymol. Bd. II, S. 861.
[5] STEPHENSON, M.: Ergebn. Enzymforsch. **6**, 139 (1937). — GEST, H.; in: McElroy-Glass, Phosphorus Metabolism, Bd. II, S. 522. Baltimore 1952.
[6] LICHSTEIN, H. C., and R. B. BOYD: Arch. Biochem. **44**, 475 (1953).

Tabelle 25. *Messung von O_2-Aufnahme.*

Enzym	Reaktion	Zitat
L-Alaninracemase (*Streptococcus faecalis*) [5.1.1.1]	L-Alanin → D-Alanin (manometrisch mit D-Aminosäurenoxydase)	1
Ameisensäureoxydase [1.2.2.1]	$HCOOH + {}^1/_2 O_2 \to CO_2 + H_2O$	2
D-Aminosäurenoxydase [1.4.3.3]	$RCHNH_2COOH + O_2 + H_2O \to RCOCOOH + NH_3 + H_2O_2$	3
L-Aminosäurenoxydase [1.4.3.2]	$RCHNH_2COOH + O_2 + H_2O \to RCOCOOH + NH_3 + H_2O_2$	4
Monoaminoxydase [1.4.3.4]	$RCH_2NH_2 + O_2 + H_2O \to RCHO + NH_3 + H_2O_2$	5
Diaminoxydase [1.4.3.6]	$H_2NRCH_2NH_2 + O_2 + H_2O \to H_2NRCHO + NH_3 + H_2O_2$	6
Ascorbinsäureoxydase [1.10.3.3]	Ascorbinsäure $+ {}^1/_2 O_2 \to$ Dehydroascorbinsäure $+ H_2O$	7
Cytochromoxydase [1.1.99.1]	Oxydation von reduziertem Cytochrom c durch O_2	8
„Diaphorase" [1.9.3.1]	$DPNH + Diaphorase_{ox} \to DPN + Diaphorase_{red}$ (manometrisch mit Lactatdehydrogenase + Lactat + Methylenblau + KCN)	9
Fettsäurenoxydase (komplex) [1.1.3.4]	Oxydation von Buttersäure und höheren Fettsäuren durch O_2	10
Glucoseoxydase (S. 248, 886) [1.1.3.1]	Glucose $+ O_2 + H_2O \to$ Gluconsäure $+ H_2O_2$	11
Glycinoxydase [1.99.2.5]	Glycin $+ O_2 + H_2O \to$ Glyoxylsäure $+ H_2O_2 + NH_3$	12
Glykolsäureoxydase [1.99.2.1]	Glykolsäure $+ O_2 \to$ Glyoxylsäure $+ H_2O_2$	13
Homogentisinsäureoxydase [5.1.2.2]	Homogentisinsäure $+ O_2 \to$ 4-Maleylacetessigsäure	14
Lipoxydase [1.7.3.1]	Polyenfettsäuren $+ O_2 \to$ peroxydische Verbindungen	15
L-Mandelsäuredehydrogenase (*P. fluorescens*) [1.2.3.3]	L-Mandelsäure $+ {}^1/_2 O_2 \to$ Benzoylformiat $+ H_2O$ (mit ungereinigtem Enzym)	16
D-Mandelsäureracemase [1.5.3.1]	D-Mandelsäure → L-Mandelsäure (manometrisch mit L-Mandelsäuredehydrogenase)	17
Nitroäthanoxydase (*Neurospora crassa*) [1.3.99.1]	$CH_3CH_2NO_2 + O_2 + H_2O \to CH_3CHO + HNO_2 + H_2O_2$	18
Pyruvatoxydase (*L. delbrückii*) [1.7.3.3]	Pyruvat $+ PO_4^{\equiv} + O_2 \to$ Acetylphosphat $+ CO_2 + H_2O_2$	19
Sarkosinoxydase [1.2.3.2]	Sarkosin $+ {}^1/_2 O_2 =$ Glycin $+ HCHO$	20
Succinodehydrogenase (S. 241, 632)	Succinat $+ O_2 + Mb \to$ Fumarat $+ H_2O_2 + Mb$	21
Succinoxydase(-Komplex) (S. 172, 632)	Succinat $+ {}^1/_2 O_2 \to$ Fumarat $+ H_2O$	22
Tyrosinase (Phenoloxydase)	Oxydation von verschiedenen Phenolen	23
Uricase	Harnsäure $+ O_2 + 2 H_2O \to$ Allantoin $+ CO_2 + H_2O_2$	24
Xanthinoxydase	Hypoxanthin $+ 2 O_2 \to$ Harnsäure $+ 2 H_2O_2$	25

[1] WOOD, W. A., and I. C. GUNSALUS: J. biol. Ch. **190**, 403 (1951).
[2] LICHSTEIN, H. C., and R. B. BOYD: Arch. Biochem. **44**, 475 (1953).
[3] KREBS, H. A.: H. **217**, 191 (1933). — BRÖMEL, H., u. E. NEGELEIN: B. Z. **300**, 225 (1939). — KELLEY, B., P. L. DAY and J. R. TOTTER: J. biol. Ch. **182**, 591 (1950).
[4] ZELLER, E. A.: Adv. Enzymol. **8**, 459 (1948). — BLANCHARD, M., D. E. GREEN, V. NOCITO and S. RATNER: J. biol. Ch. **161**, 583 (1945). — SINGER, T. P., and E. B. KEARNEY: Arch. Biochem. **29**, 190 (1950). — KEARNEY, E. B., and T. P. SINGER: Arch. Biochem. **33**, 377, 397, 414 (1951).
[5] BLASCHKO, H.: Pharmacol. Rev. **4**, 415 (1952). — HAWKINS, J.: Biochem. J. **50**, 577; **51**, 399 (1952).
[6] ZELLER, E. A.: Helv. **22**, 1381 (1939).
[7] LOVETT-JANISON, P. L., and J. M. NELSON: Am. Soc. **62**, 1409 (1940). — POWERS, W. H., S. LEWIS and C. R. DAWSON: J. gen. Physiol. **27**, 167 (1944).
[8] SCHNEIDER, W. C., and V. R. POTTER: J. biol. Ch. **149**, 217 (1943). — KREKE, C. W., M. A. SCHAEFFER, M. A. SEIBERT and E. S. COOK: J. biol. Ch. **185**, 469 (1950).
[9] STRAUB, F. B.: Biochem. J. **33**, 787 (1939).
[10] KENNEDY, E. P., and A. L. LEHNINGER; in: McElroy-Glass, Phosphorus Metabolism, Bd. II, S. 253. J. biol. Ch. **185**, 275 (1950).
[11] FRANKE, W., u. F. LORENZ: A. **532**, 1 (1937). — KEILIN, D., and E. F. HARTREE: Biochem. J. **39**, 293 (1945); **50**, 331 (1952).
[12] RATNER, S., V. NOCITO and D. E. GREEN: J. biol. Ch. **152**, 119 (1944).
[13] CLAGETT, C. O., N. E. TOLBERT and R. H. BURRIS: J. biol. Ch. **178**, 977 (1949).
[14] RAVDIN, R. G., and D. I. CRANDALL: J. biol. Ch. **189**, 137 (1951).
[15] SÜLLMANN, H.: Helv. **24**, 1360 (1941); **26**, 1114, 2253 (1943). — THEORELL, H., S. BERGSTRÖM u. A. AKESON: Ark. Kemi, Mineral. Geol. (A) **19**, Nr. 6 (1944). — FRANKE, W., J. MÖNICH, D. KIBAT u. A. HAMM: A. **559**, 221 (1948).
[16] STANIER, R. Y., C. F. GUNSALUS and I. C. GUNSALUS: J. Bact. **66**, 543 (1953).

Tabelle 26. *Messung von CO_2-Entwicklung.*

Enzym	Reaktion	Zitat
Acetessigsäuredecarboxylase (*Cl. acetobutylicum*) [4.1.1.4]	$CH_3COCH_2COOH \rightarrow CH_3COCH_3 + CO_2$	1
Aminosäurenreductasen (bakterielle) [3.5.3.1]	$CH_3CHNH_2COOH + 2CH_2NH_2COOH + 2H_2O$ $= 3CH_3COOH + 3NH_3 + CO_2$	2
Arginase [1.2.4.1]	L-Arginin + H_2O + Urease $\rightarrow$ Ornithin + CO_2 + $2NH_3$	3
Brenztraubensäureoxydase (Coenzym A-abhängig) [4.2.1.1]	Pyruvat + DPN^+ + CoA $\rightarrow$ Ac $\sim$ SCoA + DPNH + H^+ + CO_2	4
Carboanhydratase [4.1.1.1]	$CO_2 + H_2O \rightleftharpoons H_2CO_3$	5
Carboxylase [3.8.2.1]	Pyruvat $\rightarrow$ Acetaldehyd + CO_2	6
Citrullinase [4.1.1.26]	Citrullin + $H_2O \rightarrow$ Ornithin + NH_3 + CO_2	7
Dialkylphosphofluoridase [2.7.1.12]	$(C_3H_7O)_2 = P{<}^O_F + H_2O \rightarrow (C_3H_7O)_2 = P{<}^O_{OH} + HF$ (Extra-CO_2)	8
Dopa-decarboxylase [1.1.1.47]	3,4-Dihydroxyphenylalanin $\rightarrow$ Hydroxytyramin + CO_2	9
Gluconokinase [1.1.1.49]	Gluconat + ATP $\rightarrow$ 6-Phosphogluconat + ADP (Extra-CO_2)	10
Glucosedehydrogenase [3.1.2.6]	Glucose + DPN^+ + $H_2O \rightarrow$ Gluconsäure + DPNH + H^+ (Extra-CO_2)	11
Glucose-6-phosphatdehydrogenase [1.1.1.40]	Glucose-6-phosphat + $TPN^+ \rightarrow$ 6-Phosphogluconat + TPNH + H^+ (Extra-CO_2)	12
Glyoxalase [4.1.1.3]	$CH_3COC{<}^H_O + H_2O$ (+ GSH) $\rightarrow CH_3CHOHCOOH$ (Extra-CO_2)	13
„Malic-Enzym" [3.5.2.6]	L-Malat + $TPN^+ \rightarrow$ Pyruvat + CO_2 + TPNH + H^+	14
Oxalessigsäuredecarboxylase [2.6.1]	Oxalacetat $\rightarrow$ Pyruvat + CO_2	15
Penicillinase [3.5.1.5]	Penicillin + $H_2O \rightarrow$ Penicilloinsäure (Extra-CO_2)	16
Phosphoroclastische Spaltung von Brenztraubensäure (*E. coli*)	Pyruvat + Phosphat $\rightarrow$ Acetylphosphat + Formiat (Extra-CO_2)	17
Transaminasen (s. S. 268 u. Bd. VI/B)	a) durch Aminosäurenbestimmung mit Decarboxylasen oder mit Chloramin T, b) durch Decarboxylierung von Oxalessigsäure	18
Urease	$CO(NH_2)_2 + H_2O \rightarrow CO_2 + 2NH_3$	19

[1] DAVIES, R.: Biochem. J. **37**, 230 (1943).
[2] STICKLAND, L. H.: Biochem. J. **28**, 1746 (1934); **29**, 288, 889 (1935). — MAMELAK, R., and J. H. QUASTEL: Biochim. biophys. Acta **12**, 103 (1953).
[3] SLYKE, D. D. VAN, and R. M. ARCHIBALD: J. biol. Ch. **165**, 293 (1947). — ROSENTHAL, O., C. S. ROGERS, H. M. VARS and C. C. FERGUSON: J. biol. Ch. **185**, 669 (1950).
[4] KORKES, S., A. DEL CAMPILLO, I. C. GUNSALUS and S. OCHOA: J. biol. Ch. **193**, 721 (1951). — KORKES, S., A. DEL CAMPILLO and S. OCHOA: J. biol. Ch. **195**, 541 (1952).
[5] KREBS, H. A., and F. J. W. ROUGHTON: Biochem. J. **43**, 550 (1948). — KELLER, H.: H. **299**, 85 (1955). — MITCHELL, C. A., U. C. POZZANI and R. W. FESSENDEN: J. biol. Ch. **160**, 283 (1945). — ALTSCHULE, M. D., and H. D. LEWIS: J. biol. Ch. **180**, 557 (1949). — MAETZ, J.: Bull. Soc. Chim. biol. **38**, 447 (1956).

Literatur zu Tabelle 25 (Fortsetzung).

[17] GUNSALUS, C. F., R. Y. STANIER and I. C. GUNSALUS: J. Bact. **66**, 548 (1953).
[18] LITTLE, H. N.: J. biol. Ch. **193**, 347 (1951).
[19] LIPMANN, F.: Cold Spring Harbor Symp. quant. Biol. **7**, 248 (1939). — HAGER, L. P., D. M. GELLER and F. LIPMANN: Fed. Proc. **13**, 11 (1954).
[20] DAC, L. K., and J. C. WRISTON jr.: J. biol. Ch. **233**, 222 (1958).
[21] SLATER, E. C.: Biochem. J. **45**, 1 (1949). — KEILIN, D., and E. F. HATREE: Biochem. J. **44**, 205 (1949). — SLATER, E. C., and W. D. BONNER: Biochem. J. **52**, 185 (1952).
[22] SLATER, E. C.: Biochem. J. **45**, 1 (1949).
[23] KUBOWITZ, F.: B. Z. **292**, 221 (1937); **296**, 443; **299**, 32 (1938). — MALLETTE, M. F., and C. R. DAWSON: Am. Soc. **69**, 466 (1947). — LERNER, A. B., T. B. FITZPATRICK, E. CALKINS and W. H. SUMMERSON: J. biol. Ch. **178**, 185 (1949). — LERNER, A. B., and T. B. FITZPATRICK: Physiol. Rev. **30**, 91 (1950).
[24] KEILIN, D., and E. F. HARTREE: Proc. R. Soc. London (B) **119**, 114 (1936). — LEONE, E.: Biochem. J. **54**, 393 (1953).
[25] BALL, E. G.: J. biol. Ch. **128**, 51 (1939). — AXELROD, A. E., and C. A. ELVEHJEM: J. biol. Ch. **140**, 725 (1941). — RICHERT, D. A., S. EDWARDS and W. W. WESTERFELD: J. biol. Ch. **181**, 255 (1949). — FRIDOVICH, I., and P. HANDLER: J. biol. Ch. **231**, 899; **233**, 1578, 1581 (1958).

Manometrische Messung der Hydrierung von Fumarsäure[1]. Als Hydrogenase dient ein zellfreier Extrakt aus *Cl. pasteurianum*, als Fumarsäure reduzierendes Enzym (Fumarsäurereductase) ein gereinigter Extrakt aus *Micrococcus lactilyticus* (= *Veionella gazogenes*) und als vermittelnder Überträger Methylviologen. In der hier beschriebenen Form wird die Methode zur Aktivitätsbestimmung von Fumarsäurereductasepräparaten verwendet. Dazu wird Hydrogenase im Überschuß zugesetzt, so daß die Reaktionsgeschwindigkeit von der Aktivität der Reductase abhängt. Die Geschwindigkeit der H_2-Aufnahme wird von der Konzentration an Methylviologen mitbestimmt. Die maximale Reaktionsgeschwindigkeit V_{max} für eine unendliche Farbstoffkonzentration wird nach Messungen mit verschiedenen Farbstoffmengen durch graphische Extrapolation bestimmt (s. S. 241).

Der Hauptraum enthält: 0,05 m Phosphatpuffer (p_H 7,6), 0,01 m Fumarat, Hydrogenase (im Überschuß) und verschiedene Mengen Methylviologen (etwa 0,25 bis $1 \cdot 10^{-3}$m). Anhang: Fumarsäurereductase. Vor dem Einpipettieren der Hydrogenase werden die Gefäße während 1 min mit H_2 durchgast, um die Gefahr einer Inaktivierung von Hydrogenase durch Luftsauerstoff zu vermindern. Die Durchgasung der an die Manometer angeschlossenen Gefäße mit H_2 wird während 3 min fortgesetzt. In einer Ausgleichsperiode von 15 min (Thermostat bei 30° C) ist die von einer Reduktion des Farbstoffes herrührende H_2-Aufnahme beendet. Nach dem Kippen wird die H_2-Aufnahme während 20—30 min gemessen. Nach Ermittlung von V_{max} werden die Aktivitäten erhalten.

Benzylviologen erwies sich in diesem Test als ungeeignet, weil mit diesem Farbstoff eine extreme Abhängigkeit der Aktivität von der Farbstoffkonzentration beobachtet wurde.

Weitere Hinweise für die manometrische Messung von Enzymaktivitäten sind Tabelle 25 und 26 zu entnehmen. Eine vollständige Liste der Enzyme, deren Aktivität manometrisch gemessen werden kann, würde eine weitaus größere Zahl von Enzymen umfassen. Es sei ergänzend auf die an anderer Stelle dieses Handbuches erfolgende Abhandlung der einzelnen Enzyme verwiesen.

---

[1] WARRINGA, M. G. P. J., O. H. SMITH, A. GIUDITTA and T. P. SINGER: J. biol. Ch. **230**, 97 (1958).

Literatur zu Tabelle 26 (Fortsetzung).

[6] GREEN, D. E., D. HERBERT and V. SUBRAMANYAN: J. biol. Ch. **138**, 327 (1941). — SINGER, T. P., and J. PENSKY: J. biol. Ch. **196**, 375 (1952). — OHLENBUSCH, H.-D.: B. Z. **331**, 18 (1958).
[7] SLADE, H. D.: Arch. Biochem. 42, 204 (1953). — KORZENOVSKY, M., and C. H. WERKMAN: Arch. Biochem. 46, 174 (1953). — OGINSKY, E. L., and R. F. GEHRIG: J. biol. Ch. **204**, 721 (1953).
[8] MAZUR, A.: J. biol. Ch. **164**, 271 (1946).
[9] HOLTZ, P., R. HEISE u. K. LÜDTKE: A.e.P.P. **191**, 87 (1938). — SCHALES, O., and S. S. SCHALES: Arch. Biochem. 24, 83 (1949).
[10] COHEN, S. S.: J. biol. Ch. **189**, 617 (1951).
[11] STRECKER, H. J.: Colowick-Kaplan, Meth. Enzymol. Bd. I, S. 335.
[12] DEMOSS, R. D.: Colowick-Kaplan, Meth. Enzymol. Bd. I, S. 328.
[13] LOHMANN, K.: B. Z. **254**, 332 (1932). — JOWETT, M., and J. H. QUASTEL: Biochem. J. 27, 486 (1933). — HOPKINS, F. G., and E. J. MORGAN: Biochem. J. **39**, 320 (1945).
[14] KORKES, S., A. DEL CAMPILLO and S. OCHOA: J. biol. Ch. **187**, 891 (1950). — KAUFMAN, S., S. KORKES and A. DEL CAMPILLO: J. biol. Ch. **192**, 301 (1951).
[15] OCHOA, S., A. H. MEHLER and A. KORNBERG: J. biol. Ch. **174**, 979 (1948). — VENNESLAND, B., E. A. EVANS jr. and K. I. ALTMAN: J. biol. Ch. **171**, 675 (1947). — KRAEMER, L. M., E. E. CONN and B. VENNESLAND: J. biol. Ch. **188**, 583 (1951). — RUTTER, W. J., and H. A. LARDY: J. biol. Ch. **233**, 374 (1958).
[16] HENRY, R. J., and R. D. HOUSEWRIGHT: J. biol. Ch. **167**, 559 (1947). — POLLOCK, M. R.: Brit. J. exp. Path. **31**, 739 (1950).
[17] KALNITSKY, G., and C. H. WERKMAN: Arch. Biochem. 2, 113 (1943).
[18] a) CAMMARATA, P. S., and P. P. COHEN: J. biol. Ch. **187**, 439 (1950). — MÜLLER, A. F., u. F. LEUTHARDT: Helv. **33**, 268 (1950). — MEISTER, A., H. A. SOBER and S. V. TICE: J. biol. Ch. **189**, 591 (1951). — KREBS, H. A.: Biochem. J. **47**, 605 (1950); **54**, 82 (1953). — COHEN, P. P.: J. biol. Ch. **136**, 565 (1940). — b) GREEN, D. E., L. F. LELOIR and V. NOCITA: J. biol. Ch. **161**, 559 (1945).
[19] KREBS, H. A., u. K. HENSELEIT: H. **210**, 33 (1932). — KREBS, H. A.: Biochem. J. **36**, 758 (1942). — SLYKE, D. D. VAN, and R. M. ARCHIBALD: J. biol. Ch. **154**, 623 (1944).

3. Manometrische Bestimmung einzelner Substanzen.

a) Bestimmung von Aminosäuren mit Aminosäurendecarboxylasen.

Die Decarboxylierung von Aminosäuren erfolgt nach der Gleichung:

$$R \cdot CHNH_2 \cdot COOH \to R \cdot CH_2NH_2 + CO_2.$$

Da die Reaktion in der Richtung von links nach rechts vollständig verläuft, entsteht eine der vorgelegten Aminosäuremenge äquimolekulare Menge CO_2, die manometrisch gemessen wird.

Mit Hilfe von spezifischen Decarboxylasen bakterieller Herkunft lassen sich nach GALE[1] L-Lysin, L-Arginin, L-Histidin, L-Ornithin, L-Tyrosin und L-Glutaminsäure bestimmen. In der üblichen manometrischen Anordnung ist die Bestimmung mit 5 bis 20 μM L-Aminosäuren möglich.

Durch passende Wahl von Art und Stamm der Bakterien, Zusammensetzung der Kulturlösung und Nachbehandlung der aus den Kulturen isolierten Bakterien gelangt man verhältnismäßig leicht zu haltbaren Enzympräparaten, die nur eine bestimmte Aminosäure decarboxylieren und die anderweitig (z.B. aus Glucose) kein CO_2 entwickeln. Es ist also nicht erforderlich, mit Reinenzymen zu arbeiten. Nur in einigen Fällen muß eine besondere Zusammensetzung der Testlösung gewählt werden, um die gewünschte Spezifität zu erreichen. Tabelle 27 enthält einige Angaben über die verwendeten Decarboxylasenpräparate, deren Gewinnung hier nicht eingehender beschrieben werden kann (s. hierfür auch GALE[2]). Weitere Angaben zu Aminosäurendecarboxylasen s. Bd. VI/C.

Tabelle 27. *Decarboxylierung von Aminosäuren durch Decarboxylasenpräparate aus Bakterien* (nach GALE[2]).

Aminosäure	Bakterienart (NCTC Nr.)	Manometrische Messung	
		Pufferlösung	CO_2 (% d. Th.)
L-Lysin	*Bact. cadaveris* * (6578)	0,2 m Phosphat, p_H 6,0	98
L-Arginin	*Esch. coli* * (7020)	0,2 m Phosphat-Citrat, p_H 5,2	95
L-Histidin	*Cl. welchii var.* * BW 21 (6785)	0,2 m Acetat, p_H 4,5	96
L-Ornithin	*Cl. septicum* ** Pasteur (547)	0,2 m Phosphat-Citrat, p_H 5,5	98
L-Tyrosin	*S. faecalis* * (6782)	0,2 m Phosphat-Citrat, p_H 5,5	96
L-Glutaminsäure	*Cl. welchii var.* ** SR 12 (6784)	0,2 m Acetat, p_H 4,5	98
	Esch. coli * ATC Nr. 4157	0,2 m Acetat, p_H 4,5	98
L-Asparaginsäure	*Cl. welchii var.* ** SR 12	0,2 m Acetat, p_H 4,9, + Pyruvat	96

* Acetontrockenpulver. ** Zellsuspension.

Einige Decarboxylasen bakterieller Herkunft haben ein ausgeprägtes p_H-Optimum ihrer Wirkung. Die manometrische Messung erfolgt in der Regel bei einem p_H-Wert der Versuchslösung, der nahe bei dem p_H-Optimum der verwendeten Decarboxylase liegt. Die Versuchslösung ist verhältnismäßig stark gepuffert, damit nur geringe p_H-Verschiebungen eintreten können. Ist der p_H-Wert am Ende der Messung nicht höher als 5,3, so wird die retinierte CO_2-Menge nicht berücksichtigt. Bei einem p_H von über 5,3 wird die retinierte CO_2-Menge durch Zukippen von Säure freigesetzt.

Die *allgemeinen Bedingungen zur manometrischen Bestimmung einer Aminosäure* sind die folgenden:

10—30 mg des Decarboxylasenpräparates werden in dem Puffer gelöst. In den Anhang des Gefäßes gibt man 0,5 ml der Decarboxylasenlösung, in den Hauptraum 1,5 ml der Pufferlösung und 1,0 ml der zu untersuchenden Aminosäurenlösung, deren p_H-Wert annähernd auf den p_H-Wert der Pufferlösung eingestellt ist. Ist retinierte CO_2 zu berücksichtigen, so wird ein Gefäß mit zwei Anhängen verwendet; der zweite Anhang wird mit

---

[1] GALE, E. F.: Biochem. J. **39**, 46 (1945); **41**, vii (1947). Adv. Enzymol. **6**, 1 (1946).
[2] GALE, E. F.: Meth. biochem. Analysis Bd. IV, S. 285 (1957).

0,2 ml 8 n H_2SO_4 beschickt. Ein Kontrollgefäß wird wie das Versuchsgefäß gefüllt, nur daß an Stelle der Aminosäurenlösung Wasser tritt. Das Kontrollgefäß ist immer dann erforderlich, wenn die gebundene CO_2-Menge am Ende des Versuches durch Zukippen von Säure freigesetzt wird. Im Gasraum befindet sich meistens Luft; nur wenn mit dem biologischen Material autoxydable Substanzen mit eingeführt werden, erfolgt die Messung mit N_2 im Gasraum. Nach dem Temperaturausgleich im Thermostaten bei 37° C wird die Decarboxylasenlösung in den Hauptraum gekippt. Die Endablesung wird vorgenommen, wenn der Druck sich nicht mehr ändert oder wenn die am Manometer des Versuchsgefäßes zu beobachtende Druckänderung nicht mehr größer ist als die am Kontrollmanometer abgelesene Druckänderung. Wenn CO_2-Retention zu berücksichtigen ist, wird jetzt die Säure in den Hauptraum gekippt und die Druckänderung nach beendeter Gasentwicklung abgelesen. Aus den (für das Thermobarometer korrigierten) Druckänderungen werden nach Multiplikation mit k_{CO_2} die im Versuchs- und im Kontrollgefäß entwickelten CO_2-Mengen erhalten. Aus der Differenz und unter Berücksichtigung der prozentualen Ausbeute an CO_2 (s. Tabelle 27) wird die vorhandene Menge Aminosäure berechnet.

Suspensionen von *Cl. welchii* decarboxylieren sowohl Asparaginsäure als auch Glutaminsäure, Asparaginsäure aber nur dann (oder wenigstens mit größerer Geschwindigkeit), wenn α-Ketosäuren — wie Brenztraubensäure oder α-Ketoglutarsäure — anwesend sind[1-3]. Asparaginsäuredecarboxylase wird durch Cetyltrimethylammoniumbromid (in einer Endkonzentration von 0,25%) fast vollständig gehemmt, wogegen die Decarboxylierung von Glutaminsäure (und von Glutamin) in Gegenwart dieser Verbindung sogar beschleunigt ist[1]. Auf diese Weise läßt sich Glutaminsäure bei gleichzeitigem Vorhandensein von Asparaginsäure mit den Zellsuspensionen von *Cl. welchii* bestimmen. Glutaminsäure und Asparaginsäure lassen sich nebeneinander auch so bestimmen[3], daß man die Decarboxylierung in Anwesenheit von Semicarbazid — das als Abfangmittel für etwa vorhandene α-Ketosäuren wirkt und dadurch die Decarboxylierung von Asparaginsäure ausschließt — ablaufen läßt. Die CO_2-Entwicklung ist dann auf die Decarboxylierung von Glutaminsäure zurückzuführen. Kippt man nun Pyruvat (im Überschuß zu der vorhandenen Semicarbazidmenge) in die Reaktionslösung, so setzt die Decarboxylierung von Asparaginsäure ein. NAJJAR und FISHER[4] verwenden zur manometrischen Bestimmung von L-Glutaminsäure ein Decarboxylasenpräparat aus *E. coli* (ATC Nr. 11246). Das Präparat enthält keine Glutaminase und decarboxyliert keine anderen Aminosäuren. Das Enzym hat seine maximale Aktivität in 0,15 m Acetatpuffer bei p_H 4,8—5,0.

Nach KREBS[2] lassen sich Asparaginsäure und Asparagin in einem aus mehreren Enzymen zusammengesetzten Test bestimmen. L-Asparaginsäure wird durch die in den folgenden Reaktionen (b) und (c) entwickelten CO_2-Mengen bestimmt:

(a) $\text{L-Asparaginsäure} + \alpha\text{-Ketoglutarsäure} \xrightleftharpoons{\text{Transaminase}} \text{L-Glutaminsäure} + \text{Oxalessigsäure}$

(b) $\text{Oxalessigsäure} \xrightarrow{\text{Oxalessigsäuredecarboxylase}} \text{Brenztraubensäure} + CO_2$

(c) $\text{L-Glutaminsäure} \xrightarrow{\text{Glutaminsäuredecarboxylase}} \gamma\text{-Aminobuttersäure} + CO_2$

L-Asparaginsäure + α-Ketoglutarsäure = γ-Aminobuttersäure + Brenztraubensäure + 2 CO_2

Pro Mol Asparaginsäure werden 2 Mol CO_2 entwickelt. Ohne Glutaminsäuredecarboxylase wird die Empfindlichkeit der manometrischen Messung auf die Hälfte herabgesetzt. Auf die gleiche Weise läßt sich α-Ketoglutarsäure bestimmen, wenn die Testlösung einen Überschuß an L-Asparaginsäure enthält. L-Asparagin wird nach Ergänzung

---

[1] KREBS, H. A.: Biochem. J. **43**, 51 (1948).
[2] KREBS, H. A.: Biochem. J. **47**, 605 (1950).
[3] MEISTER, A., H. A. SOBER and S. V. TICE: J. biol. Ch. **189**, 577, 591 (1951).
[4] NAJJAR, V. A., and J. FISHER: J. biol. Ch. **206**, 215 (1954). — s. a. SHUKUYA, R., and G. W. SCHWERT: J. biol. Ch. **235**, 1649 (1960).

des obigen Reaktionssystems durch Asparaginase bestimmt, die Asparagin zu Asparaginsäure und Ammoniak hydrolysiert:

$$\text{Asparagin} + H_2O \to \text{Asparaginsäure} + NH_3.$$

Als Quelle für Glutaminsäuredecarboxylase dienen Zellsuspensionen von *Cl. welchii*, für Glutaminsäure-Oxalessigsäure-Transaminase Herzmuskel, für Asparaginase Meerschweinchenserum oder -leber. Oxalessigsäure wird durch Anilin decarboxyliert. Mit dieser manometrischen Methode hat Krebs[1] den Gehalt an Asparaginsäure, Asparagin und α-Ketoglutarsäure in verschiedenen tierischen Geweben bestimmt.

Die Decarboxylasenmethode wurde von Gale[2] und von Krebs[1] zur Bestimmung von Aminosäuren in Eiweißhydrolysaten herangezogen. Da Decarboxylasen nicht in die intakte Zelle einzudringen vermögen, läßt sich mit ihrer Hilfe der extra- und intracelluläre Aminosäurengehalt vor und nach Lyse der Zellen getrennt bestimmen[3]. Bestimmung von L-Histidin im Urin mit Decarboxylase aus *Cl. welchii* s. Soupart[4].

b) Decarboxylierung von Aminosäuren, Peptiden und Proteinen mit N-Brombernsteinsäureimid (nach Chappelle und Luck[5]).

N-Bromsuccinimid decarboxyliert in wäßriger Lösung bei gewöhnlicher Temperatur und in quantitativ verlaufender Reaktion Aminosäuren, Peptide und Proteine. Die Reaktion ist spezifisch für eine Carboxylgruppe in Nachbarschaft zu einem α-substituierten C-Atom (Ausnahmen bilden Asparaginsäure und β-Alanin); eine freie Aminogruppe in α-Stellung ist — wie auch das Verhalten von Peptiden und Proteinen zeigt — nicht erforderlich. Außer CO_2 wird Brom freigesetzt, in dem verwendeten Puffer und in Gegenwart von Succinimid jedoch nur in kleiner Menge. Um freies Brom im Gasraum ganz auszuschließen, wird es durch eine Kaliumjodidlösung gebunden. Die Decarboxylierung von Peptiden wird durch Palladium(II)-chlorid katalysiert. Die Präcipitation von Eiweiß in dem Reaktionsgemisch wird durch Zusatz von Duponol-Me (trocken) = Natriumlaurylsulfat verhindert.

Reagentien:

1. N-Bromsuccinimid-Reagens für Aminosäuren und Peptide: 2,5 g N-Bromsuccinimid und 2,5 g Succinimid werden zu 25 ml eines 1 m Essigsäure-Natriumacetatpuffers vom p_H 4,7 hinzugefügt. Der größte Teil des Bromsuccinimids bleibt ungelöst. Durch die Verwendung der Suspension wird erreicht, daß die Konzentration an Bromsuccinimid während des ganzen Reaktionsverlaufes genügend hoch ist.
1a. N-Bromsuccinimid-Reagens für Proteine: Zusammensetzung wie 1. +2,5 g Duponol.
2. Succinimidlösung für Aminosäuren und Peptide: 10%ig in 1 m Essigsäure-Acetatpuffer p_H 4,7.
2a. Succinimidlösung für Proteine: Die Lösung enthält 10% Succinimid und 10% Duponol in 1 m Essigsäure-Acetatpuffer p_H 4,7.
3. Kaliumjodidlösung: 40%ig.
4. Palladium(II)-chlorid: Es wird bei der Decarboxylierung von Peptiden verwendet. Die maximale Reaktionsgeschwindigkeit wird erreicht, wenn das molare Verhältnis Palladiumchlorid:Peptid = 5:1 ist.

Gefäße mit zwei Anhängen. Als Manometerflüssigkeit wird destilliertes Wasser mit einem geringen Zusatz eines Netzmittels verwendet. Temperatur: 30° C.

---

[1] Krebs, H. A.: Biochem. J. **47**, 605 (1950).
[2] Gale, E. F.: Biochem. J. **39**, 46 (1945). Nature **157**, 265 (1946).
[3] Gale, E. F.: J. gen. Microbiol. **1**, 53, 77 (1947). — Taylor, E. S.: J. gen. Microbiol. **1**, 85 (1947).
[4] Soupart, P.: Clin. chim. Acta, Amsterdam **3**, 349 (1958).
[5] Chappelle, E. W., and J. M. Luck: J. biol. Ch. **229**, 171 (1957).

Um eine gesonderte Bestimmung der Löslichkeit von CO_2 in dem Reaktionsmilieu zu umgehen, erfolgt die Eichung von Manometern und Gefäßen mit 5 μM Alanin pro Ansatz in der unten für Aminosäuren angegebenen Versuchsanordnung.

Ausführung:

Decarboxylierung von Aminosäuren und Peptiden. In den einen Anhang werden 0,5 ml Lösung (1), in den anderen Anhang 0,5 ml Lösung (3) pipettiert. Die (etwa 0,5—5 μmolare) Aminosäure- oder Peptidlösung kommt in den Hauptraum. Bei Versuchen mit Peptiden wird in den Hauptraum noch 0,1 ml $PdCl_2$-Lösung gegeben. Das Flüssigkeitsvolumen im Hauptraum wird mit (2) auf 3 ml ergänzt. Leerversuch ohne Substrat. Ausgleichsperiode: 20 min. Die Reaktion wird durch Einkippen von (1) in den Hauptraum gestartet. Die Decarboxylierung von Aminosäuren ist nach 30 min vollständig. Die Decarboxylierung von Peptiden erfordert eine Reaktionszeit von 30 min bis 3 Std.

Von den folgenden Aminosäuren wird pro Mol 1 M CO_2 abgespalten: Alanin, Glycin, Serin, Threonin, Leucin, Isoleucin, Valin, Methionin, Phenylalanin, Cystein, Histidin, Lysin, Tryptophan, Arginin, Glutaminsäure, Prolin, Asparagin, Glutamin. Mit β-Alanin wird pro Mol ebenfalls 1 M CO_2 erhalten, aber erst nach einer Reaktionszeit von 6 Std. Tyrosin und Cystin entwickeln pro Mol 1,25 M CO_2. Asparaginsäure spaltet 2 M CO_2 ab.

Die folgenden Peptide entwickeln pro Mol 1 M CO_2: Glycylserin, Histidyl-histidin, Glycyl-phenylalanin, L-Arginyl-L-glutaminsäure, Glycyl-glycyl-hydroxyprolin, L-Leucylglycyl-glycin, Glycyl-glycyl-β-alanin, Glycyl-L-asparagin, Glutathion. Mit Glycyl-L-asparaginsäure und β-Alanyl-L-histidin werden pro Mol 2 M CO_2 abgespalten.

KNAUFF und SELMAIR[1] haben dieses Verfahren überprüft und zur manometrischen Aminosäurenbestimmung im Harn verwendet. Die Decarboxylierung von Cystein, Cystin, Methionin, Prolin und Tyrosin ist erst nach einer Reaktionsdauer (bei 30° C) von 2 Std oder mehr vollständig. Einige Ketosäuren werden auch decarboxyliert; sie werden durch Extraktion mit Äther entfernt.

Decarboxylierung von Proteinen. Eine bestimmte Menge Protein wird entweder als Substanz oder als Lösung in den Hauptraum gegeben. Das Volumen im Hauptraum wird mit Lösung (2a) auf 3 ml gebracht. In den einen Anhang pipettiert man 0,5 ml (1a), in den anderen 0,5 ml (3). Die Reaktion wird durch Zukippen von (1a) in Gang gesetzt. Die meisten Proteine reagieren langsamer als Aminosäuren und Peptide. Bei 30° C ist die Reaktion erst in 30 min bis 6 Std vollständig.

Nach den gemessenen CO_2-Volumina enthalten Chymotrypsinogen, α-Lactalbumin, β-Lactoglobulin, α-Chymotrypsin, Lysozym und Trypsin je 1 endständige COOH-Gruppe, Insulin, Papain und δ-Chymotrypsin je 2 und Mercuripapain je 4 endständige COOH-Gruppen.

p-Toluolsulfonchloramidnatrium (= Chloramin) oxydiert Aminosäuren unter Abspaltung von CO_2. COHEN[2] hat diese Reaktion in der folgenden Weise zur manometrischen Messung der Aktivität von Asparaginsäure-α-Ketoglutarsäure-Transaminase herangezogen: Die bei der Transaminierung entstehende Glutaminsäure wird von Chloramin zu β-Cyanpropionsäure oxydiert, aus der nach Hydrolyse mit HCl Bernsteinsäure erhalten wird; Bernsteinsäure wird nach KREBS[3] mit Succinodehydrogenase manometrisch bestimmt. Bei Transaminierungen mit Oxalessigsäure als Acceptor für die Aminogruppe entsteht Asparaginsäure. Mit Chloramin liefert Asparaginsäure pro Mol 2 M CO_2, wogegen die meisten anderen Aminosäuren nur 1 M CO_2 abgeben. Dieser Unterschied zwischen den entwickelten CO_2-Mengen kann nach COHEN[4] zur manometrischen Messung der Aktivität von Transaminasen mit Oxalessigsäure als Acceptor herangezogen werden: Das Versuchsgefäß enthält Enzym, Aminosäure und Oxalessigsäure; in dem Kontrollgefäß wird Oxal-

---

[1] KNAUFF, H. G., u. H. SELMAIR: H. **317**, 108 (1959).
[2] COHEN, P. P.: Biochem. J. **33**, 551 (1939).
[3] KREBS, H. A.: Biochem. J. **31**, 2095 (1937).
[4] COHEN, P. P.: J. biol. Ch. **136**, 565 (1940). — COHEN, P. P., and G. L. HEKHUIS: J. biol. Ch. **140**, 711 (1941).

essigsäure weggelassen. Die nach einer bestimmten Zeit in jedem der Gefäße mit Chloramin entwickelten CO_2-Mengen werden gemessen. Gegenüber der in dem Kontrollgefäß entwickelten CO_2-Menge ist die in dem Versuchsgefäß entstehende CO_2-Menge proportional der durch Transaminierung entstandenen Asparaginmenge erhöht. GEROCK und WALLER[1] führen in einer Tabelle die von verschiedenen Aminosäuren nach Oxydation mit Chloramin entwickelten CO_2-Mengen an.

c) Hydrierungen mit Dithionit.

Wirkt das neutrale Dithionit (Hydrosulfit) als Reduktionsmittel, so entsteht saures Sulfit:

$$Na_2S_2O_4 + R + 2\,H_2O = 2\,NaHSO_3 + RH_2.$$

In Hydrogencarbonatlösung wird durch das saure Sulfit eine äquivalente Menge CO_2 freigesetzt, und die Reaktion verläuft nach:

$$Na_2S_2O_4 + R + 2\,NaHCO_3 = 2\,Na_2SO_3 + 2\,CO_2 + RH_2.$$

Der Reduktionsvorgang läßt sich also an der gebildeten Menge Extra-CO_2 messen. Unter geeigneten Bedingungen — wenn die Reaktion vollständig von links nach rechts verläuft, wenn bei der Reduktion außer HSO_3^- keine anderen Säuren entstehen, und wenn keine Retention von CO_2 zu berücksichtigen ist — zeigt die Bildung von 1 Mol Extra-CO_2 den Verbrauch von $1/2$ Mol Wasserstoff an.

Auf diesem Wege haben WARBURG, CHRISTIAN und GRIESE[2] die Hydrierung von Co-Dehydrogenase II (TPN) durch Natriumdithionit gemessen. In Hydrogencarbonatlösung verläuft diese Reaktion nach der Gleichung:

$$TPN + Na_2S_2O_4 + 2\,NaHCO_3 = TPNH_2 + 2\,Na_2SO_3 + 2\,CO_2.$$

Die Dithionitlösung muß vor Zersetzung bewahrt werden, bevor sie mit TPN reagiert. Dithionit ist in hydrogencarbonatalkalischer Lösung und bei Ausschluß von O_2 gut haltbar, wogegen es sich in rein wäßriger Lösung auch bei Abwesenheit von O_2 zersetzt. Zur Herstellung der Dithionitlösung werden in ein 12 ml fassendes Röhrchen, das mit einem Schliffstopfen versehen ist und auf dessen Boden sich eine Glasperle befindet, 180 mg trockenes Natriumdithionit ($Na_2S_2O_4$) eingewogen. Man füllt das Röhrchen mit 12 ml 1,5%iger Natriumhydrogencarbonatlösung, die mit 5 Vol.-% CO_2 in Argon gesättigt ist, schließt luftdicht mit dem Glasstopfen und mischt durch Bewegen der Glasperle.

Die Reaktionsgefäße haben zwei Anhänge. In den Hauptraum gibt man 1%ige Hydrogencarbonatlösung, in Anhang II in Hydrogencarbonat gelöstes TPN. Die Gefäße werden an die Manometer angeschlossen und mit 5% CO_2 durchströmt. Während der Durchströmung wird in Anhang I die Dithionitlösung einpipettiert. Die Gefäße werden in den auf 20° C eingestellten Thermostaten gebracht. Nach dem Druckausgleich wird die Dithionitlösung aus Anhang I in den Hauptraum gekippt. Es wird geschüttelt bis der Druck konstant geworden ist. Dann wird die zu prüfende Substanz (im vorliegenden Fall TPN) aus Anhang II in den Hauptraum gekippt. Die freigesetzte Menge an Extra-CO_2 wird gemessen.

HAAS[3] hat auf dem gleichen Weg die Reduktion von Methylenblau durch Dithionit gemessen. Dabei entsteht eine zweite Säure, die CO_2 austreibt. Wird nämlich das Chlorid des Methylenblaus zur Leukoverbindung reduziert, so wird pro Mol Methylenblau ein Mol HCl frei[4], weil die Leukoverbindung eine sehr schwache Base ist. Außerdem wird die Retention durch das in der Versuchslösung vorhandene Carbonat (s. S. 164) berücksichtigt.

---

[1] GEROCK, W., u. H. D. WALLER: Kli. Wo. **1956**, 1284.
[2] WARBURG, O., W. CHRISTIAN u. A. GRIESE: B. Z. **282**, 157 (1935).
[3] HAAS, E.: B. Z. **285**, 368 (1936).
[4] REID, A.: B. Z. **223**, 487 (1930); **242**, 159 (1931).

Die 1%ige Hydrogencarbonatlösung steht am Anfang mit 6 Vol.-% CO_2 (in Argon), nach erfolgter Reaktion mit etwa 7 Vol.-% CO_2 im Gleichgewicht. Der mit der Glaselektrode gemessene p_H-Wert beträgt am Ende 7,82. Wird bei dieser [H$^+$] saures Sulfit, das als $K_2S_2O_5$ in den Anhang eines Reaktionsgefäßes eingewogen wird, in die Hydrogencarbonatlösung gebracht, so werden 85% der äquivalenten Menge CO_2 freigesetzt. Mit der stärkeren Salzsäure werden 92% der äquivalenten Menge CO_2 entwickelt. Das folgende Beispiel zeigt, in welcher Weise die Bildung von HCl und die Retention von CO_2 bei der Messung der Hydrierung von Methylenblau berücksichtigt wird.

Methylenblau (als Chlorid), $C_{16}H_{18}N_3SCl$, Mol.-Gew. 320. Hauptraum: 3 ml 1%iges $NaHCO_3$. Anhang I: 3 mg $Na_2S_2O_4$ in 0,2 ml Wasser. Gasraum: 6 Vol.-% CO_2 in Argon. Temperatur: 20° C. Zuerst wird das Dithionit in den Hauptraum gekippt, nach dem Druckausgleich (s. oben bei der Hydrierung von TPN) das Methylenblau. Die Endablesung (nach etwa 15 min) ergibt, daß 141 μl CO_2 entwickelt worden sind. Davon sind $\frac{0{,}78 \cdot 0{,}92 \cdot 22400}{320} = 50$ μl CO_2 von der bei der Reduktion frei werdenden HCl freigesetzt. Durch das saure Sulfit sind $141 - 50 = 91$ μl CO_2 entwickelt worden. Nach Berücksichtigung der retinierten CO_2-Menge ergibt sich, daß bei der Reduktion von 0,78 mg Methylenblau $\frac{91}{0{,}85} = 107$ μl HSO_3^- entstanden sind; das sind 1,96 M HSO_3^- pro Mol Farbstoff. Pro Mol Methylenblau wurden mithin in guter Annäherung 2 Atome Wasserstoff aufgenommen.

d) Hydrierung von Derivaten ungesättigter Fettsäuren (MEAD und HOWTON[1]).

Die von den ungesättigten Verbindungen in alkoholischer Lösung und in Gegenwart von Palladiumschwarz als Katalysator aufgenommene Menge Wasserstoff wird bei gewöhnlicher Temperatur gemessen.

Der Thermostat wird auf wenig über Raumtemperatur eingestellt. Die mit einem Anhang versehenen Gefäße haben ein Volumen von etwa 15 ml. Zum Fetten der Schliffe wird ein Hochvakuumfett auf Siliconbasis verwendet, das in Alkohol unlöslich ist und kein H_2 löst.

In den Hauptraum der Gefäße bringt man ungefähr 5 mg des Palladiumkatalysators (10% Palladiumschwarz auf Holzkohle) und 2,5 ml redestillierten 96%igen Äthylalkohol. In den Anhang gibt man 0,5 ml einer alkoholischen Lösung der ungesättigten Verbindung. Die Lösung enthält etwa 1—10 μM der zu prüfenden Substanz pro ml. Die Gefäße werden an die Manometer angeschlossen und in das Wasser des Thermostaten gebracht. Mittels der „Vakuummethode" (S. 130) wird der Gasraum mit Wasserstoff gefüllt. Manometerhähne und Ventilstopfen werden geschlossen, ohne die Verbindung der Manometer mit dem Wasserstoffreservoir zu lösen. Unter Schütteln werden Katalysator und Lösungen mit H_2 gesättigt. Das erfordert etwa 30 min und wird durch Manometerablesungen beobachtet. Die Manometerhähne werden zu dem Wasserstoffreservoir hin geöffnet, und die Manometerflüssigkeit wird im rechten Arm auf die Eichmarke eingestellt. Dann werden die Manometerhähne wieder geschlossen, und die Verbindung der Manometer mit dem H_2-Reservoir wird wieder gelöst. Zum Ausgleich wird 5 min lang geschüttelt. Die im Anhang befindliche Lösung wird in den Hauptraum gekippt. Nach 5 min langem Schütteln wird eine erste Ablesung vorgenommen. Danach wird der Anhang mit etwas von der reduzierten Lösung aus dem Hauptraum ausgespült. Weitere Manometerablesungen werden in zeitlichen Abständen von 5 min vorgenommen. Die Endablesungen werden für die Druckänderung korrigiert, die in einem Leerversuch (ohne ungesättigte Substanz) auftreten.

Da die Löslichkeit von H_2 in 96%igem Alkohol nicht bekannt ist, wird zur Berechnung von k_{H_2} der Löslichkeitskoeffizient[2] für H_2 in absolutem Alkohol bei 30° C verwendet. Die

---

[1] MEAD, J. F., and D. R. HOWTON: Analyt. Chem., Washington 22, 1204 (1950).
[2] MAXTED, E. B., and C. H. MOON: Trans. Faraday Soc. 32, 769 (1936).

aufgenommene Wasserstoffmenge wird in μMolen ausgedrückt. Tabelle 28 enthält einige mit dieser Methode erhaltene Ergebnisse.

Tabelle 28. *Hydrierung von ungesättigten Verbindungen nach* MEAD *und* HOWTON.

Substanz	Einwaage		H_2-Aufnahme (μMol)		Doppel-bindungen
	mg	μMol	theoretisch	gefunden	gefunden
Maleinsäureanhydrid	0,23	2,37	2,37	2,42—2,50	1,02—1,06
Methyloleat	0,54	1,81	1,81	1,67—1,85	0,92—1,02
Methyllinolat . . .	0,35	1,19	2,38	2,29—2,47	1,93—2,08
Methyllinolenat . .	0,19	0,64	1,92	1,86	2,91
	0,47	1,60	4,80	5,02	3,14

Durch katalytische Hydrierung mit Palladium, an $BaSO_4$ adsorbiert, kann cis-Aconitsäure manometrisch bestimmt werden [1]. 1 M cis-Aconitsäure nimmt 1 M H_2 auf. Crotonsäure und Fumarsäure, falls vorhanden, werden miterfaßt.

Tabelle 29. *Manometrische Bestimmung von einzelnen Substanzen.*

Substanz	Reagens	Messung von	Zitat
Acetessigsäure (und andere β-Ketosäuren)	4-Aminoantipyrin	CO_2	2
Äpfelsäure	Malatdecarboxylase *(L. arabinosus)*	CO_2	3
Ameisensäure	$Ce(SO_4)_2 + Pd$	CO_2	4
Ameisensäure	Hydrogenlyase *(E. coli)*	CO_2 oder H_2	5
Amino-N	HNO_2	N_2	6
Arginin	Arginase + Urease	CO_2	7
Bernsteinsäure	Succinodehydrogenase	O_2	8
Brenztraubensäure (und andere α-Ketosäuren)	Hefecarboxylase	CO_2	9
Brenztraubensäure (und andere α-Ketosäuren)	$Ce(SO_4)_2$	CO_2	10
Coenzym I	Hefe	CO_2, Extra-CO_2	11
Coenzym II	Glucose-6-phosphatdehydrogenase	O_2	6
Flavin-adenindinucleotid	D-Aminosäurenoxydase + D,L-Alanin	O_2	12
Fumarsäure	$Zn + H_3PO_4$, Succinodehydrogenase	O_2	13
Fumarsäure	Fumarase + Malatdecarboxylase *(L. arabinosus)*	CO_2	14
Glucose (s. S. 251 u. 886)	Glucoseoxydase (+ Katalase)	O_2	15
Glutathion	Glyoxalase	Extra-CO_2	16
Harnstoff	Urease	CO_2	17
Hypoxanthin, Xanthin	Xanthinoxydase (+ Katalase)	O_2	18
Kohlenhydrate	Perjodat	Extra-CO_2	19
Kohlenstoff	Persulfat	CO_2	20
Kupfer (Fe, Mn)	Cystein	O_2	21
α-Ketoglutarsäure	$KMnO_4$, Succinodehydrogenase	O_2	22
Liponsäure	Pyruvatdehydrogenase *(Str. faecalis)*	O_2	23
Milchsäure	$KMnO_4$	CO_2	24
Nitrit	NH_2SO_3H	N_2	25
Oxalessigsäure	Al^{+++}	CO_2	26
Oxalessigsäure (und andere β-Ketosäuren)	Anilin	CO_2	27
Oxyhämoglobin	$K_3[Fe(CN)_6]$	O_2	28
Rhodanid (und andere S-Verbindungen)	Jod-Azidlösung	N_2	29
Thiolverbindungen	Jodacetat	Extra-CO_2	30

---

[1] JOHNSON, W. A.: Biochem. J. **33**, 1046 (1939). — KREBS, H. A.: Biochem. J. **54**, 78, 82 (1953).
[2] KUGA, T.: J. Biochem. **35**, 293 (1942). — SISTROM, W. R., and R. Y. STANIER: J. Bact. **66**, 404 (1953).
[3] BLANCHARD, M. L., S. KORKES, A. DEL CAMPILLO and S. OCHOA: J. biol. Ch. **187**, 439 (1950). — OCHOA, S., J. B. V. SALLES and P. J. ORTIZ: J. biol. Ch. **187**, 863 (1950).
[4] PICKETT, M. J., H. L. LEY and N. S. ZYGMUNTOWICZ: J. biol. Ch. **156**, 303 (1944).

4. Analyse von Gasen.
a) Allgemeines.

Die gewöhnliche manometrische Anordnung kann in gewissem Umfang zur Bestimmung einzelner Gase in Gasgemischen herangezogen werden. Dazu wird das Gasgemisch in das Gefäß eingeführt, und die zu bestimmende Gasart wird in der Regel durch ein spezifisches Absorptionsmittel gebunden. Aus der Druckabnahme kann auf den Anteil der Gasart in dem Gasgemisch geschlossen werden. Als Absorptionsmittel können grundsätzlich die auch sonst in der Gasanalyse benutzten Mittel dienen. Das Absorptionsmittel darf natürlich nicht vor dem Ausgleich im Thermostaten und vor der ersten Ablesung des Manometers wirksam sein. Um das zu erreichen, führt man die Absorptionslösung entweder erst nach dem Ausgleich und der daran anschließenden Manometerablesung in das Reaktionsgefäß ein, oder man erzeugt zu gegebener Zeit durch eine chemische Reaktion, deren Partner im Gefäß zunächst getrennt gehalten werden, eine absorbierende Lösung. Im ersten Fall sind spezielle Gefäße, etwa nach Dixon und Keilin (S. 223), erforderlich. Zur Absorption von O_2 kann eine schwach angesäuerte Lösung von Pyrogallol in den Hauptraum und Lauge in den Anhang gebracht werden; erst die nach dem Kippen entstehende alkalische Lösung absorbiert O_2 (das zu analysierende Gasgemisch darf in diesem Fall kein CO_2 enthalten). Für die Bestimmung von CO_2 in Gasgemischen werden weiter unten Reaktionssysteme angeführt.

Literatur zu Tabelle 29 (Fortsetzung).

[5] Gest, H.: Bact. Rev. 18, 43 (1954).
[6] Warburg, O., W. Christian u. A. Griese: B. Z. 282, 157 (1935).
[7] Hunter, A., u. J. B. Pettgrew: Enzymologia 1, 341 (1937).
[8] Gözsy, B.: H. 236, 54 (1935). — Krebs, H. A.: Biochem. J. 31, 2095 (1937).
[9] Westerkamp, H.: B. Z. 263, 239 (1933). — Warburg, O., F. Kubowitz u. W. Christian: B. Z. 227, 252 (1930). — Krebs, H. A., and L. V. Eggleston: Biochem. J. 39, 408 (1945).
[10] Fromageot, C.: B. Z. 279, 174 (1935). — Krebs, H. A., and W. A. Johnson: Enzymologia 5, 326 (1938). — Süllmann, H.: Enzymologia 5, 326 (1938).
[11] Axelrod, A. E., and C. A. Elvehjem: J. biol. Ch. 131, 77 (1939). — Jandorf, B. J., F. W. Klemperer and A. B. Hastings: J. biol. Ch. 138, 311 (1941). — McIlwain, H., D. A. Stanley and D. E. Hughes: Biochem. J. 44, 153 (1949). — Gore, M., F. Ibott and H. McIlwain: Biochem. J. 47, 121 (1950). — Hughes, D. E., and D. H. Williamson: Biochem. J. 51, 330 (1952).
[12] Warburg, O., u. W. Christian: B. Z. 298, 150 (1938). — Schrecker, A. W., and A. Kornberg: J. biol. Ch. 182, 795 (1950). — Spencer, R. E. J., and J. F. Powell: Biochem. J. 51, 239 (1952).
[13] Krebs, H. A., D. H. Smyth and E. A. Evans: Biochem. J. 34, 1041 (1940). — Krebs, H. A., and L. V. Eggleston: Biochem. J. 39, 408 (1945).
[14] Nossal, P. M.: Biochem. J. 50, 349 (1952).
[15] Keilin, D., and E. F. Hartree: Biochem. J. 39, 293 (1945); 42, 221, 230 (1948); 50, 331, 341 (1952). — Palmer, A.: Biochem. J. 48, 389 (1951). — Verhalten von anderen Zuckern s. auch Adams jr., E. C., R. L. Mast and A. H. Free: Arch. Biochem. 91, 230 (1960).
[16] Woodward, G. E.: J. biol. Ch. 109, 1 (1935).
[17] Krebs, H. A., u. K. Henseleit: H. 210, 33 (1932). — Krebs, H. A.: Biochem. J. 36, 758 (1942).
[18] Dixon, M.: Biochem. J. 19, 507 (1925). — Krebs, H. A., and A. Orström: Biochem. J. 33, 984 (1939).
[19] Perlin, A. S.: Am. Soc. 76, 4101 (1954).
[20] Battley, E. H.: J. biol. Ch. 226, 237 (1957).
[21] Warburg, O.: B. Z. 187, 255 (1927).
[22] Krebs, H. A.: Biochem. J. 32, 108 (1938).
[23] Gunsalus, I. C., M. I. Dolin and L. Struglia: J. biol. Ch. 194, 849 (1952).
[24] Kubowitz, F.: Z. ges. inn. Med. 7, 865 (1952).
[25] Brooks, J., and J. Pace: Biochem. J. 34, 260 (1940).
[26] Krebs, H. A.: Biochem. J. 36, 303 (1942). — Krebs, H. A., and L. V. Eggleston: Biochem. J. 39, 408 (1945); 43, 17 (1948).
[27] Ostern, P.: H. 218, 160 (1933). — Edson, H. L.: Biochem. J. 29, 2082 (1935). — Greville, G. D.: Biochem. J. 33, 718 (1939). — Krebs, H. A., and L. V. Eggleston: Biochem. J. 39, 408 (1945).
[28] Druckrey, H., P. Dannenberg, K. Kaiser, I. Fromme u. H. Schneider: B. Z. 322, 535 (1952).
[29] Senise, P.: Mikrochemie 36, 210 (1951). — Whitman, D. W., and R. McL. Whitney: Analyt. Chem., Washington 25, 1523 (1953).
[30] Smythe, C. V.: J. biol. Ch. 114, 601 (1936).

Füllt man den Gasraum des Reaktionsgefäßes vollständig mit dem Gasgemisch, so darf der Anteil des zu bestimmenden Gases an dem gesamten Gasvolumen eine bestimmte, durch die Kapazität des Manometers begrenzte Größe nicht übersteigen. Um auch größere Volumenanteile messen zu können, „injiziert" man eine kleine Menge von dem zu untersuchenden Gasgemisch in das mit einem indifferenten Gas gefüllte Gefäß. Das geschieht am besten durch den Ventilstopfen des Gefäßanhanges. Der Ventilstopfen wird mit dem das Gasgemisch enthaltenden Reservoir verbunden; die in der Capillare des Stopfens vorhandene Luft wird durch das Gasgemisch verdrängt. Der (mit dem Reservoir verbunden bleibende) Stopfen wird so in den Schliff des Anhanges gesetzt, daß aus dem Stopfen kein Gas in das Gefäß gelangen kann. Das Gefäß wird im Hauptraum mit der Absorptionslösung beschickt, mit dem Manometer verbunden und in den Thermostaten gebracht. Falls Luft nicht indifferent ist, wird das Gefäß nach der Evakuierungsmethode (S. 130) oder — wenn es einen zweiten Anhang mit Ventilstopfen besitzt — nach der Durchströmungsmethode sorgfältig mit einem indifferenten Fremdgas gefüllt. Nach dem Ausgleich und Ablesen des Manometers wird der Ventilstopfen durch Drehen zum Gefäß hin geöffnet, und man läßt aus dem Reservoir eine passende, am veränderten Stand der Manometerflüssigkeit erkennbare Menge des Gasgemisches in den Anhang des Gefäßes eintreten. Dann wird der Ventilstopfen geschlossen, und die Druckzunahme wird sofort abgelesen. Diese Ablesung kann schnell genug vorgenommen werden, weil das zugeführte Gasgemisch nicht sofort mit der im Hauptraum befindlichen Absorptionslösung in Berührung kommt. Wenn die Absorption vollständig ist, wird das Manometer wieder abgelesen. Aus dem Verhältnis der beiden beobachteten Druckänderungen kann der prozentuale Anteil des mit der Absorptionslösung reagierenden Gases in dem Gasgemisch berechnet werden.

b) Bestimmung des CO_2-Gehaltes von Gasgemischen

Im folgenden werden zwei Methoden zur Bestimmung des CO_2-Gehaltes von Gasgemischen angeführt. Die erste Methode läßt sich in den Rahmen des bereits skizzierten Vorgehens einordnen; die zweite Methode beruht auf der CO_2-Retention durch definierte Pufferlösungen, wobei etwas komplizierte Gleichgewichtsbedingungen zu berücksichtigen sind.

α) Nach KREBS[1].

Das Gefäß wird mit dem zu untersuchenden Gasgemisch gefüllt. Durch eine alkalisch reagierende Lösung, die beim Zusammenfügen einer schwach sauren $KMnO_4$-Lösung und einer ebenfalls schwach sauren Jodidlösung entsteht, wird das im Gasraum vorhandene CO_2 absorbiert. Die Reaktion zwischen Permanganat und Jodid wird wie folgt formuliert:

$$2\,MnO_4^- + 6\,J^- + 4\,H_2O = 2\,MnO_2 + 3\,J_2 + 8\,OH^-$$
$$2\,MnO_4^- + J^- + H_2O = 2\,MnO_2 + JO_3^- + 2\,OH^-.$$

Der CO_2-Gehalt des Gasgemisches ist durch das Verhältnis der nach Absorption auftretenden Druckabnahme zu dem in dem Gefäß am Anfang vorhandenen Gesamtdruck gegeben. Durch passende Wahl des spezifischen Gewichtes der Manometerflüssigkeit können Gasgemische mit einem CO_2-Gehalt von 0,1—10 Vol.-% analysiert werden. Mit BRODIE-Lösung und mit Manometern von der üblichen Länge darf der CO_2-Gehalt höchstens 3 Vol.-% betragen.

Reagentien:
1. 0,2 m $KMnO_4$ in 0,002 n H_2SO_4.
2. Natriumjodidlösung, 15%ig. Vor dem Versuch mit H_2SO_4 auf 0,002 n Säurekonzentration bringen.
3. Bleiperchlorat (Manometerflüssigkeit, s. S. 102).
4. Kalilauge, 5%ig.

---
[1] KREBS, H. A.: B. Z. **220**, 250 (1930).

Ausführung:

Die Gefäße haben einen Inhalt von etwa 16 ml; sie besitzen einen Einsatz und einen Anhang mit Ventilstopfen. Gefäß I und II erhalten in den Hauptraum 2 ml Permanganatlösung und in den Anhang 0,3 ml Jodidlösung. Der Einsatz von Gefäß I bleibt leer; in den Einsatz von Gefäß II pipettiert man 0,2 ml 5%ige Kalilauge. Gefäß II, in dessen Gasraum sich Luft befindet, dient als Thermobarometer und zur Korrektur für die Druckänderung, die beim Mischen der Jodid- und Permanganatlösung entsteht und die nicht auf CO_2-Absorption beruht. Diese Druckänderung beträgt etwa 4,5 mm der Bleiperchloratlösung.

Die Gefäße werden mit ihren Manometern verbunden und mit geschlossenem Ventilstopfen in den Thermostaten, der bei Raumtemperatur gehalten wird, gebracht. Das Gasgemisch wird in Gefäß I bis zu einem am Stand der Manometerflüssigkeit sichtbaren Überdruck in das Gefäß eingeleitet; dann wird der Ventilstopfen geöffnet. Man durchströmt 15 min lang unter Schütteln. Die Gaszufuhr wird abgestellt; Manometerhahn und Ventilstopfen werden geschlossen. Die Manometerflüssigkeit hat man so eingestellt, daß sie im linken Schenkel möglichst hoch steht. Es wird bis zur Druckkonstanz geschüttelt und die Manometer werden abgelesen. Die Jodidlösung wird in den Hauptraum gekippt. Bei einer Schüttelgeschwindigkeit von 140 Schwingungen pro min ist die CO_2-Absorption in 10—20 min beendet, und der Stand der Manometerflüssigkeit wird wieder abgelesen.

Da nur das Verhältnis der Druckabnahme zum Anfangsdruck maßgebend ist, braucht die Gefäßkonstante nicht bekannt zu sein, und der Meniscus der Manometerflüssigkeit kann im rechten Capillararm auf eine beliebige Marke (bei jeder Ablesung aber immer auf dieselbe Marke) eingestellt werden. Bei einem CO_2-Gehalt von weniger als 1 Vol.-% verdünnt man die Permanganat- und Jodidlösung um das Dreifache.

Berechnung. Die (für Gefäß II korrigierte) Druckabnahme in Gefäß I sei h, der Gesamtdruck sei P und der Wasserdampfdruck sei pw. P kann dem Barometerdruck gleichgesetzt werden. Der Barometerdruck muß während der Messung hinreichend konstant sein; anderenfalls müssen Korrekturen angebracht werden. Der in Vol.-% ausgedrückte CO_2-Gehalt des Gasgemisches ist:

$$\text{Vol.-\% } CO_2 = \frac{h}{P-pw} \cdot 100.$$

h, P und pw werden in mm der Manometerflüssigkeit ausgedrückt. (5000 mm der Bleiperchloratlösung = 760 mm Hg.)

Beispiel. Gasgemisch: CO_2 in Argon. $h = 248{,}5$ mm, $P = 5000$ mm, pw (bei 17,4° C) = 100 mm. Das Gasgemisch enthält:

$$\frac{248{,}5}{5000-100} \cdot 100 = 5{,}07 \text{ Vol.-\% } CO_2.$$

Zur Bestimmung des Partialdruckes von CO_2 oder O_2 unter Anwendung von „Wannengefäßen" s. S. 234.

β) Nach GRAETZ und NEGELEIN[1].

Eine aus bekannten Konzentrationen an primärem und sekundärem Phosphat bestehende Lösung wird mit dem CO_2 enthaltenden Gasgemisch gesättigt. CO_2 setzt sich mit sekundärem Phosphat unter Bildung von primärem Phosphat und Hydrogencarbonat um:

$$HPO_4^- + CO_2 + H_2O \rightleftharpoons H_2PO_4^- + HCO_3^-.$$

Die Menge an entstandenem Hydrogencarbonat wird nach Zukippen von Säure gemessen. Daraus wird der CO_2-Gehalt des Gasgemisches berechnet.

---
[1] GRAETZ, H., u. E. NEGELEIN: B. Z. **329**, 463 (1958).

Ausführung: In den Hauptraum des Gefäßes gibt man ein abgemessenes Volumen einer Phosphatlösung von bekannter Zusammensetzung (z.B. 2,0 ml einer 0,10 m Phosphatlösung, hergestellt aus 9 Teilen primärem und 11 Teilen sekundärem Phosphat). In den Anhang pipettiert man 0,20 ml n Schwefelsäure. Das Gefäß wird mit dem Manometer verbunden und in den auf 20° C eingestellten Thermostaten gebracht. Unter leichtem Schütteln wird durch Manometer und Gefäß ein schwacher Strom des zu untersuchenden Gasgemisches geleitet. Nach etwa 10 min langem Durchleiten ist die Phosphatlösung mit dem zu untersuchenden Gasgemisch gesättigt. Der Hahn des Manometers und der Ventilstopfen des Gefäßes werden geschlossen. Der Stand der Manometerflüssigkeit wird abgelesen. Nach weiterem Schütteln dürfen keine Druckänderungen auftreten. Dann wird die Schwefelsäure in den Hauptraum gekippt. Aus der auftretenden Druckänderung h_{CO_2} (mm BRODIE-Lösung) wird nach Multiplikation mit der Gefäßkonstanten k_{CO_2} die von dem Phosphatgemisch gebundene Hydrogencarbonatmenge x_{CO_2} erhalten.

Berechnung: Der Gehalt des Gasgemisches an CO_2 wird nach der folgenden Gleichung (Ableitung s. Original) berechnet:

$$\text{Vol.-\% } CO_2 = \frac{10^3}{B+A-W} \cdot \frac{x_{CO_2}}{V_L \cdot \alpha_{CO_2}} \cdot \frac{K_A^{Ph}}{K_A^{CO_2}} \cdot \frac{[H_2PO_4^-]\, a \cdot V_L \cdot V_M \cdot 10^3 + x_{CO_2}}{[HPO_4^=]\, a \cdot V_L \cdot V_M \cdot 10^3 - x_{CO_2}}.$$

Es bedeuten: B = Barometerdruck, A = vor dem Zukippen der Säure abgelesener Stand der Manometerflüssigkeit, W = Wasserdampfdruck bei der Versuchstemperatur (alle Drucke in mm BRODIE-Lösung), V_L = Volumen der Phosphatlösung in ml, V_m = Molvolumen von CO_2 = 22,26 ml pro mMol CO_2, α_{CO_2} = BUNSENscher Absorptionskoeffizient für CO_2 bei der Versuchstemperatur, $K_A^{CO_2}$ = stöchiometrische (konzentrationsabhängige) Dissoziationskonstante des primären Phosphatanions, $K_A^{CO_2}$ = stöchiometrische erste Dissoziationskonstante der Kohlensäure, $[H_2PO_4^-]\, a$ und $[HPO_4^=]\, a$ die Konzentrationen (mMol pro ml) an primärem bzw. sekundärem Phosphat in der Versuchslösung vor dem Einleiten des Gasgemisches.

Das Verhältnis der beiden stöchiometrischen Dissoziationskonstanten

$$\frac{K_A^{Ph}}{K_A^{CO_2}}$$

wird, wie oben angegeben, mit Gasgemischen von bekanntem CO_2-Gehalt (gasanalytisch bestimmt) für die Versuchsbedingungen, unter denen das Gemisch mit unbekanntem CO_2-Gehalt untersucht werden soll, empirisch ermittelt (s. untenstehenden Protokollauszug).

Aus der Gleichung ist zu ersehen, daß bei gleichem CO_2-Gehalt um so mehr Hydrogencarbonat gebildet wird, je größer das Flüssigkeitsvolumen V_L und je größer das Verhältnis von sekundärem zu primärem Phosphat gewählt wird. Somit besteht die Möglichkeit, durch passende Wahl der Versuchsbedingungen eine für einen beliebigen CO_2-Gehalt der Gasgemische geeignete Menge an Hydrogencarbonat zu erhalten. Jedoch soll die Menge an Hydrogencarbonat, die sich bildet, klein gegenüber der angewendeten Menge an sekundärem Phosphat sein, und der p_H-Wert der Phosphatlösung soll zur Vermeidung von Carbonatbildung nicht wesentlich über 7,4 liegen.

Beispiel. Temperatur = 20° C, W = 230 mm BRODIE-Lösung, V_L = 2,0 ml, α_{CO_2} = 0,88, $[H_2PO_4^-]\, a$ = 0,045 m KH_2PO_4, $[HPO_4^=]\, a$ = 0,055 m Na_2HPO_4, V_M = 22,26 μl CO_2/1 μM CO_2.

Vol.-% CO_2	B mm	A mm	$B+A-W$ mm	k_{CO_2} mm²	h_{CO_2} mm	x_{CO_2} μl	$\dfrac{K_A^{Ph}}{K_A^{CO_2}}$
0,00	10000	−16	9754	1,992	0,0	0,0	—
2,26	9960	−59	9671	1,687	81,7	137,8	0,3013
2,26	9895	−50	9615	1,846	77,1	142,3	0,2889
4,55	10026	−45	9751	1,618	154,5	249,9	0,3049
4,55	10026	−61	9735	1,508	167,9	253,2	0,2996
10,97	10013	−172	9611	1,851	263,5	487,7	0,2995
10,97	9947	−160	9557	1,847	262,4	484,6	0,3006

Für die Versuchsbedingungen beträgt $\frac{K_A^{Ph}}{K_A^{CO_2}}$ im Mittel aller Messungen 0,299, bei einer mittleren Abweichung vom Mittelwert von $\pm 0{,}0042$ oder 1,4%.

Tabelle 30. *Absorptionskoeffizient α von Sauerstoff, Kohlendioxyd, Stickstoff, Wasserstoff und Kohlenmonoxyd für Wasser bei verschiedenen Temperaturen*[1].

°C	O_2	CO_2	N_2	H_2	CO
0	0,04889	1,713	0,02354	0,02148	0,03537
5	0,04287	1,424	0,02086	0,02044	0,03149
10	0,03802	1,194	0,01861	0,01955	0,02816
15	0,03415	1,019	0,01685	0,01883	0,02543
18	0,03220	0,928	0,01597	0,01844	0,02402
20	0,03102	0,878	0,01545	0,01819	0,02319
22	0,02988	0,829	0,01498	0,01792	0,02244
24	0,02881	0,781	0,01454	0,01766	0,02174
25	0,02831	0,759	0,01434	0,01754	0,02142
26	0,02783	0,738	0,01413	0,01742	0,02110
28	0,02691	0,699	0,01376	0,01720	0,02051
30	0,02608	0,665	0,01342	0,01699	0,01998
35	0,02440	0,592	0,01256	0,01666	0,01877
38*	0,02360	0,555	0,01213	0,01653	0,01816
40	0,02306	0,530	0,01184	0,01644	0,01775
45	0,02187	0,479	0,01130	0,01624	0,01690
50	0,02090	0,436	0,01088	0,01608	0,01615

* Interpoliert.

Tabelle 31. *Löslichkeit von O_2 und CO_2 in wäßrigen Lösungen*[2]. Absorptionskoeffizient α bei einer Konzentration c des gelösten Stoffes in g-Äquivalenten pro Liter.

Gas	Gelöster Stoff	°C	α			Gas	Gelöster Stoff	°C	α		
			$c=0{,}5$	$c=1$	$c=2$				$c=0{,}5$	$c=1$	$c=2$
O_2	HCl	15	0,033	0,031	0,028	CO_2	HCl	15	0,989	0,974	0,948
		25	0,027	0,026	0,025			25	0,738	0,732	0,728
	H_2SO_4	15	0,032	0,030			H_2SO_4	15	0,965	0,927	0,869
		25	0,026	0,025	0,023			25	0,727	0,705	0,669
	NaCl	15	0,029	0,025	0,017		KCl	15	0,925	0,850	
								25	0,695	0,641	

Tabelle 32. *Löslichkeit von O_2 und CO_2 bei 38° C in wäßrigen Lösungen und organischen Flüssigkeiten.*

Gas gelöst in	α (38°)	
	O_2	CO_2
0,155 m NaCl		0,538
Ringerlösung[3]		0,537
0,3 n HCl enthaltende Ringerlösung[3]		0,517
Serum[3, 4]		0,510
Flüssiges Paraffin[5] (spez. Gew. 0,835)	0,098	
Olivenöl[5]	0,102	
Silicone[5] (verschiedener Viscosität)	0,210—0,304	
		$\alpha_{CO_2}^{25°}$
Tetrachlorkohlenstoff[6]		2,47
Benzol[6]		2,43
Schwefelkohlenstoff[6]		1,21

---

[1] Aus: Handbook of Chemistry and Physics. 38. Aufl. Cleveland (Ohio) 1956.
[2] Aus: D'Ans u. Lax. 2. Aufl. Berlin 1949.
[3] Dixon, M.: Manometric Methods. 3. Aufl. S. 142. Cambridge 1951.
[4] Slyke, D. D. van, J. Sendroy jr., A. B. Hastings and J. M. Neill: J. biol. Ch. 78, 765 (1928).
[5] Rodnight, R.: Biochem. J. 57, 661 (1954).
[6] Gjalbaek, J. C.: Acta chem. scand. 7, 537 (1953).

Tabelle 33. *Löslichkeit von CO_2 in menschlichem Plasma*[1].

°C	$α_{CO_2}$	°C	$α_{CO_2}$
26	0,680	37	0,521
30	0,612	38	0,509
35	0,545	40	0,487

Tabelle 34. *Abnahme der Löslichkeit von CO_2 in Elektrolytlösungen*[2]. „Molare Depression" $Δα=$ Löslichkeitsabnahme pro 1 Mol Elektrolyt in 1 l Lösung. 38° C.

Elektrolyt	$Δα(CO_2)$	Elektrolyt	$Δα(CO_2)$
HCl	0,029	K-lactat	0,116
NaCl	0,111	NaH_2PO_4	0,218
KCl	0,087	KH_2PO_4	0,185
Na-lactat	0,155	KHC_2O_4	0,081

Tabelle 35. *Dichte und spezifisches Volumen von Quecksilber.* $D=$ g von 1 ml Hg; spez. Vol.$=$ ml von 1 g Hg.

°C	D	spez. Vol.	°C	D	spez. Vol.
0	13,596	0,07355	22	13,541	0,07385
5	13,583	0,07362	24	13,536	0,07388
10	13,571	0,07369	26	13,532	0,07390
15	13,559	0,07375	28	13,527	0,07393
18	13,551	0,07379	30	13,522	0,07396
20	13,546	0,07382	35	13,51	0,07402

Tabelle 36. *Dampfdruck von Wasser.*

°C	mm Hg	°C	mm Hg
0	4,6	30	31,8
5	6,5	35	42,2
10	9,2	37	47,1
15	12,8	38	49,7
20	17,5	40	55,3
25	23,8	45	71,9

The application of the p_H-stat to studies of enzymes.

By

Leon W. Cunningham*.

With 3 Figures.

Many enzyme-catalyzed reactions involve the uptake or release of protons into the aqueous medium and are therefore susceptible to kinetic analysis through the measurement of the rate and extent of appearance of hydrogen ion. Historically, such measurements have taken two general forms: 1. the measurement of the rate of actual change of hydrogen ion concentration and 2. the measurement of the rate of addition of base or acid necessary to maintain a constant hydrogen ion concentration. As both procedures depend on the measurement of the p_H of the solution, the continued development of more precise instrumentation for p_H measurement has led to a continued improvement in the quantity and quality of kinetic data based on this particular analysis. In several early studies, for example, an acid-base indicator with an appropriate $pK'a$ was added to the enzyme-substrate mixture and the rate of addition of base needed to maintain the color of the indicator constant, by visual inspection, was noted. This constant p_H technique, or p_H-stat, can be removed from a reliance on visual estimation of color by employing spectrophotometric measurement. In another type of system the actual color change of the indicator, reflecting a change in p_H of the solution, was measured spectrophotometrically and used in kinetic analyses of the system. As this latter technique requires an actual p_H change during the reaction, it is inherently less desirable than the constant p_H technique, particularly if more than initial reaction rates are desired.

The development of the glass electrode and the subsequent rapid advances in the design and availability of electronic devices for the direct measurement of the p_H of solutions has, however, led to an almost universal adoption of the potentiometric monitoring of the p_H of the solution to a constant value by the addition of base or acid as the technique most suitable for detailed kinetic analyses of enzymic reactions involving

---

* Department of Biochemistry, Vanderbilt University, Nashville, Tennessee.
[1] SEVERINGHAUS, J. W., M. STUPFEL and A. F. BRADLEY: J. appl. Physiol. 9, 189 (1956).
[2] SLYKE, D. D. VAN, J. SENDROY jr., A. B. HASTINGS and J. M. NEILL: J. biol. Ch. 78, 765 (1928).

hydrogen ions. Not the least of the reasons for this choice has been the success of several groups of investigators, notably Jacobsen and Léonis[1, 2] and Neilands and Cannon[3], in developing completely automatic instrumentation for this purpose. The term, pH-stat, is applied customarily to instruments of this type. A very complete and useful account of the theoretical and electronic design problems encountered in the design and use of the pH-stat has been given recently by Jacobsen, Léonis, Linderstrøm-Lang and Ottesen[2]. Basically, such instruments consist of an electronic device for measuring the pH of the solution and comparing it with the pH desired by the operator. In the event they are not the same, an automatic burette delivers acid or base until the desired pH is attained. A subsequent change in pH evokes another addition from the burette. A recorder plots the addition as a function of time.

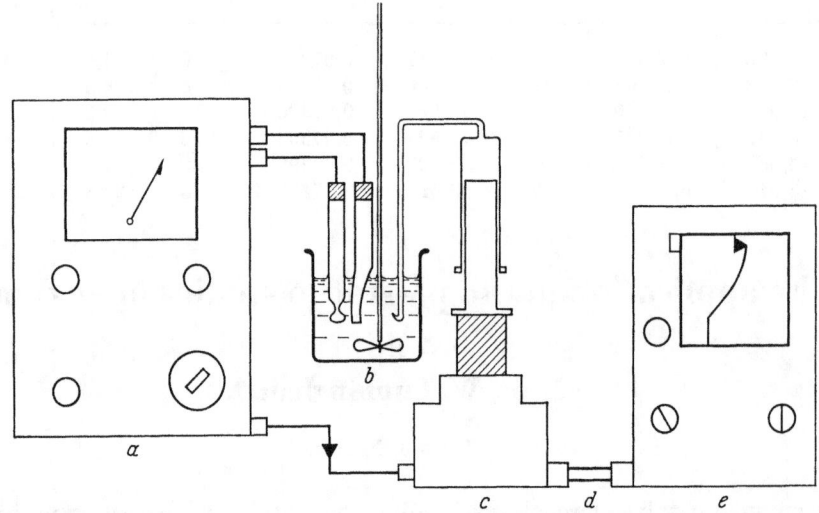

Fig. 1. Diagrammatic representation of a typical arrangement of apparatus for pH-stat measurements. (a) pH meter-automatic titrator. This component registers the pH of the solution under investigation (b), and compares electronically this measured value against the pre-selected desired value. If these values (measured in millivolts) are not identical, an electrical current is sent to the motor-driven syringe burette (c). As the motor runs, the syringe piston is advanced into the barrel, forcing base, or acid, into the reaction vessel (b). The same motor is usually mechanically coupled (d) to a recorder (e) so that the syringe travel (and thus the volume of base) is recorded as a function of time. When sufficient base has been added so that the compared voltages are identical, the syringe motor stops. Any subsequent change in the pH of the solution caused by the reaction under investigation will again activate the motor, and this process will be repeated continuously until the reaction is complete.

Reliable and highly accurate instruments of varying design have been constructed in many laboratories in the past few years, and a considerable body of information on the kinetics of enzyme-catalyzed reaction obtained in this way has begun to accumulate. More recently, commercial pH-stats of high quality have appeared so that it is likely that this type of measurement will become much more common in the very near future.

The types of enzyme catalyzed reactions which lend themselves to pH-stat analysis are quite varied. The obvious application to simple esterolytic processes,

$$\underset{\substack{\| \\ O}}{R-C}-OR' + H_2O \rightarrow R'OH + (\alpha)\underset{\substack{\| \\ O}}{R-C}-O^- + (1-\alpha)\underset{\substack{\| \\ O}}{R-C}-OH + (\alpha)H^+$$

was made very early, particularly in the case of liver esterase, cholinesterases and pancreatic lipase. Reactions of this type may be followed also by chemical or spectrophotometric analysis of other products or reactants or, indeed, by procedures for the analysis of hydrogen ion other than the potentiometric and colorimetric techniques which have been noted. In this last category must be noted the highly useful procedure in which

---

[1] Jacobsen, C. F., and J. Léonis: C. R. Lab. Carlsberg, Sér. chim. 27, 333 (1951).
[2] Jacobsen, C. F., J. Léonis, K. Linderstrøm-Lang and M. Ottesen: Meth. biochem. Analysis Bd. IV, S. 171 (1957).
[3] Neilands, J. B., and M. D. Cannon: Analyt. Chem., Washington 29, 1076 (1957).

the reaction is run in carbon dioxide-bicarbonate buffer so that changes in hydrogen ion concentration produce changes in the volume of CO_2, which may in turn be measured by familiar manometric procedures (see p. 55ff.). This latter method suffers from several disadvantages including the restriction to a bicarbonate buffer and the narrow p_H range over which studies can be carried out. It is quite accurate, however, and in this regard compares favorably with current p_H-stat assemblies. With the p_H-stat, however, a large variety of ion effects may be readily investigated and the p_H dependence of the reaction studied over a wide range. It is important to note that as the p_H under study approaches the $pK'a$ of the carboxyl group of the acid, the yield of hydrogen ion per mole of ester, α, will drop below one and may in general be calculated from the simple acid dissociation equations. Since the $pK'a$ values of carboxyl groups of compounds of biological interest lie generally between p_H 2 and 5, most studies in the physiological p_H range from about p_H 6 to 9 require no correction. This type of correction may become considerably more complex if there exists in the substrate a weak acid group which undergoes a marked shift in $pK'a$ as a result of the hydrolysis of the ester bond. An example is the hydrolysis of L-tyrosine ethyl ester by chymotrypsin[1]. The $pK'a$ of the α-amino group in tyrosine ethyl ester is near 7.2 while the same group in tyrosine exhibits a $pK'a$ of about 9.1. Thus the reaction,

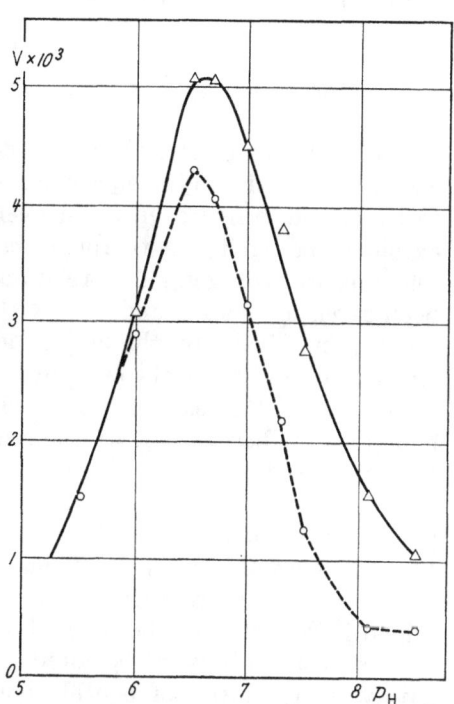

$$R-\underset{\underset{NH_2}{|}}{\overset{\overset{H}{|}}{C}}-\overset{\overset{O}{\|}}{C}-OR' + H_2O \rightarrow R-\underset{\underset{NH_3^+}{|}}{\overset{\overset{H}{|}}{C}}-\overset{\overset{O}{\|}}{C}-O^- + R'OH$$

$(pK'a\ 7.2)$ $(pK'a\ 9.1)$

occurs to an appreciable extent above p_H 7.0, so that near p_H 8.5 almost no net proton release may be detected and very careful correction must be applied before a kinetic evaluation can be attempted. Related problems may arise with phosphate esters.

Fig. 2. The initial velocity of the chymotrypsin-catalyzed hydrolysis of L-tyrosine ethyl ester, determined with the p_H-stat[1]. ○ No correction applied; △ corrected for the change in $pK'a$ of the amino group. See the text.

Another type of reaction which has been followed with the p_H-stat is the hydrolysis of amide bonds, particularly those involving amino acids, peptides and proteins. In this case both a carboxyl group and an amino group are formed during the reaction, so that the effect of $pK'a$ values near 3 and 8 respectively upon the yield of hydrogen ion must be considered before the proper stoichiometric relationship between moles of substrate hydrolyzed and hydrogen ion liberated can be determined. Below p_H 3, for example, the reaction may be written,

$$R-\overset{\overset{O}{\|}}{C}-\underset{\underset{}{|}}{\overset{\overset{H}{|}}{N}}-R' + H_2O + (\alpha)H^+ \rightarrow (\alpha)R-\overset{\overset{O}{\|}}{C}-OH + (1-\alpha)R\overset{\overset{O}{\|}}{C}-O^- + R'-NH_3^+.$$

The activity of proteolytic enzymes such as pepsin which are active below p_H 3 may theoretically be followed with the p_H stat by measuring the rate of addition of standard acid necessary to maintain the p_H constant, but in practice, the effects of the addition or removal of small quantities of protons upon the p_H in the p_H region from 0 to 3 make this, in general, a rather insensitive procedure. Between p_H 3 and 7 most reactions of

---

[1] CUNNINGHAM, L. W.: Unpublished observations.

this type are closely approximated by the equation,

$$R-\overset{\overset{O}{\|}}{C}-\overset{\overset{H}{|}}{N}-R' + H_2O \rightarrow R-\overset{\overset{O}{\|}}{C}-O^- + R'-NH_3^+.$$

As no change in hydrogen ion concentration is involved, a p_H-stat assay cannot be employed in this p_H range. It is important to note that the exact width of this range is defined by the actual $pK'a$ values of the carboxyl and amino groups of the particular substrate under investigation. If the p_H at which the reaction is run is raised toward the $pK'a$ value of the liberated amino group, the equation becomes,

$$R-\overset{\overset{O}{\|}}{C}-\overset{\overset{H}{|}}{N}-R' + H_2O \rightarrow R-\overset{\overset{O}{\|}}{C}-O^- + (\alpha)H^+ + (\alpha)R'-NH_2 + (1-\alpha)R'-NH_3^+.$$

This is the case in which the p_H-stat has been of general utility since many proteolytic enzymes are active in the p_H range from 7 to 10, and the ratio of the hydrogen ion liberated to the absolute hydrogen ion concentration of the solution is large enough to provide excellent sensitivity. A thorough discussion of the stoichiometry of these reactions with reference to hydrogen ion in relation to the $pK'a$ of the carboxyl and amino groups has been given by WALEY and WATSON[1] in their early study of the hydrolysis of polylysine by trypsin. Basically, the major factor to be considered in this group of substrates is, again, the variable yield of hydrogen ion obtained per mole of substrate at different p_H values. If the reaction p_H is well above the $pK'a$ of the liberated amino group, one equivalent of base, $\alpha = 1$, will be required to maintain constant p_H during the course of the hydrolysis of a mole of substrate. If the p_H is considerably below the $pK'a$ of this group, a smaller amount of base, $\alpha < 1$, will be required. At intermediate p_H values the yield of hydrogen ion may be calculated from the acid dissociation equation if $pK'a$ of the amino group is known, or it may simply be measured by allowing the reaction to run to completion. Conversely, by this latter procedure a value for the $pK'a$ can be determined if the total number of moles of substrate hydrolyzed is known. The application of these relationships will be noted again under specific reactions, particularly the enzyme-catalyzed hydrolysis of peptide bonds. In many cases, for example, the p_H-stat has provided a means for measuring the number of bonds split during proteolysis, even though detailed kinetic analyses were not possible due to the complexity of the substrate.

In the following paragraphs we shall describe the application of the p_H-stat to the study of a variety of enzyme-catalyzed reactions. No consistent attempt will be made to differentiate between studies which have been carried out with partially or completely automatic instrumentation, since our chief purpose is to indicate the applicability of the p_H-stat concept to the study of enzyme kinetics. In addition the increasing application of the p_H-stat to the study of enzyme mechanisms and as a tool in the analysis of protein structure will be noted.

Enzyme Kinetics.

Liver esterase (see also vol. VI/B). In 1923 KNAFFL-LENZ[2] applied, apparently for the first time, a p_H-stat analysis in a kinetic study of liver esterase using the colored indicator technique. His studies were later extended by WILLSTÄTTER et al[3]. In 1941, HARRER and KING[4] used the original KNAFFL-LENZ procedure, with bromthymol blue as indicator and ethyl butyrate as substrate to show that liver esterase was progressively decreased in experimental vitamin C deficiency in guinea pigs to levels as low as 65 per cent below normal. Detailed kinetic studies utilizing the p_H-stat approach were first carried out

---

[1] WALEY, S. G., and J. WATSON: Biochem. J. **55**, 328 (1953).
[2] KNAFFL-LENZ, E.: A. e. P. P. **97**, 242 (1923).
[3] WILLSTÄTTER, R., R. KUHN, O. LIND u. F. MEMMEN: H. **167**, 303 (1927).
[4] HARRER, C. J., and C. G. KING: J. biol. Ch. **138**, 111 (1941).

by CHRISTIANSEN and GRAAE in 1956[1] with the horse liver enzyme and methyl valerate. At p_H 8 and 20° C in 0.1 M KCl they followed this reaction to 99% completion and found their data could be described by an equation which suggested that 2 moles of the enzyme combined with one mole of substrate in the course of the reaction. Shortly afterward CRAIG and KISTIAKOWSKY[2] investigated the same enzyme and a variety of substrates including methyl n-butyrate, ethyl n-butyrate, methyl propionate, ethyl propionate, n-propyl propionate, methyl isobutyrate and ethyl isobutyrate. They studied the p_H dependence of K_m and V_{max} for several of these substrates and found evidence for the participation of an acidic group in the active center of the protein. All of their data could be described by the simple Michaelis-Menten formulation.

Cholinesterase (see also vol. VI/B). In 1932, STEDMAN, STEDMAN and EASSON[3] applide the continuous titration procedure of KNAFFL-LENZ to the study of the partial purification and properties of horse serum cholinesterase. In 1937 GLICK[4] studied the purified enzyme in considerably more detail, and, in order to investigate a wide p_H range and yet avoid activity variations due to possible inhibition by acid-base indicators or the use of several different buffers, he devised a manual continuous potentiometric titration. Somewhat later ALLES and HAWES[5] employed a similar technique in a detailed comparison of the activity of serum and red cell cholinesterases toward several substrates and at different p_H values. They estimated the accuracy of their procedure at $\pm 2\%$. A micromethod of the same type was reported by RADOUCO and FROMMEL in 1952[6] to be reliable to within $\pm 6\%$, while a manometric (CO_2-bicarbonate) procedure on the same scale exhibited variations of $\pm 10\%$. The manometric and titrimetric procedures have both continued in wide use in the study of the cholinesterases. WILSON has employed both in the course of his studies of the active surface of cholinesterases[7]. A detailed description and discussion of assay methods for the cholinesterases by AUGUSTINSSON[8] includes a critical analysis of several titrimetric procedures.

Pancreatic lipase (see also vol. VI/B). Another enzyme whose kinetic properties have been studied by titration is pancreatic lipase. In 1924, WILLSTÄTTER and MEMMEN[9] examined the action of this enzyme on several substrates, including triacetin and methyl-butyrate. Continuous titration was apparently first employed with this enzyme by SCHONHEYDER and VOLQUARTZ[10] in 1950 when they examined the kinetics of hydrolysis of 1-caprylyl glycerol in homogeneous aqueous solution. This enzyme poses unusual difficulties in kinetic analysis since its typical substrates are the triesters of long-chain fatty acids with glycerol and can be exposed to the enzyme in aqueous solution only in the form of an emulsion. In 1952, HOFSTEE[11] was able to obtain good duplication of initial rate measurements by continuous titration with NaOH of the hydrogen ion liberated during the enzymatic hydrolysis of a gum arabic-stabilized olive oil emulsion, but a complete kinetic analysis was not possible since the rate of hydrolysis was not strictly proportional to enzyme concentration and tended to decline more rapidly with time than is normally expected.

In 1955, however, DESNUELLE, CONSTANTIN and BALDY[12] were able to obtain a system in which the hydrolysis of an emulsion of olive oil by the enzyme obeyed zero order

---

[1] CHRISTIANSEN, J. A., and J. GRAAE: Acta chem. scand. 10, 1258 (1956).
[2] CRAIG, N. C., and G. B. KISTIAKOWSKY: Am. Soc. 80, 1574 (1958).
[3] STEDMAN, E., E. STEDMAN and L. H. EASSON: Biochem. J. 26, 2056 (1932).
[4] GLICK, D.: Biochem. J. 31, 521 (1937).
[5] ALLES, G. A., and R. C. HAWES: J. biol. Ch. 133, 375 (1940).
[6] RADOUCO, C., u. E. FROMMEL: Helv. physiol. Acta 10, C 39 (1952).
[7] WILSON, I. G.: J. biol. Ch. 208, 123 (1954).
[8] AUGUSTINSSON, K.-B.: Meth. biochem. Analysis 5, 1 (1957).
[9] WILLSTÄTTER, R., u. F. MEMMEN: H. 133, 229 (1924).
[10] SCHONHEYDER, F., and K. VOLQUARTZ: Biochim. biophys. Acta 6, 147 (1950).
[11] HOFSTEE, B. H. J.: J. biol. Ch. 199, 357 (1952).
[12] DESNUELLE, P., M. J. CONSTANTIN et J. BALDY: Bull. Soc. Chim. biol. 37, 285 (1955).

kinetics when followed by a manual p_H-stat technique. Their system included $CaCl_2$ and sodium taurocholate as well as gum arabic, and the p_H was maintained at 8 or higher. SARDA, MARCHIS-MOUREN, CONSTANTIN and DESNUELLE[1] have used this assay procedure in subsequent studies of the purification of pancreatic lipase and have been able to describe an interaction between calcium ions and the enzyme and to suggest that the enzyme is a lipoprotein. Using the most highly purified preparation and the p_H-stat assay, SARDA and DESNUELLE[2] have carried out a rather complete kinetic study of the action of the lipase on water-soluble and water-insoluble ester substrates. They found that the enzyme works poorly if at all on homogeneous aqueous solutions of relatively soluble esters such as methyl butyrate or tri-acetin. If, however, a solution of these compounds is made so over-saturated that an emulsion is obtained, then the enzyme causes a rather rapid hydrolysis. It is quite active, of course, on substrates which can be prepared only as emulsions, such as triolein and tributyrin. Thus they were able to demonstrate that lipase activity, unlike liver esterase, depends on the presence of an actual interface between the hydrophobic substrate and the aqueous solvent, and that the rate of hydrolysis depended upon the surface area of the emulsion as it would depend, in an ordinary enzyme system, upon the total concentration of substrate. It was shown that typical Michaelis-Menten plots could be obtained if interface area, rather than substrate concentration, was used as one of the variables. They suggest a constant (K_m) for enzymes acting on insoluble substrates based on the molar interfacial concentration of substrate, that is the number of moles located at the interface in a liter of solution.

Chymotrypsin and trypsin as esterases (see also vol. VI/C). In 1948, SCHWERT, NEURATH, KAUFMAN and SNOKE[3] reported that in addition to the typical peptidase and amidase activity of trypsin and chymotrypsin these enzymes catalyzed the hydrolysis of simple acylated amino acid esters. Hydrolysis proceeded most rapidly where the particular amino acid conformed to the known substrate specificity of the enzymes. Thus, benzoyl-L-arginine ethyl ester was rapidly hydrolyzed by trypsin and acetyl-L-tyrosine ethyl ester by chymotrypsin. These reactions were followed with the aid of the manual p_H-stat technique.

Since these initial studies, a number of laboratories have contributed to our knowledge of the specificity and kinetic course of the hydrolysis of esters by these and many other proteases. NEURATH and SCHWERT have summarized much of the early information[4]. CUNNINGHAM and BROWN[5], with chymotrypsin, and HAMMOND and GUTFREUND[6,7], with trypsin, employed the p_H-stat technique in detailed analyses of the p_H dependence of the esterase activities of these enzymes. In each case, it was possible to show that the ionization of a single group in the protein with a $pK'a$ near 6.8 was absolutely necessary for catalytic activity. TINOCO[8] employed the p_H-stat to study the chymotrypsin-catalyzed hydrolysis of ethyl D,L-lactate over a wide p_H range. After an evaluation of k_3 and K_m at each p_H, he was able to show that the reaction involved three to four intermediates, including presumably the Michaelis-Menten complex, an acyl-serine complex[9], and an acyl-histidine intermediate[10]. The rate-limiting step for this substrate was in the ester interchange leading to the formation of the acyl-serine.

NIEMANN and his associates have been extremely active in the study of the kinetics of chymotrypsin-catalyzed hydrolysis of many types of substrates but only a few of

---

[1] SARDA, L., G. MARCHIS-MOUREN, M. J. CONSTANTIN et P. DESNUELLE: Biochim. biophys. Acta **23**, 264 (1957).
[2] SARDA, L., et P. DESNUELLE: Biochim. biophys. Acta **30**, 513 (1958).
[3] SCHWERT, G. W., H. NEURATH, S. KAUFMAN and J. E. SNOKE: J. biol. Ch. **172**, 221 (1948).
[4] NEURATH, H., and G. W. SCHWERT: Chem. Rev. **46**, 69 (1950).
[5] CUNNINGHAM, L. W., and C. S. BROWN: J. biol. Ch. **221**, 287 (1956).
[6] HAMMOND, B. R., and H. GUTFREUND: Biochem. J. **61**, 187 (1955).
[7] GUTFREUND, H.: Trans. Faraday Soc. **51**, 441 (1955).
[8] TINOCO, I.: Arch. Biochem. **76**, 148 (1958).
[9] CUNNINGHAM, L. W.: Science, N.Y. **125**, 1145 (1957).
[10] NEURATH, H.: Adv. Protein Chem. **12**, 320 (1957).

their esterase studies utilizing the p$_H$-stat can be noted here. APPLEWHITE, MARTIN and NIEMANN[1] have studied the hydrolysis of methyl hippurate by the enzyme, the inhibitory effect of indole, and the variations in k_3 and K_m for this substrate produced by the addition of methanol, t-butyl alcohol, acetonitrile, dimethyl formamide, dimethyl acetamide and formaldehyde. MARTIN and NIEMANN have examined in detail the effects of salts on the esterase activity[2] and have described the kinetic consequences of the dimerization of this enzyme[3]. APPLEWHITE, WAITE and NIEMANN[4] and BIXLER and NIEMANN[5] have studied the kinetics of the hydrolysis of acetyl-, chloracetyl- and benzoyl-L-valine methyl esters by the enzyme in considerable detail. WOLF and NIEMANN[6] have followed the hydrolysis of methyl aceturate and by an evaluation of the kinetics have been able to show that excess substrate activates the reaction.

More recently COHEN and KLEE[7] and COHEN and KHEDOURI[8] have studied the hydrolysis of diethyl acetamidomalonate and diethyl β-acetamidoglutarate by chymotrypsin. In both cases, the reaction was first order but very slow. It stopped in each case after the hydrolysis of a single ethyl ester group, leading to the formation of optically active monoethyl acetamidomalonate and monoethyl acetamidoglutarate, respectively. Since these reactions may be inhibited by di-isopropyl fluorophosphate and hydrocinnamic acid, they are undoubtedly the result of the usual catalytic mechanism of the enzyme. Thus it was shown that the β-aryl group, typical of most chymotrypsin substrates, is neither necessary nor sufficient for stereospecificity and it was suggested that the conformational diastereomeric interaction of the acylamido group with the enzyme may be responsible.

Other proteolytic enzymes as esterases. The discovery of the esterase activity of trypsin and chymotrypsin led to the examination of other proteolytic enzymes for this type of catalytic activity. In the case of *papain* (see also vol. VI/C), MCDONALD and BALLS[9] have made a comparison of the activity of this enzyme and trypsin on a series of nitrobenzoyl arginine methyl esters, and SMITH and PARKER[10] have made a detailed kinetic investigation of the hydrolysis of benzoyl-L-arginine ethyl ester. From this last study it was possible to deduce that a dissociating group in the protein of $pK'a$ near 4.3 and another of $pK'a$ near 8.0 were involved in the active center of the enzyme. SMITH[11] has employed these and other data to suggest a detailed mechanism of action for papain which includes the occurrence of a thiol ester group in the active center. The related enzyme, ficin, has been the subject of comprehensive kinetic study by BERNHARD and GUTFREUND[12] and HAMMOND and GUTFREUND[13]. They report k_3 and K_m values for an ester substrate, benzoyl-L-arginine ethyl ester, as a function of p$_H$ and compare these data with earlier studies of related amide substrates. They found that the hydrolysis of either type of substrate by this enzyme was controlled by groups in the protein with $pK'a$ values near 4.4 and 8.5, and suggest a mechanism of action which involves an amino group, a carboxyl group and a sulfhydryl group in the active center of the enzyme.

Subtilisin (see also vol. VI/C), a proteolytic enzyme of rather low specificity which has found wide application recently in the study of protein structure, was reported by

---

[1] APPLEWHITE, T. H., R. B. MARTIN and C. NIEMANN: Am. Soc. **80**, 1457 (1958).
[2] MARTIN, R. B., and C. NIEMANN: Am. Soc. **80**, 1481 (1958).
[3] MARTIN, R. B., and C. NIEMANN: Am. Soc. **80**, 1473 (1958).
[4] APPLEWHITE, T. H., H. WAITE and C. NIEMANN: Am. Soc. **80**, 1465 (1958).
[5] BIXLER, R. L., and C. NIEMANN: Am. Soc. **81**, 1412 (1959).
[6] WOLF II, J. P., and C. NIEMANN: Am. Soc. **81**, 1012 (1959).
[7] COHEN, S. G., and L. H. KLEE: Am. Soc. **82**, 6038 (1960).
[8] COHEN, S. G., and E. KHEDOURI: Am. Soc. **83**, 1093 (1961).
[9] MCDONALD, C. E., and A. K. BALLS: J. biol. Ch. **229**, 69 (1957).
[10] SMITH, E. L., and M. J. PARKER: J. biol. Ch. **233**, 1387 (1958).
[11] SMITH, E. L.: J. biol. Ch. **233**, 1392 (1958).
[12] BERNHARD, S. A., and H. GUTFREUND: Biochem. J. **63**, 61 (1956).
[13] HAMMOND, B. R., and H. GUTFREUND: Biochem. J. **72**, 349 (1959).

GUNTELBERG and OTTESEN[1] to catalyze the hydrolysis of methyl butyrate. GRAAE[2] carried out a more detailed study with the pH-stat technique. He found that a crude preparation of the enzyme and samples from different stages of the purification procedure maintained a constant ratio of hydrolytic activity toward casein and methyl propionate, thus indicating that proteinase and esterase activity are catalyzed by the same enzyme. With the pure enzyme he studied the hydrolysis of the methyl esters of butyric, valeric, hexanoic, and octanoic acids and found the maximum activity toward methyl valerate. The pH optimum was found to be between pH 8 and 8.5.

Many of the *proteolytic enzymes of the blood clotting system* have been examined for esterase activity and have been shown to be highly active toward esters which are also good substrates for trypsin. SHERRY and TROLL[3] and TROLL, SHERRY and WACHMAN[4] were first to demonstrate the hydrolysis of acyl arginine esters and lysine esters by *thrombin* (see also vol. VI/C) and by *plasmin* (see also vol. VI/C), though their studies have been amplified by many later investigations. RONWIN[5] employed the manual pH-stat technique in a detailed analysis of the effects of pH and ionic strength on the hydrolysis of several ester substrates by thrombin and trypsin. He also investigated the effects of the addition of various organic reagents as well as many different inorganic cations and anions. He was able to resolve an earlier discrepancy in the reported optimum pH for hydrolysis by demonstrating that corrections for spontaneous hydrolysis of the ester substrates had not been adequately considered. EHRENPREIS and SCHERAGA[6] developed the hydrolysis of p-toluene sulfonyl-L-arginine methyl ester by thrombin into a simple and very precise pH-stat assay for this enzyme. The reaction was found to be zero order in the ester over the concentration range from 0.005 M to 0.1 M. An objection to this assay, of course, is that this ester is not a specific substrate for thrombin as it is hydrolyzed also by plasmin and by trypsin, but it has proved much more accurate and generally satisfactory than the fibrinolytic assay when purified systems have been investigated. SCHERAGA, EHRENPREIS and SULLIVAN[7] have also compared the esterase activities of thrombin, plasmin and trypsin toward several synthetic substrates, and, in contrast with earlier reports, were able to show that thrombin, as well as plasmin, catalyzed the hydrolysis of L-lysine ethyl ester. ALKJAERSIG, FLETCHER and SHERRY[8] have employed measurements of the increase in the rate of hydrolysis of benzoyl-L-arginine methyl ester and L-lysine ethyl ester to follow the autocatalytic activation of human plasminogen, ABLONDI and HAGAN[9] have examined human plasma and purified plasminogen for their content of a proactivator of plasminogen by means of an assay involving L-lysine ethyl ester. Since the ratios of the two activities, activator:plasmin, were always identical, they concluded that the proactivator and plasminogen were the same protein. It is of interest that preparations of *urokinase* (see also vol. VI/C), an activator of plasminogen obtained from urine, have also been shown by SHERRY and ALKJAERSIG[10] and by KJELDGAARD and PLOUG[11] to possess esterase activity toward p-toluene sulfonyl-L-arginine ethyl ester and L-lysine ethyl ester to the same degree that they can catalyze the activation of plasminogen.

Not only the endopeptidases that have just been described but also certain exopeptidases have been shown to possess esterolytic activity. SNOKE and NEURATH[12], with the

---

[1] GUNTELBERG, A. V., and M. OTTESEN: C. R. Lab. Carlsberg, Sér. chim. 29, 36 (1954).
[2] GRAAE, J.: Acta chem. scand. 8, 356 (1954).
[3] SHERRY, S., and W. TROLL: J. biol. Ch. 208, 95 (1954).
[4] TROLL, W., S. SHERRY and J. WACHMAN: J. biol. Ch. 208, 85 (1954).
[5] RONWIN, E.: Canad. J. Biochem. Physiol. 35, 743 (1957).
[6] EHRENPREIS, S., and H. A. SCHERAGA: J. biol. Ch. 227, 1043 (1957).
[7] SCHERAGA, H. A., S. EHRENPREIS and E. SULLIVAN: Nature 182, 461 (1958).
[8] ALKJAERSIG, N., A. P. FLETCHER and S. SHERRY: J. biol. Ch. 233, 81 (1958).
[9] ABLONDI, F. B., and J. J. HAGAN: Proc. Soc. exp. Biol. Med. 95, 195 (1957).
[10] SHERRY, S., and N. ALKJAERSIG: Ann. N.Y. Acad. Sci. 68, 52 (1957).
[11] KJELDGAARD, N. O., and J. PLOUG: Biochim. biophys. Acta 24, 283 (1957).
[12] SNOKE, J. E., and H. NEURATH: J. biol. Ch. 181, 789 (1949).

manual p_H-stat procedure, showed that *pancreatic carboxypeptidase A* (see also vol. VI/C) catalyzed the hydrolysis of hippuryl-L-β-phenyllactic, chloroacetyl-DL-β-phenyllactic, acetyl-DL-β-phenyllactic and bromoacetyl-DL-β-phenyllactic acids. The K_m values for these substrates were below the level of measurement so that the reactions were apparent zero order under their conditions. Values for k_3 were reported and compared with more typical peptide substrates. SMITH and HILL[1] have recently reported that *leucine aminopeptidase* causes the slow hydrolysis of n-butyl-L-leucinate.

The Action of Proteolytic Enzymes on Peptides and Proteins.

Some of the problems associated with following the hydrolysis of amide bonds by the p_H-stat procedure have been noted previously. In general, such reactions are more readily followed for kinetic evaluation by specific analyses for reaction products as, for example, the ninhydrin reaction. Kinetic data may be obtained with the p_H-stat however as was shown by WALEY and WATSON[2] in their early study of the hydrolysis of polylysine by *trypsin*, but in most cases, the p_H-stat has been employed to give information on the character and over-all extent of the reactions. With *subtilisin* (see also vol. VI/C), for example, HAUGAARD and HAUGAARD[3] and MEEDOM[4] were able to show that the enzyme rapidly attacked swine and ox insulin at p_H 8.0 causing the hydrolysis of a total of 14 to 15 bonds. Their calculation of the number of bonds hydrolyzed was based on the addition of the number of equivalents of alkali added during the enzymatic reaction to the number of equivalents of alkali necessary to raise the p_H of the terminal digest to p_H 9.0, minus the equivalents of alkali necessary to bring an identical solution of insulin from p_H 8 to 9.0. The inherent assumption in such a procedure is that the amino groups liberated by hydrolysis possess an average $pK'a$ no higher than approximately 8. This appears to be reasonably satisfactory on the basis of available information on the $pK'a$ of the amino groups of peptides[5], though final titration to p_H 9.5 or 10.0 should be somewhat more reliable[6].

The well-known conversion of ovalbumin to plakalbumin, catalyzed by subtilisin, has been followed by OTTESEN[7] with the p_H-stat. A kinetic analysis permitted the observation that the reaction proceeded in 3 stages: a rapid primary reaction in which 1 bond was hydrolyzed, a slower secondary reaction in which a second bond was hydrolyzed and an even slower tertiary reaction which was not investigated in detail. He determined a value of 7.4 for the average $pK'a$ of the liberated amino groups and was able to correlate the secondary reaction with the liberation of peptide material and a change in solubility and crystalline form of the protein.

RICHARDS[8] and RICHARDS and VITHAYATHIL[9] have followed the digestion of ribonuclease (see also vol. VI/B) by subtilisin with the p_H-stat. At 3°C and at p_H 8 they found that hydrolysis almost ceased after 3 hours and that the base uptake corresponded to approximately 0.9 moles per mole of ribonuclease. RICHARDS was able to show that this corresponded to the hydrolysis of a single bond near the N-terminus of the enzyme but to no loss in ribonuclease activity. Subsequently, he was able to devise methods for reversibly dissociating the peptide fragment from the remainder of the protein[10]. Removal of the peptide leads to a loss of enzymatic activity which is restored if the peptide is added back to the system.

---

[1] SMITH, E. L., and R. L. HILL; in: Boyer-Lardy-Myrbäck, Enzymes, Vol. IV, p. 37.
[2] WALEY, S. G., and J. WATSON: Biochem. J. 55, 328 (1953).
[3] HAUGAARD, E. S., and N. HAUGAARD: C. R. Lab. Carlsberg, Sér. chim. 29, 350 (1955).
[4] MEEDOM, B.: C. R. Lab. Carlsberg, Sér. chim. 29, 403 (1955).
[5] EDSALL, J. T.; in: COHN, E., and J. EDSALL, editors: Proteins, Amino Acids and Peptides. p. 75, New York 1943.
[6] CUNNINGHAM, L. W., B. J. NUENKE and W. D. STRAYHORN: J. biol. Ch. 228, 835 (1957).
[7] OTTESEN, M.: Arch. Biochem. 65, 70 (1956). C. R. Lab. Carlsberg, Sér. chim. 30, 211 (1958).
[8] RICHARDS, F. M.: C. R. Lab. Carlsberg, Sér. chim. 29, 329 (1955).
[9] RICHARDS, F. M., and P. J. VITHAYATHIL: J. biol. Ch. 234, 1459 (1959).
[10] RICHARDS, F. M.: Proc. nat. Acad. Sci. U.S. 44, 162 (1958).

Harris and Roos[1] and Harris[2] have followed the digestion of β- and α-melanocyte stimulating hormone with trypsin, chymotrypsin and subtilisin on the pH-stat, and were able to quantitatively relate the base uptake to the production of peptides. These peptides were later employed in their analysis of the peptide sequence of these hormones. Ingram[3] used the pH-stat to follow the tryptic and chymotryptic digestion of hemoglobin in his "fingerprint" analyses of the genetic variants of that protein, and Light and Smith[4] have used a similar technique for following the digestion of papain by chymotrypsin for the production of peptides for sequence analysis. Cunningham, Nuenke and Strayhorn[5] have followed the digestion of thermally denatured ovalbumin by trypsin and were able to correlate base uptake with the total number of lysine plus arginine residues in this protein, suggesting that complete hydrolysis of all trypsin susceptible bonds had occurred. Pechère and Neurath[6] have followed the autocatalytic activation of trypsinogen with the pH-stat and were able to correlate the hydrolysis of a single bond in trypsinogen with the appearance of trypsin activity, a change in optical rotation of the protein and the liberation of a short peptide. The $pK'a$ of the liberated amino group was calculated to be 7.6. Labeyrie[7] has reported a detailed kinetic analysis of the digestion of native and heat-denatured β-lactoglobulin by trypsin at pH 8. From his analysis he was able to report values for ΔH^*, ΔS^* and apparent K_m for the native and denatured forms of the substrate protein. Lamy, Craig and Tauber[8] have compared three procedures for following the kinetics of elastase preparations (see also vol. VI/C). These were 1. the solubilization of elastin, 2. the ninhydrin reaction and 3. the pH-stat titration of the free amino groups produced at pH 8.9. In this latter procedure, it was shown that 96 per cent of the potential protons were titrated if an average $pK'a$ of 7.5 was assumed for the liberated amino groups. All three methods indicated that the hydrolysis was of zero order. These authors were also able to fractionate elastase preparations into two components on Amberlite IRC 50 columns, both with the same activity toward elastin, but one with markedly more activity toward casein than the other.

Ribonuclease (see also vol. VI/B). The hydrolysis of phosphate esters by this enzyme with the resulting liberation of hydrogen ions,

$$R-O-\overset{\overset{O}{\|}}{\underset{O^-}{P}}-O-R' + H_2O \rightarrow R'OH + (\alpha)H^+ + (\alpha)R-O-\overset{\overset{O}{\|}}{\underset{O^-}{P}}-O^- + (1-\alpha)R-O-\overset{\overset{O}{\|}}{\underset{O^-}{P}}-OH$$

has led to several assay procedures. In 1944 Bain and Rusch[9] devised a manometric assay in CO_2-bicarbonate buffer and in 1956 Crestfield and Allen[10] employed a manual pH-stat for the same purpose. It is important to note, however, that no acid formation occurs during the initial rapid breakdown of ribonucleic acid by this enzyme, since only an exchange reaction leading to the formation of the cyclic 2′-3′ phosphates is involved. Only in the second step, the hydrolysis of the cyclic phosphates, are hydrogen ions released. Davis and Allen[11] have also followed the action of ribonuclease on synthetic substrates by a micro-titration of the secondary phosphoryl groups liberated in the reaction. They examined cytidine 2′-3′ phosphate, uridine 2′-3′ phosphate and uridine 3′-benzyl phosphate as substrates and studied the effect of various anions, cations, sulfhydryl reagents and

---

[1] Harris, J. I., and P. Roos: Biochem. J. **71**, 434, 445 (1959).
[2] Harris, J. I.: Biochem. J. **71**, 451 (1959).
[3] Ingram, V. M.: Biochim. biophys. Acta **28**, 539, 546 (1958); **36**, 402 (1959).
[4] Light, A., and E. L. Smith: J. biol. Ch. **235**, 3144 (1960).
[5] Cunningham, L. W., B. J. Nuenke and W. D. Strayhorn: J. biol. Ch. **228**, 835 (1957).
[6] Pechere, J. F., and H. Neurath: J. biol. Ch. **229**, 389 (1957).
[7] Labeyrie, F.: Biochim. biophys. Acta **22**, 72 (1956).
[8] Lamy, F., C. P. Craig and S. Tauber: J. biol. Ch. **236**, 86 (1961).
[9] Bain, J. A., and H. P. Rusch: J. biol. Ch. **153**, 659 (1944).
[10] Crestfield, A. M., and F. W. Allen: J. biol. Ch. **219**, 103 (1956).
[11] Davis, F. F., and F. W. Allen: J. biol. Ch. **217**, 13 (1955).

complexing reagents upon the reactions. The availability of sensitive ultraviolet spectrophotometric assays has undoubtedly discouraged a more general application of the p_H-stat to studies of this enzyme.

Hexokinase (see also vol. VI/B). In 1941 COLOWICK and KALCKAR[1] devised a manometric CO_2 procedure for the assay of this enzyme based on the liberation of hydrogen ion in the reaction,

$$\text{ROH} + \text{ATP} \rightarrow \text{ADP} + (\alpha)\text{H}^+ + (\alpha)\text{R}-\text{O}-\overset{\overset{\text{O}}{\|}}{\underset{\underset{\text{O}^-}{|}}{\text{P}}}-\text{O}^- + (1-\alpha)\text{R}-\text{O}-\overset{\overset{\text{O}}{\|}}{\underset{\underset{\text{O}^-}{|}}{\text{P}}}-\text{OH}.$$

KUNITZ and MCDONALD[2], in their preparation of crystalline hexokinase, used a direct titration assay and SCHWARTZ and MEYERS[3] have recently reported a simple manual p_H-stat procedure for use in kinetic studies of this enzyme. This assay procedure is potentially useful for a wide variety of kinases, ATPases and similar enzymes.

Arginase. The advantages and disadvantages of several chemical procedures for measuring the rate of decomposition of arginine to ornithine and urea by arginase have been comprehensively discussed by GREENBERG[4] (see also vol. VI/C). An application of the p_H-stat to the assay of this enzyme has, however, recently been described by RIGBI[5].

$$\text{R}-\overset{\overset{\text{H}}{|}}{\text{N}}-\overset{\overset{\text{NH}}{\|}}{\text{C}}-\text{NH}_2 + \text{H}_2\text{O} \rightarrow \text{H}_2\text{N}-\overset{\overset{\text{O}}{\|}}{\text{C}}-\text{NH}_2 + (\alpha)\text{H}^+ + (\alpha)\text{R}-\text{NH}_2 + (1-\alpha)\text{R}-\text{NH}_3^+$$

The method is most sensitive at p_H 10.2, where 1 micromole of alkali is required to maintain constant p_H during the hydrolysis of 2.5 micromoles of arginine.

Pectinesterase. SOLMS and DEUEL[6] have reported a kinetic analysis of the hydrolysis of pectin by a pectinesterase obtained from orange peel. Their study was based upon the continuous titration of the liberated carboxyl groups at p_H 7.0.

Penicillinase. The assay of the hydrogen ion released during the hydrolysis of penicillin by this enzyme has evolved in the typical pattern. First, HENRY and HOUSEWRIGHT[7] reported a manometric CO_2-bicarbonate procedure, and then WISE and TWIGG[8] reported an assay based on continuous potentiometric titration. With this latter technique, they were able to demonstrate the apparent zero order character of the reaction and to determine that the optimum p_H was 7.8.

Acid phosphatase (see also vol. VI/B). SCHØNHEYDER[9] has reported on a study of the kinetics of the hydrolysis of phenyl phosphate by prostate "acid" phosphatase in which the rate was measured with the p_H-stat, the p_H being maintained constant by the addition of standard acid.

$$\text{R}-\text{O}-\overset{\overset{\text{O}}{\|}}{\underset{\underset{\text{O}}{|}}{\text{P}}}-\text{O}^- + (\alpha)\text{H}^+ + \text{H}_2\text{O} \rightarrow \text{ROH} + (\alpha)\text{HO}-\overset{\overset{\text{O}}{\|}}{\underset{\underset{\text{OH}}{|}}{\text{P}}}-\text{O}^- + (1-\alpha)\text{HO}-\overset{\overset{\text{O}}{\|}}{\underset{\underset{\text{O}^-}{|}}{\text{P}}}-\text{O}^-$$

The method is based upon the difference in $pK'a$ between the secondary phosphate of phenyl phosphate and that of phosphoric acid.

---

[1] COLOWICK, S. P., and H. M. KALCKAR: J. biol. Ch. **137**, 789 (1941); **148**, 117 (1943).
[2] KUNITZ, M., and M. R. MCDONALD: J. gen. Physiol. **29**, 393 (1946).
[3] SCHWARTZ, M., and T. C. MEYERS: Analyt. Chem., N.Y. **30**, 1150 (1958).
[4] GREENBERG, P. M.; in: Boyer-Lardy-Myrbäck, Enzymes, Vol. IV, p. 257.
[5] RIGBI, M.: Bull. Res. Council Israel **9 A**, 149 (1960).
[6] SOLMS, J., and H. DEUEL: Helv. **38**, 321 (1955).
[9] HENRY, R. J., and R. D. HOUSEWRIGHT: J. biol. Ch. **167**, 559 (1947).
[7] WISE, W. S., and G. H. TWIGG: Analyst **75**, 106 (1950).
[8] SCHØNHEYDER, F.: Biochem. J. **50**, 378 (1952).

Phosphoamidase (see also vol. VI/B). The hydrolysis of amidophosphate by human seminal phosphatase has been the subject of a study by MOLLER[1]. The reaction,

$$O^- - \overset{\overset{O}{\|}}{\underset{\underset{O^-}{|}}{P}} - NH_3^+ + (\alpha) H^+ + H_2O \rightarrow NH_4^+ + (\alpha) HO - \overset{\overset{O}{\|}}{\underset{\underset{O^-}{|}}{P}} - OH + (1 - \alpha) O^- - \overset{\overset{O}{\|}}{\underset{\underset{O^-}{|}}{P}} - OH$$

was followed by measuring the rate of addition of acid with a p_H-stat, and a brief discussion of the kinetics of the reaction, as well as a reaction in which transfer of the phosphate to glycerol is observed, is included.

Dehydrogenases (see also many chapters in this volume). Although many specialized chemical analytical procedures have been devised for kinetic studies of the wide variety of enzymes which catalyze dehydrogenation reactions of biological importance, most kinetic studies have been based on ultraviolet spectrophotometric studies of changes in substrates of these enzymes, particularly diphosphopyridine nucleotide. Recently, however, the p_H-stat has been applied on a more or less preliminary basis to the study of certain dehydrogenases. NEILANDS and CANNON[2] have, for example, briefly investigated the application of this technique to the study of the reaction catalyzed by beef heart lactic dehydrogenase,

$$\text{L-lactate} + DPN^+ \rightarrow \text{pyruvate} + DPNH + H^+$$

CUNNINGHAM[3] has investigated the effects of p_H and the concentration of the different substrates upon the kinetics of the muscle glyceraldehyde-3-phosphate dehydrogenase catalyzed oxidation of glyceraldehyde-3-phosphate,

$$R - \overset{\overset{O}{\|}}{C}H + DPN^+ + H_2O \xrightarrow{\text{arsenate}} R - \overset{\overset{O}{\|}}{C} - O^- + DPNH + 2H^+,$$

and VAN EYS[4] has used the p_H-stat to monitor the large scale production of dihydroxyacetone phosphate by yeast glycerol phosphate dehydrogenase.

No one expects, of course, that the p_H-stat procedure as now used will displace the spectrophotometric method in the routine assay of dehydrogenases, but it would appear that the correlations of hydrogen ion changes with spectrophotometric data may be of increasing value in studies of the mechanism of these reactions.

Application of the p_H-stat to Problems of Protein Structure.

In addition to its role in the assay of enzyme activity, the p_H-stat has found an ever-increasing application in a wide variety of studies of structural modifications of proteins. Some of the more promising and useful of these studies are briefly noted in the following paragraphs. An example of an application to a problem in the area which overlaps both enzyme kinetics and protein structure, the field of enzyme mechanism, is the work of DIXON and NEURATH[5] on the acylation and deacylation of the active center of chymotrypsin. The rate and p_H dependence of the introduction of a single acetyl group into the active center of this enzyme by reaction with p-nitrophenyl acetate was followed spectrophotometrically by following the liberation of nitrophenolate ion. The rate of deacylation of the inactive mono-acetyl enzyme thus produced was determined with a p_H-stat by incubating the protein at the desired p_H with a large excess of the typical ester substrate, acetyl-L-tyrosine ethyl ester, and following the increase in the rate of hydrolysis of the tyrosine ester caused by the appearance of the active deacetylated chymotrypsin. The determination of the $pK'a$ of the enzyme groups controlling acylation and deacylation have played an important role in subsequent studies of the mechanism of action of this enzyme.

---

[1] MOLLER, K. M.: Biochim. biophys. Acta 16, 162 (1955).
[2] NEILANDS, J. B., and M. D. CANNON: Analyt. Chem., Washington 29, 1076 (1957).
[3] CUNNINGHAM, L. W.: Unpublished observations.
[4] EYS, J. VAN: Unpublished observations.
[5] DIXON, G. H., and H. NEURATH: J. biol. Ch. 225, 1049 (1957).

HARRINGTON[1] has used the p_H-stat to follow the liberation of acid and base binding groups on guanidine denaturation of ovalbumin. He was able to show by studies at different p_H values that 8 carboxyl groups were involved in a rapid first-order reaction in acid solution, and that 8 tyrosine hydroxyl groups or lysine amino groups were involved in a similar reaction in alkaline solution. The reactions were shown to be eighth order with respect to guanidine. The related studies of MIHALYI[2] and SCHERAGA and LASKOWSKI[3] on the p_H changes observed during the clotting of fibrinogen, and the observations of EDELHOCH[4] on p_H changes during alkali denaturation of pepsin suggest other applications of the p_H-stat technique in the study of protein structure.

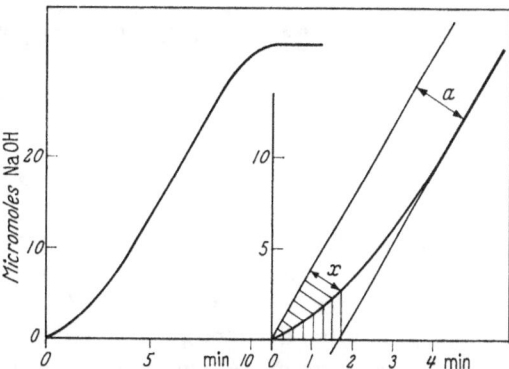

Fig. 3. The rate of deacylation of acetyl-δ-chymotrypsin as measured by the rate of hydrolysis of acetyl-L-tyrosine ethyl ester by the resulting free enzyme. A small amount of a solution of the acetyl-enzyme at p_H 5, where it is stable, was added rapidly to a solution of the ester at the desired higher p_H value. Recordings made with the p_H-stat of the subsequent base uptake as a function of time are shown in this figure. The right-hand portion illustrates the graphical method used to determine the first order rate constant for the deacylation[6].

The rate and extent of several chemical modifications of proteins have been investigated with the p_H-stat. VISWANATHA[5] followed the reaction of trypsin with diisopropylfluorophosphate in the presence and absence of urea,

$$E-H + (RO)_2-\overset{O}{\overset{\|}{P}}F \rightarrow E-\overset{O}{\overset{\|}{P}}-(OR)_2 + H^+ + F^-$$

in his studies of this well-known and important reaction[7]. GUNDLACH, STEIN and MOORE[8] used the titrimetric method both to assay the enzyme and to follow the rate of reaction of ribonuclease with iodoacetate:

$$E-H + I-CH_2-\overset{O}{\overset{\|}{C}}-O \rightarrow E-CH_2-\overset{O}{\overset{\|}{C}}-O^- + H^+ + I^-$$

CUNNINGHAM and NUENKE[9] have investigated the stoichiometry of the reaction of iodine with protein sulfhydryl groups by spectrophotometric and p_H-stat techniques and were able to demonstrate the formation of stable sulfenyl iodides,

$$P-SH + I_2 \rightarrow PSI + H^+ + I^-$$

and to follow the subsequent reaction of these derivatives with a variety of reagents including simple mercaptans

$$P-SI + RSH \rightarrow P-S-S-R + H^+ + I^-.$$

The use of the p_H-stat for following the reaction of peptides with a variety of reagents such as dinitrofluorobenzene, phenylisothiocyanate and carbon disulfide in the course of studies of amino acid sequence analysis has been described by several investigators[10-12] and reviewed by FRAENKEL-CONRAT, HARRIS and LEVY[13].

---

[1] HARRINGTON, W. F.: Biochim. biophys. Acta 18, 450 (1955).
[2] MIHALYI, E.: J. biol. Ch. 209, 723, 733 (1954).
[3] SCHERAGA, H. A., and M. LASKOWSKI: Adv. Protein Chem. 12, 1 (1957).
[4] EDELHOCH, H.: Am. Soc. 80, 6640 (1958).
[5] VISWANATHA, T.: C. R. Lab. Carlsberg, Sér. chim. 30, 183 (1957).
[6] DIXON, G. H., and H. NEURATH: J. biol. Ch. 225, 1049 (1957).
[7] BALLS, A. K., and E. F. JANSEN: Adv. Enzymol. 13, 321 (1952).
[8] GUNDLACH, H. G., W. H. STEIN and S. MOORE: J. biol. Ch. 234, 1754 (1959).
[9] CUNNINGHAM, L. W., and B. J. NUENKE: J. biol. Ch. 234, 1447 (1959).
[10] OTTESEN, M., and A. WOLLENBERGER: C. R. Lab. Carlsberg, Sér. chim. 28, 463 (1953).
[11] LÉONIS, J., and A. L. LEVY: C. R. Lab. Carlsberg, Sér. chim. 29, 57 (1954).
[12] ANDERSEN, W.: Acta chem. scand. 8, 1721 (1954).
[13] FRAENKEL-CONRAT, H., J. I. HARRIS and A. L. LEVY: Meth. biochem. Analysis Bd. II, S. 359 (1955).

Einfache und zusammengesetzte optische Tests mit Pyridinnucleotiden.

Von

Theodor Bücher, Wilfried Luh und Dirk Pette*.

Mit 8 Abbildungen.

A. Allgemeines.

Optischer Test. 1935 entdeckten Otto Warburg und sein Arbeitskreis[1] die „Dihydrobande"[2], eine charakteristische Änderung des Absorptionsspektrums bei der partiellen Hydrierung der Pyridinnucleotide (Abb. 1). Unmittelbar wurde diese spektraloptische Beobachtung bei der Untersuchung der Wirkungsweise und später auch zur Bestimmung des „Zwischenferments" verwertet[3]. In einer für das Wirken Otto Warburgs charakteristischen Weise sind diese Arbeiten zum Ausgangspunkt zugleich neuer Methodik und neuer Erkenntnis geworden. Zur Bedeutung des optischen Tests, der dort erstmals beschrieben worden ist, bedarf es keiner weiteren Worte. Die beste Einführung vermittelt das Studium der Originalarbeiten (vgl. auch [4,5]).

„Dihydrobande". Die photometrische Grundlage des optischen Tests ist das in Abb. 1 enthaltene Differenzspektrum (ausgezogene Linie). Wie wir heute wissen, kommt es durch

---

Abkürzungen:

ADH	Alkohol-Dehydrogenase	ITP	Inosintriphosphat
ADP	Adenosindiphosphat	LDH	Lactat-Dehydrogenase
ALD	Aldolase	MDH	Malat-Dehydrogenase
AMP	Adenosinmonophosphat	ME	malic enzyme
ATP	Adenosintriphosphat	MK	Myokinase, Adenylat-Kinase
BE	Bücher-Einheiten	mM	Millimolar
CMP	Cytidinmonophosphat	P	anorganisches Phosphat
CoA, HS-CoA	Coenzym A	PEP	Phosphoenolpyruvat
DPN, DPNH	Diphosphopyridinnucleotid (oxydiert, reduziert)	6-PGDH	6-Phosphogluconat-Dehydrogenase
		PGK	Glycerat-3-phosphat-Kinase
EDTA	Äthylendiamintetraacetat	PGM	Phosphoglucomutase, Glucosephosphat-Mutase
EN	Enolase		
F6PK	Fructose-6-phosphat-Kinase	2-PGS	D-2-Phosphoglycerat
GAPDH	Glyceraldehyd-3-phosphat-Dehydrogenase	PK	Pyruvat-Kinase
		PN, PNH	Pyridinnucleotid (oxydiert, reduziert)
GDH	α-Glycerophosphat-Dehydrogenase Glycerin-1-phosphat-Dehydrogenase	PP	Pyrophosphat
		TIM	Triosephosphat-Isomerase
GDP	Guanosindiphosphat	TPN, TPNH	Triphosphopyridinnucleotid (oxydiert, reduziert)
GPM	Glyceratphosphat-Mutase, Phosphoglyceromutase	TRAP	Triäthanolamin-hydrochlorid-Puffer
G6PDH	Glucose-6-phosphat-Dehydrogenase	TRIS	Tris-(hydroxymethyl)-aminomethan
GTP	Guanosintriphosphat		
HIM	Hexose-phosphat-Isomerase	UDP	Uridindiphosphat
IDH	Isocitrat-Dehydrogenase	UDPG	Uridindiphosphat-glucose
IDP	Inosindiphosphat	UTP	Uridintriphosphat

* Physiologisch-Chemisches Institut der Philipps-Universität, Marburg a.d.Lahn.

[1] Warburg, O., W. Christian u. A. Griese: B. Z. **282**, 157 (1935).
[2] Warburg, O.: Ergebn. Enzymforsch. **7**, 210 (1938).
[3] Negelein, E., u. E. Haas: B. Z. **282**, 206 (1935).
[4] Warburg, O., u. W. Christian: B. Z. **287**, 291 (1936).
[5] Negelein, E., u. H. J. Wulff: B. Z. **289**, 436 (1937); **293**, 351 (1937).

Allgemeines.

die Umwandlung der Pyridiniumform in die 1,4-Dihydro-pyridinform des Nucleotids zustande[1]:

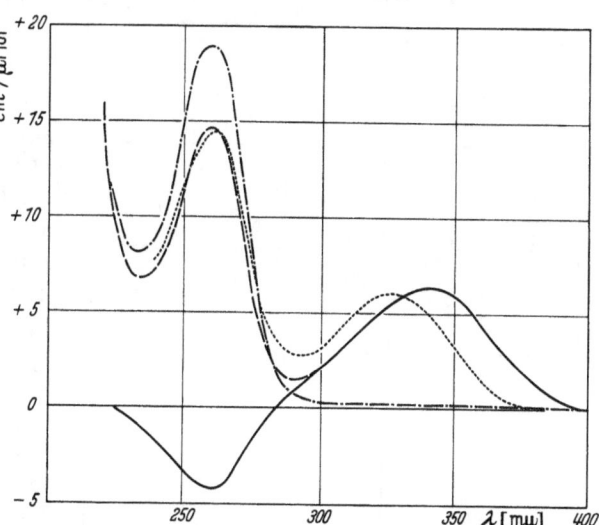

Es hat einen „Gipfel" mit dem Maximum bei 340 mμ und einen „Trog" mit dem Minimum bei 260 mμ. Die Lage des Maximums ist temperaturabhängig[2,3]; es wandert mit steigender Temperatur in Richtung kürzerer Wellenlängen (Tabelle 1). Die p_H-Abhängigkeit des Differenzspektrums ist praktisch unbedeutend — abgesehen von der Instabilität der reduzierten Pyridinnucleotide im sauren Bereich.

Bei der Verwendung von Spektralphotometern mit kontinuierlicher Strahlungsquelle wird für den optischen Test die Wellenlänge 340 mμ gewählt. Dient eine Quecksilberdampflampe als Strahlungsquelle, dann können die Linien 334 mμ (geringe Intensität) und 366 mμ (große Intensität) eingesetzt werden[4]. Die größere Temperaturabhängigkeit des Differenzspektrums bei der letztgenannten Wellenlänge ist kaum störend, da bei höheren Ansprüchen an Genauigkeit ohnehin Temperaturkonstanz erforderlich ist.

Abb. 1. Differenzspektrum DPNH-DPN (—) und Absorptionsspektren von DPN (—·—·), DPNH (— — —) und DPN-HCN (···). Ordinate: dekadischer Extinktionskoeffizient (Schichtdicke 1 cm; Konzentration: millimolar). Im Bereich zwischen 300 und 400 mμ laufen Differenzspektrum und Absorptionsspektrum von DPNH zusammen.

Wie Tabelle 1 zeigt, beträgt der Extinktionskoeffizient bei 366 mμ etwa die Hälfte desjenigen im Maximum.

Tabelle 1. *Differenzspektren bei zwei verschiedenen Temperaturen*[3].

$$\Delta\varepsilon = \frac{\lg\left(\frac{i_0}{i}\right)_{DPNH} - \lg\left(\frac{i_0}{i}\right)_{DPN}}{c \cdot d} \, [cm^2/\mu Mol]$$

(mμ)	+1°C	+25°C	(mμ)	+1°C	+25°C	(mμ)	+1°C	+25°C	(mμ)	+1°C	+25°C
400	—	0,052	366	3,36	3,30	340	6,29	6,29	310	2,95	3,21
390	0,42	0,35	365	3,52	3,48	334	—	6,09	300	1,62	1,87
380	1,22	1,19	360	4,40	4,30	330	5,66	5,80	290	0,65	0,83
370	2,76	2,64	350	5,80	5,76	320	4,41	4,64	285	0,31	0,43

Pyridinnucleotide (PN). Triphospho- und Diphospho-Pyridinnucleotide zeigen weder in der Dihydrobande noch im Redoxpotential Unterschiede von praktischer Bedeutung.

---

[1] PULLMAN, M. E., A. SAN PIETRO and S. P. COLOWICK: J. biol. Ch. **206**, 129 (1954).
[2] CZOK, R.: unveröffentlicht.
[3] HOHORST, H. J.: Diplomarbeit, Universität Marburg 1959.
[4] BEISENHERZ, G., H. J. BOLTZE, T. BÜCHER, R. CZOK, K. H. GARBADE, E. MEYER-ARENDT u. G. PFLEIDERER: Z. Naturforsch. **8b**, 555 (1953).

Die Werte in Tabelle 1 können für beide Nucleotide Anwendung finden. Das Redoxpotential beträgt -320 mVolt (Mittelpotential, $p_H = 7$, 25°, vgl.[1]). Sein Abstand vom Redoxpotential der Substratpartner ist grundlegend für den Aufbau des optischen Tests (Gleichgewichtslage vgl. unten).

Die überwiegende Zahl der Dehydrogenasen unterscheidet scharf zwischen beiden Pyridinnucleotiden. Als Faustregel kann dabei gelten, daß DPN-spezifische Enzyme die Verbindung mit Metaboliten von positiverem Mittelpotential herstellen. Sie werden daher zumeist von der reduzierten Stufe des Nucleotids ausgehend getestet. Das Entgegengesetzte gilt für die TPN-spezifischen Reaktionen des energieliefernden Stoffwechsels.

Weder die oxydierte noch die reduzierte Form der Pyridinnucleotide ist längere Zeit in Lösung haltbar. Ihre Umwandlungs- und Spaltprodukte können unter Umständen erhebliche Inhibitorwirkung entfalten.

Die oxydierte Form ist gegen starke Basen empfindlich[2,3] und addiert nucleophile Agentien, wie z.B. Cyanid und Hydrogensulfit[4-7]. Im letzten Fall bildet sich ein der Dihydrobande ähnliches Absorptionsspektrum aus (Abb. 1, Tabelle 3)[8]. Die Additionsverbindungen selbst sind wegen der Höhe ihrer Dissoziationskonstanten für den optischen Test von geringer Bedeutung; mit manchen Dehydrogenasen, wie z.B. der Lactat-Dehydrogenase des Herzmuskels[9,10] bilden sich jedoch inhibierende Symplexe. Durch Hydrierung mit Hydrosulfit gewonnenes DPNH enthält stets Sulfit und DPN; es ist daher für die Bestimmung einer Reihe von Dehydrogenasen wenig geeignet.

Lösungen der oxydierten Pyridinnucleotide (10 mg/ml) werden durch Zusatz von Natronlauge unter Kühlung und Vermeidung lokaler Überneutralisation auf p_H 5 gebracht. Sie können im Kühlschrank für 1 Woche gehalten werden.

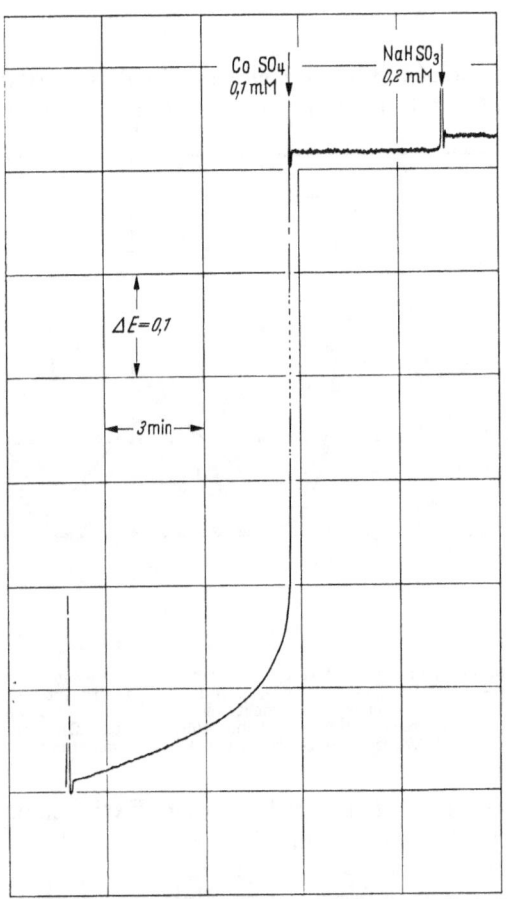

Abb. 2. Reaktion von DPNH mit NaHSO₃ in Gegenwart von Co⁺⁺-Ionen. Registrierung bei 366 mμ von rechts nach links (0,1 m Triäthanolamin-HCl-Puffer, p_H 7,6, 25° C).

Lösungen der reduzierten Stufe müssen täglich neu zubereitet werden. Zwar bleibt bei der Aufbewahrung im Kühlschrank die Extinktion der Lösungen über mehrere Tage konstant, jedoch sinkt der reoxydierbare Anteil stetig. In unserem Laboratorium werden Fläschchen mit je 10 mg Trockensubstanz vorrätig gehalten. Sie werden bei Bedarf in

---

[1] KLINGENBERG, M., and T. BÜCHER: Ann. Rev. **29**, 669 (1960).
[2] SCHLENK, F., H. v. EULER, H. HEIWINKEL u. H. NYSTRÖM: H. **247**, 23 (1937).
[3] KAPLAN, N. O., S. P. COLOWICK and C. C. BARNES: J. biol. Ch. **191**, 461 (1951).
[4] MEYERHOF, O., P. OHLMEYER u. W. MÖHLE: B. Z. **297**, 113 (1938).
[5] COLOWICK, S. P., N. O. KAPLAN and M. M. CIOTTI: J. biol. Ch. **191**, 447 (1951).
[6] BURTON, R. M., and N. O. KAPLAN: J. biol. Ch. **211**, 447 (1954).
[7] KRÖHNKE, F., K. ELLEGAST u. E. BERTRAM: A. **600**, 176 (1956).
[8] CIOTTI, M. M., and N. O. KAPLAN: in: Colowick-Kaplan, Meth. Enzymol. Bd. III, S. 891.
[9] PFLEIDERER, G., D. JECKEL u. T. WIELAND: B. Z. **328**, 187 (1956).
[10] EYS, J. VAN, F. E. STOLZENBACH, L. SHERWOOD and N. O. KAPLAN: Biochim. biophys. Acta **27**, 63 (1958).

1 ml Hydrogencarbonatlösung (1 g/l) gelöst. Bei einem Reinheitsgrad des DPNH von 75—80% ist die Lösung etwa 10 mM. Sie wird während eines Tages verbraucht.

Die Instabilität der reduzierten Pyridinnucleotide im sauren Milieu[1-6] wurde bereits erwähnt. Sie führt über Säureaddukte[7-10] zu Adenosindiphosphat-Ribose. Ein weiteres, durch enzymatische Katalyse entstehendes Produkt hat die Bezeichnung DPNH-X erhalten[7,8,11,12]. Auch im alkalischen Milieu können sich Derivate bilden, so beispielsweise in Gegenwart von Hydrazin oder Semicarbazid, bei gleichzeitiger Gegenwart von Sauerstoff[13].

Auf enzymatischem Wege reduzierte Pyridinnucleotide[14] sind den mit Hydrosulfit bereiteten Präparaten[15,16] bei weitem vorzuziehen. Letztere enthalten u. a. Natriumhydrogensulfit. Sie können von den enzymatisch reduzierten Präparaten unterschieden werden, wenn man ihrer Lösung in Triäthanolamin-Puffer Kobaltkationen zusetzt[17,18] (vgl. Abb. 2 und Legende).

Einfacher optischer Test.

Pyridinnucleotidspezifische, wasserstoffübertragende Enzyme werden im sog. einfachen optischen Test bestimmt:

$$\begin{array}{c} PN + Substrat\text{-}H_2 \\ \updownarrow \text{ Wasserstoffübertragendes Enzym} \\ PNH + H^+ + Substrat \end{array}$$

Je nach der Lage des Gleichgewichts (vgl. oben, beachte auch die Beteiligung der Wasserstoffionen!) geht man von einer Mischung reduzierten Pyridinnucleotids und oxydierter Substratstufe oder umgekehrt aus, registriert also sinkende oder steigende Extinktionen.

Bei der Planung des Tests ist eine größere Zahl von *Bedingungen* exakt festzulegen, deren wichtigste wir nachstehend aufführen:

Vorverdünnung der Enzymlösung*,
eingemessenes Volumen der vorverdünnten Enzymlösung,
Volumen der Testlösung,
Schichtdicke der Küvette,
Wellenlänge (unter Umständen auch Wellenlängenverteilung) des Meßstrahls.
Temperatur,
Wasserstoffionenkonzentration,
Ionenmilieu (spezielle Zusammensetzung und Ionenstärke),
Konzentrationen der Reaktionspartner,
gewollte und ungewollte Einflüsse der Aktivierung und Inaktivierung.

---

* Als Verdünnung bezeichnet man den Faktor, um den sich das Volumen einer Lösung beim Verdünnen vergrößert.

[1] WARBURG, O., W. CHRISTIAN u. A. GRIESE: B. Z. **282**, 157 (1935).
[2] WARBURG, O., u. W. CHRISTIAN: B. Z. **287**, 291 (1936).
[3] EULER, H. v., E. ADLER u. H. HELLSTRÖM: H. **241**, 239 (1936).
[4] ADLER, E., H. HELLSTRÖM u. H. v. EULER: H. **242**, 225 (1936).
[5] KARRER, P., u. O. WARBURG: B. Z. **285**, 297 (1936).
[6] HAAS, E.: B. Z. **288**, 123 (1936).
[7] RAFTER, G. W., S. CHAYKIN and E. G. KREBS: J. biol. Ch. **208**, 799 (1954).
[8] CHAYKIN, S., J. O. MEINHART and E. G. KREBS: J. biol. Ch. **220**, 811, 821 (1956).
[9] HILL, B. R.: Cancer Res. **16**, 461 (1956).
[10] STOCK, A., E. SANN u. G. PFLEIDERER: A. **647**, 188 (1961).
[11] RAFTER, G. W., and S. P. COLOWICK: J. biol. Ch. **224**, 373 (1957).
[12] WALLENFELS, K., u. H. SCHÜLY: B. Z. **329**, 75 (1957).
[13] HOHORST, H. J.: Diplomarbeit, Universität Marburg, 1959.
[14] RAFTER, G. W., and S. P. COLOWICK; in: Colowick-Kaplan, Meth. Enzymol. Bd. III, S. 887.
[15] LEHNINGER, A. L.; in: Colowick-Kaplan, Meth. Enzymol. Bd. III, S. 885.
[16] BEISENHERZ, G., H. J. BOLTZE, T. BÜCHER, R. CZOK, K. H. GARBADE, E. MEYER-ARENDT u. G. PLEIDERER: Z. Naturforsch. **8b**, 555 (1953).
[17] BEALING, I.: persönliche Mitteilung.
[18] PFLEIDERER, G.: persönliche Mitteilung.

Die ersten dieser Daten muß man kennen, weil sie in die Formel zur Errechnung der Aktivität eingehen. Die letzten (Temperatur usw.) charakterisieren das angewandte Verfahren; sie sind für die Auswertung des Meßwertes bedeutungsvoll. In diesem Zusammenhang ist es wichtig, zweierlei zu bedenken:

1. Die Auswirkung dieser Bedingungen auf den Ablauf des Tests variiert nicht nur von Enzym zu Enzym, sondern auch von Isoenzym zu Isoenzym[1,2].

2. Die Auswirkungen einzelner Testbedingungen stehen in gegenseitiger Abhängigkeit.

Tests sind daher innerhalb und außerhalb des Arbeitskreises nur dann vergleichbar, wenn die genannten Bedingungen exakt definiert und eingehalten werden.

Zur Erläuterung des Gesagten sind in Abb. 3 Testwerte (Ordinate) für Lactat-Dehydrogenase in Seren und im Leberextrakt von Patienten gegen die Substratkonzentration (Abszisse, logarithmischer Maßstab) aufgetragen worden. Im unteren Teil steht die von einigen Arbeitskreisen bei klinisch-enzymologischen Untersuchungen angewendete Substratkonzentration verzeichnet. Man erkennt, welche Schwierigkeiten dem Vergleich der Meßwerte bei verschiedenem Material und bei verschiedenen Testmethoden entgegenstehen. Man versteht auch, daß die verdienstvollen Bemühungen um eine Standardisierung der Enzymeinheiten (s. unten) sich nur dann als fruchtbar erweisen können, wenn Werte einander gegenübergestellt werden, die unter vergleichbaren Bedingungen gewonnen worden sind.

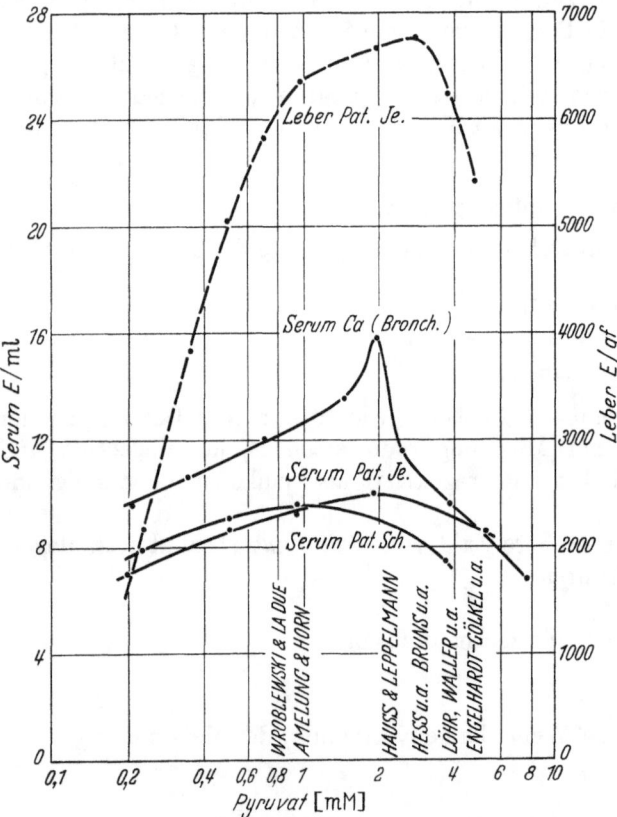

Abb. 3. Lactat-Dehydrogenase-Test im Serum von drei Patienten und im Extrakt eines Leberpunktats. Die Aktivität (Ordinate) wurde gegen die eingesetzte Konzentration von Pyruvat (Abszisse, logarithmisch) aufgetragen. Die Autorennamen stehen an der Stelle der in der betreffenden klinisch-enzymologischen Arbeit eingesetzten Pyruvatkonzentrationen[3-8] (vgl. auch Abb. 8).

In diesem Zusammenhang seien in Stichworten noch einige die praktische Durchführung betreffende Bemerkungen angefügt:

Substrate — sowohl synthetisch gewonnene, als auch aus biochemischen Ansätzen isolierte — sind selten völlig rein und zumeist auch von Charge zu Charge verschieden. Sie enthalten oft andere Metabolite und zuweilen auch inhibierende Derivate. Entsprechendes gilt für die in zusammengesetzten Tests einzusetzenden Hilfsenzyme. Die Überprüfung der Substrate und Hilfsenzyme ist daher ein notwendiger Bestandteil des analytischen Bemühens. In der Regel können dabei die Testreaktionen selbst (enzymatische Analyse) herangezogen werden.

---

[1] MARKERT, C. L., u. F. MØLLER: Proc. nat. Acad. Sci. USA **45**, 753 (1959).
[2] WIELAND, T., u. G. PFLEIDERER: Angew. Chem. **74**, 261 (1962).
[3] WROBLEWSKI, F., and J. D. LADUE: Proc. Soc. exp. Biol. Med. **90**, 210 (1955).
[4] AMELUNG, D., u. H. D. HORN: D. m. W. **1956**, 701.
[5] HAUSS, W. H., u. H. J. LEPPELMANN: Kli. Wo. **1957**, 71.
[6] HESS, B., u. E. GEHM: Kli. Wo. **1955**, 91.
[7] LÖHR, G. W., H. D. WALLER u. O. KARGES: Kli. Wo. **1957**, 871.
[8] ENGLHARDT-GÖLKEL, A., H. EHRHARDT, W. SEITZ u. I. WOLLER: Kli. Wo. **36**, 576 (1958).

In unerlaubter Weise werden gewöhnlich die erheblichen Mengen Ammoniumsulfats vernachlässigt, die mit der Zugabe von Hilfsenzymen in den Test gelangen. Sie beeinflussen den Test über die Ionenstärke, durch spezifische Ionenwirkung und durch die Änderung des p_H (letzteres besonders im alkalischen Bereich). Die Verfasser zentrifugieren daher die in Ammoniumsulfat suspendierten Hilfsenzyme auf der Mikrozentrifuge ab und lösen das für die Untersuchungen eines Tages zureichende Sediment in kaltem, quarzdestilliertem Wasser.

Im Hinblick auf die Enzyminaktivierung ist der blockierende und elektronenübertragende Einfluß von Schwermetallionen hervorzuheben. Bereits die geringen, in einem aus p.a.-Präparaten bereiteten Phosphatpuffer vorhandenen Schwermetallspuren können erhebliche Inaktivierungen hervorrufen. Testlösungen enthalten deshalb fast stets Komplexbildner zur Maskierung der Schwermetallionen, wie z. B. Serumalbumin, Glykokoll, Pyrophosphat, Äthylendiamintetraacetat, Thioglykolat, Cystein und Glutathion. Die letzten vermögen unter Umständen auch wegen ihrer reduzierenden Kraft aktivierend zu wirken.

Optische Tests in reinen Enzympräparaten werden im allgemeinen durch den Zusatz des Enzyms ausgelöst. Auch in diesem Fall sollte man die Konstanz der Extinktion vor der Auslösung des Tests prüfen. Bei 366 mμ zeigt sich in Tests, die von der reduzierten Stufe des Pyridinnucleotids ausgehen, eine geringe Bewegung der Extinktion während der Temperierung.

Zusammengesetzte optische Tests.

Die Wasserstoffübertragung hat hier die Rolle der *Indicatorreaktion*. Durch die Vermittlung eines *koppelnden Substrates* oder sogar einer koppelnden Substratkette wird sie mit der eigentlichen *Testreaktion* verknüpft. Im mehrfach zusammengesetzten Test treten

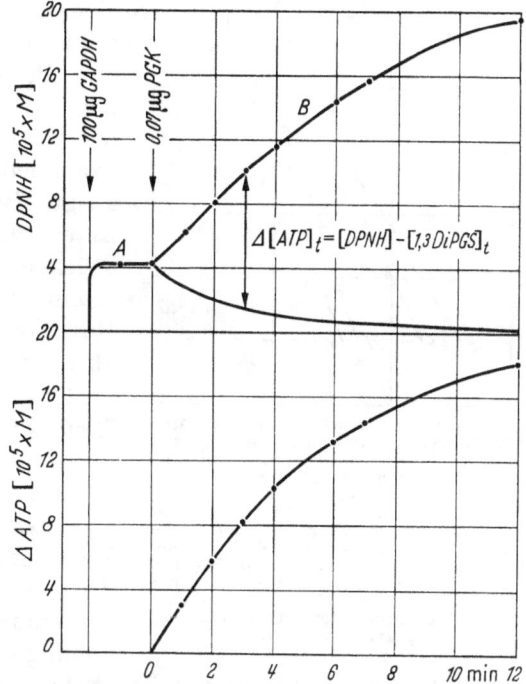

Abb. 4. Auswertung des zusammengesetzten Tests für Phosphoglycerat-Kinase (PKG, „Hinreaktion", vgl. auch S. 317). Punkte oben: gemessene Kinetik der Indicatorreaktion; unten: errechneter Umsatz der Testreaktion. Im Gleichgewicht A sind die Konzentrationen an DPNH und 1,3-Diphosphoglycerat gleich. Nach Zusatz des Testenzyms (Teil B) wird 1,3-Diphosphoglycerat verbraucht, und DPNH steigt entsprechend dem Massenwirkungsgesetz an. Zu den Einzelheiten der Auswertung vgl. die Originalarbeit[1].

zwischen die Indicatorreaktion und die Testreaktion noch weitere Hilfsreaktionen, die Koppelung wird hier also durch eine Substratkette bewirkt:

(a)

Testreaktion — Hilfsreaktion — Indicatorreaktion (PN)

⌣koppelndes Substrat A⌣ ⌣koppelndes Substrat B⌣

(b)

Für den Aufbau und die Auswertung dieser Tests ist entscheidend, ob die Indicatorreaktion am Anfang (Richtung a im vorstehenden Schema) oder am Ende (Richtung b) der Sequenz steht.

Typ (a) Voraussetzung für den Aufbau eines solchen Tests ist, daß im Massenwirkungsgleichgewicht der Indicatorreaktion der Schwerpunkt in Richtung auf die Ausgangsprodukte liegt. Der Test zeigt nicht die Initialverzögerung des Typs (b) und ist daher für die Aktivitätsbestimmung in empirischen Einheiten gut geeignet; die Umsatz-

---

[1] BÜCHER, T.: Biochim. biophys. Acta **1**, 292 (1947).

geschwindigkeit in der Testreaktion ist jedoch verschieden von der Umsatzgeschwindigkeit in der Indicatorreaktion. Sie kann mit Hilfe der Massenwirkungskonstante der Indicatorreaktion errechnet werden. Die näheren Einzelheiten sind aus Abb. 4 ersichtlich.

Typ (b) Die Auswertung der optischen Tests dieses Typs ist um so einfacher, je mehr im Massenwirkungsgleichgewicht der Schwerpunkt in Richtung der Endprodukte liegt. Während der Spiegel des koppelnden Substrats beim zusammengesetzten Test des Typs (a) bereits vor Einsatz des zu testenden Enzyms aufgebaut ist, wird er beim Typ (b) erst nach dem Auslösen des Tests gebildet. Er wird um so niedriger sein, je höher die in der Indicatorreaktion wirkende enzymatische Aktivität ist. Abb. 5 demonstriert dies an einem praktischen Beispiel. In einer Initialphase, in der das koppelnde Substrat bis zum Fließgleichgewicht anwächst, hinkt die Indicatorreaktion hinter der Testreaktion her. Bei zweifach zusammengesetzten Tests kann diese Initialverzögerung zumeist unterdrückt werden, wenn die Aktivität des Indicatorenzyms diejenige des zu testenden Enzyms um zwei Größenordnungen übersteigt. Bei zusammengesetzten Tests höherer Ordnung ist es schwierig, die Initialverzögerung völlig zu unterdrücken. Grundsätzlich empfiehlt es sich bei zusammengesetzten Tests des Typs (b), vor Messen der Reaktionsgeschwindigkeit ein Zehntel der Reaktion ablaufen zu lassen.

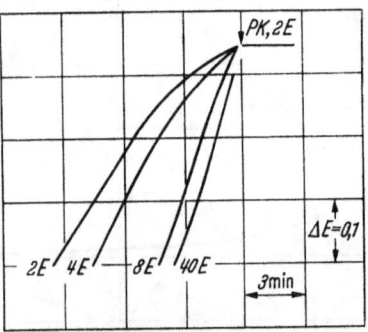

Abb. 5. Einsatz verschiedener Aktivitäten des Indicatorenzyms im zusammengesetzten Test für Pyruvatkinase (Registrierung der Extinktion bei 366 mμ von rechts nach links, T. BÜCHER, unveröffentlicht) (zum Test vgl. auch S. 322). Der Test wurde jeweils durch Zugabe von 2 Einheiten Pyruvatkinase ausgelöst. In der Testlösung befand sich Lactatdehydrogenase (als Indicatorenzym) in den aus der Abbildung ersichtlichen Aktivitäten. (Zur Theorie der Kinetik von Enzymketten vgl.[1].)

Hinweise zur Planung zusammengesetzter optischer Tests sind bereits bei der Besprechung der einfachen Tests gegeben worden. Von großer Bedeutung ist oftmals die Wahl der Wasserstoffionenkonzentration und der Konzentration aktivierender Metallkationen. Im allgemeinen wird man versuchen, das Optimum der Testreaktion einzustellen und die Benachteiligung der Hilfs- und Indicatorreaktionen durch eine Erhöhung der betreffenden Enzymaktivität auszugleichen. Das ist jedoch nicht immer möglich, besonders dann nicht, wenn das koppelnde Substrat durch Metallkationen abgefangen wird.

Tests an ungereinigten Extrakten.

Die exakte Aktivitätsbestimmung in ungereinigten Extrakten, deren breites Enzymspektrum neben der interessierenden Aktivität noch zahlreiche andere aufweist, bereitet zuweilen beträchtliche Schwierigkeiten. Hydrolasen, Isomerasen, Mutasen usw. stören durch die Alteration der in den Test eingesetzten Metabolite. Man hilft sich durch den Einsatz größerer Metabolitkonzentrationen, zuweilen auch durch spezifische Inhibitoren oder, wenn das betreffende Störenzym ein Gleichgewicht einstellt, durch den Einsatz eines dem Gleichgewicht entsprechenden Metabolitgemisches. Besonders unangenehm sind die Störungen durch Oxydation der reduzierten Stufe des Pyridinnucleotids. Mit den drei folgenden Beispielen gehen wir auf einige praktisch wichtige Typen dieser Störungen ein.

1. Rückoxydation durch die Wirkung einer zweiten Dehydrogenase. Glyceraldehydphosphat-Dehydrogenase (GAPDH) (vgl. auch S. 315) wird in reiner Lösung am zweckmäßigsten nach dem einfachen optischen Test OTTO WARBURGs in Gegenwart von Arseniationen getestet:

$$\text{Glyceraldehyd-3-phosphat} + \text{DPN}^+$$
$$\downarrow \text{Arseniat, GADPH}$$
$$\text{Glycerat-3-phosphat} + \text{DPNH} + \text{H}^+$$

---

[1] BERGMEYER, H. U.: B. Z. **324**, 408 (1953).

Befinden sich im Enzympräparat jedoch Triosephosphat-Isomerase und Glycerin-1-phosphat-Dehydrogenase, dann wird je nach der Aktivität dieser Enzyme ein mehr oder minder großer Teil des gebildeten DPNH wieder verbraucht:

$$\text{Glyceraldehyd-3-phosphat} + \text{DPNH} + \text{H}^+$$
$$\downarrow \text{TIM, GDH}$$
$$\text{Glycerinphosphat} + \text{DPN}^+$$

Die Störung wird leicht übersehen. Sie ist dadurch zu erkennen, daß der mit reinem Enzym erreichbare Endwert sich nicht einstellt, man hat also die Kinetik als Ganzes

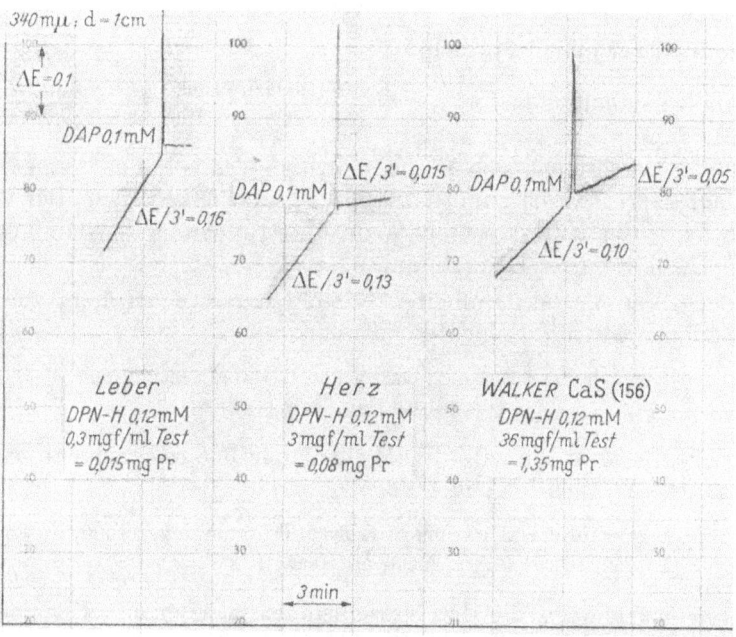

Abb. 6. Tests für Glycerin-1-phosphat-Dehydrogenase an Extrakten der Leber, des Herzens und des WALKER-Carcinoms. Orginalregistrierungen von rechts nach links mit dem Beckman-Photometer DK1. Testlösung: DPNH 0,12 mM, Triäthanolaminpuffer 0,05 M, Äthylendiamintetraacetat 5 mM, pH 7,6, 25° C. Zugabe von Gewebsextrakt (entsprechend dem angegebenen Gewebsfrischgewicht [mgf] bzw. Extraktprotein [Pr.]) vor der Registrierung. Auslösung durch Zugabe von Dihydroxyacetonphosphat 0,1 mM. Mit Steigerung der Extraktmengen im Test wächst die Oxydation von DPNH ohne spezifisches Substrat. Die Vorlaufsgeschwindigkeit wird von der Testgeschwindigkeit substrahiert (vgl. auch die Originalarbeit[1]).

zu untersuchen — ein Vorgehen, das sich bei Messungen an komplexen Medien grundsätzlich empfiehlt.

In Gewebsextrakten, die Glycerophosphat-Dehydrogenase enthalten, wird die Glyceraldehydphosphat-Dehydrogenase daher im sog. Rücktest (vgl. S. 316) bestimmt.

2. Rückoxydation durch die mitochondriale DPNH-Oxydase (vgl. hierzu Abb. 6). Ist der Aktivitätsgehalt des zu bestimmenden Enzyms gering und muß daher ein relativ großes Gewebsaliquot an Extrakt in den Test eingesetzt werden, dann können die in den Extrakten befindlichen DPNH-Oxydasen der Mitochondrien und Mikrosomen erheblich stören. Parallel zur Testreaktion läuft nämlich die Oxydation des DPNH durch Sauerstoff einher:

$$\text{DPNH} + \text{H}^+ + \tfrac{1}{2}\,\text{O}_2 \xrightarrow{\text{DPNH-Oxydase}} \text{DPN}^+ + \text{H}_2\text{O}$$

In Tests, die von der reduzierten Stufe des PN ausgehen, läßt sich diese Verfälschung ziemlich leicht erkennen und auch rechnerisch eliminieren: Man startet wie im Versuch der genannten Abbildungen den Test durch Zugabe eines Substrats, das man möglichst konzentriert einsetzt, um Verdünnungsfehler zu vermindern.

---
[1] DELBRÜCK, A., H. SCHIMASSEK, K. BARTSCH u. T. BÜCHER: B. Z. **331**, 297 (1959).

3. Oxydation des reduzierten Pyridinnucleotids auf Kosten eines im Extrakt befindlichen Substrats. Das bekannteste Beispiel für diese Störung ist die Bestimmung anderer Dehydrogenasen als Lactat-Dehydrogenase im Serum. Durch die gleichzeitige Gegenwart von Pyruvat und Lactat-Dehydrogenase wird bei Einsatz des notwendigen, ziemlich hohen Aliquots an Serum in den Test ein Teil des DPNH der Testmischung oxydiert. Eine unangenehme Störung gleichen Typs wird durch das gleichzeitige Vorhandensein der TPN-spezifischen Glutathion-Reductase und des oxydierten Glutathions in Extrakten, beispielsweise von Erythrocyten, verursacht.

Auswertung.

Wir geben zunächst einige Formeln:

$$\text{Standardeinheiten}^1 \equiv U = \frac{\text{Extinktionszuwachs} \times \text{Testvolumen}}{\text{min} \times \text{Extinktionskoeffizient} \times \text{Schichtdicke}}.$$

Die Rechnung vereinfacht sich, wenn man das Testvolumen numerisch gleich oder in einem einfachen Verhältnis zum Wert des Extinktionskoeffizienten wählt, also z.B. bei 366 mμ 3,3 ml; die Extinktionsskala des Instruments gibt dann unmittelbar den mikromolaren Umsatz in der Küvette an.

Die Zahl der „WROBLEWSKI-Einheiten"[2] in der Küvette errechnet sich nach folgender Formel (Wellenlänge 340 mμ, Schichtdicke 1 cm)

$$\frac{\text{gemessener Extinktionszuwachs} \times 100 \times \text{Testvolumen}}{\text{gewählte Zeit [min]} \times 3}.$$

Die Zahl der „BÜCHER-Einheiten"[3] (Wellenlänge 366 mμ, Schichtdicke 1 cm) in der Küvette errechnet sich nach folgender Formel:

$$\frac{\text{gewählter Extinktionszuwachs} \times \text{Testvolumen} \times 1000}{\text{gestoppte sec}}.$$

Gemäß Tabelle 2 können die drei verschiedenen Enzymeinheiten ineinander umgerechnet werden. Prinzipielles über die Vergleichbarkeit von Testwerten ist bereits oben gesagt worden. An dieser Stelle ist hinzuzufügen, daß die drei angeführten Einheiten

Tabelle 2. *Umrechnungstabelle.*

Gegeben in	Gesucht in		
	U (μMol/min)	BÜCHER-Einheiten	WROBLEWSKI-Einheiten
U (μMol/min)	—	$5{,}50 \times 10^1$	$2{,}07 \times 10^3$
BÜCHER-Einheiten[3]	$1{,}82 \times 10^{-2}$	—	$3{,}78 \times 10^1$
WROBLEWSKI-Einheiten[2]	$4{,}48 \times 10^{-4}$	$2{,}66 \times 10^{-2}$	—

jeweils ein verschiedenes Verfahren der Auswertung repräsentieren. Der „Standard-Unit"[1] liegt die Anfangsgeschwindigkeit im Test zugrunde; die „WROBLEWSKI-Einheit" setzt den bei vorgegebener Zeit gemessenen Extinktionszuwachs ein, während umgekehrt die „BÜCHER-Einheit" die über einen vorgegebenen Extinktionszuwachs gemessene Zeit einsetzt. Gleiche Zahlenwerte erhält man nach den drei Verfahren nur bei geradliniger Kinetik (Reaktionstyp „nullter Ordnung"). Ist die Reaktionsgeschwindigkeit eine Funktion der Zeit, dann sind nur beim ersten und letzten Verfahren die Meßwerte proportional zur eingesetzten Enzymkonzentration. Das erste Verfahren hat den Vorteil der besseren

---

[1] Report of the Commission on Enzymes of the International Union of Biochemistry. Oxford, London, New York, Paris 1961.
[2] KARMEN, A.: J. clin. Invest. **34**, 131 (1955).
[3] BEISENHERZ, G., H. J. BOLTZE, T. BÜCHER, R. CZOK, K. H. GARBADE, E. MEYER-ARENDT u. G. PFLEIDERER: Z. Naturforsch. **8b**, 555 (1953).

Vergleichbarkeit bei einer Variation der Testbedingungen und den Nachteil der geringeren Genauigkeit. Mit dem letzten Verfahren verhält es sich gerade umgekehrt. Abb. 7 erläutert die verschiedenen Möglichkeiten der Auswertung (vgl. auch bei[1]).

Faßt man die gemessene Aktivität als ein Maß für die Enzymmenge auf — was mit einigen Vorbehalten erlaubt ist[2] —, dann kann man sie verwenden, um den Spiegel,

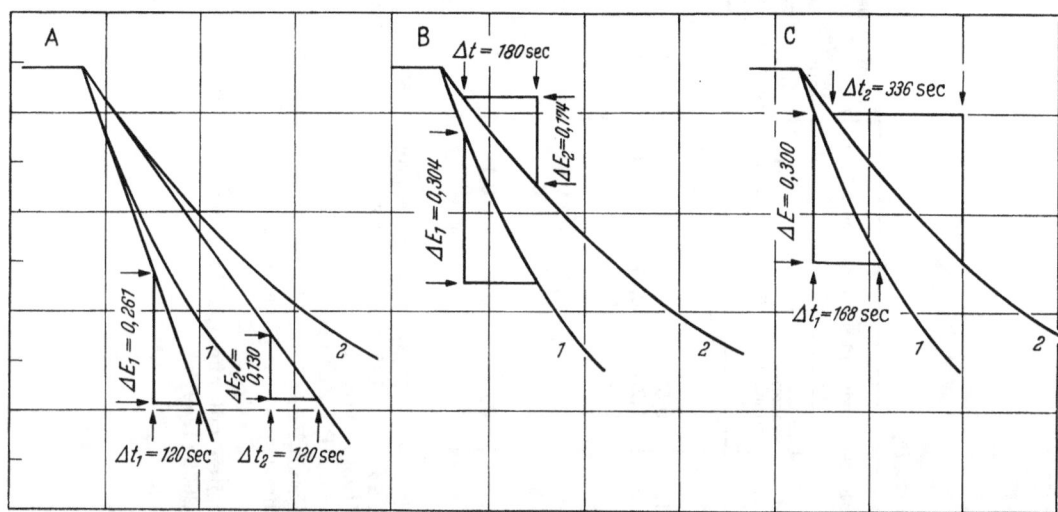

Abb. 7. Die Möglichkeiten der Auswertung eines optischen Tests. (Test auf Lactat-Dehydrogenase, Registrierung der Extinktion bei 366 mμ von links nach rechts, Auslösung durch Zusatz von 4 Einheiten [1] bzw. 2 Einheiten [2] des Enzyms, 0,05 M Triäthanolamin-HCl-Puffer, pH 7,4, 0,22 mM DPNH, 2,4 mM Pyruvat, 5 mM Äthylendiamintetraacetat, $t = 25°C$.) A Anfangsgeschwindigkeit; B Zeit vorgegeben, Extinktionszuwachs gemessen; C Extinktionszuwachs vorgegeben, Zeit gestoppt. Auswertung C hat den Vorteil genauer und zur eingesetzten Aktivität proportionaler Meßwerte.

die Konzentration oder den Gehalt des Enzyms in einer den Versuchen zugrunde liegenden Probe oder auch die spezifische Aktivität einer Enzympräparation zu errechnen:

Der Enzymspiegel einer Serumprobe (Enzymeinheiten/ml Serum):

$$\frac{\text{Einheiten im Test} \times \text{Vorverdünnung}}{\text{einpipettiertes Volumen der Vorverdünnung}}.$$

Der Enzymgehalt eines Organs errechnet sich (Einheiten/g Gewebe):

$$\frac{\text{Einheiten im Test} \times \text{Volumen des Gewebsextraktes} \times \text{Vorverdünnung}}{\text{Gewebsgewicht} \times \text{eingesetztes Volumen der Extraktverdünnung}}.$$

Die spezifische Aktivität einer Enzympräparation (Einheiten/mg Protein):

$$\frac{\text{Einheiten im Test} \times \text{Vorverdünnung der Präparation}}{\text{Proteingehalt der Präparation} \times \text{eingesetztes Volumen der Verdünnung}}.$$

DPN-Analoge. 1953 hat Kaplan[3,4] die enzymatische Synthese von analogen Pyridinnucleotiden beschrieben. In der Folge hat sich hier ein eigenes Gebiet entwickelt, das in wissenschaftlicher Sicht interessante Ansatzpunkte zu vergleichend enzymologischer Arbeit gibt. In methodischer Sicht sind DPN-Analoge aus zwei Gründen interessant (vgl. Tabelle 3). Zum einen hat ihre Dihydrobande ein anderes Absorptionsmaximum, zum anderen haben sie ein anderes Redoxpotential. Die erste Eigenschaft wird ausgenutzt für optische Tests der Wasserstoffübertragung von Nucleotid zu Nucleotid. Die teilweise beträchtlichen Verschiebungen des Redoxpotentials zu positiveren Werten erleichtern die enzymatische Bestimmung einer Reihe von Metaboliten im Endwertverfahren.

---

[1] Beisenherz, G., H. J. Boltze, T. Bücher, R. Czok, K. H. Garbade, E. Meyer-Arendt u. G. Pfleiderer: Z. Naturforsch. **8b**, 555 (1953).
[2] Czok, R., and T. Bücher: Adv. Protein Chem. **15**, 315 (1960).
[3] Zatman, L. J., N. O. Kaplan and S. P. Colowick: J. biol. Ch. **200**, 197 (1953).
[4] Zatman, L. J., N. O. Kaplan, S. P. Colowick and M. M. Ciotti: J. biol. Ch. **209**, 453 (1954).

Tabelle 3. *DPN-Analoge im optischen Test*[a].

Gruppe in Stellung 3 des Pyridinringes (Abkürzung nach KAPLAN)	Absorptions-Maximum des Differenzspektrums[d]		Redoxpotential „Mittelpotential" mv	Relative Reduktionsgeschwindigkeit im optischen Test					Relative Geschwindigkeit der Wasserstoffübertragung von DPNH mit Schweineherz-Diaphorase	Relative Geschwindigkeit der Oxydation mit mikrosomaler Cytochrom-Reductase[c]
	Reduktion durch Dithionit mµ	Hydrogensulfit-Addition mµ		Pferdeleber ADH	Hefe ADH[b]	Kaninchenmuskel LDH	Rinderherz LDH	Kaninchenmuskel GAPDH		
—CO·NH$_2$ (DPN)	340	325	−320	1	1	1	1	1	1	1
—CO·CH$_3$ 3-Acetyl-pyridin (APDPN)	365	345	−248	5,4	0,12	0,5	0,04	0,5	1	0,12
—CO·CH(CH$_3$)$_2$ 3-Isobutyryl-pyridin	360	340	−248	7,92	0,52	1,25	0,37	0,01		
—CO·C$_6$H$_5$ 3-Benzoyl-pyridin	365	360	−247	0,31	0	0	0	0	0,1	
—CO·H Pyridin-3-aldehyd (Py-3-ALDPN)	330	345	etwa −250	1,5	0,02	0,1	0,2	0,01		0,014
—CO·NHNH$_2$ Nicotinsäurehydrazid	335	325	−344	0,68	0,08	0,33	0,09	0,38		
—CS·NH$_2$ Thionicotinamid	400	335	−285	3,48	0,16	0,03	0,41	0,16	1,4	
—NH$_2$ 3-Amino-pyridin	—	—		0	0	0	0	0		
—CH·NOH Pyridin-3-aldoxim	330	315	−347	0,50	0,06	0,07	0,01	0,01		

[a] Zusammengestellt nach ANDERSON, B. M., C. J. CIOTTI and N. O. KAPLAN: J. biol. Ch. **234**, 1219 (1959). — ANDERSON, B. M., and N. O. KAPLAN: J. biol. Ch. **234**, 1226 (1959). — EYS, J. VAN, M. M. CIOTTI and N. O. KAPLAN: J. biol. Ch. **231**, 571 (1958). — STRITTMATTER, P.: J. biol. Ch. **234**, 2665 (1959). — KAPLAN, N. O., M. M. CIOTTI and F. E. STOLZENBACH: J. biol. Ch. **221**, 823, 833 (1956); Arch. Biochem. **69**, 441 (1957). Die Testbedingungen mit APDPN und Py-3-ALDPN sind nicht genau mit denen der anderen DPN-Analoge vergleichbar.

[b] Relative Geschwindigkeiten mit anderen DPN-Analogen (DPN = 1): (Nicotinamid-Ribosid)$_2$PP = 0,75; Desamino-DPN = 17; Desamino-pyridin-aldehyd = 0,01; α-DPN; Pyridin-DPN; Nicotinsäure-DPN; Nicotinamid-ribosid-pyrophosphat-ribose = 0 [EYS, J. VAN, M. M. CIOTTI and N. O. KAPLAN: J. biol. Ch. **231**, 571 (1958)].

[c] Donator: reduziertes Pyridin-nucleotid; Acceptor: Ferricyanid. Relative Geschwindigkeiten mit anderen Analogen des DPNH (DPNH = 1): Desamino-DPNH: 1; NMNH + AMP: 1; TPNH: 0,003 [STRITTMATTER, P.: J. biol. Ch. **234**, 2665 (1959)].

[d] Vgl. auch [SIEGEL, J. M., and G. A. MONTGOMERY: Arch. Biochem. **82**, 288 (1959)].

B. Beispiele einfacher und zusammengesetzter Tests.

Die in dieser kurzen Zusammenstellung aufgeführten Methoden beschränken sich auf einige wesentliche Beispiele einfacher (Abschnitt I) und zusammengesetzter Tests (Abschnitt II). Die Reihenfolge der aufgeführten Enzyme ist alphabetisch. Die Benennung der einzelnen Enzyme entspricht der allgemein üblichen Nomenklatur. Die hinter den Enzymnamen angegebenen Zahlen nehmen Bezug auf die von der „Commission on Enzymes of the International Union of Biochemistry" ausgearbeitete Dezimalklassifikation. Die zu den einzelnen Tests zitierte Literatur beschränkt sich auf wesentliche Angaben zur Methodik. Die unter „Testzusammensetzung" aufgeführten Konzentrationen der Substrate, Coenzyme und Enzyme geben die mit entsprechenden enzymatisch-optischen Testverfahren ermittelten Konzentrationen der Substanzen in der Testlösung an (mM = millimolar).

I. Einfache Tests.

1. Glucose-6-phosphat-Dehydrogenase [1.1.1.49]. s. S. 414
(Zwischenferment)

Glucose-6-phosphat + $TPN^+ \to$ 6-Phosphogluconsäure + TPNH + H^+

Glucose-6-phosphat-Dehydrogenase wurde 1931 von WARBURG und CHRISTIAN entdeckt, die bereits auch die Nucleotidspezifität des Enzyms aufklärten[1]. Die Aktivitätsbestimmung erfolgt modifiziert in dem von KORNBERG und HORECKER angegebenen Test[2].

Testzusammensetzung[3]:

TRAP	50	mM	TPN	0,3	mM
EDTA	5	mM	Glucose-6-phosphat	2	mM

$p_H = 7,6$; $t = 25°C$.

Anmerkung:

In Glycylglycinpuffer, jedoch nicht in Triäthanolamin-HCl-Puffer wirken Mg^{++}-Ionen aktivierend auf die Testreaktion[2,4]. Bei Aktivitätsbestimmungen in ungereinigten Gewebsextrakten wird der Test durch Zusatz von Glucose-6-phosphat gestartet, damit eine die Meßreaktion überlagernde TPN-Reduktion, die durch andere im Extrakt enthaltene TPN-spezifische Dehydrogenasen und deren Substrate bedingt wird, in der Vorreaktion ablaufen kann. Ein Teil des in der Meßreaktion gebildeten TPNH kann z. B. bei Anwesenheit von oxydiertem Glutathion und Glutathion-Reductase (Gewebsextrakt) reoxydiert werden und damit eine zu geringe Aktivität des Enzyms der Meßreaktion vortäuschen. Mit Verbrauch des im Extrakt enthaltenen oxydierten Glutathions endet jedoch diese Störung, die bei nicht zu konzentriertem Einsatz des Extraktes in den Test nur den Initialbereich der Meßreaktion überlagert. Ungleich bedeutungsvoller ist die durch 6-Phosphogluconat-Dehydrogenase (Gewebsextrakt) bedingte Überlagerung der Meßreaktion. Das in der Meßreaktion anfallende 6-Phosphogluconat wird unter TPNH-Bildung weiter in Ribulose-5-phosphat und CO_2 umgesetzt. In Abhängigkeit zum Aktivitätsgehalt dieses Enzyms ergibt sich damit ein von Organ zu Organ wechselnder Fehler bei der Aktivitätsbestimmung des Zwischenfermentes, wenn auch die durch diesen Mechanismus bedingte zusätzliche TPNH-Bildung im Vergleich zu derjenigen der Meßreaktion gering ist, da 6-Phosphogluconat-Dehydrogenase in Abwesenheit von Mg^{++}-Ionen (EDTA-Zusatz im Puffer) und bei der weit unter dem Substrat-Optimum des Enzyms liegenden Konzentration des anfallenden 6-Phosphogluconats unter ungünstigeren Bedingungen wirkt als das Enzym der Meßreaktion.

---

[1] WARBURG, O., u. W. CHRISTIAN: B. Z. **242**, 206 (1931); **287**, 291, 440 (1936).
[2] KORNBERG, A., and B. L. HORECKER; in: Colowick-Kaplan, Meth. Enzymol. Bd. I, S. 323.
[3] DELBRÜCK, A., E. ZEBE u. T. BÜCHER: B. Z. **331**, 273 (1959).
[4] GLASER, L., and D. H. BROWN: J. biol. Ch. **216**, 67 (1955).

2. Glutamat-Dehydrogenase [1.4.1.3]. s. S. 638

L-Glutamat + H_2O + DPN^+ ⇌ α-Ketoglutarat + NH_4^+ + DPNH

Die Aktivitätsbestimmung erfolgt in der von rechts nach links verlaufenden Reaktion. Die bei der reduktiven Aminierung der Ketoglutarsäure ablaufende Oxydation des DPNH wird gemessen[1,2]. Das Enzym reagiert ebenfalls mit TPN[3,4]. Die in verschiedenen tierischen Gewebsextrakten mit TPN gemessenen Aktivitäten erreichen im Durchschnitt 60% des mit DPN erhaltenen Umsatzes[5,6]. Das mit beiden Pyridinnucleotiden reagierende Enzym tierischer Zellen unterscheidet sich somit von den beiden in Hefezellen nachgewiesenen DPN- bzw. TPN-spezifischen Glutamat-Dehydrogenasen[7].

Testzusammensetzung[8,9]:

TRAP	50	mM	DPNH	0,22	mM
EDTA	5	mM	α-Ketoglutarat	3	mM
$(NH_4)_2SO_4$	40	mM			

$p_H = 7{,}6$; $t = 25°$ C.

Anmerkung:

Die in Gewebsextrakten zu beobachtende DPNH-Oxydation durch DPNH-Oxydasen wird im Verlauf der Reaktion vor Zusatz von α-Ketoglutarat gemessen und von der in der Meßreaktion ermittelten Aktivität abgezogen. Diese Störung des Tests ist im Hinblick auf die vorwiegend mitochondriale Lokalisation des Enzyms bei Messungen in Mitochondrien-Extrakten ausgeprägt.

3. Glycerin-1-phosphat-Dehydrogenase [1.1.1.8]. s. S. 831
(Glycerophosphat-Dehydrogenase)

Dihydroxyacetonphosphat + DPNH + H^+
↓
L-Glycerin-1-phosphat + DPN^+

Die DPN-spezifische Dehydrogenase[10] wird in dem von BARANOWSKI[11] angegebenen Test gemessen[8,12-15].

Testzusammensetzung[8,9]:

TRAP	50	mM	DPNH	0,22	mM
EDTA	5	mM	Dihydroxyacetonphosphat	0,4	mM

$p_H = 7{,}6$; $t = 25°$ C.

---

[1] OLSON, J. A., and C. B. ANFINSEN: J. biol. Ch. **197**, 67 (1952).
[2] STRECKER, H. J.; in: Colowick-Kaplan, Meth. Enzymol. Bd. II, S. 220.
[3] EULER, H. v., E. ADLER, G. GÜNTHER u. N. B. DAS: H. **254**, 61 (1938).
[4] MEHLER, A. H., A. KORNBERG, S. GRISOLIA and S. OCHOA: J. biol. Ch. **174**, 961 (1948).
[5] FISHER, H. F., and L. L. McGREGOR: J. biol. Ch. **236**, 791 (1961).
[6] KLINGENBERG, M., and D. PETTE: Biochem. biophys. Res. Comm. **7**, 430 (1962).
[7] HOLZER, H., u. S. SCHNEIDER: B. Z. **329**, 361 (1957).
[8] DELBRÜCK, A., E. ZEBE u. T. BÜCHER: B. Z. **331**, 273 (1959).
[9] PETTE, D., R. W. BROSEMER u. W. VOGELL: B. Z., in Vorbereitung.
[10] EULER, H. v., E. ADLER u. G. GÜNTHER: H. **249**, 1 (1937).
[11] BARANOWSKI, T.: J. biol. Ch. **180**, 535 (1949).
[12] BEISENHERZ, G., H. J. BOLTZE, T. BÜCHER, R. CZOK, K. H. GARBADE, E. MEYER-ARENDT u. G. PFLEIDERER: Z. Naturforsch. **8b**, 555 (1953).
[13] BEISENHERZ, G., T. BÜCHER and K. H. GARBADE; in: Colowick-Kaplan, Meth. Enzymol. Bd. I, S. 391.
[14] YOUNG, H. L., and N. PACE: Arch. Biochem. **75**, 125 (1958).
[15] ANKEL, H., T. BÜCHER u. R. CZOK: B. Z. **332**, 315 (1960).

Anmerkung:

Die Auslösung der Testreaktion erfolgt durch Zugabe von Dihydroxyacetonphosphat, um die bei einer Messung in Gewebsextrakten die Aktivität des Enzyms überlagernde DPNH-Oxydation durch DPNH-Oxydasen im voraus zu ermitteln. Die für den Test gewählte Konzentration von Dihydroxyacetonphosphat liegt im Bereich der Substratsättigung des Enzyms. Kritisch ist die Einhaltung des angegebenen p_H-Wertes. Der p_H der Testlösung entspricht dem p_H-Optimum des Enzyms. Bereits die Verschiebung des p_H-Wertes um 0,1 Einheiten bewirkt eine Minderung der gemessenen Aktivität um 10%[1].

Bei Aktivitätsbestimmungen in Organextrakten kann durch die Wirkung der gleichzeitig vorhandenen Triosephosphat-Isomerase und der Glyceraldehydphosphat-Dehydrogenase und unter Verbrauch des in der Meßreaktion gebildeten DPN ein Teil des eingesetzten Dihydroxyacetonphosphats in D-1,3-Diphosphoglycerat umgewandelt werden[2]. Dabei würde durch die Oxydation des D-3-Glyceraldehydphosphats ein Teil des in der Meßreaktion oxydierten DPN erneut reduziert und damit eine zu geringe Aktivität der Glycerin-1-phosphat-Dehydrogenase vorgetäuscht werden. Praktisch hat jedoch dieser Kreislauf keine Bedeutung[1], sofern in das Testsystem nicht mehr Phosphat gelangt als in den Substraten (als Verunreinigung) und im Organextrakt enthalten ist. Die unter Umständen gebildete Menge des D-3-Glyceraldehydphosphats liegt weit unterhalb des Substratoptimums der Glyceraldehyd-3-phosphat-Dehydrogenase. Zudem begünstigt die Gleichgewichtslage bei fehlendem Phosphatacceptor nicht die hier störende Hydrierung des oxydierten DPN.

4. Isocitrat-Dehydrogenase (TPN) [1.1.1.42]. s. S. 393

$$\text{D-Isocitrat} + \text{TPN}^+ \xrightarrow{\text{Mg}^{++}} \alpha\text{-Ketoglutarat} + CO_2 + \text{TPNH} + H^+$$

Die Oxydation der D-Isocitronensäure verläuft in der von der Isocitrat-Dehydrogenase katalysierten Reaktion über die Stufe der Oxalbernsteinsäure, die in Anwesenheit von Mn^{++}- oder Mg^{++}-Ionen zu α-Ketoglutarsäure decarboxyliert[3-5]. Die Aktivitätsbestimmung erfolgt im Prinzip nach dem Verfahren von OCHOA, wobei das entstehende TPNH gemessen wird.

Testzusammensetzung[1]:

TRAP	50 mM	TPN	0,3 mM
EDTA	5 mM	D-Isocitrat	1,3 mM
$MgSO_4$	8 mM		

$p_H = 7,6$; $t = 25°$ C.

Anmerkung:

Die Reaktion wird durch Zugabe des Substrates gestartet. In Geweben mit geringer Enzymaktivität, wo zur Aktivitätsbestimmung relativ große Volumina des Extraktes in den Test eingesetzt werden, kann im Extrakt enthaltenes Malat zunächst über die vom „malic enzyme" katalysierte Reaktion ablaufen und stört so nicht die Testreaktion. Wird Mn^{++} an Stelle von Mg^{++} in den Test eingesetzt, so testet man zwar höhere Aktivitäten, doch ist besonders beim Vergleich verschiedener Gewebe die Reproduzierbarkeit der Messungen erschwert[1,6,7]. Vgl. Anmerkung zur Aktivitätsbestimmung von „malic enzyme" und Glucose-6-phosphat-Dehydrogenase.

[1] DELBRÜCK, A., E. ZEBE u. T. BÜCHER: B. Z. **331**, 273 (1959).
[2] YOUNG, H. L., and N. PACE: Arch. Biochem. **75**, 125 (1958).
[3] OCHOA, S.: J. biol. Ch. **159**, 243 (1945); **174**, 133 (1948).
[4] OCHOA, S., and W. WEISZ-TABORI: J. biol. Ch. **159**, 245 (1945); **174**, 123 (1948).
[5] OCHOA, S.; in: Colowick-Kaplan, Meth. Enzymol. Bd. I, S. 699.
[6] SIEBERT, G., J. DUBUC, R. C. WARNER and G. W. E. PLAUT: J. biol. Ch. **226**, 965 (1957).
[7] SIEBERT, G., M. CARSIOTIS and G. W. E. PLAUT: J. biol. Ch. **226**, 977 (1957).

5. L-Lactat-Dehydrogenase [1.1.1.27]. s. S. 356

Pyruvat + DPNH + H$^+$ → L-Lactat + DPN$^+$

Das von KUBOWITZ und OTT[1] angegebene Verfahren der Aktivitätsbestimmung beruht auf der Messung der DPNH-Oxydation in der von links nach rechts verlaufenden Reaktion.

Testzusammensetzung[2] (vgl.[3]):

TRAP	50	mM	DPNH	0,22 mM
EDTA	5	mM	Pyruvat	2,4 mM

$p_H = 7,6$; $t = 25°$ C.

Anmerkung:

Bei Messung in Gewebsextrakten empfiehlt es sich, die Meßreaktion durch Zusatz von Pyruvat zu starten, damit die durch DPNH-Oxydasen erfolgende DPNH-Oxydation

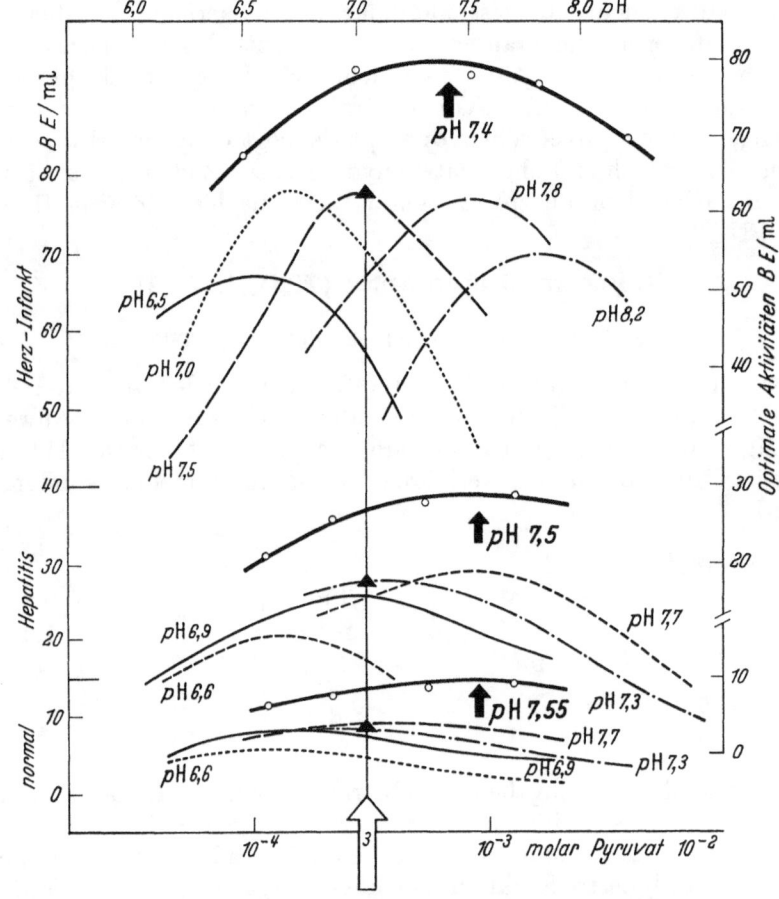

Abb. 8. Ermittlung optimaler Meßbedingungen der LDH-Aktivität im Serum[4]. Koordinaten-System links und unten: LDH-Aktivität bei 1,3 ×10^{-4} M DPNH in Abhängigkeit von der Pyruvatkonzentration; Kurven für verschiedene p_H-Werte. Koordinatensystem rechts und oben, dick ausgezogene Kurven: Optimale LDH-Aktivitäten (entnommen aus obengenannten Kurven) in Abhängigkeit vom p_H-Wert. 25° C, 0,05 m Phosphatpuffer.

im Vorlauf der Reaktion ermittelt und von der in der Meßreaktion bestimmten Aktivität abgezogen werden kann. Die angegebene Pyruvatkonzentration ist nicht für alle Lactat-Dehydrogenasen und deren Isozyme in verschiedenen Organen und Species optimal

[1] KUBOWITZ, F., u. P. OTT: B. Z. **314**, 94 (1943).
[2] DELBRÜCK, A., E. ZEBE u. T. BÜCHER: B. Z. **331**, 273 (1959).
[3] PFLEIDERER, G., u. D. JECKEL: B. Z. **329**, 370 (1957).
[4] Biochemica Boehringer, LDH, Information Dezember 1961, C. F. Boehringer u. Söhne GmbH, Mannheim, Deutschland.

(Literaturzusammenstellung bei [1]). Die optimalen Pyruvatkonzentrationen für die Aktivitätsbestimmung verschiedener Lactat-Dehydrogenasen des Serums sind p_H-abhängig[2] (vgl. Abb. 8).

6. Malat-Dehydrogenase [1.1.1.37].   s. S. 367

Oxalacetat + DPNH + H$^+$ → L-Malat + DPN$^+$

Die Gleichgewichtslage der Reaktion begünstigt die Aktivitätsbestimmung in dem von MEHLER et al.[3,4] angegebenen Test, in dem die Oxydationsrate des DPNH die Meßgröße darstellt. Weiterhin sind mit diesem Test die unterschiedlichen Merkmale der zum Enzymapparat der normalen Zelle gehörigen intra- und extramitochondrial lokalisierten Malat-Dehydrogenasen an Hand kinetischer Studien zu erfassen[5-12].

Testzusammensetzung[8]:

TRAP	50	mM	DPNH	0,22	mM
EDTA	5	mM	Oxalacetat	0,2	mM

$p_H = 7{,}6$; $t = 25°$ C.

Anmerkung:

Der Test wird durch Zusatz von Oxalacetat gestartet. Die Konzentration des im Test eingesetzten Oxalacetats ist im Hinblick auf die unterschiedlichen Substratoptima der intra- und extramitochondrialen Malat-Dehydrogenasen kritisch[8], dies vor allem, da das mitochondriale Enzym eine um eine Größenordnung niedrigere MICHAELIS-Konstante für Oxalacetat aufweist als das extramitochondriale Enzym und im Gegensatz zu diesem beim Überschreiten der optimalen Substratkonzentration stark gehemmt wird[6,8].

Die hier gewählte Konzentration des Oxalacetats stellt insofern einen Kompromiß dar, als sie im Substratoptimum des extramitochondrialen Enzyms liegt, während das mitochondriale Enzym bereits geringgradig gehemmt wird[8]. Für die Reproduzierbarkeit der Meßergebnisse ist auf die Konstanz der im Test eingesetzten Oxalacetatmenge zu achten, was gerade im Hinblick auf die Instabilität der Oxalessigsäure von Bedeutung ist. Die Oxalacetat-Lösung sollte stets frisch angesetzt werden. Das durch Zerfall von Oxalacetat entstandene Pyruvat beträgt nach Abschluß des Tests nicht mehr als 2 % des eingesetzten, sofern die Lösung nicht neutralisiert wird und nicht älter als 2 Std ist[8].

7. Malic Enzyme [1.1.1.38].   s. S. 377

L-Malat + TPN$^+$ $\xrightarrow{Mg^{++}}$ Pyruvat + CO_2 + TPNH + H$^+$

Die Aktivitätsbestimmung des TPN-spezifischen Enzyms erfolgt in der von links nach rechts ablaufenden Reaktion[13-17] in Gegenwart von Mg^{++}-Ionen, da die in ihrer Wirkung

---

[1] Biochemica Boehringer, LDH, Information November 1961, C. F. Boehringer u. Söhne GmbH, Mannheim, Deutschland.
[2] BERGMEYER, H. U., u. E. BERNT, unveröffentlicht, zitiert nach [1].
[3] MEHLER, A. H., A. KORNBERG, S. GRISOLIA and S. OCHOA: J. biol. Ch. **174**, 961 (1948).
[4] OCHOA, S.; in: Colowick-Kaplan, Meth. Enzymol. Bd. I, S. 735.
[5] CHRISTIE, G. S., and J. D. JUDAH: Proc. R. Soc. London (B) **141**, 420 (1953).
[6] DAVIES, D. D., and E. KUN: Biochem. J. **66**, 307 (1957).
[7] BÜCHER, T., u. M. KLINGENBERG: Angew. Chem. **70**, 552 (1958).
[8] DELBRÜCK, A., E. ZEBE u. T. BÜCHER: B. Z. **331**, 273 (1959).
[9] DELBRÜCK, A., H. SCHIMASSEK, K. BARTSCH u. T. BÜCHER: B. Z. **331**, 297 (1959).
[10] WIELAND, T., G. PFLEIDERER, I. HAUPT u. W. WÖRNER: B. Z. **332**, 1 (1959).
[11] SIEGEL, L., and S. ENGLAND: Biochem. biophys. Res. Comm. **3**, 253, 323 (1960).
[12] WOLFE, R. G., and J. B. NEILANDS: J. biol. Ch. **221**, 61 (1956).
[13] OCHOA, S., A. MEHLER and A. KORNBERG: J. biol. Ch. **167**, 871 (1947); **174**, 979 (1948).
[14] VEIGA SALLES, J. B., and S. OCHOA: J. biol. Ch. **187**, 849 (1950).
[15] HARARY, I., S. R. KOREY and S. OCHOA: J. biol. Ch. **203**, 595 (1953).
[16] OCHOA, S.; in: Colowick-Kaplan, Meth. Enzymol. Bd. I, S. 739.
[17] FAULKNER, P.: Biochem. J. **64**, 430 (1956).

dem Magnesium überlegenen Mn^{++}-Ionen bei der im p$_H$-Optimum des Enzyms durchgeführten Messung leicht als Manganhydroxyd oder in Gegenwart von Phosphat (Gewebe, Extraktionsmedium) als basische Manganphosphate ausfallen.

Testzusammensetzung[1]:

TRAP	50 mM	TPN	0,3 mM
EDTA	5 mM	L-Malat	2 mM
MgSO$_4$	8 mM		

p$_H$ = 7,6; t = 25° C.

Anmerkung:
Der Test wird durch Zugabe von L-Malat gestartet (vgl. Anmerkung zu Glucose-6-phosphat-Dehydrogenase, s. S. 303). Bei Messungen in Organextrakten mit geringer Aktivität des „malic enzyme" und großer Aktivität der Lactat-Dehydrogenase (z.B. Skeletmuskel) besteht die Möglichkeit, daß ein Teil des in der Meßreaktion gebildeten Pyruvats unter TPNH-Verbrauch zu Milchsäure reduziert wird. Das Ausmaß dieser Störung ist jedoch gering, da die enzymatisch katalysierte Wasserstoffübertragung vom TPNH auf das Pyruvat bei dem p$_H$ von 7,6 und den geringen Konzentrationen des in der Meßreaktion anfallenden Pyruvats und TPNH unter Bedingungen erfolgt, die weit entfernt von den optimalen Wirkbedingungen einer TPN-spezifischen Lactat-Dehydrogenaseaktivität sind[2]. Verdoppelung der Lactat-Dehydrogenaseaktivität in einem Leberextrakt (Ratte) durch Zusatz von kristallisiertem Enzym führt beispielsweise nicht zu einer Beeinträchtigung der Aktivitätsbestimmung von „malic enzyme"[1].

8. 6-Phosphogluconat-Dehydrogenase [1.1.1.44].   s. S. 414

$$\text{6-Phosphogluconsäure} + \text{TPN}^+ \xrightarrow{\text{Mg}^{++}} \text{Ribulose-5-phosphat} + \text{CO}_2 + \text{TPNH} + \text{H}^+$$

Die Aktivitätsbestimmung erfolgt in dem von HORECKER und SMYRNIOTIS[3] angegebenen Test.

Testzusammensetzung[4]:

TRAP	50 mM	TPN	0,3 mM
EDTA	5 mM	6-Phosphogluconsäure	1 mM
MgSO$_4$	8 mM		

p$_H$ = 7,6; t = 25° C (vgl. Anmerkung zu Glucose-6-phosphat-Dehydrogenase).

II. Zusammengesetzte Tests.

1. Adenylat-Kinase [2.7.4.3].   s. Bd. VI/B

$$\text{ATP} + \text{AMP} \xrightarrow{\text{Mg}^{++}} 2\,\text{ADP}$$

Die Aktivitätsbestimmung im zusammengesetzten Test nach ADAM[5] ist anderen Testverfahren[6] überlegen. Bei Verfolgung der Reaktion von links nach rechts ist das gebildete ADP Phosphatacceptor der von der Pyruvat-Kinase katalysierten Hilfsreaktion, deren eines Produkt in der Indicatorreaktion unter Verbrauch von DPNH zu Lactat reduziert wird.

---

[1] PETTE, D., R. W. BROSEMER u. W. VOGELL: B. Z., in Vorbereitung.
[2] NAVAZIO, F., B. B. ERNSTER and L. ERNSTER: Biochim. biophys. Acta **26**, 416 (1957).
[3] HORECKER, B. L., and P. Z. SMYRNIOTIS; in: Colowick-Kaplan, Meth. Enzymol. Bd. I, S. 323.
[4] DELBRÜCK, A., E. ZEBE u. T. BÜCHER: B. Z. **331**, 273 (1959).
[5] ADAM, H.: B. Z. **335**, 25 (1961).
[6] COLOWICK, S. P.; in: Colowick-Kaplan, Meth. Enzymol. Bd. II, S. 599.

Meßreaktion:

$$\text{ATP} + \text{AMP} \xrightarrow{\text{Mg}^{++}} 2\,\text{ADP}$$

Hilfsreaktion:

$$2\,\text{ADP} + 2\,\text{Phosphoenolpyruvat}$$
$$\text{Pyruvat-Kinase} \downarrow \text{Mg}^{++}, \text{K}^+$$
$$2\,\text{Pyruvat} + 2\,\text{ATP}$$

Indicatorreaktion:

$$2\,\text{Pyruvat} + 2\,\text{DPNH} + 2\,\text{H}^+$$
$$\text{Lactat-Dehydrogenase} \downarrow$$
$$2\,\text{L-Lactat} + 2\,\text{DPN}^+$$

Die Art der hintereinandergeschalteten Reaktionen bedingt, daß das in der Meßreaktion verbrauchte ATP fortlaufend in der Hilfsreaktion regeneriert wird. Pro Molekül umgesetztes AMP werden 2 Moleküle DPNH oxydiert.

Testzusammensetzung[1]:

TRAP	50	mM	ATP	3	mM
EDTA	5	mM	AMP	3	mM
KCl	75	mM	Phosphoenolpyruvat	0,8	mM
MgSO$_4$	8	mM	Pyruvat-Kinase	60	BE/ml Testvolumen
DPNH	0,22 mM		Lactat-Dehydrogenase	120	BE/ml Testvolumen

$p_H = 7{,}6$; $t = 25°\,\text{C}$.

Anmerkung:

In diesem Test wird nicht nur die Aktivität der Adenylat-Kinase unter optimalen Bedingungen gemessen, sondern zugleich und vor allem in Rohextrakten auch die Aktivität der Mg^{++}-aktivierten ATPase und der alkalischen Phosphatase (vgl. Anmerkung zu Pyruvat-Kinase) miterfaßt. Um die Aktivität der ATPase von derjenigen der Adenylat-Kinase bei der Auswertung abziehen zu können, löst man die Meßreaktion durch Zugabe von AMP aus. In der vor Zusatz von AMP ablaufenden Vorreaktion werden zunächst die im ATP und Phosphoenolpyruvat enthaltenen Verunreinigungen an ADP und Pyruvat über das System der Hilfs- und Indicatorreaktion eliminiert, wobei ebenfalls das im ATP enthaltene AMP in der Meßreaktion quantitativ abläuft. Die durch diese Reaktion bedingte DPNH-Oxydation erreicht schnell einen Endwert, während die durch die Wirkung der ATPase und der alkalischen Phosphatase in der Indicatorreaktion gemessene DPNH-Oxydation mit konstanter Geschwindigkeit fortschreitet. Die in der Pyruvat-Kinase und der Lactat-Dehydrogenase eventuell enthaltene Verunreinigung an Adenylat-Kinase ist in einem getrennten Test zu ermitteln und ebenso wie die Aktivität der ATPase von der in der Meßreaktion bestimmten Aktivität abzuziehen.

2. Enolase [4.2.1.11]. s. Bd. VI/C
(Phosphopyruvat-Hydratase)

$$\text{D-Glycerat-2-phosphat} \xrightarrow{\text{Mg}^{++}} \text{Phosphoenolpyruvat} + \text{H}_2\text{O}$$

Die Aktivitätsbestimmung erfolgt im allgemeinen mit Hilfe des von WARBURG und CHRISTIAN angegebenen Tests, bei dem die Bildung von Phosphoenolpyruvat direkt bei einer Wellenlänge von 240 mμ gemessen werden kann[2,3]. In trüben und stark gefärbten Gewebsextrakten ist jedoch die Aktivitätsbestimmung im zusammengesetzten Test bei 340 bzw. 366 mμ vorzuziehen.

---
[1] PETTE, D., R. W. BROSEMER u. W. VOGELL: : B. Z., in Vorbereitung.
[2] WARBURG, O., u. W. CHRISTIAN: B. Z. **310**, 384 (1941).
[3] BÜCHER, T.; in: Colowick-Kaplan, Meth. Enzymol. Bd. I, S. 427.

Meßreaktion:

$$\text{D-Glycerat-2-phosphat} \xrightarrow{Mg^{++}} \text{Phosphoenolpyruvat} + H_2O$$

Hilfsreaktion:

$$\text{Phosphoenolpyruvat} + \text{ADP} \xrightarrow[\text{Pyruvat-Kinase}]{Mg^{++},\ K^+} \text{Pyruvat} + \text{ATP}$$

Indicatorreaktion:

$$\text{Pyruvat} + \text{DPNH} + H^+ \xrightarrow{\text{Lactat-Dehydrogenase}} \text{L-Lactat} + \text{DPN}^+$$

Testzusammensetzung[1,2]:

Imidazol/HCl-Puffer	100	mM	ADP	1 mM
MgSO$_4$	8	mM	D-Glycerat-2-phosphat	1 mM
KCl	75	mM	Pyruvat-Kinase	60 BE/ml Testvolumen
DPNH	0,22	mM	Lactat-Dehydrogenase	120 BE/ml Testvolumen

$p_H = 7{,}0$; $t = 25°$ C.

Anmerkung:

Die Auslösung der Meßreaktion erfolgt durch Zugabe von Enzym bzw. Gewebsextrakt, nachdem zuvor die eventuell in den Substraten enthaltenen Verunreinigungen an Pyruvat oder Phosphoenolpyruvat über das System der Hilfs- und Indicatorreaktion eliminiert worden sind. Im Vorlauf der Reaktion gibt sich gleichzeitig eine eventuelle Verunreinigung der Pyruvat-Kinase und Lactat-Dehydrogenase mit dem Enzym der Meßreaktion zu erkennen. Die störende Aktivität gewebseigener DPNH-Oxydasen ist in einem Kontrolltest ohne Zusatz von 2-Phosphoglycerinsäure zu ermitteln. Bei Messungen in Gewebsextrakten ergeben sich durch die gleichzeitige Anwesenheit von Phosphoglyceromutase, Phosphoglycerat-Kinase und Glyceraldehyd-3-phosphat-Dehydrogenase im Testsystem nicht ohne weiteres zu kontrollierende Fehlerquellen. Das in der Hilfsreaktion anfallende ATP, ebenso wie die Gleichgewichtslage der von der Phosphoglyceromutase katalysierten Reaktion bedingen, daß ein Teil der im Test eingesetzten 2-Phosphoglycerinsäure in Richtung auf die Triosephosphate umgesetzt werden kann. Die dadurch verursachte DPNH-Oxydation überlagert den in der Indicatorreaktion des Testsystems gemessenen Umsatz der Meßreaktion. Im Hinblick auf die in der Hilfs- und Indicatorreaktion eingesetzten hohen Konzentrationen der beteiligten Enzyme und Substrate und die daraus resultierende Verlagerung des Gleichgewichtes im Sinne der Lactatbildung kommt jedoch den diskutierten Nebenreaktionen kaum eine Bedeutung zu. Tatsächlich ergibt sich aus dem Vergleich der mit beiden Testverfahren in verschiedenen Gewebsextrakten bestimmten Enolase-Aktivitäten eine gute Übereinstimmung der gemessenen Werte[3].

3. Fructose-1,6-diphosphat-Aldolase [4.1.2.7]. s. Bd. VI/C

$$\text{Fructose-1,6-diphosphat} \to \text{Dihydroxyacetonphosphat} + \text{Glyceraldehyd-3-phosphat}$$

Die Aktivitätsbestimmung erfolgt nach RACKER[4] im zusammengesetzten Test.

Meßreaktion:

$$\text{Fructose-1,6-diphosphat} \to \text{Dihydroxyacetonphosphat} + \text{Glyceraldehyd-3-phosphat}$$

---

[1] Czok, R.: unveröffentlicht.
[2] Pette, D., R. W. Brosemer u. W. Vogell: B. Z., in Vorbereitung.
[3] Luh, W., u. D. Pette: unveröffentlicht.
[4] Racker, E.: J. biol. Ch. **167**, 843 (1947).

Hilfsreaktion:

$$\text{Glyceraldehyd-3-phosphat} \xrightarrow{\text{Triosephosphat-Isomerase}} \text{Dihydroxyacetonphosphat}$$

Indicatorreaktion:

$$2 \text{ Dihydroxyacetonphosphat} + 2 \text{ DPNH} + 2 \text{ H}^+ \xrightarrow{\text{Glycerin-1-phosphat-Dehydrogenase}} 2 \text{ Glycerin-1-phosphat} + 2 \text{ DPN}^+$$

Testzusammensetzung[1]:

TRAP	50 mM	Fructose-1,6-diphosphat	4 mM
EDTA	5 mM	Triosephosphat-Isomerase	40 BE/ml Testvolumen
DPNH	0,22 mM	Glycerin-1-phosphat-Dehydrogenase	60 BE/ml Testvolumen

$p_H = 7{,}6$; $t = 25°$ C.

Anmerkung:

Die Meßreaktion wird durch Zusatz von Enzym bzw. Gewebsextrakt ausgelöst. Verunreinigungen der Enzyme der Hilfs- und Indicatorreaktion mit Aldolase sind am Vorlauf der Reaktion zu erkennen und von der nach Start der Meßreaktion ermittelten Aktivität abzuziehen. Bei Messungen in Gewebsextrakten ist die Aktivität der gewebseigenen DPNH-Oxydasen zu bestimmen und ebenfalls in Rechnung zu setzen. Der dazu erforderliche Kontrolltest wird ohne Zusatz von Fructose-1,6-diphosphat durchgeführt. Bei Messungen in Hefeextrakten enthält die Testmischung kein EDTA. Fructose-1,6-diphosphat-Aldolase aus Hefe wird durch EDTA vollständig inaktiviert[2].

4. Fructose-6-phosphat-Kinase [2.7.1.11].   s. Bd. VI/B

$$\text{Fructose-6-phosphat} + \text{ATP} \xrightarrow{\text{Mg}^{++}} \text{Fructose-1,6-diphosphat} + \text{ADP}$$

Der von RACKER[3] (vgl. auch [4] und [5]) angegebene Test setzt sich aus einer Sequenz von vier hintereinandergeschalteten Reaktionen zusammen. Nach Art der in den beiden Hilfsreaktionen und in der Indicatorreaktion angeordneten Enzyme erfolgt eine Umwandlung des in der Meßreaktion gebildeten Fructose-1,6-diphosphates in L-Glycerin-1-phosphat. Pro Phosphatübertragung werden zwei Äquivalente an DPNH oxydiert.

Meßreaktion:

$$\text{Fructose-6-phosphat} + \text{ATP} \xrightarrow{\text{Mg}^{++}} \text{Fructose-1,6-diphosphat} + \text{ADP}$$

Hilfsreaktion a:

$$\text{Fructose-1,6-diphosphat} \xrightarrow{\text{Fructose-1,6-diphosphat-Aldolase}} \text{Glyceraldehyd-3-phosphat} + \text{Dihydroxyacetonphosphat}$$

Hilfsreaktion b:

$$\text{Glyceraldehyd-3-phosphat} \xrightarrow{\text{Triosephosphat-Isomerase}} \text{Dihydroxyacetonphosphat}$$

Indicatorreaktion:

$$2 \text{ Dihydroxyacetonphosphat} + 2 \text{ DPNH} + 2 \text{ H}^+ \xrightarrow{\text{Glycerin-1-phosphat-Dehydrogenase}} 2 \text{ Glycerin-1-phosphat} + 2 \text{ DPN}^+$$

---

[1] BEISENHERZ, G., H. J. BOLTZE, T. BÜCHER, R. CZOK, K. H. GARBADE, E. MEYER-ARENDT u. G. PFLEIDERER: Z. Naturforsch. 8b, 555 (1953). — DELBRÜCK, A., E. ZEBE u. T. BÜCHER: B. Z. 331, 273 (1959).
[2] PETTE, D., u. J. ROSENBERG: unveröffentlicht.
[3] RACKER, E.: J. biol. Ch. 167, 843 (1947).
[4] HOLZER, H., J. HAAN u. S. SCHNEIDER: B. Z. 326, 451 (1955).
[5] LING, K. H., W. L. BYRNE and H. LARDY; in: Colowick-Kaplan, Meth. Enzymol. Bd. I, S. 306.

Testzusammensetzung[1,2]:

TRAP	50	mM	Fructose-6-phosphat	1,6 mM
EDTA	5	mM	Aldolase	40 BE/ml Testvolumen
MgSO$_4$	8	mM	Triosephosphat-Isomerase	80 BE/ml Testvolumen
DPNH	0,22	mM	Glycerin-1-phosphat-Dehydrogenase	120 BE/ml Testvolumen
ATP	1,5	mM		

p$_H$ = 7,6; t = 25° C.

Anmerkung:

Die Meßreaktion wird durch Zugabe von Enzym bzw. Gewebsextrakt ausgelöst. Eventuell im Fructose-6-phosphat enthaltenes Fructose-1,6-diphosphat wird so vor dem Start der Meßreaktion über das System der Hilfs- und Indicatorreaktion eliminiert. Die Reaktionsfolge in diesem vierfach zusammengesetzten Test bedingt eine initiale Verzögerung der in der Indicatorreaktion gemessenen DPNH-Oxydation, die jedoch im weiteren Verlauf der Reaktion eine lineare Kinetik zeigt. Die Enzymaktivität im Testansatz sollte den Wert von 2 BE nicht überschreiten, damit die Proportionalität zwischen eingesetzter Enzymmenge und gemessener Aktivität gewahrt bleibt. Kritisch ist das Verhältnis der Konzentrationen von ATP und Mg^{++}-Ionen im Test. Beide beeinflussen sich gegenseitig, so daß bei festgelegter Konzentration der Mg^{++}-Ionen aus der Erhöhung der ATP-Konzentration über ein Optimum eine zunehmende Hemmung der Enzymaktivität resultiert[3,4]. Fructose-6-phosphat-Kinase inaktiviert fast augenblicklich und irreversibel in Lösungen, deren p$_H$-Wert unterhalb des Neutralpunktes liegt[5]. Die Extraktion des aktiven Enzyms gelingt nur in schwach alkalischen Extraktionsmedien. Bei Aktivitätsbestimmungen in Hefeextrakten ist eine fünffach höhere Konzentration an Fructose-6-phosphat in den Test einzusetzen, um im Bereich der Substratsättigung zu messen[5].

5. Fructose-1,6-diphosphat-Phosphatase [3.1.3.11].   s. Bd. VI/B

$$\text{Fructose-1,6-diphosphat} + \text{H}_2\text{O} \xrightarrow{\text{Mg}^{++}} \text{Fructose-6-phosphat} + \text{HPO}_4^{--}$$

Die Aktivitätsbestimmung im zusammengesetzten Test beruht auf dem von RACKER und SCHROEDER[6] angegebenen Verfahren. Das in der Reaktion gebildete Fructose-6-phosphat wird in der von Hexosephosphat-Isomerase katalysierten Hilfsreaktion in Glucose-6-phosphat umgewandelt und schließlich in der Indicatorreaktion zu 6-Phosphogluconsäure oxydiert.

Meßreaktion:

$$\text{Fructose-1,6-diphosphat} + \text{H}_2\text{O} \xrightarrow{\text{Mg}^{++}} \text{Fructose-6-phosphat} + \text{HPO}_4^{--}$$

Hilfsreaktion:

$$\text{Fructose-6-phosphat} \xrightarrow{\text{Hexosephosphat-Isomerase}} \text{Glucose-6-phosphat}$$

---

[1] VOGELL, W., F. R. BISHAI, T. BÜCHER, M. KLINGENBERG, D. PETTE u. E. ZEBE: B. Z. **332**, 81 (1959).
[2] PETTE, D., R. W. BROSEMER u. W. VOGELL: B. Z., in Vorbereitung.
[3] LARDY, H. A., and R. E. PARKS jr.: in: GAEBLER, O. H. (Hrsgb.): Enzymes, Units of Biological Structure and Function, S. 584. New York 1956.
[4] PETTE, D., u. T. BÜCHER [T. BÜCHER, 7. Symp. dtsch. Ges. Endokrinologie. S. 129. Berlin, Göttingen, Heidelberg 1960].
[5] PETTE, D.: unveröffentlicht.
[6] RACKER, E., and E. A. R. SCHROEDER: Arch. Biochem. **74**, 326 (1958).

Indicatorreaktion:

$$\text{Glucose-6-phosphat} + \text{TPN}^+ \xrightarrow{\text{Glucose-6-phosphat-Dehydrogenase}} \text{6-Phosphogluconat} + \text{TPNH} + \text{H}^+$$

Testzusammensetzung[1]:

TRAP	50 mM	Cystein	5 mM
EDTA	5 mM	Fructose-1,6-diphosphat	0,2 mM
MgSO$_4$	8 mM	Hexosephosphat-Isomerase	100 BE/ml Testvolumen
TPN	0,3 mM	Glucose-6-phosphat-Dehydrogenase	100 BE/ml Testvolumen

p$_H$ = 7,6; t = 25° C.

Anmerkung:

Das Enzym der Leber zeigt ein p$_H$-Optimum bei p$_H$ 9,5[2,3]. Bei dem hier gewählten p$_H$ werden etwa 50% der maximalen Aktivität erfaßt. Das im ungereinigten Extrakt gemessene Enzym bedarf der Aktivierung durch Cystein und EDTA[1-4]. Die Meßreaktion wird ausgelöst durch Zusatz von Fructose-1,6-diphosphat in die sonst fertig beschickte und 15 min bei 25° C präinkubierte Test-Küvette.

6. Glucosephosphat-Mutase [2.7.5.1]. s. Bd. VI/B
(Phosphoglucomutase)

$$\text{Glucose-1-phosphat} \xrightarrow[\text{Glucose-1,6-diphosphat}]{\text{Mg}^{++}} \text{Glucose-6-phosphat}$$

Die Aktivitätsbestimmung erfolgt im zusammengesetzten Test nach KLENOW und EMBERLAND[5]. Das in der von Glucose-6-phosphat-Dehydrogenase katalysierten Indicatorreaktion gebildete TPNH ist Meßgröße.

Testzusammensetzung[6]:

TRAP	50 mM	Cystein	10 mM
EDTA	5 mM	Glucose-1-phosphat	8 mM
MgSO$_4$	8 mM	Glucose-6-phosphat-Dehydrogenase	40 BE/ml Testvolumen
TPN	0,3 mM		

p$_H$ = 7,6; t = 25° C.

Anmerkung:

Die Enzymreaktion bedarf des Zusatzes von Glucose-1,6-diphosphat[7-9], wobei von SUTHERLAND et al.[10] die für eine halbmaximale Aktivität erforderliche Menge an LELOIR-Ester mit 5×10^{-7} M bestimmt wurde. Enzymatisch hergestelltes Glucose-1-phosphat enthält im allgemeinen eine ausreichende Beimengung an LELOIR-Ester, so daß sich in dem hier angegebenen Test ein Zusatz dieses Co-Substrates erübrigt. Das Enzym ist gegenüber Schwermetallen sehr empfindlich. Präinkubation mit Äthylendiamintetraacetat[11] und ebenfalls mit Mg^{++}-Ionen in Gegenwart von Imidazol[12] führen zu einer Reaktivierung des Enzyms.

---

[1] BRAUN, L., u. D. PETTE: unveröffentlicht.
[2] MOKRASCH, L. C., and R. W. MCGILVERY: J. biol. Ch. **221**, 909 (1956).
[3] MCGILVERY, R. W.; in: Colowick-Kaplan, Meth. Enzymol. Bd. II, S. 543.
[4] RACKER, E., and E. A. R. SCHROEDER: Arch. Biochem. **74**, 326 (1958).
[5] KLENOW, H., and R. EMBERLAND: Arch. Biochem. **58**, 276 (1955).
[6] PETTE, D., R. W. BROSEMER u. W. VOGELL: B. Z., in Vorbereitung.
[7] LELOIR, L. F., R. E. TRUCCO, C. E. CARDINI, A. C. PALADINI and R. CAPUTTO: Arch. Biochem. **19**, 281 (1948).
[8] NAJJAR, V. A.: J. Biol. Ch. **175**, 281 (1948).
[9] NAJJAR, V. A.; in: Colowick-Kaplan, Meth. Enzymol. Bd. I, S. 294, 1955.
[10] SUTHERLAND, E. W., M. COHN, T. POSTERNAK and C. F. CORI: J. biol. Ch. **180**, 1285 (1949).
[11] MILSTEIN, C.: Biochem. biophys. Res. Comm. **3**, 292 (1960).
[12] ROBINSON, J. P., and V. A. NAJJAR: Biochem. biophys. Res. Comm. **3**, 62 (1960).

Der Test wird durch Zusatz von Enzym bzw. Gewebsextrakt gestartet, damit zunächst das im Glucose-1-phosphat enthaltene Glucose-6-phosphat über die Indicatorreaktion ablaufen kann.

7. Glutamat-Oxalacetat-Transaminase [2.6.1.1]. s. Bd. VI/B
(Aspartat-Aminotransferase)

L-Aspartat + α-Ketoglutarat → Oxalacetat + L-Glutamat

Die Aktivitätsbestimmung erfolgt im Prinzip in dem von KARMEN et al.[1] ausgearbeiteten Test. Das in der von links nach rechts verlaufenden Meßreaktion gebildete Oxalacetat wird in der durch Malat-Dehydrogenase katalysierten Indicatorreaktion unter Verbrauch von DPNH zu Malat reduziert.

In Abänderung der ursprünglichen Vorschrift[1,2] werden bei den hier gewählten Bedingungen zur Aktivitätsbestimmung die zum Teil erheblich differenten katalytischen Eigenschaften verschiedener Formen der Glutamat-Oxalacetat-Transaminase berücksichtigt. Zur enzymatischen Ausrüstung der normalen Zelle gehören eine extramitochondrial und eine intramitochondrial lokalisierte Glutamat-Oxalacetat-Transaminase[2-7]. Beide Enzyme unterscheiden sich hinsichtlich ihrer MICHAELIS-Konstanten für Aspartat und α-Ketoglutarat und zeigen im Test verschiedene p_H-Optima[7]. Das extramitochondriale Enzym erfährt bei Erhöhung der hier angegebenen Konzentrationen von α-Ketoglutarat eine Hemmung seiner Aktivität im Test[7]. Ähnliche Unterschiede betreffen die aus wäßrigen Gewebsextrakten chromatographisch und elektrophoretisch abgetrennten zwei Typen der Glutamat-Oxalacetat-Transaminase[8-11].

Testzusammensetzung[7]:

KH_2PO_4/K_2HPO_4	100	mM	α-Ketoglutarat	5 mM
EDTA	5	mM	L-Aspartat	30 mM
DPNH	0,22	mM	Malat-Dehydrogenase	40 BE/ml Testvolumen

$p_H = 7{,}4$; $t = 25°$ C.

Anmerkung:

Bei Messung in Gewebsextrakten ist zu berücksichtigen, daß außer einer DPNH-Oxydation durch gewebseigene DPNH-Oxydasen ebenfalls ein gewisser Anteil der Glutamat-Dehydrogenase-Aktivität des Extraktes mit in die Messung eingeht. Bei Verwendung von in Ammoniumsulfat suspendierter Malat-Dehydrogenase sind sämtliche Partner der von der Glutamat-Dehydrogenase katalysierten Reaktion, wenn auch nicht in optimalen Konzentrationen, vertreten. Der durch diese Gegebenheiten bedingte, unspezifische Vorlauf der Reaktion wird nach Zusatz des Gewebsextraktes in die fertig beschickte Küvette gemessen und von der nach Zusatz von Aspartat gemessenen Aktivität abgezogen. Eine eventuelle Verunreinigung des Enzyms der Indicatorreaktion mit Glutamat-Oxalacetat-Transaminase ist in einem getrennten Test zu bestimmen und gleichfalls in Rechnung zu setzen.

---

[1] KARMEN, A., F. WROBLEWSKI and J. S. LADUE: J. clin. Invest. **34**, 126 (1955).
[2] DELBRÜCK, A., E. ZEBE u. T. BÜCHER: B. Z. **331**, 273 (1959).
[3] BÜCHER, T., and M. KLINGENBERG: Angew. Chem. **70**, 552 (1958).
[4] VOGELL, W., F. R. BISHAI, T. BÜCHER, M. KLINGENBERG, D. PETTE u. E. ZEBE: B. Z. **332**, 81 (1959).
[5] PETTE, D., M. KLINGENBERG and T. BÜCHER: Biochem. biophys. Res. Comm. **7**, 425 (1962).
[6] PETTE, D., and W. LUH: Biochem. biophys. Res. Comm., **8**, 283 (1962).
[7] PETTE, D., R. W. BROSEMER u. W. VOGELL: B. Z., in Vorbereitung.
[8] FLEISHER, G. A., C. S. POTTER and K. G. WAKIM: Proc. Soc. exp. Biol. Med. **103**, 229 (1960).
[9] FLEISHER, G. A., and K. G. WAKIM: Proc. Soc. exp. Biol. Med. **106**, 283 (1961).
[10] BORST, P., and E. M. PEETERS: Biochim. biophys. Acta **54**, 188 (1961).
[11] BORST, P.: Biochim. biophys. Acta **57**, 256 (1962).

8. Glutamat-Pyruvat-Transaminase [2.6.1.2]. s. Bd. VI/B
(Alanin-Aminotransferase)

L-Alanin + α-Ketoglutarat → Pyruvat + L-Glutamat

In dem von PFLEIDERER et al.[1,2] ausgearbeiteten Test ist das in der von links nach rechts verlaufenden Meßreaktion entstehende Pyruvat Substrat der von Lactat-Dehydrogenase katalysierten Indicatorreaktion.

Testzusammensetzung[3,4]:

KH_2PO_4/K_2HPO_4	100 mM	α-Ketoglutarat	7 mM
EDTA	5 mM	L-Alanin	40 mM
DPNH	0,22 mM	Lactat-Dehydrogenase	40 BE/ml Testvolumen

$p_H = 7,4$; $t = 25°$ C.

Anmerkung:

Die Meßreaktion wird durch Start mit der Aminosäure ausgelöst. Bei Aktivitätsbestimmungen in Gewebsextrakten sind folgende Punkte zu beachten:

1. Eine DPNH-Oxydation durch gewebseigene DPNH-Oxydasen täuscht eine zu hohe Aktivität des Testenzyms vor.
2. Bei Verwendung von in Ammoniumsulfat suspendierter Lactat-Dehydrogenase wird ein Teil der im Gewebsextrakt enthaltenen Aktivität der Glutamat-Dehydrogenase miterfaßt, da mit der Anwesenheit von $(NH_4)^+$-Ionen das System der von diesem Enzym katalysierten Reaktion vollständig ist.

Die vor dem Zusatz von Alanin zu beobachtende DPNH-Oxydation ist darum von der nach dem Start der Meßreaktion mit der Aminosäure erhaltenen Aktivität abzuziehen. Eine eventuelle Verunreinigung des Enzyms der Indicatorreaktion (Lactat-Dehydrogenase) mit Glutamat-Pyruvat-Transaminase ist in einem getrennten Test ohne Zusatz von Testenzym auszuschließen.

9. Glyceraldehyd-3-phosphat-Dehydrogenase [1.2.1.12]. s. S. 574

$$\text{D-Glyceraldehyd-3-phosphat} + DPN^+ + HPO_4^{--}$$
$$\downarrow$$
$$\text{D-1,3-Diphosphoglycerinsäure} + DPNH + H^+$$

a) „Arseniat-Test". Die Aktivitätsbestimmung ist grundsätzlich in zwei verschiedenen Verfahren möglich. In dem von WARBURG und CHRISTIAN[5] angegebenen „Arseniat-Test" wird die in Gegenwart von Arseniat vollständig ablaufende Oxydation des D-Glyceraldehyd-3-phosphats zur D-3-Phosphoglycerinsäure gemessen.

$$\text{D-Glyceraldehyd-3-phosphat} + DPN^+$$
$$\downarrow HAsO_4^{--}$$
$$\text{D-3-Phosphoglycerinsäure} + DPNH + H^+$$

Testzusammensetzung[5-7]:

TRAP	50 mM	DPN	0,2 mM
EDTA	5 mM	Na_2HAsO_4	3 mM
reduziertes Glutathion	1,2 mM	D-Glyceraldehyd-3-phosphat	0,23 mM

$p_H = 7,6$; $t = 25°$ C.

---

[1] PFLEIDERER, G., L. GREIN u. T. WIELAND: Ann. Acad. Sci. fenn. A **60**, 381 (1955).
[2] GREIN, L., u. G. PFLEIDERER: B. Z. **330**, 433 (1958).
[3] DELBRÜCK, A., E. ZEBE u. T. BÜCHER: B. Z. **331**, 273 (1959).
[4] PETTE, D., R. W. BROSEMER u. W. VOGELL: B. Z., in Vorbereitung.
[5] WARBURG, O., u. W. CHRISTIAN: B. Z. **303**, 40 (1939).
[6] BÜCHER, T.: Biochim. biophys. Acta **1**, 292 (1947). — G. BEISENHERZ, H. J. BOLTZE, R. CZOK, T. BÜCHER, K. H. GARBADE, E. MEYER-ARENDT u. G. PFLEIDERER: Z. Naturforsch. **8b**, 555 (1953).
[7] VELICK, S. F.; in: Colowick-Kaplan, Meth. Enzymol. Bd. I, S. 401.

Anmerkung:

Dieser Test ist geeignet, Aktivitätsbestimmungen in gereinigten Extrakten oder reinen Enzymlösungen durchzuführen[1]. Die Gegenwart von Triosephosphat-Isomerase und Glycerin-1-phosphat-Dehydrogenase in Rohextrakten bedingt, daß ein erheblicher Teil des eingesetzten D-Glyceraldehyd-3-phosphats in Dihydroxyacetonphosphat umgewandelt und unter Verbrauch des in der Meßreaktion gebildeten DPNH zu Glycerin-1-phosphat reduziert wird.

b) „Rück-Test". Dem Arseniat-Test überlegen ist der von Bücher u. Mitarb. ausgearbeitete „Rück-Test"[1,2], bei dem nunmehr in der von rechts nach links verlaufenden Reaktion die reduktive Dephosphorylierung der D-1,3-Diphosphoglycerinsäure gemessen wird. In dem zusammengesetzten Test ist die von der Phosphoglycerat-Kinase katalysierte Phosphorylierung der D-3-Phosphoglycerinsäure der Meßreaktion als Hilfsreaktion vorgeschaltet.

Hilfsreaktion:

$$\text{D-3-Phosphoglycerat} + \text{ATP} \xrightarrow[\text{Mg}^{++}]{\text{Phosphoglycerat-Kinase}} \text{D-1,3-Diphosphoglycerat} + \text{ADP}$$

Meßreaktion:

$$\text{D-1,3-Diphosphoglycerat} + \text{DPNH} + \text{H}^+ \downarrow \text{D-Glyceraldehyd-3-phosphat} + \text{HPO}_4^{--} + \text{DPN}^+$$

Testzusammensetzung[3]:

TRAP	50	mM
EDTA	5	mM
MgSO$_4$	3,3	mM
Glutathion (reduziert)	2,4	mM
DPNH	0,22	mM
ATP	1,5	mM
D-3-Phosphoglycerat	7	mM
Phosphoglycerat-Kinase	200	BE/ml Testvolumen

$p_H = 7,6$; $t = 25°$ C.

Anmerkung:

Der Test wird durch Zusatz von Enzym bzw. Gewebsextrakt gestartet, damit eventuell im Hilfsenzym enthaltene Beimengungen an Glyceraldehyd-3-phosphat-Dehydrogenase im Vorlauf der Reaktion erfaßt werden können. Der Test zeigt in dieser Zusammensetzung eine lineare Kinetik und Proportionalität der gemessenen Aktivität zur eingesetzten Enzymmenge.

Enthalten die Versuchsproben neben dem Enzym der Meßreaktion Triosephosphat-Isomerase und Glycerin-1-phosphat-Dehydrogenase, so besteht die Möglichkeit, daß durch die weitere Reduktion des in der Meßreaktion gebildeten Glyceraldehyd-3-phosphats zum Glycerin-1-phosphat eine zu hohe Aktivität des Testenzyms vorgetäuscht wird. Durch Zusatz von Hydrazinsulfat zur Testmischung (1,2 mM) kann die von diesen Enzymen katalysierte weitere Umwandlung des Glyceraldehyd-3-phosphats unterbunden werden[2]. Bei dem hier angegebenen Test erübrigt sich jedoch dieser Zusatz, da der Aldehyd mit der SH-Gruppe des Glutathions eine Verbindung nach Art eines Halbmercaptals eingeht und so der weiteren Reaktion entzogen wird.

---

[1] BÜCHER, T.: Biochim. biophys. Acta **1**, 292 (1947). — G. BEISENHERZ, H. J. BOLTZE, R. CZOK, T. BÜCHER, K. H. GARBADE, E. MEYER-ARENDT u. G. PFLEIDERER: Z. Naturforsch. **8b**, 555 (1953).
[2] DELBRÜCK, A., E. ZEBE u. T. BÜCHER: B. Z. **331**, 273 (1959).
[3] PETTE, D., R. W. BROSEMER u. W. VOGELL: B. Z., in Vorbereitung.

10. Glycerat-3-phosphat-Kinase [2.7.2.3]. s. Bd. VI/B
(3-Phosphoglycerat-Kinase)

$$\text{D-1,3-Diphosphoglycerinsäure} + \text{ADP} \xrightarrow{Mg^{++}} \text{D-3-Phosphoglycerinsäure} + \text{ATP}$$

Von den beiden von BÜCHER[1-3] ausgearbeiteten Aktivitätsbestimmungen im zusammengesetzten Test hat sich vor allem beim Arbeiten mit ungereinigten Extrakten die Messung der Rückreaktion gegenüber der Hinreaktion als überlegen und weniger anfällig erwiesen. Bei Messung der Hinreaktion[1,3] ist die Glyceraldehyd-3-phosphat-Dehydrogenase als Enzym der Indicatorreaktion der Meßreaktion vorgeschaltet, während bei Messung der Rückreaktion Meß- und Indicatorsystem in umgekehrter Reihenfolge angeordnet sind. Die Aktivitätsbestimmung im Rücktest unterscheidet sich von dem für die Glyceraldehyd-3-phosphat-Dehydrogenase beschriebenen Test lediglich durch eine veränderte Konzentration der Mg^{++}-Ionen[4].

Meßreaktion:

$$\text{D-3-Phosphoglycerat} + \text{ATP} \xrightarrow{Mg^{++}} \text{D-1,3-Diphosphoglycerat} + \text{ADP}$$

Indicatorreaktion:

$$\text{D-1,3-Diphosphoglycerat} + \text{DPNH} + H^+ \xrightarrow{\text{Glyceraldehyd-3-phosphat-Dehydrogenase}} \text{D-Glyceraldehyd-3-phosphat} + HPO_4^{--} + DPN^+$$

Testzusammensetzung[4,5]:

TRAP	50	mM
EDTA	5	mM
MgSO$_4$	6,6	mM
DPNH	0,22	mM
Glutathion (reduziert)	2,4	mM
ATP	1,5	mM
D-3-Phosphoglycerat	14	mM
Glyceraldehyd-3-phosphat-Dehydrogenase	100	BE/ml Testvolumen

$p_H = 7,6$; $t = 25°$ C.

Anmerkung:

Im Hinblick auf eine eventuelle Verunreinigung der Glyceraldehyd-3-phosphat-Dehydrogenase mit dem Enzym der Meßreaktion erfolgt der Teststart durch Zugabe von Enzym bzw. Gewebsextrakt. Die im Vorlauf ermittelte Aktivität der im System der Indicatorreaktion enthaltenen Verunreinigung an 3-Phosphoglycerat-Kinase wird von der nach Start der Meßreaktion bestimmten Aktivität abgezogen. Ist eine solche Verunreinigung nicht nachweisbar, so wird bei Messungen in Gewebsextrakten die Meßreaktion durch Zusatz von D-3-Phosphoglycerat ausgelöst, um die Aktivität der die Meßreaktion überlagernden DPNH-Oxydasen in der Vorreaktion zu ermitteln. Gegebenenfalls ist diese in einem getrennten Test ohne D-3-Phosphoglycerat zu messen. Im übrigen gelten die beim Rücktest der Glyceraldehyd-3-phosphat-Dehydrogenase gemachten Ausführungen zur Spezifität des Tests bei Messungen in ungereinigten Extrakten.

---

[1] BÜCHER, T.: Biochim. biophys. Acta **1**, 292 (1947).
[2] BEISENHERZ, G., H. J. BOLTZE, T. BÜCHER, R. CZOK, K. H. GARBADE, E. MEYER-ARENDT u. G. PFLEIDERER: Z. Naturforsch. **8b**, 555 (1953).
[3] BÜCHER, T.; in: Colowick-Kaplan, Meth. Enzymol. Bd. I, S. 415.
[4] VOGELL, W., F. R. BISHAI, T. BÜCHER, M. KLINGENBERG, D. PETTE u. E. ZEBE: B. Z. **332**, 81 (1959).
[5] PETTE, D., R. W. BROSEMER u. W. VOGELL: B. Z., in Vorbereitung.

11. Hexokinase [2.7.1.1].   s. Bd. VI/B

$$\text{Hexose} + \text{ATP} \xrightarrow{\text{Mg}^{++}} \text{Hexose-6-phosphat}$$

Das von O. MEYERHOF[1] entdeckte Enzym katalysiert die Phosphorylierung von D-Glucose, wobei je nach Zelltyp auch andere Hexosen und deren Derivate die Glucose in dieser Reaktion ersetzen können. Die Spezifität und die Substrataffinitäten verschiedener Hexokinasen sind unterschiedlich[2-9]. Die Aktivitätsbestimmung der Hexokinase im zusammengesetzten Test geht aus von dem von SLEIN et al.[9] angegebenen Verfahren, wobei das in der Meßreaktion gebildete Glucose-6-phosphat zum Substrat der von der Glucose-6-phosphat-Dehydrogenase katalysierten Indicatorreaktion wird.

Testzusammensetzung[10,11]:

TRAP	50 mM	ATP	1,5 mM
EDTA	5 mM	D-Glucose	2 mM
MgSO$_4$	8 mM	Glucose-6-phosphat-Dehydrogenase	40 BE/ml Testvolumen
TPN	0,3 mM		

$p_H = 7,6$; $t = 25°$ C.

Anmerkung:

Die Meßreaktion wird ausgelöst durch Zusatz von Enzym bzw. Gewebsextrakt, da das Enzym der Indicatorreaktion geringe Beimengungen an Hexokinase enthalten kann.

12. Hexosephosphat-Isomerase [5.3.1.9].   s. Bd. VI/C

Fructose-6-phosphat → Glucose-6-phosphat

Die Aktivitätsbestimmung erfolgt in dem von SLEIN ursprünglich für Phosphomannose-Isomerase angegebenen zusammengesetzten Test[12,13], wobei das in der Indicatorreaktion gebildete TPNH die Meßgröße darstellt.

Testzusammensetzung[14]:

TRAP	50 mM	Fructose-6-phosphat	1,6 mM
EDTA	5 mM	Glucose-6-phosphat-Dehydrogenase	60 BE/ml Testvolumen
TPN	0,3 mM		

$p_H = 7,6$; $t = 25°$ C.

Anmerkung:

Fructose-6-phosphat enthält im allgemeinen Beimengungen von Glucose-6-phosphat. Die Meßreaktion wird mit Enzym bzw. Gewebsextrakt gestartet, nachdem zuvor das Glucose-6-phosphat über die Indicatorreaktion eliminiert wurde und der durch eine Verunreinigung des Indicatorenzyms mit dem Meßenzym bedingte Vorlauf ermittelt wurde. Die Kinetik des Tests zeigt nach anfänglicher Beschleunigung der Reaktions-

---

[1] MEYERHOF, O.: B. Z. **183**, 176 (1927).
[2] BERGER, L., M. W. SLEIN, S. P. COLOWICK and C. F. CORI: J. gen. Physiol. **29**, 379 (1946).
[3] KUNITZ, M., and M. R. MCDONALD: J. gen. Physiol. **29**, 393 (1946).
[4] SOLS, A., and R. K. CRANE: J. biol. Ch. **210**, 581 (1954).
[5] CRANE, R. K., u. A. SOLS; in: Colowick-Kaplan, Meth. Enzymol. Bd. I, S. 277.
[6] GOTTSCHALK, A.: Biochem. J. **41**, 478 (1947).
[7] BROWN, D. H.: Biochim. biophys. Acta **7**, 487 (1951).
[8] GRANT, P. T., and C. LONG: Biochem. J. **50**, XX (1952).
[9] SLEIN, M. W., G. T. CORI and C. F. CORI: J. biol. Ch. **186**, 763 (1950).
[10] GRIGNANI, F., u. G. W. LÖHR: Kli. Wo. **1960**, 796.
[11] PETTE, D., u. W. LUH: unveröffentlicht.
[12] SLEIN, M. W.: J. biol. Ch. **186**, 753 (1950).
[13] SLEIN, M. W.; in: Colowick-Kaplan, Meth. Enzymol. Bd. I, S. 299.
[14] PETTE, D., R. W. BROSEMER u. W. VOGELL: B. Z., in Vorbereitung.

geschwindigkeit eine zunehmende Reaktionshemmung, die wahrscheinlich auf einer Hemmung des Enzyms durch das in der Indicatorreaktion gebildete 6-Phosphogluconat beruht[1]. Im Hinblick auf die nur im Anfangsbereich der Reaktion bestehende lineare Kinetik sollte die eingesetzte Aktivität des Meßenzyms nicht den Wert von 2 BE/ml Testvolumen überschreiten. In diesem Bereich ist der Test proportional. Der Zusatz von Mg^{++}-Ionen zum Test bewirkt eine Hemmung des Enzyms, insbesondere in Gegenwart von EDTA.

13. Kreatin-Kinase [2.7.3.2]. s. Bd. VI/B
(ATP-Kreatin-Transphosphorylase)

$$\text{Kreatin} + \text{ATP} \xrightarrow{\text{Mg}^{++}} \text{Kreatinphosphat} + \text{ADP}$$

Die Aktivitätsbestimmung im zusammengesetzten, optischen Test ist in Abhängigkeit der gewählten Hilfs- und Indicatorreaktion sowohl in der von links nach rechts verlaufenden Hin- wie in der in umgekehrter Richtung erfolgenden Rückreaktion möglich.

I. Bei Messung der Enzymaktivität in der Hinreaktion[2-4] wird das gebildete ADP zum Substrat der von der Pyruvat-Kinase in Gegenwart von Phosphoenolpyruvat katalysierten Hilfsreaktion. Das entstehende Pyruvat wird in der Indicatorreaktion zu Lactat reduziert.

Meßreaktion:

$$\text{Kreatin} + \text{ATP} \xrightarrow{\text{Mg}^{++}} \text{Kreatinphosphat} + \text{ADP}$$

Hilfsreaktion:

$$\text{ADP} + \text{Phosphoenolpyruvat}$$
$$\text{Pyruvat-Kinase} \downarrow \text{Mg}^{++}, (\text{NH}_4)^+$$
$$\text{ATP} + \text{Pyruvat}$$

Indicatorreaktion:

$$\text{Pyruvat} + \text{DPNH} + \text{H}^+$$
$$\text{Lactat-Dehydrogenase} \downarrow$$
$$\text{L-Lactat} + \text{DPN}^+$$

Testzusammensetzung[4]:

TRAP	50	mM	Kreatin	25	mM
EDTA	5	mM	Phosphoenolpyruvat	0,8	mM
MgSO$_4$	8	mM	Pyruvat-Kinase	60	BE/ml Testvolumen
DPNH	0,22	mM	Lactat-Dehydrogenase	120	BE/ml Testvolumen
ATP	3	mM			

p$_H$ = 7,6; t = 25° C.

Anmerkung:

Die Auslösung der Meßreaktion geschieht durch Zugabe von Enzym bzw. Gewebsextrakt, nachdem das im Phosphoenolpyruvat und ATP eventuell enthaltene Pyruvat bzw. ADP über das System der Hilfs- und Indicatorreaktion abgelaufen ist. Die Art der dem Test zugrunde liegenden Hilfs- und Indicatorreaktion bedingt, daß bei Messungen in Gewebsextrakten Störungen durch gleichzeitig miterfaßte Fremdaktivitäten auftreten können. Enthält das verwendete ATP als Verunreinigung AMP, so überlagert in der Initialphase des Tests bis zum Verbrauch des AMP die von der Adenylat-Kinase katalysierte Reaktion die Meßreaktion. Weiterhin kann durch im Extrakt enthaltene Mg^{++}-aktivierte ATPasen der Phosphatacceptor der Hilfsreaktion (ADP) angeliefert werden.

---

[1] NOLTMANN, E., u. F. H. BRUNS: B. Z. **331**, 436 (1959).
[2] TANZER, M. L., and C. GILVARG: J. biol. Ch. **234**, 3201 (1959).
[3] COLOMBO, J. P., R. RICHTERICH u. E. ROSSI: Kli. Wo. **1962**, 37.
[4] PETTE, D., u. G. RASSNER: Unveröffentlicht.

Schließlich ist das Phosphoenolpyruvat der Wirkung der alkalischen Phosphatase ausgesetzt[1], wobei das entstehende Pyruvat ebenfalls mit in die Bilanz des in der Indicatorreaktion gemessenen Umsatzes eingeht. Das aus der geringen Löslichkeit des Kreatins resultierende, relativ große Volumen der im Test eingesetzten Kreatinlösung, die infolge der Umsetzung in Kreatinin täglich frisch angesetzt werden muß, erlaubt es nicht, die Meßreaktion durch Zugabe von Kreatin zu starten, um in der Vorreaktion die Fremdaktivitäten der aufgezählten Enzyme und der DPNH-Oxydase zu erfassen. Statt dessen ist bei Messungen in ungereinigten Extrakten jeweils ein Kontrolltest ohne Zusatz von Kreatin durchzuführen. Die gemessene Aktivität ist unter den hier angegebenen Bedingungen proportional zur eingesetzten Enzymmenge. Das für den Test gewählte p_H liegt nicht im Bereich des für die Hinreaktion angegebenen optimalen Wertes[2] bei p_H 9,0, doch findet man bei diesem p_H nur eine geringfügige Aktivitätssteigerung, die etwa 25% des bei p_H 7,6 bestimmten Wertes ausmacht. Die Aktivitätsbestimmung bei p_H 9 macht darüber hinaus eine Erhöhung der Konzentrationen der Enzyme der Hilfs- und Indicatorreaktion erforderlich. Bei Verwendung von in Ammoniumsulfat suspendierter Pyruvat-Kinase und Lactat-Dehydrogenase erübrigt sich der Zusatz von K^+-Ionen zum Testsystem, da die Pyruvat-Kinase in Gegenwart von $(NH_4)^+$-Ionen ausreichend aktiv ist.

II. Die Aktivitätsbestimmung im „Rücktest" beruht auf dem von OLIVER angegebenen Prinzip[3]. Das in der Meßreaktion gebildete ATP ist Substrat der in der Hilfsreaktion durch Hexokinase katalysierten Glucosephosphorylierung. Das gebildete Glucose-6-phosphat wird in der Indicatorreaktion zu 6-Phosphogluconsäure umgesetzt.

Meßreaktion:

$$\text{Kreatinphosphat} + \text{ADP} \xrightarrow{Mg^{++}} \text{Kreatin} + \text{ATP}$$

Hilfsreaktion:

$$\text{ATP} + \text{Glucose} \xrightarrow[Mg^{++}]{\text{Hexokinase}} \text{ADP} + \text{Glucose-6-phosphat}$$

Indicatorreaktion:

$$\text{Glucose-6-phosphat} + \text{TPN}^+ \xrightarrow{\text{Glucose-6-phosphat-Dehydrogenase}} \text{6-Phosphogluconat} + \text{TPNH} + H^+$$

Testzusammensetzung[4,5]:

TRAP	50	mM
$MgSO_4$	4	mM
TPN	0,3	mM
Kreatinphosphat	12	mM
ADP	1,3	mM
Glucose	20	mM
Hexokinase	120	BE/ml Testvolumen
Glucose-6-phosphat-Dehydrogenase	40	BE/ml Testvolumen

$p_H = 7,0$; $t = 25°$ C.

Anmerkung:

Man löst die Meßreaktion aus durch Zugabe von Enzym bzw. Gewebsextrakt. Störende Verunreinigungen der Glucose in Form von Glucose-6-phosphat werden so im voraus über die Indicatorreaktion eliminiert. Kreatinphosphat ist in Substanz ebenso wie in Lösung außerordentlich unbeständig. Eine frisch angesetzte, mit NaOH auf p_H 8,6 eingestellte und bei $+4°$ C gehaltene 300 mMol Lösung von Kreatinphosphat ist bereits nach 6 Std zu mehr als 30% zerfallen. Die Kreatinphosphatlösung sollte darum stets

---

[1] FISCHER, F., u. G. SIEBERT: Kli. Wo. **1961**, 202.
[2] NODA, L., S. KUBY u. H. LARDY; in: Colowick-Kaplan, Meth. Enzymol. Bd. II, S. 605.
[3] OLIVER, I. T.: Biochem. J. **61**, 116 (1955).
[4] PETTE, D., u. G. RASSNER: Unveröffentlicht.
[5] STEIN, P., u. W. LAMPRECHT: Kli. Wo. **1962**, 177.

frisch angesetzt, enzymatisch ausgetestet und nicht länger als 2 Std verwendet werden, da die Einhaltung der hier angegebenen optimalen Konzentration für die Reproduzierbarkeit und Vergleichbarkeit verschiedener Messungen unerläßlich ist. Die mit diesem Test am reinen Enzym bestimmte Aktivität ist etwa dreimal so hoch wie die an Hand der Hinreaktion gemessene Aktivität. Dennoch erscheint im Hinblick auf die geringe Stabilität des Kreatinphosphats die Aktivitätsbestimmung in der Hinreaktion, zumindest bei Routinemessungen, geeigneter zu sein. Darüber hinaus läßt sich in der Hinreaktion die den Test überlagernde Aktivität der Mg^{++}-aktivierten ATPasen bestimmen und in Rechnung stellen, während bei der Rückreaktion eine solche Störung unerkannt bleibt und je nach Aktivität der ATPasen einen von Gewebe zu Gewebe unterschiedlichen Fehler in die Messung einführt.

14. Phosphoglyceromutase [2.7.5.3]. s. Bd. VI/B
(Glyceratphosphat-Mutase)

$$\text{D-3-Phosphoglycerat} \xrightarrow{\text{2,3-Diphosphoglycerat}} \text{D-2-Phosphoglycerat}$$

Phosphoglyceromutase wird in dem von SUTHERLAND et al.[1] angegebenen Test gemessen, wobei das Reaktionsprodukt 2-Phosphoglycerinsäure über die von der Enolase und Pyruvat-Kinase katalysierten Hilfsreaktionen in Pyruvat überführt wird, das in der Indicatorreaktion unter Verbrauch von DPNH zu L-Lactat reduziert wird.

Meßreaktion:

$$\text{D-3-Phosphoglycerat} \xrightarrow{\text{2,3-Diphosphoglycerat}} \text{D-2-Phosphoglycerat}$$

Hilfsreaktion a:

$$\text{D-2-Phosphoglycerat} \xrightarrow[Mg^{++}]{\text{Enolase}} \text{Phosphoenolpyruvat} + H_2O$$

Hilfsreaktion b:

$$\text{Phosphoenolpyruvat} + \text{ADP} \xrightarrow[Mg^{++}, K^+]{\text{Pyruvat-Kinase}} \text{Pyruvat} + \text{ATP}$$

Indicatorreaktion:

$$\text{Pyruvat} + \text{DPNH} + H^+ \xrightarrow{\text{Lactat-Dehydrogenase}} \text{L-Lactat} + \text{DPN}^+$$

Testzusammensetzung[2,3]:

TRAP	50	mM	2,3-Diphosphoglycerat	0,5	mM
EDTA	5	mM	D-3-Phosphoglycerat	7	mM
KCl	75	mM	Enolase	40	BE/ml Testvolumen
$MgSO_4$	8	mM	Pyruvat-Kinase	80	BE/ml Testvolumen
DPNH	0,22	mM	Lactat-Dehydrogenase	120	BE/ml Testvolumen
ADP	1	mM			

$p_H = 7{,}6$; $t = 25°$ C.

Anmerkung:

Die Auslösung der Meßreaktion erfolgt durch Zugabe von Enzym bzw. Gewebsextrakt, damit eventuell im System der Hilfs- und Indicatorreaktion enthaltene Verunreinigungen an Phosphoglyceromutase im Vorlauf der Reaktion erfaßt werden können. Die Sequenz der vier hintereinandergeschalteten Reaktionen macht diesen Test anfällig für Störungen. Eine der eingesetzten Enzymmenge proportionale Aktivitätsmessung ist nur dann gewährleistet, wenn das System der Hilfs- und Indicatorreaktion eine ausreichende Kapazität

---

[1] SUTHERLAND, E. W., T. POSTERNAK and C. F. CORI: J. biol. Ch. **181**, 153 (1949).
[2] VOGELL, W., F. R. BISHAI, T. BÜCHER, M. KLINGENBERG, D. PETTE u. E. ZEBE: B. Z. **332**, 81 (1959).
[3] PETTE, D., R. W. BROSEMER u. W. VOGELL: B. Z., in Vorbereitung.

aufweist und die Aktivität des in der Meßreaktion eingesetzten Enzyms den Wert von 2 BE/ml nicht überschreitet. Im übrigen gelten die bei der Aktivitätsbestimmung der Enolase gemachten Anmerkungen.

15. Pyruvat-Kinase [2.7.1.40].   s. Bd. VI/B

$$\text{Phosphoenolpyruvat} + \text{ADP} \xrightarrow{Mg^{++},\ K^+} \text{Pyruvat} + \text{ATP}$$

Die Aktivitätsbestimmung erfolgt in dem von NEGELEIN (vgl.[1-3]) angegebenen Test. Das in der Meßreaktion entstehende Pyruvat wird in der von Lactat-Dehydrogenase katalysierten Indicatorreaktion zu L-Lactat reduziert.

Testzusammensetzung[4]:

TRAP	50 mM	DPNH	0,22 mM
EDTA	5 mM	ADP	1,5 mM
MgSO$_4$	8 mM	Phosphoenolpyruvat	0,8 mM
KCl	75 mM	Lactat-Dehydrogenase	40 BE/ml Testvolumen

$p_H = 7,6$; $t = 25°$ C.

Anmerkung:

Phosphoenolpyruvat enthält als Zerfallsprodukt kleine Mengen an Pyruvat. Die Meßreaktion wird erst nach Ablauf dieser als Verunreinigung vorgegebenen Pyruvatmenge durch Zusatz von Enzym bzw. Gewebsextrakt ausgelöst. Phosphoenolpyruvat wird unter den gewählten Bedingungen zugleich durch die Wirkung der alkalischen Phosphatase in Pyruvat und anorganisches Phosphat gespalten[5]. Bei Messungen in Gewebsextrakten ergibt sich daher die Notwendigkeit, diese die Meßreaktion überlagernde Substratzerlegung in einem Kontrolltest ohne Zusatz von ADP zu ermitteln. Aktivitätsbestimmungen in Hefeextrakten erfordern bei sonst unveränderter Zusammensetzung der Testmischung den Einsatz einer um den Faktor 10 erhöhten Konzentration von Phosphoenolpyruvat[6].

16. Triosephosphat-Isomerase [5.3.1.1].   s. Bd. VI/C

D-Glyceraldehyd-3-phosphat → Dihydroxyacetonphosphat

Die Aktivitätsbestimmung in dem von BÜCHER und GARBADE (vgl.[7,8]) ausgearbeiteten Test, dem die von der Glycerin-1-phosphat-Dehydrogenase katalysierte Indicatorreaktion zugrunde liegt, ist vor allem in Gewebsextrakten anderen optischen Testverfahren überlegen[9,10].

Testzusammensetzung[4,11]:

TRAP	50 mM	D-Glyceraldehyd-3-phosphat	1,5 mMol
EDTA	5 mM	Glycerin-1-phosphat-Dehydrogenase	40 BE/ml Testvolumen
DPNH	0,22 mM		

$p_H = 7,6$; $t = 25°$ C.

---

[1] KUBOWITZ, F., u. P. OTT: B. Z. **317**, 193 (1944).
[2] BEISENHERZ, G., H. J. BOLTZE, T. BÜCHER, R. CZOK, K. H. GARBADE, E. MEYER-ARENDT u. G. PFLEIDERER: Z. Naturforsch. 8b, 555 (1953).
[3] BÜCHER, T., u. G. PFLEIDERER; in: Colowick-Kaplan, Meth. Enzymol. Bd. I, S. 435.
[4] PETTE, D., R. W. BROSEMER u. W. VOGELL: B. Z., in Vorbereitung.
[5] FISCHER, F., u. G. SIEBERT: Kli. Wo. **1961**, 202.
[6] PETTE, D., u. J. ROSENBERG: unveröffentlicht.
[7] MEYER-ARENDT, E., G. BEISENHERZ u. T. BÜCHER: Naturwiss. 2, 59 (1953).
[8] BEISENHERZ, G.; in: Colowick-Kaplan, Meth. Enzymol. Bd. I, S. 387.
[9] WARBURG, O., u. W. CHRISTIAN: B. Z. **314**, 149 (1942).
[10] OESPER, P., and O. MEYERHOF: Arch. Biochem. 27, 224 (1950).
[11] DELBRÜCK, A., E. ZEBE u. T. BÜCHER: B. Z. **331**, 273 (1959).

Anmerkung:

Glycerin-1-phosphat-Dehydrogenase enthält unter Umständen geringe Beimengungen an Triosephosphat-Isomerase. Die Aktivität des damit im System der Indicatorreaktion enthaltenen Meßenzyms wird vor der Auslösung der Meßreaktion durch Zugabe von Enzym bzw. Gewebsextrakt bestimmt.

C. Literaturzusammenstellung.

Bei der Gliederung dieses Abschnittes sind wir vom Typ der Tests ausgegangen. Wir beginnen mit den einfachen Tests (I.), beschreiben also zunächst die Tests für pyridinnucleotidspezifische Dehydrogenasen. Die Reihenfolge der Enzyme ist alphabetisch. Die darauffolgenden zusammengesetzten Tests (II.) wurden nach dem Typ der Hilfs- und Indicatorreaktion zusammengefaßt. Hier ergibt sich eine funktionelle Ordnung nach den koppelnden Substraten. Die Beschreibung der einzelnen Meßverfahren beschränkt sich auf die Darstellung der den Tests zugrunde liegenden Reaktionen bzw. Reaktionssequenzen. Ihre Durchführung erscheint uns ohne ein vorheriges Studium der zitierten Originalarbeiten nicht sinnvoll.

I. Einfache Tests.

1. Acetoin-Dehydrogenase [1.1.1.5].   s. S. 740
(Diacetyl-Reductase)

$$\text{Diacetyl} + \text{DPNH} + \text{H}^+ = \text{Acetoin} + \text{DPN}^+$$

Lit.: STRECKER, H. J., and J. HARARY: J. biol. Ch. **211**, 263 (1954).

2. DPN-Aldehyd-Dehydrogenase [1.2.1.3].   s. S. 557

$$\text{Aldehyd} + \text{DPN}^+ + \text{H}_2\text{O} = \text{Säure} + \text{DPNH} + \text{H}^+$$

Lit.: RACKER, E.: J. biol. Ch. **177**, 883 (1949).
RACKER, E.; in: Colowick-Kaplan, Meth. Enzymol. Bd. I, S. 514.
LEUTHARDT, F.: Helv. **36**, 227 (1953).

3. TPN-Aldehyd-Dehydrogenase [1.2.1.4].   s. S. 566

$$\text{Aldehyd} + \text{TPN}^+ + \text{H}_2\text{O} = \text{Säure} + \text{TPNH} + \text{H}^+$$

Lit.: SEEGMILLER, J. E.: J. biol. Ch. **201**, 629 (1953).
SEEGMILLER, J. E.; in: Colowick-Kaplan, Meth. Enzymol. Bd. I; S. 511.

4. Kaliumaktivierte Aldehyd-Dehydrogenase [1.2.1.5].   s. S. 562

$$\text{Aldehyd} + \text{PN}^+ + \text{H}_2\text{O} = \text{Säure} + \text{PNH} + \text{H}^+$$

Lit.: BLACK, S.; in: Colowick-Kaplan, Meth. Enzymol. Bd. I, S. 508.
BLACK, S.: Arch. Biochem. **34**, 86 (1951).

5. Aldose-Reductase [1.1.1.21].   s. S. 707

$$\text{Polyol} + \text{TPN}^+ = \text{Aldose} + \text{TPNH} + \text{H}^+$$

Lit.: HERS, H. G.: Biochim. biophys. Acta **22**, 202 (1956).

6. Alkohol-Dehydrogenase (DPN) [1.1.1.1].   s. S. 350

$$\text{Alkohol} + \text{DPN}^+ = \text{Aldehyd} + \text{DPNH} + \text{H}^+$$

Lit.: EULER, H. v., E. ADLER u. H. HELLSTRÖM: H. **241**, 239 (1936).
NEGELEIN, E., u. H. J. WULFF: B. Z. **293**, 351 (1937).
RACKER, E.: J. biol. Ch. **184**, 313 (1950).
BONNICHSEN, R. K., and N. G. BRINK; in: Colowick-Kaplan, Meth. Enzymol. **1**, 495.
THEORELL, H., and R. K. BONNICHSEN: Acta chem. scand. **5**, 1105 (1951).

7. Alkohol-Dehydrogenase (TPN) [1.1.1.2].

Alkohol + TPN$^+$ = Aldehyd + TPNH + H$^+$

Lit.: TANENBAUM, ST. W.: Biochim. biophys. Acta **21**, 335 (1956).
Moss, R. D. DE: J. Bact. **68**, 252 (1954).

8. Aspartat-semialdehyd-Dehydrogenase [1.2.1.11]. s. S. 766

L-Aspartat-β-semialdehyd + Phosphat + TPN$^+$ = L-β-Aspartyl-phosphat + TPNH + H$^+$

Lit.: BLACK, S., and N. G. WRIGHT: J. biol. Ch. **213**, 39 (1955).

9. Betain-aldehyd-Dehydrogenase [1.2.1.8]. s. S. 573

Betainaldehyd + DPN$^+$ + H$_2$O = Betain + DPNH + H$^+$

Lit.: ROTHSCHILD, H. A., and E. S. G. BARRON: J. biol. Ch. **209**, 511 (1954).

10. Chinon-Reductase [1.6.5.1]. s. S. 775
(Pyridin-Nucleotid-Chinon-Reductase)

PNH + H$^+$ + Chinon = PN$^+$ + Diphenol

Lit.: WOSILAIT, W. D., and A. NASON: J. biol. Ch. **206**, 255 (1954).
FRIMMER, M.: B. Z. **332**, 522 (1960).
WOSILAIT, W. D., A. NASON and A. N. TERRELL: J. biol. Ch. **206**, 271 (1954).

11. Cortison-Reductase [1.1.1.53]. s. S. 519

20-Dihydrocortison + TPN$^+$ = Cortison + TPNH + H$^+$

(Wirkt ebenfalls auf andere 17,20,21-Trihydroxysteroide.)
Lit.: RECKNAGEL, R. O.: J. biol. Ch. **227**, 273 (1957).

12. Cystin-Reductase [1.6.4.1].

L-Cystin + DPNH + H$^+$ = 2 L-Cystein + DPN$^+$

Lit.: ROMANO, A. H., and W. J. NICKERSON: J. biol. Ch. **208**, 409 (1954).

13. Dihydroorotat-Dehydrogenase. s. S. 772

Dihydroorotat + DPN$^+$ = Orotat + DPNH + H$^+$

Lit.: LIEBERMAN, I., and A. KORNBERG: Biochim. biophys. Acta **12**, 223 (1953).
FRIEDMANN, H. C., and B. VENNESLAND: J. biol. Ch. **233**, 1398 (1958) [Test bei 340 mμ].

14. Diol-Dehydrogenase.

3,5-Cyclohexadien-1,2-diol + TPN$^+$ = Catechol + TPNH + H$^+$

Lit.: AYENGAR, P. K., O. HAYAISHI, M. NAKAJIMA and I. TOMIDA: Biochim. biophys. Acta **33**, 111 (1959).

15. DPNH-Cytochrom c-Reductase [1.6.2.1]. s. S. 858

DPNH + H$^+$ + oxy. Cytochrom c = DPN$^+$ + red. Cytochrom c

Lit.: HATEFI, Y., A. G. HAAVIK and P. JURTSHUK: Biochim. biophys. Acta **52**, 107 (1961).
BRODIE, A. F.; in: Colowick-Kaplan, Meth. Enzymol. Bd. II, S. 693.

16. Formaldehyd-Dehydrogenase [1.2.1.1].

Formaldehyd + DPN$^+$ = Formiat + DPNH + H$^+$

Lit.: STRITTMATTER, P., and E. G. BALL: J. biol. Ch. **213**, 445 (1955).

17. Glucose-Dehydrogenase [1.1.1.47].   s. S. 718

β-D-Glucose + PN$^+$ = D-Gluconolacton + PNH + H$^+$ (enzymatisch)

D-Gluconolacton + H$_2$O = D-Gluconsäure (nicht enzymatisch)

(Oxydiert ebenfalls D-Xylulose.)

Lit.: STRECKER, H. J.; in: Colowick-Kaplan, Meth. Enzymol. Bd. I, S. 335.
STRECKER, H. J., and S. KORKES: J. biol. Ch. **196**, 769 (1952).

18. Glucose-6-phosphat-Dehydrogenase.   s. S. 414

19. Glucuronat-Reductase [1.1.1.19 und 1.1.1.20].   s. S. 721

a) D-Glucuronat + TPNH + H$^+$ = L-Gulonat + TPN$^+$

b) D-Glucurono-γ-lacton + TPNH + H$^+$ = L-Gulono-γ-lacton + TPN$^+$

(Ebenso Reduktion von D-Galakturonat und Lactonen von D-Glucuronat und D-Galakturonat.)

Lit.: MANO, Y., K. YAMADA, K. SUZUKI and N. SHIMAZONO: Biochim. biophys. Acta **34**, 563 (1959).
SHIMAZONO, N., and Y. MANO: Ann. N.Y. Acad. Sci. **92**, 91 (1961).
GROLLMANN, A. P., and A. L. LEHNINGER: Arch. Biochem. **69**, 458 (1957).

20. Glutamat-Dehydrogenase.   s. S. 638

21. Glutaminsäure-semialdehyd-Reductase.   s. S. 765

Glutaminsäure-semialdehyd + DPNH + H$^+$ = Prolin + DPN$^+$

Lit.: SMITH, M. E., and D. M. GREENBERG: J. biol. Ch. **226**, 317 (1957).

22. Glutathion-Reductase [1.6.4.2].   s. S. 888

Glutathion (oxyd.) + TPNH + H$^+$ = 2-Glutathion (red.) + TPN$^+$

Lit.: RACKER, E.: J. biol. Ch. **217**, 855 (1955).
RACKER, E.; in: Colowick-Kaplan, Meth. Enzymol. Bd. II, S. 722.
HORN, H. D., u. F. H. BRUNS: B. Z. **331**, 58 (1959).

23. D-Glycerat-Dehydrogenase [1.1.1.29].   s. S. 743

D-Glycerat + PN$^+$ = Hydroxypyruvat + PNH + H$^+$

Lit.: HEINZ, F., u. W. LAMPRECHT: H. **325**, 280 (1961).

24. Glycerin-Dehydrogenase [1.1.1.6].

Glycerin + DPN$^+$ = Dihydroxyaceton + DPNH + H$^+$

Lit.: BURTON, R. M.; in: Colowick-Kaplan, Meth. Enzymol. Bd. I, S. 397.
WOLF, H. P., u. F. LEUTHARDT: Helv. **36**, 1463 (1953).
ASNIS, R. E., and A. F. BRODIE: J. biol. Ch. **203**, 153 (1953).
BURTON, R. M., and N. O. KAPLAN: Am. Soc. **75**, 1005 (1953).

25. Glycerin-1-phosphat-Dehydrogenase.   s. S. 831

26. Glyceraldehyd-3-phosphat-Dehydrogenase.   s. S. 574

27. L-Gulonat-Dehydrogenase [1.1.1.45].   s. S. 723

L-Gulonat + DPN$^+$ = L-Xylulose + DPNH + H$^+$ + CO$_2$

Lit.: SHIMAZONO, N., and Y. MANO: Ann. N.Y. Acad. Sci. **92**, 91 (1961).
GROLLMANN, A. P., and A. L. LEHNINGER: Arch. Biochem. **69**, 458 (1957).
ASHWELL, G., J. KAUFER and J. J. BURNS: J. biol. Ch. **234**, 472 (1959).

28. Histidinol-Dehydrogenase [1.1.1.23].   s. S. 767

L-Histidinol + 2 DPN$^+$ + H$_2$O = L-Histidin + 2 (DPNH + H$^+$)

Lit.: ADAMS, E.: J. biol. Ch. **209**, 829 (1954); **217**, 325 (1955).

29. Homoserin-Dehydrogenase [1.1.1.3].   s. S. 753

L-Homoserin + PN$^+$ = L-Aspartat-β-semialdehyd + PNH + H$^+$

Lit.: BLACK, S., and N. G. WRIGHT: J. biol. Ch. **213**, 51 (1955).

30. Hydropyrimidin-Dehydrogenase.   s. S. 772

Hydropyrimidin + TPN$^+$ = Pyrimidin + TPNH + H$^+$

Lit.: GRISOLIA, S., and S. S. CARDOSO: Biochim. biophys. Acta **25**, 430 (1957).

31. α-Hydroxycholanat-Dehydrogenase [1.1.1.52].   s. S. 541

3α-Hydroxycholanat + DPN$^+$ = 3-Ketocholanat + DPNH + H$^+$

(Wirkt ebenfalls an 3α-Hydroxysteroiden mit Säure als Seitenkette.)

Lit.: HAYAISHI, O., Y. SATO, W. B. JAKOBY and E. F. STOHLMAN: Arch. Biochem. **56**, 554 (1955).

32. ω-Hydroxyfettsäure-Dehydrogenase.

HOCH$_2$(CH$_2$)$_8$—COO$^-$ + DPN$^+$ = OHC(CH$_2$)$_8$—COO$^-$ + DPNH + H$^+$

Lit.: MITZ, M. A., and R. L. HEINRIKSON: Biochim. biophys. Acta **46**, 45 (1961).

33. β-Hydroxyisobutyrat-Dehydrogenase [1.1.1.31].   s. S. 742

β-Hydroxyisobutyrat + DPN$^+$ = Methylmalonatsemialdehyd + DPNH + H$^+$

Lit.: ROBINSON, W. G., and M. J. COON: J. biol. Ch. **225**, 511 (1957).

34. Hydroxylamin-Reductase [1.7.99.1].

NH$_2$OH + DPNH + H$^+$ = NH$_3$ + DPN$^+$ + H$_2$O

Lit.: ZUCKER, M., u. A. NASON; in: Colowick-Kaplan, Meth. Enzymol. Bd. II, S. 416.

35. Hydroxymethylglutaryl-CoA-Reductase [1.1.1.34].   s. Bd. VI/B

β-Hydroxy-β-methyl-glutaryl-CoA + 2 TPNH + 2 H$^+$ = Mevalonsäure + 2 TPN$^+$ + CoA

Lit.: KNAPPE, J., E. RINGELMANN u. F. LYNEN: B. Z. **332**, 195 (1959).
BUCHER, N. L. R., P. OVERATH and F. LYNEN: Fed. Proc. **18**, 20 (1959).

36. Hydroxymethyltetrahydrofolat-Dehydrogenase [1.5.1.5].   s. Bd. VI/B

10-Hydroxymethyltetrahydrofolat + TPN$^+$ = 10-Formyltetrahydrofolat + TPNH + H$^+$

Lit.: HATEFI, Y., M. J. OSBORN, L. D. KAY and F. M. HUENNEKENS: J. biol. Ch. **227**, 637 (1957).

37. 3-α-Hydroxysteroid-Dehydrogenase [1.1.1.50].   s. S. 496

Androsteron + PN$^+$ = Androstan-3,17-dion + PNH + H$^+$

(Wirkt ebenfalls auf andere 3-α-Hydroxysteroide.)

Lit.: TALALAY, P., and P. I. MARCUS: Nature **173**, 1189 (1954).
TOMKINS, G. M.: J. biol. Ch. **218**, 437 (1956).
HURLOCK, B., and P. TALALAY: Biochim. biophys. Acta **30**, 201 (1958).
MARCUS, P. I., and P. TALALAY: J. biol. Ch. **218**, 661 (1956).

38. β-Hydroxysteroid-Dehydrogenase [1.1.1.51]. s. S. 501

a) Testosteron + PN^+ = Δ^5-Androsten-3,17-dion + PNH + H^+
b) Dehydroepiandrosteron + DPN^+ = 4-Androsten-3,17-dion + DPNH + H^+
c) 5-Androsten-3β,17β-diol + 2 DPN^+ = 4-Androsten-3,17-dion + 2 DPNH + 2 H^+

(Wirkt ebenfalls auf andere 3-β- oder 17-β-Hydroxysteroide.)

Lit.: TALALAY, P., and M. M. DOBSON: J. biol. Ch. **205**, 823 (1953).
MARCUS, P. I., and P. TALALAY: J. biol. Ch. **218**, 661 (1956).
TALALAY, P., and V. S. WANG: Biochim. biophys. Acta **18**, 300 (1955).

39. 20 β-Hydroxysteroid-Dehydrogenase. s. S. 544

20β-Hydroxysteroid + DPN^+ = 20-Ketosteroid + DPNH + H^+

Lit.: HÜBENER, H. J., u. F. G. SAHRHOLZ: B. Z. **333**, 95 (1960).

40. L-Idit-Dehydrogenase [1.1.1.14]. s. S. 704
(Sorbit-Dehydrogenase)

D-Sorbit + DPN^+ = D-Fructose + DPNH + H^+

(Oxydiert ebenso L-Idit zu L-Sorbose und andere nahe verwandte Zuckeralkohole zu dem entsprechenden Ketozucker.)

Lit.: McCORKINDALE, J., and N. L. EDSON: Biochem. J. **57**, 518 (1954).
WILLIAMS-ASHMAN, H. G., and J. BANKS: Arch. Biochem. **50**, 513 (1954).
WOLFF, J. B.; in: Colowick-Kaplan, Meth. Enzymol. Bd. I, S. 348.
BLAKLEY, R. L.: Biochem. J. **49**, 257 (1951).
KING, T. E., and T. MANN: Nature **182**, 868 (1958).
HOLLMANN, S., and O. TOUSTER: J. biol. Ch. **225**, 87 (1957).
GERLACH, U.: Kli. Wo. **1959**, 93.

41. Imidazolacetat-Dehydrogenase.

Imidazolacetat + DPNH + H^+ + O_2 + H_2O = Formylaspartat + DPN^+ + NH_3

Lit.: TABOR, H., and T. HAYAISHI: Am. Soc. **76**, 5570 (1954).

42. Inosin-5'-phosphat-Dehydrogenase [1.2.1.14].

Inosin-5'-phosphat + DPN^+ + H_2O = Xanthosin-5'-phosphat + DPNH + H^+

Lit.: MAGASANIK, B., H. S. MOYED and L. G. GEHRING: J. biol. Ch. **226**, 339 (1957).

43. Inosit-Dehydrogenase [1.1.1.18].

myo-Inosit + DPN^+ = 2-Keto-myo-inosit + DPNH + H^+

Lit.: LARNER, J., W. T. JACKSON, D. J. GRAVES and J. R. STAMER: Arch. Biochem. **60**, 352 (1956).

44. Isocitrat-Dehydrogenase (DPN) [1.1.1.41]. s. S. 387

D-Isocitrat + DPN^+ = α-Ketoglutarat + CO_2 + DPNH + H^+

Lit.: KORNBERG, A., and W. E. PRICER: J. biol. Ch. **189**, 123 (1951).
PLAUT, G. W. E., and S. C. SUNG: J. biol. Ch. **207**, 305 (1954).
RAMAKRISHNAN, C. V., and S. M. MARTIN: Arch. Biochem. **55**, 403 (1955).

45. Isocitrat-Dehydrogenase (TPN). s. S. 393

46. D-Lactat-Dehydrogenase [1.1.1.28].

D-Lactat + DPN^+ = Pyruvat + DPNH + H^+

Lit.: KAUFMAN, S., S. KORKES and A. DEL CAMPILLO: J. biol. Ch. **192**, 301 (1951).

47. L-Lactat-Dehydrogenase. s. S. 356

48. Leucin-Dehydrogenase. s. S. 357

Leucin + DPN$^+$ = α-Ketoisocaproat + NH$_4^+$ + DPNH + H$^+$

Lit.: Sanwal, B. D., and M. W. Zink: Arch. Biochem. **94**, 430 (1961).

49. Lipoat-Dehydrogenase [1.6.4.3]. s. S. 861
(α-Liponsäure-Dehydrogenase)

Dihydro-α-liponsäure + DPN$^+$ = α-Liponsäure + DPNH + H$^+$

Lit.: Hager, L. P., and J. C. Gunsalus: Am. Soc. **75**, 5767 (1953).
Cutolo, E.: Arch. Biochem. **64**, 242 (1956).
Massey, V.: Biochim. biophys. Acta **37**, 310, 314 (1960).
Massey, V., and C. Veeger: Biochim. biophys. Acta **40**, 184 (1960); **48**, 34 (1961).
Giuditta, A., and H. J. Strecker: Biochim. biophys. Acta **48**, 12 (1961).

50. Malat-Dehydrogenase. s. S. 367

51. Malic Enzyme. s. S. 377

52. Malonatsemialdehyd-Dehydrogenase. s. S. 763

Malonatsemialdehyd + DPN$^+$ + H$_2$O = Malonat + DPNH + H$^+$

Lit.: Nakamura, K., and F. Bernheim: Biochim. biophys. Acta **50**, 147 (1961).

53. D-Mannit-Dehydrogenase [1.1.1.11]. s. S. 715
(D-Arabit-Dehydrogenase)

D-Arabit + DPN$^+$ = D-Xylulose + DPNH + H$^+$
D-Mannit + DPN$^+$ = D-Fructose + DPNH + H$^+$

Lit.: Arcus, A. C., and N. L. Edson: Biochem. J. **64**, 385 (1956).
Shaw, D. R. D.: Biochem. J. **64**, 394 (1956).

54. Mannit-1-phosphat-Dehydrogenase [1.1.1.17]. s. S. 716

D-Fructose-6-phosphat + DPNH + H$^+$ = D-Mannit-1-phosphat + DPN$^+$

Lit.: Wolff, J. B., and N. O. Kaplan; in: Colowick-Kaplan, Meth. Enzymol. Bd. I, S. 346.
Wolff, J. B., and N. O. Kaplan: J. biol. Ch. **218**, 857 (1956).

55. Menadion-Reductase [1.6.5.2]. s. S. 775
(Phyllochinon-Reductase, Vitamin K$_1$-Reductase)

PNH + H$^+$ + 2-Methyl-1,4-naphtochinon = PN$^+$ + 2-Methylnaphtohydrochinon

Lit.: Martius, C., u. R. Strufe: B. Z. **326**, 24 (1954).
Wosilait, W. D., and A. Nason: J. biol. Ch. **208**, 785 (1954).
Wosilait, W. D.: J. biol. Ch. **235**, 1196 (1960).
Dolin, M. I.: Biochim. biophys. Acta **15**, 153 (1954).

56. DPN-Mevaldat-Reductase [1.1.1.32].

Mevalonat + DPN$^+$ = D,L-β-Hydroxy-β-methyl-glutaraldehydsäure (Mevaldat) + DPNH + H$^+$

Lit.: Nakamura, H., and D. M. Greenberg: Arch. Biochem. **93**, 153 (1961).
Coon, M. J., F. P. Kubiecki, E. E. Dekker, M. J. Schlesinger and A. del Campillo; in: Ciba Symp. on the Biosynthesis of Terpenes and Sterols. p. 62. London 1959.

57. TPN-Mevaldat-Reductase [1.1.1.33].

Mevalonat $+$ TPN$^+=$ D,L-β-Hydroxy-β-methyl-glutaraldehydsäure (Mevaldat) $+$ TPNH $+$ H$^+$

Lit.: KNAPPE, J., E. RINGELMANN u. F. LYNEN: B. Z. **332**, 195 (1959).
LYNEN, F.; in: Ciba Symp. on the Biosynthesis of Terpenes and Sterols. p. 95. London 1959.

58. Oestradiol-17 β-Dehydrogenase. s. S. 506

17β-Oestradiol $+$ PN$^+=$ Oestron $+$ PNH $+$ H$^+$

Lit.: HAGERMAN, D. D., and C. A. VILLEE: J. biol. Ch. **234**, 2031 (1959).
LANGER, L. J., and L. L. ENGEL: J. biol. Ch. **233**, 583 (1958).

59. D-(−)-β-Hydroxyacyl-CoA-Dehydrogenase [1.1.1.36]. s. Bd. VI/B
(Acetoacetyl-CoA-Reductase), (D-(−)-β-Hydroxybutyryl-CoA-Dehydrogenase)

D-3-Hydroxyacyl-CoA $+$ TPN$^+=$ 3-Ketoacyl-CoA $+$ TPNH $+$ H$^+$

Lit.: WAKIL, S. J.: Biochim. biophys. Acta **18**, 314 (1955).

60. L-(+)-Hydroxyacyl-CoA-Dehydrogenase [1.1.1.35]. s. Bd. VI/B
(β-Ketohydrogenase), (β-Ketoreductase)

L-α-3-Hydroxyacyl-CoA $+$ DPN$^+=$ 3-Ketoacyl-CoA $+$ DPNH $+$ H$^+$

(Oxydiert ebenfalls S-3-Hydroxyacyl-N-acylthioäthanolamin und S-3-Hydroxyacylhydrolipoat.)

Lit.: LYNEN, F., and S. OCHOA: Biochim. biophys. Acta **12**, 299 (1953).
LYNEN, F., and O. WIELAND; in: Colowick-Kaplan, Meth. Enzymol. Bd. I, S. 566.
LEHNINGER, A. L., and G. D. GREVILLE: Biochim. biophys. Acta **12**, 188 (1953).
WAKIL, S. J., D. E. GREEN, S. MII and H. R. MAHLER: J. biol. Ch. **207**, 631 (1954).

61. Phenylalanin-Dehydrogenase [1.99.1.2]. s. Bd. VI/B

Phenylalanin $+$ O$_2$ $+$ TPNH $+$ H$^+=$ Tyrosin $+$ TPN$^+$ $+$ H$_2$O

Lit.: KAUFMAN, S.: J. biol. Ch. **226**, 511 (1957).
KAUFMAN, S.: Biochim. biophys. Acta **51**, 619 (1961).

62. 6-Phosphogluconat-Dehydrogenase. s. S. 414

63. Propandiolphosphat-Dehydrogenase [1.1.1.7].

1,2-Propandiol-1-phosphat $+$ DPN$^+=$ Acetolphosphat $+$ DPNH $+$ H$^+$

Lit.: MILLER, O. N., C. G. HUGGINS and K. ARAI: J. biol. Ch. **202**, 263 (1953).
BARANOWSKI, T.: J. biol. Ch. **180**, 535 (1949).

64. Pyridoxol-Dehydrogenase. s. S. 754

Pyridoxal $+$ TPNH $+$ H$^+=$ Pyridoxol $+$ TPN$^+$

Lit.: HOLZER, H., u. S. SCHNEIDER: Biochim. biophys. Acta **48**, 71 (1961).

65. Pyrrolin-carboxylat-Reductasen [1.5.1.1 und 1.5.1.2]. s. S. 759

L-Prolin $+$ PN$^+=$ Pyrrolin-carboxylat $+$ PNH $+$ H$^+$

Lit.: MEISTER, A., and S. D. BUCKLEY: Biochim. biophys. Acta **23**, 202 (1957).
SMITH, M. E., and D. M. GREENBERG: Nature **177**, 1130 (1956).
YURA, T., and H. J. VOGEL: Biochim. biophys. Acta **17**, 582 (1955).

66. Succinat-semialdehyd-Dehydrogenase. s. S. 763

Succinat-semialdehyd + PN^+ = Succinat + $PNH + H^+$

Lit.: NAKAMURA, K.: Biochim. biophys. Acta **45**, 554 (1960).
ALBERS, R. W., and G. J. KOVAL: Biochim. biophys. Acta **52**, 29 (1961).
ALBERS, R. W., and R. A. SALVADOR: Science, N.Y. **128**, 359 (1958).

67. Tetrahydrofolat-Dehydrogenase [1.5.1.3]. s. Bd. VI/B
(Dihydrofolsäure-Reductase)

7,8-Dihydrofolsäure + $PNH + H^+$ = 5,6,7,8-Tetrahydrofolsäure + PN^+

Lit.: OSBORN, M. J., and F. M. HUENNEKENS: J. biol. Ch. **233**, 969 (1959).
BLAKLEY, R. L., and B. M. McDOUGALL: J. biol. Ch. **236**, 1163 (1961).
PETERS, J. M., and D. M. GREENBERG: Am. Soc. **80**, 6679 (1958).

68. Threonin-Dehydrogenase. s. S. 753

Threonin + DPN^+ = Aminoaceton + $DPNH + H^+ + CO_2$

Lit.: NEUBERGER, A., and G. H. TAIT: Biochim. biophys. Acta **41**, 164 (1960).

69. UDP-Glucose-Dehydrogenase [1.1.1.22]. s. S. 768

UDP-Glucose + 2 $DPN^+ + H_2O$ = UDP-Glucuronat + 2 ($DPNH + H^+$)

Lit.: STROMINGER, J. L., E. S. MAXWELL, J. AXELROD and H. M. KALCKAR: J. biol. Ch. **224**, 79 (1957).
MAXWELL, E. S., H. M. KALCKAR and J. L. STROMINGER: Arch. Biochem. **65**, 2 (1956).
STROMINGER, J. L., H. M. KALCKAR, J. AXELROD and E. S. MAXWELL: Am. Soc. **76**, 6411 (1954).

70. D-Xylulose-Reductase [1.1.1.9]. s. S. 710

D-Xylulose + $DPNH + H^+$ = Xylit + DPN^+

Lit.: HOLLMANN, S.: H. **317**, 193 (1959).
HICKMAN, J., and G. ASHWELL: J. biol. Ch. **234**, 758 (1959).

71. L-Xylulose-Reductase [1.1.1.10]. s. S. 708

L-Xylulose + $TPNH + H^+$ = Xylit + TPN^+

Lit.: HOLLMANN, S.: H. **317**, 193 (1959).
HICKMAN, J., and G. ASHWELL: J. biol. Ch. **234**, 758 (1959).
HOLLMANN, S., and O. TOUSTER: J. biol. Ch. **225**, 87 (1957).

II. Zusammengesetzte Tests.

1. *Indicatorreaktion:* LDH

Pyruvat → $DPNH + H^+$ → DPN^+ → Lactat

1.a. Glutamat-Pyruvat-Transaminase. s. Bd. VI/B

1.b. Pyruvat-Kinase. s. Bd. VI/B

1.c. Alkalische Phosphatase [3.1.3.1]. s. Bd. VI/B

Phosphoenolpyruvat + H_2O = Phosphat + Pyruvat

Lit.: FISCHER, F., u. G. SIEBERT: Kli. Wo. **1961**, 202.

2. *Hilfsreaktion:*

$$\text{PEP} \atop \downarrow$$
PK ⟨ ADP (UDP, IDP) / ATP (UTP, ITP)

Pyruvat

Indicatorreaktion: LDH ⟨ DPNH + H⁺ / DPN⁺

Lactat

2.a. Adenylat-Kinase.   s. Bd. VI/B

2.b. ATPase [3.6.1.3 und 3.6.1.4].   s. Bd. VI/C

$ATP + H_2O = ADP + $ Orthophosphat

Lit.: FISCHER, F., G. SIEBERT u. E. ADLOFF: B. Z. **332**, 131 (1959).
HOLZER, H., J. HAAN u. S. SCHNEIDER: B. Z. **326**, 451 (1955).

2.c. ATP-CMP(deoxy-CMP)-Kinase [2.7.4.5].   s. Bd. VI/B
(Deoxycytidylat-Kinase)

ATP + Deoxy-CMP (oder CMP) = ADP + Deoxy-CDP (oder CDP)

Lit.: MALEY, F., and S. OCHOA: J. biol. Ch. **233**, 1538 (1958).

2.d. Cholin-Phosphokinase [2.7.1.32].   s. Bd. VI/B

Cholin + ATP = Cholinphosphat + ADP

Lit.: WITTENBERG, J., and A. KORNBERG: J. biol. Ch. **202**, 431 (1953).

2.e. Enolase.   s. Bd. VI/C

2.f. Glycerat-Kinase [2.7.1.31].   s. Bd. VI/B

D-Glycerat + ATP = 2-D-Phosphoglycerat + ADP

Lit.: HOLZER, H., u. A. HOLLDORF: B. Z. **329**, 283 (1957).
LAMPRECHT, W., T. DIAMANTSTEIN, F. HEINZ u. P. BALDE: H. **316**, 97 (1959).

2.g. Kreatin-Kinase.   s. Bd. VI/B

2.h. Mevalonsäure-Kinase [2.7.1.36].   s. Bd. VI/B

(+)-Mevalonat + ATP = 5-Phosphomevalonat + ADP

Lit.: LYNEN, F.: Ciba Found. Symp. on the Biosynthesis of Terpenes and Sterols, S. 95. London 1959.
TCHEN, T. T.: J. biol. Ch. **233**, 1100 (1958).
MARKLEY, K., and E. SMALLMAN: Biochim. biophys, Acta **47**, 327 (1961).

2.i. Phosphomevalonsäure-Kinase [2.7.4.2].   s. Bd. VI/B

5-Phosphomevalonat + ATP = 5-Pyrophosphomevalonat + ADP

Lit.: HENNING, W., E. M. MÖSLEIN and F. LYNEN: Arch. Biochem. **83**, 259 (1959).

2.j. UDP-Glucuronyl-Transferase [2.4.1.17].   s. Bd. VI/B

UDP-Glucuronat + Acceptor = UDP + Acceptor-Glucuronid

Lit.: ISSELBACHER, K. J., and J. AXELROD: Am. Soc. **77**, 1070 (1955).

2.k. UDPG-Glykogen-Transferase [2.4.1.11].   s. Bd. VI/B

$$\text{UDPG} + \text{Glykogen} = [\text{Glykogen-Glucose}] + \text{UDP}$$

Lit.: VILLAR-PALASI, C.: Biochim. biophys. Acta **30**, 449 (1958).

3. *1. Hilfsreaktion:*

$$\begin{array}{c}\text{D-Glycerat-2-phosphat}\\ \text{EN}\downarrow\\ \text{Phosphoenolpyruvat} + \text{H}_2\text{O}\end{array}$$

2. Hilfsreaktion: PK $\begin{array}{c}\nearrow\text{ADP}\\ \searrow\text{ATP}\end{array}$

Pyruvat

Indicatorreaktion: LDH $\begin{array}{c}\nearrow\text{DPNH} + \text{H}^+\\ \searrow\text{DPN}^+\end{array}$

Lactat

3.a. Glycerat-Kinase (vgl. 2.f.).   s. Bd. VI/B

3.b. Phosphoglyceromutase.   s. Bd. VI/B

4. *1. Hilfsreaktion:*

$$\begin{array}{c}\text{AMP} + \text{ATP}\\ 2\text{ PEP}\quad\downarrow\text{MK}\end{array}$$

2. Hilfsreaktion: PK $\begin{array}{c}\nearrow 2\text{ ADP}\\ \searrow 2\text{ ATP}\end{array}$

2 Pyruvat

Indicatorreaktion: LDH $\begin{array}{c}\nearrow 2\text{ DPNH} + 2\text{ H}^+\\ \searrow 2\text{ DPN}^+\end{array}$

2 Lactat

4.a. Pantothensäure-Synthetase [6.4.2.1].

$$\beta\text{-Alanin} + \text{D-Pantoat} + \text{ATP} = \text{Pantothensäure} + \text{AMP} + \text{PP}$$

Lit.: PFLEIDERER, G., A. KREILING u. T. WIELAND: B. Z. **333**, 302 (1960).

5. *Indicatorreaktion:*

$$\begin{array}{c}\text{Oxalacetat}\\ \text{MDH}\begin{array}{c}\nearrow\text{DPNH} + \text{H}^+\\ \searrow\text{DPN}^+\end{array}\\ \downarrow\\ \text{L-Malat}\end{array}$$

5.a. Citrat-Lyase [4.1.3.6].
(Citrate Cleavage Enzyme), (Citrase)

$$\text{Citrat} + \text{ATP} + \text{HS-CoA} = \text{Acetyl-S-CoA} + \text{Oxalacetat} + \text{ADP} + \text{P}$$

Lit.: SRERE, P. A.: J. biol. Ch. **234**, 2544 (1959).

5.b. Citrat-Synthase [4.1.3.7]. s. Bd. VI/B
(Condensing Enzyme)

$$\text{Acetyl-S-CoA} + \text{Oxalacetat} + H_2O = \text{Citrat} + \text{HS-CoA} + H^+$$

Lit.: Ochoa, S.; in: Colowick-Kaplan, Meth. Enzymol. Bd. I, S. 685.
Stern, J. R., B. Shapiro, E. R. Stadtman, S. Ochoa: J. biol. Ch. **193**, 703 (1951).
Stern, J. R., S. Ochoa and F. Lynen: J. biol. Ch. **198**, 313 (1951).
Zebe, E.: B. Z. **332**, 328 (1960).

5.c. Glutamat-Oxalacetat-Transaminase. s. Bd. VI/B

5.d. Phosphopyruvat-Carboxylase [4.1.1.32]. s. Bd. VI/C
(Utter-Enzym)

$$\text{Phosphoenolpyruvat} + \text{IDP} + CO_2 = \text{Oxalacetat} + \text{ITP}$$

Lit.: Utter, M. F., and K. Kurahashi: J. biol. Ch. **207**, 821 (1954).

6. *Indicatorreaktion:*

Hilfsreaktion:

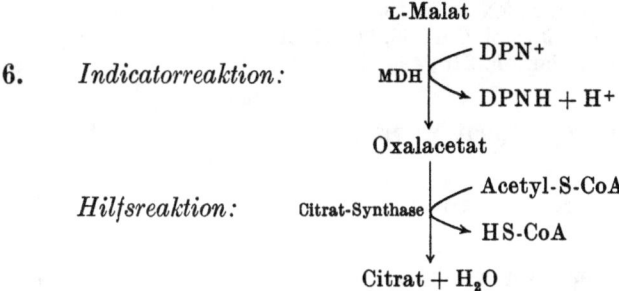

6.a. Aceto-CoA-Kinase [6.2.1.1]. s. Bd. VI/B
(Acetyl-CoA-Synthetase)

$$\text{ATP} + \text{HS-CoA} + \text{Acetat} = \text{AMP} + \text{Acetyl-S-CoA} + \text{Pyrophosphat}$$

Lit.: Stern, J. R., B. Shapiro, E. R. Stadtman and S. Ochoa: J. biol. Ch. **193**, 703 (1951).
Beinert, H., D. E. Green, P. Hele, H. Hift, R. W. v. Korff and C. V. Ramakrishnan: J. biol. Ch. **203**, 35 (1953).

6.b. Phosphotransacetylase [2.3.1.8]. s. Bd. VI/B
(Phosphat-Acyltransferase)

$$\text{Acetyl-phosphat} + \text{HS-CoA} = \text{Acetyl-S-CoA} + \text{Phosphat}$$

Lit.: Stern, J. R. J. biol. Ch. **193**, 703 (1951).
Goldman, D. S.: Biochim. biophys. Acta **28**, 436 (1958).

7. *1. Hilfsreaktion:*

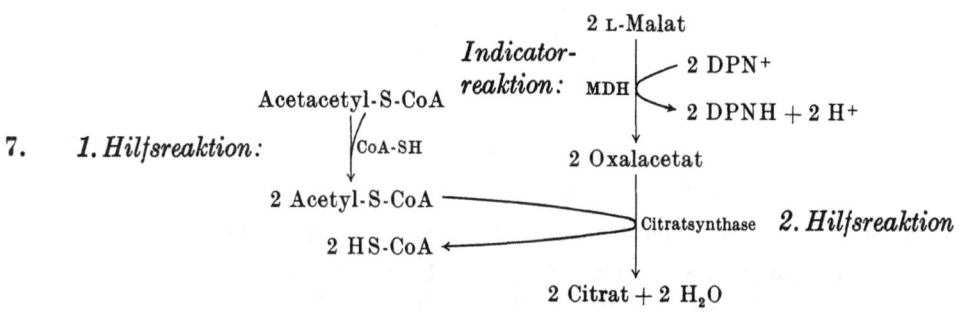

7.a. Acet-acetyl-Succinat-Thiophorase [2.8.3.5]. s. Bd. VI/B
(Succinyl-β-ketoacyl-S-CoA-Transferase)

Succinyl-S-CoA + Acetacetat = Acetacetyl-S-CoA + Succinat

Lit.: STERN, J. R., B. SHAPIRO, E. R. STADTMAN and S. OCHOA: J. biol. Ch. **193**, 703 (1951).
STERN, J. R.; in: Colowick-Kaplan, Meth. Enzymol. Bd. I, S. 574.

8. *Indicatorreaktion:*

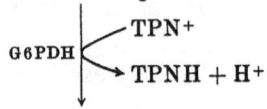

Glucose-6-Phosphat
G6PDH
TPN+
TPNH + H+
6-Phosphogluconat

8.a. Glucokinase [2.7.1.2]. s. Bd. VI/B

Glucose + ATP = Glucose-6-phosphat + ADP

Lit.: HOLZER, H., J. HAAN u. S. SCHNEIDER: B. Z. **326**, 451 (1955).
SLEIN, M. W., G. T. CORI and C. F. CORI: J. biol. Ch. **186**, 763 (1950).
BUEDING, E., and J. A. MACKINNON: J. biol. Ch. **215**, 495 (1955).

8.b. Glucosephosphat-Mutase. s. Bd. VI/B

8.c. Hexokinase. s. Bd. VI/B

8.d. Hexosephosphat-Isomerase. s. Bd. VI/C

9. *Hilfsreaktion:*

Fructose-6-phosphat
HIM ↓
Glucose-6-phosphat

Indicatorreaktion:

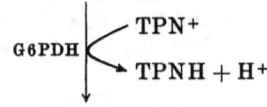

G6PDH
TPN+
TPNH + H+
6-Phosphogluconat

9.a. Fructose-1,6-diphosphat-Phosphatase. s. Bd. VI/B

9.b. Fructokinase [2.7.1.3]. s. Bd. VI/B

Fructose + ATP = Fructose-6-phosphat + ADP

Lit.: HOLZER, H., J. HAAN u. S. SCHNEIDER: B. Z. **326**, 451 (1955).
SLEIN, M. E., G. T. CORI and F. C. CORI: J. biol. Ch. **186**, 763 (1950).
BUEDING, E., and J. A. MACKINNON: J. biol. Ch. **215**, 495 (1955).

9.c. Transaldolase [2.2.1.2]. s. Bd. VI/B
(Dihydroxyaceton-Transferase)

Sedoheptulose-7-phosphat + Glycerinaldehyd-3-phosphat = Fructose-6-phosphat + Tetrose-phosphat

Lit.: HORECKER, B. L., and P. Z. SMYRNIOTIS; in: Colowick-Kaplan, Meth. Enzymol. Bd. I, S. 381.
HORECKER, B. L., and P. Z. SMYRNIOTIS: J. biol. Ch. **212**, 811 (1955).

10. *Hilfsreaktion:* Glucose-1-phosphat
$$\text{Glucose-1-phosphat} \xrightarrow{\text{PGM}} \text{Glucose-6-phosphat}$$

Indicatorreaktion: G6PDH

$$\text{Glucose-6-phosphat} \xrightarrow{\text{G6PDH}} \text{6-Phosphogluconat}$$
with TPN⁺ → TPNH + H⁺

10.a. UDP-Glucose-Pyrophosphorylase [2.7.7.9].   s. Bd. VI/B
(Glucose-1-phosphat-uridyl-Transferase)

$$UTP + \text{Glucose-1-phosphat} = \text{UDP-Glucose} + PP$$

Lit.: MUNCH-PETERSEN, A.: Acta chem. scand. **9**, 1523 (1955).
VILLAR-PALASI, C., and J. LARNER: Arch. Biochem. **86**, 61 (1960).
MUNCH-PETERSEN, A., and H. M. KALCKAR; in: Colowick-Kaplan, Meth. Enzymol. Bd. II, S. 675.

10.b. Phosphorylase [2.4.1.1].   s. Bd. VI/B

$$\text{Glykogen} + \text{Phosphat} = \text{Glucose-1-phosphat}$$

Lit.: SCHMID, R., P. W. ROBBIN and R. R. TRAUT: Proc. nat. Acad. Sci. USA **45**, 1236 (1959).
VILLAR-PALASI, C., and J. LARNER: Arch. Biochem. **86**, 270 (1960).

11. *Indicatorreaktion:*

$$\text{Dihydroxyacetonphosphat} \xrightarrow{\text{GDH}} \alpha\text{-Glycerophosphat}$$
with DPNH + H⁺ → DPN⁺

11.a. Fructose-1-phosphat-Aldolase [4.1.2.7].   s. Bd. VI/C

$$\text{Fructose-1-phosphat} = \text{Dihydroxyacetonphosphat} + \text{D-Glycerinaldehyd}$$

Lit.: LEUTHARDT, F., and H. P. WOLF; in: Colowick-Kaplan, Meth. Enzymol. Bd. I, S. 320.
LEUTHARDT, F., E. TESTA u. H. P. WOLF: Helv. **36**, 227 (1953).

11.b. Glycerokinase [2.7.1.30].   s. Bd. VI/B

Bestimmung von Glycerokinase mit Glycerin:

$$\text{Glycerin} + ATP = \text{L-}\alpha\text{-Glycerophosphat} + ADP$$

Bestimmung von Glycerokinase mit Dihydroxyaceton:

$$\text{Dihydroxyaceton} + ATP = \text{Dihydroxyacetonphosphat} + ADP$$

Lit.: LAMPRECHT, W., u. F. HEINZ: H. **324**, 88 (1961).
WIELAND, O., u. M. SUYTER: B. Z. **329**, 320 (1957).
BERGMEYER, H. U., G. HOLZ, E. M. KAUDER, H. MÖLLERING u. O. WIELAND: B. Z. **333**, 471 (1961).
BUBLITZ, C., and E. P. KENNEDY: J. biol. Ch. **211**, 951 (1954).

11.c. Triosephosphat-Isomerase.   s. Bd. VI/C

12. *Hilfsreaktion:*

$$\text{D-Glyceraldehyd-3-phosphat} \xrightarrow{\text{TIM}} \text{Dihydroxyacetonphosphat}$$

Indicatorreaktion:

$$\text{Dihydroxyacetonphosphat} \xrightarrow{\text{GDH}} \alpha\text{-Glycerophosphat}$$
with DPNH + H⁺ → DPN⁺

12.a. Fructose-1,6-diphosphat-Aldolase. s. Bd. VI/C

12.b. Transketolase [2.2.1.1]. s. Bd. VI/B
(Glykolaldehyd-Transferase)

Ribulose-5-phosphat + Ribose-5-phosphat =
Sedoheptulose-7-phosphat + D-Glyceraldehyd-3-phosphat

Lit.: HORECKER, B. L., and P. Z. SMYRNIOTIS; in: Colowick-Kaplan, Meth. Enzymol. Bd. I, S. 371.
HORECKER, B. L., P. Z. SMYRNIOTIS and H. KLENOW: J. biol. Ch. **205**, 661 (1953).
HABA, G. DE LA, J. G. LEDER and E. RACKER: J. biol. Ch. **214**, 409 (1955).
HORECKER, B. L., P. Z. SMYRNIOTIS and J. HURWITZ: J. biol. Ch. **223**, 1009 (1956).

12.c. Desoxyribosephosphat-Aldolase [4.1.2.4]. s. Bd. VI/C

2-Desoxy-D-ribose-5-phosphat = D-Glycerinaldehyd-3-phosphat + Acetaldehyd

2. Bestimmungsmethode:

$$\text{Acetaldehyd} + \text{DPNH} + \text{H}^+ \xrightarrow{\text{Alkohol-Dehydrogenase}} \text{Äthylalkohol} + \text{DPN}^+$$

Lit.: RACKER, E.: J. biol. Ch. **196**, 347 (1952).
RACKER, E.; in: Colowick-Kaplan, Meth. Enzymol. Bd. I, S. 384.

13. *1. Hilfsreaktion:*

Fructose-1,6-diphosphat
ALD ↘ D-Glyceraldehyd-3-phosphat
↓   ↓ TIM   *2. Hilfsreaktion:*
2 Dihydroxyacetonphosphat

Indicatorreaktion:
GDH ⟶ 2 DPNH + 2 H⁺
↓   ⟶ 2 DPN⁺
2 α-Glycerophosphat

13.a. Fructose-6-phosphat-Kinase. s. Bd. VI/B

14. *1. Hilfsreaktion:*

Ribulose-5-phosphat + Ribose-5-phosphat
Transketolase ↘ Seduheptulose-7-phosphat
↓
D-Glyceraldehyd-3-phosphat

2. Hilfsreaktion: TIM ↓
Dihydroxyacetonphosphat

Indicatorreaktion:
GDH ⟶ DPNH + H⁺
↓   ⟶ DPN⁺
α-Glycerophosphat

14.a. D-Xylulokinase [2.7.1.17]. s. Bd. VI/B

$$\text{D-Xylulose} + \text{ATP} = \text{D-Xylulose-5-phosphat} + \text{ADP}$$

Lit.: HICKMAN, J., and G. ASHWELL: J. biol. Ch. **232**, 737 (1958).
HICKMAN, J., and G. ASHWELL: Am. Soc. **78**, 6209 (1956).
STUMPF, P. K., and B. L. HORECKER: J. biol. Ch. **218**, 753 (1956).

15. *Indicatorreaktion:*

$$\text{D-1,3-Diphosphoglycerat} \xrightarrow{\text{GAPDH}} \begin{array}{c} \text{DPNH} + \text{H}^+ \\ \text{DPN}^+ \end{array}$$

$$\downarrow$$

$$\text{D-Glyceraldehyd-3-phosphat} + \text{HPO}_4^{--}$$

15.a. Glycerat-3-phosphat-Kinase. s. Bd. VI/B

16. *Hilfsreaktion:*

$$\text{D-3-Phosphoglycerat} \xrightarrow{\text{PGK}} \begin{array}{c} \text{ATP} \\ \text{ADP} \end{array}$$

$$\downarrow$$

$$\text{D-1,3-Diphosphoglycerat}$$

Indicatorreaktion:

$$\xrightarrow{\text{GAPDH}} \begin{array}{c} \text{DPNH} + \text{H}^+ \\ \text{DPN}^+ \end{array}$$

$$\downarrow$$

$$\text{D-Glyceraldehyd-3-phosphat} + \text{HPO}_4^{--}$$

16.a. Glyceraldehyd-3-phosphat-Dehydrogenase. s. S. 574

16.b. Ribulose-diphosphat-Carboxylase.

$$\text{D-Ribulose-1,5-diphosphat} + \text{HCO}_3^- = 2 \text{ D-3-Phosphoglycerat}$$

Lit.: RACKER, E.: Arch. Biochem. **69**, 300 (1957).

17. *Indicatorreaktion:*

$$\text{D-Isocitrat} \xrightarrow{\text{IDH}} \begin{array}{c} \text{TPN}^+ \\ \text{TPNH} + \text{H}^+ \end{array}$$

$$\downarrow$$

$$\alpha\text{-Ketoglutarat} + \text{CO}_2$$

17.a. Aconitase [4.2.1.3]. s. Bd. VI/C

$$\text{cis-Aconitat} + \text{H}_2\text{O} = \text{D-Isocitrat}$$

Lit.: OCHOA, S.: J. biol. Ch. **174**, 133 (1948). Sumner-Myrbäck, Bd. I, S. 1217.

17.b. DPN-Kinase [2.7.1.23]. s. Bd. VI/B

$$\text{ATP} + \text{DPN}^+ = \text{TPN}^+ + \text{ADP}$$

Lit.: WANG, T. P., and N. O. KAPLAN: J. biol. Ch. **206**, 311 (1954).
WANG, T. P.; in: Colowick-Kaplan, Meth. Enzymol. Bd. II, S. 652.

18. *Indicatorreaktion:*

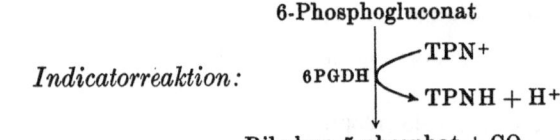

18.a. Gluconokinase [2.7.1.12].   s. Bd. VI/B

$$\text{Gluconat} + \text{ATP} = \text{6-Phosphogluconat} + \text{ADP}$$

Lit.: LEDER, G.: J. biol. Ch. **225**, 125 (1957).
NARROD, S. A., and W. A. WOOD: J. biol. Ch. **220**, 45 (1956).
COHEN, S. S.: J. biol. Ch. **189**, 617 (1951).

19. *Indicatorreaktion:* β-Hydroxyacyl-Dehydrogenase

$$\begin{array}{c} \beta\text{-Hydroxyacyl-CoA} \\ \Big\downarrow \!\!\!\! \begin{array}{l} \text{DPN}^+ \\ \text{DPNH} + \text{H}^+ \end{array} \\ \beta\text{-Ketoacyl-CoA} \end{array}$$

19.a. Crotonase [4.2.1.17].   s. Bd. VI/B
(Crotonyl-Hydratase)

$$\text{Enoyl-S-CoA} + \text{H}_2\text{O} = \beta\text{-Hydroxyacyl-CoA}$$

Lit.: LYNEN, F., and S. OCHOA: Biochim. biophys. Acta **12**, 299 (1953).
STERN, J. R.; in: Colowick-Kaplan, Meth. Enzymol. Bd. I, S. 561.
STERN, J. R.: Am. Soc. **75**, 2277 (1953).
WAKIL, S. J., and H. R. MAHLER: J. biol. Ch. **207**, 125 (1954).

20. *Indicatorreaktion:* Ketoglutarat-Dehydrogenase

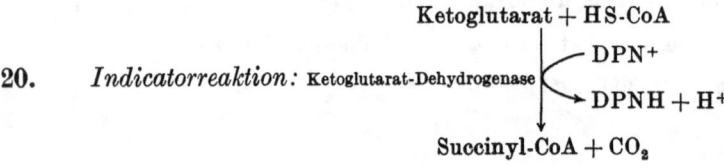

20.a. Succinyl-CoA-Desacylase [3.1.2.3].   s. Bd. VI/B

$$\text{Succinyl-S-CoA} + \text{H}_2\text{O} = \text{Succinat} + \text{HS-CoA}$$

Lit.: GERGELY, J., P. HELE and C. V. RAMAKRISHNAN: J. biol. Ch. **198**, 323 (1952).
GERGELY, J.; in: Colowick-Kaplan, Meth. Enzymol. Bd. I, S. 602.

Sonderfälle:

1. α-Ketoglutarsäure-Dehydrogenase.
2. Pyruvat-Oxydase.
3. PN-Transhydrogenasen.

Die beiden Multienzymsysteme wurden wegen ihres analogen Verhaltens zusammengefaßt.

Sonderfälle. 339

1. α-Ketoglutarsäure-Dehydrogenase. s. Bd. VI/C

α-Ketoglutarat $+ DPN^+ +$ HS-CoA $=$ Succinyl-S-CoA $+ CO_2 +$ DPNH $+ H^+$

Succinyl-CoA $+ H_2O$

$\downarrow$ Succinat-CoA-Deacylase

Succinat $+$ CoA

Lit.: KORFF, R. W. v.: J. biol. Ch. **200**, 401 (1953) (opt. Test).
SANADI, D. R., M. LANGLEY and R. L. SEARLS: J. biol. Ch. **234**, 179 (1959).
KAUFMAN, S.; in: Colowick-Kaplan, Meth. Enzymol. Bd. I, S. 714.
SANADI, D. R., D. M. GIBSON, P. AYENGAR and M. JACOB: J. biol. Ch. **218**, 505 (1956).
SANADI, D. R., D. M. GIBSON, P. AYENGAR and M. JACOB: Biochim. biophys. Acta **21**, 86 (1956).
HIFT, H., L. OUELLET, J. W. LITTLEFIELD and D. R. SANADI: J. biol. Ch. **204**, 565 (1953).

Hinweise auf das Enzymsystem der α-Ketoglutarsäure-Dehydrogenase vgl.:

SANADI, D. R., and J. W. LITTLEFIELD: Science, N.Y. **116**, 327 (1952).
REED, L. J., and B. G. DE BUSK: Am. Soc. **74**, 3964 (1952).
SANADI, D. R., and R. L. SEARLS: Fed. Proc. **16**, 241 (1957).
KAUFMAN, S.: J. biol. Ch. **216**, 153 (1955).

2. Pyruvat-Oxydase. s. Bd. VI/C

Pyruvat $+ DPN^+ +$ HS-CoA $=$ Acetyl-S-CoA $+ CO_2 +$ DPNH $+ H^+$

Lit.: KORKES, S.; in: Colowick-Kaplan, Meth. Enzymol. Bd. I, S. 490 (opt. Test).

Hinweise auf das Enzymsystem der Pyruvatoxydase vgl.:

LITTLEFIELD, J. W., and D. R. SANADI: J. biol. Ch. **199**, 65 (1952).
KORKES, S., A. DEL CAMPILLO and S. OCHOA: J. biol. Ch. **195**, 541 (1952).
DECKER, K.: Die aktivierte Essigsäure. Stuttgart 1959.
HOLZER, H., u. H. W. GOEDDE: B. Z. **329**, 175 (1957).
GUNSALUS, J. C.: Fed. Proc. **13**, 715 (1954).
STRECKER, H. J., and S. OCHOA: J. biol. Ch. **209**, 313 (1954).
GOLDMAN, D. E.: Biochim. biophys. Acta **27**, 506 (1958).
ALVAREZ, A., E. VANDERWINKEL and J. M. WIAME: Biochim. biophys. Acta **28**, 333 (1958).

3. PN-Transhydrogenasen [1.6.1.1]. s. S. 842

$TPNH + H^+ + DPN^+ = DPNH + H^+ + TPN^+$

$DPNH + H^+ +$ Desamino-DPN $=$ Desamino-DPNH $+ H^+ + DPN^+$

$TPNH + H^+ +$ Desamino-TPN $=$ Desamino-TPNH $+ H^+ + TPN^+$

$TPNH + H^+ +$ Nicotinamid-mononucleotid $=$ Dihydronicotinamid-mononucleotid $+ DPN^+$

$DPNH + H^+ +$ Nicotinamid-mononucleotid $=$ Dihydronicotinamid-mononucleotid $+ DPN^+$

Lit.: HAGERMAN, D. D., and C. A. VILLEE: J. biol. Ch. **234**, 2031 (1959).
KAPLAN, N. O., S. P. COLOWICK and E. F. NEUFELD: J. biol. Ch. **205**, 1 (1953).
COLOWICK, S. P., N. O. KAPLAN, E. F. NEUFELD and M. M. CIOTTI: J. biol. Ch. **195**, 95 (1952); **205**, 17 (1953).
KAPLAN, N. O.; in: Colowick-Kaplan, Meth. Enzymol. Bd. II, S. 681.

Die Messung der Phosphataufnahme bei der oxydativen Phosphorylierung.

Von

Martin Klingenberg[*].

Mit 4 Abbildungen.

Einführung. Die Phosphorylierung bei der biologischen Oxydation, insbesondere bei der Atmung, wird häufig unter dem Gesichtspunkt einer Phosphorylierungsausbeute betrachtet. Zur Charakterisierung dient der Quotient „P/O", der das Verhältnis aus den Mengen des aufgenommenen Phosphates und Sauerstoffs angibt. Die Bestimmung des P/O besteht demnach aus einer Messung des Sauerstoffverbrauchs bei der Oxydation der Substrate

$$2[H] + 1/2 O_2 \rightarrow H_2O$$

und des Umsatzes der Phosphorylierungsreaktion:

$$ADP + P \rightarrow ATP$$

Der P/O-Quotient stellt damit eine stöchiometrische Beziehung zwischen der Phosphorylierung und der Sauerstoffaufnahme bei der Verbrennung des Substrates her.

Häufig wird der P/O als der Nutzgrad der Umwandlung der Oxydationsenergie in die Phosphorylierungsenergie angesehen. Thermodynamisch gesehen, kann jedoch dieser Nutzgrad nur auf der Basis der freien Energie bestimmt werden, welche sowohl von dem P/O als auch von der Konzentration der Reaktionspartner abhängt. Daher ist zu beobachten, daß der P/O in einem großen Bereich von der Konzentration der teilnehmenden Komponenten und damit vom thermodynamischen Wirkungsgrad unabhängig sein kann. In diesem Zusammenhang ist zu erwähnen, daß auf einer anderen Basis, auf Grund der Reversibilität der oxydativen Phosphorylierung, Aussagen über den Wirkungsgrad gemacht wurden[1]. Danach kann unter optimalen Bedingungen an mindestens zwei der Phosphorylierungsschritte der Atmungskette der Wirkungsgrad bis zu 100% betragen.

Der P/O-Quotient ist nach unseren heutigen Vorstellungen über den Mechanismus der oxydativen Phosphorylierung im Prinzip auf ganze Zahlen festgelegt (vgl. hierzu Zusammenfassung[2]). Diese theoretischen P/O variieren mit den Substraten und geben die Zahl der bei der Oxydation eingeschlossenen Phosphorylierungsschritte wieder. Die theoretischen P/O-Werte für die Oxydation einiger Substrate sind z.B.: für α-Ketoglutarat 4, für β-Hydroxybutyrat 3, für Succinat 2. Die experimentellen Werte sind demgegenüber häufig erniedrigt. Dieses kann auf eine unzureichende Koppelung von Atmung und Phosphorylierung zurückzuführen oder in weiteren Ursachen begründet sein, die ein Gegenstand der betreffenden Untersuchungen sein dürften.

I. Die amperometrische Bestimmung des Sauerstoffverbrauchs.

Für die Bestimmung des Sauerstoffverbrauchs bei der oxydativen Phosphorylierung sind vor allem die manometrische und die amperometrische Methode geeignet. Die manometrische Methode ist in diesem Handbuch (S. 55ff.) beschrieben, auf das verwiesen sei. Hier wird die polarographische Bestimmung des Sauerstoffs erläutert, soweit sie für die Messung der Atmung und der oxydativen Phosphorylierung in vitro wichtig ist. Diese Methode ist zwar schon seit längerer Zeit bekannt, sie gewinnt jedoch erst in neuerer Zeit zur Messung der Sauerstoffaufnahme in biologischen Systemen weitere Verbreitung. Gegenüber der manometrischen Methode besitzt sie den Vorteil einer größeren Flexibilität der Versuchsanordnung, einer größeren Empfindlichkeit und einer schnel-

---

[*] Physiologisch-Chemisches Institut der Universität Marburg.
[1] KLINGENBERG, M., u. P. SCHOLLMEYER: B. Z. **335**, 243 (1961).
[2] LEHNINGER, A. L.: Harvey Lect. **49**, 176 (1954).

leren und sicheren Anzeige des Meßwertes, da die Sauerstoffkonzentration als eine elektrische Meßgröße verstärkt und kontinuierlich registriert werden kann.

Die theoretischen Grundlagen der amperometrischen Sauerstoffbestimmung seien zunächst kurz erläutert. Die amperometrische Bestimmung der Sauerstoffkonzentration beruht auf der elektrolytischen „Überalles"-Reaktion:

$$\frac{1}{2}O_2 + H_2O + 2e^- \rightarrow 2\,OH^-$$

Die Reduktion des Sauerstoffs an der Kathode erfolgt in Stufen und schließt daher eine Serie von Reaktionsschritten ein, deren genaue Formulierung zum Teil noch ungewiß ist. Für eine nähere Diskussion vgl. KOLTHOFF[1]. Das Halbwellenpotential des Sauerstoffs liegt bei einer verhältnismäßig geringen Polarisationsspannung von etwa 0,4 bis 0,7 Volt. Im darauffolgenden Plateau-Bereich von etwa 0,4 Volt ist der Elektrolysestrom von der Spannung weitgehend unabhängig und vor allem eine Funktion der Sauerstoffkonzentration. Die Messung dieses Elektrolysestroms ist daher eine Messung der Sauerstoffkonzentration: $I =$ const $[O_2]$.

Der Elektrolysestrom und damit die Menge des reduzierten Sauerstoffs ist einmal durch die Größe der Elektrodenoberfläche und zum anderen durch die Diffusionsrate des Sauerstoffs an der Elektrodenoberfläche bestimmt. Diese Diffusionsrate ist — unter im übrigen konstanten Bedingungen — eine lineare Funktion des Sauerstoffgehaltes der Lösung. Die Meßanordnung hat dafür zu sorgen, daß die Meßbedingungen konstant und optimal gehalten werden, um eine empfindliche und reproduzierbare Sauerstoffmessung zu gewährleisten. Der apparative Aufbau zur amperometrischen Sauerstoffmessung läßt sich unterteilen in: 1. Elektrode, 2. Probengefäß, 3. Verstärker und Anzeigegerät.

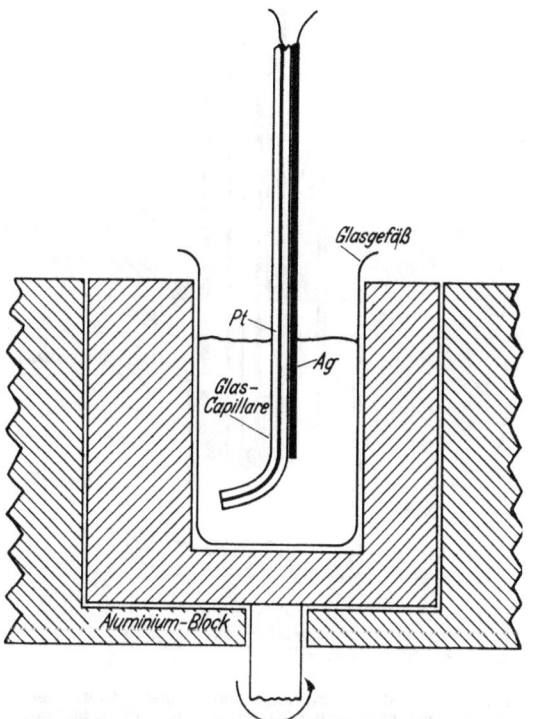

Abb. 1. Anordnung zur amperometrischen Atmungsmessung mit der offenen Platinelektrode. Maßstab 2:1. Die Platinelektrode ist in einer Glascapillare eingeschmolzen. Sie ist am unteren Ende abgewinkelt, damit an der Elektrodenoberfläche eine hohe Strömungsgeschwindigkeit herrscht, ohne daß die Oberfläche der Suspension zu stark bewegt wird. Die Suspension befindet sich in einem Glasgefäß, das in einem mit 100 U/min rotierenden Aluminiumblock sitzt. Dicht um den rotierenden Block befindet sich ein stationärer, temperierter Aluminiumblock.

Elektrode. Das Material für die sauerstoffreduzierende Kathode kann aus verschiedenen Edelmetallen, wie Platin, Gold oder auch Quecksilber bestehen. Für die Zwecke der Sauerstoffmessung in biologischen Systemen hat sich heute vor allem der Gebrauch von Platin eingebürgert. Man unterscheidet „offene" Elektroden, bei denen die Platinoberfläche in direktem Kontakt mit der Lösung steht, und „geschlossene" Elektroden, bei denen die Platinelektrode durch eine dünne, sauerstoffdurchlässige Membran abgetrennt ist.

Die offene Elektrode aus Platin wurde u. a. frühzeitig von DAVIES und BRINK[2] und aus Gold von TÖDT[3] für die Messung der Sauerstoffkonzentration in biologischem Material angewendet. Sie hat infolge ihres direkten Kontaktes mit der Lösung eine sehr geringe Einstellzeit und gestattet daher, Änderungen der Sauerstoffkonzentration ohne wesentliche Verzögerung zu verfolgen. Ein wesentlicher Nachteil der offenen Elektrode ist die mögliche

---

[1] KOLTHOFF, J. M., and J. J. LINGANE: Polarography. New York 1952.
[2] DAVIES, P. W., and F. BRINK: Rev. sci. Instr. 13, 524 (1942).
[3] TÖDT, F.: Elektrochemische Sauerstoffmessungen. Berlin 1958.

Verunreinigung der Elektrodenoberfläche durch adsorbierte und niedergeschlagene Substanzen, welche die Diffusion des Sauerstoffs an die Elektrodenoberfläche beeinträchtigen. Dabei kann es sich z.B. um unlösliche Hydroxyde handeln, welche sich in der Nähe der Elektrodenoberfläche aus den bei der Elektrolyse entstehenden OH$^-$-Ionen bilden. In biologischem Material sind es besonders Proteine, welche die effektive freie Oberfläche der Elektrode verringern. Hieraus resultiert eine langsame Verringerung des Elektrodenstromes bei konstanter Sauerstoffkonzentration. Daher kann im allgemeinen mit der offenen Elektrode die Sauerstoffkonzentration nur relativ gemessen werden, d.h. nach einer jeweiligen Kalibrierung des Elektrodenstromes mit einer bekannten Sauerstoffkonzentration. Ein weiteres Problem bei der offenen Elektrode ist die relativ hohe Dichte des Sauerstoffstromes, so daß einer Sauerstoffverarmung der Diffusionsschicht durch intensives Rühren vorzubeugen ist. Dieses wird durch eine rotierende[1] oder vibrierende[2] Bewegung der Elektrode bzw. des Elektrodengefäßes erreicht. Nur dann kann ein gleichmäßiger Diffusionsstrom aufrechterhalten werden.

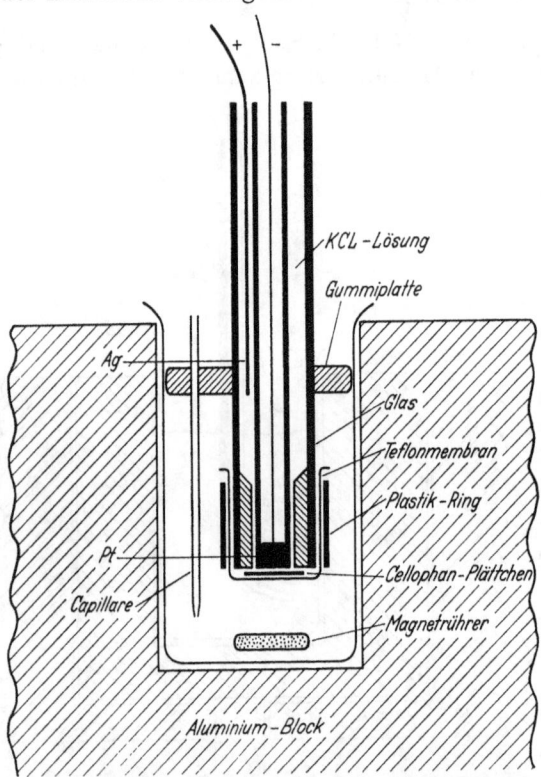

Abb. 2. Anordnung zur amperometrischen Atmungsmessung mit der geschlossenen („CLARK")-Elektrode. Maßstab 2:1. Die Platinelektrode ist in einem Glasrohr eingeschmolzen, das innerhalb eines anderen Glasrohrs sitzt. Durch eine spaltförmige Öffnung wird eine Brücke von der Ag-Elektrode, die in eine gesättigte KCl-Lösung taucht, zur Pt-Elektrode gebildet. Das untere Ende ist von einer Teflon-Membran (10—20 μ Dicke) umschlossen, die mit einem Ring befestigt wird. Der Abstand zwischen Elektrode und Teflon-Membran wird durch ein mit der KCl-Lösung getränktes Cellophanplättchen definiert[4]. Um den Zutritt der Luft zur Lösung zu hemmen, wird ein Gummiplättchen über die Elektrode gezogen, welches das Elektrodengefäß bedeckt und durch das mit einer Capillare die Substrate usw. zugegeben werden können[5]. Das Glasgefäß befindet sich in einem thermostatierten Aluminiumblock.

Bei der von CLARK[3] vorgeschlagenen „geschlossenen" Elektrode wird die Elektrodenoberfläche von der Lösung durch eine für Sauerstoff durchlässige Plastikmembran abgetrennt. Die Diffusionsgeschwindigkeit wird dadurch jedoch wesentlich verringert. Sie hängt jetzt außer von der Sauerstoffkonzentration der Lösung auch von der Dicke der Membran ab. Damit hat die geschlossene Elektrode eine verhältnismäßig große Einstellträgheit, welche für manche Probleme einen Nachteil darstellt. Infolge der geringeren Dichte des Sauerstoffstromes muß die Elektrodenoberfläche, um eine gleiche Meßempfindlichkeit wie bei der offenen Type zu erreichen, vergrößert werden. Bei der geschlossenen Elektrode tritt daher die lokale Verarmung an Sauerstoff in der Diffusionsschicht in nur geringem Maße ein, so daß die Bewegung der Flüssigkeit um die Elektrode langsamer und ungleichmäßiger sein darf.

Bei der Konstruktion der Elektrode ist davon auszugehen, daß die Fläche der Elektrode genau bekannt sein muß, da sie die Größe des Elektrolysestromes und damit die Empfindlichkeit der Anzeige bestimmt. Die Größe der Fläche wird auch durch den Sauerstoffverbrauch bei der Elektrolyse begrenzt, der klein gegenüber den zu messenden Sauerstoffänderungen z.B. durch die Atmung sein soll. Der Elektrolysestrom bei einer Platindraht-Elektrode mit dem Durchmesser 0,2 mm beträgt etwa 10^{-7} Ampere entsprechend einem Sauerstoffverbrauch von 4×10^{-9} M O/Std. Das entspricht etwa 1% des bei 25° C gelösten Sauerstoffes und ist daher für die meisten Anwendungen vernachlässigbar.

[1] KOLTHOFF, J. M., and H. A. LAITINEN: Science, N.Y. 92, 152 (1940).
[2] HARRIS, E. D., and A. J. LINDSAY: Nature 162, 413 (1948).
[3] CLARK, L. C., R. WOLF, D. GRANGER and Z. TAYLOR: J. appl. Physiol. 6, 189 (1953).
[4] GLEICHMANN, U., u. D. W. LÜBBERS: Pflügers Archiv 271, 431 (1960).
[5] KIELLEY, W. W., and J. R. BRONK: J. biol. Ch. 230, 521 (1958).

Die Abb. 1 zeigt einen für viele Zwecke, insbesondere für die Messung der oxydativen Phosphorylierung an Mitochondrien-Suspensionen geeignete Ausführung der offenen Platinelektrode mit einem offenen, rotierenden Probengefäß[1]. Der Platindraht von 0,2 mm Durchmesser ist in einer Glascapillare von etwa 1,5—2 mm Durchmesser sorgfältig eingeschmolzen. Ein Silberdraht bildet die Bezugselektrode vom Typ Ag/AgCl. Die Meßlösung muß daher mindestens etwa 10 mM Cl⁻ enthalten. Das Elektrodenpaar taucht in ein Glasgefäß, das in einem rotierenden Messingblock sitzt (100 U/min). Letzterer ist seinerseits von einem thermostatierten Aluminiumblock umgeben. Die Platinelektrode ist am unteren Ende zur Peripherie des Gefäßes abgewinkelt, um damit an der Elektrodenoberfläche eine ausreichende Bewegung der Flüssigkeit zu erreichen.

Um sicheren, blasenfreien Kontakt zwischen Platin und Glas zu erhalten, müssen beide vor dem Zusammenschmelzen sorgfältigst mit Chromschwefelsäure gereinigt werden. Das Ende der Capillare, an dem die Elektrode austritt, wird sorgfältig glatt geschliffen, so daß die Elektrodenoberfläche als Querschnitt des Platindrahtes, umhüllt von der Glascapillare, gut definiert erscheint.

In der Abb. 2 ist der Aufbau einer geschlossenen Meßzelle dargestellt, bei der sowohl die Kathode (aus Platin) als auch die Bezugselektrode (Ag/AgCl) sich hinter einer Membran befinden*. Die durch den Durchmesser des im Glas eingeschmolzenen Platindrahtes gegebene Elektrodenfläche muß hier wesentlich größer als bei der offenen Elektrode sein, um eine gleiche Empfindlichkeit zu erreichen, da die Diffusion des Sauerstoffs durch die Membran verlangsamt ist. Die Bezugselektrode besteht wieder aus einem Silberdraht. Die

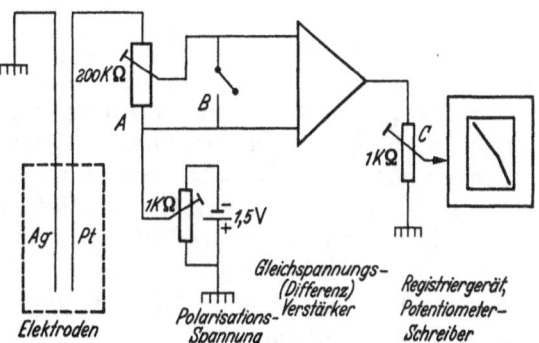

Abb. 3. Schaltschema der Elektroden, des Verstärkers usw. für die amperometrische Sauerstoffmessung (zur Erläuterung vgl. auch Text). Das Potentiometer A dient zur Einstellung der Meßempfindlichkeit. Der Schalter B gestattet die Bestimmung des Strom-Nullpunktes, der auch $[O_2]=0$ entsprechen soll. Mit dem Potentiometer C läßt sich der Ausgangswert auf dem Schreiber einstellen.

Brücke zwischen den beiden Elektroden wird durch eine gesättigte KCl-Lösung hergestellt. Ein Zellophanplättchen, das von der KCl-Lösung durchtränkt wird, definiert den Abstand zwischen der Membran und der Elektrode.

Zur Messung der langsamen Atmungsgeschwindigkeiten, bei welcher die geschlossene Elektrode vorzuziehen ist, muß die Meßlösung von der Atmosphäre abgetrennt werden, um den Gasaustausch zu verhindern. Hierfür wurden eine Reihe von *Meßgefäßen* vorgeschlagen[2-5], von denen hier eine einfache Ausführung in Anlehnung an KIELLEY und BRONK[2] beschrieben sei. Die Oberfläche der Meßlösung wird gegen den Gasaustausch mit der Atmosphäre durch eine Gummiplatte abgedeckt, die über die Elektrode gezogen wird. Zwei Öffnungen in dieser Gummiplatte gestatten das Durchführen von Capillaren für die Reinigung des Gefäßes durch Absaugen und für die Zugabe der Suspensionen und Reagentien. Das Gefäß wird in einem Aluminiumblock, der an einen Thermostat angeschlossen wird, auf konstanter Temperatur gehalten.

Elektrischer Aufbau, Verstärker und Registriergerät. Die Abb. 3 gibt die Schaltung der Elektroden, der Polarisationsspannung, des Verstärkers und des Registriergerätes wieder. Die Polarisationsspannung läßt sich einer 1,5 Volt Batteriezelle entnehmen und wird auf einem Voltmeter angezeigt. Der durch die Platinelektrode fließende Strom I_1 erzeugt an dem Widerstand R_1 die Spannung V_1, welche verstärkt und dann gemessen wird.

---

* Bezugsquellen der Elektrode: Yellow Springs Instrument Co., Yellow Springs, Ohio, USA; L. Eschweiler et Co., Kiel.

[1] KLINGENBERG, M. (unveröffentlicht).
[2] KIELLEY, W. W., and J. R. BRONK: J. biol. Ch. **230**, 521 (1958).
[3] GLEICHMANN, U., u. D. W. LÜBBERS: Pflügers Archiv **271**, 431 (1960).
[4] CHAPPEL, J. B.; in: Symposion „Biological Structure and Function". Vol. II, S. 71. New York 1961.
[5] HAGIHARA, B.: Biochim. biophys. Acta **46**, 134 (1961).

Der Widerstand R_1 soll einmal klein gegenüber dem inneren Widerstand der Polarisationszelle sein, zum anderen groß genug, um eine ausreichende Spannung zu erzeugen. Für die offene Platinelektrode mit einem Platindraht von 0,2 mm ist $R_1 = 100$ kΩ. Der Schalter S_1 dient dazu, den Spannungsnullpunkt ($V_1 = 0$) und damit auch den Punkt der Sauerstoffkonzentration gleich Null zu überprüfen und eventuell auf dem Schreiber nachzustellen. Das Potentiometer P gestattet eine Abschwächung der Meßspannung und dient damit zur Einstellung des Anfangspunktes der Sauerstoffregistrierung auf dem Schreiber. Als Verstärker eignet sich jeder Gleichspannungsverstärker, an dessen Eingang 1—10 mVolt aufgenommen werden. Zur Registrierung wird an den Gleichspannungsverstärker ein Kompensationsschreiber angeschlossen mit 10—100 mVolt Eingangsempfindlichkeit.

P/O-Bestimmung mit der Platinelektrode.

Für die P/O-Bestimmung kann allgemein die Platinelektrode zur Messung des Sauerstoffverbrauchs in Verbindung mit einer analytischen Methode des Phosphatumsatzes am Extrakt benutzt werden. Die amperometrische Bestimmung des Sauerstoffs bietet jedoch auch die Möglichkeit, den P/O-Quotienten unmittelbar bei der Atmungsregistrierung ohne eine Phosphatbestimmung im Extrakt zu messen. Diese Methode der P/O-Bestimmung läßt sich als die „Methode der Atmungskontrolle" bezeichnen[2]. Sie beruht darauf, daß die Sauerstoffaufnahme von Mitochondrien nicht nur von der Gegenwart eines Substrates, sondern auch von der Verfügbarkeit an Phosphat und Phosphatacceptor (ADP) abhängt[1,2]. Die Atmung ist partiell gehemmt, wenn in Gegenwart von Substrat und Phosphat ein Mangel an ADP herrscht („kontrollierter Status" der Mitochondrien[3]). Die Atmung wird beschleunigt, wenn jetzt die oxydative Phosphorylierung durch Zugabe von ADP aktiviert wird („aktiver Status" der Mitochondrien).

Eine korrekte P/O-Bestimmung mit dieser Methode ist jedoch nur unter der Voraussetzung möglich, daß das zugegebene ADP vollständig in ATP verwandelt wird. Das Phosphorylierungsgleichgewicht zwischen den Adeninnucleotiden und der Atmungskette verhindert im Prinzip die vollständige Phosphorylierung des ADP, solange ATP akkumulieren kann. Dieses ist insbesondere der Fall, wenn die Phosphatkonzentration relativ gering ist und ein großer Umsatz an ADP gemessen wird. Daher ist ein größerer Überschuß an Phosphat vorzugeben (etwa 5 mM — der jedoch noch nicht die Mitochondrien schädigt) und ADP in geringer Menge (weniger als 0,3 mM) umzusetzen. Außerdem kann eine ATPase-Wirkung der Mitochondrien, durch die insbesondere bei stärkerer Akkumulierung des ATP hieraus wieder ADP gebildet wird, einen zu niedrigen P/O-Quotienten vortäuschen. Aus diesem Grunde ist die Atmungskontrollmethode nur mit der empfindlicheren und schnelleren amperometrischen und nicht mit der manometrischen Sauerstoffbestimmung durchzuführen.

Zur Bestimmung des P/O-Quotienten durch eine Analyse des Phosphateinbaues im Extrakt z.B. nach der Hexokinasemethode ist die amperometrische Sauerstoffbestimmung im Prinzip ebenso zu verwenden wie die manometrische Methode. Da dann jedoch im allgemeinen mit größeren Umsätzen gearbeitet wird, ist eine genaue Sauerstoffbestimmung nur möglich, wenn mit der geschlossenen (CLARK-)Elektrode und mit einem gegen die Atmosphäre abgedeckten Gefäß gearbeitet wird. Wenn der Sauerstoffgehalt in der luftgesättigten Lösung nicht ausreichen sollte, kann eine höhere Sauerstoffkonzentration durch Begasung des Mediums mit reinem O_2 eingestellt werden. Für die Bestimmung des Sauerstoffverbrauchs nach der manometrischen Methode sei auf S. 55ff. verwiesen.

Die Zusammensetzung und Bereitung eines Ansatzes zur P/O-Bestimmung wird hier nur für Mitochondrien beschrieben. Im Prinzip gleiche Verfahren lassen sich für die

---

[1] LARDY, H. A., u. H. WELLMANN: J. biol. Ch. **195**, 25 (1952).
[2] CHANCE, B., and G. R. WILLIAMS: J. biol. Ch. **217**, 383 (1955).
[3] KLINGENBERG, M., u. W. SLENCZKA: B. Z. **331**, 486 (1959).

P/O-Bestimmung an anderen Präparationen, wie submitochondrialen Partikeln, Zellhomogenaten usw., verwenden. Die Zusammensetzung des Mediums hat dafür zu sorgen, daß die Mitochondrien in ihrer Funktion möglichst intakt bleiben und die nötigen Substrate zum Einbau des Phosphates und zur Bestimmung des P/O geliefert werden.

Die Zusammensetzung eines geeigneten Mediums für die P/O-Bestimmung nach der Atmungskontrollmethode ist wie folgt (Medium I): 0,25 M Saccharose, 10 mM Triäthanolamin-HCl, 2 mM KH_2PO_4. Der p_H wird auf 7,2 eingestellt. Die Lösung kann mit luft- oder mit sauerstoffgesättigtem Wasser bereitet werden. Statt Saccharose kann das Medium auch 0,13 M KCl enthalten.

Für die Messung des P/O nach der Hexokinasemethode sowohl mit der manometrischen als auch mit der amperometrischen Sauerstoffbestimmung wird folgende Zusammensetzung des Mediums empfohlen (Medium II): 0,25 M Saccharose, 10 mM Triäthanolamin-HCl, 10 mM Glucose, 6 mM KH_2PO_4, 4 mM Magnesiumchlorid, p_H 7,2. Statt 0,25 M Saccharose kann auch 0,13 M KCl genommen werden.

Durchführung einer P/O-Bestimmung.

Eine P/O-Bestimmung auf der Basis der Atmungskontrolle mit der Platinelektrode sei an Hand der Abb. 4 erläutert, in der die Registrierung der Atmung einer Mitochondrien-Suspension gezeigt wird. Das Meßgefäß wird mit dem Medium I gefüllt, die Mitochondrien werden zugesetzt und sofort mit der Registrierung der Sauerstoffkonzentration begonnen. Zunächst wird eine Ausgangslinie registriert, dann das Substrat zugesetzt und die noch gehemmte (kontrollierte) Atmung verfolgt. Darauf wird eine genau bekannte Menge ADP (0,2—0,5 mM) zugegeben und damit durch den Übergang in den „aktiven Status" die Atmung beschleunigt. Der Sauerstoffverbrauch wird, sobald das ADP verbraucht ist, beim Übergang in den „kontrollierten Status" langsamer. Der gleiche Vor-

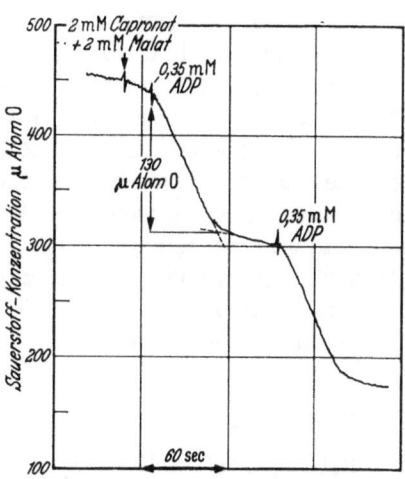

Abb. 4. Bestimmung des P/O-Quotienten mit der Atmungskontrollmethode. Amperometrische Registrierung des Sauerstoffverbrauches mit der offenen Platinelektrode im offenen Elektrodengefäß (vgl. Abb. 1). Suspension von Herzmuskel-Mitochondrien (1,2 mg Protein/ml). Die Abbildung zeigt, wie durch Extrapolation aus der Atmungsregistrierung der Sauerstoffverbrauch bei der Phosphorylierung abgelesen werden kann. Der P/O bestimmt sich daraus zu: 0,35/0,13 = 2,7.

gang, Zugabe des ADP, Beschleunigung und wieder Verlangsamung der Atmung kann wiederholt werden. Zur Bestimmung des P/O-Quotienten wird der Sauerstoffverbrauch während der aktivierten Atmung der Registrierkurve entnommen, wie es bei der Abb. 4 gezeigt wird. Unter der Voraussetzung, daß alles zugegebene ADP phosphoryliert wird, läßt sich die Menge des eingebauten Phosphates gleich der Menge des zugegebenen ADP setzen. Damit gilt die folgende Beziehung:

$$P/O = \frac{\text{zugegebenes ADP}}{\Delta O \text{ im aktiven Status}}.$$

II. Messung des P/O durch Bestimmung des Phosphateinbaues.

Die Bestimmung des Phosphateinbaues bei der oxydativen Phosphorylierung durch eine chemische oder enzymatische Analyse des Extraktes liefert sichere und genaue Daten des P/O-Quotienten. Von großem Nutzen erweist sich hier das Prinzip, das sich während der oxydativen Phosphorylierung bildende ATP mit Hilfe einer Kinasereaktion wegzufangen, und damit einer Akkumulierung des ATP vorzubeugen, die zu den obengenannten Fehlern infolge der ATPase-Wirkung führen kann. Am häufigsten wird hierfür die durch die Hexokinase katalysierte Reaktion:

$$\text{Glucose} + \text{ATP} \xrightarrow{\text{Hexokinase, Mg}^{++}} \text{Glucose-6-phosphat} + \text{ADP}$$

verwendet. Der Ansatz benötigt nur eine katalytische Menge ADP, jedoch ausreichend Phosphat und Glucose. Die Dosierung der Hexokinase ist so zu wählen, daß in der Konkurrenz mit den ATPase-Reaktionen alles ATP für die Bildung von Glucose-6-phosphat weggefangen wird.

Das bei der oxydativen Phosphorylierung umgesetzte Phosphat kann entweder aus der Abnahme des anorganischen Phosphates oder der Bildung neuer Phosphatverbindungen, z.B. Glucose-6-phosphat, ermittelt werden. Die P/O-Bestimmung durch eine Messung der Abnahme an anorganischem Phosphat ist im allgemeinen auf relativ große Umsätze beschränkt, da hier die Differenz des Phosphates vor und nach der oxydativen Phosphorylierung dem Phosphatumsatz entspricht. Die Methoden für die Bestimmung von anorganischem Phosphat wurden im Bd. III, S. 457 ff. dieses Handbuches beschrieben, auf die verwiesen sei. Hiervon ist besonders die Zwei-Phasenextraktion von BERENBLUM und CHAIN[1] in der Modifikation von MARTIN und DOTY[2] zu empfehlen, bei der das anorganische Phosphat als Molybdatkomplex in eine nichtwäßrige Phase ausgeschüttelt wird. Aus der Kombination der Zwei-Phasenextraktion mit dem Radioisotop ^{32}P ist die wohl eleganteste und zugleich sehr genaue und empfindliche Methode einer P/O-Bestimmung entstanden. Diese zuerst von ZETTERSTRÖM, ERNSTER und LINDBERG[3,4] angegebene Methode gibt gute Resultate, wenn der Anteil des eingebauten Phosphates nicht zu gering (größer als 5%) ist. Bei sehr geringem Phosphateinbau ist die Modifikation dieser Methode von NIELSEN und LEHNINGER[5] anzuwenden. Von großer Empfindlichkeit, wenn auch mit größerem Aufwand verbunden, ist die enzymatische Bestimmung der gebildeten Phosphatverbindung. Diese Methode wurde zuerst von SLATER[6] bei der P/O-Bestimmung angewendet.

Herstellung des Ansatzes uud des Extraktes.

Bei der *P/O-Bestimmung nach der Hexokinasemethode* ist die folgende Zusammensetzung des Mediums für das Arbeiten mit isolierten Mitochondrien geeignet: 0,25 M Saccharose, 10 mM Triäthanolamin-HCl, 10 mM Glucose, 6 mM KH_2PO_4, 4 mM $MgCl_2$, pH 7,2. Statt 0,25 M Saccharose kann auch 0,13 M KCl genommen werden.

Ein *Versuch mit der amperometrischen Sauerstoffmessung* verläuft folgendermaßen: Die Mitochondrien werden in dem Medium inkubiert, die Substrate werden zugegeben, die Ausgangsatmung wird eingestellt, und dann werden ADP und Hexokinase zusammen hinzugegeben (etwa 0,2 mM ADP, 1 mg Hexokinase per ml). Nachdem eine für die P/O-Bestimmung ausreichende Menge Sauerstoff verbraucht ist (etwa nach 2—10 min), wird durch Zugabe von 0,2 ml 3 m $HClO_4$ per ml die Mitochondrien-Suspension enteiweißt.

Zur *P/O-Bestimmung nach der manometrischen Sauerstoffmessung* wird ein 5 ml WARBURG-Gefäß mit einem Seitenarm wie folgt vorbereitet: Das Zentralgefäß erhält einen Streifen Filtrierpapier, der mit 0,1 ml 1 m KOH zur Absorption des CO_2 getränkt ist. In den Seitenarm werden 10 µl einer Hexokinaselösung (50 mg per ml) und 10 µl der ADP-Lösung (50 mM) gegeben. Der Hauptraum des WARBURG-Gefäßes erhält 1 ml des oben angegebenen Mediums und das Substrat mit einer Konzentration von 2—10 mM. In den Hauptraum der so vorbereiteten Gefäße werden die Mitochondrien (2—4 mg Protein) gegeben. Darauf werden die mit dem Manometer verbundenen Gefäße in das Wasserbad gesetzt. Nach dem Temperaturausgleich von etwa 3 min werden die Gefäße verschlossen und die Manometer abgeglichen. Hierauf wird sofort die Hexokinase und das ATP zugesetzt. Nach einer geeigneten Zeit von 10—30 min wird der Sauerstoffverbrauch abgelesen und sofort durch Zusatz von 0,2 ml 3 m $HClO_4$ enteiweißt.

---

[1] BERENBLUM, J., and E. CHAIN: Biochem. J. **32**, 286 (1938).
[2] MARTIN, J. B., u. D. M. DOTY: Analyt. Chem., Washington **21**, 965 (1949).
[3] ZETTERSTRÖM, R., L. ERNSTER and O. LINDBERG: Arch. Biochem. **31**, 113 (1951).
[4] LINDBERG, O., and L. ERNSTER: Meth. biochem. Analysis, Bd. III, S. 1 (1956).
[5] NIELSEN, S. O., and A. L. LEHNINGER: J. biol. Ch. **215**, 555 (1955).
[6] SLATER, E. C.: Biochem. J. **53**, 157 (1953).

Zur weiteren *Aufbereitung des Extraktes* wird zunächst das Eiweiß abzentrifugiert. Von dem Überstand wird ein bekanntes Volumen abpipettiert und nach Zusatz von 0,1 ml einer 1 m Triäthanolamin-HCl-Lösung durch langsame Zugabe von 1 m KOH bis auf p_H 7 unter Eiskühlung und lebhaftem Rühren neutralisiert. Nach dem Absetzen bzw. dem Abzentrifugieren des ausgefallenen $KClO_4$ ist der Überstand bereit zur Bestimmung des Phosphateinbaues.

Die enzymatische Bestimmung des Phosphateinbaues.

Präparationen von Hexokinase enthalten meistens einen Anteil von Phosphohexoseisomerase, durch den eine langsame Umwandlung des gebildeten Glucose-6-phosphates in Fructose-6-phosphat bewirkt wird. Daher sind beim enzymatischen Test beide Hexosephosphate zu erfassen, indem außer der Glucose-6-phosphat-Dehydrogenase auch Phosphohexoseisomerase dem Test zugegeben wird. In letzter Zeit sind Hexokinasepräparationen im Handel, die so wenig Phosphohexoseisomerase enthalten, daß im Extrakt nur Glucose-6-phosphat vorliegen dürfte und der enzymatische Test auf die Bestimmung dieser Verbindung beschränkt werden kann. Von SLATER[1] wurde ein Verfahren angegeben, bei dem die gebildeten Hexose-6-phosphate enzymatisch in Dihydroxyacetonphosphat überführt werden, welches dann optisch getestet wird.

Die Bestimmung der Hexose-6-phosphate (Summe von Glucose-6-phosphat und Fructose-6-phosphat) im optischen Test verläuft wie folgt: In eine Photometer-Küvette werden je nach der Menge des zu erwartenden Glucose-6-phosphates 20—100 μl des Extraktes auf 2 ml 50 mM Triäthanolamin-HCl-Puffer, p_H 7,6, eingesetzt. In die Küvette werden außerdem 0,5 mM TPN und 1 μg Protein Phosphohexoseisomerase (Aktivität nach BÜCHER[2] 20000 Einheiten/mg Protein) gegeben. Der optische Test wird in einem geeigneten Spektrophotometer bei 340 oder 366 mμ durchgeführt. Die Reaktion wird durch Zugabe von 4 μg Protein Glucose-6-phosphat-Dehydrogenase (Aktivität nach BÜCHER[2]: 4000 Einheiten/mg Protein) gestartet.

^{32}P-Methode nach LINDBERG und ERNSTER[3].

Für einen Ansatz von 1 ml wurden etwa 0,5 mC ^{32}P eingesetzt. Pro Ansatz wird ein mit Schliffstopfen versehenes Reagensglas von etwa 10 ml zur Zwei-Phasenextraktion des Phosphates vorbereitet. Das Glas wird mit 2,5 ml 1 M H_2SO_4, 0,5 ml einer 10%igen Ammoniummolybdatlösung und 3 ml einer Mischung von Benzol und Isobutanol (1/1 Vol.) gefüllt. Hierzu werden 0,2 ml des Extraktes gegeben. Nach dem Verschließen der Gläser wird etwa 30 min geschüttelt. Nach Trennung der Phasen werden von den beiden Schichten genau gleiche Volumina (30—50 μl) zur Bestimmung der Radioaktivität entnommen. Die Menge des eingebauten Phosphates läßt sich nach dem folgenden Ausdruck berechnen:

$$-\Delta P = P_0 \frac{A_{H_2O}}{A_B + A_{H_2O}}$$

(P_0 = eingesetztes Phosphat, A_B = Aktivität der Benzol-Isobutanol-Phase, A_{H_2O} = Aktivität der wäßrigen Phase).

Man benötigt die Gesamtmenge des zugegebenen Phosphates und die Aktivität der beiden Phasen. Die absoluten Volumina der beiden Phasen und der zur Bestimmung der Radioaktivität entnommenen Proben brauchen nicht genau bekannt zu sein. Wichtig ist nur, daß die Volumina gleich groß sind.

---

[1] SLATER, E. C.: Biochem. J. **53**, 157 (1953).
[2] BEISENHERZ, G., H. J. BOLTZE, T. BÜCHER, R. CZOK, K. H. GARBADE, E. MEYER-ARENDT u. G. PFLEIDERER: Z. Naturforsch. 8b, 555 (1953).
[3] LINDBERG, O., and L. ERNSTER: Meth. biochem. Analysis, Bd. III, S. 1 (1956).

Methode von NIELSEN **und** LEHNINGER[1].

Bei diesem Verfahren kommt es darauf an, die Probe möglichst vollständig vom anorganischen Phosphat zu befreien und dann die restliche Aktivität im wäßrigen Extrakt zu bestimmen, welche den Anteil des gebundenen Phosphates darstellt. Um einen guten Auswascheffekt zu erzielen, muß die Probe genügend Trägerphosphat (etwa 5 mM PO_4) enthalten, das gegebenenfalls durch Zusatz von KH_2PO_4 ergänzt werden kann. Zur Steigerung der Empfindlichkeit wird ein großer Anteil der Probe, etwa 1 ml, eingesetzt. Hierzu werden 3 ml Wasser, das mit Isobutanol gesättigt ist, 1 ml Aceton und 1 ml des Molybdatreagens zugefügt. Dann werden 4 ml einer mit Wasser gesättigten Benzol-Isobutanol-(1/1 Vol.)-Mischung zugegeben und für 30 sec durch Schütteln extrahiert. Von der wäßrigen Schicht wird ein aliquoter Teil (1 oder 2 ml) entnommen, wieder mit Phosphat als Träger versetzt (20 µl einer 0,05 M KH_2PO_4-Lösung) und nochmals mit 4 ml einer wassergesättigten Benzol-Isobutanol-Mischung für 30 sec geschüttelt. Aus der wäßrigen Schicht werden 0,1 ml zur Bestimmung der Radioaktivität entnommen. Außerdem wird ein aliquoter Teil der nichtextrahierten Probe (etwa 20—50 µl) direkt auf seine Radioaktivität hin gemessen. Aus dem Verhältnis der Aktivitätswerte beider Proben und der Menge des eingesetzten Phosphates läßt sich die Menge des eingebauten Phosphates wie folgt berechnen, indem die durch Zusatz des Wassers und des Molybdatreagens entstandene Verdünnung durch den Faktor 5 berücksichtigt wird:

$$-\Delta P = 5 \cdot P_0 \frac{A_{H_2O}}{A_0}.$$

P_0 = eingesetztes Phosphat, A_{H_2O} = Aktivität der wäßrigen Phase, A_0 = Aktivität der nicht extrahierten Probe.

Oxydoreductasen.

Nomenklatur der Nicotinamid-Coenzyme.

Von

Otto Hoffmann-Ostenhof[*].

In der letzten Zeit wurde durch die hierfür zuständigen internationalen Gremien[2,3] eine wesentliche Änderung der Nomenklatur derjenigen Coenzyme beschlossen, die bisher vor allem unter dem Namen Pyridinnucleotide bekannt waren; daneben wurden in der Vergangenheit auch die Bezeichnungen Coenzyme I und II, Codehydrogenase bzw. Codehydrase I und II und Cozymase bzw. Phosphocozymase verwendet.

Gegen die zuletzt erwähnten Namen, die in den letzten Jahren zusehends außer Gebrauch gekommen sind, wurde als Einwand geltend gemacht, daß sie nicht deskriptiv sind. Die Bezeichnungen Diphosphopyridinnucleotid und Triphosphopyridinnucleotid (Abkürzungen DPN und TPN), welche in der moderneren Literatur fast ausschließlich zu finden sind, können aber nicht als korrekt angesehen werden. Es waren folgende Gründe, welche dazu führten, daß die beiden maßgebenden internationalen Kommissionen die Weiterverwendung dieser Nomenklatur als unerwünscht bezeichneten:

---

[*] Organisch-Chemisches Institut der Universität Wien.
[1] NIELSEN, S. O., and A. L. LEHNINGER: J. biol. Ch. 215, 555 (1955).
[2] Report of the Commission on Enzymes of the International Union of Biochemistry. Oxford 1961.
[3] International Union of Pure and Applied Chemistry. Appendix B to Information Bulletin No. 12. 1961.

1. Diese Coenzyme sind nicht, wie es der Name andeuten würde, Nucleotide des Diphosphopyridins oder des Triphosphopyridins.

2. Der chemischen Nomenklatur entsprechend bedeutet „Phospho-X" eine Verbindung von X mit einem zusätzlichen Phosphatrest; andererseits wird durch die Bezeichnung „Nucleotid" bereits die Existenz einer Phosphatgruppe implizit angedeutet. Dementsprechend wäre Diphosphopyridinnucleotid dem Namen nach eine Verbindung mit drei Phosphatgruppen, was nicht der Tatsache entspricht.

3. Die Namen deuten in keiner Weise an, daß es sich um Dinucleotide handelt; ebenso wird der Bestandteil Adenin darin nicht erwähnt.

4. Die Coenzyme sind in Wahrheit nicht Nucleotide des Pyridins, sondern solche des Nicotinamids.

5. Die wirklichen Pyridinnucleotide, denen diese Namen richtig zukommen, sind als Coenzyme inaktiv.

6. Die Namen machen eine korrekte Bezeichnung von Analogverbindungen unmöglich.

7. Die Kombinationen „Dihydrodiphospho-" und „Dihydrotriphospho-" sind besonders unglücklich.

8. Die Namen verdecken die nahe chemische Analogie mit den Flavin-Verbindungen.

9. Der Name Triphosphopyridinnucleotid deutet eine Triphosphatstruktur an, während es sich in Wirklichkeit um eine Monophosphodinucleotid-Struktur handelt.

Als korrekte Bezeichnungen, gegen die keine der obengenannten Einwendungen gemacht werden können und die tatsächlich die chemischen Strukturen repräsentieren, welche den beiden Coenzymen zukommen, wurden nunmehr die Namen *Nicotinamid-adenindinucleotid* (Abkürzung NAD) und *Nicotinamid-adenindinucleotidphosphat* (Abkürzung NADP) eingeführt. Die neuen Bezeichnungen haben unter anderem auch den Vorteil, daß sie die wichtige Analogie zu den Flavin-Verbindungen deutlich hervorheben: Nicotinamid-mononucleotid (Abkürzung NMN); Flavin-mononucleotid (Abkürzung FMN); Nicotinamid-adenindinucleotid (Abkürzung NAD); Flavin-adenindinucleotid (Abkürzung FAD).

Es ist oft erforderlich, in Formeln durch Abkürzungen die oxydierten und reduzierten Formen dieser Coenzyme zu unterscheiden. Dafür sind zwei Methoden zulässig, welche als Grundabkürzungen NAD und NADP verwenden:

	Oxydierte Form	Reduzierte Form
I	NAD	$NADH_2$
	NADP	$NADPH_2$
II	NAD^+	NADH
	$NADP^+$	NADPH

Diese Abkürzungen können in Gleichungen auf folgende Weise angewandt werden:

I $NAD + XH_2 \rightleftharpoons NADH_2 + X$
$NADP + XH_2 \rightleftharpoons NADPH_2 + X$

II $NAD^+ + XH_2 \rightleftharpoons NADH + H^+ + X$
$NADP^+ + XH_2 \rightleftharpoons NADPH + H^+ + X$

Die Methoden I und II dürfen aber unter keiner Bedingung miteinander vermischt werden, d.h. wenn in einer wissenschaftlichen Arbeit NAD als Symbol für die oxydierte Form des Coenzyms verwendet wird, muß die reduzierte Form durch $NADH_2$ (nicht durch NADH) bezeichnet werden. Wenn Methode II angewandt wird, darf man die beiden Coenzyme allgemein, d.h. ohne Berücksichtigung ihres Oxydationszustandes, mit NAD bzw. NADP bezeichnen; bei Methode I ist dies nicht zulässig.

Die neue Nomenklatur ermöglicht auch eine einfache Bezeichnung der Coenzym-Analogen. Die desaminierte Form von NAD wurde bisher z.B. „Desaminodiphosphopyridinnucleotid" genannt, was über die chemische Natur der Verbindung wenig Aufschluß gibt, da derjenige Teil des Moleküls, welcher desaminiert wird, nämlich das Adenin, nicht angegeben ist. Der neue, wesentlich deskriptivere Name ist Nicotinamid-Hypoxanthindinucleotid. Das Analoge von NADP, in dem die Phosphogruppe in 3'- statt in 2'-Stellung steht, wurde bisher „3'-Triphosphopyridinnucleotid" genannt, was sicher keine geeignete Bezeichnung für eine Verbindung ist, die nur eine Phosphogruppe in 3'-Stellung besitzt. Der neue Name ist Nicotinamid-Adenindinucleotid-3'-phosphat. Auch die Benennung anderer Analoge bietet nach dem neuen System keine Schwierigkeiten.

Die hier geschilderte Nomenklatur wird zur Zeit der Abfassung dieses Kapitels bereits von mehreren wichtigen Zeitschriften und Handbüchern in verschiedenen Ländern als verpflichtend vorgeschrieben. In anderen Zeitschriften dürfen wahlweise die alte Nomenklatur (DPN, TPN) und die neue (NAD, NADP) nebeneinander verwendet werden. Da die maßgeblichen internationalen Organisationen für die Neueinführung selbst verantwortlich sind und diese auch propagieren, ist es wohl wahrscheinlich, daß sie sich in wenigen Jahren durchgesetzt haben wird.

Zur Zeit dieser Umbenennung waren die meisten Beiträge für das vorliegende Handbuch bereits im Druck. Es war deshalb nicht mehr möglich, konsequent die neue Nomenklatur in allen Kapiteln zu verwenden.

Alkoholdehydrogenase.
[1.1.1.1 Alkohol-NAD-Oxydoreductase].
Von
Andreas C. Maehly und Roger K. Bonnichsen*.

Vorkommen und Einteilung. Alkoholdehydrogenasen (ADH) sind sowohl im Pflanzenwie im Tierreich weit verbreitet. In Reis[1], Weizenkeimlingen[2], Maiskeimlingen[3], Erbsen[4],

$$CH_3-CHO + DPNH + H^+ \rightleftharpoons CH_3-CH_2OH + DPN^+$$

Bakterien[5] und Hefe wurde ADH nachgewiesen. Im Tierkörper scheint die ADH vor allem in der Leber konzentriert zu sein. Sie wurde in der Leber von Pferd, Meerschweinchen[6] und Ratte[6-8] gefunden. In der Leber des Menschen konnte ADH bisher nicht nachgewiesen werden**. Dagegen konnten WALD und HOBBARD[10] sowie BLISS[11] ADH in der

---

Abkürzungen:

ADH	Alkoholdehydrogenase	DPNH	Diphosphopyridinnucleotid, reduziert
ADPR	Adenosindiphosphatribosid	L-ADH	Alkoholdehydrogenase aus Pferdeleber
DPN	Diphosphopyridinnucleotid, oxydiert	Y-ADH	yeast-ADH, Alkoholdehydrogenase aus Hefe
DPND	deuteriertes Diphosphopyridinnucleotid		

* Staatliches Institut für gerichtliche Chemie. Stockholm 60, Schweden.

** SCHMIDT u. Mitarb.[9] berichteten über ADH-Aktivität in der menschlichen Leber, versuchten aber keine Anreicherung des Enzyms.

[1] APP, A. A.: Univ. Microfilms (Ann Arbor, Mich.). Publ. Nr. 22501 [Dissertation Abstr. 17, 2403 (1957)].
[2] STAFFORD, H. A., and B. VENNESLAND: Arch. Biochem. 44, 404 (1953).
[3] THRONEBERRY, G. O., and F. G. SMITH: Plant Physiol. 30, 337 (1955).
[4] GOKSØYR, J., E. BOERI and R. K. BONNICHSEN: Acta chem. scand. 7, 657 (1953).
[5] DAWES, E. A., and S. M. FOSTER: Biochim. biophys. Acta 22, 253 (1956) u. a.
[6] NYBERG, A., J. SCHUBERTH and L. ÄNGGÅRD: Acta chem. scand. 7, 1170 (1953).
[7] MOORE, B. W., and R. H. LEE: J. biol. Ch. 235, 1359 (1960).
[8] MERRITT, A. D., and G. M. TOMKINS: J. biol. Ch. 234, 2778 (1959).
[9] SCHMIDT, E., F. W. SCHMIDT u. E. WILDHIRT: Kli. Wo. 1958, 172. — KALK, H., E. SCHMIDT, F. W. SCHMIDT u. E. WILDHIRT: Kli. Wo. 1959, 657.
[10] WALD, G., and R. HUBBARD: J. gen. Physiol. 32, 367 (1949).
[11] BLISS, A. F.: Arch. Biochem. 31, 197 (1951).

Retina nachweisen, wo sie eine wichtige Rolle bei der Regenerierung des Sehpurpurs spielt. Nach Enomoto[1] sollen auch menschliche Leukocyten ADH enthalten. Die Eigenschaften der ADH aus Fischleber[2] liegen in mancher Beziehung zwischen denen der pflanzlichen und der Säugetier-ADH.

Am eingehendsten erforscht sind die ADH aus Hefe (Yeast-ADH: Y-ADH) einerseits und aus Pferdeleber (L-ADH) andererseits. Beide Enzyme enthalten Zink und katalysieren die Einstellung des oben angegebenen Gleichgewichtes, aber sie unterscheiden sich in fast allen anderen chemischen, physikalischen und kinetischen Eigenschaften.

Darstellung. a) *Alkoholdehydrogenase aus Hefe (Y-ADH)*. Ein gereinigtes Enzym aus Bäckerhefe wurde von Müller[3] beschrieben, doch wurde Y-ADH zuerst von Negelein und Wulff[4] in kristallisierter Form isoliert. Verbesserte Darstellungsmethoden wurden von Racker[5] und von Wallenfels und Sund[6] ausgearbeitet. Das Enzym ist nunmehr käuflich zu haben, z.B. bei C. F. Boehringer & Soehne GmbH. (Mannheim), Sigma Chem. Co. (St. Louis, Miss.), Worthington Biochem. Corp. (Freehold, N.J.) und Mann Research Laboratories (New York, N.Y.).

b) *Alkoholdehydrogenase aus Leber (L-ADH)*. Batelli und Stern[7] untersuchten zellfreie Leberextrakte auf ihre ADH-Aktivität. Kristallisierte L-ADH wurde erstmals von Bonnichsen und Wassén[8] hergestellt. Die Darstellungsmethode wurde später von Dalziel[9] modifiziert. Auch die L-ADH ist käuflich, z.B. bei C. F. Boehringer & Soehne (Mannheim) und Mann Research Laboratories (New York, N.Y.).

Physikalisch-chemische Eigenschaften. Die Zusammensetzung, Struktur und Funktion der L-ADH und Y-ADH ist zur Zeit Gegenstand intensiver Forschungsarbeit, und viele der unten angeführten Angaben können noch nicht als endgültig gesichert angesehen werden. Einige chemische und physikalische Eigenschaften der beiden Enzyme sind in Tabelle 1 zusammengestellt.

Enzymatische Eigenschaften. a) *Hemmstoffe*. Die enzymatische Gesamtreaktion findet nur unter Beteiligung von Coenzym (DPN bzw. DPNH), Zn-Ionen, SH-Gruppen und intaktem Enzym statt. Hemmung der Reaktion kann daher durch mindestens 5 Substanzgruppen herbeigeführt werden. Hemmstoffe sämtlicher Gruppen sind gefunden worden, zum Teil in so großer Zahl, daß sie hier nur kurz aufgezählt werden können:

Gruppe 1 *(DPN-Verdränger)*. Hierher gehören Triphenylmethanfarbstoffe[10] und zwei der sog. DPN-Analogen[11]. Diese unterscheiden sich von DPN durch den Substituenten in der 3-Stellung des Pyridinrings. DPN: —CO—NH$_2$, Nicotinylhydroxamsäure-ADPR: —CO—NHOH und Nicotinsäurehydrazid-ADPR: —CO—NH—NH$_2$.

Gruppe 2 *(Zn-Hemmer)*. Adenosin, 8-Aminochinolin, Butazolidin und Inosin[12] sowie Hydroxylamin[13] sind untersucht worden. Am gründlichsten wurde 1,10-Phenanthrolin studiert, vor allem von Vallee u. Mitarb.[14], aber auch von anderen[12,15].

---

[1] Enomoto, I.: Osaka Shiritsu Daigaku Igaku Zasshi **6**, 734 (1957) [Chem. Abstr. **52**, 4793f (1958)].
[2] Boeri, E., R. K. Bonnichsen e L. Tosi: Pubbl. Staz. zool. Napoli **25**, 427 (1954).
[3] Müller, D.: B. Z. **262**, 239 (1933).
[4] Negelein, E., u. H. J. Wulff: B. Z. **289**, 436; **290**, 445; **293**, 351 (1937).
[5] Racker, E.; in: Colowick-Kaplan, Meth. Enzymol., Bd. I, S. 500. New York, 1955.
[6] Wallenfels, K., u. H. Sund: B. Z. **329**, 17 (1957).
[7] Batelli, F., et L. Stern: C.R. Soc. Biol. **67**, 419 (1909); **68**, 5 (1910).
[8] Bonnichsen, R. K., and A. Wassén: Arch. Biochem. **18**, 361 (1948).
[9] Dalziel, K.: Acta chem. scand. **12**, 459 (1958).
[10] Masuda, M.: Osaka Daigaku Igaku Zasshi **10**, 595 (1958) [Chem. Abstr. **52**, 15620d (1958)].
[11] Andersson, B. M., and N. O. Kaplan: J. biol. Ch. **234**, 1226 (1959).
[12] Wallenfels, K., H. Sund u. H. Diekmann: B. Z. **329**, 48 (1957).
[13] Keleti, T.: Acta physiol. hung. **13**, 103 (1958).
[14] Von den zahlreichen Publikationen dieser Gruppe können hier nur die neueren genannt werden: Vallee, B. L., and T. L. Coombs: J. biol. Ch. **234**, 2615 (1959). — Vallee, B. L., R. J. P. Williams and F. L. Hoch: J. biol. Ch. **234**, 2621 (1959).
[15] Redetzki, H. E., and W. W. Nowinski: Nature **179**, 1018 (1957).

Tabelle 1. *Einige physikalisch-chemische Eigenschaften der ADH aus Hefe (Y-ADH) und aus Pferdeleber (L-ADH).*

Größe	Y-ADH	L-ADH	Einheit
Molekulargewicht	150000; ref.[1]	83300, ref.[2]	
Zn-Gehalt	4; ref.[3] 5; ref.[5]	2; ref.[4]	Äq./Mol
DPN-bindende Gruppen	4; ref.[1] 5; ref.[5]	2; ref.[16] (1 bei p_H 9)	Äq./Mol
SH-Gruppen	36—40; ref.[6] 36; ref.[8]	8; ref.[7]	Äq./Mol
Wechselzahl	etwa 24000; ref.[8]	etwa 290; ref.[9]	Mol DPN$^+$ · Mol ADH^{-1} · min^{-1}
Extinktionskoeffizient bei 280 mμ	82; ref.[1]	38; ref.[11]	cm^{-1}mM^{-1}
Isoelektrischer Punkt	6,1; ref.[10]	6,8; ref.[12]	p_H-Einheiten
p_H-Beständigkeit		5,4—11; ref.[11]	p_H-Einheiten
Absorptionsmaximum von ADH-DPNH (DPNH: 340 mμ)	340	324; ref.[16]	mμ
Fluorescenzmaximum von ADH-DPNH (DPNH: 462 mμ)	443; ref.[14]	434; ref.[13,15]	mμ

Tabelle 2. *Die relative Geschwindigkeit der Dehydrierung von Äthylalkohol durch ADH in Gegenwart verschiedener Dinucleotide.* Nach ANDERSSON und KAPLAN[17].

Ansatz pro 3 ml: 0,6 μM Dinucleotid, 0,5 M Äthylalkohol und 20 μg Y-ADH (bzw. 40 μg L-ADH) in 0,1 m Tris-Puffer von p_H 9,5.

Formel der Dinucleotide: ⟨N$^\oplus$⟩—ADP-ribosid (X)

X	Relative Geschwindigkeit (DPN = 100) L-ADH	Relative Geschwindigkeit (DPN = 100) Y-ADH	X	Relative Geschwindigkeit (DPN = 100) L-ADH	Relative Geschwindigkeit (DPN = 100) Y-ADH
a) —CO—NH$_2$	100	100	f) —NH$_2$	0	0
b) —CO—NHOH*	44	3	g) —NH—CO—CH$_3$	0	0
c) —CO—NH—NH$_2$*	68	8	h) —CH=CH—CO—NH$_2$	0	0
d) —CO=NOH	50	6	i) —CO—CH(CH$_3$)$_2$	792	52
e) —CO—⟨⟩	31	0	j) —CS—NH$_2$	348	16

* b) und c) hemmen a); s. o.

---

[1] HAYES, J. E., and S. F. VELICK: J. biol. Ch. **207**, 225 (1954).
[2] EHRENBERG, A., and K. DALZIEL: Acta chem. scand. **12**, 465 (1958).
[3] VALLEE, B. L., and F. L. HOCH: Proc. nat. Acad. Sci. USA **41**, 327 (1955).
[4] VALLEE, B. L., and F. L. HOCH: J. biol. Ch. **225**, 185 (1957).
[5] WALLENFELS, K., u. H. SUND: B. Z. **329**, 59 (1957).
[6] KELETI, T.: Acta physiol. hung. **13**, 309 (1958).
[7] BONNICHSEN, R. K.; in: Biologie und Wirkung der Fermente. 4. Mosbacher Coll. S. 151 (1953).
[8] WALLENFELS, K., u. H. SUND: B. Z. **329**, 17 (1957).
[9] BONNICHSEN, R. K., and A. M. WASSÉN: Arch. Biochem. **18**, 361 (1948).
[10] KELETI, T.: Acta physiol. hung. **9**, 415 (1956).
[11] BONNICHSEN, R. K.: Acta chem. scand. **4**, 715 (1950).
[12] Noch nicht publizierte Angabe.
[13] BOYER, P. D., and H. THEORELL: Acta chem. scand. **10**, 447 (1956).
[14] DUYSENS, L. L. N., and G. H. M. KRONENBERG: Biochim. biophys. Acta **26**, 437 (1957).
[15] THEORELL, H.: Adv. Enzymol. **20**, 31 (1958).
[16] THEORELL, H., and R. K. BONNICHSEN: Acta chem. scand. **5**, 1105 (1951).
[17] ANDERSSON, B. M., and N. O. KAPLAN: J. biol. Ch. **234**, 1226 (1959).

Gruppe 3 *(SH-Hemmer)*. Typische Vertreter sind Quecksilber(1)-ionen[1], Silberionen[1], Arsen-(III)-verbindungen[2], p-Chlorquecksilberbenzoat[1,3], Jodessigsäure[3-5] sowie Jodosobenzoat und Jodacetamid[2].

Gruppe 4 *(protein-inaktivierende Substanzen)*. Harnstoff[3,6] und ultraviolette Bestrahlung[7] denaturieren den Proteinteil der ADH.

Gruppe 5 *(Hemmstoffe, die mit den Substraten konkurrieren)*. In dieser Gruppe sind besonders freie Fettsäuren und Fettsäureamide[8] sowie Imidazol[9] untersucht worden. Diese Substanzen erlauben das Studium der Kinetik der binären und ternären Enzymkomplexe.

b) Spezifität. ADH ist kein hochspezifisches Enzym. Das Coenzym (DPN) kann durch Analoge, die Substrate (Acetaldehyd und Äthylalkohol) durch Homologe ersetzt werden. KAPLAN u. Mitarb.[10] haben die relative Reaktionsgeschwindigkeit von DPN-Analogen für die Dehydrierung von Äthylalkohol gemessen. Die Resultate sind in Tabelle 2 zusammengefaßt.

Äthylalkohol kann als Substrat durch andere Alkohole ersetzt werden. Die relative Dehydrierungsgeschwindigkeit hängt dabei sehr stark von den Versuchsbedingungen, vor allem dem p_H und den relativen Konzentrationen der Reaktionspartner, ab. Dies erklärt die scheinbaren Widersprüche zwischen den Ergebnissen verschiedener Forschergruppen.

Ähnliche Verhältnisse gelten für die Hydrierung von anderen Aldehyden als Acetaldehyd. Als Beispiel sollen die von WINER[11] veröffentlichten Werte für L-ADH

Tabelle 3. *Die Reaktionsgeschwindigkeiten für die Dehydrierung bzw. Hydrierung verschiedener Alkohole und Carbonylderivate durch L-ADH nach* WINER[11], *ausgedrückt in* Mol × Liter^{-1} × min^{-1} × Mol ADH^{-1}.

Alkohole		Aldehyde und Ketone	
1 mM Substrat		50 µM Substrat	
0,12 mM DPN		3,2 µM DPNH	
0,0144 µM L-ADH		0,0048 µM L-ADH	
0,1 M Glykokoll-NaOH-puffer, p_H 9,50		Phosphatpuffer, p_H 6,95, und $\mu = 0,1$	
n-Butanol	215	n-Butyraldehyd	510
Allylalkohol	192	Zimtaldehyd	350
2-Phenyläthanol	184	Furfural	236
n-Hexanol	170	Isovaleraldehyd	208
Isoamylalkohol	167	Benzaldehyd	55
Amylalkohol	160	*Acetaldehyd*	30
n-Propanol	146	Formaldehyd	7
Äthanol	135	Cyclohexanon	5
Cyclohexanol	135	D,L-Glycerinaldehyd	2
n-Octanol	135	Glyoxal	0
Benzylalkohol	118	Methyläthylketon	0
Methylcyclohexanol	108	Aceton	0
Furfurylalkohol	108		
3-Phenyl-propanol-(1)	46		
Hexanol-(3)	35		
Methanol	0*		

* Eigene Versuche (R. B.).

Tabelle 4. *Die relativen Reaktionsgeschwindigkeiten der Dehydrierung einiger Alkohole durch Y-ADH nach* VAN EYS *und* KAPLAN[12].

Bedingungen: 5 mM Substrat, 0,15 mM DPN, 0,05 M Tris-puffer, p_H 9,3.

Äthanol	1000	2-Aminoäthanol	22
Methanol	8	Glykolsäure	17
Propanol	660	2-Chloräthanol	8
Butanol	600	Glycerin	7
Hexanol	300	D-Milchsäure	3
Heptanol	420	Erythrit	2
Octanol	370	Arabit	1,5
Nonylalkohol	185	Dimethylaminoäthanol	0
Isobutanol	4	tert. Butanol	0
Isoamylalkohol	4		

[1] SNODDGRASS, P. J., B. L. VALLEE and F. L. HOCH: J. biol. Ch. **235**, 504 (1960).
[2] BARRON, E. S. G., and S. LEVINE: Arch. Biochem. **41**, 175 (1952).
[3] SEKUZU, I., B. HAGIHARA, F. HATTORI, T. SHIBATA, M. NOZAKI and K. OKONUKI: J. Biochem. **44**, 587 (1957).
[4] STAFFORD, H. A., and B. VENNESLAND: Arch. Biochem. **44**, 404 (1953).
[5] DIXON, M.: Nature **140**, 806 (1937).
[6] SUND, H.: B. Z. **333**, 205 (1960).
[7] ROMANI, R. J., and A. L. TAPPEL: Arch. Biochem. **79**, 323 (1959).
[8] WINER, A. D., and H. THEORELL: Acta chem. scand. **14**, 1729 (1960).
[9] THEORELL, H., and J. L. MCKINLEY MCKEE: Nature **192**, 47 (1961). Fed. Proc. **20**, 967 (1961). Acta chem. scand. **15**, 1797, 1811, 1834, 1866 (1961).
[10] ANDERSSON, B. M., and N. O. KAPLAN: J. biol. Ch. **234**, 1226 (1959).
[11] WINER, A. D.: Acta chem. scand. **12**, 1695 (1958).
[12] EYS, J. VAN, and N. O. KAPLAN: Am. Soc. **79**, 2782 (1957).

(Tabelle 3) und die von van Eys und Kaplan[1] erhaltenen Werte für Y-ADH (Tabelle 4) dienen.

Kinetik. Um enzymatisch wirksam zu sein, muß die ADH sowohl Coenzym wie auch Substrat binden. A priori kann jeweils die eine oder die andere dieser beiden Substanzgruppen zuerst gebunden werden, so daß man das folgende, von Theorell und McKee[2] für L-ADH aufgestellte Schema erhält (Abb. 1).

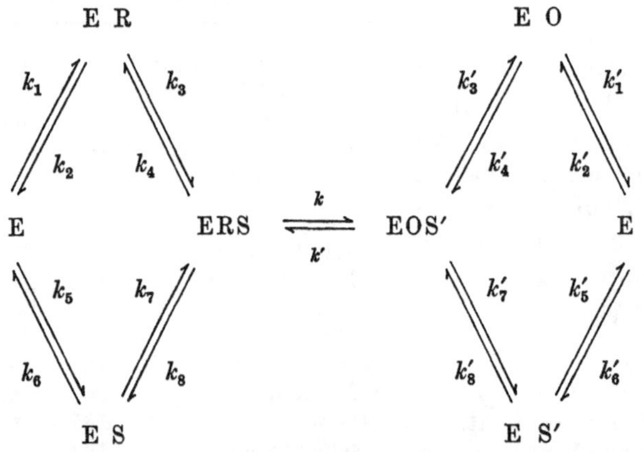

$$\begin{array}{ccccc}
 & ER & & EO & \\
 \nearrow\!\!\!\swarrow k_1,k_3 & & \nwarrow\!\!\!\searrow k_2,k_4 & \nearrow\!\!\!\swarrow k_3',k_1' & \nwarrow\!\!\!\searrow k_4',k_2' \\
E & & ERS \underset{k'}{\overset{k}{\rightleftharpoons}} EOS' & & E \\
 \searrow\!\!\!\nwarrow k_5,k_7 & & \swarrow\!\!\!\nearrow k_6,k_8 & \searrow\!\!\!\nwarrow k_7',k_5' & \swarrow\!\!\!\nearrow k_8',k_6' \\
 & ES & & ES' & \\
\end{array}$$

wo E = ½ L-ADH   R = DPNH   O = DPN   S = Aldehyd   S' = Alkohol

Abb. 1.

Es scheint nun sicher, daß die Y-ADH und L-ADH quantitativ sehr verschieden reagieren. In der Y-ADH haben die ternären Komplexe eine meßbare Lebensdauer, so daß k' und k geschwindigkeitsbestimmend werden. In der L-ADH ist die Existenz der ternären Komplexe bisher nicht experimentell nachweisbar gewesen. Diese Verhältnisse haben zu gewissen Vereinfachungen der Kinetik geführt, so daß die früher, besonders von Theorell u. Mitarb. aufgestellten Reaktionsmechanismen[3-5] ihre Gültigkeit behalten haben.

Bei der L-ADH hat es sich somit gezeigt, daß $k_1 \approx k_7$ und $k_1' \approx k_7'$, daß ferner k und k' sehr groß sind, und endlich, daß $k_4 \gg k_8$ und $k_4' \gg k_8'$ (d.h. daß der „obere Weg" in Schema der Abb. 1 der schnellere ist). Theorell u. Mitarb. haben diese kinetischen Daten mit Hilfe einer hochgezüchteten Fluorescenztechnik im Detail bearbeitet[5-7]. Das Resultat gleicht dem von Theorell und Chance[4] aufgestellten „T-C-Mechanismus":

$$E + R \underset{k_2}{\overset{k_1}{\rightleftharpoons}} ER$$

$$ER + S \underset{k_3'}{\overset{k_3}{\rightleftharpoons}} EO + S'$$

$$EO \underset{k'}{\overset{k_2'}{\rightleftharpoons}} E + O$$

Theorell und McKee[2] fanden folgende Werte (Phosphatpuffer, p_H 7,0, $\mu = 0,1$, Temperatur 23,5° C) (Tabelle 5).

---

[1] Eys, J. van, and N. O. Kaplan: Am. Soc. **79**, 2782 (1957).
[2] Theorell, H., and J. L. McKinley McKee: Nature **192**, 47 (1961). Fed. Proc. **20**, 967 (1961). Acta chem. scand. **15**, 1797, 1811, 1834, 1866 (1961).
[3] Theorell, H., and R. K. Bonnichsen: Acta chem. scand. **5**, 1105 (1951).
[4] Theorell, H., and B. Chance: Acta chem. scand. **5**, 1127 (1951).
[5] Theorell, H., A. P. Nygaard and R. K. Bonnichsen: Acta chem. scand. **9**, 1148 (1955).
[6] Boyer, P. D., and H. Theorell: Acta chem. scand. **10**, 447 (1956).
[7] Theorell, H.: Ciba Found. Symposium on Significant Trends in Medical Research. S. 18. 1959.

Für Y-ADH ist k und k' von MAHLER und DOUGLAS untersucht worden[1]. Die Verfasser maßen die Gleichgewichts- und Reaktionskonstanten sowohl mit DPNH und CH_3CH_2OH als auch mit den deuterierten DPND und CH_3CD_2OH. Im ersteren „normalen" Fall erhielten sie $k = 138\ sec^{-1}$ und $k' = 61\ sec^{-1}$ (Phosphatpuffer p_H 7,6, Temperatur 22° C).

Auf Grund der zahlreichen kinetischen Daten und Gleichgewichtsbestimmungen, die unter verschiedensten Bedingungen, mit oder ohne Hemmstoffe, an ADH ausgeführt worden sind, wurden mehrere schematische Enzymmodelle vorgeschlagen. Im Rahmen dieser kurzen Übersicht kann nur auf das Y-ADH-Modell von WALLENFELS und SUND[2] und auf das L-ADH-Modell von THEORELL und McKEE[3] hingewiesen werden.

Tabelle 5.

$CH_3CHO \rightarrow C_2H_5OH$	$C_2H_5OH \rightarrow CH_3CHO$
$k_1 = 11{,}1\ sec^{-1}$	$k'_1 = 0{,}525\ sec^{-1}$
$k_2 = 3{,}12\ sec^{-1}$	$k'_2 = 74\ sec^{-1}$
$k_3 = 0{,}31\ sec^{-1}\ \mu M^{-1}$	$k'_3 = 0{,}012\ sec^{-1}\ \mu M^{-1}$

Übersichtsartikel über ADH schrieben in letzter Zeit RACKER[4], THEORELL[5], MYRBÄCK[6] sowie THEORELL und SUND[7].

Aktivitätsbestimmung. Aktivitätsbestimmungen der ADH können nach der THUNBERG-Methode, wie von LUTWAK-MANN[8] beschrieben, oder aber spektrophotometrisch ausgeführt werden. Nur die letztere Methodik soll hier beschrieben werden.

Spektrophotometrische Bestimmung der Alkoholdehydrogenase.

Reagentien:
1. Semicarbazid-Glykokoll-Puffer. Herstellung: 3 Vol. 0,1 n NaOH, 7 Vol. Glykokoll-Lösung (0,1 m Glykokoll in 0,1 n NaOH) und 1 Vol. Semicarbazid-Lösung (1,12 g Semicarbazid in 100 ml 0,1 n NaOH) werden gemischt.
2. DPN, 1%ig (Gew.-%).
3. Äthylalkohol, 10%ig (Vol.-%).

Ausführung:
In einer Küvette werden 2,80 ml Puffer, 0,10 ml DPN-Lösung und 0,050 ml Äthylalkohol gut gemischt und die Extinktion bei 340 mμ (Spektrophotometer) oder 334 mμ (Quecksilberlinie, Eppendorf-Photometer) abgelesen. Nun werden 50—100 μl Enzymlösung auf das Ende eines Glasstabes pipettiert und schnell in die Lösung eingerührt. 30 und 60 sec danach wird wieder bei 340 bzw. 334 mμ abgelesen.

Falls die Enzymlösung gefärbt ist, wird sie statt des Äthylalkohols zuerst zugesetzt und die Reaktion durch Zugabe des Äthylalkohols ausgelöst. Die Enzymmenge soll so bemessen werden, daß die Extinktionszunahme pro min 0,100 nicht übersteigt. Unter den oben angegebenen Bedingungen setzt 1 M L-ADH pro min 290 M DPN um.

Der relative Proteingehalt einer Enzymlösung wird am einfachsten durch Messung der Extinktion bei 280 mμ (s. Tabelle 1) bestimmt. Zusammen mit der Aktivitätsbestimmung gibt dies ein Maß für die Reinheit des Enzyms.

Es muß betont werden, daß die wahre ADH-Konzentration in einem Gewebsextrakt schwer zu bestimmen ist. Die Versuchsbedingungen müssen unter Umständen so lange variiert werden, bis die Extinktionszunahme per Zeiteinheit in zahlreichen Versuchen den zugesetzten Enzymmengen proportional ist.

---

[1] MAHLER, H. R., and J. DOUGLAS: Am. Soc. **79**, 1159 (1957).
[2] WALLENFELS, K., u. H. SUND: B. Z. **329**, 59 (1957).
[3] THEORELL, H., and J. L. McKINLEY McKEE: Nature **192**, 47 (1961). Fed. Proc. **20**, 967 (1961). Acta chem. scand. **15**, 1797, 1811, 1834, 1866 (1961).
[4] RACKER, E.; in: Colowick-Kaplan, Meth. Enzymol., Bd. I, S. 500.
[5] THEORELL, H.: Adv. Enzymol. **20**, 31 (1958).
[6] MYRBÄCK, K.; in: Ammon-Dirscherl, Fermente, Hormone, Vitamine. 3. Aufl., Bd. I, S. 469.
[7] THEORELL, H., and H. SUND; in: Boyer-Lardy-Myrbäck, Enzymes, Bd. VII, S. 25, New York 1963.
[8] LUTWAK-MANN, C.: Biochem. J. **32**, 1364 (1938).

1.1.1.3	L-Homoserin:NAD-Oxydoreductase	s. S. 753
1.1.1.4	2,3-Butylenglykol:NAD-Oxydoreductase	s. S. 738, 739
1.1.1.5	Acetoin:NAD-Oxydoreductase	s. S. 740
1.1.1.8	L-Glycerin-1-phosphat:NAD-Oxydoreductase	s. S. 831
1.1.1.9	Xylitol:NAD-Oxydoreductase (D-Xylulose bildend)	s. S. 710
1.1.1.10	Xylitol:NADP-Oxydoreductase (L-Xylulose bildend)	s. S. 708
1.1.1.14	L-Iditol:NAD-Oxydoreductase	s. S. 704
1.1.1.17	D-Mannitol-1-phosphat:NAD-Oxydoreductase	s. S. 716
1.1.1.19	L-Gulonat:NADP-Oxydoreductase	s. S. 721
1.1.1.21	Polyol:NADP-Oxydoreductase	s. S. 707
1.1.1.22	UDP-glucose:NAD-Oxydoreductase	s. S. 768
1.1.1.23	L-Histidinol:NAD-Oxydoreductase	s. S. 767
1.1.1.24	Quinat:NAD-Oxydoreductase	s. S. 748
1.1.1.25	Shikimat:NADP-Oxydoreductase	s. S. 749
1.1.1.26	Glykollat:NAD-Oxydoreductase	s. S. 741

Lactat-Dehydrogenase.

[1.1.1.27 L-Lactat:NAD-Oxydoreductase.]

Von

Gerhard Pfleiderer*.

Mit 2 Abbildungen.

Vorkommen. Wegen ihrer großen Bedeutung für die Glykolyse ist die Lactat-Dehydrogenase (LDH) eines der verbreitetsten Enzyme des tierischen Organismus. Jede glykolysierende Zelle enthält in mehr oder weniger konzentrierter Form LDH-Aktivität. So dürfte es sich erübrigen, eine ausführliche Aufzählung der Zellarten vorzunehmen, in denen das Enzym bisher nachgewiesen wurde. Wie alle Enzyme des EMBDEN-MEYERHOF-Weges ist die LDH vor allem im cytoplasmatischen Raum (Hyaloplasma) lokalisiert.

Tabelle 1. *LDH-Aktivität in Organen und daraus isolierten Zellkernen, ausgedrückt in μMol Substrat, die pro g Trockengewicht in 1 Std umgesetzt wurden.*
(Spezifische Aktivität = μMol Substrat (Std) pro mg lösliches Protein.)

Ursprungsorgane	Nichtfraktioniertes Gewebe		Nichtfraktioniertes Gewebe nach Lösungsm.-Behandlg.		Zellkern	
	gesamte Aktivität	spezifische Aktivität	gesamte Aktivität	spezifische Aktivität	gesamte Aktivität	spezifische Aktivität
Rattenleber	83000	193	75000	139	40000	169
Schweineniere (Rindengewebe)	16500	50	15500	53	7040	55
Rinderhirn	16100	96	18900*	68*	9520*	84*

* Bezogen auf lipoidfreie Trockensubstanz.

Bei schonender Zerstörung lebender Zellen durch einen POTTER-ELVEHJEM-Homogenisator findet man nach hochtourigem Zentrifugieren fast die gesamte LDH-Aktivität des ursprünglichen Homogenates im Überstand[1], doch enthalten Mitochondrien und Mikrosomen[2] nach sorgfältiger Gewinnung aus isotonischer KCl- oder Saccharoselösung ein-

---

* Institut für organische Chemie der Johann Wolfgang v. Goethe-Universität, Frankfurt a.M.
[1] DELBRÜCK, A., H. SCHIMASSEK, K. BARTSCH u. T. BÜCHER: B. Z. **331**, 297 (1959).
[2] WIELAND, T., G. PFLEIDERER u. F. ORTANDERL: B. Z. **331**, 103 (1959).

deutig das Enzym. Es besteht die Möglichkeit, daß es sich bei der mikrosomalen LDH um Protein handelt, das — wie die meisten cytoplasmatischen Proteine — an den Mikrosomen synthetisiert wurde und, ohne an dem Stoffwechsel dieser Partikel beteiligt zu sein, später in das Cytoplasma abgestoßen wird.

Siebert[1] hat nach der von ihm entwickelten spezifischen Methode der Zellkernisolierung quantitative Studien über die LDH-Aktivität im Zellkern im Vergleich zur Gesamtaktivität eines Gewebstrockenpulvers durchgeführt (Tabelle 1).

Rechnet man, daß nach der Trocknung die Zellkernmasse etwa $1/10$ des gesamten Gewebsinhaltes ausmacht, so dürften 5—10% der gesamten LDH-Aktivität im Zellkern vorkommen. Über das Verteilungsmuster der LDH-Aktivität in einigen Organen und einem Spontancarcinom der Ratte und Maus gibt Tabelle 2 eine Übersicht.

Wroblewski u. Mitarb. haben die spezifische Aktivität (Einheiten LDH pro mg Stickstoff im Extrakt) der LDH in verschiedenen Organ- und Gewebsextrakten von Kaninchen gemessen, die ein Ausdruck der Höhe der LDH-Konzentration gegenüber anderen Plasmaproteinen ist (Tabelle 3[5]). Aus allen Tabellen geht der hohe LDH-Gehalt des Skeletmuskels als bevorzugter Glykolyseort hervor.

Tabelle 2. *Aktivitäten, angegeben in μMol Substrat (Std) pro g Frischgewicht.*

Ursprungsorgane	Werte nach		
	Meister[2] (Maus)	Weinhouse[3]	Bücher[4] (Ratte)
Leber	7 500	3 700 (Maus)	18 400
Skeletmuskel .	18 000	10 000 (Maus)	17 000
Herz	5 200	6 000 (Ratte)	6 300
Gehirn . . .	2 700	—	3 300
Mamma-Spontancarcinom	5 300	—	6 400

Darstellung. Das Enzym ist in höchster Reinheit als Kristallsuspension in ammoniumsulfathaltiger Lösung käuflich zu erwerben (C. F. Boehringer & Soehne GmbH, Mannheim).

Da die Kristallisierung auf besonders einfache Weise mit guter Reproduktion gelingt, sei das gängigste Verfahren der Reindarstellung von LDH aus Schweine- oder Rinderherzmuskel, wie es nach Modifizierung des Verfahrens von F. B. Straub[6] im Labor des Autors seit Jahren routinemäßig durchgeführt wird, kurz beschrieben.

Kristallisation von Lactat-Dehydrogenase aus Schweineherzen.

1,3 kg Schweineherzen werden zuerst mit dem Fleischwolf vorzerkleinert und dann mit der vierfachen Menge kaltem destilliertem Wasser im Starmix homogenisiert. Dann läßt man 30 min unter kräftigem Rühren extrahieren und zentrifugiert bei etwa 3000 Touren die unlöslichen Fleischreste ab. Der Überstand wird pro Liter Enzymlösung mit 3 g (Trockengewicht) Calcium-phosphat-Gel versetzt (dargestellt nach Keilin und Hartree[7]) und 20 min umgerührt.

Tabelle 3. *Spezifische LDH-Aktivität in einigen Kaninchenorganen. (1 Einheit = Enzymmenge, die eine Abnahme der Extinktion um 0,001/min bei p_H 7,4, 30° C und 340 mμ bewirkt. Werte bezogen auf mg N_2 im Extrakt.)*

Skeletmuskel	330 000
Leber	55 000
Herz	49 000
Gehirn . . .	30 000
Niere	20 000
Lunge	14 000
Milz	10 000
Erythrocyten	1 500
Plasma . . .	13

Nach dem Abzentrifugieren des Gels wird der Niederschlag mit 900 ml 0,2 m Phosphatpuffer vom p_H 7,2 aufgewirbelt (Starmix) und wiederum 20 min kräftig gerührt. Nach dem Abzentrifugieren bringt man den Überstand mit festem Ammoniumsulfat auf 0,6-Sättigung und läßt 1 Std stehen. Dann wird der Niederschlag abzentrifugiert und mit 150 ml 0,1 m Phosphatpuffer vom p_H 7,2 gelöst. Durch eine Acetonfällung bei 0° C mit

---

[1] Siebert, G.: B. Z. **334**, 369 (1961).
[2] Meister, A.: J. nat. Cancer Inst. **10**, 1263 (1950).
[3] Wenner, E. C., M. A. Spirtes and S. Weinhouse: Cancer Res. **12**, 44 (1952).
[4] Delbrück, A., H. Schimassek, K. Bartsch u. T. Bücher: B. Z. **331**, 297 (1959).
[5] Plagemann, P. G. W., K. F. Gregory and F. Wroblewski: J. biol. Ch. **235**, 2282 (1960).
[6] Straub, F. B.: Biochem. J. **34**, 483 (1940).
[7] Keilin, D., and E. F. Hartree: Proc. R. Soc. London (B) **121**, 173 (1936).

Aceton von —15° C wird das Enzym in einem Verhältnis von 120 ml Aceton auf 150 ml Enzymlösung gefällt. Man läßt 30 min bei 0° C stehen, zentrifugiert den Niederschlag ab und suspendiert ihn in etwa 80 ml 0,3-gesättigter Ammoniumsulfatlösung. Hierauf entfernt man im Vakuum letzte Reste des Acetons und zentrifugiert denaturiertes Protein ab. Bei langsamer Zugabe von festem Ammoniumsulfat kommt man zur Kristallisation der LDH, wobei es günstig ist, die erste Trübung abzuzentrifugieren, da sie meist gefärbtes, inaktives Protein enthält. Die Kristallsuspension bleibt am besten über Nacht bei 0° C stehen, wird dann abzentrifugiert und der Niederschlag erneut in wenig 0,3-gesättigter Ammoniumsulfatlösung gelöst.

Aus der klaren Lösung kristallisiert das Enzym bei langsamer Zugabe von festem Ammoniumsulfat. Die Kristalle werden schließlich hochtourig abzentrifugiert, in 0,5-gesättigter Ammoniumsulfatlösung suspendiert und bei 0° C aufbewahrt.

Die durchschnittliche Ausbeute an LDH-Kristallen liegt bei 200 mg pro kg Schweineherzen.

Weitere Verfahren der Kristallisation von LDH aus tierischem Ursprungsmaterial wurden mitgeteilt für *Kaninchenskeletmuskeln*[1,2], *Rattenskeletmuskeln*[3,4], *Rinderherz*[5,6], *Rattenleber*[7], *menschliche Organe*[8].

Organspezifität und Heterogenität der LDH. Vor der Einzelaufzählung der chemischen, physikalischen und biochemischen Eigenschaften des Enzyms ist eine kurze Betrachtung zur Organ- und Artspezifität wie auch zum Vorkommen des Enzyms in multiplen Formen unumgänglich, da die letzten Erkenntnisse zu einer kritischen Überprüfung der früher zitierten Werte Anlaß geben.

Bis in die neueste Zeit ist es in Handbüchern üblich, Werte für ein Enzym bestimmter Wirkungsweise zusammenzufassen, gleich, welches Ursprungsmaterial bei der Darstellung des Enzyms verwendet wurde. Man ging weitgehend von dem Standpunkt aus, daß Enzyme gleicher Wirkung und Substratspezifität identisch seien. Schon WARBURG hat dagegen auf beträchtliche Unterschiede in den Eigenschaften der aus tierischem Material und aus Hefe isolierten Aldolase hingewiesen.

Bei elektrophoretischen Studien über die Beweglichkeit kristallisierter LDH aus Herz- und Skeletmuskel fiel der beträchtliche Ladungsunterschied dieser beiden Präparate auf[4]. Ein ausführliches Studium kristallisierter LDH-Präparate aus Schweine- und Rinderherz einerseits und aus Kaninchen- und Rattenskeletmuskeln andererseits brachte folgende Erkenntnisse:

Die verschiedenen Enzympräparate haben gleiche Wirkungsweise (gleiche Substratspezifität und Zahl von Wirkgruppen) und, soweit zu übersehen ist, gleiches Molgewicht. Dagegen bestehen zum Teil beträchtliche Unterschiede in ihren Löslichkeitseigenschaften, im elektrophoretischen Verhalten, pH-Optimum, Temperatur-Koeffizient, in der MICHAELIS-Konstante bezüglich Brenztraubensäure und Milchsäure, in der Hemmbarkeit durch verschiedene Hemmstoffe oder in der Umsatzzahl[4]. Während die Eigenschaften der aus gleichen Organen verschiedener Tierarten isolierten LDH verhältnismäßig ähnlich sind, sind die Unterschiede der aus verschiedenen Organen ein und desselben Tieres isolierten Enzympräparate beträchtlich, so daß von einer gewissen Organspezifität gesprochen werden kann, die einen Herzmuskeltyp und einen Skeletmuskeltyp unterscheiden läßt. Besonders deutlich wird das an den Umsatzzahlen, die sich etwa um den Faktor 2 unter-

---

[1] RACKER, E.: J. biol. Ch. **196**, 347 (1951).
[2] BEISENHERZ, G., H. J. BOLTZE, T. BÜCHER, R. CZOK, K. H. GARBADE, E. MEYER-ARENDT u. G. PFLEIDERER: Z. Naturforsch. 8b, 555 (1953).
[3] KUBOWITZ, F., u. P. OTT: B. Z. **314**, 94 (1943).
[4] PFLEIDERER, G., u. D. JECKEL: B. Z. **329**, 370 (1957).
[5] STRAUB, F. B.: Biochem. J. **34**, 483 (1940).
[6] MEISTER, A. P.: Biochem. Prep. 2, 18 (1952).
[7] GIBSON, D. M., E. O. DAVISSON, B. K. BACHHAWAT, B. R. RAY and C. S. VESTLING: J. biol. Ch. **203**, 397 (1953).
[8] NISSELBAUM, J. S., and O. BODANSKY: J. biol. Ch. **236**, 323 (1961).

scheiden. Systematische Studien hierüber wurden von WIELAND und PFLEIDERER an LDH aus Rattenorganen durchgeführt[1].

Daß es sich hierbei um strukturelle Unterschiede handelt, konnten dieselben Autoren bei dem Vergleich tryptischer Spaltprodukte beweisen, indem sie sichere Unterschiede im Peptidmuster feststellten. Den letzten Beweis für die Unterschiede in der Primärstruktur der LDH aus Herz- und Skeletmuskeln brachten die Aminosäureanalysen der genannten Autoren[2].

Eine weitere Komplikation für die Angabe definierter Eigenschaften bietet die Entdeckung der Heterogenität. NEILANDS fand bei der Elektrophorese des kristallisierten Rinderherzenzyms zwei elektrophoretisch unterscheidbare Komponenten, die beide enzymatisch aktiv waren[3].

WIELAND und PFLEIDERER entwickelten einen enzymatischen Sprühtest, der es ermöglichte, nach der Elektrophorese biologischer Zellextrakte die Lokalisierung von LDH-Aktivität in geringsten Spuren sichtbar zu machen[4]. Beim elektrophoretischen Studium von Gewebsextrakten der Ratte fanden die Autoren, daß die Mehrheit der Extrakte bis zu 5 elektrophoretisch unterscheidbare LDH-Komponenten enthält. Diese Zahl 5 scheint bei den meisten Säugetieren wie auch beim Menschen optimal zu sein, während niedriger entwickelte Tiere keine derartige Vielfalt von Banden aufweisen[5,6].

Bei möglichst schonender Kristallisation der LDH (ohne Einschaltung von Cellulose-Austauschern) gelang es, Kristallpräparate zu gewinnen, die noch alle 5 Komponenten eines Rohextraktes enthielten. Mittels Cellulose-Austauschern, Stärke-Gel-Elektrophorese oder am einfachsten durch Hochspannungselektrophorese auf Membranfolien konnte die relative Aktivitätsverteilung der LDH von mehreren Arbeitskreisen ermittelt werden.

Tabelle 4. *Prozentuale Aktivitätsverteilung in Extrakten menschlicher Organe von Erwachsenen nach* PFLEIDERER *und* WACHSMUTH[7].

Organ	Bande					Organ	Bande				
	I	II	III	IV	V		I	II	III	IV	V
Herzmuskel	60	30	5	3	2	Kleinhirn	39	34	20	7	0
Erythrocyten	36	35	9	0	0	Leber	0,2	0,8	1	4	94
Niere	28	34	21	11	6	Skeletmuskel	3	4	7,5	9,5	76
Großhirn	28	32	19	16	5	Epidermis	0	0	4	17	79

Man sieht, daß in einigen Organen ein charakteristisches, von anderen deutlich unterscheidbares Verteilungsmuster auftritt.

Auf der anderen Seite zeigen die verschiedenen Banden einer aus *einem* Organ gewonnenen LDH wieder Unterschiede in ihrem biochemischen Verhalten, so daß man bei der Untersuchung komplex zusammengesetzter Präparate nur einen Durchschnittswert der verschiedenen Komponenten ermittelt.

Man sollte diese Problematik nicht übertreiben, aber sie zeigt die Notwendigkeit, bei der Aufführung von Enzymdaten möglichst exakt das Ursprungsmaterial zu erwähnen.

Eigenschaften. Das Molgewicht der aus verschiedenem Ursprungsmaterial kristallin gewonnenen LDH dürfte wohl im Rahmen der Fehlergrenzen identisch sein. So errechnete NEILANDS aus der Sedimentations- und Diffusionskonstanten einen Wert von 135000 für die LDH aus Rinderherzen[3], STAUFF für das Schweineherzenzym aus der Lichtzerstreuung 127000[8].

---

[1] WIELAND, T., G. PFLEIDERER u. F. ORTANDERL: B. Z. **331**, 103 (1959).
[2] WIELAND, T., G. PFLEIDERER, W. GRUBER and H. L. RETTIG: Ann. N.Y. Acad. Sci. **94**, 691 (1961).
[3] NEILANDS, J. B.: J. biol. Ch. **199**, 373 (1952).
[4] WIELAND, T., u. G. PFLEIDERER: B. Z. **329**, 112 (1957).
[5] HAUPT, I., u. H. GIERSBERG: Naturwiss. **45**, 268 (1958).
[6] WIELAND, T., G. PFLEIDERER, I. HAUPT u. W. WÖRNER: B. Z. **332**, 1 (1959).
[7] PFLEIDERER, G., u. E. D. WACHSMUTH: B. Z. **334**, 185 (1961).
[8] STAUFF, J. (unveröffentlicht) [PFLEIDERER, G., u. D. JECKEL: B. Z. **329**, 370 (1957)].

Gibson u. Mitarb. ermittelten für das aus Rattenleber isolierte Enzym ein Molgewicht von 126000[1] und Nisselbaum und Bodansky einen Wert von 140000 für das Herzmuskelenzym des Menschen[2]. Auch die Zahl der Wirkgruppen bzw. des Bindungsvermögens

Tabelle 5. *Biochemische Eigenschaften kristallisierter Lactat-Dehydrogenasen aus verschiedenem Ursprungsmaterial.*

	Schweineherz	Rinderherz	Menschliches Herz	Ratte, Leber	Ratte, Skeletmuskel	Kaninchen, Skeletmuskel
p_H-Optimum	6,8	8,3	7—8	8,4	7,5	7,0
Umsatzzahl (25° C)	37000	38000	56000 (37° C)	45000	67000	55000
Substratoptimum (Brenztraubensäure mM)	0,5	1,3	—	—	2	3
Hemmung durch Sulfit (2×10^{-5} M)	68%	72%	—	—	26%	11%
Temperatur-Koeffizient	1,48	2,03	—	—	1,85	1,65

für DPN, spektrophotometrisch verfolgt durch die Bildung eines ternären Enzym-DPN-Sulfitkomplexes[3], dürfte für LDH verschiedenen Ursprungs allgemein 3—4 betragen[4,5].

Tabelle 6. *Vergleich von DPN-Analogen in LDH-Systemen.*

ADPR–N(+)–X	Verhältnis der Reduktionsgeschwindigkeit von DPN-Analogen zu der von DPN	
X =	Kaninchen-Muskel-LDH	Rinderherz-LDH
–C(=O)NH$_2$	1,00	1,00
–C(=O)NHOH	0,20	0,10
–C(=O)NHNH$_2$	0,33	0,09
–C(=N–OH)H	0,07	0,01
–C(=O)CH(CH$_3$)CH$_3$	1,25	0,37
–C(=S)NH$_2$	0,03	0,41

Allerdings fand Vestling für das Enzym aus Rattenleber nur die Anlagerung von zwei Molekülen DPN—H$_2$S pro Mol Enzym[6].

Dagegen weichen einige physikalische und biochemische Eigenschaften beträchtlich voneinander ab. So verlieren die Herzmuskelenzyme bei der Dialyse gegen ionenfreies Wasser ihre Aktivität und werden unlöslich, während die Skeletmuskelenzyme gegen reines Wasser dialysierbar sind und nach Gefriertrocknung salzfreier Lösung weitgehend aktiv bleiben.

Die Gegenüberstellung verschiedener biochemischer Eigenschaften ist aus Tabelle 5 zu entnehmen.

Man sieht die grundlegenden Unterschiede in den Eigenschaften der Herzmuskelenzyme einerseits und der Skeletmuskelenzyme andererseits. Die Umsatzzahlen der letzteren liegen höher als die der ersteren, dagegen zeigen erstere höhere Affinitäten zu dem Substrat und zu verschiedenen Hemmstoffen.

Sehr deutlich kommen auch die biochemischen Unterschiede durch Vergleich der Reaktionsgeschwindigkeiten von DPN und DPN-Analogen zum Ausdruck. Die Schule unter Kaplan hat bekanntlich gezeigt, daß die Reaktionsfähigkeit des DPN-Moleküls auch nach Ersatz der Carbonamidgruppe durch andere Substituenten erhalten bleiben

---
[1] Gibson, D. M., E. O. Davisson, B. K. Bachhawat, B. R. Ray and C. S. Vestling: J. biol. Ch. **203**, 397 (1953).
[2] Nisselbaum, J. S., and O. Bodansky: J. biol. Ch. **236**, 323 (1961).
[3] Pfleiderer, G., T. Wieland u. D. Jeckel: B. Z. **328**, 187 (1956).
[4] Takenaka, Y., and G. W. Schwert: J. biol. Ch. **223**, 157 (1956).
[5] Pfleiderer, G., u. D. Jeckel: B. Z. **329**, 370 (1957).
[6] Tereyama, H., and C. S. Vestling: Biochim. biophys. Acta **20**, 586 (1956).

kann. Wie Tabelle 6 jedoch zeigt, ist die Veränderung der Umsatzgeschwindigkeit bei LDH aus Kaninchen-Skeletmuskel und Rinderherzmuskel sehr unterschiedlich[1]. Diese Technik hat KAPLAN neuerdings auch zur Charakterisierung der Art- und Organspezifität der LDH herangezogen[2].

Eine gewisse Gesetzmäßigkeit zwischen elektrophoretischer Beweglichkeit und bestimmten biochemischen Eigenschaften scheint vorzuliegen, die noch klarer zum Ausdruck kommt, wenn man die verschiedenen multiplen Formen eines LDH-Präparats, das aus gleichem Ursprungsgewebe gewonnen wurde, isoliert und deren Eigenschaften vergleicht. Während obige Daten in kristallisierten Präparaten gewonnen werden, die, bis auf das Rinderherzenzym, aus einer einheitlichen Proteinkomponente bestehen, enthält kristallines Rattenherzenzym fünf elektrophoretisch unterscheidbare, enzymatisch wirksame Proteinbanden.

Abb. 1 zeigt die elektrophoretische Beweglichkeit von vier verschiedenen kristallisierten LDH-Präparaten aus Rinderherz, Schweineherz, Kaninchenskeletmuskel und Rattenskeletmuskel.

Das Rattenleberenzym ist elektrophoretisch nicht von dem Skeletmuskelenzym unterscheidbar.

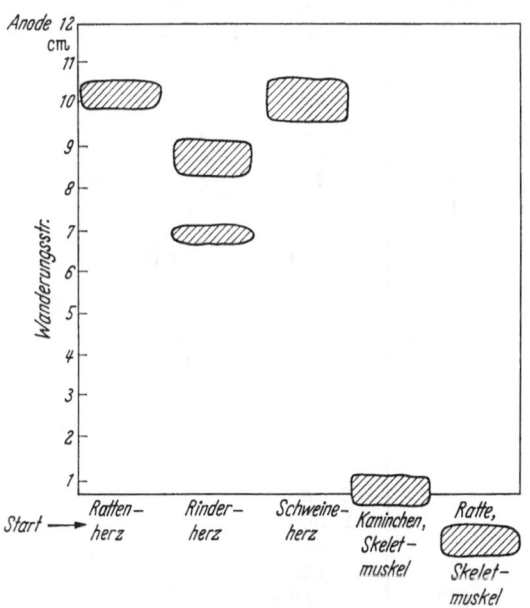

Abb. 1. Hochspannungselektrophorese von 4 kristallisierten Lactat-Dehydrogenasen und Bande I der LDH aus Rattenherzmuskel auf Stärke. 0,033 m Veronalpuffer, pH 8,6; 25 V/cm; Laufzeit 5½ Std[3].

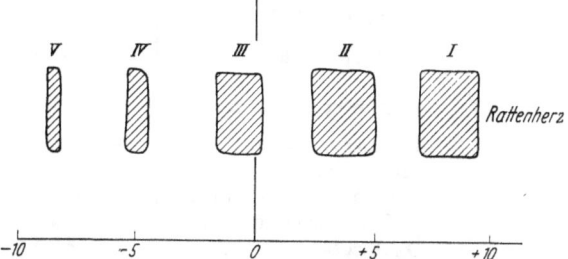

Abb. 2. Hochspannungselektrophorese kristallisierter Rattenherz-LDH auf Membranfolie (Schleicher & Schüll) in 0,033 m Veronalpuffer, pH 8,6, 30 V/cm, 90 min[4].

Abb. 2 zeigt dagegen das elektrophoretische Bild eines kristallinen LDH-Präparates aus Rattenherz. Die Hauptaktivität liegt in Zone I und II und nimmt in Richtung V ab.

Mit abnehmender Wanderungsgeschwindigkeit (Anode) sinkt bei diesen Isozymen die Affinität zum Substrat, zu Sulfitionen und der Temperatur-Koeffizient. Die Hitzestabilität nimmt von I nach V ab.

Die Gleichgewichtslage der Reaktion bevorzugt die Bildung von Milchsäure.

$$CH_3-CO-COOH + DPNH + H^+ \rightleftarrows CH_3-CHOH-COOH + DPN^+$$

Nach KUBOWITZ und OTT ist die Gleichgewichtskonstante bei pH 7,4 und 22° C $6,0 \times 10^{-5}$, wenn die Milchsäurekonzentration 10^{-2} M/l beträgt[5].

Das Enzym ist in ammoniumsulfathaltiger Lösung fast unbegrenzt haltbar, behält aber auch in verdünnter, phosphathaltiger Lösung bei Zimmertemperatur über Stunden fast völlig seine Aktivität. Es ist sehr stark hemmbar durch quecksilberorganische Verbindung, da es 14 freie Thiolgruppen pro Mol Protein enthält, wovon 3—4 besonders reaktionsfähig und für die enzymatische Wirkung verantwortlich sind[6].

---

[1] ANDERSON, B. M., and N. O. KAPLAN: J. biol. Ch. **234**, 1226 (1959).
[2] KAPLAN, N. O., M. M. CIOTTI, M. HAMOLSKY and R. E. BIEBER: Science, N.Y. **131**, 392 (1960).
[3] PFLEIDERER, G., u. D. JECKEL: B. Z. **329**, 370 (1957).
[4] WIELAND, T., G. PFLEIDERER u. F. ORTANDERL: B. Z. **331**, 103 (1959).
[5] KUBOWITZ, F., u. P. OTT: B. Z. **314**, 94 (1943).
[6] PFLEIDERER, G., D. JECKEL and T. WIELAND: Arch. Biochem. **83**, 275 (1959).

Erst in sehr hoher Konzentration und nach Vorinkubation hemmen Jodessigsäure und N-Phenyl-maleinimid. Nicht gehemmt wird das Enzym selbst durch hohe Konzentrationen von Metallkomplexbildnern, wie z.B. o-Phenanthrolin, p-Hydroxychinolin und Äthylendiamin-tetraessigsäure[1].

Die durch quecksilberorganische Verbindungen bewirkte Hemmung der Enzymaktivität kann durch Thiole oder Kaliumcyanid völlig wieder aufgehoben werden.

Tabelle 7. *Substrat-Spezifität von kristalliner Kaninchenskeletmuskel-LHD und Rinderherz-LDH*

Substrat	Kaninchenskelet-Muskel		Rinderherz	
	Mol/10⁵ g/min	K_M (mM)	Mol/10⁵ g/min	K_M (mM)
Glyoxalat	—	—	21 100	—
Pyruvat	38 000	0,3	26 800	0,52
	53 000		38 000	
α-Ketobutyrat	12 400	7	21 000	8,3
α-Keto-β-methylbutyrat	120	110	103	
α-Ketovalerat.	648	10	4 840	33,4
α-Keto-β-methylvalerat	< 10	> 100		
α,γ-Diketovalerat . . .			3 400	4,17
α-Ketocapronat			1 400	30
α-Ketoheptanat			483	56,9
α-Ketooctanat			160	16,7
α-Ketononanat			61,5	16,7
Phenylpyruvat	230	12	{755 / 615}	
p-Hydroxyphenylpyruvat	94	26	{345 / 289}	
Hydroxypyruvat . . .	∼30 000		26 000	
Thiopyruvat			27 000	
α-Keto-γ-methiolbutyrat			1 550	
α-Keto-γ-äthiolbutyrat			1 650	
Oxalacetat	< 10	> 100	12,8	
α-Ketoglutarat	7,3	78	9,2	
			6,4	4,17
Lactat	5 600	7,3	A: 9 500	
			C: 5 980	
β-Chlorlactat	41	12		
β-Bromlactat	25	47,5		
Glycerat	22	36		
β-Aminolactat	65	39		

Nach SCHWERT u. Mitarb. ist das Halbamid der Oxalsäure ein sehr wirksamer kompetitiver Hemmstoff für die Pyruvathydrierung und die Oxalsäure für die Milchsäuredehydrierung[2]. Das Enzym bindet die hydrierte Form des Coenzyms sehr viel stärker als die oxydierte Form, wie aus den durch kinetische Daten gefundenen Dissoziationskonstanten des Rinderherzenzyms hervorgeht. Für die LDH-DPN-Konstante wurde bei pH 7,01 ein Wert von $2,2 \times 10^{-4}$ M und für LDH-DPNH bei pH 8,03 $2,2 \times 10^{-6}$ M ermittelt[3].

Nach fluorometrischen Messungen von VELICK wird DPNH sogar 10^3 mal fester gebunden als DPN[4].

Die Spezifität des Enzyms ist absolut bezüglich der L(+)-Konfiguration von α-Hydroxysäuren. D(—)-Milchsäure wird nicht dehydriert. Dagegen werden einige Homologe

---

[1] PFLEIDERER, G., D. JECKEL u. T. WIELAND: B. Z. **330**, 296 (1958).
[2] NOVOA, W. B., A. D. WINER, A. J. GLAID and G. W. SCHWERT: J. biol. Ch. **234**, 1143 (1959).
[3] WINER, A. D., and G. W. SCHWERT: J. biol. Ch. **231**, 1065 (1958).
[4] VELICK, S. F.: J. biol. Ch. **233**, 1455 (1958).

der Milchsäure bzw. Brenztraubensäure durch LDH und DPN bzw. DPNH enzymatisch umgesetzt, soweit keine Verzweigung der aliphatischen Kette eintritt.

MEISTER hat schon 1950 weitgehende Spezifitätsstudien durchgeführt[1].

Die neueste Übersicht ist kürzlich von CZOK und BÜCHER[2] an Hand eigener zusätzlicher Untersuchungen publiziert worden und in Tabelle 7 wiedergegeben. DPN ist das echte Coenzym der LDH, da es mindestens 100 mal rascher reagiert als TPN.

Bestimmungsmethoden. Die Enzymaktivität wird nach dem für DPN-abhängige Dehydrogenasen allgemeinen Prinzip, dem „optischen Test" von WARBURG, bestimmt. Man verfolgt bei 340 oder 366 mμ die Ab- oder Zunahme der Absorption. Die Reaktionsgleichung lautet:

$$DPNH + CH_3\text{—}CO\text{—}COOH + H^+ \rightleftharpoons DPN^+ + CH_3\text{—}CHOH\text{—}COOH$$

Für die Hinreaktion wird gewöhnlich folgende Testzusammensetzung verwendet: 0,067 m Phosphatpuffer nach SÖRENSEN vom p_H 7,2, 2×10^{-4} M DPNH und eine für die bestimmte LDH festgelegte optimale Brenztraubensäure-Konzentration. Sie liegt bei den Skeletmuskelenzymen bei $1\text{—}1,5 \times 10^{-3}$ M und bei den Herzmuskelenzymen bei etwa $2\text{—}5 \times 10^{-4}$ M. Das Gesamtvolumen beträgt 2 ml.

Die Reaktion wird durch Zugabe von 0,02 ml einer geeigneten Enzymverdünnung ausgelöst. Man verfolgt am besten die Reaktionszeit, die notwendig ist für eine Extinktionsabnahme von 0,1. Für Routinemessungen hat sich das Photometer „Eppendorf" der Firma Netheler & Hinz oder das „Elco" der Firma Zeiss bewährt. Selbstverständlich kann die Absorptionsabnahme auch in einem Spektralphotometer verfolgt werden.

Die Rückreaktion erfolgt am besten in folgendem Testmilieu: 1,8 ml eines 0,1 m Glycin-NaOH-Puffers vom p_H 10, 0,1 ml 0,5 m Na-D,L-lactatlösung und 0,1 ml einer 2×10^{-2} m DPN-Lösung, die neutralisiert wurde. Nach dem Ummischen setzt man 0,02 ml einer verdünnten Enzymlösung zu und mißt möglichst bald die Änderungsgeschwindigkeit der Absorption bei 340 oder 366 mμ.

Da das Enzym in nahezu allen Organextrakten in sehr hoher Konzentration vorkommt, genügen kleinste Zugaben an Enzym, auch bei Verwendung von Rohextrakten, um bequem die Reaktionskinetik zu verfolgen. Aus diesem Grunde sind auch keine Störungen durch Fremdaktivitäten zu beobachten. Notfalls überzeugt man sich von dem Ausmaß einer Störung, indem man die Extinktionsabnahme oder -zunahme ohne Zugabe von Brenztraubensäure oder Milchsäure ermittelt. Allerdings ist es möglich, wie z.B. im Falle eines Blutserums, daß ein genügend hoher Brenztraubensäuregehalt der Gewebsflüssigkeit für eine Enzymreaktion sorgt. Zu beachten ist ferner, daß im Falle von Enzymverdünnungen eisgekühlter Phosphatpuffer verwendet werden muß und nicht etwa ionenfreies Wasser.

In der Regel wird als *Enzymeinheit* nach BÜCHER die Enzymmenge bezeichnet, die bei 25° C unter definierten Bedingungen bei 366 mμ eine Abnahme der DPNH-Absorption um 0,1 in 100 sec bewirkt. Das entspricht also einer Umsetzung von 0,030 μM/ml. Im amerikanischen Schrifttum, vor allem bei Serumuntersuchungen, ist es vielfach üblich, als Enzymeinheit die Menge LDH zu bezeichnen, die in 1 ml Serum enthalten ist und in einem 3 ml-Testansatz bei 25° C eine Extinktionsabnahme von 0,001 pro min bewirkt. Wird die Extinktionsabnahme bei 340 mμ gemessen, so muß bei der Berechnung der Einheiten das Verhältnis der Extinktionskoeffizienten von DPNH bei 366 bzw. 340 mμ (1,89) berücksichtigt werden, indem man die Einheiten bei 340 durch 1,89 dividiert.

Eine Einheit von BÜCHER entspricht 37,7 Einheiten nach WROBLEWSKI[3].

---

[1] MEISTER, A.: J. biol. Ch. **184**, 117 (1950).
[2] CZOK, R., and T. BÜCHER: Adv. Protein Chem. **15**, 364 (1960).
[3] WROBLEWSKI, F., and J. S. LADUE: Proc. Soc. exp. Biol. Med. **90**, 210 (1955).

1.1.1.29   D-Glycerat:NAD-Oxydoreductase   s. S. 743 und 744

D-β-Hydroxybutyric dehydrogenase.
[1.1.1.30   D-3-Hydroxybutyrate:NAD-oxidoreductase.]

By

James B. Wise and Albert L. Lehninger*.

D-β-Hydroxybutyric dehydrogenase of respiratory particles from pig heart was first described in 1937 by GREEN, DEWAN and LELOIR[1]. With an assay based on oxygen uptake through the cytochrome system, they demonstrated that the enzyme was stereospecific for the D-isomer and that β-hydroxypropionic acid, α-hydroxybutyric acid, γ-hydroxybutyric acid, crotonic acid, butyric acid, and acetic acid were not oxidized under conditions in which β-hydroxybutyrate was oxidized vigorously. The enzyme was shown to be distinct from malic and lactic dehydrogenases. The particulate enzyme also dehydrogenates higher D-β-hydroxy aliphatic acids up to nine carbon atoms long[2], but does not act on L-β-hydroxyacids or their coenzyme A thioesters[3]. D-β-Hydroxybutyric dehydrogenase is specific for DPN and will not reduce TPN[1,3] or desamino-DPN[4].

Occurrence and normal values. The enzyme has been found in all vertebrate livers examined and in all albino rat tissues tested, with the possible exception of whole thyroid gland[3]. See data in Tables 1 and 2. Histochemical techniques demonstrate that it is

Table 1. *D-β-Hydroxybutyric dehydrogenase activity in rat tissues.*

Organ	Activity DPNH formed/g of tissue/hr. 20° C μmoles
1. Brain	58
2. Liver	1255
3. Heart	104
4. Spleen	28
5. Kidney	162
6. Skeletal muscle	23
7. Testis	22
8. Adrenal	102
9. Pancreas	30
10. Thyroid	0
11. Harderian gland	155

Table 2. *D-β-Hydroxybutyric dehydrogenase activity in vertebrate livers.*

Species	No. of animals	Activity DPNH formed/g of tissue/hr. 20° C μmoles
Albino rat	5	1141
Guinea pig	6	71
Rabbit	1	203
Dog	1	256
Rhesus monkey	1	310
Mouse	1	792
Cat	1	325
Leopard frog	1	155

not present in all cells of a given tissue such as kidney for example[5]. In addition, oxidation of β-hydroxybutyrate has been demonstrated in bacteria[6], tumors[7], and plants[8], but not in housefly mitochondria[9].

---

* Department of Physiological Chemistry, The Johns Hopkins University, School of Medicine, Baltimore 5, Maryland.

[1] GREEN, D. E., J. G. DEWAN and L. F. LELOIR: Biochem. J. **31**, 934 (1937).
[2] LANG, K.: H. **277**, 114 (1942).
[3] LEHNINGER, A. L., H. C. SUDDUTH and J. B. WISE: J. biol. Ch. **235**, 2450 (1960).
[4] PULLMAN, M. E., S. P. COLOWICK and N. O. KAPLAN: J. biol. Ch. **194**, 593 (1952).
[5] NACHLAS, M. M., D. G. WALKER and A. M. SELIGMAN: J. biophys. biochem. Cytol. **4**, 29 (1958).
[6] BRODIE, A. F., and C. T. GRAY: J. biol. Ch. **219**, 853 (1956).
[7] EMMELOT, P., and C. J. BOS: Enzymologia **18**, 179 (1957).
[8] JENSEN, C. O., W. SACKS and F. A. BALDAUSKI: Science, N.Y. **113**, 65 (1951).
[9] SACKTOR, B.: J. biophys. biochem. Cytol. **1**, 29 (1955).

On fractionating 0.25 M sucrose homogenates of rat liver, LEHNINGER et al.[1] found the bulk of the activity in the mitochondrial fraction. Some activity present in the nuclear fraction was considered to represent contamination with mitochondria.

Preparation of D-β-hydroxybutyric dehydrogenase. The enzyme has never been obtained in soluble form. However a highly active particulate preparation derived from mitochondrial membranes may be made as follows (all operations carried out at 0—2° C). Fresh rat liver mitochondria are prepared by differential centrifugation in 0.25 M sucrose[2] and are washed three times with sucrose. The packed pellet is suspended in 9 volumes of 0.05 M KCl—0.001 M EDTA, p_H 7.5, and the mitochondria are completely disrupted by treatment in the Raytheon sonic oscillator at 9000 cycles at 50 watts output for 20 min. The nearly transparent suspension is centrifuged for 45 min at 40000 r.p.m. (144000 × gravity) in the # 40 rotor of the Spinco Model L ultracentrifuge. The supernatant is discarded and the undisturbed pellet is rinsed with KCl-EDTA. The pellet is then suspended in a convenient amount of KCl-EDTA and dispersed by a 10 min treatment in the sonic oscillator. The washing may be repeated if desired. This suspension can be stored indefinitely at −20° C and withstands repeated freezing and thawing. This particulate lipoprotein complex also contains succinic and choline dehydrogenases, cytochromes a and b, and flavoproteins.

Properties. The optimum p_H for the enzyme of rat liver is 8.0—8.5. The K_m for β-hydroxybutyrate is approximately 4.7×10^{-4} M and for DPN$^+$ is approximately 2.5×10^{-4} M [1]. The standard oxidation-reduction potential at p_H 7.0 for β-hydroxybutyrate-acetoacetate is -0.293 volts[3] and for DPNH—DPN$^+$ is -0.32 volts[4].

The enzyme is inhibited strongly by phenazine methosulfate (6×10^{-7} M), p-chloromercuribenzoate (1×10^{-5} M), sodium oleate (1×10^{-4} M), L-tetraiodothyroacetic acid (1×10^{-4} M), L-thyroxine (1×10^{-3} M), o-phenanthroline (1×10^{-3} M), and ethylenediaminetetraacetic acid (1×10^{-2} M)[5]. It is not inhibited by the toxic antibiotics dianemycin and nigericin, which strongly inhibit all other DPN-linked mitochondrial dehydrogenases[6]. It is inactivated by phospholipase A, butanol, Tween 80, and 4 M urea, but withstands 50% glycerol[5].

The enzyme is rather unstable; activity in rat liver homogenates in 0.25 M sucrose is nearly completely lost in 1 hr. at 25° C and 1 day at 0° C. The activity cannot be restored, but inactivation may be prevented by storage at 0° C in a medium containing 0.01 M succinate + 0.001 M DPN + 0.001 M ATP + 0.01 M EDTA, p_H 7.4 or by freezing at −20° C. Washed mitochondrial membranes are much more stable than tissue homogenates.

Determination of D-β-hydroxybutyrate dehydrogenase according to LEHNINGER, SUDDUTH *and* WISE[1].

Reaction equation:

D-β-hydroxybutyrate + DPN$^+$ ⇌ Acetoacetate + DPNH + H$^+$.

Principles:

Under conditions such that the reverse reaction is negligible, the DPNH formed in the forward reaction is measured by the increase in absorbance at 340 mμ. Cyanide is added to prevent aerobic oxidation of DPNH by the cytochrome system in homogenates.

[1] LEHNINGER, A. L., H. C. SUDDUTH and J. B. WISE: J. biol. Ch. 235, 2450 (1960).
[2] SCHNEIDER, W. C.: J. biol. Ch. 176, 259 (1948).
[3] HOFF-JORGENSON, E.: Skand. Arch. Physiol. 80, 176 (1938).
[4] BURTON, K., and T. H. WILSON: Biochem. J. 54, 86 (1953).
[5] LEHNINGER, A. L., and J. B. WISE: Unpublished data.
[6] LARDY, H. A., D. JOHNSON and W. C. MCMURRAY: Arch. Biochem. 78, 587 (1958).

As L-β-hydroxybutyrate has no effect on the assay, the racemic acid may be used rather than the pure D-isomer. Since mitochondria, in which the enzyme is localized, are not permeable to DPN[1], homogenates and tissue extracts must first be subjected to sonic oscillation in order to "unmask" the reaction.

Reagents:

1. Protective medium for homogenization[2]. This contains 0.01 M sodium succinate, 0.001 M DPN, 0.001 M ATP, 0.001 M EDTA, and 0.005 M nicotinamide, adjusted to pH 7.5.
2. 0.4 M 2-amino-2-hydroxymethyl-1.3-propanediol-HCl buffer, pH 8.5. It is stable at 0° C.
3. 0.4 M D,L-β-hydroxybutyric acid, sodium salt. It is stable frozen at −20° C.
4. Diphosphopyridine nucleotide, disodium salt. Adjust to pH 5 with NaOH and dilute to 0.03 M. This is stable for a month at −20° C, but should be used soon after thawing and kept at 0° C until used.
5. 0.01 M Potassium cyanide. Make a solution fresh each day and keep it cold and well stoppered.

Instruments:

Beckman DU or Zeiss PMQ II spectrophotometer with temperature control of cuvette chamber.
Raytheon Model S-120-A sonic oscillator, 9 kilocycles, output 50 watts.

Procedure:

Preparation of samples. The tissues are rapidly removed, chilled, blotted, weighed, and homogenized in the "protective medium". (19 ml per gram of tissue.) Without this medium there is rapid loss of activity in some tissues. The 5% homogenates are treated for 10 min at 0—4° C in the Raytheon sonic oscillator. Except for pancreas homogenate, the resulting preparations retain full activity for several hours at 0° C. This method was developed for use with rat liver, but is applicable to any animal tissue or fraction.

Assay. The assay is performed at 20—25° C in silica or pyrex cuvettes with a 10 mm light path. The control cuvette contains 0.04 M buffer, pH 8.5, 0.002 M DPN, and 0.005 M KCN in a volume of 2.9 ml. The assay cuvette contains the same reagents plus 0.02 M sodium salt of D,L-β-hydroxybutyrate. The cuvettes are placed in the spectrophotometer. At zero time, 0.10 ml of enzyme preparation is added to each cuvette and well stirred. The A_{340} is measured each minute for 5 min, and the difference between the assay and control cuvettes is computed.

Calculations:

The E_{mol} of DPNH at 340 mμ is 6.22×10^3 cm^2 × mole^{-1} [3].

With a 3 ml system and 10 mm light path

$$\frac{\Delta A_{340}}{\min \times \mathrm{mg\ N} \times 2.07} = \mu\text{moles DPNH/min/mg N}.$$

Histochemical method. NACHLAS, WALKER and SELIGMAN[4] have developed a ditetrazolium dye, "Nitro-BT", which is reduced in tissue sections by DPNH if DPN diaphorase is present, forming intracellularly a blue precipitate. If DPN$^+$ and a specific substrate such as β-hydroxybutyrate are used instead of DPNH, the method defines the intracellular distribution of the dehydrogenase-diaphorase system.

---

[1] LEHNINGER, A. L.: J. biol. Ch. **190**, 345 (1951).
[2] WISE, J. B., and A. L. LEHNINGER: J. biol. Ch. **237**, 1363 (1962).
[3] HORECKER, B. L., and A. KORNBERG: J. biol. Ch. **175**, 385 (1948).
[4] NACHLAS, M. M., D. G. WALKER and A. M. SELIGMAN: J. biophys. biochem. Cytol. **4**, 29 (1958).

1.1.1.31	3-Hydroxyisobutyrat: NAD-Oxydoreductase	s. S. 742 und 784/85
1.1.1.34	Mevalon: NADP-Oxydoreductase (CoA-acylierend)	s. Bd. VI/B
1.1.1.35	L-3-Hydroxyacyl-CoA: NAD-Oxydoreductase	s. Bd. VI/B, S. 116

Äpfelsäuredehydrogenase.
[1.1.1.37 L-Malat:NAD-Oxydoreductase.]
(Malicodehydrogenase, L-Malat-DPN-Transhydrogenase)

Von

F. Bruno Straub*.

Mit 1 Abbildung.

Einleitung. Das Enzym wurde vor 50 Jahren von BATELLI und STERN[1] sowie THUNBERG[2] unabhängig voneinander entdeckt. Es katalysiert die reversible Reaktion:

$$\text{L-Malat} + \text{DPN}^+ \rightleftharpoons \text{Oxalacetat} + \text{DPNH} + \text{H}^+,$$

deren Gleichgewichtslage stark zugunsten der Malatbildung verschoben ist. Die scheinbare Gleichgewichtskonstante

$$K' = \frac{[\text{Oxalacetat}] \times [\text{DPNH}]}{[\text{Malat}] \times [\text{DPN}]}$$

wurde zuerst von EULER, ADLER und GÜNTHER bei p_H 7,46 als $2,33 \times 10^{-5}$ bestimmt[3]. STERN, OCHOA und LYNEN[4] untersuchten die Konstante im p_H-Bereich von 6—10; nach ihnen gilt die Gleichung:

$$K = K' \times [\text{H}^+] = 1,2 (\pm 0,2) \times 10^{-12} \quad \text{(bei 22° C)}.$$

Eine weitere eingehende Analyse der Gleichgewichtskonstante durch BURTON und WILSON[5] gab den Wert:

$$K_a = K'[\text{H}^+] = 0,75 \times 10^{-12} \quad \text{(bei 25° C)}.$$

Dieser Wert gilt aber nur bei der Ionenstärke $\mu = 0$. Die Ionenstärke beeinflußt die Konstante entsprechend der Gleichung:

$$\log K = \log K_a + 0,7 \sqrt{\mu}$$

Bei der Ionenstärke $\mu = 0,16$ gibt diese Gleichung denselben Wert, welcher von den früheren Autoren[3,4,6] gemessen wurde.

Versuche mit sehr kurzer Inkubationsdauer können dadurch gestört werden, daß nur die Ketoform der Oxalessigsäure an der Reaktion teilnimmt. Dagegen liegt Oxalessigsäure im festen Zustand in Form der Enol-Oxalessigsäure vor, die Tautomerisierung beginnt beim Auflösen und geht mit meßbarer Geschwindigkeit vor sich (Halbwertszeit bei 15° C etwa 90 sec, s.[7]). Die Tautomerisierung wird durch zweiwertige Kationen katalysiert.

---

* Medizinisch-Chemisches Institut der Universität Budapest.

Abkürzungen: C-MDH = Cytoplasmatische Äpfelsäuredehydrogenase; M-MDH = Mitochondriale Äpfelsäuredehydrogenase; DPN = Diphosphopyridinnucleotid; TPN = Triphosphopyridinnucleotid; EDTA = Äthylendiamintetraacetat; OES = Oxalessigsäure.

[1] BATELLI, F., et L. STERN: C. R. Soc. Biol. **62**, 552 (1910).
[2] THUNBERG, T.: Skand. Arch. Physiol. **24**, 23 (1911).
[3] EULER, H. VON, E. ADLER u. G. GÜNTHER: H. **247**, 65 (1937).
[4] STERN, J. R., S. OCHOA and F. LYNEN: J. biol. Ch. **198**, 313 (1952).
[5] BURTON, K., and T. H. WILSON: Biochem. J. **54**, 86 (1953).
[6] GOLDMAN, D. S.: J. Bact. **72**, 401 (1956).
[7] PFLEIDERER, G., D. JECKEL u. T. WIELAND: B. Z. **331**, 187 (1956).

In einer Phosphatpufferlösung von p_H 7 sollen nach Erreichen des Gleichgewichtes etwa 80—85% der Säure in der Ketoform vorhanden sein[1-3].

Vorkommen. Nach einer tautologischen Feststellung soll Äpfelsäuredehydrogenase in allen Geweben und Zellen vorkommen, welche sich des Citronensäurecyclus bedienen. Sie wurde zur Prüfung des Vorhandenseins des Citratcyclus in sehr vielen tierischen, pflanzlichen und mikrobiologischen Objekten nachgewiesen. Die meisten dieser Angaben sind aber nur qualitativ. Einige der quantitativen Ergebnisse, welche sich auf tierische Gewebe beziehen, wurden in Tabelle 1 zusammengestellt.

Tabelle 1. *Äpfelsäuredehydrogenase-Aktivität in verschiedenen tierischen Geweben**.

Tierart	Gewebe	μl O_2/mg/Std (mg = Trockengewicht) nach [4]	μl O_2/mg/20 min (mg = Frischgewicht) nach [5]	Relative Aktivität nach [6]
Rind . . .	Leber	64,2 ± 19,1	—	—
	Herz	5,16 ± 24,1	—	—
	Niere	53,3 ± 13,2	—	—
	Gehirn	20,4 ± 2,8	—	-
Ratte . .	Leber	104,4 ± 12	103,5 (73,2—125,4)	19
	Herz	132 ± 13	—	100
	Niere	75 ± 7	81,4	5
	Gehirn	26,7 ± 3,4	27,5	28
	Skeletmuskel	—	—	38
Maus . . .	Leber	105 ± 21	100,6	—
	Herz	170 ± 54	—	—
	Niere	91,8 ± 9,7	—	—
	Gehirn	57,7 ± 2,0	42,2	—
Taube . .	Leber	—	—	13
	Herz	—	—	86
	Niere	—	—	57
	Gehirn	—	—	30
	Brustmuskel	—	107	80
Kaninchen	Leber	—	—	13
	Herz	—	—	26
	Niere	—	—	10
	Gehirn	—	—	2
	Skeletmuskel	—	—	25

* Die Werte in den ersten zwei Kolonnen wurden mit derselben Methode gewonnen[5], die unten beschrieben wird. Die Angaben der letzten Kolonne wurden mit der Methode der Methylenblaureduktion in Gegenwart von Cyanid gemessen, weiteres s. im Original.

Nach LENTA und RIEHL[7] ist die Enzymaktivität in verschiedenen Geweben der Maus unabhängig von Alter, Stamm und Geschlecht der Tiere. Nach FRIED und TIPTON[4] findet man keine wesentlichen Unterschiede in der Enzymaktivität von Mäuse- und Rattengeweben von Individuen mit verschiedenen Körpergewichten.

Mit Hilfe einer zu diesem Zweck ausgearbeiteten Mikromethode hat man die Verteilung der Äpfelsäuredehydrogenase in verschiedenen Zellarten des Gehirns untersucht[8-12]. Einige Angaben dieser Arbeiten sind in Tabelle 2 zusammengestellt.

[1] LOEWUS, F. A., T. T. TCHEN and B. VENNESLAND: J. biol. Ch. **212**, 787 (1955).
[2] GRAVES, J. C., B. VENNESLAND, F. UTTER and R. J. PENNINGTON: J. biol. Ch. **223**, 551 (1956).
[3] GRUBER, W., G. PFLEIDERER u. T. WIELAND: B. Z. **328**, 245 (1956).
[4] FRIED, G. H., and S. R. TIPTON: Proc. Soc. exp. Biol. Med. **82**, 231 (1953).
[5] POTTER, V. R.: J. biol. Ch. **165**, 311 (1946).
[6] GREEN, D. E.: Biochem. J. **30**, 2095 (1936).
[7] LENTA, M. P., and M. A. RIEHL: Cancer Res. **9**, 47 (1949).
[8] STROMINGER, J. L., and O. H. LOWRY: J. biol. Ch. **213**, 635 (1956).
[9] ROBINS, E., N. R. ROBERTS, K. M. EYDT, O. H. LOWRY and D. E. SMITH: J. biol. Ch. **218**, 897 (1956).
[10] LOWRY, O. H., N. R. ROBERTS and C. LEWIS: J. biol. Ch. **220**, 897 (1956).
[11] LOWRY, O. H., N. R. ROBERTS and M. L. W. CHANG: J. biol. Ch. **222**, 97 (1956).
[12] ROBINS, E., D. E. SMITH, K. M. EYDT and R. E. MCCAMAN: J. Neurochem. **1**, 68 (1956).

Die relative Aktivität der Äpfelsäuredehydrogenase in den verschiedenen Geweben und Organismen scheint mit dem Stoffwechseltyp der Zellen verbunden zu sein, wobei eine inverse Relation zwischen Milchsäure- und Äpfelsäuredehydrogenase beobachtet wurde[1]. Dieser Zusammenhang tritt auch bei der Adaptation der Mikroorganismen in Erscheinung: In Hefezellen[2,3] und in *Pasteurella pestis*[4] wird die Äpfelsäuredehydrogenase der Zellen in Aerobiose stark gesteigert. In aerob gezüchteten Hefezellen gibt es sechsmal soviel Dehydrogenase wie in den anaeroben.

Im Schweineherzmuskel soll die Äpfelsäuredehydrogenase ungefähr 0,4% der Gesamtproteine betragen[5].

Intracelluläre Verteilung. Mit Hilfe der älteren Methoden (Sauerstoffverbrauch, Farbstoffreduktion) wurde immer nur die gebundene (intramitochondriale) Dehydrogenase erfaßt[6,7]. Mit dem optischen Test fand man aber 56% der Gesamtdehydrogenase eines Saccharosehomogenats der Rattenleber in der cytoplasmatischen Fraktion, 2% in der Kernfraktion und nur 42% in den Mitochondrien[8]. In kleinen Mengen kommt die Dehydrogenase auch im menschlichen Serum vor[10,11].

Nach DELBRÜCK u. Mitarb.[12,13] können in der Rattenleber die an Mitochondrien gebundene und die lösliche Dehydrogenase auf Grund ihrer kinetischen Eigenschaften unterschieden werden. Das cytoplasmatische Enzym (C-MDH) wird erst bei relativ höheren Oxalessigsäurekonzentrationen gesättigt als die aus Mitochondrien abgelöste Dehydrogenase (M-MDH); letztere wird durch höhere Oxalessigsäurekonzentrationen stark gehemmt. Das Mengenverhältnis der zwei Enzymarten beträgt C-MDH:M-MDH=2:1. Nach WIELAND, PFLEIDERER, HAUPT und WÖRNER[14] können diese Dehydrogenasen auch elektrophoretisch getrennt werden; bei pH 8,6 wandert C-MDH anodisch, währenddessen die M-MDH am Startpunkt bleibt. Ähnliche Resultate erhielt THORNE[15], indem er diese zwei Äpfelsäuredehydrogenasen aus Rattenleber durch Säulenchromatographie trennte.

Tabelle 2. *Verteilung der Äpfelsäuredehydrogenase in verschiedenen Gebieten des Kaninchengehirns* (nach [9]).

Gebiet	μMol Oxalessigsäure reduziert je mg Trockengewicht/Std
Cerebellum (Schicht der PURKINJE-Zellen)	60,2 ± 4,2
Hypothalamus	43,7 ± 1,7
Tractus opticus	4,93 ± 0,33
Retina, Fasern	11,2 ± 0,5
Retina, Stäbchen, Schicht a	157
Retina, Stäbchen, Schicht b	11
Rückenmark	8,08 ± 0,69
Ganglion dorsale	36,1 ± 1,1

In den Blättern der Pflanzen ist das Enzym zwar in den Plastiden angehäuft[16], wurde aber in jungen *Lupinus albus*-Blättern[17] sowie in keimenden Erbsenpflanzen[18] größtenteils gelöst vorgefunden. Es ist dabei zu berücksichtigen, daß diese Dehydrogenase-

---

[1] LOWRY, O. H., N. R. ROBERTS and C. LEWIS: J. biol. Ch. **220**, 897 (1956).
[2] SLONIMSKI, P. P., et H. M. HIRSCH: Cr. **235**, 914 (1952).
[3] SLONIMSKI, P. P.: Actual. biochim. **17**, 1 (1953).
[4] ENGLESBERG, E., and J. B. LEVY: J. Bact. **69**, 418 (1955).
[5] STRAUB, F. B.: H. **275**, 63 (1942).
[6] GREEN, D. E.: Biochem. J. **30**, 2095 (1936).
[7] SHOWACRE, J. L., and H. G. DUBUY: J. nat. Cancer Inst. **16**, 173 (1955).
[8] CHRISTIE, G. S., and J. D. JUDAH: Proc. R. Soc. London (B) **141**, 420 (1953).
[9] STROMINGER, J. L., and O. H. LOWRY: J. biol. Ch. **213**, 635 (1956).
[10] WACKER, W. E. C., D. D. ULMER and B. L. VALLEE: New Engl. J. Med. **255**, 449 (1956).
[11] BING, R. J., A. CASTELLANOS, E. GADEL, C. LUPTON and A. SIEGEL: Amer. J. med. Sci. **232**, 533 (1956).
[12] DELBRÜCK, A., E. ZEBE u. T. BÜCHER: B. Z. **331**, 273 (1959).
[13] DELBRÜCK, A., H. SCHIMASSEK, K. BARTSCH u. T. BÜCHER: B. Z. **331**, 297 (1959).
[14] WIELAND, T., G. PFLEIDERER, I. HAUPT u. W. WÖRNER: B. Z. **332**, 1 (1959).
[15] THORNE, C. J. R.: Biochim. biophys. Acta **42**, 175 (1960).
[16] SISSAKYAN, N. M., i K. G. CHAMOVA: Dokl. Akad. Nauk SSSR **67**, 337 (1949).
[17] BRUMMOND, D. O., and R. H. BURRIS: J. biol. Ch. **209**, 755 (1954).
[18] PRICE, C. A., and K. V. THIMANN: Plant Physiol. **29**, 113 (1954).

aktivitäten auch mit TPN stimulierbar sind. Ohne Annahme einer Beteiligung des Malatenzyms können diese Angaben nicht einfach ausgewertet werden.

Spezifität. *Substratspezifität.* Die Dehydrogenase ist spezifisch auf die L-Äpfelsäure eingestellt, während die D-Äpfelsäure nicht angegriffen wird[1,2]. Gegenüber Milchsäure ist das gereinigte Enzym ohne Wirkung[3]. Obwohl früher an Hand dieser Angaben eine strenge Spezifität angenommen wurde, haben neulich Davies und Kun[4] nachgewiesen, daß das Enzym nicht nur Oxalessigsäure, sondern auch andere α-Ketodicarbonsäuren, wie Dihydroxyfumarsäure, Diketobernsteinsäure, Mesoxalsäure, α-Ketoglutarsäure, und sogar auch 2-Keto-3-sulfopropionsäure[5] angreift und deren Reduktion durch DPNH katalysiert.

Coenzymspezifität. In ungereinigten Extrakten aus tierischen und pflanzlichen Geweben ist die Dehydrierung von Äpfelsäure nicht nur durch DPN gesteigert — was zuerst von Andersson[6] entdeckt wurde —, sondern auch durch TPN gefördert. Die Reaktion mit TPN ist meist viel geringer, manchmal aber recht ausgiebig[7-10]. Diese Erscheinung ist aber zum größten Teil durch die Anwesenheit des malic enzyme verursacht (s. S. 377ff.). Mit einem gereinigten Äpfelsäuredehydrogenasepräparat stellten jedoch Mehler u. Mitarb.[11] fest, daß auch dieses mit TPN reagiert, wenn auch die Oxydationsgeschwindigkeit von TPNH nur 3% des Wertes beträgt, den man mit DPNH bekommt. In der umgekehrten Richtung reagiert TPN mit Malat nur mit 0,0016% der Geschwindigkeit der DPN-Malatreaktion[12].

Nach einigen Angaben sollen in sog. Cyclophorasepräparaten und in Extrakten von *M. lysodeikticus* solche Fraktionen gewonnen werden, die eine Dehydrierung der Äpfelsäure katalysieren, die durch DPN und TPN nicht stimuliert werden kann[13,14]. In keinem dieser Fälle wurde aber das Enzym gereinigt, und die Beobachtungen können eher anders gedeutet werden als mit der Annahme einer besonderen Dehydrogenase.

Darstellung gereinigter Äpfelsäuredehydrogenasen. Obwohl gereinigte Enzympräparate im Handel erhältlich sind*, erscheint es zweckmäßig, die angegebenen Verfahren zu schildern. Das Enzym wurde kristallin noch nicht gewonnen. Es gibt Präparate, die homogen erscheinen; aber es besteht in der Literatur keine Einigkeit über die Reinheit und Eigenschaften dieser Präparate. Der Verfasser ist der Meinung, daß diese Unstimmigkeiten auf irreführenden Berechnungen[15] beruhen und daß tatsächlich die drei beschriebenen Methoden reine Enzympräparate ergeben[3,4,15].

Das Enzympräparat nach Straub[3] wurde physikochemisch nicht charakterisiert, obwohl die Methode 1959 verbessert wurde[16]. Eine Abänderung dieser Methode ermöglichte Wolfe und Neilands[15], aus Schweineherzen ein gut charakterisiertes Präparat herzustellen; wir geben unten diese Methode an. Die neueste Methode stammt von Davies und Kun[4]; sie hat aber den Nachteil, daß sie als Ausgangsmaterial isolierte Mitochondrien verarbeitet. Da aber die beiden früher genannten Methoden von gewasche-

---

* Sigma Chemical Co.; Worthington Biochemical Corp.; C. F. Boehringer u. Soehne G.m.b.H.

[1] Loewus, F. A., T. T. Tchen and B. Vennesland: J. biol. Ch. **212**, 787 (1955).
[2] Thunberg, T.: B. Z. **258**, 48 (1933).
[3] Straub, F. B.: H. **275**, 63 (1942).
[4] Davies, D. D., and E. Kun: Biochem. J. **66**, 307 (1956).
[5] Baernstein, H. D.: Exp. Parasitol. **2**, 380 (1953).
[6] Andersson, B.: H. **217**, 186 (1933).
[7] Brummond, D. O., and R. H. Burris: J. biol. Ch. **209**, 755 (1954).
[8] Green, D. E.: Biochem. J. **30**, 2095 (1936).
[9] Lynen, F., u. W. Franke: H. **270**, 271 (1941).
[10] Vennesland, B., M. C. Gollub and J. F. Speck: J. biol. Ch. **178**, 301 (1949).
[11] Mehler, A. H., A. Kornberg, S. Grisola and S. Ochoa: J. biol. Ch. **174**, 961 (1948).
[12] Burton, K., and T. H. Wilson: Biochem. J. **54**, 86 (1953).
[13] Huennekens, F. M.: Exp. Cell Res. **2**, 115 (1951).
[14] Cohn, D. V.: J. biol. Ch. **221**, 413 (1956).
[15] Wolfe, R. G., and J. B. Neilands: J. biol. Ch. **221**, 61 (1956).
[16] Pfleiderer, G., u. E. Hohnholz: B. Z. **331**, 245 (1959).

nem Muskelbrei ausgehen, besteht kein Zweifel, daß bei allen diesen Methoden die Dehydrogenase der Mitochondrien dargestellt wird.

Es ist noch zu erwähnen, daß teilweise gereinigte Präparate auch aus Kükenleber[1] und aus *Mycobacterium*[2] erhalten wurden. THORNE[3] wendet Ionenaustausch-Chromatographie zur Trennung und Isolierung der cytoplasmatischen und intramitochondrialen Dehydrogenase an*.

Isolierung der Äpfelsäuredehydrogenase nach WOLFE und NEILANDS[7].

Prinzip:

Aus Schweineherzmuskelbrei werden die löslichen Eiweißstoffe durch Waschen entfernt, danach wird der Brei mit Aceton entwässert. Aus dem Trockenpulver wird die gebundene Dehydrogenase schon durch Salzlösung herausgelöst. Das Enzym wird durch Ammoniumsulfat- und Alkoholfraktionierung in Gegenwart von Zn-Ionen gereinigt. (Zum letzten Schritt ist zu bemerken, daß nach VALLEE u. Mitarb.[8] das Enzym ein Zn-Proteid darstellt und daß das mit Zn gefällte Enzym vielleicht dimerisiert wird.)

Ausführung:

Wenn nicht anders angegeben, wurden alle Isolierungsschritte bei 4° C ausgeführt.

30 frische Schweineherzen wurden in gestoßenem Eis gekühlt, vom Fett und Bindegewebe befreit und mit einem elektrischen Fleischwolf zerkleinert. Das Gewebe wurde fünfmal mit je 25 l Eiswasser gewaschen, in einem Filtertuch gesammelt und anschließend 30 min lang in 15 l kaltem 90%igem Aceton stehen gelassen. Das Gewebe wurde dann zweimal nacheinander mit je 10 l reinem Aceton behandelt. Das extrahierte Gewebe wurde wiederum im Filtertuch gesammelt, in einen großen Exsiccator gebracht und das Lösungsmittel mit einer Ölpumpe entfernt.

Die Äpfelsäuredehydrogenase wurde aus dem Acetontrockenpulver mit 10 l 0,05 m Natriumphosphatpuffer von p_H 7,0 extrahiert. Die Extraktion wurde in einem Waringblendor innerhalb von 8 min mit Laufzeiten von je 1 min vorgenommen, um eine Erwärmung zu verhindern. Die unlöslichen Zellbestandteile wurden in einer gekühlten 13 l-Zentrifuge abgeschieden und eine milchige Enzymlösung erhalten.

Zu der Präparation wurden 176 g Ammoniumsulfat pro l Extrakt gegeben, um eine Sättigung von 0,3 zu erhalten. Nach 12stündigem Stehen bei +4° C wurde die Suspension zentrifugiert und der Niederschlag verworfen. Der klare bernsteingelbe Überstand wurde auf eine Sättigung von 0,5 gebracht, indem weitere 125 g Ammoniumsulfat pro l Ausgangslösung zugegeben wurden. Schließlich wurden noch 100 g Ammoniumsulfat pro l Ausgangslösung zugegeben, um eine Sättigung von 0,65% zu erhalten; nach 12stündigem Stehen bei +4° C wurde der Niederschlag auf einem Filter gesammelt und das Filtrat verworfen.

Der auf diese Weise erhaltene Protein-Niederschlag wurde in einem möglichst kleinen Volumen (gewöhnlich 250—300 ml) von 0,01 m Maleatpuffer von p_H 6,2 gelöst, der außerdem 0,2 m NaCl enthielt. Die Präparation wurde dann etwa 15 Std lang erst gegen Maleatpuffer, dann gegen frischem Maleatpuffer mit 10^{-4} m $ZnCl_2$-Gehalt dialysiert. Die Dialyse gegen reinen Maleatpuffer dient zur Entfernung des Phosphats, da dieses

---

* *Anmerkung bei der Korrektur.* Seit dem Abschluß dieses Berichtes wurden die physikalisch-chemischen Eigenschaften von M-MDH und C-MDH eingehend untersucht[4,5] und die cytoplasmatische MDH wurde auch kristallisiert[6].

[1] SOLOMON, J. B.: Biochem. J. **70**, 529 (1958).
[2] GOLDMAN, D. S.: J. Bact. **72**, 401 (1956).
[3] THORNE, C. J. R.: Biochim. biophys. Acta **42**, 175 (1960).
[4] SIEGEL, L., and S. ENGLARD: Biochim. biophys. Acta **54**, 67 (1961).
[5] GRIMM, F. C., and D. G. DOHERTY: J. biol. Ch. **236**, 1980 (1961).
[6] ENGLARD, S., and H. H. BREIGER: Biochim. biophys. Acta **56**, 571 (1962).
[7] WOLFE, R. G., and J. B. NEILANDS: J. biol. Ch. **221**, 61 (1956).
[8] VALLEE, B. L., F. L. HOCH, S. J. ADELSTEIN and W. E. C. WACKER: Am. Soc. **78**, 5879 (1956).

die Zinkionen ausfällen würde. Nach einer 12stündigen Dialyse wurde das ausgefallene Protein abzentrifugiert und verworfen.

Die bernsteingelbe Lösung des Enzyms wurde fraktioniert durch Äthanol, das durch Sinterglasfilter zugegeben wurde. Während der Äthanolzugabe wurde die Enzymlösung mit einem mechanischen Rührer kräftig gerührt. Wenn die Konzentration etwa 10% überschritten hatte, wurden weitere Mengen von Äthanol, nunmehr bei $-10°$ C, zugegeben. Der bei 40% auftretende Niederschlag wurde bei $-10°$ C abzentrifugiert und der Überstand auf 50% Äthanol gebracht. Dieser Niederschlag enthielt etwas Äpfelsäuredehydrogenase, die sich aber aus dieser Fraktion nicht weiter reinigen ließ. Die Fraktionierung wurde weitergeführt, und die Niederschläge bei 60 und 70% Äthanol wurden einzeln gesammelt und bestimmt. Das reinste Enzym war in der 70% Äthanol-Fraktion zu finden; wenn jedoch die 60% Fraktion nur etwas weniger aktiv war, dann wurden die beiden Fraktionen vereinigt und in kaltem 0,05 m Phosphatpuffer von p_H 7,0 gelöst.

Die Enzymlösung enthält jetzt nur noch geringe Verunreinigungen, wie Spuren von Cytochrom c, die durch portionsweise Behandlung mit Carboxymethylcellulose entfernt wurden. Die restlichen kleineren Verunreinigungen haben eine viel höhere elektrophoretische Beweglichkeit im neutralen Phosphatpuffer und darum kann die Äpfelsäuredehydrogenase aus der kathodischen Seite zurückgewonnen werden. Die Endisolierung des Enzyms wurde in elektrophoretischen Versuchen mit dem Perkin-Elmer-Apparat Modell Nr. 38A ausgeführt.

Die Aktivität eines hochgereinigten Präparates von Äpfelsäuredehydrogenase blieb bei Raumtemperatur in neutralem Puffer konstant. Der nach einiger Zeit auftretende leichte Aktivitätsabfall konnte verhindert werden, indem man das Enzym unter N_2 hielt oder Cystein zusetzte. Wenn jedoch die Aktivität durch Alterung schon verlorenging, so konnte sie durch Cysteinbehandlung nicht wieder hergestellt werden.

Alle Versuche, das Enzym zu kristallisieren, blieben ohne Erfolg.

Tabelle 3. *Ausbeute und Reinheit der Äpfelsäuredehydrogenase in den verschiedenen Reinigungsstufen.*

	Gesamteiweiß g	Wechselzahl	Ausbeute an Aktivität
Phosphatpufferextrakt	100	260	(1,0)
Ammoniumsulfat-Niederschlag . .	31	700	0,9
Wäßrige überstehende Zn-Lösung	11	880	0,4
Zn-Äthanol-Niederschlag (70%) .	0,26	9700	0,1

Eigenschaften. *Physikochemische Konstanten des gereinigten Enzymeiweißes.* Die aus Schweine- und Rinderherzen isolierten Eiweißkörper verhalten sich in den meisten Eigenschaften verschieden, allein die Enzymaktivität (pro mg Eiweiß berechnet) ist gleich. Dies ist aus Tabelle 4 ersichtlich.

Tabelle 4. *Eigenschaften der Äpfelsäuredehydrogenase.*

Eigenschaften	Dehydrogenase aus Rinderherzen[1]	Dehydrogenase aus Schweineherzen[2]
Sedimentationskonstante (SVEDBERG-Einheiten)	2,1 (bei 12,9° C)	3,6 (S_{20})
Diffusionskoeffizient ($cm^2 \cdot sec^{-1}$)	$13,5 \cdot 10^{-7}$ (bei 2° C)	$8,47 \cdot 10^{-7}$ ($D_{20,w}$ berechnet)
Molekulargewicht	15000—20000	40000
Optische Dichte für 1 mg/ml und 1 cm	0,85	0,46*
Isoelektrischer Punkt	> 6,9	6,1—6,4** (?)

* 0,38 nach [3]. ** Nach [4] viel höher.

[1] DAVIES, D. D., and E. KUN: Biochem. J. **66**, 307 (1956).
[2] WOLFE, R. G., and J. B. NEILANDS: J. biol. Ch. **221**, 61 (1956).
[3] PFLEIDERER, G., u. E. HOHNHOLZ: B. Z. **331**, 245 (1959).
[4] WIELAND, T., G. PFLEIDERER, I. HAUPT u. W. WÖRNER: B. Z. **332**, 1 (1959).

Der Unterschied im Molekulargewicht mag vielleicht mit der Herstellungsmethode verbunden sein. Die Anwendung von Zn-Ionen während der Alkoholfällung[1] könnte eine Dimerisierung des Eiweißkörpers verursachen. Diese Frage wurde nicht untersucht.

Das Schweineherzenzym enthält 7 SH-Gruppen im Molekül von 40000. Es wurde ein Zn-Gehalt von 0,2% spektroskopisch festgestellt[2]. Da aber nach PFLEIDERER und HOHNHOLZ[3] nach einer Dialyse gegen Dithiol kein Zink mehr im völlig aktiv gebliebenen Enzym zu finden ist, scheint Zn keine Rolle bei der Dehydrogenasewirkung zu spielen.

Durch Auswertung der spektralen Veränderungen während der Bildung des DPN-Sulfit-Enzym-Komplexes wurde berechnet[3], daß das Enzym 0,9 M DPN pro Mol Enzym (40000) binden kann.

Stabilität. Das Enzym ist wegen seines Gehalts an SH-Gruppen gegen Sauerstoff empfindlich[4]. Das gereinigte Enzym wird in wäßriger Lösung beim Stehen irreversibel inaktiviert[5], ist aber unter N_2 oder nach Zusatz von Cystein gut haltbar[1]. Das Enzym ist als Suspension in 0,7-gesättigter Ammoniumsulfatlösung monatelang haltbar[6].

Eine bemerkenswerte Stabilisierung der Dehydrogenase wurde von PFLEIDERER und HOHNHOLZ[3] beobachtet. In Gegenwart von je 2 mg Sulfit und DPN wird das Enzym nicht nur gegen 7 m Harnstoff, sondern auch gegen Hitzeinaktivierung (bis zu 70° C) weitgehend geschützt.

Spezifische Aktivität, Wechselzahl. Eine Zusammenstellung der diesbezüglichen Angaben findet man in Tabelle 5.

Tabelle 5. *Spezifische Aktivität und Wechselzahl der Äpfelsäuredehydrogenase.*

Herkunft und Darstellungsmethode	Reaktion	Puffer und p_H	Zusatz	Aktivität
Schweineherz (Methode von [5], nach [7])	OES + DPNH	Glycylglycin, p_H 7,4		Extinktionsänderung 660/min/mg
Schweineherz (nach [5])	Malat + DPN	Phosphat, p_H 7	Cyanid, Diaphorase und Methylenblau	3,3 µl O_2/min/µg

Herkunft und Darstellungsmethode	Reaktion	Puffer und p_H	Molekulargewicht	Wechselzahl
Schweineherz (nach [1])	Malat + DPN	Glykokoll, p_H 10	40000	9700
Schweineherz (nach [1])	OES + DPNH	Phosphat, p_H 6,9	40000	44000
Schweineherz, (Methode von [5], nach [3])	OES + DPNH	Phosphat, p_H 7,2	40000	42000
Rinderherz (nach [8])	Malat + DPN	Glykokoll, p_H 10	20000	4600
Rinderherz (nach [8])	Malat + DPN	TRIS, p_H 8,4	20000	1300
Rinderherz (nach [8])	OES + DPNH	Phosphat, p_H 7,4	20000	11250
Rinderherz (nach [8])	Diketobernsteinsäure + DPNH	Phosphat, p_H 7,4	20000	1800
Rinderherz (nach [8])	Mesoxalsäure + DPNH	Phosphat, p_H 7,4	20000	1425
Rinderherz (nach [8])	α-Ketoglutarsäure + DPNH	Phosphat, p_H 7,4	20000	0,6

MICHAELIS-*Konstante.* In Tabelle 6 sind die in der Literatur befindlichen Angaben zusammengestellt. Man findet eine erstaunliche Streuung der Werte, insbesondere für

---

[1] WOLFE, R. G., and J. B. NEILANDS: J. biol. Ch. **221**, 61 (1956).
[2] VALLEE, B. L., F. L. HOCH, S. J. ADELSTEIN and W. E. C. WACKER: Am. Soc. **78**, 5879 (1956).
[3] PFLEIDERER, G., u. E. HOHNHOLZ: B. Z. **331**, 245 (1959).
[4] HAUGAARD, N.: J. biol. Ch. **164**, 265 (1946).
[5] STRAUB, F. B.: H. **275**, 63 (1942).
[6] STERN, J. S., B. SHAPIRO, E. R. STADTMAN and S. OCHOA: J. biol. Ch. **193**, 703 (1951).
[7] OCHOA, S.; in: Colowick-Kaplan, Meth. Enzymol. Bd. I. S. 735.
[8] DAVIES, D. D., and E. KUN: Biochem. J. **66**, 307 (1956).

Äpfelsäure. In den genauesten Bestimmungen[1,2] wurde eine Anomalie gefunden: Nach der Darstellungsmethode von LINEWEAVER und BURK findet man keinen einfachen linearen Zusammenhang zwischen 1/S und 1/v. Bei höheren Konzentrationen ($>10^{-2}$ m)

Tabelle 6. MICHAELIS-*Konstanten der Äpfelsäuredehydrogenase*.

| Enzymquelle | Reinigungsgrad | K_M (Mol/l) | | | | Lite- |
		Äpfelsäure	Oxalessig-säure	DPN	DPNH	ratur
Kükenerythrocyten	Hämolysat	0,15	—	—	—	3
Kaninchenerythrocyten	Hämolysat	0,12	—	—	—	3
Trypanosoma cruzi	Extrakt	0,014	0,0025	0,000083	—	4
Thermophiles Bacterium	Extrakt	0,012	—	—	—	5
Schweineherz	Extrakt	0,01	—	—	—	6
Schweineherz	gereinigt	0,000055	—	—	0,000028	2
Schweineherz	gereinigt	—	—	0,000037	—	7
Rinderherz	gereinigt	0,0009	0,000026	—	0,000025	1
Mycobacterium	teilweise gereinigt	0,00095	—	—	—	8
Rattenleber	Homogenat	—	—	0,00029	—	9
Kaninchengehirn	Homogenat	0,0013	—	0,0003	—	10
Heuschreckenmuskel:						
1. C-MDH	Extrakt	—	0,00004	—	—	11
2. M-MDH	durch Desoxycholat in Lösung gebracht	—	0,000005	—	—	11

wird die DPN-Reduktion durch Malat gefördert, dagegen die DPNH-Oxydation durch Oxalessigsäure gehemmt. Diese Verhältnisse sind in Abb. 1 wiedergegeben.

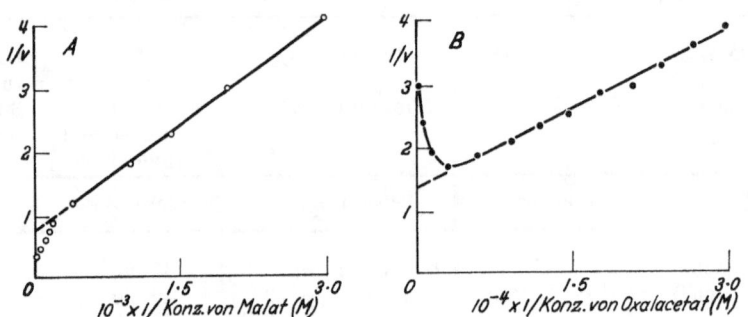

Abb. 1. Anomale Abhängigkeit der Reaktionsgeschwindigkeit (v) von der Substratkonzentration. *A*: DPN-Reduktion, *B*: DPN-Oxydation (nach DAVIES und KUN[1]).

Weitere MICHAELIS-Konstanten für die anderen Substrate des Enzyms wurden von DAVIES und KUN[1] bestimmt: Diketobernsteinsäure 0,002, meso-Weinsäure 0,0033, D-Weinsäure 0,014 und Mesoxalsäure 0,0066.

*p*H-*Optimum*. Die meisten diesbezüglichen Angaben der Literatur beziehen sich auf die komplexe Reaktion der Farbstoffreduktion. Je komplexer die verwendete Reaktion ist, desto deutlicher erkennt man ein Maximum zwischen pH 7—8. Mit der gereinigten

---

[1] DAVIES, D. D., and E. KUN: Biochem. J. **66**, 307 (1956).
[2] WOLFE, R. G., and J. B. NEILANDS: J. biol. Ch. **221**, 61 (1956).
[3] RUBINSTEIN, D., and O. F. DENSTEDT: J. biol. Ch. **204**, 263 (1953).
[4] BAERNSTEIN, H. D.: Exp. Parasitol. **2**, 380 (1953).
[5] MARSH, C., and W. MILITZER: Arch. Biochem. **36**, 269 (1952).
[6] GREEN, D. E.: Biochem. J. **30**, 2095 (1936).
[7] FEIGELSON, P., J. N. WILLIAMS jr. and C. A. ELVEHJEM: J. biol. Ch. **189**, 361 (1951).
[8] GOLDMAN, D. S.: J. Bact. **72**, 401 (1956).
[9] WILLIAMS jr., J. N.: J. biol. Ch. **195**, 629 (1952).
[10] STROMINGER, J. L., and O. H. LOWRY: J. biol. Ch. **213**, 635 (1956).
[11] DELBRÜCK, A., E. ZEBE u. T. BÜCHER: B. Z. **331**, 273 (1959).

Dehydrogenase findet man mit dem optischen Test andere Verhältnisse. Obwohl es nur einige Angaben darüber gibt, ersieht man[1,2], daß die Geschwindigkeit der OES-DPNH-Reaktion zwischen p_H 7 und 10 mit steigendem p_H abfällt, dagegen die Geschwindigkeit der DPN-Reduktion in demselben p_H-Bereich mit steigendem p_H zunimmt. Ob bei p_H 7 ein Maximum der ersten[2] und bei p_H 10 ein Maximum der zweiten Reaktion[1,3] vorliegt, kann an Hand der bisherigen Ergebnisse noch nicht entschieden werden, scheint aber wahrscheinlich zu sein.

Hemmstoffe. Die Dehydrogenase ist ein SH-Protein, dessen SH-Gruppen aber mit der katalytischen Funktion nicht unmittelbar verknüpft sind. Einem hohen Sauerstoffdruck ausgesetzt, wird das Enzym auch im Homogenat inaktiviert[4]. Nach WOLFE und NEILANDS[2] bindet das gereinigte Enzym (Molgewicht 40000) ungefähr 7 Mol p-Chlormercuribenzoat. Die Aktivität geht aber erst nach Bindung aller SH-Gruppen verloren, und zwar irreversibel. Maleinimid und Jodacetamid hemmen dagegen nicht[5].

Nach VALLEE u. Mitarb.[6] wird das Enzym durch 1,10-Phenanthrolin, 9-Hydroxychinolin und Diäthyl-dithiocarbamat gehemmt. Mit der letzteren Substanz reagiert das Enzym aber sehr langsam. Es wird behauptet, daß die Hemmung auf der Bindung der im Enzym vorhandenen Zn-Ionen beruht. Zu einer 50%igen Inaktivierung braucht man 0,02 m o-Phenanthrolin bzw. 0,004 m 8-Hydroxychinolin.

Nicotinsäureamid[7], Adenin, Adenylsäure und Adenosintriphosphat[8] hemmen das Enzym durch Blockierung der Bindung des DPN, da die Hemmung vollkommen kompetitiv erscheint und durch Erhöhung der DPN-Konzentration aufgehoben werden kann. Auf Grund dieser Analyse wurden die Hemmkonstanten der genannten Hemmstoffe bestimmt: Nicotinsäureamid 0,013, Adenin 0,0317 und Adenosintriphosphat 0,0164.

Nach WOLFF und WOLFF[9] hemmen Thyroxin und Trijodthyronin die Dehydrogenase viel stärker als andere Dehydrogenasen, Dijodtyrosin dagegen nicht. Die Hemmung ist kompetitiv, wird durch Malat, Oxalessigsäure, DPN und DPNH in gleicher Weise aufgehoben. Die scheinbare Dissoziationskonstante des Enzym-Thyroxinkomplexes berechnet sich zu $0{,}9—1{,}5 \times 10^{-6}$, d.h. man bekommt eine Hemmung schon mit physiologischen Thyroxinkonzentrationen.

Eine bedeutende Hemmung der Äpfelsäuredehydrogenase wird durch Sulfit verursacht[10]. Die hemmende Konzentration ist bei der mitochondrialen Dehydrogenase viel geringer als bei der cytoplasmatischen Äpfelsäuredehydrogenase und wird auf die Bildung eines ternären Komplexes von Sulfit-DPN-Enzym zurückgeführt[11].

Fluorid, Malonat und Dinitrophenol hemmen das Enzym nicht, es wurde aber eine Hemmung durch Fumarsäure beobachtet[12]. Durch die ungünstige Lage des Gleichgewichtes findet man immer eine Hemmung der Malatoxydation durch Oxalessigsäure. Nach BANGA[13] kann diese Hemmung durch Zusatz von Glutaminsäure behoben werden, wenn mit transaminasehaltigen Extrakten gearbeitet wird. Dieser Umstand wurde auch methodisch ausgenutzt[14].

---

[1] DAVIES, D. D., and E. KUN: Biochem. J. **66**, 307 (1956).
[2] WOLFE, R. G., and J. B. NEILANDS: J. biol. Ch. **221**, 61 (1956).
[3] GOLDMAN, D. S.: J. Bact. **72**, 401 (1956).
[4] HAUGAARD, N.: J. biol. Ch. **164**, 265 (1946).
[5] PFLEIDERER, G., u. E. HOHNHOLZ: B. Z. **331**, 245 (1959).
[6] VALLEE, B. L., F. L. HOCH, S. J. ADELSTEIN and W. E. C. WACKER: Am. Soc. **78**, 5879 (1956).
[7] FEIGELSON, P., J. N. WILLIAMS jr. and C. A. ELVEHJEM: J. biol. Ch. **189**, 361 (1951).
[8] WILLIAMS jr., J. N.: J. biol. Ch. **195**, 629 (1952).
[9] WOLFF, J., and E. C. WOLFF: Biochim. biophys. Acta **26**, 387 (1957).
[10] PFLEIDERER, G., D. JECKEL u. T. WIELAND: B. Z. **328**, 187 (1956).
[11] DELBRÜCK, A., E. ZEBE u. T. BÜCHER: B. Z. **331**, 273 (1959).
[12] STRAUB, F. B.: H. **275**, 63 (1942).
[13] BANGA, I.: H. **249**, 205 (1937).
[14] POTTER, V. R.: J. biol. Ch. **165**, 311 (1946).

Bestimmungsmethoden. Es gibt nur eine einwandfreie Methode zur Bestimmung der Aktivität der Äpfelsäuredehydrogenase, und zwar die Bestimmung der Geschwindigkeit der Reoxydation von DPNH durch Oxalessigsäure durch den optischen Test. Diese Methode ist aber nicht immer brauchbar, denn in den Geweben kommt die Dehydrogenase an die Zellstruktur gebunden vor, so daß bei Homogenaten das zugesetzte DPNH nicht unmittelbar reagieren kann. Deshalb ist man berechtigt, wenn man mit Geweben arbeitet, die Sauerstoffaufnahme zu messen, d.h. die Geschwindigkeit der Veratmung von DPNH, das durch die Dehydrogenase reduziert wird. Es wurde nachgewiesen, daß diese Reaktion durch die Dehydrogenase limitiert ist, wenn man für optimale Bedingungen sorgt[1]. Die technischen Schwierigkeiten, die mit der Verwendung von Oxalessigsäure und DPNH verbunden sind, veranlassen viele Autoren, die Aktivität des Enzyms von der anderen Seite her zu bestimmen, d.h. die Reduktionsgeschwindigkeit des DPN durch Äpfelsäure zu bestimmen. Die typischen Testsysteme werden unten beschrieben.

Optische Teste.

Bestimmung der Äpfelsäuredehydrogenase nach DELBRÜCK, ZEBE und BÜCHER[2]. Modifikation der Methode von MEHLER und Mitarb.[3].

Prinzip:

Die DPNH-Oxydation wird nach Zugabe von Oxalessigsäure optisch gemessen (vgl. S. 307). Optischer Lichtweg: 1 cm. EDTA-Zusatz hemmt die Decarboxylierung der Oxalessigsäure. Die Konzentration der Oxalessigsäure wird so gewählt, daß die cytoplasmatische Äpfelsäuredehydrogenase mit maximaler Geschwindigkeit reagiert, während die mitochondriale nur bis zu 30% gehemmt wird.

Die Reaktion wird entweder mit Oxalessigsäure oder mit dem Enzym (als letzter Zusatz) in Gang gesetzt. Alle 15 sec wird abgelesen. Der Wert zwischen 30 und 45 sec wird für die Berechnung der Aktivität verwendet.

Reaktionsgemisch:

0,05 m Triäthylaminhydrochlorid-NaOH-Puffer, p_H 7.
0,00015 m DPNH.
0,0002 m Oxalacetat.
0,005 m EDTA (Äthylendiamintetraacetat).

Anmerkung: Die Oxalessigsäure muß frisch gelöst werden und soll frei von Brenztraubensäure sein, um eventuellen DPNH-Verbrauch durch anwesende Milchsäuredehydrogenase auszuschließen. Sie ist bei 0° C aufbewahrt nur 2 Std haltbar.

Bestimmung der Äpfelsäuredehydrogenase nach WOLFE und NEILANDS[4].

Prinzip:

Bestimmung der Anfangsgeschwindigkeit der DPN-Reduktion nach Zugabe von Äpfelsäure. Die Reaktion wird durch die Zunahme der Extinktion bei 340 mμ mit einem empfindlichen Spektrophotometer verfolgt.

Reaktionsgemisch:

0,9 ml 0,1 m Glykokoll-NaOH-Puffer, p_H 10
0,05 ml 0,05 m DPN.
0,05 ml 2 m Na-L-malat.

Die Reaktion wird durch Zugabe von 0,05 ml Enzymlösung eingeleitet. In diesem Reaktionsgemisch mißt man eine Wechselzahl von 9700 für das gereinigte Enzym (Molgewicht 40000).

---

[1] POTTER, V. R.: J. biol. Ch. **165**, 311 (1946).
[2] DELBRÜCK, A., E. ZEBE u. T. BÜCHER: B. Z. **331**, 273 (1959).
[3] MEHLER, A. H., A. KORNBERG, S. GRISOLA and S. OCHOA: J. biol. Ch. **174**, 961 (1948).
[4] WOLFE, R. G., and J. B. NEILANDS: J. biol. Ch. **221**, 61 (1956).

Der optische Test (DPN-Reduktion) wurde auch als Mikromethode ausgearbeitet und für die Bestimmung der Äpfelsäuredehydrogenase in $<1\ \mu$g Gehirn verwendet[1,2].

Manometrische Methoden.

In vielen Arbeiten wurde die Äpfelsäuredehydrogenase manometrisch in der Weise gemessen, daß die Sauerstoffaufnahme des Systems bestimmt wurde, in dem die Äpfelsäuredehydrogenase DPN reduzierte, das DPNH mit einem Wasserstoffacceptorfarbstoff (Methylenblau, 2,6-Dichlorphenolindophenol usw.) reagierte und der reduzierte Farbstoff durch Sauerstoff oxydiert wurde. Die Methode wurde von GREEN eingeführt[3,4]. Es ist unbedingt notwendig, die entstehende Oxalessigsäure zu entfernen; dies geschieht am besten mit einer hohen Konzentration von Cyanid.

Für die Bestimmung der Äpfelsäuredehydrogenase-Aktivität der verschiedenen Gewebe wurde eine manometrische Methode von POTTER ausgearbeitet. Sie wird unten angegeben.

Bestimmung von Äpfelsäuredehydrogenase in Gewebshomogenaten nach POTTER[5].
Prinzip:

Es wird die Sauerstoffaufnahme (vgl. S. 55ff.) eines Wasserhomogenats manometrisch gemessen; das System wird durch Zugabe von Glutaminsäure, Nicotinsäureamid und Cytochrom c komplettiert, so daß die Atmung durch die Äpfelsäuredehydrogenase limitiert wird.

Optimale Endkonzentration der Komponenten:

0,05 m L-Malat.
0,01 m Nicotinsäureamid.
0,005 m DPN.
0,00004 m Cytochrom c.
0,027 m Phosphatpuffer, p_H 7,4.

The malic enzymes.
[1.1.1.38 L-malate:NAD(P) oxidoreductase (decarboxylating)]
[Malate dehydrogenases (decarboxylating)].

By

William J. Rutter*.

The malic enzyme catalyzes the following reaction:

$$\text{L-malate} + \text{PN}^+ \rightleftharpoons \text{pyruvate} + \text{PNH} + \text{H}^+ + \text{CO}_2. \tag{1}$$

Several informative reviews on the properties and metabolic relevance of this enzyme are available[6-8].

---

* Division of Biochemistry, Department of Chemistry, University of Illinois, Urbana, Illinois.

Abbreviations: DPN and DPNH: oxidized and reduced diphosphopyridine nucleotide; TPN and TPNH: oxidized and reduced triphosphopyridine nucleotide; PN and PNH: oxidized and reduced pyridine nucleotide (without specifying type); 3' TPN: the 3' phosphate analogue of TPN; EDTA: ethylene diamine tetraacetic acid; pCMB: p-chloromercuribenzoate.

[1] LENTA, M. P., and M. A. RIEHL: Cancer Res. **9**, 47 (1949).
[2] SLONIMSKI, P. P., et H. M. HIRSCH: Cr. **235**, 914 (1952).
[3] GREEN, D. E.: Biochem. J. **30**, 2095 (1936).
[4] GREEN, D. E., and S. WILLIAMSON: Biochem. J. **31**, 617 (1937).
[5] POTTER, V. R.: J. biol. Ch. **165**, 311 (1946).
[6] OCHOA, S.: Physiol. Rev. **31**, 56 (1951).
[7] OCHOA, S.; in: Sumner-Myrbäck, Enzymes, Vol. II, Part 2, p. 983.
[8] OCHOA, S.; in: Colowick-Kaplan, Meth. Enzymol., Vol. I, p. 739.

The possibility of an oxidative decarboxylation of malic acid was suggested by LWOFF et al.[1-3] but the reaction was first clearly demonstrated by OCHOA, MEHLER and KORNBERG[4,5]. The general properties of the enzyme system from several sources have been described by OCHOA and collaborators[6-12]. Using a purified wheat germ enzyme, HARARY et al.[12] determined the apparent equilibrium constant of reaction (1), at p_H 7.4 and 22 to 25° C.

$$K = \frac{[\text{L-malate}^-][\text{TPN}^+]}{[\text{pyruvate}^-][\text{CO}_2][\text{TPNH}]} = 19.6 \text{ (liters mole}^{-1}).$$

Recently RUTTER and LARDY have extensively purified the pigeon liver malic enzyme and have recorded some of its properties[13].

Perhaps the most remarkable property of the purified preparations mentioned above is the ability to facilitate the decarboxylation of oxalacetate according to equation (2).

$$\text{Oxalacetate} \rightleftharpoons \text{pyruvate} + \text{CO}_2. \tag{2}$$

Mn^{II} ions are required for both reactions (1) and (2); moreover with the pigeon liver enzyme, TPN not only is required for reaction (1), but stimulates reaction (2) markedly even though no oxidation-reduction is involved.

The enzyme system is not simply a mixture of malic dehydrogenase catalyzing reaction (3) and oxalacetic decarboxylase, since[14] a TPN specific malic dehydrogenase activity is absent from purified preparations

$$\text{L-malate} + \text{PN}^+ \rightleftharpoons \text{oxalacetate} + \text{PHN} + \text{H}^+ \tag{3}$$

of TPN specific pigeon liver malic enzyme, and[15] radioactively labelled oxalacetate in solution is not incorporated into malic acid by reversal of reaction (1), suggesting free oxalacetate is not an intermediate[16]. The p_H optimum of reactions (1) and (2) are widely different, thus at the optimum p_H for malic enzyme activity there is little if any oxalacetic carboxylase activity, and vice versa.

More recently FAULKNER[17] and SAZ and HUBBARD[18] have reported the malic enzymes from insect blood and from *Ascaris lumbricoides* respectively which carry out reaction (1) but not reaction (2). This finding deserves particular attention since it raises the question whether the oxalacetic decarboxylase is a gratuitous contaminant of other malic enzyme preparations. The facts that the ratio of activities of reactions (1) and (2) remains essentially constant during purification of the enzyme from wheat germ[9], *L. arabinosus*[11,12] and pigeon liver[7,13] (which has been purified more than one thousand fold), and that the pigeon liver enzyme catalyzing reaction (2) is specifically activated by TPN, strongly suggest that both activities reside on the same particle. It is concluded that the malic enzyme from some sources (liver, *L. arabinosus*, wheat germ) can catalyze both reaction

---

[1] LWOFF, A., A. ANDUREAW et R. CAILLEAU: Cr. **224**, 303 (1947).
[2] LWOFF, A., et R. CAILLEAU: Cr. **224**, 678 (1947).
[3] LWOFF, A., et H. IONESCO: Cr. **224**, 1664 (1947).
[4] OCHOA, S., A. H. MEHLER and A. KORNBERG: J. biol. Ch. **167**, 871 (1947).
[5] MEHLER, A. H., A. KORNBERG, S. GRISOLIA and S. OCHOA: J. biol. Ch. **174**, 961 (1948).
[6] OCHOA, S., A. H. MEHLER and A. KORNBERG: J. biol. Ch. **174**, 979 (1948).
[7] VEIGA SALLES, J. B., and S. OCHOA: J. biol. Ch. **187**, 849 (1950).
[8] OCHOA, S., J. B. VEIGA SALLES and P. J. ORTIZ: J. biol. Ch. **187**, 863 (1950).
[9] HARARY, I., S. R. KOREY and S. OCHOA: J. biol. Ch. **203**, 595 (1953).
[10] BLANCHARD, M. L., S. KORKES, A. DEL CAMPILLO and S. OCHOA: J. biol. Ch. **187**, 875 (1950).
[11] KORKES, S., A. DEL CAMPILLO and S. OCHOA: J. biol. Ch. **187**, 891 (1950).
[12] KAUFMAN, S., S. KORKES and A. DEL CAMPILLO: J. biol. Ch. **192**, 301 (1951).
[13] RUTTER, W. J., and H. A. LARDY: J. biol. Ch. **233**, 374 (1958).
[14] OCHOA, S.: Physiol. Rev. **31**, 56 (1951).
[15] OCHOA, S.; in: Sumner-Myrbäck, Enzymes, Vol. II, Part 2, p. 983.
[16] OCHOA, S.; in: Colowick-Kaplan, Meth. Enzymol., Vol. I, p. 739.
[17] FAULKNER, P.: Biochem. J. **64**, 430 (1956).
[18] SAZ, H. J., and J. A. HUBBARD: J. biol. Ch. **225**, 921 (1957).

(1) and (2), while the enzyme from certain other sources (insect blood and *A. lumbricoides*) catalyzes only reaction (1).

The malic enzyme preparations obtained from *L. arabinosus*[1,2] and from pigeon liver[3,4] exhibit considerable lactic dehydrogenase activity, reaction (4).

$$\text{Lactate} + \text{PN}^+ \rightleftharpoons \text{pyruvate} + \text{PNH} + \text{H}. \tag{4}$$

Since the purified malic enzyme from wheat germ is devoid of this activity, it is quite possible that reaction (4) is a contaminant in the other preparations. Because the lactic dehydrogenase activity is still prominent in pigeon liver preparations which approach purity[5], and because of the structural similarity of lactate and malate it is possible that malic enzyme from some sources may also catalyze reaction (4) in addition to reactions (1) and (2).

Isocitric dehydrogenase appears to have somewhat analogous properties. The TPN-linked enzyme from heart[6-9], has "isocitric enzyme", isocitric dehydrogenase, and oxalosuccinic decarboxylase activities [reactions analogous to equations (1), (2), and (3) respectively]. The DPN linked enzyme from heart[10] and yeast[11], on the other hand does not catalyze the decarboxylation of oxalacetate. In both enzyme systems free oxalosuccinate does not seem to be an intermediate in the overall reaction.

Distribution. Since the stoichiometry of reaction (1) can also be achieved by coupling equations (2) and (3), surveys of the widespread distribution of malic enzyme with a single assay based on reaction (1) cannot be accepted with complete confidence. However, the enzyme has been partially purified (and the reaction reasonably well defined) from such diverse sources as pigeon liver, *L. arabinosus*, wheat germ and *Ascaris lumbricoides*. Furthermore, the single enzymatic reactions (2) and (3) are only coupled with difficulty[12], so the reported measurements of the apparent malic enzyme activity in various sources probably reflect the real distribution of the enzyme.

In animal tissues malic enzyme activity is primarily associated with the function of the liver, although activity has been found in brain[13], retina[14,15], diaphragm[14], and heart tissue[16]. The enzyme is apparently present in species throughout the animal kingdom; it has for example been demonstrated in insect blood[5] and in roundworms[17].

VENNESLAND and coworkers discovered malic enzyme activity in plant tissues[18-20], observing activity in all fifteen plant sources tested (wheat germ, pea seedlings, spinach leaf, sunflower leaf, *Sedum spectabile* leaf, parsley leaf, tomato leaf, carrot root, parsley root, sweet potato root, potato tuber and in the fruits of avocado, cantaloupe, and cucumber).

---

[1] KORKES, S., A. DEL CAMPILLO and S. OCHOA: J. biol. Ch. **187**, 891 (1950).
[2] KAUFMAN, S., S. KORKES and A. DEL CAMPILLO: J. biol. Ch. **192**, 301 (1951).
[3] VEIGA SALLES, J. B., and S. OCHOA: J. biol. Ch. **187**, 849 (1950).
[4] RUTTER, W. J., and H. A. LARDY: J. biol. Ch. **233**, 374 (1958).
[5] FAULKNER, P.: Biochem. J. **64**, 430 (1956).
[6] MOYLE, J., and M. DIXON: Biochem. J. **63**, 548 (1956).
[7] MOYLE, J.: Biochem. J. **63**, 552 (1956).
[8] SIEBERT, G., J. DUBUC, R. C. WARNER and G. W. E. PLAUT: J. biol. Ch. **226**, 965 (1957).
[9] SIEBERT, G., M. CARSIOTIS and G. W. E. PLAUT: J. biol. Ch. **226**, 977 (1957).
[10] PLAUT, G. W. E., and S. C. SUNG: J. biol. Ch. **207**, 305 (1954).
[11] KORNBERG, A., and W. E. PRICER jr.: J. biol. Ch. **182**, 763 (1950).
[12] OCHOA, S.; in: Sumner-Myrbäck, Enzymes, Vol. II, Part 2, p. 983.
[13] STERN, J. R.: Unpublished observations, cited in [5].
[14] CRANE, R. K., and E. G. BALL: J. biol. Ch. **188**, 891; **189**, 269 (1951).
[15] HEININGEN, R. VAN, and A. PIRIE: Biochem. J. **53**, 436 (1953).
[16] STERN, J. R., Unpublished observations, cited in [2].
[17] SAZ, H. J., and J. A. HUBBARD: J. biol. Ch. **225**, 921 (1957).
[18] CONN, E. C., B. VENNESLAND and L. M. KRAEMER: Arch. Biochem. **23**, 179 (1949).
[19] KRAEMER, L. M., E. C. CONN and B. VENNESLAND: J. biol. Ch. **188**, 583 (1951).
[20] ANDERSON, D. G., H. A. STAFFORD, E. C. CONN and B. VENNESLAND: Plant Physiol. **27**, 675 (1952).

The enzyme has also been reported in the snapbean[1], in other sedum species, and in *Kalanchoe*[2]. It is significant that the enzyme activity is readily detected in seeds, roots, stems and in leaves. The plant enzyme is TPN-linked and Mn^{II} ion dependent, like the liver enzyme.

Malic enzyme is probably found in many microbiological systems but only the enzymes in *Lactobacillus* and *Moraxella* have been studied in any detail. The malic enzyme does not appear to be universally distributed since *M. lysodeikticus* appears to be devoid of this activity[3].

Purification procedures. α) *Liver malic enzyme.* Pigeon liver is a satisfactory source of malic enzyme[4]. The malic enzyme activity is apparently higher in pigeon liver than in the liver of other species, but the presence in the homogenates of considerable and perhaps variable amounts of lactic dehydrogenase and other enzymes which interfere in the assays employed makes this conclusion only tentative.

RUTTER and LARDY[5] have shown that malic enzyme activity is localized largely if not exclusively in the soluble "supernatant fraction" of pigeon liver homogenates, and have devised a purification procedure which is summarized in (Table 1).

Table 1. *Purification of pigeon liver malic enyzme* from* RUTTER *and* LARDY[5].

Step	Total activity units	Total protein mg	Specific activity units/mg protein
1. Homogenate	735	19000	0.04
2. Heat treatment	725	3950	0.18
3. 26 to 45% ethanol, Versene extract	800	248	3.2
4. 21 to 33% ethanol, Zn^{++}-glycine insoluble, histidine soluble fraction	570	33	17.3
5. 15 to 30% ethanol	375	11	34.0
6. 52 to 64% ammonium sulfate	310	6.6	47

* These data were obtained with an assay which gives approximately $1/4$ activity achieved with the assay presented in this paper.

Preparation of malic enzyme from pigeon liver according to RUTTER **and** LARDY[5].

In the following description of the enzyme isolation, the concentration of alcohol is expressed in terms of volumes per cent (95% ethanol) assuming that the volumes are additive. The necessity of caution in the addition of ethanol (especially in the later stages of purification) and in the maintenance of the suggested temperature is emphasized. The temperature indicated for a given centrifugation step refers to the measurement of the solution inside the centrifuge cup (measured after centrifugation). Except where indicated, the temperature was maintained at 0—4° C throughout the purification procedure.

Although the size of the preparation need be limited only by the type of equipment available, a preparation starting with 90 g (twelve to fifteen pigeon livers) has been found convenient and will be described here.

1. Preparation of the homogenate. The pigeons are killed by decapitation and the livers removed immediately and placed in cracked ice. The livers are weighed and homogenized in approximately 0.5 volume isotonic sucrose with the aid of a lucite Potter-Elvehjem-type homogenizer. The volume is adjusted to ten times (in ml) the original weight (in grams) of the liver and centrifuged at $40000 \times g$ for 30 min. The precipitate is discarded.

---

[1] ANDERSON, I., and H. J. EVANS: Plant Physiol. **31**, 22 (1956).
[2] WALKER, D. A.: Biochem. J. **74**, 216 (1960).
[3] HERBERT, D.: Symp. Soc. exp. Biol. **4**, 52 (1951).
[4] OCHOA, S., A. H. MEHLER and A. KORNBERG: J. biol. Ch. **167**, 871 (1947).
[5] RUTTER, W. J., and H. A. LARDY: J. biol. Ch. **233**, 374 (1958).

2. *Heat treatment in presence of 0.1 M magnesium ions.* The supernatant fraction of the homogenate obtained in Step (1) is made 0.1 M with respect to magnesium ions by adding solid magnesium acetate. After the p_H is adjusted to 5.5 by the careful addition of ice cold 1 M acetic acid, the solution is placed in a stainless steel beaker and the temperature brought quickly to 52° C with efficient stirring. The beaker is removed from the water bath, held at that temperature for 30—60 sec until the precipitate flocculates, and then is placed in a $-5°$ C bath, so the temperature of the solution is quickly lowered to 5° C. The solution is centrifuged for 30 min at 1500 $\times$ g at 0° C, and the precipitate containing little activity, is discarded.

3. *Ethanol fractionation at p_H 5.5 in presence of 0.1 M magnesium acetate.* The supernatant fraction from Step (2) is placed in a two-necked, round bottom flask in a $-5°$ C bath, and brought to 26.5% ethanol concentration (by the addition of 35.8 ml 95% ethanol per 100 ml solution). The solution is stirred vigorously but without bubbling, and the ethanol (precooled to at least $-30°$ C) is added under the surface of the solution, just fast enough to prevent freezing. After addition of the ethanol, the solution is allowed to equilibrate for 2 hr. with slow stirring, and is then centrifuged for 30 min at 1500 $\times$ g at $-5°$ C. The precipitate contains negligible activity and is discarded.

The supernatant fraction is brought to 43% ethanol concentration by the addition of 41 ml 95% ethanol for each 100 ml of the initial solution obtained from Step (2). The solution is allowed to stand overnight at $-15°$ C. Centrifugation at 1500 $\times$ g for 30 min at $-15°$ C yields a precipitate with the bulk of malic enzyme activity. The precipitate is extracted for 30—45 min at 0° C, first with 100 ml and then with 50 ml of 0.02 M EDTA, p_H 6.7. The remaining dark brown precipitate contains little activity and is discarded. The two pale tan extracts are combined for further fractionation. The remaining steps will be described on the basis of 150 ml EDTA extract.

4a. *Ethanol fractionation in presence of EDTA-phosphate, p_H 8.0.* To the 150 ml ETDA extract obtained in (3) is added ice cold 0.1 M Na_2HPO_4 containing 0.02 M EDTA until the p_H reaches 8.0. The volume is then adjusted to 175 ml with 0.02 M EDTA p_H 8.0 and the solution brought to 21% ethanol concentration at $-5°$ C by adding 47 ml 95% ethanol using precautions described in Step (3). After standing for 1 hr. at $-5°$ C, the solution is centrifuged at 1500 $\times$ g for 30 min at $-5°$ C. Usually the specific activity of the precipitate suspended in 0.1 M histidine p_H 7.0 is less than 0.04 and the fraction is discarded, but occassionally it is high enough to warrant recycling through Step (3).

To the supernatant fraction at $-5°$ C is added 50 ml 95% ethanol to bring the concentration to 33%. The temperature is lowered to $-15°$ C and allowed to stand overnight at this temperature. Centrifugation of the turbid solution at $-15°$ C for 15 min at 5000 $\times$ g yields a precipitate containing most of the activity. The supernatant is therefore discarded.

4b. *Extraction with zinc glycine*.* The 21—33% ethanol precipitate obtained in Step (4a) is suspended in 50 ml of an ice-cold solution containing 0.1 M zinc acetate and 0.1 M glycine p_H 7.0, and allowed to stand 1 hr. After centrifugation, the supernatant fraction contains little activity and is discarded, and the precipitate is dissolved in 25 ml of 0.1 M histidine buffer p_H 6.8.

5. *Ethanol fractionation in zinc histidine*.* Presumably owing to variation in the zinc concentration of the histidine extracts obtained in (4b), the malic enzyme activity is not precipitated at the same ethanol concentration in each preparation. Therefore this final ethanol fractionation must be followed carefully and the appropriate fraction used for the ammonium sulfate fractionation.

4.5 ml of 95% ethanol are added to 25 ml of supernatant solution from (4b) at $-5°$ C (15% ethanol). After standing for 1 hr. the solution is centrifuged at 1500 $\times$ g for 30 min

---

* An abbreviated procedure eliminating Step (4b) and (5) is less time consuming and gives a product of specific activity $1/3$ to $1/2$ that of the final preparation.

at the same temperature. The precipitate, suspended in 52% saturated ammonium sulfate containing 0.04 M EDTA, shows little activity and is therefore discarded.

To the supernatant solution is added 11 ml of 95% ethanol to bring the concentration to 30%. The temperature is lowered to $-15°$ C and the solution allowed to equilibrate for at least 2 hr. The precipitate is removed by centrifugation at that temperature and suspended in 5 ml of ice cold 52% saturated ammonium sulfate. In most cases the majority of activity is present in this fraction. In some instances, however, it is necessary to collect the precipitate obtained at 42% ethanol saturation at $-15°$ C.

6. Ammonium sulfate fractionation. After standing for 2 hr., the 52% ammonium sulfate extract is centrifuged and the precipitate having little activity is discarded. 365 mg solid ammonium sulfate is then added to the 5 ml solution to bring it to 64% saturation. After allowing to stand 1 hr. at 0° C, the solution is centrifuged and the white precipitate dissolved in 1 ml 0.1 M histidine p_H 6.7. This fraction contains malic enzyme at highest specific activity (using an assay which yields only about $1/4$ maximal activity, various preparations have ranged from 38—71). Addition of 350 mg solid ammonium sulfate to the supernatant fraction thereby increasing the concentration to 75% saturation, yields only a little protein at $1/3$ to $1/2$ the specific activity of the 52—64% fraction.

β) Ascaris malic enzyme. The muscle of *Ascaris lumbricoides* is a comparatively rich source of malic enzyme. By a relatively simple procedure it is possible to obtain a preparation which is essentially free of both oxalacetic decarboxylase and lactic dehydrogenase activity, and which contains only traces of malic dehydrogenase activity.

Preparation of malic enzyme from Ascaris lumbricoides according to SAZ and HUBBARD[1].

With the exception of the ethanol fractionation, all operations are performed at 0—4° C.

Table 2. *Purification of Ascaris malic enzyme from* SAZ *and* HUBBARD[1].

Fraction	Treatment	Total activity units	Protein mg	Specific activity units/mg protein
0	Washings from muscle	1190	900	1.3
1	Crude homogenate	270	520	0.52
1a	Supernatant solution following centrifugation at $25000 \times g$	530	440	1.2
2	Dialysis and centrifugation at $59310 \times g$	425	380	1.1
3	Ca^{++} treatment followed by precipitation with ethanol (10%)	175	75	2.3
4	Supernatant solution following treatment with alumina C$_\gamma$	170	55	3.1

A. lumbricoides may be obtained from the local slaughterhouse and transported to the laboratory in a physiological salt solution[2]. Muscle strips are obtained as described by LASER[3]. "Larger worms of about 6 g were cut open longitudinally and freed from intestine, eggs etc., the muscle layer was then scraped from the cuticle and minced in a beaker surrounded by chopped ice." The muscle mince was then stirred for 1 hr. with 4 volumes of 0.04 M Tris buffer p_H 8.9. The mixture was centrifuged at $1400 \times g$ for 15 min. The supernatant fluid is designated (Fraction 0), and contains a large portion ($\sim 70\%$) of the malic enzyme activity, but also the majority of lactic and malic dehydrogenase activities. This fraction, therefore, is not used in further fractionation.

The residue is homogenized with 3 volumes of the same buffer with the aid of a Potter-Elvehjem homogenizer (Fraction 1); this homogenate is centrifuged at $25000 \times g$ for 30 min and the supernatant fluid, (Fraction 1a) dialyzed against distilled water for 18 hr.

The dialysate is centrifuged at $59,310 \times g$ for 1 hr. To the supernatant fluid (Fraction 2) is added 0.1 ml of 0.1 M CaCl$_2$ per ml of solution, and the mixture is allowed to stand in

---

[1] SAZ, J., and J. A. HUBBARD: J. biol. Ch. **225**, 921 (1957).
[2] EPPS, W., M. WEINER and E. BUEDING: J. infect. Dis. **87**, 149 (1950).
[3] LASER, H.: Biochem. J. **38**, 334 (1944).

the cold for 2 hr. The polysaccharide and protein precipitate which forms is removed by centrifugation at 25000 × g for 30 min. Ethanol is added to the supernatant solution to a final concentration of 10% with the temperature being gradually lowered from 0 to −5° C. Afterwards, the solution is allowed to stand at −5° C for 30 min with occasional stirring, and the precipitate is collected by centrifugation and dissolved in 0.04 M Tris buffer (p_H 7.5), 0.5 volume of buffer being added per volume of solution before the addition of ethanol (Fraction 3).

To each ml of (Fraction 3) is added 0.1 ml of alumina C Gel (22 mg dry weight per ml)[1]. The mixture is stirred for 2 min, allowed to stand for an additional 5 min, and then centrifuged. The activity of the enzyme is recovered in the supernatant solution (Fraction 4).

Properties of purified malic enzyme. *General properties.* A comparison of the properties of various malic enzyme preparations is presented in Table 3. The differences

Table 3. *Properties of purified malic enzyme preparations.*

Enzyme source	Pigeon liver		L. ara-binosus[4,5]	Wheat germ[6]	Ascaris lumbricoides[7]
	A[2]	B[3]			
Maximum specific activity	(12.0)*	200	17.0	1.6	3.1
Ratio of activities (reaction (1)/reaction (2))	1.2	1.0	1.0	1.2	
Reaction (1), p_H optimum	7.4	7.2—9.0 Varies with malate concentration	6.0	7.3	7.5
PN required	TPN	TPN	DPN	TPN	DPN or TPN
$K_{PN(Molar)}$**		2×10^{-5}			
K_{Malate}**	5×10^{-5}	4.1×10^{-5} (p_H 6.5) 4×10^{-4} (p_H 7.5) 3×10^{-3} (p_H 8.5)	1×10^{-2}	7×10^{-4}	
$K_{Mn II}$***	5×10^{-5}	4×10^{-6}	3×10^{-4}	2.5×10^{-5}	
Reaction (2) p_H optimum	4.5	4.5	4.5	5.2	none present
PN required	TPN	TPN	none	none	none present
K_{PN}		2×10^{-5}	—	—	none present
$K_{Oxalacetate}$	1×10^{-3}			7×10^{-3}	
$K_{Mn II}$	5×10^{-5}	2×10^{-4}	3×10^{-4}	1×10^{-4}	

* Estimated maximal activity using assay presented in this report.   ** Molar.   *** g atoms/l.

in the preparations with respect to p_H optima, pyridine nucleotide requirements as well as the MICHAELIS constants for the various substrates and cofactors, are emphasized. It is conceivable that some of the differences are related to the presence of impurities and the different assay systems employed.

Pigeon liver malic enzyme preparations isolated by the above procedure[3] have, under optimal conditions, specific activities of 100—200 corresponding to turnover numbers of 10000—20000 per 100000 g protein. Most of the original enzymatic contaminants have been eliminated. For example, fumarase, malic and isocitric dehydrogenase, and

---
[1] BAUER, E.; in: Bamann-Myrbäck, Vol. II, p. 1426.
[2] OCHOA, S., A. H. MEHLER and A. KORNBERG: J. biol. Ch. **167**, 871 (1947).
[3] RUTTER, W. J., and H. A. LARDY: J. biol. Ch. **233**, 374 (1958).
[4] OCHOA, S., J. B. VEIGA SALLES and P. J. ORTIZ: J. biol. Ch. **187**, 863 (1950).
[5] HARARY, I., S. R. KOREY and S. OCHOA: J. biol. Ch. **203**, 595 (1953).
[6] OCHOA, S., A. H. MEHLER and A. KORNBERG: J. biol. Ch. **174**, 979 (1948).
[7] SAZ, H. J., and J. A. HUBBARD: J. biol. Ch. **225**, 921 (1957).

oxalacetic carboxylase are not detectable. Oxalacetic decarboxylase and malic enzyme activities are about equivalent. Thus the ratio of these activities remains constant through more than 1000 fold purification. Considerable lactic dehydrogenase activity also is present in the most highly purified preparations.

Substrate specificity. The pigeon liver enzyme appears to be completely specific for L-malic acid in reaction (1) and oxalacetate in reaction (2). In addition there is a stringent requirement for TPN both in reactions (1) and (2). 3' TPN and DPN are inactive in both reaction systems. Furthermore, in the oxalacetic decarboxylase assay the dihydroxyacetone adduct of TPN is inactive, and TPNH has a low order of activity[1]. Treatment of TPN with snake venom nucleotide pyrophosphatase, potato nucleotide pyrophosphatase, and with Neurospora DPNase also results in loss of activity[1].

Most other malic enzyme preparations also show strong specificity for either DPN or TPN. The *Ascaris* enzyme, however, is relatively nonspecific, TPN being approximately $1/3$ as active as DPN[1].

Metal requirement. All malic enzymes require a divalent metal ion for activity, Mg^{II}, and especially Mn^{II} are effective. At least with the pigeon liver enzyme, several other metal ions are also effective[2], Ni^{II}, Zn^{II}, and Cu^{II} are weakly active, but Co^{II} at 5×10^{-3} M produces more than 2 fold increase in activity over the optimal Mn^{II} ion concentration.

A stimulation of malic enzyme activity by potassium ions was originally reported in *Moraxella*[3-5], and defined in *L. arabinosus* by KAUFMAN et al.[6], and by NOSSAL[7]. No other malic enzyme thus far reported is activated by potassium ions.

Inhibitors. The pigeon liver enzyme is extremely sensitive to p-chloromercuribenzoate, and other similar reagents[2]. Complete inhibition of malic oxidative decarboxylase activity in the spectrophotometric assay is achieved with 10^{-6} M pCMB or by Hg^{II} ions. Cu^{II} ions on the other hand even at levels of 3×10^{-3} M inhibit only slightly.

DPN, as well as other compounds related structurally to TPN are weakly inhibitory when present in high relative concentrations. A 30 fold excess of DPN for example inhibited reaction (1) by 30%[2].

WALKER has recently shown an inhibition by CO_2 of the malic oxidative decarboxylation activity of the enzyme from *Kalanchoe* plants[8]. Oxalacetic decarboxylation by the pigeon liver enzyme is inhibited by both D- and L-malate, whereas fumarate and succinate are only weakly inhibitory. The inhibition is apparently not competitive since it is not influenced by increasing the oxalacetate concentration. Neither D-malate or malonate inhibit malic oxidative decarboxylation[6].

Determination of malic enzyme activity. Malic enzyme activity is determined primarily by reaction (1), but a careful measurement should include estimation of reaction (2). In most cases, it is also desirable to assay lactic and malic dehydrogenase activities, [reactions (3) and (4)], in order to evaluate the role of these enzymes in the system being studied. The pyridine nucleotide requirement of the various systems is frequently helpful in interpreting the experimental results obtained. In this paper, only the assays for reactions (1) and (2) will be discussed. The methods described are based on procedures originally developed in OCHOA's laboratory[9, 10].

---

[1] SAZ, H. J., and J. A. HUBBARD: J. biol. Ch. **225**, 921 (1957).
[2] RUTTER, W. J., and H. A. LARDY: J. biol. Ch. **192**, 301 (1951).
[3] OCHOA, S.: Physiol. Rev. **31**, 56 (1951).
[4] OCHOA, S.; in: Sumner-Myrbäck, Enzymes, Vol. II, Part 2, p. 983.
[5] OCHOA, S.; in: Colowick-Kaplan, Meth. Enzymol., Vol. I, p. 739.
[6] KAUFMAN, S., S. KORKES and A. DEL CAMPILLO: J. biol. Ch. **192**, 301 (1951).
[7] NOSSAL, P. M.: Biochem. J. **49**, 407 (1951).
[8] ANDERSON, I., and H. J. EVANS: Plant Physiol. **31**, 22 (1956).
[9] VEIGA SALLES, J. B., and S. OCHOA: J. biol. Ch. **187**, 849 (1950).
[10] KORKES, S., A. DEL CAMPILLO and S. OCHOA: J. biol. Ch. **187**, 891 (1950).

"*Malic oxidative decarboxylase*" activity. Malic enzyme activity is most conveniently assayed in the direction of oxidative decarboxylation. The rate of formation of PNH (detected spectrophotometrically by the absorption at 340 mμ) during the course of the reaction is proportional to enzyme concentration in the presence of excess malate, PN, and optimum Mn^{II} ion concentration, especially in the absence of significant activity of systems which react with PNH. Where applicable, this assay is recommended for its inherent simplicity and sensitivity.

In most crude extracts, however, and even in some highly purified preparations there is significant contamination with systems which react with PNH. The action of hydrolyzing enzymes especially nucleotidases can usually be overcome by the addition of excess PN, and of adenosine-5'-phosphate[1]. Oxidation is more troublesome; various assays have been developed for example in which TPNH formation is coupled to other electron acceptors such as glutathione, cytochrome c, and O_2[1,2]. In plant systems the coupling of malic enzyme with glutathione reductase seems particularly practical.

As previously discussed many malic enzyme preparations exhibit lactic dehydrogenase activity. This is a significant contaminant since both its substrates are products of the malic reaction, and is the source of considerable error in assays based on accumulation of PNH. In pigeon liver extracts the error may be at least 50 %[3], and in *L. arabinosus* preparations it is not practical to use the spectrophotometric assay at all[4,5]. In such instances an assay system based on reactions (1) and (4) to yield reaction (5) is perhaps preferred.

$$\text{Malate} \rightleftharpoons \text{lactate} + CO_2. \qquad (5)$$

Graded amounts of malic enzyme produce a linear increase in CO_2 production in a system containing excess lactic dehydrogenase and malate, and optimal concentrations of Mn^{II} ions and PN.

The specific assays presented here are designed for an enzyme from a specific source, but can be adapted to other sources by altering the p_H and/or pyridine nucleotide present.

Spectrophotometric assay for pigeon liver malic enzyme* activity[3,6].

Reagents:

1. 0.3 M Tris(hydroxymethyl)aminomethane buffer p_H 8.5.
2. 1.0 M L-malate p_H 8.5.
3. 0.002 M TPN.
4. 0.010 M $MnSO_4$.

Procedure:

The standard assay is carried out in Corex or silica cells with a light path of 1.0 cm. The reaction mixture contains 1.0 ml Tris buffer (300 μmoles), 0.3 ml $MnSO_4$ (3 μmoles), 0.1 ml TPN (0.2 μmole), 0.3 ml L-malate (300 μmoles), 0.005—0.05 units enzyme, and water to a final volume of 3.0 ml. The measurement is conveniently carried out at room temperature ($\sim 25°$ C). The reaction is started either by addition of enzyme (or malate), and the optical density determined at convenient (e.g., 15 sec) intervals for a period of 1—2 min, using a blank containing all components except TPN. The average increase in optical density for the first 45 sec interval may be used to calculate the activity of the enzyme. Under the presently described conditions, a change of 0.207 optical density units at 340 mμ is equivalent to the reduction of 0.1 μM TPN.

* Much of the data heretofore reported have been obtained with an assay employing a lower concentration of malate[6], with which the p_H optimum is 7.5, and the observed activity is about one quarter of that obtained with this assay[3].

[1] CONN, E. C., B. VENNESLAND and L. M. KRAEMER: Arch. Biochem. **23**, 179 (1949).
[2] ANDERSON, D. G., H. A. STAFFORD, E. C. CONN and B. VENNESLAND: Plant Physiol. **27**, 675 (1952).
[3] RUTTER, W. J., and H. A. LARDY: J. biol. Ch. **233**, 374 (1958).
[4] BLANCHARD, M. L., S. KORKES, A. DEL CAMPILLO and S. OCHOA: J. biol. Ch. **187**, 875 (1950).
[5] KORKES, S., A. DEL CAMPILLO and S. OCHOA: J. biol. Ch. **187**, 891 (1950).
[6] VEIGA SALLES, J. B., and S. OCHOA: J. biol. Ch. **187**, 849 (1950).

Manometric estimation of Ascaris lumbricoides malic enzyme activity[1].

Reagents:
1. Lactic dehydrogenase 1 mg/ml (specific activity >200 units/mg[2]).
2. 0.05 M Tris buffer p_H 7.5.
3. 1.0 M L-malate p_H 7.5.
4. 0.01 M DPN p_H 7.5.
5. 0.01 M $MnSO_4$.
6. 0.5 M H_2SO_4.

Procedure:

The assay is carried out in a WARBURG respirometer using small WARBURG vessels (approximate capacity, 6.0 ml). The reaction mixture for the *Ascaris lumbricoides* enzyme contains 0.1 ml L-malate (100 μmoles), 1.0 ml Tris buffer (50 μmoles), 0.2 ml $MnSO_4$ (2 μmoles), 0.1 ml DPN (1 μmole), 0.1 ml lactic dehydrogenase solution ($\sim$20 units), 0.005—0.05 unit enzyme and water to 2.9 ml; 0.1 ml 0.5 M H_2SO_4 is placed in the side arm. The vessels are flushed with N_2, and allowed to equilibrate at 37° C for 5 min. The taps are closed and the system is incubated with shaking for 30 min. The acid is then dumped in, and the total CO_2 produced is measured. This value is corrected for CO_2 production in a blank vessel containing all reagents except malate.

It is probably most convenient to use double sidearm WARBURG vessels in this assay, keeping the enzyme and H_2SO_4 in separate arms. However, if the enzyme is added just prior to gassing and temperature equilibration, reproducible results may be obtained using single armed vessels.

With minor adjustment this assay procedure can be used for most systems. For example TPN is required for the liver or plant enzyme, but DPN is used here and would also be used for the adaptive *L. arabinosus* enzyme. The latter enzyme has an optimum p_H of 6.0, and at that p_H the CO_2 formation may be measured kinetically without addition of acid. In systems devoid of oxidases, it is not necessary to carry out the reaction anaerobically.

Oxalacetic decarboxylase activity. The assay of oxalacetic decarboxylase is based on reaction (2). CO_2 production from oxalacetate in the presence of Mn^{II} ions can be related to enzyme concentration by correction for CO_2 production in a similar system containing heat denatured enzyme. With minor modifications the assay presented may be used for other systems; for example, TPN stimulates activity with the pigeon liver enzyme, but is inhibitory to the wheat germ enzyme. The p_H optimum also varies with the source, the pigeon liver has a p_H optimum of p_H 4.5 while the wheat germ enzyme exhibits maximum activity at p_H 6.0.

Manometric estimation of pigeon liver oxalacetate decarboxylase activity[3].

Reagents:
1. 1.0 M Acetate buffer p_H 4.5.
2. 0.2 M Oxalacetate (dissolved just prior to use, and adjusted with KOH to required p_H).
3. 0.002 M TPN.
4. 0.010 M $MnSO_4$.

Procedure:

The assay is conveniently carried out in a WARBURG respirometer, using small vessels (approximate capacity 6.0 ml). The reaction mixture contains 0.1 ml acetate buffer (100 μmoles), 0.1 ml $MnSO_4$ (1 μmole), 0.1 ml TPN (0.2 μmole), 0.1 ml oxalacetate

---
[1] SAZ, H. J., and J. A. HUBBARD: J. biol. Ch. **225**, 921 (1957).
[2] KORNBERG, A., and W. E. PRICER jr.: J. biol. Ch. **193**, 481 (1951).
[3] VEIGA SALLES, J. B., and S. OCHOA: J. biol. Ch. **187**, 849 (1950).

(20 μmoles), 0.005 to 0.025 units of enzyme, and water to 1.0 ml. In most instances it is not necessary to carry out the assay anaerobically. After temperature equilibration at 25° C, the enzyme is tipped in from the side arm. Readings are recorded over 5 min intervals. The spontaneous decarboxylation of oxalacetate in the presence of heat-denatured (5 min at 100° C) enzyme is determined simultaneously. The enzyme catalyzed reaction is then estimated by difference. Under these conditions the CO_2 production (corrected) was linear with time (for periods up to one half hour) and proportional to enzyme concentration (within the prescribed concentration limits).

Expression of enzyme activity. The unit of enzyme activity is arbitrarily defined as that amount of enzyme which facilitates the formation of 1 μM product (PNH or CO_2) in 1 min. The specific activity is defined as units of enzyme activity per mg protein.

Isocitratdehydrogenasen.

Von

Günther Siebert*.

DPN⁺-abhängige Isocitratdehydrogenase.

[1.1.1.41 L_s-Isocitrat:NAD-Oxydoreductase (decarboxylierend).]

Einleitung. DPN⁺-abhängige Isocitratdehydrogenase katalysiert die oxydative Decarboxylierung von Isocitrat zu α-Ketoglutarat entsprechend der Gleichung

$$\text{Isocitrat} + \text{DPN}^+ \rightarrow \alpha\text{-Ketoglutarat} + CO_2 + \text{DPNH} + H^+ \tag{1}$$

Die Reaktion ist irreversibel. Oxalsuccinat wird nicht umgesetzt. Die biologische Rolle des Enzyms steht noch in der Diskussion[1].

Entdeckung. DPN⁺-abhängige Isocitratdehydrogenase wurde zunächst in Hefe[2], später auch in tierischen Geweben[3] nachgewiesen. Der Existenzbeweis beruht auf der präparativen Abtrennung von der TPN⁺-abhängigen Isocitratdehydrogenase.

Vorkommen. Es mag an den Schwierigkeiten der Aktivitätsbestimmung (s. S. 392) liegen, daß das Vorkommen der DPN⁺-abhängigen Isocitratdehydrogenase bisher nur selten untersucht worden ist. Im Tierreich ist der Herzmuskel die beste Enzymquelle. Auf quantitative Daten wird in der nachfolgenden Tabelle 1 wegen der Problematik der Bestimmung verzichtet.

Intracelluläre Verteilung. Eine Messung der Enzymaktivität in allen Zellfraktionen mit Aufstellung der Ausbeute ist bisher nicht vorgenommen worden. Doch wird übereinstimmend angegeben, daß DPN⁺-abhängige Isocitratdehydrogenase nur in den Mitochondrien vorkommt. Entsprechende Daten liegen vor für Rattenleber[4-7], Herzmuskel

---

* Physiologisch-Chemisches Institut der Johannes Gutenberg-Universität, Mainz.

[1] PLAUT, G. W. E.; in: Boyer-Lardy-Myrbäck, Enzymes, Bd. VII, S. 105.
[2] KORNBERG, A., and W. E. PRICER jr.: J. biol. Ch. **189**, 123 (1951).
[3] PLAUT, G. W. E., and S.-C. SUNG: J. biol. Ch. **207**, 305 (1954).
[4] ERNSTER, L., and F. NAVAZIO: Exp. Cell Res. **11**, 483 (1956). — ERNSTER, L., and A. L. GLASKY: Biochim. biophys. Acta **38**, 168 (1960).
[5] KAPLAN, N. O., M. N. SWARTZ, M. E. FRECH and M. M. CIOTTI: Proc. nat. Acad. Sci. USA **42**, 481 (1956).
[6] PURVIS, J. L.: Biochim. biophys. Acta **30**, 440 (1958).
[7] VIGNAIS, P. V., et P. M. VIGNAIS: Biochim. biophys. Acta **47**, 515 (1961).

verschiedener Säugetiere[1], Rattenniere[1,2], Rattenhirn[2], Rinder-Nebennieren[3], Ascitestumor-Zellen[4] und Erbsenkeime[5].

Darstellung. DPN$^+$-abhängige Isocitratdehydrogenase wird am besten aus Herzmuskulatur gewonnen. Eine vollständige Reinigung ist bisher noch nicht erreicht worden.

Darstellung von DPN$^+$-abhängiger Isocitratdehydrogenase aus Herzmuskel nach PLAUT *und* SUNG[1].

Acetontrockenpulver. Frisch entnommene Rinderherzen werden sofort unter Eiskühlung ins Laboratorium gebracht und von Fett, Bindegewebe, Vorhöfen und Gefäßen befreit. 2 kg in Würfel von 1 cm Kantenlänge geschnittenes Gewebe werden portionsweise im Mixer mit insgesamt 5,5 Liter 0,25 m Rohrzuckerlösung, enthaltend 0,03 m K_2HPO_4 1 min bei voller Tourenzahl und 1 min bei halber Tourenzahl homogenisiert. Dann wird 10 min bei 600 g zentrifugiert. Der Überstand wird durch eine doppelte Lage Gaze filtriert, mit verdünnter Essigsäure auf p_H 5,8—5,9 (Glaselektrode) gebracht und 20 min bei 1800 ×g zentrifugiert. Das Sediment wird in einer geringen Menge 0,25 m Rohrzuckerlösung aufgenommen und 30 min bei 5000 ×g zentrifugiert. Das Sediment wird in ein Acetontrockenpulver[16] verwandelt, indem mit 20 Vol. auf —10° C gekühltem Aceton im Ganzglashomogenisator durchgearbeitet und bei —10° C zentrifugiert wird. Die Behandlung mit 20 Vol. Aceton wird einmal wiederholt und das Sediment dann im Vakuum über $CaCl_2$ bei Zimmertemperatur getrocknet. Ausbeute etwa 25 g.

Tabelle 1.
Vorkommen von DPN$^+$-abhängiger Isocitratdehydrogenase.

Quotient* $\frac{\text{TPN-IDH}}{\text{DPN-IDH}}$	Gewebe	Species	Literatur
100[2]	Leber	Ratte	1, 2, 6—9
30	Herz	Meerschweinchen	1
30		Schwein	1
30		Rind	1
		Taube	1
300	Niere	Ratte	2
3	Hirn	Ratte	2
	Muskel	Taube	1
15[10]	Placenta	Mensch	10, 11
0,5	Nebenniere	Rind	3
	Ascitesszellen		4
	Erbsenkeime		5
	Hefen		12—14
	Aspergillus niger		15

* IDH = Isocitratdehydrogenase.

Gelschritt. 5 g Acetontrockenpulver werden mit 100 ml 0,01 m Phosphat p_H 6,5 gründlich extrahiert und 20 min bei 18000 ×g zentrifugiert. 80 ml klarer Extrakt werden mit Calciumphosphat-Gel[17] im Verhältnis 2,2 mg Gel/mg Protein 10 min langsam gerührt und dann 10 min bei 18000 ×g zentrifugiert. Der Gelrückstand wird mit 80 ml 0,1 m

---

[1] PLAUT, G. W. E., and S.-C. SUNG: J. biol. Ch. **207**, 305 (1954).
[2] VIGNAIS, P. V., et P. M. VIGNAIS: Biochim. biophys. Acta **47**, 515 (1961).
[3] GRANT, J. K., and K. MONGKOLKUL: Biochem. J. **69**, 36P (1958); **71**, 34 (1959).
[4] HAWTREY, A. O., and M. H. SILK: Biochim. biophys. Acta **37**, 185 (1960). Biochem. J. **79**, 235 (1961).
[5] DAVIES, D. D.: J. exp. Bot. **6**, 212 (1955).
[6] ERNSTER, L., and F. NAVAZIO: Exp. Cell Res. **11**, 483 (1956).
[7] ERNSTER, L., and A. L. GLASKY: Biochim. biophys. Acta **38**, 168 (1960).
[8] PURVIS, J. L.: Biochim. biophys. Acta **30**, 440 (1958).
[9] KAPLAN, N. O., M. N. SWARTZ, M. E. FRECH and M. M. CIOTTI: Proc. nat. Acad. Sci. USA **42**, 481 (1956).
[10] SUNG, S.-C., and C.-H. HSÜ: J. Formosan med. Ass. **56**, 103 (1957).
[11] VILLEE, C. A., and E. E. GORDON: J. biol. Ch. **216**, 203 (1955). — GORDON, E. E., and C. A. VILLEE: J. biol. Ch. **216**, 215 (1955).
[12] KORNBERG, A., and W. E. PRICER jr.: J. biol. Ch. **189**, 123 (1951).
[13] SLONIMSKI, P. P., et H. M. HIRSCH: Cr. **235**, 741, 914 (1952).
[14] HIRSCH, H. M.: Biochim. biophys. Acta **9**, 674 (1952).
[15] RAMAKRISHNAN, C. V., and S. M. MARTIN: Arch. Biochem. **55**, 403 (1955).
[16] DRYSDALE, G. R., and H. A. LARDY: J. biol. Ch. **202**, 119 (1953).
[17] SWINGLE, S., and A. TISELIUS: Biochem. J. **48**, 171 (1951).

Phosphat p_H 6,5 gründlich gewaschen. Darauf wird der Gelrückstand mit 60 ml 0,6 gesättigtem Ammoniumsulfat gewaschen, wodurch viel TPN$^+$-abhängige Isocitratdehydrogenase entfernt wird. Nun wird der Gelrückstand mit 30 ml 0,3-gesättigtem Ammoniumsulfat zur Gewinnung des Enzyms eluiert.

Ammoniumsulfatfraktionierung. Durch Zugabe von gesättigter Salzlösung wird auf 0,6-Sättigung an Ammoniumsulfat gebracht, zentrifugiert und der Rückstand in 9 ml 0,01 m Phosphat, p_H 6,5, aufgenommen.

Stärkesäulen-Chromatographie. Man gibt 6 ml gesättigte Ammoniumsulfatlösung zu, zentrifugiert und läßt den Überstand über eine Stärke-Celite-Säule[1] laufen; Durchmesser 2,2 cm, Höhe 2,6 cm. Die Säule wird mit 25 ml 0,4-gesättigter Ammoniumsulfatlösung gewaschen und danach 0,3-gesättigte Lösung aufgegeben; den Durchlauf fängt man in 3 Fraktionen zu 8 ml auf; die mittlere Fraktion enthält meist die Hauptaktivität. Man bringt die Ammoniumsulfatkonzentration auf 0,5-Sättigung, zentrifugiert und löst in 0,01 m Phosphat, p_H 6,5.

Ausbeute und Reinigung sind aus Tabelle 2 zu ersehen.

Das Präparat ist von endgültiger Reinheit sicher noch weit entfernt; die Reproduzierbarkeit des letzten Schrittes ist nicht sehr gut. Das Enzym läßt sich mit ausgezeichnetem Erfolg an DEAE-Cellulose chromatographieren[3], doch steht eine detaillierte Vorschrift noch nicht zur Verfügung.

Tabelle 2. *Reinigung von DPN$^+$-abhängiger Isocitratdehydrogenase nach PLAUT und SUNG[2].*

Fraktion	Relative spezifische Aktivität	Ausbeute %	Reinigung
Rohextrakt	31	100	—
Geleluat	138	70	4,5
Ammoniumsulfatfällung	261	60	8,0
Stärkesäulen-Eluat	1410	34	46

Das wie oben dargestellte Enzym ist außerordentlich labil, da es über 50% der Aktivität über Nacht bei $+2°$ C verliert; in Gegenwart von ADP (5×10^{-3} m) und/oder von Ammoniumsulfat (etwa 1 m) wird es so weit stabilisiert, daß es 2—3 Wochen ohne Aktivitätsverlust im Kühlschrank aufbewahrt werden kann[3].

Darstellung von DPN$^+$-abhängiger Isocitratdehydrogenase aus Hefe nach KORNBERG und PRICER jr.[4].

Darstellung aus Bäckerhefe. 40 g abgepreßte, frische Hefe werden mit 200 g Seesand (40—80 mesh) und 200 ml 0,1 m Natriumhydrogencarbonat 90 min bei 3° C geschüttelt[5]. Man zentrifugiert 10 min bei 10000 U/min in der Servall-Zentrifuge und gibt zu 145 ml Extrakt 35 g Ammoniumsulfat. Nach Zentrifugation wird der Überstand mit 9,4 g Ammoniumsulfat versetzt und das Sediment nach Zentrifugation in 50 ml Wasser gelöst. Man gibt 1 Vol. 0,1 m Acetat, p_H 5,5, sowie 26 g Ammoniumsulfat zu, zentrifugiert und versetzt den Überstand mit 6 g Ammoniumsulfat. Das in 12 ml Wasser gelöste Sediment wird mit 50 ml Wasser und 6 ml Aluminiumhydroxyd-Gel C_γ,[6] verrührt, nach 5 min zentrifugiert, der Gelrückstand zweimal mit 60 ml 0,02 m Phosphat, p_H 7,2, gewaschen und zweimal mit je 50 ml 0,1 m Phosphat, p_H 7,6, eluiert. Das Enzym ist bei $+3°$ C instabil und hält sich bei $-15°$ C nur wenige Tage.

Darstellung aus Bierhefe. 30 g trockene Hefe werden in 90 ml 0,1 m Natriumhydrogencarbonat 40 Std bei 30° C autolysiert und dann zentrifugiert. 60 ml Überstand werden mit dem gleichen Volumen Wasser versetzt; der nach Zugabe von 42 g Ammoniumsulfat erhaltene Niederschlag wird in 25 ml Wasser gelöst. Nach Zugabe von 50 mg Salminsulfat

---
[1] FISCHER, E. H., u. H. M. HILPERT: Exper. **9**, 176 (1953).
[2] PLAUT, G. W. E., and S.-C. SUNG: J. biol. Ch. **207**, 305 (1954).
[3] CHEN, R. F., G. SIEBERT and G. W. E. PLAUT: Unveröffentlicht.
[4] KORNBERG, A., and W. E. PRICER jr.: J. biol. Ch. **189**, 123 (1951).
[5] CURRAN, H. R., and F. R. EVANS: J. Bact. **43**, 125 (1942).
[6] WILLSTÄTTER, R., u. H. KRAUT: B. **56**, 1117 (1923).

in 2,5 ml Wasser wird zentrifugiert und der Überstand 60 min gegen kaltes, fließendes, destilliertes Wasser dialysiert. 26 ml Dialysat werden mit 26 ml Wasser sowie 13 ml 0,1 m Acetatpuffer, p_H 5,0, versetzt und bei -2 bis $-4°$ C mit 5 ml Äthanol vermischt. Zum Überstand nach Zentrifugation werden 6 ml Äthanol zugegeben; der Niederschlag wird in Wasser unter Zusatz einiger Tropfen 0,25 m Glycylglycin, p_H 7,4, ad 7,6 ml gelöst. Der nach Zugabe von 2,5 g Ammoniumsulfat erhaltene Überstand wird mit 0,7 g Ammoniumsulfat versetzt und das Sediment in 4 ml 0,06 m Glycylglycin, p_H 7,4, gelöst. Die Haltbarkeit des Enzyms entspricht derjenigen des Bäckerhefe-Präparats.

Ausbeute und Reinigung sind in Tabelle 3 zusammengestellt.

Tabelle 3. *Reinigung von DPN^+-abhängiger Isocitratdehydrogenase aus Bäckerhefe und Bierhefe nach* KORNBERG *und* PRICER jr.[1].

Fraktion	Relative spezifische Aktivität	Ausbeute %	Reinigung
Bäckerhefe:			
Rohextrakt............	0,9	100	—
1. Ammoniumsulfatfällung ..	5,0	105	5,5
2. Ammoniumsulfatfällung ..	16,7	65	18,5
Aluminiumhydroxyd C_γ-Eluat	46,2	55	51
Bierhefe:			
Autolysat...........	0,2	100	—
1. Ammoniumsulfatfällung ..	0,7	82	3,5
Überstand nach Protaminsulfat	1,7	80	8,5
Äthanolfällung........	7,3	45	36,5
2. Ammoniumsulfatfällung ..	15,4	27	77

Eine zehnfache Reinigung der DPN^+-abhängigen Isocitratdehydrogenase aus *Aspergillus niger* ist beschrieben[2], desgleichen eine zehnfache Reinigung aus Erbsenkeim-Mitochondrien[3].

Eigenschaften. Da bisher nur teilgereinigte Enzympräparate verfügbar sind, ist die Kenntnis der Eigenschaften der DPN^+-abhängigen Isocitratdehydrogenase noch recht spärlich.

p_H-Optimum. Für das Hefe-Enzym wird p_H 7,5 angegeben[1]; das p_H-Optimum des Herzmuskel-Enzyms ist von den Versuchsbedingungen abhängig: In Abwesenheit von ADP findet man p_H 6,5[4], dagegen in ADP-Gegenwart[5], p_H 7,2. Das Enzym aus menschlicher Placenta[6] hat sein p_H-Optimum bei p_H 7,3.

Metallbedarf. Manganionen geben bei den Enzymen aus Herzmuskel[4] und Hefe[1] die höchsten Reaktionsgeschwindigkeiten; in Metallabwesenheit erfolgt keine Reaktion. Magnesiumionen können Mangan mit geringerer Wirksamkeit vertreten[1,4]; bei dem Enzym aus *Aspergillus niger* wird nur Mg^{++} wirksam gefunden[2].

Substrat-Spezifität. Bezüglich Isocitrat ist die Spezifität die gleiche wie für TPN^+-abhängige Isocitratdehydrogenase (s. S. 404). Die absolute Spezifität des Enzyms für DPN^+ ist das führende Kriterium zu seiner Identifizierung. Das 3-Acetylpyridin- und das Thionicotinamid-Analoge von DPN^+ werden ebenfalls reduziert, dagegen nicht Desamino-DPN^+ und das Pyridinaldehyd-Analoge[7]. Bezüglich α-H am Isocitrat und α-H am Pyridin-C(4) entspricht die Spezifität dem TPN^+-Enzym (S. 405, 1. Absatz)[8].

Aktivatoren und Inhibitoren. Adenosin-5'-monophosphat (AM5'P) aktiviert das Enzym aus Hefe in katalytischen Mengen[1]; auch beim Enzym aus *Aspergillus niger* findet

---
[1] KORNBERG, A., and W. E. PRICER jr.: J. biol. Ch. **189**, 123 (1951).
[2] RAMAKRISHNAN, C. V., and S. M. MARTIN: Arch. Biochem. **55**, 403 (1955).
[3] DAVIES, D. D.: J. exp. Bot. **6**, 212 (1955).
[4] PLAUT, G. W. E., and S.-C. SUNG: J. biol. Ch. **207**, 305 (1954).
[5] CHEN, R. F., and G. W. E. PLAUT: Persönliche Mitteilung.
[6] GORDON, E. E., and C. A. VILLEE: J. biol. Ch. **216**, 215 (1955).
[7] CHEN, R. F., and G. W. E. PLAUT: Fed. Proc. **21**, 244 (1962).
[8] CHEN, R. F., and G. W. E. PLAUT: Biochemistry **2**, 752 (1963).

sich eine Aktivierung[1], desgleichen für das Rattenhirn[2]: $+30\%$ bei 5×10^{-3} m, dagegen nicht für den Herzmuskel[3]. Adenin[2] und Adenosin[2,4] sind ohne Effekt.

Adenosin-3'-monophosphat hat keinen Effekt[3,4]. Adenosin-2'-monophosphat ist ohne Wirkung auf das Enzym aus Hefe[4] und Herzmuskel[3,5], wird dagegen auch als von AM5'P nicht beeinflußbarer Inhibitor des Herzmuskel-Enzyms beschrieben[6]. Inosinmonophosphat hat keine Wirkung[4].

Adenosin-5'-diphosphat hat keinen Effekt auf das *Aspergillus niger*-Enzym[1] und nur 1% der Wirksamkeit von AM5'P auf das Hefe-Enzym[4]. Dagegen beeinflußt ADP das Enzym aus Herzmuskel in offenbar entscheidender Weise[3]: Die Reaktionsgeschwindigkeit steigt (10^{-4} bis 10^{-3} m ADP), das p_H-Optimum verschiebt sich (s. oben) und der K_M-Wert für Isocitrat wird fünffach kleiner. IDP, GDP, AM3',5'P, ITP, UTP, ATP, Orthophosphat und Pyrophosphat sind in dieser Beziehung wirkungslos[3]. Der Mechanismus der ADP-Wirkung ist noch unbekannt.

Adenosin-5'-triphosphat ist ohne Wirkung auf das Hefe-[4] und das *Aspergillus niger*-Enzym[1]. Beim Rattenhirn bewirkt es 50% Aktivierung bei 5×10^{-4} m, dagegen vollständige Hemmung[2] bei 5×10^{-3} m; die Hemmwirkung wird als mögliche Metallbindung gedeutet. Beim Enzym aus Herzmuskel[3,6,7] wirkt ATP nur hemmend: 100% bei 2×10^{-3} m.

DPNH hemmt das Enzym[3,7]; entfernt man das entstehende DPNH laufend mit NH_4^+ und Glutamat-Dehydrogenase[3], so steigt die Rate der Isocitrat-Oxydation. Auch TPNH hemmt; DPNH und TPNH sind kompetitiv zu DPN^{+}[3]. Desamino-DPNH hemmt nicht, dagegen das reduzierte 3-Acetylpyridin-Analoge[3]. Auch Adenosindiphosphatribose hemmt kompetitiv zu DPN^{+}[3].

Cyanid hemmt das Enzym aus Hefe[4] um 47% bei 0,01 m, desgleichen das Enzym aus Herzmuskel[6,7]. Auch Azid (41% bei 0,01 m) und Ammoniummolybdat (besonders nach Reduktion mit H_2S) hemmen das Hefe-Enzym[4], dagegen nicht das Enzym aus Herzmuskel[6].

Isocitratdehydrogenase hat offenbar auch katalytisch wichtige Sulfhydrylgruppen[8]; so hemmen Diphenyljodarsin[6], p-Chlormercuriphenylsulfonat[9] (100% bei 6×10^{-4} m) und p-Chlormercuribenzoat[6], welches 50% Hemmung bei $6,6\times 10^{-7}$ m ergibt; diese Hemmung des Herzmuskel-Enzyms wird in DPN^{+}-Gegenwart gleich stark gefunden, sinkt aber in Isocitratgegenwart ($1,33\times 10^{-3}$ m) auf 33%[6].

K_M-*Werte*. Folgende Daten sind angegeben: Isocitrat (Hefe)[4] $1,1\times 10^{-4}$ m; Isocitrat (Herzmuskel)[7] $4,5\times 10^{-4}$ m; Isocitrat (Erbsenkeime)[8] 3×10^{-4} m; DPN^{+} (Herzmuskel)[7] 6×10^{-5} m; AM5'P (Hefe)[4] 9×10^{-6} m.

Reaktionsmechanismus. DPN^{+}-abhängige Isocitratdehydrogenase vermag zugesetztes Oxalsuccinat nicht zu decarboxylieren[4] oder zu reduzieren[4]. Ein gegenteiliger Befund bezüglich der Reduktion[10] gibt zu Zweifeln Anlaß. Enol-Succinat tritt nicht auf[11]. Erstaunlicher noch ist die Tatsache, daß die von DPN^{+}-abhängiger Isocitratdehydrogenase katalysierte Reaktion scheinbar irreversibel verläuft; obwohl α-Ketoglutarat zweifelsfrei als Reaktionsprodukt in stöchiometrischen Mengen identifiziert ist[4,12], läßt sich die reduktive Carboxylierung von α-Ketoglutarat mit CO_2 und DPNH unter keinen Umständen erreichen[4,7,8,12].

---

[1] RAMAKRISHNAN, C. V., and S. M. MARTIN: Arch. Biochem. **55**, 403 (1955).
[2] VIGNAIS, P. V., et P. M. VIGNAIS: Biochim. biophys. Acta **47**, 515 (1961).
[3] CHEN, R. F., and G. W. E. PLAUT: Fed. Proc. **21**, 244 (1962).
[4] KORNBERG, A., and W. E. PRICER jr.: J. biol. Ch. **189**, 123 (1951).
[5] NEUFELD, E. F., N. O. KAPLAN and S. P. COLOWICK: Biochim. biophys. Acta **17**, 525 (1955).
[6] CARSIOTIS, M.: Thesis N.Y. Univ. (Ph.D.) 1958.
[7] PLAUT, G. W. E., and S.-C. SUNG: J. biol. Ch. **207**, 305 (1954).
[8] DAVIES, D. D.: J. exp. Bot. **6**, 212 (1955).
[9] VILLEE, C. A., and E. E. GORDON: J. biol. Ch. **216**, 203 (1955).
[10] GORDON, E. E., and C. A. VILLEE: J. biol. Ch. **216**, 215 (1955).
[11] CHEN, R. F., and G. W. E. PLAUT: Biochemistry **2**, 752 (1963).
[12] SIEBERT, G., u. G. W. E. PLAUT: Unveröffentlicht. — CHEN, R. F., and G. W. E. PLAUT: Persönliche Mitteilung.

Die Gründe hierfür sind unbekannt, was von PLAUT[1] näher diskutiert wird. Ein Beispiel scheinbar irreversibler, Pyridinnucleotid-abhängiger Reaktionen ist beschrieben[2]; es beruht auf der Unfähigkeit zur Coenzymbindung.

Die Diskussion des Reaktionsmechanismus wird durch die dezidierten Effekte von Adeninnucleotiden kompliziert, deren Deutung ebenfalls noch aussteht; während in den beschriebenen Hemmungen Analogie-Effekte zu den Coenzymen[2] verborgen sein mögen, sprechen die Aktivierungs-Phänomene für eine unmittelbare Teilnahme der Nucleotide am katalytischen Mechanismus.

Bestimmung. Die Aktivitätsbestimmung der DPN^+-abhängigen Isocitratdehydrogenase wird durch den Umstand erschwert, daß das Enzym nur in den Mitochondrien vorkommt und daher DPNH der Messung zum größten Teil durch Reoxydation entzogen wird. Da Cyanid hemmen kann (s. S. 391), werden in Cyanidgegenwart meist keine maximalen Reaktionsgeschwindigkeiten erhalten.

Es ist vorzuziehen, die zu untersuchenden Gewebe zunächst in Acetontrockenpulver zu verwandeln; deren Extraktion liefert nach scharfer Zentrifugation ein lösliches Enzympräparat, in dem die Störfaktoren weitgehend eliminiert sind. Diese Schwierigkeiten treten naturgemäß bei teilgereinigten Enzymlösungen nicht mehr auf.

Bestimmung der Isocitratdehydrogenase-Aktivität nach CHEN *und* PLAUT[3].

Prinzip:
$$\text{Isocitrat} + DPN^+ \rightarrow \alpha\text{-Ketoglutarat} + CO_2 + DPNH + H^+$$

Die Entstehung von DPNH wird an Hand der UV-Absorption bei 340 mμ verfolgt.

Reagentien:
1. 0,1 m Trispuffer, p_H 7,2.
2. 0,02 m $MnSO_4$.
3. 0,08 m Isocitrat; Herstellung der Lösung s. S. 409.
4. 0,01 m DPN^+.
5. 0,02 m ADP.
6. Enzymlösung.

Ausführung:
Man pipettiert nacheinander in eine Küvette 1,0 ml Puffer, 0,2 ml Mangansalz-Lösung, 0,2 ml Isocitratlösung, 0,1 ml DPN^+ und 0,1 ml ADP. Gesamtvolumen 3,0 ml. Die Reaktion wird durch Zugabe der Enzymlösung gestartet. Der Leerwert enthält alle Reaktionsteilnehmer außer Isocitrat.

Bestimmung der Isocitratdehydrogenase-Aktivität nach SIEBERT *und* BEYER[4].

Prinzip:
$$\text{Isocitrat} + DPN^+ \rightarrow \alpha\text{-Ketoglutarat} + CO_2 + DPNH + H^+$$

Die Entstehung von DPNH wird an Hand der UV-Absorption bei 340 mμ verfolgt.

Reagentien:
1. 0,1 m Trispuffer, p_H 7,2.
2. 0,02 m $MnSO_4$.
3. 0,08 m Isocitrat; Herstellung der Lösung s. S. 409.
4. 0,005 m DPN^+.
5. 0,01 m ADP.
6. 0,5 m Nicotinsäureamid.
7. 0,015 m KCN; die Lösung wird kurz vor Gebrauch im Eisbad unter dem Abzug auf etwa p_H 7 mit 2 n HCl gebracht.
8. Enzymlösung.

---
[1] PLAUT, G. W. E.; in: Boyer-Lardy-Myrbäck, Enzymes Bd. VII, S. 105.
[2] SIEBERT, G., K.-H. BÄSSLER u. A. SCHMITT: B. Z. **336**, 402 (1962).
[3] CHEN, R. F., and G. W. E. PLAUT: Persönliche Mitteilung.
[4] SIEBERT, G., u. R. BEYER: Unveröffentlicht.

Ausführung:
Man pipettiert nacheinander in eine Küvette 0,5 ml Pufferlösung, 0,05 ml Mangansalz-Lösung, 0,05 ml Isocitratlösung, 0,2 ml DPN⁺, 0,1 ml ADP, 0,1 ml Nicotinsäureamid und 0,1 ml KCN-Lösung. Gesamtvolumen 1,5 ml. Die Reaktion wird durch Zugabe der Enzymlösung gestartet. Der Leerwert enthält alle Reaktionsteilnehmer außer Isocitrat.

Die angegebenen Reaktionsbedingungen sind für die Rattenniere ausgearbeitet und gelten für einen Extrakt aus erschöpfend mit Petroläther, Cyclohexan und Tetrachlorkohlenstoff in der Kälte extrahiertem, lyophilisiertem Gewebepulver. Die Verwendung von Cyanid ist heikel (s. oben) und erfordert besondere Kontrollen, z.B. wie oben ohne Cyanid, wie oben ohne DPN⁺ usw. Es empfiehlt sich, das entstandene DPNH mit überschüssigem Pyruvat plus Lactatdehydrogenase zu reoxydieren und die dabei auftretende Extinktionsdifferenz für die Berechnung der Isocitratdehydrogenase-Aktivität heranzuziehen; bei diesem Vorgehen kann Cyanid weggelassen werden.

Bestimmung der Isocitratdehydrogenase-Aktivität nach Kornberg und Pricer jr.[1].

Prinzip: s. oben.

Reagentien:
1. 0,5 m Kaliumphosphatpuffer, p_H 7,0.
2. 0,1 m $MgCl_2$.
3. 0,025 m Adenosin-5'-monophosphat.
4. 0,05 m DPN⁺.
5. 0,005 m Isocitrat; Herstellung der Lösung s. S. 409.
6. Enzymlösung.

Ausführung:
Man pipettiert nacheinander in eine Küvette 0,2 ml Pufferlösung, 0,1 ml Magnesiumsalz-Lösung, 0,02 ml AM5'P, 0,02 ml DPN⁺ und 0,1 ml Isocitratlösung. Gesamtvolumen 3,0 ml. Der Leerwert enthält alle Reaktionsteilnehmer außer Isocitrat.

TPN⁺-abhängige Isocitratdehydrogenase*.

[1.1.1.42 L_s-Isocitrat:NADP-Oxydoreductase (decarboxylierend).]

Einleitung. TPN⁺-abhängige Isocitratdehydrogenase katalysiert die oxydative Decarboxylierung von Isocitrat zu α-Ketoglutarat entsprechend der Gleichung

$$\text{Isocitrat} + \text{TPN}^+ \underset{}{\overset{Mn^{++}}{\rightleftharpoons}} \alpha\text{-Ketoglutarat} + CO_2 + \text{TPNH} + H^+ \qquad (1)$$

Die Reaktion ist reversibel, so daß α-Ketoglutarat durch das Enzym reduktiv carboxyliert werden kann.

Rein formal ließe sich die Gesamtreaktion der Gleichung (1) in einen Dehydrogenierungsschritt (Isocitrat + TPN⁺ ⇌ Oxalsuccinat + TPNH + H⁺) und einen Decarboxylierungsschritt (Oxalsuccinat ⇌ α-Ketoglutarat + CO_2) zerlegen; deren separate Existenz ist experimentell jedoch widerlegt worden.

Dagegen reagiert das Enzym auch mit Oxalsuccinat als Substrat und setzt dieses je nach den Reaktionsbedingungen entweder zu Isocitrat

$$\text{Oxalsuccinat} + \text{TPNH} + H^+ \xrightarrow{Mn^{++}} \text{Isocitrat} + \text{TPN}^+ \qquad (2)$$

oder zu α-Ketoglutarat um:

$$\text{Oxalsuccinat} \xrightarrow{Mn^{++}} \alpha\text{-Ketoglutarat} + CO_2 \qquad (3)$$

Das Enzym katalysiert eine der „großen", TPNH-liefernden Stoffwechselreaktionen; zu seiner physiologischen Bedeutung s. Plaut[2].

---

* Übersicht siehe: Plaut, G. W. E.; in: Colowick-Kaplan, Meth. Enzymol. Bd. V, S. 645.
[1] Kornberg, A., and W. E. Pricer jr.: J. biol. Ch. **189**, 123 (1951).
[2] Plaut, G. W. E.; in: Boyer-Lardy-Myrbäck, Enzymes, Bd. VII, S. 105.

Entdeckung. Die Entfärbung von Methylenblau durch ein Citrat dehydrogenierendes Enzymsystem ist seit den Untersuchungen von THUNBERG aus dem Jahre 1910[1] bekannt. Ein Übersichtsartikel über diese Arbeiten[2] erschien zu einer Zeit, als gerade das Enzym Isocitratdehydrogenase entdeckt worden war[3,4] und beansprucht daher im wesentlichen historisches Interesse. Die Entdeckung des Enzyms durch MARTIUS und durch die Stockholmer Schule war ein wesentlicher Schritt bei der Aufklärung der Reaktionswege des Citronensäurecyclus.

Eine erste Bearbeitung der Enzymeigenschaften[5] zeigte bereits, daß offenbar Isocitratdehydrogenase und Oxalsuccinatdecarboxylase[6] nicht zu trennen sind. Dies wird von OCHOA[7] ausführlich diskutiert. Hochgereinigte Enzympräparationen aus Herzmuskel sind von MOYLE und DIXON[8] sowie von SIEBERT u. Mitarb.[9] gewonnen worden und haben die Identität des Proteins für die Katalyse von Dehydrogenierungs- und Decarboxylierungsschritt der Gesamtreaktion (s. S. 393) bewiesen.

Vorkommen. TPN$^+$-abhängige Isocitratdehydrogenase ist in der Natur weit verbreitet; bei der Bedeutung, die der Citronensäurecyclus für die meisten Lebewesen hat[10], ist dies nicht verwunderlich.

Die umfangreiche Literatur über das Vorkommen des Enzyms läßt sich nicht in einfacher Form zusammenfassen. Häufig werden nur spezifische Aktivitäten angegeben, die natürlich stark von der Art der Extraktbereitung abhängen; auch die Methoden der Aktivitätsbestimmung variieren beträchtlich, teils hinsichtlich des aktivierenden Metallions, teils hinsichtlich der Gegenwart von Äthylendiamintetraacetat. In manchen Fällen wird jedoch durch die Anwendung dieses Komplexbildners erst die Vorbedingung für eine maximale Aktivierung durch Manganionen geschaffen. Aus diesem Grund wird hier auf die Wiedergabe von Zahlenwerten verzichtet, vielmehr nur eine tabellarische Zusammenstellung gegeben, die die wichtigsten Arbeiten bezüglich des Vorkommens dieses Enzyms enthält (s. Tabelle 4).

Herzmuskelgewebe ist bei weitem die beste Enzymquelle. Alle anderen Gewebe folgen mit weitem Abstand.

Isoenzymfraktionen von Isocitratdehydrogenase sind von TSAO[11] durch Elektrophorese in Stärke-Gel erhalten worden. Sie kommen in Leber, Niere und Gehirn der Ratte vor, dagegen nicht in Herzmuskel und Ascites-Tumorzellen. BELL und BARON[12] dagegen beschreiben Isoenzymfraktionen in Herz, Leber, Niere und Skeletmuskel der Ratte. Berichte über Unterschiede zwischen extramitochondrialer und intramitochondrialer Isocitratdehydrogenase[13] sind noch nicht beweiskräftig.

Intracelluläre Verteilung. Eine vereinfachte Methode zur partiellen Reinigung von TPN$^+$-abhängiger Isocitratdehydrogenase besteht[14] in vorsichtiger Ansäuerung eines Rohrzuckerhomogenats von Herzgewebe mit anschließender Gewinnung der Partikelfraktion,

---

[1] THUNBERG, T.: Skand. Arch. Physiol. **24**, 23, 72 (1910).
[2] THUNBERG, T.: Ergebn. Enzymforsch. **7**, 163 (1938).
[3] MARTIUS, C., u. F. KNOOP: H. **246**, 1 (1937). — MARTIUS, C.: H. **247**, 104 (1937); **257**, 29 (1939). A. **561**, 227 (1949). — MARTIUS, C., u. G. SCHORRE: Z. Naturforsch. **5b**, 170 (1950).
[4] ADLER, E., H. v. EULER, G. GÜNTHER and M. PLASS: Biochem. J. **33**, 1028 (1939).
[5] GRAFFLIN, A. L., and S. OCHOA: Biochim. biophys. Acta **4**, 205 (1950).
[6] LYNEN, F., u. H. SCHERER: A. **560**, 163 (1948).
[7] OCHOA, S.; in: Sumner-Myrbäck, Enzymes, Bd. II/2, S. 929ff.
[8] MOYLE, J., and M. DIXON: J. **63**, 548 (1956). — MOYLE, J.: Biochem. J. **63**, 552 (1956).
[9] SIEBERT, G., J. DUBUC, R. C. WARNER and G. W. E. PLAUT: J. biol. Ch. **226**, 965 (1957). — SIEBERT, G., M. CARSIOTIS and G. W. E. PLAUT: J. biol. Ch. **226**, 977 (1957).
[10] KREBS, H. A., and J. M. LOWENSTEIN; in: D. M. GREENBERG (Hrsg.): Metabolic Pathways. Bd. I, S. 129ff. New York 1960.
[11] TSAO, M. U.: Arch. Biochem. **90**, 234 (1960).
[12] BELL, J. L., and D. N. BARON: Biochem. J. **82**, 5P (1962).
[13] LOWENSTEIN, J. M., and S. R. SMITH: Biochim. biophys. Acta **56**, 385 (1962).
[14] SIEBERT, G., J. DUBUC, R. C. WARNER and G. W. E. PLAUT: J. biol. Ch. **226**, 965 (1957).

Tabelle 4. *Vorkommen von TPN^+-abhängiger Isocitratdehydrogenase.*

Gewebe	Species	Literatur	Gewebe	Species	Literatur
Leber	Mensch	1–3	Prostata	Ratte	53
	Ratte	1, 4–25	Samenplasma . .	Mensch	54, 55
	Maus	24, 26	Magenschleimhaut	Mensch	1
	Kaninchen	27, 28	Speicheldrüsen .	Ratte	56
	Meerschweinchen	10, 15, 24, 30	Knochen	Kaninchen	27, 35, 57
	Taube	29, 31		Hund	57, 58
Niere	Mensch	1	Knochenmark. .	Kaninchen	35
	Ratte	4, 15, 24, 25, 32–34	Aorta	Mensch	59
			Auge, Cornea . .	Ratte	60
	Maus	24		Kaninchen	60, 61
	Kaninchen	27, 28, 35		Katze	61
	Meerschweinchen	1, 24, 30	Auge, Linse. . .	Kaninchen	62, 63
	Schwein	20	Fettgewebe . . .	Mensch	1
Gehirn	Mensch	1		Ratte	64
	Ratte	4, 17, 25	Haut.	Mensch	65
	Kaninchen	36, 37	Schweißdrüsen .	Mensch	65
	Meerschweinchen	1, 17, 30	Lymphknoten. .	Mensch	1
	Rind	38	Plasma.	Mensch	74, 79
Muskel	Mensch	1	Serum	Mensch	1, 66–77
	Ratte	15		Rind	78
	Maus	28, 39	Serumalbumin (!)	Rind	82
	Kaninchen	28	Erythrocyten . .	Mensch	1, 25, 74, 80
	Meerschweinchen	30	Reticulocyten . .	Kaninchen	81
	Dorsch	40	Granulocyten . .	Mensch	80
	Karpfen	41	Thrombocyten .	Mensch	74, 80
	Locusta	42	Liquor cerebro-		
	Rind	43	spinalis . . .	Mensch	83
Glatte Muskeln			Tumoren		
Magen	Mensch, Rind	1, 43	Mammatumor .		15, 46, 47
Oesophagus . .	Rind	43	Ehrlichs		
Lunge	Mensch	1	Ascitestumor		15, 25, 84, 85
Placenta	Mensch	44, 45	Walker-Ca. .		17, 46
Uterus	Rind	43	Hepatom . . .		15, 26, 86
Brustdrüse . . .	Mensch	47	Rhabdomyo-		
	Ratte	18, 46	sarkom . . .		15
	Meerschweinchen	10	Fibrosarkom .		46
Pankreas	Mensch	1	Uterusepithe-		
Schilddrüse . . .	Mensch	48	liom		17
	Ratte	49	HeLa-Zellen .		87
	Schaf	48		Locusta migratoria	17, 88, 89
Nebennieren . .	Mensch	50	Riesenaxon . . .	Tintenfisch	90
	Ratte	49	Schalen	Austern	91
	Rind	51		Phormia regina	92
Hoden	Ratte	49		Milben	93
	Kaninchen	52			

Pflanzen[94]	Literatur	Pflanzen[94]	Literatur
Lycopersicon esculentum Mill., var. *Rutgers*	95	Erbsenkeime	97
		Castor-Bohnen	102
Tomatenstengel	96	*Phaseolus vulgaris*	103
Tomatenblätter	97	*Cyperus rotundus* (nut grass)	104
Lupinus albus-Blätter	98	Erdnuß	102
Petersilienblätter	97	Zitterpappel-Blätter	100
Spinatblätter	97	Karottenwurzel	97
Sonnenblumenblätter	97	Petersilienwurzel	97
Sedum spectabile	97	sweet potato, Knolle	97
Triticum vulgare-Keime	99	Kartoffel, Knolle	97
Weizenkeime	97	Avocado, Früchte	97
Gerstenkeimblätter	100	Cantaloupe, Früchte	97
Maiskeime	101	Gurken	97

Tabelle 4 (Fortsetzung).

Einzeller	Literatur	Einzeller	Literatur
Trypanosoma cruzi	105,106	Rhyzopus nigricans	109
Sarcina lutea	107	Pasteurella pestis	119—121
Paramaecium aurelia	108	Pseudomonas aeruginosa	122
Tetrahymena geleii	109	Pseudomonas fluorescens	123—125
Hefen	110—112	Mykobacterium tuberculosis, var. hominis	126—128, 136
Phykomyces (Blastocladiella emersonii)	113		
Schleimpilz (Dictyostelium discoideum)	114	Aerobacter aerogenes	109
		Corynebacterium creatinovorans	109
Merulius tremellosus	109	Serratia marcescens	129
Merulius niveus	109	Escherichia coli	130—132
Penicillium chrysogenum	115	Escherichia freundii	133
Aspergillus niger	116	Salmonella typhosa	134
Aspergillus terreus	117	Streptococcus paracitrovorus	135
Neurospora crassa	118	Vibrio cholerae	132

[1] SCHMIDT, E., u. F. W. SCHMIDT: Kli. Wo. **1960**, 957.
[2] SCHMIDT, E., F. W. SCHMIDT u. E. WILDHIRT: Kli. Wo. **1959**, 1221, 1229.
[3] RYSER, H., et J. FREI: Helv. physiol. Acta **15**, C 77 (1957).
[4] VIGNAIS, P. V., et P. M. VIGNAIS: Biochim. biophys. Acta **47**, 515 (1961). J. biol. Ch. **229**, 265 (1957).
[5] LOWENSTEIN, J. M.: J. biol. Ch. **236**, 1217 (1961).
[6] KAPLAN, N. O., M. S. SWARTZ, M. E. FRECH and M. M. CIOTTI: Proc. nat. Acad. Sci. USA **42**, 481 (1956).
[7] ERNSTER, L., and F. NAVAZIO: Exp. Cell Res. **11**, 483 (1956).
[8] MOORE, B. W., and R. H. LEE: J. biol. Ch. **235**, 1359 (1960).
[9] NUMA, S., M. MATSUHASHI u. F. LYNEN: B.Z. **334**, 203 (1961).
[10] GUTFREUND, H., K. E. EBNER and L. MEDIOLA: Nature **192**, 820 (1961).
[11] HENLEY, K. S., O. SORENSEN and H. M. PLARD: Nature **184**, 1400 (1959).
[12] FITCH, W. M., and I. L. CHAIKOFF: J. biol. Ch. **235**, 554 (1960).
[13] GALLAGHER, C. H., J. D. JUDAH and K. R. REES: Proc. R. Soc. London (B) **145**, 134 (1956).
[14] KIELLEY, R. K.: Biochim. biophys. Acta **21**, 574 (1956).
[15] WENNER, C. E., M. A. SPIRTES and S. WEINHOUSE: Cancer Res. **12**, 44 (1952).
[16] ERNSTER, L.: Biochem. Soc. Symp. **16**, 54 (1959).
[17] DELBRÜCK, A., H. SCHIMASSEK, K. BARTSCH u. T. BÜCHER: B.Z. **331**, 297 (1959).
[18] ABRAHAM, S., K. J. MATTHES and I. L. CHAIKOFF: Biochem. biophys. Res. Comm. **3**, 646 (1960).
[19] VIGNAIS, P., P. VIGNAIS and W. BARTLEY: Biochem. J. **65**, 396 (1957).
[20] SIEBERT, G.: B.Z. **334**, 369 (1961).
[21] PURVIS, J. L.: Biochim. biophys. Acta **30**, 440 (1958).
[22] HAYASHIDA, T., and O. W. PORTMAN: Arch. Biochem. **91**, 206 (1960).
[23] ZIEGLER, D. M., and A. W. LINNANE: Biochim. biophys. Acta **30**, 53 (1958).
[24] ENDAHL, G. L., and C. D. KOCHAKIAN: Endocrinology **64**, 833 (1959).
[25] TSAO, M. U.: Arch. Biochem. **90**, 234 (1960).
[26] HOGEBOOM, G. H., and W. C. SCHNEIDER: J. biol. Ch. **186**, 417 (1950).
[27] DIXON, T. F., and H. R. PERKINS: Biochem. J. **52**, 260 (1952).
[28] ROSENKRANTZ, H., and R. O. LAFERTE: Arch. Biochem. **89**, 173 (1960).
[29] BRADY, R. O., A.-M. MAMOON and E. R. STADTMAN: J. biol. Ch. **222**, 795 (1956).
[30] BANERJEE, S., D. K. BISWAS and H. D. SINGH: J. biol. Ch. **234**, 405 (1959).
[31] GRISOLIA, S., and B. VENNESLAND: J. biol. Ch. **170**, 461 (1947).
[32] REEN, R. VAN, N. INDACOCHEA and W. C. HESS: J. Nutrit. **69**, 397 (1959).
[33] DELUCA, H. F., and H. STEENBOCK: Science, N.Y. **126**, 258 (1957).
[34] RICHTERICH, R., u. H. E. FRANZ: B.Z. **334**, 149 (1961).
[35] REEN, R. VAN, and F. L. LOSEE: Nature **181**, 1543 (1958).
[36] SHEPHERD, J. A.: J. Histochem. **4**, 47 (1956).
[37] SHEPHERD, J. A., and G. KALNITSKY: J. biol. Ch. **207**, 605 (1954).
[38] SIEBERT, G., K.-H. BÄSSLER, R. HANNOVER, E. ADLOFF u. R. BEYER: B.Z. **334**, 388 (1961).
[39] MCCAMAN, M. W.: Science, N.Y. **132**, 621 (1960).
[40] SIEBERT, G., A. SCHMITT, R. v. MALORTIE u. E. ADLOFF: Exper. **16**, 491 (1960).
[41] BROWN, W. D., M. R. GUMBMANN, A. L. TAPPEL and M. E. STANSBY: Comm. Fish. Rev. 20, Nr. 11a, 28 (1958).
[42] BISHAI, F. R., W. VOGELL u. T. BÜCHER: Europ. Symp. med. Enzymol. Mailand 1960. S. 13. Basel 1961.

Literatur zu Tabelle 4. (Fortsetzung.)

[43] SCHIMASSEK, H.: B.Z. **333**, 463 (1960).
[44] VILLEE, C. A.: Kli. Wo. **1961**, 173.
[45] SUNG, S.-C., and C.-H. HSÜ: J. Formosan med. Ass. **56**, 103 (1957).
[46] REES, E. D., and C. HUGGINS: Cancer Res. **20**, 963 (1960).
[47] HOLLANDER, V. P., H. JONAS and D. E. SMITH: Cancer **11**, 803 (1958).
[48] DUMONT, J. E.: J. clin. Endocrinol. **20**, 1246 (1960).
[49] LAKHNO, E. V.: Vitaminy Akad. Nauk. Ukr. S.S.R. **4**, 30 (1958).
[50] STUDZINSKI, G. P., T. SYMINGTON and J. K. GRANT: Biochem. J. **78**, 4P (1961).
[51] GRANT, J. K., and K. MONGKOLKUL: Biochem. J. **71**, 34 (1959); **69**, 36P (1958).
[52] TAUBER, H.: Proc. Soc. exp. Biol. Med. **92**, 180 (1956).
[53] WILLIAMS-ASHMAN, H. G.: 3. Int. Congr. Biochem. Brüssel 1955. Proc. S. 64.
[54] RHODES, J. B., and H. G. WILLIAMS-ASHMAN: Med. exp., Basel **3**, 123 (1960).
[55] ZORGNIOTTI, A. W., and R. S. HOTCHKISS: Fertility & Sterility **12**, 42 (1961).
[56] ENGLISH, J. A.: Amer. J. Physiol. **183**, 463 (1955); **186**, 245 (1956).
[57] REEN, R. VAN: J. biol. Ch. **234**, 1951 (1959).
[58] NEUMAN, W. F., H. FIRSCHEIN, P. S. CHEN jr., B. J. MULRYAN and V. DISTEFANO: Am. Soc. **78**, 3863 (1956).
[59] KIRK, J. E.: J. Gerontol. **15**, 262 (1960).
[60] KUHLMAN, R. E.: J. cellul. comp. Physiol. **53**, 313 (1959).
[61] KUHLMAN, R. E., and R. A. RESNIK: Biochem. J. **72**, 261 (1959).
[62] PIRIE, A., R. VAN HEYNINGEN and J. W. BOAG: Biochem. J. **54**, 682 (1953).
[63] HEYNINGEN, R. VAN, A. PIRIE and J. W. BOAG: Biochem. J. **56**, 372 (1954).
[64] EICHEL, H. J.: Biochem. biophys. Res. Comm. **1**, 293 (1959).
[65] CRUICKSHANK, C. N. D., F. B. HERSHEY and C. LEWIS: J. invest. Derm. **30**, 33 (1958).
[66] WOLFSON jr., S. K., and H. G. WILLIAMS-ASHMAN: Proc. Soc. exp. Biol. Med. **96**, 231 (1957).
[67] TAYLOR, T. H., and M. E. FRIEDMAN: Clin. Chem., N.Y. **6**, 208 (1960).
[68] BELL, J. L., and D. N. BARON: Clin. chim. Acta, Amsterdam **5**, 740 (1960).
[69] BOWERS jr., G. N.: Clin. Chem., N.Y. **5**, 509 (1959).
[70] MERTEN, R., u. H.-G. SOLBACH: Mitt.-Dienst Ges. Bekämpf. Krebskrkh. **2**, 1 (1960). Kli. Wo. **1961**, 222.
[71] FRANKEN, F. H., M. T. BRAUNS, G. STORCK and F. KAZMEIER: Kli. Wo. **1960**, 800.
[72] STERKEL, R. L., J. A. SPENCER, S. K. WOLFSON jr. and H. G. WILLIAMS-ASHMAN: J. Lab. clin. Med. **52**, 176 (1958).
[73] OKUMURA, M., and M. A. SPELLBERG: Gastroenterol., Baltimore **39**, 305 (1960).
[74] BARON, D. N.: J. clin. Path. **13**, 252 (1960).
[75] STRANDJORD, P. E., K. E. THOMAS and L. P. WHITE: J. clin. Invest. **38**, 2111 (1959).
[76] TIRONE, S., e L. CONTRO: Atti Soc. lomb. Sci. med. biol. **14**, 168 (1959).
[77] BOWERS jr., G. N., H. P. POTTER jr. and R. F. NORRIS: Amer. J. clin. Path. **34**, 573 (1960).
[78] FORD, E. J. H., and J. W. BOYD: Res. veterin. Sci. **1**, 232 (1960).
[79] JANOTA, I., C. W. WINCEY, M. SANDIFORD and M. J. H. SMITH: Nature **185**, 935 (1960).
[80] GRIGNANI, F., u. G. W. LÖHR: Kli. Wo. **1960**, 796.
[81] RUBINSTEIN, D., P. OTTOLENGHI and O. F. DENSTEDT: Canad. J. Biochem. Physiol. **34**, 222 (1956).
[82] RONGONE, E. L., D. R. STRENGTH, B. C. BOCKLAGE and E. A. DOISY: J. biol. Ch. **225**, 959 (1957).
[83] RYMENANT, M. VAN, et J. ROBERT: Rev. franç. Ét. clin. biol. **5**, 700 (1960). Cancer **13**, 878 (1960).
[84] WILLIAMS-ASHMAN, H. G.: Cancer Res. **13**, 721 (1953).
[85] HAWTREY, A. O., and M. H. SILK: Biochim. biophys. Acta **37**, 185 (1960). Biochem. J. **79**, 235 (1961).
[86] HOGEBOOM, G. H., and W. C. SCHNEIDER: J. nat. Cancer Inst. **10**, 983 (1950).
[87] BARBAN, S., and H. O. SCHULZE: J. biol. Ch. **222**, 665 (1956).
[88] FENWICK, M. L.: Nature **182**, 607 (1958).
[89] KLINGENBERG, M., W. SLENCZKA u. E. RITT: B.Z. **332**, 47 (1959).
[90] ROBERTS, N. R., R. R. COELHO, O. H. LOWRY and E. J. CRAWFORD: J. Neurochem. **3**, 109 (1958).
[91] JODREY, L. H., and K. M. WILBUR: Biol. Bull. **108**, 346 (1955).
[92] MCGINNIS, A. J., V. H. CHELDELIN and R. W. NEWBURGH: Arch. Biochem. **63**, 427 (1956).
[93] KRUSBERG, L. R.: Phytopathology **50**, 9 (1960).
[94] WHATLEY, F. R.: New Phytologist **50**, 258 (1951).
[95] NASON, A.: J. biol. Ch. **198**, 643 (1952).
[96] LINK, G. K. K., R. M. KLEIN and E. S. G. BARRON: J. exp. Bot. **3**, 216 (1952).
[97] ANDERSON, D. G., H. A. STAFFORD, E. E. CONN and B. VENNESLAND: Plant Physiol. **27**, 675 (1952).
[98] BRUMMOND, D. O., and R. H. BURRIS: J. biol. Ch. **209**, 755 (1954).
[99] FLEISCHMANN, L.: Ric. sci. **29**, 2151 (1959).
[100] EULER, H. v., u. A. GLASER: Ark. Kemi **3**, 447 (1951).
[101] JENSEN, C. O., W. SACKS and F. A. BALDAUSKI: Science, N.Y. **113**, 65 (1951).
[102] MARCUS, A., and J. VELASCO: J. biol. Ch. **235**, 563 (1960).
[103] ANDERSON, I., and H. J. EVANS: Plant Physiol. **31**, 22 (1956).

die hauptsächlich Mitochondrien enthält[1]. Dabei wird das Enzym an die Cytoplasmapartikel angelagert und mit ihnen sedimentiert[2]. Unterläßt man jedoch die Ansäuerung, so findet sich die Isocitratdehydrogenase weitgehend in der löslichen Phase des Herzgewebes[2].

Es ist nicht zu beweisen, aber sehr wahrscheinlich, daß bei regulären Studien der intracellulären Verteilung des Enzyms ähnliche Neuverteilungsprozesse eine wichtige Rolle spielen, besonders wenn der p_H nicht strikt kontrolliert wird. Solche sekundären Umverteilungsvorgänge dürften jedenfalls der Grund für die Diskrepanzen sein, die sich in der Literatur hinsichtlich der intracellulären Verteilung finden. Hinzu kommt, daß häufig für Studien des Citronensäurecyclus isolierte Mitochondrien verwendet werden, die befähigt gefunden werden, TPN^+ mit Isocitrat zu reduzieren; wieviel der Gesamtaktivität der Isocitratdehydrogenase nun aber auf die Mitochondrien entfällt, ist nur selten geprüft worden.

So finden sich Angaben hinsichtlich der mitochondrialen bzw. partikelgebundenen Lokalisation für Rattenleber[3-6], Rattenniere[3,7], Rattenhirn[3], Meerschweinchenleber und Brustdrüse[6], Rattenprostata[8], Rindernebennieren[9], Ascitestumor[10] sowie pflanzliches

---

[1] PLAUT, G. W. E., and S.-C. SUNG: J. biol. Ch. **207**, 305 (1954).
[2] SIEBERT, G., u. G. W. E. PLAUT: Unveröffentlicht.
[3] VIGNAIS, P. V., et P. M. VIGNAIS: Biochim. biophys. Acta **47**, 515 (1961). J. biol. Ch. **229**, 265 (1957).
[4] GALLAGHER, C. H., J. D. JUDAH and K. R. REES: Proc. R. Soc. London (B) **145**, 134 (1956).
[5] HAYASHIDA, T., and O. W. PORTMAN: Arch. Biochem. **91**, 206 (1960).
[6] GUTFREUND, H., K. E. EBNER and L. MEDIOLA: Nature **192**, 820 (1961).
[7] DELUCA, H. F., and H. STEENBOCK: Science, N.Y. **126**, 258 (1957).
[8] WILLIAMS-ASHMAN, H. G.: 3. Int. Congr. Biochem. Brüssel 1955. Proc. S. 64.
[9] GRANT, J. K., and K. MONGKOLKUL: Biochem. J. **69**, 36P (1958); **71**, 34 (1959).
[10] HAWTREY, A. O., and M. H. SILK: Biochim. biophys. Acta **37**, 185 (1960).

Literatur zu Tabelle 4. (Fortsetzung.)

[104] PALMER, R. D., and W. K. PORTER jr.: Weeds **7**, 490 (1960).
[105] AGOSIN, M., and E. C. WEINBACH: Biochim. biophys. Acta **21**, 117 (1956).
[106] RAW, I.: Rev. Inst. Med. trop. São Paulo **1**, 192 (1959).
[107] HOLMS, W. H., and E. A. DAWES: Biochem. J. **66**, 24P (1957).
[108] LEVINE, M.: J. cellul. comp. Physiol. **45**, 409 (1955).
[109] BARRON, E. S. G., and F. GHIRETTI: Biochim. biophys. Acta **12**, 239 (1953).
[110] HANSEN, I. A., and P. M. NOSSAL: Biochim. biophys. Acta **16**, 502 (1955).
[111] KORNBERG, A., and W. E. PRICER jr.: J. biol. Ch. **189**, 123 (1951).
[112] LINNANE, A. W., and J. L. STILL: Austral. J. Sci. **18**, 165 (1956).
[113] CANTINO, E. C., and E. A. HORENSTEIN: Physiol. Plant., København **8**, 189 (1955).
[114] WRIGHT, B. E.: Proc. nat. Acad. Sci. USA **46**, 798 (1960).
[115] CASIDA jr., L. E., and S. G. KNIGHT: J. Bact. **67**, 658 (1954).
[116] RAMAKRISHNAN, C. V., and S. M. MARTIN: Arch. Biochem. **55**, 403 (1955).
[117] BENTLEY, R., and C. P. THIESSEN: J. biol. Ch. **226**, 689 (1957).
[118] HEALY, W. B., S.-C. CHENG and W. D. McELROY: Arch. Biochem. **54**, 206 (1955).
[119] ENGLESBERG, E., and J. B. LEVY: J. Bact. **69**, 418 (1955).
[120] ENGLESBERG, E., J. B. LEVI and A. GIBOR: J. Bact. **68**, 178 (1954).
[121] SANTER, M., and S. J. AJL: J. Bact. **67**, 379 (1954).
[122] CAMPBELL, J. J. R., and R. A. SMITH: Canad. J. Microbiol. **2**, 433 (1956).
[123] KOGUT, M., and E. P. PODOSKI: Biochem. J. **55**, 800 (1953).
[124] RAGHAVENDRA RAO, M. R., and W. W. ALTEKAR: Biochem. biophys. Res. Comm. **4**, 101 (1961).
[125] BARRETT, J. T., and R. E. KALLIO: J. Bact. **66**, 517 (1953).
[126] MILLMAN, I., and G. P. YOUMANS: J. Bact. **69**, 320 (1955).
[127] GOLDMAN, D. S.: J. Bact. **71**, 732 (1956).
[128] MILLMAN, I., and R. W. DARTER: Proc. Soc. exp. Biol. Med. **91**, 271 (1956).
[129] LINNANE, A. W., and J. L. STILL: Biochim. biophys. Acta **16**, 305 (1955).
[130] WHEAT, R. W., and S. J. AJL: Arch. Biochem. **49**, 7 (1954).
[131] WHEAT, R. W., J. RUST jr., and S. J. AJL: J. cellul. comp. Physiol. **47**, 317 (1956).
[132] KRISHNA MURTI, C. R.: Biochim. biophys. Acta **45**, 243 (1960).
[133] BARBAN, S., and S. AJL: J. Bact. **64**, 443 (1952).
[134] SAYAMA, E., H. FUKUMI and R. NAKAYA: Jap. J. med. Sci. Biol. **6**, 523 (1953).
[135] SLADE, H. D., and C. H. WERKMAN: J. Bact. **41**, 675 (1940).
[136] MURTHY, P. S., M. S. SIRSI and T. RAMAKRISHNAN: Biochem. J. **84**, 263 (1962).

Material (nut grass)[1]. Dieser nicht vollständigen Aufzählung stehen viele Daten gegenüber, die für die Lokalisation der Isocitratdehydrogenase im löslichen Überstand der Zellen sprechen, z.B. für Rattenleber[2-4], Mäuseleber[5], Taubenleber[6], Rattenbrustdrüse[4], Schweineherz[7], Schilddrüse von Mensch und Schaf[8], Locusten[9] und Mikroorganismen (Mykobakterien)[10].

Es gibt nun eine Reihe von Argumenten, die entschieden für die Lokalisation von TPN$^+$-abhängiger Isocitratdehydrogenase in der löslichen Phase der Zelle sprechen:

1. Von LOWENSTEIN[11] wird das Enzym löslich gefunden, Glutamatdehydrogenase (als typisches mitochondriales Enzym) dagegen nicht; diesem Befund an der Rattenleber stehen Daten für die Schweineniere[12] zur Seite; aus diesem Gewebe wurden cytoplasmatische Partikel durch differenzierendes Zentrifugieren in Petroläther-Cyclohexan-Medien isoliert. Artefakte durch eine Umverteilung werden dadurch recht sicher vermieden[13]. Auch in diesem Gewebe haben Isocitratdehydrogenase und Glutamatdehydrogenase (als Leitenzym für Mitochondrien) eine ganz verschiedene Verteilung.

2. Eine fraktionierte Extraktion nach der von BÜCHER entwickelten Technik zeigt ebenfalls eine ganz überwiegend extramitochondriale Lokalisation des Enzyms in der Menschenleber[14].

3. Wie andere lösliche Enzyme, z.B. der Glykolyse, findet sich auch Isocitratdehydrogenase in Zellkernen aus Rattenleber, Schweineniere und Rinderhirn[13,15].

Eine Reihe von Arbeiten berichtet über die ganz überwiegende Lokalisation des Enzyms im löslichen Cytoplasma, doch fänden sich konstant kleine Anteile der Aktivität (10—15%) auch in den Mitochondrien[14,16-19]. Versuche mit Alterung und Coenzymverarmung der Mitochondrien legen es dabei nahe, daß der mitochondriale Anteil der Isocitratdehydrogenase-Aktivität kein Artefakt darstellt[20]. Beim gegenwärtigen Stand der Kenntnis dürfte diese Ansicht der etwa 9:1-Verteilung zwischen löslicher Phase und Mitochondrien am besten begründet sein.

Darstellung. TPN$^+$-abhängige Isocitratdehydrogenase wird am besten aus Herzmuskulatur gewonnen. Die nachstehend beschriebene Methode führt zu einem weitgehend reinen Produkt.

Darstellung von TPN$^+$-abhängiger Isocitratdehydrogenase aus Schweineherzmuskel nach SIEBERT u. *Mitarb.*[21].

Die Herzen werden möglichst rasch nach dem Tode entnommen, unter strikter Eiskühlung transportiert und im Kühlraum in ein Acetontrockenpulver verwandelt. Hierzu werden Fett, Gefäße, Vorhöfe usw. entfernt; die Kammermuskulatur wird in Blöcken

---

[1] PALMER, R. D., and W. K. PORTER jr.: Weeds **7**, 490 (1960).
[2] MOORE, B. W., and R. H. LEE: J. biol. Ch. **235**, 1359 (1960).
[3] HENLEY, K. S., O. SORENSEN and H. M. PLARD: Nature **184**, 1400 (1959).
[4] ABRAHAM, S., K. J. MATTHES and I. L. CHAIKOFF: Biochem. biophys. Res. Comm. **3**, 646 (1960).
[5] HOGEBOOM, G. H., and W. C. SCHNEIDER: J. biol. Ch. **186**, 417 (1950).
[6] BRADY, R. O., A.-M. MAMOON and E. R. STADTMAN: J. biol. Ch. **222**, 795 (1956).
[7] SIEBERT, G., u. G. W. E. PLAUT: Unveröffentlicht.
[8] DUMONT, J. E.: J. clin. Endocrinol. **20**, 1246 (1960).
[9] FENWICK, M. L.: Nature **182**, 607 (1958).
[10] MILLMAN, I., and R. W. DARTER: Proc. Soc. exp. Biol. Med. **91**, 271 (1956).
[11] LOWENSTEIN, J. M.: J. biol. Ch. **236**, 1217 (1961).
[12] SIEBERT, G., u. R. BEYER: Unveröffentlicht.
[13] SIEBERT, G.: B.Z. **334**, 369 (1961).
[14] SCHMIDT, E., F. W. SCHMIDT u. C. HERFARTH: Kli. Wo. **40**, 1133 (1962).
[15] SIEBERT, G., K.-H. BÄSSLER, R. HANNOVER, E. ADLOFF u. R. BEYER: B.Z. **334**, 388 (1961).
[16] ZIEGLER, D. M., and A. W. LINNANE: Biochim. biophys. Acta **30**, 53 (1958).
[17] ERNSTER, L., and F. NAVAZIO: Biochim. biophys. Acta **26**, 408 (1957).
[18] PLAUT, G. W. E., and K. A. PLAUT: J. biol. Ch. **199**, 141 (1952).
[19] VILLEE, C. A.: Kli. Wo. **1961**, 173.
[20] PURVIS, J. L.: Biochim. biophys. Acta **52**, 148 (1961).
[21] SIEBERT, G., J. DUBUC, R. C. WARNER and G. W. E. PLAUT: J. biol. Ch. **226**, 965 (1957).

von etwa 1 cm Kantenlänge 30 sec im Mixer mit dem dreifachen Volumen ihres Gewichtes an Aceton von $-2°$ C zerkleinert; das Material wird bei dieser Temperatur aufbewahrt, bis alles Gewebe — meist aus 25—40 Herzen — aufgearbeitet ist. Man läßt durch eine vierfache Lage Gaze laufen und preßt scharf ab; dann wird die Behandlung mit frischem Aceton von $-2°$ C noch zweimal wiederholt, wobei wiederum 600 ml Aceton je 200 g ursprüngliches Gewebe angewendet werden. Anschließend wird das Gewebepulver rasch an der Luft getrocknet, indem es auf festem Papier ausgebreitet und intensiv mit den Händen durchmischt wird. Wenn nötig, wird es nach völliger Trocknung im Mörser fein zerrieben. Man erhält etwa 190 g pro kg Frischgewebe.

Rohextrakt und erster Gelschritt. 160 g Acetontrockenpulver werden mit 3,1 Liter 0,001 m Versen, p_H 7,4, im Mixer kurz bei voller Drehzahl durchmischt und dann noch 25 min langsam gerührt. Nach 30 min Zentrifugieren bei $4000 \times g$ wird der Überstand mit Calciumphosphat-Gel[1] verrührt; in Vorversuchen wird die Menge ermittelt, die etwa 10—15% unadsorbiert läßt; meist benötigt man 280 ml einer Suspension mit 50 mg Trockengewicht/ml. 15 min nach Zugabe des Gels wird 10 min bei $4000 \times g$ zentrifugiert. Das Sediment wird mit 500 ml 0,1 m Kaliumphosphat, p_H 6,0, enthaltend 0,001 m Versen, gründlich extrahiert und nach 10 min wie oben zentrifugiert. Das Sediment wird nun mit 440 ml 1,6 m Ammoniumsulfatlösung von p_H 6,0 (eingestellt mit konz. NH_4OH; enthaltend 0,01 m Versen) gründlich verrührt und nach 20 min bei $30000 \times g$ für 15 min zentrifugiert.

Erste Ammoniumsulfatfällung. Man ermittelt den Gehalt an Ammoniumsulfat im Geleluat durch die NESSLER-Reaktion und fügt die zur Erzielung einer 50%igen Sättigung erforderliche Menge an Salz im Laufe von 90 min vorsichtig zu. Nach Stehen über Nacht wird 20 min bei $30000 \times g$ zentrifugiert und die Salzkonzentration auf 75% Sättigung durch Zugabe von festem Salz während 90 min erhöht. Nach mindestens 6 Std Stehen wird wie oben zentrifugiert. Das Sediment wird in 30 ml 1,6 m Ammoniumsulfatlösung wie oben gelöst und kann über einige Wochen in der Kälte aufbewahrt werden.

Zweite Ammoniumsulfatfällung. Die Reproduzierbarkeit des folgenden Schrittes wird durch eine Modifikation[2] erhöht. Die wie oben erhaltene Fraktion, am besten aus 640 g Acetontrockenpulver, wird mit der 1,6 m Ammoniumsulfatlösung zur Proteinkonzentration[3,4] von 3% verdünnt. Jetzt bestimmt man den Gehalt an Ammoniumsulfat mit der NESSLER-Reaktion und gibt festes Salz bis 62,5% Sättigung zu; nach 1—2 Tagen Stehen wird 30 min bei $30000 \times g$ zentrifugiert und die Salzkonzentration auf 72,5% Sättigung erhöht. Man zentrifugiert wie oben nach einigen Stunden und löst das Sediment in einem kleinen Volumen 0,01 m Versen von p_H 6,0. Sollte die Fällung des Enzyms außerhalb der angegebenen Grenzen von 62,5 und 72,5% Sättigung erfolgen, so kann man Überstände und Sedimente mit Ammoniumsulfat refraktionieren und aktive Fraktionen ohne Bedenken vereinigen.

Methanolfällung. Die Enzymlösung wird energisch gegen 0,01 m Versen, p_H 6,0, dialysiert, so daß die Konzentration an NH_4^+ nach spätestens 1 Std auf 0,001 m gefallen ist. Man verdünnt dann die Enzymlösung mit dieser Versenlösung auf 4% Protein[4] und beginnt sofort die Methanolfällung. Bei $-12°$ C wird Methanol von $-50°$ C bis zu einer Konzentration von 15% (v/v) zugegeben. Dabei streicht ein langsamer Strom von CO_2 (z.B. aus CO_2-Schnee) über die Enzymlösung. 30 min nach Zugabe von Methanol wird 10 min bei $18000 \times g$ und $-12°$ C zentrifugiert. In der gleichen Weise wird dann bei 23% (v/v) Methanol fraktioniert. Das Sediment wird mit 5 ml 23%igem Methanol (v/v) gewaschen, wobei wieder ein CO_2-Strom angewendet wird. Nach 5 min wird die

---

[1] SWINGLE, S., and A. TISELIUS: Biochem. J. **48**, 171 (1951).
[2] SIEBERT, G.; in: H.-U. BERGMEYER (Hrsg.): Methoden der enzymatischen Analyse. S. 318ff. Weinheim 1962.
[3] LOWRY, O. H., N. J. ROSEBROUGH, A. L. FARR and R. J. RANDALL: J. biol. Ch. **193**, 265 (1951).
[4] WARBURG, O., u. W. CHRISTIAN: B.Z. **310**, 384 (1941).

suspendierte Enzymfällung 5 min bei 18000 ×g und −12° C zentrifugiert und das Sediment in 12 ml 1,6 m Ammoniumsulfat (von p_H 6,0 und 0,01 m Versen enthaltend) bei −6,5° C aufgenommen. Unmittelbar anschließend wird zweimal 15 min gegen je 360 ml dieser Ammoniumsulfatlösung bei −6,5° C dialysiert, da das Enzym labil gegen Lösungsmittel ist. Trübungen werden am Ende der Dialyse durch 20 min Zentrifugieren bei 30000 ×g und +2° C entfernt.

Dritte Ammoniumsulfatfällung. Die Enzymlösung wird durch Zugabe von festem Salz auf 51% Sättigung an Ammoniumsulfat gebracht. Nach mindestens 6 Std Stehen wird zentrifugiert und auf 69% Sättigung eingestellt. Die angegebenen Grenzen der Sättigung können variieren, so daß dieser Schritt durch laufende Aktivitätsteste kontrolliert werden muß. Wie bei der zweiten Ammoniumsulfatfällung können Reinigung oder Ausbeute durch Refraktionierungen verbessert werden, wenn die Enzymaktivität nicht in einer Fraktion gefaßt worden sein sollte.

Zweiter Gelschritt. Die Enzymlösung wird unmittelbar vor der weiteren Verarbeitung dialysiert, wie für die Methanolfällung angegeben. Man stellt die Proteinkonzentration mit 0,01 m Versen, p_H 6,0, auf 1,5% ein. Nun werden 0,4 mg Calciumphosphat-Gel pro mg Protein zugegeben und nach gelegentlichem Umrühren während 15 min zentrifugiert. Dem Überstand wird pro mg verbliebenes Protein 0,1 mg Gel zugesetzt, das wie oben abzentrifugiert wird. Darauf folgen 3 Adsorptionen mit 0,1, 1,5 bzw. 3,5 mg Gel pro mg jeweils noch vorhandenen Proteins. Das Enzym verbleibt bei diesem Vorgehen im Überstand. Sollte es doch adsorbiert worden sein, so kann es durch Elution mit 1,6 m Ammoniumsulfatlösung, wie beim ersten Gelschritt angegeben, wiedergewonnen werden. Nach beendeter Adsorption wird das Enzym durch Zugabe von Ammoniumsulfat bis 70% Sättigung gefällt. Nach mindestens 12 Std Stehen wird das Sediment durch Zentrifugieren gesammelt und in einem kleinen Volumen 0,8 m Ammoniumsulfat von p_H 6,0, enthaltend 0,01 m Versen, aufgenommen. Unter diesen Bedingungen ist das Enzym für einige Wochen im Kühlraum stabil.

Der Verlauf der Enzymreinigung ist in Tabelle 5 wiedergegeben.

Tabelle 5. *Reinigung von TPN^+-abhängiger Isocitratdehydrogenase aus Schweineherzmuskel nach* SIEBERT u. Mitarb.[1].

Fraktion	Volumen ml	Protein mg	Einheiten $\times 10^5$	Spezifische Aktivität (Einheiten/mg Protein)	Ausbeute %
Rohextrakt (640 g Acetontrockenpulver)	10590	56320	97,5	173	100
1. Ammoniumsulfatfällung	160	6700	72,3	1080	75
2. Ammoniumsulfatfällung	48	2840	65,6	2310	67
Methanolfällung	15,6	560	31,5	5620	32
3. Ammoniumsulfatfällung	21,7	232	17,6	7600	18
2. Gelschritt	3,1	66	8,3	12600	9

Eine Enzympräparation aus Schweineherz, die bei vergleichbaren physikochemischen Eigenschaften nur $1/8$ der katalytischen Wirksamkeit aufweist, haben MOYLE und DIXON[2] beschrieben; die Gründe für die geringere Aktivität gegenüber dem Enzym von SIEBERT u. Mitarb.[1] sind unbekannt.

Von ROSE[3] wird eine Teilreinigung des Enzyms aus Schweineherz beschrieben, indem nach dem 2. Ammoniumsulfatschritt[1] an Carboxymethylcellulose chromatographiert wird: Enzym in 0,005 m Kaliumphosphat plus 0,001 m Versen, p_H 7,3; Gradient mit KCl; 67% Ausbeute und sechsfache Reinigung durch die Chromatographie. Auch aus *Trypanosoma cruzi* ist eine TPN^+-abhängige Isocitratdehydrogenase teilgereinigt worden[4].

---

[1] SIEBERT, G., J. DUBUC, R. C. WARNER and G. W. E. PLAUT: J. biol. Ch. **226**, 965 (1957).
[2] MOYLE, J., and M. DIXON: Biochem. J. **63**, 548 (1956).
[3] ROSE, Z. B.: J. biol. Ch. **235**, 928 (1960).
[4] AGOSIN, M., and E. C. WEINBACH: Biochim. biophys. Acta **21**, 117 (1956).

Eine Methode zur chromatographischen Abtrennung von Isocitratdehydrogenase aus Rattenleber beschreiben MOORE und LEE[1]: Nach Zentrifugierung des Rohextraktes bei 20000 g und Dialyse wird unmittelbar an DEAE-Cellulose adsorbiert. Medium 0,005 m Tris-phosphat, p_H 8,0; parabolischer NaCl-Gradient.

Das gereinigte Enzym aus Herzmuskel ist außerordentlich labil bei niedriger Ionenstärke[2,3]. Teilgereinigte Präparationen können dialysiert und lyophilisiert werden; Bedingungen hierzu sind ausgearbeitet[4,5]. Als Trockenpulver ist das Enzym bei Feuchtigkeitsausschluß und niederen Temperaturen haltbar.

Physikalisch-chemische Eigenschaften. Nur hochgereinigte TPN^+-abhängige Isocitratdehydrogenase aus Herzmuskel ist bisher untersucht. Wegen der extremen Labilität des Proteins bei niedriger Ionenstärke (s. oben) ist die Untersuchung mittels Elektrophorese nur begrenzt möglich; auch bei kurzen Versuchsdauern kommt es zur Überlagerung der Elektrophoresebanden durch Denaturierungsprodukte. Von MOYLE[3] wird bei p_H 5,6, 7,3 und 8,5 eine gleich geringe Wanderungsgeschwindigkeit von $0,05 \times 10^{-5}$ cm^2 Volt^{-1} sec^{-1} angegeben; dagegen fanden SIEBERT u. Mitarb.[2] bei p_H 6,04 den Wert $-2,0 \times 10^{-5}$, bei p_H 7,80 den Wert $-0,64 \times 10^{-5}$ cm^2 Volt^{-1} sec^{-1}, woraus sich die Lage des isoelektrischen Punktes um p_H 7,4 ergibt. Der Grund für die Diskrepanzen zwischen MOYLE und SIEBERT ist nicht klar; da die MOYLEsche Enzympräparation[6] nur $1/8$ der spezifischen Aktivität derjenigen von SIEBERT u. Mitarb.[2] aufweist, mag es sein, daß geringe elektrophoretische Wanderungsgeschwindigkeit und geringe spezifische Aktivität Ausdruck einer partiellen Denaturierung sind.

Der isoelektrische Punkt wird von MOYLE[3] mit p_H 4,0 angegeben.

Ultrazentrifugenuntersuchungen geben praktisch übereinstimmende Werte; die Sedimentationskonstante ($S_{20,w}$) beträgt 4,6 S^2 bzw. 4,8 S^6. Die Diffusionskonstante ist zu $D_{20,w} = 7,3 \times 10^{-7}$ cm^2 sec^{-1} [2] bzw. $6,73 \times 10^{-7}$ cm^2 sec^{-1} [6] bestimmt worden. Daraus werden von den Autoren Molekulargewichte von 61000 (bei Annahme eines spezifischen Partialvolumens von 0,75)[2] bzw. von 64000 (spezifisches Partialvolumen 0,73)[6] errechnet.

Wirkungsbedingungen. *p_H-Optimum.* Das p_H-Optimum der Isocitratdehydrogenase liegt am Neutralpunkt; ein leichter Gipfel bei p_H 7,7 kennzeichnet ein breites Plateau[7,8]. Für die Oxalsuccinatdecarboxylase-Wirkung des Enzyms werden identische Raten bei p_H 5,6, 6,3 und 7,4 (OCHOA[9]) bzw. bei p_H 6,0 und 7,4 (LYNEN und SCHERER[10]) beschrieben. Die Oxalsuccinatreductase-Wirkung des Enzyms zeigt die gleiche p_H-Abhängigkeit wie die eigentliche Isocitratdehydrogenase[8]; allerdings spielt bei diesen Messungen die p_H-abhängige Instabilität von Oxalsuccinat[9] mit herein. Daran mag es auch liegen, daß für die Rückreaktion der Isocitratdehydrogenase (α-Ketoglutarat$\rightarrow$Isocitrat) Geschwindigkeiten gefunden werden[8], die, bezogen auf den Wert bei p_H 8,5 gleich 1, bei p_H 7,4 bereits das 8fache und bei p_H 5,6 das 16fache betragen. Naturgemäß geht in diese Werte auch die Teilnahme eines Protons an der Reaktionsgleichung (s. S. 393) mit ein.

Für Isocitratdehydrogenase aus menschlichem Serum wird p_H 7,5 als Optimum angegeben[11], für das Enzym aus Aorten-Intima des Menschen ebenfalls p_H 7,5[12], für das aus *Trypanosoma cruzi* teilgereinigte Enzym[13] p_H 7,4.

---

[1] MOORE, B. W., and R. H. LEE: J. biol. Ch. **235**, 1359 (1960).
[2] SIEBERT, G., J. DUBUC, R. C. WARNER and G. W. E. PLAUT: J. biol. Ch. **226**, 965 (1957).
[3] MOYLE, J.: Biochem. J. **63**, 552 (1956).
[4] BAUM, P., u. R. CZOK: B.Z. **332**, 121 (1959).
[5] SIEBERT, G.; in: H.-U. BERGMEYER (Hrsg.): Methoden der enzymatischen Analyse. S. 318ff. Weinheim 1962.
[6] MOYLE, J., and M. DIXON: Biochem. J. **63**, 548 (1956).
[7] PLAUT, G. W. E., and S.-C. SUNG: J. biol. Ch. **207**, 305 (1954).
[8] SIEBERT, G., M. CARSIOTIS and G. W. E. PLAUT: J. biol. Ch. **226**, 977 (1957).
[9] OCHOA, S.; in: Sumner-Myrbäck, Enzymes, Bd. II. S. 929ff.
[10] LYNEN, F., u. H. SCHERER: A. **560**, 163 (1948).
[11] BOWERS jr., G. N.: Clin. Chem., N.Y. **5**, 509 (1959).
[12] KIRK, J. E.: J. Gerontol. **15**, 262 (1960).
[13] AGOSIN, M., and E. C. WEINBACH: Biochim. biophys. Acta **21**, 117 (1956).

Metallbedarf. Seit den Untersuchungen von ADLER u. Mitarb.[1] ist der Manganbedarf der Isocitratdehydrogenase bekannt. Die ursprüngliche Annahme, daß Mn^{++} nur für den Decarboxylierungsschritt der Gesamtreaktion (s. S. 393) benötigt würde[2], hat sich als unrichtig herausgestellt, da Pyrophosphat[1,3] und Äthylendiamintetraacetat[4,5] die Gesamtreaktion 1 vollständig unterdrücken. Offenbar haben sowohl der Dehydrogenase- als auch der Decarboxylase-Schritt ein spezifisches Mn^{++}-Bedürfnis[6]. Die Hemmung der Gesamtreaktion durch Äthylendiamintetraacetat wird auch von MOYLE[7] beschrieben, jedoch darauf bezogen, daß wegen Manganmangels enzymgebundenes Oxalsuccinat angehäuft werde und dadurch die Gesamtreaktion nicht ablaufen könne.

Eine Klärung dieser Frage ist durch Untersuchung des Metallbedarfs der Oxalsuccinat-Reduktion angestrebt worden. MOYLE[7] kann keinen Metallbedarf feststellen, andere Verfasser dagegen ganz ausgesprochen[4,5]. Der Grund für den Widerspruch ist unklar, doch dürften die mit dem wesentlich aktiveren Enzym erhaltenen Ergebnisse[4] vorzuziehen sein: Auch die Oxalsuccinatreduktion benötigt Mn^{++}.

Der Manganbedarf der Oxalsuccinat-Decarboxylasereaktion ist klar erwiesen[2]. Folgende Faktoren sind hierbei zu berücksichtigen: a) Mn^{++} und Mg^{++} sind bezüglich der „Spontan"-Decarboxylierung von Oxalsuccinat etwa gleich wirksam[8]. b) Mn^{++} ist etwas wirksamer als Mg^{++} bezüglich der Bildung des UV-absorbierenden Me^{++}-Oxalsuccinat-Komplexes[9].

Mn^{++} ist unerläßlich für die Oxalsuccinat-Decarboxylase-Wirkung; Mg^{++} ist hierbei jedoch wesentlich schlechter wirksam[4,10]. Optimal wirksame Metallkonzentrationen für die Decarboxylase-Reaktion sind für Mn^{++} rund 2 Größenordnungen geringer als für Mg^{++}[4]. Von Magnesiumionen werden für maximale Wirksamkeit im Isocitratdehydrogenase-Versuch nur $1/10$ so große Mengen wie im Decarboxylase-Versuch benötigt[4]. Daher wird in Versuchssystemen, bei denen aus Oxalsuccinat oder α-Ketoglutarat die Bildung von Isocitrat erfaßt werden soll, bevorzugt Mg^{++} eingesetzt (Einzelheiten s. bei Bestimmung, S. 411). Auch die vollständige Rückreaktion (α-Ketoglutarat→Isocitrat) erfordert unbedingt Mn^{++} oder Mg^{++} [4].

Desgleichen hat ROSE[11] gezeigt, daß die von Isocitratdehydrogenase katalysierte Detritiierung von β-^{3}H-α-Ketoglutarat Mn^{++} erfordert.

Auch für andere Enzymquellen ist der Mn^{++}-Bedarf klar erwiesen: menschliches Serum[12,13], Samenflüssigkeit[14], Aorten-Intima[15], *Trypanosoma cruzi*[16], *Aspergillus niger*[17] und *Phaseolus vulgaris*[18].

Versuche von HARTMAN und KALNITSKY[19] legen kompetitive Beziehungen zwischen Mn^{++} und anderen Metallen, speziell Mg^{++}, nahe; solche Wechselwirkungen sind an gereinigten Enzymen nicht näher untersucht. Vergleichende Studien haben jedoch gezeigt,

---

[1] ADLER, E., H. v. EULER, G. GÜNTHER and M. PLASS: Biochem. J. **33**, 1028 (1939).
[2] OCHOA, S.; in: Sumner-Myrbäck, Bd. II. S. 929ff.
[3] VIGNAIS, P. V., et P. M. VIGNAIS: Biochim. biophys. Acta **47**, 515 (1961).
[4] SIEBERT, G., M. CARSIOTIS and G. W. E. PLAUT: J. biol. Ch. **226**, 977 (1957).
[5] CARSIOTIS, M.: Thesis N.Y. Univ. (Ph. D.) 1958.
[6] LOTSPEICH, W. D., and R. A. PETERS: Biochem. J. **49**, 704 (1951).
[7] MOYLE, J.: Biochem. J. **63**, 552 (1956).
[8] OCHOA, S.: J. biol. Ch. **174**, 115 (1948).
[9] KORNBERG, A., S. OCHOA and A. H. MEHLER: J. biol. Ch. **174**, 159 (1948).
[10] OCHOA, S., and E. WEISZ-TABORI: J. biol. Ch. **174**, 123 (1948).
[11] ROSE, Z. B.: J. biol. Ch. **235**, 928 (1960).
[12] WOLFSON jr., S. K., and H. G. WILLIAMS-ASHMAN: Proc. Soc. exp. Biol. Med. **96**, 231 (1957).
[13] BELL, J. L., and D. N. BARON: Clin. chim. Acta, Amsterdam **5**, 740 (1960).
[14] RHODES, J. B., and H. G. WILLIAMS-ASHMAN: Med. exp., Basel **3**, 123 (1960).
[15] KIRK, J. E.: J. Gerontol. **15**, 262 (1960).
[16] AGOSIN, M., and E. C. WEINBACH: Biochim. biophys. Acta **21**, 117 (1956).
[17] RAMAKRISHNAN, C. V., and S. M. MARTIN: Arch. Biochem. **55**, 403 (1955).
[18] ANDERSON, I., and H. J. EVANS: Plant Physiol., København **31**, 22 (1956).
[19] HARTMAN, W. J., and G. KALNITSKY: Arch. Biochem. **26**, 6 (1950).

daß unabhängig von der vorgelegten Mg^{++}-Konzentration die erreichbare Aktivität stets geringer bleibt als bei Mn^{++}-Aktivierung[1-5]. Auch Co^{++}[2,3,6] und Zn^{++}[1] ergeben geringe Aktivität; die Überlegenheit von Mn^{++} ist unbestritten.

Substrat-Spezifität. In diesem Abschnitt werden alle Teilnehmer der Reaktionsgleichung (1) (s. S. 393) als Substrate behandelt.

Das in der Natur vorkommende Isomere von Isocitrat hat folgende Konfiguration[7-9]:

$$\begin{array}{c} COOH \\ | \\ H-C^{\alpha}-OH \\ | \\ HOOC-C^{\beta}-H \\ | \\ CH_2 \\ | \\ COOH \end{array}$$

α-D_s-β-L_s-Isocitrat[7]; D_s-L_g-Isocitrat[10]

Dieses ist das Substrat der Isocitratdehydrogenase. Zu Nomenklaturfragen s. bei VICKERY[10]. allo-Isomere haben anscheinend in substratüblichen Konzentrationen keine Hemmwirkung[11]. Andere Substrate oder Isocitrat-Analoge mit Hemmwirkung sind nicht bekannt.

Auch für die Oxalsuccinat-Decarboxylase-Wirkung des Enzyms sind außer Oxalsuccinat keine anderen Substrate bekannt[12,13]. Allerdings wirkt hier jetzt Isocitrat hemmend; legt man $^2/_5$ der Oxalsuccinat-Konzentration an natürlichem Isocitrat-Isomeren vor, so erhält man 88% Hemmung[12]. cis-Aconitat hemmt nur schwach (25% bei 10^{-2} m gleich 60facher Überschuß über Oxalsuccinat).

Läßt man die Rückreaktion der Isocitratdehydrogenase in Abwesenheit von CO_2 vonstatten gehen (s. S. 393), so daß kein Isocitrat gebildet werden kann, dann kann die Hemmwirkung von Isocitrat auf die enzymkatalysierte Labilisierung eines β-H-Atoms an α-Ketoglutarat demonstriert werden. α-D-β-L-Isocitrat hemmt um 80%, wenn seine Konzentration $^1/_{17}$ derjenigen an α-Ketoglutarat beträgt; α-L-β-L-Isocitrat ist ohne Wirkung[14].

Alle hinreichend gereinigten Präparationen von Isocitratdehydrogenase sind absolut spezifisch für TPN^+[4,5,15,16]; DPN^+ führt weder zu katalytischer Aktivität, noch hemmt es. Desamino-TPN reagiert nicht mit dem Enzym aus Herzmuskel[17]. 3-Acetylpyridin-TPN dagegen wird mit geringerer Geschwindigkeit ebenfalls reduziert; bezogen auf TPN, beträgt die Rate $^1/_5$ mit dem Enzym aus Herzmuskel[18] und $^1/_{10}$ mit dem Enzym aus Samenplasma[19]. Das 3'-Phosphat-Analoge von TPN[20] wird von Isocitratdehydrogenase aus Herzmuskel nicht reduziert.

---

[1] SIEBERT, G., M. CARSIOTIS and G. W. E. PLAUT: J. biol. Ch. **226**, 977 (1957).
[2] BELL, J. L., and D. N. BARON: Clin. chim. Acta, Amsterdam **5**, 740 (1960).
[3] AGOSIN, M., and E. C. WEINBACH: Biochim. biophys. Acta **21**, 117 (1956).
[4] RAMAKRISHNAN, C. V., and S. M. MARTIN: Arch. Biochem. **55**, 403 (1955).
[5] ADLER, E., H. v. EULER, G. GÜNTHER and M. PLASS: Biochem. J. **33**, 1028 (1939).
[6] BARBAN, S., and S. AJL: J. Bact. **64**, 443 (1952).
[7] GAWRON, O., A. J. GLAID III and T. P. FONDY: Am. Soc. **83**, 3634 (1961).
[8] KANEKO, T., H. KATSURA, H. ASANO and K. WAKABAYASHI: Chem. & Indust. **1960**, 1187.
[9] KANEKO, T., and H. KATSURA: Chem. & Indust. **1960**, 1188.
[10] VICKERY, H. B.: J. biol. Ch. **237**, 1739 (1962).
[11] BOWERS jr., G. N.: Clin. Chem., N.Y. **5**, 509 (1959).
[12] OCHOA, S., and E. WEISZ-TABORI: J. biol. Ch. **174**, 123 (1948).
[13] KORNBERG, A., S. OCHOA and A. H. MEHLER: J. biol. Ch. **174**, 159 (1948).
[14] ROSE, Z. B.: J. biol. Ch. **235**, 928 (1960).
[15] OCHOA, S.; in: Sumner-Myrbäck, Enzymes, Bd. II. S. 929ff.
[16] SIEBERT, G., J. DUBUC, R. C. WARNER and G. W. E. PLAUT: J. biol. Ch. **226**, 977 (1957).
[17] KAPLAN, N. O., S. P. COLOWICK and E. F. NEUFELD: J. biol. Ch. **205**, 1 (1953).
[18] KAPLAN, N. O., M. M. CIOTTI and F. E. STOLZENBACH: J. biol. Ch. **221**, 833 (1956).
[19] RHODES, J. B., and H. G. WILLIAMS-ASHMAN: Med. exp., Basel **3**, 123 (1960).
[20] SHUSTER, L., and N. O. KAPLAN: J. biol. Ch. **215**, 183 (1955).

Isocitratdehydrogenase katalysiert die Übertragung des am α-C-Atom von Isocitrat stehenden Wasserstoffatoms auf TPN⁺; das Wasserstoffatom am β-C-Atom bleibt fest gebunden[1,2]. TPN⁺ wird, entsprechend der von VENNESLAND[3] eingeführten Nomenklatur, durch Isocitratdehydrogenase aus Herzmuskel in α-Stellung des Pyridin-C(4) hydriert[2,4].

Inhibitoren. Hemmeffekte, die durch Komplexbindung des zur Reaktion benötigten Metalles zustande kommen, werden unter Metallbedarf (S. 403) behandelt; im Abschnitt Spezifität (S. 404) finden sich Daten über Hemmwirkungen, die durch Konkurrenz verschiedener Substrate um das Enzym zustande kommen.

Nucleotide haben, soweit bisher untersucht, nur geringe Hemmwirkung: ATP hemmt mit 2×10^{-3} m das Herzenzym nicht[5], dagegen um 20% bei 5×10^{-3} m das Enzym aus Rattenhirn-Mitochondrien[6]. 2'-AMP ist Inhibitor der TPN⁺-abhängigen Isocitratdehydrogenase ($1{,}5 \times 10^{-2}$ m zu 50%)[5,7], jedoch nicht in spezifischer Weise, da auch das DPN⁺-Enzym gehemmt wird[5] (s. S. 391).

Es mag sein, daß auch die für Schilddrüsenhormone beschriebene Hemmung durch Metallbindung zustande kommt[8]; 1×10^{-4} m Thyroxin und Trijodthyronin hemmen das Enzym aus Samenplasma um 20%. Cyclische Disulfide, die ähnlich der Liponsäure aufgebaut sind, hemmen Isocitratdehydrogenase um 50% im Bereich zwischen 10^{-4} und 10^{-5} m[9].

Calciumionen hemmen das Enzym[10,11]. Desgleichen hemmt Fluorid das *Aspergillus*-Enzym[12], aber nicht das Trypanosomen-Enzym[10]. Fluoracetat ($3{,}3 \times 10^{-5}$ m) hemmt das *Aspergillus*-Enzym vollständig[12], ebenso Ammoniummolybdat[12], welches auch das Enzym aus Hefe[13] und Herzmuskel[5] inhibiert. Ohne Hemmwirkung sind gefunden worden Azid[12,13], Cyanid[12,14] und Semicarbazid[12].

K_M-*Werte.* Isocitratdehydrogenase zeichnet sich durch ausgesprochen große Affinitäten zu seinen Substraten aus. Die in der Literatur beschriebenen Daten sind in Tabelle 6 zusammengestellt.

Sulfhydrylgruppen. TPN⁺-abhängige Isocitratdehydrogenase besitzt außergewöhnlich reaktive Sulfhydrylgruppen im Molekül. Neben der bemerkenswerten Schwermetallempfindlichkeit (z.B. 40% Hemmung mit 1×10^{-6} m Ag⁺)[5] wird dies durch die enorme Hemmkraft von p-Chlormercuribenzoat demonstriert: 50% Hemmung bei $2{,}5 \times 10^{-8}$ m[15]; dies entspricht etwa 5 Mol Inhibitor pro Mol Enzym. Auch andere Autoren haben die Hemmung mit p-Chlormercuribenzoat untersucht[5,10,16]. Ebenfalls wirksam sind Diphenyljodarsin[5] und Diphenylchlorarsin[16], ferner Jodosobenzoat[16] (50% Hemmung mit $8{,}1 \times 10^{-4}$ m) und Selenit[17]. Dagegen entfalten Jodacetat[10,12,16], Jodacetamid[10], Arsenit[16] und Lewisit[16] keine Hemmwirkung.

Sowohl TPN⁺ als auch besonders Isocitrat schützen das Enzym bei Präinkubation vor der Hemmung durch p-Chlormercuribenzoat[15], so daß zur Erzielung des gleichen Hemmeffektes bis zu 100mal höhere Inhibitor-Konzentrationen erforderlich werden.

---

[1] ENGLARD, S., and S. P. COLOWICK: J. biol. Ch. **226**, 1047 (1957).
[2] ENGLARD, S.: J. biol. Ch. **235**, 1510 (1960).
[3] VENNESLAND, B.: Fed. Proc. **17**, 1150 (1958).
[4] NAKAMOTO, T., and B. VENNESLAND: J. biol. Ch. **235**, 202 (1960).
[5] CARSIOTIS, M.: Thesis N.Y. Univ. (Ph.D.) 1958.
[6] VIGNAIS, P. V., et P. M. VIGNAIS: Biochim. biophys. Acta **47**, 515 (1961).
[7] NEUFELD, E. F., N. O. KAPLAN and S. P. COLOWICK: Biochim. biophys. Acta **17**, 525 (1955).
[8] ZORGNIOTTI, A. W., and R. S. HOTCHKISS: Fertil. and Steril. **12**, 42 (1961).
[9] HENDERSON, R. F., and R. E. EAKIN: Biochem. biophys. Res. Comm. **3**, 169 (1960).
[10] AGOSIN, M., and E. C. WEINBACH: Biochim. biophys. Acta **21**, 117 (1956).
[11] BAUM, P., u. R. CZOK: B.Z. **332**, 121 (1959).
[12] RAMAKRISHNAN, C. V., and S. M. MARTIN: Arch. Biochem. **55**, 403 (1955).
[13] KORNBERG, A., and W. E. PRICER jr.: J. biol. Ch. **189**, 123 (1951).
[14] ADLER, E., H. v. EULER, G. GÜNTHER and M. PLASS: Biochem. J. **33**, 1028 (1939).
[15] SIEBERT, G., M. CARSIOTIS and G. W. E. PLAUT: J. biol. Ch. **226**, 977 (1957).
[16] LOTSPEICH, W. D., and R. A. PETERS: Biochem. J. **49**, 704 (1951).
[17] BERGSTERMANN, H.: Kli. Wo. **1948**, 435.

Tabelle 6. K_M-Werte für TPN^+-abhängige Isocitratdehydrogenase.

Substrat	K_M (Mol/l)	Literatur
Isocitrat (Herzmuskel)	$2{,}6 \times 10^{-6}$	1
Isocitrat (Aorten-Intima)	$1{,}5 \times 10^{-4}$	2
Isocitrat (Trypanosoma cruzi)	$3{,}1 \times 10^{-5}$	3
Isocitrat (Hefe)	4×10^{-5}	4
TPN+ (fluorometrisch; Dissoziation)	etwa 2×10^{-6}	5
TPNH (fluorometrisch; Dissoziation)	etwa 1×10^{-8}	5
TPNH (reduktive Carboxylierung)	etwa 4×10^{-6}	6
TPNH (Detritiierung von β-^{3}H-α-Ketoglutarat)	$9{,}2 \times 10^{-6}$	7
Mn++ (oxydative Decarboxylierung; Herzmuskel)	etwa 1×10^{-5}	8
Mn++ (oxydative Decarboxylierung; Trypanosoma cruzi)	etwa 7×10^{-6}	3
Mn++ (Decarboxylierung von Oxalsuccinat)	$2{,}9 \times 10^{-5}$	9
Mn++ (Decarboxylierung von Oxalsuccinat)	3×10^{-4}	10
Mn++ (Decarboxylierung von Oxalsuccinat)	$2{,}2 \times 10^{-5}$	11
α-Ketoglutarat (Detritiierung von β-^{3}H-α-Ketoglutarat)	$1{,}3 \times 10^{-4}$	7
Oxalsuccinat (Reduktion)	$5{,}6 \times 10^{-4}$	1
Oxalsuccinat (Decarboxylierung)	$1{,}2 \times 10^{-3}$	9
Oxalsuccinat (Decarboxylierung)	$2{,}6 \times 10^{-2}$	10
Oxalsuccinat (Decarboxylierung)	$2{,}5 \times 10^{-2}$	1

Etwas schwächer schützen auch α-Ketoglutarat und Oxalsuccinat[12], nicht jedoch CO_2. Die Schutzwirkung von Isocitrat, in geringerem Umfang auch von TPN+, wird durch Anwesenheit von Mn++ verstärkt[12]. Dies spricht für Wechselwirkungen zwischen Sulfhydrylgruppen des Proteins, Substrat, eventuell Coenzym und dem Metall, die jedoch nicht näher untersucht sind.

Die Oxalsuccinat-Decarboxylase-Wirkung des Enzyms wird praktisch gleich empfindlich gegen p-Chlormercuribenzoat gefunden wie die eigentliche Isocitratdehydrogenase-Wirkung[11].

Gleichgewicht. Das Gleichgewicht der Isocitratdehydrogenase-Reaktion ist von OCHOA berechnet worden; für p_H 7,0 und 22° C wird angegeben[13]:

$$K = \frac{[\text{Isocitrat}^=][\text{TPN}^+]}{[\alpha\text{-Ketoglutarat}^=][CO_2][\text{TPNH}][H^+]} = 1{,}3 \times 10^{-4}.$$

Demnach liegen unter Gleichgewichtsbedingungen rund 0,25% der α-Ketoglutarat-Konzentration an Isocitrat vor[14].

Das Gleichgewicht der von Isocitratdehydrogenase katalysierten Oxalsuccinat-Decarboxylierung haben OCHOA und WEISZ-TABORI[10] bestimmt:

$$K = \frac{[\text{Oxalsuccinat}^=]}{[\alpha\text{-Ketoglutarat}^=][CO_2]} = 4 \times 10^{-4} \text{ bei } p_H \, 7{,}2.$$

Reaktionsmechanismus. Aus der spezifischen Aktivität von 12600 Einh. min^{-1} mg Protein^{-1} und dem Molekulargewicht von 61000[15] errechnet sich ein Umsatz von

---

[1] MOYLE, J.: Biochem. J. **63**, 552 (1956).
[2] KIRK, J. E.: J. Gerontol. **15**, 262 (1960).
[3] AGOSIN, M., and E. C. WEINBACH: Biochim. biophys. Acta **21**, 117 (1956).
[4] KORNBERG, A., and W. E. PRICER jr.: J. biol. Ch. **189**, 123 (1951).
[5] LANGAN, T. A.: Acta chem. scand. **14**, 936 (1960).
[6] CHEN, R. F.: Persönliche Mitteilung.
[7] ROSE, Z. B.: J. biol. Ch. **235**, 928 (1960).
[8] ADLER, E., H. v. EULER, G. GÜNTHER and M. PLASS: Biochem. J. **33**, 1028 (1939).
[9] LYNEN, F., u. H. SCHERER: A. **560**, 163 (1948).
[10] OCHOA, S., and E. WEISZ-TABORI: J. biol. Ch. **174**, 123 (1948).
[11] SIEBERT, G., M. CARSIOTIS and G. W. E. PLAUT: J. biol. Ch. **226**, 977 (1957).
[12] CARSIOTIS, M.: Thesis N.Y. Univ. (Ph.D.) 1958.
[13] OCHOA, S.: J. biol. Ch. **174**, 133 (1948).
[14] OCHOA, S.; in: Sumner-Myrbäck, Enzymes Bd. II. S. 929ff.
[15] SIEBERT, G., J. DUBUC, R. C. WARNER and G. W. E. PLAUT: J. biol. Ch. **226**, 965 (1957).

etwa 3800 Mol TPN⁺ pro Mol Enzym in der min bei 25° C. Da LANGAN[1] aus seinen Bindungsstudien zwischen Enzym und Coenzym einen wahrscheinlichen Wert von 2 Mol Coenzym pro Mol Enzym ableitet, hätte ein aktiver Ort des Enzyms eine Wechselzahl von rund 1900 Mol TPN⁺ pro Mol Enzym in der Minute bei 25° C.

Rechnet man die in der Literatur enthaltenen Enzymeinheiten in molare Größen um, so lassen sich folgende Quotienten aufstellen:

$$\frac{\text{Isocitratdehydrogenase}}{\text{Oxalsuccinatdecarboxylase}} = 0{,}3^2,$$

$$\frac{\text{Isocitratdehydrogenase}}{\text{Reduktion von Oxalsuccinat}} = 6{,}7^3;\ 2{,}0^2,$$

$$\frac{\text{Isocitratdehydrogenase}}{\text{reduktive Carboxylierung von }\alpha\text{-Ketoglutarat}} = \text{etwa } 9^3.$$

Der Identitätsbeweis, daß Dehydrogenierungs- und Decarboxylierungs-Reaktion durch ein Enzym katalysiert werden, basiert auf folgenden Tatsachen: a) Das gereinigte Enzym ist praktisch einheitlich bei Ultrazentrifugierung und Elektrophorese[4,5]. b) Der Quotient Isocitratdehydrogenase/Oxalsuccinatdecarboxylase bleibt bis zu 85facher Reinigung des Enzyms praktisch konstant[2,3]. c) Beide Aktivitäten werden in gleicher Weise gehemmt durch p-Chlormercuribenzoat[3] und durch Ag^+[6]. d) Isocitrat hemmt kompetitiv die Decarboxylierung von Oxalsuccinat[7] (s. S. 404).

Überlegungen bezüglich des Reaktionsmechanismus müssen daher davon ausgehen, daß Dehydrogenierung und Decarboxylierung an einem Protein ablaufen, wofür die ersten experimentellen Hinweise von OCHOA[8] stammen. Ein Zwischenprodukt der Gesamtreaktion zwischen Isocitrat und α-Ketoglutarat ist nicht zu fassen; weder gelingt dies bei der Vorwärtsreaktion durch Anwendung von Keton-Reagentien (man erhält stets nur das α-Ketoglutarat- und nie das Oxalsuccinat-Derivat[3,6], auch haben Dimedon und Cyanid keinen Einfluß auf die Reaktionsgeschwindigkeit bei relativem Mn^{++}-Unterschuß[9]) noch findet sich bei der Rückreaktion eine Verdünnung der spezifischen Radioaktivität von $^{14}CO_2$ im β-Carboxyl von Isocitrat, während hoch überschüssiges Oxalsuccinat nur wenige Prozent der spezifischen Aktivität von Isocitrat bzw. CO_2 hat[3]. Wäre freies Oxalsuccinat obligates Zwischenprodukt der Reaktion, dann müßte seine spezifische Aktivität mindestens die von Isocitrat erreichen, und die von Isocitrat hochgradig gegenüber CO_2 vermindert worden sein. Die Enolform von Oxalsuccinat ist nicht Zwischenprodukt[10].

Alle zu dieser Frage vorliegenden Befunde lassen sich mit der Annahme der Existenz von enzymgebundenem Oxalsuccinat als Zwischenstufe vereinen[2,3]. Das erfordert offenbar, daß der Oxalsuccinat-Enzym-Komplex schlecht dissoziabel ist[2]. Allerdings läßt sich auch annehmen, daß das Gleichgewicht zwischen freiem Oxalsuccinat und Enzym sowie dem Enzym-Substrat-Komplex weit auf der Seite des Komplexes liegt[11]. Eine andere Erklärungsmöglichkeit wäre die, daß die Geschwindigkeit der Dissoziation des Oxalsuccinat-Enzym-Komplexes klein wäre gegenüber den Geschwindigkeiten der Weiterreaktion dieses Komplexes nach entweder Isocitrat oder α-Ketoglutarat[2,11].

Da bereits die Labilisierung eines β-ständigen Wasserstoffatoms von α-Ketoglutarat (als erstem Schritt für die CO_2-Anlagerung) TPNH-bedürftig ist[12], kann das nicht nur

---

[1] LANGAN, T. A.: Acta chem. scand. 14, 936 (1960).
[2] MOYLE, J.: Biochem. J. 63, 552 (1956).
[3] SIEBERT, G., M. CARSIOTIS and G. W. E. PLAUT: J. biol. Ch. 226, 977 (1957).
[4] SIEBERT, G., J. DUBUC, R. C. WARNER and G. W. E. PLAUT: J. biol. Ch. 226, 965 (1957).
[5] MOYLE, J., and M. DIXON: Biochem. J. 63, 548 (1956).
[6] CARSIOTIS, M.: Thesis N.Y. Univ. (Ph.D.) 1958.
[7] OCHOA, S., and E. WEISZ-TABORI: J. biol. Ch. 174, 123 (1948).
[8] GRAFFLIN, A. L., and S. OCHOA: Biochim. biophys. Acta 4, 205 (1950).
[9] ADLER, E., H. v. EULER, G. GÜNTHER and M. PLASS: Biochem. J. 33, 1028 (1939).
[10] CHEN, R. F., and G. W. E. PLAUT: Biochemistry 2, 752 (1963).
[11] PLAUT, G. W. E.; in: Boyer-Lardy-Myrbäck, Enzymes Bd. VII, S. 105.
[12] ROSE, Z. B.: J. biol. Ch. 235, 928 (1960).

die vom Autor vertretene Bedeutung haben, daß die Proteinkonfiguration durch Coenzym-Gegenwart beeinflußt wird, sondern auch als Hinweis gewertet werden, daß auch α-Ketoglutarat am gleichen aktiven Ort wie Isocitrat (und Oxalsuccinat) gebunden wird, jeweils eben in Abhängigkeit vom Coenzym.

Für die Frage der Dissoziation des vermuteten Oxalsuccinat-Enzym-Komplexes ist zu bedenken, daß die Affinität von freiem Oxalsuccinat zum Enzym wesentlich schlechter ist als die von Isocitrat, wie sich aus den in Tabelle 6 zusammengestellten K_M-Werten ergibt; so liegt K_M für Oxalsuccinat 100mal höher für die Oxalsuccinat-Reduktion und 1000 bis 10000mal höher für die Oxalsuccinat-Decarboxylierung als K_M für Isocitrat für die Gesamtreaktion.

Unter Berücksichtigung eines von Moyle[1] vorgeschlagenen Schemas und der von Plaut[2] angestellten Überlegungen läßt sich folgendes Bild der Isocitratdehydrogenase-Reaktion entwerfen (E= Enzym; IC= Isocitrat; OSA= Oxalsuccinat; αKG= α-Ketoglutarat):

$$IC + E \rightleftharpoons \boxed{\overline{IC\text{-}E \rightleftharpoons OSA\text{-}E \rightleftharpoons \alpha KG\text{-}E}_{Mn^{++}}}^{TPN^+ \rightleftharpoons TPNH + H^+} \rightleftharpoons \alpha KG + E$$

$$OSA + E \qquad\qquad CO_2$$

Dabei liegt α-Ketoglutarat frei als Keton, enzymgebunden dagegen als Enolat-Anion vor[3].

Es scheint demnach berechtigt, wenn Oxalsuccinat bei Darstellungen des Citronensäurecyclus zumindest in Klammern gesetzt, wenn nicht ganz eliminiert wird; das oben gegebene Schema fügt sich in die generellen Vorstellungen ein, die für die Wirkung zweiköpfiger Enzyme über enzymgebundene Intermediärprodukte bestehen.

Bestimmung. Wie oben näher ausgeführt (S. 393), schließt die von Isocitratdehydrogenase katalysierte Reaktion in der Vorwärtsrichtung einen Dehydrierungs- und einen Decarboxylierungsschritt ein. Die Gesamtreaktion in dieser Richtung wird praktisch stets über die TPNH-Bildung im Spektrophotometer gemessen. Lediglich für Enzymbestimmungen in der Klinik macht man von der Reaktion zwischen α-Ketoglutarat und Dinitrophenylhydrazin Gebrauch und bestimmt das entstandene Hydrazon; dieses Verfahren wird nur empfohlen, wenn kein Photometer für den Wellenlängenbereich 340—366 mμ zur Verfügung steht, oder wenn Trübungen in der Enzymquelle nicht beseitigt werden können.

Von den beiden Reaktionsschritten der Vorwärtsreaktion läßt sich die Decarboxylierung gesondert erfassen. Da (s. S. 407) das Verhältnis von Dehydrogenase- und Decarboxylase-Aktivitäten bei allen Reinheitsstufen des Enzyms dasselbe ist, spielen Decarboxylase-Messungen für die eigentliche Aktivitätsbestimmung keine Rolle. Die gleiche Überlegung gilt auch für die Rückreaktion der Hydrogenierung plus Carboxylierung, sowie den gesondert meßbaren Hydrogenierungsschritt: Für Aktivitätsbestimmungen haben sie keine Bedeutung.

Histochemische Methoden zum Nachweis der Isocitratdehydrogenase sind beschrieben von Farber u. Mitarb[4]. sowie von Nachlas u. Mitarb.[5]; die letztgenannten Autoren haben außerdem die Eignung verschiedener Tetrazoliumsalze untersucht[6]; s. dazu auch Zimmermann und Platt[7].

---

[1] Moyle, J.: Biochem. J. 63, 552 (1956).
[2] Plaut, G. W. E.; in: Boyer-Lardy-Myrbäck, Enzymes, Bd. VII, S. 105.
[3] Rose, Z. B.: J. biol. Ch. 235, 928 (1960).
[4] Farber, E., W. H. Sternberg and C. E. Dunlap: J. Histochem. 4, 254 (1956).
[5] Nachlas, M. N., D. G. Walker and A. M. Seligman: J. biophys. biochem. Cytol. 4, 467 (1958).
[6] Nachlas, M. N., S. S. Karmarkar and A. M. Seligman: Proc. Soc. exp. Biol. Med. 104, 407 (1960).
[7] Zimmermann, H., u. D. Platt: Histochemie 2, 125 (1960).

Bestimmung der Isocitratdehydrogenase-Aktivität nach SIEBERT u. Mitarb.[1].

Prinzip: Isocitrat + TPN$^+$ ⇌ α-Ketoglutarat + CO$_2$ + TPNH + H$^+$

Die Entstehung von TPNH wird an Hand der UV-Absorption bei 340 oder 366 mμ verfolgt.

Reagentien:

1. 0,1 m Trispuffer, enthaltend 0,001 m Äthylendiamintetraacetat, p$_H$ 7,4.
2. 0,02 m MnSO$_4$.
3. 0,0015 m TPN$^+$.
4. 0,08 m D,L-Isocitrat. Man löst die benötigte Menge des Lactons (Mol.-Gewicht 174) in Wasser und setzt tropfenweise 2 n KOH bis p$_H$ 9—10 zu. Die Lösung wird 10 min im siedenden Wasserbad erhitzt; wenn der p$_H$ unter 7 fällt, wird weiteres KOH zugetropft. Nach dem Abkühlen wird auf p$_H$ 7,4 eingestellt und aufgefüllt.
5. Enzymlösung. Da das gereinigte Enzym empfindlich gegen niedrige Ionenstärken ist, verdünnt man es zweckmäßigerweise in der obigen Pufferlösung. Wenn bei hohen Verdünnungen Oberflächendenaturierung zu befürchten ist, verwendet man als Verdünnungsflüssigkeit 0,1 %ige Gelatine in obiger Pufferlösung.

Ausführung:

Man mischt in dieser Reihenfolge 1 ml Pufferlösung, 0,2 ml Mangansalzlösung, 0,2 ml TPN$^+$-Lösung und 0,05 ml Isocitratlösung. Die Enzymmenge wird so bemessen, daß linearer Reaktionsverlauf über einige min resultiert. Gesamtvolumen 3 ml. Ein Leerwert enthält alle Reaktionsteilnehmer außer Isocitrat; in den meisten Fällen ist ein Leerwert nicht erforderlich, sondern man kann gegen Luft messen.

Maximale Reaktionsgeschwindigkeit wird nur in einem relativ engen Bereich der Mn^{++}-Konzentration erhalten. Rohextrakte können Proteinfällungen nach Mn^{++}-Zusatz zeigen; dann muß vorinkubiert und zentrifugiert werden. Weitere Störmöglichkeiten durch Mn-Ionen sind deren Autoxydation bei alkalischeren p$_H$-Werten und Phosphatfällungen, wenn die oben angegebene Testzusammensetzung geändert wird (Puffer; P-haltige Zusätze). Der mancherorts geübte Brauch, grundsätzlich mit Mg^{++} statt Mn^{++} zu arbeiten (s. S. 305), führt zu niedrigeren Aktivitäten, da Mg^{++} keine Maximalgeschwindigkeit ermöglicht[2].

Die oben angegebene Testzusammensetzung gilt für das Enzym aus Herzmuskel; andere Gewebe erfordern zum Teil höhere Konzentrationen an Coenzym oder Substrat[3], was im Einzelfall überprüft werden muß.

Zur fluorometrischen Bestimmung s. [4].

Photometrische Bestimmung der Isocitratdehydrogenase-Aktivität nach BELL und BARON[5].

Prinzip: Isocitrat + TPN$^+$ ⇌ α-Ketoglutarat + CO$_2$ + TPNH + H$^+$
α-Ketoglutarat + 2,4-Dinitrophenylhydrazin → α-Ketoglutarsäure-2,4-dinitrophenylhydrazon

Das entstandene Hydrazon wird bei 390 mμ photometriert.

Reagentien:

1. 0,1 m Trispuffer, p$_H$ 7,5.
2. Puffer-Substrat-Gemisch: Man löst 1,845 g Trinatriumisocitrat (70 % an D,L-Verbindung) in 100 ml Puffer. Oder man löst 0,87 g Isocitricolacton in 15 ml n NaOH und läßt über Nacht stehen; dann wird auf p$_H$ 7,5 gebracht und mit dem Puffer auf 100 ml aufgefüllt.

---

[1] SIEBERT, G., J. DUBUC, R. C. WARNER and G. W. E. PLAUT: J. biol. Ch. **226**, 965 (1957). — SIEBERT, G., M. CARSIOTIS and G. W. E. PLAUT: J. biol. Ch. **226**, 977 (1957).
[2] SIEBERT, G., M. CARSIOTIS and G. W. E. PLAUT: J. biol. Ch. **226**, 977 (1957).
[3] SIEBERT, G., u. R. BEYER: Unveröffentlicht.
[4] LOWRY, O. H., N. R. ROBERTS and J. I. KAPPHAHN: J. biol. Ch. **224**, 1047 (1957).
[5] BELL, J. L., and D. N. BARON: Clin. chim. Acta, Amsterdam **5**, 740 (1960).

3. 0,15 m NaCl.
4. TPN⁺; 10 mg in 1 ml 0,15 m NaCl.
5. 0,03 m $MnCl_2$; 0,597 g $MnCl_2 \cdot 4\ H_2O$ in 100 ml 0,15 m NaCl.
6. α-Ketoglutarat-Standard; 70 mg freie Säure in 100 ml Wasser, 14 Tage haltbar; zum Gebrauch 1 ml ad 10 ml verdünnen.
7. Äthylendiamintetraacetat; 5,6 g in 100 ml Wasser lösen (zur Lösung notfalls erwärmen).
8. 2,4-Dinitrophenylhydrazin; 19,8 mg in 100 ml n HCl unter Erwärmen auf 37° C lösen.
9. 0,4 n NaOH.

Ausführung:
Man pipettiert laut folgender Aufstellung:

	Versuch ml	Serum-Leerwert ml	TPN-Leerwert ml
Puffer-Substrat	0,5	0,5	—
TPN	0,1	—	0,1
$MnCl_2$	0,1	0,1	0,1
NaCl	0,3	0,4	1,0

Nach 5 min Aufwärmen auf 37° C wird die Reaktion durch Zugabe von 0,2 ml Serum zum Versuchs- und Serum-Leerwert-Röhrchen gestartet und 60 min inkubiert. Mittlerweile werden folgende Standardlösungen angesetzt:

	Standard I (70 µg) ml	Standard II (35 µg) ml	Reagentien-Leerwert ml
α-Ketoglutarat (7 mg/100 ml)	1,0	0,5	—
$MnCl_2$	0,1	0,1	0,1
NaCl	0,1	0,6	1,1

Nach beendeter Reaktion wird allen 6 Röhrchen je 1 ml Äthylendiamintetraacetat und unmittelbar darauf 1 ml 2,4-Dinitrophenylhydrazin-Reagens zugesetzt. Man läßt 20 min bei Zimmertemperatur stehen, fügt 10 ml NaOH zu und liest nach weiteren 15 min Stehen bei 390 mµ ab.

Berechnung:
Man entnimmt die entstandenen µg α-Ketoglutarat aus einer (nicht linearen) Eichkurve, die für jeden Versuch mit den beiden Standardproben I und II überprüft wird. 1 milli-Einheit (mµMol α-Ketoglutarat/ml Serum pro min bei 37° C) ist gleich

$$\frac{\mu g\ \alpha\text{-Ketoglutarat} \times 5 \times 1000}{146 \times 60}.$$

Die Umrechnung in Einheiten nach WOLFSON und WILLIAMS-ASHMAN[1] erfordert Multiplikation mit 20, diejenige in Einheiten nach KERPPOLA u. Mitarb.[2] Multiplikation mit 0,67.

Der Zusatz von Äthylendiamintetraacetat ist zur Abbindung der Mn-Ionen erforderlich[3]. Auch TPN⁺ und TPNH geben eine gewisse Farbausbeute mit 2,4-Dinitrophenylhydrazin bei 390 mµ[4]; für genaue Zwecke sind Korrekturmöglichkeiten angegeben[5]. BELL und BARON[5] finden einen Q_{10} von 3,2 zwischen 20 und 30° C; dem stehen die Werte 1,7 von WOLFSON[1] sowie 2,4 (zwischen 25 und 37° C) von TAYLOR[3] und 2,4 (zwischen 25 und 35° C) von BOWERS[6] gegenüber. Verwendet man einen Q_{10} von 3, wie er in dem oben

---
[1] WOLFSON jr., S. K., and H. G. WILLIAMS-ASHMAN: Proc. Soc. exp. Biol. Med. 96, 231 (1957).
[2] KERPPOLA, W., E. A. NIKKILÄ and E. PITKÄNEN: Acta med. scand. 164, 357 (1959).
[3] TAYLOR, T. H., and M. E. FRIEDMAN: Clin. Chem., N.Y. 6, 208 (1960).
[4] KING, E. J.: J. med. lab. Technol. 17, 89 (1960).
[5] BELL, J. L., and D. N. BARON: Clin. chim. Acta, Amsterdam 5, 740 (1960).
[6] BOWERS jr., G. N.: Clin. Chem., N.Y. 5, 509 (1959).

genannten Multiplikationsfaktor von 20 enthalten ist, so erhält man sehr befriedigende Übereinstimmung zwischen der Hydrazon-Methode von BELL und BARON[1] sowie der spektrophotometrischen TPNH-Methode von WOLFSON und WILLIAMS-ASHMAN[2]. Die letztgenannte Methode wird meist für biologische Flüssigkeiten verwendet; BOWERS[3] hat sie vereinfacht.

Bestimmung der durch Isocitratdehydrogenase katalysierten reduktiven Carboxylierung von α-Ketoglutarat nach SIEBERT u. Mitarb.[4]

Prinzip:

$$\alpha\text{-Ketoglutarat} + CO_2 + TPNH + H^+ \rightleftharpoons \text{Isocitrat} + TPN^+$$

Es wird die Abnahme der UV-Absorption bei 340 mμ verfolgt.

Reagentien:
1. 0,1 m Trispuffer, enthaltend 0,001 m Äthylendiamintetraacetat, p$_H$ 7,4.
2. 0,02 m MnSO$_4$ oder 0,02 m MgSO$_4$.
3. 0,0015 m TPNH in 0,01 m Tris, p$_H$ 7,4.
4. 0,1 m α-Ketoglutarat, p$_H$ 7,4.
5. 0,1 m NaHCO$_3$ oder KHCO$_3$; diese Lösung wird unmittelbar vor jeder Benutzung bei der Meßtemperatur mit reinem CO$_2$ durchströmt.
6. Enzymlösung. Man benötigt etwa die zehnfache Menge wie bei der Vorwärtsreaktion.

Ausführung:
Man mischt in dieser Reihenfolge 1 ml Pufferlösung, 0,2 ml Mangansalzlösung oder 0,3 ml Magnesiumsalzlösung, 0,2 ml TPNH-Lösung, 0,5 ml α-Ketoglutarat, 0,5 ml Hydrogencarbonat und Wasser zum Endvolumen von 3 ml. Die Reaktion wird durch Zugabe von Enzymlösung gestartet. Im Leerwert fehlt TPNH.

Einen modifizierten Ansatz zur Verfolgung dieser Reaktion gibt ROSE[5] an. Man kann auch das TPNH unmittelbar aus äquimolaren (!) Mengen an TPN$^+$ und Isocitrat entstehen lassen (z.B. je 0,3 μM), wobei die Gegenwart von 30 μM Hydrogencarbonat nicht stört; haben TPN$^+$ und Isocitrat abreagiert — was man durch „Titration" mit Spurenmengen ermitteln kann —, so wird die Rückreaktion durch Zugabe von 30 μM α-Ketoglutarat in Gang gesetzt.

Eine manometrische Versuchsanordnung, in der der CO$_2$-Verbrauch zur Isocitratbildung gemessen wird, beschreibt MOYLE[6].

Bestimmung der durch Isocitratdehydrogenase katalysierten Reduktion von Oxalsuccinat nach SIEBERT u. Mitarb.[4]

Prinzip:

$$\text{Oxalsuccinat} + TPNH + H^+ \rightleftharpoons \text{Isocitrat} + TPN^+$$

Es wird die Abnahme der UV-Absorption bei 340 mμ verfolgt.

Reagentien:
1. 0,1 m Trispuffer, enthaltend 0,001 m Äthylendiamintetraacetat, p$_H$ 7,4.
2. 0,02 m MgSO$_4$.
3. 0,0015 m TPNH in 0,01 m Tris, p$_H$ 7,4.
4. Etwa 0,015 m Oxalsuccinat, p$_H$ 7,4. Zur Darstellung s.[7,8]. Das Ba-Salz ist üblicherweise zu 70% rein. Eine praktische Methode, die in wenigen min freies Oxalsuccinat liefert, ist folgende: 11,24 mg Ba-Salz werden im Stahlbecher einer

---

[1] BELL, J. L., and D. N. BARON: Clin. chim. Acta, Amsterdam 5, 740 (1960).
[2] WOLFSON, S. K., and H. G. WILLIAMS-ASHMAN: Proc. Soc. exp. Biol. Med. 96, 231 (1957).
[3] BOWERS jr., G. N.: Clin. Chem., N.Y. 5, 509 (1959).
[4] SIEBERT, G., M. CARSIOTIS and G. W. E. PLAUT: J. biol. Ch. 226, 977 (1957).
[5] ROSE, Z. B.: J. biol. Ch. 235, 928 (1960).
[6] MOYLE, J.: Biochem. J. 63, 552 (1956).
[7] LYNEN, F., u. H. SCHERER: A. 560, 163 (1948).
[8] OCHOA, S.: J. biol. Ch. 174, 115 (1948). — Ferner in: Sumner-Myrbäck, Enzymes, Bd. II, S. 929ff.

hochtourigen Zentrifuge (z.B. Servall) in wenigen Tropfen Wasser suspendiert, mit 3 Tropfen 2 n HCl gelöst, mit 0,41 ml 1 n H_2SO_4 versetzt, für $1/2$—2 min zentrifugiert, mit n NaOH auf p_H 7,4 gebracht (Tüpfelpapier) und auf 2 ml aufgefüllt.

Oxalsuccinat ist außerordentlich labil und hält sich in Lösung, wenn wie eben hergestellt, nicht länger als 2—3 Std bei 0° C. Eine Gehaltsbestimmung von Oxalsuccinatlösungen erfolgt zweckmäßigerweise manometrisch durch Decarboxylierung mittels Anilincitrat (s. S. 413).

5. Enzymlösung.

Ausführung:

Man mischt in dieser Reihenfolge 1 ml Pufferlösung, 0,3 ml Magnesiumsalzlösung, 0,15 ml TPNH-Lösung, 0,4 ml Oxalsuccinat und Wasser zum Endvolumen von 3 ml. Die Reaktion wird durch Zugabe von Enzymlösung gestartet. Der Leerwert enthält alle Reaktionspartner außer TPNH.

Die Konzentration an Oxalsuccinat nimmt im Verlauf der Reaktion nicht nur durch Reduktion zu Isocitrat, sondern unvermeidlicherweise auch durch (spontane und enzymkatalysierte) Decarboxylierung zu α-Ketoglutarat ab; daher tritt relativ bald der Punkt ein, zu dem die Oxalsuccinat-Konzentration niedrig genug und die TPN^+- und Isocitratkonzentrationen groß genug sind, daß entsprechend dem Gleichgewicht (s. S. 408) nun Isocitrat zu α-Ketoglutarat oxydiert wird. Dem kann teilweise durch Zugabe von Aconitase entgegengewirkt werden[1], welche Isocitrat in Citrat umwandelt und so dem Gleichgewicht der durch Isocitratdehydrogenase katalysierten Reaktion entzieht.

Manometrische Bestimmung der durch Isocitratdehydrogenase katalysierten Decarboxylierung von Oxalsuccinat nach OCHOA und WEISZ-TABORI[2], modifiziert nach SIEBERT und PLAUT[3].

Prinzip: $$\text{Oxalsuccinat} \xrightarrow{Mn^{++}} \alpha\text{-Ketoglutarat} + CO_2$$

Das entstandene Kohlendioxyd wird manometrisch gemessen.

Reagentien:
1. 0,06 m Succinat-Puffer, p_H 5,6; es kann auch ein Citratpuffer verwendet werden[2].
2. 0,02 m $MnSO_4$.
3. Oxalsuccinat; man suspendiert z.B. 300 mg des Bariumsalzes in wenig Wasser, löst mit 1,0 ml 2 n HCl, fügt 3,77 ml 0,485 n H_2SO_4 zu, zentrifugiert kurz, gibt 6,0 ml 0,384 n NaOH zu, prüft den p_H mit Tüpfelpapier und bringt auf 15 ml; alle Operationen bei 0° C!
4. 9 n H_2SO_4.
5. Enzymlösung.

Ausführung:

Man pipettiert in WARBURG-Gefäße mit zwei Anhängen, die im Eisbad gehalten werden, wie folgt: In den Hauptraum kommen 1 ml Pufferlösung, 0,18 ml Mangansalzlösung, Enzymlösung und Wasser zu einem Volumen von 2,3 ml. — Der erste Anhang enthält 0,5 ml Oxalsuccinatlösung. — Der zweite Anhang enthält 0,2 ml 9 n H_2SO_4. — Der Leerwert besteht aus allen Reaktionsteilnehmern außer Enzym.

Man inkubiert, wenn möglich, bei 15° C Wasserbadtemperatur, um die Rate der Spontan-Decarboxylierung von Oxalsuccinat möglichst niedrig zu halten. Nach Äquilibrierung wird Oxalsuccinat eingekippt und die Reaktion zur gewünschten Zeit durch Zukippen der Schwefelsäure unterbrochen. Man schüttelt weiter bis zu konstanter Ablesung.

Für genauere Messungen ist es erforderlich, die jeweilige Konzentration an Oxalsuccinat zu kennen; wegen der Zersetzlichkeit der Substanz wird sie zu jedem Versuch, eventuell auch während der Versuchsdauer zweimal, getrennt manometrisch ermittelt.

---
[1] OCHOA, S.: J. biol. Ch. **174**, 133 (1948).
[2] OCHOA, S., and E. WEISZ-TABORI: J. biol. Ch. **174**, 123 (1948).
[3] SIEBERT, G., u. G. W. E. PLAUT: Unveröffentlicht.

Manometrische Bestimmung von Oxalsuccinat nach Ochoa[1].

Prinzip:

Oxalsuccinat wird durch Anilincitrat decarboxyliert (Edson[2]) und das entstandene Kohlendioxyd manometrisch gemessen (s. auch Bd. III, S. 565ff.).

Reagentien:
1. Citronensäure, 50%ig.
2. Anilincitrat; gleiche Teile von Anilin und 50%iger Citronensäure[3].
3. Oxalsuccinat in Lösung (s. oben) oder als Bariumsalz.

Ausführung:

Man benutzt WARBURG-Gefäße mit zwei Anhängen. In den Hauptraum kommen 0,5 ml Citronensäure und 1,5 ml Wasser. Der erste Anhang enthält Oxalsuccinat, der zweite 0,4 ml Anilincitrat. Man arbeitet unter Luft bei 25° C. Nach Temperaturausgleich wird Oxalsuccinat, dann Anilincitrat eingekippt und bis zur Konstanz des Druckes geschüttelt. Ein Leerwert enthält kein Oxalsuccinat.

Berechnung:

Nach Leerwertkorrektur entsprechen 118 μl CO_2 1 mg Oxalbernsteinsäure.

Spektrophotometrische Bestimmung der durch Isocitratdehydrogenase katalysierten Decarboxylierung von Oxalsuccinat nach Kornberg u. Mitarb.[4] sowie nach Nason[5].

Prinzip:

$$\text{Oxalsuccinat} \xrightarrow{Mn^{++}} \alpha\text{-Ketoglutarat} + CO_2$$

Man verfolgt den Verlauf der Änderung der durch Oxalsuccinat bedingten UV-Absorption bei 240 mμ.

Reagentien:
1. 1,34 m KCl.
2. 0,005 m $MnCl_2$.
3. 0,005 m Oxalsuccinat; Gewinnung aus dem Bariumsalz und Gehaltsbestimmung s. oben.
4. Enzymlösung.

Ausführung:

Um die Rate der Spontandecarboxylierung des Substrates zu drücken, wird bei 15° C gearbeitet. Man pipettiert in eine Quarzküvette 0,3 ml KCl-Lösung, 0,1 ml Mangansalzlösung und Enzymlösung; Wasser wird ad 2,9 ml zugegeben. Eine Kontrollküvette enthält alle Reaktionsteilnehmer ohne Enzym; sie liefert die durch Oxalsuccinat bedingte Anfangsextinktion. Ferner wird ein Leerwert angesetzt, der kein Oxalsuccinat enthält. Sind die Extinktionen von Kontroll- und Leerwert nicht additiv, so besteht Verdacht auf Streulichteffekte, die bei dieser Wellenlänge und höheren (!) Proteinkonzentrationen der Enzymlösung bereits merklich sein können.

Die Reaktion wird durch Einblasen von 0,1 ml Oxalsuccinat gestartet und die Extinktionsänderung im Verlauf weniger min in Abständen von 15 sec verfolgt.

Berechnung:

Aus den Daten der Arbeit von Kornberg u. Mitarb.[4] ergibt sich ein 2—3facher Anstieg der Absorption bei 240 mμ durch Zugabe des Enzyms. Für den nachfolgenden Extinktionsabfall hat Nason[5] aus Kornbergs[4] Daten einen molaren Extinktionskoeffizienten von $1,2 \times 10^6$ für Oxalsuccinat und von $0,3 \times 10^6$ für α-Ketoglutarat errechnet.

---

[1] Ochoa, S.: J. biol. Ch. **174**, 115 (1948).
[2] Edson, N. L.: Biochem. J. **29**, 2082 (1935).
[3] Bessman, S. P.: Colowick-Kaplan, Meth. Enzymol. Bd. III, S. 418.
[4] Kornberg, A., S. Ochoa and A. H. Mehler: J. biol. Ch. **174**, 159 (1948).
[5] Nason, A.: J. biol. Ch. **198**, 643 (1952).

Die analytische Grundlage der beschriebenen Reaktion ist nicht völlig klar. Der Absorptionsanstieg bei Beginn der Reaktion wird von KORNBERG u. Mitarb.[1] auf eine durch das Enzym katalysierte Komplexbildung zwischen β-Ketosäure und Metall zurückgeführt. Hierbei besteht keine sehr gute Proportionalität zur Enzymmenge[1]; von OCHOA[2] wird zur Auswertung die Ermittlung der Anfangsgeschwindigkeit empfohlen. Obwohl die Reaktion gut reproduzierbar ist[3], kann man die Änderung der optischen Dichte nicht zur Berechnung molarer Umsatzgrößen heranziehen.

Der dem Absorptionsanstieg nachfolgende Absorptionsabfall ist weniger ausgeprägt[1,4], aber offenbar proportional der Enzymmenge[4] und an Hand der obengenannten molaren Extinktionskoeffizienten zur Berechnung von Enzymeinheiten (s. S. 14ff.) verwertbar.

Anwendung. TPN$^+$-abhängige Isocitratdehydrogenase wird häufig in vitro-Systemen zugesetzt, wenn die laufende Nachlieferung von TPNH erforderlich ist; Handelspräparate (teilgereinigt) sind erhältlich bei Boehringer & Soehne, Mannheim, sowie bei Sigma Chem. Co., St. Louis 18, Mo.

Das Enzym wird benutzt als Hilfsenzym zur Messung der Aconitase-Aktivität[5,6], indem aus Citrat oder cis-Aconitat entstandenes Isocitrat stöchiometrische Mengen an TPN$^+$ reduziert. Ferner kann die Magnesiumkonzentration in biologischem Material, insbesondere auch die Konzentration an ionisiertem Magnesium, an Hand der Aktivierung gemessen werden, die in Mg- und Mn-freien Versuchsansätzen durch die Analysenprobe hervorgerufen wird[7].

In einer gekoppelten Reaktion von Isocitratdehydrogenase und Aconitase läßt sich schließlich auch Citrat in biologischem Material durch einen optisch-enzymatischen Test bestimmen[6].

Glucose 6-phosphate dehydrogenase and 6-phosphogluconate dehydrogenase.

[1.1.1.40 6-phospho-D-gluconate:NADP oxidoreductase (decarboxylating).]
[1.1.1.49 D-glucose-6-phosphate:NADP oxidoreductase.]

By

Gertrude E. Glock*.

D-Glucose 6-phosphate + TPN$^+$ ⇌ 6-phospho-δ-gluconolactone + TPNH + H$^+$

Glucose 6-phosphate (G 6-P) dehydrogenase, also known as Zwischenferment, catalyses the oxidation of G 6-P to the corresponding lactone[8]. Subsequent hydrolysis of 6-phospho-δ-gluconolactone to 6-phosphogluconate is catalysed by lactonase[9].

6-Phospho-D-gluconate + TPN$^+$ ⇌ D-ribulose 5-phosphate + CO$_2$ + TPNH + H$^+$

---

* Courtauld Institute of Biochemistry Middlesex Hospital, London, W. 1.

[1] KORNBERG, A., S. OCHOA and A. H. MEHLER: J. biol. Ch. **174**, 159 (1948).
[2] OCHOA, S.; in: Colowick-Kaplan, Meth. Enzymol. Vol. I, p. 699.
[3] SIEBERT, G., M. CARSIOTIS and G. W. E. PLAUT: J. biol. Ch. **226**, 977 (1957).
[4] NASON, A.: J. biol. Ch. **198**, 643 (1952).
[5] OCHOA, S.: J. biol. Ch. **174**, 133 (1948).
[6] SIEBERT, G.; in: H.-U. BERGMEYER (Hrsg.): Methoden der enzymatischen Analyse. S. 318ff. Weinheim 1962.
[7] BAUM, P., u. R. CZOK: B.Z. **332**, 121 (1959).
[8] CORI, O., and F. LIPMANN: J. biol. Ch. **194**, 417 (1952).
[9] BRODIE, A. F., and F. LIPMANN: J. biol. Ch. **212**, 677 (1955).

6-Phosphogluconic (6-PG) dehydrogenase catalyses the oxidative decarboxylation of 6-PG to ribulose 5-P[1].

Both enzymes were first described by WARBURG and CHRISTIAN[2, 3] who also demonstrated TPN to be the specific coenzyme. In some bacteria, however, these enzymes also react with DPN. Purified G 6-P dehydrogenase from yeast is specific for G 6-P. It has recently been reported, however[4], that partially purified enzyme from erythrocytes reacts with 2-deoxy-G 6-P at approximately 9% of the rate of G6-P.

General methods of estimation. Both enzymes can be estimated spectrophotometrically by following the rate of reduction of TPN (or occasionally of DPN) at 340 mμ. They may also be estimated after coupling with glutathione reductase. Reduced TPN can also be measured by a much more sensitive fluorimetric method[4, 5].

Distribution and enzyme activities. Both enzymes are widely distributed in plant and animal tissues and in micro-organisms. Activities are given in Table 1.

Availability. Yeast G 6-P dehydrogenase containing only traces of hexokinase, 6-PG dehydrogenase, phosphohexose isomerase and glutathione reductase may be obtained as a suspension in $(NH_4)_2SO_4$ from C. F. Boehringer u. Soehne GmbH. Mannheim, and also from Sigma Chemical Co., St. Louis, Missouri. The latter company also supplies crude 6-PG dehydrogenase.

Purification of G 6-P dehydrogenase. The enzyme has been purified from brewer's yeast, erythrocytes, *Aspergillus niger* and to a lesser degree from *Leuconostoc mesenteroides*[6] and *Escherichia coli*[7].

a) *Purification from yeast* involves autolysis and (1) acid precipitation, heat denaturation of inactive protein, fractionation with $(NH_4)_2SO_4$, fractionation with ethanol and precipitation at the isoelectric point[8]. This results in a 50 fold purification. (2) Fractionation with $(NH_4)_2SO_4$, adsorption on calcium phosphate gel and elution with phosphate and acid $(NH_4)_2SO_4$ precipitation[9]. This results in a 20 fold purification; (3) fractionation with $(NH_4)_2SO_4$, acid precipitation, adsorption on DEAE cellulose and elution with phosphate[10]; (4) protamine precipitation, fractionation with $(NH_4)_2SO_4$, adsorption on $Ca_3(PO_4)_2$ gel, elution with phosphate, fractionation with ethanol, adsorption on C_γ alumina and chromatography on starch-celite. This results in a 600 to 900 fold purification.

b) *Purification from erythrocytes* (80 fold purification) involves adsorption on DEAE cellulose, elution and precipitation with $(NH_4)_2SO_4$ [11].

c) *Purification from A. niger* (60 fold purification) involves $(NH_4)_2SO_4$ fractionation, adsorption of contaminants on protamine sulphate and adsorption on calcium phosphate gel[12]. The enzyme has not been obtained pure. Freeze dried preparations of yeast enzyme[9] are stable indefinitely if stored at 2° C. Aqueous solutions lose activity at 2° C but may be kept frozen at $-16°$ C for weeks with only slight loss of activity. The *A. niger* enzyme is stable for at least 2—3 months at $-20°$ C in 0.4 saturated $(NH_4)_2SO_4 + 0.07$ M acetate p$_H$ 6.0 and for 2—3 days at 0° C. The erythrocyte enzyme which is stable for only a few hours at 25° C when diluted is highly stabilised by 10^{-5} M TPN and to a lesser degree by 0.2 M phosphate and 0.005 M reduced glutathione.

---

[1] HORECKER, B. L., P. Z. SMYRNIOTIS and J. SEEGMILLER: J. biol. Ch. **193**, 383 (1951).
[2] WARBURG, O., u. W. CHRISTIAN: B. Z. **242**, 206 (1931).
[3] WARBURG, O., u. W. CHRISTIAN: B. Z. **287**, 440 (1936).
[4] KIRKMAN, H. N.: Nature **184**, 1291 (1959).
[5] LOWRY, O. H., N. R. ROBERTS and J. I. KAPPHAHN: J. biol. Ch. **224**, 1047 (1957).
[6] DEMOSS, R. D., I. C. GUNSALAS and R. C. BARD: J. Bact. **66**, 10 (1953).
[7] SCOTT, D. B. M., and S. S. COHEN: Biochem. J. **55**, 24 (1953).
[8] NEGELEIN, E., u. W. GERISCHER: B. Z. **284**, 289 (1936).
[9] KORNBERG, A.: J. biol. Ch. **182**, 805 (1950).
[10] SRERE, P., J. R. COOPER, M. TABACHNIK and E. RACKER: Arch. Biochem. **74**, 295 (1958).
[11] KIRKMAN, H. N.: Fed. Proc. **18**, 261 (1959).
[12] JAGANNATHAN, V., P. N. RANGACHARI and M. DAMODARAN: Biochem. J. **64**, 477 (1956).

Table 1. *Activities of glucose 6-phosphate dehydrogenase and 6-phosphogluconate dehydrogenase in mammalian tissues, tumours, micro-organisms and invertebrates.*

Tissue or micro-organism	Enzyme activity (Units[a] /g wet wt.)			Reference
	G 6-P dehydrogenase p$_H$ 7.6	6-PG dehydrogenase		
		p$_H$ 7.6	p$_H$ 9.0	
Adrenal, rat (6)	213 ± 33	241 ± 12	458 ± 28	
Adrenal, rabbit (1)	1000	400	550	
Adrenal cortex, ox (2)	953	300	410	1
Adrenal medulla, ox (2)	87	89	149	
Spleen, rat (4)	399 ± 31	84 ± 4	126 ± 9	
Spleen, mouse (4)	138 ± 21	61 ± 4	110 ± 12	
Spleen, rabbit	—	45[b]	—	2
Thymus, rat (6)	128 ± 1	69 ± 6	114 ± 12	1
Lymph nodes, rat (1)	99	57	94	
Lymphatic cells	155[b]	—	—	3
Liver, rat ♀ (12)	136 ± 16	170 ± 16	380 ± 21	1
Liver, rat ♂ (18)	60 ± 4	77 ± 10	192 ± 13	
Liver, man	75 ± 20	—	—	4
Liver, ox	45	—	—	5
Liver, rabbit	—	19[b]	—	6
Liver, pig	—	24—40	—	
Lung, rat (5)	115 ± 8	77 ± 4	138 ± 9	1
Kidney, rat (3)	90 ± 9	73 ± 4	81 ± 6	
Kidney, ox	75	—	—	5
Kidney, pig	—	13—29[b]	—	6
Kidney, lamb	—	17	—	
Kidney cortex, rabbit (1)	57	87	103	1
Kidney medulla, rabbit (1)	42	35	51	
Mammary gland, rat (18 days lactation)	4032[c] ± 467	602 ± 70	1150 ± 87	
Mammary gland, rabbit (17 days lactation)	710 ± 118	393 ± 104	540 ± 114	7
Mammary gland, sheep (21 days lactation)	315	430	614	
Ovary, cow (2)	39	45	68	
Testis, rat (4)	39 ± 4	28 ± 5	58 ± 12	
Prostate, rat (6)	35 ± 5	46 ± 10	82 ± 22	1
Placenta, rat (20 days pregnancy)	48	42	70	
Seminal vesicles, rat (4)	9 ± 1	18 ± 1	39 ± 3	
Brain, rat (5)	42 ± 4	14 ± 1	29 ± 1	
Brain, rabbit; whole	125[d]	—	—	
molecular layer, cerebellum	198 ± 5	—	—	
molecular layer, Ammon's horn	109 ± 7	—	—	
dendrite layer, Ammon's horn	98 ± 3	—	—	
cell body layer, cerebellum	96 ± 2	—	—	
cell body layer, Ammon's horn	72 ± 2	—	—	8
white tract, Ammon's horn	154 ± 4	—	—	
white tract, cerebellum	277 ± 6	—	—	
white tract, optic	223 ± 12	—	—	
white tract, dorsal columns	454 ± 18	—	—	
white tract, dorsal spinocerebellar	440 ± 18	—	—	
Pituitary, ox (3)	33	70	123	1
Thyroid, rabbit (1)	21	36	54	
Eye lens, rat (7)	56[e]	14	—	9
Eye lens, rabbit; Cortex and nucleus (9)	33 ± 0.8	—	—	
anterior capsule (9)	83 ± 4	—	—	10
posterior capsule (9)	50 ± 5	—	—	
Duodenal mucosa, rabbit (1)	26	76	74	1
Skeletal muscle, rat (6)	10 ± 1	10 ± 0.4	18 ± 0.6	
Skeletal muscle, mouse (4)	25 ± 6	20 ± 5	32 ± 12	
Skeletal muscle, rabbit	—	12	—	6
Skeletal muscle, ox	0	—	—	5
Cardiac muscle, rat (6)	34 ± 17	25 ± 4	44 ± 9	1
Cardiac muscle, ox	2	—	—	5
Cardiac muscle, rabbit	—	22[b]	—	6

Activities of G 6-P and 6-PG dehydrogenases.

Table 1. (Continued.)

Tissue or micro-organism	Enzyme activity (Units[a] /g wet wt.)			Reference
	G 6-P dehydrogenase pH 7.6	6-PG dehydrogenase		
		pH 7.6	pH 9.0	
Bone marrow, rabbit	—	55[b]	—	2
Blood serum, man (16)	—	0.228[f] ± 0.08	—	11
Erythrocytes, rabbit	—	13[b]	—	6
Erythrocytes, man (54)	21.7[g] ± 4.5	—	26.5 ± 6.0	12
Leucocytes, man	0.275[g]	0.225		13
Saliva, man (26)	19.5[h] ± 15.6	—	—	14
Tumours				
Sarcoma 37, mouse (5)	76 ± 13	70 ± 3	78 ± 6	
Benzpyrene sarcoma, mouse (3)	82 ± 18	78 ± 9	128 ± 10	
Benzpyrene epithelioma, mouse (1)	164	110	180	
Squamous-celled carcinoma, mouse (3) . . .	94 ± 5	48 ± 5	92 ± 4	
Mammary adenocarcinoma, mouse (7) . . .	134	77	142	
Lung carcinoma, mouse (1)	25	55	90	1
Lymphoma, C₅₇ mice				
Lymph nodes (1)	380	126	182	
Liver (1)	290	169	200	
Spleen (1)	346	144	226	
WALKER carcinoma, rat (1)	85	114	183	
Lymphosarcoma	248[b]	—	—	3
NOVIKOFF hepatoma, rat	250	—	—	15
EHRLICH ascites tumour	460[b]	920	—	16
Micro-organisms				
Brewer's yeast, 4 sources		18—63[b]	—	6
Escherichia coli I (7152)	110	43.5	—	
Escherichia coli II (3111)	134	27.7	—	
Escherichia intermedium I (3131)	71	39.5	—	
Escherichia intermedium II (6071) . . .	182	51	—	
Aerobacter cloacae (K₃)	193	57	—	
Aerobacter cloacae (8155)	79	67	—	
Aerobacter cloacae (8168)	59	7.9	—	
Aerobacter aerogens II (105)	67	19.8	—	
Paracolobactrum aeroginoides (76) . . .	134	34.6	—	
Paracolobactrum aeroginoides (81) . . .	221	39.6	—	
Erwinia carotovora (E. C. 153)	112	2.6	—	
Erwinia carotovora (38)	99	3.9	—	17
Erwinia carotovora (253)	7.9	0	—	
Proteus vulgaris (13)	70	13.2	—	
Proteus morganii (254)	12	6.6	—	
Serratia plymuthicum (78)	119	13.7	—	
Serratia plymuthicum (82)	280	26.4	—	
Klebsiella rhinoscleromatis (5049) . . .	103	22.5	—	
Klebsiella pneumoniae (114)	83	22.5	—	
Klebsiella ozoenae (5051)	138	42.4	—	
Salmonella enteritidis (G 5 E)	99	25.0	—	
Salmonella pullorum (G 488)	116	31.6	—	
Salmonella schottmuelleri (G 15 B) . . .	106	15.8	—	
Salmonella cholerae suis (G 161)	109	31.6	—	
Platyhelminthes				
Polycelis nigra	24.5	6.6		
Euplanaria torsa	6.6	3.3		
Fasciola hepatica	9.3—22.5	0—4.6		
Dicrocoelium dendriticum	13.2	8.6		
Anoplocephela perfoliata	39.6—202	15.8—31.6		19
Moniezia benedeni	10.5—13.8	0—2.6		
Taenia saginata	5.3	3.3		
Taenia pisiformis	26.5	9.9		
Dipylidium caninum	26.5	13.2		

Table 1. (Continued.)

Tissue or micro-organism	Enzyme activity (Units[a] /g wet wt.)			Reference
	G 6-P dehydrogenase pH 7.6	6-PG dehydrogenase		
		pH 7.6	pH 9.0	
Parasitic nematodes				
Ascaris lumbricoides,				
muscle	15.0[j]	3.75		18
dermo-muscular layer	26.5—35.6[i]	11.9—13.2		
♀ reproductive system	66—211	15.8—30.4		
Parascaris equorum,				
dermo-muscular layer	91[i]	32.5		
reproductive system	109[i]	30.4		
Toxacara canis	94	57		
Asaridia galli	25.8	17.2		19
Asaridia columbae	39.6	16.5		
Heterakis gallinae	14.0	4.5		
Strongylus edentatus	8.6—13.2	3.9—6.0		
Annelida				
Tubifex tubifex	34.5	7.3		
Lumbricus terrestris	77	25		
Arbacia punctulata, eggs	180—300	90—150		20

Figures in parentheses in first column are the number of observations.

[a] A unit of activity is the quantity of enzyme which reduces 0.01 μmoles TPN/min at 25° C under the conditions of GLOCK and McLEAN [21].
[b] Per 100 mg dry weight or acetone dried tissue.
[c] Corrected for milk content.
[d] Per 100 mg lipid free dry weight.
[e] Per mg soluble protein.
[f] Per ml.
[g] Per 10^6 cells.
[h] Per 100 mg protein.
[i] Some activity with DPN.
[j] Estimated at pH 8.9.

Purification of 6-phosphogluconate dehydrogenase.

6-PG dehydrogenase has been purified from yeast. This involves autolysis and (1) acetone precipitation, protamine precipitation, fractionation with $(NH_4)_2SO_4$, adsorption on C_γ alumina and elution with phosphate[1]; (2) $(NH_4)_2SO_4$ precipitation, precipitation at

[1] HORECKER, B. L., in: McElroy-Glass, Phosphorus Metabolism, Vol. I, p. 112 (1951).

Literature to Table 1:

[1] GLOCK, G. E., and P. McLEAN: Biochem. J. **56**, 171 (1954).
[2] HORECKER, B. L., in: McElroy-Glass, Phosphorus Metabolism, Vol. I, p. 112 (1951).
[3] VILLAVICENCIO, M., and E. S. G. BARRON: Arch. Biochem. **67**, 121 (1957).
[4] WEBER, G., and A. CANTERO: Science, N.Y. **126**, 3280 (1957).
[5] KELLY, T. L., E. D. NIELSON, B. JOHNSON and C. S. VESTLING: J. biol. Ch. **212**, 545 (1955).
[6] HORECKER, B. L., and P. Z. SMYRNIOTIS: J. biol. Ch. **193**, 371 (1951).
[7] McLEAN, P.: Biochim. biophys. Acta **30**, 303 (1958).
[8] BUELL, M. W., O. H. LOWRY, N. R. ROBERTS, M. W. CHANG and J. I. KAPPHAHN: J. biol. Ch. **232**, 979 (1958).
[9] LEHRMAN, S.: Science, N.Y. **130**, 3387 (1959).
[10] WORTMAN, B., and B. BECKER: Amer. J. Ophthalmol. **42**, 342 (1956).
[11] WOLFSON, S. K., and H. G. WILLIAMS-ASHMAN: Proc. Soc. exp. Biol. Med. **96**, 231 (1954).
[12] MARKS, P. A.: Science, N.Y. **127**, 1338 (1958).
[13] BECK, W. S.: J. biol. Ch. **232**, 271 (1958).
[14] RAMOT, B., C. SHEBA, A. ADAM and I. ASHKENASI: Nature **185**, 931 (1960).
[15] WEBER, G., and A. CANTERO: Cancer Res. **17**, 995 (1957).
[16] WILLIAMS-ASHMAN, H. G.: Cancer Res. **13**, 721 (1953).
[17] DELEY, J.: Enzymologia **18**, 34 (1957).
[18] ENTNER, N.: Arch. Biochem. **71**, 52 (1957).
[19] DELEY, J., and R. VERCRUYSSE: Biochim. biophys. Acta **16**, 615.
[20] KRAHL, M. E., A. K. KELTSCH, C. P. WALTERS and G. H. A. CLOWES: J. gen. Physiol. **38**, 431 (1955).
[21] GLOCK, G. E., and P. McLEAN: Biochem. J. **55**, 400 (1953).

p_H 4.4, heating at 50° C in the presence of 6-PG, adsorption on DEAE cellulose and subsequent elution[1]. Less pure enzymes have been obtained from L. mesenteroides and E. coli. Both are purified from cell free extracts by treatment with $MnCl_2$ to remove nucleic acid and fractionation with $(NH_4)_2SO_4$. The L. mesenteroides enzyme is then adsorbed on $Ca_3(PO_4)_2$ gel and eluted with phosphate[2] and that from E. coli obtained by fractional precipitation with acetate buffer[3,4]. Of these preparations, only that from E. coli is free from G6-P dehydrogenase. A crude preparation of 6-PG dehydrogenase free of G6-P dehydrogenase can be obtained by $(NH_4)_2SO_4$ fractionation of the soluble fraction of liver homogenates[5]. This has been further purified on DEAE cellulose[1]. Concentrated solutions of yeast enzyme (after $(NH_4)_2SO_4$ precipitation) in glycyl glycine buffer p_H 7.5 lose about 50% activity in 12 months at $-16°$ C. Solutions in water and the final eluate from C_y alumina are very unstable. The enzyme from L. mesenteroides can be stored for at least 2 months at $-20°$ C. The liver enzyme can be stored in solution at $-12°$ C for several months with no loss of activity.

Properties. Properties of G 6-P dehydrogenase from yeast, liver, A. niger, L. mesenteroides and E. coli are given in Table 2. In addition it has been reported[6] that partially purified enzyme from human erythrocytes has the following properties:

$$K_S \text{ for TPN} = 2.1 \times 10^{-6} \text{ M};$$
$$K_S \text{ for G 6-P} = 3.9 \times 10^{-5} \text{ M};$$
$$K_S \text{ for 2-deoxy G 6-P} = 6.9 \times 10^{-4} \text{ M}$$

heat of activation (20—40° C) = 9500 calories/mole. G 6-P dehydrogenase from B. subtilis[7] has similar properties to the yeast enzyme.

Determination of G 6-P and 6-PG dehydrogenases in tissue extracts according to Glock and McLean[5].

Principle:

Both enzyme activities are estimated by following the rate of reduction of TPN in a spectrophotometer at 340 mμ. In the presence of excess substrate, the rate of reduction is proportional to the amount of enzyme present. When measuring G 6-P dehydrogenase in crude tissue preparations the rate of TPNH formation exceeds the rate of oxidation of G 6-P on account of the presence of 6-PG dehydrogenase. For this reason it is necessary either to estimate the sum of these two enzyme activities in the presence of excess of both substrates and obtain G 6-P dehydrogenase activity by substracting the enzyme activity in the presence of 6-PG only or alternatively to add excess 6-PG dehydrogenase and divide the total activity by two. Both enzymes are determined in the soluble fraction of tissue homogenates, in which the enzymes are exclusively localised.

Reagents and tissue preparations:

1. Soluble fraction of tissue homogenates. Freshly excised tissues are disintegrated in a Potter homogeniser in 9 volumes of ice cold isotonic (0.15 M) KCl containing $KHCO_3$ (8 ml 0.02 M $KHCO_3$/l) to maintain the p_H at approximately 7.0. The homogenates are centrifuged for 30 min at 6000×g at 2° C in a refrigerated centrifuge and the supernatant fluid siphoned off and dialysed overnight against the same extracting medium at 2° C to remove substrates and coenzymes. This is either filtered before use or spun for a few minutes at 2° C to remove denatured protein and subsequently kept in an ice bath.

---

[1] Couri, D., and E. Racker: Arch. Biochem. 83, 195 (1959).
[2] DeMoss, R. D., and M. Gibbs: J. Bact. 70, 730 (1955).
[3] Scott, D. B. M., and S. S. Cohen: Biochem. J. 55, 24 (1953).
[4] Scott, D. B. M., and S. S. Cohen: Biochem. J. 65, 686 (1957).
[5] Glock, G. E., and P. McLean: Biochem. J. 55, 400 (1953).
[6] Kirkman, H. N.: Nature 184, 1291 (1959).
[7] Marquet, M., et R. Dedonder: Cr. 241, 1090 (1955).

Table 2. *Properties of G 6-P dehydrogenase from different sources.*

Properties	Yeast[1]	Liver[2]	A. niger[3]	L. mesenteroides[4]	E. coli[5]
Optimum p_H	about 8.5	7.6 (in glycyl glycine)	8.1—8.6	7.8	7.7—8.6
Coenzyme specificity	TPN	TPN	TPN	TPN or DPN	TPN
K_S for G 6-P	6.9×10^{-5} M (no $MgCl_2$) 5.8×10^{-5} M (0.01 M $MgCl_2$)	1.3×10^{-5} M	1.7×10^{-4} M	5.3×10^{-4} M (with DPN)	3.5×10^{-5} M
K_S for TPN	3.3×10^{-5} M (no $MgCl_2$) 2.0×10^{-5} M (0.01 M $MgCl_2$)	1.3×10^{-5} M	—	9.9×10^{-6} M	—
K_S for DPN				3.1×10^{-5} M	
Activators	Mg^{++}, Mn^{++}, Ca^{++}, K^+, Na^+ (in low concentration) No absolute requirement for divalent cations	Mg^{++}, Ca^{++}, Mn^{++} Cyanide[6]	Ca^{++}, Mg^{++}, Ba^{++} (at low concentration) No absolute requirement for divalent cations	Mg^{++} (but no absolute requirement)	Mg^{++}, Ca^{++}
Inhibitors	F^-, PO_4^{---}, Cl^-, Br^-, SO_4^{--}, I^-, SCN^- (in low concentration)[7] Mg^{++}, Ca^{++} (at high concentration) Inorganic phosphate[1,8] reversed by TPN[1] SCN^-, I^-, SO_4^{--}, PO_4^{---}, Br^-, Cl^-, F^- (at high concentration) Competitive with TPN and G 6-P[7] TPNH[1,9]: competitive with TPN[1] D-glucosamine 6-P: competitive with G 6-P	Hg^{++} p-chloromercuri-benzoate o-iodoso-benzoate Dehydroisoandrosterone, pregnenolone and related steroids[10]	Zn^{++}, Co^{++}, Mn^{++}, Cu^{++} Ca^{++}, Mg^{++}, Ba^{++} (at high concentration)	Inorganic phosphate	Zn^{++}, Hg^{++}, Cu^{++}
Turnover number	Sulphanilamide[13] Atabrine[11] Substituted phenols[12] 12000 moles G 6-P/10^5 g protein/min at p_H 8, 25°C				
Activation energy	7070 calories/mole at p_H 7.4 (20—37°C)				
Equilibrium constant	6.0×10^{-7} M (at p_H 6.4, 20°C)				
ΔF^0	+ 8600 calories/mole				

The suffixes refer to reference numbers.

---

[1] GLASER, L., and D. H. BROWN: J. biol. Ch. **216**, 67 (1955).
[2] GLOCK, G. E., and P. McLEAN: Biochem. J. **55**, 400 (1953).

Table 3. *Properties of 6-PG dehydrogenase from different sources.*

	Yeast[1]	Liver[2]	L. mesenteroides[3]	E. coli[4]
Optimum p_H	7.4 (in glycyl glycine)	9.0 (in glycyl glycine	about 7.8	6.6—7.7
Coenzyme specificity	TPN	TPN	DPN (TPN about 4% as active)	TPN
K_S for 6-PG	5×10^{-5} M	9×10^{-5} M (p_H 9.0)	7.78×10^{-5} M	2.2×10^{-5} M (0.02 M MgCl$_2$)
		1×10^{-5} M (p_H 7.6)		3.3×10^{-5} M (0.03 M CaCl$_2$)
K_S for TPN	1×10^{-5} M	2.4×10^{-5} M (p_H 9.0) 2.8×10^{-5} M (p_H 7.6)	—	—
K_S for DPN			3.5×10^{-5} M	
Activators	Mg^{++}, Mn^{++}	Mg^{++}, Mn^{++}, Ca^{++}	Dialysis against versene, phosphate, tris, glycylglycine or Mg^{++}	Mg^{++}, Ca^{++}
	Glycylglycine, cysteine, pyrophosphate, cyanide (due to removal heavy metal ions)	Cyanide	(No absolute Mg^{++} requirement)	
Inhibitors	Cu^{++}	Hg^{++}, Zn^{++}, Cu^{++} p-chloromercuribenzoate (reversed by cysteine and glutathione) o-iodosobenzoate (partially reversed by cysteine and glutathione) cystine (reversed by cysteine) nicotinamide and ATP[5] (competitive with TPN)	Iodoacetate, p-chloromercuribenzoate	

The suffixes refer to reference numbers.

[1] HORECKER, B. L., and P. Z. SMYRNIOTIS: J. biol. Ch. **193**, 371 (1951).
[2] GLOCK, G. E., and P. MCLEAN: Biochem. J. **55**, 400 (1953).
[3] DEMOSS, R. D., and M. GIBBS: J. Bact. **70**, 730 (1955).
[4] SCOTT, D. B. M., and S. S. COHEN: Biochem. J. **55**, 24 (1953).
[5] DICKENS, F., and G. E. GLOCK: Biochem. J. **50**, 81 (1951).

Literature to Table 2. (Continued.)

[3] JAGANNATHAN, V., P. N. RANGACHARI and M. DAMODARAN: Biochem. J. **64**, 477 (1956).
[4] DE MOSS, R. D., I. C. GUNSALUS and R. C. BARD: J. Bact. **66**, 10 (1953).
[5] SCOTT, D. B. M., and S. S. COHEN: Biochem. J. **55**, 24 (1953).
[6] DICKENS, F., and G. E. GLOCK: Biochem. J. **50**, 81 (1951).
[7] RUTTER, W. J.: Acta chem. scand. **11**, 1576 (1957).
[8] THEORELL, H.: B. Z. **275**, 416 (1935).
[9] NEGELEIN, E., u. E. HAAS: B. Z. **282**, 206 (1935).
[10] MARKS, P. A., and J. BANKS: Proc. nat. Acad. Sci. USA **46**, 447 (1960).
[11] HAAS, E.: J. biol. Ch. **155**, 321 (1944).
[12] HAAS, E., C. J. HARRER and T. R. HOGNESS: J. biol. Ch. **143**, 341 (1942).
[13] ALTMANN, K. I.: J. biol. Ch. **166**, 149 (1946).

2. **Glucose 6-phosphate (0.05 M).** Disolve 522 mg of the crystalline barium salt ($C_6H_{11}O_9PBa \cdot 7\ H_2O$) in 10 ml 0.05 N acetic or hydrochloric acid. Add 2 ml 0.6 M K_2SO_4. Remove the precipitated $BaSO_4$ by centrifugation, neutralise the supernatant solution with 0.5 N KOH and dilute to 17 ml. About 15% of the ester is adsorbed on the $BaSO_4$ precipitate.

3. **6-Phosphogluconate (0.05 M).** Dissolve 500 mg of barium phosphogluconate in 5 ml 3 N acetic or hydrochloric acid. Add 0.5 ml 2 N H_2SO_4. Remove the precipitated $BaSO_4$ by centrifugation and wash the precipitate with 0.6 ml water. Combine the supernatant solution and washing, neutralise with 5 N KOH and dilute to 18 ml.

4. **Liver 6-PG dehydrogenase.** Liver supernatant fraction is prepared from several rat livers as described above. The fraction precipitating between 0.6 and 0.7 saturation with $(NH_4)_2SO_4$ at p_H 7.3 at 2° C is collected by centrifugation, dialysed overnight at 2° C against distilled water and reprecipitated with $(NH_4)_2SO_4$. It is dissolved in water in one tenth of the original volume of the supernatant and stored at $-15°$ C. It is very stable at this temperature. It may be necessary to filter occasionally before use.

5. 0.1 M $MgCl_2$.

6. 0.25 M Glycylglycine buffer, p_H 7.6.

7. 3×10^{-3} M TPN. Dissolve 26 mg (purity 85%) in 10 ml of water. Store at $-15°$ C.

All the reagents, except the enzyme solutions, are brought to 25° C before use. It is advisable to use a thermostatically controlled cell holder.

Procedure:

a) **G 6-P dehydrogenase.** Into a 10 ml quartz cell are measured 0.5 ml glycylglycine, 0.5 ml $MgCl_2$, 0.1 ml TPN, 0.1 ml 6-PG or 0.1 ml liver 6-PG dehydrogenase, 0.02 to 0.1 ml tissue supernatant (0.1 ml for liver) and water to 2.4 ml. The reaction is started by the addition of 0.1 ml G6-P and the optical density at 340 mμ read at 1 min intervals for 6 min against a blank cell containing everything except the TPN. Enzyme activities are calculated from the difference in density between 1 min and 6 min. Before calculating enzyme activities, these differences in density are divided by 2 if excess 6-PG dehydrogenase has been added or if two substances are used the activity obtained with 6-PG alone is subtracted.

b) **6-PG dehydrogenase.** This is estimated as described above for G 6-P dehydrogenase except that liver 6-PG dehydrogenase is omitted and the reaction is started by the addition of 0.1 ml 6-PG to both cells. Since the reaction is not completely linear, the results are calculated from the difference in density between 0 min and 5 min, the 0 min reading being taken before the addition of substrate. It is sometimes desirable to estimate in addition 6-PG dehydrogenase at p_H 9.0, the optimum p_H in tissue extracts.

Calculation: One unit of G 6-P or 6-PG dehydrogenase activity is defined as the quantity of enzyme which at 25° C and under the above conditions reduces 0.01 μmole TPN per min based on the readings over the first 5 min.

To convert the 5 min differences in optical density at 25° C to enzyme units per g tissue, multiply the optical density by 806 if 0.1 ml of tissue supernatant fraction is used.

The purified enzymes are estimated similarly[1, 2]. In this case, however, a unit of enzyme activity is defined as the quantity of enzyme which causes an initial change in optical density of 1.000 per min at room temperature (23—25° C) in a total volume of 1.55 ml.

---

[1] HORECKER, B. L., and P. Z. SMYRNIOTIS; in: Colowick-Kaplan, Meth. Enzymol., Vol. I, p. 323.

[2] KORNBERG, A., and B. L. HORECKER; in: Colowick-Kaplan, Meth. Enzymol., Vol. I, p. 323.

1.1.1.45   L-Gulonat:NAD-Oxydoreductase (decarboxylierend)   s. S. 723
1.1.1.46   L-Arabinose:NAD-Oxydoreductase   s. S. 762
1.1.1.47   β-D-Glucose:NAD(P)-Oxydoreductase   s. S. 718
1.1.1.48   D-Galaktose:NAD-Oxydoreductase   s. S. 762

Steroid-Dehydrogenasen.
Von
Heinz Breuer[*].

A. Einleitung.

Die hier abgehandelten Enzyme umfassen die Steroid-Dehydrogenasen des Tierreiches und der Mikroorganismen. Unter dem Begriff der Steroid-Dehydrogenasen verbergen sich zwei verschiedene Klassen von Enzymen, nämlich (1) die Hydroxysteroid-Dehydrogenasen sowie (2) die Steroid-Reductasen und Steroid-Dehydrogenasen. Einigkeit hinsichtlich der Nomenklatur herrscht seit den Vorschlägen von TALALAY[1] nur bei den *Hydroxysteroid-Dehydrogenasen*. Hier werden durch ein entsprechendes Präfix die Position und der sterische Verlauf der katalysierten Reaktion angegeben. Man spricht demnach von einer 3α-Hydroxysteroid-Dehydrogenase, wenn das Enzym eine 3α-ständige Hydroxygruppe zur 3-Ketogruppe oxydiert und/oder die 3-Ketogruppe zur 3α-ständigen Hydroxygruppe reduziert. Das gleiche gilt sinngemäß für alle anderen Hydroxysteroid-Dehydrogenasen. Schwierigkeiten der Bezeichnung ergeben sich in solchen Fällen, in denen die Spezifität der Dehydrogenase über die Position und den sterischen Verlauf hinausgeht und das Steroidmolekül in seiner Gesamtheit umfaßt. So gibt es 17β-Hydroxysteroid-Dehydrogenasen, die nur Testosteron oder nur Oestradiol-17β angreifen. Man hat sich bisher mit Bezeichnungen wie 17β-Hydroxysteroid-(Testosteron-)Dehydrogenase oder Oestradiol-17β-Dehydrogenase beholfen. Die Übertragung dieser Behelfsnomenklatur auf andere als 17β-Hydroxysteroid-Dehydrogenasen bereitet jedoch Schwierigkeiten, auf die hier nicht näher eingegangen werden kann. Nach den Vorschlägen der Enzymkommission[2] soll die Bezeichnung Hydroxysteroid-Dehydrogenase durch Hydroxysteroid:Acceptor-Oxydoreductase ersetzt werden. Demnach ist die NADP-spezifische 17β-Hydroxysteroid-(Testosteron-)Dehydrogenase als 17β-Hydroxysteroid:NADP-Oxydoreductase zu bezeichnen.

Größere Schwierigkeiten treten bei der systematischen Nomenklatur der *Steroid-Reductasen* und *Steroid-Dehydrogenasen* auf. Die vornehmlich im Tierreich nachgewiesenen Steroid-Reductasen (auch Hydrogenasen genannt) katalysieren die Reduktion von Doppelbindungen im Steroidring. Man bezeichnet sie richtiger als Steroidring-Reductasen, wobei gleichzeitig eine Verwechslung mit den Keto-Reductasen (eine irreführende Bezeichnung für Hydroxysteroid-Dehydrogenasen) vermieden wird. Die Position und der sterische Verlauf der Ringreduktion können durch ein entsprechendes Präfix angegeben werden, wie z.B. Δ⁴-5α-Reductase oder 4,5α-Reductase oder 5α-Reductase. Obgleich die Reduktion, zumindest im Tierreich, als irreversibel anzusehen ist, hat die Enzymkommission in konsequenter Durchführung ihrer Vorschläge die Bezeichnung Dihydrosteroid:Acceptor-Oxydoreductase empfohlen. Demnach ist die NADPH₂-spezifische Δ⁴-5α-Cortison-Reductase als 4,5α-Dihydrosteroid:NADP-Oxydoreductase zu bezeichnen. Die gleiche Bezeichnung gilt aber auch für die Steroid-Dehydrogenasen (besser Steroidring-Dehydro-

---

[*] Aus der Chemischen Abteilung der Chirurgischen Universitätsklinik Bonn. Mitbearbeitet von D. WESSENDORF. — Die Literatur wurde bis Mai 1962 berücksichtigt.
[1] Vgl. TALALAY, P.: Physiol. Rev. **37**, 362 (1957).
[2] Report of the Commission on Enzymes of the International Union of Biochemistry. Oxford 1961.

genasen, um Verwechslungen mit Hydroxysteroid-Dehydrogenasen zu vermeiden), die bisher — mit einer Ausnahme — nur in Mikroorganismen nachgewiesen worden sind. Die Δ^4-5α-Dehydrogenase aus *Pseudomonas testosteroni* müßte ebenso wie die mikrosomale Δ^4-5α-Reductase aus Rattenleber als 4,5α-Dihydrosteroid: Acceptor-Oxydoreductase bezeichnet werden. Da die beiden Enzyme verschiedene, irreversibel verlaufende Reaktionen katalysieren, andererseits aber mit der gleichen Bezeichnung belegt werden sollen, besteht die Gefahr von Mißverständnissen. Aus diesem Grunde sind im folgenden die von den Autoren gewählten und die von der Enzymkommission vorgeschlagenen Bezeichnungen nebeneinander verwendet worden. Eine genaue Beschreibung der einzelnen Reaktionstypen findet sich im Abschnitt B.

Die Nomenklatur der Steroide folgt den Empfehlungen des IUPAC-Steroid-Nomenklatur-Subkomitees[1]. Aus Gründen der Übersichtlichkeit werden die funktionellen Gruppen dem Stammwort als Nachsilben angefügt. Um das Auffinden der Steroide zu erleichtern, wurden in vielen Fällen neben systematischen Bezeichnungen auch die Trivialnamen angegeben.

B. Reaktionsmechanismen der enzymatischen Dehydrierung und Hydrierung von Steroiden.

Obgleich Oxydoreduktionen zu den am längsten bekannten Reaktionen des Steroid-Stoffwechsels im Tierreich zählen, sind Untersuchungen über den Mechanimus der enzymatischen Dehydrierung und Hydrierung nur in beschränktem Umfange durchgeführt worden. Dies dürfte im wesentlichen durch die Tatsache bedingt sein, daß der Steroid-Stoffwechsel in tierischen Geweben relativ langsam verläuft; infolgedessen sind die Wechselzahlen der bisher angereicherten Enzympräparationen vielfach so klein, daß detaillierte Reaktionsstudien häufig nicht möglich sind. Als Beispiel sei die bereits 1950 beschriebene 17β-Hydroxysteroid-Dehydrogenase aus Stierleber[2] genannt, deren Wechselzahl* etwa 0,02 beträgt; andererseits wurde für die 3α-Hydroxysteroid-Dehydrogenase-Präparation aus Rattenleber[3] ein Wert von 75 ermittelt. Verglichen mit den mikrobiellen Enzymen ist jedoch auch diese Zahl noch recht klein. Da die Mikroorganismen einen intensiven Steroid-Stoffwechsel aufweisen, sind die Wechselzahlen der Oxydoreductasen deutlich größer als in tierischen Geweben. Sie liegen bei normal wachsenden Bakterien zwischen 0,5 und 1 und können durch Induktion mit den entsprechenden Steroiden auf Werte bis 100 gesteigert werden. Die aus den steroidbehandelten Bakterien angereicherten 3α- und 3β,17β-Hydroxysteroid-Dehydrogenasen[4,5] haben Wechselzahlen von 5000 bis 10000, während die kristallisierte 20β-Hydroxysteroid-Dehydrogenase aus *Streptomyces hydrogenans*[6] eine Wechselzahl von 2100 besitzt. Die im folgenden kurz beschriebenen Reaktionsmechanismen sind zum Teil mit tierischen, zum Teil mit bakteriellen Enzympräparationen untersucht worden.

I. Oxydoreduktion von Hydroxysteroiden und Ketosteroiden.

Die von den Hydroxysteroid-Dehydrogenasen katalysierten Reaktionen sind reversibel. Während die bakteriellen Enzyme nur NAD als Wasserstoffüberträger benötigen, können die tierischen Enzyme mit NAD und/oder NADP reagieren. Die Oxydoreduktionen verlaufen nach folgendem Schema:

$$\text{>CHOH} + \text{NAD}^+ \text{ oder NADP}^+ \rightleftharpoons \text{>C=O} + \text{NADH oder NADPH} + \text{H}^+ \quad (1)$$

---

* Wechselzahl = $\dfrac{\text{Mole Substrat pro min umgesetzt}}{10^5 \text{g Protein}}$.

[1] Tentative Recommendations of the IUPAC Steroid Nomenclature Sub-committee, IUPAC Informations-Bulletin Nr. 11, S. 50. 1960.
[2] SWEAT, M. L., L. T. SAMUELS and R. LUMRY: J. biol. Ch. **185**, 75 (1950).
[3] TOMKINS, G. M.: J. biol. Ch. **218**, 437 (1956).
[5] MARCUS, P. I., and P. TALALAY: J. biol. Ch. **218**, 661 (1956).
[4] TALALAY, P., and P. I. MARCUS: J. biol. Ch. **218**, 675 (1956).
[6] HÜBENER, H. J., u. F. G. SAHRHOLZ: B. Z. **333**, 95 (1960).

Wie Versuche mit Deuterium ergeben haben, erfolgt während der Oxydation des Hydroxysteroids (z. B. Testosteron) zum Ketosteroid (Androst-4-en-3,17-dion) ein direkter Übergang des Wasserstoffs vom Steroid zum Dinucleotid; ein Austausch mit dem Medium findet nicht statt[1]. Die bakteriellen 3α- und 3β-Hydroxysteroid-Dehydrogenasen zeigen beim Wasserstoff-Transfer eine ausgesprochene Stereospezifität: beide Enzyme greifen das Nicotinamid-adenin-dinucleotid von der mit β oder II bezeichneten Seite des Moleküls an[1,2].

II. Oxydation von Δ^5-3-Hydroxysteroiden.

Die enzymatische Oxydation von Δ^5-3-Hydroxysteroiden (z. B. Dehydro-epiandrosteron) führt zur Bildung der entsprechenden Δ^4-3-Ketosteroide[3,4]. Eine genauere Untersuchung ergab, daß an dieser Reaktion zwei Enzyme beteiligt sind[5]. Zunächst wird die 3-Hydroxygruppe zur 3-Ketogruppe oxydiert, wobei ein Δ^5-3-Ketosteroid entsteht. Anschließend findet eine Isomerisierung der Doppelbindung von C-5,6 nach C-4,5 statt. Demnach verläuft die Oxydation von Δ^5-3-Hydroxysteroiden nach folgendem Schema:

$$\text{HO-steroid} + \text{NAD}^+ \rightleftharpoons \text{O=steroid} + \text{NADH} + \text{H}^+ \qquad (1)$$

$$\text{O=steroid}(\Delta^5) \rightarrow \text{O=steroid}(\Delta^4) \qquad (2)$$

Der erste Schritt dieser Reaktionsfolge ist reversibel und wird durch eine NAD-abhängige 3-Hydroxysteroid-Dehydrogenase katalysiert, während der zweite Schritt durch eine Isomerase erfolgt, die von der Dehydrogenase verschieden ist. Die Δ^5-3-Ketosteroid-Isomerase kommt sowohl in tierischen Geweben (Nebenniere, Testes, Ovarien und Leber) als auch in *Pseudomonas testosteroni* vor. Das Enzym konnte nach Induktion aus *Pseudomonas testosteroni* in kristalliner Form erhalten werden[6]; die Wechselzahl beträgt 169000. Die Isomerisierung von Androst-5-en-3,17-dion zu Androst-4-en-3,17-dion ist in D_2O und T_2O untersucht worden[5,6]; es zeigte sich, daß keines der Isotope in Androst-4-en-3,17-dion eingebaut wird. Daraus kann der Schluß gezogen werden, daß während der Isomerisierung eine direkte Wasserstoffübertragung von C-4 nach C-6 stattfindet.

III. Reduktion von Doppelbindungen im Steroidring.

Die Hydrierung von Doppelbindungen ist sowohl mit tierischen als auch mit mikrobiellen Enzymen beobachtet worden; sie scheint, zumindest im Tierreich, irreversibel zu sein und verläuft nach folgendem Schema:

$$-CH=CH- + NADH \text{ oder } NADPH + H^+ \rightarrow -CH_2-CH_2- + NAD^+ \text{ oder } NADP^+ \qquad (1)$$

Der Mechanismus der Wasserstoffübertragung ist noch nicht endgültig geklärt. Man nimmt an, daß der Wasserstoff direkt von den Nucleotiden auf die Doppelbindung übergeht[7]; andererseits erscheint die Beteiligung einer durch Flavoproteid katalysierten Reaktion nicht ganz ausgeschlossen[8].

Liegen im Ring A des Steroidmoleküls *zwei* Doppelbindungen vor (z. B. bei Pregna-1,4-dien-11β,17,21-triol-3,20-dion [Prednisolon]), so wird durch die Reductase aus Rattenleber zunächst die C-1,2-Doppelbindung und dann erst die C-4,5-Doppelbindung

---

[1] TALALAY, P., F. A. LOEWUS and B. VENNESLAND: J. biol. Ch. **212**, 801 (1955).
[2] TALALAY, P., and H. R. LEVY; in: Steric Course of Microbiological Reactions. S. 53. London 1959.
[3] SAMUELS, L. T., M. B. LASATER and H. REICH: Science, N.Y. **113**, 490 (1951).
[4] BEYER, K. F., and L. T. SAMUELS: J. biol. Ch. **219**, 69 (1956).
[5] TALALAY, P., and V. S. WANG: Biochim. biophys. Acta **18**, 300 (1955).
[6] KAWAHARA, F. S., and P. TALALAY: J. biol. Ch. **235**, PC 1 (1960). — KAWAHARA, F. S., S.-F. WANG and P. TALALAY: J. biol. Ch. **237**, 1500 (1962).
[7] TOMKINS, G. M.: Recent Progr. Hormone Res. **12**, 125 (1956).
[8] TALALAY, P.: Physiol. Rev. **37**, 362 (1957).

reduziert[1,2]. Die Reduktion der C-4,5-Doppelbindung verläuft stereospezifisch; es entstehen sowohl 4,5α- als auch 4,5β-Dihydrosteroide. Einzelheiten über die Faktoren, die den sterischen Verlauf dieser Reaktion beeinflussen, finden sich im Abschnitt C. Im allgemeinen bleibt die Reduktion von Δ^4-3-Ketosteroiden in tierischen Geweben nicht auf der Stufe der Ring A-gesättigten 3-Ketosteroide stehen, sondern führt weiter zur Bildung der entsprechenden 3-Hydroxyverbindungen. Die Reaktion verläuft nach folgendem Schema:

$$\text{(Schema)} \tag{1}$$

Die Reduktion der 3-Ketogruppe findet erst dann statt, wenn vorher die Doppelbindung von C-4 nach C-5 reduziert worden ist. Eine Ausnahme von dieser Regel wurde bei der enzymatischen Reduktion von 6β-Fluor-testosteron mit dem 105000 ×g Überstand der Rattenleber beobachtet[3]; als Reduktionsprodukt konnte das 6β-Fluor-Δ^4-3,17-diol nachgewiesen werden. Die unerwartete Allylalkoholbildung ist offenbar dadurch zu erklären, daß das Carbonyl infolge der Nachbarschaft des Fluoratoms elektronisch eher einem gesättigten als einem ungesättigten Keton entspricht; da der Energiebedarf für die Reduktion eines gesättigten Ketons geringer ist, verläuft die Reduktion der 3-Ketogruppe im 6β-Fluor-testosteron relativ leicht.

IV. Steroidring-Dehydrierung.

Die Einführung von Doppelbindungen in Ring A des Steroidmoleküls ist bisher nur mit bakteriellen Enzymen demonstriert worden[4]. Die Reaktion verläuft irreversibel nach folgendem Schema:

$$-CH_2-CH_2- \rightarrow -CH=CH- \tag{1}$$

Als wirksamer, artifizieller Elektronenacceptor dient Phenazin-methosulfat bei der Oxydation. Versuche mit angereicherten Δ-Dehydrogenasen aus *Pseudomonas testosteroni* sprechen dafür, daß die Enzyme eine direkte Dehydrierung des Steroids — wahrscheinlich unter Beteiligung einer flavinartigen prosthetischen Gruppe — bewirken. Die Einführung einer Doppelbindung nach vorangegangener Hydroxylierung und anschließender Wasserabspaltung dürfte, zumindest für die Dehydrierung mit bakteriellen Enzymen, nicht in Frage kommen. Rückschlüsse auf den sterischen Verlauf der Dehydrierung können aus Versuchen mit *Bacillus sphaericus* gezogen werden[5]. Während Steroide, die einen Substituenten in 1β- oder 2α-Stellung (z.B. eine Methyl- oder Hydroxygruppe) besitzen, durch das Enzym zum $\Delta^{1,2}$-Steroid dehydriert werden, tritt die Reaktion bei den 1α- und 2β-substituierten Isomeren nicht ein. Dieser Befund spricht für eine direkte axiale Abspaltung der 1α- und 2β-ständigen Wasserstoffatome bei der Δ^1-Dehydrierung.

Als Sonderfall einer Steroidring-Dehydrierung im Tierreich ist die Dehydrierung von Equilin zu Equilenin durch Lebermikrosomen der Ratte anzusehen[6]. Als Wasserstoffacceptor kann sowohl NAD als auch NADP fungieren. Die Dehydrierung im Ring B ist mit einer Isomerisierung der bereits vorhandenen Doppelbindung gekoppelt. Über den Reaktionsmechanismus liegen keine Angaben vor.

C. Zur Biochemie der Steroid-Dehydrogenasen.

Die Steroid-Dehydrogenasen besitzen eine ausgeprägte *Spezifität*, die sich sowohl auf die Position als auch auf den sterischen Verlauf der Reaktion erstreckt. So greift eine

---

[1] TOMKINS, G. M.: Recent Progr. Hormone Res. 12, 125 (1956).
[2] VERMEULEN, A., and E. CASPI: J. biol. Ch. 233, 54 (1958).
[3] RINGOLD, H. J., S. RAMACHANDRAN and E. FORCHIELLI: J. biol. Ch. 237, PC 260 (1962).
[4] LEVY, H. R., and P. TALALAY: J. biol. Ch. 234, 2014 (1959).
[5] HAYANO, M., H. J. RINGOLD, V. STEFANOVIC, M. GUT and R. I. DORFMAN: Biochem. biophys. Res. Comm. 4, 454 (1961).
[6] MITTERMAYER, C., u. H. BREUER: Biochem. J. 86, 12P (1963).

3α-Hydroxysteroid-Dehydrogenase nur α-ständige 3-Hydroxygruppen an, nicht aber 3β- oder 17β-Hydroxygruppen. Neben dieser Stereospezifität können die Dehydrogenasen auch eine Substratspezifität zeigen. Als Beispiel sei die aus menschlicher Placenta gewonnene 17β-Hydroxysteroid-Dehydrogenase[1] genannt, die nur mit Oestradiol-17β, nicht aber mit Testosteron reagiert, während die 17β-Hydroxysteroid-Dehydrogenase aus der löslichen Fraktion der Meerschweinchenleber[2] nur Testosteron, nicht aber Oestradiol-17β angreift. Die Stereospezifität der bakteriellen 17β-Hydroxysteroid-Dehydrogenase geht so weit, daß ausschließlich die natürlich vorkommenden Enantiomorphen umgesetzt werden. Aus synthetischem D,L-Testosteron entsteht nur zu 48% Androst-4-en-3,17-dion, während natürliches Testosteron unter den gleichen Bedingungen vollständig oxydiert wird[3]. Aus dem Gesagten darf der Schluß gezogen werden, daß die Dehydrogenasen mit den Steroidsubstraten eine sehr enge Bindung eingehen, die nicht nur bestimmte Bezirke, sondern wahrscheinlich die gesamte Vorder- und Rückseite des Steroidmoleküls umfaßt. Versuche mit substituierten Substraten haben diese Annahme weitgehend bestätigt. Demnach scheint für den Ablauf einer Reaktion die räumliche Bindung zwischen Enzym und Substrat wichtiger zu sein als die thermodynamische Stabilität der reagierenden Gruppen.

Die Affinität der Dehydrogenasen zu den Steroid-Substraten ist im allgemeinen sehr groß. Die MICHAELIS-MENTEN-*Konstanten* bewegen sich für die Steroid-Dehydrogenasen in der Größenordnung von 10^{-5} und 10^{-6} m. Mit der Zugänglichkeit gereinigter Hydroxysteroid-Dehydrogenasen ist es möglich geworden, die Gleichgewichtskonstanten (K_H) zu messen, wobei K_H folgendermaßen definiert wird:

$$K_H = \frac{[\text{Ketosteroid}][\text{NADH}][\text{H}^+]}{[\text{Hydroxysteroid}][\text{NAD}^+]}.$$

Die Größe der Gleichgewichtskonstanten hängt von der Position und der Konformation der zu oxydierenden Hydroxylgruppen ab und liegt zwischen 1×10^{-9} und 4×10^{-8} m bei 298° K[3]. Die aus den Gleichgewichtskonstanten berechneten Änderungen der freien Energie für Reaktion III ($\Delta F° = +10{,}4$ bis $+12{,}4$ Cal/Mol) können als Summe der Energieänderungen der Reaktionen I und II aufgefaßt werden:

$$\begin{aligned}
&\text{>CHOH} &&\rightarrow \text{>C=O} + 2\,\text{H} &&\text{(I)} \\
&\text{NAD}^+ + 2\,\text{H} &&\rightarrow \text{NADH} + \text{H}^+ &&\text{(II)} \\
\hline
\text{Summe}\quad &\text{>CHOH} + \text{NAD}^+ &&\rightarrow \text{>C=O} + \text{NADH} + \text{H}^+ &&\text{(III)}
\end{aligned}$$

Demnach gilt:
$$\Delta F°_{(I)} = \Delta F°_{(III)} - \Delta F°_{(II)}$$

$\Delta F°$ für Reaktion II beträgt $+5{,}22 \pm 0{,}2$ Cal/Mol[4], während die Änderungen der freien Energie bei der Oxydation von Steroidalkoholen zu Steroidketonen ($\Delta F°_{(I)}$) zwischen $+4{,}3$ und $+6{,}5$ Cal/Mol liegen. Wie Versuche mit den gereinigten 3α- und 3β-Hydroxysteroid-Dehydrogenasen aus *Pseudomonas testosteroni* gezeigt haben, sind die Gleichgewichtskonstanten für äquatoriale Hydroxylgruppen kleiner als für axiale[3]. $\Delta F°_{(III)}$ ist für axiale Hydroxyle $+11{,}2 \pm 0{,}2$ Cal/Mol und für äquatoriale Hydroxyle $+11{,}9$ bis $+12{,}4$ Cal/Mol. Daraus ergibt sich für die axiale und äquatoriale Hydroxylgruppe ein Unterschied in der freien Energie von etwa 0,8—1,0 Cal/Mol.

Es ist von TALALAY u. Mitarb.[5,6] wiederholt darauf hingewiesen worden, daß die Hydroxysteroid-Dehydrogenasen des Tierreiches unter bestimmten Bedingungen als Transhydrogenasen nach folgendem Reaktionsschema fungieren können:

$$\begin{aligned}
&(1)\quad \text{Ketosteroid} + \text{NADPH} + \text{H}^+ \rightleftharpoons \text{Hydroxysteroid} + \text{NADP}^+ \\
&(2)\quad \text{Hydroxysteroid} + \text{NAD}^+ \rightleftharpoons \text{Ketosteroid} + \text{NADH} + \text{H}^+ \\
\hline
&(3)\quad \text{NADPH} + \text{NAD}^+ \rightleftharpoons \text{NADH} + \text{NADP}^+
\end{aligned}$$

---
[1] LANGER, L. J., and L. L. ENGEL: J. biol. Ch. **233**, 583 (1958).
[2] ENDAHL, G. L., C. D. KOCHAKIAN and D. HAMM: J. biol. Ch. **235**, 2792 (1960).
[3] TALALAY, P., and H. R. LEVY; in: Steric Course of Microbiological Reactions. S. 53. London 1959.
[4] BURTON, K., and T. H. WILSON: Biochem. J. **54**, 86 (1953).
[5] TALALAY, P., and H. G. WILLIAMS-ASHMAN: Proc. nat. Acad. Sci. USA **44**, 15 (1958).
[6] HURLOCK, B., and P. TALALAY: J. biol. Ch. **233**, 886 (1958).

Bei diesen transhydrogenierenden Reaktionen wirken nach TALALAY bestimmte Steroide katalytisch und übernehmen die Rolle von Wasserstoffüberträgern oder Coenzymen. Es liegt auf der Hand, daß die Steroid-Dehydrogenasen nur dann eine Transhydrogenase-Funktion ausüben können, wenn sie sowohl mit NAD als auch mit NADP reagieren, also eine zweifache Dinucleotidspezifität besitzen. Während TALALAY u. Mitarb. bei der 3α-, der 11β- und der 17β-Hydroxysteroid-Dehydrogenase[1-3] diese zweifache Dinucleotidspezifität nachweisen konnten, haben andere Autoren Steroid-Dehydrogenasen mit ausgeprägter Spezifität für NAD *oder* NADP beschrieben[4,5].

Zahlreiche Untersuchungen der letzten Jahre haben gezeigt, daß die Aktivität von Hydroxysteroid- und Dihydrosteroid-Dehydrogenasen durch endogene und exogene Faktoren beeinflußt wird; auch Speciesunterschiede spielen eine wichtige Rolle. So entstehen in der Rattenleber bei Perfusionsversuchen oder nach Inkubation mit Homogenaten und Schnitten aus Cortison und Hydrocortison ausschließlich Metaboliten der 5α-Pregnanreihe[6], während Präparationen aus menschlicher Leber Cortison zu 5β-Dihydrocortison reduzieren[7]. Von besonderem Interesse ist die Beobachtung, daß die Rattenleber neben einer 4,5α-Reductase, die in der Mikrosomenfraktion lokalisiert ist, auch eine cytoplasmatische 4,5β-Reductase besitzt[8]. Beide Enzymaktivitäten können durch Zentrifugieren voneinander getrennt werden. Die 4,5β-Reductaseaktivität wird jedoch vollständig unterdrückt, wenn Cytoplasma und Mikrosomen wieder zusammengefügt werden. Aus diesem Grunde entstehen bei Perfusions-, Schnitt- und Homogenatversuchen mit Rattenleber stets nur die 5α-Verbindungen. Die mikrosomale 4,5α-Reductase weiblicher Ratten zeigt eine etwa dreifach höhere Aktivität als die 4,5α-Reductase männlicher Ratten[9-12]. Im Gegensatz dazu ist die Aktivität der cytoplasmatischen 4,5β-Reductase bei männlichen Ratten größer als bei weiblichen Tieren[11]. Da aber die cytoplasmatische 4,5β-Reductase eine sehr viel geringere Aktivität als die mikrosomale 4,5α-Reductase aufweist, kommt nur der für die 4,5α-Reductase charakteristische Geschlechtsunterschied zur Wirkung. Auffallend ist, daß nach Ovariektomie keine Aktivitätsänderung der 4,5α-Reductase bei der Ratte eintritt[12]. Nach Hypophysektomie wird dagegen eine Abnahme der 5α-Aktivität beobachtet, die durch ACTH oder Wachstumshormon wieder aufgehoben werden kann[12]. Eine 3tägige Behandlung von Ratten mit Thyroxin führt zu einer Zunahme der Ring A-Reduktion, die sich durch eine vermehrte Bereitstellung von $NADPH_2$ erklären läßt[13]. Werden die Tiere für 3 Wochen mit Thyroxin behandelt, so kommt es zu einer echten Aktivitätssteigerung der 4,5α-Reductase, während die 4,5β-Reductase unbeeinflußt bleibt[13]. Neben den genannten Faktoren hat auch der Ernährungszustand der Tiere einen Einfluß auf die Aktivität der Ringreductasen. So führt Nahrungsentzug zu einer Verminderung der Ring A-Reduktion von Cortison in der Rattenleber[14]. Etwa $^2/_3$ der Abnahme sind auf den extrem niedrigen Gehalt an Glucose-6-phosphat und damit auf ein mangelhaftes Angebot von $NADPH_2$ zurückzuführen, während das restliche Drittel durch eine verminderte Aktivität der 4,5α-Reductase bedingt ist. Als weitere Besonderheit der Ring A-Reduktion sei schließlich erwähnt, daß 9α-Fluorhydrocortison durch Rattenleber (Perfusion, Schnitte) zu 5β-Pregnanderivaten reduziert wird[15] — im Gegensatz zu Hydrocortison, das unter den gleichen Bedingungen, wie bereits erwähnt, nur 5α-Verbindungen liefert.

[1] HURLOCK, B., and P. TALALAY: J. biol. Ch. **233**, 886 (1958).
[2] HURLOCK, B., and P. TALALAY: Arch. Biochem. **80**, 468 (1959).
[3] JARABAK, J., J. A. ADAMS, H. G. WILLIAMS-ASHMAN and P. TALALAY: J. biol. Ch. **237**, 345 (1962).
[4] HAGERMANN, D. D., and C. A. VILLEE: J. biol. Ch. **234**, 2031 (1959).
[5] ENDAHL, G. L., C. D. KOCHAKIAN and D. HAMM: J. biol. Ch. **235**, 2792 (1960).
[6] Vgl. DORFMAN, R. I.: Ann. Rev. **26**, 523 (1957).
[7] MEIGS, R. A., and L. L. ENGEL: Endocrinology **69**, 152 (1961).
[8] FORCHIELLI, E., and R. I. DORFMAN: J. biol. Ch. **223**, 443 (1956).
[9] YATES, F. E., A. L. HERBST and J. URQUHART: Endocrinology **63**, 887 (1958).
[10] LEYBOLD, K., u. HJ. STAUDINGER: B. Z. **331**, 389 (1959).
[11] LEYBOLD, K., u. HJ. STAUDINGER: Med. exp., Basel **2**, 46 (1960).
[12] FORCHIELLI, E., K. BROWN-GRANT and R. I. DORFMAN: Proc. Soc. exp. Biol. Med. **99**, 594 (1958).
[13] McGUIRE, J. S. jr., and G. M. TOMKINS: J. biol. Ch. **234**, 791 (1959).
[14] SCHRIEFERS, H., M. PITTEL u. F. POHL: Acta endocr. (Kbh.) **40**, 140 (1962).
[15] SCHRIEFERS, H.: H. **324**, 188 (1961).

Die Aktivität der 3β-Hydroxysteroid-Dehydrogenase ist in männlichen Ratten größer als in weiblichen Ratten[1]. Ein weiterer Geschlechtsunterschied zeigt sich bei der Reduktion von 5α-Pregnan-21-ol-3,20-dion; dieses Steroid wird durch Leberhomogenat männlicher Ratten sowohl zu 3α- als auch zu 3β-Hydroxyverbindungen reduziert, während weibliche Tiere nur 3β-Hydroxyverbindungen bilden[2]. Von besonderem Interesse ist die Beobachtung, daß die Lebermikrosomen von thyroxinbehandelten Ratten Δ^4-3-Ketosteroide hauptsächlich zu 3α-Hydroxyverbindungen metabolisieren; die Mikrosomen der Kontrolltiere ergeben dagegen nur 3β-Hydroxysteroide[3].

Auch die Aktivität der 11β-Hydroxysteroid-Dehydrogenase ist geschlechtsabhängig; die Reduktion von Cortison zu Cortisol durch Rattenleberhomogenat ist bei männlichen Tieren etwa doppelt so groß wie bei weiblichen Tieren[4].

Schließlich sei noch auf das Verhalten der 20-Hydroxysteroid-Dehydrogenasen eingegangen. Die 17,21-Dihydroxy-20-keto-Seitenkette von Cortison wird durch Leberhomogenat männlicher Ratten schneller reduziert als durch eine entsprechende Präparation weiblicher Tiere; im Gegensatz dazu wird die Δ^4-3-Ketogruppe durch die weibliche Rattenleber schneller metabolisiert als durch die männliche. Aus diesem Grunde beträgt das Verhältnis der Ring A-Reduktion zur Seitenketten-Reduktion bei weiblichen Ratten 3,4 und bei männlichen Ratten 0,88 [5,6].

D. Steroid-Dehydrogenasen im Tierreich.

Folgende Steroid-Dehydrogenasen sind bisher im Tierreich aufgefunden worden: 3α-, 3β-, 6α-, 6β-, 11β-, 16α-, 16β-, 17α-, 17β-, 20α- und 20β-Hydroxysteroid-Dehydrogenasen, ferner Δ^1-, Δ^4-5α-, Δ^4-5β-, Δ^5- und Δ^7-Steroidring-Reductasen sowie eine Ring B-Dehydrogenase. Von diesen zahlreichen Steroid-Dehydrogenasen sind allerdings nur relativ wenige angereichert und charakterisiert worden. Bisher ist es nicht gelungen, eine Steroid-Dehydrogenase des Tierreiches in kristalliner Form zu erhalten. Die höchste Anreicherung, die erzielt werden konnte, war 2500fach (Oestradiol-17β-Dehydrogenase aus menschlicher Placenta[7]).

I. Tabellarische Übersicht der Steroid-Dehydrogenasen im Tierreich.

Die im Tierreich nachgewiesenen Reaktionen, die unter Beteiligung von Hydroxysteroid-Dehydrogenasen (Hydroxysteroid:Acceptor-Oxydoreductasen) und Steroidring-Reductasen (Dihydrosteroid:Acceptor-Oxydoreductasen) verlaufen, sind in den Tabellen 2—7 zusammengestellt. Um bei der Vielzahl der verwendeten Substrate die Übersichtlichkeit zu wahren, wurde für jede Substratklasse eine eigene Tabelle angelegt (Übersicht s. Tabelle 1). Innerhalb der einzelnen Tabellen sind die Oxydoreduktionen

Tabelle 1. *Zusammenfassung der tabellarischen Übersichten der Steroid-Dehydrogenasen im Tierreich.*

Reaktionstyp	Substrate	Nummer der Übersichtstabelle
Hydroxysteroid-Dehydrogenase (Hydroxysteroid:Acceptor-Oxydoreductase)	phenolische C_{18}-Steroide	2
	C_{19}-Steroide	3
	C_{21}-Steroide	4
	C_{27}-Steroide	4a
Steroidring-Reductase (Dihydrosteroid:Acceptor-Oxydoreductase)	neutrale C_{18}- und C_{19}-Steroide	5
	C_{21}-Steroide	6
	C_{27}-Steroide	7

---

[1] RUBIN, B. L., and H. J. STRECKER: Endocrinology **69**, 257 (1961).
[2] BELL, E. T., A. O. POPOOLA and W. TAYLOR: Biochem. J. **82**, 47P (1962).
[3] McGUIRE, J. S. jr., and G. M. TOMKINS: J. biol. Ch. **234**, 791 (1959).
[4] HÜBENER, H. J., u. D. AMELUNG: H. **293**, 137 (1953).
[5] TROOP, R. C.: Endocrinology **64**, 671 (1959).
[6] HAGEN, A. A., and R. C. TROOP: Endocrinology **67**, 194 (1960).
[7] JARABAK, J., J. A. ADAMS, H. G. WILLIAMS-ASHMAN and P. TALALAY: J. biol. Ch. **237**, 345 (1962).

Tabelle 2. *Tabellarische Übersicht der Hydroxysteroid-Dehydrogenasen (Hydroxy-*

Reaktion	Substrat	Produkt	Species
6α-OH → 6-C=O	Oestra-1,3,5(10)-trien-3,6α-diol-17-on (6α-Hydroxyoestron)	Oestra-1,3,5(10)-trien-3-ol-6,17-dion (6-Ketooestron)	Mensch und Ratte
	Oestra-1,3,5(10)-trien-3,6α,17β-triol (6α-Hydroxyoestradiol-17β)	Oestra-1,3,5(10)-trien-3,17β-diol-6-on (6-Ketooestradiol-17β)	Mensch und Ratte
6-C=O → 6α-OH	Oestra-1,3,5(10)-trien-3-ol-6,17-dion (6-Ketooestron)	Oestra-1,3,5(10)-trien-3,6α-diol-17-on (6α-Hydroxyoestron)	Mensch und Ratte
	Oestra-1,3,5(10)-trien-3,17β-diol-6-on (6-Ketooestradiol-17β)	Oestra-1,3,5(10)-trien-3,6α,17β-triol (6α-Hydroxyoestradiol-17β)	Mensch und Ratte
6β-OH → 6-C=O	Oestra-1,3,5(10)-trien-3,6β-diol-17-on (6β-Hydroxyoestron)	Oestra-1,3,5(10)-trien-3-ol-6,17-dion (6-Ketooestron)	Mensch und Ratte
	Oestra-1,3,5(10)-trien-3,6β,17β-triol (6β-Hydroxyoestradiol-17β)	Oestra-1,3,5(10)-trien-3,17β-diol-6-on (6-Ketooestradiol-17β)	Mensch und Ratte
6-C=O → 6β-OH	Oestra-1,3,5(10)-trien-3-ol-6,17-dion (6-Ketooestron)	Oestra-1,3,5(10)-trien-3,6β-diol-17-on (6β-Hydroxyoestron)	Mensch und Ratte
	Oestra-1,3,5(10)-trien-3,17β-diol-6-on (6-Ketooestradiol-17β)	Oestra-1,3,5(10)-trien-3,6β,17β-triol (6β-Hydroxyoestradiol-17β)	Mensch und Ratte
11β-OH → 11-C=O	Oestra-1,3,5(10)-trien-3,11β-diol-17-on (11β-Hydroxyoestron)	Oestra-1,3,5(10)-trien-3-ol-11,17-dion (11-Ketooestron)	Ratte
	Oestra-1,3,5(10)-trien-3,11β,17β-triol (11β-Hydroxyoestradiol-17β)	Oestra-1,3,5(10)-trien-3,17β-diol-11-on (11-Ketooestradiol-17β)	Ratte
16α-OH → 16-C=O	Oestra-1,3,5(10)-trien-3,16α-diol-17-on (16α-Hydroxyoestron)	Oestra-1,3,5(10)-trien-3-ol-16,17-dion (16-Ketooestron)	Mensch
	Oestra-1,3,5(10)-trien-3,16α,17α-triol (17-epi-Oestriol)	Oestra-1,3,5(10)-trien-3,17α-diol-16-on (16-Ketooestradiol-17α)	Ratte
	Oestra-1,3,5(10)-trien-3,16α,17β-triol (Oestriol)	Oestra-1,3,5(10)-trien-3,17β-diol-16-on (16-Ketooestradiol-17β)	Ratte
16-C=O → 16α-OH	Oestra-1,3,5(10)-trien-3-ol-16,17-dion (16-Ketooestron)	Oestra-1,3,5(10)-trien-3,16α-diol-17-on (16α-Hydroxyoestron)	Mensch
			Kaninchen
	Oestra-1,3,5(10)-trien-3,17α-diol-16-on (16-Ketooestradiol-17α)	Oestra-1,3,5(10)-trien-3,16α,17α-triol (17-epi-Oestriol)	Mensch
			Kaninchen
	Oestra-1,3,5(10)-trien-3,17β-diol-16-on (16-Ketooestradiol-17β)	Oestra-1,3,5(10)-trien-3,16α,17β-triol (Oestriol)	Mensch
			Kaninchen

Tabellarische Übersicht der Steroid-Dehydrogenasen im Tierreich.

steroid:Acceptor-Oxydoreductasen) im Tierreich. Substrate: phenolische C_{18}-Steroide.

Organ	Präparation	Zusätze	Bemerkungen	In der Arbeit verwendete Bezeichnung des Enzyms	Literatur
Leber	Schnitte	Glucose	Phosphatpuffer, p_H 7,4	6α-Hydroxysteroid-Dehydrogenase	8,9
Leber	Schnitte	Glucose	Phosphatpuffer, p_H 7,4	6α-Hydroxysteroid-Dehydrogenase	8,9
Leber	Schnitte	Glucose	Phosphatpuffer, p_H 7,4	6α-Hydroxysteroid-Dehydrogenase	8,9
Leber	Schnitte	Glucose	Phosphatpuffer, p_H 7,4	6α-Hydroxysteroid-Dehydrogenase	8,9
Leber	Schnitte	Glucose	Phosphatpuffer, p_H 7,4	6β-Hydroxysteroid-Dehydrogenase	8,9
Leber	Schnitte	Glucose	Phosphatpuffer, p_H 7,4	6β-Hydroxysteroid-Dehydrogenase	8,9
Leber	Schnitte	Glucose	Phosphatpuffer, p_H 7,4	6β-Hydroxysteroid-Dehydrogenase	8,9
Leber	Schnitte	Glucose	Phosphatpuffer, p_H 7,4	6β-Hydroxysteroid-Dehydrogenase	8,9
Leber	Schnitte	Glucose	Phosphatpuffer, p_H 7,4	11β-Hydroxysteroid-Dehydrogenase	3
Leber	Schnitte	Glucose	Phosphatpuffer, p_H 7,4	11β-Hydroxysteroid-Dehydrogenase	3
Leber	Schnitte	Glucose	Phosphatpuffer, p_H 7,4	16α-ol-Dehydrogenase	2
Niere	Cytoplasma	NAD oder NADP	Phosphatpuffer, p_H 7,4	16-Hydroxysteroid-Dehydrogenase	18
Leber	Cytoplasma (105 000 × g Überstand)	NAD oder NADP	Phosphatpuffer, p_H 7,4	16-Hydroxysteroid-Dehydrogenase	19
Niere	Cytoplasma	NAD oder NADP	Phosphatpuffer, p_H 7,4	16-Hydroxysteroid-Dehydrogenase	18
Leber	Schnitte	Glucose	Phosphatpuffer, p_H 7,4	—	4,6
Niere	Schnitte	Glucose	Phosphatpuffer, p_H 7,4	16α-ol-Dehydrogenase	2
Ovar	Schnitte	Glucose	Phosphatpuffer, p_H 7,4	—	6
Placenta	Cytoplasma	$NADPH_2$	Phosphatpuffer, p_H 7,0	16-Keto-Hydrogenase	32
Erythrocyten	—	Glucose	Phosphatpuffer, p_H 7,4	16α-ol-Dehydrogenase	2
Leber	Schnitte	Glucose	Phosphatpuffer, p_H 7,4	16α-Hydroxy-Dehydrogenase	7
Leber	Schnitte	Glucose	Phosphatpuffer, p_H 7,4	—	2,11
Leber	Schnitte	Glucose	Phosphatpuffer, p_H 7,4	16α-Hydroxy-Dehydrogenase	7
Leber	Schnitte	Glucose	Phosphatpuffer, p_H 7,4	—	2,12
Leber	Schnitte	Glucose	Phosphatpuffer, p_H 7,4	16α-Hydroxy-Dehydrogenase	7

Tabelle 2

Reaktion	Substrat	Produkt	Species
			Meerschweinchen
			Ratte
16β-OH $\rightarrow$ 16-C=O	Oestra-1,3,5(10)-trien-3,16β-diol-17-on (16β-Hydroxyoestron)	Oestra-1,3,5(10)-trien-3-ol-16,17-dion (16-Ketooestron)	Mensch
	Oestra-1,3,5(10)-trien-3,16β,17β-triol (16-epi-Oestriol)	Oestra-1,3,5(10)-trien-3,17β-diol-16-on (16-Ketooestradiol-17β)	Mensch
			Rind
			Kaninchen
			Ratte
16-C=O $\rightarrow$ 16β-OH	Oestra-1,3,5(10)-trien-3-ol-16,17-dion (16-Ketooestron)	Oestra-1,3,5(10)trien-3,16β-diol-17-on (16β-Hydroxyoestron)	Mensch
			Kaninchen
	Oestra-1,3,5(10)-trien-3,17α-diol-16-on (16-Ketooestradiol-17α)	Oestra-1,3,5(10)-trien-3,16β,17α-triol (16,17-epi-Oestriol)	Mensch
			Kaninchen
			Ratte
	Oestra-1,3,5(10)-trien-3,17β-diol-16-on (16-Ketooestradiol-17β)	Oestra-1,3,5(10)-trien-3,16β,17β-triol (16-epi-Oestriol)	Mensch
			Rind
			Kaninchen
			Meerschweinchen
			Ratte

(Fortsetzung).

Organ	Präparation	Zusätze	Bemerkungen	In der Arbeit verwendete Bezeichnung des Enzyms	Literatur
Leber	Schnitte	Glucose	Phosphatpuffer, p_H 7,4	—	13
Leber	Schnitte	Glucose	Phosphatpuffer p_H 7,4	—	13
Niere	Cytoplasma	—	Phosphatpuffer, p_H 7,4	16-Hydroxysteroid-Dehydrogenase	18
Leber	Schnitte	Glucose	Phosphatpuffer, p_H 7,4	16β-ol-Dehydrogenase	2
Erythrocyten	—	NADP	Tris- oder Pyrophosphatpuffer, p_H 8,5	16β-Hydroxysteroid-Dehydrogenase	28
Erythrocyten	—	NADP	Tris- oder Pyrophosphatpuffer, p_H 8,5	16β-Hydroxysteroid-Dehydrogenase	28
Leber	Schnitte	Glucose	Phosphatpuffer, p_H 7,4	16β-Hydroxy-Dehydrogenase	7
Niere	Cytoplasma	NAD oder NADP	Phosphatpuffer, p_H 7,4	16-Hydroxysteroid-Dehydrogenase	18
Erythrocyten	Hämolysat	NADP	Tris- oder Pyrophosphatpuffer, p_H 8,5	16β-Hydroxysteroid-Dehydrogenase	28
Leber	Schnitte	Glucose	Phosphatpuffer, p_H 7,4	—	4, 6
Niere	Schnitte	Glucose	Phosphatpuffer, p_H 7,4	16β-ol-Dehydrogenase	2
Ovar	Schnitte	Glucose	Phosphatpuffer, p_H 7,4	—	6
Erythrocyten	—	Glucose	Phosphatpuffer, p_H 7,4	16β-ol-Dehydrogenase	2
Leber	Schnitte	Glucose	Phosphatpuffer, p_H 7,4	16β-Hydroxy-Dehydrogenase	7
Leber	Schnitte	Glucose	Phosphatpuffer, p_H 7,4	—	2, 11
Erythrocyten	—	Glucose	Phosphatpuffer, p_H 7,4	16β-ol-Dehydrogenase	2
Leber	Schnitte	Glucose	Phosphatpuffer, p_H 7,4	16β-Hydroxy-Dehydrogenase	7
Niere	Cytoplasma	—	Phosphatpuffer, p_H 7,4	16-Hydroxysteroid-Dehydrogenase	18
Leber	Schnitte	Glucose	Phosphatpuffer, p_H 7,4	—	2, 12
Erythrocyten	—	Glucose	Phosphatpuffer, p_H 7,4	16β-ol-Dehydrogenase	2
	—	Glucose	Tris- oder Pyrophosphatpuffer, p_H 8,5	16β-Hydroxysteroid-Dehydrogenase	28
Erythrocyten	—	Glucose	Tris- oder Pyrophosphatpuffer, p_H 8,5	16β-Hydroxysteroid-Dehydrogenase	28
Leber	Schnitte	Glucose	Phosphatpuffer, p_H 7,4	16β-Hydroxy-Dehydrogenase	7
Leber	Schnitte	Glucose	Phosphatpuffer, p_H 7,4	—	13
Leber	Schnitte	Glucose	Phosphatpuffer, p_H 7,4	—	13

Tabelle 2

Reaktion	Substrat	Produkt	Species
17α-OH → 17-C=O	Oestra-1,3,5(10)-trien-3,17α-diol (Oestradiol-17α)	Oestra-1,3,5(10)-trien-3-ol-17-on (Oestron)	Rind
			Schaf
			Ziege
			Kaninchen
17-C=O → 17α-OH	Oestra-1,3,5(10)-trien-3-ol-17-on (Oestron)	Oestra-1,3,5(10)-trien-3,17α-diol (Oestradiol-17α)	Rind
			Kaninchen
	Oestra-1,3,5(10)-trien-3,16α-diol-17-on (16α-Hydroxyoestron)	Oestra-1,3,5(10)-trien-3,16α,17α-triol (17-epi-Oestriol)	Mensch
			Kaninchen
	Oestra-1,3,5(10)-trien-3,16β-diol-17-on (16β-Hydroxyoestron)	Oestra-1,3,5(10)-trien-3,16β,17α-triol (16,17-epi-Oestriol)	Mensch
			Kaninchen
17β-OH → 17-C=O	Oestra-1,3,5(10)-trien-3,17β-diol (Oestradiol-17β)	Oestra-1,3,5(10)-trien-3-ol-17-on (Oestron)	Mensch

(Fortsetzung).

Organ	Präparation	Zusätze	Bemerkungen	In der Arbeit verwendete Bezeichnung des Enzyms	Literatur
Niere	Cytoplasma	—	Phosphatpuffer, p_H 7,4	16-Hydroxysteroid-Dehydrogenase	18
Erythrocyten	—	Glucose	Tris- oder Pyrophosphatpuffer, p_H 8,5	16β-Hydroxysteroid-Dehydrogenase	28
Nierenzellen	Gewebekultur	Nährmedien mit Antibiotica	bei 96stündiger Inkubation p_H-Abfall von 8,0 auf 7,4	—	35
Erythrocyten	—	—	Phosphatpuffer, p_H 7,4	Oestradiol-17α-Dehydrogenase	29
Erythrocyten	—	—	Phosphatpuffer, p_H 7,4	Oestradiol-17α-Dehydrogenase	29
Erythrocyten	—	—	Phosphatpuffer, p_H 7,4	Oestradiol-17α-Dehydrogenase	29
Leber	Schnitte	Glucose	Phosphatpuffer, p_H 7,4	17α-ol-Dehydrogenase	15
Erythrocyten	—	—	Phosphatpuffer, p_H 7,4	Oestradiol-17α-Dehydrogenase	29
Leber	Schnitte	Glucose	Phosphatpuffer, p_H 7,4	17α-ol-Dehydrogenase	15
Leber	Schnitte	Glucose	Phosphatpuffer, p_H 7,4	—	2, 12
Leber	Schnitte	Glucose	Phosphatpuffer, p_H 7,4	17α-Hydroxy-Dehydrogenase	7
Leber	Schnitte	Glucose	Phosphatpuffer, p_H 7,4	—	2, 11
Leber	Schnitte	Glucose	Phosphatpuffer, p_H 7,4	17α-Hydroxy-Dehydrogenase	7
Leber	Schnitte	—	Phosphatpuffer, p_H 7,4	—	34
verschiedene normale und pathologisch veränderte Gewebe	Schnitte	Glucose	Phosphatpuffer, p_H 7,4	—	10, 34
Placenta	Homogenat	Glucose	Phosphatpuffer, p_H 7,4	—	25
	Perfusion	Glucose und Citrat	Perfusion mit Plasma	—	22
	Cytoplasma (105000 × g Überstand)	NAD oder NADP	50fache Anreicherung, Einzelheiten s. S. 504	Oestradiol-17β-Dehydrogenase	20, 21
	Cytoplasma	NAD oder NADP	Trennung einer NAD- von einer NADP-spezifischen Dehydrogenase; Anreicherung mit Ammoniumsulfat. Einzelheiten s. S. 505	Oestradiol-17β-Dehydrogenase	16
	Cytoplasma	NAD oder NADP	2500fache Anreicherung. Einzelheiten s. S. 506	17β-Hydroxysteroid-Dehydrogenase	17

Tabelle 2

Reaktion	Substrat	Produkt	Species
			Rind
			Kaninchen
			Ratte
	Oestra-1,3,5(10),7-tetraen-3,17β-diol (17β-Dihydroequilin)	Oestra-1,3,5(10),7-tetraen-3-ol-17-on (Equilin)	Ratte
	Oestra-1,3,5(10),6,8(9)-pentaen-3,17β-diol (17β-Dihydroequilenin)	Oestra-1,3,5(10),6,8(9)-pentaen-3-ol-17-on (Equilenin)	Ratte
	Oestra-1,3,5(10)-trien-3,17β-diol-16-on (16-Ketooestradiol-17β)-	Oestra-1,3,5(10)-trien-3-ol-16,17-dion (16-Ketooestron)	Ratte
	Oestra-1,3,5(10)-trien-3,11β,17β-triol (11β-Hydroxyoestradiol-17β)	Oestra-1,3,5(10)-trien-3,11β-diol-17-on (11β-Hydroxyoestron)	Ratte
	Oestra-1,3,5(10)-trien-3,17β-diol-6-on (6-Ketooestradiol-17β)	Oestra-1,3,5(10)-trien-3-ol-6,17-dion (6-Ketooestron)	Mensch und Ratte
	Oestra-1,3,5(10)-trien-3,6α,17β-triol (6α-Hydroxyoestradiol-17β)	Oestra-1,3,5(10)-trien-3,6α-diol-17-on (6α-Hydroxyoestron)	Mensch und Ratte
	Oestra-1,3,5(10)-trien-3,6β,17β-triol (6β-Hydroxyoestradiol-17β)	Oestra-1,3,5(10)-trien-3,6β-diol-17-on (6β-Hydroxyoestron)	Mensch und Ratte
17-C=O → 17β-OH	Oestra-1,3,5(10)-trien-3-ol-17-on (Oestron)	Oestra-1,3,5(10)-trien-3,17β-diol (Oestradiol-17β)	Mensch

Tabellarische Übersicht der Steroid-Dehydrogenasen im Tierreich.

(Fortsetzung).

Organ	Präparation	Zusätze	Bemerkungen	In der Arbeit verwendete Bezeichnung des Enzyms	Literatur
Erythrocyten	—	—	Phosphatpuffer, p_H 7,4	Oestradiol-17β-Dehydrogenase	29
Nierenzellen	Gewebekultur	Nährmedien mit Antibiotica	bei 96stündiger Inkubation p_H-Abfall von 8,0 auf 7,4	—	35
Erythrocyten	—	—	Phosphatpuffer, p_H 7,4	Oestradiol-17β-Dehydrogenase	29
Leber	Schnitte	Glucose	Phosphatpuffer, p_H 7,4	17β-ol-Dehydrogenase	15
Erythrocyten	—	—	Phosphatpuffer, p_H 7,4	Oestradiol-17β-Dehydrogenase	29
Leber	Schnitte	Glucose	Phosphatpuffer, p_H 7,4	—	14, 26, 33
Erythrocyten	—	Glucose	Phosphatpuffer, p_H 7,4, Temperaturoptimum zwischen 42 und 43° C	Oestradiol-17β-Dehydrogenase	27
	Hämolysat	NAD oder NADP	Anreicherung mit Ammoniumsulfat; Einzelheiten s. S.503	Oestradiol-17β-Dehydrogenase	27
Leber	Schnitte	Glucose	Phosphatpuffer, p_H 7,4	17β-Hydroxysteroid-Dehydrogenase	24
Leber	Schnitte	Glucose	Phosphatpuffer, p_H 7,4	17β-Hydroxysteroid-Dehydrogenase	24
Erythrocyten	rohes Enzympräparat	NADP	Tris- oder Pyrophosphatpuffer, p_H 8,5	17β-Hydroxysteroid-Dehydrogenase	28
Leber	Schnitte	Glucose	Phosphatpuffer, p_H 7,4	—	3
Leber	Schnitte	Glucose	Phosphatpuffer, p_H 7,4	17β-Hydroxysteroid-Dehydrogenase	8, 9
Leber	Schnitte	Glucose	Phosphatpuffer, p_H 7,4	17β-Hydroxysteroid-Dehydrogenase	8, 9
Leber	Schnitte	Glucose	Phosphatpuffer, p_H 7,4	17β-Hydroxysteroid-Dehydrogenase	8, 9
Leber	Schnitte	—	Phosphatpuffer, p_H 7,4	—	34
verschiedene normale und pathologisch veränderte Gewebe	Schnitte	Glucose	Phosphatpuffer, p_H 7,4	—	34
	Schnitte	Glucose oder Glucose-6-phosphat	Rinder-Serumalbumin, p_H 7,0	Oestronase	1
Placenta	Perfusion	Glucose und Citrat	Perfusion mit Plasma	—	22
	Cytoplasma (105000 × g Überstand)	$NADH_2$ oder $NADPH_2$	50fache Anreicherung; Einzelheiten s. S. 504	Oestradiol-17β-Dehydrogenase	20, 21
	Cytoplasma	$NADH_2$ oder $NADPH_2$	2500fache Anreicherung; Einzelheiten s. S. 506	17β-Hydroxysteroid-Dehydrogenase	17

Tabelle 2

Reaktion	Substrat	Produkt	Species
			Rind
			Kaninchen
			Meerschweinchen
			Ratte
	Oestra-1,3,5(10),7-tetraen-3-ol-17-on (Equilin)	Oestra-1,3,5(10),7-tetraen-3,17β-diol (17β-Dihydroequilin)	Ratte
	Oestra-1,3,5(10),6,8(9)-pentaen-3-ol-17-on (Equilenin)	Oestra-1,3,5(10),6,8(9)-pentaen-3,17β-diol (17β-Dihydroequilenin)	Ratte
	Oestra-1,3,5(10)-trien-3-ol-16,17-dion (16-Ketooestron)	Oestra-1,3,5(10)-trien-3,17β-diol-16-on (16-Ketooestradiol-17β)	Mensch

(Fortsetzung).

Organ	Präparation	Zusätze	Bemerkungen	In der Arbeit verwendete Bezeichnung des Enzyms	Literatur
Erythrocyten	hämolysiert und nicht-hämolysiert	Glucose oder Glucose-6-phosphat	Rinder-Serum-albumin, p_H 7,0	Oestronase	1
	—	—	Phosphatpuffer, p_H 7,4	Oestradiol-17β-Dehydrogenase	29
Leber	Glucose-Dehydrogenase-Präparation	NAD und Glucose	Messung bei p_H 6,5	—	30
Nierenzellen	Gewebekultur	Nährmedium mit Antibiotica	bei 96stündiger Inkubation p_H-Abfall von 8,0 auf 7,4	—	35
Erythrocyten	—	—	Phosphatpuffer, p_H 7,4	Oestradiol-17β-Dehydrogenase	29
Leber	Schnitte	Glucose	Phosphatpuffer, p_H 7,4	17β-ol-Dehydrogenase	15
Erythrocyten	hämolysiert und nicht-hämolysiert	Glucose oder Glucose-6-phosphat	Rinder-Serum-albumin, p_H 7,0	Oestronase	1
	—	—	Phosphatpuffer, p_H 7,4	Oestradiol-17β-Dehydrogenase	29
Erythrocyten	Glucose-6-phosphat-Dehydrogenase-Präparation	NADP und Glucose-6-phosphat	Zusatz von CN$^-$ ohne Wirkung	—	23
Leber	Schnitte	Glucose	Phosphatpuffer, p_H 7,4	—	14, 33
Erythrocyten	—	Glucose	Phosphatpuffer, p_H 7,4, Temperaturoptimum zwischen 42 und 43° C	Oestradiol-17β-Dehydrogenase	27
	Hämolysat	NADP und Glucose-6-phosphat (Präparation enthielt Glucose-6-phosphat-Dehydrogenase)	Anreicherung mit Ammoniumsulfat; Einzelheiten s. S. 503	Oestradiol-17β-Dehydrogenase	27
Leber	Schnitte	Glucose	Phosphatpuffer, p_H 7,4	17β-Hydroxysteroid-Dehydrogenase	24
Leber	Schnitte	Glucose	Phosphatpuffer, p_H 7,4	17β-Hydroxysteroid-Dehydrogenase	24
Leber	Schnitte	Glucose	Phosphatpuffer, p_H 7,4	—	4, 6
Niere	Schnitte	Glucose	Phosphatpuffer, p_H 7,4	17β-ol-Dehydrogenase	2
Ovar	Schnitte	Glucose	Phosphatpuffer, p_H 7,4	—	6
Placenta	Cytoplasma (105000 × g Überstand)	NADPH$_2$	Phosphatpuffer, p_H 7,0	—	32

Tabelle 2

Reaktion	Substrat	Produkt	Species
			Kaninchen
			Ratte
	Oestra-1,3,5(10)-trien-3,16α-diol-17-on (16α-Hydroxyoestron)	Oestra-1,3,5(10)-trien-3,16α,17β-triol (Oestriol)	Mensch
			Kaninchen
			Meerschweinchen
			Ratte
	Oestra-1,3,5(10)-trien-3,16β-diol-17-on (16β-Hydroxyoestron)	Oestra-1,3,5(10)-trien-3,16β,17β-triol (16-epi-Oestriol)	Mensch
			Kaninchen
			Ratte
	Oestra-1,3,5(10)-trien-3,11β-diol-17-on (11β-Hydroxyoestron)	Oestra-1,3,5(10)-trien-3,11β,17β-triol (11β-Hydroxyoestradiol-17β)	Ratte
	Oestra-1,3,5(10)-trien-3-ol-6,17-dion (6-Ketooestron)	Oestra-1,3,5(10)-trien-3,17β-diol-6-on (6-Ketooestradiol-17β)	Mensch und Ratte
	Oestra-1,3,5(10)-trien-3,6α-diol-17-on (6α-Hydroxyoestron)	Oestra-1,3,5(10)-trien-3,6α,17β-triol (6α-Hydroxyoestradiol-17β)	Mensch und Ratte
	Oestra-1,3,5(10)-trien-3,6β-diol-17-on (6β-Hydroxyoestron)	Oestra-1,3,5(10)-trien-3,6β,17β-triol (6β-Hydroxyoestradiol-17β)	Mensch und Ratte

[1] BISCHOFF, F., A. TORRES and G. LOPEZ: Amer. J. Physiol. **189**, 447 (1957).
[2] BREUER, H.: Arzneim.-Forschg **9**, 667 (1959).
[3] BREUER, H.: Vitamins and Hormones **20**, 285 (1962).
[4] BREUER, H., and R. KNUPPEN: Nature **182**, 1512 (1958).
[5] BREUER, H., R. KNUPPEN and L. NOCKE: Biochem. J. **71**, 26P (1959).
[6] BREUER, H., R. KNUPPEN u. G. PANGELS: Acta endocr. (Kbh.) **30**, 247 (1959).
[7] BREUER, H., R. KNUPPEN u. G. PANGELS: H. **317**, 248 (1959).
[8] BREUER, H., R. KNUPPEN and G. PANGELS: Biochem. J. **79**, 32P (1961).
[9] BREUER, H., R. KNUPPEN u. G. PANGELS: Biochim. biophys. Acta **65**, 1 (1962).
[10] BREUER, H., u. L. NOCKE: Acta endocr. (Kbh.) **31**, 69 (1959).
[11] BREUER, H., and L. NOCKE: Biochim. biophys. Acta **36**, 271 (1959).
[12] BREUER, H., L. NOCKE u. R. KNUPPEN: H. **311**, 275 (1958).
[13] BREUER, H., L. NOCKE and R. KNUPPEN: Biochim. biophys. Acta **33**, 254 (1959).
[14] BREUER, H., L. NOCKE u. R. KNUPPEN: H. **315**, 72 (1959).

(Fortsetzung).

Organ	Präparation	Zusätze	Bemerkungen	In der Arbeit verwendete Bezeichnung des Enzyms	Literatur
Erythrocyten	—	Glucose	Phosphatpuffer, p_H 7,4	17β-ol-Dehydrogenase	2
	—	Glucose	Tris- oder Pyrophosphatpuffer, p_H 8,5	17β-Hydroxysteroid-Dehydrogenase	28
Leber	Schnitte	Glucose	Phosphatpuffer, p_H 7,4	17β-ol-Dehydrogenase	15
Erythrocyten	—	Glucose	Tris- oder Pyrophosphatpuffer, p_H 7,4	17β-Hydroxysteroid-Dehydrogenase	28
Leber	Schnitte	Glucose	Phosphatpuffer, p_H 7,4	—	2,12
Placenta	Cytoplasma (105000 × g Überstand)	NAD und ATP	Phosphatpuffer, p_H 7,0	—	31
Erythrocyten	—	Glucose	Phosphatpuffer, p_H 7,4	17β-ol-Dehydrogenase	2
Leber	Schnitte	Glucose	Phosphatpuffer, p_H 7,4	17β-Hydroxy-Dehydrogenase	7
Leber	Schnitte	Glucose	Phosphatpuffer, p_H 7,4	—	13
Leber	Schnitte	Glucose	Phosphatpuffer, p_H 7,4	—	13
Leber	Schnitte	Glucose	Phosphatpuffer, p_H 7,4	—	2,5
Erythrocyten	—	Glucose	Phosphatpuffer, p_H 7,4	17β-ol-Dehydrogenase	2
Leber	Schnitte	Glucose	Phosphatpuffer, p_H 7,4	17β-Hydroxy-Dehydrogenase	7
Leber	Schnitte	Glucose	Phosphatpuffer, p_H 7,4	—	5
Leber	Schnitte	Glucose	Phosphatpuffer, p_H 7,4	17β-Hydroxysteroid-Dehydrogenase	3
Leber	Schnitte	Glucose	Phosphatpuffer, p_H 7,4	17β-Hydroxysteroid-Dehydrogenase	8,9
Leber	Schnitte	Glucose	Phosphatpuffer, p_H 7,4	17β-Hydroxysteroid-Dehydrogenase	8,9
Leber	Schnitte	Glucose	Phosphatpuffer, p_H 7,4	17β-Hydroxysteroid-Dehydrogenase	8,9

[15] BREUER, H., u. G. PANGELS: Acta endocr. (Kbh.) **33**, 532 (1960).
[16] HAGERMAN, D. D., and C. A. VILLEE: J. biol. Ch. **234**, 2031 (1959).
[17] JARABAK, J., J. A. ADAMS, H. G. WILLIAMS-ASHMAN and P. TALALAY: J. biol. Ch. **237**, 345 (1962).
[18] KING, R. J. B.: Biochem. J. **76**, 7P (1960).
[19] KING, R. J. B.: Biochem. J. **79**, 361 (1961).
[20] LANGER, L. J., J. A. ALEXANDER and L. L. ENGEL: J. biol. Ch. **234**, 2609 (1959).
[21] LANGER, L. J., and L. L. ENGEL: J. biol. Ch. **233**, 583 (1958).
[22] LEVITZ, M., G. P. CONDON and I. DANCIS: Endocrinology **58**, 367 (1956).
[23] MARKWARDT, F., u. K. REPKE: A.e.P.P. **224**, 341 (1955).
[24] MITTERMAYER, C., H. BREUER u. W. DIRSCHERL: Acta endocr. (Kbh.) **43**, 195 (1963).
[25] PEARLMAN, W. H., E. CERCEO and M. THOMAS: J. biol. Ch. **208**, 234 (1954).
[26] PEARLMAN, W. H., and R. H. DEMEIO: J. biol. Ch. **179**, 1141 (1949).
[27] PORTIUS, H. J., u. K. REPKE: A.e.P.P. **239**, 144 (1960).
[28] PORTIUS, H. J., u. K. REPKE: A.e.P.P. **239**, 299 (1960).

Tabelle 3. *Tabellarische Übersicht der Hydroxysteroid-Dehydrogenasen (Hydroxy-*

Reaktion	Substrat	Produkt	Species
3α-OH $\to$ 3-C=O	5α-Androstan-3α-ol-17-on (Androsteron)	5α-Androstan-3,17-dion	Kaninchen
			Meerschweinchen
			Ratte
	5β-Androstan-3α-ol-17-on (Ätiocholanolon)	5β-Androstan-3,17-dion	Kaninchen
	Androst-4-en-3α,17β-diol	Androst-4-en-17β-ol-3-on (Testosteron)	Huhn Ratte
	5α-Androstan-3α,17β-diol	5α-Androstan-3,17-dion	Kaninchen Meerschweinchen, Ratte
			Meerschweinchen
3-C=O $\to$ 3α-OH	Androst-4-en-3,17-dion	5α-Androstan-3α-ol-17-on (Androsteron)	Kaninchen Meerschweinchen
			männliche und weibliche Ratten
		5β-Androstan-3α-ol-17-on	Ratte
	5α-Androstan-3,17-dion	5α-Androstan-3α-ol-17-on (Androsteron)	Ratte

Literatur zu Tabelle 2 (Fortsetzung).
[29] PORTIUS, H. J., u. K. REPKE: Naturwiss. **47**, 43 (1960).
[30] REPKE, K.: A.e.P.P. **226**, 219 (1955).
[31] RYAN, K. J.: J. biol. Ch. **234**, 2006 (1959).
[32] RYAN, K. J.: Endocrinology **66**, 491 (1960).

steroid: Acceptor-Oxydoreductasen) im Tierreich. Substrate: C_{19}-Steroide.

Organ	Präparation	Zusätze	Bemerkungen	In der Arbeit verwendete Bezeichnung des Enzyms	Literatur
Leber	Schnitte	—	—	—	30
Leber	Homogenat	NAD, Nicotinamid	—	—	9
Niere Herz Testis	Homogenat	NAD, Nicotinamid, Pyrophosphatpuffer	Größe der Umwandlung: Niere 11%; Herz 1%; Testis 2%	—	8
Leber	Mikrosomen	NAD oder NADP	Einzelheiten der Enzympräparation s. S. 497	3α-Hydroxysteroid-Dehydrogenase	5
Leber	Schnitte	—	—	—	30
Leber	Acetonpulver, Homogenat, Überstand 5000 × g, Überstand 78000 × g	NAD oder NADP	Das Enzym wurde aus dem Überstand durch eine 40 bis 55%ige Sättigung mit Ammoniumsulfat gefällt. pH-Optimum: 7,5—8,3. Einzelheiten der Enzympräparation s. S. 500	—	37
	Acetonpulver	NAD	—	—	38
Leber Niere	Schnitte Homogenat	—	—	—	7
Leber	Homogenat	NAD, Nicotinamid	—	—	9
Niere	Homogenat	NAD, Nicotinamid	—	—	8
Leber Niere	Homogenat	—	—	—	13
Leber	Homogenat	—	Angaben über Geschlechtsunterschiede	—	24
Leber	lösliche Fraktion 100000 × g	$NADPH_2$	Vergleich mit Rattenleber von Tieren, die mit Thyroxin behandelt wurden; es bildete sich das gleiche Produkt	—	16
Leber	teilweise gereinigtes Enzym	$NADH_2$ oder $NADPH_2$	Einzelheiten der Enzympräparation s. S. 496	3α-Hydroxysteroid-Dehydrogenase	36
	Homogenat Zellfraktionen	$NADH_2$	Angaben über Geschlechtsunterschiede	—	26
	Mikrosomen	$NADH_2$ oder $NADPH_2$	Einzelheiten der Enzympräparation s. S. 497	—	5
	Homogenat Acetonpulver Zellfraktionen	$NADH_2$	Die Leber männlicher Ratten zeigt eine größere Enzymaktivität als die Leber weiblicher Ratten	—	27
	Homognat	—	Angaben über Geschlechtsunterschiede	—	24

Literatur zu Tabelle 2 (Fortsetzung).

[33] RYAN, K. J., and L. L. ENGEL: Endocrinology 52, 277 (1953).
[34] RYAN, K. J., and L. L. ENGEL: Endocrinology 52, 287 (1953).
[35] VELLE, W., and S. ERICHSEN: Acta endocr. (Kbh.) 33, 277 (1960).

Tabelle 3

Reaktion	Substrat	Produkt	Species
3β-OH → 3-C=O	5β-Androstan-3,17-dion (Ätiocholan-3,17-dion)	5β-Androstan-3α-ol-17-on	Ratte
	Androst-4-en-17β-ol-3-on (Testosteron)	5α-Androstan-3α,17β-diol 5β-Androstan-3α,17β-diol	Mensch
			Ratte
		5β-Androstan-3α-ol-17-on	verschiedene Tierarten
	6β-Fluor-androst-4-en-17β-ol-3-on (6β-Fluortestosteron)	6β-Fluor-androst-4-en-3α,17β-diol	männliche Ratte
	Androst-5-en-3β-ol-17-on (Dehydroepiandrosteron)	Androst-4-en-3,17-dion	Rind
			Mensch, Kuh, Schwein, Ratte u.a.
			Rind
			Meerschweinchen
			Ratte
		Androst-4-en-3,17-dion Androst-4-en-17β-ol-3-on (Testosteron)	Hund
		5α-Androstan-3,17-dion	Meerschweinchen
	5α-Androstan-3β-ol-17-on (Epiandrosteron)	5α-Androstan-3,17-dion	Kuh
			Meerschweinchen
	Androst-5-en-3β,17α-diol	Androst-4-en-3,17-dion Androst-4-en-17α-ol-3-on	Meerschweinchen
	Androst-4-en-3β,17β-diol	Androst-4-en-17β-ol-3-on Androst-4-en-3,17-dion Androst-4-en-17α-ol-3-on	Huhn Ratte
		Androst-4-en-17β-ol-3-on (Testosteron)	Huhn Ratte
	Androst-5-en-3β,17β-diol	Androst-4-en-3,17-dion	Meerschweinchen

Tabellarische Übersicht der Steroid-Dehydrogenasen im Tierreich.

(Fortsetzung).

Organ	Präparation	Zusätze	Bemerkungen	In der Arbeit verwendete Bezeichnung des Enzyms	Literatur
Leber	gereinigtes Enzym	NADH$_2$ oder NADPH$_2$	Einzelheiten der Enzympräparation s. S. 496	3α-Hydroxysteroid-Dehydrogenase	36
Leber	Homogenat	NADPH$_2$	Untersuchungen mit Testosteron-4-^{14}C	—	32
Testis	Homogenat	—	Untersuchungen mit Testosteron-4-^{14}C	—	31
Leber	Brei Schnitte	NADH$_2$, Citrat	—	—	28
Leber	Überstand 105000 × g	NADPH$_2$	Keine Bildung von 4,5-Dihydroderivaten	—	23
Nebenniere	Homogenat	—	—	—	18
Nebenniere	Homogenat	NAD	—	—	25
Nebenniere	Perfusion	—	—	—	39
Leber	Homogenat	NAD, Nicotinamid	—	—	9
Nebenniere Ovar Testis	Schnitte	NAD	—	Steroid-3β-ol-Dehydrogenase	15
Leber	Perfusion	—	—	—	6
Niere Testis	Homogenat	NAD, Nicotinamid, Pyrophosphatpuffer	Größe der Umwandlung: Niere 2%; Testis 7%	—	8
Nebenniere	Perfusion	—	—	—	19
Leber	Homogenat	NAD, Nicotinamid	—	—	9
	Homogenat	NAD, Nicotinamid, Pyrophosphatpuffer	Größe der Umwandlung: Niere 4%; Herz 1%; Testis 5%; Prostata 0,8%	—	8
Leber	Homogenat	NAD, Nicotinamid	—	—	9
Leber	Acetonpulver	NAD	—	—	38
Leber	Acetonpulver Homogenat Überstand 5000 × g Überstand 78000 × g	NAD, NADP	Das Enzym wurde aus dem Überstand durch eine 40 bis 55%ige Sättigung mit Ammoniumsulfat gefällt. p$_H$-Optimum: 7,5—8,3. Einzelheiten der Enzympräparation s. S. 500	—	37
Leber	Homogenat	NAD, Nicotinamid	—	—	9
Niere Testis	Homogenat	NAD, Nicotinamid	Größe der Umwandlung: Niere 2%; Testis 1%	—	8

Tabelle 3

Reaktion	Substrat	Produkt	Species
		Androst-4-en-17β-ol-3-on (Testosteron)	Meerschweinchen
	5α-Androstan-3β,17β-diol	5α-Androstan-3,17-dion	Meerschweinchen
3-C=O → 3β-OH	Androst-4-en-3,17-dion	5α-Androstan-3β-ol-17-on (Epiandrosteron)	Meerschweinchen
			männliche und weibliche Ratte
			Ratte
	5α-Androstan-3,17-dion	5α-Androstan-3β-ol-17-on (Epiandrosteron)	männliche und weibliche Ratte
			Ratte
	Androst-4-en-17β-ol-3-on (Testosteron)	5α-Androstan-3β,17β-diol	Mensch
			Ratte
		5β-Androstan-3β-ol-17-on	verschiedene Tierarten
	6β-Fluor-androst-4-en-17β-ol-3-on	6β-Fluor-androst-4-en-3β,17β-diol	männliche Ratte
6α-OH → 6-C=O	Androst-4-en-6α-ol-3,17-dion	Androst-4-en-3,6,17-trion 5α-Androstan-3,6,17-trion	Kuh
6β-OH → 6-C=O	Androst-4-en-6β-ol-3,17-dion	Androst-4-en-3,6,17-trion 5α-Androstan-3,6,17-trion	Kuh
11β-OH → 11-C=O	Androst-4-en-11β-ol-3,17-dion	Androst-4-en-3,11,17-trion	Mensch
11-C=O → 11β-OH	Androst-4-en-3,11,17-trion (Adrenosteron)	Androst-4-en-11β-ol-3,17-dion	Ratte
17α-OH → 17-C=O	Androst-4-en-17α-ol-3-on (Epitestosteron)	Androst-4-en-3,17-dion	Kaninchen
			Meerschweinchen
	5α-Androstan-3α,17α-diol	5α-Androstan-3α-ol-17-on	Hund, Kaninchen, Meerschweinchen
	Androst-5-en-3β,17α-diol	Androst-5-en-3β-ol-17-on Androst-4-en-3,17-dion	Meerschweinchen
17-C=O → 17α-OH	5α-Androstan-3α-ol-17-on (Androsteron)	5α-Androstan-3α,17α-diol	Kaninchen
	5β-Androstan-3α-ol-17-on (Ätiocholan-3α-ol-17-on)	5β-Androstan-3α,17α-diol	Kaninchen

Tabellarische Übersicht der Steroid-Dehydrogenasen im Tierreich.

(Fortsetzung).

Organ	Präparation	Zusätze	Bemerkungen	In der Arbeit verwendete Bezeichnung des Enzyms	Literatur
Herz	Homogenat	NAD, Nicotinamid	Größe der Umwandlung: Herz 1%	—	8
Leber	Homogenat	NAD, Nicotinamid	—	—	9
Niere	Homogenat	NAD, Nicotinamid	Größe der Umwandlung: Niere 3%	—	8
Leber Niere	Homogenat	—	—	—	13
Leber	Homogenat	—	Geschlechtsunterschiede	—	24
Leber	Mikrosomen	NADPH$_2$	Leber von Ratten, die mit Thyroxin behandelt wurden: 5α-Androstan-3α-ol-17-on 5α-Androstan-3,17-dion	—	16
Leber	Homogenat	—	Geschlechtsunterschiede	—	24
Leber	Homogenat Acetonpulver Zellfraktionen	NADH$_2$	Leber männl. Ratten zeigt größere Enzymaktivität als die weibl. Ratten	—	26, 27
Leber	Homogenat	NADH$_2$	Untersuchung mit Testosteron-4-^{14}C	—	32
Testis	Homogenat	—	Untersuchung mit Testosteron-4-^{14}C	—	31
Leber	Brei, Schnitte	NADH$_2$, Citrat	—	—	28
Leber	Überstand 105000 × g	NADPH$_2$	Keine Bildung von 4,5-Dihydroderivaten	—	23
Nebenniere	Homogenat	NADP	—	6-Hydroxy-Dehydrogenase	17
Nebenniere	Homogenat	NADPH$_2$	—	—	17
Placenta	Homogenat	NAD, NADP	Einzelheiten der Enzympräparation s. S. 502	11β-ol-Dehydrogenase	21
Leber	Homogenat Zellfraktionen	—	11-Keto-Reduktion befindet sich im 20000 × g Überstand	—	4
Leber	Schnitte Suspension Homogenat	Nicotinamid	Zugabe von Nicotinamid bewirkte einen vierfachen Anstieg der Oxydation	—	11
Leber	Homogenat	NAD, Nicotinamid	—	—	9
Niere	Brei	NAD, Citrat	—	—	41
Leber	Homogenat	NAD, Nicotinamid	—	—	9
Leber	Schnitte	—	—	—	30
Leber	Schnitte	—	—	—	30

Tabelle 3

Reaktion	Substrat	Produkt	Species
	Androst-5-en-3β-ol-17-on (Dehydroisoandrosteron)	Androst-5-en-3β,17α-diol	Kaninchen
17β-OH → 17-C=O	Androst-4-en-17β-ol-3-on (Testosteron)	Androst-4-en-3,17-dion	Mensch
			Stier
			Hund
			Mensch Esel Hund Kaninchen Huhn Meerschweinchen Ratte
			Hund Kaninchen Meerschweinchen
			Kaninchen
			Meerschweinchen

(Fortsetzung).

Organ	Präparation	Zusätze	Bemerkungen	In der Arbeit verwendete Bezeichnung des Enzyms	Literatur
Leber	Schnitte	—	—	—	29
Leber	Homogenat	NADP	Untersuchungen mit Testosteron-4-^{14}C	—	32
Prostata	Schnitte	—	—	—	42
Serum	—	NAD	—	—	22
verschiedene Gewebe	Schnitte	—	Normale Haut und malignes Mammagewebe oxydieren Testosteron in weit größerem Maße als andere Gewebe	—	43
verschiedene Gewebe	Schnitte	—	Die Oxydation von Testosteron, bezogen auf die Sauerstoffaufnahme des Gewebes, ist in neoplastischen Geweben größer als in anderen Geweben	—	2
Leber	angereichertes Enzym	NAD	Das Enzym wird zwischen 50 und 100%iger Sättigung mit Ammoniumsulfat ausgefällt. Einzelheiten der Enzympräparation s. S. 509	—	35
Leber	Perfusion	—	—	—	1
Leber	Brei	NAD, Citrat	Es wurde keine Oxydation von 17α-Methyltestosteron beobachtet	—	14
Niere	Brei	NAD, Citrat	—	—	41
Leber Niere	Homogenat	—	—	—	10
Leber Niere	Homogenat	NAD, Nicotinamid	Nicotinamid und NAD erhöhen den Stoffwechsel im Leberhomogenat; p_H-Optimum 9,5. Bei Zugabe von NAD zum Nierenhomogenat zeigte sich nur ein ganz geringer Anstieg der Oxydation; p_H-Optimum 9,5	—	12
Leber	Homogenat	NAD, Nicotinamid	—	—	9
	Zellfraktionen, teilweise gereinigtes Enzym	NAD, NADP	Einzelheiten der Enzympräparation s. S. 510 u. 511	17β-Hydroxysteroid-Dehydrogenase	40
	Homogenat Zellfraktionen	NAD, NADP	MICHAELIS-MENTEN-Konstante für Testosteron: NADP-Enzym $6,0 \times 10^{-5}$ m NAD-Enzym $8,35 \times 10^{-6}$ m	17β-Hydroxy-(Testosteron)-Dehydrogenase	3

Tabelle 3

Reaktion	Substrat	Produkt	Species
			Ratte
		5β-Androstan-3α-ol-17-on 5β-Androstan-3β-ol-17-on	verschiedene Tierarten
	5α-Androstan-17β-ol-3-on	5α-Androstan-3,17-dion	Hund Kaninchen Meerschweinchen
			Meerschweinchen
	5β-Androstan-17β-ol-3-on	5β-Androstan-3,17-dion	Meerschweinchen
		5β-Androstan-3,17-dion 5β-Androstan-3α-ol-17-on	Meerschweinchen
		5β-Androstan-3α-ol-17-on	Meerschweinchen
	Androst-4-en-3α,17β-diol	Androst-4-en-3,17-dion	Huhn Ratte
	5α-Androstan-3α,17β-diol	5α-Androstan-3α-ol-17-on (Androsteron)	Hund Kaninchen Meerschweinchen
			Meerschweinchen

Tabellarische Übersicht der Steroid-Dehydrogenasen im Tierreich. 451

(Fortsetzung).

Organ	Präparation	Zusätze	Bemerkungen	In der Arbeit verwendete Bezeichnung des Enzyms	Literatur
			Einzelheiten der Enzympräparation s. S. 511		
Niere Herz Testis	Homogenat	NAD, Nicotinamid, Pyrophosphatpuffer	Größe der Umwandlung: Niere 50%; Herz 6%; Testis 8%	—	8
Leber	Brei	NAD, Citrat, Nicotinamid	—	—	33
	Brei	NAD, Citrat	In Gegenwart von NAD sind die Reaktionsprodukte größtenteils 17-Ketosteroide, während es bei Anwesenheit von Citrat nicht der Fall ist	—	34
	Brei	NAD, Nicotinamid	—	—	20
Leber	Brei Schnitte	NAD, Citrat	In Vögeln und Säugetieren ist ein Enzymsystem vorhanden, das NAD und Citrat als Cofaktoren erfordert. Die NAD-katalysierte Reaktion führt zur Bildung von 17-Ketosteroiden, während das citratfordernde Enzym die α,β-Konjugation im Ring A angreift. Die Bildung von 17-Ketosteroiden in Gegenwart von NAD wird durch Citrat geschwächt	—	28
Niere	Brei	NAD, Citrat	—	—	41
Leber	Homogenat	NAD, Nicotinamid	—	—	9
Niere Testis	Homogenat	NAD, Nicotinamid, Pyrophosphatpuffer	Größe der Umwandlung: Niere 10%; Testis 5%	—	8
Niere Herz Testis Prostata	Homogenat	NAD, Nicotinamid, Pyrophosphatpuffer	Größe der Umwandlung: Niere 18%; Herz 1%; Testis 4%; Prostata 0,2%	—	8
Leber	Homogenat	NAD, Nicotinamid	—	—	9
Niere Herz	Homogenat	NAD, Nicotinamid, Pyrophosphatpuffer	Größe der Umwandlung: Niere 4%; Herz 2%	—	8
Leber	Acetonpulver	NAD	—	—	38
Niere	Brei	NAD, Citrat	—	—	41
Niere Herz	Homogenat	NAD, Nicotinamid, Pyrophosphatpuffer	Größe der Umwandlung: Niere 1%; Herz 1%; Testis	—	8

Tabelle 3

Reaktion	Substrat	Produkt	Species
		5α-Androstan-3,17-dion	Meerschweinchen
		5α-Androstan-3,17-dion 5α-Androstan-3α-ol-17-on 5α-Androstan-3β-ol-17-on	Meerschweinchen
			Kaninchen Meerschweinchen Ratte
	Androst-4-en-3β,17β-diol	Androst-4-en-3,17-dion	Huhn Ratte
	Androst-5-en-3β,17β-diol	Androst-4-en-3,17-dion	Meerschweinchen
		Androst-5-en-3β-ol-17-on (Dehydroepiandrosteron)	Meerschweinchen
		Androst-4-en-3,17-dion Androst-5-en-3β-ol-17-on	Meerschweinchen
	5α-Androstan-3β,17β-diol	5α-Androstan-3,17-dion	Meerschweinchen
		5α-Androstan-3β-ol-17-on (Epiandrosteron)	Meerschweinchen
		5α-Androstan-3,17-dion 5α-Androstan-3β-ol-17-on	Meerschweinchen
17-C=O → 17β-OH	Androst-4-en-3,17-dion	Androst-4-en-17β-ol-3-on (Testosteron)	Mensch
			Kaninchen Meerschweinchen
			Meerschweinchen
			Ratte
	Androst-4-en-3,11,17-trion (Adrenosteron)	Androst-4-en-17β-ol-3,11-dion	Ratte
	5β-Androstan-3α-ol-17-on	5β-Androstan-3α,17β-diol	Kaninchen
	Androst-5-en-3β-ol-17-on	Androst-4-en-17β-ol-3-on (Testosteron)	Hund

[1] Axelrod, L. R., and L. L. Miller: J. biol. Ch. 219, 455 (1956).
[2] Breuer, H., L. Nocke u. I. Pechthold: Z. Vit.-, Horm.-Ferm.-Forsch. 10, 106 (1959).
[3] Endahl, G. L., C. D. Kochakian and D. Hamm: J. biol. Ch. 235, 2792 (1960).
[6] Hübener, H. J.: H. 298, 283 (1954).
[5] Hurlock, B., and P. Talalay: Arch. Biochem. 80, 468 (1959).

(Fortsetzung).

Organ	Präparation	Zusätze	Bemerkungen	In der Arbeit verwendete Bezeichnung des Enzyms	Literatur
Testis Prostata			2%; Prostata 1,2%		
Niere	Homogenat	NAD, Nicotinamid, Pyrophosphatpuffer	Größe der Umwandlung: Niere 1%	—	8
Leber	Homogenat	NAD, Nicotinamid	—	—	9
Leber Niere	Schnitte Homogenat	—	—	—	7
Leber	Acetonpulver	NAD	—	—	38
Niere Testis	Homogenat	NAD, Nicotinamid	Größe der Umwandlung: Niere 2%; Testis 1%	—	8
Niere Herz Testis Prostata	Homogenat	NAD, Nicotinamid, Pyrophosphatpuffer	Größe der Umwandlung: Niere 7%; Herz 1%; Testis 2%; Prostata 0,7%	—	8
Leber	Homogenat	NAD, Nicotinamid	—	—	9
Niere	Homogenat	NAD, Nicotinamid, Pyrophosphatpuffer	Größe der Umwandlung: Niere 3%	—	8
Niere	Homogenat	NAD, Nicotinamid, Pyrophosphatpuffer	Größe der Umwandlung: Niere 3%	—	8
Leber	Homogenat	NAD, Nicotinamid	—	—	9
Prostata Testis	Schnitte	—	—	—	43
Leber Niere	Homogenat	—	—	—	13
Leber Niere	angereichertes Enzym	NADPH$_2$ NADH$_2$	Einzelheiten der Enzympräparation s. S. 510, 511	17β-Hydroxysteroid-Dehydrogenase	40
Leber	Homogenat Zellfraktionen	NADH$_2$	—	—	4
Leber	Homogenat Zellfraktionen	NADH$_2$	17-Ketoreduktion und eine ganz geringe 17β-Oxydation befinden sich im Überstand 105000 × g bzw. 20000 × g	—	4
Leber	Schnitte	—	—	—	30
Leber	Perfusion	—	—	—	6

[6] KLEMPIEN, E. J., K. D. VOIGT u. J. TAMM: Acta endocr. (Kbh.) **36**, 498 (1961).
[7] KOCHAKIAN, C. D., and H. V. APOSHIAN: Arch. Biochem. **37**, 442 (1952).
[8] KOCHAKIAN, C. D., B. R. CARROLL and B. UHRI: Amer. J. Physiol. **189**, 83 (1957).
[9] KOCHAKIAN, C. D., B. R. CARROLL and B. UHRI: J. biol. Ch. **224**, 811 (1957).
[10] KOCHAKIAN, C. D., J. GONGORA and M. PARENTE: J. biol. Ch. **196**, 243 (1952).

Tabelle 4. *Tabellarische Übersicht der Hydroxysteroid-Dehydrogenasen (Hydroxy-*

Reaktion	Substrat	Produkt	Species
3α-OH $\to$ 3-C=O	5β-Pregnan-3α,17α,21-triol-11,20-dion (Tetrahydrocortison)	5β-Pregnan-17α,21-diol-3,11,20-trion (5β-Dihydrocortison)	Mensch
	Pregn-4-en-3α-ol-20-on	Pregn-4-en-3,20-dion (Progesteron)	Huhn Ratte
	5β-Pregnan-3α,20α-diol (Pregnandiol)	5β-Pregnan-3,20-dion	Kaninchen
3-C=O $\to$ 3α-OH	Pregn-4-en-17α,21-diol-3,11,20-trion (Cortison)	5β-Pregnan-3α-17α,21-triol-11,20-dion	Mensch
			Ratte
		5α-Pregnan-3α,17α,21-triol-11,20-dion	Ratte
		5α-Pregnan-3α,17α,21-triol-11,20-dion, 5α-Pregnan-3α,11β,17α,21-tetrol-20-on	Ratte
	5β-Pregnan-17α,21-diol-3,11,20-trion (Dihydrocortison)	5β-Pregnan-3α,17α,21-triol-11,20-dion	Ratte
	Pregn-4-en-11β,17α,21-triol-3,20-dion (Cortisol, Hydrocortison)	5β-Pregnan-3α,17α,21-triol-11,20-dion, 5β-Pregnan-3α,17α,20α,21-tetrol-11-on, 5β-Pregnan-3α,11β,17α,21-tetrol-20-on	Hund
		5β-Pregnan-3α,11β,17α,21-tetrol-20-on (Urocortisol)	Ratte

Literatur zu Tabelle 3 (Fortsetzung).
[11] KOCHAKIAN, C. D., and D. M. NALL: J. biol. Ch. **204**, 91 (1953).
[12] KOCHAKIAN, C. D., V. RAUT and D. M. NALL: Amer. J. Physiol. **189**, 78 (1957).
[13] KOCHAKIAN, C. D., and G. STIDWORTHY: J. biol. Ch. **210**, 933 (1954).
[14] LEVEDAHL, B. H., and L. T. SAMUELS: J. biol. Ch. **186**, 857 (1950).
[15] LEVY, H., H. W. DEANE and B. L. RUBIN: Endocrinology **65**, 932 (1959).
[16] MCGUIRE, J. S., jr., and G. M. TOMKINS: J. biol. Ch. **234**, 791 (1959).
[17] MEYER, A. S.: Acta endocr. (Kbh.) **25**, 377 (1957).
[18] MEYER, A. S., M. HAYANO, M. L. LINDBERG, M. GUT and O. G. RODGERS: Acta endocr. (Kbh.) **18**, 148 (1955).
[19] MEYER, A. S., O. G. RODGERS and G. PINCUS: Endocrinology **53**, 245 (1953).
[20] OFNER, P.: Biochem. J. **61**, 287 (1955).
[21] OSINSKI, P. A.: Nature **187**, 777 (1960).
[22] RICHTERICH VAN BAERLE, R., and H. H. WOTIZ: Experientia **10**, 308 (1954).
[23] RINGOLD, H. J., S. RAMACHANDRAN and E. FORCHIELLI: J. biol. Ch. **237**, PC 260 (1962).
[24] RUBIN, B. L.: J. biol. Ch. **227**, 917 (1957).
[25] RUBIN, B. L., and R. I. DORFMAN: Endocrinology **61**, 601 (1957).
[26] RUBIN, B. L., and H. J. STRECKER: Acta endocr. (Kbh.) Suppl. **51**, 725 (1960).
[27] RUBIN, B. L., and H. J. STRECKER: Endocrinology **69**, 257 (1961).

steroid: Acceptor-Oxydoreductasen) im Tierreich. Substrate: C_{21}-Steroide.

Organ	Präparation	Zusätze	Bemerkungen	In der Arbeit verwendete Bezeichnung des Enzyms	Literatur
Leber	Homogenat	NAD, Nicotinamid	—	3α-ol-Dehydrogenase	32
	Mikrosomen	NAD	—	3α-ol-Dehydrogenase	32
Placenta	Schnitte	NAD	—	3α-ol-Dehydrogenase	32
	Homogenat Zellfraktionen	NAD	—	3α-ol-Dehydrogenase	32
Leber	Acetonpulver Homogenat Überstand 5000 × g Überstand 78000 × g	NAD oder NADP	Das Enzym wurde aus dem Überstand durch eine 40—55%ige Sättigung mit Ammoniumsulfat gefällt; p_H-Optimum: 7,5—8,3. Einzelheiten der Enzympräparation s. S. 500	—	58
Leber	Homogenat	Nicotinamid	—	—	51
Leber	Homogenat	$NADPH_2$, Natriumphosphatpuffer, p_H 7,4, Nicotinamid	—	—	32
Leber	Überstand 100000 × g	$NADPH_2$	Vergleich mit Leber von Ratten, die mit Thyroxin behandelt wurden	—	31
Leber	Mikrosomen	$NADPH_2$	Vergleich mit Rattenleber von Tieren, die mit Thyroxin behandelt wurden	—	31
Leber	Perfusion	—	—	—	9
Leber	teilweise gereinigtes Enzym	$NADH_2$ oder $NADPH_2$	Einzelheiten der Enzympräparation s. S. 496	3α-Hydroxysteroid-Dehydrogenase	56
Leber	Perfusion	—	—	—	3
Leber	Zellfraktionen	$NADPH_2$	Es wurden Versuche zur Lokalisation unternommen	—	13

Literatur zu Tabelle 3 (Fortsetzung).

[28] SAMUELS, L. T., M. L. SWEAT, B. H. LEVEDAHL, M. M. POTTNER and M. L. HELMREICH: J. biol. Ch. **183**, 231 (1950).
[29] SCHNEIDER, J. J., and H. L. MASON: J. biol. Ch. **172**, 771 (1948).
[30] SCHNEIDER, J. J., and H. L. MASON: J. biol. Ch. **175**, 231 (1948).
[31] STYLIANOU, M., E. FORCHIELLI and R. I. DORFMAN: J. biol. Ch. **236**, 1318 (1961).
[32] STYLIANOU, M., E. FORCHIELLI, M. TUMMILLO and R. I. DORFMAN: J. biol. Ch. **236**, 692 (1961).
[33] SWEAT, M. L., and L. T. SAMUELS: J. biol. Ch. **173**, 433 (1948).
[34] SWEAT, M. L., and L. T. SAMUELS: J. biol. Ch. **175**, 1 (1948).
[35] SWEAT, M. L., L. T. SAMUELS and R. LUMRY: J. biol. Ch. **185**, 75 (1950).
[36] TOMKINS, G. M.: J. biol. Ch. **218**, 437 (1956).
[37] UNGAR, F., and B. R. BLOOM: Biochim. biophys. Acta **24**, 431 (1957).
[38] UNGAR, F., M. GUT and R. I. DORFMAN: J. biol. Ch. **224**, 191 (1957).
[39] UNGAR, F., A. M. MILLER and R. I. DORFMAN: J. biol. Ch. **206**, 597 (1954).
[40] VILLEE, C. A., and J. M. SPENCER: J. biol. Ch. **235**, 3615 (1960).
[41] WEST, C. D., and L. T. SAMUELS: J. biol. Ch. **190**, 827 (1951).
[42] WOTIZ, H. H., and H. M. LEMON: J. biol. Ch. **206**, 525 (1954).
[43] WOTIZ, H. H., H. M. LEMON and A. VOULGAROPOULOS: J. biol. Ch. **209**, 437 (1954).

Tabelle 4

Reaktion	Substrat	Produkt	Species
	5β-Pregnan-11β,17α,21-triol-3,20-dion	5β-Pregnan-3α,11β,17α,20β,21-pentol (β-Cortol) 5β-Pregnan-3α,17α,21-triol-11,20-dion	Ratte
	Pregn-4-en-11β,19,21-triol-3,20-dion (19-Hydroxycorticosteron)	5α-Pregnan-3α,11β,19,21-tetrol-20-on, 5β-Pregnan-3α,11β,19,21-tetrol-20-on	Ratte
	Pregn-4-en-17α,21-diol-3,20-dion (11-Desoxycortisol)	5α-Pregnan-3α,17α,21-triol-20-on	Ratte
		5α-Pregnan-3α,17α,21-triol-20-on 5β-Pregnan-3α,17α,21-triol-20-on	Ratte
	5β-Pregnan-17α,21-diol-3,20-dion	5β-Pregnan-3α,17α,21-triol-20-on	männliche und weibliche Ratte
	Pregn-4-en-16α-ol-3,20-dion (16α-Hydroxyprogesteron)	5α-Pregnan-3α,16α-diol-20-on 5β-Pregnan-3α,16α-diol-20-on	Ratte
	Pregn-4-en-21-ol-3,20-dion (Cortexon, Desoxycorticosteron)	5α-Pregnan-3α,21-diol-20-on	Kaninchen
			Ratte
		5α-Pregnan-3α,21-diol-20-on 5β-Pregnan-3α,21-diol-20-on	Kaninchen
	5α-Pregnan-21-ol-3,20-dion	5α-Pregnan-3α,21-diol-20-on	männliche und weibliche Ratte
	5β-Pregnan-21-ol-3,20-dion	5β-Pregnan-3α,21-diol-20-on	männliche Ratte
			Kaninchen
	Pregn-4-en-3,20-dion (Progesteron)	5α-Pregnan-3α-ol-20-on 5β-Pregnan-3α-ol-20-on 5β-Pregnan-3α,20α-diol	Mensch
			Kaninchen
		5α-Pregnan-3α-ol-20-on 5β-Pregnan-3α-ol-20-on	Kaninchen
		5α-Pregnan-3α-ol-20-on	Ratte
	5β-Pregnan-3,20-dion	5β-Pregnan-3α-ol-20-on 5β-Pregnan-3α,20β-diol	Rind
3β-OH → 3-C=O	Pregn-4-en-3β-ol-20-on	Pregn-4-en-3,20-dion (Progesteron)	Huhn Ratte
	Pregn-5-en-3β-ol-20-on (Pregnenolon)	Pregn-4-en-3,20-dion	Mensch

Tabellarische Übersicht der Steroid-Dehydrogenasen im Tierreich.

(Fortsetzung).

Organ	Präparation	Zusätze	Bemerkungen	In der Arbeit verwendete Bezeichnung des Enzyms	Literatur
Leber	teilweise gereinigtes Enzym	$NADH_2$ oder $NADPH_2$	Einzelheiten der Enzympräparation s. S. 496	3α-Hydroxysteroid-Dehydrogenase	56
Leber	Homogenat	$NADPH_2$	—	—	37
Leber	Homogenat Überstand 6000 × g	$NADH_2$	—	—	15
Leber	Zellfraktionen	$NADH_2$	—	—	14
Leber	Homogenat	—	—	—	40
Leber	Schnitte Homogenat	$NADPH_2$, Nicotinamid	Umsetzung mit radioaktivem 16α-Hydroxyprogesteron	—	60
Leber	Homogenat	Nicotinamid	—	—	52
Leber	Schnitte	—	—	—	41
Leber	Homogenat	Nicotinamid	—	—	53
Leber	Homogenat	$NADH_2$ $NADPH_2$	Die Leber männlicher Ratten bildet 5α-Pregnan-3α,21-diol-20-on und 5α-Pregnan-3β,21-diol-20-on. Im Gegensatz reduziert die Leber weiblicher Ratten 5α-Pregnan-21-ol-3,20-dion und 5β-Pregnan-21-ol-3,20-dion nur zu 3α-Hydroxysteroiden	—	4
Leber	Homogenat	$NADH_2$ $NADPH_2$	5β-Pregnan-21-ol-3,20-dion wird fast nur zu 5β-Pregnan-3α,21-diol-20-on reduziert	—	4
Leber	Homogenat	—	—	—	54
Leber	Suspension	$NADPH_2$, Citrat, Nicotinamid	—	—	2
Leber	Schnitte Homogenat	$NADH_2$, Citrat Nicotinamid	—	—	50
Leber	Homogenat	$NADH_2$, Citrat Nicotinamid	—	—	48
Leber	Schnitte Homogenat	$NADH_2$, Citrat Nicotinamid	—	—	49
Nebenniere	Perfusion	—	—	—	38
Leber	Acetonpulver Homogenat Überstand 5000 × g Überstand 78000 × g	NAD, NADP	Das Enzym wurde aus dem 78000 × g Überstand durch eine 40—55%ige Sättigung mit Ammoniumsulfat gefällt. p_H-Optimum: 7,5—8,3. Einzelheiten der Enzympräparation s. S. 500	—	58
Placenta	Homogenat	NAD Nicotinamid	—	—	35

Tabelle 4

Reaktion	Substrat	Produkt	Species
			Rind
3-C=O → 3β-OH	Pregn-4-en-17α,21-diol-3,11,20-trion (Cortison)	5α-Pregnan-3β,17α,21-triol-11,20-dion	Rind
			Ratte
		5α-Pregnan-3β,17α,21-triol-11,20-dion, 5α-Pregnan-3β,11β,17α,21-tetrol-20-on	Ratte
		5α-Pregnan-3β,17α,20β,21-tetrol-11-on	Ratte
	Pregn-4-en-18-al-11β,21-diol-3,20-dion (Aldosteron)	5α-Pregnan-18-al-3β,11β,21-triol-20-on	Ratte
	Pregn-4-en-11β,17α,21-triol-3,20-dion	5α-Pregnan-3β,11β,17α,21-tetrol-20-on, 5α-Pregnan-3β,11β,17α,20β,21-pentol	Ratte
	Pregn-4-en-17α,21-diol-3,20-dion (11-Desoxycortisol)	5α-Pregnan-3β,17α,21-triol-20-on 5β-Pregnan-3β,17α,21-triol-20-on	Ratte
		5α-Pregnan-3β,17α,21-triol-20-on	Ratte
	Pregn-4-en-16α-ol-3,20-dion (16α-Hydroxyprogesteron)	5α-Pregnan-3β,16α-diol-20-on	Ratte
	Pregn-4-en-21-ol-3,20-dion (Desoxycorticosteron, Cortexon)	5α-Pregnan-3β,21-diol-20-on	Kaninchen
			Ratte
		5α-Pregnan-3β,21-diol-20-on 5α-Pregnan-3β,20,21-triol	Ratte
	5α-Pregnan-21-ol-3,20-dion	5α-Pregnan-3β,21-diol-20-on	männliche Ratte
	Pregn-4-en-3,20-dion (Progesteron)	5α-Pregnan-3β-ol-20-on	Mensch
			Kaninchen
	Pregn-4-en-17α-ol-3,20-dion-(17α-caproat), (17α-Hydroxyprogesteron-17α-caproat)	5α-Pregnan-3β,17α-diol-20-on-(17α-caproat), 5β-Pregnan-3β,17α-diol-20-on-(17α-caproat)	Ratte
	9α-Fluor-pregn-4-en-11β,17α,21-triol-3,20-dion (9α-Fluor-hydrocortisonacetat)	9α-Fluor-5β-pregnan-3β,11β,17α,21-tetrol-20-on	Ratte
	9α-Fluor-5α-pregnan-11β,17α,21-triol-3,20-dion	9α-Fluor-5α-pregnan-3β,11β,17α,21-tetrol-20-on	Ratte
11β-OH → 11-C=O	Pregn-4-en-11β,17α,21-triol-3,20-dion (Cortisol, Hydrocortison, 17α-Hydroxycorticosteron)	Pregn-4-en-17α,21-diol-3,11,20-trion	Mensch
			Mensch

(Fortsetzung).

Organ	Präparation	Zusätze	Bemerkungen	In der Arbeit verwendete Bezeichnung des Enzyms	Literatur
Nebenniere	Zellfraktionen	NAD	Einzelheiten der Enzympräparation s. S. 500	Steroid-3β-ol-Dehydrogenase	6
Nebenniere	Perfusion	—	—	—	33
Leber	Mikrosomen	NADPH$_2$	Vergleich mit Rattenleber von Tieren, die mit Thyroxin behandelt wurden	—	31
Leber	Perfusion	—	—	—	9
Leber	Perfusion	—	—	—	7
Leber	Homogenat	—	—	—	36
Leber	Perfusion	—	Versuche mit Cortisol 4-^{14}C	—	8
Leber	Zellfraktionen	NADH$_2$	—	—	14
Leber	Homogenat Überstand 6000 × g	NADH$_2$	—	—	15
Leber	Schnitte Homogenat	NADPH$_2$ Nicotinamid	—	—	60
Leber	Homogenat	Nicotinamid	—	—	52, 53
Leber	Schnitte	—	—	—	42
Leber	Schnitte	—	—	—	41
Leber	Homogenat	NADPH$_2$ NADH$_2$	Die Leber männlicher Ratten bildet ebenfalls 5α-Pregnan-3α,21-diol-20-on	—	4
Leber	Suspension	NADPH$_2$ Citrat Nicotinamid	—	—	2
Leber	Homogenat	Citrat Nicotinamid	—	—	48
	Schnitte Homogenat	NADH$_2$, Citrat Nicotinamid	—	—	50
Leber	Homogenat	—	Versuche mit 17α-Hydroxyprogesteron-4-^{14}C-17α-caproat	—	61
Leber	Schnitte	—	—	—	44
Leber	Schnitte	—	—	—	44
Placenta	angereichertes Enzym	NAD oder NADP	Einzelheiten der Enzympräparation s. S. 502	11β-ol-Dehydrogenase	34
Leber	Homogenat	NAD, Nicotinamid, pH 9,0	—	—	32

Tabelle 4

Reaktion	Substrat	Produkt	Species
			Mensch
			Rind, Schwein, Meerschweinchen, Ratte
			Rind
			Ratte
			Ratte
			Maus
		Pregn-4-en-17α,21-diol-3,11,20-trion, Pregn-4-en-21-ol-3,11,20-trion, Pregn-4-en-17α,20β,21-triol-3,11-on	Rind, Maus
		Pregn-4-en-17α,21-diol-3,11,20-trion, 5β-Pregnan-3α,17α,21-triol-11,20-dion, 5β-Pregnan-3α-17α,20α,21-tetrol-11-on	Hund
		Pregn-4-en-17α,20β,21-triol-3,11-dion (20β-Dihydrocortison)	Mensch
	Pregn-4-en-11β,21-diol-3,20-dion (Corticosteron)	Pregn-4-en-21-ol-3,11,20-trion	Mensch
11-C=O → 11β-OH	Pregna-1,4-dien-17α,21-diol-3,11,20-trion (Prednison)	Pregna-1,4-dien-11β,17α,21-triol-3,20-dion (Prednisolon) Pregn-4-en-11β,17α,21-triol-3,20-dion (Hydrocortison)	Ratte
	Pregn-4-en-17α,21-diol-3,11,20-trion (Cortison)	Pregn-4-en-11β,17α,21-triol-3,20-dion (Cortisol)	Mensch

(Fortsetzung).

Organ	Präparation	Zusätze	Bemerkungen	In der Arbeit verwendete Bezeichnung des Enzyms	Literatur
	Mikrosomen lösliche Fraktion	NAD		—	32
Placenta	Schnitte	NAD	—	—	32
	Zellfraktionen	NAD	—	—	32
Uterus	Fibroblastenkultur aus Myometrium, Stamm U_{12-79} U_{12-35}	—	—	—	20
Leber Nebenniere	Homogenat	—	—	—	24
Niere	Brei	NAD	—	—	17
Leber	Mikrosomen	NAD oder NADP	Einzelheiten der Enzympräparation s. S. 501	11β-Hydroxysteroid-Dehydrogenase	28
	Zellfraktionen	NADP	Versuche zur Lokalisation	—	13
Niere	Schnitte Brei Homogenat Zellfraktionen	NAD, NADP Nicotinamid	Die Oxydation von Cortisol zu Cortison ist in der Zellkernfraktion zweimal größer als in den Mikrosomen. In der Mitochondrienfraktion und im Überstand wurde eine sehr geringe Aktivität nachgewiesen	—	30
Bindegewebe	90% der Zellen sind Fibroblasten	—	Versuche mit Cortisol 4-^{14}C	—	5
quergestreifte Muskulatur	angereichertes Enzym	NADP	Aus dem $32000 \times g$ Überstand wurde das Enzym durch eine 10- bis 60%ige Ammoniumsulfatsättigung angereichert	—	46
Leber	Perfusion	—	—	—	3
Uterus	Fibroblastenkultur aus Myometrium Stamm U_{12-705}	—	—	—	47
Placenta	Homogenat	NAD oder NADP	Einzelheiten der Enzympräparation s. S. 502	—	34
Leber	Perfusion	—	—	—	43
Leber	Homogenat	$NADPH_2$, Nicotinamid Natriumphosphatpuffer p_H 7,4	—	—	32
Placenta	Homogenat	NAD oder NADP	Einzelheiten der Enzympräparation s. S. 502	11β-ol-Dehydrogenase	34

Tabelle 4

Reaktion	Substrat	Produkt	Species
			Schwein
			Ratte
		Pregn-4-en-11β,17α,21-triol-3,20-dion, 5α-Pregnan-3α,11β,17α,21-tetrol-20-on, 5α-Pregnan-3β,11β,17α,21-tetrol-20-on	Ratte
		Pregn-4-en-11β,17α,20β,21-tetrol-3-on	Ratte
	Pregn-4-en-21-ol-3,11,20-trion (Dehydrocorticosteron)	Pregn-4-en-11β,21-diol-3,20-dion	Ratte
	Pregn-4-en-3,11,20-trion (11-Ketoprogesteron)	Pregn-4-en-11β-ol-3,20-dion	Ratte
	Pregn-4-en-17α,20β,21-triol-3,11-dion	Pregn-4-en-11β,17α,20β-21-tetrol-3-on	Ratte
20α-OH → 20-C=O	Pregn-4-en-20α-ol-3-on	Pregn-4-en-3,20-dion	Ratte
	5β-Pregnan-20α-ol-3-on	5β-Pregnan-3,20-dion	Ratte
	5β-Pregn-16-en-3α,20α-diol	5β-Pregn-16-en-3α-ol-20-on	Ratte
	5β-Pregnan-3α,20α-diol (Pregnandiol)	5β-Pregnan-3α-ol-20-on	Ratte
		5β-Pregnan-3,20-dion 5β-Pregnan-3α-ol-20-on	Kaninchen
20-C=O → 20α-OH	Pregn-4-en-17α,21-diol-3,11,20-trion (Cortison)	Pregn-4-en-17α,20,21-triol-3,11-dion (20-Dihydrocortison)	Mensch
			Ratte

(Fortsetzung).

Organ	Präparation	Zusätze	Bemerkungen	In der Arbeit verwendete Bezeichnung des Enzyms	Literatur
Leber	Homogenat	$NADH_2$	Aktivität im 5000 × g Überstand	—	16
Leber	Mikrosomen	$NADH_2$ oder $NADPH_2$	Einzelheiten der Enzympräparation s. S. 501	11β-Hydroxysteroid-Dehydrogenase	28
	Homogenat	—	Die Umwandlungsaktivität des enzymatischen Vorganges ist bei Rattenmännchen größer als bei weiblichen Tieren	—	25
	Homogenat Zellfraktionen	$NADH_2$, Citronensäure, Bernsteinsäure, Ascorbinsäure	—	—	1
	Homogenat Zellfraktionen	$NADH_2$	—	—	23. 26
Leber	Perfusion	—	—	—	9
Leber	Perfusion	—	—	—	7
Leber	Homogenat Zellfraktionen	$NADH_2$	—	—	23. 26
Leber	Homogenat Zellfraktionen	$NADH_2$	—	—	23. 26
Leber	Homogenat Zellfraktionen	—	—	—	26
Ovar	gereinigtes Enzym	NADP	Einzelheiten der Enzympräparation s. S. 514	20α-Hydroxysteroid-Dehydrogenase	63
Ovar	gereinigtes Enzym	NADP	Einzelheiten der Enzympräparation s. S. 514	20α-Hydroxysteroid-Dehydrogenase	63
Ovar	gereinigtes Enzym	NADP	Einzelheiten der Enzympräparation s. S. 514	20α-Hydroxysteroid-Dehydrogenase	63
Ovar	gereinigtes Enzym	NADP	Einzelheiten der Enzympräparation s. S. 514	20α-Hydroxysteroid-Dehydrogenase	63
Leber	Homogenat	—	—	—	19
Leber	Homogenat	Nicotinamid	—	—	51
Leber	Homogenat	$NADPH_2$, Nicotinamid, Natriumphosphatpuffer, pH 7,4	Keine Angabe der Konfiguration der C-20-Hydroxygruppe	—	32
Leber	Mikrosomen	$NADPH_2$	Keine Angabe der Konfiguration der C-20-Hydroxygruppe. Die C-20-Ketoreductase zeigt eine relative Spezifität für Steroide mit einer 17,21-Dihydroxy-20-keto-Seitenkette	C-20-Ketoreduktase	39
	Homogenat	$NADPH_2$	Keine Angabe der Konfiguration der C-20-Hydroxygruppe. Das Verhältnis der Ring A-Reduktion zur Reduktion der Seitenkette	—	57

Tabelle 4

Reaktion	Substrat	Produkt	Species
	Pregn-4-en-11β,17α,21-triol-3,20-dion (Cortisol, Hydrocortison)	5β-Pregnan-3α,17α,20α,21-tetrol-11-on	Hund
		5β-Pregnan-3α,17α,20-21-tetrol-11-on	Ratte
		Pregn-4-en-11β,17α,20α,21-tetrol-3-on	Ratte
		Pregn-4-en-11β,17α,20,21-tetrol-3-on	Ratte
		Pregn-4-en-11β,17α,20α,21-tetrol-3-on	Maus
	5β-Pregnan-3α,17α,21-triol-11,20-dion	5β-Pregnan-3α,17α,20,21-tetrol-11-on (Cortolon)	Mensch
		5β-Pregnan-3α,17α,20α,21-tetrol-11-on	Ratte
	Pregn-4-en-17α,21-diol-3,20-dion (11-Desoxycortisol)	Pregn-4-en-17α,20α,21-triol-3-on	Schwein
			Ratte

(Fortsetzung).

Organ	Präparation	Zusätze	Bemerkungen	In der Arbeit verwendete Bezeichnung des Enzyms	Literatur
			ist für die Leber weiblicher Ratten 3,4, für die männlicher Ratten 0,88		
	Homogenat	NADPH$_2$	Keine Angabe der Konfiguration der C-20-Hydroxygruppe. Die Reduktion der C-20-Ketogruppe verläuft schneller im Leberhomogenat der männlichen Ratte, dagegen verläuft die Ring A-Reduktion schneller in der Leber der weiblichen Ratte	—	21
Niere u.a.	Brei Schnitte Homogenat Zellfraktionen	NADPH$_2$ Nicotinamid	Keine Angabe der Konfiguration der C-20-Hydroxygruppe. Die C-20-Reductase ist gleichmäßig in der Zellkern- und Mikrosomenfraktion verteilt	—	30
Leber	Perfusion	—	—	—	3
Leber	Überstand der Mikrosomenfraktion	—	Keine Angabe der Konfiguration der C-20-Hydroxygruppe. Die Δ^4-3-Ketogruppe und die C-20-Ketogruppe werden bei Prednisolon (Δ^1-Hydrocortison) bedeutend langsamer reduziert	—	18
Leber	Homogenat Zellfraktionen	—	Das Hauptprodukt ist das 20β-Epimere	—	26
Niere	Schnitte Brei Homogenat Zellfraktionen	NADPH$_2$ Nicotinamid	Keine Angabe der Konfiguration der C-20-Hydroxygruppe. Die C-20-Ketoreductase ist gleichmäßig in der Zellkern- und Mikrosomenfraktion verteilt	—	30
Bindegewebe	90% der Zellen sind Fibroblasten	—	Versuche mit Cortisol 4-^{14}C	—	5
Leber	Homogenat	Natriumphosphatpuffer p$_H$ 7,4 Nicotinamid	Keine Konfigurationsangabe der C-20-Hydroxygruppe	—	32
Placenta	Schnitte	—	Keine Konfigurationsangabe der C-20-Hydroxygruppe	—	32
Leber	Homogenat Zellfraktionen	—	Die reinste, aktive Enzympräparation liegt im Überstand 17 500 × g (Mikrosomen- und Proteinfraktion) vor	—	26
Leber	Homogenat Überstand 5000 × g	—	Anreicherung der Aktivität bei Halbsättigung mit Ammoniumsulfat. p$_H$-Optimum ∼6. Einzelheiten der Enzympräparation s. S. 513	C-20α-Reductase	10
Leber	Homogenat	—	—		27
	Homogenat Zellfraktionen	—	Nebenprodukt: Pregn-4-en-17α, 20β,21-triol-3-on	—	26

Tabelle 4

Reaktion	Substrat	Produkt	Species
	Pregn-4-en-21-ol-3,20-dion (Desoxycorticosteron)	Pregn-4-en-20α,21-diol-3-on	Schwein
			Kaninchen
	Pregn-4-en-3,20-dion (Progesteron)	Pregn-4-en-20α-ol-3-on	Mensch
			Mensch Rind
			Ratte
		5β-Pregnan-3α,20α-diol	Mensch
			Kaninchen
	5β-Pregnan-3,20-dion	5β-Pregnan-20α-ol-3-on	Ratte
	5β-Pregnan-3α,11β,17α,21-tetrol-20-on	5β-Pregnan-3α,11β,17α,20α,21-pentol (Cortol)	Ratte
	Pregn-5-en-3β,17α-diol-20-on (17α-Hydroxypregnenolon)	Pregn-5-en-3β,17α,20α-triol	Kaninchen
	5β-Pregnan-3α,17α-diol-20-on (17α-Hydroxypregnanolon)	5β-Pregnan-3α,17α,20α-triol	Ratte
	Pregn-5-en-3β-ol-20-on	Pregn-5-en-3β,20α-diol	Ratte
	5β-Pregnan-3α-ol-20-on	5β-Pregnan-3α,20α-diol	Ratte
	5β-Pregnan-3β-ol-20-on	5β-Pregnan-3β,20α-diol	Ratte
20-C=O → 20β-OH	Pregn-4-en-17α,21-diol-3,11,20-trion (Cortison)	Pregn-4-en-17α,20,21-triol-3,11-dion (20-Dihydrocortison)	Mensch
			Ratte

(Fortsetzung).

Organ	Präparation	Zusätze	Bemerkungen	In der Arbeit verwendete Bezeichnung des Enzyms	Literatur
Leber	Homogenat Überstand 5000 × g	—	Anreicherung der Aktivität bei Halbsättigung mit Ammoniumsulfat, p_H-Optimum 6. Einzelheiten der Enzympräparation s. S. 513	C-20α-Reductase	10
Leber	Suspension	Nicotinamid	—	—	53
Uterus	Fibroblasten Stamm U_{12-705}	—	—	—	47
Placenta	Zellfraktionen	$NADPH_2$	Aus dem 105000 × g Überstand wurde das Enzym durch 20- bis 30%ige Ammoniumsulfatsättigung ausgefällt. p_H-Optimum 6,2	—	29
Ovar	Brei	Phosphatpuffer, p_H 7,3	Versuche mit Progesteron 4-^{14}C	—	45
Ovar	Zellfraktionen	$NADPH_2$	Einzelheiten der Enzympräparation s. S. 514	20α-Hydroxysteroid-Dehydrogenase	62
	gereinigtes Enzym	$NADPH_2$	Einzelheiten der Enzympräparation s. S. 514	20α-Hydroxysteroid-Dehydrogenase	63
Leber	Suspension	$NADPH_2$ Citrat Nicotinamid	—	—	2
Leber	Schnitte Homogenat	$NADH_2$, Citrat Nicotinamid	—	—	50
Ovar	gereinigtes Enzym	$NADPH_2$	Einzelheiten der Enzympräparation s. S. 514	20α-Hydroxysteroid-Dehydrogenase	63
Leber	Homogenat Zellfraktionen	—	Die reinste aktive Enzympräparation befindet sich im 17500 × g Überstand (Mikrosomen- und Proteinfraktion). Das Enzym ist $NADPH_2$-unabhängig. Hauptprodukt: 5β-Pregnan-3α,11β,17α,20β,21-pentol (β-Cortol)	—	26
Skeletmuskel	Streifen 2 × 8 mm	—	Versuche mit 17α-Hydroxypregnenolon-7αH^3	20α-Dehydrogenase	55
Leber	Homogenat	$NADH_2$ $NADPH_2$ Nicotinamid	—	—	12
Ovar	gereinigtes Enzym	$NADPH_2$	Einzelheiten der Enzympräparation s. S. 514	20α-Hydroxysteroid-Dehydrogenase	63
Ovar	gereinigtes Enzym	$NADPH_2$	Einzelheiten der Enzympräparation s. S. 514	20α-Hydroxysteroid-Dehydrogenase	63
Ovar	gereinigtes Enzym	$NADPH_2$	Einzelheiten der Enzympräparation s. S. 514	20α-Hydroxysteroid-Dehydrogenase	63
Leber	Homogenat	$NADPH_2$ Nicotinamid Natriumphosphatpuffer p_H 7,4	Keine Konfigurationsangabe der C-20-Hydroxygruppe	—	32
Leber	Perfusion	—	—	—	9
	Mikrosomen	$NADPH_2$	Keine Konfigurationsangabe der C-20-Hydroxygruppe. Die C-20-Ketoreductase zeigt eine relative	C-20-Ketoreductase	39

Tabelle 4

Reaktion	Substrat	Produkt	Species
		Pregn-4-en-11β,17α,20β,21-tetrol-3-on, 5α-Pregnan-3β,17α,20β,21-tetrol-11-on	Ratte
	Pregna-1,4-dien-11β,17α,21-triol-3,20-dion (Prednisolon)	Pregn-4-en-11β,17α,20β,21-tetrol-3-on	Ratte
	Pregn-4-en-11β,17α,21-triol-3,20-dion (Cortisol, Hydrocortison)	Pregn-4-en-17α,20β,21-triol-3,11-dion, Pregn-4-en-11β,17α,20β,21-tetrol-3-on	Mensch
		Pregn-4-en-11β,17α,20β,21-tetrol-3-on	Mensch
			Rind
			Rind Maus
			Ratte
		Pregn-4-en-11β,17α,20β,21-tetrol-3-on, 5α-Pregnan-3β,11β,17α,20β,21-pentol (β-Cortol)	Ratte
	5β-Pregnan-3α,17α,21-triol-11,20-dion (Tetrahydrocortison)	5β-Pregnan-3α,17α,20,21-tetrol-11-on (Cortolon)	Mensch

Tabellarische Übersicht der Steroid-Dehydrogenasen im Tierreich.

(Fortsetzung).

Organ	Präparation	Zusätze	Bemerkungen	In der Arbeit verwendete Bezeichnung des Enzyms	Literatur
			Spezifität für Steroide mit einer 17,21-Dihydroxy-20-keto-Seitenkette		
	Homogenat	NADPH$_2$	Die Reduktion der Seitenkette verläuft schneller im Leberhomogenat der männlichen Ratte, dagegen verläuft die Ring A-Reduktion schneller in der Leber der weiblichen Ratte. Keine Konfigurationsangabe der C-20-Hydroxygruppe	—	21
	Homogenat	NADPH$_2$	Keine Konfigurationsangabe der C-20-Hydroxygruppe. Das Verhältnis von Ring-A-Reduktion zur Reduktion der Seitenkette ist in der weiblichen Leber 3,4 und in der männlichen Leber 0,88	—	57
Niere	Schnitte Brei Homogenat Zellfraktionen	NADPH$_2$ Isocitrat Nicotinamid	Keine Konfigurationsangabe der C-20-Hydroxygruppe. Die C-20-Ketoreductase ist gleichmäßig in der Zellkern- und Mikrosomenfraktion verteilt	—	30
Leber	Perfusion	—	—	—	7
Leber	Homogenat	—	—	—	59
Uterus	Fibroblastenkultur aus Myometrium Stamm U$_{12-705}$	—	—	—	47
Uterus	Fibroblastenkultur Stamm U$_{12-79}$ Stamm U$_{12-35}$	—	—	—	20
Niere	Brei	NADH$_2$	—	—	17
quergestreifte Muskulatur	Homogenat Überstand 32000 × g	NADPH$_2$	Aus dem 32000 × g Überstand wurde das Enzym durch eine 10- bis 60%ige Sättigung mit Ammoniumsulfat gefällt	—	46
Leber	Homogenat Zellfraktionen	—	Nebenprodukt: Pregn-4-en-11β, 17α,20α,21-tetrol-3-on. Die reinste aktive Enzympräparation liegt im 17500 × g Überstand (Mikrosomen- und Proteinfraktion) vor	—	26
Leber	Perfusion	—	Versuche mit Cortisol 4-^{14}C		8
	Zellfraktionen	NADPH$_2$	Versuche zur Lokalisation	—	13
Leber	Homogenat	NADPH$_2$ Nicotinamid Natriumphosphatpuffer p$_H$ 7,4	Keine Konfigurationsangabe der C-20-Hydroxygruppe	—	32
Placenta	Schnitte	NADPH$_2$	—	—	32

Reaktion	Substrat	Produkt	Species
		5β-Pregnan-3α,17α,20β,21-tetrol-11-on	Ratte
	Pregn-4-en-17α,21-diol-3,20-dion (11-Desoxycortisol)	Pregn-4-en-17α,20β,21-triol-3-on	Ratte
	Pregn-4-en-21-ol-3,20-dion (Desoxycorticosteron)	Pregn-4-en-20β,21-diol-3-on	Rind
			Kaninchen
	Pregn-4-en-3,20-dion (Progesteron)	Pregn-4-en-20β-ol-3-on	Mensch
			Mensch Rind
			Rind
	5β-Pregnan-3,20-dion	5β-Pregnan-3α,20β-diol	Rind
	5β-Pregnan-3α,11β,17α,21-tetrol-20-on	5β-Pregnan-3α,11β,17α,20β,21-pentol (β-Cortol)	Ratte
	Pregn-5-en-3β,17α-diol-20-on (17α-Hydroxypregnenolon)	Pregn-5-en-3β,17α,20β-triol	Kaninchen
	5β-Pregnan-3α,17α-diol-20-on (17α-Hydroxypregnanolon)	5β-Pregnan-3α,17α,20β-triol	Ratte

[1] AMELUNG, D., H. J. HÜBENER u. L. ROKA: H. **294**, 36 (1953).
[2] ATHERDEN, L. M.: Biochem. J. **71**, 411 (1959).
[3] AXELROD, L. R., and L. L. MILLER: Arch. Biochem. **60**, 373 (1956).
[4] BELL, E. T., A. O. POPOOLA and W. TAYLOR: Biochem. J. **82**, 47P (1962).
[5] BERLINER, D. L., and T. F. DOUGHERTY: Proc. Soc. exp. Biol. Med. **98**, 3 (1958).
[6] BEYER, K. F., and L. T. SAMUELS: J. biol. Ch. **219**, 69 (1956).
[7] CASPI, E., and O. HECHTER: Arch. Biochem. **52**, 478 (1954).
[8] CASPI, E., and O. HECHTER: Arch. Biochem. **61**, 299 (1956).
[9] CASPI, E. Y., H. LEVY and O. M. HECHTER: Arch. Biochem. **45**, 169 (1953).
[10] CASPI, E., M. C. LINDBERG, M. HAYANO, J. L. COHEN, M. MATSUBA, H. ROSENKRANTZ and R. I. DORFMAN: Arch. Biochem. **61**, 267 (1956).
[11] COURCY, C. DE: J. biol. Ch. **229**, 935 (1957).
[12] COURCY, C. DE, and J. J. SCHNEIDER: J. biol. Ch. **223**, 865 (1956).
[13] DEVENUTO, F., and U. WESTPHAL: Biochim. biophys. Acta **54**, 294 (1961).
[14] FORCHIELLI, E., and R. I. DORFMAN: J. biol. Ch. **223**, 443 (1956).
[15] FORCHIELLI, E., H. ROSENKRANTZ and R. I. DORFMAN: J. biol. Ch. **215**, 713 (1955).
[16] FISH, C. A., M. HAYANO and G. PINCUS: Arch. Biochem. **42**, 480 (1953).
[17] GANIS, F. M., L. R. AXELROD and L. L. MILLER: J. biol. Ch. **218**, 841 (1956).
[18] GLENN, E. M.: Endocrinology **64**, 373 (1959).
[19] GRANT, J. K.: Biochem. J. **51**, 358 (1952).
[20] GROSSER, B. J., M. L. SWEAT, D. L. BERLINER and T. F. DOUGHERTY: Arch. Biochem. **96**, 259 (1962).
[21] HAGEN, A. A., and R. C. TROOP: Endocrinology **67**, 194 (1960).

(Fortsetzung).

Organ	Präparation	Zusätze	Bemerkungen	In der Arbeit verwendete Bezeichnung des Enzyms	Literatur
Leber	Homogenat	$NADH_2$ $NADPH_2$ Nicotinamid	—	—	12
Niere	Homogenat	$NADPH_2$	—	—	11
Leber	Homogenat	$NADH_2$	—	—	15
	Homogenat Zellfraktionen	—	Hauptprodukt: Pregn-4-en-17α, 20α,21-triol-3-on. Die reinste aktive Enzympräparation liegt im 17500 × g Überstand (Mikrosomen- und Proteinfraktion) vor	—	26
Corpus luteum	Homogenat	—	—	—	22
Leber	Suspension	Nicotinamid	—	—	53
Uterus	Fibroblastenkultur Stamm U_{12-705}	—	—	—	47
Ovar	Brei	Phosphatpuffer, p_H 7,3	Versuche mit Progesteron 4-^{14}C	—	45
Corpus luteum	Homogenat	—	—	—	22
Nebenniere	Perfusion	—	—	—	38
Leber	Zellfraktionen	—	Nebenprodukt: Cortol. Die reinste aktive Enzympräparation liegt im 17500 × g Überstand (Mikrosomen- und Proteinfraktion) vor	—	26
Skeletmuskel	Streifen 2 × 8 mm	—	Inkubation von 17α-Hydroxypregnenolon-7α-^{3}H	—	55
Leber	Homogenat	$NADH_2$ $NADPH_2$ Nicotinamid	—	—	12

[22] Hayano, M., M. C. Lindberg, M. Wiener, H. Rosenkrantz and R. I. Dorfman: Endocrinology 55, 326 (1954).
[23] Hübener, H. J.: H. 298, 283 (1954).
[24] Hübener, H. J., u. D. Amelung: H. 293, 126 (1953).
[25] Hübener, H. J., u. D. Amelung: H. 293, 137 (1953).
[26] Hübener, H. J., D. K. Fukushima and T. F. Gallagher: J. biol. Ch. 220, 499 (1956).
[27] Hübener, H. J., u. J. Schmidt-Thomé: H. 299, 240 (1950).
[28] Hurlock, B., and P. Talalay: Arch. Biochem. 80, 468 (1959).
[29] Little, B., J. DiMartinis and B. Nyholm: Acta endocr. (Kbh.) 30, 530 (1959).
[30] Mahesh, V. B., and F. Ulrich: J. biol. Ch. 235, 356 (1960).
[31] McGuire, J. S., jr., and G. M. Tomkins: J. biol. Ch. 234, 791 (1959).
[32] Meigs, R. A., and L. L. Engel: Endocrinology 69, 152 (1961).
[33] Meyer, A. S.: J. biol. Ch. 203, 469 (1954).
[34] Osinski, P. A.: Nature 187, 777 (1960).
[35] Pearlman, W. H., E. Cerceo and M. Thomas: J. biol. Ch. 208, 231 (1954).
[36] Pechet, M. M., R. H. Hesse and H. Kohler: Am. Soc. 82, 5251 (1960).
[37] Pechet, M. M., H. Kohler, K. Yates and J. Wan: J. biol. Ch. 236, PC 68 (1961).
[38] Rallis, J. W., F. J. Saunders, A. L. Raymond and B. Riegel: J. biol. Ch. 210, 709 (1954).
[39] Recknagel, R. O.: J. biol. Ch. 227, 273 (1957).
[40] Rubin, B. L.: J. biol. Ch. 227, 917 (1957).
[41] Schneider, J. J.: J. biol. Ch. 199, 235 (1952).
[42] Schneider, J. J., and P. M. Horstmann: J. biol. Ch. 191, 327 (1951).
[43] Schriefers, H.: Naturwiss. 46, 559 (1959).

Tabelle 4a. *Tabellarische Übersicht der Hydroxysteroid-Dehydrogenasen (Hydroxy-*

Reaktion	Substrat	Produkt	Species
3-C=O → 3β-OH	Cholest-4-en-3-on- (Cholestenon)	Cholest-5-en-3β-ol (Cholesterin) 5α-Cholestan-3β-ol (Cholestanol) 5β-Cholestan-3β-ol (Koprostanol)	Mensch
		5α-Cholestan-3β-ol (Cholestanol)	Ratte
	5α-Cholestan-3-on (Cholestanon)	5α-Cholestan-3β-ol (Cholestanol)	Ratte

[1] ROSENFELD, R. S., and L. HELLMAN: J. biol. Ch. **233**, 1089 (1958).

Tabelle 5. *Tabellarische Übersicht der Steroidring-Reductasen (Dihydro-*

Reaktion	Substrat	Produkt	Species	Organ
4=5 → 4,5α	19-Norandrost-4-en-3,17-dion	4,5α-Dihydrosteroid	Ratte	Leber
	19-Norandrost-4-en-17β-ol-3-on (19-Nortestosteron)	4,5α-Dihydrosteroid	Ratte	Leber
			männliche und weibliche Ratte	Leber
	17α-Methyl-19-norandrost-4-en-17β-ol-3-on (17α-Methyl-19-nortestosteron)	4,5α-Dihydrosteroid	männliche und weibliche Ratte	Leber
4=5 → 4,5β	19-Norandrost-4-en-17β-ol-3-on (19-Nortestosteron)	4,5β-Dihydrosteroid	Meerschweinchen	Nebenniere
			männliche Ratte	Leber
	17α-Methyl-19-norandrost-4-en-17β-ol-3-on	4,5β-Dihydrosteroid	männliche Ratte	Leber

Literatur zu Tabelle 4 (Fortsetzung).

[44] SCHRIEFERS, H.: H. **324**, 188 (1961).
[45] SWEAT, M. L., D. L. BERLINER, M. J. BRYSON, C. NABORS jr., J. HASKELL and E. G. HOLMSTROM: Biochim. biophys. Acta **40**, 289 (1960).
[46] SWEAT, M. L., and M. J. BRYSON: Biochim. biophys. Acta **44**, 217 (1960).
[47] SWEAT, M. L., B. J. GROSSER, D. L. BERLINER, H. E. SWINN, C. J. NABORS jr., and T. F. DOUGHERTY: Biochim. biophys. Acta **28**, 591 (1958).
[48] TAYLOR, W.: Biochim. biophys. Acta **15**, 592 (1954).
[49] TAYLOR, W.: Biochem. J. **56**, 463 (1954).
[50] TAYLOR, W.: Biochem. J. **60**, 380 (1955).
[51] TAYLOR, W.: Biochem. J. **62**, 332 (1956).
[52] TAYLOR, W.: Biochem. J. **66**, 58P (1957).

steroid: Acceptor-Oxydoreductasen) im Tierreich. Substrate: C_{27}-Steroide.

Organ	Präparation	Zusätze	Bemerkungen	In der Arbeit verwendete Bezeichnung des Enzyms	Literatur
Faeces	Suspension	—	Versuche mit Cholest-4-en-3-on-4-^{14}C	—	1
Leber	Homogenat	NADH$_2$	Versuche mit Cholest-4-en-3-on-4-^{14}C	—	2
Leber	Homogenat	NADH$_2$	Versuche mit Cholestanon-4-^{14}C	—	2

[2] HAROLD, F. M., S. ABRAHAM and I. L. CHAIKOFF: J. biol. Ch. **221**, 435 (1956).

steroid: Acceptor-Oxydoreductasen) im Tierreich. Substrate: neutrale C_{18}- und C_{19}-Steroide.

Präparation	Zusätze	Bemerkungen	In der Arbeit verwendete Bezeichnung des Enzyms	Literatur
Mikrosomen	NADPH$_2$	Die Reduktion kann durch ein weniger substituiertes Steroid kompetitiv gehemmt werden. Weitere Einzelheiten s. S. 516	Δ^4-3-Ketosteroid-Reductase-(5α)	7
Mikrosomen	NADPH$_2$	Die Reduktion kann durch ein weniger substituiertes Steroid kompetitiv gehemmt werden. Weitere Einzelheiten s. S. 516	Δ^4-3-Ketosteroid-Reductase-(5α)	7
Mikrosomen	NADPH$_2$	In der Leber weiblicher Ratten befindet sich nur die mikrosomale Δ^4-5α-Hydrogenase, während die männliche Rattenleber außerdem lösliche Δ^4-5β-Hydrogenase enthält. Weitere Einzelheiten s. S. 428	Δ^4-Hydrogenase	2
Mikrosomen	NADPH$_2$	In der Leber weiblicher Ratten befindet sich nur die mikrosomale Δ^4-5α-Hydrogenase, während die männliche Rattenleber außerdem lösliche Δ^4-5β-Hydrogenase enthält. Weitere Einzelheiten s. S. 428	Δ^4-Hydrogenase	2
Zellfraktioen	—	Die lösliche Δ^4-Hydrogenase (105 000 × g Überstand) wird als ein sehr aktives, stabiles 5β-Enzym mit einem p_H-Optimum bei 5,5 bestimmt. Das mikrosomale Enzym ist weniger stabil, weniger aktiv und zeigt ebenfalls ein p_H-Optimum im sauren Gebiet. Einzelheiten der Enzympräparation s. S. 520	Δ^4-Hydrogenase	1
Überstand der Mikrosomenfraktion	NADPH$_2$	Weitere Einzelheiten s. S. 428	Δ^4-5β-Hydrogenase	2
Überstand der Mikrosomenfraktion	NADPH$_2$	Weitere Einzelheiten s. S. 428	Δ^4-5β-Hydrogenase	2

Literatur zu Tabelle 4 (Fortsetzung).

[53] TAYLOR, W.: Biochem. J. **72**, 442 (1959).
[54] TAYLOR, W.: Acta endocr. (Kbh.) **32**, 187 (1959).
[55] THOMAS, P. Z., E. FORCHIELLI and R. I. DORFMAN: J. biol. Ch. **235**, 2797 (1960).
[56] TOMKINS, G. M.: J. biol. Ch. **218**, 437 (1956).
[57] TROOP, R. C.: Endocrinology **64**, 671 (1959).
[58] UNGAR, F., and B. R. BLOOM: Biochim. biophys. Acta **24**, 431 (1957).
[59] VERMEULEN, A., and E. CASPI: J. biol. Ch. **233**, 54 (1958).
[60] WETTSTEIN, A., R. NEHER and H. J. URECH: Helv. **42**, 956 (1959).
[61] WIENER, M., C. I. LUPU and E. J. PLOTZ: Acta endocr. (Kbh.) **36**, 511 (1961).
[62] WIEST, W. G.: J. biol. Ch. **234**, 3115 (1959).
[63] WIEST, W. G., and R. B. WILCOX: J. biol. Ch. **236**, 2425 (1961).

Steroid-Dehydrogenasen.

Tabelle 5

Reaktion	Substrat	Produkt	Species	Organ
$1=2 \to 1,2$	Androsta-1,4-dien-3,17-dion	1,2-Dihydrosteroid	Ratte	Leber
$4=5 \to 4,5\alpha$	Androst-4-en-3,11,17-trion (Adrenosteron)	4,5 α-Dihydrosteroid	Ratte	Leber
	Androst-4-en-3,17-dion	5α-Androstan-11β-ol-3,17-dion	Rind	Nebenniere
		5α-Androstan-3,17-dion 5α-Androstan-3α-ol-17-on 5α-Androstan-3β-ol-17-on	Kaninchen Meerschweinchen	Leber Niere
		5α-Androstan-3α-ol-17-on 5α-Androstan-3β-ol-17-on	männliche und weibliche Ratte	Leber
		5α-Androstan-3β-ol-17-on	Ratte	Leber
		4,5α-Dihydrosteroid	Ratte	Leber
			männliche und weibliche Ratte	Leber
	Androst-4-en-17β-ol-3-on (Testosteron)	5α-Androstan-3α,17β-diol 5α-Androstan-3β,17β-diol	Mensch	Leber
			Ratte	Testis
		5α-Androstan-3α-ol-17-on	Mensch, Esel, Hund, Kaninchen, Huhn, Meerschweinchen, Ratte	Leber
		4,5α-Dihydrosteroid	Katze Kaninchen Goldhamster Meerschweinchen, Ratte	Leber
			weibliche Ratte	Leber
			Ratte	Leber

(Fortsetzung).

Präparation	Zusätze	Bemerkungen	In der Arbeit verwendete Bezeichnung des Enzyms	Literatur
gereinigtes Enzym	NADPH$_2$	—	—	16
Mikrosomen	NADPH$_2$	Die Reduktion eines Steroids kann durch ein weniger substituiertes Steroid kompetitiv gehemmt werden. Weitere Einzelheitens. S. 516	mikrosomale Steroid-Reductase-(5α)	7
Perfusion	—	—	—	3
Homogenat	—	—	—	4
Homogenat	—	Angaben über Geschlechtsunterschiede	—	12
Mikrosomen	NADPH$_2$	Vergleich mit Rattenleber von Tieren, die mit Thyroxin behandelt wurden. Es bilden sich: 5α-Androstan-3,17-dion 5α-Androstan-3α-ol-17-on	—	8
Mikrosomen	NADPH$_2$	—	Δ^4-3-Ketosteroid-Hydrogenase-(5α)	9
Mikrosomen	NADPH$_2$	In der Mikrosomenfraktion der Rattenleber scheinen mindestens fünf Δ^4-3-Ketosteroid-Reductasen enthalten zu sein. Thyroxinverabreichung an männliche Ratten (länger als 16 Tage) verursacht einen vielfachen Anstieg der Δ^4-3-Ketosteroid-Reductasen-(5α)-Aktivität. Einzelheiten der Enzympräparation s. S. 516	Δ^4-3-Ketosteroid-Reductase-(5α)	7, 10
Mikrosomen	NADPH$_2$	In der weiblichen Rattenleber befindet sich nur die mikrosomale Δ^4-5α-Hydrogenase, während die männliche Rattenleber außerdem die lösliche Δ^4-5β-Hydrogenase enthält. Weitere Einzelheiten s. S. 428	Δ^4-5α-Hydrogenase	2
Homogenat	NADPH$_2$	Versuche mit Testosteron 4-^{14}C	—	15
Homogenat	—	Versuche mit Testosteron 4-^{14}C	—	14
Brei	NADH$_2$	Ring A wird reduziert; das Reaktionsprodukt zeigt die ZIMMERMANN-Reaktion für 17-Ketosteroide. Es wurde auch 17-Methyltestosteron getestet	—	5
Zellfraktionen	NADPH$_2$	Leberhomogenat weiblicher Ratten reduziert Ring A der Δ^4-3-Ketosteroide 3—10mal schneller als das Leberhomogenat männlicher Ratten	Δ^4-5α-Hydrogenase	18
Mikrosomen	NADH$_2$ oder NADPH$_2$	Die Reduktion des Ringes A mit NADH$_2$ als Wasserstoff-Donator erfordert Phosphat	—	6
Mikrosomen	NADPH$_2$	In der Mikrosomenfraktion der Leber scheinen mindestens fünf Δ^4-3-Ketosteroid-Reductasen enthalten zu sein. Thyroxinverabreichung an männliche Ratten (länger als 16 Tage) verursacht einen vielfachen An-	Δ^4-3-Ketosteroid-Reductase	7, 10

Tabelle 5

Reaktion	Substrat	Produkt	Species	Organ
			männliche und weibliche Ratte	Leber
4=5 → 4,5β	Androst-4-en-3,11,17-dion (Adrenosteron)	4,5β-Dihydrosteroid	Ratte	Leber
	Androst-4-en-3,17-dion	5β-Androstan-3,17-dion	Rind	Blut
		5β-Androstan-3α-ol-17-on	Ratte	Leber
		4,5β-Dihydrosteroid	Meerschweinchen	Nebenniere
			männliche Ratte	Leber
	Androst-4-en-17β-ol-3-on (Testosteron)	5β-Androstan-3α,17β-diol	Mensch	Leber
		4,5β-Dihydrosteroid	Rind	Blut
		5β-Androstan-3α-ol-17-on 5β-Androstan-3β-ol-17-on	verschiedene Tierarten	Leber
		5β-Androstan-3α,17β-diol	Ratte	Testis
		4,5β-Dihydrosteroid	Meerschweinchen	Nebenniere
			Ratte	Leber
			männliche Ratte	Leber

[1] BROWN-GRANT, K., E. FORCHIELLI and R. I. DORFMAN: J. biol. Ch. **235**, 1317 (1960).
[2] FORCHIELLI, E., K. BROWN-GRANT and R. I. DORFMAN: Proc. Soc. exp. Biol. Med. **99**, 594 (1958).
[3] JEANLOZ, R. W., H. LEVY, R. P. JACOBSEN, O. HECHTER, V. SCHENKER and G. PINCUS: J. biol. Ch. **203**, 453 (1953).

(Fortsetzung).

Präparation	Zusätze	Bemerkungen	In der Arbeit verwendete Bezeichnung des Enzyms	Literatur
		stieg der Δ^4-3-Ketosteroid-Reductasenaktivität. Einzelheiten der Enzympräparation s. S. 516		
Mikrosomen	NADPH$_2$	Die Leber weiblicher Ratten enthält nur eine mikrosomale Δ^4-5α-Hydrogenase, während die von männlichen Ratten außerdem die lösliche Δ^4-5β-Hydrogenase enthält. Weitere Einzelheiten s. S. 428	Δ^4-5α-Hydrogenase	2
gereinigtes Enzym	NADPH$_2$	—	—	16
Protein	NADPH$_2$	—	—	11
Überstand 100000 × g	NADPH$_2$	Vergleich mit Leber von Ratten, die mit Thyroxin behandelt wurden; es bildete sich das gleiche Produkt	—	8
Zellfraktionen	—	Die lösliche Δ^4-Hydrogenase (10500 × g Überstand) wird als ein sehr aktives, stabiles 5β-Enzym mit einem pH-Optimum bei 5,5 bestimmt. Das mikrosomale Enzym ist weniger stabil, weniger aktiv und zeigt ein pH-Optimum im sauren Gebiet. Einzelheiten der Enzympräparation s. S. 520	Δ^4-5β-Hydrogenase	1
Überstand der Mikrosomenfraktion	NADPH$_2$	Einzelheiten s. S. 518	Δ^4-5β-Hydrogenase	2
Homogenat	NADPH$_2$	Versuch mit Testosteron 4-^{14}C	—	15
Protein	NADPH$_2$	—	—	11
Brei	NADH$_2$ Citrat	In Fischen, Amphibien und Reptilien scheint ein Enzymsystem zu sein, das die konjugierte Doppelbindung im Ring A zerstört, aber keine 17-Ketosteroide bildet. In Vögeln und Säugetieren ist ein Enzymsystem vorhanden, das NAD und Citrat als Cofaktoren erfordert. Die NAD-katalysierte Reaktion führt zur Bildung von 17-Ketosteroiden, während das citratfordernde Enzym die α,β-Konjugation in Ring A angreift	—	13
Homogenat	—	Versuch mit Testosteron 4-^{14}C	—	14
Zellfraktionen	—	Die lösliche Δ^4-Hydrogenase (105000 × g Überstand) wird als ein sehr aktives, stabiles 5β-Enzym mit einem pH-Optimum bei 5,5 bestimmt. Das mikrosomale Enzym ist weniger stabil, weniger aktiv und zeigt ein pH-Optimum im sauren Gebiet. Einzelheiten der Enzympräparation s. S. 520	Δ^4-Hydrogenase	1
gereinigtes Enzym	NADPH$_2$	—	—	16, 17
Überstand der Mikrosomenfraktion	NADPH$_2$	Einzelheiten der Enzympräparation s. S. 518	—	2

[4] Kochakian, C. D., and G. Stidworthy: J. biol. Ch. **210**, 933 (1954).
[5] Levedahl, B. H., and L. T. Samuels: J. biol. Ch. **186**, 857 (1950).
[6] Leybold, K., u. Hj. Staudinger: Arch. Biochem. **96**, 626 (1962).
[7] McGuire, J. S., Jr., V. W. Hollis and G. M. Tomkins: J. biol. Ch. **235**, 3112 (1960).

Tabelle 6. *Tabellarische Übersicht der Steroidring-Reductasen (Dihydro-*

Reaktion	Substrat	Produkt	Species	Organ
$1=2 \to 1,2$	Pregna-1,4-dien-17α,21-diol-3,11,20-trion (Δ^1-Cortison, Prednison)	1,2-Dihydrosteroid	Ratte	Leber
		Pregn-4-en-17α,21-diol-3,11,20-trion (Cortison) Pregn-4-en-11β,17α,21-triol-3,20-dion (Hydrocortison)	Ratte	Leber
	Pregna-1,4-dien-11β,17α,21-triol-3,20-dion (Prednisolon)	Pregn-4-en-11β,17α,21-triol-3,20-dion (Cortisol)	Ratte	Leber
$4=5 \to 4,5\alpha$	Pregn-4-en-17α,21-diol-3,11,20-trion (Cortison)	5α-Pregnan-17α,21-diol-3,11,20-trion, 5α-Pregnan-3β,17α,21-triol-11,20-dion	Rind	Nebenniere
		5α-Pregnan-3α,17α,21-triol-11,20-dion, 5α-Pregnan-3β,17α,21-triol-11,20-dion, 5α-Pregnan-3α,11β,17α,21-tetrol-20-on, 5α-Pregnan-3β,11β,17α,21-tetrol-20-on	Ratte	Leber
		5α-Pregnan-3β,17α,20β,21-tetrol-11-on	Ratte	Leber
		5α-Pregnan-3α,17α,21-triol-11,20-dion, 5α-Pregnan-3β,17α,21-triol-11,20-dion	Ratte	Leber
		4,5α-Dihydrosteroid	Katze Kaninchen Meerschweinchen, Goldhamster, Ratte	Leber
			Ratte	Leber

Literatur zu Tabelle 5 (Fortsetzung).

[8] McGuire, J. S., jr., and G. M. Tomkins: J. biol. Ch. **234**, 791 (1959).
[9] McGuire, J. S., jr., and G. M. Tomkins: Arch. Biochem. **82**, 476 (1959).
[10] McGuire, J. S., jr., and G. M. Tomkins: J. biol. Ch. **235**, 1634 (1960).
[11] Rongone, E. L., D. R. Strength, B. C. Bocklage and E. A. Doisy: J. biol. Ch. **225**, 959 (1957).
[12] Rubin, B. L.: J. biol. Ch. **227**, 917 (1957).
[13] Samuels, L. T., M. L. Sweat, B. H. Levedahl, M. M. Pottner and M. L. Helmreich: J. biol. Ch. **183**, 231 (1950).

steroid:Acceptor-Oxydoreductasen) im Tierreich. Substrate: C_{21}-Steroide.

Präparation	Zusätze	Bemerkungen	In der Arbeit verwendete Bezeichnung des Enzyms	Literatur
gereinigtes Enzym	$NADPH_2$	—	—	38
Perfusion	—	—	—	28
angereichertes Enzym	—	Zusatz von $NADH_2$, Nicotinamid und Natriumcitrat hatte keinen Einfluß auf die Reduktion der 1,4-Dien-3-ketogruppe. Das Enzym wurde aus dem 6000 × g Überstand mit Ammoniumsulfat gefällt. Einzelheiten der Enzympräparation s. S. 514	—	41
Perfusion	—	—	—	21
Perfusion	—	—	—	6
Perfusion	—	—	—	4
Mikrosomen	$NADPH_2$	Vergleich mit Leber von Ratten, die mit Thyroxin behandelt wurden. Weitere Einzelheiten s. S. 516	—	18
Homogenat Zellfraktionen	$NADPH_2$	Leberhomogenat weiblicher Ratten reduziert Ring A von Δ^4-3-Ketosteroiden 3—10mal schneller als Homogenat männlicher Ratten	Δ^4-Steroid-Hydrogenase	45
Homogenat	$NADPH_2$	Leberhomogenat weiblicher Ratten setzt die Δ^4-3-Ketogruppe schneller um als die männliche Rattenleber. Das Verhältnis Ring A-Reduktion zur Seitenkettenreduktion ist für die weibliche Rattenleber 3,4, für die männliche 0,88	—	12, 40
Mikrosomen	$NADPH_2$	Die Reduktion eines Steroids kann durch ein weniger substituiertes Steroid kompetitiv gehemmt werden	—	16, 17
Mikrosomen	$NADPH_2$	In der Mikrosomenfraktion der Rattenleber scheinen mindestens fünf Δ^4-3-Ketosteroid-Reductasen-(5α) enthalten zu sein. Thyroxinverabreichung an männliche Ratten (länger als 16 Tage) verursacht einen vielfachen An-	Δ^4-Ketosteroid-Reductase	19

Literatur zu Tabelle 5 (Fortsetzung).

[14] STYLIANOU, M., E. FORCHIELLI and R. I. DORFMAN: J. biol. Ch. **236**, 1318 (1961).
[15] STYLIANOU, M., E. FORCHIELLI, M. TUMMILLO and R. I. DORFMAN: J. biol. Ch. **236**, 692 (1961).
[16] TOMKINS, G. M.: Rec. Progr. Hormone Res. 12, 125 (1956).
[17] TOMKINS, G. M.: J. biol. Ch. **225**, 13 (1957).
[18] YATES, F. E., A. L. HERBST and F. URQUHART: Endocrinology **63**, 887 (1958).

Tabelle 6

Reaktion	Substrat	Produkt	Species	Organ
	Pregn-4-en-17α-ol-3,11,20-trion (21-Desoxycortison)	5α-Pregnan-17α-ol-3,11,20-trion	Kuh	Nebenniere
	Pregn-4-en-3,11,20-trion (11-Ketoprogesteron)	4,5α-Dihydrosteroid	Ratte	Leber
	Pregn-4-en-18-al-11β,21-diol-3,20-dion (Aldosteron)	4,5α-Dihydrosteroid	Katze Kaninchen Goldhamster Meerschweinchen, Ratte	Leber
		5α-Pregnan-18-al-11β,21-diol-3,20-dion, 5β-Pregnan-18-al-3β,11β,21-triol-20-on	Ratte	Leber
	Pregna-1,4-dien-11β,17α,21-triol-3,20-dion, (Prednisolon, Δ¹-Hydrocortison)	5α-Pregnan-11β,17α,21-triol-3,20-dion	Ratte	Leber
	Pregn-4-en-11β,17α,21-triol-3,20-dion, (Cortisol, Hydrocortison)	5α-Pregnan-3β,11β,17α,21-tetrol-20-on, 5α-Pregnan-3β,11β,17α,20β,21-pentol	Ratte	Leber
		4,5-Dihydrosteroid	Kaninchen Katze, Meerschweinchen Goldhamster Ratte	Leber
			Ratte	Leber
	Pregn-4-en-11α,17α,21-triol-3,20-dion (Epicortisol)	4,5α-Dihydrosteroid	Ratte	Leber
	Pregn-4-en-11β,19,21-triol-3,20-dion (19-Hydroxycorticosteron)	5α-Pregnan-11β,19,21-triol-3,20-dion, 5α-Pregnan-3α,11β,19,21-tetrol-20-on	Ratte	Leber
	Pregn-11β,21-diol-3,20-dion (Corticosteron)	4,5α-Dihydrosteroid	Katze Kaninchen	Leber

(Fortsetzung).

Präparation	Zusätze	Bemerkungen	In der Arbeit verwendete Bezeichnung des Enzyms	Literatur
		stieg der Δ^4-3-Ketosteroid-Reductasenaktivität. Einzelheiten der Enzympräparation s. S. 516		
Mikrosomen	$NADPH_2$	Lebermikrosomen weiblicher Ratten hydrieren die Δ^4-3-Ketogruppe mit $NADPH_2$ als Wasserstoffdonator deutlich schneller als Lebermikrosomen männlicher Ratten. Weitere Einzelheiten s. S. 518	—	14
Perfusion	—	—	—	22
Mikrosomen	$NADPH_2$	Die Reduktion eines Steroids kann durch ein weniger substituiertes Steroid kompetitiv gehemmt werden	mikrosomale Steroid-Reductase-(5α)	16
Homogenat Zellfraktionen	$NADPH_2$	Leberhomogenat weiblicher Ratten reduziert Ring A von Δ^4-3-Ketosteroiden 3—10mal schneller als Leber männlicher Ratten	Δ^4-Steroid-Hydrogenase	45
Homogenat	—	—	—	23
Zellfraktionen	—	—	—	41
Perfusion	—	Versuche mit Cortisol-4-^{14}C	—	5
Homogenat Zellfraktionen	$NADPH_2$	Leberhomogenat weiblicher Ratten reduziert Ring A von Δ^4-3-Ketosteroiden 3—10mal schneller als Leber männlicher Ratten	Δ^4-Steroid-Hydrogenase	45
Mikrosomen	$NADPH_2$	Vergleich zwischen Leberhomogenat weiblicher und männlicher Tiere: die Leber weiblicher Ratten enthält nur das mikrosomale 5α-Enzym, während die Leber männlicher Ratten außerdem lösliche Δ^4-5β-Hydrogenase enthält	mikrosomale Δ^4-5α-Hydrogenase	8
Mikrosomen	$NADPH_2$	Vergleich von Ratten, die mit Thyroxin behandelt wurden	—	17
Mikrosomen	$NADPH_2$	In den Mikrosomen der Rattenleber scheinen mindestens fünf Δ^4-3-Ketosteroid-Reductasen-(5α) zu sein. Thyroxinverabreichung an männliche Ratten (länger als 16 Tage) verursacht einen vielfachen Anstieg der Enzymaktivität. Einzelheiten der Enzympräparation s. S. 516	—	19
Mikrosomen	$NADPH_2$	—	Steroid-Reductase-(5α)	16
Homogenat	$NADPH_2$	—	—	24
Homogenat Zellfraktionen	$NADPH_2$	Leberhomogenat weiblicher Ratten reduziert Ring A von Δ^4-3-Ketosteroiden 3—10mal	—	45

Tabelle 6

Reaktion	Substrat	Produkt	Species	Organ
			Meerschweinchen, Goldhamster, Ratte	
			Ratte	Leber
	Pregn-11α,21-diol-3,20-dion (Epicorticosteron)	4,5α-Dihydrosteroid	Ratte	Leber
	Pregn-17α,21-diol-3,20-dion (11-Desoxycortisol)	5α-Pregnan-17α,21-diol-3,20-dion, 5α-Pregnan-3α,17α,21-triol-20-on, 5α-Pregnan-3β,17α,21-triol-20-on	Ratte	Leber
		5α-Pregnan-3α,17α,21-triol-20-on, 5α-Pregnan-3β,17α,21-triol-20-on	Ratte	Leber
		4,5α-Dihydrosteroid	Ratte	Leber
	Pregn-4-en-11-ol-3,20-dion (11-Hydroxyprogesteron)	4,5α-Dihydrosteroid	Ratte	Leber
	Pregn-4-en-16α-ol-3,20-dion (16α-Hydroxyprogesteron)	5α-Pregnan-3α,16α-diol-20-on, 5β-Pregnan-3β,16α-diol-20-on	Ratte	Leber
	Pregn-4-en-21-ol-3,20-dion (Desoxycorticosteron, Cortexon)	5α-Pregnan-21-ol-3,20-dion	Rind	Nebenniere
		5α-Pregnan-3α,21-diol-20-on 5α-Pregnan-3β,21-diol-20-on	Kaninchen	Leber
		5α-Pregnan-3β,21-diol-20-on	Ratte	Leber
		5α-Pregnan-3α,21-diol-20-on 5α-Pregnan-3β,21-diol-20-on 5α-Pregnan-21-ol-3,20-dion 5α-Pregnan-3β,20,21-triol	Ratte	Leber

(Fortsetzung).

Präparation	Zusätze	Bemerkungen	In der Arbeit verwendete Bezeichnung des Enzyms	Literatur
		schneller als männliches Rattenleberhomogenat		
Mikrosomen	NADPH$_2$	Lebermikrosomen weiblicher Ratten hydrieren die Δ^4-3-Ketogruppe mit NADPH$_2$ als Wasserstoffdonator deutlich schneller als Lebermikrosomen männlicher Ratten. Weitere Einzelheiten s. S. 518	—	14
Mikrosomen	NADPH$_2$	Die Reduktion eines Steroids kann durch ein weniger substituiertes Steroid kompetitiv gehemmt werden	Δ^4-3-Ketosteroid-Reductase-(5α)	16
Mikrosomen	NADPH$_2$	Die Reduktion eines Steroids kann durch ein weniger substituiertes Steroid kompetitiv gehemmt werden	Δ^4-3-Ketosteroid-Reductase-(5α)	16
Zellfraktionen	NADH$_2$	Alle reduzierten Metaboliten sind vom 5α-Pregnantyp	—	10
Zellfraktionen	NADH$_2$	Die beiden Enzyme: Δ^4-5α-Hydrogenase und und Δ^4-5β-Hydrogenase wurden durch fraktioniertes Zentrifugieren getrennt. Das 5α-System ist mit der Mikrosomenfraktion (78000 $\times$ g Rückstand) verbunden	Δ^4-5α-Hydrogenase	9
Mikrosomen	NADPH$_2$	Die Δ^4-Reduktion von Desoxycortisol ist im Gesamthomogenat und in der Mikrosomenfraktion der Leber weiblicher Ratten 3—4mal größer als bei männlichen Ratten	Steroid-Δ^4-Hydrogenase	8
Mikrosomen	NADPH$_2$	Die Reduktion eines Steroids kann durch ein weniger substituiertes Steroid kompetitiv gehemmt werden	Δ^4-3-Ketosteroid-Reductase-(5α)	16, 17
Mikrosomen	NADPH$_2$	In den Mikrosomen der Rattenleber scheinen mindestens fünf Δ^4-3-Ketosteroid-Reductasen-(5α) enthalten zu sein. Thyroxinverabreichung an männliche Ratten (länger als 16 Tage) verursacht einen vielfachen Anstieg der Reductasenaktivität. Einzelheiten der Enzympräparation s. S. 516	—	19
Mikrosomen	NADPH$_2$	Die Reduktion eines Steroids kann durch ein weniger substituiertes Steroid kompetitiv gehemmt werden	—	16
Schnitte Homogenat	NADPH$_2$ Nicotinamid	—	—	42
Perfusion	—	—	—	13
Suspension	Nicotinamid	—	—	36, 37
Schnitte	—	—	—	27
Schnitte	—	—	—	26

Tabelle 6

Reaktion	Substrat	Produkt	Species	Organ
		4,5α-Dihydrosteroid	Katze Kaninchen Meerschweinchen, Goldhamster, Ratte	Leber
			Ratte	Leber
	Pregn-4-en-3,20-dion (Progesteron)	5α-Pregnan-3,20-dion	Mensch	Uterus
			Mensch Rind	Ovar
		5α-Pregnan-3,20-dion 5α-Pregnan-3α-ol-20-on 5α-Pregnan-3β-ol-20-on	Mensch	Leber
			Kaninchen	Leber
		5α-Pregnan-3,20-dion 5α-Pregnan-3α-ol-20-on	Ratte	Leber
		4,5α-Dihydrosteroid	Kaninchen Katze, Meerschweinchen Goldhamster Ratte	Leber
			Kaninchen Ratte	Leber
			Ratte	Leber

(Fortsetzung).

Präparation	Zusätze	Bemerkungen	In der Arbeit verwendete Bezeichnung des Enzyms	Literatur
Homogenat Zellfraktionen	$NADPH_2$	Leberhomogenat weiblicher Ratten reduziert Ring A 3—10mal schneller als Leberhomogenat männlicher Ratten	Δ^4-Steroid-Hydrogenase	45
Mikrosomen	$NADPH_2$	In den Mikrosomen der Rattenleber scheinen mindestens fünf Δ^4-3-Ketosteroid-Reductasen-(5α) enthalten zu sein. Thyroxinverabreichung an männliche Ratten (länger als 16 Tage) verursacht einen vielfachen Anstieg der Enzymaktivität. Einzelheiten der Enzympräparation s. S. 516	Δ^4-3-Ketosteroid-Reductase-(5α)	19
		Die Reduktion eines Steroids kann durch ein weniger substituiertes Steroid kompetitiv gehemmt werden	Δ^4-3-Ketosteroid-Reductase-(5α)	16
Homogenat Mikrosomenfraktion	$NADPH_2$	In der Leber weiblicher Ratten befindet sich nur die mikrosomale Δ^4-5α-Hydrogenase, während die Leber männlicher Ratten außerdem eine lösliche Δ^4-5β-Hydrogenase enthält	Steroid-Δ^4-Hydrogenase	8
Mikrosomen	$NADPH_2$	Geschlechtsunterschiede im Steroidstoffwechsel von Rattenlebermikrosomen. Weitere Einzelheiten s. S. 518	—	14
Fibroblastenkultur aus Myometrium Stamm U_{12-705}	—	—	—	32
Brei	Phosphatpuffer p_H 7,3			30
Suspension	$NADPH_2$ Citrat Nicotinamid	—		1
Schnitte Homogenat	$NADH_2$ Citrat Nicotinamid	—	—	33, 35
Schnitte Homogenat	$NADH_2$ Citrat Nicotinamid	—	—	34
Homogenat Zellfraktionen	$NADPH_2$	Leberhomogenat weiblicher Ratten reduziert Ring A 3—10mal schneller als Leberhomogenat männlicher Ratten	Δ^4-Steroid-Hydrogenase	45
Homogenat	$NADH_2$ Citrat	—	—	44
Homogenat Mikrosomenfraktion	$NADPH_2$	In der Leber weiblicher Ratten befindet sich nur die mikrosomale Δ^4-5α-Hydrogenase, während die Leber männlicher Ratten außerdem eine lösliche Δ^4-5β-Hydrogenase enthält	Δ^4-Hydrogenase	8

Tabelle 6

Reaktion	Substrat	Produkt	Species	Organ
4=5 → 4,5β	Pregn-4-en-17α-ol-3,20-dion-17α-caproat (17α-Hydroxy-progesteron-17α-caproat)	5α-Pregnan-3β,17α-diol-20-on-17α-caproat	Ratte	Leber
	Pregna-1,4-dien-17α,21-diol-3,11,20-trion (1-Dehydro-cortison)	4,5β-Dihydrosteroid	Rind	Blut
	Pregn-4-en-17α,21-diol-3,11,20-trion (Cortison)	5β-Pregnan-17α,21-diol-3,11,20-trion	Mensch	Leber
			Rind	Blut
			Ratte	Leber
		5β-Pregnan-3α,17α,21-triol-11,20-dion	Ratte	Leber
		4,5β-Dihydrosteroid	Ratte	Leber
	Pregn-4-en-3,11,20-trion (11-Ketoprogesteron)	4,5β-Dihydrosteroid	Ratte	Leber
	Pregn-4-en-18-al-11β,21-diol-3,20-dion (Aldosteron)	4,5β-Dihydrosteroid	Ratte	Leber
	Pregna-1,4-dien-11β,17α,21-triol-3,20-dion (Δ¹-Dehydro-cortisol)	4,5β-Dihydrosteroid	Meerschweinchen	Nebenniere
			Ratte	Leber
			männliche Ratte	Leber
	Pregn-4-en-11β,17α,21-triol-3,20-dion (Cortisol, Hydrocortison)	5β-Pregnan-11β,17α,21-triol-3,20-dion	Rind Maus	quergestreifte Muskulatur

(Fortsetzung).

Präparation	Zusätze	Bemerkungen	In der Arbeit verwendete Bezeichnung des Enzyms	Literatur
Mikrosomen	$NADPH_2$	Geschlechtsunterschiede im Steroidstoffwechsel von Rattenlebermikrosomen. Weitere Einzelheiten s. S. 518	—	14
		Die Reduktion eines Steroids kann durch ein weniger substituiertes Steroid kompetitiv gehemmt werden	—	16
Homogenat	—	Versuche mit 17α-Hydroxyprogesteron-4-^{14}C-17α-caproat	—	43
Protein	$NADPH_2$	—	—	25
Homogenat	$NADPH_2$ Nicotinamid Phosphatpuffer p_H 7,4	—	—	20
Protein	$NADPH_2$	—	—	25
gereinigtes Enzym	$NADPH_2$	—	—	38
100000 × g Überstand	$NADPH_2$	Vergleich mit Leber von Ratten, die mit Thyroxin behandelt wurden; es bildete sich das gleiche Produkt	—	18
gereinigtes Enzym	$NADH_2$ oder $NADPH_2$	Das Enzym, das Cortison reduziert, zeigt sich nach Reinigung inert gegenüber verwandten Substraten. Einzelheiten der Enzympräparation s. S. 519	Δ^4-3-Ketosteroid-Reductase	39
	$NADPH_2$	Einzelheiten der Enzympräparation s. S. 518	—	15
teilweise gereinigtes Enzym	$NADH_2$ oder $NADPH_2$	Einzelheiten der Enzympräparation s. S. 519	Δ^4-Ketosteroid-Reductase	39
teilweise gereinigtes Enzym	$NADH_2$ oder $NADPH_2$	Einzelheiten der Enzympräparation s. S. 519	Δ^4-3-Ketosteroid-Reductase	38, 39
Zellfraktionen	—	Die lösliche Δ^4-Hydrogenase (105000 × g Überstand) wurde als ein sehr aktives, stabiles 5β-Enzym mit einem p_H-Optimum bei 5,5 bestimmt. Das mikrosomale Enzym ist weniger stabil, weniger aktiv und zeigt ein p_H-Optimum im sauren Gebiet. Einzelheiten der Enzympräparation s. S. 520	Δ^4-Hydrogenase	3
Überstand der Mikrosomenfraktion	—	Reduktion der Δ^4-3-Ketogruppe und der C-20-Ketogruppe	—	11
Überstand der Mikrosomenfraktion	$NADPH_2$	—	Δ^4-5β-Hydrogenase	8
Homogenat Überstand 32000 × g	$NADPH_2$	Aus dem 32000 × g Überstand wurde das Enzym durch eine 10—60%ige Sättigung mit Ammoniumsulfat angereichert	—	31

Tabelle 6

Reaktion	Substrat	Produkt	Species	Organ
		5β-Pregnan-3α,17α,21-triol-11,20-dion, 5β-Pregnan-3α,17α,20α,21-tetrol-11-on, 5β-Pregnan-3α,11β,17α,21-tetrol-20-on	Hund	Leber
		5β-Pregnan-3α,11β,17α,21-tetrol-20-on (Urocortisol), 5β-Pregnan-3α,11β,17α,20β,21-pentol (β-Cortol)	Ratte	Leber
		4,5β-Dihydrosteroid	Rind	Blut
			Meerschweinchen	Nebenniere
			Ratte	Leber
			männliche Ratte	Leber
	Pregn-4-en-11β,19,21-triol-3,20-dion (19-Hydroxycorticosteron)	5β-Pregnan-3α,11β,19,21-tetrol-20-on	Ratte	Leber
	Pregn-4-en-17α,21-diol-3,20-dion (11-Desoxycortisol)	5β-Pregnan-3α,17α,21-triol-20-on, 5β-Pregnan-3β,17α,21-triol-20-on	Ratte	Leber
		4,5β-Dihydrosteroid	Meerschweinchen	Nebenniere
			männliche Ratte	Leber
	Pregn-4-en-16α-ol-3,20-dion (16α-Hydroxyprogesteron)	5β-Pregnan-3α,16α-diol-20-on	Ratte	Leber
	Pregn-4-en-17α-ol-3,20-dion (17-Hydroxyprogesteron)	4,5β-Dihydrosteroid	Ratte	Leber
	Pregn-4-en-21-ol-3,20-dion (Desoxycorticosteron, Cortexon)	5β-Pregnan-3α,21-diol-20-on	Kaninchen	Leber
		4,5β-Dihydrosteroid	Meerschweinchen	Nebenniere

Tabellarische Übersicht der Steroid-Dehydrogenasen im Tierreich.

(Fortsetzung).

Präparation	Zusätze	Bemerkungen	In der Arbeit verwendete Bezeichnung des Enzyms	Literatur
Perfusion	—	—	—	2
Zellfraktionen	NADPH$_2$	Versuche zur Lokalisation	—	7
Protein	NADPH$_2$	—	—	25
Zellfraktionen	—	Die lösliche Δ^4-Hydrogenase (105000 × g Überstand) wurde als ein sehr aktives, stabiles 5β-Enzym mit einem p$_H$-Optimum bei 5,5 bestimmt. Das mikrosomale Enzym ist weniger stabil, weniger aktiv und zeigt ein p$_H$-Optimum im sauren Gebiet. Einzelheiten der Enzympräparation s. S. 520	Δ^4-Hydrogenase	3
Überstand der Mikrosomenfraktion	—	Die Δ^4-3-Ketogruppe und die C-20-Ketogruppe werden beim Prednisolon bedeutend langsamer reduziert	—	11
teilweise gereinigtes Enzym	NADH$_2$ oder NADPH$_2$	Einzelheiten der Enzympräparation s. S. 519	Δ^4-3-Ketosteroid-Reductase	38, 39
Überstand der Mikrosomenfraktion	NADPH$_2$	—	Δ^4-5β-Hydrogenase	8
Homogenat	NADPH$_2$	—	—	24
Überstand 78000 × g	NADH$_2$	Das 5α-Enzym ist mit dem 78000 × g Rückstand verbunden, während das 5β-Enzym im 78000 × g Überstand enthalten ist	Δ^4-5β-Hydrogenase	9
Zellfraktionen	—	Die lösliche Δ^4-Hydrogenase wurde als ein sehr aktives, stabiles 5β-Enzym mit einem p$_H$-Optimum bei 5,5 bestimmt. Das mikrosomale Enzym ist weniger stabil, weniger aktiv und zeigt ein p$_H$-Optimum im sauren Gebiet. Einzelheiten der Enzympräparation s. S. 520	Δ^4-Hydrogenase	3
Überstand der Mikrosomenfraktion	NADPH$_2$	Die Δ^4-Reduktion von 11-Desoxycortisol ist im gesamten Homogenat und in der Mikrosomenfraktion der Leber weiblicher Ratten 3—4mal größer als bei männlichen Ratten	Δ^4-5β-Hydrogenase	8
Schnitte Homogenat	NADPH$_2$ Nicotinamid	Radioaktives Substrat	—	42
teilweise gereinigtes Enzym	NADH$_2$ oder NADPH$_2$	Einzelheiten der Enzympräparation s. S. 519	Δ^4-3-Ketosteroid-Reductase	39
Suspension	Nicotinamid	—	—	37
Zellfraktionen	—	Die lösliche Δ^4-Hydrogenase (Überstand 10500 × g) wurde als ein sehr stabiles 5β-Enzym mit einem p$_H$-Optimum bei 5,5 bestimmt.	Δ^4-Hydrogenase	3

Tabelle 6

Reaktion	Substrat	Produkt	Species	Organ
			Ratte	Leber
			männliche Ratte	Leber
	Pregn-4-en-3,20-dion (Progesteron)	5β-Pregnan-3,20-dion	Mensch Rind	Ovar
		5β-Pregnan-3,20-dion 5β-Pregnan-3α-ol-20-on 5β-Pregnan-3α,20α-diol	Mensch	Leber
		5β-Pregnan-3α-ol-20-on 5β-Pregnan-3α,20α-diol	Kaninchen	Leber
		4,5β-Dihydrosteroid	Rind	Blut
			Meerschweinchen	Nebenniere
			Ratte	Leber
			männliche Ratte	Leber
	Pregn-4-en-17α-ol-3,20-dion-17α-caproat (17α-Hydroxyprogesteron-17α-caproat)	5β-Pregnan-3β,17α-diol-20-on-17α-caproat	Ratte	Leber
	2-Methyl-pregn-4-en-17α,21-diol-3,11,20-trion (2-Methylcortison)	4,5β-Dihydrosteroid	Ratte	Leber
	9α-Fluor-pregn-4-en-17α,21-diol-3,11,20-trion (9α-Fluorcortison)	4,5β-Dihydrosteroid	Rind	Blut
	9α-Fluor-pregna-1,4-dien-11β,17α,21-triol-3,20-dion	4,5β-Dihydrosteroid	Rind	Blut
	9α-Fluor-pregn-4-en-11β,17α,21-triol-3,20-dion (9α-Fluorcortisol, 9α-Fluorhydrocortison)	4,5β-Dihydrosteroid	Rind	Blut
			Ratte	Leber

(Fortsetzung).

Präparation	Zusätze	Bemerkungen	In der Arbeit verwendete Bezeichnung des Enzyms	Literatur
		Das mikrosomale Enzym ist weniger stabil, weniger aktiv und zeigt ein p_H-Optimum im sauren Gebiet. Einzelheiten der Enzympräparation s. S. 520		
teilweise gereinigtes Enzym	$NADH_2$ oder $NADPH_2$	Einzelheiten der Enzympräparation s. S. 519	Δ^4-3-Ketosteroid-Reductase	38, 39
Überstand der Mikrosomenfraktion	$NADPH_2$	—	Δ^4-5β-Hydrogenase	8
Brei	Phosphatpuffer p_H 7,3	Versuch mit Progesteron 4-^{14}C	—	30
Suspension	$NADPH_2$ Citrat Nicotinamid	—	—	1
Schnitte Homogenat	$NADH_2$ Citrat Nicotinamid	—	—	33, 35
Protein	$NADPH_2$	—	—	25
Zellfraktionen	—	Die lösliche Δ^4-Hydrogenase (Überstand 10 500 × g) wurde als ein sehr stabiles, aktives 5β-Enzym mit einem p_H-Optimum bei 5,5 bestimmt. Das mikrosomale Enzym ist weniger stabil, weniger aktiv und zeigt ein p_H-Optimum im sauren Gebiet. Einzelheiten der Enzympräparation s. S. 520	Δ^4-Hydrogenase	3
teilweise gereinigtes Enzym	$NADH_2$ oder $NADPH_2$	Einzelheiten der Enzympräparation s. S. 519	Δ^4-3-Ketosteroid-Reductase	38, 39
Überstand der Mikrosomenfraktion	$NADPH_2$	—	Δ^4-5β-Hydrogenase	8
Homogenat	—	Versuche mit 17α-Hydroxyprogesteron-4-^{14}C-17α-caproat	—	43
teilweise gereinigtes Enzym	$NADH_2$ oder $NADPH_2$	Einzelheiten der Enzympräparation s. S. 519	Δ^4-3-Ketosteroid-Reductase	39
Protein	$NADPH_2$	—	—	25
Protein	$NADPH_2$	—	—	25
Protein	$NADPH_2$	—	—	25
gereinigtes Enzym	$NADH_2$ oder $NADPH_2$	Einzelheiten der Enzympräparation s. S. 519	Δ^4-3-Ketosteroid-Reductase	38, 39

Reaktion	Substrat	Produkt	Species	Organ
		9α-Fluor-5β-pregnan-11β, 17α-21-triol-3,20-dion 9α-Fluor-5β-pregnan-3β, 11β,17α,21-tetrol-20-on	Ratte	Leber
	2-Methyl-9α-fluor-pregn-4-en-11β,17α,21-triol-3,20-dion (2-Methyl-9α-fluorcortisol)	4,5β-Dihydrosteroid	Ratte	Leber
	2-Methyl-pregn-4-en-11β-ol-3,20-dion (2-Methyl-11β-hydroxyprogesteron)	4,5β-Dihydrosteroid	Ratte	Leber

[1] ATHERDEN, L. M.: Biochem. J. **71**, 411 (1959).
[2] AXELROD, L. R., and L. L. MILLER: Arch. Biochem. **60**, 373 (1956).
[3] BROWN-GRANT, K., E. FORCHIELLI and R. I. DORFMAN: J. biol. Ch. **235**, 1317 (1960).
[4] CASPI, E., and O. HECHTER: Arch. Biochem. **52**, 478 (1954).
[5] CASPI, E., and O. HECHTER: Arch. Biochem. **61**, 299 (1956).
[6] CASPI, E. Y., H. LEVY and O. M. HECHTER: Arch. Biochem. **45**, 169 (1953).
[7] DEVENUTO, F., and U. WESTPHAL: Biochim. biophys. Acta **54**, 294 (1961).
[8] FORCHIELLI, E., K. BROWN-GRANT and R. I. DORFMAN: Proc. Soc. exp. Biol. Med. **99**, 594 (1958).
[9] FORCHIELLI, E., and R. I. DORFMAN: J. biol. Ch. **223**, 443 (1956).
[10] FORCHIELLI, E., H. ROSENKRANTZ and R. I. DORFMAN: J. biol. Ch. **215**, 713 (1955).
[11] GLENN, E. M.: Endocrinology **64**, 373 (1959).
[12] HAGEN, A. A., and R. C. TROOP: Endocrinology **67**, 194 (1960).
[13] LEVY, H., and P. J. MALONEY: Biochim. biophys. Acta **57**, 149 (1962).
[14] LEYBOLD, K., u. HJ. STAUDINGER: B. Z. **331**, 389 (1959).
[15] LEYBOLD, K., u. HJ. STAUDINGER: Med. exp., Basel **2**, 46 (1960).
[16] MCGUIRE, J. S., jr., V. W. HOLLIS and G. M. TOMKINS: J. biol. Ch. **235**, 3112 (1960).
[17] MCGUIRE, J. S., jr., and G. M. TOMKINS: Arch. Biochem. **82**, 476 (1959).
[18] MCGUIRE, J. S., jr., and G. M. TOMKINS: J. biol. Ch. **234**, 791 (1959).
[19] MCGUIRE, J. S., jr., and G. M. TOMKINS: J. biol. Ch. **235**, 1634 (1960).
[20] MEIGS, R. A., and L. L. ENGEL: Endocrinology **69**, 152 (1961).
[21] MEYER, A. S.: J. biol. Ch. **203**, 469 (1954).
[22] MEYER, A. S., O. G. RODGERS and G. PINCUS: Acta endocr. (Kbh.) **16**, 293 (1954).
[23] PECHET, M. M., R. H. HESSE and H. KOHLER: Am. Soc. **82**, 5251 (1960).
[24] PECHET, M. M., H. KOHLER, K. YATES and J. WAN: J. biol. Ch. **236**, PC 68 (1961).

Tabelle 7. *Tabellarische Übersicht der Steroidring-Reductasen (Dihydro-*

Reaktion	Substrat	Produkt	Species	Organ
4=5 → 4,5α	Cholest-4-en-3-on (Cholestenon)	5α-Cholestan-3β-ol (Cholestanol)	Mensch	Faeces
		5α-Cholestan-3-on (Cholestanon) 5α-Cholestan-3β-ol (Cholestanol)	Ratte	Leber
4=5 → 4,5β	Cholest-4-en-3-on (Cholestenon)	5β-Cholestan-3β-ol (Koprostanol) 5β-Cholestan-3-on (Koprostanon)	Mensch	Faeces
		4,5-Dihydrosteroid	Ratte	Leber
5=6 → 5β,6	Cholest-5-en-3β-ol (Cholesterin)	5β-Cholestan-3β-ol (Koprostanol)	Mensch	Faeces

(Fortsetzung).

Präparation	Zusätze	Bemerkungen	In der Arbeit verwendete Bezeichnung des Enzyms	Literatur
Schnitte	—	Versuche mit 9α-Fluorhydrocortisonacetat	—	29
teilweise gereinigtes Enzym	NADH$_2$ oder NADPH$_2$	Einzelheiten der Enzympräparation s. S. 519	Δ^4-3-Ketosteroid-Reductase	39
teilweise gereinigtes Enzym	NADH$_2$ oder NADPH$_2$	Einzelheiten der Enzympräparation s. S. 519	Δ^4-3-Ketosteroid-Reductase	39

[25] RONGONE, E. L., D. R. STRENGTH, B. C. BOCKLAGE and E. A. DOISY: J. biol. Ch. **225**, 959 (1957).
[26] SCHNEIDER, J. J.: J. biol. Ch. **199**, 235 (1952).
[27] SCHNEIDER, J. J., and P. M. HORSTMANN: J. biol. Ch. **191**, 327 (1951).
[28] SCHRIEFERS, H.: Naturwiss. **46**, 559 (1959).
[29] SCHRIEFERS, H.: H. **324**, 188 (1961).
[30] SWEAT, M. L., D. L. BERLINER, M. J. BRYSON, C. J. NABORS jr., J. HASKELL and E. G. HOLMSTROM: Biochim. biophys. Acta **40**, 289 (1960).
[31] SWEAT, M. L., and M. J. BRYSON: Biochim. biophys. Acta **44**, 217 (1960).
[32] SWEAT, M. L., B. I. GROSSER, D. L. BERLINER, H. E. SWINN, C. J. NABORS jr. and T. F. DOUGHERTY: Biochim. biophys. Acta **28**, 591 (1958).
[33] TAYLOR, W.: Biochim. biophys. Acta **15**, 592 (1954).
[34] TAYLOR, W.: Biochem. J. **56**, 463 (1954).
[35] TAYLOR, W.: Biochem. J. **60**, 380 (1955).
[36] TAYLOR, W.: Biochem. J. **66**, 58P (1957).
[37] TAYLOR, W.: Biochem. J. **72**, 442 (1959).
[38] TOMKINS, G. M.: Rec. Progr. Hormone Res. **12**, 125 (1956).
[39] TOMKINS, G. M.: J. biol. Ch. **225**, 13 (1957).
[40] TROOP, R. C.: Endocrinology **64**, 671 (1959).
[41] VERMEULEN, A., and E. CASPI: J. biol. Ch. **233**, 54 (1958).
[42] WETTSTEIN, A., R. NEHER u. H. J. URECH: Helv. **42**, 956 (1959).
[43] WIENER, M., C. I. LUPU and E. J. PLOTZ: Acta endocr. (Kbh.) **36**, 511 (1961).
[44] WISWELL, J. G., and L. T. SAMUELS: J. biol. Ch. **201**, 155 (1953).
[45] YATES, F. E., A. L. HERBST and J. URQUHART: Endocrinology **63**, 887 (1958).

steroid:Acceptor-Oxydoreductasen) im Tierreich. Substrate: C_{27}-Steroide.

Präparation	Zusätze	Bemerkungen	In der Arbeit verwendete Bezeichnung des Enzyms	Literatur
Suspension	—	Versuche mit Cholest-4-en-3-on-4-^{14}C. Weitere Produkte: Koprostanol, Koprostanon, Cholesterin	—	5
Homogenat	NADH$_2$	Versuche mit Cholest-4-en-3-on-4-^{14}C	—	2
Suspension	—	Versuche mit Cholest-4-en-3-on-4-^{14}C. Weitere Produkte: Cholesterin, Cholestanol	—	5
teilweise gereinigtes Enzym	NADPH$_2$	—	—	9, 10
Suspension	—	Versuche mit Cholesterin-4-^{14}C	—	4

Tabelle 7

Reaktion	Substrat	Produkt	Species	Organ
7=8 → 7,8	Cholesta-5,7-dien-3β-ol (7-Dehydrocholesterin)	Cholest-5-en-3β-ol (Cholesterin)	Maus	Leber
			Ratte	Leber
24=25 → 24,25	Cholesta-5,24-dien-3β-ol (Desmosterin, 24-Dehydrocholesterin)	Cholest-5-en-3β-ol (Cholesterin)	Ratte	Leber
	Cholesta-8,24-dien-3β-ol (Zymosterin)	Cholest-5-en-3β-ol (Cholesterin)	Ratte	Leber

[1] AVIGAN, J., and D. STEINBERG: J. biol. Ch. **236**, 2898 (1961).
[2] HAROLD, F. M., S. ABRAHAM and I. L. CHAIKOFF: J. biol. Ch. **221**, 435 (1956).
[3] KANDUTSCH, A. A.: J. biol. Ch. **237**, 358 (1962).
[4] ROSENFELD, R. S., FUKUSHIMA, D. K., L. HELLMAN and T. F. GALLAGHER: J. biol. Ch. **211**, 301 (1954).
[5] ROSENFELD, R. S., and L. HELLMAN: J. biol. Ch. **233**, 1089 (1958).

in aufsteigender Reihenfolge derjenigen C-Atome, an denen sich die Reaktionen abspielen, geordnet; bei den Hydroxysteroid-Dehydrogenasen werden die Oxydationen vor den Reduktionen abgehandelt. Zahlreiche Steroide sind an verschiedenen Oxydoreduktionen beteiligt; es war deshalb notwendig, diese Substrate innerhalb einer Tabelle mehrfach anzuführen, um das Auffinden der einzelnen Reaktionen zu erleichtern. In die Tabellen sind nur solche Reaktionen aufgenommen worden, bei denen die Reaktionsprodukte mit verläßlichen Methoden identifiziert wurden.

II. Beschreibung näher definierter Steroid-Dehydrogenasen im Tierreich.

Die Beschreibung der näher definierten Steroid-Dehydrogenasen im Tierreich umfaßt insgesamt 26 Dehydrogenasen (Übersicht s. Tabelle 8). Es wurden alle Präparationen aufgenommen, bei denen gegenüber dem Ausgangsgewebe (Schnitte, Homogenat oder Zellfraktion) eine, wenn gelegentlich auch nur geringe, Anreicherung erzielt wurde. Darüber hinaus fanden auch solche Dehydrogenasen Berücksichtigung, bei denen lediglich die Lokalisierung in bestimmten Zellfraktionen (Mitochondrien, Mikrosomen, Cytoplasma) beschrieben wurde, über die aber enzymkinetische Daten vorliegen.

Zur Bestimmung der Enzymaktivitäten ist zu bemerken, daß der optische Test (Änderung der Extinktion bei 340 mμ) nicht in allen Fällen zuverlässige Werte liefert. Häufig sind die Aktivitäten so klein, daß nur geringe Ausschläge beobachtet werden. Gewisse Schwierigkeiten ergeben sich besonders bei der Messung der Hydrierungsreaktionen, deren p_H-Optimum im allgemeinen zwischen 6 und 7 liegt; hier kommt es häufig zu Nebenreaktionen von $NADH_2$ und $NADPH_2$, so daß eine quantitative Bestimmung der Steroid-Dehydrogenaseaktivität — auch bei entsprechendem Leerwert — nicht immer möglich ist. Schließlich sei erwähnt, daß die Spezifität des optischen Tests bei den nur wenig angereicherten Enzympräparationen nicht allzu groß ist; das gilt besonders dann, wenn neben der zu prüfenden Dehydrogenase noch eine weitere Steroid-Dehydrogenase, die an einer anderen Stelle des Steroidmoleküls angreift, vorhanden ist. Die genannten Schwierigkeiten können durch die quantitative Bestimmung der entstehenden Reaktionsprodukte überwunden werden. Solche Bestimmungen erfordern im allgemeinen die Extraktion der Versuchsansätze und die anschließende chromatographische Auftrennung der Steroidgemische.

Bei der Beschreibung der näher definierten Steroid-Dehydrogenasen werden zunächst die Hydroxysteroid-Dehydrogenasen, dann die Steroidring-Reductasen und schließlich eine Steroidring-Dehydrogenase abgehandelt. Die Bezeichnungen der im einzelnen beschriebenen Dehydrogenasen richten sich nach den Angaben der Autoren.

(Fortsetzung).

Präparation	Zusätze	Bemerkungen	In der Arbeit verwendete Bezeichnung des Enzyms	Literatur
Zellfraktionen	NADPH$_2$	Die enzymatische Aktivität befindet sich in der Mikrosomen- und Kernfraktion (s. S. 521).	—	3
Homogenat	—	Versuche mit 7-Dehydrocholesterin-4-^{14}C	—	7
Homogenat	—	—	—	8
Mitochondrien Mikrosomen	NADPH$_2$	—	Desmosterol-Reductase	1
Homogenat	—	Versuche mit Zymosterin-^{14}C. Zymostenol-24,25-^{3}H (Cholest-8-en-3β-ol) wird schneller umgesetzt	—	6

[6] SCHROEPFER, G. J., jr.: J. biol. Ch. **236**, 1668 (1961).
[7] SCHROEPFER, G. J., jr., and I. D. FRANTZ jr.: J. biol. Ch. **236**, 3137 (1961).
[8] STEINBERG, D., and J. AVIGAN: J. biol. Ch. **235**, 3127 (1960).
[9] TOMKINS, G. M.: Rec. Prog. Hormone Res. **12**, 125 (1956).
[10] TOMKINS, G. M.: J. biol. Ch. **225**, 13 (1957).

Tabelle 8. *Zusammenstellung der näher definierten Steroid-Dehydrogenasen im Tierreich.*

Reaktionstyp	Bezeichnung der Dehydrogenase	s. Seite
Hydroxysteroid-Dehydrogenase (Hydroxysteroid:Acceptor-Oxydoreductase)	3α-Hydroxysteroid-Dehydrogenase aus Rattenleber	496
	3α-Hydroxysteroid-Dehydrogenase aus Rattenleber	497
	Mikrosomale 3α-Hydroxysteroid-Dehydrogenase aus Rattenleber	499
	Δ^4-3α- und 3β-Hydroxysteroid-Dehydrogenase aus Rattenleber	500
	Mikrosomale 3β-Hydroxysteroid-Dehydrogenase aus Rindernebenniere	500
	3β-Hydroxysteroid-Dehydrogenase aus Säugetierleber	501
	Mikrosomale 11β-Hydroxysteroid-Dehydrogenase aus Rattenleber	501
	11β-Hydroxysteroid-Dehydrogenase aus menschlicher Placenta	502
	Oestradiol-17β-Dehydrogenase aus Erythrocyten der Ratte	503
	Oestradiol-17β-Dehydrogenase aus menschlicher Placenta	504
	NAD-spezifische und NADP-spezifische Oestradiol-17β-Dehydrogenase aus menschlicher Placenta	505
	17β-Hydroxysteroid-(Oestradiol-17β)-Dehydrogenase aus menschlicher Placenta	506
	17β-Hydroxysteroid-Dehydrogenase aus Stierleber	509
	NAD-spezifische 17β-Hydroxysteroid-Dehydrogenase aus Leber und Niere des Meerschweinchens	510
	NADP-spezifische 17β-Hydroxysteroid-(Testosteron)-Dehydrogenase aus Leber und Niere des Meerschweinchens	511
	NADP-spezifische C$_{19}$-17β-Hydroxysteroid-Dehydrogenase aus Meerschweinchenleber	511
	20α-Hydroxysteroid-Dehydrogenase aus Pferdeleber	513
	20α-Hydroxysteroid-Dehydrogenase aus menschlicher Placenta	513
	20α-Hydroxysteroid-Dehydrogenase aus Rattenovarien	514
Steroidring-Reductase (Dihydrosteroid:Acceptor-Oxydoreductase)	Prednisolon-Δ^1-Reductase aus Rattenleber	515
	Mikrosomale 4,5α-Reductasen aus Rattenleber	516
	Cytoplasmatische 4,5β-Reductase aus Rattenleber	518
	Cytoplasmatische Cortison-4,5β-Reductase aus Rattenleber	519
	Cytoplasmatische 4,5β-Reductase aus der Nebenniere des Meerschweinchens	520
	7-Dehydrocholesterin-Δ^7-Reductase aus Mäuseleber	521
Steroidring-Dehydrogenase (Dihydrosteroid:Acceptor-Oxydoreductase)	Equilin-Dehydrogenase aus Rattenleber	522

1. 3α-Hydroxysteroid-Dehydrogenase aus Rattenleber (nach TOMKINS)[1].
[1.1.1.50 3α-Hydroxysteroid:NAD(P)-Oxydoreductase.]

Reaktion:

Darstellung. Rattenleber wird für 30 sec mit dem doppelten Volumen einer kalten 0,1 m Na_2HPO_4-Lösung, deren p_H-Wert auf etwa 7 eingestellt ist, in einem Starmix (Waring Blendor) homogenisiert. Alle folgenden Schritte werden bei 0—3° C ausgeführt. Das Homogenat wird für 10 min bei 10000 ×g zentrifugiert und der Rückstand verworfen. Der Überstand wird unter Umrühren mit einer bei Raumtemperatur gesättigten Ammoniumsulfatlösung, die mit Ammoniak neutralisiert ist, bis zur 55%igen Sättigung an Ammoniumsulfat versetzt. Nach weiterem Umrühren für 30 min wird die Mischung bei 10000 ×g für 10 min zentrifugiert. Der Rückstand wird verworfen und der Überstand weiter bis zur 70%igen Sättigung an Ammoniumsulfat mit einer gesättigten, neutralisierten Ammoniumsulfatlösung versetzt. Nach 20 min Stehen wird die Mischung zentrifugiert, der Niederschlag in 15—20 ml kaltem, destilliertem Wasser gelöst und 4 Std gegen 4 l destilliertes Wasser dialysiert. Ein eventuell entstehender Niederschlag wird abzentrifugiert und der Proteingehalt der überstehenden Lösung ermittelt. Die Enzymlösung wird anschließend mit Calciumphosphat-Gel in folgender Weise behandelt. 18 Monate gealtertes Gel wird zentrifugiert und die überstehende Flüssigkeit verworfen; es wird so viel Gel genommen, daß das Verhältnis von Protein zum Trockengewicht des Gels 2:1 beträgt. Die Enzymlösung wird dem sedimentierten Gel zugesetzt, die Mischung 15 min umgerührt und anschließend zentrifugiert. Die überstehende Lösung enthält noch die gesamte 3α-Hydroxysteroid-Dehydrogenaseaktivität. Nun wird die Lösung tropfenweise mit auf —10° C vorgekühltem Äthanol versetzt, bis die Äthanolkonzentration 20% beträgt. Nach 20 min wird der entstandene Niederschlag durch Zentrifugieren bei —5° C entfernt. Der Überstand wird bei —5° C gehalten und erneut mit Äthanol bis zu einer Konzentration von 30% versetzt. Der nach 20 min Stehen gebildete Niederschlag wird bei —5° C abzentrifugiert und in 15 ml destilliertem Wasser aufgenommen. Eine weitere dreifache Anreicherung der Enzymlösung kann erzielt werden, wenn das Enzym an das gleiche Gewicht von zentrifugiertem Calciumphosphat-Gel absorbiert und mit 0,5 m Puffer bei 7,0 wieder eluiert wird. Dieser Schritt ergibt jedoch stark schwankende Ergebnisse. Eine Übersicht der Reinigungsschritte sowie der Enzymaktivitäten und Ausbeuten gibt Tabelle 9.

Eigenschaften. Die am meisten gereinigte Enzympräparation verliert nach fünftägiger Aufbewahrung bei —10° C etwa 80—100% und bei +3° C etwa 50% ihrer Aktivität. Das p_H-Optimum liegt für die Dehydrierung (Oxydation von Tetrahydrocortison zu Dihydrocortison) bei 8—8,3, wobei zur alkalischen Seite ein starker Abfall erfolgt. Das

---
[1] TOMKINS, G. M.: J. biol. Ch. **218**, 437 (1956).

Tabelle 9. *Zusammenfassung der Reinigungsschritte bei der Darstellung der 3α-Hydroxysteroid-Dehydrogenase aus Rattenleber*[1].

Fraktion	Volumen ml	Einheiten	Spezifische Aktivität Einheiten/mg Protein
Ausgangsextrakt.	250	25000	4,9
Fällung mit $(NH_4)_2SO_4$ (55—70%ige Sättigung)	40	74500	64
Eluat nach Adsorption an Calciumphosphat-Gel	40	74500	130
Fällung mit Äthanol (zwischen 20 und 30%). .	15	30000	375

p_H-Optimum für die Hydrierung (Reduktion von Dihydrocortison zu Tetrahydrocortison) liegt zwischen 7 und 8 in Phosphat- oder Trispuffer. Die MICHAELIS-MENTEN-Konstanten betragen für Dihydrocortison (5β-Pregnan-17α,21-diol-3,11,20-trion) 1×10^{-5} m, für $NADH_2$ $1,5 \times 10^{-5}$ m und für NAD sowie NADP 4×10^{-5} m. Das Enzym reagiert sowohl mit $NADH_2$ und $NADPH_2$ (Hydrierung der 3-Ketogruppe) als auch mit NAD und NADP (Dehydrierung der 3α-Hydroxygruppe) gleich schnell. Die Gleichgewichtskonstante beträgt:

$$K = \frac{[\text{Tetrahydrocortison}][\text{NAD}^+]}{[\text{Dihydrocortison}][\text{NADH}][\text{H}^+]} = 1,12 \times 10^7 \text{ bei Raumtemperatur.}$$

Das Enzym greift C_{19}- und C_{21}-3-Ketosteroide gleichermaßen an. Als Reaktionsprodukte entstehen nur 3α-Hydroxysteroide. 5β-Steroide (A/B cis) werden schneller umgesetzt als 5α-Steroide (A/B trans). Doppelbindungen vom C-Atom 4 nach 5 oder vom C-Atom 1 nach 2 verhindern die Reduktion der 3-Ketogruppe. 3β-Hydroxysteroide werden nicht angegriffen. Nach 10 min Vorinkubation wird die 3α-Hydroxysteroid-Dehydrogenase durch 10^{-4} m Cu^{++} um 100% und durch 10^{-4} m Jodacetat um 50% gehemmt. 10^{-5} m p-Chlormercuribenzoat bewirkt ebenfalls eine vollständige Hemmung, die durch Vorinkubation des Enzyms mit Dihydrocortison oder $NADH_2$ zum Teil aufgehoben werden kann. Bei der Reduktion von Dihydrocortison ist die Hemmung durch p-Chlormercuribenzoat nicht kompetitiv.

Bestimmung. 0,11 μM Steroid, 20 μM Tris- oder Phosphatpuffer, p_H 7,4, und 0,05 μM $NADH_2$ werden mit dem Enzym in einem Gesamtvolumen von 1,1 ml bei Raumtemperatur inkubiert. Die Oxydation von $NADH_2$ wird durch Messung bei 340 mμ in einer 10 mm-Küvette (1,3 ml Volumen) verfolgt. Die Reaktion wird durch Zugabe des Enzyms gestartet. *Eine Einheit* ist diejenige Enzymmenge, die in der Zeit von 15 bis 30 sec nach Zugabe des Enzyms eine Abnahme der Extinktion von 0,010 bei 340 mμ bewirkt. Bei Verwendung der hochgereinigten Enzympräparationen wird keine Oxydation von $NADH_2$ oder Reduktion von NAD in Abwesenheit von Steroidsubstrat beobachtet. Bei weniger gereinigten Präparationen fehlen diese interferierenden Reaktionen ebenfalls oder machen nur 5% der durch die 3α-Hydroxysteroid-Dehydrogenase bewirkten Änderung aus.

2. 3α-Hydroxysteroid-Dehydrogenase aus Rattenleber (nach HURLOCK und TALALAY)[2].

[1.1.1.50   3α-Hydroxysteroid:NAD(P)-Oxydoreductase.]

Reaktion:

---
[1] TOMKINS, G. M.: J. biol. Ch. **218**, 437 (1956).
[2] HURLOCK, B., and P. TALALAY: J. biol. Ch. **233**, 886 (1958).

Allgemeine Vorbemerkungen. Die im folgenden beschriebene Anreicherung der 3α-Hydroxysteroid-Dehydrogenase lehnt sich an die Vorschrift von Tomkins[1] an, vermeidet jedoch die Fraktionierung mit Äthanol. Da die Enzympräparation gelegentlich Alkohol-Dehydrogenase enthält, kann durch die Äthanolfraktionierung der optische Test gestört werden. Das wesentliche Ziel der vorliegenden Arbeit ist der Nachweis, daß die 3α-Hydroxysteroid-Dehydrogenase — ähnlich wie andere Hydroxysteroid-Dehydrogenasen — unter bestimmten Bedingungen als Transhydrogenase fungieren kann, wobei die Steroide die Rolle von Coenzymen übernehmen sollen.

Darstellung. Leberbrei von männlichen erwachsenen Ratten wird in 40 g-Portionen für 1 min in einem langsam laufenden Starmix (Waring Blendor) mit 160 ml eines Mediums homogenisiert, das 0,25 m Rohrzucker, 0,001 m EDTA und 0,003 m NaHCO$_3$ enthält. Das Homogenat wird zunächst bei 3000 ×g für 15 und 30 min und anschließend bei 105000 ×g für 45 min zentrifugiert. Der Überstand wird fraktioniert mit Ammoniumsulfat versetzt, wobei der pH-Wert durch Zugabe von 1 m NH$_4$OH neutral gehalten wird. Die zwischen 0 und 40%, 40 und 50% sowie 50 und 70% Sättigung mit Ammoniumsulfat erhaltenen Niederschläge werden durch 30 min Zentrifugieren bei 3000 ×g abgetrennt und in 0,01 m Trispuffer und 0,002 m EDTA, pH 7,4, gelöst. Fast die gesamte 3α-Hydroxysteroid-Dehydrogenaseaktivität befindet sich in der 50—70%igen Ammoniumsulfatfraktion. Diese Fraktion wird bei mehrfachem Wechsel 2 Std gegen 0,01 m Trispuffer und 0,002 m EDTA, pH 7,4, dialysiert. Im allgemeinen tritt als Folge der Dialyse eine Steigerung der Enzymaktivität auf. Die Enzymlösung wird nun fraktioniert mit Aceton versetzt, wobei die Temperatur stetig auf −10° C gesenkt wird. Der größere Anteil der Enzymaktivität fällt im allgemeinen bei einer Acetonkonzentration zwischen 40 und 50% aus. Die Niederschläge werden rasch bei −10° C zentrifugiert und in einem kleinen Volumen von 0,01 m Trispuffer und 0,002 m EDTA, pH 7,4, gelöst. Ohne Verzögerung wird die Enzymlösung mit einer gesättigten neutralisierten (pH 7,0) Ammoniumsulfatlösung (rekristallisiertes Ammoniumsulfat) portionsweise versetzt. Die Enzymaktivität fällt bei 45—75% Sättigung mit Ammoniumsulfat aus. Die so gewonnene Präparation hat eine spezifische Aktivität von etwa 20 Einheiten/mg Protein und ist, bezogen auf den Überstand des Homogenates, um etwa das 20fache angereichert.

Eigenschaften. Die Fähigkeit der 3α-Hydroxysteroid-Dehydrogenase, als Dinucleotid-Transhydrogenase in Gegenwart geringer Mengen von 3α-Hydroxy- oder 3-Ketosteroiden zu fungieren, kann in folgendem System demonstriert werden:

$$\text{Glucose-6-phosphat} + \text{NADP}^+ \rightleftharpoons \text{6-Phosphogluconat} + \text{NADPH} + \text{H}^+$$
$$\text{H}^+ + \text{NADPH} + \text{Androstan-3,17-dion} \rightleftharpoons \text{Androsteron} + \text{NADP}^+$$
$$\underline{\text{NAD}^+ + \text{Androsteron} \rightleftharpoons \text{Androstan-3,17-dion} + \text{NADH} + \text{H}^+}$$
$$\text{Glucose-6-phosphat} + \text{NAD}^+ \rightleftharpoons \text{6-Phosphogluconat} + \text{NADH} + \text{H}^+$$

Die Messung wird folgendermaßen durchgeführt. 200 μM Trispuffer, pH 8,3, 10 μM Glucose-6-phosphat, ein Überschuß von Glucose-6-phosphat-Dehydrogenase aus Hefe, 2 μg Androsteron in 0,01 ml Dioxan, 0,02 μM NADP und 1,4 μM NAD werden mit 2,5 mg der gereinigten 3α-Hydroxysteroid-Dehydrogenase in einem Gesamtvolumen von 3,0 ml bei 25° C inkubiert. Die Zunahme der Extinktion wird bei 340 mμ gegen ent-

---
[1] Tomkins, G. M.: J. biol. Ch. **218**, 437 (1956).

sprechende Leerwerte (ohne Steroid oder ohne Dinucleotide) gemessen. Weitere Einzelheiten zur steroidbeeinflußten Transhydrogenierung s.[1-3].

Die MICHAELIS-MENTEN-Konstanten für Androsteron und Ätiocholanolon liegen bei 1×10^{-6} m.

Bestimmung. Die Aktivität der 3α-Hydroxysteroid-Dehydrogenase wird in folgendem System bestimmt: 200 µM Trispuffer, p_H 8,3, 0,7 µM NAD und 20 µg Androsteron in 0,01 ml Dioxan werden mit dem Enyzm in einem Gesamtvolumen von 3,0 ml bei 25° C inkubiert. Die Ablesung erfolgt in 10 mm-Küvetten bei 340 mµ alle 15 sec gegen einen Leerwert, der alle Zusätze außer dem Steroid enthält. *Eine Einheit ist diejenige Enzymmenge, die unter den genannten Bedingungen eine Extinktionsänderung von 0,001 pro min bewirkt.*

3. Mikrosomale 3α-Hydroxysteroid-Dehydrogenase aus Rattenleber[4].

[1.1.1.50   3α-Hydroxysteroid:NAD(P)-Oxydoreductase.]

Reaktion:

Androsteron + NAD$^+$ oder NADP$^+$ ⇌ Androstan-3,17-dion + NADH oder NADPH + H$^+$

Darstellung. Mehrfach gewaschene Rattenlebermikrosomen werden bei −15° C mit Aceton getrocknet. Das erhaltene Trockenpulver wird 30 min bei −15° C mit iso-Butanol gerührt und anschließend erneut mit einem Überschuß von Aceton bei −15° C behandelt. Dieser Schritt beseitigt eine erhebliche Menge an Lipiden. Das Butanol-Acetonpulver (11,6 g) wird in 150 ml eines 0,02 m Pyrophosphatpuffers, p_H 7,8, der 0,001 m EDTA enthält, durch 30 min Behandlung mit einem Oscillator (9 KC Raytheon sonic oscillator) homogen suspendiert. Die Suspension zeigt volle enzymatische Aktivität. Das Enzym kann durch 45 min Zentrifugieren bei 105000 ×g sedimentiert werden, wobei inaktives Protein im Überstand bleibt. Der Niederschlag wird in 100 ml Pyrophosphatpuffer durch Beschallung resuspendiert und das Enzym durch erneutes Zentrifugieren bei 105000 ×g sedimentiert. Der Niederschlag wird — unter gleichzeitiger Beschallung für 15 min — in einer 1%igen Digitoninlösung suspendiert und diese 30—45 min bei 105000 ×g zentrifugiert. Der größte Teil der Enzymaktivität befindet sich im Überstand, kann aber durch länger andauerndes Zentrifugieren sedimentiert werden.

Eigenschaften. Die Präparation enthält neben der 3α-Hydroxysteroid-Dehydrogenase auch eine 11β-Hydroxysteroid-Dehydrogenase. Das Enzym besitzt eine zweifache Dinucleotidspezifität; es reagiert sowohl mit NAD und NADP (Dehydrierung) als auch mit NADH$_2$ und NADPH$_2$ (Hydrierung) gleich schnell.

Bestimmung. 100 µM Pyrophosphatpuffer, p_H 9,5, 0,5 µM NAD und 20 µg Steroid (Androsteron) in 0,05 ml Dioxan werden mit der Enzympräparation in einem Gesamtvolumen von 3,0 ml inkubiert. Wenn an Stelle der Enzympräparation frisch bereitete Mikrosomen verwendet werden, ist ein Zusatz von 10 µM KCN erforderlich. Es wird die Zunahme der Extinktion bei 340 mµ gemessen. Der Leerwert enthält alle Zusätze einschließlich Dioxan, jedoch kein Steroid. Die Enzympräparation (aus 100 mg Butanol-Acetonpulver) oxydiert in 60 min mit NAD als Wasserstoffacceptor 1,0 µM und mit NADP 0,61 µM Androsteron zu Androstan-3,17-dion.

---

[1] HURLOCK, B., and P. TALALAY: J. biol. Ch. **233**, 886 (1958).
[2] TALALAY, P., B. HURLOCK and H. G. WILLIAMS-ASHMAN: Science, N.Y. **127**, 1060 (1958).
[3] TALALAY, P., and H. G. WILLIAMS-ASHMAN: Proc. nat. Acad. Sci. USA **44**, 15 (1958).
[4] HURLOCK, B., and P. TALALAY: Arch. Biochem. **80**, 468 (1959).

4. Δ⁴-3α- und 3β-Hydroxysteroid-Dehydrogenase aus Rattenleber[1].

[1.1.1.50   3α-Hydroxysteroid:NAD(P)-Oxydoreductase.]
[1.1.1.51   3β-Hydroxysteroid:NAD(P)-Oxydoreductase.]

Reaktion:

Darstellung. Rattenleberhomogenat wird bei 78000 × g zentrifugiert. Der Überstand wird mit Ammoniumsulfat versetzt. Die Enzymaktivität wird zwischen 40 und 55% Sättigung mit Ammoniumsulfat ausgefällt.

Eigenschaften. Das p_H-Optimum für die Umwandlung der $Δ^4$-3-Hydroxysteroide zum $Δ^4$-3-Ketosteroid (Testosteron) liegt zwischen 7,5 und 8,3 in Phosphat- oder Trispuffer. NAD und NADP sind gleichermaßen wirksam.

Bestimmung. 10 μM Androst-4-en-3,17β-diol, 15 μM NAD oder NADP werden in 5 ml eines 0,1 m Phosphatpuffers, p_H 7,4, mit dem Enzym (aus 2 g Lebergewebe) in Luft bei 37° C für 30 min inkubiert. Die Inkubationslösungen werden mit Äthylacetat extrahiert und die Extrakte im System Propylenglykol/Ligroin chromatographiert. Nach Elution von den Papierchromatogrammen werden die Steroide identifiziert und quantitativ bestimmt. Weitere Einzelheiten s. [2].

5. Mikrosomale 3β-Hydroxysteroid-Dehydrogenase aus Rindernebenniere[3].

[1.1.1.51   3β-Hydroxysteroid:NAD-Oxydoreductase.]

Reaktion:

Darstellung. Alle Schritte werden bei 0—5° C ausgeführt. Frische Rindernebennieren werden dekapsuliert und die Cortexanteile mit Rasierklingen zu einem Brei verarbeitet. Da Homogenisieren in einem Starmix das Enzym inaktiviert, wird der Brei in einem Handhomogenisator homogenisiert. Das Homogenat (in 0,25 m Rohrzuckerlösung und 0,0018 m CaCl₂-Lösung) wird der fraktionierten Zentrifugation unterworfen und die Mikrosomenfraktion nach 90 min Zentrifugieren bei 105000 × g sedimentiert.

Eigenschaften. Das Enzym befindet sich ausschließlich in der Mikrosomenfraktion. Geringe Aktivitäten in den übrigen Zellfraktionen (Zellkerne, Mitochondrien, lösliche

---
[1] UNGAR, F., and B. R. BLOOM: Biochim. biophys. Acta **24**, 431 (1957).
[2] UNGAR, F., M. GUT and R. I. DORFMAN: J. biol. Ch. **224**, 191 (1957).
[3] BEYER, K. F., and L. T. SAMUELS: J. biol. Ch. **219**, 69 (1956).

Fraktion) sind durch Verunreinigung mit Mikrosomen bedingt. Auch nach sechsmaligem Waschen der Mikrosomen mit 0,25 m Rohrzuckerlösung bleibt die Enzymaktivität an die Mikrosomen gebunden. Durch Behandlung mit Tween 80 (0,05% Tween 80 in einer 0,25 m Rohrzuckerlösung) kann dagegen die Dehydrogenase zum Teil von den Mikrosomen abgelöst werden. Dabei findet gleichzeitig eine gewisse Inaktivierung statt.

Bestimmung. Die zu untersuchende Mikrosomenfraktion wird in 20 ml einer Lösung suspendiert, die zu gleichen Teilen aus Rinderserum und Krebs-Ringer-Bicarbonatpuffer, pH 7,4, besteht und 8 μM NAD, 0,8 mM Nicotinsäureamid sowie 2 μM Pregn-5-en-3β-ol-20-on in 0,2 ml Propylenglykol enthält. Die Inkubation erfolgt in 95% O_2/5% CO_2 für 1 Std bei 37° C und wird durch Kochen der Inkubationslösung beendet. Anschließend wird sechsmal mit je 20 ml Äther extrahiert. Die Extrakte werden eingedampft, in Heptan aufgenommen, an einer Al_2O_3-Säule chromatographiert und die Eluate zwischen Heptan und 70%igem Äthanol verteilt. Das Ausmaß der Umwandlung von Pregnenolon zu Progesteron wird durch Messung der für Δ^4-3-Ketosteroide charakteristischen Absorption bei 240 mμ ermittelt. Die Leerwerte enthalten alle Zusätze außer Substrat. *Eine Einheit* ist diejenige Enzymmenge, die in 3 Std bei 37° C unter den angegebenen Bedingungen 0,1 μM Pregnenolon oxydiert.

Eine Methode, mit deren Hilfe die 3β-Hydroxysteroid-Dehydrogenaseaktivität in *einer* Rattennebenniere bestimmt werden kann, ist von RUBIN, LEIPSNER und DEANE[1] angegeben worden. Nach Beendigung der Inkubation werden die Ansätze mit Äthylacetat extrahiert und die Extraktrückstände bei 240 mμ gemessen.

6. 3β-Hydroxysteroid-Dehydrogenase aus Säugetierleber.

[1.1.1.51 3β-Hydroxysteroid:NAD-Oxydoreductase.]

Wie UNGAR[2] festgestellt hat, enthält die nach BONNICHSEN[3] dargestellte Alkohol-Dehydrogenase aus Säugetierleber (Worthington Biochemical Corporation, Freehold, New Jersey, U.S.A.) eine beträchtliche 3-Ketosteroide reduzierende Aktivität. Folgende 3-Ketosteroide werden ausschließlich zu den 3β-Hydroxyverbindungen reduziert: 5α-Androstan-3,17-dion, Pregn-4-en-17α,21-diol-3,20-dion (Dihydro S) und Pregn-4-en-11β, 17α,20β,21-tetrol-3-on (Dihydro E). Folgende 3β-Hydroxysteroide werden zu den 3-Ketoverbindungen oxydiert: 5α-Androstan-3β-ol-17-on (epi-Androsteron), 5β-Pregnan-3β,17α, 21-triol-20-on (Tetrahydro S-3β,5β), 5α-Pregnan-3β,21-diol-20-on (Tetrahydro DOC-3β,5α) und Androst-4-en-3β,17β-diol. 3α-Hydroxysteroide werden nicht angegriffen; auch Dehydroepiandrosteron (Androst-5-en-3β-ol-17-on) reagiert nicht. Möglicherweise kann die Alkohol-Dehydrogenase aus Leber als Ausgangsmaterial für eine gereinigte 3β-Hydroxysteroid-Dehydrogenase dienen.

7. Mikrosomale 11 β-Hydroxysteroid-Dehydrogenase aus Rattenleber[4].

[11β-Hydroxysteroid:NAD(P)-Oxydoreductase.]

Reaktion:

[1] RUBIN, B. L., G. LEIPSNER and H. W. DEANE: Endocrinology **69**, 619 (1961).
[2] UNGAR, F.: Acta endocr. (Kbh.) Suppl. **51**, 727 (1960).
[3] BONNICHSEN, R. K.: Acta chem. scand. **4**, 715 (1950).
[4] HURLOCK, B., and P. TALALAY: Arch. Biochem. **80**, 468 (1959).

Darstellung. Mehrfach gewaschene Rattenlebermikrosomen werden bei $-15°$ C mit Aceton getrocknet. Das erhaltene Trockenpulver wird 30 min bei $-15°$ C mit iso-Butanol gerührt und anschließend erneut mit einem Überschuß von Aceton bei $-15°$ C behandelt. Dieser Schritt beseitigt eine erhebliche Menge an Lipiden. Das Butanol-Acetonpulver (11,6 g) wird in 150 ml eines 0,02 m Pyrophosphatpuffers, p_H 7,8, der 0,001 m EDTA enthält, durch 30 min Behandlung mit einem Oscillator (9 KC Raytheon sonic oscillator) homogen suspendiert. Die Suspension zeigt volle enzymatische Aktivität. Das Enzym kann durch 45 min Zentrifugieren bei 105000 $\times$g sedimentiert werden, wobei inaktives Protein im Überstand bleibt. Der Niederschlag wird in 100 ml Pyrophosphatpuffer durch Beschallung resuspendiert und das Enzym durch erneutes Zentrifugieren bei 105000 $\times$g sedimentiert. Der Niederschlag wird — unter gleichzeitiger Beschallung für 15 min — in einer 1%igen Digitoninlösung suspendiert und diese 30—45 min bei 105000 $\times$g zentrifugiert. Der größte Teil der Enzymaktivität befindet sich im Überstand, kann aber durch länger andauerndes Zentrifugieren sedimentiert werden.

Eigenschaften. Die Präparation enthält neben der 11β-Hydroxysteroid-Dehydrogenase auch eine 3α-Hydroxysteroid-Dehydrogenase. Das Enzym besitzt eine zweifache Dinucleotidspezifität; es reagiert sowohl mit NAD und NADP (Dehydrierung) als auch mit NADH$_2$ und NADPH$_2$ (Hydrierung) gleich schnell. In den Mitochondrien und im Cytoplasma läßt sich keine 11β-Hydroxysteroid-Dehydrogenase nachweisen. Die Geschwindigkeit der Oxydation von Cortisol (Pregn-4-en-11β,17α,21-triol-3,20-dion) zu Cortison (Pregn-4-en-17α,21-diol-3,11,20-trion) ist bei p_H 9,0 (in Pyrophosphatpuffer) fünfmal größer als bei p_H 7,0 (Orthophosphatpuffer).

Bestimmung. Oxydation von Cortisol zu Cortison: 100 μM Pyrophosphatpuffer, p_H 9,5, 0,5 μM NAD und 100 μg Cortisol in 0,05 ml Dioxan werden mit der Enzympräparation in einem Gesamtvolumen von 3,0 ml inkubiert. Wenn an Stelle der Enzympräparation frisch bereitete Mikrosomen verwendet werden, ist ein Zusatz von 10 μM KCN erforderlich. Reduktion von Cortison zu Cortisol: 100 μM Phosphatpuffer, p_H 6,0, 0,12 μM NADPH$_2$ und 50 μg Cortison in 0,05 ml Dioxan werden mit der Enzympräparation in einem Gesamtvolumen von 3,0 ml inkubiert.

Es wird jeweils die Änderung der Extinktion bei 340 mμ gemessen. Die Leerwerte enthalten alle Zusätze einschließlich Dioxan, jedoch kein Steroid. Die Enzympräparation (100 mg Butanol-Acetonpulver) oxydiert in 60 min mit NAD als Wasserstoffacceptor 0,29 μM und mit NADP 0,34 μM Cortisol.

8. 11 β-Hydroxysteroid-Dehydrogenase aus menschlicher Placenta[1].

[11β-Hydroxysteroid:NAD(P)-Oxydoreductase.]

Reaktion:

$$\text{Steroid-OH} + \text{NAD}^+ \text{ oder NADP}^+ \rightleftharpoons \text{Steroid=O} + \text{NADH oder NADPH} + \text{H}^+$$

Darstellung. 5 g Placentagewebe werden in einem Glashomogenisator homogenisiert und in 25 ml einer 0,13 m NaCl-Lösung, die mit 0,02 n Phosphat auf 7,4 abgepuffert ist, suspendiert. Nach Behandlung des Homogenates mit 0,2% Triton und anschließender Zentrifugation bei 30000 Umdrehungen (keine Angaben der g-Zahl) für 30 min befinden sich etwa 30% der Aktivität im Überstand. Das Enzym fällt bei Halbsättigung des

---

[1] OSINSKI, P. A.: Nature **187**, 777 (1960).

Überstandes mit neutralisiertem Ammoniumsulfat aus. Fällung bei Zimmertemperatur oder mit nichtneutralisiertem Ammoniumsulfat inaktiviert das Enzym ebenso wie das Einfrieren des Gewebes. Wenn für 24 Std gegen Salzlösung dialysiert wird, verschwindet die Enzymaktivität, ist aber nach Zusatz von NADP oder NAD wieder nachweisbar.

Eigenschaften. Das Enzym hat eine relativ geringe Substratspezifität, da es sowohl mit C_{19}- als auch mit C_{21}-Steroiden reagiert. Das p_H-Optimum der Dehydrierung zeigt einen breiten Gipfel zwischen 8 und 9. Das Enzym katalysiert die Hin- und Rückreaktion.

Bestimmung. Die Aktivität der radioaktiven Steroide wird nach Extraktion und Papierchromatographie mit Hilfe eines fensterlosen Zählrohres ermittelt.

9. Oestradiol-17 β-Dehydrogenase aus Erythrocyten der Ratte[1].
[1.1.1.51   17β-Hydroxysteroid:NAD(P)-Oxydoreductase.]

Reaktion:

Oestradiol-17β + NAD⁺ oder NADP⁺ ⇌ Oestron + NADH oder NADPH + H⁺

Darstellung. Gewaschene Erythrocyten werden bei 0° C im Verhältnis 1:1 mit Wasser versetzt; da das Enzym durch Schwermetallspuren inaktivierbar ist, enthalten das Wasser und die verwendeten Lösungen 0,0002 m EDTA. Nach 1 Std Aufbewahrung bei 0° C wird das in Kristallen ausgefallene Hämoglobin durch Zentrifugieren bei $10000 \times g$ und 0° C abgetrennt. Die im Überstand befindlichen Zellschatten werden bei $21000 \times g$ und 0° C sedimentiert. Das gallertige Sediment wird mit 0,2 m KH_2PO_4 resuspendiert und erneut zentrifugiert. Waschflüssigkeit und Überstand werden nach dem Animpfen getrennt 15 Std bei $-14°$ C aufbewahrt, wonach sich nochmals reichlich Hämoglobinkristalle abzentrifugieren lassen. Die vereinigte, noch stark rote Lösung wird bei 0° C mit Ammoniumsulfat (bei 0° C gesättigte Lösung von p_H 6,8) fraktioniert. Das Enzym fällt zur Hauptsache zwischen 30—60 % Sättigung aus. Der Niederschlag wird in 0,09 m Phosphatpuffer (p_H 6,8) aufgenommen und gegen 0,15 m Puffer bei 0° C substratfrei dialysiert. Eine weitere Reinigung der noch leicht rötlichen Enzymlösung wurde im Hinblick auf die Labilität des Enzyms gegenüber organischen Lösungsmitteln und dem geringen Enzymgehalt der Erythrocyten nicht durchgeführt.

Eigenschaften. Die Hydrierung von Oestron zu Oestradiol-17β erfolgt in Gegenwart von $NADH_2$ oder $NADPH_2$ bei einem p_H-Optimum von etwa 7. Die Dehydrierung von Oestradiol-17β zu Oestron verläuft in Gegenwart von NADP doppelt so schnell wie mit NAD; das p_H-Optimum liegt bei 8,5.

Bestimmung. Die Aktivitätsbestimmung erfolgt im optischen Test. 0,3 μM Oestradiol-17β, 2 μM NAD oder NADP, Enzympräparation mit 30 mg Protein (Biuret-Methode) und 0,26 mM Pyrophosphatpuffer (p_H 8,8) werden in einem Gesamtvolumen von 3 ml bei 22° C inkubiert; die Messung erfolgt in 10 mm-Küvetten bei 340 mμ. Die Extinktionszunahme beträgt nach 100 min 0,060 (mit NAD) bzw. 0,120 (mit NADP). Die Hydrierung von Oestron in Gegenwart von $NADH_2$ oder $NADPH_2$ bei p_H 7,0 kann im optischen Test nicht verfolgt werden, da sie durch die weitaus schnellere Nebenreaktion der hydrierten Dinucleotide mit Sauerstoff unterdrückt wird.

---

[1] Portius, H. J., u. K. Repke: A.e.P.P. **239**, 144 (1960).

10. Oestradiol-17β-Dehydrogenase aus menschlicher Placenta[1,2].
[1.1.1.51   17β-Hydroxysteroid:NAD(P)-Oxydoreductase.]

Reaktion:

Östradiol + NAD⁺ oder NADP⁺ ⇌ Östron + NADH oder NADPH + H⁺

Darstellung. Alle Schritte werden bei 0° C ausgeführt; alle Lösungen, mit Ausnahme der Nicotinamidlösungen und der Puffer für die Dialyse, werden mit deionisiertem, redestilliertem Wasser hergestellt. Frische menschliche Placenta wird von anhaftendem Blut befreit, zerkleinert und durch einen vorgekühlten Fleischwolf gedreht. Der Gewebebrei wird im dreifachen Volumen einer Lösung, die 0,01 m an Nicotinamid, 0,001 m an Cystein und 0,001 m an EDTA ist, bei p_H 7—8 suspendiert und die Suspension 1 min in einem Starmix (Waring Blendor) mit reduzierter Geschwindigkeit homogenisiert. Anschließend wird das Homogenat 15 min bei $2000 \times g$ zentrifugiert; Sediment und die auf dem Überstand befindliche Fettschicht werden verworfen. Zu dem Überstand wird nun langsam rekristallisiertes Ammoniumsulfat bis zur Halbsättigung gegeben, wobei der p_H-Wert durch Hinzufügen von verdünntem NH_4OH auf 6,8 gehalten wird. Nach 30 min Umrühren wird die Suspension für 30 min bei $2000 \times g$ zentrifugiert und der Rückstand in 100—150 ml einer Lösung (p_H 6,8) aufgenommen, die 0,025 m an K_3PO_4, 0,0005 m an Cystein und 0,0005 m an EDTA ist und 50% Glycerin (v/v) enthält. Die Enzymlösung wird nun 3 Std bei zweimaligem Wechsel gegen das 100fache Volumen einer Lösung (p_H 6,8) aus 0,05 m Bicarbonat, 0,001 m Cystein, 0,001 m EDTA und 10% Glycerin dialysiert; anschließend wird — bei wiederum zweimaligem Wechsel — gegen das 100fache Volumen einer Lösung (p_H 6,8) aus 0,005 m Bicarbonat, 0,001 m Cystein, 0,001 m EDTA und 10% Glycerin dialysiert. Der während der Dialyse entstehende Niederschlag wird durch 30 min Zentrifugieren bei $78000 \times g$ entfernt. Der Überstand wird nun unter ständigem Rühren langsam mit Calciumphosphat-Gel* versetzt. Die Menge Gel soll so bemessen sein, daß der größte Teil der Enzymaktivität adsorbiert wird. Im allgemeinen wird dies durch Zugabe von 1 Vol. Gel zu 4/3 Vol. dialysiertem Überstand (etwa 3 mg Trockengewicht Gel zu 1 mg Protein) erreicht. Nach Zugabe des Gels wird die Suspension noch für weitere 15 min gerührt und anschließend kurz bei $2000 \times g$ zentrifugiert. Die Elution der Enzymaktivität vom Gel erfolgt mit einer Lösung von 0,08 m Phosphat, 0,001 m Cystein, 0,001 m EDTA und 20 µg Oestradiol-17β**/ml bei einem p_H von 6,5. Zu diesem Zweck wird das Gel in so viel Eluens suspendiert, wie dem Volumen des dialysierten Überstandes entspricht, und die Suspension 15 min umgerührt; anschließend wird 5 min bei $2000 \times g$ zentrifugiert. Insgesamt werden 3 Gel-Extraktionen durchgeführt. Die vereinigten Gel-Eluate werden langsam mit rekristallisiertem Ammoniumsulfat bis zu einer Endkonzentration von 45% versetzt, wobei der p_H-Wert durch Zugabe von verdünntem NH_4OH auf p_H 6,8 gehalten wird. Der strohfarbene Niederschlag wird in einem Minimum von gepuffertem Glycerin (s. oben) aufgenommen und bei $-14°$ C aufbewahrt. Mit Hilfe des angegebenen Verfahrens wird eine 50fache Anreicherung gegenüber dem ursprünglichen Überstand bei einer Gesamtausbeute von 84% erreicht.

Eigenschaften. Die Enzymaktivität befindet sich ausschließlich im $105000 \times g$ Überstand. Die Enzympräparation besitzt nach $3^1/_2$ Monaten noch 96%, nach 6 Monaten noch 85% der Aktivität, wenn sie bei $-14°$ C aufbewahrt wird. Glycerin und Oestradiol-17β

---

* Herstellung s. KUNITZ, M.: J. gen. Physiol. **35**, 423 (1952).
** Oestradiol-17β wird zur Stabilisierung des Enzyms zugesetzt.
[1] LANGER, L. J., and L. L. ENGEL: J. biol. Ch. **233**, 583 (1958).
[2] LANGER, L. J., J. A. ALEXANDER and L. L. ENGEL: J. biol. Ch. **234**, 2609 (1959).

haben eine stabilisierende Wirkung. Es besteht keine Spezifität für NAD. Bei einer NADP-Konzentration von 10^{-4} m beträgt die Dehydrierung von Oestradiol-17β etwa 50% derjenigen mit NAD. Die durch 10^{-5} m p-Chlormercuribenzoat bewirkte Hemmung wird durch 2×10^{-3} m NAD oder $1,2 \times 10^{-3}$ m Oestradiol-17β weitgehend aufgehoben. Zusatz von Cystein hat besonders während der Aufarbeitung einen schützenden Einfluß. Eine 100%ige Hemmung wird beobachtet nach Zusatz von 10^{-3} m Cu^{++} und 10^{-4} m Hg^{++}, eine 33%ige Hemmung nach Zusatz von 10^{-3} m Fe^{+++}; Zusatz von 10^{-3} m Fe^{++}, Mn^{++}, Mg^{++} oder Co^{++} hat keine Wirkung. 10^{-3} bis 10^{-7} m Zn^{++} aktiviert zwischen 20 und 34%. Demnach enthält das Enzym essentielle Sulfhydrylgruppen.

Die Gleichgewichtskonstante beträgt:

$$K_H = \frac{[\text{Oestron}][\text{NADH}][H^+]}{[\text{Oestradiol-17}\beta][\text{NAD}^+]} = 1,8 \pm 0,5 \times 10^{-8} \text{ m bei } 25°\text{ C}.$$

Das p_H-Optimum der Dehydrierung von Oestradiol-17β liegt bei 10,0, dasjenige der Hydrierung von Oestron bei 6,2 (in 0,1 m Phosphatpuffer) bzw. bei 5,9 (in Citratpuffer). Die MICHAELIS-MENTEN-Konstanten betragen bei 37° C für Oestradiol-17β und Oestron $2,2 \times 10^{-5}$ m und bei 23° C für Oestradiol-17β 3,0—$3,5 \times 10^{-6}$ m. Folgende Substituenten am Steroidnucleus werden durch das Enzym nicht angegriffen: 3α-, 3β-, 11α-, 11β-, 16β- und 21-Hydroxygruppen, ferner 3- und 7-Ketogruppen; die 16α-Hydroxygruppe wird nur zu 1%, verglichen mit der 17β-Hydroxygruppe, dehydriert. Das Enzym zeigt eine absolute sterische Spezifität für die 17β-ständige Hydroxygruppe; es entfaltet seine Wirksamkeit nur bei aromatischem Ring A und/oder Ring B des Steroidmoleküls. Neutrale 17β-Hydroxysteroide werden weniger als 1%, verglichen mit Oestradiol-17β, umgesetzt. Aus Versuchen mit einer größeren Anzahl substituierter phenolischer Steroide ergibt sich, daß das Enzym mit der gesamten Oberfläche des Steroidmoleküls reagiert.

Bestimmung. Die Aktivitätsbestimmung erfolgt im optischen Test. Messung der Dehydrierung von Oestradiol-17β: 0,3 μM Oestradiol-17β in 0,1 ml Propylenglykol, 0,1 ml 25%iges menschliches Serumalbumin, 300 μM eines $NaHCO_3$—Na_2CO_3-Puffers (0,3 ml einer 1 m Lösung, p_H 9,2), 0,6 μM NAD und 0,02—0,3 ml der Enzympräparation werden in einem Gesamtvolumen von 3 ml bei einem p_H von 9,2 inkubiert. Die Reaktion wird durch Zugabe von NAD gestartet und in einer 10 mm-Küvette bei 340 mμ verfolgt; die Messung erfolgt gegen einen Leerwert, der alle Komponenten mit Ausnahme von NAD enthält. — Messung der Reduktion von Oestron: 0,3 μM Oestron in 0,1 ml Propylenglykol, 0,1 ml 25%iges menschliches Serumalbumin, 300 μM eines KH_2PO_4—K_2HPO_4-Puffers (0,3 ml einer 1 m Lösung, p_H 5,8), 0,3 μM $NADH_2$ und 0,02—0,3 ml der Enzympräparation werden in einem Gesamtvolumen von 3 ml bei einem pH von 6,2 inkubiert. Die übrigen Bedingungen sind wie oben. *Eine Einheit* ist diejenige Menge Enzym, die unter den angegebenen Bedingungen die Bildung oder das Verschwinden von 1 μM $NADH_2$ pro min bewirkt[1].

11. NAD-spezifische und NADP-spezifische Oestradiol-17β-Dehydrogenase aus menschlicher Placenta[2].

[1.1.1.51 17β-Hydroxysteroid:NAD-Oxydoreductase.]
[1.1.1.51 17β-Hydroxysteroid:NADP-Oxydoreductase.]

Reaktion:

Oestradiol-17β + NAD⁺ ⇌ Oestron + NADH + H⁺

---

[1] Vgl. Anmerkung auf S. 348 der Arbeit von J. JARABAK, J. A. ADAMS, H. G. WILLIAMS-ASHMAN and P. TALALAY: J. biol. Ch. **237**, 345 (1962).
[2] HAGERMAN, D. D., and C. A. VILLEE: J. biol. Ch. **234**, 2031 (1959).

[Structure: Oestradiol] + NADP⁺ ⇌ [Structure: Oestrone] + NADPH + H⁺

Darstellung. Menschliche Placenta wird unmittelbar nach der Ausstoßung mit Eis gekühlt und innerhalb von 10 min in 0,25 m Rohrzuckerlösung homogenisiert (20%iges Homogenat). Das Homogenat wird der Ultrazentrifugation unterworfen und der 100000 ×g Überstand mit Ammoniumsulfat versetzt. Der zwischen 30 und 40% Sättigung ausfallende Niederschlag wird in Puffer suspendiert oder bei −15° C zu einem Acetontrockenpulver verarbeitet. Zur Trennung der NAD-spezifischen von der NADP-spezifischen Oestradiol-17β-Dehydrogenase wird der Rückstand der Ammoniumsulfatfällung der kontinuierlichen Papierelektrophorese (Continuous Paper Electrophoresis Model CP der Spinco Division, Beckman Instruments) unterworfen. Zu diesem Zweck nimmt man den Rückstand in 0,02 m Barbitalpuffer, p_H 8,6, auf und läßt 5 Std bei 900 V und 63 mA laufen. Die NADP-spezifische Dehydrogenase wird in den Fraktionen (Volumen nicht angegeben) 3—5 und die NAD-spezifische Dehydrogenase in den Fraktionen 24—26 eluiert. Mit Hilfe der Stärkeblock-Elektrophorese läßt sich keine Trennung der beiden Dehydrogenasen erzielen.

Eigenschaften. Weder die NAD- noch die NADP-spezifische Dehydrogenase wird — im Gegensatz zu der oestrogen-empfindlichen Transhydrogenase — durch 10^{-5} m Thyroxin gehemmt. Beide Dehydrogenasen verlieren nach 2 Std Erhitzen bei 56° C rund 90% ihrer ursprünglichen Aktivität. Weitere Angaben fehlen. Bezüglich der Trennung der beiden Dehydrogenasen vgl.[1].

Bestimmung. Die Bestimmung erfolgt im optischen Test. 0,4 μM Oestradiol-17β in Propylenglykol, 200 μM Trispuffer, p_H 8,3, 10 μM $MgCl_2$, 0,004 μM Zinkacetat und 25 mg menschliches Serumalbumin werden in einem Gesamtvolumen von 3,6 ml Wasser inkubiert. Die Reaktion wird durch Zugabe von 4 μM NAD oder NADP gestartet und in einer 10 mm-Küvette bei 340 mμ verfolgt. Als *eine Einheit* wird diejenige Enzymmenge definiert, die bei 340 mμ eine Extinktionsänderung von 0,001 pro min bewirkt.

12. 17β-Hydroxysteroid-(Oestradiol-17β)-Dehydrogenase aus menschlicher Placenta[1].

[1.1.1.51 17β-Hydroxysteroid:NAD(P)-Oxydoreductase.]

Reaktion:

[Structure: Oestradiol] + NAD⁺ oder NADP⁺ ⇌ [Structure: Oestrone] + NADH oder NADPH + H⁺

Allgemeine Vorbemerkungen: Verwendete Lösungen. Medium A: 0,01 m K_3PO_4, 0,005 m EDTA, 0,007 m β-Mercaptoäthanol und 20% Glycerin (v/v), p_H 7,0; Medium B: 0,01 m K_3PO_4, 0,005 m EDTA, 0,007 m β-Mercaptoäthanol und 50% Glycerin (v/v), p_H 7,0; Medium C: 0,005 m K_3PO_4, 0,001 m EDTA, 0,007 m β-Mercaptoäthanol und 20% Glycerin, p_H 7,0. Alle verwendeten Reagentien müssen p.a. Reinheitsgrad haben, Glycerin soll spektroskopisch rein sein. Die Lösungen werden mit bidestilliertem Wasser angesetzt.

---

[1] JARABAK, J., J. A. ADAMS, H. G. WILLIAMS-ASHMAN and P. TALALAY: J. biol. Ch. **237**, 345 (1962).

Dialysierschläuche. Dialysierschläuche aus Cellulose werden mehrfach in einer Lösung eingeweicht, die 2,0 g EDTA, 1,37 g $NaHCO_3$ und 0,5 ml β-Mercaptoäthanol/l enthält.

Chromatographie. DEAE-Cellulose mit einer Kapazität von 0,9—1,0 m Äq./g (Brown Company, U.S.A.) und Ecteola-SF-Cellulose mit einer Kapazität von 0,3 m Äq./g (Bio-Rad Corporation) werden in Medium C gewaschen und äquilibriert. Vermöge der Schwerkraft werden die Ionenaustauscher in Säulen gefüllt, die am unteren Ende mit einer Glasfritte verschlossen sind. Das obere Ende der Säule wird mit einer 5—10 mm hohen Schicht von Glasperlen (200 mesh) bedeckt. Die Säule wird mit einem Mischgefäß verbunden, das mit einem magnetischen Rührer versehen ist. In das Mischgefäß mündet der Auslauf eines Reservoirs, das den jeweils zuzumischenden Puffer enthält. Die Berechnung des konvexen Gradienten erfolgt nach [1]. Die Elution wird bei Raumtemperatur durchgeführt; die Eluate werden bei 2—5° C aufbewahrt. Die Phosphatbestimmung in den Fraktionen erfolgt nach GOMORI[2].

Darstellung. Alle Schritte werden bei 2—5° C ausgeführt; bei der Aufarbeitung größerer Gewebemengen kann die Enzympräparation nach dem 2. Aufarbeitungsschritt über längere Zeit ohne Aktivitätsverlust aufbewahrt werden.

1. Schritt: Homogenisieren. Frische Placenta muß innerhalb von 30 min nach Ausstoßung verarbeitet werden. Jeweils 75 g Gewebe werden in 150 ml Medium A für 15 sec in einem vorgekühlten Starmix (Waring Blendor) homogenisiert. Das Homogenat wird 30 min bei 10000 ×g zentrifugiert.

2. Schritt: Erste Ammoniumsulfatfällung. Der Überstand wird unverzüglich mit Ammoniumsulfat bis zur 50%igen Sättigung versetzt, wobei durch Zugabe von 3 m NH_4OH der p_H-Wert bei 7 gehalten wird. Den Niederschlag läßt man 2 Std stehen und zentrifugiert dann 30 min bei 10000 ×g. Der Rückstand wird in einem Minimum von Medium B gelöst.

3. Schritt: Hitzebehandlung. Die vereinigten Präparationen von 4—5 Placenten (etwa 400 ml) werden in einem 2 l-Erlenmeyer-Kolben bei 67—68° C für 3 Std mechanisch umgerührt und anschließend auf 2—5° C abgekühlt. Es entsteht ein sehr viscöser Niederschlag, der durch 1 Std Zentrifugieren bei 20000 ×g teilweise entfernt wird. Der Überstand ist nicht ganz klar, kann jedoch leicht dekantiert werden. Der gummiartige Niederschlag wird im Medium B resuspendiert und die Suspension erneut bei 20000 ×g für 1 Std zentrifugiert. Die Überstände werden vereinigt.

4. Schritt: Zweite Ammoniumsulfatfällung. Die Überstände werden unter gleichzeitigem Rühren langsam mit einer bei 2—5° C gesättigten Ammoniumsulfatlösung, die 0,005 m an EDTA und 0,007 m an β-Mercaptoäthanol ist und mit NH_4OH auf p_H 7 eingestellt wird, bis zur 20%igen Sättigung versetzt. Der Niederschlag, der im allgemeinen weniger als 5% der Enzymaktivität enthält, wird durch 30 min Zentrifugieren bei 10000 ×g entfernt. Die Sättigung des Überstandes mit Ammoniumsulfat wird um jeweils 10% erhöht, wobei die entstehenden Niederschläge nach mindestens 3 Std Absitzen in Medium B gelöst werden. Der Hauptanteil der Enzymaktivität findet sich in den Fraktionen zwischen 20 und 50% Sättigung mit Ammoniumsulfat.

5. Schritt: Dialyse. Sofern die bei 40 und 50% Sättigung erhaltenen Niederschläge nur geringe Aktivität enthalten, werden sie von der weiteren Aufarbeitung ausgeschlossen. Die Ammoniumsulfat-Präcipitate werden für 18 Std bei zweimaligem Wechsel gegen 8 l Medium C dialysiert. Der reichlich erhaltene Niederschlag wird durch 30 min Zentrifugieren bei 10000 ×g entfernt.

6. Schritt: Chromatographie an DEAE-Cellulose. Der Überstand (720 ml) mit einem Proteingehalt von 4460 mg wird in Portionen von 300 ml/Std auf eine DEAE-Cellulosesäule (33 × 316 cm) gegeben; anschließend wird eine Gradientenelution durchgeführt. Das Mischgefäß beinhaltet 1070 ml Medium C und ist mit dem Reservoir verbunden, das 0,4 m K_2HPO_4, 0,001 m EDTA, 0,007 m β-Mercaptoäthanol und 20% Glycerin

---

[1] BOCK, R. M., and N. S. LING: Analyt. Chem., Washington **26**, 1543 (1954).
[2] GOMORI, G.: J. Lab. clin. Med. **27**, 955 (1942).

(v/v) enthält. Bei einem Durchgang von 360 ml/Std wird das Eluat in 10,5 ml-Fraktionen aufgefangen. Der zunehmende Phosphat- und p_H-Gradient erreicht das Ende der Säule mit Fraktion 28. In Fraktion 51 beträgt die gemessene Phosphatkonzentration 0,084 m und der p_H-Wert 7,79, in Fraktion 72 die Phosphatkonzentration 0,158 m und der p_H-Wert 8,17. In den Fraktionen 52—72 befindet sich der Hauptanteil der Dehydrogenaseaktivität.

7. *Schritt: Zweite Chromatographie an DEAE-Cellulose.* Um die Konzentration von Glycerin auf 20% herabzumindern, wird die Enzympräparation mit dem 1,5-fachen Volumen einer Lösung von 0,05 m K_3PO_4, 0,001 m EDTA und 0,007 m β-Mercaptoäthanol, p_H 7,0, versetzt. Die resultierende Lösung wird auf eine Ecteola-Cellulosesäule gegeben und die Elution, wie unter 6 und 7 beschrieben, ausgeführt. Die Fraktionen 44—62 enthalten die höchsten Enzymaktivitäten. Da die Fraktionen einen geringen Eiweißgehalt (etwa 1 mg/ml) aufweisen, erfolgt eine Konzentrierung durch nochmalige Chromatographie an DEAE-Cellulose, die mit Medium C äquilibriert wird. Die Säule wird mit dem gleichen Medium gewaschen und das Enzym mit einer Lösung eluiert, die 0,5 m an K_3PO_4, 0,001 m an EDTA, 0,007 m an β-Mercaptoäthanol ist und 50% Glycerin enthält. Die endgültige Enzymausbeute beträgt 14×10^6 Dehydrogenase-Einheiten in einem Volumen von 35,3 ml.

Eine Zusammenstellung der Reinigungschritte mit Angaben über die Enzymaktivitäten und Ausbeuten gibt Tabelle 10.

Tabelle 10. *Zusammenfassung der Reinigungsschritte, der Enzymaktivitäten und der Ausbeute bei der Darstellung der 17β-Hydroxysteroid-(Oestradiol-17β)-Dehydrogenase aus menschlicher Placenta*[1].

Schritt	Fraktion	Volumen ml	Dehydrogenase Gesamtaktivität Einheiten $\times 10^6$	Dehydrogenase spezifische Aktivität Einheiten/ mg Protein	Gesamtausbeute %
1	Zentrifugiertes Homogenat	34900	61,1	24,2—80,0	(100)
2	Erste Ammoniumsulfatfällung	3400	53,3	224	83
3	Überstand nach Hitzebehandlung	4800	43,1	600	67
4	Zweite Ammoniumsulfatfällung	1160	31,9	710	50
5	Dialyse und Zentrifugation	1840	30,4	2100	47
6	Erste Chromatographie an DEAE	670	24,8	34700	39
7	Zweite Chromatographie an DEAE	107	20,4	62700	32
8	Chromatographie an Ecteola	140	18,5	114000	29

Eigenschaften. Das Enzym ist außergewöhnlich labil. Glycerin und Oestradiol-17β haben eine stabilisierende Wirkung. Placentahomogenate, die 50% Glycerin enthalten, sind 2—3mal aktiver als die in wäßrigen Medien bereiteten Homogenate. Nach Aufbewahrung bei 2—5° C für 3 Monate verliert ein Homogenat mit 10% Glycerin 61% der ursprünglichen Aktivität, während mit 50% Glycerin kein Aktivitätsverlust auftritt. Die Dehydrogenase reagiert sowohl mit NAD als auch mit NADP und deren Analogen. Die Aktivität des Enzyms gegenüber den Dinucleotiden, ausgedrückt in μMol reduziertem oder oxydiertem Dinucleotid pro ml Enzym, beträgt: für Acetylpyridin-NAD 65,5, für NAD 10,5, für NADP 9,29, für $NADH_2$ 10,6 und für $NADPH_2$ 5,29. Demnach besitzt das Enzym keine Spezifität gegenüber einem der beiden Dinucleotide. Eine Trennung der Oestradiol-17β-Dehydrogenase von der oestrogen-empfindlichen Transhydrogenase ließ sich weder mit der Stärkeblock-Elektrophorese noch mit der Säulen-Elektrophorese unter Verwendung eines Dichtegradienten bewerkstelligen. Dieser negative Befund wird als Beweis dafür angesehen, daß die 17β-Hydroxysteroid-Dehydrogenase gleichzeitig als Transhydrogenase fungiert (vgl. [2]).

Bestimmung. Messung der Dehydrierung von Oestradiol-17β: 440 μM Natriumpyrophosphatpuffer (p_H 10,2), 25 mg kristallisiertes Rinderserumalbumin (0,5 ml einer 5%igen Lösung), 0,3 μM Oestradiol-17β (0,04 ml einer 95%igen äthanolischen Lösung) werden

---

[1] JARABAK, J., J. A. ADAMS, H. G. WILLIAMS-ASHMANN u. P. TALALAY: J. biol. Ch. **237**, 345 (1962).
[2] HAGERMAN, D. D., and C. A. VILLEE: J. biol. Ch. **234**, 2031 (1959).

in einem Gesamtvolumen von 3,0 ml mit 1,9 µM Acetylpyridin-NAD oder 1,35 µM NAD oder 1,1 µM NADP bei 25±0,5° C inkubiert, wobei der p_H-Wert der Lösung zwischen 9,3 und 9,4 liegt. Die Reaktion wird durch Zugabe einer entsprechenden Enzymmenge gestartet. Die Ablesung erfolgt für Acetylpyridin-NADH$_2$ bei 363 mµ, für NADH$_2$ und NADPH$_2$ bei 340 mµ gegen einen Leerwert, der kein Dinucleotid enthält. — Messung der Reduktion von Oestron: 300 µM Trispuffer (p_H 7,4), 50 mg kristallisiertes Serumalbumin (1,0 ml einer 50%igen Lösung), 0,15 µM Oestron (0,02 ml einer 95%igen äthanolischen Lösung) werden in einem Volumen von 3,0 ml mit 0,22 µM NADH$_2$ oder 0,20 µM NADPH$_2$ bei 25±0,5° C inkubiert, wobei der p_H-Wert 7,0 beträgt. Die Reaktion wird durch Zugabe einer entsprechenden Enzymmenge gestartet. Die Ablesung erfolgt bei 340 mµ. Um steroidunabhängige Oxydationen der reduzierten Dinucleotide berücksichtigen zu können, werden zusätzliche Leerwerte bestimmt. Als *eine Einheit* wird diejenige Enzymmenge definiert, die bei 363 bzw. 340 mµ eine Extinktionsänderung von 0,001 pro min bewirkt.

13. 17 β-Hydroxysteroid-Dehydrogenase aus Stierleber[1].
[1.1.1.51 17 β-Hydroxysteroid:NAD-Oxydoreductase.]

Reaktion:

OH-Steroid + NAD$^+$ → Keto-Steroid + NADH + H$^+$

Allgemeine Vorbemerkungen. Es handelt sich um die erste Präparation einer Hydroxysteroid-Dehydrogenase aus tierischem Gewebe. Als Substrat wurde ausschließlich Testosteron verwendet; phenolische Steroide wurden nicht geprüft, so daß keine Angaben über die Substratspezifität der Dehydrogenase gemacht werden können.

Darstellung. 1 cm dicke Stierleberschnitte werden durch einen Fleischwolf gedreht; der erhaltene Gewebebrei (1 kg) wird in 1 l Wasser suspendiert und 24 Std unter gelegentlichem Umrühren bei 2—4° C gehalten. Nach Filtration durch ein Tuch wird die Enzymlösung zunächst 30 min bei 800 ×g und dann 60 min bei 20000 ×g zentrifugiert. Der leicht opalescierende, rote Überstand wird 72 Std gegen fließendes destilliertes Wasser dialysiert. Der gebildete Niederschlag wird vom klaren, roten Überstand durch Zentrifugieren getrennt. Anschließend wird der Überstand mit Ammoniumsulfat bis zur Sättigung versetzt; dabei wird etwa $^1/_3$ der Enzymaktivität ausgefällt. Nach dem Abzentrifugieren des Niederschlages befindet sich der größte Teil der Aktivität im Überstand, der wiederum 72 Std gegen Wasser dialysiert wird.

Eigenschaften. Das p_H-Optimum der Dehydrierung von Testosteron zu Androst-4-en-3,17-dion liegt bei 8,3 in 0,08 m Phosphat- oder Boratpuffer. Das Temperaturoptimum liegt zwischen 30 und 33° C. Die MICHAELIS-MENTEN-Konstante für Testosteron beträgt $3,3 \times 10^{-5}$ m. Unter der Annahme, daß jedes Proteinmolekül nur *ein* aktives Zentrum besitzt, ergibt sich für die Dehydrogenase ein Molekulargewicht von etwa 48000.

Bestimmung. 10 ml Enzymlösung, 10 ml 0,08 m Puffer, 7 mg NAD und 0,7 µM Testosteron werden bei 33 oder 37° C unter Sauerstoff für 3 Std inkubiert. Nach Extraktion der Inkubationslösung wird das gebildete 17-Ketosteroid (Androst-4-en-3,17-dion) mit der ZIMMERMANN-Reaktion quantitativ bestimmt. Weitere Einzelheiten s. [2,3].

---
[1] SWEAT, M. L., L. T. SAMUELS and R. LUMRY: J. biol. Ch. **185**, 75 (1950).
[2] SAMUELS, L. T.: J. biol. Ch. **168**, 471 (1947).
[3] SAMUELS, L. T., C. MCCAULEY and D. M. SELLERS: J. biol. Ch. **168**, 477 (1947).

14. NAD-spezifische 17β-Hydroxysteroid-Dehydrogenase aus Leber und Niere des Meerschweinchens[1].

[1.1.1.51   17β-Hydroxysteroid:NAD-Oxydoreductase.]

Reaktion:

[Estradiol] + NAD⁺ ⇌ [Estrone] + NADH + H⁺

[Testosterone] + NAD⁺ ⇌ [Androstenedione] + NADH + H⁺

Darstellung. Das Gewebe wird nach dem Zerkleinern mit einer Schere im neunfachen Volumen einer eisgekühlten 0,25 m Rohrzuckerlösung für 1 min homogenisiert. Das Homogenat wird 30 min bei 1500 ×g und der Überstand 60 min bei 24500 ×g zentrifugiert. Die sedimentierte Mitochondrienfraktion wird zweimal durch Resuspendieren in 0,25 m Rohrzuckerlösung und anschließendes Zentrifugieren gewaschen. Um das Enzym in Lösung zu bringen, wird die Mitochondrienfraktion entweder mit einer 1%igen Lösung von Digitonin versetzt oder in 46 ml einer 0,25 m Rohrzuckerlösung mit Ultraschall für 10 min in einem 10-KC-Generator (Raytheon DF 101) behandelt. Nach der Ultraschallbehandlung wird die Rohrzuckerlösung 20 min bei 25000 ×g zentrifugiert. Der Überstand, der nunmehr die Enzymaktivität enthält, wird mit Ammoniumsulfat versetzt. Der zwischen 30 und 40% Sättigung erhaltene Niederschlag wird in 0,25 m Rohrzuckerlösung gelöst und erneut mit Ammoniumsulfat behandelt. Die zwischen 10 und 30% Sättigung erhaltene Fraktion wird in 0,25 m Rohrzucker aufgenommen und über Nacht gegen 0,05 m $NaHCO_3$, p_H 6,8, enthaltend 10% Glycerin, dialysiert. Die Enzymaktivität soll sich überwiegend im Niederschlag befinden, der durch Zentrifugieren vom Überstand abgetrennt wird. Bei einem Verlust von etwa 50% wird eine etwa zehnfache Anreicherung erzielt.

Eigenschaften. Die NAD-spezifische 17β-Hydroxysteroid-Dehydrogenase ist in der Mitochondrien- und Mikrosomenfraktion lokalisiert und relativ stabil in Lösung bei 4° C oder in gefrorenem Zustand bei −20° C. Das Enzym reagiert etwas schneller mit Testosteron als mit Oestradiol-17β, zeigt also eine nur gering ausgeprägte Substratspezifität; es enthält keine 3α- oder 3β-Hydroxysteroid-Dehydrogenaseaktivität. Die MICHAELIS-MENTEN-Konstanten betragen für Testosteron $3,3 \times 10^{-5}$ m und für NAD $2,8 \times 10^{-5}$ m. Mit NADP oder $NADPH_2$ wird keine Reaktion beobachtet. Weitere Einzelheiten über die Eigenschaften des weniger angereicherten Enzyms s. [2].

Bestimmung. 200 μM Trispuffer, p_H 9,0, 10 μM $MgCl_2$, 1,5 μM NAD, 0,4 μM Testosteron in 0,1 ml Propylenglykol und das Enzym werden in einem Gesamtvolumen von 3,0 ml bei 23° C inkubiert. Die Messung erfolgt im optischen Test bei 340 mμ gegen einen Leerwert, der außer Testosteron alle Zusätze einschließlich Propylenglykol enthält. Die Reaktion wird durch Zugabe des Steroids gestartet. Als *eine Einheit* ist diejenige Enzymmenge definiert, die zur Bildung oder zum Verschwinden von 1 mμM $NADH_2$/min führt.

---

[1] VILLEE, C. A., and J. M. SPENCER: J. biol. Ch. **235**, 3615 (1960).
[2] ENDAHL, G. L., C. D. KOCHAKIAN and D. HAMM: J. biol. Ch. **235**, 2792 (1960).

15. NADP-spezifische 17 β-Hydroxysteroid-(Testosteron)-Dehydrogenase aus Leber und Niere des Meerschweinchens[1].

[1.1.1.51   17β-Hydroxysteroid:NADP-Oxydoreductase.]

Reaktion:

[Testosteron] + NADP⁺ ⇌ [Androst-4-en-3,17-dion] + NADPH + H⁺

Darstellung. Das Gewebe wird nach dem Zerkleinern mit einer Schere im neunfachen Volumen einer eisgekühlten 0,25 m Rohrzuckerlösung für 1 min homogenisiert. Das Homogenat wird 30 min bei 1500 ×g und der Überstand zunächst für 60 min bei 24500 ×g (zur Abtrennung der Mitochondrienfraktion) und dann für 60 min bei 57000 ×g (zur Abtrennung der Mikrosomenfraktion) zentrifugiert. Der 57000 ×g Überstand wird mit steigenden Mengen Ammoniumsulfat versetzt; der zwischen 60 und 75% Sättigung gewonnene Niederschlag enthält die Enzymaktivität. Der Niederschlag wird in 0,25 m Rohrzucker resuspendiert und die Lösung erneut mit Ammoniumsulfat (keine Konzentrationsangabe) versetzt. Der Niederschlag wird nun gegen 0,05 m NaHCO₃, p_H 6,8, dialysiert. Nach dem Zentrifugieren wird der Überstand an Calciumphosphat-Gel adsorbiert und wieder eluiert. Bei einem Verlust von etwa 60 % wird eine etwa 14fache Anreicherung erzielt.

Eigenschaften. Die NADP-spezifische Hydroxysteroid-(Testosteron)-Dehydrogenase ist ein lösliches Enzym und reagiert zehnmal schneller mit Testosteron als mit Oestradiol-17β. Es wird nach 15 min Erhitzen auf 57° C vollständig inaktiviert. Bei p_H 7,4 besteht Gleichgewicht zwischen der Hydrierung von Androst-4-en-3,17-dion und der Dehydrierung von Testosteron. Das Enzym enthält keine 3α- oder 3β-Hydroxysteroid-Dehydrogenaseaktivität. Die MICHAELIS-MENTEN-Konstanten betragen für Testosteron $2,7 \times 10^{-4}$ m und für NADP $1,1 \times 10^{-5}$ m. Mit NAD oder NADH₂ wird keine Reaktion beobachtet. Weitere Einzelheiten über die Eigenschaften des weniger angereicherten Enzyms s.[2].

Bestimmung. 200 μM Trispuffer, p_H 9,0, 10 μM MgCl₂, 1,5 μM NADP, 0,4 μM Testosteron in 0,1 ml Propylenglykol und das Enzym werden in einem Gesamtvolumen von 3,0 ml bei 23° C inkubiert. Die Messung erfolgt im optischen Test bei 340 mμ gegen einen Leerwert, der außer Testosteron alle Zusätze einschließlich Propylenglykol enthält. Die Reaktion wird durch Zugabe des Steroids gestartet. Als *eine Einheit* ist diejenige Enzymmenge definiert, die zur Bildung oder zum Verschwinden von 1 μM NADPH₂/min führt.

16. NADP-spezifische C_{19}-17 β-Hydroxysteroid-Dehydrogenase aus Meerschweinchenleber[3].

[1.1.1.51   17β-Hydroxysteroid:NADP-Oxydoreductase.]

Reaktion:

[Testosteron] + NADP⁺ → [Androst-4-en-3,17-dion] + NADPH + H⁺

---

[1] VILLEE, C. A., and J. M. SPENCER: J. biol. Ch. **235**, 3615 (1960); vgl. auch ENDAHL, G. L., and C. D. KOCHAKIAN: Biochim. biophys. Acta **62**, 245 (1962).

[2] ENDAHL, G. L., C. D. KOCHAKIAN and D. HAMM: J. biol. Ch. **235**, 2792 (1960).

[3] ENDAHL, G. L., and C. D. KOCHAKIAN: Biochim. biophys. Acta **62**, 245 (1962); vgl. auch ENDAHL, G. L., C. D. KOCHAKIAN and D. HAMM: J. biol. Ch. **235**, 2792 (1960).

$$\text{(steroid-OH)} + \text{NADP}^+ \rightarrow \text{(steroid=O)} + \text{NADPH} + \text{H}^+$$

Darstellung. Leber von jungen, erwachsenen Meerschweinchen wird in 0,25 m Rohrzucker in einem Virtis-45-Homogenisator für 30 sec homogenisiert. Anschließend wird das Homogenat der fraktionierten Zentrifugation unterworfen. Der 105000 ×g Überstand wird mit Ammoniumsulfat bis zur 50—60%igen Sättigung versetzt. Der entstandene Niederschlag wird in 0,005 m Phosphatpuffer, p_H 7,0, aufgenommen und für etwa 18 Std im Kühlraum gegen den gleichen Puffer bis zur negativen Ninhydrinreaktion dialysiert. Das Dialysat wird auf eine Diäthylaminocellulose-(DEAC-)Säule (2,5 ×15 cm) gegeben und das Eluat in 15 ml Portionen aufgefangen. Durch die Chromatographie an DEAC wird bei einem etwa 80%igen Verlust eine Anreicherung der spezifischen Aktivität von 462 Einheiten (Ammoniumsulfatfällung) auf 676 Einheiten erreicht.

Eine weitere Möglichkeit zur Anreicherung der Enzymaktivität kann mit Hilfe der kontinuierlichen Papierelektrophorese erzielt werden. Der 105000 ×g Überstand eines 20%igen Homogenats in 0,25 m Rohrzucker wird für 24 Std im Kühlraum gegen eine Lösung dialysiert, die 0,025 m Trispuffer (p_H 8,5) und 0,0075 m NaCl enthält. Das Dialysat (114 ml) wird in einer Dosierung von 1,08 ml/Std der kontinuierlichen Papierelektrophorese (Continuous Paper Electrophoresis Model CP der Spinco Division, Beckman Instruments) unterworfen. Arbeitsdaten: 500 V, 25 mA, Temperatur des Raumes 5° C, der Kühlschlange 4° C und des Papiervorhanges 7° C. Die Enzymaktivität erscheint in drei aufeinanderfolgenden Fraktionen und fällt nicht mit einem der „spezifischen" Proteingipfel zusammen. Etwa 80% der ursprünglichen Aktivität werden bei einer Zunahme der spezifischen Aktivität von 344 Einheiten auf 543 Einheiten wiedergefunden.

Eigenschaften. Das Enzym reagiert nicht mit 17α-Hydroxysteroiden (epi-Testosteron), 3α-Hydroxysteroiden (5α-Androstan-3α-ol-17-on, 5β-Androstan-3α-ol-17-on) und 3β-Hydroxysteroiden (5α-Androstan-3β-ol-17-on). Die MICHAELIS-MENTEN-Konstanten betragen für Testosteron $5,6 \times 10^{-5}$ m, für 5α-Androstan-17β-ol-3-on $1,08 \times 10^{-5}$ m und für 5β-Androstan-17β-ol-3-on $2,07 \times 10^{-5}$ m. Folgende Zusätze haben keine Wirkung auf die Enzymaktivität (Konzentration 10^{-3} bis 10^{-6} m): Mn^{++}, Mg^{++}, Co^{++}, Ca^{++}, Al^{+++}, Zn^{++} und Cu^{++}. Das Enzym reagiert ausschließlich mit NADP als Wasserstoffacceptor.

Bestimmung[1]. 0,05—0,20 ml der Enzympräparation werden mit 1 ml eines 0,18 m Pyrophosphatpuffers, p_H 9,6, 1,8 ml einer wäßrigen Steroidlösung (Herstellung s. unten) und 0,2 ml einer NADP-Lösung (enthaltend 5 mg/ml) bei 37° C in einer 10 mm-Küvette inkubiert. Die Reaktion wird durch Zugabe des Enzyms gestartet. Die Ablesung erfolgt bei 340 mμ gegen einen Leerwert, der an Stelle der Testosteronlösung Wasser enthält. *Eine Einheit* ist diejenige Enzymmenge, die eine Änderung der Absorption bei 340 mμ von 0,001/min bewirkt.

Herstellung der wäßrigen Steroidlösungen: Die gewünschte Menge des Steroids wird in feinpulverisierter Form kochendem Wasser zugesetzt. Anschließend wird die Lösung am Rückflußkühler noch so lange gekocht, bis das Steroid vollständig in Lösung gegangen ist. Die Löslichkeit der einzelnen Steroide beträgt[2]: Testosteron (32 μg/ml), 5β-Androstan-17β-ol-3-on (55 μg/ml), 5β-Androstan-3α-ol-17-on (23 μg/ml), 5α-Androstan-17β-ol-3-on (6 μg/ml), 5α-Androstan-3α-ol-17-on (13 μg/ml), 5α-Androstan-3β-ol-17-on (20 μg/ml) und Androst-4-en-17α-ol-3-on (17 μg/ml).

---

[1] ENDAHL, G. L., C. D. KOCHAKIAN and D. HAMM: J. biol. Ch. **235**, 2792 (1960).
[2] ENDAHL, G. L., and C. D. KOCHAKIAN: Biochim. biophys. Acta **62**, 245 (1962).

17. 20α-Hydroxysteroid-Dehydrogenase aus Pferdeleber[1].
[20α-Hydroxysteroid: NAD(P)-Oxydoreductase.]

Reaktion:

Allgemeine Vorbemerkungen. In zahlreichen Untersuchungen ist der Nachweis erbracht worden, daß C-20-Ketosteroide durch Rattenleber reduziert werden können. Es wurden sowohl 20α-Hydroxysteroide[2-4] als auch 20β-Hydroxysteroide[3,4] als Metaboliten isoliert. Die C-20-Ketoreductase der Rattenleber findet sich im 17500×g Überstand[3] und ist fest an die Mikrosomenfraktion gebunden[5]; das Enzym erfordert NADPH$_2$ als Cofaktor[5]. Weitere enzymkinetische Daten über die 20-Hydroxysteroid-Dehydrogenasen aus Rattenleber liegen nicht vor. Die im folgenden beschriebene 20α-Hydroxysteroid-Dehydrogenase wird aus Pferdeleber gewonnen.

Darstellung. Pferdeleber wird in Eis aufbewahrt und spätestens 2—3 Std nach dem Töten der Tiere aufgearbeitet. Das Gewebe wird in einer Fleischmühle zu Brei verarbeitet und mit einer Lösung versetzt, die 0,1 m Natriumfumarat, p$_H$ 7,4, 0,01 m MgCl$_2$ und 0,03 m Natriumphosphatpuffer, p$_H$ 7,4, enthält. Auf 100 g Gewebe werden 100 ml Lösung zugegeben. Der Brei wird ohne weitere Zusätze (außer Steroid in Propylenglykol) zur Inkubation verwendet.

Zur Anreicherung der Enzymaktivität wird ein 20%iges Homogenat in 0,25 m Rohrzuckerlösung für 30 min bei 5000×g zentrifugiert. Bei Halbsättigung mit Ammoniumsulfat fällt die Enzymaktivität aus.

Eigenschaften. Der aus 5 g Gewebe gewonnene enzymhaltige Niederschlag reduziert in 90 min etwa 30% der eingesetzten Menge 11-Desoxycorticosteron (1 mg) zu der entsprechenden 20α-Hydroxyverbindung. Das p$_H$-Optimum der Reaktion liegt bei 6,0.

Bestimmung. Die quantitative Bestimmung der Steroide erfolgt nach Extraktion der Inkubationslösungen und anschließender chromatographischer Reinigung.

18. 20α-Hydroxysteroid-Dehydrogenase aus menschlicher Placenta[6].
[20α-Hydroxysteroid: NADP-Oxydoreductase.]

Reaktion:

---

[1] CASPI, E., M. C. LINDBERG, M. HAYANO, J. L. COHEN, M. MATSUBA, H. ROSENKRANTZ and R. I. DORFMAN: Arch. Biochem. **61**, 267 (1956).
[2] HÜBENER, H. J., u. J. SCHMIDT-THOMÉ: H. **299**, 240 (1955).
[3] HÜBENER, H. J., D. K. FUKUSHIMA and T. F. GALLAGHER: J. biol. Ch. **220**, 499 (1956).
[4] COURCY, C. DE, and J. J. SCHNEIDER: J. biol. Ch. **223**, 865 (1956).
[5] RECKNAGEL, R. O.: J. biol. Ch. **227**, 273 (1957).
[6] LITTLE, B., J. DIMARTINIS and B. NYHOLM: Acta endocr. (Kbh.) **30**, 530 (1959).

Darstellung. Frische menschliche Placenta wird von anhaftendem Blut und Bindegewebe befreit und in kleine Stücke zerschnitten. Der Gewebebrei wird für 30 sec in einem Starmix (Waring Blendor) in einer Lösung, die 0,25 m Rohrzucker, 0,1 m Phosphatpuffer, p_H 6,0, und 0,04 m Nicotinamid enthält, homogenisiert, wobei das Verhältnis von Gewebe zu Puffer 3:1 beträgt. Durch fraktionierte Zentrifugation werden Zellkerne, Mitochondrien, Mikrosomen und Cytoplasma voneinander getrennt.

Eigenschaften. Die 20α-Hydroxysteroid-Dehydrogenase befindet sich ausschließlich im $105000 \times g$ Überstand. Die Aktivität kann zwischen 20 und 30% Sättigung mit Ammoniumsulfat ausgefällt werden (keine näheren Angaben). Das p_H-Optimum der Reduktion von Progesteron (in Phosphatpuffer) liegt bei 6,0—6,2. Das Enzym reagiert nur mit $NADPH_2$ als Wasserstoffdonator; es wird durch Cyanid nicht gehemmt.

Bestimmung. 3,0 ml des $105000 \times g$ Überstandes werden in Phosphatpuffer, p_H 6,0, mit 1,0 mg Progesteron (in 0,1 ml Äthanol) und 2 μM NADP, 2,5 μM Glucose-6-phosphat sowie 2,3 mg Glucose-6-phosphat-Dehydrogenase für 2 Std bei 37° C inkubiert. Das Volumen des Ansatzes beträgt 5 ml. Die Reaktion wird durch Zugabe des dreifachen Volumens an heißem Aceton beendet. Der Niederschlag wird abfiltriert und mit heißem Aceton gewaschen. Aceton wird im Wasserbad bei 45° C eingedampft. Der wäßrige Rückstand wird mit dem vierfachen Volumen Chloroform extrahiert und der Chloroformextrakt bei 45° C eingedampft. Der Rückstand wird in 20 ml 95%igem Methanol aufgenommen und mit dem gleichen Volumen Hexan extrahiert. Die methanolische Phase wird eingedampft und der Rückstand der Papierchromatographie in den Systemen Propylenglykol/Toluol bzw. Ligroin unterworfen. Die quantitative Bestimmung erfolgt nach Elution der Steroide vom Papier durch Messung der Extinktionen bei 220, 240 und 258 mμ.

19. 20α-Hydroxysteroid-Dehydrogenase aus Rattenovarien[1,2].
[20α-Hydroxysteroid:NADP-Oxydoreductase.]

Reaktion:

[Strukturformel: 20α-Hydroxy-Steroid] + NADP⁺ ⇌ [Strukturformel: Progesteron] + NADPH + H⁺

Darstellung. Rattenovarien werden während der prooestrischen Phase des Cyclus gewonnen und mit Hilfe eines Ten Broek-Handhomogenisators in einem 0,1 m Trispuffer, p_H 8,0, homogenisiert; der Puffer enthält folgende Zusätze: 0,001 m EDTA, 0,001 m Cystein, 0,01 m Nicotinamid und $4,2 \times 10^{-5}$ m Progesteron. Das Homogenat wird für 30 min bei $25000 \times g$ zentrifugiert und der Überstand gegen die mit Ammoniumsulfat gesättigte gleiche Puffermischung wie oben dialysiert; dabei wird die Puffermenge so bemessen, daß nach Erreichen des Gleichgewichtes die Ammoniumsulfatkonzentration 2,0 m beträgt. Der bei der Dialyse ausgefallene Niederschlag enthält die gesamte Aktivität der Glucose-6-phosphat-Dehydrogenase. Der Überstand wird erneut gegen eine solche Menge des mit Ammoniumsulfat gesättigten Puffergemisches dialysiert, daß die Ammoniumsulfatkonzentration bei Erreichen des Gleichgewichtes 3,0 m ist. Der Niederschlag, der die 20α-Hydroxysteroid-Dehydrogenase enthält, wird in Trispuffer, p_H 8,0, gelöst und zur Entfernung von Ammoniumsulfat gegen den gleichen Puffer dialysiert. Eine Zusammenstellung der Reinigungsschritte gibt Tabelle 11.

---
[1] WIEST, W. G.: J. biol. Ch. **234**, 3115 (1959).
[2] WIEST, W. G., and R. B. WILCOX: J. biol. Ch. **236**, 2425 (1961).

Tabelle 11. *Zusammenfassung der Reinigungsschritte, der Enzymaktivitäten und der Ausbeuten bei der Darstellung der 20α-Hydroxysteroid-Dehydrogenase aus Rattenovarien*[1].
Die Aktivitäten sind angegeben in μMol entstandenes Produkt/min.

Fraktion	Volumen ml	Gesamtaktivität μMol/min	Spezifische Aktivität μMol/min $\times$ mg N
Gesamthomogenat	18,0	0,93	0,152
Überstand nach Zentrifugation bei 25000 × g für 30 min	15,6	0,99	0,399
Überstand bei 2,0 m $(NH_4)_2SO_4$	5,3	0,49	0,492
Niederschlag bei 3,0 m $(NH_4)_2SO_4$	2,0	0,38	1,130

Eigenschaften. Die 20α-Hydroxysteroid-Dehydrogenase befindet sich ausschließlich im Cytoplasma. Die in der Pufferlösung aufgenommene Enzympräparation wird bei −15° C vollständig inaktiviert. Wird der Enzymlösung Glycerin zugefügt, so kann sie für mehrere Wochen ohne Aktivitätsverlust aufbewahrt werden. Das Enzym wird durch Erwärmen bis zu 50° C aktiviert, anschließend tritt Inaktivierung ein. Die 20α-Hydroxysteroid-Dehydrogenase reagiert ausschließlich mit NADP als Wasserstoffacceptor; sie zeigt keine Transhydrogenaseaktivität. Die MICHAELIS-MENTEN-Konstanten betragen für Pregn-4-en-20α-ol-3-on $2,3 \times 10^{-5}$ m und für NADP $4,9 \times 10^{-6}$ m. Die Gleichgewichtskonstante beträgt:

$$K = \frac{[\text{Pregn-4-en-20}\alpha\text{-ol-3-on}][\text{NADP}^+]}{[\text{Progesteron}][\text{NADPH}][\text{H}^+]} = 1{,}70 \pm 0{,}26 \times 10^{-7} \text{ m bei } 27°\text{C}.$$

Das p_H-Optimum der Reduktion von Progesteron liegt bei 6,0 (in 0,1 m Phosphatpuffer), dasjenige der Dehydrierung von Pregn-4-en-20α-ol-3-on im alkalischen Bereich (zwischen p_H 8 und 10) ohne erkennbares Maximum. p-Chlormercuribenzoat (2 μM je 3,1 ml) hemmt das Enzym vollständig, gleichzeitiger Zusatz von Cystein (0,3 mM/3,1 ml) hebt die Hemmung vollständig auf. Zusatz von Zink (0,04 μM/3,0 ml) oder Magnesium (10 μM/3,0 ml) ist ohne Wirkung.

Das Enzym zeigt eine absolute Spezifität für 20α-Hydroxysteroide. 21-hydroxylierte Steroide und Verbindungen mit einem phenolischen Ring A werden nicht angegriffen. Substrate mit polaren Substituenten in Ring A (z.B. Pregn-4-en-20α-ol-3-on) werden in geringerem Umfange umgesetzt als Ring A-gesättigte Steroide (z.B. 5β-Pregnan-20α-ol-3-on).

Bestimmung. 0,32 μM Steroid in 0,1 ml Äthanol, 1,0 μM NADP oder 0,32 μM NADPH$_2$, 0,29 mM Phosphatpuffer (p_H 6,0) oder Trispuffer (p_H 8,1), 29,0 μM Nicotinamid, 2,9 μM Cystein und 2,9 μM EDTA werden mit dem Enzym in 3,0 ml Endvolumen bei 37° C für 30 min inkubiert. Es wird die Änderung der Extinktion bei 340 mμ gemessen. Zur Kontrolle wird außerdem die Menge des gebildeten Steroids nach Papierchromatographie quantitativ bestimmt.

20. Prednisolon-Δ¹-Reductase aus Rattenleber[2].
[1,2-Dihydrosteroid:NAD-Oxydoreductase.]

Reaktion:

[Strukturformel Prednisolon] + NADH + H⁺ → [Strukturformel 1,2-Dihydroprednisolon] + NAD⁺

---
[1] WIEST, W. G., and R. B. WILCOX: J. biol. Ch. **236**, 2425 (1961).
[2] VERMEULEN, A., and E. CASPI: J. biol. Ch. **233**, 54 (1958).

Darstellung. Leber von 200—250 g schweren Albinoratten wird in einem Glashomogenisator mit dem 4,5fachen Volumen Krebs-Phosphatpuffer (p_H 7,4), der 248 mg EDTA/l enthält, homogenisiert. Das Homogenat wird durch Gaze filtriert und 15 min bei 6000 ×g zentrifugiert. Der Überstand wird mit dem gleichen Volumen einer gesättigten Ammoniumsulfatlösung versetzt, der p_H-Wert auf 7,0 eingestellt und die Lösung erneut für 15 min bei 6000 ×g zentrifugiert. Die überstehende Lösung dient als Enzympräparation.

Isolierung des Reaktionsproduktes (Cortisol). 5 mg Prednisolon (Pregna-1,4-dien-11β,17α,21-triol-3,20-dion), 6 ml 0,01 m Nicotinamid, 6 ml 0,01 m Natriumcitrat und 500 mg $NADH_2$ werden mit 60 ml der Enzympräparation 2 Std in Luft bei 37° C inkubiert. Nach Beendigung der Inkubation gibt man Aceton bis zu einer Konzentration von 70% zu und läßt die Mischung über Nacht im Kühlschrank stehen. Nach dem Filtrieren wird die Lösung im Vakuum auf die Hälfte eingedampft und mit Petroläther extrahiert. Die wäßrige Phase wird nun auf ein kleines Volumen eingedampft und mit Äthylacetat extrahiert. Der Rückstand der Äthylacetatextrakte wird auf eine Florisilsäule gegeben und mit 25% Methanol in Chloroform eluiert. Die erhaltenen Fraktionen werden zunächst im System Formamid/Chloroform, dann im System Propylenglykol/Toluol der Papierchromatographie unterworfen. Nach Elution vom Papier werden die Rückstände an einer Silicagelsäule chromatographiert. Unter den Metaboliten wird Cortisol (Pregn-4-en-11β,17α,21-triol-3,20-dion) isoliert und durch Schmelzpunktbestimmung und IR-Spektrum identifiziert.

21. Mikrosomale Δ^4-3-Ketosteroid-Reductasen (5α) aus Rattenleber.
[4,5α-Dihydrosteroid:NAD(P)-Oxydoreductase.]

Reaktion:

Allgemeine Vorbemerkungen. FORCHIELLI und DORFMAN[1] haben als erste festgestellt, daß die Δ^4-3-Ketosteroid-Reductase, die zur Bildung von 4,5α-Dihydrosteroiden führt, in der Mikrosomenfraktion der Rattenleber lokalisiert ist. Untersuchungen über die Eigenschaften und die Kinetik der 5α-Reductasen wurden von TOMKINS u. Mitarb.[2,3] und von LEYBOLD und STAUDINGER[4,5] durchgeführt. Die enzymkinetischen Daten werden im folgenden beschrieben.

Darstellung[2]. Rattenleber wird zerkleinert und im zehnfachen Volumen einer 0,25 m Rohrzuckerlösung bei 0—5° C homogenisiert. Das Homogenat wird 10 min bei 10000 ×g und der erhaltene Überstand 60 min bei 100000 ×g zentrifugiert. Die sedimentierte Mikrosomenfraktion wird in Rohrzuckerlösung unter Homogenisieren resuspendiert und die Lösung erneut zentrifugiert. Die nunmehr erhaltene Mikrosomenfraktion wird in Rohrzuckerlösung aufgenommen und als Enzympräparation verwendet.

Eigenschaften. Nach McGUIRE und TOMKINS[2] sollen sich in der Mikrosomenfraktion mindestens fünf verschiedene 5α-Reductasen befinden, und zwar für jedes der untersuchten Substrate (Cortisol, Cortison, 11-Desoxycortisol, Androst-4-en-3,17-dion und 11-Desoxycorticosteron) ein spezifisches Enzym. Diese Annahme stützt sich auf folgende

---
[1] FORCHIELLI, E., and R. I. DORFMAN: J. biol. Ch. **223**, 443 (1956).
[2] McGUIRE, J. S. jr., and G. M. TOMKINS: J. biol. Ch. **235**, 1634 (1960).
[3] McGUIRE, J. S. jr., V. W. HOLLIS and G. M. TOMKINS: J. biol. Ch. **235**, 3112 (1960).
[4] LEYBOLD, K., u. HJ. STAUDINGER: B. Z. **331**, 399 (1959).
[5] LEYBOLD, K., and HJ. STAUDINGER: Arch. Biochem. **96**, 626 (1962).

Beobachtung. 1. Nach Behandlung der Ratten mit Thyroxin nimmt die Reductaseaktivität für fünf verschiedene Substrate in unterschiedlichem Ausmaß zu. 2. Das Altern lyophilisierter Mikrosomen und die Behandlung mit Äthanol beeinflussen die Reduktion der fünf Substrate in verschiedenem Umfange. 3. 5α-Androstan-3,17-dion hemmt die Reduktion der fünf Substrate unterschiedlich. 4. Die relative Reductaseaktivität schwankt für die fünf Substrate von Tier zu Tier. Folgende Versuche, die 5α-Reductasen von den Mikrosomen abzulösen und in Lösung zu bringen, hatten keinen Erfolg: Behandlung mit Ultraschall, mit Triton, Digitonin, Tween 80 oder Desoxycholsäure, Inkubation mit Ribonuclease, Anwendung von Butanol, Herstellung eines Acetonpulvers, wiederholtes schnelles Frieren und Wiederauftauen. Gefrorene Mikrosomensuspensionen zeigen innerhalb von 10 Tagen keinen Aktivitätsverlust.

Die 5α-Reduktion soll nur in Gegenwart von $NADPH_2$ möglich sein[1]. LEYBOLD und STAUDINGER[2] gelang jedoch der Nachweis, daß auch $NADH_2$ als Wasserstoffdonator utilisiert wird, wenn Phosphationen vorhanden sind; die Möglichkeit einer Bildung von $NADPH_2$ aus $NADH_2$ und Phosphat konnte ausgeschlossen werden. In Phosphatpuffer (3×10^{-2} m) verläuft die Reduktion mit $NADPH_2$ etwa dreimal schneller als mit $NADH_2$. In Trispuffer ist nur $NADPH_2$ wirksam.

Die mikrosomalen 5α-Reductasen befinden sich bei der Ratte fast ausschließlich in der Leber. Die rückläufige Reaktion (Oxydation von 4,5α-Dihydrosteroiden zu $\Delta^{4,5}$-Steroiden) findet auch in Gegenwart von FAD, NAD oder NADP nicht statt[1]. Die Reduktion nimmt bei einer Steigerung der Temperatur von 28 auf 38° C um das 3,7fache zu[1]. Das p_H-Optimum liegt zwischen 5,5 und 7,5 ohne ausgeprägtes Maximum[3] bzw. zwischen 5,5 und 7,0[4]. Verschiedene Δ^4-3-Ketosteroide werden in unterschiedlichem Ausmaß zu 4,5α-Dihydrosteroiden reduziert. Die MICHAELIS-MENTEN-Konstanten für die einzelnen Substrate und $NADPH_2$ sind in Tabelle 12 wiedergegeben. Wie LEYBOLD und STAUDINGER[4] feststellten, verläuft die Ring A-Reduktion um so langsamer, je hydrophiler das Substrat ist. Testosteron und Progesteron werden am schnellsten hydriert, es folgen mit abnehmender Geschwindigkeit Desoxycorticosteron, Corticosteron, Cortison und Cortisol. Die MICHAELIS-MENTEN-Konstanten betragen nach[4] für Testosteron, Progesteron und Desoxycorticosteron etwa 2×10^{-5} m und für Corticosteron, Cortison und Cortisol etwa 8×10^{-5} m. Die 5α-Reductasen werden durch p-Chlormercuribenzoat (2×10^{-4} m) zu 80% gehemmt. Die Hemmung wird durch Glutathion (5×10^{-3} m) vollständig aufgehoben[1]. Phenylbutazon und dessen Derivate sowie natürliche und synthetische Oestrogene haben ebenfalls eine hemmende Wirkung[5]. Ferner kann die 4,5α-Reduktion eines Steroids durch ein weniger substituiertes Steroid sowie durch „Nicht-Substrat"-Steroide kompetitiv gehemmt werden[1].

Tabelle 12. MICHAELIS-MENTEN-*Konstanten der mikrosomalen 5α-Reductasen aus Rattenleber*[1].

Substrat	K_m für Substrat *	K_m für $NADPH_2$ **
Cortison	$1,4 \times 10^{-4}$ m	$5,3 \times 10^{-4}$ m
Cortisol	$1,5 \times 10^{-4}$ m	$6,2 \times 10^{-4}$ m
Androst-4-en-3,17-dion	$1,3 \times 10^{-4}$ m	$5,7 \times 10^{-4}$ m
11-Desoxycorticosteron	$3,5 \times 10^{-5}$ m	$5,7 \times 10^{-4}$ m
Pregn-4-en-17α,21-diol-3,20-dion	$3,0 \times 10^{-5}$ m	$1,5 \times 10^{-4}$ m

* Die Messungen erfolgten in einem Konzentrationsbereich von 10—180 µg Steroid/2 ml.

** Die Messungen erfolgten in einem Konzentrationsbereich von 2×10^{-3} bis 2×10^{-4} m $NADPH_2$.

Bestimmung. 1. Bestimmungsmethode nach MCGUIRE und TOMKINS[6]: 50 µM Trispuffer, p_H 7,4, 25 µM $MgCl_2$, 125 µM D,L-Isocitronensäure, 1 ml Isocitronensäure-

---

[1] MCGUIRE, J. S. jr., V. W. HOLLIS and G. M. TOMKINS: J. biol. Ch. **235**, 3112 (1960).
[2] LEYBOLD, K., and HJ. STAUDINGER: Arch. Biochem. **96**, 626 (1962).
[3] MCGUIRE, J. S. jr., and G. M. TOMKINS: J. biol. Ch. **235**, 1634 (1960).
[4] LEYBOLD, K., u. HJ. STAUDINGER: B. Z. **331**, 399 (1959).
[5] LEYBOLD, K., u. HJ. STAUDINGER: Kli. Wo. **1961**, 952.
[6] MCGUIRE, J. S. jr., and G. M. TOMKINS: J. biol. Ch. **234**, 791 (1959); **235**, 1634 (1960).

Dehydrogenase, 7,5 μM NADP und 560 μg Steroid (in 2,8 ml einer 10%igen methanolischen Lösung) werden mit 1 ml Mikrosomensuspension (entsprechend 1 g Lebergewebe) in einem Gesamtvolumen von 10 ml bei 37° C inkubiert. Vor der Inkubation und am Ende der Inkubation werden aliquote Teile der Reaktionsmischung entnommen und mit 4 ml Methylenchlorid (gereinigt durch Filtration über Silicagel) extrahiert. Nach dem Zentrifugieren wird die Extinktion der organischen Phase bei 240 mμ gemessen. Aus der Differenz der Extinktion zu Beginn und am Ende des Versuches ergibt sich die Menge des reduzierten Steroids.

2. Bestimmung nach LEYBOLD und STAUDINGER[1]: 0,93 mg Mikrosomenprotein, 4×10^{-4} m NADPH$_2$, 8×10^{-5} m Testosteron (Äthanol-Endkonzentration im Gesamtansatz 1%) und $6,6 \times 10^{-2}$ m Phosphatpuffer (p$_H$ 7,0) werden in einem Gesamtvolumen von 2,5 ml bei 37° C inkubiert. Als Maß für die Steroidhydrierung dient die durch die NADPH$_2$-Dehydrierung bedingte Extinktionsabnahme bei 366 mμ in 6 min. Die Ablesung erfolgt im Photometer Eppendorf im heizbaren Küvettenhalter bei 37° C und 1 cm Schichtdicke. Die Reaktion kann mit Mikrosomen, aber auch mit Steroidlösung gestartet werden. Eine stets nachweisbare mikrosomale „NADPH$_2$-Leeroxydation" ohne Steroid als Wasserstoffacceptor muß alle 6 Std neu gemessen werden, indem nur Äthanol statt der äthanolischen Steroidlösung zugegeben wird. Der so gewonnene Wert für E ohne Steroid („Leerschleich") wird jeweils von der Extinktionsabnahme mit Steroid abgezogen. Durch Zusammenfügen von Steroid und Mikrosomen ohne Wasserstoffdonator (NADPH$_2$) kann ausgeschlossen werden, daß die Steroide einen Einfluß auf den Dispersionsgrad und damit auf die optische Dichte der Mikrosomen haben.

22. Cytoplasmatische Δ^4-3-Ketosteroid-Reductase (5 β) aus Rattenleber[2].
[4,5β-Dihydrosteroid: NADP-Oxydoreductase.]

Reaktion:

Darstellung. Rattenleber wird in einer Lösung homogenisiert, die 8,59 g Rohrzucker, 200 mg EDTA und 242 mg Tris in 100 ml enthält. Durch Ultrazentrifugation für 90 min wird ein mikrosomenfreier Überstand erhalten. Aus dem Überstand wird durch Behandlung mit Ammoniumsulfat die Proteinfraktion gewonnen, die zwischen 50 und 100% Sättigung ausfällt. Sie wird in 10—15 ml 0,1 m Trispuffer, p$_H$ 7,4, aufgenommen.

Eigenschaften. Cortison und Testosteron werden durch das Enzym der männlichen Ratte schneller hydriert als durch das Enzym der weiblichen Ratte. Hydrophile Steroide werden schneller umgesetzt als lipophile Steroide.

Bestimmung. 10 mg Cytoplasma, 4×10^{-4} m NADPH$_2$ ($=1,0$ μM/2,5 ml), $1,6 \times 10^{-4}$ m Steroid (etwa 100—150 μg/2,5 ml; Äthanol-Endkonzentration im Gesamtansatz 1%) und $6,6 \times 10^{-2}$ m Phosphatpuffer (p$_H$ 7,0) werden in einem Gesamtvolumen von 2,5 ml bei 37° C für 8 min inkubiert. Die Ablesung erfolgt im Photometer Eppendorf im heizbaren Küvettenhalter bei 37° C und 1 cm Schichtdicke. Es wird die Extinktionsabnahme von NADPH$_2$ bei 366 mμ in Gegenwart von Steroid gemessen und nach Abzug der NADPH$_2$-Leeroxydation (NADPH$_2$-Dehydrierung ohne Steroid) als Maß für die Steroidhydrierung genommen. Anmerkung: Die verwendete Enzympräparation (Fällung zwischen 50 und

---
[1] LEYBOLD, K., u. HJ. STAUDINGER: B. Z. **331**, 389 (1959).
[2] LEYBOLD, K., u. HJ. STAUDINGER: Med. exp., Basel **2**, 46 (1960); vgl. auch TOMKINS, G. M.: J. biol. Ch. **225**, 13 (1957).

100% Sättigung mit Ammoniumsulfat) enthält auch eine 3α-Steroid-Dehydrogenase; an der Oxydation von $NADPH_2$ kann auch dieses Enzym beteiligt sein.

23. Cytoplasmatische Cortison-4,5 β-Reductase aus Rattenleber[1].

[1.3.1.3 4,5β-Dihydrocortison:NADP-Oxydoreductase.]

Reaktion:

[Strukturformel Cortison] + NADPH + H⁺ → [Strukturformel 4,5β-Dihydrocortison] + NADP⁺

Darstellung. Lebergewebe von jungen männlichen Ratten wird mit dem doppelten Volumen eines eiskalten 0,1 m Phosphatpuffers, p_H 7,0, 30 sec in einem Starmix (Waring Blendor) homogenisiert. Alle folgenden Schritte werden bei 0—3° C durchgeführt. Das Homogenat wird 10 min bei 10000 ×g zentrifugiert und der Überstand mit dem gleichen Volumen einer kalten, gesättigten und neutralisierten Ammoniumsulfatlösung versetzt (50% Sättigung mit Ammoniumsulfat). Nach 20 min Stehen wird die Lösung für 10 min bei 10000 ×g zentrifugiert und der Niederschlag verworfen, da er keine Enzymaktivität zeigt. Der Überstand wird nun bis zur 70%igen Sättigung mit einer gesättigten Ammoniumsulfatlösung versetzt. Der zwischen 50 und 70% Sättigung mit Ammoniumsulfat ausfallende Niederschlag wird in einem kleinen Volumen von destilliertem Wasser aufgenommen; anschließend wird die Enzymlösung für 4 Std gegen 4 l destilliertes Wasser dialysiert. Die dialysierte Lösung ist in gefrorenem Zustand für mehrere Wochen stabil und enthält neben der 4,5β-Reductase auch eine beträchtliche 3α-Hydroxysteroid-Dehydrogenaseaktivität. Die Enzympräparation reduziert eine größere Anzahl von Δ^4-3-Ketosteroiden.

Zur weiteren Reinigung wird die Enzymlösung mit 10%iger Essigsäure auf p_H 6 eingestellt; ein eventuell entstehender Niederschlag wird abzentrifugiert und verworfen. Nun wird 2 Jahre altes Calciumphosphat-Gel zur Adsorption von Nicht-Enzymeiweiß zugegeben; da die erforderliche Menge Gel für eine maximale Reinigung von Präparation zu Präparation stark schwankt, wird das Gel portionsweise zugefügt. Dabei wird folgendermaßen vorgegangen: Ein bestimmtes Volumen Gel, dessen Gehalt an Festsubstanz dem Gewicht des zu reinigenden Proteins entspricht, wird zentrifugiert; der Überstand wird verworfen. Die Enzymlösung wird dem sedimentierten Gel zugefügt, das Gel resuspendiert und die Mischung nach 30 min Stehen zentrifugiert. Nun werden der Proteingehalt und die Enzymaktivität der überstehenden Lösung bestimmt; falls keine Abnahme der Enzymaktivität stattgefunden hat, wird erneut mit Calciumphosphat-Gel in der beschriebenen Weise behandelt. Dieser Vorgang wird so oft wiederholt, bis die größtmögliche Menge an inaktivem Eiweiß und höchstens 10% der Enzymaktivität vom Gel aufgenommen worden sind; auf diese Weise kann eine 3—6fache Reinigung gegenüber der 50—70%igen Ammoniumsulfatfällung erzielt werden. Das im Überstand befindliche Enzym wird nun an Calciumphosphat-Gel *adsorbiert*. Das Gel wird, wie oben beschrieben, in kleinen Portionen zugefügt, bis im Überstand keine Enzymaktivität mehr nachweisbar ist. Diejenigen Gelfraktionen, in denen sich die Enzymaktivität befindet, werden vereinigt und wiederholt mit kaltem 0,01 m Natriumphosphatpuffer, p_H 7,4, eluiert. Die zur Elution benutzte Puffermenge beträgt ein Fünftel der jeweiligen Enzymlösung, die mit dem Gel behandelt wurde. Diejenigen Eluate, in denen sich die Enzymaktivität befindet, werden vereinigt. Bei einer Ausbeute von 30—90% wird durch Adsorption an das Gel eine 2—3fache Anreicherung erzielt. Die Enzymlösung wird mit einer gesättigten, neutralen Ammoniumsulfatlösung bis zur 60—70%igen Sättigung versetzt. Der Niederschlag

---
[1] TOMKINS, G. M.: J. biol. Ch. **225**, 13 (1957).

wird in Wasser resuspendiert. Eine Übersicht der Reinigungsschritte sowie der Enzymaktivitäten und Ausbeuten gibt Tabelle 13.

Tabelle 13. *Zusammenfassung der Reinigungsschritte bei der Darstellung der Cortison-4,5β-Reductase aus Rattenleber*[1].

Fraktion	Volumen ml	Gesamtaktivität Einheiten	Spezifische Aktivität Einheiten/mg Protein
50—70%ige Sättigung mit $(NH_4)_2SO_4$	25	34375	5,8
Mit Calciumphosphat-Gel behandelter Extrakt	25	34375	27,6
Eluat nach Adsorption an Calciumphosphat-Gel	10	11000	83,0
Zweite Fällung mit $(NH_4)_2SO_4$ (60—70%ige Sättigung) .	10	5000	105,0

Eigenschaften. Die Enzympräparation ist praktisch frei von 3α-Hydroxysteroid-Dehydrogenaseaktivität; sie verliert bei $+3°$ C innerhalb von 24 Std ihre Aktivität, während sie bei $-10°$ C für 2—3 Tage stabil ist. EDTA, Glutathion, Steroidsubstrat oder $NADPH_2$ haben einen, wenn auch unregelmäßigen, stabilisierenden Effekt. Das p_H-Optimum der Reduktion von Cortison liegt bei 5,8—6,0 (Acetatpuffer). Die Reaktionsgeschwindigkeiten sind in Citrat-, Phosphat-, Tris-, Veronal-, Borat- und Glycinpuffer bei vergleichbarem p_H identisch. Die MICHAELIS-MENTEN-Konstante für Cortison beträgt $3,4 \times 10^{-5}$ m, diejenige für $NADPH_2$ $1,4 \times 10^{-5}$ m. Das Enzym reagiert bevorzugt, wenn nicht sogar ausschließlich, mit $NADPH_2$ als Wasserstoffdonator. Die Substratspezifität für Cortison ist stark ausgeprägt. Als alleiniges Reaktionsprodukt von Cortison wurde 5β-Pregnan-17α,21-diol-3,11,20-trion isoliert. Das Enzym wird durch 0,002 m p-Chlormercuribenzoat gehemmt; die Hemmung beträgt in Gegenwart von 0,01 m Glutathion nur 50%. Zusatz von Jodacetat oder N-Äthylmaleinimid ist ohne Wirkung. FAD (als möglicher Elektronenüberträger) hat keinen stimulierenden Effekt, Zusatz von 10^{-3} m Methylenblau oder 10^{-3} m Cytochrom c (als Hemmer flavin-katalysierter Reaktionen) ist ebenfalls wirkungslos. Die enzymatisch katalysierte Reduktion der Doppelbindung ist auch in Gegenwart von NADP und NADP-regenerierenden Systemen im untersuchten p_H-Bereich von 6—10 nicht reversibel.

Bestimmung. 0,11 μM Cortison, 0,1 μM $NADPH_2$, 10 μM Acetatpuffer (p_H 5,6) und Enzym werden in einem Gesamtvolumen von 1 ml bei 37° C für 20 min inkubiert. Die Abnahme der $NADPH_2$-Konzentration wird durch Messung bei 340 mμ verfolgt. Der Leerwert enthält alle Zusätze außer Enzym oder Substrat. Nach Beendigung der Messung wird ein aliquoter Teil des Reaktionsgemisches mit Methylenchlorid extrahiert; nach dem Zentrifugieren wird die Extinktion der organischen Phase bei 240 mμ gemessen. Aus der Differenz der Extinktion zu Beginn, und am Ende des Versuches ergibt sich die Menge des reduzierten Steroids. Als *eine Einheit* ist diejenige Enzymmenge definiert, die in 20 min eine Extinktionsänderung von 0,001 bei *240 mμ* bewirkt.

24. Cytoplasmatische 4,5β-Reductase (Δ⁴-Hydrogenase) aus der Nebenniere des Meerschweinchens[2].

[4,5β-Dihydrosteroid:NADP-Oxydoreductase.]

Reaktion:

Steroid-4-en-3-on + NADPH + H⁺ → 5β-Dihydrosteroid + NADP⁺

---
[1] TOMKINS, G. M.: J. biol. Ch. **225**, 13 (1957).
[2] BROWN-GRANT, K., E. FORCHIELLI and R. I. DORFMAN: J. biol. Ch. **235**, 1317 (1960).

Allgemeine Vorbemerkungen. Im Gegensatz zur Leber der Ratte kann die Leber des Meerschweinchens keine Ring A-Reduktionen katalysieren[1,2]. Diese Fähigkeit besitzt beim Meerschwein in ausgeprägtem Maße nur die Nebenniere[3]. Im folgenden wird die cytoplasmatische 4,5β-Reductase aus der Nebenniere des Meerschweinchens beschrieben.

Darstellung. Lebergewebe wird im 1,5fachen Volumen einer 0,25 m Rohrzucker- oder 0,154 m KCl-Lösung homogenisiert. Die Cytoplasmafraktion wird in üblicher Weise (10 min bei 700 ×g, 30 min bei 6500 ×g und 60 min bei 105000 ×g) durch Zentrifugieren gewonnen.

Eigenschaften. Die Enzympräparation (Cytoplasma) zeigt bis zu 5 Tagen keinen Aktivitätsverlust (Aufbewahrung bei 2—3° C). Das p_H-Optimum (in Acetatpuffer) liegt bei 5,5. Verschiedene Δ^4-3-Ketosteroide werden unterschiedlich schnell hydriert. $NADPH_2$ dient als Wasserstoffdonator.

Bestimmung[4]. 0,5 μM Steroid, 1 μM NADP, 5 μM Glucose-6-phosphat, 0,5 Einheiten Glucose-6-phosphat-Dehydrogenase, 10 μM $MgCl_2$, 20 μM Phosphatpuffer (p_H 7,2) und 0,154 m KCl-Lösung werden mit der Enzympräparation (entsprechend 100 mg Frischgewicht) in einem Gesamtvolumen von 1 ml bei 37° C für 10 min *unter Stickstoff* inkubiert. Die Reaktion wird durch schnelles Abkühlen gestoppt und das Gemisch mit 4 ml redestilliertem Methylendichlorid extrahiert. Die Abnahme der für Δ^4-3-Ketosteroide charakteristischen Absorption bei 240 mμ wird im Spektralphotometer gemessen. Es werden Dreifach-Bestimmungen durchgeführt.

25. 7-Dehydrocholesterin-Δ^7-Reductase aus Mäuseleber[5].

[7,8-Dihydrocholesterol:NAD(P)-Oxydoreductase.]

Reaktion:

Darstellung. Das zu untersuchende Gewebe (Maus) wird in dem 2—2,5fachen Volumen einer Lösung homogenisiert, die 0,1 m an Trispuffer und 0,15 m an NaCl ist; es kann auch eine 0,25 m Rohrzuckerlösung verwendet werden. Das Homogenat wird in üblicher Weise fraktioniert zentrifugiert.

Eigenschaften. Die Enzymaktivität befindet sich in der Mikrosomenfraktion und kann durch Zusatz der löslichen Fraktion gesteigert werden. Aus diesem Grunde werden die Versuche mit dem 13000 ×g Überstand durchgeführt. Das Enzym reagiert bevorzugt mit $NADPH_2$; mit $NADH_2$ wird nur $1/4$—$1/3$ des Umsatzes beobachtet. Bei höheren Substratkonzentrationen ($>11 \times 10^{-4}$ m) tritt eine Hemmung auf. Die MICHAELIS-MENTEN-Konstante für 7-Dehydrocholesterin beträgt 1,1—4,0 × 10^{-3} m. Das p_H-Optimum liegt in Acetatpuffer bei 5,6, in Citratpuffer zwischen 5,6 und 6,2 und in Tris-Maleatpuffer bei 7,3. Die Enzymaktivität des 13000 ×g Überstandes wird durch Zusatz von Flavinmononucleotid, Flavin-adenindinucleotid, $MgCl_2$, $MnCl_2$, $ZnCl_2$, $CuCl_2$, EDTA oder p-Chlormercuribenzoat nicht beeinflußt. Zusatz von p-Chlormercuribenzoat (0,03 m)

---
[1] KOCHAKIAN, C. D., V. RAUT and D. M. NALL: Amer. J. Physiol. **189**, 78 (1957).
[2] KOCHAKIAN, C. D., B. R. CARROLL and B. UHRI: Amer. J. Physiol. **189**, 83 (1957).
[3] BROWN-GRANT, K., E. FORCHIELLI and R. I. DORFMAN: J. biol. Ch. **235**, 1317 (1960).
[4] FORCHIELLI, E., K. BROWN-GRANT and R. I. DORFMAN: Proc. Soc. exp. Biol. Med. **99**, 594 (1962).
[5] KANDUTSCH, A. A.: J. biol. Ch. **237**, 358 (1962).

hemmt dagegen das Enzym in gewaschenen Mikrosomen; die Hemmung wird durch 0,1 m Glutathion aufgehoben. Außer in der Leber findet sich die Reductase in Testes, Gehirn, Milz und Niere.

Bestimmung. 70 µM Tris-Maleatpuffer, p_H 7,4, 30 µM Nicotinamid, 0,7 µM $NADPH_2$, 0,75 µM 7-Dehydrocholesterin und der 13000 ×g Überstand (entsprechend 0,25 g Leber) werden in einem Gesamtvolumen von 1 ml bei 37° C in einem Schüttelthermostaten *unter Stickstoff* inkubiert. 7-Dehydrocholesterin wird in Form einer Emulsion zugesetzt, die durch Homogenisieren von 6 mg Sterin in 0,2 ml absolutem Äthanol und 1,8 ml einer 5%igen Rinderserumalbumin-Lösung hergestellt wird. Nach Beendigung der Inkubation wird das Reaktionsgemisch mit Wasser auf 2 ml verdünnt; nach Zugabe von drei Plätzchen KOH und 2 ml absolutem Äthanol wird vorsichtig geschüttelt, bis die Lösungen klar geworden sind. Die Mischung wird nun in 15 ml-Zentrifugengläser überführt, mit 5 ml Cyclohexan versetzt und 5 min geschüttelt. Nach dem Zentrifugieren bei niedriger Geschwindigkeit wird die Konzentration von 7-Dehydrocholesterin in der Cyclohexanphase durch Messung bei 281,5 mµ ermittelt. Es wird gegen einen Leerwert gemessen, der alle Zusätze außer 7-Dehydrocholesterin enthält.

26. Equilin-Dehydrogenase aus Rattenleber[1].

Reaktion:

<chemical reaction: Equilin + NAD⁺ oder NADP⁺ → Product + NADH oder NADPH + H⁺>

Darstellung. 25%iges Leberhomogenat in 0,25 m Rohrzuckerlösung wird 45 min bei 20000 ×g und der abgehobene Überstand 90 min bei 100000 ×g zentrifugiert. Die sedimentierte Mikrosomenfraktion wird in Rohrzuckerlösung mit einem Ultra-Turrax resuspendiert und erneut 90 min bei 100000 ×g zentrifugiert. Das Sediment wird in soviel Rohrzuckerlösung aufgenommen, daß 1 ml dieser Lösung der Mikrosomenfraktion aus 1 g Rattenleber entspricht.

Eigenschaften. Die Enzymaktivität befindet sich ausschließlich in der Mikrosomenfraktion. Die höchste Aktivität wird bei gleichzeitiger Anwesenheit von NAD und NADP beobachtet. NADP alleine ist etwas wirksamer als NAD allein. In Citrat-Phosphat-Boratpuffer werden zwei p_H-Optima beobachtet, und zwar bei p_H 5,0 und zwischen p_H 8,0 und 8,5. Die MICHAELIS-MENTEN-Konstante in Citrat-Boratpuffer bei p_H 5,0 beträgt für Equilin $5,5 \times 10^{-5}$ m.

Bestimmung. 200 µg Equilin in 0,1 ml Methanol werden mit 5 µM NAD, 3 µM NADP, 0,5 ml Krebs-Ringer-Lösung, 2 ml Citrat-Phosphat-Boratpuffer und 1,0 ml Mikrosomen bei 37° C im Schüttelthermostaten inkubiert; Gasphase: Luft. Nach Beendigung der Inkubation werden die Lösungen zweimal mit je 5 ml Äther-Chloroform (3:1) extrahiert, die Extrakte eingedampft und die Rückstände der Papierchromatographie im System Propylenglykol/Cyclohexan (1:1) unterworfen. Die Papierchromatogramme werden mit Folin-Ciocalteu-Reagens behandelt; anschließend wird die entstehende Blaufärbung densitometrisch unter Verwendung eines Handauswertegerätes oder eines automatisch registrierenden Gerätes gemessen[2].

---

[1] BREUER, H., and CH. MITTEMAYER: Biochem. J. **86**, 12P (1963).
[2] KNUPPEN, R., H. BREUER u. G. PANGELS: H. **324**, 108 (1961).

E. Steroid-Dehydrogenasen bei Mikroorganismen.

Folgende Steroid-Dehydrogenasen sind bisher bei Mikroorganismen aufgefunden worden: 3α-, 3β-, 11β-, 17β- und 20β-Hydroxysteroid-Dehydrogenasen, ferner Δ^1-, 5α-Δ^4- und 5β-Δ^4-Steroidring-Dehydrogenasen. Die Anreicherung der Enzymaktivitäten aus Mikroorganismen wird dadurch erleichtert, daß die Bildung bestimmter Enzyme durch die Zugabe geeigneter Steroidsubstrate zum Nährmedium induziert werden kann. Bisher ist *eine* mikrobielle Steroid-Dehydrogenase in kristalliner Form isoliert worden, nämlich die von Hübener beschriebene 20β-Hydroxysteroid-Dehydrogenase aus *Streptomyces hydrogenans*. Die Wechselzahl des kristallisierten Enzyms beträgt 2100.

I. Tabellarische Übersicht der Steroid-Dehydrogenasen bei Mikroorganismen*.

Die bei Mikroorganismen nachgewiesenen Reaktionen, die unter Beteiligung von Hydroxysteroid-Dehydrogenasen (Hydroxysteroid:Acceptor-Oxydoreductasen) und Steroidring-Dehydrogenasen (Dihydrosteroid:Acceptor-Oxydoreductasen) verlaufen, sind in den Tabellen 14—17 zusammengestellt. Die irreversible Oxydation der Δ^5-3β-Hydroxysteroide zu Δ^4-3-Ketosteroiden wurde in einer gesonderten Tabelle (Nr. 15) zusammengestellt, da an dieser Reaktion neben der eigentlichen 3β-Hydroxysteroid-Dehydrogenase auch eine $\Delta^5 \rightarrow \Delta^4$-Isomerase beteiligt ist. Da die Mikroorganismen mit einer ungewöhnlich großen Zahl von Steroiden reagieren, wurde, um die Übersichtlichkeit zu wahren, lediglich angegeben, ob die untersuchten Steroide der Androstan- oder Pregnanreihe angehören. Innerhalb der einzelnen Tabellen sind die Oxydoreduktionen wiederum in aufsteigender Reihenfolge derjenigen C-Atome, an denen sich die Reaktionen abspielen, geordnet. Außerdem wurde vermerkt, ob es sich bei den Mikroorganismen um Pilze oder Bakterien handelt.

Auf folgende Besonderheiten sei hingewiesen. Während im Tierreich eine größere Anzahl von Steroidring-Reductasen nachgewiesen worden ist, wurde bisher nur *ein* mikrobielles Enzym nachgewiesen, das die Reduktion einer Doppelbindung im Steroidring katalysiert. Es handelt sich um ein Enzym aus *Streptomyces griseus*, das 11-Desoxycorticosteron zu 5α-Pregnan-3β,21-diol-20-on reduziert[1]. Die Reaktion soll vom Δ^4-3-Ketosteroid zunächst zum 5α-3-Ketosteroid und von diesem zum 5α-3β-Hydroxysteroid führen.

II. Beschreibung näher definierter Steroid-Dehydrogenasen bei Mikroorganismen.

Die Beschreibung der näher definierten Steroid-Dehydrogenasen bei Mikroorganismen umfaßt insgesamt sechs Dehydrogenasen (Übersicht s. Tabelle 18). Zunächst werden die Hydroxysteroid-Dehydrogenasen, dann die Steroidring-Dehydrogenasen abgehandelt.

1. 3α-Hydroxysteroid-Dehydrogenase aus *Pseudomonas testosteroni*[2].

[1.1.1.50   3α-Hydroxysteroid:NAD-Oxydoreductase.]

Reaktion:

Allgemeine Vorbemerkungen. Pseudomonas testosteroni ist ein Mikroorganismus, der mit C_{19}-Steroiden als alleiniger Kohlenstoffquelle wachsen kann. In Gegenwart von

---

* Für wertvolle Hinweise bei der Zusammenstellung der Literatur sei Herrn Dr. G. Raspé, Herrn Dr. K. Kieslich und Fräulein Dr. S. Kirschfeld, Schering AG, Berlin-West, recht herzlich gedankt.
[1] Vischer, E., u. A. Wettstein: Experientia **16**, 355 (1960).
[2] Marcus, P. I., and P. Talalay: J. biol. Ch. **218**, 661 (1956).

Tabelle 14. *Tabellarische Übersicht der Hydroxysteroid-Dehydrogenasen (Hydroxysteroid: Acceptor-Oxydoreductasen) bei Mikroorganismen. Substrate C_{19}-, C_{21}- und C_{24}-Steroide.*

Reaktion	Mikroorganismus	Bacterium (B) oder Pilz (P)	Substrat aus der Reihe	Nachgewiesene Reaktion	Literatur
3α-OH $\rightleftharpoons$ 3-C=O	Alcaligenes faecalis	B	Gallensäuren	Oxydation	17
	Pseudomonas sp.	B	5α-Androstan 5β-Androstan	Oxydation Reduktion	40
	Pseudomonas testosteroni ATCC 11996	B	Androst-4-en Androst-5-en 5α-Androstan 5β-Androstan 5β-Pregnan	Oxydation Reduktion	41
			Androst-4-en Androst-5-en	Oxydation Reduktion	25
			Androst-4-en 5α-Androstan 5β-Pregnan	Oxydation Reduktion	18
3β-OH $\rightleftharpoons$ 3-C=O	Nocardia erythropolis (Proactinomyces erythropolis)	B	Gallensäuren 5β-Cholestan	Oxydation	42
	Pseudomonas	B	Androst-4-en Androst-5-en 5α-Androstan Pregn-5-en	Oxydation Reduktion	37
	Pseudomonas testosteroni ATCC 11996	B	Androst-4-en Androst-5-en 5α-Androstan 5β-Androstan 5β-Pregnan	Oxydation Reduktion	41
			Androst-4-en Androst-5-en	Oxydation Reduktion	25
			Androst-4-en 5α-Androstan 5β-Pregnan	Oxydation Reduktion	18
	Saccharomyces cerevisiae	P	4,5-epoxy-5β-Pregnan	Reduktion	1
11β-OH $\rightleftharpoons$ 11-C=O	Absidia regnieri	P	Pregn-4-en	Oxydation	31
	Cunninghamella blakesleeana	P	Pregn-4-en	Oxydation	11, 24
			Pregna-1,4-dien	Oxydation Reduktion	2
			Pregna-4,17(20)-dien	Oxydation	12
	Helicostylum piriforme	P	Pregna-4,17(20)-dien	Oxydation	12
	Rhizopus arrhizus	P	Pregna-4,17(20)-dien	Oxydation	12
	Stachylidium bicolar	P	Pregn-4-en	Oxydation	31
	Trichothecium roseum	P	Pregn-4-en	Oxydation	2, 27
17β-OH $\rightleftharpoons$ 17-C=O	Actinomyces globisporus	B	Androst-5-en	Oxydation	10
	Actinomyces viridochromogenes	B	Androst-5-en	Oxydation	10
			Androst-5-en	Reduktion	9
	Aspergillus oryzae	P	Androst-5-en	Oxydation	19
	Fusarium javanicum	P	Pregn-4-en	Oxydation	3

Tabelle 14 (Fortsetzung).

Reaktion	Mikroorganismus	Bacterium (B) oder Pilz (P)	Substrat aus der Reihe	Nachgewiesene Reaktion	Literatur
	Nocardia erythropolis (Proactinomyces erythropolis)	B	Androst-4-en Androst-5-en	Oxydation	42
	Pseudomonas	B	Androst-4-en	Oxydation	38
			Androst-4-en	Oxydation Reduktion	39
			Oestra-1,3,5(10)-trien Androst-4-en Androst-5-en 5α-Androstan	Oxydation Reduktion	37
			Oestra-1,3,5(10)-trien Androst-4-en 5α-Androstan 5β-Androstan	Oxydation Reduktion	41
	Pseudomonas testosteroni ATCC 11996	B	Androst-4-en Androst-5-en	Oxydation Reduktion	25
			Androst-4-en Androst-5-en Oestra-1,3,5(10)-trien	Oxydation Reduktion	36
			Oestra-1,3,5(10)-trien 5α-Androstan	Oxydation Reduktion	18
			5β-Androstan	Oxydation	20
	Saccharomyces cerevisiae	P	Androst-4-en	Reduktion	8, 23
			Androst-5-en	Oxydation	43
			Androst-5-en	Reduktion	22
			Androsta-1,4,6-trien Pregn-4-en	Reduktion	6
			Pregn-4-en	Reduktion	44
20β-OH ⇌ 20-C=O	Alcaligenes faecalis	B	Pregn-4-en	Reduktion	33
	Bacterium cyclooxydans ATCC 12673	B	9α-Fluorpregn-4-en	Oxydation	4
	Calonectria decora	P	Pregn-4-en	Reduktion	34
	Corynebacterium simplex ATCC 6946	B	Pregn-4-en	Reduktion	30
			9α-Fluorpregn-4-en	Oxydation	4
			9α-Fluorpregn-4-en	Reduktion	32
			9α-Fluorpregna-1,4-dien	Reduktion	5
	Curvularia lunata	P	Pregna-4,6-dien	Reduktion	7
	Fusarium solani	P	Pregn-4-en	Reduktion	34, 35
	Mycobacterium lacticola ATCC 9626	B	Pregn-4-en	Reduktion	33
	Mycobacterium rhodochrous	B	Pregn-4-en	Oxydation	4
			9α-Fluorpregna-1,4-dien	Oxydation Reduktion	5
	Pseudomonas boreopolis	B	Pregn-4-en	Reduktion	28

Tabelle 14 (Fortsetzung).

Reaktion	Mikroorganismus	Bacterium (B) oder Pilz (P)	Substrat aus der Reihe	Nachgewiesene Reaktion	Literatur
	Pseudomonas fluorescens	B	Pregn-4-en	Reduktion	28
	Pseudomonas oleovorans	B	Pregn-4-en	Reduktion	28
	Saccharomyces cerevisiae	P	16,17-epoxy-Pregn-4-en	Reduktion	1
	Streptomyces hydrogenans	B	Pregn-4-en	Oxydation Reduktion	15
			Pregn-4-en	Reduktion	13, 14, 29
			Pregn-4-en Pregna-1,4-dien	Oxydation Reduktion	16
			Pregn-4-en Pregna-1,4-dien	Reduktion	21
			9α-Fluorpregn-4-en	Reduktion	26

[1] CAMERINO, B., u. A. VERCELLONE: DAS 1030339 vom 22. 5. 1958, Farmaceutici Italia S.A., Mailand.
[2] Ciba Ltd., Brit. Pat. Nr. 827182 vom 3. 2. 1960 [C. A. 54, 20076f (1960)].
[3] FRIED, J., and R. W. THOMA: US Pat. Nr. 2902498 vom 1. 9. 1959, Olin Mathieson Chem. Corp. [C. A. 54, 5756g (1960)].
[4] GOODMAN, J. J.: US Pat. Nr. 2938834 vom 31. 5. 1960, Am. Cyanamid Corp. [C. A. 54, 20075i (1960)].
[5] GOODMAN, J. J., M. MAY and L. L. SMITH: J. biol. Ch. 235, 965 (1960).
[6] GOULD, D. H., H. L. HERZOG and E. B. HERSHBERG: US Pat. Nr. 2899447 vom 11. 8. 1959, Schering Corp. [C. A. 54, 2439b (1960)].
[7] GOULD, D., J. ILAVISKY, R. GUTEKUNST and E. B. HERSHBERG: J. org. Chem. 22, 829 (1957).
[8] HANČ, O., A. ČAPEK and M. TADRA: Czech. Pat. 86728 vom 15. 7. 1957 [C. A. 54, 2440 (1960)].
[9] HANČ, O., A. ČAPEK and M. TADRA: Czech. Pat. 87068 vom 15. 9. 1957 [C. A. 54, 2441 (1960)].
[10] HANČ, O., E. JIRÁT, A. ČAPEK and M. TADRA: Chem. listy 51, 1950 (1957) [C. A. 52, 4675 (1958)].
[11] HANSON, F. R., K. M. MANN, E. D. NIELSON, H. V. ANDERSON, J. N. BRUNNER, D. R. COLINGSWORTH and W. J. HAINES: Am. Soc. 75, 5369 (1953).
[12] HANZE, A. R., O. K. SEBEK and H. C. MURRAY: J. org. Chem. 25, 1968 (1960).
[13] HÜBENER, H. J., u. C. O. LEHMANN: H. 313, 124 (1958).
[14] HÜBENER, H. J., u. F. G. SAHRHOLZ: B. Z. 333, 95 (1960).
[15] HÜBENER, H. J., F. G. SAHRHOLZ, J. SCHMIDT-THOMÉ, G. NESEMANN and R. JUNK: Biochim. biophys. Acta 35, 270 (1959).
[16] HÜBENER, H. J., u. J. SCHMIDT-THOMÉ: DAS 1075521 vom 18. 2. 1960, Farbwerke Hoechst AG.
[17] HUGHES, H. B., and L. H. SCHMIDT: Proc. Soc. exp. Biol. Med. 51, 162 (1942).
[18] HURLOCK, B., and P. TALALAY: J. biol. Ch. 227, 37 (1957).
[19] KUROSAWA, Y.: Nippon Nôgei-kagaku Kaishi 31, 470 (1957) [C. A. 52, 16697 (1958)].
[20] LEVY, H. R., and P. TALALAY: J. biol. Ch. 234, 2009 (1959).
[21] LINDNER, F., R. JUNK, G. NESEMANN u. J. SCHMIDT-THOMÉ: H. 313, 117 (1958).
[22] MAMOLI, L.: B. 71, 2278 (1938).
[23] MAMOLI, L., u. A. VERCELLONE: B. 70, 470 (1937).
[24] MANN, K. M., F. R. HANSON, P. W. O'CONNELL, H. V. ANDERSON, M. P. BRUNNER and J. N. KARNEMAAT: Appl. Microbiol. 3, 14 (1955).
[25] MARCUS, P. I., and P. TALALAY: J. biol. Ch. 218, 661 (1956).
[26] MCALEER, W. J., M. A. KOZLOWSKI, T. H. STOUDT and J. M. CHEMERDA: J. org. Chem. 23, 508 (1958).
[27] MEYSTRE, CH., E. VISCHER and A. WETTSTEIN: Helv. 37, 1548 (1954).
[28] NAWA, H., M. UCHIBAYASHI, R. TAKEDA, J. NAKANISHI, T. KUSAKA, J. TERUMICHI, M. UCHIDA, M. KATSUMATA, K. YOSHINO and H. FUJITANI: Tetrahedron, London 4, 201PC (1958).
[29] NESEMANN, G., H. J. HÜBENER, R. JUNK u. J. SCHMIDT-THOMÉ: B. Z. 333, 88 (1960).
[30] NOBILE, A., US Pat. Nr. 2837464 vom 3. 6. 1958, Schering Corp. [C. A. 52, 20270f (1958)].
[31] SHIRASAKA, M., R. TAKASAKI and M. TSURUTA: Nature 186, 390 (1960).
[32] SMITH, L. L., J. J. GARBARINI, J. J. GOODMAN, M. MARX and H. MENDELSOHN: Am. Soc. 82, 1437 (1960).

Tabelle 15. *Tabellarische Übersicht der irreversiblen Oxydation von Δ^5-3β-Hydroxysteroiden zu Δ^4-3-Ketosteroiden bei Mikroorganismen.*

An dieser Reaktion ist neben einer 3β-Hydroxysteroid-Dehydrogenase auch eine $\Delta^5 \to \Delta^4$-Isomerase beteiligt.

Reaktion	Mikroorganismus	Bacterium (B) oder Pilz (P)	Substrat aus der Reihe	Literatur
Δ^4, 3-C=O aus Δ^5, 3β-OH	Acetobacter xylinum	B	Pregnen	30
	Actinomyces globisporus	B	Androsten	9, 10
	Actinomyces viridochromogenes	B	Androsten	9, 10
	Aerobacter aerogenes	B	Pregnen	30
	Aspergillus flavus	P	Androsten	8, 10
	Bacillus sphaericus	B	Pregnen	30
	Corynebacterium helvolum	B	Androsten, Pregnen	17, 22
			Pregnen	16
	Corynebacterium mediolanum	B	Androsten	1
			Androsten, Pregnen	22
	Corynebacterium simplex ATCC 6946	B	Androsten	2, 19
			Pregnen	4, 11, 25
			Androsten, Pregnen	21, 22
	Flavobacterium androstendionicum	B	Pregnen	6
	Flavobacterium dehydrogenans	B	Androsten	12
			Pregnen	3, 20, 23, 24
			18-Norpregna-5,12-dien	27
	Fusarium caucasicum	P	Androsten, Pregnen	33
	Fusarium solani	P	Androsten, Pregnen	33, 34
	Mycobacterium lacticola ATCC 9629	B	Pregnen	30
	Mycobacterium smegmatis	B	Cholesten	29
			Androsten	28
			Pregnen	30
	Mycobacterium tuberculosis	B	Pregnen	30
	Nocardia sp.	B	Pregnen	31
	Penicillium ATCC 12556	P	Androsten	5, 7
	Penicillium ATCC 13001	P	Androsten	7
	Penicillium notatum	P	Androsten	8, 10

Literatur zu Tabelle 14 (Fortsetzung).

[33] SUTTER, D., W. CHARNEY, P. L. O'NEILL, F. CARVAJAL, H. L. HERZOG and E. B. HERSHBERG: J. org. Chem. **22**, 578 (1957).
[34] SZPILFOGEL, S. A., P. A. VAN HEMERT and M. S. DE WINTER: Rec. Trav. chim. Pays-Bas **75**, 1227 (1956).
[35] SZPILFOGEL, S. A., M. S. DE WINTER and W. J. ALSCHE: Rec. Trav. chim. Pays-Bas **75**, 402 (1956).
[36] TALALAY, P.: US Pat. Nr. 2796382 vom 18.6.1957 [C. A. **52**, 10230c (1958)].
[37] TALALAY, P., and M. M. DOBSON: J. biol. Ch. **205**, 823 (1953).
[38] TALALAY, P., M. M. DOBSON and D. F. TAPLEY: Nature **170**, 620 (1952).
[39] TALALAY, P., F. A. LOEWUS and B. VENNESLAND: J. biol. Ch. **212**, 801 (1955).
[40] TALALAY, P., and P. I. MARCUS: Nature **173**, 1189 (1954).
[41] TALALAY, P., and P. I. MARCUS: J. biol. Ch. **218**, 675 (1956).
[42] TURFITT, G. E.: Biochem. J. **40**, 79 (1946).
[43] VERCELLONE, A., u. L. MAMOLI: B. **71**, 152 (1938).
[44] VISCHER, E. J. SCHMIDLIN u. A. WETTSTEIN: Exper. **12**, 50 (1956).

Tabelle 15 (Fortsetzung).

Reaktion	Mikroorganismus	Bacterium (B) oder Pilz (P)	Substrat aus der Reihe	Literatur
	Pseudomonas testosteroni ATCC 11996	B	Androsten, Pregnen	13, 32
	Saccharomyces cerevisiae	P	Androsten	14, 18
			Pregnen	15
	Streptomyces aureofaciens	B	Pregnen	26
	Streptomyces fradiae	B	Pregnen	26
	Streptomyces griseus	B	Pregnen	26
	Streptomyces hydrogenans	B	Pregnen	26
	Streptomyces lavendulae	B	Pregnen	26
	Streptomyces venezuelae	B	Pregnen	26

[1] ADAMS, W. J., D. K. PATEL, V. PETROW and J. A. STUART-WEBB: Soc. **1956**, 297.
[2] ARNAUDI, C.: Boll. Sez. ital., Soc. int. Microbiol. 11, 208 (1939); C. A. **34**, 3301 (1940).
[3] BRÜCKNER, K., u. H. METZ: DAS 1060860 vom 9.7.1959, E. Merck, Darmstadt.
[4] CHARNEY, W., D. GOULD, H. L. HERZOG, A. NOBILE, E. P. OLIVETO u. D. SUTTER: DAS 1095906 vom 25.6.1959, Scherico Limited. Luzern.
[5] DOBSON, R. M., and D. MUIR: US Pat. Nr. 2833793 vom 6.5.1958, G. D. Searle & Co. [C. A. **52**, 20271b (1958)].
[6] ERCOLI, A., and P. DE RUGGERI: Gazz. chim. ital. 84, 479 (1954).
[7] GOLDKAMP, A. H., and R. M. DOBSON: U.S. Pat. Nr. 2833794 vom 6.5.1958, G. D. Searle & Co. [C. A. **52**, 20265i (1958)].
[8] HANČ, O., A. ČAPEK and M. TADRA: Czech. Pat. 86728 vom 15. 7. 1957 [C. A. **54**, 2440 (1960)].
[9] HANČ, O., A. ČAPEK and M. TADRA: Czech. Pat. 87068 vom 15. 9. 1957, [C. A. **54**, 2441 (1960)].
[10] HANČ, O., E. JIRÁT, A. ČAPEK and M. TADRA: Chem. listy 51, 1950 (1957) [C. A. **52**, 4675 (1958)].
[11] HERZOG, H. L., and E. P. OLIVETO: US Pat. Nr. 2874172 vom 17.2.1959, Schering Corp. [C. A. **53**, 13215c (1959)].
[12] HUGHES, H. B., and L. H. SCHMIDT: Proc. Soc. exp. Biol. Med. 51, 162 (1942).
[13] KAWAHARA, F. S., and P. TALALAY: J. biol. Ch. **235**, PC 1 (1960).
[14] MAMOLI, L.: B. 71, 2278 (1938).
[15] MAMOLI, L.: B. 71, 2701 (1938).
[16] MAMOLI, L.: B. 72, 1863 (1939).
[17] MAMOLI, L., R. KOCH u. H. TESCHEN: Naturwiss. 27, 319 (1939).
[18] MAMOLI, L., u. A. VERCELLONE: B. 71, 154 (1938).
[19] MAMOLI, L., u. A. VERCELLONE: B. 71, 1686 (1938).
[20] MANNHARDT, H.J., F. v. WERDER, K.H. BORK, H. METZ u. K. BRÜCKNER: Tetrahedron Lett., London 16, 21 (1960).
[21] NOBILE, A.: US Pat. Nr. 2837464 vom 3.6.1958, Schering Corp. [C. A. **52**, 20270f (1958)].
[22] NOBILE, A.: Brit. Pat. Nr. 807227 vom 14.1.1959, Schering Corp. [C. A. **53**, 7128g (1959)].
[23] NUSSBAUM, A. L., F. E. CARLON, D. GOULD, E. P. OLIVETO, E. B. HERSHBERG, M. L. GILMORE and W. CHARNEY: Am. Soc. 79, 4814 (1957).
[24] NUSSBAUM, A. L., F. E. CARLON, D. GOULD, E. P. OLIVETO, E. B. HERSHBERG, M. L. GILMORE and W. CHARNEY: Am. Soc. 81, 5230 (1959).
[25] OLIVETO, E. P., and H. L. HERZOG: US Pat. Nr. 2932639 vom 12.4.1960, Schering Corp. [C. A. **54**, 19777d (1960)].
[26] PERLMAN, D.: US Pat. Nr. 2915439 vom 1.12.1959, Olin. Mathieson Chem. Corp. [C. A. **54**, 3528i (1960)].
[27] SHAPIRO, E. L., M. STEINBERG, D. GOULD, M. J. GENTLES, H. L. HERZOG, M. GILMORE, W. CHARNEY, E. B. HERSHBERG and L. MANDELL: Am. Soc. 81, 6483 (1959).
[28] SCHUBERT, K., K. H. BÖHME u. C. HÖRHOLD: Z. Naturforsch. 15b, 584 (1960).
[29] STADTMAN, F. C., A. CHERKES and C. B. ANFINSEN: J. biol. Ch. **206**, 511 (1954).
[30] STOUDT, M. TH. H.: Französ. Pat. Nr. 1270505 vom 24.7.1961, Merck & Co., Inc., USA.
[31] STOUDT, TH. H.: US Pat. Nr. 3016355 vom 9.1.1962, Merck & Co., Inc., USA.
[32] TALALAY, P.: US Pat. Nr. 2796382 vom 18.6.1957 [C. A. **52**, 10230c (1958)].
[33] VISCHER, E., u. A. WETTSTEIN: Exper. 9, 371 (1953).
[34] WETTSTEIN, A., u. E. VISCHER: US Pat. Nr. 2904472 vom 15.9.1959, Ciba Pharmaceutical Prod., Inc. [C. A. **53**, 3519g (1960)].

Tabelle 16. *Tabellarische Übersicht der Δ^1-Steroid-Dehydrogenasen (Dihydrosteroid: Acceptor-Oxydoreductasen) bei Mikroorganismen.*

Reaktion	Mikroorganismus	Bacterium (B) oder Pilz (P)	Substrat aus der Reihe	Literatur
Δ^1-Dehydrogenase	Acetobacter xylinum	B	Pregn-4-en Pregn-5-en 9α-Fluorpregn-4-en	87
	Aerobacter aerogenes	B	Pregn-4-en, Pregn-5-en 9α-Fluorpregn-4-en	87
	Alcaligenes faecalis	B	Pregn-4-en	90
	Alternaria	P	Pregn-4-en	67, 68, 101
			6α-Fluorpregn-4-en 6β-Fluorpregn-4-en	99
			6α-Fluor-9α-halopregn-4-en	9
	Alternaria passiflorae	P	Pregn-4-en	13
			Pregn-4-en, Pregn-5-en 5α-Pregnan, 5β-Pregnan	109
	Arthrobacter sp.	B	Androst-4-en	11
			5β-Pregnan	18
	Azotomonas fluorescens ATCC B 544	B	Pregn-4-en	95
	Azotobacter indicus	B	Pregn-4-en	95
	Bacillus cyclooxydans	B	Pregn-4-en	37
			9α-Fluorpregn-4-en	24, 25, 83
			5β-Pregnan	18
	Bacillus N 19—2 A	B	Pregn-4-en	70
	Bacillus pulvifaciens	B	Pregn-4-en	96
	Bacillus sphaericus	B	Androst-4-en	26, 27
			Androst-4-en Pregn-4-en 9α-Fluorpregn-4-en	88
			Pregn-4-en	8, 53, 63, 94
			Pregna-4,6-dien	28
			Pregn-4-en, Pregn-5-en 9α-Fluorpregn-4-en	87
			12α-Fluorpregn-4-en	93
			5β-Pregnan	18
	Bacillus sphaericus ATCC 7055	B	Pregn-5-en	46
	Bacillus sphaericus ATCC 12488	B	Pregn-5-en	46
	Bacillus sphaericus ATCC 12634	B	Pregn-5-en	46
	Bacillus subtiles	B	Pregn-4-en	43
	Calonectria decora	P	Androst-4-en	100
			Pregn-4-en	13, 67, 68, 91, 101
			Pregn-4-en, Pregn-5-en 5α-Pregnan, 5β-Pregnan	109
			Pregn-4-en 5α-Pregnan, 5β-Pregnan	110

Tabelle 16 (Fortsetzung).

Reaktion	Mikroorganismus	Bacterium (B) oder Pilz (P)	Substrat aus der Reihe	Literatur
			6α-Fluorpregn-4-en 6β-Fluorpregn-4-en	99
			6α-Fluor-9α-halopregn-4-en	9
			6α-Fluorpregn-4-en 6β-Fluorpregn-4-en 6α,9α-Difluorpregn-4-en	97
	Colletotrichum	P	6α-Fluorpregn-4-en 6β-Fluorpregn-4-en	99
			6α-Fluorpregn-4-en 6β-Fluorpregn-4-en 6α,9α-Difluorpregn-4-en	97
	Colletotrichum atramentarium	P	Pregn-4-en	44, 67, 68
			6α-Fluorpregn-4-en 6β-Fluorpregn-4-en 6α,9α-Difluorpregn-4-en	97
			6α-Fluor-9α-halopregn-4-en	9
	Corynebacterium helvolum	B	Androst-4-en Pregn-4-en, 9α-Fluorpregn-4-en, 5β-Pregnan	65
	Corynebacterium hoagii	B	Pregna-4,16-dien	54
			9α-Fluorpregn-4-en	32
			5β-Pregnan	18
	Corynebacterium mediolanum	B	Androst-4-en, Pregn-4-en 9α-Fluorpregn-4-en 5β-Pregnan	65
	Corynebacterium simplex ATCC 6946	B	Androst-4-en, Pregn-4-en 9α-Fluorpregn-4-en 5β-Pregnan	51, 65
			Androst-4-en Pregn-4-en, Pregn-5-en	50
			6α-Fluorandrost-4-en 6β-Fluorandrost-4-en	98
			Pregn-4-en	1, 3, 4, 30, 31, 45, 52, 63, 67, 68, 69, 85
			Pregna-4,16-dien	54
			Pregna-4,16-dien Pregna-3,16-dien	33
			9α-Fluorpregn-4-en	24, 25, 83
			Pregn-4-en 9α-Halopregn-4-en	6, 12, 64
			9α-Halopregn-4-en	7, 32
			6α-Fluorpregn-4-en 6α-Chlorpregn-4-en	2
			6α-Fluorpregn-4-en 6β-Fluorpregn-4-en	99
			6α,9α-Difluorpregn-4-en	97

Tabelle 16 (Fortsetzung).

Reaktion	Mikroorganismus	Bacterium (B) oder Pilz (P)	Substrat aus der Reihe	Literatur
			6α-Fluor-9α-halopregn-4-en	9
			5β-Pregnan	18
	Cunnighamella bainieri ATCC 9244	P	6α-Chlorpregn-4-en	61
	Cucurbitaria	P	6α-Fluorpregn-4-en 6β-Fluorpregn-4-en	99
			6α-Fluorpregn-4-en 6β-Fluorpregn-4-en 6α,9α-Difluorpregn-4-en	97
			6α-Fluor-9α-halopregn-4-en	9
	Cylindrocarpon radicicola ATCC 11011	P	Androst-4-en Pregn-4-en	23
			Pregn-4-en	21, 56, 67, 68
			6α-Fluorpregn-4-en 6β-Fluorpregn-4-en	99
			6α-Fluorpregn-4-en 6β-Fluorpregn-4-en 6α,9α-Difluorpregn-4-en	97
			6α-Fluor-9α-halopregn-4-en	9
			5β-Pregnan	18
	Didymella lycopersici	P	Androst-4-en	100, 111
			Androst-4-en, Pregn-4-en	102
			Pregn-4-en	13, 67, 68, 103
			Pregn-4-en, Pregn-5-en 5α-Pregnan, 5β-Pregnan	109, 110
			6α-Fluorandrost-4-en 6β-Fluorandrost-4-en	98
			6α-Fluorpregn-4-en 6α-Chlorpregn-4-en	2
			6α-Fluorpregn-4-en 6β-Fluorpregn-4-en	99
			6α-Fluorpregn-4-en 6β-Fluorpregn-4-en 6α,9α-Difluorpregn-4-en	97
			6α-Fluor-9α-halopregn-4-en	9
	Erysipelothrix	B	Pregn-4-en	67, 68
			6α-Fluorpregn-4-en 6β-Fluorpregn-4-en	99
			6α,9α-Difluorpregn-4-en	97
			6α-Fluor-9α-halopregn-4-en	9
	Fusarium caucasicum	P	Androst-4-en, Androst-5-en Pregn-4-en, Pregn-5-en	104
			Pregn-4-en	67, 108
			Pregna-5,16-dien, Pregn-16-en, 5α-Pregn-16-en	112

Tabelle 16 (Fortsetzung).

Reaktion	Mikroorganismus	Bacterium (B) oder Pilz (P)	Substrat aus der Reihe	Literatur
	Fusarium javanicum	P	Pregn-4-en	21, 22
			5β-Pregnan	18
	Fusarium solani	P	Androst-4-en, Androst-5-en	92
			Androst-4-en, Androst-5-en Pregn-4-en, Pregn-5-en	104
			Androst-4-en, Androst-5-en Pregn-4-en, Pregn-5-en 5α-Pregnan	107
			Pregn-4-en	49, 63, 91, 68, 101, 108
			6α-Fluorpregn-4-en 6β-Fluorpregn-4-en	99
			6α-Fluorpregn-4-en 6β-Fluorpregn-4-en 6α,9α-Difluorpregn-4-en	9, 97
			9α-Fluorpregn-4-en	85
	Leptosphaeria	P	6α-Fluorpregn-4-en 6β-Fluorpregn-4-en	99
			6α-Fluorpregn-4-en 6β-Fluorpregn-4-en 6α,9α-Difluorpregn-4-en	97
			6α-Fluor-9α-halopregn-4-en	9
	Listeria monocytogenes	B	Pregn-4-en	67, 68
			6α-Fluorpregn-4-en 6β-Fluorpregn-4-en	99
			6α-Fluorpregn-4-en 6β-Fluorpregn-4-en 6α,9α-Difluorpregn-4-en	97
			6α-Fluor-9α-halopregn-4-en	9
	Micromonospora chalcea ATCC 10026	B	Androst-4-en Pregn-4-en	72
			Pregn-4-en	29
			5α-Androstan 5α-Pregnan, 5β-Pregnan Bisnorcholan	76
			5α-Androstan Pregn-4-en 5α-Pregnan, 5β-Pregnan	74
	Micromonospora chalcea ATCC 12452	B	5α-Androstan 5α-Pregnan, 5β-Pregnan Bisnorcholan	76
	Mycobacterium berolinense	B	19-Norandrost-4-en Androsta-4,6-dien Pregn-4-en	79
			Androsta-4,6-dien Pregn-4-en 9α-Fluorpregn-4-en	80
			Pregn-4-en	75, 81

Tabelle 16 (Fortsetzung).

Reaktion	Mikroorganismus	Bacterium (B) oder Pilz (P)	Substrat aus der Reihe	Literatur
	Mycobacterium butyricum	B	19-Norandrost-4-en Androsta-4,6-dien Pregn-4-en	79
			Androsta-4,6-dien Pregn-4-en 9α-Fluorpregn-4-en	80
			Pregn-4-en	75, 81
			5β-Pregnan	18
	Mycobacterium friedmanni	B	19-Norandrost-4-en Androsta-4,6-dien Pregn-4-en	79
			Androsta-4,6-dien Pregn-4-en 9α-Fluorpregn-4-en	80
			Pregn-4-en	75, 81
	Mycobacterium lacticola ATCC 9626	B	19-Norandrost-4-en Androsta-4,6-dien Pregn-4-en	79
			Androsta-4,6-dien Pregn-4-en 9α-Fluorpregn-4-en	80
			Pregn-4-en	90
			Pregn-4-en, Pregn-5-en 9α-Fluorpregn-4-en	87
			Pregn-4-en 9α-Fluorpregn-4-en	60
	Mycobacterium ranae	B	19-Norandrost-4-en Androsta-4,6-dien Pregn-4-en	79
			Androsta-4,6-dien Pregn-4-en 9α-Fluorpregn-4-en	80
			Pregn-4-en	75, 81
	Mycobacterium rhodochrous	B	9α-Fluorpregn-4-en	24, 25
	Mycobacterium smegmatis	B	Androst-4-en	66
			Androst-4-en, Pregn-4-en	57, 77
			Androsta-4,6-dien Pregn-4-en 9α-Fluorpregn-4-en	59, 80
			19-Norandrost-4-en Androsta-4,6-dien Pregn-4-en	79
			Pregn-4-en	29, 35, 36, 75, 78, 81
			Pregn-4-en, Pregn-5-en 9α-Fluorpregn-4-en	87
			6α-Fluorpregn-4-en 6β-Fluorpregn-4-en	99
			6β-Fluorpregn-4-en 6α,9α-Difluorpregn-4-en	97

Tabelle 16 (Fortsetzung).

Reaktion	Mikroorganismus	Bacterium (B) oder Pilz (P)	Substrat aus der Reihe	Literatur
	Mycobacterium tuberculosis	B	19-Norandrost-4-en Androsta-4,6-dien Pregn-4-en	79
			Androsta-4,6-dien Pregn-4-en 9α-Fluorpregn-4-en	80
			Pregn-4-en 9α-Fluorpregn-4-en	60
			Pregn-4-en, Pregn-5-en 9α-Fluorpregn-4-en	87
			Pregn-4-en	75, 81
	Nocardia blackwellii	B	Pregn-4-en 9α-Fluorpregn-4-en	60
			5α-Pregnan, 5β-Pregnan	89
			5β-Pregnan	18
	Nocardia corallina	B	9α-Fluorpregn-4-en	5, 84
	Nocardia formica	B	Pregn-4-en 9α-Fluorpregn-4-en	60
	Nocardia globerula	B	Pregn-4-en 9α-Fluorpregn-4-en	60
	Nocardia sp.	B	Pregn-4-en	1, 29, 58
			Pregn-4-en 5α-Pregnan, 5β-Pregnan	82
			6α-Fluorpregn-4-en 6β-Fluorpregn-4-en	99
			6α-Fluor-9α-halopregn-4-en	9
			6α-Fluorpregn-4-en 6β-Fluorpregn-4-en 6α,9α-Difluorpregn-4-en	97
	Ophiobolus	P	Pregn-4-en	67, 68, 101
			Pregn-4-en, Pregn-5-en 5α-Pregnan, 5β-Pregnan	109
			6α-Fluorpregn-4-en 6β-Fluorpregn-4-en	99
			6α-Fluorpregn-4-en 6β-Fluorpregn-4-en 6α,9α-Difluorpregn-4-en	97
			6α-Fluor-9α-halopregn-4-en	9
	Ophiobolus heterostrophus	P	Pregn-4-en	13
			Pregn-4-en, Pregn-5-en 5α-Pregnan, 5β-Pregnan	109, 110
	Ophiobolus miyabeanus	P	Pregn-4-en, Pregn-5-en 5α-Pregnan, 5β-Pregnan	109
	Protaminobacter alboflavum	B	C_{18}—C_{21}-Steroide	73
			Androsta-4,6-dien Pregn-4-en 9α-Fluorpregn-4-en	71

Tabelle 16 (Fortsetzung).

Reaktion	Mikroorganismus	Bacterium (B) oder Pilz (P)	Substrat aus der Reihe	Literatur
	Protaminobacterium rubrum ATCC 8457	B	C_{18}—C_{21}-Steroide	73
			Androsta-4,6-dien Pregn-4-en 9α-Fluorpregn-4-en	71
	Pseudomonas boreopolis	B	Pregn-4-en	48
	Pseudomonas oleovorans	B	Pregn-4-en	48
	Pseudomonas testosteroni ATCC 11996	B	19-Norandrost-4-en Androst-4-en, 5α-Androstan Pregn-4-en	40
			19-Nor-5α-androstan Androst-4-en, 5α-Androstan 5β-Androstan	39
			Androst-4-en, 5α-Androstan 5β-Androstan	38
	Pycnodothis ATCC 11721	P	Androst-4-en, Pregn-4-en	34
	Rhizopus nigricans ATCC 62276	P	Pregn-4-en	108
	Septomyxa aesculi	P	Androst-4-en Pregn-4-en, 5α-Pregnan	105, 106
	Septomyxa affinis ATCC 6737	P	Androst-4-en	14, 15
			Androst-4-en Pregn-4-en, 5α-Pregnan	105, 106
			Androst-4-en, Pregn-4-en 6α-Fluorpregn-4-en	47
			6α-Fluorandrost-4-en 6β-Fluorandrost-4-en	10, 55, 98
			Pregn-4-en	16, 62, 67, 68
			Pregna-4,17(20)-dien	86
			5β-Pregnan	17, 18
			6α-Fluorpregn-4-en 6β-Fluorpregn-4-en	99
			6α-Fluorpregn-4-en 6β-Fluorpregn-4-en 6α,9α-Difluorpregn-4-en	97
			6α-Fluor-9α-halopregn-4-en	9
			9α-Fluorpregn-4-en	41, 42, 85
	Septomyxa corni	P	Androst-4-en	15
			Androst-4-en Pregn-4-en, 5α-Pregnan	105, 106
	Septomyxa salicina	P	Androst-4-en	15
			Androst-4-en Pregn-4-en, 5α-Pregnan	105, 106
	Septomyxa tulasuei	P	Androst-4-en	15
			Androst-4-en Pregn-4-en, 5α-Pregnan	105, 106
	Streptomyces lavendulae	B	Androst-4-en Pregn-4-en	23

Tabelle 16 (Fortsetzung).

Reaktion	Mikroorganismus	Bacterium (B) oder Pilz (P)	Substrat aus der Reihe	Literatur
			Pregn-4-en	19, 20, 56
			5β-Pregnan	18
	Trichothecium roseum	P	6α-Fluorpregn-4-en 6β-Fluorpregn-4-en	99
			6α-Fluorpregn-4-en 6β-Fluorpregn-4-en 6α,9α-Difluorpregn-4-en	97
			6α-Fluor-9α-halopregn-4-en	9
	Tuberculariacae	P	6α-Fluorpregn-4-en 6β-Fluorpregn-4-en	99
			6α-Fluorpregn-4-en 6β-Fluorpregn-4-en 6α,9α-Difluorpregn-4-en	97

[1] Amer. Cyanamid Co., Belg. Pat. Nr. 552214 vom 30.10.1956.
[2] BATRES, E., A. BOWERS, C. DJERASSI, F. A. KINEL, O. MANCERA, H. J. RINGOLD, J. ROSENKRANZ u. A. ZAFFARONI: DAS Nr. 1079042 vom 7.4.1960, Syntex S. A., Mexiko.
[3] BERNSTEIN, S., and WM. ALLEN: US Pat. Nr. 2806034 vom 10.9.1957, Amer. Cyanamid Co. [C. A. 52, 2947b (1958)].
[4] BERNSTEIN, S., u. WM. ALLEN: DAS Nr. 1053501 vom 26.3.1959, Amer. Cyanamid Co.
[5] BERNSTEIN, S., L. I. FELDMAN, WM. ALLEN and R. H. BLANK: US Pat. Nr. 2962512 vom 29.11.1960, Amer. Cyanamid Co. [C. A. 55, 8755d (1961)].
[6] BERNSTEIN, S., R. H. LENHARD and WM. ALLEN: US Pat. Nr. 2789118 vom 16.4.1957, Amer. Cyanamid Co. [C. A. 51, 12993b (1957)].
[7] BERNSTEIN, S., R. H. LENHARD, WM. ALLEN, M. HELLER, R. LITTELL, S. M. STOLAR, L. I. FELDMAN and R. H. BLANK: Am. Soc. 78, 5693 (1956).
[8] BEYLER, R. E., and F. HOFFMANN: US Pat. Nr. 2836593 vom 27.5.1958, Merck & Co., Inc. [C. A. 53, 4363i (1959)].
[9] CAMPBELL, J. A., J. C. BABCOCK and J. A. HOGG: US Pat. Nr. 2876219 vom 3.3.1959, Upjohn Co. [C. A. 53, 13209d (1959)].
[10] CAMPBELL, J. A., R. L. PEDERSON, J. C. BABCOCK and J. A. HOGG: US Pat. Nr. 2877240 vom 10.3.1959, Upjohn Co. [C. A. 53, 14156 (1959)].
[11] CELLA, J. A.: US Pat. Nr. 2900383 vom 18.8.1959, G. D. Searle & Co. [C. A. 54, 1620f (1960)].
[12] CHARNEY, W., D. GOULD, H. L. HERZOG, A. NOBILE, E. P. OLIVETO u. D. SUTTER: DAS Nr. 1059906 vom 25.6.1959, Scherico Limited, Luzern.
[13] Ciba Ltd., Brit. Pat. Nr. 827182 vom 3.2.1960 [C. A. 54, 20076f (1960)].
[14] EPPSTEIN, S. H., P. D. MEISTER and A. WEINTRAUB: US Pat. Nr. 2864831 vom 16.12.1958, Upjohn Co. [C. A. 53, 10306i (1959)].
[15] EPPSTEIN, S. H., P. D. MEISTER and A. WEINTRAUB: US Pat. Nr. 2864832 vom 16.12.1958, Upjohn Co. [C. A. 53, 10307 (1959)].
[16] EPPSTEIN, S. H., P. D. MEISTER and A. WEINTRAUB: US Pat. Nr. 2883400 vom 21.4.1959, Upjohn Co. [C. A. 53, 16214d (1959)].
[17] FONKEN, G. S., and H. C. MURRAY: US Pat. Nr. 2913457 vom 17.11.1959, Upjohn Co. [C. A. 54, 3528 (1960)].
[18] FONKEN, G. S., and H. C. MURRAY: US Pat. Nr. 2981659 vom 25.4.1961, Upjohn Co. [C. A. 55, 18007f (1961)].
[19] FRIED, J., and R. W. THOMA: US Pat. Nr. 2756179 vom 24.7.1956, Olin Mathieson Chem. Corp. [C. A. 51, 2071h (1957)].
[20] FRIED, J., and R. W. THOMA: US Pat. Nr. 2793164 vom 21.5.1957, Olin Mathieson Chem. Corp. [C. A. 51, 12445b (1957)].
[21] FRIED, J., and R. W. THOMA: US Pat. Nr. 2868694 vom 13.1.1959, Olin Mathieson Chem. Corp. [C. A. 53, 9295f (1959)].
[22] FRIED, J., and R. W. THOMA: US Pat. Nr. 2902498 vom 1.9.1959, Olin Mathieson Chem. Corp. [C. A. 54, 5756g (1960)].
[23] FRIED, J., R. W. THOMA and A. KLINGSBERG: Am. Soc. 75, 5764 (1953).
[24] GOODMAN, J. J.: US Pat. Nr. 2938834 vom 31.5.1960, Amer. Cyanamid Co. [C. A. 54, 20075i (1960)]

Literatur zu Tabelle 16 (Fortsetzung).

[25] GOODMAN, J. J., M. MAY and L. L. SMITH: J. biol. Ch. **235**, 965 (1960).
[26] GOULD, D. H., H. L. HERZOG and E. B. HERSHBERG: US Pat. Nr. 2816121 vom 10.12.1957, Schering Corp. [C. A. **52**, 6422a (1958)].
[27] GOULD, D. H., H. L. HERZOG and E. B. HERSHBERG: US Pat. Nr. 2899447 vom 11.8.1959, Schering Corp. [C. A. **54**, 2439b (1960)].
[28] GOULD, D. H., E. L. SCHAPIRO, H. L. HERZOG, M. J. GENTLES, E. B. HERSHBERG, W. CHARNEY, M. GILMORE, S. TOLKSDORF, M. EISLER and P. L. PERLMAN: Am. Soc. **79**, 502 (1957).
[29] GUERCIO, P. A.: DAS Nr. 1084719 vom 7.7.1960, Chas. Pfizer.
[30] HERSHBERG, E. B.: US Pat. Nr. 2833797 vom 6.5.1958, Schering Corp. [C. A. **52**, 18534d (1958)].
[31] HERSHBERG, E. B.: US Pat. Nr. 2850148 vom 11.11.1958, [C. A. **53**, 8209a (1959)].
[32] HERZOG, H. L.: US Pat. Nr. 2854383, Schering Corp. [C. A. **53**, 6296 (1959)].
[33] HERZOG, H. L., and E. P. OLIVETO: US Pat. Nr. 2874172 vom 17.2.1959, Schering Corp. [C. A. **53**, 13215c (1959)].
[34] KITA, D. A., and G. M. SHULL: US Pat. Nr. 2903398 vom 8.9.1959, Chas. Pfizer & Co., Inc. [C. A. **54**, 3520a (1960)].
[35] KRASILNIKOV, N. A.: Dokl. Akad. Nauk SSSR **128**, 1063 (1959).
[36] KRASILNIKOV, N. A., G. K. SKRYABIN, I. V. ASEEVA u. L. O. KORSUNSKAYA: Dokl. Akad. Nauk SSSR **128**, 836 (1959) [C. A. **54**, 13255 (1960)].
[37] KROLL, H. A., J. F. PAGANO and R. W. THOMA: US Pat. Nr. 2822318 vom 4.2.1958, Olin Mathieson Chem. Corp.
[38] LEVY, H. R., and P. TALALAY: Am. Soc. **79**, 2658 (1957).
[39] LEVY, H. R., and P. TALALAY: J. biol. Ch. **234**, 2009 (1959).
[40] LEVY, H. R., and P. TALALAY: J. biol. Ch. **234**, 2014 (1959).
[41] LINCOLN, F. H. jr., W. P. SCHNEIDER, G. P. SPERO and I. C. THOMPSON: US Pat. Nr. 2963497 vom 6.12.1960, Upjohn Co. [C.A. **55**, 8481 (1960)].
[42] LINCOLN, F. H. jr., G. B. SPERO u. W. P. SCHNEIDER: DAS Nr. 1082261 vom 25.5.1960, Upjohn Co. U.S.A.
[43] LINDNER, F., R. JUNK, H. KEHL, G. NESEMANN u. J. SCHMIDT-THOMÉ: Naturwiss. **43**, 39 (1956).
[44] LORCK, H. O. B., u. E. R. FRANK: DAS Nr. 1060391 vom 2.7.1959, Løvens kemiske Fabrik ved A. Kongsted, Kopenhagen.
[45] MANNHARDT, H. J., F. v. WERDER, K. H. BORK, H. METZ and K. BRÜCKNER: Tetrahedron Lett., London **16**, 21 (1960).
[46] Merck & Co., Inc., Brit. Pat. Nr. 830921 vom 23.3.1960 [C. A. **54**, 20077c (1960)].
[47] MURRAY, H. C., and O. K. SEBEK: US Pat. Nr. 2902411 vom 1.9.1959, Upjohn Co. [C. A. **54**, 1660 (1960)].
[48] NAWA, H., M. UCHIBAYASHI, R. TAKEDA, I. NAKANISHI, T. KUSAKA, J. TERUMICHI, M. UCHIDA, M. KATSUMATA, K. YOSHINO and H. FUJITANI: Tetrahedron, London **4**, 201 (1958).
[49] NISHIKAWA, M., S. NOGUCHI, T. HASEGAWA and J. BAUNO: J. pharmaceut. Soc. Jap. **76**, 383 (1956).
[50] NOBILE, A.: U.S. Pat. Nr. 2837464 vom 3.6.1958, Schering Corp. [C. A. **52**, 20270 (1958)].
[51] NOBILE, A.: Brit. Pat. Nr. 807227 vom 14.1.1959, Schering Corp. [C. A. **53**, 7128g (1959)].
[52] NOBILE, A., W. CHARNEY, P. L. PERLMAN, H. L. HERZOG, C. C. PAYNE, M. E. TULLY, M. A. JEVNIK and E. B. HERSHBERG: Am. Soc. **77**, 4184 (1955).
[53] NUSSBAUM, A. L., G. BRABAZON, T. L. POPPER and E. P. OLIVETO: Am. Soc. **80**, 2722 (1958).
[54] OLIVETO, E. P., and H. L. HERZOG: US Pat. Nr. 2932639 vom 12.4.1960, Schering Corp. [C. A. **54**, 19777d (1960)].
[55] PEDERSON, R. L., M. E. HERR, J. C. BABCOCK, J. A. CAMPBELL u. J. A. HOGG: DAS Nr. 1095276 vom 22.12.1960, Upjohn Co., USA.
[56] PETERSON, G. E., R. W. THOMA, D. PERLMAN and J. FRIED: J. Bact. **74**, 684 (1957).
[57] Pfizer & Co., Inc., Brit. Pat. Nr. 787410 vom 11.12.1957 [C. A. **52**, 7622d (1958)].
[58] Pfizer & Co., Inc., Brit. Pat. Nr. 789363 vom 22.1.1958 [C. A. **52**, 11365d (1958)].
[59] Pfizer & Co., Inc., Brit. Pat. Nr. 814000 vom 27.5.1959 [C. A. **54**, 2438d (1960)].
[60] POOS, M. G. I.: Franz. Pat. Nr. 1270506 vom 24.7.1961, Merck & Co., Inc. Co., USA.
[61] RINGOLD, H. J., O. MANCERA, C. DJERASSI, A. BOWERS, E. BATRES, H. MARTINEZ, E. NECOECHEA, J. EDWARDS, M. VELASCO, E. CASAS CAMPILLO and R. I. DORFMAN: Am. Soc. **80**, 6464 (1958).
[62] ROSSELET, J. P.: US Pat. Nr. 2842566 vom 8.7.1958, Upjohn Co. [C. A. **53**, 455g (1959)].
[63] Schering Corp., Brit. Pat. Nr. 794385 vom 30.4.1958 [C. A. **53**, 1418a (1959)].
[64] Schering Corp., Brit. Pat. Nr. 794468 vom 7.5.1958 [C. A. **53**, 3289a (1959)].
[65] Schering Corp., Brit. Pat. Nr. 807227 vom 14.1.1959 [C. A. **53**, 7128g (1959)].
[66] SCHUBERT, K., K. H. BÖHME u. C. HÖRHOLD: Z. Naturforsch. **15b**, 584 (1960).
[67] SEBEK, O. K., and G. B. SPERO: US Pat. Nr. 2897218 vom 28.7.1959, Upjohn Co. [C. A. **54**, 654d (1960)].
[68] SEBEK, M. M. O., et G. B. SPERO: Franz. Pat. Nr. 1270508 vom 24.7.1961, Upjohn Co., USA.
[69] Shionogi & Co. Ltd., Brit. Pat. Nr. 833595 vom 27.4.1960 [C. A. **54**, 20073g (1960)].

Literatur zu Tabelle 16 (Fortsetzung).

[70] SHIRASAKA, M., M. TSURUTA, A. NAITO, S. SUGAWARA u. M. NAKAMURA: Takamine Kenkyusho Nempo 10, 52 Dez. 1958.
[71] SHULL, G. M.: US Pat. Nr. 2776927 vom 8.1.1957, Chas. Pfizer & Co. Inc. [C. A. 51, 8152a (1957)].
[72] SHULL, G. M.: US Pat. Nr. 2809919 vom 15.10.1957, Chas. Pfizer & Co. [C. A. 52, 2954d (1958)].
[73] SHULL, G. M.: US Pat. Nr. 2876171 vom 3.3.1959, Chas. Pfizer & Co., Inc. [C. A. 53, 16223 (1959)].
[74] SHULL, G. M.: US Pat. Nr. 2890153 vom 9.6.1959, Chas. Pfizer & Co. [C. A. 53, 20143f (1959)].
[75] SHULL, G. M.: DAS Nr. 1050335 (1959), Chas. Pfizer & Co., Inc.
[76] SHULL, G. M.: DAS Nr. 1071080 vom 17.12.1959, Chas. Pfizer & Co., Inc.
[77] SHULL, G. M., u. D. A. KITA: DAS Nr. 1013648 vom 14.8.1957, Chas. Pfizer & Co., Inc.
[78] SHULL, G. M., and D. A. KITA: US Pat. Nr. 2831876 vom 22.4.1958, Chas. Pfizer & Co., Inc. [C. A. 52, 15602h (1958)].
[79] SHULL, G. M., u. D. A. KITA: DAS Nr. 1045400 vom 4.12.1958, Chas. Pfizer & Co., Inc.
[80] SHULL, G. M., and D. A. KITA: US Pat. Nr. 2905592 vom 22.9.1959, Chas. Pfizer & Co., Inc. [C. A. 54, 12204a (1960)].
[81] SHULL, G. M., and D. A. KITA: US Pat. Nr. 2932606 vom 12.4.1960, Chas. Pfizer & Co., Inc. [C. A. 54, 18877i (1960)].
[82] SIH, J. C., and R. E. BENNETT: Biochim. biophys. Acta 38, 378 (1960).
[83] SMITH, L. L., J. J. GARBARINI, J. J. GOODMAN, M. MARX and H. MENDELSOHN: Am. Soc. 82, 1437 (1960).
[84] SMITH, L. L., M. MARX, J. J. GARBARINI, T. FOELL, V. E. ORIGONI and J. J. GOODMAN: Am. Soc. 82, 4616 (1960).
[85] SPERO, G. B.: US Pat. Nr. 2928851 vom 15.3.1960, Upjohn Co. [C. A. 54, 16479e (1959)].
[86] SPERO, G. B., J. L. THOMPSON, B. J. MAGERLEIN, A. R. HANZE, H. C. MURRAY, O. K. SEBEK and J. A. HOGG: Am. Soc. 78, 6213 (1956).
[87] STOUDT, M. TH. H.: Franz. Pat. Nr. 1270505 vom 24.7.1961, Merck Corp.
[88] STOUDT, T. H., W. J. MCALEER, J. M. CHEMERDA, M. A. KOZLOWSKI, R. F. HIRSCHMANN, V. MARLATT and R. MILLER: Arch. Biochem. 59, 304 (1955).
[89] STOUDT, T. H., W. J. MCALEER, M. A. KOZLOWSKI and V. MARLATT: Arch. Biochem. 74, 280 (1958).
[90] SUTTER, D., W. CHARNEY, P. L. O'NEILL, F. CARVAJAL, H. L. HERZOG and E. B. HERSHBERG: J. org. Chem. 22, 578 (1957).
[91] SZPILFOGEL, S. A., P. A. VAN-HEMERT and M. S. DE WINTER: Rec. Trav. chim. Pays-Bas 75, 1227 (1956).
[92] SZPILFOGEL, S. A., M. S. DE WINTER et W. J. ALSCHE: Rec. Trav. chim. Pays-Bas 75, 402 (1956).
[93] TAUB, D., R. D. HOFFSOMMER and N. L. WENDLER: Am. Soc. 79, 452 (1957).
[94] TAUB, D., and N. L. WENDLER: US Pat. Nr. 2942012 vom 21.6.1960, Merck & Co., Inc. [C. A. 54, 19771f (1960)].
[95] TERUMICHI, J.: US Pat. Nr. 2992973 vom 18.7.1961, Takeda Pharmaceutical Industries [C. A. 55, 23924g (1961)].
[96] TSUDA, K., URAWA-SHI, SAITAMA-KEN, T. ASAI, H. IIZUKA, T. TANAKA, M. NAKAMURA, H. OKAZAKI, M. SHIRASAKA and A. NAITO: US Pat. Nr. 2993839 vom 25.7.1961, Sankyo Kabustriki Kaisha, Tokyo, Japan.
[97] Upjohn Co., Brit. Pat. Nr. 878705 vom 4.10.1961.
[98] Upjohn Co., Brit. Pat. Nr. 878706 vom 4.10.1961.
[99] Upjohn Co., Brit. Pat. Nr. 878707 vom 4.10.1961.
[100] VISCHER, E., and C. MEYSTRE: US Pat. Nr. 2929763 vom 22.3.1960, Ciba Pharmaceutical Products, Inc.
[101] VISCHER, E., C. MEYSTRE u. A. WETTSTEIN: Helv. 38, 835 (1955).
[102] VISCHER, E., C. MEYSTRE u. A. WETTSTEIN: Helv. 38, 1502 (1955).
[103] VISCHER, E., J. SCHMIDLIN u. A. WETTSTEIN: Exper. 12, 50 (1956).
[104] VISCHER, E., u. A. WETTSTEIN: Exper. 9, 371 (1953).
[105] WEINTRAUB, A., S. H. EPPSTEIN u. P. D. MEISTER: DAS Nr. 1021845 vom 2.1.1958, Upjohn Co.
[106] WEINTRAUB, A., S. H. EPPSTEIN and P. D. MEISTER: US Pat. Nr. 2902410 vom 1.9.1959, Upjohn Co. [C. A. 54, 1660 (1960)].
[107] WETTSTEIN, A., u. E. VISCHER: Patentanmeldung C 9818, Ciba AG, Basel.
[108] WETTSTEIN, A., and E. VISCHER: U.S. Pat. Nr. 2904472 vom 15.9.1959, Ciba Pharmaceutical Products, Inc. [C. A. 54, 3519g (1960)].
[109] WETTSTEIN, A., E. VISCHER u. C. MEYSTRE: DAS 1020329 vom 5.12.1957, Ciba AG, Basel.
[110] WETTSTEIN, A., E. VISCHER u. CH. MEYSTRE: DAS 1027664 vom 10.4.1958, Ciba AG, Basel.
[111] WETTSTEIN, A., E. VISCHER, CH. MEYSTRE and L. EHMANN: US Pat. Nr. 2871245 vom 27.1.1959, Ciba Pharmaceutical Prod., Inc. [C. A. 53, 14160b (1959)].
[112] WIX, G., u. M. RADOS: DAS Nr. 1122945 vom 1.2.1962, Gyógyszer Ch. és Vegyészeli Termékek Gyára r. t., Budapest.

Tabelle 17. *Tabellarische Übersicht der 5α- und 5β-Δ⁴-Steroid-Dehydrogenasen (Dihydrosteroid:Acceptor-Oxydoreductasen) bei Mikroorganismen.*

Reaktion	Mikroorganismus	Bacterium (B) oder Pilz (P)	Substrat aus der Reihe	Literatur
Δ⁴-Dehydrogenase	Acetobacter xylinum	B	5β-Pregnan	7
	Aerobacter aerogenes	B	5β-Pregnan	7
	Bacillus sphaericus	B	5β-Pregnan	7
	Fusarium caucasicum	P	5α-Pregn-16-en	9
	Micromonospora chalcea ATCC 10026	B	5α-Androstan, 5α-Pregnan 5β-Pregnan, Bisnorcholan	6
	Micromonospora chalcea ATCC 12452	B	5α-Androstan, 5α-Pregnan 5β-Pregnan, Bisnorcholan	6
	Mycobacterium lacticola ATCC 9626	B	5β-Pregnan	7
	Mycobacterium smegmatis	B	5β-Pregnan	7
	Mycobacterium tuberculosis	B	5β-Pregnan	7
	Nocardia blackwellii	B	5β-Pregnan	8
	Nocardia sp.	B	5α-Pregnan, 5β-Pregnan	1
	Protaminobacterium alboflavum	B	C_{18}—C_{21}-Steroide	5
	Protaminobacterium rubrum ATCC 8457	B	C_{18}—C_{21}-Steroide	5
	Pseudomonas testosteroni ATCC 11996	B	5α-Androstan, 5β-Androstan	2, 3
			19-Norandrost-1-en 5α-Androst-1-en, 5α-Androstan	4

Tabelle 18. *Zusammenstellung der näher definierten Steroid-Dehydrogenasen bei Mikroorganismen.*

Reaktionstyp	Bezeichnung der Dehydrogenase	s. Seite
Hydroxysteroid-Dehydrogenase (Hydroxysteroid:Acceptor-Oxydoreductase)	3α-Hydroxysteroid-Dehydrogenase aus *Pseudomonas testosteroni*	523
	3α-Hydroxysteroid-Dehydrogenase aus *Escherichia freundii*	541
	3β,17β-Hydroxysteroid-Dehydrogenase aus *Pseudomonas testosteroni*	542
	20β-Hydroxysteroid-Dehydrogenase aus *Streptomyces hydrogenans*	544
Steroidring-Dehydrogenase (Dihydrosteroid:Acceptor-Oxydoreductase)	Δ¹-Steroid-Dehydrogenase und Δ⁴-5α-Steroid-Dehydrogenase aus *Pseudomonas testosteroni*	546
	Δ¹-Steroid-Dehydrogenase, 5α-Δ⁴-Steroid-Dehydrogenase und 5β-Δ⁴-Steroid-Dehydrogenase aus *Nocardia sp.*	548

---

[1] BENNETT, R. E., and C. J. SIH: Biochim. biophys. Acta **38**, 378 (1960).
[2] LEVY, R. H., and P. TALALAY: Am. Soc. **79**, 2658 (1957).
[3] LEVY, R. H., and P. TALALAY: J. biol. Ch. **234**, 2009 (1959).
[4] LEVY, R. H., and P. TALALAY: J. biol. Ch. **234**, 2014 (1959).
[5] SHULL, G. M.: U.S. Pat. Nr. 2876171 vom 3.3.1959, Chas. Pfizer & Co., Inc. [C. A. **53**, 16223d (1959)].
[6] SHULL, G. M.: DAS 1071080 vom 17.12.1959, Chas. Pfizer & Co., Inc., U.S.A.
[7] STOUDT, T. H.: Franz. Pat. Nr. 1270505 vom 24.7.1961, Merck & Co., Inc., U.S.A.
[8] STOUDT, T. H., W. J. MCALEER, M. A. KOSLOWSKI and V. MARLATT: Arch. Biochem. **74**, 280 (1958).
[9] WIX, G., u. M. RADOS: DAS Nr. 1122945 vom 1.2.1962, Ch. Gyógyszer és Vegyészeli Termékek Gyára r. t., Budapest.

Testosteron oder anderen C_{19}-Steroiden werden zwei NAD-abhängige Enzyme induziert:
1. eine 3α-Hydroxysteroid-Dehydrogenase (auch α-Enzym genannt), welche die reversible Oxydation von 3α-Hydroxysteroiden der C_{19}-, C_{21}- und C_{24}-Reihe katalysiert, und 2. eine 3β,17β-Hydroxysteroid-Dehydrogenase (auch β-Enzym genannt), welche die reversible Oxydation von 3β-, 16β- und 17β-Hydroxysteroiden katalysiert. Beide Enzyme können aus dem gleichen Mikroorganismus in einem Arbeitsgang gewonnen werden; aus Gründen der Übersichtlichkeit wird jedoch die Darstellung des α- und β-Enzyms getrennt beschrieben.

Darstellung. Um Verluste bei der Darstellung des Enzyms zu vermeiden, müssen die verwendeten Lösungen und Reagentien schwermetallfrei sein. Aus diesem Grunde werden alle Glasgeräte mit verdünnten EDTA-Lösungen (2 g/1000 ml) gewaschen; Ammoniumsulfat und Protaminsulfat werden sorgfältig gereinigt. Alle Lösungen enthalten EDTA in einer Konzentration von 0,001 m.

Pseudomonas-Zellen werden auf einem Kulturmedium, das 500 mg Testosteron/l enthält, für 24 Std gezüchtet (Einzelheiten s. [1]). Aus 14,4 l Kulturflüssigkeit, die 1,42 mg Zellen (Trockengewicht)/ml enthält, werden 87 g Bakterien gewonnen. Die Zellen werden durch zweimaliges Zentrifugieren mit 0,03 m Phosphatpuffer, p_H 7,2, der 0,001 m EDTA enthält, gewaschen und in 200 ml des gleichen Mediums suspendiert; die Zellkonzentration beträgt 82,0 mg Trockengewicht/ml. Jeweils 40 ml-Aliquote der Suspension werden in einem wassergekühlten Schallgerät (Raytheon) für 15 min behandelt. Alle nun folgenden Schritte werden bei 0° C ausgeführt. Zelldebris und größere Partikel werden durch 20 min Zentrifugieren bei 2000 ×g entfernt, der Rückstand wird mit Puffer reextrahiert und die Suspension erneut zentrifugiert. Die Überstände werden vereinigt und langsam unter ständigem Rühren mit kristallisiertem Ammoniumsulfat versetzt. Dabei ist besonders darauf zu achten, daß der Zusatz von Ammoniumsulfat langsam erfolgt; innerhalb von 2—3 Std soll die Sättigung an Ammoniumsulfat um etwa 5% zunehmen. Die erhaltenen Niederschläge werden vor dem Abzentrifugieren 12—24 Std stehengelassen. Die zwischen 45 und 55% Sättigung mit Ammoniumsulfat gewonnenen Fraktionen enthalten etwa 48% der α-Enzymaktivität. Die Fraktionen werden in 20—50 ml einer 0,03 m Phosphatlösung, p_H 7,2, die 0,001 m EDTA enthält, aufgenommen. Nun wird eine Lösung von Protaminsulfat (10 mg/ml, p_H 6,0) im Überschuß zugesetzt, und zwar im Verhältnis von 1 Gewichtsteil Protaminsulfat zu 5 Teilen Protein; dadurch wird die Viscosität der Enzymlösung verringert. Nach der Behandlung mit Protaminsulfat befindet sich die Aktivität im Überstand. Die Lösung wird erneut mit kristallisiertem Ammoniumsulfat versetzt, wobei der Zusatz in der oben beschriebenen Weise sehr langsam erfolgt. Die α-Enzymaktivität findet sich in den Fraktionen, die zwischen 40 und 50% Sättigung erhalten werden. Die Niederschläge werden in 0,01 m Phosphatlösung, p_H 7,2, enthaltend 0,001 m EDTA, aufgenommen. Die Enzymlösung (2—10 mg Protein/ml) wird nun mit Calciumphosphat-Gel (10—20 mg/ml), das am Tage zuvor hergestellt worden ist, versetzt; dabei sollen etwa 60—90% des inaktiven Proteins an das Gel adsorbiert werden. Die optimale Menge des Gels wird durch einen Vorversuch ermittelt. Im allgemeinen bewegt sich das günstigste Verhältnis von Gel (mg Trockengewicht) zu Protein (mg) zwischen 5 und 20. Nach 5—10 min Adsorption wird für 5 min bei 2000 ×g zentrifugiert. Die überstehende Enzymlösung kann bei −20° C für mindestens 1 Jahr ohne Aktivitätsverlust aufbewahrt werden, während verdünnte Lösungen bei 0° C einen langsamen Aktivitätsverlust zeigen. Eine Zusammenfassung der Reinigungsschritte und Ausbeuten findet sich in Tabelle 19.

Eigenschaften[2]. Die 3α-Hydroxysteroid-Dehydrogenase oxydiert nur 3α-Hydroxysteroide der 5α- und 5β-Androstan-, der Cholan- und der Pregnanreihe. Folgende Hydroxylgruppen werden nicht oxydiert: 3β, 6β, 11α, 11β, 16α, 16β, 17α, 17β, 20α und 21. Die

---

[1] MARCUS, P. I., and P. TALALAY: J. biol. Ch. **218**, 661 (1956).
[2] TALALAY, P., and P. I. MARCUS: J. biol. Ch. **218**, 675 (1956).

Tabelle 19. *Zusammenfassung der Reinigungsschritte und der Ausbeuten bei der Darstellung der 3α-Hydroxysteroid-Dehydrogenase aus Pseudomonas testosteroni*[1].

Fraktion	Gesamtaktivität Einheiten ×10⁻⁶	Spezifische Aktivität Einheiten/mg Protein
Ausgangslösung	13,0	2220
Erste Ammoniumsulfatfällung (45—55% Sättigung)	6,6	5380
Überstand nach Behandlung mit Protaminsulfat	6,15	6720
Zweite Ammoniumsulfatfällung (40—50% Sättigung)	4,25	9270
Überstand nach Behandlung mit Calciumphosphat-Gel	—	57000

MICHAELIS-MENTEN-Konstanten betragen für Androsteron $1,6 \times 10^{-6}$ m (pH 9,1 und 25° C) und für NAD $10,5 \times 10^{-5}$ m (Konzentration von 5α-Androstan-3α-ol-17-on $2,3 \times 10^{-5}$ m). Die Gleichgewichtskonstante zeigt folgenden Wert:

$$\frac{[\text{Androstan-3,17-dion}]\,[\text{NADH}]\,[\text{H}^+]}{[\text{Androsteron}]\,[\text{NAD}^+]} = 5,8 \times 10^{-9}\text{ m}.$$

Die relativen Oxydationsgeschwindigkeiten betragen für Androsteron, für Androstan-3α,17β-diol und für 5β-Androstan-3α-ol-17-on 100; für 5β-Androstan-3α,11β-diol-17-on, für 5β-Pregnan-3α,17α-diol-11,20-dion-21-acetat und für Desoxycholsäure 10; für 5α-Androstan-3α-ol 2.

Bestimmung[1]. 15 µg Androsteron, 0,5 µM NAD und 100 µM Natriumpyrophosphatpuffer (1,0 ml eines 0,1 m Puffers, pH 8,9) werden mit 0,02—0,1 ml des Enzyms in einem Gesamtvolumen von 3,0 ml inkubiert, der pH-Wert der Reaktionsmischung beträgt 9,1. Die Inkubation erfolgt in 10 mm-Küvetten bei 25° C. Die Reaktion wird durch Zugabe des Enzyms gestartet. Die Ablesung erfolgt bei 340 mµ alle 15 sec für die Dauer von 2—3 min gegen einen Leerwert, der alle Zusätze, jedoch kein Steroid enthält. *Eine Einheit* ist diejenige Enzymmenge, die unter den genannten Bedingungen eine Extinktionsänderung von 0,001/min bewirkt.

2. 3α-Hydroxysteroid-Dehydrogenase aus *Escherichia freundii*[2].

[1.1.1.50 3α-Hydroxysteroid:NAD-Oxydoreductase.]

Reaktion:

Cholsäure + NAD⁺ ⇌ 3-Keto-Derivat + NADH + H⁺

Darstellung. *Escherichia freundii* wird auf einem Nährmedium, das Cholsäure enthält, gezüchtet[3]; zur Herstellung eines zellfreien Extraktes werden die gewaschenen Zellen mit Aluminiumoxyd (Alcoa A 301) in Gegenwart von red. Glutathion (1,5 mg des Natriumsalzes/g Frischzellen) verrieben und anschließend mit 6 Teilen eines 0,02 m Phosphatpuffers (pH 7,0) extrahiert. Anschließend wird die Lösung für 30 min bei 25000 ×g zentrifugiert. Der Überstand wird mit Protamin und Phosphat-Gel behandelt. Dadurch wird eine etwa vierfache Anreicherung erzielt (keine weiteren Angaben).

Eigenschaften. Die Enzympräparation reagiert mit Cholsäure, Desoxycholsäure und Dehydrocholsäure etwa gleich schnell. Das pH-Optimum für die Oxydation der Hydroxy-

---
[1] MARCUS, P. I., and P. TALALAY: J. biol. Ch. **218**, 661 (1956).
[2] HAYAISHI, O., Y. SATO, W. B. JACOBY and E. F. STROHLMANN: Arch. Biochem. **56**, 554 (1955).
[3] HAYAISHI, O.: Am. Soc. **75**, 4367 (1953).

säuren liegt bei 10,4, dasjenige für die Reduktion der Ketosäuren bei 7,0. Das Enzym reagiert nur mit NAD, nicht aber mit NADP; es oxydiert weder Androsteron noch Tetrahydrocortison und unterscheidet sich in dieser Hinsicht von anderen 3α-Hydroxysteroid-Dehydrogenasen tierischen oder mikrobiellen Ursprungs. Die Spezifität des Enzyms erstreckt sich auf die Carboxylgruppe der Seitenkette. Nach Methylierung der Carboxylgruppe oder Reduktion zum Alkohol wird das Substrat nicht angegriffen. Neben der 3α-Hydroxysteroid-Dehydrogenaseaktivität zeigt das Enzym auch eine geringe, etwa 10% betragende 3β-Aktivität.

Bestimmung. Oxydation der 3α-Hydroxygruppe. 50 μM 3α-Hydroxycholsäure (Lithocholsäure), 100 μM NAD und 1 mM Glycerinpuffer (pH 10,4) werden mit 1 ml der Enzympräparation (12 mg Protein) in einem Gesamtvolumen von 20 ml für 2 Std bei 26° C inkubiert. Die Reaktionsgeschwindigkeit wird durch Bestimmung der $NADH_2$-Konzentration ermittelt. Als Reaktionsprodukt wird 3-Ketocholansäure gebildet. — Reduktion der 3-Ketogruppe. 80 μM Ketocholansäure, 10 μM NAD, 1 mM Glucose, 1 ml Glucose-Dehydrogenase (3,5 mg Protein) und 1 mM Kaliumphosphatpuffer (pH 7,0) werden mit 2,0 ml der Enzympräparation in einem Gesamtvolumen von 15 ml für 90 min bei 26° C inkubiert. Nach dieser Zeit ist die Reduktion vollständig. Das Reaktionsprodukt wird isoliert und identifiziert.

3. 3β,17β-Hydroxysteroid-Dehydrogenase aus *Pseudomonas testosteroni*[1].

[1.1.1.51   3β,17β-Hydroxysteroid:NAD-Oxydoreductase.]

Reaktion:

[Structural formulas showing steroid oxidation: 3β-hydroxy steroid + NAD^+ ⇌ 3-keto steroid + NADH + H^+; and 17β-hydroxy steroid + NAD^+ ⇌ 17-keto steroid + NADH + H^+]

Allgemeine Vorbemerkungen. Es handelt sich um ein Enzym, das zusammen mit einer 3α-Hydroxysteroid-Dehydrogenase nach Inkubation aus *Pseudomonas testosteroni* gewonnen wird. Weitere Einzelheiten s. S. 540.

Darstellung. Alle verwendeten Reagentien, Lösungen und Glasgeräte müssen schwermetallfrei sein (vgl. S. 540). Der aus *Pseudomonas*-Zellen durch Beschallung gewonnene Enzymextrakt (vgl. S. 540) wird unter ständigem Rühren mit kristallisiertem Ammoniumsulfat versetzt. Dabei ist besonders darauf zu achten, daß der Zusatz von Ammoniumsulfat langsam erfolgt; innerhalb von 2—3 Std soll die Sättigung an Ammoniumsulfat um nicht mehr als 5% zunehmen. Die zwischen 30 und 40% Sättigung mit Ammoniumsulfat gewonnenen Fraktionen enthalten etwa 43% der 3β,17β-Hydroxysteroid-Dehydrogenaseaktivität und etwa 11% der α-Enzymaktivität (s. S. 540). Die Fraktionen werden in 20—50 ml einer 0,03 m Phosphatlösung, pH 7,2, die 0,001 m EDTA enthält, aufgenommen. Nun wird eine Lösung von Protaminsulfat (10 mg/ml, pH 6,0) im Überschuß zugegeben, und zwar im Verhältnis von 1 Gewichtsteil Protaminsulfat zu 5 Teilen Protein.

---

[1] MARCUS, P. I., and P. TALALAY: J. biol. Ch. **218**, 661 (1956).

Nach der Behandlung mit Protaminsulfat befindet sich die Enzymaktivität im Überstand. Die Lösung wird erneut mit kristallisiertem Ammoniumsulfat versetzt, wobei der Zusatz wiederum sehr langsam erfolgt. Die Enzymaktivität findet sich in den Fraktionen, die zwischen 25 und 35% Sättigung mit Ammoniumsulfat erhalten werden. Die Niederschläge werden in 0,01 m Phosphatlösung, p_H 7,2, enthaltend 0,001 m EDTA, aufgenommen. Die Enzymlösung (2—10 mg Protein/ml) wird nun mit Calciumphosphat-Gel (10—20 mg/ml), das am Tage zuvor hergestellt worden ist, versetzt; dabei sollen etwa 60—90% des inaktiven Proteins an das Gel adsorbiert werden. Die optimale Menge des Gels wird durch einen Vorversuch ermittelt. Im allgemeinen bewegt sich das günstigste Verhältnis von Gel (mg Trockengewicht) zu Protein (mg) zwischen 5 und 20. Nach 5—10 min Adsorption wird für 5 min bei 2000 ×g zentrifugiert. Die überstehende Enzymlösung kann bei —20° C für mindestens 1 Jahr ohne Aktivitätsverlust aufbewahrt werden, während verdünnte Lösungen bei 0° C einen langsamen Aktivitätsverlust zeigen. Eine Zusammenfassung der Reinigungsschritte findet sich in Tabelle 20.

Tabelle 20. *Zusammenfassung der Reinigungsschritte und der Ausbeuten bei der Darstellung der $3\beta,17\beta$-Hydroxysteroid-Dehydrogenase aus Pseudomonas testosteroni*[1].

Fraktion	Gesamtaktivität Einheiten × 10⁻⁶	Spezifische Aktivität Einheiten/mg Protein
Ausgangslösung	5,73	984
Erste Ammoniumsulfatfällung (30—40% Sättigung)	2,62	2660
Überstand nach Behandlung mit Protaminsulfat	2,56	3340
Zweite Ammoniumsulfatfällung (25—35% Sättigung)	1,58	6150
Überstand nach Behandlung mit Calciumphosphat-Gel	—	90000

Eigenschaften. Das Enzym oxydiert sowohl 3β- als auch 17β-Hydroxysteroide; 16β-Hydroxysteroide werden in geringerem Umfange umgesetzt. Eine Oxydation der 16β- oder 17β-Hydroxygruppe erfolgt nur dann, wenn sich am jeweils benachbarten C-Atom keine Sauerstoffunktion befindet. Mit hohen Konzentrationen von Testosteron wird eine Hemmung der Enzymaktivität beobachtet; im Gegensatz dazu hat Oestradiol-17β keine hemmende Wirkung. Folgende Hydroxylgruppen werden durch das Enzym nicht angegriffen: 3α, 6β, 11α, 11β, 16α, 17α, 20α und 21. Die Gleichgewichtskonstante hat folgenden Wert.

$$\frac{[\text{Androst-4-en-3,17-dion}][\text{NADH}][\text{H}^+]}{[\text{Testosteron}][\text{NAD}^+]} = 2,6 \times 10^{-8} \text{ m}.$$

Das Enzym reagiert nur mit NAD, nicht aber mit NADP. Die MICHAELIS-MENTEN-Konstante für NAD beträgt in Gegenwart von Testosteron $5,5 \times 10^{-5}$ m und in Gegenwart von 5β-Androstan-3β-ol-17-on $0,26 \times 10^{-5}$ m. Die Oxydation von Testosteron wird durch Oestradiol-17β und andere Oestratrien-Verbindungen sowie durch Diäthylstilboestrol und Diäthylhexoestrol gehemmt. Versuche mit substituierten Steroiden zeigen, daß das Enzym an vielen Stellen mit der Substratoberfläche reagiert.

Bestimmung. 15 μg Testosteron, 0,5 μM NAD und 100 μM Natriumpyrophosphatpuffer (1,0 ml eines 0,1 m Puffers, p_H 8,9) werden mit 0,02—0,1 ml Enzym in einem Gesamtvolumen von 3,0 ml inkubiert; der p_H-Wert der Reaktionsmischung beträgt 9,1. Die Inkubation erfolgt in 10 mm-Küvetten bei 25° C. Die Reaktion wird durch Zugabe des Enzyms gestartet. Die Ablesung erfolgt bei 340 mμ alle 15 sec für die Dauer von 2—3 min gegen einen Leerwert, der alle Zusätze, jedoch kein Steroid enthält. *Eine Einheit* ist diejenige Enzymmenge, die unter den genannten Bedingungen eine Extinktionsänderung von 0,001/min bewirkt.

---

[1] MARCUS, P. I., and P. TALALAY: J. biol. Ch. 218, 661 (1956).

4. 20β-Hydroxysteroid-Dehydrogenase aus *Streptomyces hydrogenans*.

[20β-Hydroxysteroid:NAD-Oxydoreductase.]

Reaktion:

$$\text{Steroid-C(=O)-CH}_2\text{R} + \text{NADH} + \text{H}^+ \rightleftharpoons \text{Steroid-CH(OH)-CH}_2\text{R} + \text{NAD}^+$$

Allgemeine Vorbemerkungen. Extrakte aus *Streptomyces hydrogenans* reduzieren 20-Ketosteroide in Gegenwart von $NADH_2$ zu den entsprechenden 20β-Hydroxysteroiden[1,2]. Der Enzymgehalt der Bakterien kann durch Induktion während der Wachstumsphase erheblich gesteigert werden[3]. Die Isolierung und Kristallisation der 20β-Hydroxysteroid-Dehydrogenase[4,5] wurde durch die Verwendung einer Apparatur zur Ultraschallextraktion[6] wesentlich erleichtert. Die im folgenden beschriebene Darstellung ist gegenüber der ursprünglichen Vorschrift[5] etwas vereinfacht (vgl. [7]).

Darstellung. *Züchtungsverfahren zur Enzymdarstellung*[3]. Für die Enzymdarstellung wird *Streptomyces hydrogenans* (FHP 678) folgendermaßen gezüchtet. Ein 100 l-Gefäß mit Rührer, Lufteinleitungsrohr und Zugabestutzen wird mit 50 l einer Nährlösung aus 3% Glucose, 0,4% Fleischextrakt, 0,4% Caseinpepton, 0,1% Hefeextrakt, 0,25% Kochsalz sowie 0,04% Antischaumemulsion SE (Wacker Chemie GmbH, München) beschickt (p_H 7,0—7,2). Die sterilisierte Nährlösung beimpft man mit 500 ml einer Kultur des *Streptomyces hydrogenans*, die 48 Std auf einer Schüttelmaschine in der gleichen Nährlösung vorgewachsen ist. Die Züchtung erfolgt bei 28° C unter Durchleiten von 800 l Luft/Std und einer Rührgeschwindigkeit von 320 U/min. Nach 19 Std werden 2,5 g Pregna-4,17(20)-dien-11β,21-diol-3-on, gelöst in etwa 250 ml Methanol, zugegeben, und die Züchtung wird weitere 21 Std fortgesetzt. Das Mycel wird von der Kulturlösung abzentrifugiert, zweimal mit Wasser gewaschen und gefriergetrocknet. Aus 50 l Kulturlösung gewinnt man etwa 150—200 g Trockenmycel, das eine Enzymmenge von etwa 250 mg/100 g Trockenmycel enthält.

Ausführung der Ultraschallextraktion. 200 g gefriergetrocknetes Mycel oder 1 kg Feuchtmycel werden in 4 l eines 0,05 m Triäthanolaminpuffers, der 0,1% EDTA enthält, bei 0° C aufgeschwemmt. Die Aufschwemmung wird 2 min bei 0° C mit einem Multimix homogenisiert und anschließend durch ein Ultraschallgerät (Ultra-Disintegrator, Typ UD 750, Fa. Schoeller u. Co., Frankfurt a.M.-Süd) folgender Anordnung gepumpt: Vorratsgefäß → Schlauchpumpe → Beschallungsraum → Auffanggefäß. Die Schlauchpumpe wird so eingestellt, daß pro min 15—30 ml der beschallten Suspension in das Auffanggefäß fließen. Im Vorratsgefäß muß die Aufschwemmung weiter kräftig gerührt werden, da sonst Teilchen derselben zu Boden sinken. Vorrats- und Auffanggefäß werden mit Eis, der Raum, in dem beschallt wird, durch einen Kältethermostaten (—4° C) gekühlt. Die Flächenleistung des Ultraschallgerätes wird auf etwa 70 W/cm² bei einer Frequenz von etwa 20 kHz eingestellt, die Spaltbreite beträgt 8 mm. Nach 4—5 Std ist die gesamte

---

[1] LINDNER, F., R. JUNK, G. NESEMANN u. J. SCHMIDT-THOMÉ: H. **313**, 117 (1958).
[2] HÜBENER, H. J., u. C. O. LEHMANN: H. **313**, 124 (1958).
[3] NESEMANN, G., H. J. HÜBENER, R. JUNK u. J. SCHMIDT-THOMÉ: B. Z. **333**, 88 (1960).
[4] HÜBENER, H. J., F. G. SAHRHOLZ, J. SCHMIDT-THOMÉ, G. NESEMANN u. R. JUNK: Biochim. biophys. Acta **35**, 270 (1959).
[5] HÜBENER, H. J., u. F. G. SAHRHOLZ: B. Z. **333**, 95 (1960).
[6] HÜBENER, H. J., H. J. GOLLMICK, K. TESSER, W. LIPPERT u. L. ROSSBERG: B. Z. **331**, 410 (1959).
[7] HÜBENER, H. J.; in: BERGMEYER, H. U.: Methoden zur enzymatischen Analyse. S. 483. Weinheim, Bergstraße 1962.

Suspension durch den Beschallungsraum des Ultraschallgerätes gelaufen. Sie wird bei 0° C und 3000 ×g zentrifugiert. Der Überstand enthält 80% der mit Ultraschall extrahierbaren 20β-Hydroxysteroid-Dehydrogenase.

Fällung mit Ammoniumsulfat. Der Überstand der Ultraschallextraktion (etwa 4 l) wird mit einem Plexiglas-Meßzylinder von etwa 8 l innerhalb von $1^1/_2$ Std mit Ammoniumsulfat bis zur 50%igen Sättigung versetzt. Die Zugabe von Ammoniumsulfat erfolgt in kleinen Portionen, wobei gründlich durchmischt und der p_H-Wert der Lösung mit 10%igem Ammoniak auf $7,6 \pm 0,2$ gehalten wird. Nach Beendigung der Ammoniumsulfatzugabe wird noch weitere 30 min durchmischt und anschließend für 40 min bei etwa 5000 ×g zentrifugiert (0° C). Der Überstand sowie ein lockeres gallertartiges Sediment werden verworfen. Das feste Sediment wird in etwa 1000 ml einer 0,1%igen EDTA-Lösung, die mit Triäthanolaminpuffer auf p_H 7,6 eingestellt ist, aufgenommen. Die Enzymlösung wird in Cellophanschläuche gefüllt und über Nacht gegen 10 l der EDTA-Lösung dialysiert. Anschließend wird die Außenflüssigkeit noch zweimal gewechselt und jeweils 3 Std dialysiert.

Phosphatgeladsorption. Der Inhalt der Cellophanschläuche wird bei 0° C innerhalb von 5 min mit 10%iger Essigsäure auf einen p_H-Wert von $6,0 \pm 0,1$ gebracht und so lange unter kräftigem Rühren mit 20—50 ml-Portionen Phosphatgel[1] versetzt, bis etwa 80 bis 90% der Ausgangsaktivität adsorbiert sind; dazu sind rund 500 ml Gel erforderlich. Die Lösung wird 10 min bei 0° C und 1500 ×g zentrifugiert und das Gel-Sediment mit zwei 500 ml-Portionen Phosphatpuffer (0,05 m, p_H 7,6) eluiert. Die Eluate werden mit Ammoniumsulfat, das aus einer 0,2%igen EDTA-Lösung umkristallisiert wurde, bis zur 55%igen Sättigung versetzt. Das Sediment wird in etwa 40—100 ml eines 0,025 m Trispuffers, p_H 8,7, gelöst und über Nacht gegen den gleichen Puffer dialysiert. Die Lösung ist bei 0° C über Wochen haltbar.

Austauschchromatographie. Die Enzymlösung (etwa 70 ml) wird auf eine Säule von DEAE-Cellulose* (innerer Durchmesser 6 cm; Füllhöhe 40 cm) gegeben und 24 Std mit einem 0,025 m Trispuffer, p_H 8,7, nachgespült (5—10 ml Puffer/Std). Sobald diese Lösung durchgelaufen ist, wird die Säule mit etwa 4 l 0,05 Trispuffer (p_H 8,7), der 0,18 m an NaCl ist, für 24 Std entwickelt. Anschließend wird das Enzym mit einem 0,05 m Trispuffer (p_H 8,7), der 0,23 m an NaCl ist, innerhalb von etwa 2 Tagen eluiert. Die mit Hilfe des optischen Testes ermittelten aktiven Fraktionen (etwa 1,5 l) werden vereinigt und mit Ammoniumsulfat, das aus einer 0,2% EDTA-Lösung umkristallisiert wurde, bis zur 60%igen Sättigung versetzt. Das Sediment wird in einer 0,1%igen EDTA-Lösung, die mit Triäthanolamin auf einen p_H-Wert von 8 eingestellt ist, gelöst und klar zentrifugiert.

Kristallisation der 20β-Hydroxysteroid-Dehydrogenase. Die Enzymlösung wird in einem Zentrifugenglas innerhalb von etwa 24 Std mit kleinsten Mengen von rekristallisiertem Ammoniumsulfat bis zu etwa 10% Sättigung versetzt. Nach jeder Ammoniumsulfatzugabe wird die Lösung mit einem Kugelstab gründlich durchmischt und der p_H-Wert auf $8 \pm 0,2$ rejustiert. Nach 24 Std ist ein Teil des Proteins ausgefallen; dieses wird abzentrifugiert und der Überstand, der fast die gesamte Enzymaktivität enthält, über Tage in der oben beschriebenen Weise bis zu etwa 35% Sättigung gebracht. Die vollständige Kristallisation der 20β-Hydroxysteroid-Dehydrogenase erfolgt sehr langsam innerhalb von 3—14 Tagen. Die Kristalle werden bei 3000—5000 ×g in dem Zentrifugenglas sedimentiert. Das Sediment wird in möglichst wenig 0,1%iger EDTA-Triäthanolaminlösung (p_H 8) gelöst. Es kann ohne Schwierigkeit und mit guter Ausbeute nach dem angegebenen Verfahren rekristallisiert werden. Eine Zusammenfassung der Reinigungsschritte, der Ausbeuten und der Wechselzahlen gibt Tabelle 21.

---

* Genaue Angaben über die Herstellung der Säule s. HÜBENER, H. J., u. F. G. SAHRHOLZ: B. Z. **333**, 95 (1960).

[1] SWINGLE, S. M., and A. TISELIUS: Biochem. J. **48**, 171 (1956).

Eigenschaften[1]. Das Enzym wird zwischen 40 und 45° C vollständig inaktiviert. Bei 0° C und pH 8 ist es auch in verdünntem Zustand über Wochen haltbar. Als Kristallsuspension kann das Enzym bei 2—4° C über Jahre mit weniger als 10% Aktivitätsverlust pro Jahr aufbewahrt werden. Die MICHAELIS-MENTEN-Konstanten betragen (bei 25° C; pH 7,3; $NADH_2$-Konzentration $1,7 \times 10^{-4}$ m) für Cortison $5,1 \times 10^{-5}$ m; für Cortisol 13×10^{-5} m, für Corticosteron 24×10^{-5} m und für Pregn-4-en-17α,21-diol-3,20-dion $0,63 \times 10^{-5}$ m. Für $NADH_2$ beträgt K_m (bei 25° C; pH 7,3; Cortisonkonzentration 2×10^{-4} m) $7,2 \times 10^{-6}$ m. Die Wechselzahl ist $1800 M/min \times 10^5$ g Protein (25° C; pH 7,3). Das Optimum der Hydrierung liegt bei 6,4. Das Molekulargewicht des Enzyms ist 92300 ($\pm 3\%$) (berechnet aus der Sedimentationskonstante).

Tabelle 21. *Zusammenfassung der Reinigungsschritte, der Ausbeuten und der Wechselzahlen bei der Darstellung der 20β-Hydroxysteroid-Dehydrogenase aus Streptomyces hydrogenans*[2].

Reinigungsschritt	Wechselzahl* (bei 25° C)	Enzymmenge**
Ultraschallextraktion...	29	10300
Ammoniumsulfatfällung.	70	7600
Phosphatgel-Fraktionierung	500	4000
Austauschchromatographie	1500	1340
Kristallisation......	2100	1210

* $\dfrac{\text{Mole Cortison pro min reduziert}}{10^5 \text{ g Protein}}$.

** μMol/min × ml × Gesamtvolumen in ml. Die Werte für die Enzymmenge liegen um eine Zehnerpotenz niedriger, als in der Arbeit von HÜBENER und SAHRHOLZ angegeben.

Bestimmung[1]. 1,3 ml Trispuffer (0,05 m, pH 7,3; 0,1 % EDTA enthaltend), 0,03 ml $NADH_2$ (7×10^{-3} m) und 0,02 ml einer Cortisonlösung (2×10^{-2} m in Äthanol) werden mit dem Enzym bei 25° C inkubiert. Die Aktivität wird in μM bzw. nM (10^{-9} M) Substrat, die in 1 min von 1 ml Enzymlösung umgesetzt werden, ausgedrückt: μM/min × ml bzw. nM/min × ml. Die Wechselzahl (*WZ*) wird aus μM/min × ml nach folgender Formel berechnet:

$$WZ = \frac{\text{Mol Cortison pro min reduziert}}{10^5 \text{ g Protein}} = \frac{\mu M/min \times ml}{mg \text{ Protein} \times 10^{-2}}.$$

5. Δ¹-Steroid-Dehydrogenase und Δ⁴-5α-Steroid-Dehydrogenase aus *Pseudomonas testosteroni*[3].

[1,2-Dihydrosteroid:Phenazinmethosulfat-Oxydoreductase.]
[4,5α-Dihydrosteroid:Phenazinmethosulfat-Oxydoreductase.]

Allgemeine Vorbemerkungen. Extrakte aus *Pseudomonas testosteroni* können 3-Ketosteroide der 5α- und 5β-Androstanreihe zu $\Delta^{1,2}$- und $\Delta^{4,5}$-3-Ketosteroiden dehydrieren.

---
[1] HÜBENER, H. J.; in: BERGMEYER, H. U.: Methoden der enzymatischen Analyse. S. 483. Weinheim, Bergstraße 1962.
[2] HÜBENER, H. J., u. F. G. SAHRHOLZ: B. Z. **333**, 95 (1960).
[3] LEVY, H. R., and P. TALALAY: J. biol. Ch. **234**, 2014 (1959).

Da die Trennung der Δ^1-Steroid-Dehydrogenase von der Δ^4-5α-Steroid-Dehydrogenase nur unvollständig ist, werden beide Enzyme zusammen beschrieben. Die erhaltenen Präparationen besitzen keine Δ^4-5β-Steroid-Dehydrogenaseaktivität.

Darstellung. *Pseudomonas testosteroni*-Zellen werden auf einem testosteronhaltigen Medium (100 mg/l) gezüchtet. Die Zellen werden abzentrifugiert und zweimal mit 0,033 m Phosphatpuffer, p$_H$ 7,2, gewaschen. Die gewaschenen Zellen werden im gleichen Medium für 30 min mit Ultraschall (9 Kc. Raytheon Magnetostriction Oscillator) behandelt und anschließend für 30 min bei 20000 ×g zentrifugiert. Der Rückstand wird in der Hälfte des ursprünglichen Volumens an Puffer aufgenommen und ein zweites Mal beschallt und abzentrifugiert. Die Überstände der beiden Zentrifugationen werden mit einer CaCl$_2$-Lösung bis zu einer Endkonzentration von 0,02 m versetzt; der gebildete Niederschlag wird über Nacht bei +4° C stehengelassen und bei 5000 ×g abzentrifugiert. Nach 2—3tägigem Stehen des Überstandes in der Kälte ist die Bildung des Niederschlages vollständig. Die vereinigten Rückstände werden in 0,02 m Trispuffer und 0,1 m EDTA, p$_H$ 7,8, suspendiert und zunächst gegen 0,01 m Trispuffer, dann gegen glasdestilliertes Wasser dialysiert. Anschließend wird die Enzymlösung lyophilisiert und das Trockenpulver durch Beschallung in 0,05 m Trispuffer (enthaltend 1% Polyoxyäthylensorbitanmonolaurat [Tween 20]) suspendiert. Nun wird Ammoniumsulfat zugesetzt, wobei der p$_H$-Wert durch Zugabe von Ammoniak auf 8 gehalten wird. Die Δ^4-5α-Dehydrogenase fällt hauptsächlich bei 30—40%iger Sättigung, die Δ^1-Dehydrogenase vorwiegend bei 40—50%iger Sättigung mit Ammoniumsulfat aus; die Trennung der beiden Enzymaktivitäten ist unvollständig. Die Niederschläge werden in 0,05 m Trispuffer gelöst und die inaktiven Proteine durch Zugabe von Calciumphosphat-Gel entfernt. Die Gesamtausbeuten betrugen für die Δ^1-Dehydrogenase 15% und für die Δ^4-5α-Dehydrogenase 25% bei einer Zunahme der spezifischen Aktivitäten um das 6fache für die Δ^1-Dehydrogenase und um das 7—12fache für die Δ^4-5α-Dehydrogenase.

Eigenschaften. Die Δ^4-5α-Dehydrogenase ist weniger stabil als die Δ^1-Dehydrogenase; das Δ^4-5α-Enzym wird durch Trypsin zerstört, während das Δ^1-Enzym nicht angegriffen wird. Oestron hemmt die Aktivität des Δ^4-5α-Enzyms um mehr als 50%; unter gleichen Bedingungen wird das Δ^1-Enzym kaum beeinflußt. Beide Enzyme werden durch hohe Konzentrationen von Hg^{++} und Cu^{++} deutlich und in geringerem Maße durch Zn^{++} und Mn^{++} gehemmt. Zusatz von o-Jodosobenzoat bewirkt eine vollständige Hemmung der Enzymaktivität, während p-Chlormercuribenzoat und p-Chlormercuriphenylsulfonat weniger stark hemmen. Beide Enzyme zeigen ein p$_H$-Optimum bei 9,5. Die MICHAELIS-MENTEN-Konstanten betragen für Androst-1-en-3,17-dion 4×10^{-5} m und für Androst-4-en-3,17-dion $2,5 \times 10^{-5}$ m. Beide Steroide haben den maximalen Umsatz bei einer Konzentration von 1×10^{-4} m; bei höheren Substratkonzentrationen tritt eine Hemmung auf. Die Enzyme reagieren nur mit Steroiden, die eine 3-Ketogruppe besitzen. Die Dehydrierungen finden unter anaeroben Bedingungen statt, wobei Phenazinmethosulfat als artifizieller Elektronenacceptor dient. Der natürliche Elektronenacceptor für die beiden Steroide ist nicht bekannt. Die durch die Enzyme katalysierten Dehydrierungen sind irreversibel; unter den verschiedensten Bedingungen in Gegenwart von Elektronendonatoren wird keine Hydrierung beobachtet.

Bestimmung. Die Bestimmungen werden in Glasgefäßen mit Seitenarm bei 25° C durchgeführt. Die Gefäße werden in einen Küvettenhalter eingesetzt, so daß eine direkte Ablesung im Spektralphotometer erfolgen kann. 0,87 μM des Steroids (Androst-1-en-3,17-dion oder Androst-4-en-3,17-dion) in 0,05 ml Dioxan, 0,24 mg Phenazinmethosulfat und 200 μM Trispuffer (p$_H$ 8,3) werden in einem Gesamtvolumen von 2,8 ml im Hauptraum inkubiert. Im Seitenarm befindet sich die Enzymlösung (0,2 ml). Die Gefäße werden evakuiert, mit Stickstoff begast und dann erneut evakuiert. Die Reaktion wird durch Hineinkippen der Enzymlösung in den Hauptraum gestartet und für 10 min verfolgt. Die Reduktion des Phenazinfarbstoffes beginnt sofort. Die Reaktionsgeschwindigkeiten werden auf Grund der anfänglichen linearen Abnahme der Extinktion bei 430 mµ berechnet (molarer Extinktionskoeffizient für Phenazinmethosulfat $\varepsilon = 2800$). Die Messung erfolgt gegen einen Leerwert, der alle Zusätze, jedoch kein Steroid enthält. *Eine Einheit* ist diejenige Enzymmenge, die 1 µM des Farbstoffes unter den genannten Bedingungen reduziert.

6. Δ¹-Steroid-Dehydrogenase, 5α-Δ⁴-Steroid-Dehydrogenase und 5β-Δ⁴-Steroid-Dehydrogenase aus *Nocardia sp.*[1]

[1,2-Dihydrosteroid:Phenazinmethosulfat-Oxydoreductase.]
[4,5α-Dihydrosteroid:Phenazinmethosulfat-Oxydoreductase.]
[4,5β-Dihydrosteroid:Phenazinmethosulfat-Oxydoreductase.]

Reaktion:

+ Phenazinmethosulfat
↓

Darstellung. Zellen des Bakterienstammes *Nocardia sp.*, der Cholesterin als alleinige Kohlenstoffquelle benötigt, werden nach 72 Std Wachstum auf einem Nährmedium durch Zentrifugieren abgetrennt und mit kaltem Phosphatpuffer (0,03 m; p_H 7,0) gewaschen. Zur Darstellung eines zellfreien Extraktes wird eine Zellsuspension 30 min mit Ultraschall bestrahlt (Raytheon 10 Kc. magnetostrictive oscillator). Die Zelltrümmer werden durch 30 min Zentrifugieren bei 100000 ×g abgetrennt. Der Überstand (6 mg Protein/ml) dient als Enzymlösung.

Eigenschaften. Die Enzympräparation, die sowohl eine 5α-Δ⁴- und 5β-Δ⁴-Dehydrogenase als auch eine Δ¹-Dehydrogenase enthält, dehydriert in Gegenwart von Phenazinmethosulfat 5α-Pregnan-3,20-dion, 5β-Pregnan-3,20-dion und Progesteron zu Pregna-1,4-dien-3,20-dion. In Gegenwart folgender Elektronenacceptoren betragen die relativen Maximalgeschwindigkeiten: Phenazinmethosulfat 100%, 2,6-Dichlorphenolindophenol 50%, Resazurin 40%, Methylenblau < 20% und Ferricyanid < 20%. NAD oder NADP, Cytochrom c und Coenzym Q_{10} sind als Wasserstoff- oder Elektronenacceptoren unwirksam.

Bestimmung. 100 µg Progesteron und 60 µg 2,6-Dichlorphenolindophenol werden mit 0,2 ml Enzym in 3,0 ml eines 0,03 m Phosphatpuffers (p_H 7,0) bei Raumtemperatur inkubiert. Es wird die Extinktionsabnahme bei 600 mµ gegen einen Leerwert gemessen.

---
[1] SIH, C. J., and R. E. BENNETT: Biochim. biophys. Acta **38**, 378 (1960).

1.1.2.1	L-Glycerin-3-phosphat:Cytochrom c-Oxydoreductase	s. S. 836
1.1.3.1	Glycollat:O_2-Oxydoreductase	s. S. 881
1.1.3.4	β-D-Glucose:O_2-Oxydoreductase	s. S. 886

Cholinoxydase.

[1.1.99.1 Cholin:(Acceptor)-Oxydoreduktase.]

Von

Eugen Werle *

Unter Mitarbeit von Detlev Hosenfeld.

Mit 1 Abbildung.

Durch die Cholinoxydase wird Cholin in Betain übergeführt. Die Dehydrierung erfolgt über zwei Reaktionsschritte, die in den folgenden Reaktionsgleichungen wiedergegeben sind:

I. $(CH_3)_3N^+ - CH_2 - CH_2OH \xrightarrow{\text{Cholin-Dehydrogenase}} (CH_3)_3N^+ - CH_2 - CHO + 2H^+ + 2e$
    Cholin $\qquad\qquad\qquad\qquad\qquad\qquad\qquad$ Betainaldehyd

II. $(CH_3)_3N^+ - CH_2 - CHO + DPN^+ + H_2O \xrightarrow{\text{Betainaldehyd-Dehydrogenase}} (CH_3)_3N^+ - CH_2COOH + DPNH + H^+$
    Betainaldehyd $\qquad\qquad\qquad\qquad\qquad\qquad\qquad\qquad$ Betain

Der Transport der durch die Cholindehydrogenase mobilisierten Elektronen zum Sauerstoff erfolgt ohne Zwischenschaltung von Pyridin-Co-Enzymen direkt über die mitochondriale Atmungskette[1] wie bei der Succinodehydrogenase. Jedoch scheint hier eine Cytochrom b-Komponente als Bindeglied zur Atmungskette wirksam zu sein[2,3], die von der des Succinodehydrogenase-Systems unterscheidbar ist.

Alle an der Überführung von Cholin in Betain beteiligten Komponenten werden als Cholinoxydase-System zusammengefaßt[3,4].

Cholindehydrogenase + Betainaldehyddehydrogenase + Atmungskette werden als Cholinoxydase im engeren Sinne bezeichnet[5]. Rattenleber-Homogenate und Mitochondrien-Suspensionen der Leber enthalten das intakte Cholinoxydase-System. Durch Solubilisierung und weitere Reinigung wird die *Cholindehydrogenase* von den Faktoren der Atmungskette abgetrennt. Das isolierte Enzym benötigt dann zur Reaktion mit Cholin einen geeigneten Elektronenacceptor. Als besonders vorteilhafter Acceptor hat sich das Phenazinmethosulfat[6] erwiesen.

Die *Betainaldehyddehydrogenase* (s. auch S. 573) unterscheidet sich von der Cholindehydrogenase vor allem durch ihre gute Löslichkeit. Bei der fraktionierten Zentrifugierung von Rattenleber-Homogenat bei 152000 ×g bleibt das Enzym im Überstand, wird also vom Cholindehydrogenase-System abgetrennt. Die Betainaldehyddehydrogenase-Reaktion ist irreversibel, die Cholindehydrogenase-Reaktion reversibel.

Vorkommen. Die Cholinoxydase-Aktivität der Leber ist bei den Säugetieren sehr verschieden. Die Rattenleber weist die höchste, die Leber des Meerschweinchens und des Menschen die niedrigste Enzymaktivität auf[7].

---

* Klinisch-Chemisches Institut an der Chirurgischen Klinik der Universität München.

[1] Packer, L., R. W. Estabrook, T. P. Singer and T. Kimura: J. biol. Ch. **235**, 535 (1960).
[2] Kimura, T., T. P. Singer and C. J. Lusty: Biochim. biophys. Acta **44**, 284 (1960).
[3] Kimura, T., and T. P. Singer: Nature **184**, 791 (1959).
[4] Rendina, G., and T. P. Singer: J. biol. Ch. **234**, 1605 (1959).
[5] Williams jr., J. N.: J. biol. Ch. **206**, 191 (1954).
[6] Kimura, T., and T. P. Singer: Colowick-Kaplan, Meth. Enzymol. Bd. V, S. 562.
[7] Sidransky, H., and E. Farber: Arch. Biochem. **87**, 129 (1960).

Die folgende Übersicht zeigt das Aktivitätsverhältnis des Cholinoxydase-Systems von Leberhomogenaten verschiedener Säugetiere und des Huhnes.

Tabelle 1. *Cholinoxydase-Aktivität in Leberhomogenaten von Säugetieren und vom Huhn*[1].
Zahl der Einheiten: μl O_2-Aufnahme/Std/g Frischgewicht ($\pm$ = Standardabweichung).

Ratte	2408 $\pm$ 121	Hund	485 $\pm$ 44	Affe (Macaca mulatta)	144 $\pm$ 21
Huhn	1311 $\pm$ 86	Hamster	361 $\pm$ 63	Meerschweinchen	136 $\pm$ 43
Maus	895 $\pm$ 72	Kaninchen	202 $\pm$ 36	Mensch	40 $\pm$ 7

Ähnliche Werte fanden KENSLER und LANGEMANN[2]. Nach diesen Autoren steigt bei Ratten die Cholinoxydase-Aktivität mit dem Alter meßbar an. Auch in der Niere von Ratten und Katzen wurde das Enzymsystem nachgewiesen[3]. Die Cholinoxydase-Aktivität liegt bei männlichen Ratten um 25% höher als bei weiblichen; sie hängt offenbar von der Hormonproduktion der Testes ab, denn sie ist bei nichtgeschlechtsreifen männlichen und weiblichen Tieren gleich und vermindert sich bei Kastrierung männlicher Ratten um 16%. Durch dreitägiges Fasten oder parenterale, orale oder intraperitoneale Zufuhr von Cholin verändert sich die Cholinoxydase-Aktivität der Leber bei Ratten nicht.

Tabelle 2. *Cholinoxydasegehalt der menschlichen Leber bei verschiedenen Erkrankungen*[1].
Einheiten = μl/Std/g Leber Frischgewicht.

Diagnose	Cholinoxydase-Aktivität	Geschlecht	Alter
Akute Myeloblastenleukämie	63	♀	55 Jahre
Reticuloendotheliose	0 B	♂	3 Jahre
Kongenitale Aortenstenose	0	♀	40 Jahre
Rheumatische Herzkrankheit	0	♂	19 Jahre
Lymphocytäre Leukämie	33	♀	4 Jahre
Nebennierenrindencarcinom	93	♂	52 Jahre
Chorioncarcinom	8	♀	32 Jahre
Angeborener Herzfehler	48	♂	2 Jahre
Mammacarcinom	65	♀	57 Jahre
Coronarthrombose	76	♂	63 Jahre
Akute Enteritis + Fettleber	66	♀	1 Jahr
Pneumonie	14	♂	5 Monate
Magencarcinom	26 B	♀	79 Jahre
Myokardinfarkt	55	♀	69 Jahre
Myokardinfarkt	53	♂	86 Jahre
Diabetisches Koma	56	♂	80 Jahre
Akute bakterielle Endokarditis	6	♀	40 Jahre
Lobärpneumonie	62	♂	67 Jahre

B = Biopsie, alle anderen Werte von Autopsiematerial.

In der durch Cholinmangel erzeugten Fettleber der Ratte ist der Enzymgehalt erniedrigt[4,5]; lipotrope Substanzen regen die Fermentbildung wieder an.

Bei der experimentellen lymphocytären Mäuseleukämie L 4946 wurde ein Enzym mit Cholinoxydase-Aktivität in den Ascteszellen nachgewiesen[1]; es ist vorwiegend in den Mitochondrien lokalisiert und entspricht in seiner Aktivität dem Enzym aus Mäuseleber-Mitochondrien. In der menschlichen Leber wurden bei verschiedenen Krankheiten von der Norm abweichende Cholinoxydase-Aktivitäten gemessen (Tabelle 2).

Die menschliche Placenta enthält relativ viel Cholin, aber keine Cholinoxydase[6]. Bei Pflanzen wurde das Cholinoxydase-System in Zuckerrübenwurzeln nachgewiesen[7].

Gewinnung eines cholinoxydasehaltigen Leberhomogenats nach COLTER und QUASTEL[8].

Ein Teil frisch entnommener Rattenleber wird mit zwei Teilen 0,1 m Natriumphosphatpuffer, p_H 7,4, homogenisiert. Das Homogenat wird zur Entfernung von Binde-

---

[1] SIDRANSKY, H., and E. FARBER: Arch. Biochem. **87**, 129 (1960).
[2] KENSLER, C. J., and H. LANGEMANN: Proc. Soc. exp. Biol. Med. **85**, 364 (1954).
[3] MANN, P. J. G., and J. H. QUASTEL: Biochem. J. **31**, 869 (1937).
[4] DINNING, J. S., C. K. KEITH and P. L. DAY: J. biol. Ch. **189**, 515 (1951).
[5] LANG, K.: Der intermediäre Stoffwechsel, S. 149. Berlin-Göttingen-Heidelberg 1952.
[6] KYANK, H.: Arch. Gynäk. **185**, 675 (1955).
[7] CROMWELL, B. T., and S. D. RENNIE: Nature **171**, 79 (1953).
[8] COLTER, J. S., and H. J. QUASTEL: Arch. Biochem. **41**, 305 (1952).

gewebsfasern durch Mull geseiht. 3,5 ml des Homogenats werden mit Aqua dest. auf 10 ml aufgefüllt; nach Abzentrifugieren wird der Überstand verworfen und das Sediment gewaschen (2 ml Sediment mit 10 ml NaCl-Natriumphosphatpuffer 0,05 m, p_H 6,6). Der Rückstand wird in 5 ml Aqua dest. resuspendiert. Diese Suspension nimmt in Gegenwart von Cholin keinen Sauerstoff auf, dehydriert aber Cholin anaerob.

Reinigung der Cholindehydrogenase nach KIMURA und SINGER[1].

1. Präparation von Rattenleber-Mitochondrien. Je 1 g Rattenleber wird mit 10 ml einer 8,5%igen Rohrzuckerlösung bei 0° C in einem Glas-Teflon-Homogenisator homogenisiert. Die Rohrzuckerlösung wird mit K_2HPO_4 neutralisiert (p_H 7,8, 0° C). Das Homogenat wird 10 min bei 600 ×g und 0° C zentrifugiert (die Gramm-Werte beziehen sich auf den Boden des Zentrifugenbechers). Der Überstand wird vorsichtig abgegossen und 30 min bei 3900 ×g zentrifugiert. Die sedimentierten Mitochondrien werden noch zweimal mit einem Homogenisator in einem Viertel des ursprünglichen Volumens 8,5%iger Rohrzuckerlösung suspendiert und bei 3900 ×g zentrifugiert.

2. Überführung in ein Acetontrockenpulver. Das Mitochondriensediment wird in einem kleinen Volumen 8,5%iger Rohrzuckerlösung homogenisiert, diese Suspension in 30 bis 50 Volumen wasserfreies Aceton von −10° C gegossen und in einem Waring blendor bei ³/₄ der Höchstgeschwindigkeit verrührt. Nach 5 min langem Zentrifugieren bei −10° C wird die klare überstehende Lösung weggegossen und die Mitochondrien noch einmal in der beschriebenen Weise in Aceton kurz suspendiert. Die Suspension wird rasch durch ein Büchner-Filter gegeben (Whatman Papier Nr. 1) und bei −10° C mit einer kleinen Menge peroxydfreiem Äther gewaschen. Die letzten Spuren des Lösungsmittels werden im Kühlraum durch Ausbreiten des Pulvers auf Filterpapier entfernt. Anschließend wird bei Zimmertemperatur im Vakuum-Exsiccator getrocknet.

3. Entfernung von Verunreinigungen. Obwohl sich die Aktivität des Pulvers innerhalb von 2 Wochen bei −20° C und trockener Aufbewahrung kaum ändert, empfiehlt es sich, die weitere Extraktion innerhalb von 2 Tagen nach Herstellung des Pulvers durchzuführen.

Eine 2%ige Suspension des Acetonpulvers in 0,06 m Glycinpuffer, p_H 10,3, wird bei 0° C homogenisiert (Glas-Teflon-Homogenisator) und 20 min bei 30000 ×g (Servall SS-1) oder 15 min bei 105000 ×g (Spinco-Rotor Nr. 30) zentrifugiert. Der klare Überstand wird verworfen und das Sediment im gleichen Volumen, wie bei der Glycinextraktion, 0,3 m Phosphatpuffer, p_H 7,6, resuspendiert. Die beschriebene Zentrifugierung wird wiederholt, der klare Überstand verworfen.

4. Extraktion der Dehydrogenase. Das Sediment wird in der Hälfte des vorher benutzten Volumens von 0,006 m Tris-Phosphatpuffer, p_H 8, der 5 mM Cholin enthält, bei 30° C resuspendiert. Der Proteingehalt des Homogenats wird bestimmt und eine frische Lösung von *Naja-naja*-Gift (5 mg/ml in p_H 8 Tris-Phosphatpuffer) wird im Verhältnis von 1 mg Gift/100 mg Mitochondrienprotein zugefügt. Die Suspension wird rasch auf 30° C gebracht und 40 min bei dieser Temperatur inkubiert. Nach Entfernung einer aliquoten Menge zur Bestimmung der Spontaninaktivierung des Enzyms während der Inkubation wird die Suspension auf 0° C gekühlt und 15 min bei 105000 ×g zentrifugiert. Der klare, schwach gelbliche Überstand enthält die Dehydrogenase.

Es kann auch das Gift von *Crotalus terrificus* statt von *Naja naja* verwendet werden. Die Verwendung der aus den Giften isolierten, für die Solubilisierung des Enzyms verantwortlichen Phospholipase ergibt keinen Vorteil gegenüber dem Gesamttoxin.

Die Extraktion der Cholindehydrogenase ist gut reproduzierbar. Das gelöste Enzym ist, bezogen auf das Mitochondriengewicht, etwa auf das 20fache gereinigt. Wegen seiner ausgeprägten Labilität ist es nur äußerst schwierig weiter zu reinigen. So wird es bei einem p_H unter 7,5 und durch die Ammoniumsulfatfällung inaktiviert. Auch Cellulose-Ionenaustauscher und Elektrophorese auf Filterpapier oder Stärkegel sind wegen der

---

[1] KIMURA, T., and T. P. SINGER: Colowick-Kaplan, Meth. Enzymol. Bd. V, S. 562.

starken Adsorption des Enzyms an das Material zur weiteren Anreicherung ungeeignet. Die Fraktionierung an Calciumphosphatgel ergibt eine weitere Anreicherung auf das 3—4fache. Über Einzelheiten s. [1].

Die spezifische Aktivität der frischen Mitochondrien liegt zwischen 1 und 1,4 Einheiten/mg und steigt manchmal bei der Umwandlung zu Acetonpulver an. 100 g Leberfrischgewicht ergeben 3—5 g Acetonpulver.

Die bei den geschilderten Schritten erzielten Anreicherungen sind in Tabelle 3 wiedergegeben.

Tabelle 3. *Reinigung der Cholindehydrogenase nach* KIMURA *und* SINGER[1].

Schritt	Volumen ml	Einheiten	Protein mg	Spez. Aktivität Einh./mg Protein
Glycinsuspension des Acetonpulvers	500	9690	5700	1,70
Suspension vor Phospholipase-Einwirkung . . .	250	11400	1570	7,29
Nach dem Phospholipase-Zusatz.	250	9590	1570	6,11
Gelöstes Enzym.	236	8,278	511	16,2

Darstellung von löslicher Cholindehydrogenase nach KORZENOVSKY **und** AUDA[2].

Rattenleber-Mitochondrien werden nach der Methode von SCHNEIDER[3] (in 0,25 m Rohrzuckerlösung) präpariert, zweimal gewaschen, homogenisiert und in 0,25 m Rohrzuckerlösung suspendiert (1 ml/Mitochondrien aus 1 g Leber). Dann werden die Mitochondrien lyophilisiert und danach in Aqua dest. suspendiert zum gleichen Volumen wie vor der Lyophilisierung. Die Suspension wird bei $81000 \times g$ 20 min zentrifugiert, der Überstand wird verworfen. Das Sediment, das nur die Hälfte des Proteins der ursprünglichen Präparation enthält, wird im Volumen des Überstandes in 0,25 m Rohrzuckerlösung aufgeschwemmt. Zu der Suspension wird Iso-octylphenoxypolyäthoxyäthanol (1% v/v in 0,1 m Phosphatpuffer, p_H 7,4) bis zu einer Endkonzentration von 0,15% zugefügt. Diese Mischung wird bei $110000 \times g$ 50 min zentrifugiert und der Überstand sorgfältig abgegossen. Das Sediment wird noch zweimal auf die gleiche Weise behandelt. Die Überstände enthalten das Enzym in löslicher Form.

Die 2. und 3. Fraktion enthalten die Hauptmenge des Enzyms, etwa 70% der Ausgangsaktivität, und werden zur weiteren Reinigung kombiniert. Der Reinigungseffekt gegenüber den frischen Mitochondrien ist zwölffach.

Eigenschaften der Cholindehydrogenase und des Cholinoxydase-Systems.

Löslichkeit. Da die Cholindehydrogenase fest an die Mitochondrien-Struktur gebunden ist, kann sie nur mit Hilfe von Phospholipase A (Schlangengift) oder bestimmten Detergentien (Isooctylphenoxypolyäthoxyäthanol) in Lösung gebracht werden[2,4].

(Als löslich wird ein Enzym bezeichnet[5], wenn es nach 60 min Zentrifugieren bei $144000 \times g$ im Überstand verbleibt und nach Ausfällung mit Substanzen, die nicht das Enzym angreifen [z.B. Äthanol], wieder in Wasser aufgelöst werden kann.)

Beständigkeit. Das Cholinoxydase-System ist verhältnismäßig gut beständig, z.B. behält Lebertrockenpulver seine Aktivität monatelang, wenn es bei $-5°$ C aufbewahrt wird.

Die Haltbarkeit der partikelgebundenen Cholindehydrogenase ist deutlich geringer als die der löslichen. Bei sechstägiger Aufbewahrung bei $-15°$ C und p_H 7,4 nahm die Aktivität der gebundenen um 20%, die der gelösten um 15% ab. Wiederholtes Gefrieren und Auftauen verursacht Inaktivierung des löslichen Ferments (z.B bewirkte 25maliges Einfrieren und Auftauen einen Rückgang der Aktivität um 40%[4]).

---

[1] KIMURA, T., and T. P. SINGER: Colowick-Kaplan, Meth. Enzymol. Bd. V, S. 562.
[2] KORZENOVSKY, M., and B. V. AUDA: Biochim. biophys. Acta **29**, 463 (1958).
[3] SCHNEIDER, W. C.; in: UMBREIT, W. W., R. H. BURRIS and J. F. STAUFFER (Hrsg.): Manometric Techniques and Tissue Metabolism. Minneapolis 1959.
[4] RENDINA, G., and T. P. SINGER: J. biol. Ch. **234**, 1605 (1959).
[5] EBISUZAKI, K., and N. J. WILLIAMS jr.: Biochem. J. **60**, 644 (1955).

pH-Optimum. Das pH-Optimum der löslichen Cholindehydrogenase liegt zwischen 7,6 und 8,2, wenn die Aktivität mit der Phenazinmethosulfat-Methode bei 38° C gemessen wird. Nach der sauren Seite hin fällt die Aktivität relativ steil ab (Abb. 1).

MICHAELIS-Konstante. Die K_M der Cholindehydrogenase beträgt 6,5 bis 7×10^{-3} (mit Phenazinmethosulfat als Acceptor und Cholin als Substrat bei 38° C und pH 7,6 bestimmt[1]).

Substratspezifität. Die Substratspezifität des löslichen und gereinigten Enzyms wurde noch nicht untersucht[2]. Für die Cholinoxydase aus Homogenaten und Mitochondrien der Rattenleber besteht keine ausgeprägte Substratspezifität. Schon früh wurde Arsenocholin als Substrat der Cholinoxydase erkannt[3].

Nach WELLS[4] sind folgende N-Alkylderivate des Cholins Substrate der Cholinoxydase der Rattenleber-Homogenate oder -Mitochondrien (nach der Oxydationsgeschwindigkeit geordnet): 2-Amino-2-methylpropanol; Äthanolamin; 1-Aminopropanol-2; 2-Amino-2-methylpropandiol-1,3 und 3-Aminopropanol-1. Äthanol und Phosphorylcholin werden nicht angegriffen[3,4].

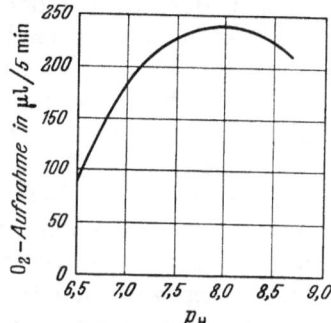

Abb. 1. pH-Abhängigkeit der Cholindehydrogenase-Aktivität[1]. Abszisse = pH der Reaktionslösung bei 38° C (Phosphatpuffer und Phosphat-Trispuffer). Ordinate = µl O_2-Aufnahme in 5 min. Lösliches Enzym, 16,4 mg/ml. Die absolute Höhe der Kurve ist von der Pufferart abhängig.

Die Untersuchung der Cholindehydrogenase von Rattenleber-Mitochondrien mit Cytochrom c als Acceptor und verschiedenen N-Methylderivaten des Cholins (Reste mit funktionellen Gruppen) als Substrat zeigte eine Bevorzugung der Konfiguration:

$$CH_3-\overset{|}{\underset{|}{N^{\oplus}}}-\overset{|}{\underset{|}{C}}-CH_2-OH$$

mit endständiger β-Hydroxylgruppe[5]. Die Substitution einer Methylgruppe des Cholins scheint die Spezifität der Cholindehydrogenase nicht entscheidend zu beeinflussen (Tabelle 4).

Coenzym-Natur. Es wird angenommen, daß die Cholindehydrogenase ein Metalloflavoproteid ist[2,6]. Die Hemmung des löslichen Enzyms durch Chinacrin wird durch Zusatz von FAD vermindert. Ein Kupferchelatbildner, wie Salicylaldoxim, hemmt in

Tabelle 4. *Inkubation verschiedener Substrate mit Rattenleber-Mitochondrien*[5]. Substratkonzentration $1,15 \times 10^{-2}$ m.

Substrat $(CH_3)_2\overset{\oplus}{N}{<}{}^{CH_2CH_2OH}_{R}$ $Cl^{\ominus}$	O_2-Verbrauch/Mol in 90 min	O_2-Verbrauch in % (Cholin = 100 %) Mittelwert
I R = $-CH_3$	1716	100
II R = $-CH_2-CH_2-OH$	1680	97,8
III R = $-CH_2-CH_2-Br$	1390	81,3
IV R = $-CH_2-CH=CH_2$	500	29,2
V R = $-CH_2-COO-C_2H_5$	460	26,6
VI R = $-CH=CH_2$	310	18,1
VII R = $-CH_2-CO_2H$	280	16,2

einer Konzentration von 0,002 m die lösliche Cholindehydrogenase zu 42%, während die gleiche Konzentration von o-Phenanthrolin (Eisenkomplexbildner) nur zu 20% hemmt[6]. Das nach KIMURA und SINGER gereinigte Enzym enthält 1 M Flavin (als FAD) pro $8,5 \times 10^5$ g und 1 Atom Fe pro $2-2,5 \times 10^5$ g Protein. Auch die Spektren, die bei der Reduktion von Mitochondrien oder von gelöstem Enzym erhalten werden, deuten auf ein Flavoproteid hin[2]. Ältere Untersuchungen[7,8] hatten eine Steigerung der Cholinoxydation durch DPN-Zusatz ergeben. Sie beruhte aber lediglich auf der Stimulierung

---

[1] RENDINA, G., and T. P. SINGER: J. biol. Ch. **234**, 1605 (1959).
[2] KIMURA, T., and T. P. SINGER: Colowick-Kaplan, Meth. Enzymol. Bd. V, S. 562.
[3] MANN, P. J. G., H. E. WOODWARD and J. H. QUASTEL: Biochem. J. **32**, 1024 (1938).
[4] WELLS, I. C.: J. biol. Ch. **207**, 575 (1954).
[5] NIEMER, H., u. A. KOHLER: H. **308**, 58 (1957).
[6] KORZENOVSKY, M., and B. V. AUDA: Biochim. biophys. Acta **29**, 463 (1958).
[7] ROTHSCHILD, H. A., O. CORI and E. S. G. BARRON: J. biol. Ch. **208**, 41 (1954).
[8] STRENGTH, D. R., J. R. CHRISTENSEN and I. J. DANIEL: J. biol. Ch. **203**, 63 (1953).

der DPN-abhängigen Betainaldehyddehydrogenase in den ungereinigten Präparaten, da Betainaldehyd die Cholindehydrogenase hemmt[1].

Inhibitoren der Cholinoxydase und Cholindehydrogenase. Benzedrin und Ephedrin hemmen die Cholinoxydase kompetitiv. Die Affinität des Benzedrin zum Enzym ist etwa zehnmal, die des Ephedrins etwa doppelt so groß wie die des Cholins[2]. Zu den wirksamsten Hemmstoffen der Cholinoxydase gehören Stickstofflost und Methyl-bis-(β-chloräthyl)-amin. Eine ganze Reihe von Aminen schützt die Cholinoxydase vor der Wirkung von Methyl-bis-(β-chloräthyl)-amin, z.B. Methylamin, Trimethylamin, Tyramin, o-Acetylephedrin, Dimethylamin, Benzedrin, Äthanolamin, Benzoylcholin, N,N-Dimethyläthanolamin[3]. Fast alle sog. „Anticholinoxydasen" hemmen die Cholinoxydase kompetitiv[3]. Nur Mono-, Di- und Trimethylamin machen eine Ausnahme, sie haben eine starke Schutzwirkung gegenüber N-Lost, aber nur geringen Hemmeffekt gegenüber dem Enzym. Weniger stark wirksame Inhibitoren der Cholinoxydase befinden sich unter den Cholinderivaten: 2-Amino-2-methylpropanol-1, 2-Amino-2-methylpropandiol-1,3 sowie deren Triäthylderivaten und Dimethyl-äthanolamin[4]. Beim Vergleich der Hemmwirkung verschiedener quartärer Ammoniumsalze auf Cholinoxydase aus Rattenleber-Mitochondrien ergab sich, daß die β-Hydroxyäthylgruppe als Substituent einer Methylgruppe im Cholin am wirksamsten war. Weitere Einzelheiten s.[5]

Die gereinigte Cholindehydrogenase wird durch ihr eigenes Oxydationsprodukt Betainaldehyd kompetitiv gehemmt, $K_i = 2 \times 10^{-3}$ m[6].

Amytal hemmt in einer Konzentration von 10^{-3} m die Cholinoxydation von Rattenleber-Mitochondrien, wenn als Elektronenacceptor O_2, Cytochrom c, Ferricyanid oder Methylenblau verwendet werden. Mit Phenazinmethosulfat als Acceptor wird die Cholindehydrogenase nicht gehemmt. Amytal blockiert den Elektronentransport zwischen der Cholindehydrogenase und dem Cytochrom b[7].

K_2SO_4 und KCl hemmen in 0,1 m Lösung die Oxydation von Cholin durch Rattenleber-Mitochondrien; 0,015 m Lösungen hemmen nicht[8].

Bestimmungsmethoden.

Bestimmung der Cholinoxydase-Aktivität (manometrisch) nach Humoller **und** Zimmermann[9].

Prinzip:

In der Warburg-Apparatur wird die Sauerstoffaufnahme von Leberhomogenat mit Cholinchlorid als Substrat gemessen.

Reagentien:
1. Cholinchlorid-Lösung, 2%ig.
2. Phosphatpuffer, 0,04 m, p_H 7,5.
3. KOH-Lösung, 10%ig.

Ausführung:

In den Hauptraum des Warburg-Gefäßes wird 1 ml Homogenat (1:6 in Phosphatpuffer) gebracht, in den Kipper 0,5 ml Cholinlösung; im Zentralgefäß befinden sich 0,2 ml KOH (zur CO_2-Absorption). Das Volumen wird mit Phosphatpuffer auf 3,2 ml aufgefüllt, Temperatur 37° C, Sauerstoffbegasung. Nach Temperaturausgleich wird das Substrat eingekippt und die O_2-Aufnahme über 30 min alle 10 min gemessen.

---

[1] Rendina, G., and T. P. Singer: J. biol. Ch. **234**, 1605 (1959).
[2] Colter, J. S., and J. H. Quastel: Arch. Biochem. **41**, 305 (1952).
[3] Mann, P. J. G., H. E. Woodward and J. H. Quastel: Biochem. J. **32**, 1025 (1938).
[4] Wells, I. C.: J. biol. Ch. **207**, 575 (1954).
[5] Niemer, H., u. A. Kohler: H. **308**, 58 (1957).
[6] Kimura, T., and T. P. Singer: Colowick-Kaplan, Meth. Enzymol. Bd. V, S. 562.
[7] Packer, L., R. W. Estabrook, T. P. Singer and T. Kimura: J. biol. Ch. **235**, 535 (1960).
[8] Williams, G. R.: J. biol. Ch. **235**, 1192 (1960).
[9] Humoller, F. L., and H. J. Zimmermann: Amer. J. Physiol. **177**, 279 (1954).

Messung der Cholindehydrogenase. Bei allen Bestimmungen der Cholindehydrogenase muß ein terminaler Elektronenacceptor verwendet werden. Am besten ist dafür Phenazinmethosulfat geeignet[1], da es sowohl bei Präparaten der mitochondrialen wie auch der löslichen Cholindehydrogenase verwendbar ist. Bei Verwendung anderer Acceptoren, wie O_2 (in Verbindung mit der Atmungskette), Cytochrom c, Ferricyanid und 2,6-Dichlorphenolindophenol und Methylenblau, wird die Oxydationsgeschwindigkeit, die mit Phenazinmethosulfat als Acceptor gemessen wird, nicht erreicht[1,2]. Außerdem laufen die Reaktionen der Atmungskette mit Cytochrom c und Ferricyanid nach Überführung der Mitochondrien in Acetontrockenpulver oder nach der Solubilisierung nicht mehr ab.

Bestimmung der Cholindehydrogenase mit Phenazinmethosulfat als Elektronenacceptor nach KIMURA *und* SINGER[3].

Prinzip:

Bei der Dehydrierung von Cholin zu Betainaldehyd durch die gereinigte Cholindehydrogenase wird Phenazinmethosulfat zu Leukophenazinmethosulfat reduziert. (Bei O_2-Zutritt wird Leukophenazinmethosulfat wieder oxydiert, und es entsteht H_2O_2; um die schädliche Wirkung der Peroxyde auf das Enzym zu verhindern, wird eine Cyanidlösung zugesetzt.)

Reagentien:

1. 1 m Cholinchlorid.
2. Phenazinmethosulfat, 1%ig (vor Licht geschützt, gefroren aufbewahren).
3. 0,3 m Phosphatpuffer, p_H 7,6.
4. 0,01 m HCN, p_H 8 (hergestellt aus KCN + HCl).
5. Enzymlösung.

Ausführung:

In den Hauptraum eines WARBURG-Gefäßes werden 0,1 ml Cholinlösung, 0,5 ml Phosphatpuffer, 3—12 Enzymeinheiten (Int. Einh. s. unten) und Wasser bis zum Gesamtvolumen von 2,55 ml gefüllt. In den Seitenarm kommen 0,15 ml Phenazinmethosulfat. Nach Zufügen von 0,3 ml Cyanidlösung wird das Gefäß sofort an das Manometer angeschlossen, und nach Temperaturausgleich bei 38° C wird der Inhalt der Ansatzbirne eingekippt und die O_2-Aufnahme zwischen 2 und 7 min abgelesen.

Bei Routineuntersuchungen ergibt die Phenazin-Konzentration 0,5 mg/ml eine maximale Oxydationsrate; für genauere Bestimmungen muß die Konzentration der Lösung verändert und V_{max} durch Extrapolation bestimmt werden.

Wird die Cholindehydrogenase-Aktivität in intakten Mitochondrien gemessen, so müssen Stoffe zugesetzt werden, die die Permeabilität der Mitochondrien für Phenazinmethosulfat erhöhen. Bei Rattenleber-Mitochondrien wird eine optimale Geschwindigkeit bei Zusatz von 1 mM Ca^{++} erreicht. Phosphatpuffer ist durch Trispuffer zu ersetzen. Nach der Lyophilisierung sind die Mitochondrien für Phenazinmethosulfat frei durchlässig. Die Mitochondrien-Membran ist auch für Cholin[4] undurchlässig, aber unter den Versuchsbedingungen (38° C und hohe Phosphat-Konzentration) dringt Cholin leicht ein.

Definition[3]:

Eine Enzymeinheit ist definiert durch die Enzymmenge, die eine O_2-Aufnahme von 1 μl/min unter den angegebenen Versuchsbedingungen ergibt. Spezifische Aktivität = Einheiten per mg.

---

[1] RENDINA, G., and T. P. SINGER: J. biol. Ch. **234**, 1605 (1959).
[2] RENDINA, G., and T. P. SINGER: Biochim. biophys. Acta **30**, 441 (1958).
[3] KIMURA, T., and T. P. SINGER: Colowick-Kaplan, Meth. Enzymol. Bd. V, S. 562.
[4] WILLIAMS, G. R.: Fed. Proc. **14**, 304 (1955).

Betainaldehyddehydrogenase.
[1.2.1.8 Betainaldehyd:NAD-Oxydoreductase.]

Die Oxydation des Betainaldehyds zu Betain wird vorwiegend durch die lösliche Betainaldehyddehydrogenase katalysiert, die bei der fraktionierten Zentrifugation im cytoplasmatischen Überstand verbleibt[1]. Das Enzym zeigt eine ausgeprägte Substratspezifität für Betainaldehyd.

Die in den Mitochondrien lokalisierte D-Glycerinaldehyddehydrogenase vermag auch Betainaldehyd, allerdings mit geringer Geschwindigkeit, zu dehydrieren[2].

Weitere Eigenschaften des Enzyms sind in einem eigenen Beitrag behandelt (s. S. 573).

Spezifität. Das Enzym vermag außer Betainaldehyd auch D-Glycerinaldehyd und Glykolaldehyd mit relativ sehr geringer Geschwindigkeit zu dehydrieren. Gegenüber Acetaldehyd ist es inaktiv, wird aber von diesem zu etwa 80% gehemmt, wenn beide Aldehyde in äquimolekularen Mengen dem Enzym angeboten werden[2].

1.2.1.2   Formiat:NAD-Oxydoreductase   s. S. 769.

Aldehyddehydrogenasen.

Von
Walther Lamprecht und Fritz Heinz*.

Allgemeines.

Die Oxydation von Aldehyden durch Gewebsextrakte wurde bereits 1910 von BATELLI und STERN[3] beschrieben. Erste quantitative Untersuchungen stammen von PARNAS[4], in denen gezeigt wurde, daß die Oxydation des Aldehyds zur Säure mit einer Reduktion zum entsprechenden Alkohol gekoppelt ist. Quantitative Bestimmungen ergaben, daß pro Mol Säure ein Mol Alkohol entsteht. Es wurde angenommen, die Reaktion stelle eine enzymatisch katalysierte CANNIZZARO-Reaktion dar, welche sowohl mit aliphatischen als auch mit aromatischen Aldehyden möglich ist.

Der von PARNAS[4] beschriebene Enzymkomplex wurde als „Aldehydmutase" bezeichnet und in Hefeextrakten und tierischen Organextrakten nachgewiesen. Eine Coenzymabhängigkeit der Reaktionen dieses Enzymsystems stellten v. EULER und BURNIUS[5] fest. DIXON und LUTWAK-MANN[6] bestätigten die von v. EULER und BURNIUS[5] an Aldehydmutase aus Hefe erhaltenen Ergebnisse mit einer Aldehydmutase aus Leber. Dabei wurde sichergestellt, daß diese Aldehydmutase kein SCHARDINGER-Enzym (Xanthinoxydase) enthält. Trotz der Vorstellungen von GREEN[6], der die Dismutation des Aldehyds zu Säure und Alkohol auf das Zusammenwirken von Aldehyddehydrogenase und Alkoholdehydrogenase zurückführte, haben DIXON und LUTWAK-MANN[6] nachzuweisen versucht,

---

* Organisch-Chemisches Institut der Technischen Hochschule München.

[1] ROTHSCHILD, H. A., and E. S. G. BARRON: J. biol. Ch. **209**, 511 (1954).
[2] GLENN, J. L., and M. VANKO: Arch. Biochem. **82**, 145 (1959).
[3] BATELLI, F., u. L. STERN: B. Z. **29**, 130 (1910).
[4] PARNAS, J.: B. Z. **28**, 274 (1910).
[5] EULER, H. v., u. E. BURNIUS: H. **175**, 52 (1928).
[6] DIXON, M., and C. LUTWAK-MANN: Biochem. J. **31**, 1347 (1937).

daß die enzymatische Dismutation vom gleichen Enzymmolekül unter Beteiligung von Diphosphopyridinnucleotid katalysiert wird.

1949 hat Racker[1] aus Leber eine Aldehyddehydrogenase angereichert. Durch gleichzeitige Einwirkung von Aldehyddehydrogenase und Alkoholdehydrogenase auf Acetaldehyd in Anwesenheit von Diphosphopyridinnucleotid wurde die Hypothese von Green bestätigt.

Von Black[2] wurde 1951 aus Hefe eine Aldehyddehydrogenase isoliert, die sowohl mit Diphosphopyridinnucleotid als auch mit Triphosphopyridinnucleotid wirksam ist. Die Reaktion benötigt K^+-Ionen. Man hat deshalb dieses Enzym „kaliumabhängige Aldehyddehydrogenase" genannt, im Gegensatz zu der ebenfalls aus Hefe isolierten triphosphopyridinspezifischen Aldehyddehydrogenase. Letzteres Enzym wurde von Seegmiller[3] angereichert und untersucht, es bedarf keines Alkalimetall-Aktivators.

Aldehyddehydrogenasen sind wenig substratspezifisch, die Enzyme vermögen eine ganze Reihe von Aldehyden mit sehr unterschiedlicher Umsatzgeschwindigkeit zu oxydieren.

Die Umsatzgeschwindigkeit der aliphatischen Aldehyde nimmt im allgemeinen mit Verlängerung der Kohlenstoffkette ab, Formaldehyd bildet eine Ausnahme.

Strittmatter und Ball[4] haben aus Leber eine Formaldehyddehydrogenase isoliert, welche diphosphopyridinnucleotidspezifisch ist und weder Acetaldehyd noch andere höhere Aldehyde umsetzt. Das Enzym benötigt zur Wirksamkeit neben DPN Glutathion.

Eine Zwischenstellung zwischen der Rackerschen Aldehyddehydrogenase und der von Strittmatter isolierten Formaldehyddehydrogenase nimmt die von Matthies[5] in kernlosen Erythrocyten nachgewiesene Aldehyddehydrogenase ein. Das Enzym ist DPN-spezifisch, es oxydiert Formaldehyd, den es im Vergleich zu anderen Aldehyden, wie Acetaldehyd oder Salicylaldehyd, mit der größten Geschwindigkeit umsetzt. Das pH-Optimum dieses Enzymes liegt bei 7,5. Von der Rackerschen Dehydrogenase unterscheidet es sich zudem durch eine Resistenz gegenüber Reagentien, die Sulfhydrylgruppen blockieren, wie p-Chlormercuribenzoat, Jodacetat u. a.

Über eine Aldehyddehydrogenase, die sowohl Diphosphopyridinnucleotid als auch Coenzym-A benötigt und aus *Clostridium kluyveri* dargestellt wird, vgl. Bd. VI/B, S. 53.

Aldehyddehydrogenase aus Leber.

[1.2.1.3 Aldehyd: NAD-Oxydoreductase]
(Aldehyddehydrogenase nach Racker[1]).

Das Enzym katalysiert die diphosphopyridinnucleotidabhängige Oxydation verschiedener Aldehyde nach folgender Gleichung:

$$RCHO + DPN^+ + H_2O \rightarrow RCOO^- + DPNH + 2H^+$$

Aldehyddehydrogenasen, die in bezug auf Spezifität, Empfindlichkeit gegenüber SH-blockierenden Reagentien oder pH-Optimum mit der von Racker[1] angereicherten Dehydrogenase ähnlich sind, konnten ausschließlich in der Leber und nicht in anderen tierischen Organen nachgewiesen werden. Enzymverteilungsmuster innerhalb der Zelle sind nicht beschrieben. Von Walkenstein und Weinhouse[6], Gleen und Vanko[7] und Lamprecht und Heinz[8] wurde in Mitochondrien eine Aldehyddehydrogenase nachge-

---

[1] Racker, E.: J. biol. Ch. **177**, 883 (1949).
[2] Black, S.: Arch. Biochem. **34**, 86 (1951).
[3] Seegmiller, J. E.: J. biol. Ch. **201**, 629 (1953).
[4] Strittmatter, P., and E. C. Ball: J. biol. Ch. **213**, 445 (1955).
[5] Matthies, H. J.: B. Z. **329**, 341, 421 (1957).
[6] Walkenstein, S. S., and S. Weinhouse: J. biol. Ch. **200**, 543 (1953).
[7] Gleen, J. L., and M. Vanko: Arch. Biochem. **82**, 145 (1959). — Gleen, J. L.: Fed. Proc. **18**, 230 (1958).
[8] Lamprecht, W., u. F. Heinz: Z. Naturforsch. **13**b, 464 (1958).

wiesen, die ebenfalls diphosphopyridinnucleotidabhängig ist und die in manchen Eigenschaften der von RACKER beschriebenen Dehydrogenase ähnlich ist. Das von WALKENSTEIN und WEINHOUSE[1] isolierte Enzym hat jedoch ein p_H-Optimum bei 7,5, das Enzym nach RACKER ein solches bei p_H 9,3. Vom Mitochondrienenzym wird Salicylaldehyd nicht umgesetzt[1]. Andererseits läßt sich nach den Ergebnissen von GLEEN und VANKO[2] ein Oxydationsquotient von Glycerinaldehyd:Acetaldehyd = 1,4 berechnen, der mit den von LAMPRECHT und HEINZ[3] für das RACKERsche Enzym gemessenen Werten übereinstimmt. Es bleibt die Frage offen, ob die Leberzelle zwei verschiedene Dehydrogenasen enthält, von denen die eine im Cytoplasma und die andere in Mitochondrien lokalisiert ist, oder ob *eine* Aldehyddehydrogenase über den cytoplasmatischen und mitochondrialen Raum verteilt oder ob die Aldehyddehydrogenase ausschließlich in Mitochondrien lokalisiert ist.

Darstellung der Aldehyddehydrogenase aus Rinderleber nach RACKER[4].

Die beschriebene Darstellungsmethode von LAMPRECHT und HEINZ[3] folgt mit einigen Abänderungen den Angaben von RACKER[4].

Acetontrockenpulver. Nach den Angaben der Literatur dient als Ausgangsmaterial Acetontrockenpulver, das aus eingefrorener Rinderleber hergestellt wurde. Wie eigene Versuche (s.[3]) zeigten, kann auch frische Leber Verwendung finden: Frische oder aufgetaute Leber wird im Starmix mit 3 Vol. kaltem Aceton (g/v) homogenisiert. Diese Suspension wird in 8 Vol. eiskaltes Acton eingerührt. Nach einigen min wird die Suspension bei + 3° C abzentrifugiert (bei Ermangelung einer geeigneten Zentrifuge kann auch durch einen Büchner-Trichter abgesaugt werden). Der Rückstand wird nochmals mit 8 Vol. eiskaltem Aceton verrührt und die Suspension zentrifugiert oder filtriert. Der Rückstand (gut ausgepreßt) wird zur Trocknung auf einem Filtrierpapier ausgebreitet. Die Trocknung schreitet am schnellsten voran, wenn das Trockenpulver wiederholt zwischen den Handflächen zerrieben wird. Das Acetontrockenpulver ist bei Ausschluß von Feuchtigkeit bei − 20° C mindestens 2 Monate haltbar.

Extraktion. 1 Teil Acetontrockenpulver wird im Kälteraum mit 8 Teilen destilliertem Wasser, das 500 mg Äthylendiamintetraacetat pro Liter enthält und dessen p_H mit verdünntem NaOH auf p_H 7,0 eingestellt ist, 45 min gerührt. Die Suspension wird zentrifugiert, der Niederschlag verworfen.

Alkoholfällung. Zu 100 ml des klaren, rot gefärbten Überstandes werden im Kälteraum unter Rühren 70 ml 95%iges Äthanol gegeben. Die Zugabe erfolgt innerhalb von 10 min, die Temperatur der Enzymlösung soll dabei auf 12—14° C ansteigen. Nach der Alkoholzugabe bleibt die Suspension 20 min in der Kälte stehen, dann wird zentrifugiert, das Sediment verworfen und zum klaren Überstand werden pro 100 ml des ursprünglichen Extraktes 40 ml Alkohol gegeben. Die Suspension wird nach 10 min Stehen in der Kälte zentrifugiert. Der Überstand wird verworfen, das Sediment in Wasser (500 mg Äthylendiamintetraacetat je Liter und auf p_H 7,0 eingestellt) aufgenommen. Die Enzymlösung ist eingefroren lange haltbar.

Nucleinsäurefällung. Die Enzymlösung wird gegen ein großes Volumen Wasser, das 500 mg Äthylendiamintetraacetat pro Liter enthält und dessen p_H auf 7,0 gestellt ist, unter Rühren dialysiert. Nach Beendigung der Dialyse wird der p_H an der Glaselektrode auf 6,0 eingestellt, von einer eventuell auftretenden Trübung wird abzentrifugiert. Zum klaren Überstand werden pro g Protein 2 ml einer 5%igen Nucleinsäurelösung von p_H 7,0 zugegeben; danach wird der p_H an der Glaselektrode mit 0,1 m Essigsäure auf 5,2 eingestellt. Der Niederschlag wird abzentrifugiert und verworfen. Zum Überstand wird

---

[1] WALKENSTEIN, S. S., and S. WEINHOUSE: J. biol. Ch. **200**, 543 (1953).
[2] GLEEN, J. L., and M. VANKO: Arch. Biochem. **82**, 145 (1959). — GLEEN, J. L.: Fed. Proc. **18**, 230 (1958).
[3] LAMPRECHT, W., u. F. HEINZ: Z. Naturforsch. **13b**, 464 (1958).
[4] RACKER, E.: J. biol. Ch. **177**, 883 (1949).

nochmals das halbe Volumen der oben angewandten Nucleinsäurelösung gegeben, der p_H mit Essigsäure auf 5,2 eingestellt und die Suspension abzentrifugiert. Das Sediment wird in verdünntem Alkali aufgenommen, der End-p_H der Enzymlösung soll 6,5—7,0 sein. Die Enzymlösung wird so lange mit einer Protaminsulfatlösung von p_H 6,5 versetzt, bis die spektrophotometrische Messung die Abwesenheit von Nucleinsäuren anzeigt.

Die so erhaltene Enzymlösung ist, auch in Anwesenheit von Äthylendiamintetraacetat, nur wenig haltbar.

Die durch die Nucleinsäurefällung erzielte Anreicherung ist stark von der Qualität der verwendeten Nucleinsäure abhängig. Besser reproduzierbare Ergebnisse liefert eine Ammoniumsulfatfällung (Angabe von STOPPANI und MILSTEIN[1]). Dazu wird der dialysierte Extrakt von p_H 6,0 mit Ammoniumsulfat fraktioniert. Die zwischen 51 und 60% Ammoniumsulfatsättigung anfallende Fraktion enthält die gesamte Enzymaktivität. Der Niederschlag wird in wenig Wasser (mit Äthylendiamintetraacetat) wieder aufgenommen. Solche Enzympräparate sind eingefroren bei —18° C einige Wochen haltbar. Die Fraktionierung mit Ammoniumsulfat liefert etwa eine Verdoppelung der spezifischen Aktivität.

Tabelle 1. *Anreicherung von Aldehyddehydrogenase nach* RACKER[2].

Fraktion	Volumen ml	Aktivität (E)	Protein mg	Spezifische Aktivität (E/mg)	Ausbeute %
Extrakt	300	360 000	12 000	30	100
Alkoholfällung . . .	100	300 000	2 000	150	83
Nucleinsäurefällung	10	140 000	200	700	38

Eigenschaften. *p_H-Optimum.* Die Aldehyddehydrogenase besitzt nach RACKER[2] mit Acetaldehyd als Substrat in 0,1 m Pyrophosphatpuffer bei p_H 9,3 ein scharfes Aktivitätsmaximum. HOLLDORF et al.[3] haben in Diäthanolaminpuffer für Glycerinaldehyd und Acetaldehyd einen Wert von p_H 9,2 gemessen.

Coenzymspezifität. Das Enzym benötigt zu seiner Wirksamkeit Diphosphopyridinnucleotid, Triphosphopyridinnucleotid kann DPN nicht ersetzen.

Substratspezifität. Die Oxydation folgender Aldehyde durch Aldehyddehydrogenase wurde bisher beschrieben: Glycerinaldehyd[3-5], Acetaldehyd, Formaldehyd, Glykolaldehyd, Propionaldehyd, Butyraldehyd, Isovaleraldehyd, Salicylaldehyd und Benzaldehyd. Ebenso katalysiert das Enzym die Oxydation von Betainaldehyd[6].

Von Interesse ist neben der Oxydation von Glykolaldehyd, Acetaldehyd oder Betainaldehyd der Umsatz mit Glycerinaldehyd. Bei Substratsättigung wird Glycerinaldehyd schneller oxydiert als Acetaldehyd, dabei ist die Konfiguration des Glycerinaldehyds ohne Einfluß auf die Reaktionsgeschwindigkeit. HOLLDORF et al.[3] finden einen Oxydationsquotienten Acetaldehyd:Glycerinaldehyd = 0,5—0,6, dieser Quotient bleibt bei allen Schritten der Enzymanreicherung konstant. LAMPRECHT und HEINZ[4] geben einen Quotienten Glycerinaldehyd:Acetaldehyd = 1,55 an, der von GLEEN und VANKO[7] errechnete Wert ist 1,4.

Reaktionsgleichgewicht. Das Gleichgewicht der Oxydationsreaktion (s.[8]) liegt auf der Seite des Oxydationsproduktes. Nach ausreichender Reinigung ist Aldehyddehydrogenase zur spektrophotometrischen Bestimmung von Aldehyden geeignet.

---

[1] STOPPANI, A. O. M., and C. MILSTEIN: Biochem. J. **67**, 406 (1957).
[2] RACKER, E.: J. biol. Ch. **177**, 883 (1949).
[3] HOLLDORF, A., C. HOLLDORF, S. SCHNEIDER u. H. HOLZER: Z. Naturforsch. **14b**, 229 (1959).
[4] LAMPRECHT, W., u. F. HEINZ: Z. Naturforsch. **13b**, 464 (1958).
[5] NYGAARD, A. P., and J. B. SUMNER: Arch. Biochem. **39**, 119 (1952).
[6] RACKER, E.: Ann. Rep. Long Island **1949**, 38 [Colowick-Kaplan, Meth. Enzymol. Bd. I, S. 517].
[7] GLEEN, J. L., and M. VANKO: Arch. Biochem. **82**, 145 (1959). — GLEEN, J. L.: Fed. Proc. **18**, 230 (1958).
[8] BATELLI, F., u. L. STERN: B. Z. **29**, 130 (1910).

MICHAELIS-*Konstanten*. Die MICHAELIS-Konstanten der Aldehyddehydrogenase sind in Tabelle 2 angegeben.

Tabelle 2. MICHAELIS-*Konstanten der Aldehyddehydrogenase* (aus Leber).

Substrat	K_M	Puffer	Autoren
Acetaldehyd	$5{,}0 \times 10^{-4}$	Pyrophosphat	GRAHAM[1]
	$1{,}0 \times 10^{-5}$	Pyrophosphat	RACKER[2]
	$2{,}0 \times 10^{-5}$	Diäthanolamin	HOLLDORF[3]
Glykolaldehyd . . .	$5{,}0 \times 10^{-5}$	Diäthanolamin	HOLLDORF[3]
D,L-Glycerinaldehyd	$2{,}9 \times 10^{-4}$	Diäthanolamin	HOLLDORF[3]
	$2{,}0 \times 10^{-4}$	Pyrophosphat	LAMPRECHT[4]
D-Glycerinaldehyd	$2{,}0 \times 10^{-4}$	Pyrophosphat	LAMPRECHT[4]
DPN (Acetaldehyd)	$1{,}7 \times 10^{-6}$	Pyrophosphat	GRAHAM[1]

Aktivatoren und Inhibitoren. Acetaldehyddehydrogenase soll nach verschiedenen Angaben prosthetische Sulfhydrylgruppen enthalten („SH-Enzym"), die Enzymaktivität wird durch Zusatz von Sulfhydrylreagentien oder durch Schwermetallkationen stark herabgesetzt.

Einen aktivierenden Einfluß auf die Enzymaktivität haben Glutathion, Cystein und Äthylendiamintetraacetat. STOPPANI und MILSTEIN[5] fanden an Enzympräparaten, die in Gegenwart von Äthylendiamintetraacetat isoliert wurden, nach Zusatz solcher Verbindungen keine Aktivitätssteigerung.

Als Inhibitoren der Aldehyddehydrogenase können sämtliche Sulfhydrylgruppen blockierende Reagentien wirken (Tabelle 3).

Tabelle 3. *Wirkung von Hemmstoffen auf die DPN-abhängige Aldehyddehydrogenase der Leber* (nach HOLZER et al.[3]).

Hemmstoff	Hemmung der Aktivität des Enzyms in % von Kontrollen ohne Hemmstoff		Hemmstoff	Hemmung der Aktivität des Enzyms in % von Kontrollen ohne Hemmstoff	
	Acetaldehyd als Substrat	Glycerinaldehyd als Substrat		Acetaldehyd als Substrat	Glycerinaldehyd als Substrat
Natriumarsenit			[(3-Hydroxymercuri-2-methoxypropyl)-carbamoyl]-phenoxyessigsaures Natrium (Salyrgan)		
$0{,}83 \times 10^{-3}$ M/l	13	17			
$1{,}67 \times 10^{-3}$ M/l	30	37			
$3{,}33 \times 10^{-3}$ M/l	43	51			
			$1{,}5 \times 10^{-5}$ M/l . . .	35	42
Jodacetat			$3{,}0 \times 10^{-5}$ M/l . . .	77	83
$1{,}67 \times 10^{-3}$ M/l	24	33			
$3{,}33 \times 10^{-3}$ M/l	55	63	Tetraäthylthiuramdisulfid (Antabus)		
p-Chlor-mercurisulfonsäure			$0{,}83 \times 10^{-6}$ M/l . .	20	22
$2{,}0 \times 10^{-6}$ M/l	28	52	$1{,}67 \times 10^{-6}$ M/l . .	36	36
$5{,}0 \times 10^{-6}$ M/l	64	77	$3{,}33 \times 10^{-6}$ M/l . .	59	58
$1{,}0 \times 10^{-5}$ M/l	76	87			

Von pharmakologischem Interesse ist die Hemmung des Enzymes durch Antabus (Tetraäthylthiuramdisulfid). GRAHAM[1] hat festgestellt, daß Antabus die Bildung des Enzym-Coenzymkomplexes kompetitiv hemmt; die Inhibitorkonstante K_I ist 1,7 bis $1{,}4 \times 10^{-6}$. Die Inhibierung des Acetaldehyd-Enzymkomplexes ist weit geringer, d.h. die Inhibierungskonstante ist größer, zudem ist diese Hemmung inkompetitiv.

---

[1] GRAHAM, W. D.: J. Pharmacy Pharmacol. **3**, 160 (1951).
[2] RACKER, E.: J. biol. Ch. **177**, 883 (1949).
[3] HOLLDORF, A., C. HOLLDORF, S. SCHNEIDER u. H. HOLZER: Z. Naturforsch. **14** b, 229 (1959).
[4] LAMPRECHT, W., u. F. HEINZ: Z. Naturforsch. **13** b, 464 (1958).
[5] STOPPANI, A. O. M., and C. MILSTEIN: Biochim. biophys. Acta **24**, 625 (1957).

Die durch Antabus erreichte Inhibierung kann durch Zugabe von Glutathion oder Vitamin C aufgehoben werden, dabei erweist sich Glutathion am wirkungsvollsten. Eine 50%ige Reaktivierung kann durch ein Molverhältnis Antabus:Glutathion = 1:3 hergestellt werden, mit Vitamin C ist ein Verhältnis 1:1700 erforderlich. Die von HOLZER et al.[1] für die Inhibierung erhaltenen Ergebnisse (Tabelle 3) stimmen mit denen von STOPPANI und MILSTEIN[2-4] im wesentlichen überein. Diese Autoren haben eine Inhibierung der Aldehyddehydrogenase durch N-Äthylmaleinimid, o-Jodosobenzoat, Mapharsid (2-Amino-4-arsenophenol) und Chloracetophenon beschrieben. Nach diesen Ergebnissen (vgl. auch Tabelle 3) ist p-Chlormercurisulfonsäure der wirksamste Enzyminhibitor.

Einen Schutz vor Inhibierung durch Sulfhydrylreagentien bildet das Coenzym. Nach Vorinkubation der Aldehyddehydrogenase mit Sulfhydrylreagentien und Coenzym haben STOPPANI und MILSTEIN[5,6] mit p-Chlormercuribenzoat und DPN einen teilweisen Schutz vor Inaktivierung nachgewiesen; TPN$^+$ ist dabei nicht wirksam. Von Interesse sind die Ergebnisse mit o-Jodosobenzoat und DPN$^+$. Nach Inkubation dieser beiden Substanzen mit der Aldehyddehydrogenase tritt im Vergleich zum Inkubationsansatz, der nur DPN$^+$ enthält, eine 3—4fache Erhöhung der Aktivität auf. DPNH an Stelle von DPN$^+$ ergibt ebenfalls, wenn auch geringere Aktivitätserhöhungen; TPN$^+$ ist auch in diesem Fall unwirksam.

Aus den obigen Ergebnissen schließen STOPPANI und MILSTEIN[5,6], das Coenzym sei über eine SH-Gruppe an das Enzym gebunden.

Der Einfluß von Acetaldehyd[6] auf die Inhibierung ist auch bei großer Substratkonzentration sehr gering. Die Inhibierung durch Mapharsid, o-Jodosobenzoat und N-Äthylmaleinimid kann nur teilweise aufgehoben werden. Ein Schutz vor der Inhibierung durch p-Chlormercuribenzoat wurde jedoch nicht beobachtet. Nach JAKOBY[7] findet eine Inhibierung durch Arsenit nur in Gegenwart von Mercaptopropanol statt.

Bestimmungsmethoden.

Spektrophotometrische Bestimmung der Aldehyddehydrogenaseaktivität nach RACKER[8].

Prinzip:

In Gegenwart von DPN$^+$ und Aldehyddehydrogenase wird Acetaldehyd zu Essigsäure oxydiert, die Bildung von reduziertem Diphosphopyridinnucleotid wird spektrophotometrisch in Abhängigkeit von der Zeit bestimmt.

Reaktionsgleichung:

$$CH_3CHO + DPN^+ + H_2O \rightarrow CH_3COO^- + DPNH + 2H^+$$

Reagentien:

1. 0,1 m Natriumpyrophosphatpuffer, p_H 9,3.
2. DPN$^+$-Lösung: 2 mg/ml.
3. Acetaldehydlösung: 5 mg/ml (täglich frisch herstellen).
4. Aldehyddehydrogenaselösung: 100—1000 E.

Bemerkung. Die Acetaldehydlösung muß aus frischdestilliertem Acetaldehyd dargestellt werden. Eine konzentrierte wäßrige „Stammlösung" kann durch Einwaage von frischdestilliertem Acetaldehyd hergestellt werden. Diese Lösung ist bei +3° C einige Tage haltbar und dient nach entsprechender Verdünnung als Substratlösung.

---

[1] HOLLDORF, A., C. HOLLDORF, S. SCHNEIDER u. H. HOLZER: Z. Naturforsch. 14b, 229 (1959).
[2] STOPPANI, A. O. M., and C. MILSTEIN: Biochem. J. 67, 406 (1957).
[3] STOPPANI, A. O. M., and C. MILSTEIN: Biochim. biophys. Acta 24, 625 (1957).
[4] STOPPANI, A. O. M., y C. MILSTEIN: An. Asoc. quím. argent. 45, 33 (1957) [Chem. Abstr. 53, 3017 (1959)].
[5] STOPPANI, A. O. M., y C. MILSTEIN: Rev. Soc. argent. Biol. 33, 149 (1957) [Chem. Abstr. 52, 12941 (1958)].
[6] STOPPANI, A. O. M., y C. MILSTEIN: Rev. Soc. argent. Biol. 33, 80 (1957) [Chem. Abstr. 52, 9242 (1958)].
[7] JAKOBY, W. B.: Biochim. biophys. Acta 24, 625 (1957).
[8] RACKER, E.: J. biol. Ch. 177, 883 (1949).

Ausführung:
In eine Küvette der Schichtdicke $d = 1$ cm werden in der angegebenen Reihenfolge folgende Lösungen einpipettiert: 2,4 ml Wasser, 0,3 ml Puffer, 0,1 ml DPN, 0,1 ml Acetaldehyd, die Reaktion wird mit 0,1 ml Aldehyddehydrogenase gestartet.

Die Extinktionsänderung bei 340 mμ wird alle 30 sec abgelesen. Der Reaktionsablauf entspricht während der ersten min einer Reaktion nullter Ordnung.

Definition der Enzymeinheiten (nach RACKER[1]). Eine Enzymeinheit ist die Enzymmenge, die die Extinktion unter den oben angegebenen Testbedingungen um 0,001/min ändert.

Bemerkung. Die spektrophotometrische Aktivitätsbestimmung versagt, wenn das Enzympräparat mit relativ viel Alkoholdehydrogenase verunreinigt oder eine zu große Menge DPNH-Oxydase anwesend ist. In solchen Fällen kann die Enzymaktivität nur manometrisch bestimmt werden.

Manometrische Bestimmung der Aldehyddehydrogenaseaktivität nach DIXON und LUTWAK-MANN[2].

Prinzip:
Die Methode basiert auf der Freisetzung von CO_2 aus einem mit CO_2 gesättigten Hydrogencarbonatpuffer durch das bei der Oxydation entstehende Äquivalent Essigsäure. Das bei der DPN-Reduktion entstehende Proton wird durch Zugabe von Alkoholdehydrogenase wieder entfernt (Mutasereaktion).

Reaktionsgleichung:

$$CH_3CHO + DPN^+ + H_2O \rightarrow CH_3COOH + DPNH + H^+$$
$$CH_3COOH + NaHCO_3 \rightarrow CH_3COONa + H_2O + CO_2$$
$$\underline{CH_3CHO + DPNH + H^+ \rightarrow CH_3CH_2OH + DPN^+}$$
$$2\,CH_3CHO + NaHCO_3 \rightarrow CH_3COONa + CH_3CH_2OH + CO_2$$

Ansatz. In einen WARBURG-Trog werden folgende Substanzen pipettiert: Hauptraum 0,1 ml DPN$^+$ 10 mg/ml, 300 μg Alkoholdehydrogenase (aus Hefe), destilliertes Wasser, Natriumhydrogencarbonatlösung bis zu einer Endkonzentration von 0,05 m, Gesamtvolumen 2,5 ml.

Seitenarm. 0,5 ml 1%ige Acetaldehydlösung; Meßtemperatur 25° C.

Die WARBURG-Gefäße werden 7 min mit Stickstoff, der 5% CO_2 enthält, begast. Danach wird die Acetaldehydlösung eingekippt und die freigesetzte CO_2-Menge in Abhängigkeit von der Zeit gemessen. Für diese Bestimmungsmethode existieren keine definierten Enzymeinheiten.

Kaliumabhängige Aldehyddehydrogenase.
[1.2.1.5 Aldehyd:NAD(P)-Oxydoreductase.]
(Aldehyddehydrogenase nach BLACK[3].)

Das von BLACK aus Hefe angereicherte Enzym oxydiert Aldehyde in Gegenwart von DPN$^+$ oder TPN$^+$ zu den entsprechenden Säuren. Neben dem Coenzym sind zur Oxydation Kaliumionen erforderlich. In tierischen Geweben konnte bisher keine kaliumabhängige Aldehyddehydrogenase nachgewiesen werden.

Darstellung. Die Darstellungsmethode folgt im wesentlichen den Angaben von BLACK[3].

Extraktion. Ein Pfund frische Bäckerhefe wird in 2 l flüssigen Stickstoff eingerieben. Den überschüssigen Stickstoff läßt man verdampfen oder dekantiert von ihm ab. Die

---
[1] RACKER, E.: J. biol. Ch. **177**, 883 (1949).
[2] DIXON, M., and C. LUTWAK-MANN: Biochem. J. **31**, 1347 (1937).
[3] BLACK, S.: Arch. Biochem. **34**, 86 (1951).

gefrorene Hefe wird in 450 ml 0,3 m K_2HPO_4-Lösung suspendiert. Nachdem die Temperatur auf $+3°$ C angestiegen ist, wird der p_H mit konzentriertem Ammoniak auf 8,6 eingestellt. Die Suspension wird 5 Tage bei 2—3° C gerührt, dann in der Kälte abzentrifugiert.

Eine Darstellungsmethode ohne „Stickstoffaufschluß" empfehlen STOPPANI und MILSTEIN[1]: 500 g stärkefreie Bäckerhefe werden auf der Zentrifuge zweimal mit je 500 ml destilliertem Wasser gewaschen. Nach Suspendieren in Wasser wird unter Saugen abfiltriert, der Filterkuchen (280 g) auf $+4°$ C abgekühlt und mit 3 Vol. Aceton (g/v), das auf $-18°$ C vorgekühlt ist, im Starmix kurz homogenisiert. Das Lösungsmittel wird auf einem auf $-18°$ C gekühlten Büchner-Trichter unter Saugen entfernt. Diese Acetonbehandlung wird noch zweimal wiederholt und der so erhaltene Filterkuchen auf dem Büchner-Trichter mit $-18°$ C kaltem und peroxydfreiem Äther gewaschen, trockengesaugt, auf Filtrierpapier ausgebreitet und im Luftstrom getrocknet.

Dabei wird ein nahezu weißes Acetontrockenpulver erhalten. Zur Extraktion werden 50 g des Acetontrockenpulvers mit 200 ml Wasser und 100 ml 0,3 m K_2HPO_4 bei 0—4° C homogenisiert und der p_H auf 8,6 eingestellt.

Die von STOPPANI angegebene Methode hat bestimmte Vorzüge. Ohne Anwendung von flüssigem Stickstoff können größere Ansätze aufgearbeitet werden, das Acetontrockenpulver ist als Ausgangsmaterial im Vakuumexsiccator über flüssigem Paraffin und Ätznatron lange Zeit haltbar. Daraus hergestellte Extrakte enthalten keine TPN-abhängige Aldehyddehydrogenase.

Nach dieser Extraktionsmethode wird zur weiteren Anreicherung des Enzyms der Vorschrift von BLACK gefolgt.

Hitzekoagulation. Der p_H der kalten Extraktlösung wird durch Zugabe von 1 m Citronensäurelösung auf 6,6 erniedrigt, dann die Lösung unter starkem Rühren in einem kochenden Wasserbad rasch auf 55° C erwärmt. Diese Temperatur wird im Thermostaten 15 min lang gehalten, danach im Eisbad schnell auf $+5°$ C abgekühlt, die Suspension abzentrifugiert und das Sediment verworfen.

Säurefällung. Der p_H des Überstandes nach der Hitzekoagulation wird durch Zugabe von 1 m Citronensäurelösung auf 5,0 (Glaselektrode) eingestellt, die Suspension wird zentrifugiert, der Überstand verworfen. Das Sediment wird in einer Lösung von 0,025 m an K_2HPO_4 und 0,001 m an Cysteinhydrochlorid suspendiert. Das Volumen der Suspension soll 80 ml betragen, der p_H wird mit 3 m Ammoniak auf 6,3 eingestellt, die Suspension im kochenden Wasserbad unter starkem Rühren schnell auf 50° C erhitzt und bei dieser Temperatur 15 min im Thermostaten gehalten. Dann wird im Eisbad rasch auf 5° C abgekühlt und die Suspension bei $15000 \times g$ abzentrifugiert. Die resultierende klare Enzymlösung ist eingefroren mehr als 2 Jahre haltbar. So dargestellte Präparate enthalten je nach Aufschlußverfahren variierende Mengen an TPN-spezifischer Aldehyddehydrogenase.

Natriumchloridfällung. Die nach der Säurefällung eingefrorene Enzymfällung wird aufgetaut, zur noch kalten Lösung werden 0,15 Vol. 0,01 m Acetaldehydlösung, 0,06 Vol. 0,006 m DPN^+-Lösung (mit Tris: 2-Amino-2-hydroxymethyl-1,3-propandiol neutralisiert) zugegeben. Zu je 1 ml dieser Lösung werden 0,35 g Natriumchlorid zugegeben und bei 0—3° C so lange gerührt, bis das Natriumchlorid vollständig gelöst ist. Das ausgefallene Enzym wird abzentrifugiert und in kaltem Nucleatpuffer aufgenommen.

Nucleatpuffer. Eine Lösung, deren Endkonzentration an Kaliumphosphat 0,1 m, an Cystein 0,001 m und 5%ig an Natriumnucleat ist. Der p_H wird auf 6,0 eingestellt.

Die Enzymlösung ist nicht haltbar. Die Anreicherung ist bis zu diesem Schritt etwa 230fach, die Ausbeute beträgt etwa 50% der Ausgangsaktivität.

---

[1] STOPPANI, A. O. M., and C. MILSTEIN: Biochem. J. **67**, 406 (1957).

Zur Darstellung von Enzympräparaten, welche salzfrei sind und weder Coenzym noch Substrat enthalten, ersetzen STOPPANI und MILSTEIN[1] den Schritt der Natriumchloridfällung durch eine Acetonfällung. Dabei wird eine 2—3fache Anreicherung, bezogen auf den vorhergehenden Schritt, erreicht: Die Enzymlösung aus der Säurefällung wird bis zu einem Gehalt von 50% mit eiskaltem Aceton versetzt, der Niederschlag wird bei $-8°$ C zentrifugiert und in kaltem 0,015 m Trispuffer vom p_H 8,0 aufgenommen. Das Enzympräparat verliert auch eingefroren ($-18°$ C) nach 24 Std seine Wirksamkeit.

Eigenschaften. *p_H-Optimum.* Das Enzym besitzt bei p_H 8,75 ein scharfes Aktivitätsmaximum. Bei p_H 7,4 und 9,2 ist die Aktivität 50% des maximalen Wertes.

Substratspezifität. Das Enzym oxydiert neben Acetaldehyd zahlreiche andere Aldehyde (s. Tabelle 4).

Tabelle 4. *Substratspezifität der kaliumabhängigen Aldehyddehydrogenase.*
(Substratkonzentration 0,00017 m; Coenzym: DPN^+.)

Aldehyd	Relative Aktivität	Aldehyd	Relative Aktivität
Acetaldehyd	100	Formaldehyd	17
Propionaldehyd	69	D,L-Glycerinaldehyd	3
Benzaldehyd	31	Salicylaldehyd	0
Bernsteinsäuresemialdehyd	23	Glyoxylsäure	0
Crotonaldehyd	20		

Coenzymspezifität. Als Coenzym funktionieren sowohl DPN^+ als auch TPN^+. Mit DPN^+ sind die Reaktionsgeschwindigkeiten jedoch etwa zehnmal größer als mit TPN^+.

Aktivatoren. a) *Alkalimetallaktivierung.* Die von BLACK angereicherte Aldehyddehydrogenase ist nur in Gegenwart von Alkalimetall-Aktivatoren wirksam. Die Aktivierung durch die verschiedenen Alkalimetalle zeigt Tabelle 5.

Tabelle 5. *Aktivierung der kaliumabhängigen Aldehyddehydrogenase.*
Konzentration der Kationen 0,05 m; Gegenion: Chlorid.

Metallion	Relative Aktivität	Metallion	Relative Aktivität	Metallion	Relative Aktivität
K^+	100	NH_4^+	32	Ca^{++}	4
Rb^+	97	Na^+	4	Li^+	0

Über einen Wirkungsmechanismus der Alkalimetallionen-Aktivierung stammen von STOPPANI und MILSTEIN[1] folgende Vorstellungen: Die K-abhängige Aldehyddehydrogenase bildet mit dem Alkaliaktivator und dem Coenzym einen Coenzym-Aktivator-Enzymkomplex, dessen Konzentration der limitierende Faktor bei der Aldehydoxydation ist. Pro Mol Komplex ist ein Mol Aktivator enthalten.

b) *SH-Gruppenaktivatoren.* Das nach STOPPANI[1] in Abwesenheit von Cystein dargestellte Enzympräparat zeigt ohne Zugabe von Cystein, Glutathion, BAL usw. kaum Aktivität. Bei einigen Enzympräparaten konnte ohne Zugabe der Sulfhydrylgruppen-Aktivatoren keinerlei Enzymaktivität gefunden werden. In der folgenden Aufstellung findet sich die Aktivierung eines Enzympräparates durch verschiedene Sulfhydrylgruppen-Aktivatoren, bezogen auf Cystein = 100%: Glutathion 98%, Thioglykolat 89%, BAL 105%, Äthylendiamintetraacetat 116%, kein Zusatz 3%.

Bei Aktivierungsversuchen mit Glycin oder Histidin zeigt nur Histidin Effekte, die dabei gemessene Aktivierung ist etwa die Hälfte der mit Cystein. Zusatz eines Gemisches von Cystein und Äthylendiamintetraacetat liefert keine additive Aktivitätssteigerung. Daraus wird geschlossen: Die Aktivierung durch die Sulfhydrylgruppen enthaltende Verbindungen und durch Äthylendiamintetraacetat erfolgt am selben aktiven Zentrum, vermutlich durch Komplexbildung mit Sulfhydrylgruppen blockierenden Schwermetallionen.

[1] STOPPANI, A. O. M., and C. MILSTEIN: Biochem. J. 67, 406 (1957).

Inhibitoren. Kaliumaktivierbare Aldehyddehydrogenase wird nach STOPPANI[1] durch Sulfhydrylgruppen-Inhibitoren inaktiviert, die Wirksamkeit solcher Verbindungen nimmt in folgender Reihenfolge ab: Mapharsid (2-Amino-4-arsenophenol), o-Jodosobenzoat, N-Äthylmaleinimid, Jodacetat. Die Inhibierung mit Mapharsid ist die wirkungsvollste. Die Hemmung durch Arsenit beschreibt JAKOBY[2], diese Inhibierung tritt jedoch nur in Anwesenheit von Mercaptoäthanol ein. Arsenitzusätze hemmen ohne Mercaptoäthanol die Aldehyddehydrogenase nicht. Nach Vorinkubation des Enzyms mit Inhibitor in Gegenwart von Coenzym wird die SH-Gruppenblockierung teilweise aufgehoben. Bei der Inhibierung durch Mapharsid erweisen sich reduziertes und oxydiertes Diphosphopyridinnucleotid gleich wirksam, Triphosphopyridinnucleotid zeigt dabei keine signifikante Wirkung. Die Inhibierung durch o-Jodosobenzoat wird sowohl mit TPN^+ als mit DPN^+ mit gleichem Erfolg aufgehoben. Versuche mit Adenosinmonophosphat an Stelle von Coenzymen geben keine Veränderung der Inhibierung.

Acetaldehyd bietet ebenfalls Schutz vor SH-Gruppenblockierung; die dabei erzielten Wirkungen sind geringer als die mit den Coenzymen. Verwendet man an Stelle von Coenzymen oder Acetaldehyd, Alkalimetalle, so findet man Effekte, wie sie mit dem Substrat oder den Cofermenten zu beobachten sind. Zum Beispiel wird die Mapharsidinhibierung durch K^+ und Rb^+ teilweise aufgehoben, Na^+ zeigt jedoch unter diesen Bedingungen eine Verstärkung der Inhibierung.

Bei o-Jodosobenzoat sind nur K^+-Ionen wirksam, Rb^+, Na^+ und Li^+ geben zusätzliche Inaktivierungseffekte. Die Inhibierung durch N-Äthylmaleinimid wird mit Rb^+, K^+, Li^+ und in geringem Maße durch NH_4^+ aufgehoben; Rb^+ ist hier etwa dreimal so wirksam wie K^+ und Li^+.

Der Einfluß verschiedener Kaliumkonzentrationen im Fall der o-Jodosobenzoathemmung wurde quantitativ untersucht. Eine Kaliumkonzentration von 0,06 m bietet den optimalen Schutz vor Inaktivierung, diese Konzentration ist auch für die Substratoxydation optimal.

Eine Inhibierung durch SH-blockierende Substanzen kann auch durch Glutathion oder Cystein teilweise aufgehoben werden.

Bestimmung der Aktivität der kaliumabhängigen Aldehyddehydrogenase nach BLACK[3].

Reaktionsgleichung:

$$CH_3CHO + PN^+ + H_2O \rightarrow CH_3COOH + PNH + H^+$$

Reagentien:
1. 1 m Tris-HCl-Puffer, p_H 7,5.
2. 3 m KCl-Lösung.
3. 0,01 m DPN^+, mit Tris neutralisiert.
4. 0,1 m Mercaptoäthanollösung.
5. 0,01 m Acetaldehydlösung. Frisch destillierter Acetaldehyd wird bei $-20°$ C aufbewahrt und daraus täglich die Aldehydlösung bereitet.
6. Enzymlösung: 500—2000 Enzymeinheiten/ml. Konzentrierte Enzymlösungen werden mit einer Lösung, die 0,1 m an Kaliumphosphat, 0,001 m an Cystein, 5%ig an Natriumnucleat ist und auf p_H 6,0 eingestellt wurde, verdünnt.

Ausführung:

In eine Küvette der Schichtdicke $d = 1$ cm werden pipettiert: 0,3 ml Tris-HCl-Puffer, 0,1 ml KCl-Lösung, 0,15 ml DPN^+-Lösung, 0,003 ml Mercaptoäthanollösung, 0,005 ml Acetaldehydlösung, 2,5 ml H_2O. Die Reaktion wird durch Zugabe von Acetaldehyd gestartet, die Änderung der Extinktion wird bei der Meßstrahlung 340 mμ verfolgt und jede halbe min abgelesen.

---

[1] STOPPANI, A. O. M., and C. MILSTEIN: Biochem. J. **67**, 406 (1957).
[2] JAKOBY, W. B.: Biochim. biophys. Acta **24**, 625 (1957).
[3] BLACK, S.: Arch. Biochem. **34**, 86 (1951).

Enzymeinheit (nach BLACK[1]). Eine Enzymeinheit ist die Enzymmenge, die unter den obigen Testbedingungen die Extinktion um 0,001 in der min erhöht, gemessen im linearen Geschwindigkeitsbereich.

Bemerkung. In Anwesenheit von Alkoholdehydrogenase kann diese Bestimmung nicht durchgeführt werden (Mutasereaktion). In diesem Fall gelingt die Aktivitätsbestimmung des Enzyms, wenn DPN^+ durch TPN^+ ersetzt und in Anwesenheit der TPN-abhängigen Aldehyddehydrogenase gegen einen Blindwert, der kein KCl enthält, gemessen wird.

TPN-abhängige Aldehyddehydrogenase aus Hefe.
[1.2.1.4 Aldehyd:NADP-Oxydoreductase.]
(Hefe-Aldehyddehydrogenase nach SEEGMILLER[2].)

Die von SEEGMILLER[2] aus Hefe angereicherte Aldehyddehydrogenase oxydiert bei Anwesenheit von Triphosphopyridinnucleotid zahlreiche Aldehyde, Diphosphopyridinnucleotid ist unwirksam.

Während K^+-Ionen keine Effekte zeigen, wird durch Ca^{++} und Mg^{++} die Enzymaktivität erhöht. Nach SEEGMILLER[2] ist das Enzym nicht anzutreffen in Acetontrockenpulver-Extrakten von Kaninchennieren, Knochenmark oder Gehirn, auch in Extrakten aus Rattenleber-Acetontrockenpulver ist keine Enzymaktivität festzustellen.

Darstellung der TPN-abhängigen Aldehyddehydrogenase aus Hefe nach SEEGMILLER[2].

Extraktion. Das Enzym ist äußerst instabil und hält nicht den üblichen Methoden der Zellzerstörung, wie Autolyse mit Toluol, Plasmolyse mit Natriumchlorid oder Zerreiben mit Aluminiumoxyd, stand. Aktive Enzymextrakte werden durch Schütteln der Hefezellen mit Seesand in Spezialschüttelmaschinen erhalten: 40 g frische Bäckerhefe werden mit 200 g Seesand und 200 ml 0,1 m $NaHCO_3$-Lösung $1^1/_2$ Std bei $+3°$ C geschüttelt, die Suspension wird 10 min bei 11 000 U/min abzentrifugiert.

Eine Methode, bei der eine größere Menge an Material eingesetzt werden kann (ohne Schüttelmaschine) ist von STOPPANI und MILSTEIN[3] beschrieben: 200 g gewaschene Hefezellen werden in kleinen Portionen in etwa 1 l flüssigen Stickstoff geworfen. Nach Verdampfen des überschüssigen Stickstoffs wird der Rückstand in 100 ml kalter 0,3 m K_2HPO_4-Lösung aufgenommen. Der p_H der Suspension wird unter Rühren bei $+3°$ C mit 6 n Ammoniak auf 8,6 eingestellt, die Suspension 2 Std bei $-3°$ C geschüttelt und unter gelegentlichem Rühren 24 Std bei dieser Temperatur stehengelassen. Die Suspension wird bei 3000 U/min abzentrifugiert, der Überstand nach der Vorschrift von SEEGMILLER weiterverarbeitet. Bei dieser Extraktionsmethode ist eine Schwermetallinaktivierung infolge Verunreinigungen aus dem Seesand ausgeschlossen.

Ammoniumsulfatfällung und p_H-Fraktionierung. Zu 596 ml Extrakt werden 194 g festes Ammoniumsulfat unter Rühren zugegeben, die Suspension wird abzentrifugiert, das Sediment verworfen und der p_H des Überstandes durch Zugabe von 145 ml kalter 0,5 n Schwefelsäure, die über einen Zeitraum von 5 min zugegeben wird, auf 3,0 erniedrigt. Der entstandene Niederschlag wird abzentrifugiert und in 36 ml 0,1 m Acetatpuffer, p_H 4,0, der 5 g Ammoniumsulfat pro 100 ml enthält, suspendiert. Die Suspension wird zentrifugiert und das Enzym aus dem Rückstand mit 20 ml und 10 ml 0,1 m Phosphatpuffer von p_H 7,0 extrahiert. Die beiden Extrakte werden vereinigt, das Enzympräparat kann eingefroren bei $-17°$ C über Nacht ohne Aktivitätsverlust aufbewahrt werden.

1. Acetonfällung. Die Enzymlösung wird mit 3 Vol. 0,1 m Acetatpuffer, p_H 5,3, versetzt. Unter Rühren werden 96 ml auf $-10°$ C vorgekühltes Aceton im Kältebad zuge-

---
[1] BLACK, S.: Arch. Biochem. **34**, 86 (1951).
[2] SEEGMILLER, J. E.: J. biol. Ch. **201**, 629 (1953).
[3] STOPPANI, A. O. M., and C. MILSTEIN: Biochem. J. **67**, 406 (1957).

geben, die Temperatur in der Enzymlösung soll bei $-3°$ C gehalten werden. Vom Niederschlag wird in der Kühlzentrifuge 5 min abzentrifugiert, der Rückstand wird mit 6 ml 0,01 m Acetatpuffer vom p_H 5,3 extrahiert.

Aluminiumhydroxydgel-Anlagerung. Das Enzym wird aus der Lösung durch Zugabe von 7 ml Aluminiumhydroxydgel[1] (71 mg Trockengewicht/ml) adsorbiert. Das Gel wird abzentrifugiert und mit 10 ml 0,01 m Phosphatpuffer vom p_H 6,6 gewaschen. Das Enzym wird aus dem gewaschenen Gel dreimal mit je 20 ml 0,01 m Phosphatpuffer von p_H 7,1 eluiert.

2. *Acetonfällung.* Zu 64 ml Eluat werden 20 ml 0,1 m Acetatpuffer, p_H 5,3, gegeben, das Enzym wird analog der 1. Acetonfällung durch Zugabe von $-10°$ C kaltem Aceton (60 ml) ausgefällt. Der Niederschlag wird abzentrifugiert und zweimal mit je 1 ml 0,01 m Acetatpuffer vom p_H 5,3 extrahiert. Die Extrakte werden vereinigt und mit 0,21 ml 0,25 m Glycylglycinpuffer vom p_H 7,7 neutralisiert. Das nunmehr weitgehend angereicherte Enzympräparat wird durch Zugabe von 20 mg Rinder-Serumalbumin stabilisiert.

Das Präparat verliert in eingefrorenem Zustand innerhalb von 5 Tagen etwa 10% der Gesamtaktivität. Die erzielte Anreicherung ist etwa 80fach, die Ausbeute ungefähr 11%.

Eigenschaften. *Substratspezifität.* Nach SEEGMILLER[2] wird eine große Anzahl von Aldehyden oxydiert (s. Tabelle 6).

Tabelle 6. *Substratspezifität der TPN-abhängigen Aldehyddehydrogenase.*
Enzymkonzentration: 0,16 µg pro Ansatz.

Substrat	Anfangsgeschwindigkeit/min		Substrat	Anfangsgeschwindigkeit/min	
	Substratkonzentration			Substratkonzentration	
	0,0005 m	0,01 m		0,0005 m	0,01 m
Acetaldehyd	0,049	0,023	Phosphoglykolaldehyd	0,001	0,001
Glykolaldehyd	0,009	0,035	Triosephosphat aus Fructose-1,6-		
Propionaldehyd	0,024	0,014	diphosphat mit Aldolase	0,002	
Formaldehyd	0,015	0,003	D-Glucose	0,001	0,001
D,L-Glycerinaldehyd	0,001	0,002	D-Ribose	0,001	0,001
n-Butyraldehyd	0,001	0,002	D-Arabinose	0,001	0,001
Chloralhydrat	0,001	0,002	Crotonaldehyd (hemmt Acet-		
Benzaldehyd	0,001	0,001	aldehydoxydation)	0,000	0,001

Coenzymspezifität. Gereinigte Enzympräparate zeigen mit DPN^+ nur etwa 0,1—0,4% der Aktivität mit TPN^+. Die Enzymaktivität mit DPN^+ als Coenzym nimmt während der einzelnen Reinigungsschritte laufend ab, es handelt sich also um eine Enzymverunreinigung.

MICHAELIS-*Konstanten.* Die von SEEGMILLER[2] gemessenen K_M-Werte sind in Tabelle 7 angegeben.

Das Enzym ist, nach den K_M-Werten zu urteilen, für die Bestimmung von Acetaldehyd und TPN^+ geeignet.

Tabelle 7. MICHAELIS-*Konstanten der TPN-abhängigen Aldehyddehydrogenase.*

Substrat/Coferment	K_M
TPN^+	$1,4 \times 10^{-5}$
Acetaldehyd	$3,5 \times 10^{-5}$
Glykolaldehyd	$2,2 \times 10^{-3}$

Aktivatoren. Erdalkalimetallaktivierung. Eine für ein Oxydationsenzym merkwürdige Aktivierung wird durch Erdalkalimetallionen erreicht. In Gegenwart von Ca^{++} oder Mg^{++} erhöht sich die Enzymaktivität um das 4—6fache. Mn^{++} und Ba^{++} geben eine dreifache Aktivitätserhöhung.

Aktivierung durch „Sulfhydrylaktivatoren". Ein nach STOPPANI und MILSTEIN[3] dargestelltes Enzympräparat gibt mit Cystein eine Verdoppelung der Aktivität, mit Mercaptoäthanol erhält man nach JAKOBY[4] ähnliche Ergebnisse.

---

[1] WILLSTÄTTER, R., u. H. KRAUT: B. **56**, 1117 (1923).
[2] SEEGMILLER, J.: J. biol. Ch. **201**, 629 (1953).
[3] STOPPANI, A. O. M., and C. MILSTEIN: Biochem. J. **67**, 406 (1957).
[4] JAKOBY, W. B.: Biochim. biophys. Acta **24**, 625 (1957).

Inhibitoren[1,2]. Von den in diesem Rahmen beschriebenen Aldehyddehydrogenasen ist das TPN-abhängige Enzym am anfälligsten gegen Inaktivierung durch SH-blockierende Substanzen.

Die Inhibierung ist mit folgenden Verbindungen untersucht: o-Jodosobenzoat, N-Äthylmaleinimid, p-Chlormercuribenzoat, Mapharsid und Jodacetat. Die Wirksamkeit dieser Verbindungen nimmt auch in dieser Reihenfolge ab. Eine Inhibierung durch Arsenit kann nur bei gleichzeitiger Anwesenheit von Mercaptoäthanol beobachtet werden. Einen teilweisen Schutz vor Inhibierung gibt das Coenzym. TPN^+ ist in sämtlichen (oben angegebenen) Fällen einer Inhibierung wirksam, kann aber nicht durch DPN^+ vertreten werden. Acetaldehyd gewährleistet nur im Falle der Jodacetat-Inhibierung einen geringen Schutz gegenüber SH-blockierenden Verbindungen.

Spektrophotometrische Bestimmung der TPN-abhängigen Aldehyddehydrogenase nach SEEGMILLER[3].

Die Bestimmung der Enzymaktivität erfolgt nach der Reaktionsgleichung:

$$CH_3CHO + TPN^+ + H_2O \rightarrow RCOO^- + TPNH + 2H^+$$

Reagentien:
1. 0,2 m Acetaldehydlösung. Herstellung: Eine 0,2 m Lösung wird aus frisch destilliertem Acetaldehyd durch Verdünnung mit destilliertem Wasser hergestellt, die Lösung ist, bei 0° C aufbewahrt, einige Wochen haltbar. Nach SEEGMILLER enthält frisch destillierter Acetaldehyd eine Substanz, welche in der Lage ist, die Enzymaktivität zu hemmen; diese Hemmung verschwindet jedoch, wenn die Lösung 2 Tage bei 2° C aufbewahrt wird.
2. $1{,}3 \cdot 10^{-3}$ m TPN^+-Lösung.
3. 0,25 m Glycylglycin-NaOH-Puffer, p_H 7,7.
4. 0,1 m $MgCl_2$-Lösung (Erdalkaliaktivator).
5. Enzymlösung mit 0,1 m Phosphatpuffer, p_H 7,5, so verdünnen, daß 0,3—1,0 Enzymeinheiten pro ml enthalten sind.

Testansatz. Die Acetaldehydlösung wird auf 0,01 m verdünnt (täglich frisch bereitet). In eine Spezialküvette der Schichtdicke $d = 1$ cm werden in der angegebenen Reihenfolge folgende Substanzen pipettiert: 0,57 ml Wasser, 0,15 ml 0,1 m $MgCl_2$, 0,25 ml Glycylglycinpuffer, 0,05 ml 0,01 m Acetaldehyd, 0,05 ml TPN^+-Lösung. Start: 0,03 ml Enzymlösung. Nach Zugabe des Enzyms wird die Extinktion bei der Meßstrahlung 340 mμ alle 30 sec über eine Zeit von 3 min abgelesen.

Enzymeinheit. Eine Enzymeinheit ist die Enzymmenge, die unter den obigen Bedingungen die Extinktion um 1,0 in der min erhöht.

Bemerkung. Rohextrakte zeigen bereits ohne Substratzusatz eine geringe TPN-Reduktion; so gemessene Werte bedürfen einer Korrektur.

Aldehydoxydase*.

[1.2.3.1 Aldehyd: O_2-Oxydoreductase.]

Das Enzym Aldehydoxydase katalysiert die direkte Oxydation von Aldehyden nach folgender Gleichung:

$$RCHO + H_2O \rightarrow RCOOH + 2e + 2H^+$$

Aldehydoxydase konnte bisher nur in Leber nachgewiesen werden. Angaben über Enzymkonzentration in anderen Organen und Verteilungsmuster in der Zelle fehlen.

---

* Siehe auch 882.

[1] STOPPANI, A. O. M., and C. MILSTEIN: Biochem. J. **67**, 406 (1957).
[2] RACKER, E.: Ann. Rep. Long Island Ass. **1949**, 38 [Colowick-Kaplan, Meth. Enzymol. Bd. I, S. 517].
[3] SEEGMILLER, J.: J. biol. Ch. **201**, 629 (1953).

Darstellung. Anreicherungsverfahren sind von Carpenter[1] für Pferdeleber, von Hurwitz[2] für Kaninchenleber und von Gordon[3] sowie Mahler[4] für Schweineleber beschrieben.

Die im folgenden beschriebene Darstellungsmethode folgt dem Verfahren von Gordon et al.[3] und Mahler et al.[4]

Darstellung der Aldehydoxydase nach Gordon *et al.*[3] *und* Mahler *et al.*[4]

Extraktion und Hitzedenaturierung. 1,8 kg fein zerkleinerte Leber werden in einer Mischung von 4 l Wasser und 1880 ml 95 %igem Äthanol homogenisiert. Das Homogenat wird in einem Rundkolben unter kräftigem Rühren im kochenden Wasserbad innerhalb von 4 min auf 48° C erhitzt und 1 min bei dieser Temperatur gehalten. Nachdem die Temperatur durch Zugabe von zerkleinertem Eis auf 20° C gesunken ist, wird die Suspension 10 min abzentrifugiert. Das Sediment wird verworfen.

Bleiacetatfällung. Der klare, leicht rot gefärbte Überstand wird mit 40 ml einer 25 %igen Lösung von basischem Bleiacetat versetzt. Der Niederschlag wird abzentrifugiert und durch Schütteln mit 400 ml gesättigter Na_2HPO_4-Lösung zerlegt. Der Bleiphosphatniederschlag wird abzentrifugiert und verworfen. Zum Überstand (570 ml) wird festes Ammoniumsulfat bis 0,4-Ammoniumsulfatsättigung zugegeben. Der Niederschlag wird abzentrifugiert und in 100 ml Wasser gelöst.

Die folgenden weiteren Reinigungsschritte müssen bei 0° C ausgeführt werden.

Fällung mit ammoniakalischer Ammoniumsulfatlösung. Die Enzymlösung wird durch Zugabe ammoniakalischer Ammoniumsulfatlösung auf 0,27-Ammoniumsulfatsättigung gebracht. Die ammoniakalische Ammoniumsulfatlösung wird durch Mischen von 94 Teilen gesättigter Ammoniumsulfatlösung und 6 Teilen konzentriertem Ammoniak ($d=0,880$) hergestellt. Die Suspension wird abzentrifugiert, die Ammoniumsulfatsättigung im Überstand durch weitere Zugabe ammoniakalischer Ammoniumsulfatlösung auf 0,4 erhöht. Der Niederschlag wird abzentrifugiert und in so viel Wasser gelöst, daß eine Enzymkonzentration von 30—40 mg/ml resultiert.

Alterung in ammoniakalischer Ammoniumsulfatlösung. Die Enzymlösung wird durch Zugabe ammoniakalischer Ammoniumsulfatlösung auf 0,3-Sättigung gebracht. Die Lösung bleibt längere Zeit bei 0° C stehen, dabei bildet sich ein inaktiver Niederschlag, der täglich abzentrifugiert wird. Tritt nach mehrmaliger Wiederholung dieser Prozedur während weiterer 24 Std kein Niederschlag mehr auf, dann wird die Ammoniumsulfatsättigung durch Zugabe gesättigter ammoniakalischer Ammoniumsulfatlösung auf 0,4 erhöht. Der Niederschlag wird abzentrifugiert und in Wasser aufgenommen. Enthält das Enzym noch größere Mengen an Verunreinigungen, so muß der Alterungsprozeß wiederholt werden. Die Dauer des Alterns ist von Ansatz zu Ansatz verschieden; in der Regel dauert es über 1 Woche, bis sämtliche Begleitenzyme entfernt sind. Ein Maßstab für die Enzymreinheit ist das Verhältnis der optischen Dichten bei 410/450 mμ und 280/450 mμ, der erste Quotient beträgt bei einem nahezu reinen Enzym 1,5, der zweite soll dann 10,8 sein.

Auf diese Weise dargestellte Enzympräparate haben einen Reinheitsgrad von etwa 90 %, die Ausbeute beträgt 30 %.

Eigenschaften. *p_H-Optimum.* Das nach den Methoden von Gordon[3] sowie Mahler[4] aus Schweineleber angereicherte Enzym ist über einen p_H-Bereich von 5—11 aktiv, das Aktivitätsmaximum liegt bei p_H 7,0.

Nach der Methode von Carpenter[1] aus Pferdeleber angereicherte Aldehydoxydase hat ein Aktivitätsmaximum bei p_H 8,1.

---

[1] Carpenter, F. H.: Acta chem. scand. **5**, 406 (1951).
[2] Hurwitz, J.: J. biol. Ch. **212**, 757 (1955).
[3] Gordon, A. H., D. E. Green and V. Subrahmanyan: Biochem. J. **34**, 764 (1940).
[4] Mahler, H. R., B. Mackler, D. E. Green and R. M. Bock: J. biol. Ch. **210**, 465 (1954).

Substratspezifität. Das Enzym Aldehydoxydase oxydiert eine Vielzahl von Aldehyden. Die Umsatzgeschwindigkeit aliphatischer Aldehyde ist von der Länge der Kohlenstoffkette abhängig, sie nimmt im allgemeinen mit der Länge der Kohlenstoffkette ab (siehe Tabelle 8). Formaldehyd zeigt hierbei eine Ausnahme, durch ihn wird das Enzym schnell denaturiert. SCHWARTZ[1] sowie HURWITZ[2] beschreiben die Oxydation von Pyridoxal durch Aldehyddehydrogenase. Ketone, Ketosäuren, Säuren und Alkohole werden vom Enzym nicht oxydiert, auch Hypoxanthin wird von gereinigten Präparaten nicht angegriffen.

Tabelle 8. *Substratspezifität der Aldehydoxydase (nach GORDON[3].)*

Substrat	Endkonzentration	Relative Aktivität	Substrat	Endkonzentration	Relative Aktivität
Acetaldehyd . .	0,1 M	100	Glykolaldehyd	0,1 M	8
Propionaldehyd	0,1 M	17	Salicylaldehyd	ges. Lösung	2
Butyraldehyd .	0,1 M	13	Pyruvat . . .	0,1 M	0
Crotonaldehyd .	0,1 M	66	Äthylalkohol .	0,1 M	0
Benzaldehyd. .	ges. Lösung	25			

Das von CARPENTER[4] aus Pferdeleber isolierte Enzym zeigt andere Eigenschaften (Tab. 9).

Tabelle 9. *Substratspezifität der nach CARPENTER[4] dargestellten Aldehydoxydase.*

Substrat	Konzentr. (m)	Geschwindigkeit	Substrat	Konzentr. (m)	Geschwindigkeit
Acetaldehyd . .	0,046	100	Salicylaldehyd .	0,0028	175
Furfurol	0,0046	175	n-Heptylaldehyd	0,0014	1,8

MICHAELIS-Konstanten. Die MICHAELIS-Konstanten für Crotonaldehyd und Pyridoxal sind in Tabelle 10 angegeben.

Tabelle 10. *MICHAELIS-Konstanten der Aldehydoxylase.*

Substrat	K_M	Tier	Autor
Crotonaldehyd	7×10^{-3}	Schwein	GORDON[3]
Pyridoxal . .	6×10^{-7}	Kaninchen	SCHWARTZ[1]

Spezifität des Elektronenacceptors. Als Elektronenacceptoren können bei der Umsetzung mit Aldehydoxydase neben Sauerstoff Nitrat, Cytochrom c, Methylenblau oder Indophenol dienen. Die Reaktionsgeschwindigkeit mit Nitrat oder Cytochrom c ist im Vergleich zu anderen Acceptoren klein. HURWITZ und COOPERSTEIN[5] fanden eine Reduktion der Cytochromoxydase mit dem Aldehydoxydasesystem; ein Reaktionsmechanismus dazu wird ausführlich diskutiert.

Prosthetische Gruppe und Metallaktivator. Aus Schweineleber nach GORDON[3] angereicherte Aldehydoxydase enthält als prosthetische Gruppe Flavinadenindinucleotid (FAD). FAD kann vom Enzymkomplex durch Erhitzen auf 70° C in Gegenwart von 15% Ammoniumsulfat bei pH 3,8 entfernt werden. Außer FAD wurden im Enzymkomplex Molybdän und Eisen-Protoporphyrin, Verhältnis FAD:Mo:Fe-Protoporphyrin 2:1:1, nachgewiesen[6]. Das Molybdän kann durch Dialyse gegen Puffer vollständig aus dem Enzym entfernt werden, auf das Enzymspektrum hat der Molybdängehalt keinen Einfluß. Molybdän ist nur bei der Aldehydoxydation mit Cytochrom c als Elektronenacceptor wirksam. Wolfram kann Molybdän teilweise ersetzen.

---

[1] SCHWARTZ, R., and N. O. KJELDGAARD: Biochem. J. 48, 333 (1951).
[2] HURWITZ, J.: J. biol. Ch. 212, 757 (1955).
[3] GORDON, A. H., D. E. GREEN and V. SUBRAHMANGAN: Biochem. J. 34, 764 (1940).
[4] CARPENTER, F. H.: Acta chem. scand. 5, 406 (1951).
[5] HURWITZ, J., and S. J. COOPERSTEIN: J. biol. Ch. 212, 771 (1955).
[6] MAHLER, H. R., and D. E. GREEN: Science, N.Y. 120, 7 (1954).

Das von Carpenter[1] aus Pferdeleber isolierte Enzym ist frei von Katalase und enthält (vermutlich) kein FAD; die Enzymwirksamkeit geht bei Dialyse nur teilweise verloren.

Inhibitoren. SH-Inhibitoren. p-Chlormercuribenzoat blockiert die Aldehydoxydation schon in geringen Konzentrationen. Diese Hemmung kann durch Inkubation mit Substrat oder Glutathion[2] aufgehoben werden. Arsenit inhibiert die Substratoxydation mit Sauerstoff, Cytochrom c oder Indophenol als Elektronenacceptor. Eine durch Dimercaptopropanol (BAL) hervorgerufene Hemmung ist unter aeroben Versuchsbedingungen ausgeprägter als unter anaeroben. Durch Vorinkubation mit Cyanid wird die Aldehydoxydation vollständig irreversibel unterbunden. Jodacetat ist nur dann wirksam, wenn Cytochrom c als Elektronenacceptor dient. Vollständig kompetitive Inhibierung zeigt Antabus (Tetraäthylthiuramdisulfid) schon bei Konzentrationen von weniger als $1\mu g$ pro ml.

Metallinhibitoren. Mit Äthylendiamintetraacetat wird die Aldehydoxydation über Cytochrom c blockiert, wogegen Cyanid die Substratoxydation mit Indophenol hemmt. Die komplette und irreversible Enzymhemmung durch Cyanid (60 min Vorinkubation) ist ebenso als Metallinhibierung zu verstehen, wie die durch Azid, welches die Enzymreaktion mit sämtlichen Elektronenacceptoren inhibiert.

FAD-Inhibitoren. Atebrin [Quinacrin = 3-Chlor-7-methoxy-9-(1-methyl-4-diäthylaminobutylamin)-acridin], ein spezifischer Flavoproteidinhibitor[3], hemmt die Reaktion der Aldehydoxydase. Die Hemmung kann durch Zugabe von FAD, weniger gut mit FMN, wieder aufgehoben werden. Eine Inhibierung der Aldehydoxydation durch adrenergische und adrenolytische Substanzen wird von Ungar und Hummel[4] beschrieben.

Aktivatoren. Mahler[5] beobachtete nach Zugabe von „gealtertem" Molybdat eine Enzymaktivierung im Cytochrom c-Test, später zeigten Gleen und Crane[6], daß diese Aktivierung auf einen Molybdän-Siliciumkomplex zurückzuführen ist, der sich beim Stehen der Molybdatlösung in Glasflaschen bildet.

Von Carpenter wird eine Aktivierung der Oxydation des Acetaldehyds durch Ammoniumionen beschrieben und diskutiert.

Bestimmung der Aldehydoxydaseaktivität.

Das Enzym Aldehydoxydase katalysiert folgende Reaktion:

$$RCHO + 3\,OH^- \rightarrow RCOO^- + 2\,HOH + 2\,e$$

Mit verschiedenen Elektronenacceptoren sind entsprechende Verfahren zur Enzymaktivitätsbestimmung möglich.

a) *Methylenblautest nach* Gordon, Green *und* Subrahmangan[7].

Reaktion:

$$RCHO + \text{Methylenblau} + H_2O \rightarrow RCOOH + \text{Leukomethylenblau}$$

Testansatz:

Die Bestimmungsmethode wird in Thunberg-Röhren ausgeführt:

0,1 ml 1 m Acetaldehyd.

0,1 ml 0,113 m Methylenblau.

---

[1] Carpenter, F. H.: Acta chem. scand. **5**, 406 (1951).
[2] Hurwitz, J.: J. biol. Ch. **212**, 757 (1955).
[3] Haas, E.: J. biol. Ch. **155**, 321 (1944).
[4] Ungar, G., and F. P. Hummel: Proc. Soc. exp. Biol. Med. **83**, 126 (1953).
[5] Mahler, H. R., B. Mackler, D. E. Green and R. M. Bock: J. biol. Ch. **210**, 465 (1954).
[6] Gleen, I. L., and F. L. Crane: Biochim. biophys. Acta **22**, 111 (1956).
[7] Gordon, A. H., D. E. Green and V. Subrahmangan: Biochem. J. **34**, 764 (1941).

Aldehydoxydase.
Phosphatpuffer, p_H 7,2, 0,04 m Endkonzentration.
Gesamtvolumen 2,5 ml, Temperatur 38° C.

Acetaldehydlösung aus frisch destilliertem Acetaldehyd und die Lösung von Methylenblau werden in den Seitenarm pipettiert, Puffer und Enzym befinden sich im Hauptraum des Gefäßes. Die Lösungen werden 2 min bei 38° C inkubiert und dann vereinigt. Die Zeit bis zur vollständigen Entfärbung des Farbstoffes wird bestimmt und dient als Meßgröße.

Blindwert. Als Blindwert dient ein Bestimmungsansatz, der an Stelle von Substrat Wasser enthält.

Enzymeinheiten. Eine Enzymeinheit ist die Enzymmenge, die das zugesetzte Methylenblau innerhalb von 1 min vollkommen reduziert.

b) Cytochrom c-Test.

Reaktion:
$$RCHO + 2\ Cyt.\ c_{red} \rightarrow RCOOH + 2\ Cyt.\ c_{ox}$$

Zur spektrophotometrischen Analyse werden in der angegebenen Reihenfolge in eine Spezialküvette ($d = 1$ cm) folgende Substanzen pipettiert:

0,4 ml 0,2 m Phosphatpuffer, p_H 7,0.
0,1 ml 1%ige Cytochrom c-Lösung.
0,01 ml Katalase in 0,02 m $KHCO_3$.
0,02 ml 95%iges Äthanol.
0,45 ml MoO_3-Lösung.
0,02 ml Enzym.
0,02 ml 1 m Acetaldehyd (frisch destilliert).

Die Reaktion wird durch Zugabe von Acetaldehyd gestartet und die Extinktionsänderung bei 550 mμ während einer Zeitspanne von 2 min alle 15 sec abgelesen. Die Ablesung erfolgt gegen einen Blindwert, der nur Puffer, Cytochrom c und MoO_3-Lösung enthält.

Definition einer Enzymeinheit. Eine Cytochrom c-Einheit ist die Enzymmenge, die bei der Meßstrahlung 550 mμ die optische Dichte um 1,00 in 1 min ändert.

c) Indophenoltest.

Zur spektrophotometrischen Analyse werden in eine Spezialküvette ($d = 1$ cm) in der angegebenen Reihenfolge folgende Substanzen pipettiert:

0,4 ml 0,2 m Phosphatpuffer, p_H 7,0.
0,1 ml 0,01%ige wäßrige 2,6-Dichlorphenolindophenollösung.
0,01 ml 0,1%ige Katalase in 0,02 m $KHCO_3$-Lösung.
0,02 ml Äthanol, 96%ig.
0,45 ml Wasser.
0,02 ml Enzym.
0,02 ml 1 m Acetaldehyd (frisch destilliert).

Die Reaktion wird durch Zugabe von Acetaldehyd gestartet und die Änderung der optischen Dichte bei 600 mμ alle 15 sec abgelesen.

Definition der Enzymeinheit. Eine Enzymeinheit (Indophenoleinheit) ist die Enzymmenge, die unter den angegebenen Bedingungen bei 600 mμ die optische Dichte in 1 min um 1,000 erniedrigt.

Umrechnung. 1,7 Methylenblaueinheiten = 1 Cytochrom c-Einheit = 0,4 Indophenoleinheiten.

Betaine aldehyde dehydrogenase.
[1.2.1.8 Betain aldehyde:NAD oxidoreductase]

By

J. N. Williams jr.*

Betaine aldehyde dehydrogenase (BAD) is a specific dehydrogenase for betaine aldehyde and does not act upon other aliphatic or aromatic aldehydes. It acts at the second stage in the enzymatic conversion of choline to betaine (see also p. 549). The enzyme is a DPN-linked dehydrogenase. Its assay usually involves measuring the reduction of DPN spectrophotometrically though it has also been assayed by measuring the oxidation of betaine aldehyde manometrically[1].

Occurrence. In Table 1 are presented representative activities of this enzyme in various animal organs. The enzyme is found in rat liver, kidney, small intestine, heart, spleen, and brain. It is also found in calf liver and human liver, but not in rabbit liver.

Preparation[2]. The livers of 2—3 adult albino male rats are chilled in ice immediately after anaesthetizing the rats, opening the abdominal cavity, perfusing the livers with cold RINGER's solution through the heart, and excising the livers. They are then cut into small pieces, homogenized for 90 sec in 10 volumes of ice-cold hydrogencarbonate-chloride buffer (80 ml of 0.154 M potassium chloride plus 20 ml of 0.154 M potassium hydrogencarbonate). The suspension is centrifuged for 20 min at 0° C at 600 × g. The supernatant is recentrifuged in vacuo at 0° C for 40 min at 152000 × g. The bottom layer and upper fat layer are discarded. The clear supernatant is treated in small portions with stirring at 3° C with 31.5 g solid ammonium sulfate per 100 ml of supernatant. The mixture is stirred for 30 min and centrifuged at 3° C for 20 min in a Servall centrifuge. The supernatant is again treated with 9.95 g solid ammonium sulfate per 100 ml of supernatant and centrifuged for 20 min. The precipitate is dissolved in 7 ml water per liver.

Table 1. *BAD activity in various sources of the enzyme.*

Source	BAD activity [a] (Increase in O.D. per min per 2.8 mg protein at 340 mμ using enzyme from 60 % ammonium sulfate precipitation)
Rat liver	∼0.31
Rat kidney	∼0.12
Rat small intestine	∼0.06
Rat heart	∼0.03
Rat spleen	∼0.01
Rat brain	∼0.01

Properties[2]. Sulfhydryl compounds such as cysteine and reduced glutathione stimulate the activity of BAD. Addition of p-chloromercuribenzoate or iodosobenzoate inhibits the enzyme; iodoacetate and iodoacetamide do not inhibit as strongly. The addition of betaine aldehyde before p-chloromercuribenzoate prevents inhibition completely. Reduced glutathione overcomes inhibition by p-chloromercuribenzoate only partially. Methyl (bis-β-chloroethyl) amine inhibits the enzyme, while fluoride and ethylenediaminetetraacetate have no effect. Other aldehydes, when added before betaine aldehyde, inhibit BAD activity.

The p_H optimum is 8.8—9.2. The Michaelis constant is 1.1×10^{-4} M. Only DPN is active as hydrogen acceptor. Dialysis overnight at 3° C versus 0.1 M potassium chloride gives a loss of one-half of the activity. This loss of activity upon dialysis can be partially reversed by 0.005 M magnesium chloride or 0.02 M sodium chloride or potassium chloride.

---

* From: The Laboratory of Nutrition and Endocrinology, The National Institute of Arthritis and Metabolic Diseases, The National Institutes of Health, Bethesda, Maryland.

[1] WILLIAMS jr., J. N.: J. biol. Ch. **195**, 37 (1952).

[2] ROTHSCHILD, H. A., and E. S. G. BARRON: J. biol. Ch. **209**, 511 (1954).

Determination of betain aldehyde dehydrogenase activity[1].

Reaction equation:

betaine aldehyde + DPN^+ + H_2O → betaine + DPNH + H^+.

Reagents:
1. 0.1 M betaine aldehyde.
2. Tris buffer (p_H 8.84).
3. Solution of DPN (0.3 µmole per 0.2 ml).
4. 0.1 M cysteine.
5. 0.1 M magnesium chloride.
6. 0.54 M sodium chloride.
7. The enzyme as prepared above.

Apparatus:
Spectrophotometer equipped for reading optical density at 340 mµ.

Procedure:
In a cuvette is placed a mixture of 1.8 ml Tris buffer, 0.2 ml DPN, 0.15 ml cysteine, 0.15 ml magnesium chloride, 0.3 ml enzyme, and 0.3 ml sodium chloride. At zero time 0.1 ml betaine aldehyde is added and the change in optical density measured at 340 mµ. The activity is expressed in units, where 1 unit is equivalent to a change in optical density of 0.01 per min. The enzyme prepared as above contains approximately 10.2 units per mg protein.

1.2.1.10	Aldehyd:NAD-Oxydoreductase (CoA-acylierend)	s. Bd. VI/B
1.2.1.11	L-Aspartat-β-semialdehyd:NADP-Oxydoreductase (phosphorylierend)	s. S. 766

3-Phosphoglycerinaldehyd-Dehydrogenase[2].

[1.2.1.12   Phosphatabhängige D-Glycerinaldehyd-3-phosphat:NAD-Oxydoreductase.]
(Glycerinaldehydphosphat-Dehydrogenase, Triosephosphat-Dehydrogenase.)

Von

Gertrud Mohn*.

Mit 9 Abbildungen.

Einleitung. Die 3-Phosphoglycerinaldehyd-Dehydrogenase, das „oxydierende Gärungsferment" WARBURGs, ist dasjenige Pyridinnucleotidferment, das der anaeroben Glykolyse und der alkoholischen Gärung gemeinsam ist. Vor ihrer Reindarstellung in

---

* Physiologisch-Chemisches Institut der Universität des Saarlandes, Homburg/Saar.

Abkürzungen: PGADH = 3-Phosphoglycerinaldehyd-Dehydrogenase = Triosephosphat-Dehydrogenase = D-Glycerinaldehyd-3-phosphat:NAD-Oxydoreduktase; PGA = 3-Phosphoglycerinaldehyd; DPN = NAD = Nicotinamid-adenin-dinucleotid; TPN = NADP = Nicotinamid-adenin-dinucleotidphosphat; ÄDTE = Äthylendiamintetraessigsäure.

[1] ROTHSCHILD, H. A., and E. S. G. BARRON: J. biol. Ch. **209**, 511 (1954).

[2] SCHLENK, F.; in: Sumner-Myrbäck, Enzymes, Bd. II/1, S. 278. — SINGER, T. P., and E. B. KEARNEY; in: Neurath-Bailey, Proteins, Bd. II/A, S. 192. — RACKER, E.; in: McElroy-Glass, The Mechanism of Enzyme Action. S. 464. Baltimore 1954. — VELICK, S. F.; in: McElroy-Glass, The Mechanism of Enzyme Action. S. 491. Baltimore 1954. — BOYER, P. D., and H. L. SEGAL; in: McElroy-Glass, The Mechanism of Enzyme Action. S. 520. Baltimore 1954. — CHANCE, B.; in: McElroy-Glass, The Mechanism of Enzyme Action S. 433. Baltimore 1954. — MYRBÄCK, K.; in: Ammon-Dirscherl, Fermente, Hormone, Vitamine. 3. Aufl., Bd. I, S. 466.

kristalliner Form durch WARBURG und CHRISTIAN[1] wurde sie noch 1937 von GREEN, NEEDHAM und DEWAN[2] als Dismutase betrachtet, die 2 Moleküle 3-Phosphoglycerinaldehyd zu 3-Phosphoglycerinsäure und α-Glycerophosphat dismutieren sollte.

Tabelle 1. *Vorkommen von 3-Phosphoglycerinaldehyd-Dehydrogenase in normalen tierischen Geweben und in Tumoren* (nach DELBRÜCK, A., u. Mitarb.[3, 4]).

Präparate: 10 sec homogenisieren in der zehnfachen Menge 0,25 m Rohrzucker + 0,01 m Triäthanolamin (p_H 7,3) im POTTER-ELVEHJEM-Homogenisator (Teflonstempel in Glas) und 10 min zentrifugieren bei 100000 × g sowie zweifache Wiederholung dieser Extraktion führt zur Gewinnung des überwiegenden Teiles der löslichen Proteine.

Test: 0,05 m Triäthanolamin (p_H 7,6), 0,005 m ÄDTE, 0,0012 m Glutathion, 0,0033 m Mg^{++}, $3,5 \times 10^{-4}$ m ATP, $1,5 \times 10^{-4}$ m DPNH, 0,007 m 3-Phosphoglycerinsäure, 120 μg 3-Phosphoglycerinsäure-Kinase/ml bei 25° C.

Tierart	Gewebe	Spezifische Aktivität in μ Mol × Std^{-1} × g Frischgewicht^{-1}	Literatur
	Normale Gewebe		
Ratte	Muskulatur des Hinterbeins	40000	4
	Herz	12000	4
	Herz	9200	5
	Zwerchfell	etwa 28000	4
	Leber	8500	4
	Leber	5200	6
	Leber	etwa 2700	7
	Gehirn	6000	4
Schwein	Nierenrinde	etwa 2000	7
Rind	Gehirn	etwa 2900	8
Locusta migratoria	Flugmuskel	13400	3
	Sprungmuskel	etwa 11000	3
	Fettkörper	etwa 2300	3
	Tumoren		
Ratte	WALKER-Ca. S	4000	4
	YOSHIDA, fest	6700	4
	JENSEN	8000	4
	2-Aminofluorenimpftumor	10000	4
	Lymphosarkom Elberfeld	4000	4
Maus	Sarkom 37	20000	4
	Mamma-Ca. DBA, spontan	4000	4
	Ca. EHRLICH, fest	3000	4
	S 180	4000	4

GREEN und seine Mitarbeiter stellten aber die verschiedene Empfindlichkeit der Phosphoglycerinaldehyd-Oxydation und der Bildung von α-Glycerophosphat gegenüber Jodessigsäure fest. Sie wiesen damit den Weg zur Erkennung der Phosphoglycerinaldehyd-Dehydrogenase als individuelles Enzym. NEEDHAM und PILLAI[9] beobachteten den Verbrauch von Phosphat bei der enzymatischen „Dismutation" von Phosphoglycerinaldehyd mit Pyruvat, und MEYERHOF, OHLMEYER und MÖHLE[10] formulierten die reversible

[1] WARBURG, O., u. W. CHRISTIAN: B. Z. **301**, 221; **303**, 40 (1939).
[2] GREEN, D. E., D. M. NEEDHAM and J. G. DEWAN: Biochem. J. **31**, 2327 (1937).
[3] DELBRÜCK, A., E. ZEBE u. T. BÜCHER: B. Z. **331**, 273 (1959).
[4] DELBRÜCK, A., H. SCHIMASSEK, K. BARTSCH u. T. BÜCHER: B. Z. **331**, 297 (1959).
[5] LAMPRECHT, W.: Unveröffentlicht.
[6] TRAUTSCHOLD, I.: Diss. München 1956.
[7] SIEBERT, G.: B. Z. **334**, 369 (1961).
[8] SIEBERT, G., K.-H. BÄSSLER, R. HANNOVER, E. ADLOFF u. R. BEYER: B. Z. **334**, 388 (1961).
[9] NEEDHAM, D. M., and R. K. PILLAI: Biochem. J. **31**, 1837 (1937). Nature **140**, 64 (1937).
[10] MEYERHOF, O., P. OHLMEYER u. W. MÖHLE: B. Z. **297**, 113 (1938).

Oxydation von Phosphoglycerinaldehyd unter Einbeziehung der 3-Phosphoglycerinsäure-Kinase-Reaktion. Schließlich war es WARBURG, der auf Grund seiner eingehenden Untersuchungen am hochgereinigten kristallinen Hefe-Enzym, das frei von Triosephosphat-

Tabelle 2. *Vorkommen der 3-Phosphoglycerinaldehyd-Dehydrogenase in Zellkernen tierischer Zellen* (nach SIEBERT u. Mitarb.[1,2]).

Isolierung der Zellkerne: Einfrieren des Gewebes nach der Frier-Stopp-Methode (nach HOHORST u. Mitarb.[3]), Trocknung bei höchstens 1 Torr über konz. H_2SO_4 oder Silicagel oder Gefriertrocknung, zerkleinern im Mixer, sieben (256 Maschen/cm²) zur Entfernung von Bindegewebe und Gefäßen; je 100 g Trockenpulver werden in der Kugelmühle bei 110 U/min und 2° C mit 450 ml Petroläther (KP = 50—75° C) und 700 g Porzellan- oder Glaskugeln (1,5—2 bzw. 0,4 cm Durchmesser) vermahlen; Sedimentation bei 2000 g in Gemischen aus CCl_4 und Cyclohexan (nach ALLFREY u. Mitarb.[4]); trocknen über $CaCl_2$ und Paraffin. Die Zellkernfraktion soll keine Flavine enthalten und muß eine Anreicherung der DNS auf das 10—23fache aufweisen.

Herstellung der Extrakte: Verreiben mit 20—50 Teilen 0,14 m NaCl + 0,002 m ÄDTE von Hand im Glashomogenisator unter Eiskühlung; nach 30 min wird 20 min bei 15000×g und 0° C zentrifugiert. Auf diese Weise werden 94—97% der Enzymaktivität erfaßt.

Test: s. Tabelle 1.

Organfraktion	Verbrauch an DPNH		Bemerkungen
	μMol × Std^{-1} × g Trockengewicht^{-1}	μMol × Std^{-1} × mg lösliches Protein^{-1}	
I. Rattenleber			
nichtfraktioniertes Gewebe	10800	25	korrigiert für einen Gehalt von 10% an Zellkernen
nach Lösungsmittelexposition	9200	17	korrigiert für 10% Kerne und 12% Lipidverlust
Zellkerne	6000	26	korrigiert für 12% Lipidverlust
II. Schweinenierenrinde			
nichtfraktioniertes Gewebe	7950	24	wie I
nach Lösungsmittelexposition	5250	17	wie I
Zellkerne	4750	37	wie I
III. Rinderhirn			
nichtfraktioniertes Gewebe	11500	70	der Zellkerngehalt beträgt nur 4%, unkorrigiert
nach Petrolätherextraktion	22900 38200	136	korrigiert für 40% Lipidverlust unkorrigiert
nach 3tägiger Lösungsmittelexposition	20600	93	unkorrigiert
nach 5,5tägiger Lösungsmittelexposition*	15200	47	unkorrigiert
Zellkerne	9100	47	unkorrigiert

* Gesamtdauer der Zellkernisolierung.

Isomerase und 3-Phosphoglycerinsäure-Kinase ist, die richtige Summenreaktion angab, wie sie unter physiologischen Bedingungen vor sich geht (Gl. 1).

3-Phosphoglycerinaldehyd + Phosphat + DPN$^+$ ⇌ 1,3-Diphosphoglycerinsäure + DPNH + H$^+$ (1)

In vitro läßt sich Phosphat durch Arsenat ersetzen mit dem Unterschied, daß nicht die zu erwartende 1-Arseno-3-phosphoglycerinsäure erhalten wird, sondern das gemischte Säureanhydrid spontan hydrolysiert (Gl. 2).

3-Phosphoglycerinaldehyd + DPN$^+$ + H_2O → 3-Phosphoglycerinsäure + DPNH + H$^+$ (2)

---

[1] SIEBERT, G.: B. Z. **334**, 369 (1961).
[2] SIEBERT, G., K.-H. BÄSSLER, R. HANNOVER, E. ADLOFF u. R. BEYER: B. Z. **334**, 388 (1961).
[3] HOHORST, H. J., F. H. KREUTZ u. T. BÜCHER: B. Z. **332**, 18 (1959).
[4] ALLFREY, V. G., H. STERN, A. E. MIRSKY and H. SAETREN: J. gen. Physiol. **35**, 529 (1952).

Vorkommen. Die phosphatabhängige 3-Phospho-D-glycerinaldehyd-Dehydrogenase ist als Schlüsselenzym des Glucose-Stoffwechsels in der Natur ubiquitär verbreitet. In Mikroorganismen und höheren Pflanzen kommen TPN$^+$-spezifische Enzyme dieser Art vor (s. S. 628); es sind aber auch DPN$^+$-spezifische Enzyme zu finden. Die tierischen Triosephosphat-Dehydrogenasen sind durchweg DPN$^+$-spezifisch. Sie finden sich in allen Geweben (s. Tabelle 1), sei es Muskel, Leber, Niere oder Gehirn, und in allen Zellarten. Innerhalb der Zelle gehören sie zu den löslichen Cytoplasmaenzymen, sie sind mit vergleichbarer Aktivität aber auch in den Zellkernen enthalten[1] (s. Tabelle 2).

Über die Phosphoglycerinaldehyd-Dehydrogenase des Muskels als Prototyp DPN$^+$-spezifischer 3-Phosphoglycerinaldehyd-Dehydrogenasen soll hier in erster Linie berichtet werden. Sie ist von allen am häufigsten untersucht worden. Die PGADH der Hefe gleicht ihr weitgehend. Triosephosphat-Dehydrogenasen anderen Ursprungs können nur kurz erwähnt werden, da nur wenige ihrer Eigenschaften bekannt sind.

A. Die 3-Phosphoglycerinaldehyd-Dehydrogenase des Muskels.

Das Muskelgewebe ist reich an PGADH. Nach CORI, SLEIN und CORI[2] macht sie 7—12% des extrahierbaren Muskelproteins aus. Die Tabelle 3 gibt einen Vergleich mit den Konzentrationen anderer Enzymproteine im Muskel wieder.

Tabelle 3. *Der Gehalt des Muskels an Aldolase, Glycerophosphat-Dehydrogenase, Milchsäure-Dehydrogenase, Pyruvat-Kinase und Phosphoglycerinaldehyd-Dehydrogenase* (nach BEISENHERZ u. Mitarb.[3]).
2,89 kg Kaninchenmuskel wurden insgesamt mit dem 2,5fachen Gewicht an 0,007 m ÄDTE-Lösung extrahiert. Der Proteingehalt des Extrakts war 124 g, das Gesamtprotein des Muskels betrug 550 g.

Enzym	g Protein im Extrakt	Frischgewicht %	Gesamt-Protein %	Lösliches Protein %	g reines krist. Enzym	Ausbeute %
Aldolase	11,9	0,41	2,2	9,6	5,3	44,5
Glycerophosphat-Dehydrogenase . . .	1,0	0,03	0,18	0,81	0,16	16,0
Milchsäure-Dehydrogenase	3,9	0,13	0,71	3,1	0,20	5,1
Pyruvatkinase	5,5	0,19	1,0	4,4	0,82	14,9
Phosphoglycerinaldehyd-Dehydrogenase . . .	(28)	(0,97)	(5,1)	(22,6)	2,8	(10,0)

ELÖDI und seine Mitarbeiter[4] verglichen die Eigenschaften kristalliner Präparate der PGADH aus den Muskeln von Kaninchen, Schwein, Rind, Katze und Hund. Sie fanden gleiche Kristallform, gleiche Wechselzahlen, gleichen Coenzymgehalt, gleiches elektrophoretisches Verhalten, gleiche Löslichkeit und gleiche Viscosität der Lösungen, gleichen Tyrosin- und Tryptophangehalt und gleiches serologisches Verhalten. Wesentliche Unterschiede liegen offenbar nur in der Sekundär- und Tertiärstruktur. Die Enzyme aus Hunde-, Kaninchen-, Schweine- und Rindermuskel werden von Trypsin mit den relativen Geschwindigkeiten 4,0, 2,4, 1,6 bzw. 1,0 abgebaut. Nach Einwirkung von 14 M p-Chlormercuribenzoat wie nach Denaturierung in 6 m Harnstoff waren die Umsatzgeschwindigkeiten aller Präparate gleich[5].

---

[1] SIEBERT, G.: B. Z. **334**, 369 (1961). — SIEBERT, G., K.-H. BÄSSLER, R. HANNOVER, E. ADLOFF u. R. BEYER: B. Z. **334**, 388 (1961).
[2] CORI, G. T., M. W. SLEIN and C. F. CORI: J. biol. Ch. **173**, 605 (1948).
[3] BEISENHERZ, G., H. J. BOLTZE, T. BÜCHER, R. CZOK, K.-H. GARBADE, E. MEYER-ARENDT u. G. PFLEIDERER: Z. Naturforsch. **8b**, 555 (1953).
[4] ELÖDI, P., u. E. SZÖRÉNYI: Acta physiol. hung. **9**, 339 (1956). — ELÖDI, P.: Acta physiol. hung. **13**, 199, 219, 233 (1958).
[5] SZABOLCSI, G., E. BISZKU and E. SZÖRÉNYI: Biochim. biophys. Acta **35**, 237 (1959).

Darstellung. Die PGADH des Muskels wurde zuerst von CORI, SLEIN und CORI[1], gleichzeitig und unabhängig von den vorigen Autoren auch von CAPUTTO und DIXON[2] in kristalliner Form aus Kaninchenmuskulatur isoliert. Bis heute sind die meisten Untersuchungen tierischer PGADH mit Präparaten aus Kaninchenmuskel unternommen worden. CORI, SLEIN und CORI konnten bis zu 300 mg dreifach umkristallisiertes Enzym aus 100 g Muskel gewinnen. Die Ursache dafür, daß PGADH in so einfacher Weise und verhältnismäßig rein kristallin zu erhalten ist, liegt darin, daß der größte Teil inaktiven Proteins und auch z.B. die in Tabelle 3 angeführten Enzyme unterhalb p_H 7,8 bis zu einer Ammoniumsulfatkonzentration von 0,75-Sättigung (3,2 m) niedergeschlagen werden können, während die Triosephosphat-Dehydrogenase aus der Mutterlauge erst durch Einstellen auf p_H 7,8—8,4 gefällt wird.

Das Muskelenzym war eines der ersten Enzyme, das als typisches SH-Enzym erkannt wurde[3]. Das CORIsche Präparat besitzt nicht die volle Aktivität. Es muß durch Thiole, wie Cystein oder 1,2-Dimercaptopropanol (BAL), reaktiviert werden (s. S. 594). — Solche Thiole müssen ebenso wie z.B. KCN in manchen Fällen vor Gebrauch des Enzyms durch Dialyse entfernt werden, da sie in langfristigen Versuchen, etwa bei Bestimmung der Gleichgewichtskonstanten, mit der Aldehydgruppe der Substrate reagieren und die effektive Substratkonzentration herabsetzen. Weiter stören sie auch bei Hemmversuchen mit SH-Reagentien. — KRIMSKY und RACKER[4] gelang es, die Inaktivierung durch Zufügen von 0,0016 m Äthylendiamintetraessigsäure (ÄDTE) oder 0,001 m KCN von Beginn bis Ende der Isolierung zu verhindern. Heute ist die Verwendung von ÄDTE allgemein üblich geworden (s. unten). — Die Wirkung der ÄDTE wird auf folgende Weise erklärt: es bindet als starker Chelatbildner Schwermetallspuren, die andernfalls zur Mercaptidbildung führen oder auch die Oxydation der SH-Gruppen des Enzymproteins durch den Sauerstoff der Luft katalysieren.

Darstellung der 3-Phosphoglycerinaldehyd-Dehydrogenase nach CORI, SLEIN *und* CORI[5] (s. auch VELICK[6]).

Ein erwachsenes Kaninchen wird durch intravenöse Injektion von 5 ml 5%iger Nembutallösung (5-Äthyl-5-[1-methylbutyl]-barbitursäure) getötet. Die Muskulatur der Hinterbeine und des Rückens wird so schnell wie möglich entnommen und gewogen (300—500 g). Die weitere Bearbeitung erfolgt sofort und ohne Unterbrechung bei 5° C. Nach Zerkleinern im Fleischwolf wird zweimal mit je 1 Vol. kalter 0,03 m KOH 10 min lang unter Umrühren extrahiert, durch Gaze filtriert und mit 0,5 Vol. H_2O nachgewaschen. Die vereinigten Auszüge sollen ein p_H von 6,8—7,2 haben. Die erste Fällung mit Ammoniumsulfat von 0,52—0,72 Sättigung bei p_H 7,5—7,8 wird verworfen (falls man nicht die darin enthaltene Aldolase gewinnen will). Der Überstand wird mit NH_4OH unter Kontrolle des p_H-Wertes einer fünffach verdünnten Probe mit der Glaselektrode oder mit m-Kresolpurpur als Indicator auf p_H 8,2—8,4 eingestellt. Die Kristallisation des Enzyms beginnt bereits nach einigen Stunden in Form von Rosetten aus Büscheln feiner Nadeln und ist nach 3—5 Tagen beendet. Die Kristalle werden bei 12000 ×g von der Mutterlauge getrennt, in 40—80 ml H_2O gelöst, durch Zentrifugieren vom unlöslichen Rückstand befreit und mit 2 Vol. gesättigter Ammoniumsulfat-Lösung (p_H 8,2—8,4) innerhalb von 24 Std erneut zur Kristallisation gebracht. Nach dreifachem Umkristallisieren wird ein farbloses Präparat, gewöhnlich 1 g oder mehr, erhalten, das frei von Hämoproteiden ist. Die Kristalle erweisen sich bei stärkerer Vergrößerung im Dunkelfeld

---

[1] CORI, G. T., M. W. SLEIN and C. F. CORI: J. biol. Ch. **159**, 565 (1945); **173**, 605 (1948).
[2] CAPUTTO, R., and M. DIXON: Nature **156**, 630 (1945).
[3] RAPKINE, L.: Biochem. J. **32**, 1729 (1938). — RAPKINE, L., S. M. RAPKINE et P. TRPINAC: Cr. **209**, 253 (1939).
[4] KRIMSKY, I., and E. RACKER: J. biol. Ch. **198**, 721 (1952).
[5] CORI, G. T., M. W. SLEIN and C. F. CORI: J. biol. Ch. **173**, 605 (1948).
[6] VELICK, S. F.; in: Colowick-Kaplan, Meth. Enzymol. Bd. I, S. 401.

als rhombische Plättchen, die häufig auf der Kante stehen und schieferplattenartig aneinandergelagert sind.

Die *spezifische Aktivität*, ausgedrückt als bimolekulare Geschwindigkeitskonstante k, bezogen auf die Enzymkonzentration von 1 mg/ml, beträgt bei p_H 8,4 z.B. $8{,}36 \times 10^5 \times 1 \times \text{Mol}^{-1} \times \text{min}^{-1} \times \text{mg Protein}^{-1} \times \text{ml}$ bei 24° C (s. Test A, S. 621). Bei Sättigungskonzentrationen an DPN$^+$ und PGA (je $4{,}8 \times 10^{-4}$ m) wurde eine Umsatzzahl von etwa 10300 M DPNH min^{-1} pro 120000 g Protein bei p_H 8,6 und 27° C gefunden.

In monomolekular verlaufender Reaktion mit Glycerinaldehyd (s. Test B, S. 621) ergab sich bei p_H 7,6 und 27° C eine Umsatzzahl von 1,3 M DPNH $\times$ min^{-1} pro 120000 g Protein. Ohne Aktivierung mit Cystein ist die spezifische Aktivität mit beiden Substraten nur gering.

Darstellung der Phosphoglycerinaldehyd-Dehydrogenase unter Berücksichtigung von Diphosphofructo-Aldolase, Milchsäure-Dehydrogenase, α-Glycerophosphat-Dehydrogenase und Pyruvat-Kinase der Kaninchenmuskulatur nach BEISENHERZ u. Mitarb.[1]

2,89 kg im Fleischwolf zerkleinertes Muskelfleisch werden bei 4° C mit 5,78 l 0,0017 m ÄDTE-Lösung portionsweise im Starmix je 3 min und dann 30 min mechanisch gerührt. Das bei 2200 $\times$ g in 60 min erhaltene Sediment wird nochmals mit 2,89 l 0,0017 m ÄDTE extrahiert. Es werden 7,87 l Extrakt (p_H 6,47) mit einem Proteingehalt von 123,7 g erhalten.

In diesem Rohextrakt bestimmten die Autoren die in Tabelle 4 angegebenen Absolutwerte an Enzymaktivitäten. Tabelle 5 gibt das Schema der Fraktionierung mit Ammoniumsulfat wieder.

Der Überstand der letzten Fraktion enthält neben etwa 10 % der ursprünglichen Triosephosphat-Isomerase-Aktivität und wenig Phosphoglycerinsäure-Kinase-Aktivität 60 % der PGADH-Aktivität. Während nach der Methode von CORI, SLEIN und CORI nur wenige Stunden von der Tötung des Tieres bis zur ersten Fällung der PGADH

Tabelle 4. *Aktivitäten verschiedener Enzyme im Rohextrakt aus Kaninchenmuskel* (nach BEISENHERZ u. Mitarb.[1]).

Enzym	Aktivität in Mol/min
Aldolase (ALD)	0,45
Triosephosphat-Isomerase (TIM)	15,5
Lactat-Dehydrogenase (LDH)	1,27
α-Glycerophosphat-Dehydrogenase (GDH)	0,10
Triosephosphat-Dehydrogenase (PGADH)	0,26
Pyruvat-Kinase (PK)	0,67
3-Phosphoglycerat-Kinase (PGK)	0,11

Testbedingungen für 3-Phosphoglycerinaldehyd-Dehydrogenase: $5{,}8 \times 10^{-5}$ m DPNH, $2{,}2 \times 10^{-4}$ m 3-Phosphoglycerinsäure, $1{,}7 \times 10^{-4}$ m ATP, 0,0033 m MgSO$_4$, 0,0012 m Cystein, 5 μg Phosphoglycerat-Kinase/ml, 0,05 m Triäthanolamin/HCl, p_H 7,5. [Unter den Bedingungen des Rücktestes (s. S. 622) werden um 3,9mal höhere Werte erhalten.]

Tabelle 5. *Fraktionierung des Muskelrohextrakts mit Ammoniumsulfat* (nach BEISENHERZ u. Mitarb.[1]).

Ammoniumsulfat-Konzentration (p_H 5,7—5,8)	% der Ausgangsaktivität der Enzyme im Niederschlag *						
	ALD	TIM	LDH	GDH	PGADH	PK	PGK
0,0—1,75 m	—	—	—	—	—	—	—
1,75—2,4 m	75	2,5	65	70		55	
2,4—2,6 m			15			35	
2,6—3,2 m		45	5		20		35

(1,75 m AS ≈ 0,35-Sättigung, 2,4 m ≈ 0,5-, 2,6 m ≈ 0,6-, 3,2 m ≈ 0,75-Sättigung.) * Abkürzungen s. Tabelle 4.

vergehen, ist bei der eingehenden Fraktionierung des Muskelextrakts mit dem Verstreichen von etwa 20 Std oder mehr zu rechnen. Nur dadurch, daß in Gegenwart von ÄDTE

---
[1] BEISENHERZ, G., H. J. BOLTZE, T. BÜCHER, R. CZOK, K.-H. GARBADE, E. MEYER-ARENDT u. G. PFLEIDERER: Z. Naturforsch. 8b, 555 (1953).

gearbeitet und zur Fällung Ammoniumsulfat verwendet wird, das in 0,007 m ÄDTE umkristallisiert wurde, bleibt die PGADH-Aktivität erhalten. Nachdem die PGADH durch Einstellen auf p_H 7,8—8,0 mit Triäthanolamin (21 g auf 8,7 l) und Ammoniak (17 ml konz. NH_4OH) in 12 Std bei 3° C zur Kristallisation gebracht ist, wird sie in 3 Std bei 2200 ×g sedimentiert. Der Rückstand wird in 200 ml 2,4 m Ammoniumsulfat-Lösung 30 min lang durchgewirbelt und nach 24 Std bei 16000 ×g (30 min) abzentrifugiert. Die Kristalle werden in 170 ml H_2O bei 0° C gelöst. Unter Kühlung und Aufrechterhaltung des p_H-Wertes von 7,8 mit Triäthanolamin (bis zu 0,013 m) und NH_4OH wird allmählich Ammoniumsulfat bis zur Konzentration von 2,4 m (etwa 0,5-Sättigung) zugegeben. Nach 10 Std werden bei 16000 ×g (30 min) 5,8 g Rohkristallisat mit 13% der Gesamtaktivität des Muskelrohextrakts erhalten. Durch dreifaches Wiederholen des Durchwirbelns in 2,4 m Ammoniumsulfat-Lösung werden Verunreinigungen, wie Triosephosphat-Isomerase und Phosphoglycerat-Kinase, fast vollständig entfernt. In die Suspension der Kristalle in 2,4 m Ammoniumsulfat-Lösung wird bei 3° C unter mechanischem Rühren innerhalb von 6 Std H_2O bis zur Endkonzentration von 1,7 m Ammoniumsulfat eingetropft (2gt/min). Nach Zentrifugieren leitet Ammoniumsulfat-Zusatz bis 2,0 m (etwa 0,4-Sättigung) die erneute Kristallisation ein, die zu 60% der eingesetzten Enzymmenge führt. Es wird in kaltem Wasser gelöst (30 mg Protein/ml) und 0,02 m Triäthanolamin sowie 0,01 m neutralisiertes Glutathion zugesetzt. Bei 2,1 m Ammoniumsulfat beginnt die Kristallisation, die durch Erhöhung der Ammoniumsulfat-Konzentration auf 2,3 m (etwa 0,5 Sättigung) vervollständigt wird. Nach Abzentrifugieren wird in einer Lösung mit 2,4 m Ammoniumsulfat und 0,007 m ÄDTE resuspendiert.

Das Präparat besitzt mit Cystein bei p_H 8,7 eine spezifische Aktivität von maximal 2300 E'_{PGADH} ×mg Protein^{-1} (s. S. 620) entsprechend der Bildung von 41 μM DPNH × min^{-1} ×mg Protein^{-1} bei 25° C. Ohne Cystein ist die spezifische Aktivität nur um 5% niedriger.

Eigenschaften.

Reinheitsgrad und Einheitlichkeit. Ein von Fox und DANDLIKER[1] in Gegenwart von 0,002 m ÄDTE hergestelltes und 4—8fach umkristallisiertes Präparat enthielt etwa 1 Teil Aldolase und 0,5 Teile α-Glycerophosphat-Dehydrogenase in 1000 Teilen PGADH. Es kann vorkommen, daß sich selbst nach der achten Umkristallisation noch geringe Mengen (etwa 0,5%) Hämoproteide finden, die sich durch ihre hohe Absorption bei 410 mμ zu erkennen geben. BEISENHERZ u. Mitarb.[2] fanden in ihrem Rohkristallisat neben geringen Mengen Lactat-Dehydrogenase noch 30% Triosephosphat-Isomerase-Aktivität und 10% Phosphoglycerat-Kinase-Aktivität. Diese Fremdaktivitäten gingen durch vierfaches intensives Waschen mit 2,4 m Ammoniumsulfat-Lösung und eine Umkristallisation auf 0,01 bzw. 0,05% zurück. Dabei bedeutet 0,01% Isomerase-Aktivität eine Proteinverunreinigung von weniger als 10^{-4} %.

In allen Versuchen der Molekulargewichtsbestimmung hochgereinigter kristalliner PGADH in der Ultrazentrifuge sind niemals Nebenkomponenten sichtbar geworden. ELIAS u. Mitarb.[3] fanden lediglich bei nicht dialysierten Präparaten bei Verwendung einer Überschichtungszelle vom Ventiltyp eine Verbreiterung der Basis des „peak", die sie auf Grund des erhöhten Diffusionskoeffizienten mit der Anwesenheit niedrigmolekularer Begleitstoffe erklären (s. S. 584). Das Präparat nach CORI[4] zeigte sich in der TISELIUS-Apparatur von p_H 6,2—7,7 elektrophoretisch einheitlich. Nach BOROSS u. Mitarb.[5] erweisen sich die PGADH-Präparate auch bei Chromatographie an Amberlite IRC-50 (p_H 7) als homogen.

---

[1] Fox jr., J. B., and W. B. DANDLIKER: J. biol. Ch. **218**, 53 (1956).
[2] BEISENHERZ, G., H. J. BOLTZ, T. BÜCHER, R. CZOK, K.-H. GARBADE, E. MEYER-ARENDT u. G. PFLEIDERER: Z. Naturforsch. **8b**, 555 (1953).
[3] ELIAS, H.-G., A. GARBE u. W. LAMPRECHT: H. **319**, 22 (1960).
[4] CORI, G. T., M. W. SLEIN and C. F. CORI: J. biol. Ch. **173**, 605 (1948).
[5] BOROSS, L., T. KELETI u. M. TELEGDI: Acta physiol. hung. **17**, 153 (1960).

Stabilität. Die Stabilität dieses Enzyms ist verglichen mit der mancher anderen Pyridinnucleotidfermente gering. Selbst die PGADH der Hefe zeigt größere Haltbarkeit. Ohne besondere Protektoren bleibt das Muskelenzym nur als Kristallsuspension in 0,66-gesättigter Ammoniumsulfat-Lösung in der Kälte mehrere Monate lang aktiv[1]. Es kann in 2,5 Monaten im Eisschrank auch dann noch 50% seiner Aktivität verlieren[2]. Diese spontane Inaktivierung läßt sich durch Inkubieren mit Cystein oder Glutathion aufheben, am besten aber durch ÄDTE verhindern.

Tabelle 6. *Aminosäuregehalt der kristallinen 3-Phosphoglycerinaldehyd-Dehydrogenase des Kaninchenmuskels.*

Präparat: 4—6fach umkristallisierte PGADH (nach CORI u. Mitarb.[2]) wurde einige Tage bei 4°C gegen destilliertes Wasser dialysiert; Bestimmung des Wassergehalts durch Trocknen im Vakuum bei 112° C und 0,01 mm Hg bzw. 110° C und 1 mm Hg über P_2O_5; der Aschegehalt betrug 0,1—0,2%.

Saure Hydrolyse: 20—100 mg Enzym (entsprechend dem Wassergehalt korrigiert) wurden 16 Std in 6 n HCl bei 125° C bzw. 110° C im geschlossenen Rohr gehalten.

Alkalische Hydrolyse zur Bestimmung von Tyrosin und Tryptophan nach LUGG[3].

Aminosäuren	VELICK und RONZONI[4]				VELICK und UDENFRIEND[5]		
	g/100 g Trockengewicht	Anzahl pro 99100 g Protein	Anzahl pro 120000 g Protein	Methode	g/100 g Trockengewicht	Anzahl pro 120000 g Protein	Methode
Glycin . . .	6,03 6,15	79,6	96,5	I.V. L.m.	5,9	94,2	I.V.
Alanin . . .	6,72	74,7	90,5	I.V.	7,1	95,6	I.V.
Valin	12,0	101,7	123,0	L.m.; L.a.	9,2	94,2	I.V.
Leucin. . . .	6,78	51,2	62,0	L.m.; L.a.			
Isoleucin . .	9,1	68,7	83,2	L.a.			
Cystin/2 . . .	1,09	9,0	10,9	chemisch			
Methionin . .	2,70	18,0	21,8	L.m.; L.f.	2,7	21,7	L.m.
Serin* . . .	6,7 7,7	63,2	76,5	L.m. chemisch	4,4	50,2	I.V.
Threonin* . .	6,9 7,2	57,4	69,5	L.f. chemisch	5,2	52,4	I.V.
Arginin . . .	5,23	29,8	36,1	L.m.; chemisch	5,2	35,8	L.m.
Histidin . . .	5,01	32,0	38,7	L.m.	5,0	38,7	L.m.
Lysin	9,42	63,9	77,4	L.m.	9,7	79,5	L.m.
Prolin	3,67	31,6	38,2	I.V.	3,4	35,4	I.V.
Phenylalanin .	5,55	33,3	40,3	L.m.	5,8	42,1	I.V.
Tyrosin . . .	4,57	25,0	30,2	chemisch	4,6	30,5	photometrisch
Tryptophan .	2,05	9,9	12,0	chemisch	2,1	12,3	photometrisch
Asparaginsäure	12,4	92,4	112,0	L.m.	10,6	95,5	I.V.
Glutaminsäure	6,8	45,8	55,5	L.m.; L.a.	5,7	46,5	I.V.
Amid-N . . .		67,2	81,4	chemisch			

* Bei Serin und Threonin ist die Zersetzung während der Hydrolyse nicht berücksichtigt worden.

Abkürzungen: I.V.= Isotopenverdünnungsmethode; mikrobiologische Untersuchungen mit L.m. = *Leuconostoc mesenteroides*, L.a.= *Lactobacillus arabinosus*, L.f.= *Lactobacillus fermenti*.

Die Inaktivierung durch Wärme ist dagegen irreversibel. Sie läßt sich durch Stabilisatoren und Reaktivatoren nur verzögern, nicht verhindern. Die Zersetzlichkeit nimmt mit steigender Verdünnung zu, besonders wenn das gebundene DPN+ durch Tierkohle entfernt wurde (s. S. 589). Schnelle Denaturierung tritt oberhalb 50° C besonders bei p_H-Werten unter 6,5 ein. Sie gibt sich dadurch zu erkennen, daß DPN+ frei wird. Das p_H-Optimum der Stabilität liegt bei 7,0.

---

[1] VELICK, S. F.; in: Colowick-Kaplan, Meth. Enzymol. Bd. I, S. 401.
[2] CORI, G. T., M. W. SLEIN and C. F. CORI: J. biol. Ch. **173**, 605 (1948).
[3] LUGG, J. W. H.: Biochem. J. **31**, 1422 (1937).
[4] VELICK, S. F., and E. RONZONI: J. biol. Ch. **173**, 627 (1948).
[5] VELICK, S. F., and S. UDENFRIEND: J. biol. Ch. **203**, 575 (1953).

Tabelle 7. *Zusammenstellung der Literaturwerte des Molekulargewichts der 3-Phosphoglycerinsäure-Dehydrogenase* (nach ELIAS u. Mitarb.[1]).

Tierart	Experimentelle Bedingungen					Meßergebnisse bei 20°C und Wasserbasis			Molekulargewichte		Literatur
	Puffer	Aktivator (mMol/l)	Meßtemperaturen in °C			s_o (Svedb.)	D_o (cm²/sec)	*V (ml/g)	$\overline{M}_{sD}$	$\overline{M}_w$	
			Sed.	Diff.	*V						
Kaninchen	Verschiedene	ÄDTE (2)	—	—	—	—	—	—	—	145000*	2
Kaninchen	Phosphat, pH 6,55; μ=0,1	ÄDTE (2)	20(?)	0,9	?	7,71	4,97	0,7253	136900	—	3
Kaninchen	Phosphat**, pH 7,4	?	?2	2	5; 20	7,01	5,46	0,740+	120000	—	4
Hefe	Phosphat, pH 7,4	?	?2	2	5; 20	6,80	5,19	0,740+	120000	—	4
Kaninchen, Schwein	Glycin-NaOH, pH 8,4	—	?	20	20	10,0	6,7++	0,7372	143000	—	5
Rind	Glycin-NaOH, pH 8,4	—	?	20	20	10,0	6,9++	0,7372	143000	—	5
Rind	0,2 m Phosphat, pH 7,6	KCN (1—10)	?	20	20	7,5	10,0++	0,7311	76500	—	5
Kaninchen, Schwein	Glycin-NaOH, pH 8,4	KCN (1—10)	?	—	—	7,5	—	0,7311	—	—	5
Rind	Glycin-NaOH, pH 8,4	KCN (1—10)	?	—	—	8,5	—	0,7311	76500	—	5
Krebs	Glycin-NaOH, pH 8,4										5

* Lichtstreuungsmethode, die Autoren selbst nehmen den niedrigsten Wert ihrer 6 Versuche als richtig an: 139000.
** Zusätzlich NaCl oder KCl in wechselnder Konzentration.
+ Bei 5°C: *V = 0,729 ml/g. ++ Nicht c = 0, sondern 0,5%ige Lösung.

Die Anwesenheit von Neutralsalzen, besonders von Phosphat oder Arsenat, wirkt sich auf die Stabilität günstig aus. VELICK, HAYES und HARTING[6] konnten ihre dreistündigen Sedimentationsversuche in der Ultrazentrifuge zur Bestimmung der Dissoziationskonstanten des DPN-PGADH-Komplexes (s. S. 605) nur deshalb durchführen, weil der DPN⁺-Enzymkomplex und selbst das DPN⁺-freie Apo-Enzym in 0,1%iger Lösung in 0,05 m Phosphat ohne Cystein bei pH 7,6 und 3° C genügend stabil blieben und sogar spontane Aktivitätserhöhungen bis zu 45% zeigten[7]. CORI, SLEIN und CORI[8] fanden die geringe PGADH-Aktivität der Mutterlauge ihrer Kristallsuspensionen bei pH 8,3 und 3° C mindestens 24 Std lang konstant.

Aminosäurezusammensetzung. Die quantitative Analyse der Aminosäuren der PGADH ist von VELICK u. Mitarb.[9,10] durchgeführt worden (s. Tabelle 6). Das Enzym enthält viel Valin, aromatische und basische Aminosäuren. Der Glutaminsäuregehalt ist dagegen auffallend niedrig[8]. Bestimmt man Serin und Threonin durch Oxydation mit Perjodat, so findet man um 75 bzw. 40% höhere Werte als bei der Isotopenverdünnungsmethode. Man hat vermutet, daß im PGADH-Molekül noch andere Formaldehyd bzw. Acetaldehyd liefernde Aminosäuren enthalten seien, hat diese aber bisher nicht nachgewiesen.

Über die Aminosäurefolge innerhalb der Peptidkette der PGADH ist wenig bekannt. Nach VELICK und UDENFRIEND[10] steht Valin am Aminoende. DÉVÉNYI u. Mitarb.[11] konnten

[1] ELIAS, H.-G., A. GARBE u. W. LAMPRECHT: H. **319**, 22 (1960).
[2] DANDLIKER, W. B., and J. B. FOX jr.: J. biol. Ch. **214**, 275 (1955).
[3] FOX jr., J. B., and W. B. DANDLIKER: J. biol. Ch. **218**, 53 (1956).
[4] TAYLOR, J. F., and C. LOWRY: Biochim. biophys. Acta **20**, 109 (1956).
[5] ELÖDI, P.: Acta physiol. hung. **13**, 199 (1958).
[6] VELICK, S. F., J. E. HAYES jr. and J. HARTING: J. biol. Ch. **203**, 527 (1953).
[7] RAPKINE, L., D. SHUGAR and I. SIMINOVITCH: Arch. Biochem. **26**, 33 (1950).
[8] CORI, G. T., M. W. SLEIN and C. F. CORI: J. biol. Ch. **173**, 605 (1948).
[9] VELICK, S. F., and E. RONZONI: J. biol. Ch. **173**, 627 (1948).
[10] VELICK, S. F., and S. UDENFRIEND: J. biol. Ch. **203**, 575 (1953).
[11] DÉVÉNYI, T., B. SZÖRÉNYI u. M. SAJGÓ: Magyar Kém. Ft. **62**, 377 (1956) [C. **1957**, 11908].

jedoch bei PGADH aus Rinder- und Schweinemuskel in Versuchen mit Carboxypeptidase und nach der Thiohydantoinmethode kein freies Carboxylende nachweisen. KRIMSKY und RACKER[1] fanden nach 90 min langer Einwirkung von 1,0 mg Trypsin in 0,02 m Succinat-Borat-Puffer (p_H 8,0) auf 10 mg PGADH bei 37° C 1—2 M Glutathion pro Mol Enzym. Offensichtlich ist dieses also ein Baustein der Peptidkette. Die ursprünglich von den Autoren vertretene Ansicht, Glutathion sei eine prosthetische Gruppe des Enzyms, hat sich nicht halten lassen (s. S. 600).

Tabelle 8. *Molekulargewichtsbestimmung der 3-Phosphoglycerinaldehyd-Dehydrogenase unter verschiedenen Versuchsbedingungen* (nach ELIAS u. Mitarb.[2]).

Enzympräparat: kristalline PGADH von C. F. Boehringer & Soehne, Mannheim, Tutzing; 48 Std Dialyse unter häufigem Wechsel gegen die 500—1000fache Menge Puffer bei 2° C.

Methoden. Sedimentationsgeschwindigkeit: Analytische Ultrazentrifuge Spinco E-HT; Temperaturkonstanz: $\pm 0,05°$ C bei 20° C, $\pm 0,1°$ C bei niedriger Temperatur. Beide Enzymkonzentrationen wurden gleichzeitig in Keilzellen untersucht.

Diffusionsgeschwindigkeit: Phywe-Ultrazentrifuge mit Schieberzelle; zum Vergleich wurden auch Messungen mit einer Überschichtungszelle vom Ventiltyp bei 13410 U/min in der Spinco-Ultrazentrifuge durchgeführt.

Versuchsdauer: 10 Std.

Nr.	Puffer	Stabilisator	Dialyse	Sedimentationsmessung				Diffusionsmessung				$\bar{M}_{sD}$
				t(°C)	$c \times 10^3$ (g/ml)	$s_{0,t}$	$s_{0,20}$	t (°C)	$c \times 10^3$ (g/ml)	$D_{0,t}$	$D_{0,20}$	
1.	0,5 m $(NH_4)_2SO_4$	—	—	9,0 7,2	11,80 5,54	4,40	6,47	3,3 3,5	3,85 1,79	5,44	7,65	73000
2.	Glycin-** NaOH-NaCl	0,01 m KCN	—	4,1	5,75 2,78	4,86	7,81	4,8	5,75 2,78	8,60	13,2	47000
3.	Glycin- NaOH-NaCl	—	+	20	5,62 2,83	7,59*	7,86*	20	5,62 2,83	4,29	4,44	163000*
4.	Glycin- NaOH-NaCl	0,01 m KCN	+	20	7,87 3,43	7,28	7,61	20	7,87 3,43	4,27	4,46	155000
5.	Glycin- NaOH-NaCl	0,01 m ÄDTE	+	20	7,37 3,70	6,56	7,82	20	7,37 3,70	4,35	4,62	153000
6.	Glycin- NaOH-NaCl	0,01 m KCN	+	20	8,32 4,25	7,28	7,61	20	8,32 4,25	4,43	4,62	149000
7.	Glycin- NaOH-NaCl	0,01 m KCN	+	20	8,50 4,42	7,14	7,46	20	8,50 4,42	4,47	4,67	145000
8.	Glycin- NaOH-NaCl	0,01 m KCN	+	7,2	7,20 3,62	5,27	7,78	7,2	7,20 3,62	3,39	4,73	132000

* Unsichere Werte. ** 0,2 m Glycin, p_H 8,50 oder 9,00, $\mu = 0,1$.

Molekulargewicht. Wie bei vielen anderen Enzymen, so streuen auch die von verschiedenen Autoren für die PGADH gefundenen Werte für das Molekulargewicht recht erheblich. Diese Diskrepanzen beruhen nicht etwa auf der Anwendung verschiedener Methoden. Allein die Werte, die aus Diffusionskoeffizienten und Sedimentationskonstanten errechnet wurden, schwanken zwischen 76500 und 143000 (s. Tabelle 7).

ELIAS, GARBE und LAMPRECHT[2] haben den offenbar erfolgreichen Versuch unternommen, diese Unstimmigkeiten zu klären. Sie sehen den Hauptfehler der Methode darin, daß man die Proteinlösung in salzhaltigem Wasser als 2-Komponentensystem betrachtet, ohne die Wechselwirkung zwischen Elektrolyt und Protein zu berücksichtigen[3].

Der Einfluß der Affinität zwischen Protein und den Ionen des Elektrolyten auf die Sedimentationsgeschwindigkeit und Diffusionsgeschwindigkeit des Enzyms scheint bei der PGADH besonders hoch zu sein. Der Effekt ist temperaturabhängig. Wenn man die PGADH-Lösung der Einfachheit halber als 2-Komponentensystem behandeln will, muß

---

[1] KRIMSKY, I., and E. RACKER: J. biol. Ch. **198**, 721 (1952).
[2] ELIAS, H.-G., A. GARBE u. W. LAMPRECHT: H. **319**, 22 (1960).
[3] WILLIAMS, J. W., K. E. VAN HOLDE, R. L. BALDWIN and H. FUJITA: Chem. Reviews **58**, 715 (1958).

daher mit dialysiertem Enzym bei möglichst niedriger, konstanter Salzkonzentration gearbeitet werden, und Sedimentationskonstante und Diffusionskoeffizient sind bei gleicher Temperatur zu messen.

Der Mittelwert des Molgewichts der PGADH ergab sich aus vier Versuchen mit Stabilisator bei 20° C Meßtemperatur zu $\bar{M}_{s,D,20,W} = 150400 \pm 1000$ (s. Tabelle 8).

Die Größe des nach den Gesetzen des 2-Komponentensystems errechneten Molgewichts zeigt einen deutlichen Gang mit der Versuchstemperatur. Beim Auftragen des Molgewichts gegen die mittlere Versuchstemperatur $(t_s + t_D)/2$ wurde unter Miteinbeziehen der Resultate von Fox und Dandliker[1] sowie von Taylor und Lowry[2] (Tabelle 7, Nr. 2 und 3) eine Gerade erhalten, die bei Extrapolation auf die Schmelztemperatur (-1 bis $-2°$ C) einen Wert von 116000—118000 ergibt (s. Abb. 1).

Die Kontrolle dieses Resultats nach der Methode von Archibald[3], die auf der Bestimmung des Sedimentationsgleichgewichts beruht und weniger dem Einfluß der Wechselwirkung zwischen Protein und Elektrolyten unterliegt, zugleich auch weniger durch etwaige niedermolekulare Anteile im Enzympräparat gestört wird, ergab die Bestätigung dieses Wertes: $\bar{M}_W = 116000 \pm 5000$ für 5° C bzw. 122000 ± 5000 bei 20° C.

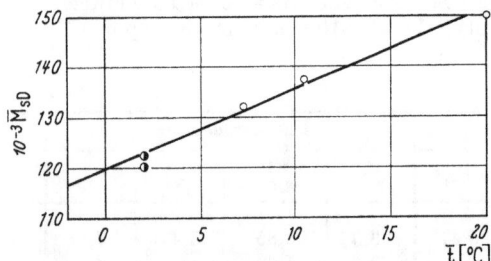

Abb. 1. Abhängigkeit der unter Annahme eines Zweikomponentensystems berechneten Molekulargewichte $\bar{M}_{s,D}$ der Triosephosphat-Dehydrogenase von der mittleren Meßtemperatur $\bar{t} = (t_s + t_D)/2$ (nach Elias u. Mitarb.[4]).

Um das Mindestmolekulargewicht der PGADH des Muskels auf Grund ihres Gehalts an Coenzym (s. S. 589) bestimmen zu können, muß als Voraussetzung erfüllt sein, daß das Enzym mit DPN$^+$ gesättigt ist und eine konstante Bindefähigkeit für DPN$^+$ besitzt. Dies ist nach den Untersuchungen von Velick u. Mitarb.[5] bei niedriger Temperatur beim sog. „nativen", d.h. beim mehrfach umkristallisierten Enzym nach Cori, Slein und Cori[6], der Fall. Auf 58000 g Protein kommt 1 M DPN$^+$. Dandliker und Fox[7] kommen mit Hilfe eines Testes anderer Zusammensetzung (0,03 m Pyrophosphat, 0,004 m Cystein, 0,0062 m Arsenat, 0,029 m Glycerinaldehyd und 5 mg Enzym/ml bei p_H 8,3) zum gleichen Ergebnis: 1 M DPN$^+$/58500 g Protein. Das von Elias u. Mitarb.[4] abgeleitete Molekulargewicht stimmt also mit dem doppelten Wert des auf Grund des Co-Enzymgehalts gefundenen Mindestmolekulargewichts überein. Die Meinung von Fox und Dandliker[8], daß der DPN$^+$-Gehalt der kristallinen PGADH nicht genügend konstant ist, um daraus auf das Molekulargewicht zu schließen, bezieht sich offenbar auf Präparate mit drei aktiven Bindungsorten für DPN$^+$ (s. S. 590).

Aus der Aminosäurezusammensetzung der PGADH (s. Tabelle 6, S. 581) hat man entsprechend einem Gehalt von 25,0 Tyrosin, 9,9 Tryptophan, 9,0 Cystin/2, 18,0 Methionin und 4 Phosphatresten ein Mindestmolekulargewicht von 99100 berechnet. Diese Methode läßt wegen der Unsicherheiten bei der quantitativen Aminosäurebestimmung keinen genauen Wert erwarten.

Der isoelektrische Punkt und die Bindung von Phosphat. Die elektrophoretische Beweglichkeit der PGADH ist stark von der Ionenstärke und der Art des Puffers abhängig, in dem sie gelöst ist. Cori u. Mitarb.[6] finden bei p_H 7,5 in Phosphat ($\mu = 0,1$) $-0,8 \times 10^{-5} \times \text{cm}^2 \times \text{sec}^{-1} \times V^{-1}$ und bei p_H 6,2 $+0,45 \times 10^{-5} \times \text{cm}^2 \times \text{sec}^{1-} \times V^{-1}$. Die entspre-

---

[1] Fox jr., J. B., and W. B. Dandliker: J. biol. Ch. **218**, 53 (1956).
[2] Taylor, J. F., and C. Lowry: Biochim. biophys. Acta **20**, 109 (1956).
[3] Archibald, W. J.: J. physic. Colloid Chem. **51**, 1204 (1947).
[4] Elias, H.-G., A. Garbe u. W. Lamprecht: H. **319**, 22 (1960).
[5] Velick, S. F., J. E. Hayes jr. and J. Harting: J. biol. Ch. **203**, 527 (1953).
[6] Cori, G. T., M. W. Slein and C. F. Cori: J. biol. Ch. **173**, 605 (1948).
[7] Dandliker, W. B., and J. B. Fox jr.: J. biol. Ch. **214**, 275 (1955).
[8] Fox jr., J. B., and W. B. Dandliker: J. biol. Ch. **221**, 1005 (1956).

chenden Werte VELICKs[1] sind $-1{,}2$ bzw. $+0{,}5 \times 10^{-5} \times cm^2 \times sec^{-1} \times V^{-1}$. Nach VELICK[2] liegt der isoelektrische Punkt stets niedriger, als der Aminosäurezusammensetzung nach zu erwarten wäre. Dies trifft besonders für Messungen in Phosphat und Arsenat zu (s. Tabelle 9).

Bei Auftragen des isoelektrischen Punktes gegen die Quadratwurzel der Ionenstärke des Phosphats erhalten VELICK und HAYES[1] eine Gerade, die bei Extrapolation auf $\sqrt{\mu}=0$ den isoelektrischen Punkt 8,3 ergibt. Der theoretische Wert liegt zwischen 8,5 und 9.

Die im Vergleich zu anderen Neutralsalzen erhöhte Wirksamkeit des Phosphats ist durch das besondere Bindungsvermögen der PGADH für dieses polyvalente Anion zu erklären. Bei Dialyseversuchen in Gegenwart von ^{32}Phosphat ist die Bindefähigkeit des Enzyms von p_H 6,6—8 der Phosphatkonzentration nahezu proportional. Beim Auftragen des entsprechend dem DONNAN-Gleichgewicht

Tabelle 9. *Die Bindung von Phosphationen durch 3-Phosphoglycerinaldehyd-Dehydrogenase, berechnet aus elektrophoretischer Beweglichkeit und Säure-Basen-Titrationskurve* (nach VELICK and HAYES jr.[1]).

Ionenstärke des Phosphats	Isoelektrischer Punkt	Äquivalente Anionen, die pro Mol Protein gebunden werden	Gebundenes Phosphat pro Mol Protein bei 0—5° C*
0,02	7,56	7	3,7
0,05	7,2	11	6,1
0,10	6,6	18	12
0,20	5,87	54	47

* Es wird angenommen, daß die Ladung des gebundenen Phosphats die gleiche ist wie die des freien Orthophosphats.

korrigierten Quotienten [Enzym]/[gebundenes Phosphat] gegen 1/[freies Phosphat] entsteht eine gebrochene Gerade, nach der bei 3° C 10 Moleküle Phosphat mit einer Bindungskonstanten von 0,017 m festgehalten werden, während alle darüber hinaus nur sehr locker adsorbiert werden. In der Ultrazentrifuge wurden in 0,001 m Phosphat in Gegenwart von 0,05 m Bicarbonat, 0,05 m KCl und etwa 0,05 m $(NH_4)_2SO_4$ bei p_H 8,5 jedoch nur 0,07 M ^{32}Phosphat/Mol Protein sedimentiert. Dieser Versuch zeigt die Verdrängung des für den katalytischen PGA-Umsatz benötigten Acylacceptors durch einen großen Überschuß indifferenter Anionen.

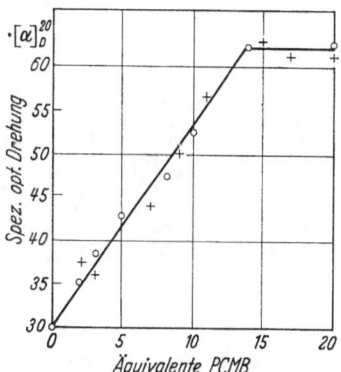

Abb. 2. Spezifische optische Drehung der Triosephosphat-Dehydrogenase aus Schweinemuskel bei Titration mit p-Chlormercuribenzoat (nach ELÖDI[4]).

Eine besondere Beziehung des Phosphations zum PGADH-DPNH-Komplex geht daraus hervor, daß dessen Nucleotidfluorescenz bei 465 mμ (s. S. 588) in 0,1 m Trisacetat (p_H 6,7) durch 0,2 m Phosphat (p_H 6,7) um 30% erhöht wird, ohne daß DPNH abgespalten wird[3] (s. S. 590). Die Polarisation der Emissionsstrahlung bleibt konstant. Ammoniumsulfat hat bei gleicher molarer Konzentration nur $^1/_4$ der Wirksamkeit. Bei p_H 8,5 ist auch der Einfluß des Phosphats gering. Man nimmt an, daß es an Histidinreste gebunden wird.

Spezifische optische Drehung und Viscositätszahl. Die spezifische optische Drehung $[\alpha]_D^{20}$ der „nativen", mehrfach umkristallisierten PGADH aus Schweinemuskel beträgt nach ELÖDI[4] $-30{,}6°$ C. Nach Denaturieren mit 8 m Harnstoff findet man $-99{,}7°$ C. Wie aus Abb. 2 zu entnehmen ist, steigt der Drehwert nach 15 min langer Einwirkung von 14 M p-Chlormercuribenzoat pro 140000 g Protein bei 20° C maximal auf $-62°$C. Diese Verstärkung der Linksdrehung bedeutet die steigende Aufhebung der rechtsgedrehten Helixstruktur der Peptidketten[5]. Nach 1 min Einwirkung ist die Entfaltung durch das SH-Reagens noch rückgängig zu machen.

---

[1] VELICK, S. F., and J. E. HAYES jr.: J. biol. Ch. **203**, 545 (1953).
[2] VELICK, S. F.: J. physic. Colloid Chem. **53**, 135 (1949).
[3] VELICK, S. F.: J. biol. Ch. **233**, 1455 (1958).
[4] ELÖDI, P.: Biochim. biophys. Acta **40**, 272 (1960).
[5] PAULING, L., and R. B. COREY: Proc. nat. Acad. Sci. USA **37**, 282 (1951).

Der Faltungsgrad einer Peptidkette läßt sich durch die Formel

$$f = \frac{\alpha\,\text{entfaltet} - \alpha\,\text{gemessen}}{\alpha\,\text{entfaltet} - \alpha\,\text{gefaltet}}$$

quantitativ erfassen[1]. Er betrug unter den angegebenen Bedingungen minimal 0,586.

Die Viscositätszahl $[\eta]_{c \to 0} = \frac{\eta_{\text{rel}} - 1}{c}$ wird durch p-Chlormercuribenzoat maximal von 2 auf etwa 9 heraufgesetzt. Sie wächst bei Denaturierung in Harnstoff auf 42,5 an.

Kleinere Veränderungen von optischem Drehwert und Viscositätszahl können offenbar auch eine Umorganisation innerhalb der Sekundärstruktur des Makromoleküls in physiologisch möglichem Ausmaß anzeigen, die keine Inaktivierung zur Folge hat, sondern sogar zur Aktivitätssteigerung führt. So steigt $[\eta]$ bei Abspaltung des DPN^+ mit Tierkohle auf 7,8, fällt bei Rekombination mit 3 DPN^+ auf 1,90, um bei Zusatz von weiteren 12 DPN^+ wieder 3,05 zu erreichen. — Der Zusatz von 15% Dimethylformamid zur wäßrigen Enzymlösung erhöht $[\eta]$ durch Schwellung des Proteins infolge der Solvatisierung hydrophober Seitenketten von Aminosäuren. Bei einem Wert von $[\eta] = 7,55$ (pH 6,5) wurden bis zu 50% Aktivitätssteigerung beobachtet[2].

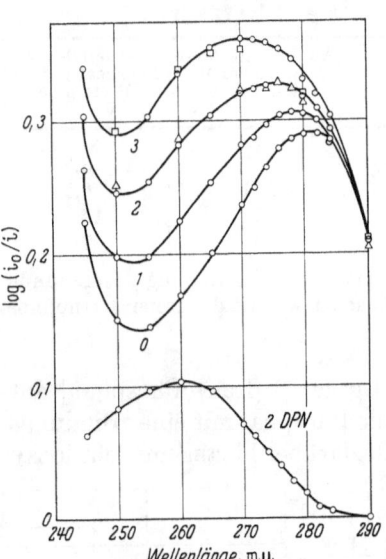

Abb. 3. Absorptionsspektrum der Triosephosphat-Dehydrogenase des Muskels. Kurve 0: Tierkohlebehandeltes Enzym; Kurve 1, 2 und 3: Apo-Enzym bei Zusatz von 1, 2 bzw. 3 Äquivalenten DPN^+; △ Kurve 2: das „native" Enzym nach vierfacher Umkristallisation ohne ÄDTE; □ Kurve 3: das Rohkristallisat des Enzyms. Die unterste Kurve zeigt den Beitrag, den 2 DPN^+ zur Extinktion liefern (nach VELICK u. Mitarb.[4]).

Absorptions- und Fluorescenzspektrum. Die UV-Absorption reiner Proteine im Bereich von 250—300 mμ rührt zum größten Teil von Tryptophan und Tyrosin her, entspricht aber meist nicht quantitativ dem Gehalt an diesen beiden aromatischen Aminosäuren. Bei der PGADH des Muskels sind die Unterschiede zwischen theoretischem und beobachtetem Spektrum im Bereich von 240—260 mμ besonders groß. Bei pH 7 ist das errechnete Minimum bei 242 auf 250 mμ verschoben, und der Absolutwert der Extinktion ist hier dreimal höher als erwartet[3]. Das Extinktionsverhältnis $E_{276\,m\mu}/E_{260\,m\mu}$ beträgt etwa 1,2 an Stelle von 1,9. Bei pH 12—13 fehlt das Minimum bei 268 mμ. Die Ursache dieser Abweichungen ist der DPN^+-Gehalt der kristallinen PGADH.

Abb. 3 zeigt die Abhängigkeit des UV-Spektrums des Enzyms von der Anzahl der gebundenen Moleküle oxydierten Co-Enzyms bei pH 7,6.

Obgleich durch die Bindung eines dritten DPN^+-Moleküls keine Aktivitätssteigerung erreicht wurde, gibt sie sich doch durch Erhöhung und Verschiebung der molaren Extinktionswerte zu erkennen. Das gebundene DPN^+ ist nach Reduktion spektrophotometrisch bei 340 mμ nachzuweisen. Es wird quantitativ am besten nach Denaturierung des Apo-Enzyms enzymatisch bestimmt. Tabelle 10 gibt die wichtigsten Extinktionskoeffizienten von Co-, Apo- und Holo-Enzym wieder.

Das UV-Spektrum des PGADH-Komplexes gibt keine Auskunft darüber, ob das Enzym im aktiven oder inaktiven Zustand vorliegt, denn die Bindungskapazität für DPN^+ ist vom Funktionszustand der SH-Gruppen unabhängig[4]. Dagegen kommt das Absorptionsspektrum von 300—450 mμ, eine breite niedrige Bande vom MULLIKEN-Typ[5] mit einem wenig ausgeprägten Maximum bei 360 mμ, nur dem aktiven PGADH-DPN^+-Komplex zu. Die sehr schwankenden Extinktionskoeffizienten verschiedener

---

[1] SCHELLMAN, J. A.: C. R. Lab. Cqrlsberg, Sér. chim. **30**, 363, 415 (1958). — SCHELLMAN, C., et J. A. SCHELLMAN: C. R. Lab. Carlsberg, Sér. chim. **30**, 463 (1958).
[2] ELÖDI, P.: Biochim. biophys. Acta **44**, 610 (1960).
[3] TAYLOR, J. F., S. F. VELICK, G. T. CORI, C. F. CORI and M. W. SLEIN: J. biol. Ch. **173**, 619 (1948).
[4] VELICK, S. F., J. E. HAYES jr., and J. HARTING: J. biol. Ch. **203**, 527 (1953).
[5] MULLIKEN, R. S.: Am. Soc. **74**, 811 (1952).

Präparate verschiedener Autoren weisen auf recht unterschiedliche Aktivierungsgrade des Fermentproteins hin (s. Tabelle 11).

Die Bande verschwindet bei der Adsorption des DPN+ an Tierkohle oder bei der Verdrängung durch p-Chlormercuribenzoat, weiter bei Hemmung des Enzyms mit Jodessigsäure, bei Einwirkung von 1,3-Diphosphoglycerinsäure oder eines Überschusses an Acetylphosphat[3,4], weiter bei Behandlung mit verdünntem Wasserstoffperoxyd oder bei Reduktion des Co-Enzyms[5].

Tabelle 10. *Molare Extinktionskoeffizienten von 3-Phosphoglycerinaldehyd-Dehydrogenase und Co-Enzym* (nach VELICK u. Mitarb.[1]).

Substanz	$\varepsilon \times 10^{-4} \times 1 \times \text{Mol}^{-1} \times \text{cm}^{-1}$		
	260 mµ	276 mµ	280 mµ
DPN+	1,96		0,438
DPNH*	1,75		0,488
PGADH(DPN+)$_2$**	10,75	12,7	12,2
Apo-Enzym**	6,41		11,5

* Darstellung des DPNH nach OHLMEYER[2].
** Die Extinktionskoeffizienten von Holo- und Apo-Enzym sind auf die korrigierten Trockengewichte dialysierter Lösungen und auf das Mol.-Gew. 120000 bezogen.

Die Abhängigkeit der Absorptionsbande von DPN+ und freien SH-Gruppen hat zu der Hypothese geführt, daß sich die essentiellen SH-Gruppen an die bereits fest gebundenen

Tabelle 11. *Molare Extinktionskoeffizienten von DPN+-Komplexen der 3-Phosphoglycerinaldehyd-Dehydrogenase und von Komplexmodellen bei 340—405 mµ.*

Komplex	pH	Puffer	ε in $1 \times \text{cm}^{-1}$ pro Mol gebundenes DPN+					Literatur
			340 mµ	360 mµ	370 mµ	400 mµ	405 mµ	
PGADH(DPN+)$_2$			930					6
PGADH(DPN+)$_2$	8,5	0,01 m PP	1500	1700	1800	1200		7
PGADH(DPN+)$_2$ der Hefe	5,4	0,1 m ÄDTE	1070	1150	1130	620		8
PGADH(DPN+)$_2$ der Hefe	5,6	0,1 m ÄDTE	930	1000	930	480		9
PGADH(DPN+)$_2$ der Hefe	8,1	0,025 m ÄDTE + 0,075 m PP	1150	1160	1080	570		9
PGADH(DPN+)$_2$ der Hefe	7,5	(Phosphat)	350	330	320	190		7
PGADH(DPN+)$_3$			690	810	780			10
PGADH(DPN+)$_3$			880					6
PGADH(DPN+)$_3$			925					11
PGADH(DPN+)$_3$	7,5	0,1 m P	400	450	440	280		7
PGADH(DPN+)$_3$	8,5	0,05 m Tris	680				460	12
PGADH(APDPN+)$_2$ (Hefe-Enzym)	6,8	0,1 m ÄDTE	740	825	760	454		8
PGADH(APDPN+)$_2$ (Hefe-Enzym)	7,5	(Phosphat)	1610	1500	1160	270		7
PGADH(APDPN+)$_3$	7,5	0,1 m P	680	700	590	160		7
Tryptophan-DPN+		0,09 m NaHCO$_3$				400		13
Tryptophan-BCP		Wasser		960	800	430		13
Serotonin-BCP	6,4	0,017 m P				1610	1020	13

Abkürzungen: ÄDTE = Äthylendiamintetraessigsäure; APDPN+ = 3-Acetylpyridin-adenin-dinucleotid; BCP = 1-Benzyl-3-carboxamidpyridiniumchlorid; PGADH = 3-Phosphoglycerinaldehyd-Dehydrogenase; P = Phosphat; PP = Pyrophosphat; Tris = Tris-(hydroxymethyl)-aminomethan.

Als Mol.-Gew. des Enzyms wurde 120000 angenommen.

---

[1] VELICK, S. F., J. E. HAYES jr., and J. HARTING: J. biol. Ch. **203**, 527 (1953).
[2] OHLMEYER, P.: B. Z. **297**, 66 (1938).
[3] VELICK, S. F.: J. biol. Ch. **203**, 563 (1953).
[4] RACKER, E., and I. KRIMSKY: J. biol. Ch. **198**, 731 (1952).
[5] CHANCE, B.; in: McElroy-Glass, The Mechanism of Enzyme Action. S. 436 bzw. 442. Baltimore 1954.
[6] VELICK, S. F.: J. biol. Ch. **203**, 563 (1953); Abb. 4.
[7] KAPLAN, N. O., M. M. CIOTTI and F. E. STOLZENBACH: Arch. Biochem. **69**, 441 (1957); Abb. 6, 8 und 5.
[8] STOCKELL, A.: J. biol. Ch. **234**, 1293 (1959); Abb. 2.
[9] STOCKELL, A.: J. biol. Ch. **234**, 1286 (1959); Abb. 6.
[10] RACKER, E., and I. KRIMSKY: J. biol. Ch. **198**, 731 (1952); Abb. 1.
[11] FOX jr., J. B., and W. B. DANDLIKER: J. biol. Ch. **221**, 1005 (1956); Abb. 3.
[12] RACKER, E., V. KLYBAS and M. SCHRAMM: J. biol. Ch. **234**, 2510 (1959).
[13] CILENTO, G., and P. TEDESCHI: J. biol. Ch. **236**, 907 (1961).

DPN$^+$-Moleküle anlagern und damit die Voraussetzung zur enzymatischen Aktivität geben (s. S. 606). Der Komplex des aktiven Apo-Enzyms mit dem DPN$^+$-Analogen 3-Acetylpyridin-adenin-dinucleotid (APDPN$^+$) weist beim Muskel- wie beim Hefe-Enzym gegenüber dem DPN$^+$-Komplex ein verstärktes Maximum bei 350—360 mμ auf (s. Abb. 4, s. auch Tabelle 11)[1], ist aber trotzdem enzymatisch weniger als halb so wirksam wie dieser. Sein langwelliges Spektrum wird jedoch durch Jodacetat sehr viel weniger beeinflußt. Anscheinend ist hier die Bindung zwischen Co-Enzym und SH-Gruppe zu fest.

In neueren Untersuchungen haben sich CILENTO und TEDESCHI[2] für die Entstehung eines Ladungsübertragungskomplexes zwischen dem elektrophilen Stickstoff des Pyridiniumringes und dem mäßig nucleophilen Ringstickstoff des Tryptophans als Ursache der Absorptionsbande von 300—450 mμ ausgesprochen (s. auch[3]). Tabelle 11 enthält Extinktionskoeffizienten entsprechender Modellkomplexe. Tryptophan ist die einzige Aminosäure, die mit DPN$^+$ einen gefärbten Komplex gibt.

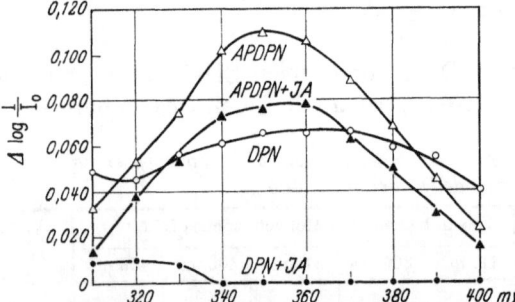

Abb. 4. Das langwellige Differenzspektrum der Apo-PGADH mit DPN$^+$ und 3-Acetylpyridin-adenin-dinucleotid und seine Beeinflussung durch Jodessigsäure. Reaktionsmischung: 0,1 m Phosphat, p$_H$ 7,5, 3 × 10^{-4} m Pyridinnucleotid, 6 mg tierkohlebehandeltes Enzym/ml ohne bzw. mit 0,01 m Jodacetat (nach KAPLAN u. Mitarb.[1]).

Für eine starke Wechselwirkung zwischen den Tryptophanresten des Proteins und dem Co-Enzym der PGADH spricht auch die von VELICK[4] festgestellte Schwächung der Fluorescenzspektren von Apo- und Co-Enzym bei ihrer Vereinigung zum Holo-Enzym. Diese wie auch die durch die Proteinfluorescenz induzierte Sekundärfluorescenz des DPNH lassen sich jedoch nicht mit der Ausbildung von Ladungsübertragungskomplexen im Sinne von CILENTO und TEDESCHI[2] (s. S. 587) erklären, weil sie den PGADH-DPNH-Komplex weit stärker betreffen als den DPN$^+$-Komplex.

Durch die Bindung von DPN$^+$ bzw. DPNH wird das bei 290 mμ angeregte Emissionsspektrum des Proteins in 0,1 m Tris (p$_H$ 7,1, 25° C) bei 350 mμ um 27 bzw. 40% erniedrigt. Das bei 350 mμ angeregte Emissionsspektrum des DPNH sinkt bei 465 mμ ebenfalls um etwa 40%. Bei fluorometrischer Titration von freiem DPNH mit Apo-Enzym in polarisiertem Licht (340 mμ) findet man dazu einen Anstieg der Polarisation der Emissionsstrahlung des DPNH von 0,10 auf maximal 0,28. Erwartungsgemäß kehren Fluorescenzintensität und -polarisation unter Einwirkung von p-Chlormercuribenzoat (s. S. 601) zu ihren Ausgangswerten zurück.

Die Sekundärfluorescenz tritt bei Bestrahlung des DPNH-PGADH-Komplexes mit Licht der Wellenlänge 290 mμ im Bereich von 465 mμ auf, in dem das Apo-Enzym nicht fluoresciert. Sie muß damit zusammenhängen, daß das Emissionsmaximum des Apo-Enzyms mit dem Anregungsmaximum des DPNH zusammenfällt.

DPN$^+$ als struktureller Bestandteil der PGADH des Muskels. Das Co-Enzym der PGADH des Muskels ist wie das des Hefe-Enzyms Nicotinamid-adenin-dinucleotid. Im Gegensatz zu den meisten anderen Pyridinnucleotidfermenten bindet das Apo-Enzym DPN$^+$ so fest, daß es in konstantem Verhältnis zum Proteinanteil mit auskristallisiert. Das Enzym enthält Adenin, Nicotinamid, Ribose und Phosphat im Verhältnis 1:1:2:2, wie es nach dem Aufbau des DPN$^+$ zu erwarten ist[5]. Das gebundene endogene DPN$^+$ kann z.B. nach dem in Tabelle 12 angegebenen Test 3 oder auch nach Abspaltung mit 0,5 m Perchlorsäure mit Hilfe der Cyanidmethode[6] bestimmt werden.

---

[1] KAPLAN, N. O., M. M. CIOTTI and F. E. STOLZENBACH: Arch. Biochem. **69**, 441 (1957).
[2] CILENTO, G., and P. TEDESCHI: J. biol. Ch. **236**, 907 (1961).
[3] KOSOWER, E. M.: Am. Soc. **78**, 3497 (1956). — KOSOWER, E. M.; in: Boyer-Lardy-Myrbäck, Enzymes, Bd. III, S. 171.
[4] VELICK, S. F.: J. biol. Ch. **233**, 1455 (1958).
[5] TAYLOR, J. F., S. F. VELICK, G. T. CORI, C. F. CORI and M. W. SLEIN: J. biol. Ch. **173**, 619 (1948).
[6] COLOWICK, S. P., N. O. KAPLAN and M. M. CIOTTI: J. biol. Ch. **191**, 447 (1951).

Die native PGADH der Zelle enthält 3 DPN$^+$ pro Mol[1-3]. Das Absorptionsspektrum des Rohkristallisats gleicht im Bereich von 250—290 mμ dem des mit 3 DPN$^+$ rekombinierten Apo-Enzyms (s. Abb. 3)[1]. Das 4—10mal ohne Zusatz von ÄDTE umkristallisierte Enzympräparat nach Cori[4] enthält jedoch konstant 2 DPN$^+$/Mol Enzym, die bei niedriger Temperatur und langdauernder Dialyse selbst bei p$_H$ 5,3 oder 9,0 nicht abgegeben werden, obwohl fast die gesamte Aktivität verlorengeht. Andererseits nimmt der Komplex PGADH(DPN$^+$)$_2$ in Gegenwart eines Überschusses von bis zu 10 M exogenem DPN$^+$ bei 0—5° C höchstens 0,2 M DPN$^+$ zusätzlich auf, wie aus Sedimentationsversuchen von Velick u. Mitarb.[1] hervorgeht. Bei der Umkristallisation in Abwesenheit von ÄDTE wird also nicht nur 1 DPN$^+$ abgespalten, sondern auch sein Bindungsort maskiert bzw. blockiert.

Wegen der Konstanz der Zusammensetzung des Komplexes PGADH(DPN$^+$)$_2$ könnte man annehmen, daß er undissoziabel sei. Jedoch wird freies Apo-Enzym bei 0,67-Sättigung mit Ammoniumsulfat nicht ausgefällt und bleibt mit dem freigesetzten DPN$^+$ in Lösung. Velick u. Mitarb.[1] berechneten aus dem Extinktionsverhältnis $E_{280\,m\mu}/E_{260\,m\mu}$ (s. S. 587) des Überstandes einer ohne Zusatz von exogenem DPN$^+$ ultrazentrifugierten Enzymlösung die maximale Abgabe von etwa 0,2 M DPN$^+$/Mol Enzym. Als niedrigste Werte der Dissoziationskonstanten K' ergaben sich 2 bis 4×10^{-7} m.

Ein Vorgang, der als die Folge von Dissoziation und Assoziation von Co- und Apo-Enzym angesehen werden kann, ist der von den gleichen Autoren beobachtete rasche und vollständige Austausch von enzymgebundenem DPN$^+$ gegen freies ^{32}P-DPN$^+$.

Das gebundene DPN$^+$ kann mit 5%iger Trichloressigsäure oder durch Hitzekoagulation in Freiheit gesetzt werden. Ferner kann es durch einen großen Überschuß Tierkohle dem gelösten Enzym quantitativ entzogen werden[1,4]. In diesem Falle kann das Apo-Enzym mit exogenem DPN$^+$ ohne Aktivitätsverlust rekombiniert werden. Nach Fox und Dandliker[5] hat das Apo-Enzym nach sorgfältiger Chromatographie an einer Säule aus gleichen Teilen Norit und Papierfilterbrei bei 1° C unter N$_2$ den Extinktionsquotienten $E_{280\,m\mu}/E_{260\,m\mu} = 1{,}92$ gegenüber 1,0—1,2 bei DPN$^+$-Enzym-Komplexen. Es absorbiert nicht mehr im Bereich von 300—450 mμ. Die Co-Enzym-freie PGADH ist nicht nur instabiler als das Holo-Enzym, sie ist auch auf keine Weise zur Kristallisation zu bringen. Bei Rekombination mit DPN$^+$ stellen sich Kristallisierbarkeit und normales Spektrum wieder ein.

Durch die Tierkohlebehandlung kommt es zur Reaktivierung des dritten Bindungsortes für DPN$^+$. Velick, Hayes und Harting[1] wiesen in ihren DPN$^+$-Adsorptionsversuchen in der Ultrazentrifuge bei Zusatz von 4—50 M freiem DPN$^+$ die Aufnahme von konstant 3 M DPN$^+$/Mol Apo-Enzym nach (s. Tabelle 12).

Die Dissoziationskonstante

$$K' = k_2/k_1 = \frac{[DPN^+_{frei}] \cdot [Bindungsorte_{frei}]}{[DPN^+_{gebunden}]}$$

sank von $6{,}4 \times 10^{-6}$ m bei 0,58 M gebundenem DPN$^+$/Mol Enzym auf den Minimalwert von 8×10^{-8} m bei 3 M DPN$^+$/Mol Enzym ab. Bei Titration des freien Apo-Enzyms mit DPN$^+$ steigt die Anfangsgeschwindigkeit der Glycerinaldehydoxydation zunächst proportional der DPN$^+$-Konzentration an und erreicht plötzlich bei Zugabe von 4 Äq/Mol Enzym (Mol.-Gew. = 120000) einen Grenzwert [Reaktionsbedingungen: 0,05 m Arsenat, p$_H$ 7,6, 3,84 mg Apo-Enzym/ml (1 Std bei 0° C mit 0,003 m Cystein präinkubiert) und 0,004 m Glycerinaldehyd, 26° C]. Fox und Dandliker[5] kommen im Titrationsversuch zu $2{,}17 \times 10^{-8}$ M DPN$^+$/mg Enzym entsprechend 2,6 M DPN$^+$/120000 g Protein bzw. 3 M/138000 g. Der zu hohe Titrationswert Velicks könnte durch zu niedrige

---

[1] Velick, S. F., J. E. Hayes jr. and J. Harting: J. biol. Ch. **203**, 527 (1953).
[2] Racker, E., V. Klybas and M. Schramm: J. biol. Ch. **234**, 2510 (1959).
[3] Pfleiderer, G., u. A. Stock: B. Z. **336**, 56 (1962).
[4] Cori, G. T., M. W. Slein and C. F. Cori: J. biol. Ch. **173**, 605 (1948).
[5] Fox jr., J. B., and W. B. Dandliker: J. biol. Ch. **221**, 1005 (1956).

Glycerinaldehydkonzentration des Testes verursacht sein. Den Sedimentationsversuchen nach werden jedoch erst bei einem anfänglichen Konzentrationsverhältnis von DPN$^+$/Apo-Enzym >3 vom Apo-Enzym 3 DPN$^+$ gebunden.

Wird die PGADH des Muskels nach KRIMSKY und RACKER[1] in Gegenwart von ÄDTE isoliert und umkristallisiert, so wird das native Enzym offenbar nicht in den Komplex PGADH(DPN$^+$)$_2$ überführt[2-4]. Schon FOX und DANDLIKER[2] fanden aber, daß der Co-Enzymgehalt des „ÄDTE-Enzyms" nicht konstant 3 M/Mol beträgt. PFLEIDERER und STOCK[4] zeigten neuerdings, daß ein Teil des gebundenen DPN$^+$ während der Aufarbeitung, vermutlich durch zelleigenen PGA, reduziert und das DPNH in das enzymatisch inaktive DPNH-X (s. S. 619) überführt werden kann. Dieses wird in vitro durch exogenes DPN$^+$ verdrängt, da es nur etwa $^1/_{12}$ der Affinität des DPN$^+$ zum Enzymprotein besitzt. Möglicherweise können auf biochemischem Weg aber auch andere inaktive DPN$^+$- oder DPNH-Derivate entstehen, deren Affinität die des DPN$^+$ übertrifft. Das Vorkommen derartiger Nucleotide im Komplex PGADH(DPN$^+$)$_2$ erscheint allerdings unwahrscheinlich, da sein Absorptionsspektrum von 250—300 mμ mit demjenigen des mit 2 DPN$^+$ rekombinierten Apo-Enzyms identisch ist[5] (s. Abb. 3).

Die Frage nach den Beziehungen zwischen den beiden PGADH-Modifikationen ist noch unentschieden. Scheinbar verhält sich DPN$^+$ in der rekombinierten PGADH(DPN$^+$)$_3$ kinetisch anders als in der früher im Gegensatz zu dieser ebenfalls als „nativ" bezeichneten PGADH(DPN$^+$)$_2$. Nach VELICK[5] erreicht das rekombinierte Enzym höchstens die gleiche, aber nie eine höhere spezifische Aktivität als das mit Cystein aktivierte „native" Enzym. Ob dies für das mit 3 DPN$^+$ abgesättigte „ÄDTE-Enzym" auch zutrifft, läßt sich wegen der Verschiedenheit der Ausführung der Aktivitätsprüfungen bisher nicht entscheiden.

Auch das reduzierte Pyridinnucleotid bleibt an das Apo-Enzym gebunden. CORI, VELICK und CORI[6] reduzierten 10—20 mg Enzym/ml mit einem Überschuß an PGA in Gegenwart von Arsenat bei pH 8,3 und fällten durch 0,85 Sättigung mit $(NH_4)_2SO_4$. Mehr als 90% des Enzyms fielen aus, und das Verhältnis von DPNH zu Protein war im Niederschlag das gleiche wie vorher das Verhältnis von DPN$^+$ zu Enzym. VELICK hat die Stöchiometrie des DPNH-Enzymkomplexes auch auf Grund der Erniedrigung der Fluorescenz des DPNH durch Bindung an das PGADH-Protein untersucht[3]. Trägt man bei Titration des Apo-Enzyms (6×10^{-6} m) mit DPNH die Intensität der Fluorescenz bei 465 mμ gegen die zugegebene DPNH-Konzentration auf, so erhält man eine gebrochene Gerade. Ihre Neigung steigt beim Sättigungspunkt plötzlich auf den für freies DPNH zu erwartenden Wert an. Die Tabelle 12 enthält einen Überblick über die Bindungskapazität verschiedener PGADH-Präparate für DPN$^+$ und DPNH.

Über die Festigkeit und die Art der Bindung des oxydierten wie des reduzierten Pyridinnucleotids an das Apo-Enzym geben Versuche von ASTRACHAN, COLOWICK und KAPLAN[7] Aufschluß. In der Abb. 5 sind die Möglichkeiten enzymatischer Veränderungen von DPN$^+$ durch verschiedene Enzyme angedeutet.

Freies DPN$^+$ wird schneller angegriffen als gebundenes DPN$^+$. Im inaktiven Enzym-DPN$^+$-Komplex, PGADH$_i$, d.h. in einem Präparat, dessen esentielle SH-Gruppen zum größten Teil besetzt sind, ist DPN$^+$ den Enzymen wiederum leichter zugänglich als im aktiven Komplex PGADH$_a$.

Das gilt auch für die Hydrierung von DPN$^+$-PGADH$_i$ und DPN$^+$-PGADH$_a$ durch andere Dehydrogenasen. DPN$^+$-PGADH$_a$ ist hier inert. Im Gegensatz hierzu wird DPNH-PGADH$_a$ ebenso schnell oxydiert wie freies DPNH.

---

[1] KRIMSKY, I., and E. RACKER: J. biol. Ch. **198**, 721 (1952).
[2] FOX jr., J. B., and W. B. DANDLIKER: J. biol. Ch. **221**, 1005 (1956).
[3] VELICK, S. F.: J. biol. Ch. **233**, 1455 (1958).
[4] PFLEIDERER, G., u. A. STOCK: B. Z. **336**, 56 (1962).
[5] VELICK, S. F., J. E. HAYES jr. and J. HARTING: J. biol. Ch. **203**, 527 (1953).
[6] CORI, C. F., S. F. VELICK and G. T. CORI: Biochim. biophys. Acta **4**, 160 (1950).
[7] ASTRACHAN, L., S. P. COLOWICK and N. O. KAPLAN: Biochim. biophys. Acta **24**, 141 (1957).

Tabelle 12. *Co-Enzym-Gehalt verschiedener 3-Phosphoglycerinaldehyd-Dehydrogenase-Präparate.*

Nr.	Vorbehandlung	Mol DPN+ pro 120 000 g Protein	Test	Literatur
1.	Rohkristallisat	3	spektrophotometrisch bei 250—290 mμ	1
2.	Einmal umkristallisiert	3	enzymatische Reduktion des freien DPN+ nach Denaturierung des Proteins mit 5% TCE durch Alkohol-Dehydrogenase und überschüssiges Äthanol	2
3.	4—10mal ohne ÄDTE umkristallisiert	2	0,05 m Arsenat (pH 8,4) 0,001 m Cystein, 2,6—5 mg PGADH/ml, 0,1 mg Aldolase je ml + 0,01 m 1,6-Diphosphofructose	1
4.	Adsorption des DPN+ an Tierkohle	0,08	wie 3.	1
5.	Chromatographie an Tierkohle	<0,01	Absorption bei 260 mμ	3
6.	Tierkohlebehandlung, Rekombination mit DPN+	3	Adsorptionsversuch in der Ultrazentrifuge: 0,05 m Arsenat (pH 7,6), 0,003 m Cystein, 1,92 mg Apo-Enzym/ml, 9,54 × 10^{-5} bzw. 7,63 × 10^{-4} m DPN+; 50 000 U/min (Spinco-E, 1,5—3 Std), 0—5° C, Bestimmung des freien DPN+ in den obersten Schichten	1
7.	Tierkohlechromatographie, Titration mit DPN+	2,6	Bestimmung der maximalen Absorption bei 340 mμ (s. S. 587)	3
8.	Tierkohlebehandlung, Titration mit DPNH	2,7	Bestimmung der Nucleotid-Fluorescenz bei 465 mμ (Anregung bei 350 mμ) in 0,1 m Tris (pH 7,2) bei 25° C (s. S. 588)	4

Im Komplex DPN+-PGADH$_a$ wird das Co-Enzym der Einwirkung anderer Enzyme offenbar durch die starke Wechselwirkung zwischen ihm und essentiellen SH-Gruppen

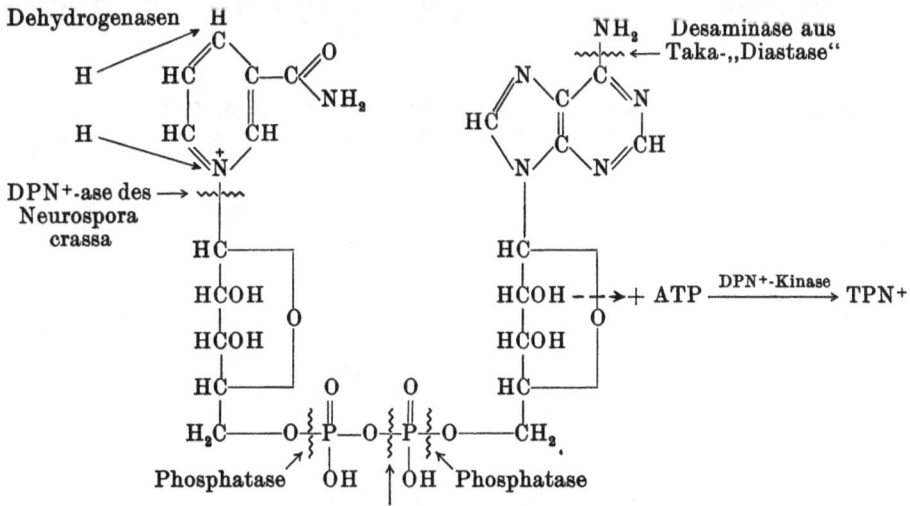

Abb. 5. Möglichkeiten der enzymatischen Veränderung von DPN+.

entzogen. Bei DPN+-PGADH$_i$ ist diese infolge anderweitiger Besetzung der SH-Gruppen aufgehoben, und bei DPNH-PGADH$_a$ ist ein solcher Schutz des Co-Enzyms von vornherein nicht möglich. Überdies scheint beim DPNH-PGADH$_a$, wie der schnelle Abbau

[1] VELICK, S. F., J. E. HAYES jr. and J. HARTING: J. biol. Ch. **203**, 527 (1953).
[2] RACKER, E., V. KLYBAS and M. SCHRAMM: J. biol. Ch. **234**, 2510 (1959).
[3] FOX jr., J. B., u. W. B. DANDLIKER: J. biol. Ch. **221**, 1005 (1956).
[4] VELICK, S. F.: J. biol. Ch. **233**, 1455 (1958).

Tabelle 13. *Wirkung verschiedener Enzyme auf das an 3-Phosphoglycerinaldehyd-Dehydrogenase gebundene Nicotinamid-adenin-dinucleotid* (nach ASTRACHAN u. Mitarb.[1]).

Präparate: DPN$^+$-PGADH$_a$: fünffache Umkristallisation in Gegenwart von ÄDTE, 8—12 Std Dialyse gegen 200 Vol. 0,002 m ÄDTE (p$_H$ 7,4) und 6—12 Std gegen destilliertes Wasser.

DPN$^+$-PGADH$_i$: fünfmaliges Umkristallisieren in Abwesenheit von ÄDTE, 8—12 Std Dialyse gegen 0,002 m Phosphat oder Tris (p$_H$ 7,5) und 6—12 Std gegen 0,0005 m Puffer.

DPNH-PGADH$_a$: DPN$^+$-PGADH$_a$ mit $3,5 \times 10^{-4}$ m endogenem DPN$^+$ wurde in 0,09 m Tris und 0,009 m Arsenat bei p$_H$ 8,4 15 min mit 0,02 m Glycerinaldehyd bei Raumtemperatur inkubiert, durch 0,88-Sättigung mit Ammoniumsulfat bei p$_H$ 8,5 gefällt, in 4 Vol. 0,05 m Tris (p$_H$ 8,5) gelöst, eventuell ein zweites Mal gefällt und 2 und 3 Std gegen 0,1 m Tris bzw. 0,005 m Tris (p$_H$ 8,5) dialysiert. (Bei p$_H$ 8,5 tritt keine Zersetzung von DPNH durch das Enzym ein.)

Präparat	p$_H$	Relative Aktivität $\frac{v_1 \times 100}{v_2}$		Test
		theoretischer Wert	gefundener Wert	
DPN$^+$-Nucleosidase				
DPN$^+$-PGADH$_a$	5,0	7	30	0,1 m KH$_2$PO$_4$ (p$_H$ 5,0) bzw. 0,1 m Tris (p$_H$ 7,4),
	7,4	7	8,5	$1,3 \times 10^{-4}$ m gebundenes bzw. freies DPN$^+$ +
DPN$^+$-PGADH$_i$	7,4	7	29	DPN$^+$-ase, 37° C
Pyrophosphatase				
DPN$^+$-PGADH$_a$	6,7	8	37	0,1 m Phosphat (p$_H$ 6,7), 0,1 m Tris (p$_H$ 7,4 bzw.
	7,4	8	33	8,0) bzw. 0,1 m Glycin (p$_H$ 8,5), 0,05 m MgCl$_2$,
	8,0	8	34	1,1 bzw. $1,3 \times 10^{-4}$ m DPN$^+$ und genügend En-
	8,5	8	45	zym, um in 3—5 min die Hälfte des freien DPN$^+$
DPN$^+$-PGADH$_i$	7,4	8	67	zu spalten, 37° C
	8,0	8	57	
	8,5	8	48	
DPN$^+$-Kinase				
DPN$^+$-PGADH$_a$	7,4	8	20	0,1 m Tris (p$_H$ 7,4), 0,002 m MnCl$_2$, 0,02 m Nico-
DPN$^+$-PGADH$_i$	7,4	8	47	tinamid, 0,008 m ATP, 7×10^{-5} m DPN$^+$ + DPN$^+$-Kinase, 37° C
Desaminase				
DPN$^+$-PGADH$_a$	5,9	5—8	7,8	Phosphat (0,1 m, p$_H$ 5,9; 0,08 m, p$_H$ 6,6 bzw.
	6,6	5—8	8,0	0,04 m, p$_H$ 7,5), 0,1 m Tris (p$_H$ 7,4 bzw. 8,0) bzw.
	7,4—8,5	5—8	5,0	0,07 m Pyrophosphat (p$_H$ 8,5): 1,0 bzw. $1,5 \times$
DPN$^+$-PGADH$_i$	6,6	5—8	26	10^{-4} m DPN$^+$ bzw. 5×10^{-5} m DPNH und genü-
	7,4	5—8	40	gend Enzym, um die Hälfte des freien Nucleotids
DPNH-PGADH$_a$	7,4	8	70	in 2—5 min zu desaminieren, 37° C
Lactat-Dehydrogenase[2]				
DPN$^+$-PGADH$_a$	6,7—9,9	39	23—34	0,1 m Puffer (Phosphat, Tris bzw. Glycin) 0,08 m
DPN$^+$-PGADH$_i$	7,2	49	49	NH$_2$OH, 0,1 m Lactat, $7,2 \times 10^{-5}$ m DPN$^+$ + Enzym, Raumtemperatur
DPNH-PGADH$_a$	7,4	46	80—100	0,1 m Tris, 0,02 m Pyruvat, $4,5 \times 10^{-5}$ m DPNH + Enzym
Isocitrat-Dehydrogenase der Hefe				
DPN$^+$-PGADH$_a$	6,7	8,5	15	0,1 m Kaliumphosphat, 0,01 m KCN, 0,006 m
DPN$^+$-PGADH$_i$	6,7	8,5	28	MgCl$_2$, 5×10^{-5} m 5'-AMP, 0,0025 m Isocitrat, $7,2 \times 10^{-5}$ m DPN + Enzym
Alkohol-Dehydrogenase der Leber				
DPN$^+$-PGADH$_a$	10,1	26	52	0,35 m Tris, 0,34 m Äthanol, $1,1 \times 10^{-4}$ m DPN$^+$ +
DPN$^+$-PGADH$_i$	10,1	26	78	Enzym
DPNH-PGADH$_a$	7,4	25	100	0,1 m Tris, 0,05 m Acetaldehyd, $4,5 \times 10^{-5}$ m DPNH + Enzym

[1] ASTRACHAN, L., S. P. COLOWICK and N. O. KAPLAN: Biochim. biophys. Acta **24**, 141 (1957).
[2] Siehe auch CORI, C. F., S. F. VELICK and G. T. CORI: Biochim. biophys. Acta **4**, 160 (1950).

Tabelle. 13 (Fortsetzung).

Präparat	pH	relative Aktivität $\frac{v_1 \times 100}{v_2}$		Test
		theoretischer Wert	gefundener Wert	
Alkohol-Dehydrogenase der Hefe				
DPN+-PGADH$_a$	10,1	12	18	s. Alkohol-Dehydrogenase der Leber
DPN+-PGADH$_i$	10,1	12	67	s. Alkohol-Dehydrogenase der Leber
DPNH-PGADH$_a$	7,4	17	70—100	s. Alkohol-Dehydrogenase der Leber
TPNH:DPN+-Transhydrogenase aus Pseudomonas				
DPN+-PGADH$_a$	7,4	14	14	0,1 m Tris, 0,01 m KCN, 0,003 m MgCl$_2$, 0,0032 m 2'-AMP, 0,0015 m Isocitrat, 7,2 $\times$ 10^{-5} m DPN+, 3 $\times$ 10^{-5} m TPN+, genügend Schweineherzextrakt, um alles TPN+ in 15 sec zu reduzieren, + Enzym
DPN+-PGADH$_i$	7,4	14	63	
Glutamat-Dehydrogenase				
DPN+-PGADH$_a$	8,1	8	15	0,1 m Histidin, 6,9 $\times$ 10^{-5} m DPN+, Enzym + 0,01 m Kaliumglutamat
DPNH-PGADH$_a$	8,1	11	80—100	0,1 m Histidin, 0,02 m (NH$_4$)$_2$SO$_4$, 0,01 m α-Ketoglutarsäure, 4,5 $\times$ 10^{-5} DPNH + Enzym

durch Adenosin-Desaminase zeigt, die bei DPN+ bestehende Bindung zwischen Amino-Gruppe des Adenins und Enzymprotein stark gelockert zu sein.

Da die Pyrophosphatase des Schlangengifts schon das DPN+ des aktiven PGADH-Komplexes stark angreift, sieht es so aus, als sei die Pyrophosphatgruppe an der Bindung zwischen Apo- und Co-Enzym kaum beteiligt. Jedoch können dem entgegen von den Abbauprodukten des DPN+ nur solche vom Enzym gebunden werden, die die Pyrophosphatgruppe noch enthalten: Adenosindiphosphatribose und Desamino-DPN+ [1]. Tabelle 13 gibt eine Übersicht des quantitativen Vergleichs der Aktivitäten von freiem und gebundenem Pyridinnucleotid als Substrat anderer Enzyme. Als relatives Aktivitätsmaß wird der Ausdruck $\frac{\text{Umsatzrate des gebundenen DPN} \times 100}{\text{Umsatzrate des freien DPN}}$ verwendet. Die Ausgangskonzentrationen an DPN müssen gleich sein. Als theoretischer Vergleichswert wird $\frac{v_1}{v_2} = \frac{S_1(K_M + S_2)}{S_2(K_M + S_1)}$ errechnet. K_M ist die MICHAELIS-Konstante des Pyridinnucleotids mit dem jeweiligen Enzym. S_1 ist die Konzentration an freiem DPN+, die der Dissoziationskonstanten der PGADH nach zu erwarten ist, und S_2 ist die Konzentration an freiem DPN, die gleich der des in gebundener Form vorliegenden DPN gewählt wird. In allen Fällen, in denen der gefundene Quotient $\frac{v_1 \times 100}{v_2}$ größer ist als der theoretische Wert, wird gebundenes DPN umgesetzt.

Die Konzentrationen an abdissoziiertem DPN (S_1) können hier, solange mit Co-Enzym gesättigte PGADH(DPN)$_2$ vorliegt, sowohl nach der Formel

$$K' = \frac{[\text{DPN}_{\text{frei}}] \times [\text{freie Bindungsorte am Enzym}]}{[\text{DPN}_{\text{gebunden}}]} = \frac{[\text{DPN}_{\text{frei}}] \times 2 \times [\text{Enzym}_{\text{frei}}]}{[\text{DPN}_{\text{gebunden}}]}$$

als auch nach der Formel

$$K'' = \frac{[\text{PGADH}] \times [\text{DPN}]^2}{[\text{PGADH(DPN)}_2]}$$

berechnet werden.

Bei Anfangskonzentrationen von 0,5—1,5 $\times 10^{-4}$ m gebundenem DPN+ erhält man mit $K' = 3 \times 10^{-7}$ M/l^2 einen Dissoziationsgrad von 7,5—4,4%. Mit $K'' = 1,3 \times 10^{-12}$ $\times$ Mol^2/l^2 erhält man 7,8—3,8%. Nicht immer ist die Übereinstimmung so gut.

---
[1] ASTRACHAN, L.; in: McElroy-Glass, The Mechanism of Enzyme Action. S. 534. Baltimore 1954.
[2] VELICK, S. F., J. E. HAYES jr. and J. HARTING: J. biol. Ch. **203**, 527 (1953).

Die theoretischen Werte des Umsatzes von freiem DPNH sind in Tabelle 13 ebenfalls mit $K' = 3 \times 10^{-7}$ m $^{1-3}$ berechnet worden.

SH-Gruppen. Über den SH-Gehalt der Muskel-PGADH kann man in der Literatur stark voneinander abweichende Angaben finden. Die wahrscheinlichsten Werte sind in Tabelle 14 enthalten. Entsprechend dem Cysteingehalt[4] (s. S. 581) sind höchstens 11 SH-Gruppen/120000 g Protein zu erwarten. Wie Versuch I, Tabelle 14 zeigt, wird dieser Wert unter bestimmten Reaktionsbedingungen gefunden.

Man hat zwischen schnell und langsam ansprechenden Gruppen zu unterscheiden und muß damit rechnen, daß nicht nur Sulfhydrylgruppen reagieren. Inaktives Enzym hat weniger freie SH-Gruppen als aktives. Zum Beispiel gilt der Wert 11,2 (Tabelle 14, Nr. III) für ein Präparat, dessen Aktivitätsverhältnis ohne und mit Cystein 0,86 betrug. Bei einem anderen, das, ohne ÄDTE und mit rohem Ammoniumsulfat isoliert, nur 31% Aktivität besaß, waren nur 9,1 schnell reagierende Gruppen zu finden. Der Vergleich der Versuche V und VI läßt erkennen, daß o-Jodosobenzoat nicht einheitlich reagiert. RAFTER[5] fand bei einem seiner mit diesem Reagens austitrierten Präparate anschließend mit p-Chlormercuribenzoat noch 30% der SH-Gruppen unbesetzt. Noch weniger geeignet erscheint $K_3[Fe(CN)_6]$ als SH-Reagens.

Zur Inaktivierung des Enzyms genügt die Besetzung von 5 SH-Gruppen durch Alkylierung mit Jodacetat. Nach SEGAL und BOYER[3] werden nach Einwirkung von 10^{-4} m Jodacetat mit p-Chlormercuribenzoat 4,4—4,7 SH-Gruppen/Mol Enzym weniger gefunden. Da Jodacetat kein DPN$^+$ freisetzt und der Co-Enzym-Gehalt von „oxydiertem" Enzym der gleiche ist wie der des aktiven Enzyms, kann die Hauptbindung des DPN$^+$ nicht über SH-Gruppen führen. Trotzdem stehen 2 bzw. 3 von ihnen, und zwar diejenigen, die als essentiell zu betrachten sind, in bestimmter Beziehung zum DPN$^+$. Die „oxydierte" PGADH kann an Stelle von SH-Verbindungen und ÄDTE auch durch einen Überschuß an exogenem DPN$^+$ aktiviert werden, und p-Chlormercuribenzoat verdrängt DPN$^+$ (s. S. 601). Weiter spricht das Verhalten des Absorptionsmaximums bei 360 mμ für eine zusätzliche Bindung von DPN$^+$ durch SH-Gruppen.

Die essentiellen SH-Gruppen dienen vor allem der Bindung des Substrats. Im Gegensatz zur Spontaninaktivierung ist die Hemmung durch Jodacetat irreversibel. Sie kann nur durch Substrate, am wirksamsten durch PGA, verhindert werden. Nach Titrationsversuchen von SEGAL und BOYER[3] mit o-Jodosobenzoat analog Nr. V, Tabelle 14, werden in Gegenwart von $1,2 \times 10^{-7}$ m Jodacetat und $2,4 \times 10^{-7}$ m PGA zwei der durch Jodacetat hemmbaren SH-Gruppen durch PGA vor der Alkylierung geschützt. (Sie werden jedoch immer noch durch o-Jodosobenzoat oxydiert.)

Die essentiellen SH-Gruppen dienen nicht nur zur Bindung des reduzierten Substrats, sondern bei der rückläufigen PGADH-Reaktion auch als Acylacceptoren. Bei 7 min Präinkubation mit 5×10^{-4} m Acetylphosphat vor Zugabe von p-Chlormercuribenzoat findet man in Versuchen analog Nr. III, Tabelle 14, 2,4 SH-Gruppen weniger. Ein mit Jodessigsäure vorbehandeltes Präparat bindet dagegen mit und ohne Inkubation mit Acetylphosphat die gleiche Anzahl Moleküle p-Chlormercuribenzoat.

Effektoren. Entsprechend der Labilität eines typischen SH-Fermentes und infolge einer offenbar besonders labilen Superstruktur des Apo-Enzyms sind *Aktivatoren* und *Stabilisatoren* für die Aktivität der PGADH essentiell. Als solche sind unter anderem KCN, ÄDTE und Cystein bekannt. An Stelle von Cystein können auch andere SH-Verbindungen, wie reduziertes Glutathion und 2,3-Dimercaptopropanol (BAL), verwendet werden, die durch anschließende Dialyse wieder zu entfernen sind. Auch ein Überschuß an DPN$^+$ kann aktivieren.

---

[1] CORI, C. F., S. F. VELICK and G. T. CORI: Biochim. biophys. Acta **4**, 160 (1950).
[2] VELICK, S. F., and J. E. HAYES jr.: J. biol. Ch. **203**, 545 (1953).
[3] SEGAL, H. L., and P. D. BOYER: J. biol. Ch. **204**, 265 (1953).
[4] VELICK, S. F., and E. RONZONI: J. biol. Ch. **173**, 627 (1948).
[5] RAFTER, G. W.: Arch. Biochem. **67**, 267 (1957).

Tabelle 14. *SH-Gruppengehalt der 3-Phosphoglycerinaldehyd-Dehydrogenase des Muskels.*

Präparat	Methode	Zahl der SH-Gruppen je 120 000 g Protein	Literatur
I. PGADH nach CORI, SLEIN und CORI, 3—5mal umkristallisiert in 10^{-4} m ÄDTE + 10^{-4} m Cysteinäthylester, dialysiert gegen 10^{-4} m ÄDTE + 10^{-4} m Tris (p_H 7,4); 10 Std Dialyse gegen Tris allein	Amperometrische Titration mit $1-2 \times 10^{-3}$ m $AgNO_3$. Elektroden: Hg/HgO in gesättigter $Ba(OH)_2$-Lösung gegen die rotierende Pt-Elektrode. 0,1335 m Tris, 0,1134 m HNO_3, 0,01 m KCl, Enzym mit etwa 0,03 µÄq SH-Gruppen, p_H 7,4, 25° C	11	1
II. PGADH der Sigma Chemical Company, ohne ÄDTE dargestellt	wie I	8,0—8,5	2
III. Präparat nach CORI, SLEIN und CORI, fünfmal in 5×10^{-4} m ÄDTE umkristallisiert	Spektrophotometrische Messung nach BOYER[7] bei 255 mµ. 0,32 m Acetat (p_H 4,6), 0,28 mg Enzym/ml ($2,3 \times 10^{-6}$ m) + $4,5 \times 10^{-5}$ m p-CMB, 27° C, 10 bzw. 40 min	11,2 bzw. 14	3
IV. PGADH der Sigma Chemical Company	wie III	10,4—10,5	2
V. Präparat nach CORI, SLEIN und CORI, in Gegenwart von 0,003 m ÄDTE isoliert	Amperometrische Titration mit o-Jodosobenzoat nach LARSON und JENNES[8]. 5,4 mg Enzym in 1,2 ml 0,025 m Pyrophosphat (p_H 8,4) + $7,5 \times 10^{-4}$ m ÄDTE + 4—5 ml 0,001 n o-Jodosobenzoat; Zusatz von 1,8 ml 3%iger KJ-Lösung + 1,5 ml 1 n HCl + 2 ml 0,002 n $Na_2S_2O_3$ und Rücktitration. Blindwert ohne Enzym	14,8—15,1	4
VI. Präparat nach CORI, SLEIN und CORI, in Gegenwart von ÄDTE isoliert	Titration mit Jodosobenzoat nach HELLERMAN, CHINARD und RAMSDELL[9]. 0,1 µMol PGADH läßt man 90 sec in etwa 0,2 m Phosphat (p_H 7,0) bei 25° C mit dem 15- bis 30fachen Überschuß an o-Jodosobenzoat reagieren; Rücktitration mit $Na_2S_2O_3$ nach Zugabe von KJ und Ansäuern	Verbrauch von 10—11 M o-Jodosobenzoat pro Mol Enzym	5
VII. PGADH aus Schweinemuskel nach ELÖDI und SZÖRENYI[10]	Bestimmung des maximalen negativen optischen Drehwertes und der maximalen Viscositätszahl bei Einwirkung von p-Chlormercuribenzoat	12	6

Als Stabilisator (Protektor) ist ÄDTE dem Cystein überlegen. Aber auch bei der Reaktivierung von „oxydiertem" Enzym ist es dem Cystein nahezu gleichwertig[4]. Die Wirkung beider besteht demnach in erster Linie in der Freisetzung der SH-Gruppen aus Mercaptidbindungen und Anlagerungsverbindungen.

Die reduktive Aktivierung ist eine Zeitreaktion. Sie betrifft innermolekulare Disulfidgruppen und gemischte Disulfide mit niedermolekularen SH-Verbindungen, wie z.B. Glutathion. Solches Glutathion war es, das KRIMSKY und RACKER[11] in Ausbeuten von

---

[1] BENESCH, R. E., H. A. LARDY and R. BENESCH: J. biol. Ch. **216**, 663 (1955).
[2] TUCKER, D., and S. GRISOLIA: J. biol. Ch. **237**, 1068 (1962).
[3] KOEPPE, O. J., P. D. BOYER and M. P. STULBERG: J. biol. Ch. **219**, 569 (1956). — Siehe auch RAFTER, G. W.: Arch. Biochem. **67**, 267 (1957).
[4] SEGAL, H. L., and P. D. BOYER: J. biol. Ch. **204**, 265 (1953).
[5] RAFTER, G. W.: Arch. Biochem. **67**, 267 (1957).
[6] ELÖDI, P.: Biochim. biophys. Acta **40**, 272 (1960).
[7] BOYER, P. D.: Am. Soc. **76**, 4331 (1954).
[8] LARSON, B. L., and R. JENNES: J. Dairy Sc. **33**, 890 (1950).
[9] HELLERMAN, L., F. P. CHINARD and P. A. RAMSDELL: Am. Soc. **63**, 2551 (1941).
[10] ELÖDI, P., u. E. SZÖRÉNYI: Acta physiol. hung. **9**, 339 (1956).
[11] KRIMSKY, I., and E. RACKER: J. biol. Ch. **198**, 721 (1952).

Tabelle 15. *Inhibitoren der 3-Phospho-*

Inhibitor	Konzentration in Mol/Liter	Hemmung %	Reaktionsbedingungen (Messung von Δ o.D. bei 340 mμ)
DPN+-Analoge			
Pyridin-3-aldehyd-adenin-dinucleotid	5×10^{-7}	30	0,1 m PP (p$_H$ 8,5), 0,006 m Arsenat, $2,5 \times 10^{-4}$ m
	5×10^{-6}	80	DPN+, 1,3 μg Enzym/ml + $1,8 \times 10^{-4}$ m PGA;
	1×10^{-5}	88	1 min
Isonicotinsäure-adenin-dinucleotid	1×10^{-4}	39	
	5×10^{-4}	78	
Marsilid-adenin-dinucleotid	1×10^{-4}	22	
	5×10^{-4}	92	
β-Picolin-adenin-dinucleotid	1×10^{-4}	17	
DPNH	5×10^{-5}	45	3 Std Präinkubation von 10^{-5} m Enzym (1,2 mg/ml) in 0,01 m Tris (p$_H$ 7,2) mit DPNH bei 38° C;
	5×10^{-4}	80	Test: 0,03 m PP (p$_H$ 8,5), 0,006 m Cystein, 0,006 m Arsenat, $2,5 \times 10^{-4}$ m DPN+, $2,5 \times 10^{-4}$ m PGA, 0,3—2 μg Enzym/ml (s. S. 628)
Substrat-Analoge			
2,4-Diphospho-D-threose	2×10^{-7}	50	0,03 m PP (p$_H$ 8,5), 5×10^{-4} m Arsenat, 0,006 m Cystein, $3,3 \times 10^{-4}$ m DPN+ und 0,6 μg Enzym/ml; nach 10 min bei Raumtemperatur Zugabe des Inhibitors; 2 min später Start mit $6,6 \times 10^{-4}$ m D-PGA
	$5,2 \times 10^{-7}$	74	
2,4-Diphospho-L-threose	2×10^{-4}	50	wie vorher
2,4-Diphosphotetrose (Gemisch der optisch Isomeren)	9×10^{-7}	62	0,05 m Tris (p$_H$ 8,5), 0,005 m Arsenat, $4,5 \times 10^{-4}$ m DPN+, 0,005 m 1,6-Diphosphofructose, 50 μg Aldolase/ml, 1 μg PGADH/ml
2-Phosphoglykolaldehyd	0,001	12	wie vorher
4-Phospho-D-erythrose	8×10^{-5}	13	wie vorher
2,4-Diphosphotetrose	2×10^{-6}	46	0,05 m Tris (p$_H$ 8,5), 0,005 m Arsenat, $4,5 \times 10^{-4}$ m DPN+, 0,111 m Glycerinaldehyd, 38 μg Enzym/ml
	4×10^{-6}	68	
2,4-Diphosphotetrose	$1,64 \times 10^{-5}$	42	0,03 m PP (p$_H$ 8,6), 10^{-4} m DPNH, $1,79 \times 10^{-4}$ m 1,3-Diphosphoglycerinsäure, 0,31 μg Enzym/ml
2,4-Diphosphotetrose	$1,64 \times 10^{-5}$	17	wie vorher, jedoch 0,00119 m 1,3-DPGS
SH-Reagentien			
p-Chlormercuribenzoat	2×10^{-7}	50	0,035 m Triäthanolamin (p$_H$ 7,6), 0,006 m Arsenat, $5,0 \times 10^{-4}$ m DPN+, 0,0067—0,0196 m 1,6-Diphosphofructose, 67 μg Aldolase/ml, 3,3 μg PGADH/ml; 1 min, 366 mμ
p-Chlormercuriphenylsulfonat	4×10^{-5}	65	0,05 m Arsenat, (p$_H$ 7,6), $3,1 \times 10^{-5}$ m Enzym (3,72 mg/ml) mit $6,2 \times 10^{-5}$ m gebundenem DPN+, 0,004 m GA; lineare Reaktion
	6×10^{-5}	87	
	8×10^{-5}	93	
Cu(II)-acetat	1×10^{-6}	50	wie p-CMB
Cd-acetat	1×10^{-5}	50	wie p-CMB
Zn-acetat	$1,4 \times 10^{-5}$	50	wie p-CMB

glycerinaldehyd-Dehydrogenase des Muskels.

Reaktivierung bzw. Stabilisierung in % der Aktivität ohne Inhibitor	Spezifische Aktivität in μMol DPNH $\times$ mg Protein^{-1} $\times$ min^{-1}*	Bemerkungen	Literatur
	48,5	Ohne Einfluß sind 10^{-4} m Pyridin-adenin-dinucleotid, Isonicotin-amid-adenin-dinucleotid, Äthyl-nicotinsäureester-adenin-dinucleotid, Pyridin-3-aldehyd, Isonicotin-säurehydrazid, Marsilid (= Isopropylisonicotinsäurehydrazid)	1
5×10^{-5} m DPN$^+$, gleichzeitig mit DPNH zugesetzt, vermindert die Hemmung auf 25%. 5×10^{-4} m DPN$^+$ vermindert auf 55%. Cystein schützt und reaktiviert nicht		TPNH ist nur ein schwacher Inhibitor (5×10^{-4} m, < 20%). 0,005 m Phosphat verstärkt die Hemmung durch DPNH	2
PGA bei der Präinkubation oder gleichzeitig mit dem Inhibitor zugegeben (Start mit DPN$^+$), stabilisiert nur die Anfangsgeschwindigkeit zu 100%	5,77	$K_I = 2,1 \times 10^{-7}$ m. Die Hemmung durch $5,2 \times 10^{-7}$ m Inhibitor sank bei 60 min Einwirkung auf 30%. Sie ist bezüglich PGA nichtkompetitiv und wird durch DPN$^+$ verstärkt	3
	5,77		3
	16,1	$K_I \approx 1,2 \times 10^{-7}$ m	4
	16,1		4
	16,1	Der Inhibitor ist selbst Substrat	4
	0,212		4
Reaktivierung ist nicht mit PGA, sondern nur mit 1,3-DPGS möglich	64,4 (Verbrauch)	Ähnliche Resultate mit 3-PGS + ATP + 3-PGS-Kinase an Stelle von 1,3-DPGS	4
	75,7 (Verbrauch)		
		Verstärkung der Wirkung durch Präinkubation	5
Reaktivierung noch nach 4,5 min durch 0,003 m Cystein auf bis zu 200%	0,00675 (aus Δo.D. der 0.—30. sec)	Verstärkung der Wirkung durch Präinkubation	6
Die Wirkung von 0,001 m Cu^{++} wird durch 0,005 m Nicotinsäure-, Isonicotinsäure- oder 2-Methylnicotinsäurehydrazid aufgehoben		Die Hemmung durch Metallionen wird durch Präinkubation nicht verstärkt. Bei Ersatz des Puffers durch Serum sind für den gleichen Hemmeffekt 10—100fach höhere Konzentrationen notwendig.	5
Reaktivierung nach 10 min durch 0,003 m			

Tabelle 15

Inhibitor	Konzentration in Mol/Liter	Hemmung %	Reaktionsbedingungen (Messung von Δ o. D. bei 340 mμ)
Zn^{++} + ÄDTE	0,02	50	wie p-CMB
Ni-acetat	0,0054	50	wie p-CMB
Co-acetat	0,011	50	wie p-CMB
Jodessigsäure	1×10^{-4}	90	Präinkubation: 0,05 m PP (p$_H$ 8,4), 31,7 μg Enzym/ml, 5×10^{-4} m ÄDTE, 10^{-4} m JE; 15 min, Raumtemperatur; Test: 0,028 m PP (p$_H$ 8,4), 5 μg Enzym/ml, $1,6 \times 10^{-4}$ m ÄDTE, $1,6 \times 10^{-5}$ m JE, $6,3 \times 10^{-5}$ m PGA; nach 1,5 min bei 30° C Start durch $2,6 \times 10^{-4}$ m Arsenat + $7,9 \times 10^{-4}$ m DPN$^+$; 2,5 min bei 30° C
Jodessigsäure	$3,3 \times 10^{-5}$	50	wie vorher, jedoch 56,6 μg Apo-Enzym/ml und $3,3 \times 10^{-5}$ m JE; Endkonzentration: 9 μg Apo-Enzym/ml, $5,3 \times 10^{-6}$ m JE und $2,1 \times 10^{-5}$ m PGA
Jodessigsäure	3×10^{-4}	71	Präinkubation: 0,045 m PP (p$_H$ 8,7), 39,5 μg Enzym/ml (mit 0,04 m Ammoniumsulfat), 3×10^{-4} m JE; 2 min; Test: 0,039 m PP (p$_H$ 8,8), 33,8 μg Enzym/ml (mit 0,04 m AS), $2,57 \times 10^{-4}$ m JE, 0,0078 m Arsenat (p$_H$ 8,7), $1,96 \times 10^{-4}$ m DPN$^+$, $2,6 \times 10^{-4}$ m PGA; 17° C, 366 mμ, 20.—80. sec
Jodessigsäure	$8,3 \times 10^{-5}$	50	wie p-CMB
N-Äthylmaleinimid	$1,1 \times 10^{-4}$	50	wie p-CMB
N-Oxyd-lost	$6,0 \times 10^{-4}$	50	wie p-CMB
Capronpersäure	$5,4 \times 10^{-6}$	50	wie p-CMB
Kaliumperoxodisulfat	$2,8 \times 10^{-5}$	50	wie p-CMB
Natriumcarbonatperoxo-hydrat	$1,4 \times 10^{-4}$	50	wie p-CMB
H_2O_2	1×10^{-5}	> 50	2 min Einwirkung; 0,05 m Triäthanolamin (p$_H$ 8,6), 0,003 m Arsenat, 0,0012 m Cystein, 10^{-4} m DPN$^+$, $2,3 \times 10^{-4}$ m D-PGA, 0,415 μg Enzym/ml
Antabus = Bis-(diäthylthio-carbamyl)-disulfid	$3,75 \times 10^{-6}$	30	0,02 m PP, 0,007 m Arsenat, $1,1 \times 10^{-4}$ m DPN$^+$, 0,008 m GA, 74 μg Enzym/ml; p$_H$ 8,5, 20° C, 3 und 6 min Reaktionszeit
Diisopropylfluorphosphat	0,0028	54	15 min Präinkubation von 0,5 mg Enzym/ml mit dem Inhibitor; 0,027 m Veronal (p$_H$ 8,0), 0,011 m Arsenat, 0,002 m Cystein, 2×10^{-4} m DPN$^+$ + 0,17 mg präinkubiertes Enzym/ml werden weitere 7 min inkubiert; Start durch PGA

Abkürzungen: ÄDTE = Äthylendiamintetraessigsäure; AS = Ammoniumsulfat; p-CMB = p-Chlormercuribenzoat; 1,3-DPGS = 1,3-Diphosphoglycerinsäure; GA = Glycerinaldehyd; JE = Jodessigsäure; PGA = 3-Phosphoglycerinaldehyd; 3-PGS = 3-Phosphoglycerinsäure; PP = Pyrophosphat; Tris = Tris-(hydroxymethyl)-aminomethan.

* Spezifische Aktivität ohne Inhibitor.

[1] KAPLAN, N. O., M. M. CIOTTI and F. E. STOLZENBACH: Arch. Biochem. **69**, 441 (1957). J. biol. Ch. **221**, 833 (1956).
[2] TUCKER, D., and S. GRISOLIA: J. biol. Ch. **237**, 1068 (1962).
[3] FLUHARTY, A. L., and C. E. BALLOU: J. biol. Ch. **234**, 2517 (1959).
[4] RACKER, E., V. KLYBAS and M. SCHRAMM: J. biol. Ch. **234**, 2510 (1959).

(Fortsetzung.)

Reaktivierung bzw. Stabilisierung in % der Aktivität ohne Inhibitor	Spezifische Aktivität in μMol DPNH $\times$ mg Protein^{-1} $\times$ min^{-1*}	Bemerkungen	Literatur
Cystein, Histidylhistidin oder ÄDTE auf 84, 84 bzw. 82%; nach 60 min auf 44, 22 bzw. 18%		Muskel-Aldolase ist ähnlich schwermetallempfindlich wie PGADH	
97% Stabilisierung durch Zugabe von 4×10^{-4} m PGA bei der Präinkubation, 75% durch $1,33 \times 10^{-4}$ m PGA; Schutz durch GA erst bei 0,34 m	7,27	6% Abnahme der Aktivität durch $1,6 \times 10^{-5}$ JE im Test. Bei der Anfangsgeschwindigkeit ist der Unterschied am größten	7
80% Stabilisierung durch $4,5 \times 10^{-5}$ m PGA bei der Präinkubation	7,27	Bei der Präinkubation erhöht 0,005 m DPN$^+$ die Hemmung auf 70%	7
61% Stabilisierung durch Zugabe von 3×10^{-4} m PGA vor JE. Schutz durch GA und Acetaldehyd erst bei 0,1 m. Reaktivierung durch Cystein ist nicht möglich [9]	0,715	Reaktivierung durch Cystein kann vorgetäuscht werden, wenn das Enzym in zum Teil „oxydierter" Form vorlag, die nicht mit JE reagiert [9]	8 siehe auch 9
Zum Teil durch einen großen Überschuß Cystein reaktivierbar (s. jedoch [9])			5 5 5
Reaktivierung durch 0,003 m Cystein: bei 0,001 m Inhibitor nach 5 min auf 33%, nach 60 min auf 8%			5
			5
	41	Autoxydierte, gealterte Cysteinlösungen enthalten H_2O_2	10
100% Stabilisierung durch 0,004 m Cystein	0,0246/min (3 min); 0,0297/min (6 min)	$K_I \approx 5 \times 10^{-6}$ m. Die Hemmung ist wenig abhängig von Substrat- und DPN$^+$-Konzentration	11
			12

[5] WEITZEL, G., u. W. SCHAEG:: H. **316**, 250 (1959).
[6] VELICK, S. F.: J. biol. Ch. **203**, 563 (1953).
[7] SEGAL, H. L., and P. D. BOYER: J. biol. Ch. **204**, 265 (1953).
[8] HOLZER, H., u. E. HOLZER: H. **291**, 67 (1952).
[9] CORI, G. T., M. W. SLEIN and C. F. CORI: J. biol. Ch. **173**, 605 (1948).
[10] BEISENHERZ, G., H. J. BOLTZE, T. BÜCHER, R. CZOK, K.-H. GARBADE, E. MEYER-ARENDT u. G. PFLEIDERER: Z. Naturforsch. 8b, 555 (1953).
[11] NYGAARD, A. P., and J. B. SUMNER: Arch. Biochem. **39**, 119 (1952).
[12] PARK, J. H., B. P. MERIWETHER, P. CLODFELDER and L. W. CUNNINGHAM: J. biol. Ch. **236**, 136 (1961).

0,1—0,3 M/Mol Enzym nach Hitzekoagulation „oxydierter" PGADH im Überstand fanden. Es war offenbar durch Reduktion mit demaskierten SH-Gruppen des denaturierenden Apo-Enzyms abgespalten worden. Die Annahme, Glutathion sei ein Co-Faktor oder gar eine prosthetische Gruppe der PGADH, ist heute unwahrscheinlich geworden, denn in Gegenwart von ÄDTE isolierte und umkristallisierte Enzympräparate enthalten nach KOEPPE, BOYER und STULBERG[1] weniger labile Glutathionreste und sind trotzdem wesentlich aktiver als Präparate, die ohne Stabilisator hergestellt werden.

Freies DPN$^+$ vermag das Enzymprotein gegen die Einwirkung von kristallisiertem Trypsin zu schützen[2]: PGADH-Präparate aus Muskulatur verschiedener Säugetiere zeigen sich inert, wenn sie vorher 1—2 Std mit einem Überschuß an exogenem DPN$^+$ im Eisschrank aufbewahrt werden.

Unter den *Inhibitoren* der PGADH findet man die zu erwartenden 3 Gruppen: Co-Enzym-Analoge, Substrat-Analoge und SH-Reagentien. In Tabelle 15 sind nicht nur die Hemmsubstanzen mit Wirksamkeit und Reaktionsbedingungen, sondern auch Möglichkeiten der Stabilisierung und Reaktivierung mit aufgeführt worden.

In allen 3 Gruppen gibt es Inhibitoren ähnlicher Wirksamkeit. Die stärksten sind Pyridin-3-aldehyd-adenin-dinucleotid, 2,4-Diphospho-D-threose und p-Chlormercuribenzoat. Sie hemmen 10^{-8} m Enzym bereits in einer Konzentration von 10^{-7} m. Das DPN$^+$-Analoge hat eine bedeutend höhere Affinität zum Enzymprotein als DPN$^+$ selbst. Das gibt sich unter anderem darin zu erkennen, daß es das Spektrum des DPN$^+$-Enzym-Komplexes zwischen 300 und 400 mμ[3] ebenso erniedrigt, wie es Jodessigsäure tut[4].

Bemerkenswert ist die Inaktivierung der PGADH bei mehrstündiger Inkubation mit DPNH[5]. Sie verläuft aerob bedeutend schneller als anaerob. Pro Mol inaktiviertes Enzym entstehen 6 M inaktives Co-Enzym DPNH-X (s. S. 616), das aber bis zu 0,002 m keinen Einfluß auf die Enzymaktivität hat. Gleichzeitig verschwinden 5—6 SH-Gruppen, zum Teil durch Disulfidbildung, wie sich mit Hilfe der Sulfitmethode nach CARTER[6] feststellen läßt. Sedimentationskonstante, Viscositätszahl und das Spektrum von 180—340 mμ bleiben unverändert, aber die fluorometrische Titration (s. S. 590) zeigt, daß DPNH nicht mehr gebunden wird. Die eigentliche Ursache der Abnahme der SH-Gruppen ist ihre Oxydation durch O_2 und H_2O_2. Katalase schützt 3 von ihnen und erhält damit die Enzymaktivität[7].

Das inaktive DPNH-X, dessen Struktur man noch nicht kennt, oder eine ihm sehr ähnliche Verbindung kann nach STOCK, SANN und PFLEIDERER[8] chemisch dargestellt werden. In zehnfachem Überschuß einer PGADH-Lösung zugesetzt, verdrängt sie 55% des gebundenen DPN$^+$ und führt zu einer Aktivitätsminderung des Muskelenzyms um etwa 50%[9]. Diese Hemmung ist nicht gleichbedeutend mit der durch Inkubation mit DPNH induzierten Enzym-Inaktivierung.

2,4-Diphospho-D-threose wird mit PGADH zum Acyl-Enzym oxydiert (s. S. 608)[10]. Nicht die Diphosphoaldose selbst, sondern der aus ihr entstehende Acylrest mit seiner Phosphatestergruppe an C(2) ist der eigentliche Inhibitor. Dementsprechend wird die Hemmung auch nicht durch PGA, sondern durch 1,3-Diphosphoglycerinsäure aufgehoben.

p-Chlormercuribenzoat und p-Chlormercuriphenylsulfonat unterscheiden sich in ihrer Inhibitorwirkung von den Schwermetallionen dadurch, daß sie zur Erreichung des maxi-

---

[1] KOEPPE, O. J., P. D. BOYER and M. P. STULBERG: J. biol. Ch. **219**, 569 (1956).
[2] SZABOLCSI, G., E. BISZKU and E. SZÖRÉNYI: Biochim. biophys. Acta **35**, 237 (1959).
[3] CHANCE, B.; in: McElroy-Glass, The Mechanism of Enzyme Action. S. 436. Baltimore 1954.
[4] KAPLAN, N. O., M. M. CIOTTI and F. E. STOLZENBACH: Arch. Biochem. **69**, 441 (1957).
[5] TUCKER, D., and S. GRISOLIA: J. biol. Ch. **237**, 1068 (1962).
[6] CARTER, J. R.: J. biol. Ch. **234**, 1705 (1959).
[7] AMELUNXEN, R., and S. GRISOLIA: J. biol. Ch. **237**, 3240 (1962).
[8] STOCK, A., E. SANN u. G. PFLEIDERER: A. **647**, 188 (1961).
[9] PFLEIDERER, G., u. A. STOCK: B. Z. **336**, 56 (1962).
[10] RACKER, E., V. KLYBAS and M. SCHRAMM: J. biol. Ch. **234**, 2510 (1959). — FLUHARTY, A. L., and C. E. BALLOU: J. biol. Ch. **234**, 2517 (1959).

malen Hemmeffektes mit dem Enzym präinkubiert werden müssen, weiter dadurch, daß sie infolge ihrer größeren Raumbeanspruchung bei gleichzeitig festerer Bindung das gebundene DPN⁺ frei machen. VELICK[1] fand bei Sedimentationsversuchen in der Ultrazentrifuge mit $3,3 \times 10^{-5}$ m PGADH(DPN⁺)$_2$ und $3,3—20 \times 10^{-5}$ m p-Chlormercuriphenylsulfonat in 0,05 m Arsenat bei p_H 7,6 und 0° C die Abspaltung des gesamten DPN⁺ erst bei Zugabe von mehr als 6 M Inhibitor/Mol Enzym (s. Abb. 6).

Von 1—3 M Inhibitor war die Zahl der pro Mol PGADH gebundenen Hg-Atome der Inhibitorkonzentration proportional, um darüber hinaus bei einem Verhältnis von Inhibitor zu PGADH wie 6:1 einen Grenzwert von 3 Atomen Hg/Mol Enzym zu erreichen. Es ergibt sich, daß bei Titration mit den aromatischen p-Chlormercuriderivaten nur bei niedrigem Verhältnis von Inhibitor zu PGADH in erster Näherung mit der Bindung des gesamten Inhibitors zu rechnen ist.

Interessant ist, daß Schwermetallverbindungen unter Umständen auch als Protektoren auftreten können. Wie BARRON und DICKMAN[2] zeigten, läßt sich die Inaktivierung der PGADH durch ionisierende Strahlung (α-, β- oder γ-Strahlen) besser als durch Katalasezusatz durch vorherige Überführung der SH-Gruppen in Mercaptide verhindern. Die Reaktivierung geschieht mit Hilfe von Glutathion.

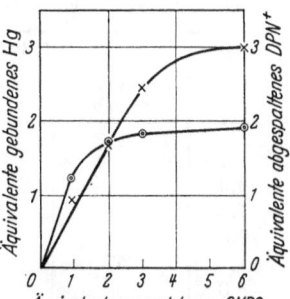

Abb. 6. Bindung von p-Chlormercuriphenylsulfonat durch die Triosephosphat-Dehydrogenase des Muskels und die Freisetzung von DPN⁺. × Gebundene Äquivalente Hg; ⊙ freigesetzte Äquivalente DPN⁺ (nach VELICK[1]).

Besondere Erwähnung verdient die Hemmung der PGADH durch Jodessigsäure. Sie entfaltet ihre Maximalwirkung nach einigen min Präinkubation mit dem Enzym[3], besetzt nur 4 bis 5 SH-Gruppen und spaltet kein DPN⁺ ab. Eine Reaktivierung durch Cystein kann vorgetäuscht werden, wenn mit partiell „oxydiertem", d.h. mit nichtaktiviertem Enzym gearbeitet wird, das nur partiell mit dem Inhibitor reagiert hat. Jodessigsäure gehört nicht zu den wirksamsten Hemmstoffen. Aber die PGADH ist diesem SH-Reagens gegenüber empfindlicher als andere SH-Enzyme. Sie kann daher in Gegenwart aller anderen Enzyme der Glykolyse oder alkoholischen Gärung selektiv ausgeschaltet werden[4]. Im Muskel kann man auf diese Weise die Glykolyse stoppen, ohne die Kontraktionsfähigkeit zu beeinflussen[5]. Bei 20 min langer Präinkubation scheint sich bei Hefe jedoch der Unterschied in der Jodessigsäure-Empfindlichkeit von PGADH und Alkohol-Dehydrogenase zu verwischen[6]. Ähnlich wirksam wie Jodessigsäure selbst sind offenbar auch ihre Methyl- und Äthylester. Die Tränengase Chlorpikrin, Brombenzylcyanid, Bromacetophenon und Chloracetophenon haben geringere Inhibitoraktivität.

Zur Kinetik und Thermodynamik. Die PGADH-Summenreaktion ist mit Phosphat eine Reaktion 3. Ordnung (Gl. a); mit Arsenat gilt sie als bimolekular (Gl. b). Man kann

$$R-\overset{O}{\underset{}{C}}-H + DPN^+ + HPO_4^{--} \rightleftharpoons R-\overset{O}{\underset{}{C}}-O-PO_3^- + DPNH + H^+; \qquad (a)$$

$$R-\overset{O}{\underset{}{C}}-H + DPN^+ + H_2O \to R-\overset{O}{\underset{}{C}}-OH + DPNH + H^+. \qquad (b)$$

sie monomolekular ablaufen lassen, wenn man einen Reaktionspartner in begrenzender Konzentration und die anderen im Überschuß zugibt, so daß ihre Konzentration während der Reaktion als konstant angesehen werden kann. Bei PGA erreicht man eine konstante Konzentration auch durch Einschalten einer Hilfsreaktion, der Spaltung von 1,6-Diphospho-

---

[1] VELICK, S. F.: J. biol. Ch. **203**, 563 (1953).
[2] BARRON, E. S. G., and S. DICKMAN: J. gen. Physiol. **32**, 595 (1949).
[3] CORI, G. T., M. W. SLEIN and C. F. CORI: J. biol. Ch. **173**, 605 (1948).
[4] MEYERHOF, O., u. W. KIESSLING: B. Z. **264**, 40; **267**, 313 (1933).
[5] LUNDSGAARD, E.: B. Z. **217**, 162; **220**, 1 (1930); **227**, 51 (1930); **250**, 61 (1932).
[6] MACKWORTH, J. F.: Biochem. J. **42**, 82 (1948).

fructose durch Aldolase. Nach MEYERHOF und OESPER[1] muß bei der Phosphatreaktion die Elektrolytkonzentration durch Verwendung eines indifferenten Puffers konstant gehalten werden. Es eignen sich 0,03 m Veronal und 0,04 m Alanylglycin[1] sowie 0,05 m Triäthanolamin[2]. Tris wird am besten nur bei kurzfristigen Versuchen angewendet, da es mit der Aldehydgruppe der Substrate reagiert[3]. Auch 0,03 m Pyrophosphat ist nur bedingt geeignet. Es aktiviert vor allem Reaktion (a), jedoch bei niedriger Phosphatkonzentration stärker als bei hoher[1]. Es aktiviert auch die Arsenatreaktion (b), aber die Reaktionsgeschwindigkeit nimmt bei p_H 8,4 schnell ab[3], offenbar durch Inaktivierung des Enzyms[2]. Über die p_H-*Abhängigkeit* der Oxydationsreaktionen orientiert Tabelle 16. Oberhalb p_H 9,0 wird das Enzym schnell denaturiert. Das p_H-Optimum der Rückreaktion ist nicht bekannt.

Tabelle 16. *Die p_H-Abhängigkeit der Oxydation durch 3-Phosphoglycerinaldehyd-Dehydrogenase.*

p_H	Relative Aktivitäten		
	3-Phosphoglycerinaldehyd[5]	Glycerinaldehyd[4]	Acetaldehyd[6]
6,4		9	
6,9			2,5
7,1	15		
7,5		30	
7,7	57		
8,0			42
8,1	81		
8,4		100	65
8,6	100		
8,7		50[7]	50[7]
9,0	100		100
9,3		100[7]	100[7]

MEYERHOF und OESPER[1] haben ausgehend von der Hinreaktion (a) beim Muskel- wie beim Hefeenzym die Gültigkeit der Gl. (c) für jeden Reaktionspartner innerhalb eines

$$K'_{Gl} = \frac{[R-\overset{\overset{O}{\|}}{C}-O-PO_3^{--}] \times [DPNH] \times [H^+]}{[R-\overset{\overset{O}{\|}}{C}-H] \times [DPN^+] \times [HPO_4^{--}]} \quad (c)$$

relativ großen Konzentrationsbereichs bewiesen. Die Entstehung und Dissoziation der Enzym-Co-Enzymkomplexe beeinflußt die Lage des Gleichgewichts anscheinend nicht. CORI u. Mitarb.[4] erhielten gleiche Werte für K'_{Gl} bei hohen Enzymkonzentrationen und gebundenem DPN^+ einerseits und bei katalytischer Fermentkonzentration und freiem DPN^+ andererseits. Daraus ist zu schließen, daß sich die Bindungsenergien von DPN^+-Enzym und DPNH-Enzym nicht wesentlich voneinander unterscheiden können.

MEYERHOF und OESPER[1] erhielten bei der Untersuchung des Einflusses der Phosphatkonzentration auf den Reduktionsquotienten $[DPNH]^2/[DPN^+]$ gleiche Ergebnisse bei 22 und 32° C, ein Zeichen dafür, daß zumindest die Transacylierungsreaktion (4) (s. S. 606) nur eine geringe Aktivierungsenergie erfordert.

In Tabelle 17 sind außer der Gleichgewichtskonstanten für die Summenreaktion (a) auch Gleichgewichtskonstanten für Teilreaktionen mit aufgenommen worden, die von verschiedenen Autoren verschieden formuliert wurden. Sie haben nur begrenzten Wert, solange man nicht auch die Gleichgewichtskonstanten der Transacylierungsreaktion direkt bestimmen kann.

MICHAELIS-*Konstanten* sind nur für die Arsenatreaktion (b) bekannt. Nur solche Werte der Tabelle 18 sind vergleichbar, die im gleichen Puffer durchgeführt wurden. Bei DPN^+ ist darauf zu achten, welches Substrat eingesetzt wird. Der niedrige K_M-Wert des Arsenats (mit 3-Phosphoglycerinaldehyd) ist bemerkenswert. Da die Arsenatreaktion nicht umkehrbar ist, fehlen die K_M-Werte für Acylphosphate und DPNH. Sättigungskonzentrationen sind nur selten bestimmt worden. Nach BÜCHER und GARBADE[8] steigt

---

[1] MEYERHOF, O., and P. OESPER: J. biol. Ch. **170**, 1 (1947).
[2] BEISENHERZ, G., H. J. BOLTZE, T. BÜCHER, R. CZOK, K.-H. GARBADE, E. MEYER-ARENDT u. G. PFLEIDERER: Z. Naturforsch. **8b**, 555 (1953).
[3] SEGAL, H. L., and P. D. BOYER: J. biol. Ch. **204**, 265 (1953).
[4] CORI, C. F., S. F. VELICK and G. T. CORI: Biochim. biophys. Acta **4**, 160 (1950).
[5] CORI, G. T., M. W. SLEIN and C. F. CORI: J. biol. Ch. **173**, 605 (1948).
[6] HARTING, J., and S. F. VELICK: J. biol. Ch. **207**, 857 (1954).
[7] NYGAARD, A. P., and J. B. SUMNER: Arch. Biochem. **39**, 119 (1952).
[8] BÜCHER, T., u. K.-H. GARBADE: Biochim. biophys. Acta **8**, 220, 222 (1952).

Tabelle 17. *Die Gleichgewichtskonstante der 3-Phosphoglycerinaldehyd-Dehydrogenase-Reaktion.*

$$K'_{Gl_1} = \frac{[\text{R—CO-Enzym}] \times [\text{DPNH}] \times [\text{H}^+]}{[\text{R—CHO}] \times [\text{Enzym}] \times [\text{DPN}^+]}; \quad K'_{Gl_2} = \frac{[\text{R—COOPO}_3^-] \times [\text{Enzym}]}{[\text{R—CO-Enzym}] \times [\text{HPO}_4^{--}]};$$

$$K'_{Gl} = \frac{[\text{R—COOPO}_3^-] \times [\text{DPNH}] \times [\text{H}^+]}{[\text{R—CHO}] \times [\text{DPN}^+] \times [\text{HPO}_4^{--}]}; \quad K'_{Gl} = K'_{Gl_1} \times K'_{Gl_2}.$$

([Enzym] ausgedrückt in Äquivalentkonzentrationen)

Substrat	K'_{Gl_1}	K'_{Gl_2}	K'_{Gl}	Reaktionsbedingungen
3-Phospho-D-glycerinaldehyd[1]	1×10^{-5}	0,01 (errechnet mit $K'_{Gl} = 10^{-7}$)		0,001 m ÄDTE, 1,2—5,2 mg PGADH-$(\text{DPN}^+)_2$/ml, [+ 0,0018 m DPN$^+$], 0,4 bis $3,5 \times 10^{-4}$ m PGA; pH 6,5—8,3
3-Phospho-D-glyglycerinaldehyd[2]			$2,3 \times 10^{-7}$ bzw. $5,4 \times 10^{-8}$	0,0087 bzw. 0,083 m P, 0,00143 m PGA, $5,5—7,5 \times 10^{-5}$ DPN$^+$ als PGADH-$(\text{DPN}^+)_2$ (etwa 3,5 mg/ml) oder frei mit katalytischer PGADH-Konzentration; pH-Endwert: 7,08—8,1, Raumtemperatur
3-Phospho-D-glycerinaldehyd[3]			$5,2 \times 10^{-8}$ bzw. $5,9 \times 10^{-8}$	$2,4 \times 10^{-4}$ bis 0,078 m P, 0,0012 bis 0,0015 m PGA, $8,8 \times 10^{-5}$ m DPN$^+$, katalytische Mengen Enzym; pH 7,15 bzw. 8,2
2,4-Diphospho-D-threose[4]	2×10^{-7}			0,125 m Tris (pH 7,05), 6,9 mg PGADH$(\text{DPN}^+)_3$/ml ($1,7 \times 10^{-4}$ m gebundenes DPN$^+$) + $9,6 \times 10^{-5}$ oder $1,91 \times 10^{-4}$ m 2,4-Diphospho-D-threose; 25° C, 10 min

$$K_{Gl_1} = \frac{[\text{R—CO—S-Enzym-DPNH}] \times [\text{H}^+]}{[\text{R—CHO}] \times [\text{HS-Enzym-DPN}^+]}; \quad K_{Gl_2} = \frac{[\text{R—CO—S-Enzym-DPN}^+] \times [\text{DPNH}]}{[\text{R—CO—S-Enzym-DPNH}] \times [\text{DPN}^+]};$$

$$K_{Gl_3} = \frac{[\text{R—CO—O—PO}_3^-] \times [\text{HS-Enzym-DPN}^+]}{[\text{R—CO—S-Enzym-DPN}^+] \times [\text{HPO}_4^{--}]}; \quad K_{Gl} = K_{Gl_1} \times K_{Gl_2} \times K_{Gl_3} = K'_{Gl}.$$

Substrat	K_{Gl_1}	K_{Gl_2}	K_{Gl_3}	Reaktionsbedingungen
3-Phospho-D-glycerinaldehyd[5]	1,8 bis $2,0 \times 10^{-4}$			0,025 m PP (pH > 7), 2×10^{-4} m ÄDTE, wechselnde PGA-Konzentrationen (bis 4×10^{-4} m), etwa 10^{-5} m Enzym; 27° C
		0,08—0,13 (errechnet mit K_{Gl_1})		0,025 m PP (pH > 7), 2×10^{-4} m ÄDTE, etwa 10^{-5} m Enzym, wechselnde Konzentrationen an PGA und freiem DPN$^+$
			0,0024 bis 0,0035	Berechnet aus K_{Gl_1}, K_{Gl_2} und $K'_{Gl} = 5,7 \times 10^{-8}$ nach [3]

Abkürzungen: ÄDTE = Äthylendiamintetraessigsäure; PGA = 3-Phosphoglycerinaldehyd; PGADH = 3-Phosphoglycerinaldehyd-Dehydrogenase; PP = Pyrophosphat; P = Phosphat.

K_M-(PGA) beim Hefeenzym mit der DPN$^+$- und Arsenatkonzentration. Durch steigende Konzentration an Arsenat wird K_M-(DPN$^+$) (s. S. 622) dagegen erniedrigt. Ähnliche Beziehungen sind auch beim Muskel-Enzym zu erwarten.

Von den MICHAELIS-Konstanten sind die Dissoziationskonstanten (Tabelle 19) wohl zu unterscheiden. Ist die MICHAELIS-Konstante die reziproke Affinität eines Reaktionsteilnehmers zum reagierenden Enzymkomplex, so bedeutet die Dissoziationskonstante nur die reziproke Affinität eines einzelnen Reaktionspartners zum Apo-Enzym (s. S. 589).

---
[1] VELICK, S. F., and J. E. HAYES jr.: J. biol. Ch. **203**, 545 (1953).
[2] CORI, C. F., S. F. VELICK and G. T. CORI: Biochim. biophys. Acta **4**, 160 (1950).
[3] MEYERHOF, O., and P. OESPER: J. biol. Ch. **170**, 1 (1947).
[4] RACKER, E., V. KLYBAS and M. SCHRAMM: J. biol. Ch. **234**, 2510 (1959).
[5] KOEPPE, O. J., P. D. BOYER and M. P. STULBERG: J. biol. Ch. **219**, 569 (1956).

Tabelle 18. MICHAELIS-*Konstanten der 3-Phosphoglycerinaldehyd-Dehydrogenase-Reaktion*.

$$K_M = \frac{k_2 + k_3}{k_1}.$$

Reaktionspartner	K_M-Wert	Sättigungs-konzentration	Reaktionsbedingungen	Literatur
DPN+	$3,9 \times 10^{-5}$ m		0,03 m PP (pH 8,4), 0,013 m Arsenat, 0,0035 m Cystein, 10^{-5} bis 10^{-4} m DPN+, 4 µg Enzym/ml + $2,5 \times 10^{-4}$ m D,L-PGA	1 (I)
	5×10^{-5} m		0,02 m PP (pH 8,5), etwa 0,007 m Arsenat, etwa 0,006 m D,L-GA, etwa 70 µg Enzym/ml, [0,004 m Cystein], 20° C	2
		0,001 m	0,04 m PP (pH 8,7), 0,008 m Arsenat (pH 8,7), $5,2 \times 10^{-4}$ bis 0,0016 m DPN+, $9,1 \times 10^{-4}$ m D,L-PGA + 13,5 µg Enzym/ml (mit 0,0013 m AS); 16° C, 334 mµ ($\varepsilon = 6,04 \times 10^6 \times$ cm²/Mol)	3 (I)
		$5,2 \times 10^{-4}$ m	wie vorher, jedoch 0,07 m D,L-GA und 1,2 mg Enzym/ml	3
	$8,7 \times 10^{-5}$ m		0,03 m PP (pH 8,5), 0,006 m Cystein, 5×10^{-4} m Arsenat, $1,7 \times 10^{-5}$ bis 4×10^{-4} m DPN+, 0,6 µg Enzym/ml + $6,6 \times 10^{-4}$ m D-PGA	4 (I)
3-Phospho-D-glycerinaldehyd	$5,1 \times 10^{-5}$ m		wie 1 (I), jedoch 0,001 m DPN+ und 10^{-5} bis $2,5 \times 10^{-4}$ m D,L-PGA	1
	4×10^{-5} m		0,02 m PP (pH 8,5), Arsenat, [0,004 m Cystein], 10^{-4} m DPN+, Enzym, 20° C	2
	4×10^{-4} m		wie 3 (I), jedoch 0,001 m DPN+ und $5,6 \times 10^{-5}$ bis $4,5 \times 10^{-4}$ m D-PGA	3
	2,2 bis 5×10^{-5} m		0,15 m Tris (pH 8,1), Arsenat, 15° C	5
	4×10^{-4} m		0,03 m PP (pH 8,6), 0,005 m Arsenat, 0,0057 m DPN+, 1,25 µg Enzym/ml + 1,33—$6,67 \times 10^{-4}$ m D,L-PGA	6
	$8,7 \times 10^{-5}$ m		wie 4 (I), jedoch $3,3 \times 10^{-4}$ m DPN+ und 2×10^{-5} bis 10^{-4} m D-PGA	4
D-Glycerin-aldehyd	0,01 m		0,02 m PP (pH 8,5), 0,007 m Arsenat, [0,004 m Cystein], 10^{-4} m DPN+, 70 µg Enzym/ml, 20° C	2
	0,075 m		0,0094 m Veronal (pH 8,4), $8,4 \times 10^{-4}$ m ÄDTE, 0,17 mg Enzym/ml, 0,01—0,2 m D-GA + $9,4 \times 10^{-4}$ m DPN+ und $3,1 \times 10^{-4}$ m Arsenat, 30° C	5
	0,2 m		wie 3 (I), jedoch $5,2 \times 10^{-4}$ m DPN+, 0,025 bis 0,1 m D-GA und 1,2 mg Enzym/ml	3
Acetaldehyd	0,1 m		etwa 0,01 m PP (pH 8,6), 10^{-4} m DPN+, Enzym	2
p-Nitrophenyl-acetat	7×10^{-5} m		0,013 m Veronal (pH 8,0), etwa 0,27 mg Apo-Enzym/ml, $3,1 \times 10^{-5}$ m bis 0,00183 m p-Nitrophenylacetat; 26° C, 400 mµ	7
Arsenat	$5,1 \times 10^{-5}$ m		0,15 m Tris (pH 8,1) mit PGA bei 15° C	5

Abkürzungen: AS = Ammoniumsulfat; ÄDTE = Äthylendiamintetraessigsäure; GA = Glycerinaldehyd; PGA = 3-Phosphoglycerinaldehyd; PP = Pyrophosphat.

[1] CORI, G. T., M. W. SLEIN and C. F. CORI: J. biol. Ch. **173**, 605 (1948).
[2] NYGAARD, A., and J. B. SUMNER: Arch. Biochem. **39**, 119 (1952).
[3] HOLZER, H., u. E. HOLZER: H. **291**, 67 (1952).
[4] FLUHARTY, A. L., and C. E. BALLOU: J. biol. Ch. **234**, 2517 (1959).
[5] SEGAL, H. L., and P. D. BOYER: J. biol. Ch. **204**, 265 (1953). — SEGAL, H. L., J. F. KACHMAR and P. D. BOYER: Enzymologia **15**, 187 (1952).
[6] RACKER, E., V. KLYBAS and M. SCHRAMM: J. biol. Ch. **234**, 2510 (1959).
[7] PARK, J. H., B. P. MERIWETHER, P. CLODFELDER and L. W. CUNNINGHAM: J. biol. Ch. **236**, 136 (1961).

Tabelle 19. *Dissoziationskonstanten von Reaktionspartnern der 3-Phosphoglycerinaldehyd-Dehydrogenase-Reaktion.*

$$K = \frac{[X_{\text{frei}}] \cdot [\text{Bindungsorte}_{\text{frei}}]}{[X_{\text{gebunden}}]} = \frac{k_2}{k_1}.$$

Reaktionspartner	K-Werte	Reaktionsbedingungen	Literatur
1. DPN+ in PGADH(DPN+)$_2$	2—4 × 10^{-7} m	Sedimentation von 1,6—6,2 mg PGADH(DPN+)$_2$/ml in 0,05 m Phosphat oder Arsenat (pH 7,6) (+0,003 m Cystein) bei 0—5° C in der Ultrazentrifuge	1
2. DPN+ in PGADH(DPN+)$_3$	8 × 10^{-8} m	Sedimentation von 1,6—1,9 mg Apo-Enzym/ml mit 5,5 × 10^{-5} m exogenem DPN+ in 0,05 m Arsenat (pH 7,6) mit oder ohne 0,003 m Cystein	1
3. DPN+ in PGADH(DPN+)$_3$	6 × 10^{-8} m	Fluorometrische Titration von 0,021 mg Apo-Enzym/ml in 0,1 m Tris (pH 7,1) mit DPN+ bei 350 mμ und 25° C (Anregung bei 300 mμ)	2
4. DPNH in PGADH(DPNH)$_3$	2,4 × 10^{-7} m	wie 3., jedoch Titration mit DPNH	2
5. PGA in PGADH(PGA)$_3$	2—5 × 10^{-5} m	Sedimentation von 2,9 mg Apo-Enzym/ml mit 9 bis 2 × 10^{-5} m PGA in 0,05 m Glycin (pH 8,5) bei 4° C in der Ultrazentrifuge. (Es wird angenommen, daß 3 PGA je Mol Apo-Enzym gebunden werden.)	3
6. Phosphat	0,017 m	Dialyse von 12—30 mg PGADH(DPN+)$_2$/ml gegen ^{32}P-Phosphat der Ionenstärke 0,01—0,2 bei pH 6,6—8,5	3
	~0,02 m	Fluorometrische Titration von 0,4 mg PGADH(DPN+)$_3$ je ml in 0,1 m Tris (pH 6,7) mit Phosphat bei 465 mμ (Anregung bei 350 mμ)	2

Abkürzungen: PGA = 3-Phosphoglycerinaldehyd; PGADH = 3-Phosphoglycerinaldehyd-Dehydrogenase.

Der große Unterschied zwischen Dissoziationskonstante und K_M-Wert des DPN+ um 2 Zehnerpotenzen besagt, daß die Umwandlung des Substrat-Enzym-DPN+-Komplexes in die Reaktionsprodukte sehr viel schneller geht als die Dissoziation des Komplexes: $k_3 \gg k_2$. Bei PGA findet sich kein solcher Unterschied, demnach muß PGA leichter vom aktiven Enzymkomplex dissoziieren als er oxydiert wird: $k_2 \gg k_3$.

Der Reaktionsmechanismus der 3-Phosphoglycerinaldehyd-Dehydrogenase-Reaktion.

Die PGADH gehört zu den bifunktionellen Enzymen, sie ist zugleich Oxydoreductase und Transacylase. Die Einzelschritte der Reaktion (a) (s. S. 601) sind bei einem Überschuß an DPN+ für hohe wie niedrige Enzymkonzentrationen nach BOYER und SEGAL[4] folgendermaßen zu formulieren:

$$R-\overset{O}{\underset{}{\overset{\|}{C}}}-H + HS\text{-Enzym-DPN}^+ \rightleftharpoons R-\underset{H}{\overset{OH}{\overset{|}{C}}}-S\text{-Enzym-DPN}^+, \quad (1)$$

$$R-\underset{H}{\overset{OH}{\overset{|}{C}}}-S\text{-Enzym-DPN}^+ \rightleftharpoons R-\overset{O}{\overset{\|}{C}}-S\text{-Enzym-DPNH} + H^+, \quad (2)$$

$$R-\overset{O}{\overset{\|}{C}}-S\text{-Enzym-DPNH} + DPN^+ \rightleftharpoons R-\overset{O}{\overset{\|}{C}}-S\text{-Enzym-DPN}^+ + DPNH, \quad (3)$$

---

[1] VELICK, S. F., J. E. HAYES jr. and J. HARTING: J. biol. Ch. **203**, 527 (1953).
[2] VELICK, S. F.: J. biol. Ch. **233**, 1455 (1958).
[3] VELICK, S. F., and J. E. HAYES jr.: J. biol. Ch. **203**, 545 (1953).
[4] BOYER, P. D., and H. L. SEGAL; in: McElroy-Glass, The Mechanism of Enzyme Action. S. 525. Baltimore 1954.

$$R-\overset{O}{\overset{\|}{C}}-S\text{-Enzym-DPN}^+ + HPO_4^{2-} \rightleftharpoons R-\overset{O}{\overset{\|}{C}}-O-PO_3^{2-} + HS\text{-Enzym-DPN}^+, \quad (4)$$

Summenreaktion:

$$R-\overset{O}{\overset{\|}{C}}-H + DPN^+ + HPO_4^{2-} \rightleftharpoons R-\overset{O}{\overset{\|}{C}}-O-PO_3^{2-} + DPNH + H^+.$$

a) Der Redoxvorgang. Über Gl. (1)+(2) gibt es verschiedene Auffassungen, von denen diejenige von BOYER und SEGAL[1] am verständlichsten erscheint, weil das Enzymprotein PGA auch in Abwesenheit von DPN⁺ bindet (s. oben).

Nach RACKER und KRIMSKY[2] bildet sich bei der Aktivierung des Enzyms ein intramolekularer Komplex zwischen DPN⁺ und essentieller SH-Gruppe (s. S. 594), der die Abspaltung eines H⁺ zur Folge haben müßte (1a). Dieser Komplex unterliegt der „Aldehydolyse" durch das Substrat (2a). Die Aufhebung der aromatischen Struktur des Pyridiniumringes nach (1a) müßte sich aber durch eine stärkere Absorption bei 340 mμ bemerkbar machen, als sie in Wirklichkeit vorliegt.

(1a)

(2a)

Wahrscheinlich kommt VELICK[3] der Wirklichkeit am nächsten, wenn er die aktive Form des Enzyms als Ladungsübertragungskomplex darstellt (Abb. 7C).

Außer SH-Gruppen kommen möglicherweise auch noch andere nucleophile Reste als Elektronendonator X in Frage, wie z.B. der Ringstickstoff des Tryptophans (s. S. 588) oder des Histidins[4]. Dieser könnte aber auch als sekundärer Acylacceptor wirken[5].

Mit den Theorien von VELICK und RACKER wäre vereinbar, daß DPN⁺ nicht nur als Wasserstoffacceptor, sondern auch für die reaktionsfähige Bindung des zu oxydierenden Substrats an das Enzym notwendig ist. Nach HILVERS und WEENEN soll das oxydierte Co-Enzym jedoch auch bei der Rückreaktion als Co-Faktor für die Bindung der Acylphosphate dienen[6].

---

[1] BOYER, P. D., and H. L. SEGAL; in: McElroy-Glass, The Mechanism of Enzyme Action. S. 525. Baltimore 1954.
[2] RACKER, E., and I. KRIMSKY: J. biol. Ch. **198**, 731 (1952). — RACKER, E., V. KLYBAS and M. SCHRAMM: J. biol. Ch. **234**, 2510 (1959).
[3] VELICK, S. F.: J. biol. Ch. **233**, 1455 (1958).
[4] STADTMAN, E. R.; in: McElroy-Glass, The Mechanism of Enzyme Action. S. 581. Baltimore 1954.
[5] RACKER, E.: Physiol. Rev. **35**, 1 (1955).
[6] HILVERS, A. G., and J. H. M. WEENEN: Biochim. biophys. Acta **58**, 380 (1962).

Die Entstehung von Acyl-Enzym [nach Gl. (1)+(2) oder (1a)+(2a)] ist von vielen Seiten[1] diskutiert und schließlich auch nachgewiesen worden. Damit wurde die Hypothese WARBURGs[2], das eigentliche Substrat der PGADH sei Aldehyd-1-phosphat, widerlegt. Das Acyl-Enzym und seine Eigenschaften sind deswegen von großem Interesse, weil dieser Thiolester nicht nur die Schlüsselsubstanz für die Redox- und Transacylierungsreaktion, sondern auch für den größten Teil der Nebenaktivitäten darstellt (s. S. 613). Acyl-Enzymverbindungen sind nur bei p_H 6—7 beständig und faßbar, wenn die PGADH in Konzentrationen vergleichbar denen von Substrat und Co-Enzym vorliegt, d.h. nicht bei katalytischer, sondern bei stöchiometrischer Reaktion des Enzyms.

Die Gl. (3) bedeutet die Verdrängung des gebundenen DPNH aus dem Acyl-Enzym-Komplex, eine Reaktion, die für die katalytische Summenreaktion unerläßlich ist und beim stöchiometrischen Versuch die Inaktivierung des gebundenen DPNH durch das Enzymprotein bei p_H-Werten von 7 und darunter verhindert (s. S. 619).

b) Nachweis und Isolierung des acylierten Enzyms. SEGAL und BOYER[3] kamen nach Versuch e) Tabelle 20 (S. 610) in Abwesenheit von Phosphat und Arsenat mit 3-Phosphoglycerinaldehyd und überschüssigem DPN$^+$ bei p_H 6,5 zu folgendem Ergebnis: Mit katalytischen Mengen Enzym tritt keine Extinktionsänderung bei 340 mμ ein. Erst der Zusatz von $1,15 \times 10^{-5}$ m Enzym läßt die Extinktion augenblicklich um 0,1715/cm ansteigen. Davon entfallen 0,0416/cm auf die Eigenabsorption des PGADH-DPN$^+$-Komplexes. 1,82 M Co-Enzym wurden pro Mol Enzym sofort reduziert. Dementsprechend müssen 1,82 Acylgruppen aufgenommen worden sein. Die weitere stetige Zunahme von 0,13 M DPNH/Mol Enzym pro min kann in Verbindung mit Reaktion (3) durch hydrolytische Abspaltung (oder Transfer des 3-Phosphoglycerylrestes auf sekundäre Acylacceptoren des Enzyms) und erneute Reaktion des aktiven Zentrums erklärt werden. In diese Richtung deutet

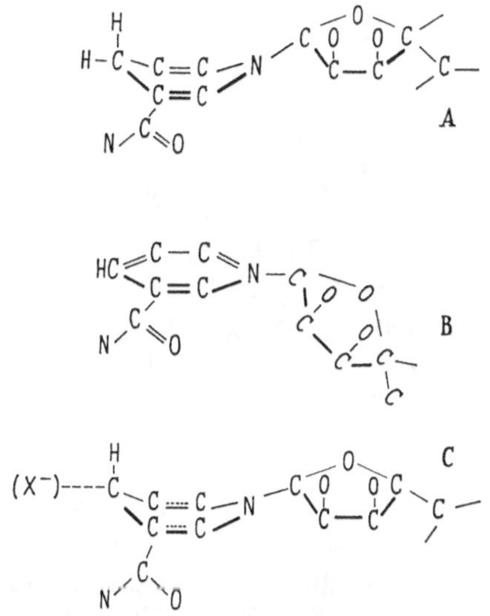

Abb. 7. Die Gestalt des Nicotinamidribosidteils von DPN$^+$ und DPNH in Enzymkomplexen. *A* DPNH in ausgebreiteter Form; *B* Änderung der räumlichen Struktur bei Oxydation zu DPN$^+$; *C* Wechselwirkung zwischen DPN$^+$ und einer nucleophilen Gruppe (nach VELICK[4]).

die Reduktion von fast 5 M DPN$^+$/Mol Enzym in Versuch f) Tabelle 20 mit $2,2 \times 10^{-5}$ m Enzym bei p_H 8,4, denn die Acylenzymverbindung zerfällt bei diesem p_H bedeutend schneller als bei p_H 6,5.

Aus Versuch f) geht nicht nur die erhöhte Labilität der 3-Phosphorylglyceryl-Enzym-Verbindung bei p_H 8,4 hervor, denn der relativ sehr hohe DPN$^+$-Umsatz bei $4,6 \times 10^{-8}$ m Enzym war auf einen entsprechenden Gehalt an Phosphat zurückzuführen, das mit dem PGA eingeschleppt wurde. Der aus (PGA-1-Br)$_2 \times 2$ Dioxan durch Eigenhydrolyse entstehende PGA, der bei Versuch e) verwendet wurde, enthielt dagegen so wenig freies Phosphat, daß selbst die 2,5fache Konzentration noch keinen Einfluß auf die DPN$^+$-Reduktion erkennen ließ.

---

[1] RACKER, E., and I. KRIMSKY: J. biol. Ch. **198**, 731 (1952). — HOLZER, H., u. E. HOLZER: H.291 67 (1952). — OESPER, P.: J. biol. Ch. **207**, 421 (1954). — RACKER, E.; in: McElroy-Glass, The Mechanism of Enzyme Action. S. 464. Baltimore 1954. — VELICK, S. F.; in: McElroy-Glass, The Mechanism of Enzyme Action. S. 491 Baltimore 1954. — BOYER, P. D., and H. L. SEGAL; in: McElroy-Glass, The Mechanism of Enzyme Action. S. 520. Baltimore 1954 u.a.
[2] WARBURG, O., u. W. CHRISTIAN: B. Z. **303**, 40 (1939). — WARBURG, O., H. KLOTZSCH u. K. GAWEHN: Z. Naturforsch. 9b, 391 (1954).
[3] SEGAL, H. L., and P. D. BOYER: J. biol. Ch. **204**, 265 (1953).
[4] VELICK, S. F.: J. biol. Ch. **233**, 1455 (1958).

Glyceryl-PGADH hat man bisher nur indirekt dadurch nachgewiesen, daß Glycerinaldehyd bei p_H 8,4 mit und ohne Phosphat mit gleicher Anfangsgeschwindigkeit oxydiert wird[1] (s. Abb. 9, S. 610).

Acylierung der PGADH findet in Abwesenheit von DPNH auch bei der Rückreaktion z.B. mit Acetylphosphat statt[2]. Hier, wie bei der Hinreaktion, werden beim „nativen" Enzym 2 SH-Gruppen besetzt.

Ein Substrat, das sich zur Acylierung der PGADH hervorragend eignet, ist die 2,4-Diphospho-D-threose[3]. Mit ihr können nur die Reaktionen 1—3 ablaufen, während die Übertragung des Acylrestes auf Phosphat durch die Phosphatestergruppe an C(2) gehemmt wird. Diese besetzt offenbar den Bindungsort für den Acylacceptor.

$$\text{Enzym-DPN}^+ \rightleftharpoons \text{2,4-Diphospho-D-threonoyl-Enzym-DPNH}$$

Frische PGADH(DPN$^+$)$_3$-Präparate binden drei 2,4-Diphosphotetronylreste, wie mit der Hydroxamsäurereaktion[4] nachzuweisen ist. 2,4-Diphosphotetronylhydroxamsäure kann als Ca-Salz gefällt und papierchromatographisch gereinigt werden. Ihr Extinktionskoeffizient ist innerhalb von 10% Fehler der gleiche wie der der 3-Phosphoglycerylhydroxamsäure: $\varepsilon_{540\,m\mu} = 7{,}75 \times 10^4 \times 1 \times \text{Mol}^{-1} \times \text{cm}^{-1}$. Im Gegensatz zum 3-Phosphoglyceryl-Enzym[5] ist das 2,4-Diphosphotetronyl-Enzym in Gegenwart von 0,0067 m DPN$^+$ in 0,17 m Tris (p_H 7,1) bei Raumtemperatur mindestens 52 min lang beständig. Es oxydiert ebenso wie die 3-Phosphoglyceryl-Verbindung DPNH, d.h. daß die Redoxreaktion auch hier reversibel ist.

Darstellung von 2,4-Diphosphotetronyl-Apo-Enzym: 66 mg PGADH(DPN$^+$)$_3$ [5,5 × 10^{-7} M; Molekulargewicht = 120000] werden mit 5,74 μM Tetrosediphosphat in 1,9 ml 0,3 m Tris (p_H 7,05) 10 min bei Raumtemperatur inkubiert, danach 5 min mit 0,2 g Norit behandelt und filtriert. Nach Waschen mit 1 ml 0,2%iger neutraler ÄDTE-Lösung wird mit 2,5 Vol. gesättigter Ammoniumsulfat-Lösung gefällt. (In einer Kontrolle ohne Substrat fällt das Apo-Enzym erst bei 100% Sättigung aus.) Nach 30 min bei 0° C wurde 15 min bei 12000 ×g zentrifugiert, das Sediment mit 3 ml gesättigter Ammoniumsulfat-Lösung gewaschen und in 1 ml 0,2%iger ÄDTE-Lösung gelöst.

c) Einfluß von Phosphat und Arsenat. Phosphat — theoretisch auch Arsenat — dienen der acylierten PGADH als Acylacceptoren (Gl. 4). Von einer Phosphorylierungsreaktion kann nicht die Rede sein, denn nicht die Phosphorylgruppe $\overset{OH}{\underset{}{P}}=O$ wird mit dem Carboxylatrest $R-\overset{O}{\overset{\|}{C}}-O-$, sondern die Acylgruppe $R-\overset{O}{\overset{\|}{C}}$ wird mit dem Phosphatrest $-O-\overset{OH}{\underset{OH}{P}}=O$ verknüpft. Bei der durch „oxydierte" PGADH katalysierten

---

[1] KOEPPE, O. J., P. D. BOYER and M. P. STULBERG: J. biol. Ch. **219**, 569 (1956). — VELICK, S. F., and J. E. HAYES jr.: J. biol. Ch. **203**, 545 (1953).
[2] KOEPPE, O. J., P. D. BOYER and M. P. STULBERG: J. biol. Ch. **219**, 569 (1956). — KRIMSKY, I.: Fed. Proc. **14**, 239 (1955).
[3] RACKER, E., V. KLYBAS and M. SCHRAMM: J. biol. Ch. **234**, 2510 (1959).
[4] LIPMANN, F., and L. C. TUTTLE: J. biol. Ch. **159**, 21 (1945).
[5] KRIMSKY, I., and E. RACKER: Science, N.Y. **122**, 319 (1955).

Hydrolyse von Acetylphosphat (s. Acetylphosphatase-Aktivität, Tabelle 24) in $H_2{}^{18}O$ erscheint ^{18}O in der organischen Säure[1]:

$$R-\underset{{}^{18}OH\ H}{\overset{\overset{O}{\|}}{C}}-O-\underset{OH}{\overset{OH}{P}}=O \rightarrow R-\overset{\overset{O}{\|}}{C}-{}^{18}OH + H_3PO_4$$

Die bei stöchiometrischer Enzymreaktion mit PGA oder Acetaldehyd nach maximaler Acylierung des Apo-Enzyms zum Stillstand gekommene Redoxreaktion wird in Gegenwart von freiem DPN^+ durch Zusatz von Arsenat oder Phosphat wieder in Gang gebracht (s. Abb. 8). Hinsichtlich der Anfangsgeschwindigkeit scheint Phosphat in Pyrophosphatpuffer dem Arsenat überlegen zu sein. Dies tritt beim Hefe-Enzym sehr ausgeprägt in Erscheinung (s. S. 628).

Die vollständige Reduktion des endogenen DPN^+ in Gegenwart von Arsenat ist von Fox und Dandliker[2] in Frage gestellt worden. Nach Tabelle 20a) und b) scheint sie mit überschüssigem Glycerinaldehyd bei p_H 8,3 und mit PGA selbst bei p_H 6,7 in Anwesenheit von Arsenat durchaus möglich zu sein. Bei Versuch c) der genannten Autoren entspricht die DPN^+-Konzentration nur 35% der Sättigung des Apo-Enzyms. Hilvers und Weenen[3] konnten bei etwa 40% Sättigung mit DPN^+ das Co-Enzym selbst bei p_H 9,0 nicht vollständig mit Glycerinaldehyd reduzieren. Im Versuch d) war das Enzym nicht aktiviert worden. Es ist kaum anzunehmen, daß die zu niedrigen Resultate durch enzymatische Inaktivierung des DPNH (s. S. 619; s. Tabelle 24) vorgetäuscht wurden.

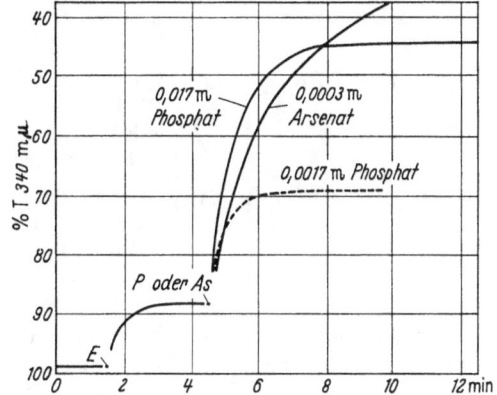

Abb. 8. Aktivierung der 3-Phosphoglycerinaldehyd-Dehydrogenase-Reaktion durch Phosphat oder Arsenat in Pyrophosphatpuffer (nach Boyer and Segal[4]).

Bei katalytischen PGADH-Konzentrationen (10^{-9} bis 10^{-8} m, 0,12—1,2 μg Protein/ml) findet ohne Arsenat oder Phosphat kein meßbarer Umsatz statt. Beim Muskel- wie auch beim Hefe-Enzym läuft die DPN^+-Reduktion jedoch in Gegenwart von Arsenat (etwa 0,006—0,013 m) und überschüssigem PGA bei p_H 8,3 praktisch vollständig ab. Sie ist irreversibel. PGA kann mit Arsenat und überschüssigem DPN^+ quantitativ erfaßt werden[5]. Aber auch in einer Reaktionsmischung mit 0,08 m Phosphat, 9×10^{-5} m DPN^+ und 0,001 m PGA in Pyrophosphat werden bei p_H 8,3 95% des DPN^+ reduziert[6]. Bei p_H 7,15 sind es dagegen nur 50—60%, die durch Erhöhen der Phosphatkonzentration auf 0,37 m beim Hefe-Enzym z.B. auf 75% gesteigert werden können. Die Phosphatkonzentration kann nicht beliebig weiter erhöht werden, weil sonst die Reaktionsgeschwindigkeit sehr klein oder das Enzym denaturiert wird. Die optimale Phosphatkonzentration für maximale Oxydationsgeschwindigkeit des PGA liegt für PGADH verschiedenen Ursprungs (Muskel von Schwein, Rind, Kaninchen und Krebs, Bäcker- und Bierhefe) nach Keleti und Telegdi[7] zwischen 0,01 und 0,1 m. Beim Enzym aus Kaninchenmuskel begann die Anfangsgeschwindigkeit zwischen 0,05 und 0,167 m Phosphat stark abzunehmen. Bei 0,33 m Phosphat verlief die PGA-Oxydation innerhalb von mindestens 5 min linear mit der Zeit.

---

[1] Park, J. H., and D. E. Koshland jr.: J. biol. Ch. **233**, 986 (1958).
[2] Fox, J. B., jr., and W. B. Dandliker: J. biol. Ch. **221**, 1005 (1956).
[3] Hilvers, A. G., and J. H. M. Weenen: Biochim. biophys. Acta **58**, 380 (1962).
[4] Boyer, P. D., and H. L. Segal; in: McElroy-Glass, The Mechanism of Enzyme Action. S. 531. Baltimore 1954.
[5] Velick, S. F.; in: Colowick-Kaplan, Meth. Enzymol. Bd. I, S. 401.
[6] Velick, S. F., and J. E. Hayes jr.: J. biol. Ch. **203**, 545 (1953).
[7] Keleti, T., and M. Telegdi: Acta physiol. hung. **16**, 235, 243 (1959).

Tabelle 20. *Die Reduktion des an die Triosephosphat-Dehydrogenase des Muskels gebundenen* DPN^+.

Präparat	p_H	Reaktionsbedingungen	Mol DPNH/l	% Reduktion
a) $PGADH(DPN^+)_2$ [1]	8,3	0,05 m PP, 0,003 m Cystein, 0,006 m Arsenat, $2,4 \times 10^{-5}$ m gebundenes DPN^+, 0,002 m GA, 9,0 min	$2,44 \times 10^{-5}$	100
b) $PGADH(DPN^+)_2$ [2]	6,7	$2,3 \times 10^{-4}$ m ÄDTE, $2,4 \times 10^{-5}$ m gebundenes DPN^+, $+ 8,2 \times 10^{-4}$ m PGA*	$1,10 \times 10^{-5}$	45
		$+ 3 \times 10^{-4}$ m Arsenat	$1,38 \times 10^{-5}$	60
		insgesamt	$2,48 \times 10^{-5}$	105
c) PGADH-Apo-Enzym [3]	7,5	0,05 m Triäthanolamin, 0,006 m Arsenat, $3,9 \times 10^{-5}$ m Apo-Enzym, $4,1 \times 10^{-5}$ m DPN^+, 0,017 m GA		70
d) $PGADH(DPN^+)_2$ [4]	?	Arsenat, Überschuß an PGA, $6,4 \times 10^{-5}$ m Enzym, $1,28 \times 10^{-4}$ m gebundenes DPN	$8,29 \times 10^{-5}$	65
e) $PGADH(DPN^+)_2$ [5]	6,5	$2,6 \times 10^{-4}$ m ÄDTE, 0,00183 m freies DPN^+, $8,2 \times 10^{-4}$ m PGA* $+ 8,2 \times 10^{-8}$ m Enzym (9,8 μg/ml); nach 1 min weitere $1,15 \times 10^{-5}$ m Enzym (1,4 mg/ml)	$2,09 \times 10^{-5}$	90
f) $PGADH(DPN^+)_2$ [6]	8,4	0,023 m Tris, $7,5 \times 10^{-4}$ m ÄDTE, $3,1 \times 10^{-5}$ m PGA, 0,002 m freies DPN^+ $+ 4,6 \times 10^{-8}$ m Enzym	$3,9 \times 10^{-6}$	85 M DPNH je Mol Enzym
		$+ 4,6 \times 10^{-6}$ m Enzym (0,55 mg/ml) (30° C, 2—3 min)	$2,2 \times 10^{-5}$	4,8 M DPNH je Mol Enzym

Abkürzungen: ÄDTE = Äthylendiamintetraessigsäure; GA = Glycerinaldehyd; PGA = 3-Phosphoglycerinaldehyd; PGADH = 3-Phosphoglycerinaldehyd-Dehydrogenase; PP = Pyrophosphat.
* als $(D,L\text{-PGA-1-Br})_2 \times 2$ Dioxan (s. S. 621).

Abb. 9 zeigt die Aktivierung der Glycerinaldehyd-Oxydation durch Phosphat. Hier liegen die Verhältnisse anders. Die optimale Konzentration an Acylacceptor ist um 1 Zehnerpotenz niedriger als bei PGA. Dies mag mit der bereits erwähnten Labilität des Glyceryl-Enzyms zusammenzuhängen. Die Anfangsgeschwindigkeit ist nicht von der Phosphatkonzentration abhängig. Bei suboptimalen Phosphatwerten sinkt die Reaktionsgeschwindigkeit bald stark ab.

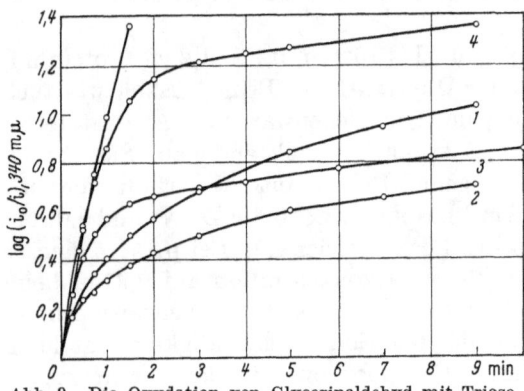

Abb. 9. Die Oxydation von Glycerinaldehyd mit Triosephosphat-Dehydrogenase in Abhängigkeit von der Phosphatkonzentration. Reaktionsbedingungen: 0,05 m KHCO₃ +0,05 m KCl, p_H 8,4, $2,81 \times 10^{-4}$ m Total-DPN^+, 0,002 m Glycerinaldehyd, 2 mg Enzym/ml; dazu bei Kurve 1, 2, 3, 4 und 5 2×10^{-6} m, 4×10^{-5} m, 5×10^{-4} m, 0,001 m und 0,005 m Phosphat (nach VELICK and HAYES jr.[7]).

Wie KELETI und TELEGDI[8] beim Enzym aus Bäckerhefe gezeigt haben, wirkt mehr als 0,1 m Phosphat vor allem als kompetitiver Inhibitor des PGA, in geringem Maße auch für DPN^+. In 0,5 m Phosphatpuffer (p_H 8,5) verschwindet beim Enzym aus Schweinemuskel die flache Absorptionsbande des DPN^+-Enzym-Komplexes (siehe S. 586). BÜCHER und GARBADE[9] fanden,

[1] CORI, C. F., S. F. VELICK and G. T. CORI: Biochim. biophys. Acta **4**, 160 (1950) (Tabelle 2).
[2] SEGAL, H. L., and P. D. BOYER: J. biol. Ch. **204**, 265 (1953) (Abb. 4B).
[3] FOX, J. B., jr., u. W. B. DANDLIKER: J. biol. Ch. **221**, 1005 (1956).
[4] TAYLOR, J. F., S. F. VELICK, G. T. CORI, C. F. CORI and M. W. SLEIN: J. biol. Ch. **173**, 619 (1948) (Abb. 3).
[5] SEGAL, H. L., and P. D. BOYER: J. biol. Ch. **204**, 265 (1953) (Abb. 4A).
[6] SEGAL, H. L., and P. D. BOYER: J. biol. Ch. **204**, 265 (1953) (Abb. 3).
[7] VELICK, S. F., and J. E. HAYES jr.: J. biol. Chem. **203**, 545 (1953).
[8] KELETI, T., and M. TELEGDI: Acta physiol. hung. **16**, 235, 243 (1959).
[9] BÜCHER, T., u. K.-H. GARBADE: Biochim. biophys. Acta **8**, 220, 222 (1952).

wiederum beim Hefe-Enzym, auch bei höherer Arsenatkonzentration eine Lockerung der PGA-Bindung. In Bicarbonat-Kohlensäure-Puffer (p$_H$ 7,7) mit 2,4 µg Enzym/ml und 1,2 ×10^{-4} m DPN$^+$ stieg K_M (PGA) von 6,7 × 10^{-5} m mit 0,0016 m Arsenat auf 1,6 ×10^{-4} m mit 0,006 m Arsenat. Dagegen sank K_M(DPN$^+$) mit 4,8 ×10^{-4} m PGA von 1,2 ×10^{-4} m auf 4,4 ×10^{-5} m. Beim Muskel-Enzym ist der Einfluß höherer Arsenatkonzentrationen nicht untersucht worden. Anscheinend kommt es nicht nur auf die Absolutkonzentration des Arsenats, sondern auch auf das Verhältnis von Arsenat- zu Enzymkonzentration an.

Die Ursache bzw. eine der Ursachen des Hemmeffektes höherer Konzentrationen an Acylacceptoren ist in der Konkurrenz zwischen diesen und der Phosphatgruppe des PGA um einen Bindungsort am Enzym zu suchen. Bei der Glycerinaldehyd-Oxydation ist sie bislang nicht beobachtet worden[1]. Arsenat und Phosphat können sich gegenseitig verdrängen.

Die Spezifität der 3-Phosphoglycerinaldehyd-Dehydrogenase. Wie Tabelle 21 zeigt, kann DPN$^+$ mit etwa 50% Aktivität durch 3-Acetylpyridin-adenin-dinucleotid ersetzt werden. Desamino-DPN$^+$ und Desamino-3-acetylpyridin-adenin-dinucleotid sind noch schwach wirksam, und TPN$^+$ ist unwirksam. Im Falle der PGADH sind also die Aminogruppe des Adenins und in noch stärkerem Maße die freie OH-Gruppe an C(2′) des Adenosins Voraussetzung für die Co-Enzym-Aktivität.

Tabelle 21. *Co-Enzym-Spezifität der 3-Phosphoglycerinaldehyd-Dehydrogenase des Muskels* (nach KAPLAN u. Mitarb.[2]).

Präparat: nach CORI u. Mitarb.[3] (s. S. 578), jedoch in Gegenwart von ÄDTE isoliert.

Oxydationstest: 0,1 m PP (p$_H$ 8,5), 0,006 m Arsenat, 2,5 × 10^{-4} m Pyridinnucleotid, 1,33 µg Enzym/ml, Start durch 1,8 × 10^{-4} m PGA. 100% Aktivität: etwa 60 µM DPNH × mg Protein^{-1} × min^{-1}.

Arsenolysetest: 0,1 m KHCO$_3$, 0,002 m K$_2$HAsO$_4$, 0,01 m Acetylphosphat, 7,5 × 10^{-4} m Pyridinnucleotid, 2 mg Apo-Enzym/ml. 100% Aktivität: Spaltung von 3,9 µM Acetylphosphat × mg Protein^{-1}.

Co-Enzym	Relative Aktivität	
	Oxydation von PGA	Arsenolyse von Acetylphosphat
DPN$^+$	100	100
3-Acetylpyridin-AD$^+$	45	79
Desamino-DPN$^+$	8	49
Pyridin-3-aldehyd-AD$^+$	0	9
Desamino-3-acetylpyridin-AD$^+$	1	5
α-DPN$^+$	0	20

Abkürzungen: PGA = 3-Phosphoglycerinaldehyd; ÄDTE = Äthylendiamintetraessigsäure; AD = Adenin-dinucleotid.

Die PGADH besitzt eine sehr hohe Substrat-Spezifität. Soweit bisher bekannt ist, wird bei katalytischer Enzymkonzentration mit meßbarer Geschwindigkeit nur D-PGA in Anwesenheit von Arsenat oder Phosphat oxydiert. Schon eine zusätzliche D-CHOH-Gruppe zwischen Aldehyd- und Phosphatestergruppe läßt die Aktivität unter diesen Umständen praktisch auf Null sinken. Man hat noch nicht Gelegenheit gehabt, die nächsten Verwandten des D-PGA, andere 3-Phosphoaldosen mit D-Konfiguration an C(2), zu untersuchen.

Alle Nebensubstrate müssen in sehr viel höherer Konzentration eingesetzt werden und benötigen zum Umsatz um 3 Zehnerpotenzen höhere Enzymkonzentrationen als D-PGA, wie aus Tabelle 22 und 23 hervorgeht. Das aktivste unter ihnen ist der Glycerinaldehyd. Seine maximale Umsatzzahl (Wechselzahl) muß wesentlich höher liegen, als man bei p$_H$ 7,5 findet, da das p$_H$-Optimum der Glycerinaldehyd-Oxydation nach NYGAARD

---
[1] BÜCHER, T., u. K.-H. GARBADE: Biochim. biophys. Acta **8**, 220, 222 (1952).
[2] KAPLAN, N. O., M. M. CIOTTI and F. E. STOLZENBACH: Arch. Biochem. **69**, 441 (1957).
[3] CORI, G. T., M. W. SLEIN and C. F. CORI: J. biol. Ch. **173**, 605 (1948).

Tabelle 22. *Umsatzzahlen der 3-Phosphoglycerinaldehyd-Dehydrogenase des Muskels.*

Substrat	Umsatzzahl in Mol × min⁻¹ pro 120000 g Protein	Test	Literatur
3-Phospho-D-glycerinaldehyd	10300	0,03 m PP (p_H 8,6), 0,013 m Arsenat, 0,0035 m Cystein, $4,8 \times 10^{-4}$ m DPN⁺, 4 µg Enzym/ml; nach 7 min $4,8 \times 10^{-4}$ m D-PGA; 27° C, 340 mµ	1
	4900	0,05 m Triäthanolamin (p_H 8,7), 0,003 m Arsenat, 0,0012 m Cystein, 10^{-4} m DPN⁺, $2,3 \times 10^{-4}$ m D-PGA, 0,2—0,8 µg Enzym/ml; 25° C, 366 mµ	2
	2900	wie vorher, jedoch p_H 7,5	2, 3
4-Phospho-D-erythrose	0,43	0,02 m PP (p_H 8,6), 0,015 m Arsenat, $7,5 \times 10^{-4}$ m DPN⁺, $1,24 \times 10^{-4}$ m 4-Phospho-D-erythrose, 1,74 mg Enzym/ml	4
D-Glycerinaldehyd	7,2—7,8	0,05 m Triäthanolamin (p_H 7,5), 0,003 m Arsenat, 0,0012 m Cystein, 10^{-4} m DPN⁺, 4,7 mg Enzym/ml, 0,0167 m Glycerinaldehyd; 25° C, 340 mµ	5
Acetaldehyd	2,3	0,005 m PP (p_H 8,4), 0,003 m Cystein, 0,006 m Arsenat, 3×10^{-4} m DPN⁺, 1,4 mg Enzym/ml, 0,2 m Acetaldehyd; 24° C, 340 mµ	6
1,3-Diphospho-D-glycerinsäure	9100	0,03 m PP (p_H 8,6), 10^{-4} m DPN⁺, 0,00119 m 1,3-DPGS, 0,31 µg Enzym/ml; 340 mµ	4

Abkürzungen: ÄDTE = Äthylendiamintetraessigsäure; 1,3-DPGS = 1,3-Diphosphoglycerinsäure; PGA = 3-Phosphoglycerinaldehyd; PP = Pyrophosphat.

und SUMNER[7] bei 9,3 liegt und die Aktivität schon bei p_H 8,5 auf die Hälfte absinkt. Nach HARTING und VELICK[6] beträgt das Verhältnis der Oxydationsraten von Acetaldehyd, Propionaldehyd, Butyraldehyd und Glycerinaldehyd bei gleichen Enzym- und Substratkonzentrationen 1:1,2:2,5:50. Das Hefe-Enzym soll nur Glycerinaldehyd oxydieren.

In Gegenwart von Phosphat wird bei der Oxydation einfacher Aldehyde ebenso wie bei PGA Acylphosphat gebildet, wie sich mit Hilfe der Hydroxamsäure-Reaktion nachweisen läßt (s. Tabelle 23). Auch durch Arsenat wird die Oxydation beschleunigt. Sie läuft aber ohne die Acylacceptoren ebenfalls mit relativ beträchtlicher Geschwindigkeit ab. Außer den in Tabelle 23 angeführten Aldehyden werden auch Glykolaldehyd[8], Succinsemialdehyd[9] und Formaldehyd[7] langsam oxydiert.

Die Umsatzzahl der Rückreaktion mit 1,3-DPGS bei p_H 8,6 liegt in gleicher Größenordnung wie die des PGA. Es ist zu erwarten, daß sie bei p_H-Werten von 7 oder darunter bedeutend höher ist, da auch die Hinreaktion mit PGA stark p_H-abhängig ist. Als einziges Nebensubstrat der Rückreaktion ist Acetylphosphat untersucht worden. Wie aus Tabelle 23 zu entnehmen ist, wurde es bei p_H 7,2 trotz 2,5fach niedrigerer Enzymkonzentration etwa dreimal schneller reduziert als bei p_H 8,2. Bis jetzt hat man 1-Phospho-D-glycerinsäure als Reaktionsprodukt des Glycerinaldehyds nicht nachgewiesen. Man nimmt an, daß die Glyceryl-Enzymverbindung labiler ist als das Acetyl-Enzym.

An Stelle von Acetylphosphat haben RACKER und KRIMSKY[9] auch Acetylthioglykolat, S-Acetylglutathion, Succinylthioglykolat und S-Glycerylglutathion als Substrate der

---

[1] VELICK, S. F.; in: Colowick-Kaplan, Meth. Enzymol. Bd. I, S. 401.
[2] BEISENHERZ, G., H. J. BOLTZE, T. BÜCHER, R. CZOK, K.-H. GARDABE, E. MEYER-ARENDT u. G. PFLEIDERER: Z. Naturforsch. 8b, 555 (1953).
[3] FOX, J. B., jr., and W. B. DANDLIKER: J. biol. Ch. 218, 53 (1956).
[4] RACKER, E., V. KLYBAS and M. SCHRAMM: J. biol. Ch. 234, 2510 (1959).
[5] FOX, J. B., jr., and W. B. DANDLIKER: J. biol. Ch. 221, 1005 (1956).
[6] HARTING, J., and S. F. VELICK: J. biol. Ch. 207, 857 (1954).
[7] NYGAARD, A. P., and J. B. SUMNER: Arch. Biochem. 39, 119 (1952).
[8] HORECKER, B., persönliche Mitteilung an HARTING u. VELICK (Zit. [6]).
[9] RACKER, E., and I. KRIMSKY: J. biol. Ch. 198, 731 (1952).

Tabelle 23. *Oxydation einfacher Aldehyde und Reduktion von Acetylphosphat und Acetylthioglykolat durch die 3-Phosphoglycerinaldehyd-Dehydrogenase des Muskels.*
Präparat: nach Cori, Slein u. Cori[1]. Bestimmung von DPNH spektrophotometrisch bei 340 mμ; Bestimmung von Acetylphosphat mit NH_2OH nach Lipmann und Tuttle[2].

Substrat	Umsatz × mg Protein^{-1} in 24 min				Reaktionsbedingungen
	μMol DPNH		μMol Acylhydroxamsäure		
	mit P	ohne P	mit P	ohne P	
Acetaldehyd[3]	0,007 (mit Arsenat an Stelle von P)				0,054 m PP (p$_H$ 8,7), etwa 0,005 m Arsenat, $2,24 \times 10^{-4}$ m DPN$^+$, 0,0835 m Acetaldehyd + 1,2 mg Enzym/ml*; 14° C, 366 mμ
Acetaldehyd[4]	0,101	0,048			0,054 m PP (p$_H$ 8,3), mit bzw. ohne $2,67 \times 10^{-4}$ m P, 0,0019 m L-Cystein, $3,2 \times 10^{-4}$ m DPN$^+$, 0,119 m Acetaldehyd, 1,68 mg Enzym/ml; 24° C
Acetaldehyd[4]	0,217		0,229		0,02 m Veronal (p$_H$ 8,2), $8,4 \times 10^{-4}$ m P, 8×10^{-4} m L-Cystein, 0,0016 m DPN$^+$, 0,089 m Acetaldehyd, 1,68 mg Enzym/ml; 23° C
Propionaldehyd[4]	0,235	0,140	0,241	0,00	0,014 m Veronal (p$_H$ 8,2) mit bzw. ohne $5,6 \times 10^{-4}$ m P, $5,3 \times 10^{-4}$ m L-Cystein, $4,4 \times 10^{-4}$ m DPN$^+$, 0,059 m Propionaldehyd, 1,12 mg Enzym/ml; 23° C
Butyraldehyd[4]	0,229	0,122	0,238	0,00	wie vorher, jedoch 0,028 m Butyraldehyd
Acetylphosphat[4]		−0,014			0,054 m PP (p$_H$ 8,2), $9,7 \times 10^{-4}$ m Cystein, $1,2 \times 10^{-4}$ m DPNH, 0,0047 m Acetylphosphat, 1,68 mg Enzym/ml; 24° C
Acetylphosphat[5]		−0,048		−0,048	0,05 m Glycylglycin (p$_H$ 7,2), 10^{-4} m DPNH, 0,005 m Acetylphosphat, 0,67 mg Enzym/ml*; 25° C
Acetylthioglykolat[6]		0,077 μM Acetaldehyd in 3 Std			0,025 m Glycylglycin (p$_H$ 7,6), 0,056 m Glucose, 2,6 mg Glucose-DH/ml, 5×10^{-4} m DPN$^+$, 13 mg PGADH/ml*, 0,028 m Acetylthioglykolat; 37° C, 3 Std

Abkürzungen: PP = Pyrophosphat; P = Phosphat.
* Reduziertes Enzymprotein.

Rückreaktion eingesetzt. Die äußerst geringe Geschwindigkeit von Reduktion und Arsenolyse spricht für eine nichtenzymatische Transacylierungsreaktion mit den Acylacceptoren des Enzyms.

Nebenaktivitäten. Wohl bei keinem anderen Pyridinnucleotidferment sind so viele Nebenreaktionen bekannt wie bei der PGADH des Muskels (s. Tabelle 24). Die meisten

---
[1] Cori, G. T., M. W. Slein and C. F. Cori: J. biol. Ch. **173**, 605 (1948).
[2] Lipman, F., and L. C. Tuttle: J. biol. Ch. **159**, 21 (1945).
[3] Holzer, H., u. E. Holzer: H. **291**, 67 (1952).
[4] Harting, J., and S. F. Velick: J. biol. Ch. **207**, 857 (1954).
[5] Rafter, G. W., and S. P. Colowick: J. biol. Ch. **224**, 373 (1957).
[6] Racker, E., and I. Krimsky: J. biol. Ch. **198**, 731 (1952).

Tabelle 24. *Nebenaktivitäten der 3-Phospho-*

Reaktion	Reaktionsbedingungen	pH-Optimum
Phosphataustausch 1,3-DPGS + ^{32}P ⇌ 1-^{32}P-3-PGS + P Hilfsreaktion: 1-^{32}P-3-PGS + ADP $\xrightleftharpoons{\text{PGS-Kinase}}$ 3-PGS + ADP-^{32}P	0,025 m Tris (p$_H$ 7,0), 7,9 × 10^{-4} m 1,3-DPGS, 0,00285 m ^{32}P (1,79 × 10^{11} c.p.m./Mol), 1,9 × 10^{-4} m Cystein, 16,9 bzw. 51 µg PGADH/ml, 60 bzw. 65 sec, 25° C; 3-PGS-Kinase-Reaktion nach Stoppen mit 8,8 × 10^{-4} m p-CMB: 7,5 × 10^{-4} m ADP, 12,2 µg Kinase/ml, 1 min; enteiweißen mit 6,3 % TCE; Trägertechnik	8,0
Acetylphosphat + ^{32}P ⇌ Acetyl-^{32}P + P	0,017 m Veronal (p$_H$ 8,1), 0,001 m Cystein, 0,01 m ^{32}P (9,6 × 10^{10} c.p.m./Mol), 0,01 m Acetylphosphat, 6,7 mg PGADH(DPN$^+$)$_2$ je ml; 15 min	8,0
desgl.	wie vorher, jedoch mit PGADH(DPN$^+$)$_3$	
Arsenolyse 1,3-DPGS + H$_2$O $\xrightarrow{\text{Arsenat}}$ 3-PGS + P	0,067 m Glycylglycin (p$_H$ 7,6), 0,053 m 3-PGS, 0,0067 m ATP, 0,0023 m MgCl$_2$, 133 µg 3-PGS-Kinase/ml, 6,7 × 10^{-4} m Arsenat, 466 µg PGADH/ml, 0,008 m GSH; 30 min, Raumtemperatur	8,0
Acetylphosphat + H$_2$O $\xrightarrow{\text{Arsenat}}$ CH$_3$COOH + P	0,1 m KHCO$_3$, 0,002 m Arsenat, 0,02 m GSH, 0,01 m Acetylphosphat, 2,5 mg Apo-Enzym/ml, 3 × 10^{-5} m DPN$^+$; 30 min, 37° C; Trennung von Acetylphosphat und P durch Ca-Fällung	
desgl.	0,02 m Veronal (p$_H$ 8,1), 7,5 × 10^{-4} m Cystein, 0,002 m Arsenat, 0,002 m Acetylphosphat, 1,68 mg Enzym/ml; 23° C	8,1 (50 % Aktivität bei 7)
desgl.	0,1 m Succinat (p$_H$ 6,2), 0,017 m Arsenat, 0,0085 m Acetylphosphat, 1,1 mg Enzym je ml; 25° C, 1 Std	
Transacylierung Acetylphosphat + GSH → Acetyl-SG + P	0,1 m KHCO$_3$, 0,2 m GSH, 0,04 m Acetylphosphat, 10 mg Enzym/ml; 37° C, 2 Std; Bestimmung des Acetyl-SG nach 5 min Erhitzen bei 100° C und p$_H$ 4,5 mit NH$_2$OH nach [6]	> 8,0
Acetylphosphat + GSH → Acetyl-SG + P	0,016 m Veronal (p$_H$ 8,0), 0,002 m Acetylphosphat, 0,02 m GSH, 1,41 mg Enzym/ml, 50 min; Bestimmung des hitzestabilen Acetylprodukts nach 9 min bei 100° C und p$_H$ 4,0 nach [6]	
Acetylphosphat + Cystein → [S-Acetylcystein] + P → CH$_3$COOH + Cystein	0,02 m Veronal (p$_H$ 8,0), 0,002 m Acetylphosphat, 0,010 m Cystein, 2,3 mg Enzym je ml; 25 min; Bestimmung des restlichen Acetylphosphats nach [6]	
Acetylphosphat + HS-CoA → Acetyl-S-CoA + P Hilfsreaktion: Acetyl-S-CoA + Sulfanilamid $\xrightarrow{\text{Transacetylase aus Taubenleber}}$ Acetylsulfanilamid + HS-CoA	0,01 m KHCO$_3$, 0,002 m Cystein, 0,011 m K-Citrat, 0,011 m Acetylphosphat, 59 E HS-CoA/ml, 2,6 × 10^{-4} m Sulfanilamid, 4,24 mg Enzym/ml, 5,9 mg Acetonfraktion (40 bis 60 Vol-%) aus Taubenleber; 25° C, 45 min; Ausfällen des Proteins mit 5 % TCE; Bestimmung von Sulfanilamid nach [8] vor und nach 1 Std Hydrolyse in 0,5 n HCl bei 100° C	

glycerinaldehyd-Dehydrogenase des Muskels.

Spezifische Aktivität	Aktivierung	Inhibitoren (Konzentration, die um X % hemmt)	Bemerkungen	Literatur
12 bzw. 58% des theoretisch möglichen Austausches in 1 min	gebundenes DPN+; Cystein	p-CMB; JE	Ähnliche Ergebnisse mit Hefe-PGADH. Das Gleichgewicht der 3-PGS-Kinase-Reaktion liegt weit auf der rechten Seite	1
70% Austausch in 15 min	Cystein	Hemmung durch Abspalten des DPN+	Der P-Austausch geht weit schneller als die Oxydation des Acetaldehyds	2
40% Austausch in 15 min				2
— 7,3 μM 1,3-DPGS × mg PGADH^{-1} in 30 min	GSH	JE; 2,4-Diphosphotetrose (5×10^{-5} m, 74%) ^{4}. Ohne Einfluß: PP, P	Die Arsenolyse verläuft ohne Redoxreaktion. Keine Eigenhydrolyse des Substrats	3
— 1,48 μM Acetylphosphat × mg Prot.$^{-1}$ in 30 min	DPN+	JE: 30 min Präinkubation mit 8×10^{-5} m, 60 min Reaktionszeit ohne GSH, 95%; mit GSH 61,5% Hemmung	Bei $p_H > 8{,}1$ ist die Eigenhydrolyse des Acetylphosphats zu hoch. Bestimmung des P nach ^{5}	3
— 0,45 μM Acetylphosphat × mg Prot.$^{-1}$ in 30 min		Phosphat	Bestimmung von Acetylphosphat nach ^{6}	2
— 1 μM Acetylphosphat × mg Prot.$^{-1}$ × 1 Std^{-1}			desgl.	7
+ 2,2 μM Acetyl-SG × mg Prot.$^{-1}$ in 2 Std			Mit Acetaldehyd nur 17% der Ausbeute mit Acetylphosphat	3
+ 0,27 μM Acetyl-SG × mg Prot.$^{-1}$ in 50 min		Phosphat	Identifizierung des Acetyl-SG papierchromatographisch	2
— 0,32 μM Acetylphosphat × mg Prot.$^{-1}$ in 25 min			Die Reaktionsrate steigt mit der Cystein-Konzentration. Die Phosphataseaktivität wird durch Cystein gehemmt	2
+ 0,025 μM Acetylsulfanilamid × mg PGADH^{-1} in 45 min			Acetat kann Acetylphosphat nicht ersetzen. Ohne PGADH kein Acetylsulfanilamid	2

Tabelle 24.

Reaktion	Reaktionsbedingungen	p_H-Optimum
Acetylphosphat + HS-CoA → Acetyl-S-CoA + P Hilfsreaktion: Acetyl-S-CoA + Oxalacetat $\xrightarrow{\text{kondensierendes Enzym}}$ Citrat + HS-CoA	0,04 m KHCO$_3$, 0,018 m GSH (p$_H$ 7,5), 0,0024 m MgCl$_2$, 0,009 m Acetylphosphat, 118 Einheiten HS-CoA/ml, 0,015 m Oxalacetat, 59 E kondensierendes Enzym/ml, 2,3 mg PGADH/ml; 1 Std; Bestimmung der Citronensäure nach [9]	
Acylphosphatase-Aktivität Acetylphosphat + H$_2$O → CH$_3$COOH + P	0,1 m Succinat (p$_H$ 6,2), 0,0085 m Acetylphosphat, 1,1 mg Enzym/ml; 25° C, 1 Std	5,9
desgl.	0,024 m Veronal (p$_H$ 8,2), 0,002 m Acetylphosphat, etwa 2,3 mg Enzym/ml; 1 Std	
Esterase-Aktivität O$_2$N—⟨⟩—O—CO—CH$_3$ + H$_2$O → O$_2$N—⟨⟩—OH + CH$_3$COOH	0,013 m Veronal (p$_H$ 8,0), 6,3 × 10^{-4} m p-Nitrophenylacetat, 0,20 mg Apo-Enzym/ml; 15 min; Bestimmung von Δo.D. bei 400 mμ; Korrektur entsprechend der Eigenhydrolyse des Esters	> 8,0
Inaktivierung von DPNH[14]	a) ohne Cystein: 0,01 m PP, 0,1 m Acetat, p$_H$ 5,5, 6,1 × 10^{-5} m DPNH, 0,47 mg Enzym/ml; 1 Std. b) mit Cystein: 10 min Präinkubation des Enzyms mit 0,03 m Cystein bei p$_H$ 8; 0,01 m PP, 0,1 m Acetat, p$_H$ 5,5, 0,005 m Cystein, 6,1 × 10^{-5} m DPNH, 0,47 mg Enzym/ml; 1 Std	< 6

(Fortsetzung.)

Spezifische Aktivität	Aktivierung	Inhibitoren (Konzentration, die um X % hemmt)	Bemerkungen	Literatur
$+ 0{,}28\ \mu$M Citrat $\times$ mg PGADH^{-1} $\times$ Std^{-1}			Eine Reaktionsrate gleicher Größenordnung wird auch ohne GSH durch erhöhte Enzym- und HS-CoA-Konzentrationen erreicht. Mit 0,1 m Acetaldehyd beträgt die Citratausbeute nur 20% derjenigen mit Acetylphosphat	2
$- 2{,}4\ \mu$M Acetylphosphat $\times$ mg Prot.$^{-1}$ $\times$ Std^{-1}	1,5 min Präinkubation mit o-Jodosobenzoat bei p_H 7,0: 260%.	PP (0,024 m, p_H 6,2, 60%), P (0,024 m, 8%)	PP hemmt auch die durch o-Jodosobenzoat aktivierte Hydrolyse	7
$-$ etwa 0,75 μM Acetylphosphat $\times$ mg Prot.$^{-1}$ $\times$ Std^{-1}	Gebundenes DPN$^+$; DPNH ist nur halb so wirksam; JE	P (0,01 m, 40%), GSH (0,001 m, 85%), Cystein (0,001 m, 70%), KCN (0,001 m, 92%), HSO$_3^-$ (5 $\times$ 10^{-5} m, 92%), p-CMB oder p-CMPS (0,005 m, 10 min Präinkubation, 100%), Thyroxin (6 $\times$ 10^{-4} m, 36%), Trijodthyronin (5 $\times$ 10^{-5} m, 36%), 2,4-Dinitrophenol (0,004 m, 54%); Hemmung auch durch NH$_2$OH, Phenylhydrazin, Semicarbazid sowie durch Inkubation mit DPN$^+$-ase; *keine* Hemmung durch 0,01 m JE	Das Enzym wurde ohne Stabilisatoren isoliert und umkristallisiert. Es wird die C—O-Bindung gespalten. Für die Phosphataseaktivität ist offenbar eine —S—S-Gruppe essentiell	10, 11
$- 0{,}023\ \mu$M p-Nitrophenylacetat $\times$ mg Prot.$^{-1}$ $\times$ min^{-1}		1,3, 2,6 bzw. 8 M DPN$^+$ pro Mol Apo-Enzym: 25, 45 bzw. 78% Hemmung; D-PGA (4 $\times$ 10^{-4} m, 70%), D-GA (0,023 m, 60%), Acetylphosphat (0,05 m, 80%), P (0,01 m, 56%), Arsenat (0,01 m, 45%); JE (10^{-5} m, 31%), Jodacetamid (10^{-4} m, 94%), p-CMPS (10^{-4} m, 90%), Ag$^+$ (5 $\times$ 10^{-6} m, 61%); DFP (1,4 $\times$ 10^{-4} m, 79%)	$K_M = 7{,}0 \pm 0{,}3 \times 10^{-5}$ m. Das Apo-Enzym hatte den Extinktionsquotienten $E_{280\ \mu m}/E_{260\ \mu m} = 1{,}9$. Mit Arsenat findet keine Arsenolyse statt. 0,001 m Cystein und GSH spalten nichtenzymatisch. Die Inhibitoren hemmen unabhängig vom DPN$^+$-Gehalt des Enzyms	12
a) $- 0{,}03\ \mu$M DPNH $\times$ mg Prot.$^{-1}$ $\times$ Std^{-1} b) $-0{,}10\ \mu$M DPNH $\times$ mg Prot^{-1} $\times$ Std^{-1}	Cystein; PP $\gg$ P $\approx$ Citrat; Acetylphosphat [7]	DPN$^+$; niedrige Elektrolyt- und Wasserstoffionenkonzentration	Das Spektrum des enzymatisch inaktivierten DPNH gleicht dem des primären Säureprodukts des DPNH. Auch das Apo-Enzym wird inaktiviert (s. S. 600)	13

Tabelle 24

Reaktion	Reaktionsbedingungen	pH-Optimum
Intramolekulare Redoxreaktion ohne Substrat (Phosphotransferase-Aktivität?) Protein-DPN⁺ $\xrightarrow{\text{Arsenat}}$ Protein-DPNH $\quad\quad\quad\quad\text{ATP, IMP}$ SH $\quad\quad\quad\quad\quad\quad\quad\quad$ SX ATP + IMP $\longrightarrow$ ADP + [IDP]	0,067 m Glycin-NaCl-NaOH-Puffer (pH 8,3), 0,001 m Arsenat, 0,004 m ATP, $5,8 \times 10^{-5}$ m IMP, $2,5 \times 10^{-4}$ m DPN⁺ + 0,5 mg PGADH(DPN⁺)₃/ml; 10 min; Bestimmung von Δo.D. bei 340 mμ; Bestimmung von ATP und ADP nach [16]; Bestimmung der freien SH-Gruppen mit p-CMB nach [17]	8,1—8,3 (50% Aktivität bei 7,5)

Abkürzungen: Acetyl-SG = S-Acetylglutathion; DFP = Diisopropylfluorphosphat; p-CMB = p-Chlormercuribenzoat; p-CMPS = p-Chlormercuriphenylsulfonat; 1,3-DPGS = 1,3-Diphosphoglycerinsäure; GA = Glycerinaldehyd; GSH = reduziertes Glutathion; IMP = Inosinsäure; JE = Jodessigsäure; P = Phosphat; PGA = 3-Phosphoglycerinaldehyd; PGADH = 3-Phosphoglycerinaldehyd-Dehydrogenase; 3-PGS = 3-Phosphoglycerinsäure; PP = Pyrophosphat; TCE = Trichloressigsäure.

[1] OESPER, P.: J. biol. Ch. **207**, 421 (1954).
[2] HARTING, J., and S. F. VELICK: J. biol. Ch. **207**, 867 (1954). Fed. Proc. **11**, 226 (1952).
[3] RACKER, E., and I. KRIMSKY: J. biol. Ch. **198**, 731 (1952).
[4] RACKER, E., V. KLYBAS and M. SCHRAMM: J. biol. Ch. **234**, 2510 (1959).
[5] LOHMANN, K., u. L. JENDRASSIK: B. Z. **178**, 419 (1926).
[6] LIPMANN, F., and L. C. TUTTLE: J. biol. Ch. **159**, 21 (1945).
[7] RAFTER, G. W., and S. P. COLOWICK: J. biol. Ch. **224**, 373 (1957). — RAFTER, G. W.: Arch. Biochem. **67**, 267 (1957).
[8] BRATTON, A. C., and E. K. MARSHALL jr.: J. biol. Ch. **128**, 537 (1939).

von ihnen laufen mit sehr geringer Geschwindigkeit ab, vergleichbar etwa der Umsatzgeschwindigkeit der einfachen Nebensubstrate der PGADH (mit Ausnahme des Glycerinaldehyds). Abgesehen von der DPNH-Inaktivierung, deren optimale Reaktionsbedingungen man anscheinend noch nicht gefunden hat und deren Bedeutung für die PGADH-Reaktion daher nicht überblickt werden kann, sind sie hauptsächlich von theoretischem Interesse. Vor allem handelt es sich hier um Reaktionen des Acyl-Enzyms (s. S. 607), die DPN⁺ (oder auch DPNH) nur als Co-Faktor, nicht als Co-Enzym brauchen. Nur die Hydrolyse des p-Nitrophenylacetats wird durch DPN⁺ gehemmt. Das Schema 1 zeigt Reaktionsmöglichkeiten des Acetyl-Enzyms.

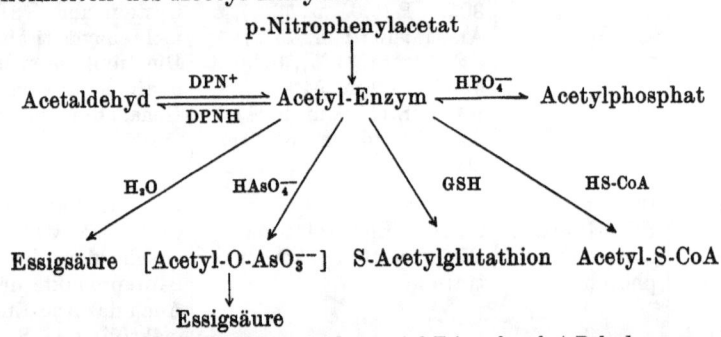

Schema 1. Reaktionsmöglichkeiten der Acetyl-Triosephosphat-Dehydrogenase.

Besonders zu erwähnen ist die Acylphosphatase-Aktivität, weil sie im Unterschied zur Arsenolyse ein niedriges pH-Optimum hat und am schnellsten mit partiell oxydiertem Enzym abläuft, also unter Bedingungen, unter denen die PGADH-Reaktion gehemmt wird. Sie kann die Rückreaktion stören. Mit der Hemmung der Acylphosphatase-Aktivität durch Pyrophosphat könnte dessen aktivierender Effekt bei der Hauptreaktion zusammenhängen.

(Fortsetzung).

Spezifische Aktivität	Aktivierung	Inhibitoren (Konzentration, die um X% hemmt)	Bemerkungen	Literatur
$+ 0{,}0035\ \mu M$ DPNH × mg Prot.$^{-1}$ × min^{-1}	0,001 m Arsenat ≫ 0,01 m P ≈ 5 × 10^{-5} m Borat; ohne Einfluß: Cystein und GSH	NH$_2$OH (0,004 m, 55%); p-CMB hemmt erst nach Zusatz von mehr als 10 Äq je Mol Enzym; 10^{-2} m Borat; ohne Einfluß: Cystin, Histidin, 1,10-Phenanthrolin	Durch die intramolekulare Redoxreaktion von PGADH in Gegenwart von 10 p-CMB/Mol Enzym wird die geringe restliche PGADH-Aktivität völlig gehemmt, während diese ohne p-CMB nicht beeinflußt wird. Borat ist ein schwacher Inhibitor der PGA-Oxydation	15

[9] NATELSON, S., J. B. PINCUS and J. K. LUGOVOY: J. biol. Ch. **175**, 745 (1948).
[10] PARK, J. H., and D. E. KOSHLAND jr.: J. biol. Ch. **233**, 986 (1958).
[11] KRIMSKY, I., and E. RACKER: Science, N.Y. **122**, 319 (1955).
[12] PARK, J. H., B. P. MERIWETHER, P. CLODFELDER and L. W. CUNNINGHAM: J. biol. Ch. **236**, 136 (1961).
[13] RAFTER, G. W., S. CHAYKIN and E. G. KREBS: J. biol. Ch. **208**, 799 (1954). — CHAYKIN, S., J. O. MEINART and E. G. KREBS: J. biol. Ch. **220**, 811 (1956). — PFLEIDERER, G., u. A. STOCK: B. Z. **336**, 56 (1962).
[14] WALLENFELS, K., u. H. SCHÜLY: B. Z. **329**, 75 (1957). — MEINHART, J. O., S. CHAYKIN and E. G. KREBS: J. biol. Ch. **220**, 821 (1956). — CHAYKIN, S., J. O. MEINHART and E. G. KREBS: J. biol. Ch. **220**, 811 (1956).
[15] KELETI, T., and M. TELEGDI: Acta physiol. hung. **17**, 141 (1960).
[16] KALCKAR, H. M.: J. biol. Ch. **167**, 429 (1947).
[17] BOYER, P. D.: Am. Soc. **76**, 4331 (1954).

Auch der hydrolytischen Spaltung von p-Nitrophenylacetat, die mit der Acylphosphatase-Aktivität des Enzyms nichts zu tun hat, geht eine Transacetylierung voraus. Mit Hilfe von p-Nitrophenyl-^{14}C-acetat wurde die Bindung von 3 Acetylgruppen pro Mol Enzym gefunden. Das Acetyl-Enzym wurde mit Aceton:Äther:1 n HCl = 20:5:1 bei −10° C gefällt. Es ist noch nicht geprüft, ob es mit demjenigen aus Acetylphosphat oder Acetaldehyd identisch ist.

Bei der Inaktivierung von gebundenem DPNH durch das Enzym verschwindet das Absorptionsmaximum bei 340 mμ bei gleichzeitiger Verstärkung der Absorption bei 265 mμ. Die Reaktion findet vor allem bei niedrigen p$_H$-Werten um 6 statt und stört bei langfristigen Versuchen. Sie kann durch exogenes DPN$^+$ verhindert werden, weil das freie DPNH dieser Reaktion nicht unterliegt. Die Inaktivierung des gebundenen DPNH hat man mit der Anlagerung enzymgebundener Säuregruppen, wie Phosphat oder Arsenat, an eine oder auch beide Doppelbindungen des chinoiden Ringes erklärt. Nach WALLENFELS und SCHÜLY[1] kommt auch ein Acylphosphat hierfür in Frage. Weiter ist auch die Anlagerung von HOH in Betracht zu ziehen. Die Störung tritt beim Hefe-Enzym stärker in Erscheinung als beim Muskel-Enzym (s. S. 628).

Die von KELETI und TELEGDI[2] entdeckte intramolekulare Redoxreaktion zwischen DPN$^+$ und nichtessentiellen SH-Gruppen unter Einwirkung von ATP in Anwesenheit von Inosinsäure ist neuartig. Sie scheint allein zwar für die PGA-Oxydation von untergeordneter Bedeutung zu sein — solange überschüssiges DPN$^+$ vorhanden ist —, könnte aber die Spontaninaktivierung des Enzyms während der Isolierung verstärken.

Aktivitätsbestimmungen der PGADH-Reaktion. *Theorie.* VELICK[3] führt für die Hinreaktion zwei verschiedene Methoden an.

[1] WALLENFELS, K., u. H. SCHÜLY: B. Z. **329**, 75 (1957).
[2] KELETI, T., and M. TELEGDI: Acta physiol. hung. **17**, 141 (1960). Biochim. biophys. Acta **37**, 184 (1960).
[3] VELICK, S. F.; in: Colowick-Kaplan, Meth. Enzymol. Bd. I, S. 401.

Test A wurde von Cori, Slein und Cori[1] angegeben und entspricht etwa den Reaktionsbedingungen von Warburg und Christian[2] bei der Testung des Hefeenzyms (s. S. 628). Es läuft eine Reaktion 2. Ordnung ab: Substrat- und DPN$^+$-Konzentration (a bzw. b) sind geschwindigkeitsbestimmend. Die Auswertung besteht in der Errechnung der bimolekularen Geschwindigkeitskonstanten nach der Gl. $k = \dfrac{2{,}3}{t(a-b)} \times \log \dfrac{b(a-x)}{a(b-x)}$; x ist die in der Zeit t entstandene Konzentration an DPNH, die photometrisch bei 340 mμ bestimmt wird. Die Dimension von k ist $1 \times \text{Mol}^{-1} \times \text{min}^{-1}$, die der spezifischen Aktivität $\dfrac{k \times \text{ml}}{\text{mg} \times \text{Protein}} = 1 \times \text{Mol}^{-1} \times \text{min}^{-1} \times \text{mg Protein}^{-1} \times \text{ml}$. k ist der Enzymkonzentration im Bereich von 0,8—5 μg/ml (6,7—42 $\times 10^{-9}$ m bei Mol.-Gew.= 120000) proportional und bleibt nur 1—2 min lang konstant.

Ein Nachteil dieser Methode ist die Umständlichkeit der Auswertung. Beisenherz u. Mitarb.[3] haben die Auswertung des Testes A dadurch vereinfacht, daß sie die Umsatzquote x festlegen. Damit wird der Faktor $\ln \dfrac{b(a-x)}{a(b-x)} = C$ konstant, und k ist nur noch umgekehrt proportional der Reaktionszeit. Sie wählen ihre Aktivitätseinheit so, daß ohne Schwierigkeiten Umrechnung auf die übliche Aktivitätseinheit μMol/min und auf k möglich ist.

$$E'_{\text{PGADH}} = \frac{\Delta \text{o.D.}_{366\,\text{m}\mu} \times 1000}{d \times t} = \frac{0{,}050 \times 1000}{2 \times t};$$

(d in cm, t in sec; o.D.= $\log I_0/I$).

$$\mu\text{M DPNH/min} = \frac{E'_{\text{PGADH}} \times 60}{1000 \times 3{,}4} = E'_{\text{PGADH}} \times 0{,}01765.$$

$$k = E'_{\text{PGADH}} \frac{60 \times C \times d}{\Delta \text{o.D.}_{366\,\text{m}\mu} \times 1000 \times (a-b)}$$

$$= E'_{\text{PGADH}} \frac{60 \times 0{,}047 \times 2}{50 \times 1{,}5 \times 10^{-4}} = E'_{\text{PGADH}} \times 750;$$

($a = 2{,}5 \times 10^{-4}$ m PGA; $b = 10^{-4}$ m DPN$^+$; $x = 7{,}36 \times 10^{-6}$ m DPNH).

Der bleibende Nachteil der Methode ist, daß sie bei vergleichender Aktivitätsmessung keine Variationen der Reaktionsbedingungen zuläßt.

Im *Test B*, nach Velick[4], wird mit Glycerinaldehyd als Substrat und mit Enzymkonzentrationen gearbeitet, die nur 2 Größenordnungen unter der Substratkonzentration liegen. Freies DPN$^+$ braucht nicht zugesetzt zu werden, da das „native" Muskelenzym mit seinen beiden gebundenen Co-Enzymgruppen (s. S. 584) gesättigt ist. Die Reaktionsgeschwindigkeit ist nur von der Glycerinaldehydkonzentration abhängig und also 1. Ordnung. Ein Nachteil dieser Methode ist die wegen der hohen Enzymkonzentration relativ hohe Blindabsorption bei 340 mμ (s. S. 586). Es sei bemerkt, daß die Enzymkonzentration in Test B derjenigen im Muskelgewebe vergleichbar ist.

Der Rücktest, nach Delbrück, Zebe und Bücher[5]. Bei Rohpräparaten können Test A und B nicht zur Aktivitätsbestimmung der PGADH verwendet werden. Durch Triosephosphat-Isomerase, deren Wechselzahl etwa 1000mal größer ist als die der PGADH, werden 95% des PGA in Dihydroxyacetonphosphat verwandelt $\left(K = \dfrac{[\text{D-PGA}]}{[\text{DHAP}]} = 0{,}042\right)$. Die α-Glycerophosphat-Dehydrogenase reoxydiert das bei der PGA-Oxydation entstandene DPNH. Hier ist der Rücktest angebracht, d.h. die Bestimmung der Reduktion von 1,3-Diphosphoglycerinsäure, die mit Hilfe der 3-Phosphoglycerinsäure-Kinase und

---

[1] Cori, G. T., M. W. Slein and C. F. Cori: J. biol. Ch. **173**, 605 (1948).
[2] Warburg, O., u. W. Christian: B. Z. **303**, 40 (1939).
[3] Beisenherz, G., H. J. Boltze, T. Bücher, R. Czok, K.-H. Garbade, E. Meyer-Arendt u. G. Pfleiderer: Z. Naturforsch. 8b, 555 (1953).
[4] Velick, S. F., J. E. Hayes jr. and J. Harting: J. biol. Ch. **203**, 527 (1953).
[5] Delbrück, A., E. Zebe u. T. Bücher: B. Z. **331**, 273 (1959).

ATP im Reaktionsgemisch aus 3-Phosphoglycerinsäure gebildet wird. Die unten angeführten Reaktionsbedingungen liefern 3—4fach höhere Aktivitäten als der Test nach BEISENHERZ u. Mitarb.[1] (s. auch S. 579).

Ausführung der Aktivitätsbestimmung: Test A.

Reagentien:

1. 3-Phosphoglycerinaldehyd: 21,6 mg Dioxan-Additionsprodukt des dimeren D,L-Glycerinaldehyd-1-bromid-3-phosphats (nach BAER[2]; BAER und FISCHER[3]) werden in 1,5 ml H_2O gelöst, mit 2 n NaOH auf p_H 7,0 eingestellt und auf 2,0 ml verdünnt. Das Bromid hydrolysiert sehr schnell, und weder das Bromid-Ion noch Dioxan stören. Die Lösung ist etwa 0,01 m in bezug auf D-Phosphoglycerinaldehyd und kann ohne wesentliche Zersetzung mehrere Tage bei Tiefkühlung aufbewahrt werden. Die Konzentration an D-Phosphoglycerinaldehyd wird enzymatisch mit einem Überschuß an DPN^+ und begrenzenden Mengen Substrat in Gegenwart von Arsenat und genügend hoher Enzymkonzentration bestimmt. Kurz vor Gebrauch wird die Lösung mit Pyrophosphatpuffer auf 0,0075 m D-Verbindung verdünnt.
2. 0,003 m DPN^+, der DPN^+-Gehalt wird mit einem Überschuß an PGA ebenfalls enzymatisch kontrolliert.
3. 0,03 m Natriumpyrophosphatpuffer, mit HCl auf p_H 8,4 eingestellt.
4. 0,004 m Cysteinlösung, kurz vor Gebrauch in 0,03 m Pyrophosphat (p_H 8,4) hergestellt.
5. Enzym: Die aus der Suspension in Ammoniumsulfatlösung in hochtouriger Zentrifuge abgetrennten Kristalle werden nach Abpressen der Flüssigkeit in kalter 0,03 m Pyrophosphatlösung gelöst. Die Proteinkonzentration wird in einer verdünnten Probe spektrophotometrisch bei 276 mμ bestimmt. Die Ausgangslösung wird im Eisbad mit Cystein-Pyrophosphatlösung auf 120 μg Protein/ml verdünnt. Sie muß sobald wie möglich verbraucht werden.
6. 0,4 m Dinatriumarsenat.

Ansatz A. Endkonzentrationen: 0,03 m Pyrophosphat (p_H 8,4), 0,0035 m Cystein, 10^{-4} m DPN^+, 0,013 m Arsenat, 4 μg Enzym/ml (3,43 $\times 10^{-8}$ m bei Mol.-Gew. 120000) + 2,5 $\times 10^{-4}$ m 3-Phospho-D-glycerinaldehyd.

2,6 ml Lösung 4 werden mit je 0,1 ml Lösung 2, 6 und 5 in der Quarzzelle des Spektrophotometers vermischt und zur Aktivierung des Enzyms 7 min bei Raumtemperatur (24° C) präinkubiert. Nachdem die Blindextinktion bei 340 mμ abgelesen ist, wird schnell mit 0,1 ml verdünnter Lösung 1 vermischt und die Zunahme der Extinktion bei 340 mμ und 1 cm Schichtdicke bis zu 2 min Reaktionszeit alle 20 sec abgelesen. Die Kontrolle enthält kein Enzym.

BEISENHERZ u. Mitarb.[1] stoppen die Zeit, die bis zur Extinktionszunahme von 0,050 bei 366 mμ und 2 cm Schichtdicke vergeht. Sie benutzen an Stelle von Pyrophosphat 0,02 m Triäthanolamin (p_H 8,7) als Puffer. Die Substratkonzentration war 2,3 $\times 10^{-4}$ m an Stelle von 2,5 $\times 10^{-4}$ m.

Ausführung der Aktivitätsbestimmung: Test B. 0,05 m Arsenat (p_H 7,6), 0,003 m Cystein und 2—4 mg Enzym/ml (1,7—3,4 $\times 10^{-5}$ m bei Annahme eines Mol.-Gew. von 120000) werden zur Aktivierung des Enzyms 1 Std bei 0° C inkubiert und auf Zimmertemperatur gebracht. Es wird die Blindextinktion bei 340 mμ gemessen und 0,002 m D-Glycerinaldehyd (als D,L-Verbindung) zugegeben. Die Zunahme der Extinktion bei 340 mμ und 1 cm Schichtdicke von der 15. bis zur 30. sec nach Versuchsbeginn dient als Grundlage der Errechnung der spezifischen Aktivität bzw. der Umsatzzahl.

---

[1] BEISENHERZ, G., H. J. BOLTZE, T. BÜCHER, R. CZOK, K.-H. GARBADE, E. MEYER-ARENDT u. G. PFLEIDERER: Z. Naturforsch. 8b, 555 (1953).
[2] BAER, E.: Biochem. Prep. 1, 50 (1949).
[3] BAER, E., and H. O. L. FISCHER: J. biol. Ch. 150, 223 (1943).

Ausführung des Rücktestes. Die Reaktionsmischung enthält 0,05 m Triäthanolamin (p$_H$ 7,6), 0,005 m ÄDTE, 1,5 ×10^{-4} m DPNH, 0,007 m 3-Phosphoglycerinsäure, 3,5 × 10^{-4} m ATP, 0,0033 m Mg^{++}, 0,0012 m Glutathion, 120 µg 3-Phosphoglycerinsäure-Kinase (3,52 µM ×min^{-1}×ml^{-1} = 200 E/ml) und PGADH. Man stoppt die Zeit, die bis zur Extinktionsabnahme von 0,100/cm Schichtdicke bei 366 mµ vergeht. DELBRÜCK, ZEBE und BÜCHER[1] definieren die Enzymeinheit mit $E_{PGADH} = \frac{0{,}100 \text{ o.D.} \times 1000}{100 \text{ sec}}$ entsprechend einem Umsatz von 0,01765 µM DPNH × min^{-1}.

B. Die 3-Phosphoglycerinaldehyd-Dehydrogenase der Hefe.

Die Triosephosphat-Dehydrogenase der Hefe wurde als erstes Enzym dieser Art von WARBURG und CHRISTIAN[2] kristallin in hochgereinigter Form erhalten. Sie unterscheidet sich vom Muskelenzym in erster Linie dadurch, daß sie ohne DPN$^+$ auskristallisiert. Trotzdem gleicht sie in ihren enzymchemischen wie in ihren physikalischen Eigenschaften dem Muskelenzym sehr weitgehend (s. Tabelle 25).

Tabelle 25. *Vergleich der Eigenschaften von kristalliner Triosephosphat-Dehydrogenase aus Hefe und Kaninchenmuskel* (nach VELICK und UDENFRIEND[3]).

Enzymeigenschaften	Hefe	Kaninchen
Aminoendgruppe	Valin	Valin
Carboxylendgruppe*	—	—
Aminosäuregehalt	kleine Unterschiede	kleine Unterschiede
Molekulargewicht	120 000	120 000
Essentielle SH-Gruppen	2	2 bzw. 3
DPN-Bindungskapazität	2	2 bzw. 3
Scheinbare Dissoziationskonstante des DPN$^+$-Enzymkomplexes	10^{-6} m	10^{-7} m
Antigene Wirkung beim Hühnchen	+ (nach [4])	+ (nach [5])
DPN$^+$, K_M	4,4 × 10^{-5} m	3,9 × 10^{-5} m
PGA, K_M	1,6 × 10^{-4} m	4,0 × 10^{-5} m
Isoelektrischer Bereich	p$_H$ 4—7	p$_H$ 5,5—8,5
Stabilität	stabil in Lösung bei 26° C, p$_H$ 5	sehr unstabil in Lösung bei 26° C, p$_H$ 5
Kristallisation aus Ammoniumsulfatlösung	bei p$_H$ 4,5—8,5, frei von DPN	am besten bei p$_H$ 8,5, nur als DPN-Komplex
p$_H$-Optimum	8,3—8,5	8,6—9,0

Abkürzungen: PGA = 3-Phosphoglycerinaldehyd. * beim nativen Enzym.

Die PGADH macht mindestens 5% des Gesamtproteins der Hefe und etwa 20% des extrahierbaren Proteins aus[6,7].

Darstellung[6,8,9]. Die ursprünglich von WARBURG[2] angewandte Methode der Isolierung beruht auf Fraktionierung des sog. LEBEDEW-Saftes mit Aceton und fraktionierter Fällung mit Nucleinsäure bei verschiedenen p$_H$-Werten. Nachdem KREBS u. Mitarb.[6] gefunden hatten, daß das kristalline Hefe-Protein II von KUNITZ und MCDONALD[9] mit der WARBURGschen Hefe-Triosephosphat-Dehydrogenase identisch ist[3], wird heute meist die einfachere, von KREBS u. Mitarb.[6] modifizierte Isolierungsmethode dieser Forscher angewendet.

---

[1] DELBRÜCK, A., E. ZEBE u. T. BÜCHER: B. Z. **331**, 273 (1959).
[2] WARBURG, O., u. W. CHRISTIAN: B. Z. **303**, 40 (1939).
[3] VELICK, S. F., and S. UDENFRIEND: J. biol. Ch. **203**, 575 (1953).
[4] KREBS, E. G., and V. A. NAJJAR: J. exp. Med. **88**, 569 (1948). — KREBS, E. G., and R. R. WRIGHT: J. biol. Ch. **192**, 555 (1951).
[5] ELÖDI, P.: Acta physiol. hung. **13**, 219 (1958): mit 600 mg Enzym pro Tier.
[6] KREBS, E. G., G. W. RAFTER and J. MCBROOM JUNGE: J. biol. Ch. **200**, 479 (1953).
[7] RAFTER, G. W., and E. G. KREBS: Arch. Biochem. **29**, 233 (1950).
[8] KREBS, E. G.; in: Colowick-Kaplan, Meth. Enzymol. Bd. I, S. 407.
[9] KUNITZ, M., and M. R. MCDONALD: J. gen. Physiol. **29**, 143, 393 (1946).

4,5 kg frische stärkefreie Bäckerhefe werden mit 2,4 l Toluol 60—90 min bei 45° C gehalten, bis die Zellen sich aufgelöst haben. Nach 3 Std bei 25° C wird auf 10° C abgekühlt und mit 4,8 l destilliertem Wasser versetzt. Nach 16 Std bei 3° C wird die wäßrige Schicht mit Hilfe eines Siphons abgetrennt und nach Zusatz von 100 g Hyflo-Super-Cel[1] pro l abgesaugt. Alle folgenden Schritte werden bei 3° C durchgeführt. Der bei 0,5 Sättigung mit Ammoniumsulfat auftretende Niederschlag wird mit je 10 g des Filtrationshilfsmittels pro Liter abgesaugt und verworfen. Nach Erhöhung der Ammoniumsulfat-Konzentration auf 0,7 Sättigung und 10—15 Std langem Stehen wird der aktive Niederschlag (etwa 300 g) ohne Hyflo-Super-Cel abgesaugt, in 300 ml H_2O gelöst und allmählich bei p_H 8,2 (4% NH_4OH) mit etwa 200 ml gesättigter Ammoniumsulfatlösung bis zur ersten erkennbaren Trübung versetzt. Die Kristallisation beginnt innerhalb von 10—15 min und ist in 2—3 Tagen vollständig. Die bei 20000 U/min abgetrennten Kristalle müssen bis zur maximalen spezifischen Aktivität (s. S. 628) 2- oder 3mal umkristallisiert werden.

Einheitlichkeit. Das Präparat von KREBS u. Mitarb.[2] wandert bei p_H 7,25 in Phosphatpuffer der Ionenstärke 0,1 mit einer Beweglichkeit von $-4,0 \times 10^{-5} \times cm^2 \times V^{-1} \times sec^{-1}$ und ist mit dem WARBURGschen Präparat identisch. Es verhält sich im p_H-Bereich 5,8—7,3 auch bei Variation von μ einheitlich. Nur bei niedriger Ionenstärke ($\mu = 0,02$) und p_H 7,25 sowie in Barbitursäurepuffer ($\mu = 0,1$, p_H 8,5) erscheinen 2 Komponenten. In der Ultrazentrifuge, dem Löslichkeitstest nach und immunologisch ist es homogen.

KREBS[3] gelang es, bei Anwendung der fraktionierten Fällung mit Nucleinsäuren und getrennter Aufarbeitung der Niederschläge bei p_H 5,2, 4,8, 4,6 und 4,5 elektrophoretisch bei p_H 7,25 in Phosphat ($\mu = 0,1$) vier verschiedene Komponenten der Hefe-PGADH mit den Beweglichkeiten $-4,1$, $-3,3$, $-2,5$ und $-1,8 \times 10^{-5} \times cm^2 \times V^{-1} \times sec^{-1}$ nachzuweisen. Sie besitzen gleiche spezifische Aktivität und Sedimentationsgeschwindigkeit und sind immunologisch identisch. Das WARBURGsche Präparat enthält etwa 90% der am schnellsten wandernden Komponenten. Die Ursache der elektrophoretischen Heterogenität ist nicht bekannt. Sie kommt auch bei anderen Enzymen, wie z.B. Lactat-Dehydrogenase, vor.

Die isoelektrische Region des Hefe-Enzyms liegt in Phosphatpuffer von 0,02—0,20 Ionenstärke einige p_H-Einheiten tiefer als beim Muskelenzym und kann mit Phosphatpuffer nicht erreicht werden[4]. Das Hefe-Enzym bindet Phosphat also noch stärker als das Muskelenzym. Es ist, wie vermutlich auch das Muskelenzym, isoelektrisch nicht zu fällen.

Andere physikalische Eigenschaften. Das Molekulargewicht der PGADH der Hefe beträgt nach TAYLOR und LOWRY[5] 120000. Das DPN^+-freie Enzym hat, wie das Muskel-Apo-Enzym, den Extinktionsquotienten $E_{280 m\mu}/E_{260 m\mu} = 1,9^6$, doch scheint das DPN^+ in manchen Fällen durch Umkristallisieren allein nicht ohne weiteres entfernt zu werden[7]. Bei Zusatz von DPN^+ entsteht eine Absorptionsbande im Bereich von 300—450 $m\mu$[8], die bei Zusatz von 3-Acetylpyridin-adenin-dinucleotid ähnlich ansteigt wie beim 3-Acetylpyridin-AD^+-Komplex des Muskelenzyms (s. Muskel-Enzym Tabelle 11, S. 587, und Abb. 4, S. 588).

Die Aminosäurezusammensetzung. Die Aminosäurezusammensetzung des Enzyms ist von VELICK und UDENFRIEND[9] untersucht worden (Tabelle 26). Sie ist der des Muskelenzyms ähnlich (Tabelle 6, s. S. 581). Da die Aminosäureanalysen keine strengere

---

[1] Johns-Manville, Sales Corporation, Celite Devision, San Francisco, California.
[2] KREBS, E. G., G. W. RAFTER and J. McBROOM JUNGE: J. biol. Ch. **200**, 479 (1953).
[3] KREBS, E. G.: J. biol. Ch. **200**, 471 (1953).
[4] VELICK, S. F., and J. E. HAYES jr.: J. biol. Ch. **203**, 545 (1953).
[5] TAYLOR, J. F., and C. LOWRY: Biochim. biophys. Acta **20**, 109 (1956).
[6] KREBS, E. G.; in: Colowick-Kaplan, Meth. Enzymol. Bd. I, S. 407.
[7] STOCKELL, A.: J. biol. Ch. **234**, 1286 (1959).
[8] CHANCE, B.; in: McElroy-Glass, The Mechanism of Enzyme Action. S. 436. Baltimore 1954. — KAPLAN, N. O., M. M. CIOTTI and F. E. STOLZENBACH: Arch. Biochem. **69**, 441 (1957).
[9] VELICK, S. F., and S. UDENFRIEND: J. biol. Ch. **203**, 575 (1953).

Genauigkeit als $\pm 3\%$ besitzen, können Unterschiede von 6—8% noch nicht als signifikant gelten. Wie beim Muskelenzym, so wurde auch beim nativen Hefe-Enzym mit Carboxypeptidase kein freies Carboxylende gefunden. Erst nach Entfaltung in 6 m Harnstoff wurde Methionin abgespalten. Das Enzym besteht anscheinend aus zwei Peptidketten mit gleichen Endgruppen[1]. Bei der Partialhydrolyse eines Gemisches des ^{35}S-Pipsylderivats* des Hefe-Enzyms und des ^{131}J-Pipsylderivats des Muskelenzyms ergab sich, daß in beiden Enzymen gleiche Aminosäuresequenzen vorkommen[2].

Tabelle 26. *Aminosäurezusammensetzung der 3-Phosphoglycerinaldehyd-Dehydrogenase aus Hefe* (nach VELICK, S. F., and S. UDENFRIEND [2]).

Präparate nach WARBURG u. CHRISTIAN[3] und KREBS u. Mitarb.[4] wurden sechsmal umkristallisiert und einige Tage bei 4° C gegen destilliertes Wasser dialysiert.

Hydrolysebedingungen und Trocknen s. Muskelenzym, Tabelle 6, S. 581.

Aminosäure	g/100 g Trockengewicht	Anzahl pro 120000 g Protein	Methode	Aminosäure	g/100 g Trockengewicht	Anzahl pro 120000 g Protein	Methode
Glycin	4,9	78,4	I.V.	Lysin	10,7	87,8	mikrobiol.
Alanin	7,3	98,4	I.V.	Prolin	3,8	39,6	I.V.
Valin	10,3	105,6	I.V.	Phenylalanin	4,9	35,6	I.V.
Methionin	2,8	22,5	mikrobiol.	Tyrosin	5,2	34,5	photometrisch
Serin	4,7	53,6	I.V.	Tryptophan	2,2	12,9	photometrisch
Threonin	6,0	60,4	I.V.	Asparaginsäure	9,9	89,2	I.V.
Arginin	6,0	41,3	mikrobiol.	Glutaminsäure	4,3	35,0	I.V.
Histidin	3,5	27,1	mikrobiol.				

Bei Serin und Threonin ist die Zersetzung bei der Hydrolyse nicht berücksichtigt worden. I.V. = Isotopenverdünnungsmethode; mikrobiologische Bestimmung von Methionin, Arginin, Histidin und Lysin mit Hilfe von *Leuconostoc mesenterioides*.

Die Bindung von DPN$^+$. In Gegenwart von 4 Äquivalenten DPN$^+$ pro Mol PGADH fand VELICK[5] im Sedimentationsversuch die Bindung von 2 M DPN$^+$/Mol Enzym. Dieser Wert wurde von STOCKELL[6] bestätigt. Sie führte spektrophotometrische Titrationen des Hefe-Enzyms mit DPN$^+$ im Doppelstrahlphotometer bei 405 bzw. 425 mμ minus 500 mμ[7] in verschiedenen Puffern durch und fand beim Auftragen des Quotienten [DPN$^+$]$_{total}$/[gebundenes Enzym] gegen 1/[Enzym$_{frei}$] zwischen pH 4,85 und 8,40 bei 26° C und bei pH 7,55 und 10,85 bei 7° C konvergente Gerade, die die Ordinate bei 2 schneiden. Die Assoziation von Apo- und Co-Enzym gehorcht der KLOTZschen Gleichung für die Bindung von Ionen durch Proteine[8]:

$$\frac{1}{r} = \frac{1}{n \times k \times A} + \frac{1}{n};$$

$$r = \frac{[\text{DPN}^+_{\text{gebunden}}]}{[\text{Total-Enzym}]}; \quad A = [\text{DPN}^+_{\text{frei}}]; \quad k = \frac{1}{K'_{\text{DPN}^+}};$$

$$K'_{\text{DPN}^+} = \frac{[\text{DPN}^+_{\text{frei}}] \cdot [\text{Bindungsorte}_{\text{frei}}]}{[\text{Bindungsorte}_{\text{besetzt}}]}$$

$$\frac{[\text{DPN}^+_{\text{total}}]}{[\text{Enzym}_{\text{besetzt}}]} = \frac{K'_{\text{DPN}^+}}{[\text{Enzym}_{\text{frei}}]} + n$$

(n = Anzahl Bindungsorte pro Mol Enzym).

---

* Pipsyl = p-Jodbenzolsulfonyl-.

[1] HALSEY, Y. D., and H. NEURATH: J. biol. Ch. **217**, 247 (1955).
[2] VELICK, S. F., and S. UDENFRIEND: J. biol. Ch. **203**, 575 (1953).
[3] WARBURG, O., u. W. CHRISTIAN: B. Z. **303**, 40 (1939).
[4] KREBS, E. G., G. W. RAFTER and J. McBROOM JUNGE, J. biol. Ch. **200**, 479 (1953).
[5] VELICK, S. F.: J. biol. Ch. **203**, 563 (1953).
[6] STOCKELL, A.: J. biol. Ch. **234**, 1286 (1959).
[7] CHANCE, B.; in: McElroy-Glass, The Mechanism of Enzyme Action, S. 442. Baltimore 1954.
[8] KLOTZ, I. M.: Arch. Biochem. **9**, 109 (1946).

Im Gegensatz zu den Sedimentationsversuchen von VELICK[1], die bei p_H 7,6 und 0° C eine Abnahme von K'_{DPN^+} von $1,7 \times 10^{-5}$ auf $1,9 \times 10^{-6}$ m bei Bindung von $^1/_2$—2 M DPN$^+$/Mol Enzym ergaben, sprechen die Ergebnisse von STOCKELL für die energetische Gleichwertigkeit der beiden Bindungsorte des DPN$^+$. In 0,1 m Pyrophosphat wurde bei p_H 7,55 und 7° C zwischen 20 und 94% Sättigung des Enzyms mit DPN$^+$ eine Dissoziationskonstante von 6×10^{-6} m gefunden. K'_{DPN^+} war zwischen 7 und 22×10^{-6} m von der Enzymkonzentration unabhängig. Möglicherweise rührt die Diskrepanz der Resultate beider Autoren daher, daß STOCKELL im Gegensatz zu VELICK bei der Isolierung des Enzyms (und beim Test) ÄDTE verwendete.

K'_{DPN^+} zeigt eine starke p_H-Abhängigkeit; bei p_H 5,5—7,0 beträgt das Minimum 7,8 bzw. $4,5 \times 10^{-6}$ m bei 26 bzw. 7° C. Aus der Maximalaffinität errechnet sich die Dissoziationsenergie zu 7,0 kcal/Mol bei 26° C bzw. 6,9 kcal/Mol bei 7° C. Zwischen p_H 10,0 und 11,0 (7° C) nimmt die Affinität des DPN$^+$ zum Enzym wieder erheblich zu.

Wie beim Muskelenzym, so wird auch beim Hefe-Enzym das Co-Enzym durch p-Chlormercuribenzoat verdrängt. Im Sedimentationsversuch wird bei p_H 7,6 in 0,05 m Arsenat in Gegenwart von 4 Äquivalenten DPN$^+$ und 2,6 Äquivalenten des Inhibitors vom Enzym kein DPN$^+$ gebunden. Der Inhibitor-Enzym-Komplex kann im Gegensatz zu dem des Muskelenzyms kristallin erhalten und leicht umkristallisiert werden.

Auch DPN$^+$-Analoge werden durch das Enzym gebunden, wie Tabelle 27 zeigt. Ihre Affinität zum Enzymprotein verhält sich mit Ausnahme des Pyridin-3-aldehyd-AD$^+$ gleichsinnig zur Co-Enzym-Aktivität.

Tabelle 27. *Vergleich von Dissoziationskonstanten und enzymatischer Aktivität bei Komplexen der PGADH der Hefe mit DPN$^+$-Analogen* (nach STOCKELL[2]).
Reaktionsbedingungen: 0,1 m PP, 0,0057 m Arsenat, 0,005 m Cystein, 0,005 m ÄDTE, 0,004 m Glycerinaldehyd, 10^{-4} m Co-Enzym, 26° C, p_H 7,45—7,70.
Die Dissoziationskonstanten wurden beim p_H-Optimum der Affinität von DPN$^+$ zum Apo-Enzym spektrophotometrisch bestimmt.

Co-Enzym	p_H	Puffer (0,1 m)	K' (m × 10⁴)	p_H	Relative Geschwindigkeit der Oxydation
DPN$^+$	6,50	ÄDTE	0,078	7,70	100
Pyridin-3-aldehyd-AD$^+$	6,50	ÄDTE	0,13	7,45	0
DPNH	6,50	ÄDTE	0,89		
Desamino-DPN$^+$	6,45	ÄDTE	1,3	7,55	8,3
3-Acetylpyridin-AD$^+$	6,45	ÄDTE	2,6	7,60	8,7
3-Acetylpyridin-AD$^+$	6,40	Phosphat	3,3		
Desamino-3-acetylpyridin-AD$^+$	6,40	Phosphat	48	7,45	1,7

Abkürzungen: ÄDTE = Äthylendiamintetraessigsäure; PP = Pyrophosphat; AD$^+$ = Adenin-dinucleotid.

SH-Gruppen. Beim Hefe-Enzym ist der Cysteingehalt nicht bekannt. Es besitzt offenbar weniger SH-Gruppen als das Muskelenzym, wie aus Tabelle 28 hervorgeht. Bei p_H 4,0 konnten keine SH-Bestimmungen durchgeführt werden, weil das Enzym dabei denaturiert wird. Obgleich Acetaldehyd von der Hefe-PGADH nicht umgesetzt wird, berichten KOEPPE u. Mitarb.[3] über die Herabsetzung der mit p-Chlormercuribenzoat erfaßbaren Zahl der SH-Gruppen nach Behandlung mit Acetylphosphat in Gegenwart katalytischer Mengen DPN$^+$.

Effektoren. Die Effektoren des Hefe-Enzyms sind die gleichen wie die des Muskelenzyms, doch ist das erste im allgemeinen weniger empfindlich.

Das von WARBURG und CHRISTIAN isolierte Hefe-Enzym besaß eine hohe spezifische Aktivität ohne Aktivierung mit Cystein. Bei dem nach der Vorschrift von KREBS u. Mitarb.

---
[1] VELICK, S. F.: J. biol. Ch. **203**, 563 (1953).
[2] STOCKELL, A.: J. biol. Ch. **234**, 1293 (1959).
[3] KOEPPE, O. J., P. D. BOYER and M. P. STULBERG: J. biol. Ch. **219**, 569 (1956).

Tabelle 28. *SH-Gruppengehalt der 3-Phosphoglycerinaldehyd-Dehydrogenase der Hefe.*

Präparat	Methode	Anzahl SH-Gruppen je 120000 g Protein	Literatur
1. Präparat nach Krebs (durch Cystein 20% Aktivitätszunahme)	Einwirkung von Methylmercuribromid bei p_H 6,7 oder 7,9; Rücktitration des überschüssigen Reagens nach Extraktion mit Toluol mit Hilfe von Dithizon	4,0	1
2. Nach Denaturierung mit Guanidinhydrobromid	desgl.	6,5	1
3. Nach Einwirkung von 4 Äq p-CMB und Fällung mit AS	desgl.	2,1	1
4. Präparat nach Krebs, mit etwa 0,3 M DPN+ pro Mol Enzym	spektrophotometrisch mit p-CMB in 0,033 m P, p_H 7, nach Nr. III Tabelle 14	4,1	2
5. desgl.	spektrometrisch mit p-CMB in 0,017 m PP, p_H 9,5, nach Nr. III Tabelle 14	7,1	2
6. Präparat nach Krebs [4]	s. Muskelenzym Tabelle 14, Nr. VI	Reaktion mit 6 M o-Jodosobenzoat	3

Abkürzungen: AS = Ammoniumsulfat; p-CMB = p-Chlormercuribenzoat; P = Phosphat; PP = Pyrophosphat.

isolierten Enzym werden beim frischen Enzym 10%, später 20—30% Aktivitätszunahme durch Cystein beobachtet[5]. Auch zur Stabilisierung des Hefe-Enzyms wird ÄDTE verwendet.

Pyridin-3-aldehyd-adenin-dinucleotid+ ist für das Hefe-Enzym ein ähnlich starker Inhibitor wie für das Muskelenzym[6]. $K_I = 1,3 \times 10^{-5}$ m in 0,1 m ÄDTE bei p_H 6,5 und 26° C[7]. Ähnliches gilt für das Substrat-Analoge 2,4-Diphosphothreose[8].

In 0,1 m Arsenat (p_H 7,6) wird die Oxydation von 0,004 m GA durch $3,36 \times 10^{-5}$ m p-Chlormercuribenzoat zu 100% gehemmt. Die Hemmung kann noch nach 4 min durch 0,003 m Cystein vollständig aufgehoben werden[5]. Die Aktivität mit PGA als Substrat wird bei Zugabe von 2 Äquivalenten p-Chlormercuribenzoat bei p_H 6,7 oder 7,9 um 98% vermindert. Dagegen hemmen 2 Äquivalente Methylmercurinitrat nur zu 25% und erst 4 Äquivalente zu 100%[1].

Nach Vallee u. Mitarb.[9] wird die PGADH des Muskels und der Hefe durch o-Phenanthrolin, Diäthyldithiocarbamat und 8-Hydroxychinolin signifikant gehemmt. Sie wiesen bereits emissionsspektroskopisch Zink im Enzymprotein nach. Keleti u. Mitarb.[10] fanden vor kurzem mit Hilfe der Aktivierungsanalyse nach Boyd[11] sowohl im Hefe- als auch im Muskelenzym 2 Atome fest gebundenes Zink pro 120000 g Protein. Die 100%ige Hemmung des Schweinemuskelenzyms in 0,01 m o-Phenanthrolin wurde noch nach mehreren Stunden durch 30faches Verdünnen aufgehoben.

Im Vergleich zum Muskelenzym ist das Hefe-Enzym weniger empfindlich gegen Jodessigsäure (s. Tabelle 29), aber immer noch stärker als jedes andere Ferment der alkoholischen Gärung. Die Schutzwirkung des PGA reichte nicht aus, um den in 10fach höherer Konzentration vorliegenden Inhibitor zu inaktivieren.

[1] Halsey, Y. D.: J. biol. Ch. 214, 589 (1955).
[2] Stockell, A.: J. biol. Ch. 234, 1286 (1959).
[3] Rafter, G. W.: Arch. Biochem. 67, 267 (1957).
[4] Krebs E. G., G. W. Rafter and J. McBroom Junge: J. biol. Ch. 200, 479 (1953).
[5] Velick, S. F.: J. biol. Ch. 203, 563 (1953).
[6] Kaplan, N. O., M. M. Ciotti and F. E. Stolzenbach: Arch. Biochem. 69, 441 (1957).
[7] Stockell, A.: J. biol. Ch. 234, 1293 (1959).
[8] Racker, E., V. Klybas and M. Schramm: J. biol. Ch. 234, 2510 (1959).
[9] Vallee, B. L., F. L. Hoch, S. J. Adelstein and W. E. C. Wacker: Am. Soc. 78, 5879 (1956).
[10] Keleti, T., S. Györgyi, M. Telegdi and H. Zaluska: Acta physiol. hung. 22, 11 (1962).
[11] Boyd, G. E.: Analyt. Chem., Washington 21, 335 (1949).

Jodessigsäure hemmt die PGADH auch in lebenden Hefezellen[1]. Da die Schutzwirkung des 3-Phosphoglycerinaldehyds seiner Konzentration proportional geht, konnte gezeigt werden, daß mit Glucose aerob inkubierte Hefezellen infolge des PASTEUR-Effekts eine höhere stationäre PGA-Konzentration aufweisen als anaerob inkubierte. Im Zellsaft ergaben sich aerob 4×10^{-5}, anaerob 3×10^{-5} M/Liter.

Tabelle 29. *Vergleich der Hemmung durch Jodessigsäure und der Schutzwirkung von 3-Phosphoglycerinaldehyd bei Triosephosphat-Dehydrogenase aus Muskel und Hefe* (nach HOLZER u. HOLZER[2]).

Test (Endkonzentrationen): 0,039 m Pyrophosphat [$2,6 \times 10^{-4}$ m PGA], [$2,6 \times 10^{-4}$ m bzw. $3,6 \times 10^{-3}$ m Jodessigsäure], 33,8 µg Muskel-PGADH/ml bzw. 16,6 µg Hefe-PGADH/ml ($2,8 \times 10^{-7}$ bzw. $1,4 \times 10^{-7}$ m), 14° C; Start mit 0,0078 m Arsenat (pH 8,7) + $1,95 \times 10^{-4}$ m DPN+ [+ $2,6 \times 10^{-4}$ m PGA].

Ansatz	I	II	III	IV	V	VI
Präinkubation mit 3×10^{-4} m DL-PGA	+	—	—	+	—	—
130 µg Kaninchen-Enzym	+	+	+	—	—	—
64 µg Hefe-Enzym	—	—	—	+	+	+
2 min Einwirkung von 3×10^{-4} m JE	+	+	—	—	—	—
2 min Einwirkung von $4,2 \times 10^{-3}$ m JE	—	—	—	+	+	—
$\Delta E_{366\,m\mu}$ 20.—80. sec	0,051	0,024	0,083	0,031	0,021	0,102
Umsatz	61,5%	29%	100%	30,4%	20,6%	100%
Hemmung	38,5%	71%		69,6%	79,4%	

[Die Ansätze enthielten etwa 0,04 m $(NH_4)_2SO_4$, da das Enzym als Suspension in 0,67-gesättigter AS-Lösung zugegeben wurde.]

Nebenaktivitäten. Unter ähnlichen Reaktionsbedingungen wie beim Muskelenzym (s. Tabelle 24) hat OESPER[3] auch beim Hefe-Enzym den Austausch zwischen freiem ^{32}Phosphat und der Phosphatgruppe an C (1) der 1,3-Diphosphoglycerinsäure nachgewiesen. In 130 sec wurden bei 25° C und pH 7,0 39% der maximal möglichen Radioaktivität des Substrats erreicht.

Die Arsenolyse von 1,3-Diphosphoglycerinsäure wurde vom gleichen Autor untersucht: Unter den in Tabelle 30 angegebenen Bedingungen wurden in 1 min 4,34 µM Acylphosphat pro mg Protein gespalten (Versuch 3).

Tabelle 30. *Die Arsenolyse von 1,3-Diphosphoglycerinsäure durch die Triosephosphat-Dehydrogenase der Hefe* (nach OESPER[3]).

Reaktionsbedingungen: 18 µg Hefe-Enzym/ml, 10^{-4} m 1,3-Diphosphoglycerinsäure, 0,03 m Tris (pH 7,0); Bestimmung des restlichen Substrats nach Zusatz von $1,67 \times 10^{-4}$ m DPNH durch Ablesen von Δ o.D. bei 340 mµ. Die Reaktionen sind in 1 min beendet.

Versuch Nr.	Zusätze	µMol oxydiertes DPNH
1.	keine	0,29
2.	0,0025 m Arsenat zusammen mit DPNH	0,16
3.	0,0025 m Arsenat, 75 sec vor DPNH zugesetzt	0,06
4.	$3,3 \times 10^{-4}$ m p-CMB + 0,0025 m Arsenat, 75 sec vor DPNH zugesetzt	0,00
5.	desgl., aber 0,0033 m Cystein nach DPNH zugegeben	0,17
6.	0,0025 m Arsenat mit DPNH, Zugabe von Enzym 225 sec nach Arsenat	0,15

Abkürzung: p-CMB = p-Chlormercuribenzoat.

Der Vergleich von Versuch 5 mit 3 zeigt, daß auch die Arsenolyse durch p-Chlormercuribenzoat gehemmt wird, im anderen Falle müßte der niedrige Wert des Versuches 3

---
[1] HOLZER, H., u. E. HOLZER: H. **292**, 232 (1953).
[2] HOLZER, H., u. E. HOLZER: H. **291**, 67 (1952).
[3] OESPER, P.: J. biol. Ch. **207**, 421 (1954).

erhalten werden. Man hat nach den Resultaten von OESPER zunächst angenommen, daß DPN$^+$ für Phosphataustausch und Arsenolyse als Co-Faktor nicht wichtig sei. Doch enthalten viele PGADH-Präparate aus Hefe 0,2—0,3 M DPN$^+$/Mol Apo-Enzym.

DPNH wird durch das Hefe-Enzym bei p$_H$ 5,2 mit einer Anfangsgeschwindigkeit von 0,0145 μM $\times$ mg Protein^{-1} $\times$ min^{-1} inaktiviert. Die Umsatzzahl beträgt 1,75 M $\times$ Mol Enzym^{-1} $\times$ min^{-1} (Reaktionsbedingungen: 0,1 m Acetat, 0,01 m Pyrophosphat, 0,005 m Cystein, 1,32 $\times$ 10^{-4} m DPNH, 0,72 mg Enzym/ml, p$_H$ 5,2)[1]. Über andere Nebenaktivitäten (s. Muskelenzym) liegen bisher keine Untersuchungen vor.

Bestimmung der Aktivität der PGADH-Reaktion[2]. Der Test wird ähnlich dem Test A beim Muskelenzym durchgeführt (s. S. 621) und ist nicht für Rohpräparate geeignet (50—100% Fehler). Die Reaktionsmischung enthält 0,03 m Pyrophosphat (p$_H$ 8,5), 0,005 m Cystein, 0,006 m Arsenat, 2,5 $\times$ 10^{-4} m DPN$^+$, 2,5 $\times$ 10^{-4} m 3-Phospho-D-glycerinaldehyd und 0,33—2 μg Enzym/ml. Nach 7 min wird der Blindwert der Extinktion bei 340 mμ (25° C) bestimmt, mit Substrat + Arsenat gestartet und Δo.D. alle 30 sec abgelesen. Die Kontrolle enthält kein Enzym und kein DPN$^+$. Zur Berechnung der spezifischen Aktivität wird die bimolekulare Geschwindigkeitskonstante auf die Enzymkonzentration bezogen. Bei gleicher Konzentration der Reaktionspartner vereinfacht sich der Ausdruck für k zu $\frac{1}{t} \times \frac{a_0 - a_t}{a_0 \cdot a_t}$. KREBS u. Mitarb.[3] fanden bei ihren Präparaten bei nur 7,7facher Anreicherung spezifische Aktivitäten bis zu 12 $\times$ 10^5 $\times$ l $\times$ min^{-1} $\times$ Mol^{-1} $\times$ mg Protein^{-1} $\times$ ml. WARBURG fand 8,3 $\times$ 10^5 und eine Wechselzahl von 5400.

Besonders für das Hefe-Enzym scheint es charakteristisch zu sein, daß die Anfangsgeschwindigkeit mit Phosphat an Stelle von Arsenat höher ist. WARBURG fand in einem Ansatz mit 0,033 m Phosphat, 2,74 $\times$ 10^{-4} m DPN$^+$, 0,00483 m 3-Phospho-D-glycerinaldehyd und 0,81 μg Enzym/ml bei p$_H$ 8,45 und 7,4 Wechselzahlen von 34000 bzw. 20000 pro 120000 g Protein. Mit 0,0334 m Glycerinaldehyd, 240 μg Enzym/ml und 0,0033 m Phosphat wurde bei 25° C und p$_H$ 7,5 die Wechselzahl 21,8 festgestellt[4].

Das p$_H$-*Optimum* der Glycerinaldehyd-Oxydation liegt in 0,1 m NH$_3$ bei 8,4 (etwa 50% Aktivität bei p$_H$ 8,0 und 8,8), in 0,05 m Pyrophosphat mit 0,05 m Carbonat bei 8,8 (etwa 50% Aktivität bei p$_H$ 8,2 und 9,2). Die Maximalaktivität beträgt in NH$_3$ 76% derjenigen in Pyrophosphat[5]. Anscheinend setzt das Hefe-Enzym keine einfachen Aldehyde um. Suspendiert in Ammoniumsulfatlösung behält das kristalline Präparat mindestens 3 Monate bei 3° C seine Aktivität im Test mit Cystein. Ohne Cystein wird eine um etwa 20—30% geringere Aktivität gefunden. Die Cystein-Abhängigkeit des Hefe-Enzyms ist also nicht so ausgeprägt wie die des Muskelenzyms nach CORI. Eine 2%ige wäßrige Hefe-Enzym-Lösung hält sich bei 3° C mindestens 2 Tage. Eine 2%ige Lösung des WARBURGschen Präparates konnte bei 0° C 8 Tage lang bis zur Entfernung aller Salze ohne Aktivitätsverlust dialysiert werden[4]. Eine Enzymlösung mit 1,5 mg Protein/ml wurde bei verschiedenen p$_H$-Werten 30 min bei 25° C gehalten. Zwischen p$_H$ 4,5 und 11 trat keine Aktivitätsabnahme ein. Erst bei p$_H$ 4,0 und 12,0 wurde das Enzym inaktiv[5].

C. Triosephosphat-Dehydrogenasen in höheren Pflanzen und Bakterien.

1.2.1.13   D-Glycerinaldehyd-3-phosphat: NADP-Oxydoreductase (phosphorylierend) und andere Enzyme.

1. In höheren Pflanzen hat man *drei verschiedene Typen* Triosephosphat-Dehydrogenasen aufgefunden: DPN$^+$-spezifische PGADH nach Art der „klassischen" PGADH,

---

[1] RAFTER, G. W., S. CHAYKIN and E. G. KREBS: J. biol. Ch. **208**, 799 (1954).
[2] KREBS, E. G.; in: Colowick-Kaplan, Meth. Enzymol. Bd. I, S. 407.
[3] KREBS, E. G., G. W. RAFTER and J. McBROOM JUNGE: J. biol. Ch. **200**, 479 (1953).
[4] WARBURG, O., u. W. CHRISTIAN: B. Z. **303**, 40 (1939).
[5] STOCKELL, A.: J. biol. Ch. **234**, 1286 (1959).

eine phosphatabhängige TPN⁺-spezifische PGADH und ein TPN⁺-spezifisches Enzym, das durch Phosphat und Arsenat gehemmt wird.

Das erste, ein Cytoplasma-Enzym, findet sich in allen Teilen der Pflanze. Es hat etwa die gleiche spezifische Aktivität wie die PGADH aus Muskel und Hefe, konnte aber nicht einheitlich kristallin erhalten werden. Die bisher vorliegenden Präparate der TPN⁺-spezifischen Enzyme zeigen eine 40—200fach niedrigere spezifische Aktivität. Sie kommen nur in grünen Teilen der Pflanzen vor und werden sowohl im Cytoplasma als auch in den Chloroplasten gefunden. Sie können diesen durch Wasser leicht entzogen werden.

Während eines Lebenscyclus der Erbse vom Samen über Keimling, Schößling, reife Pflanze zum neuen Samen verändern sich die Aktivitäten der Triosephosphat-Dehydrogenasen in charakteristischer Weise, wie aus Tabelle 31 zu ersehen ist. Die Entstehung

Tabelle 31. *Aktivität der Triosephosphat-Dehydrogenasen innerhalb des Lebenscyclus der Erbsenpflanze* (nach HAGEMAN und ARNON[1]).

Präparate: Homogenat von 1—2 g Pflanzengewebe in 3 ml 0,1 m Phosphat + 0,03 m ÄDTE (p$_H$ 8,2) wird mit 25 ml Aceton von —50° C gefällt und der Niederschlag mit Aceton gewaschen. Nach Entfernen des Acetons wird 15 min mit 10 ml 0,01 m Phosphat + 0,0015 m ÄDTE (p$_H$ 7,2) extrahiert und der Überstand bei 10000 × g (5 min) auf 1,0 mg Protein/ml verdünnt.

Test: s. Tabelle 32, Nr. IA; Aktivität in μMol/g Frischgewicht pro 5 min.

Quelle	Tage nach dem Beginn der Keimung									
	0		12		15		18		60	
	DPNH	TPNH	DPNH	TPNH	DPNH	TPNH	DPNH	TPNH	DPNH	TPNH
Samen	12,9	0								
Ganzer Keimling			6,5	0,7	4,8	2,2	3,1	2,0		
Samenrest . . .			7,8	1,0	5,1	1,0	2,4	0,5		
Wurzeln			1,4	0,2	2,0	0,3	1,4	0,3	2,0	0,2
Schößling. . . .			7,0	2,0	6,8	6,8	6,0	6,5		
Blätter									8,9	12,0
Neue Samen . .									5,3	0,7

der TPN⁺-Enzyme beginnt etwa am 12. Tage der Keimung und wird durch Licht induziert. In Keimlingen und Schößlingen, die im Dunkeln gewachsen sind, tritt der Anstieg der TPN⁺-Aktivität nicht auf.

Die phosphatabhängige TPN⁺-PGADH bringt man in Zusammenhang mit der während der Photosynthese stattfindenden Reduktion von 3-Phosphoglycerinsäure zu 3-Phosphoglycerinaldehyd, die über 1,3-Diphosphoglycerinsäure führt. Die Reaktion wurde in vitro nachgewiesen. Demgegenüber kennt man beim phosphatunabhängigen Enzym nur die Hinreaktion. Es erscheint nicht ausgeschlossen, daß an Stelle von Phosphat [und Arsenat] andere Acylacceptoren, wie z.B. CoA oder andere SH-Verbindungen, benötigt werden. Auch bei der phosphatabhängigen TPN⁺-PGADH wurden in Abwesenheit von Arsenat (und Phosphat) noch 30—60% der Aktivität mit Arsenat gefunden.

2. Die PGADH des *Alcaligenes faecalis* stellt einen weiteren Typ der Triosephosphat-Dehydrogenasen dar insofern, als sie mit beiden Pyridinnucleotiden reagiert. Das natürliche Co-Enzym ist TPN⁺. Der Mikroorganismus kann Glucose nicht als Nährstoff verwenden, vermag aber aus Acetat Pentosen aufzubauen. Der genaue Ablauf seines Kohlenhydratstoffwechsels ist nicht bekannt.

Tabelle 32 enthält Angaben über Darstellung und Eigenschaften der vier PGADH-Typen.

---

[1] HAGEMAN, R. H., and D. I. ARNON: Arch. Biochem. **57**, 421 (1955).

Tabelle 32. *3-Phosphoglycerinaldehyd-*

Enzymquelle	Co-Enzym*	Substratähnliche, nicht umgesetzte Verbindungen	Co-Faktoren, Aktivatoren, Protektoren	Inhibitoren (Konzentration, die um X % hemmt)	Kinetische und thermodynamische Daten
I. Erbsensamen *(Pisum sativum)*[1] [1.2.1.12]	DPN, nicht TPN		Phosphat oder Arsenat als Acylacceptor	SH-Reagentien, z.B. Jodacetamid (0,001 m, 81%)[2]	
II. Erbsen- oder Spinatblätter[5] [1.2.1.13]	TPN, nicht DPN		Phosphat und Arsenat als Acylacceptoren; Cystein und Glutathion als Reaktivatoren	Jodacetamid (0,002 m, 50%; 0,0033 m, 100%); Cu^{++} und andere Schwermetallionen. Ohne Einfluß: F^-, N_3^-, Indolessigsäure	
III. *Phosphatunabhängige* Triosephosphat-Dehydrogenase aus Zuckerrübenblättern; Vorkommen auch in anderen grünen Blättern, wie z.B. in Spinat[6]	TPN^+, nicht DPN^+	Formaldehyd, Acetaldehyd, Propionaldehyd, Butyraldehyd, D-Ribose, D-Ribose-5-phosphat, Glycerinaldehyd, Glucose, Glyoxal	Cystein hebt die Hemmung durch p-CMB auf	Test B: Phosphat (0,01 m, 15%; 0,03 m, 35%); Arsenat, Sulfat. p-CMB (1,6 × 10^{-6} m, 65%; 9,5 × 10^{-6} m, 95%; ohne Präinkubation, 8,5 min Reaktionszeit); Jodacetamid	K_M-Werte: TPN^+: 1,2 × 10^{-5} m; PGA: 2,6 × 10^{-5} m nach Test B
IV. PGADH des *Alcaligenes faecalis*[7]	TPN (0,001 m DPN hat die gleiche Wirkung		Acylacceptoren: Arsenat (0,014 m); Phosphat (0,052 m mit	Jodessigsäure (9 × 10^{-5} m, 2,5 min Präinkubation vor Zusatz von Al-	Optimal-Konzentrationen: (0,02 m Glycin [p_H 9,0], 0,017 m Arsenat, 54 bzw.

Dehydrogenasen von Pflanzen und Bakterien.

pH-Optimum	Anreicherung, Ausbeute, spezifische Aktivität, Stabilität, Anwesenheit anderer Dehydrogenasen	Test bzw. Reaktionsbedingungen (1 Enzymeinheit = 1 μM/min)
8,5—8,8 (Tris oder Glycylglycin) (40% Aktivität bei p_H 7,0, 90% bei 9,1)	16—18 Std in dest. H_2O bei 3° C gequollene Samen werden bei -2 bis $-5°$ C zweimal mit je 700 ml Aceton/80 g Trockengewebe homogenisiert; zweimalige Extraktion des Acetonpulvers mit 0,01 m Phosphat $+$ 0,0015 m ÄDTE (p_H 7,2) $\to$ 12,4 mg Protein/ml; in 17—20 min wird bis auf 55° C erwärmt und schnell abgekühlt; AS-Fällung von 0,60—0,95-Sättigung bei 2° C und p_H 7,2 im Überstand, lösen in 0,0015 m ÄDTE (p_H 7,0) $\to$ 33 mg Protein/ml; AS-Fällung von 0,65—0,85-Sättigung bei p_H 7,9; lösen in möglichst wenig 0,0015 m ÄDTE, verdünnen mit 5 Vol. H_2O, verwerfen des Niederschlags. 26fache Anreicherung, 19% Ausbeute; Entstehung von 23,6 μM DPNH $\times$ mg Protein^{-1} $\times$ min^{-1} nach Test A; $\frac{k \cdot ml}{mg\ Protein} = 5{,}75 \times 10^5 \times 1 \times$ Mol^{-1} $\times$ min^{-1} $\times$ ml $\times$ mg Protein^{-1} nach Test B	Test A: 0,033 m Tris (p_H 8,6), 0,004 m Cystein, 10^{-4} m DPN$^+$, 33 μg Enzym/ml oder weniger; 8 μg Aldolase/ml, 0,003 m NaF, 0,005 m Na_2HAsO_4, 0,00125 m 1,6-Diphosphofructose[1, 3]. Test B: 0,03 m PP (p_H 8,5), 0,004 m Cystein, 10^{-4} m DPN$^+$, Enzym; Start mit $2{,}5 \times 10^{-4}$ m PGA $+$ 0,006 m Arsenat[4]
	Verreiben 10—15 Tage alter Erbsenblätter mit Sand in 0,25 m $KHCO_3$ $+$ 0,04 m ÄDTE (p_H 8,0), filtrieren durch Mull, zentrifugieren bei 15 000 U je min; reinigen durch Einstellen des Überstandes auf p_H 5,0 mit 2 n Essigsäure, Einstellen des Überstandes auf p_H 8,0; AS-Fällung von 0,31—0,41-Sättigung, lösen in 0,1 m Tris (p_H 8,0), Zusatz von 1 Vol. Aceton von $-18°$ C; dreimalige Extraktion des Niederschlages mit 0,033 m Phosphat (p_H 7,6); Reinigung mit $Al(OH)_3$-C_γ; Adsorption an $Al(OH)_3$-C_γ bei p_H 5,6, Elution mit 0,05 m Phosphat (p_H 7,6). 96—165fache Anreicherung, 1% Ausbeute; Entstehung von 0,108—0,185 μM TPNH $\times$ mg Protein^{-1} $\times$ min^{-1}	0,033 m Tris (p_H 8,5), 0,017 m Arsenat, 0,004 m Cystein, 0,02 m NaF, 4×10^{-5} m TPN$^+$, $2{,}1 \times 10^{-4}$ bis 0,0011 Einheiten Enzym/ml $+ 5 \times 10^{-4}$ m PGA. (An Stelle von PGA auch 1,6-Diphosphofructose $+$ Aldolase.) Bestimmung von Δo.D. bei 340 mμ alle 30 sec 2 min lang; Kontrolle ohne Substrat
8,3—8,6 (Tris oder HCO_3^-, $\mu = 0{,}26$) (25% Aktivität bei p_H 7,0)	Saft zermahlener Zuckerrübenblätter $+$ 0,0015 m ÄDTE (p_H 7,2); Niederschlag mit 5 Vol. Aceton von $-18°$ C; Extraktion des Acetonpulvers mit 0,0015 m ÄDTE (p_H 7,2); AS-Fällung von 0,55- bis 0,65-Sättigung, lösen in 0,1 m K_2SO_4; Adsorption an $Al(OH)_3$-C_γ, Elution mit 0,25 m K_2SO_4, verdünnen auf 0,18 m K_2SO_4; zweimalige Adsorption an Ca-phosphat-Gel, waschen mit 0,18 m K_2SO_4, Elution mit 0,30 m K_2SO_4, Dialyse gegen 0,15 m $K_2SO_4 +$ 0,0015 m ÄDTE bis zum Gehalt von 0,18 m K_2SO_4 bzw. dreimal 80 min gegen 0,0015 m ÄDTE. 84fache Anreicherung, 4% Ausbeute; Entstehung von 0,51 μM TPNH $\times$ mg Protein^{-1} $\times$ min^{-1} nach Test A. Das Präparat ist mindestens 1 Monat bei 0° C stabil. Es enthält keine TPNH-DPN$^+$-Transhydrogenase, Aldolase oder Glucose-6-phosphat-Dehydrogenase, besitzt aber relativ hohe Glutathion-Reductase-Aktivität	Test A: 0,03 m Tris (p_H 8,5), 0,003 m Cystein, 0,0033 m NaF, 10^{-4} m TPN$^+$, 0,0033 m 1,6-Diphosphofructose, 33 μg Aldolase/ml, 66,7 μg PGADH/ml; Bestimmung von Δo.D. bei 340 mμ von der 2.—4. min. Test B: 0,03 m Tris (p_H 8,5), 10^{-4} m TPN$^+$, $8{,}3 \times 10^{-5}$ m PGA, 10 μg PGADH/ml
9,0 (Arsenat, Veronal, Glycylglycin oder Glycin) (50% Aktivität bei	Ultraschallhomogenat (15 min, 10 kc) in 0,001 m ÄDTE (p_H 8,0), Wiederholung mit dem Sediment bei 20 000$\times$g (30 min), verdünnen der Überstände auf 10 mg Protein/ml; entfernen von inaktivem Protein bei 1 m AS (p_H 8,0), Fällung der Nuclein-	0,017 m Na_2HAsO_4, 0,027 m Glycin, 0,02 m Cystein, $1{,}67 \times 10^{-4}$ m TPN$^+$ oder DPN$^+$, 0,0033 m 1,6-Diphosphofructose, 33 μg Aldolase/ml, PGADH,

Tabelle 32 (Fortsetzung).

Enzymquelle	Co-Enzym	Substratähnliche, nicht umgesetzte Verbindungen	Co-Faktoren, Aktivatoren, Protektoren	Inhibitoren (Konzentration, die um X % hemmt)	Kinetische und thermodynamische Daten
	wie 10^{-5} m TPN)		80% der Arsenat-Aktivität); Reaktivatoren: Cystein, Glutathion (0,0017 m)	dolase, 50%; 0,0018 m, 100%). Hemmung durch mehr als 0,0012 m DPN+	116 μg Enzym/ml) TPN+: 1,0 bis 1,3 $\times$ 10^{-5} m; DPN+: 0,0011 m; PGA: 3 $\times$ 10^{-4} m mit 2,5 $\times$ 10^{-4} m TPN+ oder DPN+

p_H-Optimum	Anreicherung, Ausbeute, spezifische Aktivität, Stabilität, Anwesenheit anderer Dehydrogenasen	Test bzw. Reaktionsbedingungen (1 Enzymeinheit = 1 μM/min)
p_H 8,0 und 10,7)	säuren mit 0,33% Protamin (p_H 5), Dialyse gegen 0,001 m ÄDTE (p_H 8); AS-Fällung von 2,3—3,0 m (p_H 8), suspendieren in 0,001 m ÄDTE, Dialyse gegen 0,005 m Phosphat + 0,005 m Cystein (p_H 8) bis zu einer AS-Konzentration von 0,08 m; Adsorption an Ca-phosphat-Gel (2 mg Trockengewicht/mg Protein), 15 min Elution mit 0,1 m Phosphat (p_H 7,5), Dialyse gegen 0,005 m Phosphat + 0,003 m Cystein (p_H 8); Säulenchromatographie an DÄAÄ-Cellulose (gewaschen mit 0,2 m Phosphat + 0,0001 m Cystein [p_H 7,5] und H$_2$O), Gradientenelution mit 0,005 m Phosphat + 0,0—0,2 m NaCl (p_H 7,5). 145fache Anreicherung der TPN+-Aktivität, 52% Ausbeute; Entstehung von 0,934 μM TPNH $\times$ mg Protein^{-1} $\times$ min^{-1}	p_H 7,8. Bestimmung von Δo.D. bei 340 mμ alle 15 sec 2 min lang. (Kinetische Messungen ohne Cystein.)

Abkürzungen: ÄDTE = Äthylendiamintetraessigsäure; DÄAÄ-Cellulose = Diäthylaminoäthylcellulose; p-CMB = p-Chlormercuribenzoat; PGA = 3-Phosphoglycerinaldehyd; PGADH = 3-Phosphoglycerinaldehyd-Dehydrogenase; Tris = Tris-(hydroxymethyl)-aminomethan; AS = Ammoniumsulfat; 1 m, 2,3 bzw. 3,0 m AS ≈ 0,19, 0,5 bzw. 0,7 Sättigung.

* DPN bzw. TPN kennzeichnet die reversible, DPN+ bzw. TPN+ die offenbar irreversible PGADH-Reaktion.

[1] HAGEMAN, R. H., and D. I. ARNON: Arch. Biochem. **55**, 162 (1955).
[2] STUMPF, P. K.: J. biol. Ch. **182**, 261 (1950).
[3] ARNON, D. I.: Science, N.Y. **116**, 635 (1952).
[4] CORI, G. T., M. W. SLEIN and C. F. CORI: J. biol. Ch. **173**, 605 (1948).
[5] GIBBS, M.; in: Colowick-Kaplan, Meth. Enzymol. Bd. I, S. 411. Nature **170**, 164 (1952).
[6] ROSENBERG, L. L., and D. I. ARNON: J. biol. Ch. **217**, 361 (1955). — ARNON, D. I., L. L. ROSENBERG and F. R. WHATLEY: Nature **173**, 1132 (1954).
[7] BRENNEMAN, F. N., and W. A. VOLK: J. biol. Ch. **234**, 2443 (1959).

1.2.3.1	Aldehyd:O$_2$-Oxydoreductase	s. S. 568 und 882
1.2.3.2	Xanthin:O$_2$-Oxydoreductase	s. S. 883
1.2.3.3	Pyruvat:O$_2$-Oxydoreductase (phosphorylierend)	s. S. 887
1.2.4.1	Pyruvat:Lipoat-Oxydoreductase (Acceptor acetylierend)	s. Bd. VI/B, S. 25
1.2.4.2	2-Oxoglutarat:Lipoat-Oxydoreductase (Acceptor acylierend)	s. Bd. VI/B, S. 35
1.3.1.1	4,5-Dihydro-uracil:NAD-Oxydoreductase	s. S. 773

1.3.1.2	4,5-Dihydro-uracil:NADP-Oxydoreductase	s. S. 772
1.3.1.3	4,5β-Dihydrocortison:NADP-Oxydoreductase	s. S. 519
1.3.2.1	Butyryl-CoA:Cytochrom c-Oxydoreductase	s. Bd. VI/B, S. 102
1.3.2.2	Acyl-CoA:Cytochrom c-Oxydoreductase	s. Bd. VI/B, S. 111

Succinate dehydrogenase.
(Succinate oxidase system.)
[Contains data for 1.3.99.1   Succinate:(acceptor)-Oxydoreductase.]

By

Edward Ch. Slater*.

Definitions. Succinate dehydrogenase is the enzyme system which catalyses the oxidation of succinate to fumarate by molecular oxygen.

$$\begin{array}{c} CH_2 \cdot COOH \\ | \\ CH_2 \cdot COOH \end{array} + \tfrac{1}{2} O_2 \rightarrow \begin{array}{c} CH \cdot COOH \\ \| \\ CH \cdot COOH \end{array} + H_2O$$

The system comprises succinate dehydrogenase and a number of carriers operating between the dehydrogenase and molecular oxygen. Succinate dehydrogenase is defined as the first component of the chain of carriers, i.e. the one with which succinate reacts.

The exact constitution of the succinate oxidase system is not known, but it can probably be described by the reaction scheme

$$\begin{array}{ccccccccc} \text{succinate} & \rightarrow & SD & \rightarrow & UQ & \rightarrow & \text{cyt. } b & \rightarrow & \text{cyt. } c_1 & \rightarrow & \text{cyt. } c & \rightarrow & \text{cyt. } a & \rightarrow & \text{cyt. } a_3 \\ & & \downarrow & & \downarrow & & \downarrow & & \downarrow & & \downarrow & & & \rightarrow & O_2 \\ & & K_3Fe(CN)_6 & & K_3 & & MB & & \text{cyt. } c & & K_3Fe(CN)_6 & & & & \\ & & PMS & & & & DCIP & & & & & & & & \end{array}$$

The abbreviations used in this scheme are: SD, succinate dehydrogenase; UQ, ubiquinone; cyt., cytochrome; PMS, phenazine methosulphate (and other N-alkylphenazine compounds); K_3, vitamin K_3 (2-methyl-1,4-naphthoquinone); MB, methylene blue; DCIP, 2,6-dichlorophenolindophenol. The horizontal arrows describe the succession of oxido-reduction reactions involved in the oxidation of succinate by O_2. The vertical arrows illustrate the probable point of entry of various artificial hydrogen acceptors which can be used to study portions of the chain. These portions may be referred to as succinate-methylene blue reductase, succinate-cytochrome c reductase, etc., but it must be recognized that many acceptors (e.g. $K_3Fe(CN)_6$) can react at more than one point of the chain.

Specificity. Succinate dehydrogenase reacts only with succinate, methylsuccinate and monohalogen-substituted succinate[1,2].

Distribution. Succinate dehydrogenase is an important enzyme in the Krebs tricarboxylic acid cycle and is found in the mitochondria of all aerobic cells.

---

* Laboratory of Physiological Chemistry, University of Amsterdam.
[1] FRANKE, W., u. E. HOLZ: A. **608**, 168 (1957).
[2] GAWRON, O., A. J. GLAID, T. P. FONDY and M. M. BECHTOLD: Nature **189**, 1004 (1961).

Preparation. Succinate dehydrogenase has been isolated and purified from heart mitochondria[1,2], cytochrome c-deficient heart-muscle preparation[3,4], baker's yeast[5], *Micrococcus lactilyticus*[6] and *Claviceps purpurea*[7].

The complete procedure for isolating succinic dehydrogenase used in the laboratory of the writer is as follows:

Heart-muscle preparation[8,9]. Minced heart (330 g) is thoroughly washed by stirring with about 5 l tap water for about 15 min. The mince is collected on muslin, squeezed hard to remove water, and this process repeated about 8 times until the wash liquor is colourless. The washed muscle is then ground in a mechanical mortar with 100 g sand (acid washed) and 500 ml 0.02 M phosphate buffer, p_H 7.3, for 2 hr. The thick suspension is diluted with 200 ml 0.02 M phosphate buffer and centrifuged for 20 min at 2000 rev./min. The supernatant cloudy solution is cooled to 0—5° C and brought to p_H 5.7 with 1 N acetic acid. The precipitate is immediately collected by centrifuging in the cold at 2000 rev./min for 15 min, the supernatant discarded, and the residue suspended in an equal volume of 0.1 M borate buffer, p_H 8.0. The concentration of protein (determined as in ref.[10]) is adjusted to 20 mg/ml by dilution of the preparation with borate buffer. The activity of this preparation should be at least 500 μl O_2/mg protein/hr. at 37° C in the succinate oxidase assay[9].

Soluble succinate dehydrogenase. The whole procedure must be carried out at 0° C. 24 ml 0.8 M succinate are added to 400 ml heart-muscle preparation, and the suspension kept overnight at 0° C.

The next day the p_H is brought to 9.0 with 2 N NaOH and after adding 200 ml butanol the mixture is homogenized in a Blendor for 30 sec, and then centrifuged in the International Centrifuge in polythene cups (650 ml) at 2300 rev./min for 15 min. The water layer is carefully collected and brought to p_H 5.7 with 1 N acetic acid. Sufficient calcium phosphate gel[11] to bring the final concentration to 5 mg $Ca_3(PO_4)_2$/ml is then added. After 5-min stirring the mixture is centrifuged and the supernatant discarded. The enzyme is eluted from the gel by stirring 5 min with 200 ml 0.075 M phosphate, p_H 7.8, and centrifuging. The supernatant is brought to 0.65 saturation with ammonium sulphate (calculated at 0° C). The precipitate is collected by centrifuging for 5 min at the maximum speed in the Servall centrifuge, and dissolved in 25 ml 0.075 M phosphate, p_H 7.2. The p_H is brought to 7.2 if necessary and saturated ammonium sulphate, p_H 7.2, is carefully added with stirring until a slight cloudiness develops. (The volume of ammonium sulphate solution used should be recorded.) The mixture is centrifuged for 5 min at the maximum speed of the Servall, and sufficient saturated ammonium sulphate is added to the supernatant to bring it to 0.5 saturation. The precipitate is collected by centrifuging 5 min at maximum speed in the Servall. After pouring off the supernatant and carefully removing excess supernatant with filter paper, the precipitate is dissolved in 0.04 M phosphate buffer, p_H 7.8.

Calculated on the basis of the activity of the heart-muscle preparation after treatment with succinate, the yield to this stage is 1.5—3% and the degree of purification about 5-fold (ferricyanide assay). The specific activity is about 100—150, expressed in units used by WANG et al.[3] (cf. WANG et al.[3], 200—250).

---

[1] SINGER, T. P., E. B. KEARNEY and P. BERNATH: J. biol. Ch. **223**, 599 (1956).
[2] BASFORD, R. E., H. D. TISDALE, J. L. GLENN and D. E. GREEN: Biochim. biophys. Acta **24**, 107 (1957).
[3] WANG, T. Y., C. L. TSOU and Y. L. WANG: Sci. sin., Peking **5**, 73 (1956).
[4] KEILIN, D., and T. E. KING: Proc. R. Soc. London (B) **152**, 163 (1960).
[5] SINGER, T. P., V. MASSEY and E. B. KEARNEY: Arch. Biochem. **69**, 405 (1957).
[6] WARRINGA, M. G. P. J., and A. GIUDITTA: J. biol. Ch. **230**, 111 (1958).
[7] KING, T. E., C. A. RYAN, V. H. CHELDELIN and J. K. McDONALD: Biochim. biophys. Acta **45**, 398 (1960).
[8] KEILIN, D., and E. F. HARTREE: Biochem. J. **41**, 503 (1947).
[9] SLATER, E. C.: Biochem. J. **45**, 1 (1949).
[10] CLELAND, K. W., and E. C. SLATER: Biochem. J. **53**, 547 (1953).
[11] KEILIN, D., and E. F. HARTREE: Proc. R. Soc. London (B) **124**, 397 (1938).

If a higher purity is required, the last precipitate should be dissolved in 0.075 M phosphate, p_H 7.2, the p_H adjusted to 7.2 and protein concentration[1] brought to 6 mg/ml. The solution is now fractionated with saturated ammonium sulphate, the fraction between 0.4 and 0.5 saturation being collected and dissolved in 0.04 M phosphate, p_H 7.8.

Properties. Succinate dehydrogenase contains a flavine prosthetic group, related to, but not identical with flavine-adenine dinucleotide[2,3]. The enzyme also contains iron, the function of which is not known[4]. The mol.wt. is 2×10^5 (ref.[5]) or 1.5×10^5 (ref.[6]). Each mol. contains 1 mol. flavine and 4 mol. iron. The p_H optimum is 7.6 (heart)[5], 7.8 (yeast)[12], or 8.3 *(Micrococcus lactilyticus)*[13].

Succinate dehydrogenase is activated, either before or after solubilization, by incubation with succinate or competitive inhibitors, such as malonate or phosphate.

Succinate dehydrogenase is inhibited competitively by many compounds (Tables 1 and 2). It is also inhibited by SH-combining reagents, the inhibition being reversed by glutathione or BAL and, in some cases, KCN (see ref.[15], which also includes earlier literature). Succinate and competitive inhibitors protect against this inactivation. For effect of cyanide on succinate dehydrogenase, see ref.[16].

Table 1. *Inhibition constants of heart-muscle succinate dehydrogenase.*

Inhibitor	Temperature (°C)	p_H	K_I^* (M)	Ref.
Malonate	37	7.4	10^{-5}	7
Oxaloacetate	38	7.4	1.5×10^{-6}	8
Suramin	37	7.3	10^{-6}	9
Phosphate	25	7.3	10^{-1}	10
Fluoride	25	7.3	2×10^{-2}	
Phosphate + fluoride	25	7.3	$\begin{cases} 6.7 \times 10^{-5**} \\ 3.3 \times 10^{-4***} \end{cases}$	10
D-Chlorosuccinate	35	7.5	1.2×10^{-2}	11

* K_I is dissociation constant of reaction $EI \rightleftharpoons E + I$ (cf. K for succinate, 2.9×10^{-5} M, ref.[7,10])
** $EP + F \rightleftharpoons EPF$. *** $EF + P \rightleftharpoons EPF$.

Table 2. *Inhibition constants for fumarate and malonate for succinate dehydrogenase isolated from different sources.*

Source	K_I (fumarate) (mM)	K_I (malonate) (μM)	Ref.
Mammalian heart	0.80	10	5,7
Baker's yeast	1.03	10	12
Micrococcus lactilyticus	0.22	230	13
Claviceps purpurea	0.93	30	14

Determination of succinate dehydrogenase activity. 1. Phenazine methosulphate assay[17].

Theory:

Under the influence of succinate dehydrogenase, succinate reduces phenazine methosulphate. The reduced phenazine methosulphate reacts with oxygen to form the oxidized

---

[1] CLELAND, K. W., and E. C. SLATER: Biochem. J. **53**, 547 (1953).
[2] WANG, T. Y., C. L. TSOU and Y. L. WANG: Sci. sin., Peking **7**, 65 (1958).
[3] KEARNEY, E. B.: J. biol. Ch. **235**, 865 (1960).
[4] MASSEY, V.: J. biol. Ch. **229**, 763 (1958).
[5] SINGER, T. P., E. B. KEARNEY and V. MASSEY: Adv. Enzymol. **18**, 65 (1957).
[6] WANG, T. Y., C. L. TSOU and Y. L. WANG: Sci. sin., Peking **5**, 73 (1956).
[7] THORN, M. B.: Biochem. J. **54**, 540 (1953).
[8] PARDEE, A. B., and V. R. POTTER: J. biol. Ch. **176**, 1085 (1948).
[9] STOPPANI, A. O. M., and J. A. BRIGNONE: Biochem. J. **64**, 196 (1956).
[10] SLATER, E. C., and W. D. BONNER: Biochem. J. **52**, 185 (1952).
[11] GAWRON, O., A. J. GLAID, T. P. FONDY and M. M. BECHTOLD: Nature **189**, 1004 (1961).
[12] SINGER, T. P., V. MASSEY and E. B. KEARNEY: Arch. Biochem. **69**, 405 (1957).
[13] WARRINGA, M. G. P. J., and A. GIUDITTA: J. biol. Ch. **230**, 111 (1958).
[14] KING, T. E., C. A. RYAN, V. H. CHELDELIN and J. K. MCDONALD: Biochim. biophys. Acta **45**, 398 (1960).
[15] SLATER, E. C.: Biochem. J. **45**, 130 (1949).
[16] KEILIN, D., and T. E. KING: Proc. R. Soc. London (B) **152**, 163 (1960).
[17] SINGER, T. P., and E. B. KEARNEY: Meth. biochem. Anal. **4**, 307 (1957).

compound and H_2O_2

$$\text{succinate} + \text{PMS} \rightarrow \text{fumarate} + \text{PMS-H}_2$$
$$\text{PMS-H}_2 + O_2 \rightarrow \text{PMS} + H_2O_2.$$

Cyanide is added to prevent destruction of the enzyme by H_2O_2. The initial rate of reaction is measured, since fumarate inhibits the enzyme.

Reagents:

All reagents should be of the highest purity and glass-distilled water should be used, since succinate dehydrogenase is susceptible to inactivation by trace metals.

1. Phenazine methosulphate. Prepare a 1% solution in water. This solution should be yellow in colour without any green tinge. If there is a green colour, the phenazine methosulphate should be purified by recrystallization. The solution should be stored frozen and at all times protected from the light.
2. SÖRENSEN phosphate buffer, p_H 7.6, 0.3 M.
3. Ethylenediaminetetraacetate (EDTA), 0.1 M. The disodium salt is brought to p_H 7.6 with KOH.
4. KCN, 0.01 M brought to p_H 7.6—8.0 with HCl.
5. Sodium (or potassium) succinate, 0.4 M, brought to p_H 7.6 with HCl.

Procedure:

Pipette into the main compartment of a manometer flask 1.0 ml phosphate buffer, 0.05 ml EDTA, 0.30 ml succinate, 0.30 ml KCN, sufficient water to make the final volume after tipping 3.0 ml, and 0.20 ml phenazine methosulphate. Pipette into the side arm sufficient enzyme to give an O_2 uptake of 30—60 μl O_2 in 5 min. The centre well should be kept empty. Attach the flask to the manometer and place in bath at 37° C. After 7-min equilibration, tip contents of side arm into main compartment and record the manometer reading at 2 min and 7 min after tipping.

One unit of enzyme activity gives 5 μl O_2 (i.e. 1 μl O_2/min) by this assay. The specific activity equals the number of units per mg protein.

Note: The concentration of phenazine methosulphate used is suitable for routine assays with most enzyme preparations and samples of phenazine methosulphate. However, it is advisable to test a range of concentrations with each new batch of phenazine methosulphate or source of enzyme. For comparison with other hydrogen acceptors, the velocity obtained at infinite phenazine methosulphate concentration (obtained by extrapolation of the LINEWEAVER-BURK plot) should be used.

Determination of succinate dehydrogenase activity. 2. Ferricyanide assay[1,2].

Theory:

Succinate reduces ferricyanide in the presence of succinate dehydrogenase

$$\text{succinate} + 2\,\text{Fe(CN)}_6^{3-} \rightarrow \text{fumarate} + 2\,\text{Fe(CN)}_6^{4-} + 2\,H^+.$$

The rate of the reaction may be followed by measuring the rate of formation of H^+ by determining manometrically the amount of CO_2 formed from bicarbonate buffer[3], or by measuring the disappearance of ferricyanide spectrophotometrically. The second method is preferable if a spectrophotometer is available. Serum albumin is added to protect —SH groups of succinate dehydrogenase from oxidation by the $K_3Fe(CN)_6$. With crude preparations still containing cytochrome oxidase, cyanide is added, but this

---

[1] SLATER, E. C., and W. D. BONNER: Biochem. J. **52**, 185 (1952).
[2] WANG, T. Y., C. L. TSOU and Y. L. WANG: Sci. sin., Peking **5**, 73 (1956).
[3] QUASTEL, J. H., and A. H. M. WHEATLEY: Biochem. J. **32**, 936 (1938).

is not necessary with the soluble succinate dehydrogenase. Two methods are used: direct and indirect. The indirect method is more suitable for turbid preparations of low activity.

Reagents:

All reagents should be of the highest purity and glass-distilled water should be used, since succinic dehydrogenase is susceptible to inactivation by trace metals.

1. SÖRENSEN phosphate buffer, p_H 7.8, 0.3 M.
2. EDTA, 0.1 M. The disodium salt is brought to p_H 7.8 with KOH.
3. 0.4 M Sodium or potassium succinate, brought to p_H 7.8 with HCl.
4. 0.1 M $K_3Fe(CN)_6$.
5. Bovine plasma (or serum) albumin, crystalline, 3% brought to p_H 7.8.
6. 0.1 M KCN, brought to p_H 7.6—8.0 with HCl.

Direct method:

Into a 1-cm spectrophotometric cuvette are pipetted 1.0 ml phosphate buffer, 0.05 ml EDTA, 0.25 ml succinate, 0.15 ml $K_3Fe(CN)_6$, 0.10 ml albumin, 0.10 ml KCN and water so that final volume (after addition of enzyme) is 2.5 ml. The reference cell receives the same additions except the ferricyanide. The cells are placed in a water-jacketed cell compartment of a spectrophotometer. The cell compartment is kept at 25° C. At zero time, an aliquot of the diluted enzyme preparation is added to both cuvettes and, after mixing, the absorbancy at 455 mμ is recorded for 10 min. The initial rate of reduction of $K_3Fe(CN)_6$ is calculated.

Indirect method:

Into an ERLENMEYER flask is pipetted 1.20 ml phosphate buffer, 0.05 ml EDTA, 0.35 ml succinate, 0.20 ml $K_3Fe(CN)_6$, 0.1 ml albumin, 0.1 ml KCN, and sufficient water so that the final volume (after addition of enzyme) is 3.5 ml. The flask is placed in a water bath at 25° C and, after temperature equilibration, an aliquot of the enzyme added. After 10 min, 3.5 ml 10% trichloroacetic acid are added and the contents centrifuged. The absorbancy of the supernatant is measured at 455 mμ against a blank treated in the same way without succinate.

Calculation. WANG et al.[1] have defined one unit of succinate dehydrogenase activity as the amount of enzyme which brings about a change of absorbancy at 420 mμ of 0.100 in 10 min at 0°C. They define the specific activity as the number of units divided by the number of milligrams nitrogen present in a volume of 7.0 ml.

The results obtained by the methods described above can be converted to a specific activity in units of WANG et al. as follows:

Direct method:

Specific activity (Wang units) =

$$\frac{\Delta A_{455\,m\mu}}{0.1} \times \frac{2.5}{7.0} \times 6.85 \times \frac{1}{4.01} \times \frac{1}{n}$$

where 6.85 is $\varepsilon_{420\,m\mu}/\varepsilon_{455\,m\mu}$; 4.01 is ratio of the velocities at 25 and 0° C (calculated from the data of WANG et al.[1]); n (mg) is the amount of enzyme nitrogen in the reaction mixture.

Indirect method:

Specific activity (Wang units) =

$$\frac{\Delta A_{455\,m\mu}}{0.1} \times 6.85 \times \frac{1}{4.01} \times \frac{1}{n}.$$

---

[1] WANG, T. Y., C. L. TSOU and Y. L. WANG: Sci. sin., Peking 5, 73 (1956).

1.4.1.1   L-Alanin:NAD-Oxydoreductase   s. S. 755

Glutaminsäuredehydrogenase.
[1.4.1.3   L-Glutamat:NAD(P)-Oxydoreductase (desaminierend).]

Von

Karl-Heinz Bässler*.

Einführung. Glutaminsäuredehydrogenase katalysiert die Reaktion

$$\text{L-Glutamat}^{\pm} + \text{DPN}^+ + \text{H}_2\text{O} \rightleftharpoons \alpha\text{-Ketoglutarat}^{--} + \text{NH}_4^+ + \text{DPNH} + \text{H}^+$$

v. Euler[1] hat angenommen, daß diese Reaktion in zwei Schritten abläuft, einem enzymatischen und einem nichtenzymatischen:

1. $\text{Glutamat} + \text{DPN}^+ \xrightleftharpoons{\text{GSDH}} \text{Iminoglutarat} + \text{DPNH} + \text{H}^+$

2. $\text{Iminoglutarat} + \text{H}_2\text{O} \xrightleftharpoons{\text{nicht enzymatisch}} \alpha\text{-Ketoglutarsäure} + \text{HN}_4^+$

In späteren Untersuchungen wurde jedoch eine Beteiligung freier Iminoglutarsäure an der Reaktion ausgeschlossen [2-4].

Die Glutaminsäuredehydrogenase spielt eine wichtige Rolle im Aminosäurestoffwechsel, insbesondere bei der Fixierung von Ammoniak in organische Bindung.

Vorkommen des Enzyms. Die Bedeutung des Enzyms spiegelt sich in seiner weiten Verbreitung. Man findet es praktisch in allen tierischen Geweben, in besonders hoher Aktivität aber in der Leber. Kürzlich wurde es aus menschlicher Placenta isoliert[5]. Auch in Pflanzen[6-8] und Mikroorganismen ist es verbreitet (Hefe[7,9,10], *Bacterium coli*[11], Bacillen[12]).

Normalwerte. Die ersten ausführlichen Untersuchungen über Glutaminsäuredehydrogenase stammen von v. Euler[1] und von Dewan[13]. Über die in verschiedenen Geweben gefundenen Enzymaktivitäten sollen die Tabellen 1—4 orientieren. Ein Vergleich zwischen den Ergebnissen verschiedener Untersucher ist leider nicht möglich, da die Meßmethoden und die Bezugssysteme (Feuchtgewicht, Trockengewicht, Stickstoff) nicht vergleichbar sind. Die Rolle von Glutaminsäuredehydrogenase im Gehirn wurde erstmals von Weil-Malherbe[14] untersucht. Mit verfeinerten Methoden (optischer Test, auf Zu-

---

* Physiologisch-chemisches Institut der Universität Mainz.
Abkürzungen: DPN bzw. TPN = Di- bzw. Triphosphopyridinnucleotid; DPNH bzw. TPNH = reduziertes Di- bzw. Triphosphopyridinnucleotid; Tris = Tris-(hydroxymethyl)-aminomethan.

[1] Euler, H. v., E. Adler, G. Günther u. N. B. Das: H. **254**, 61 (1938).
[2] Olson, J. A., and C. B. Anfinsen: J. biol. Ch. **202**, 841 (1953).
[3] Strecker, H. J.: Arch. Biochem. **46**, 128 (1953).
[4] Frieden, C.: J. biol. Ch. **234**, 2891 (1959).
[5] Gaull, G., D. D. Hagerman and C. A. Villee: Biochim. biophys. Acta **40**, 552 (1960).
[6] Damodaran, D. M., and K. R. Nair: Biochem. J. **32**, 1064 (1938).
[7] Adler, E., G. Günther u. J. E. Everett: H. **255**, 27 (1938).
[8] Rautanen, N., and J. M. Tager: Ann. Acad. Sci. fenn., Ser. AII, Nr. 60, 241 (1955).
[9] Euler, H. v., E. Adler u. T. Steenkopf-Eriksen: H. **248**, 227 (1937).
[10] Holzer, H., u. S. Schneider: B. Z. **329**, 361 (1957).
[11] Adler, E., V. Hellström, G. Günther u. H. v. Euler: H. **255**, 14 (1938).
[12] Hong, M. M., S. C. Shen and A. E. Braunstein: Biochim. biophys. Acta **36**, 288 (1958).
[13] Dewan, J. G.: Biochem. J. **32**, 1378 (1938).
[14] Weil-Malherbe, H.: Biochem. J. **30**, 665 (1936).

nahme von DPNH beruhend) wurde im Gesamthomogenat von Kaninchenhirn ein Umsatz von 0,8 μM Substrat pro mg Trockengewicht und Std gefunden[1] (nach Angaben der Untersucher enthielt das Gehirn 22% Trockengewicht). In den einzelnen Gehirnteilen fanden sich unterschiedliche Aktivitäten. Hauptsächlich wurde Glutaminsäuredehydrogenase in myelinhaltigen Fasern und in der Molekularschicht des Ammonshorns gefunden. In der umgekehrten Richtung (reduktive Aminierung der α-Ketoglutarsäure) fand sich im Gesamthomogenat des Gehirns ein Umsatz von 5,1 μM pro mg Trockengewicht und Std[3]. In der zuletzt zitierten Arbeit findet man Aktivitäten in verschiedenen Gehirnteilen und Zellarten angegeben. In verschiedenen Anteilen der Retina liegen die Umsätze bei der reduktiven Aminierung von α-Ketoglutarsäure zwischen 0 und 1,0 μM Substrat pro mg Trockengewicht und Std[5].

Intracelluläre Verteilung der Glutaminsäuredehydrogenase. Nach Untersuchungen von CHRISTIE und JUDAH[6] an Rattenleber und von HOGEBOOM und SCHNEIDER[7] an Mäuseleber ist Glutaminsäuredehydrogenase praktisch ausschließlich in den Mitochondrien lokalisiert.

SIEBERT[8] konnte bei Zellfraktionierung in nichtwäßrigen Systemen für Schweineniere und Rattenleber an Hand spezifischer Aktivitäten und an Hand von Gewebsfraktionen mit unterschiedlichem Zellkern-(DNS-)Gehalt zeigen, daß Zellkerne frei von

Tabelle 1. *Aktivitäten der Glutaminsäuredehydrogenase in Organen der Ratte* (nach[2]).
Meßmethode: Optischer Test auf DPN-Reduktion in Organextrakten. Gewebe wurden mit Quarzsand zerrieben und mit 0,1 m Na_2HPO_4 extrahiert.

Gewebe	Relative Geschwindigkeit
Leber	100
Niere	41
Darmwand . . .	7
Skeletmuskel . .	6
Gehirn	6
Herzmuskel . .	< 5
Milz	< 5
JENSEN-Sarkom	6

Tabelle 2. *Aktivitäten der Glutaminsäuredehydrogenase in Homogenaten von Rattengeweben*[4].
Meßmethode: Manometrische Bestimmung der Sauerstoffaufnahme in wäßrigen Homogenaten.

Gewebe	Q_{O_2} (μl O_2 pro mg Trockengewicht und Std)	
	Streubreite	Durchschnitt
Leber . .	37,2—62,6	49,3
Niere . . .	19,3—29,1	24,7
Gehirn . .	6,2—15,5	10,3
Milz . . .	3,5— 6,8	5,2
Herz . . .	0 — 8,0	4,9

Tabelle 3. *Aktivitäten der Glutaminsäuredehydrogenase in Mitochondrien von Rattenleber und -niere*[9].
Meßmethode: Optischer Test auf DPN-Reduktion bzw. DPNH-Oxydation in tritonbehandelten Mitochondrien (s. S. 651/652).
Ansätze: Für Glutamatoxydation 0,01 m Glutamat, 5×10^{-4} m DPN, 0,065 m Phosphatpuffer, p_H 7,6; Enzym in geeigneter Menge. Für reduktive Aminierung von α-Ketoglutarsäure: 5×10^{-3} m α-Ketoglutarsäure, 0,13 m $(NH_4)_2SO_4$, 2,5×10^{-4} m DPNH, 0,03 m Tris-Puffer, p_H 7,0; Enzym in geeigneter Menge. Temperatur: 30° C.

Gewebe	μMol Glutamat oxydiert pro min und mg Protein		μMol α-Ketoglutarsäure reduziert pro min und mg Protein	
	Streubreite	Durchschnitt	Streubreite	Durchschnitt
Leber . . .	0,023—0,068	0,040	0,644—1,40	0,880
Niere . . .	0,006—0,017	0,011	0,174—0,350	0,260

Glutaminsäuredehydrogenase sind. Der Glutaminsäuredehydrogenase-Gehalt von Zellkernpräparaten ist ein Kriterium für Verunreinigung mit mitochondrialem Material.

[1] STROMINGER, J. L., and O. H. LOWRY: J. biol. Ch. **213**, 635 (1955).
[2] EULER, H. v., E. ADLER, G. GÜNTHER u. N. B. DAS: H. **254**, 61 (1938).
[3] LOWRY, O. H., N. R. ROBERTS and M.-L. W. CHANG: J. biol. Ch. **222**, 97 (1956).
[4] COPENHAVER, J. H., jr., W. H. MCSHAN and R. K. MEYER: J. biol. Ch. **183**, 73 (1950).
[5] LOWRY, O. H., N. R. ROBERTS and C. LEWIS: J. biol. Ch. **220**, 879 (1956).
[6] CHRISTIE, G. S., and J. D. JUDAH: Proc. R. Soc. London (B) **141**, 420 (1953).
[7] HOGEBOOM, G. H., and W. C. SCHNEIDER: J. biol. Ch. **204**, 233 (1953).
[8] SIEBERT, G.: Unveröffentlicht.
[9] BÄSSLER, K. H.: Unveröffentlicht.

Tabelle 4. *Aktivitäten von Glutaminsäuredehydrogenase in Brustdrüsen von Ratten*[1].
Meßmethode: Manometrische Bestimmung der Sauerstoffaufnahme von Homogenaten. Feuchtgewicht ist auf Milchgehalt korrigiert.

	µl O_2 pro g Feuchtgewicht und Std	µl O_2 pro Gesamtdrüse und Std
Ruhende Drüsen und bis zum 15. Tag der Schwangerschaft . .	100—200	200—300
Lactation: Anstieg bis	800	1300

Auch bei Haferpflanzen ist Glutaminsäuredehydrogenase in Mitochondrien lokalisiert[2]; allerdings enthält auch die „lösliche Fraktion" Aktivität. Es läßt sich nicht ohne weiteres ausschließen, daß diese Aktivität bei der Darstellung der Mitochondrien freigesetzt worden ist.

Bei *Fusarium*, einem Fadenpilz, ist eine DPN-spezifische Glutaminsäuredehydrogenase im Cytoplasma und eine TPN-spezifische in den Mitochondrien lokalisiert[3].

Darstellung. Die gebräuchlichsten Methoden zur Präparation kristallisierter Glutaminsäuredehydrogenase aus Rinderleber sind die von STRECKER[4] und die von OLSON und ANFINSEN[5]. Eine andere Methode stammt von WALLENFELS u. Mitarb.[6]. SNOKE[7] beschrieb die Darstellung kristallisierter Glutaminsäuredehydrogenase aus Hühnerleber. Die Kristallisation des Enzyms aus Schweine-, Rinder- und Menschenleber unter ausschließlicher Anwendung von Na_2SO_4-Fällungen und Hitzedenaturierung wurde von KUBO u. Mitarb.[8] beschrieben. Diese Methode könnte von Wert sein, wenn es sich darum handelt, ein ammoniumfreies Präparat zu bekommen.

Auf die Beschreibung der zitierten Methoden wird hier verzichtet, weil Glutaminsäuredehydrogenase im Handel erhältlich ist (C. F. Boehringer u. Soehne, Mannheim).

Eigenschaften. *Molekulargewicht und Zinkgehalt.* Das Molekulargewicht der aus Rinderleber kristallisierten Glutaminsäuredehydrogenase wurde von OLSON und ANFINSEN[5] aus Sedimentations- und Diffusionsmessungen zu 10^6 berechnet.

Dieses Proteinmolekül kann in Fragmente dissoziieren. OLSON und ANFINSEN fanden eine Abnahme des Sedimentationskoeffizienten, wenn die Proteinkonzentration unter 0,25% verringert wurde, und führen das auf Dissoziation oder Entfaltung des Moleküls zurück. KUBO u. Mitarb.[8] fanden bei Verdünnung des Enzyms unter 0,1 mg/ml durch Diffusionsmessungen ein Molekulargewicht von 350000 und schließen daraus auf eine Dissoziation in drei Teile.

Unabhängig von dieser Dissoziation durch Verdünnung der Proteinkonzentration beobachtete FRIEDEN[9] in Sedimentationsversuchen eine Dissoziation in 4 Fragmente unter Einwirkung von o-Phenanthrolin oder DPNH. Da im Mittel etwa 4 Grammatome Zink pro Mol Glutaminsäuredehydrogenase gefunden werden (ADELSTEIN und VALLEE[10] fanden in 8 Präparaten 2—4, KUBO u. Mitarb.[8] 5—6), wird angenommen[10], daß 4 Enzymfragmente durch Zink zu einer enzymatisch aktiven Einheit zusammengehalten werden. o-Phenanthrolin und andere Chelat bildende Agentien hemmen Glutaminsäuredehydrogenase (s. Tabelle 5). Eine 50%ige Hemmung durch 3×10^{-3} m o-Phenanthrolin kann durch $0,67 \times 10^{-3}$ m $ZnCl_2$ wieder aufgehoben werden[10], während diese Konzentration an Zink in Abwesenheit von o-Phenanthrolin das Enzym vollständig hemmt.

---

[1] GREENBAUM, A. L., and F. C. GREENWOOD: Biochem. J. **56**, 625 (1954).
[2] RAUTANEN, N., and J. M. TAGER: Ann. Acad. Sci. fenn., Ser. A II, Nr. 60, 241 (1955).
[3] SANWAL, B. D.: Arch. Biochem. **93**, 377 (1961).
[4] STRECKER, H. J.: Arch. Biochem. **46**, 128 (1953).
[5] OLSON, J. A., and C. B. ANFINSEN: J. biol. Ch. **197**, 67 (1952).
[6] WALLENFELS, K., H. SUND u. H. DIEKMANN: B. Z. **329**, 48 (1957).
[7] SNOKE, J. E.: J. biol. Ch. **223**, 271 (1956).
[8] KUBO, H., T. YAMANO, M. IWATSUBO, H. WATARI, T. SOYAMA, J. SHIRAISHI, S. SAWADA, N. KAWASHIMA, S. MITANI et K. ITO: Bull. Soc. Chim. biol. **40**, 431 (1958).
[9] FRIEDEN, C.: Biochim. biophys. Acta **27**, 431 (1958).
[10] ADELSTEIN, S. J., and B. L. VALLEE: J. biol. Ch. **233**, 589 (1958).

Sulfhydrylgruppen in Glutaminsäuredehydrogenase. Über die Zahl der freien SH-Gruppen in Glutaminsäuredehydrogenase findet man sehr unterschiedliche Angaben. WALLENFELS u. Mitarb.[1] finden in dem nach ihrer Methode präparierten Enzym bei Bestimmung nach der Methode von BOYER[2] 4 freie SH-Gruppen pro Molekül Enzym (Molekulargewicht 10^6). KUBO u. Mitarb.[3] finden 52 freie SH-Gruppen pro Enzymmolekül, wovon 20 an Glutaminsäure und 17 an α-Ketoglutarsäure bzw. NH_3 gebunden sein sollen.

Die gründlichste Untersuchung über SH-Gruppen der Glutaminsäuredehydrogenase stammt von HELLERMAN[4]. Sie umfaßt die Bestimmung der enzymatischen Aktivität während der Titration mit Silberionen und Quecksilberverbindungen vom Typ R-Hg-X sowie amperometrische, spektrophotometrische und oxydative Methoden und führt zu folgendem Ergebnis: Rinderleber-Glutaminsäure-Dehydrogenase (Methode von STRECKER) enthält 3 Äquivalente SH-Gruppen pro Äquivalentgewicht oder Untereinheit von 24500 g Protein, also 120 SH-Gruppen pro Mol Enzym. Von diesen 3 SH-Gruppen pro Äquivalentgewicht Glutaminsäuredehydrogenase gehören 2 zu der Fraktion, die an der Enzyminaktivierung durch Metalle beteiligt ist. Die eine von diesen beiden SH-Gruppen ist der Einwirkung von Phenylmercuriacetat zugänglich und kann ohne große Änderung der Enzymaktivität blockiert werden. Die Titration der zweiten SH-Gruppe mit Silberionen hat Inaktivierung des Enzyms zur Folge. Die dritte SH-Gruppe schließlich wird entdeckt, wenn die gesamten SH-Gruppen mit o-Jodosobenzoat titriert werden nach Denaturierung mit Guanidiniumchlorid. Im Gegensatz zu diesen Verhältnissen bei der Rinderleber-Glutaminsäuredehydrogenase enthält das Enzym aus Hühnerleber (Methode von SNOKE) 1 SH-Gruppe auf 10000 g, deren Titration mit Silberionen zur völligen Inaktivierung führt.

Tabelle 5. *Hemmung der Glutaminsäuredehydrogenase durch Metallkomplexe bildende Reagentien*[5].

Hemmstoff	Hemmstoffkonzentration für 50 %ige Hemmung (molar)
Natriumsulfid	1×10^{-2}
Natriumazid	3×10^{-1}
o-Phenanthrolin	3×10^{-3}
Thioharnstoff	3×10^{-1}
Diäthyldithiocarbamat	2×10^{-2}
8-Hydroxychinolin	$2,1 \times 10^{-3}$
Cupferron	4×10^{-3}
Äthylendiamintetraacetat	$1,7 \times 10^{-1}$
Zincon (2-Carboxy-1-hydroxysulformazylbenzol)	5×10^{-5}

Tabelle 6. *Hemmstoffe der Glutaminsäuredehydrogenase nach*[6].

Hemmstoff	Hemmstoffkonzentration für 50 %ige Hemmung
$AgNO_3$	$3,2 \times 10^{-7}$ m
Quecksilber(II)-acetat	$3,5 \times 10^{-6}$ m
p-Chlormercuribenzoat	$1,1 \times 10^{-4}$ m
$ZnSO_4$	$1,7 \times 10^{-4}$ m
$FeCl_3$	$4,4 \times 10^{-4}$ m
KNO_3, $NaNO_3$	$2,5 \times 10^{-1}$ m
K-phosphatpuffer, p_H 7,6	$5,0 \times 10^{-1}$ m
NH_4Cl, NaCl, KCl	$15,0 \times 10^{-1}$ m

Hemmstoffe. OLSON und ANFINSEN[6] untersuchten die Hemmwirkung einer Reihe von Stoffen auf die Glutaminsäuredehydrogenase. Die Ergebnisse finden sich in Tabelle 6.

Die Wirkung von Metallkomplexbildnern ist bereits in Tabelle 5 veranschaulicht worden. Auf dem Mechanismus der Zinkbindung dürfte nach WALLENFELS[2] auch die Hemmung der Glutaminsäuredehydrogenase durch Butazolidin beruhen sowie die noch stärkere Hemmung durch einen phenolischen Metaboliten des Butazolidins[7].

---

[1] WALLENFELS, K., H. SUND u. H. DIEKMANN: B. Z. **329**, 48 (1957).
[2] BOYER, P.: Am. Soc. **76**, 4331 (1954).
[3] KUBO, H., T. YAMANO, M. IWATSUBO, H. WATARI, T. SOYAMA, J. SHIRAISHI, S. SAWADA, N. KAWASHIMA, S. MITANI et K. ITO: Bull. Soc. Chim. biol. **40**, 431 (1958).
[4] HELLERMAN, L., K. A. SCHELLENBERG and O. K. REISS: J. biol. Ch. **233**, 1468 (1958).
[5] ADELSTEIN, S. J., and B. L. VALLEE: J. biol. Ch. **233**, 589 (1958).
[6] OLSON, J. A., and C. B. ANFINSEN: J. biol. Ch. **202**, 841 (1953).
[7] BÄSSLER, K. H., u. K. LANG: A.e.P.P. **231**, 254 (1957).

Glutaminsäuredehydrogenase wird durch Thyroxin und verwandte Verbindungen gehemmt (Tabelle 7). Der Hemmtyp liegt zwischen kompetitiver und nicht kompetitiver Hemmung. Eine Einwirkung dieser Verbindungen auf das Zink der Glutaminsäuredehydrogenase konnte nicht bewiesen werden. In der gleichen Größenordnung liegen Hemmungen durch Thyroxin und verwandte Verbindungen in Versuchen von CAUGHEY[1].

Tabelle 7. *Hemmung der Glutaminsäuredehydrogenase durch Thyroxin und verwandte Verbindungen.*
(Auszug aus den Daten von [2]).
Optischer Test auf reduktive Aminierung der α-Ketoglutarsäure: 0,33 µg kristallisiertes Rinderleberenzym (Boehringer), 0,05 m Tris-Puffer, p_H 8, 0,1 m NH_4Cl, $1,1 \times 10^{-2}$ m α-Ketoglutarsäure, $7,3-8,2 \times 10^{-5}$ m DPNH.

Hemmstoff	% Hemmung bei 10^{-4} m Hemmstoffkonzentration	Hemmstoff	% Hemmung bei 10^{-4} m Hemmstoffkonzentration
L-Thyroxin	91	L-3',5'-Dimethyl-3,5-dijod-thyronin	43
L-Trijodthyronin	65	Trijodthyroessigsäure	85
D,L-Dijodthyronin	19	3,5-Dijod-thyroacrylsäure	89
D,L-Thyronin	0	L-Dijodtyrosin	0
D,L-Tetranitrothyronin	0	2,4-Dinitro-phenol	0
L-3',5'-Dinitro-3,5-dijodthyronin	30		

Aus neueren Untersuchungen von WOLFF[3] geht hervor, daß die Hemmung der Glutaminsäuredehydrogenase durch L-Thyroxin, L-Trijodthyronin, Pentabromphenol, Trijodphenol und Butyl-4-hydroxy-3,5-dijodbenzoat mit Dissoziation des Enzyms in Untereinheiten einhergeht. Auch Rhodanid führt zu Dissoziation und Hemmung der Glutaminsäuredehydrogenase.

Ebenfalls auf dem Wege der Disaggregation des Enzyms in Untereinheiten hemmt eine Reihe von Steroidhormonen (Oestradiol, Progesteron, Δ^4-Androsten-3,17-dion, Desoxycorticosteron, Corticosteron, Cortisol sowie Diäthylstilboestrol) die Glutamatoxydation[4,5]. Verbindungen, die die Assoziation der Untereinheiten begünstigen, wie ADP, können diese Hemmungen aufheben.

CAUGHEY u. Mitarb.[1] untersuchten den Zusammenhang zwischen Struktur und Hemmwirkung kompetitiver Hemmstoffe auf der Basis stereochemischer Überlegungen. Dabei spielen Protonenabstände, Dipolmomente, Hydratationseffekte und Planarität der Substrate und Hemmstoffe eine Rolle. Wie aus Tabelle 8 hervorgeht, haben Stoffe mit einem Protonenabstand von etwa 7,5 Å die stärkste Hemmwirkung. Daraus wird geschlossen,

Tabelle 8. *Kompetitive Hemmstoffe der Glutamatoxydation. Beziehung zwischen Struktur und Wirkung*[1].
Glutamatkonzentration 2×10^{-3} m, DPN $6,4 \times 10^{-4}$ m, R_c = Protonenabstand, berechnet aus Daten über die Kristallstruktur. In allen Fällen werden alle C-Atome als coplanar angenommen.

Verbindung	Konzentration $\times 10^3$ m	Hemmung %	R_c (Å)	Verbindung	Konzentration $\times 10^3$ m	Hemmung %	R_c (Å)
Malonat	8	7	—	Isophthalat (m-)	2	50	7,45
Succinat	10	16	6,55	Phthalat (o-)	10	17	4,25
Fumarat	10	29	—	Terephthalat (p-)	6,7	16	8,65
Adipinat	20	26	9,05	Benzoat	10	12	—
Glutarat	2	53	7,65	Furoat	10	26	—
D-Glutamat	2	47	7,45	m-Brombenzoat	2	53	7,5
α-Ketoglutarat	2	43	—	5-Bromfuroat	0,25	54	7,5

[1] CAUGHEY, W. S., J. D. SMILEY and L. HELLERMAN: J. biol. Ch. **224**, 591 (1957).
[2] WOLFF, J., and E. C. WOLFF: Biochim. biophys. Acta **26**, 387 (1957).
[3] WOLFF, J.: J. biol. Ch. **237**, 230 (1962).
[4] YIELDING, K. L., G. M. TOMKINS, J. S. MUNDAY and J. CURRAN: Biochem. biophys. Res. Commun. **2**, 303 (1960).
[5] YIELDING, K. L., and G. M. TOMKINS: Proc. nat. Acad. Sci. USA **46**, 1483 (1960).

daß an der Enzymoberfläche kationische Bindungszentren für Substrat bzw. Hemmstoffe existieren mit einem Abstand von annähernd 7,5 Å. Die untersuchten Hemmstoffe hemmen im allgemeinen auch die rückläufige Reaktion α-Ketoglutarsäure → Glutamat, aber nicht kompetitiv.

Substratspezifität. Die häufig gepriesene hohe Substratspezifität der Enzyme hält in den meisten Fällen einer genauen Prüfung nicht stand und genügt höheren Ansprüchen nur selten. Vor der Verwendung von Enzymen zu analytischen Zwecken ist daher diese Frage sorgfältig zu überprüfen, und es ist auszuschließen, daß in dem Testsystem außer dem spezifischen Substrat andere Substanzen vorliegen, die auch mit dem Enzym reagieren.

Angaben über die Ketosäurespezifität der Glutaminsäuredehydrogenase finden sich in Tabelle 9. Glutaminsäuredehydrogenase kann demnach auch Keto-monocarbonsäuren binden und umsetzen. Sie ist als Hilfsenzym in optischen Tests unbrauchbar, wenn im System eine dieser Ketosäuren vorliegt.

Tabelle 9. *Substratspezifität der Glutaminsäuredehydrogenase für α-Ketosäuren*[1].

Die Enzymaktivität wurde optisch gemessen an der Abnahme der Extinktion bei 366 mμ in Ansätzen folgender Zusammensetzung (Endkonzentrationen): $1,67 \times 10^{-2}$ m der jeweiligen Ketosäure, 0,033 m Triäthanolaminpuffer, p_H 7,6, 5×10^{-4} m DPNH, 0,15 m NH_4^+ und 10 μg kristallisiertes Enzym aus Rinderleber (Boehringer).

Ketosäure	Relative Reaktionsgeschwindigkeit	MICHAELIS-Konstante
α-Ketoglutarsäure . . .	100	$7,0 \times 10^{-4}$ m
α-Ketovaleriansäure . .	25	$6,6 \times 10^{-3}$ m
α-Ketobuttersäure . .	2,3	—
α-Ketoisovaleriansäure .	2,1	—
Oxalessigsäure	0,5	—

Angaben über die Spezifität gegenüber Aminosäuren findet man in Tabelle 10. Die mit anderen L-Aminosäuren gefundenen Aktivitäten machen wahrscheinlich, daß die von BLANCHARD u.a.[2] beschriebene L-Aminosäureoxydase aus Säugetiergeweben mit Glutaminsäuredehydrogenase identisch ist.

Tabelle 10. *Substratspezifität der Glutaminsäuredehydrogenase für Aminosäuren*[3].

Die Enzymaktivität wurde optisch gemessen an der Zunahme der Extinktion bei 340 mμ in Ansätzen folgender Zusammensetzung (Endkonzentrationen): $1,67 \times 10^{-2}$ m der jeweiligen Aminosäure, 0,1 m Tris-Puffer, p_H 8 für Glutamat und p_H 9 für die anderen Aminosäuren, 1×10^{-3} m DPN, 0,05% Albumin und kristallisiertes Enzym aus Rinderleber.

Aminosäure	Relative Reaktionsgeschwindigkeit	Aminosäure	Relative Reaktionsgeschwindigkeit
L-Glutaminsäure . .	100	L-Isoleucin	0,95
L-Norvalin	17	L-Methionin	0,82
L-α-Aminobuttersäure	2,3	L-Alanin	0,27
L-Leucin	1,7	L-Ornithin, L-Lysin, L-Prolin, L-Asparaginsäure, L-α-Aminoadipinsäure, L-Threonin, D-Leucin und D,L-α-Methylglutaminsäure	< 0,1
L-Valin	1,6		
D,L-Norleucin	1,6		

Das Problem der Substratspezifität der Glutaminsäuredehydrogenase ist wesentlich kompliziert worden durch neuere Untersuchungen von TOMKINS u. Mitarb.[4], die zeigen konnten, daß Untereinheiten der Glutaminsäuredehydrogenase Alanindehydrogenase-Aktivität besitzen. Alle Faktoren, die eine Dissoziation des Enzyms in vier Untereinheiten begünstigen, wie o-Phenanthrolin[5], DPNH in höheren Konzentrationen[6],

---

[1] BÄSSLER, K. H., u. C.-H. HAMMAR: B. Z. **330**, 446 (1958).
[2] BLANCHARD, M., D. E. GREEN, V. NOCITO and S. RATNER: J. biol. Ch. **155**, 421 (1944).
[3] STRUCK, J. jr., and I. W. SIZER: Arch. Biochem. **86**, 260 (1960).
[4] TOMKINS, G. M., K. L. YIELDING and J. CURRAN: Proc. nat. Acad. Sci. USA **47**, 270 (1961).
[5] FRIEDEN, C.: Biochim. biophys. Acta **27**, 431 (1958).
[6] FRIEDEN, C.: J. biol. Ch. **234**, 809 (1959).

verschiedene Steroidhormone[1,2], Thyroxin und verwandte Verbindungen[3] sowie höhere p_H-Werte[4], stimulieren die Alanindehydrogenase-Aktivität und hemmen die Glutaminsäuredehydrogenase-Aktivität. Das Umgekehrte gilt für Faktoren, die die Assoziation der Untereinheiten fördern, wie ADP oder DPN. Da Alanin die Glutamatoxydation nicht hemmt, Pyruvat nur eine schwache, nichtkompetitive Hemmung der Glutamatoxydation und α-Ketoglutaratreduktion zur Folge hat und D-Glutamat, welches die L-Glutamatoxydation stark hemmt, keinen Einfluß auf die L-Alaninoxydation hat, kann angenommen werden, daß die aktiven Zentren für L-Glutamat und L-Alanin verschieden sind[4]. Von einer Reihe von Pyridinnucleotid-Analogen zeigen jeweils dieselben Substanzen verschiedene Aktivitäten im Glutaminsäuredehydrogenasesystem einerseits und im Alanindehydrogenasesystem andererseits[4].

Nicht so einfach zu deuten ist die Wirkung von Faktoren, die Dissoziation oder Assoziation bewirken, auf die Oxydation anderer Aminosäuren, z.B. Norvalin, bzw. auf die Reduktion entsprechender α-Ketosäuren, z.B. α-Ketovaleriansäure, α-Ketoisovaleriansäure und α-Ketobuttersäure durch Glutaminsäuredehydrogenase[3]. Thyroxin hemmt den Umsatz dieser Substrate wie bei Glutamat bzw. α-Ketoglutarat, aber mit anderer Größenordnung von K_I (K_I von Thyroxin gegen TPN bei Norvalinoxydation 8×10^{-5} m; bei Glutamatoxydation 7×10^{-6} m). ADP, das assoziierend wirkt, hemmt aber ebenfalls und verhält sich hier wie bei Alanin und nicht wie bei Glutamat. So ist bis jetzt nicht klar, ob man die Aktivität gegenüber Norvalin bzw. α-Ketovaleriansäure, α-Ketoisovaleriansäure und α-Ketobuttersäure der intakten Glutaminsäuredehydrogenase oder den als Alanindehydrogenase wirksamen Untereinheiten zuschreiben soll.

Tabelle 11. *Coenzymspezifität der Glutaminsäuredehydrogenase aus Rinderleber*[5].

Die Enzymaktivität wurde optisch gemessen an der Zunahme der Extinktion bei 340 mμ in Ansätzen folgender Zusammensetzung (Endkonzentrationen): $1,1 \times 10^{-2}$ m Glutamat, $2,1 \times 10^{-4}$ m des jeweiligen Pyridinnucleotids, 0,1 m Histidinpuffer, p_H 8, 4 μg kristallisiertes Enzym.

Coenzym	Relative Reaktionsgeschwindigkeit
DPN	100
Desamino-DPN	60
TPN	35

Coenzymspezifität. Während in Hefe[6] und in *Fusarium*[7] eine DPN-spezifische und eine TPN-spezifische Glutaminsäuredehydrogenase unterschieden werden können, reagiert Rinderleber-Glutaminsäuredehydrogenase mit beiden Pyridinnucleotiden (Tabelle 11).

Auch Glutaminsäuredehydrogenase aus menschlicher Placenta reagiert mit beiden Pyridinnucleotiden; die Reaktionsgeschwindigkeit mit TPN beträgt $1/3$ von der mit DPN[8], was mit den Verhältnissen beim Rinderleberenzym übereinstimmt. In *Bacterium coli* wurde eine TPN-spezifische Glutaminsäuredehydrogenase gefunden[9].

Glutaminsäuredehydrogenase aus Rinderleber katalysiert eine direkte Wasserstoffübertragung vom Substrat auf DPN mit β-Stereospezifität für DPN[10] und TPN[11].

Bindung von Coenzym und Substrat an Glutaminsäuredehydrogenase. Bestimmt man die Michaelis-Konstante für DPN, so bekommt man keine Gerade bei der Darstellung nach LINEWEAVER-BURK, wie schon OLSON[5] bei seinen Untersuchungen gezeigt hatte. Das kommt daher[12], daß man bei hohen DPN-Konzentrationen höhere Geschwindigkeiten

---

[1] YIELDING, K. L., G. M. TOMKINS, J. S. MUNDAY and J. CURRAN: Biochem. biophys. Res. Comm. **2**, 303 (1960).
[2] YIELDING, K. L., and G. M. TOMKINS: Proc. nat. Acad. Sci. USA **46**, 1483 (1960).
[3] WOLFF, J.: J. biol. Ch. **237**, 230, 236 (1962).
[4] TOMKINS, G. M., K. L. YIELDING and J. CURRAN: Proc. nat. Acad. Sci. USA **47**, 270 (1961).
[5] OLSEN, J. A., and C. B. ANFINSEN: J. biol. Ch. **202**, 841 (1953).
[6] HOLZER, H., u. S. SCHNEIDER: B. Z. **329**, 361 (1957).
[7] SANWAL, B. D.: Arch. Biochem. **93**, 377 (1961).
[8] GAULL, G., D. D. HAGERMAN and C. A. VILLEE: Biochim. biophys. Acta **40**, 552 (1960).
[9] ADLER, E., V. HELLSTRÖM, G. GÜNTHER u. H. v. EULER: H. **255**, 14 (1938).
[10] LEVY, H. R., and B. VENNESLAND: J. biol. Ch. **228**, 85 (1957).
[11] NAKAMOTO, T., and B. VENNESLAND: J. biol. Ch. **235**, 202 (1960).
[12] FRIEDEN, C.: J. biol. Ch. **234**, 809 (1959).

findet, als nach der Extrapolation von den Geschwindigkeiten bei geringeren DPN-Konzentrationen zu erwarten wäre. Umgekehrt findet man bei hohen DPNH-Konzentrationen bei der reduktiven Aminierung der α-Ketoglutarsäure geringere Geschwindigkeiten, als von den Geschwindigkeiten bei niederen DPNH-Konzentrationen zu erwarten wäre. Ausführliche kinetische Untersuchungen von FRIEDEN[1] zeigen, daß DPN und DPNH nicht nur an eine enzymatisch aktive Stelle am Enzym gebunden werden, sondern auch an eine enzymatisch inaktive Stelle. Das wesentliche dabei ist, daß die Bindung von DPN oder DPNH an die enzymatisch inaktive Stelle die Umsatzgeschwindigkeit des an die enzymatisch aktive Stelle gebundenen Coenzyms beeinflußt. Die Bindung von DPN an die inaktive Stelle aktiviert den Umsatz von DPN an der aktiven Stelle; daher kommen die höheren Umsatzgeschwindigkeiten bei höheren DPN-Konzentrationen. Bei DPN-Konzentrationen in Höhe der Michaelis-Konstante werden weniger als 4% an die inaktive Stelle gebunden.

Die Bindung von DPNH an die inaktive Stelle hemmt dagegen den Umsatz von DPNH an der aktiven Stelle. TPN und TPNH werden nur an die aktive Stelle gebunden. Die aktive Stelle ist für alle 4 Coenzyme die gleiche.

Schon früher hatte FRIEDEN[2] eine Dissoziation der Glutaminsäuredehydrogenase durch DPNH nachgewiesen. Durch Kombination von kinetischen Untersuchungen und Sedimentationsstudien wird nun bewiesen, daß zwischen Assoziation und Dissoziation des Enzyms einerseits und Geschwindigkeit der enzymatischen Reaktion andererseits ein direkter Zusammenhang besteht in dem Sinne, daß das dissoziierte Enzym katalytisch unwirksam ist. In Konzentrationen unter 3×10^{-4} m begünstigt jedes der 4 Coenzyme (DPN, DPNH, TPN und TPNH) die Assoziation der Enzym-Untereinheiten, kenntlich an einer Zunahme des Sedimentationskoeffizienten. DPNH unterscheidet sich von den anderen Coenzymen dadurch, daß es in Konzentrationen über $3,5 \times 10^{-4}$ m Dissoziation des Enzyms verursacht. DPN unterscheidet sich von den Triphosphopyridinnucleotiden dadurch, daß der Sedimentationskoeffizient in seiner Gegenwart etwas höher ist als bei Anwesenheit von TPN oder TPNH.

Weiterhin wurden Verbindungen untersucht, die Teilen des DPN- oder TPN-Moleküls strukturell verwandt sind[3]. An die enzymatisch nicht aktive Stelle werden außer DPN und DPNH nur Adenosin, Adenosin-5'-phosphat, Adenosindiphosphat und Adenosintriphosphat gebunden. ADP wirkt dabei wie DPN im Sinne der Assoziation der Untereinheiten des Enzyms. Nicht oder nur sehr schwach werden TPN, TPNH, Adenosin-2'-phosphat, Inosin-5'-phosphat, Guanosinmonophosphat, Uridindiphosphat, Desamino-DPN und -DPNH sowie einige Nicotinamidderivate gebunden. Alle genannten Verbindungen können an die aktive Stelle gebunden werden, aber ihre Affinität ist wesentlich geringer als die der Coenzyme.

Über die Alanindehydrogenase-Aktivität der Untereinheiten von Glutaminsäuredehydrogenase s. Abschnitt „Substratspezifität".

Wenn die Voraussetzung zum Zustandekommen einer enzymatischen Reaktion die Bindung mehrerer „Substrate" an die Enzymoberfläche ist (bei Glutaminsäuredehydrogenase Glutaminsäure + DPN bzw. α-Ketoglutarsäure + DPNH + NH_4^+), so entsteht die Frage nach dem Mechanismus der Substratbindung. Möglichkeiten sind eine rein zufällige Bindung ohne gegenseitige Beeinflussung oder eine obligate Reihenfolge, bei der erst das eine Substrat gebunden werden muß, bevor das andere oder die anderen gebunden werden können. Eingehende kinetische Untersuchungen[4] führten bei kristallisierter Rinderleber-Glutaminsäuredehydrogenase zur Klärung dieser Frage. Als Coenzym wurde TPNH verwandt, um die bei DPN und DPNH gegebenen Komplikationen (Aktivierung bzw. Hemmung bei höheren Konzentrationen) zu vermeiden. Die Versuche ergeben

---
[1] FRIEDEN, C.: J. biol. Ch. **234**, 809 (1959).
[2] FRIEDEN, C.: Biochim. biophys. Acta **27**, 431 (1958).
[3] FRIEDEN, C.: J. biol. Ch. **234**, 815 (1959).
[4] FRIEDEN, C.: J. biol. Ch. **234**, 2891 (1959).

eindeutig, daß bei Glutaminsäuredehydrogenase eine obligatorische Reihenfolge der Substratbindung besteht, nämlich TPNH, NH_4^+, α-Ketoglutarsäure.

Zum gleichen Ergebnis kommt FISHER[1] durch Fluorescenzuntersuchungen: α-Ketoglutarsäure kann an das Enzym erst gebunden werden nach Bildung eines Komplexes zwischen Enzym und reduzierten Coenzymen. In der Arbeit wird ein hypothetisches Schema der verschiedenen Komplexe am aktiven Zentrum gezeigt.

Vielfach wird die Glutaminsäuredehydrogenase-Reaktion mit NH_3 formuliert. Untersuchungen von FISHER[2] über die kompetitive Hemmung der Glutamatoxydation durch Ammoniak in Abhängigkeit vom pH zeigen, daß das NH_4^+-Ion an der Reaktion teilnimmt und nicht NH_3.

Zur Bestimmung der Zahl der DPNH- bzw. TPNH-bindenden Stellen an Dehydrogenasen wird häufig die Fluorescenzintensivierung herangezogen. Mit dieser Methode werden aber nicht nur die enzymatisch aktiven, sondern auch die inaktiven Bindungsstellen erfaßt, wenn solche, wie bei der Glutaminsäuredehydrogenase, vorliegen. In solchen Fällen ist die fluorometrisch ermittelte Dissoziationskonstante für das Coenzym kleiner als die kinetisch ermittelte. FRIEDEN[3] findet mit dieser Methode zehn Bindungsstellen für TPNH an der Glutaminsäuredehydrogenase. TOMKINS u. Mitarb.[4] finden bei 5×10^{-4} μM Enzym pro ml acht Bindungsstellen für DPNH bzw. TPNH pro Molekül Enzym. Diese Zahl kann durch Diäthylstilboestrol auf 16 erhöht, durch ADP auf 4—5 verringert werden, was wohl mit der Änderung des Aggregationszustandes des Enzyms durch diese Verbindungen zusammenhängt. Die Affinität der Bindungsstellen wird dadurch nicht verändert. Auch L-Glutamat steigert die Fluorescenzintensität, aber nicht durch Vermehrung der Bindungsorte, sondern durch Verringerung der Dissoziationskonstante der Coenzyme.

Kinetische Daten. Die kinetischen Daten für verschiedene Glutaminsäuredehydrogenase-Präparate sind in Tabelle 12 zusammengestellt. Abweichungen bei Präparaten gleicher Herkunft ergeben sich zum Teil daraus, daß die K_M-Werte von Art und pH des Puffers abhängig sind[5]. Tabelle 13 zeigt Daten für Alanindehydrogenase.

Über pH-Optima orientiert Tabelle 14, über Wechselzahlen Tabelle 15.

Thermodynamische Daten. Die thermodynamischen Daten sind in Tabelle 16 zusammengestellt, wobei für die experimentell gemessenen Konstanten die Reaktionsbedingungen angegeben sind, soweit sie aus den Originalarbeiten hervorgehen. Berücksichtigung oder Vernachlässigung der Aktivitätskoeffizienten spielt eine beträchtliche Rolle. FRIEDEN[6] gibt an, daß die experimentell bestimmte Gleichgewichtskonstante um das 2—4fache von der nach der HALDANE-Gleichung berechneten abweichen kann.

Die Aktivierungsenergie der durch Glutaminsäuredehydrogenase katalysierten Reaktion wurde von OLSON[7] zu 14000 cal×Mol^{-1} bestimmt (Temperaturintervall von 9,8 bis 42° C). Das Enzym ist bei 41° C stabil; über 50° C erfolgt schnelle Inaktivierung.

Physikochemische Daten. OLSON und ANFINSEN[8] berechneten aus Sedimentations- und Diffusionsmessungen das Molekulargewicht kristallisierter Rinderleber-Glutaminsäuredehydrogenase zu 10^6. Die Sedimentationskonstante $s_{20,w}$ beträgt $26,6 \times 10^{-13}$ (sec). Die Diffusionskonstante $D_{20,w}$ wurde zu $2,54 \times 10^{-7}$ (cm²×sec^{-1}) bestimmt. Das spezifische Partialvolumen V beträgt 0,75 (cm³×g^{-1}) und der Reibungsquotient f/f_0 ist 1,26. Daraus ergibt sich unter Annahme eines gestreckten Rotationsellipsoids ein Achsenverhältnis $a/b = 5,0$ und unter Annahme eines abgeplatteten Rotationsellipsoids ein Achsenverhältnis $b/a = 5,7$ (in beiden Fällen ist ein nicht hydratisiertes Molekül zugrunde gelegt).

---

[1] FISHER, H. F.: J. biol. Ch. **235**, 1830 (1960).
[2] FISHER, H. F., and L. L. McGREGOR: Biochem. biophys. Res. Comm. **3**, 629 (1960).
[3] FRIEDEN, C.: Biochim. biophys. Acta **47**, 428—430 (1961).
[4] TOMKINS, G. M., K. L. LEMONE and J. F. CURRAN: J. biol. Ch. **237**, 1704 (1962).
[5] STRECKER, H. J.: Arch. Biochem. **46**, 128 (1953).
[6] FRIEDEN, C.: J. biol. Ch. **234**, 2891 (1959).
[7] OLSON, J. A., and C. B. ANFINSEN: J. biol. Ch. **202**, 841 (1953).
[8] OLSON, J. A., and C. B. ANFINSEN: J. biol. Ch. **197**, 67 (1952).

Tabelle 12. MICHAELIS-*Konstanten der Glutaminsäuredehydrogenase.*

Herkunft des Enzyms	Substrat	K_M Mol×l⁻¹	Reaktionsbedingungen	Bemerkungen	Autor
Hefe, DPN-spezifisch	Glutamat	$2,5 \times 10^{-2}$	α-Ketoglutarsäure, NH₄, DPNH und TPNH mit 0,2 m Phosphatpuffer, p_H 7,0. Glutamat, DPN und TPN mit 0,2 m Tris-Puffer, p_H 7,4. Temperatur 22—23° C		1
	α-Ketoglutarsäure	$0,5 \times 10^{-3}$			
	NH₄⁺	$3,0 \times 10^{-2}$			
	DPN	$1,25 \times 10^{-3}$			
	DPNH	$2,5 \times 10^{-3}$			
Hefe, TPN-spezifisch	Glutamat	$3,6 \times 10^{-2}$			
	α-Ketoglutarsäure	$3,6 \times 10^{-4}$			
	NH₄⁺	$1,1 \times 10^{-2}$			
	TPN	$0,7 \times 10^{-4}$			
	TPNH	$1,0 \times 10^{-3}$			
Kaninchenhirn	Glutamat	$0,85 \times 10^{-3}$	0,05 m Veronalpuffer, p_H 8,1. Temperatur 32° C		2
	DPN	$1,0 \times 10^{-3}$			
	α-Ketoglutarsäure	$2,2 \times 10^{-4}$	Tris-Puffer, p_H 7,6. Temperatur 38° C		3
	DPNH	$<1,5 \times 10^{-5}$			
Placenta, Mensch	Glutamat	$0,44 \times 10^{-3}$	0,05 m Phosphatpuffer, p_H 7,4		4
	DPN	$3,79 \times 10^{-5}$			
	TPN	$7,32 \times 10^{-6}$			
Hühnerleber	Glutamat	$2,0 \times 10^{-3}$	0,167 m Tris-Puffer, p_H 8. Temperatur 23° C		5
	DPN	$6,1 \times 10^{-4}$			
Rinderleber	Glutamat	$1,92 \times 10^{-3}$	0,5 m Phosphatpuffer, p_H 7,6. Temperatur 30,5° C	K_M abhängig von Art und p_H des Puffers. In Gemisch von Tris und 2-Amino-2-methyl-1,3-propandiol je 0,167 m ist K_M für Glutamat bei p_H 7,65, 8,18, 8,63 und 9,02: 0,99, 1,37, 5,36 und $8,52 \times 10^{-3}$ m	6
	DPN	$2,47 \times 10^{-5}$			
	α-Ketoglutarsäure	$1,23 \times 10^{-4}$			
	DPNH	$1,8 \times 10^{-5}$			
	NH₄⁺	$5,7 \times 10^{-2}$			
Rinderleber	Glutamat	$1,1 \times 10^{-3}$	0,2 m Phosphatpuffer, p_H 7,6. Temperatur 25° C	NH₄⁺ hemmen über 0,5 m. α-Ketoglutarsäure hemmt über 6×10^{-3} m	7
	α-Ketoglutarsäure	$7,0 \times 10^{-4}$			
	DPN	$1,01 \times 10^{-4}$			
	DPNH	$9,6 \times 10^{-5}$			
	TPN	$5,7 \times 10^{-5}$			
	NH₄⁺	$5,6 \times 10^{-2}$			
Rinderleber	Glutamat	$1,8 \times 10^{-3}$	0,01 m Tris-Acetatpuffer, p_H 8,0. Temperatur 25° C		8
	α-Ketoglutarsäure	$7,0 \times 10^{-4}$			
	TPN	$4,7 \times 10^{-5}$			
	TPNH	$2,6 \times 10^{-5}$			
	NH₄⁺	$3,2 \times 10^{-3}$			
Fusarium, DPN-spezifisch	Glutamat	$1,1 \times 10^{-2}$	0,1 m Tris-Puffer, p_H 7,2. Temperatur 22—24° C		9
	α-Ketoglutarsäure	$2,1 \times 10^{-3}$			
	NH₄⁺	$1,7 \times 10^{-2}$			
	DPN	$2,5 \times 10^{-4}$			
	DPNH	$0,8 \times 10^{-4}$			
Fusarium, TPN-spezifisch	Glutamat	$5,0 \times 10^{-2}$	0,1 m Tris-Puffer, p_H 6,8. Temperatur 22—24° C		9
	α-Ketoglutarsäure	$1,7 \times 10^{-3}$			
	NH₄⁺	$1,1 \times 10^{-2}$			
	TPN	$2,5 \times 10^{-5}$			
	TPNH	$3,0 \times 10^{-5}$			

[1] HOLZER, H., u. S. SCHNEIDER: B. Z. **329**, 361 (1957).
[2] STROMINGER, J. L., and O. H. LOWRY: J. biol. Ch. **213**, 635 (1955).

Tabelle 13. MICHAELIS-*Konstanten der Alanindehydrogenase als Untereinheit der Glutaminsäuredehydrogenase aus Rinderleber.*

Substrat	K_M Mol × l^{-1}	Reaktionsbedingungen	Autor
L-Alanin	$3{,}6 \times 10^{-2}$	Für Alaninoxydation 0,025 m Tris-Puffer,	1
Pyruvat	$3{,}3 \times 10^{-3}$	p_H 8,4 mit 1×10^{-4} m ÄDTA. Für Pyruvatreduk-	
DPN	$3{,}6 \times 10^{-4}$	tion p_H 8,0. Wenn nicht variiert: Alanin 0,025 m,	
TPN	$6{,}6 \times 10^{-4}$	Pyruvat 0,05 m, DPN $2{,}8 \times 10^{-4}$ m, DPNH	
DPNH	$8{,}4 \times 10^{-5}$	5×10^{-5} m, NH$_4$Cl 0,1 m	
NH$_4^+$	0,125		

Tabelle 14. p_H-*Optimum der Glutaminsäuredehydrogenase.*

Herkunft des Enzyms	Richtung der Reaktion	Puffersystem	p_H-Optimum	Autor
Rinderleber	Glutamat → α-Ketoglutarsäure	$4{,}5 \times 10^{-4}$ m K-pyrophosphat, Gemisch aus K-phosphat, Tris und 2-Amino-2-methyl-1,3-propandiol, je $4{,}5 \times 10^{-4}$ m	8,2 8,5—8,6	2
Rinderleber	Glutamat → α-Ketoglutarsäure	0,1 m Histidin 0,1 m Veronal oder 0,1 m Phosphat	8,0—8,1 7,6	3
	α-Ketoglutarsäure → Glutamat	0,1 m Veronal	7,6	
Rinderleber	Glutamat → α-Ketoglutarsäure	Tris 0,2 m Phosphat	8,1—8,2 7,6	4
Kaninchenhirn	Glutamat → α-Ketoglutarsäure	0,05 m Veronal	8,1	5
Placenta, Mensch	Glutamat → α-Ketoglutarsäure	0,2 m Phosphat	8,5—8,6	6
Hühnerleber	Glutamat → α-Ketoglutarsäure α-Ketoglutarsäure → Glutamat	0,167 m Tris 0,167 m Tris	8,0 7,6	7
Hefe, DPN-spezifisch	α-Ketoglutarsäure → Glutamat	0,2 m Phosphat	6,5	8
Hefe, TPN-spezifisch	α-Ketoglutarsäure → Glutamat	0,2 m Phosphat	7,0	
Fusarium, DPN-spezifisch	α-Ketoglutarsäure → Glutamat	0,1 m Tris	7,2	9
Fusarium, TPN-spezifisch	α-Ketoglutarsäure → Glutamat	0,1 m Tris	6,8	9

[1] TOMKINS, G. M., K. L. YIELDING and J. CURRAN: Proc. nat. Acad. Sci. USA **47**, 270 (1961).
[2] STRECKER, H. J.: Arch. Biochem. **46**, 128 (1953).
[3] OLSON, J. A., and C. B. ANFINSEN: J. biol. Ch. **202**, 841 (1953).
[4] WALLENFELS, K., H. SUND u. H. DIEKMANN: B. Z. **329**, 48 (1957).
[5] STROMINGER, J. L., and O. H. LOWRY: J. biol. Ch. **213**, 635 (1955).
[6] GAULL, G., D. D. HAGERMAN and C. A. VILLEE: Biochim. biophys. Acta **40**, 552 (1960).
[7] SNOKE, J. E.: J. biol. Ch. **223**, 271 (1956).
[8] HOLZER, H., u. S. SCHNEIDER: B. Z. **329**, 361 (1957).
[9] SANWAL, B. D.: Arch. Biochem. **93**, 377 (1961).

Literatur zu Tabelle 12 (Fortsetzung).

[3] LOWRY, O. H., N. R. ROBERTS and C. LEWIS: J. biol. Ch. **220**, 879 (1956).
[4] GAULL, G., D. D. HAGERMAN and C. A. VILLEE: Biochim. biophys. Acta **40**, 552 (1960).
[5] SNOKE, J. E.: J. biol. Ch. **223**, 271 (1956).
[6] STRECKER, H. J.: Arch. Biochem. **46**, 128 (1953).
[7] OLSON, J. A., and C. B. ANFINSEN: J. biol. Ch. **202**, 841 (1953).
[8] FRIEDEN, C.: J. biol. Ch. **234**, 2891 (1959).
[9] SANWAL, B. D.: Arch. Biochem. **93**, 377 (1961).

Tabelle 15. *Wechselzahl der Glutaminsäuredehydrogenase*
(Mol Substrat × min^{-1} × Mol Enzym^{-1}. Mol.-Gew. = 10^6).

Herkunft des Enzyms	Reaktion	Wechselzahl	Reaktionsbedingungen	Autor
Rinderleber	Glutamat → α-Ketoglutarsäure	6700	Phosphatpuffer, p_H 7,6. DPN: $1,2 \times 10^{-3}$ m. Glutamat: $1,6 \times 10^{-2}$ m. Wechselzahl in Tris-Puffer fast doppelt so hoch!	1
Rinderleber	Glutamat → α-Ketoglutarsäure α-Ketoglutarsäure → Glutamat	2900 30000	0,2 m Phosphatpuffer, p_H 7,7. Temperatur 25° C	2
Rinderleber	Glutamat → α-Ketoglutarsäure	2400—3700	0,08 m Phosphatpuffer, p_H 7,8. 23° C. DPN: $8,3 \times 10^{-3}$ m, Glutamat: $1,1 \times 10^{-2}$ m	3
Rinderleber	Glutamat → α-Ketoglutarsäure mit TPN α-Ketoglutarsäure → Glutamat mit TPNH	1980 60000	0,01 m Tris-Acetatpuffer, p_H 8. 25° C. 10^{-5} m Versen. 5×10^{-3} m Substrat	4

Tabelle 16. *Thermodynamische Daten der Glutaminsäuredehydrogenase.*

$$\text{Gleichgewichtskonstante } K = \frac{[\alpha\text{-Ketoglutarsäure}^=] \times [NH_4^+] \times [DPNH] \times [H^+]}{[\text{Glutamat}^\pm] \times [DPN^+] \times [H_2O]}$$

K' = scheinbare Gleichgewichtskonstante unter den angegebenen Reaktionsbedingungen und auf der Grundlage analytischer Molaritäten. Allen Zahlen in der Tabelle liegt für Wasser die Standardkonzentration 1 m zugrunde. $\Delta F° = -RT \times \ln K$.

Gleichgewichtskonstante	Coenzym	Reaktionsbedingungen und Berechnungsweise	$\Delta F°$ bzw. $\Delta F°'$ (cal. Mol^{-1})	Autor
$K' = 1,45 \times 10^{-13}$	DPN	Mittel aus 10 Versuchen. 0,2 m Phosphatpuffer, p_H 6,4—7,5, 5×10^{-4} bis $5,5 \times 10^{-2}$ m Glutamat, $2,12$—$2,15 \times 10^{-4}$ m DPN. Temperatur 27° C	+17600	5
$K' = 9,8 \times 10^{-14}$	TPN	Mittel aus 15 Versuchen. 0,2 m Phosphatpuffer, p_H 6,5—7,5, $1,1$—$5,5 \times 10^{-2}$ m Glutamat, $1,8$—$3,9 \times 10^{-4}$ m TPN. Temperatur 27° C		
$K' = 2,5 \times 10^{-13}$	DPN	0,5 m Phosphatpuffer, p_H 7,6. Temperatur 30,5° C	+17500	6
$K = 4,5 \times 10^{-14}$	TPN	berechnet nach der HALDANE-Beziehung[8] aus den kinetischen Parametern	—	4
$K_a = 4,0 \times 10^{-14}$	DPN	berechnet unter Berücksichtigung der Aktivitätskoeffizienten. 25° C	+18280	7

Der spezifische Extinktionskoeffizient $E_{1\,cm}^{1\%}$ ist 9,73 bei 279 mμ (1% auf der Basis von Protein-Trockengewicht). $E_{279}/E_{260} = 1,6$.

Glutaminsäuredehydrogenase mit einem Molekulargewicht von 10^6 stellt nach neueren Untersuchungen ein Aggregat aus Untereinheiten dar, die nicht mehr Glutaminsäuredehydrogenase-Aktivität, sondern Alanindehydrogenase-Aktivität besitzen[9]. FRIEDEN[10] konnte als erster eine Disaggregation in vier Untereinheiten mit einem Molekulargewicht von je 250000 nachweisen. Neuere Untersuchungen zeigen, daß noch wesentlich kleinere

---

[1] WALLENFELS, K., H. SUND u. H. DIEKMANN: B. Z. **329**, 48 (1957).
[2] OLSON, J. A., and C. B. ANFINSEN: J. biol. Ch. **197**, 67 (1952).
[3] ADELSTEIN, S. J., and B. L. VALLEE: J. biol. Ch. **233**, 589 (1958).
[4] FRIEDEN, C.: J. biol. Ch. **234**, 2891 (1959).
[5] OLSON, J. A., and C. B. ANFINSEN: J. biol. Ch. **202**, 841 (1953).
[6] STRECKER, H. J.: Arch. Biochem. **46**, 128 (1953).
[7] BURTON, K., and H. A. KREBS: Biochem. J. **54**, 94 (1953).
[8] HALDANE, J. B. S.: Enzymes. London 1930.
[9] TOMKINS, G. M., K. L. YIELDING and J. CURRAN: Proc. nat. Acad. Sci. USA **47**, 270 (1961).
[10] FRIEDEN, C.: Biochim. biophys. Acta **27**, 431 (1958).

Untereinheiten vorkommen können. KUBO u.a.[1] berichten, daß Glutaminsäuredehydrogenase aus Kalbsleber durch Harnstoff in 15 Untereinheiten gespalten werden kann, die, wenn sie gleich groß sind, ein Molekulargewicht von 67000 haben müssen. JIRGENSONS[2] findet 17—23 aminoendständige Alaninreste pro Glutaminsäuredehydrogenase-Partikel mit einem Molekulargewicht von 10^6 und schließt daraus auf ein Molekulargewicht der kleinsten Untereinheit von etwa 43000.

Bestimmungsmethoden. Die genaueste Methode zur Bestimmung der Glutaminsäuredehydrogenase ist der optische Test, der auf der Messung der Zunahme von DPNH bei der Oxydation von Glutamat oder der Abnahme von DPNH bei der reduktiven Aminierung von α-Ketoglutarsäure beruht (Reaktionsgleichung s. S. 638).

In vielen Fällen kann jedoch ein solcher optischer Test nicht ohne weiteres durchgeführt werden, besonders bei Homogenaten und Mitochondriensuspensionen. Hier stören vor allem zwei Faktoren: die Trübung, die eine exakte optische Messung unmöglich macht, und die Undurchlässigkeit intakter Mitochondrien für Pyridinnucleotide, so daß zugesetztes DPN bzw. DPNH nicht zum Enzym gelangen kann. In diesen Fällen kann man manometrisch die Sauerstoffaufnahme bei der Glutamatoxydation messen. Hierbei sind die gesamten Enzyme der Atmungskette in den Mitochondrien mit eingeschaltet, und man bekommt brauchbare Werte nur, wenn man sichergestellt hat, daß Glutaminsäuredehydrogenase bei dem Gesamtvorgang der geschwindigkeitsbegrenzende Faktor ist und daß das Reaktionsprodukt, α-Ketoglutarsäure, nicht weiter umgesetzt wird und damit selbst und durch seine Folgeprodukte mit zur Sauerstoffaufnahme beiträgt. Außerdem kann Glutamat auf anderen Wegen oxydiert werden, die von Glutaminsäuredehydrogenase unabhängig sind, z.B. durch Transaminierung auf Oxalacetat, Oxydation der entstandenen α-Ketoglutarsäure zu Oxalacetat usw.[3]. Der erste Punkt, der geschwindigkeitsbegrenzende Faktor, ist gar nicht so leicht zu überprüfen. Am besten untersucht man gleichzeitig die Oxydation eines zweiten DPN-pflichtigen Substrats, z.B. D-β-Hydroxybutyrat. Verhält sich die Sauerstoffaufnahme bei der Oxydation von L-Glutamat + D-β-Hydroxybutyrat additiv, so kann man annehmen, daß die Kapazität der Atmungskette nicht ausgelastet ist. Die zweite Bedingung — Verhinderung des Umsatzes von α-Ketoglutarsäure — kann man erfüllen, indem man α-Ketoglutarsäure mit Semicarbazid abfängt. Semicarbazid kann allerdings auch selbst störend wirken (s. weiter unten).

COPENHAVER[4] bestimmt die Glutaminsäuredehydrogenase-Aktivität an der Sauerstoffaufnahme in wäßrigen Homogenaten unter Zusatz von Semicarbazid. Hier wirkt das Adenylsäuresystem nicht begrenzend, da die Behandlung mit Wasser durch Zerstörung der Mitochondrienstruktur die Koppelung von Oxydation und Phosphorylierung aufhebt. In vielen Geweben werden bei dieser Behandlung DPNasen aktiviert, die dann die DPN-Konzentration zum limitierenden Faktor machen können. In diesem Fall kann man sich durch Zusatz von Nicotinsäureamid zur DPNase-Hemmung helfen.

In 0,25 m Rohrzuckerlösung präparierte, intakte Mitochondrien oxydieren Glutamat wie andere DPN-pflichtige Substrate nur, wenn man ein Phosphataccepторsystem zugibt. Dazu verwendet man meist das Hexokinasesystem im Überschuß. Hier stößt man bei der Verwendung von Semicarbazid auf Schwierigkeiten, weil es in der erforderlichen Konzentration die Hexokinase hemmt. Vermutlich ist auch die Durchlässigkeit der Mitochondrien für das Substrat ein begrenzender Faktor. Jedenfalls hängt die Größe des Glutamatumsatzes bei Mitochondrien auch vom morphologischen Zustand ab und kann beispielsweise durch Frieren und Tauen verdoppelt werden[5]. Es ist somit aus verschiedenen Gründen erstrebenswert, Glutaminsäuredehydrogenase in Mitochondrien optisch zu messen. HOGEBOOM und SCHNEIDER[6] erreichen das, indem sie Mitochondrien

---
[1] KUBO, H., G. IWATSUBO, H. WATARI and T. SOYAMA: J. Biochem. **46**, 1171 (1959).
[2] JIRGENSONS, B.: Am. Soc. **83**, 3162 (1961).
[3] BORST, P., and E. C. SLATER: Biochim. biophys. Acta **41**, 170 (1960).
[4] COPENHAVER, J. H. jr., W. H. MCSHAN and R. K. MEYER: J. biol. Ch. **183**, 73 (1950).
[5] ZIEGLER, D. M., and A. W. LINNANE: Biochim. biophys. Acta **30**, 53 (1958).
[6] HOGEBOOM, G. H., and W. C. SCHNEIDER: J. biol. Ch. **204**, 233 (1953).

unter Druck durch eine sehr kleine Öffnung pressen, sie damit zerstören und für DPN zugänglich machen. Das Verfahren hat den Nachteil der Umständlichkeit und der immer noch störenden Trübung.

Bei uns hat sich ein einfacheres Verfahren bewährt, bei dem die Mitochondrien durch ein Netzmittel (Triton X-100) „aufgelöst" werden[1,2]. Dadurch wird die Suspension klar und das Enzym für DPN und DPNH zugänglich, so daß ein optischer Test ohne weiteres möglich ist. Auch einige andere DPN- und TPN-abhängige Dehydrogenasen lassen sich auf diese Weise in Mitochondrien messen.

Mikromodifikationen des optischen Tests, die darauf beruhen, daß das bei der reduktiven Aminierung von α-Ketoglutarsäure entstandene DPN fluorometrisch gemessen wird, werden von Lowry[3,4] angegeben. Im ersten Fall[3] ist die Aktivitätsbestimmung der Glutaminsäuredehydrogenase in Gewebsproben von 0,1 μg Trockengewicht, im zweiten Fall[4] sogar in Proben von 0,005—0,03 μg Trockengewicht möglich. Zum Umgang mit so kleinen Gewebsproben werden spezielle Vorrichtungen beschrieben.

In älteren Untersuchungen wurde unter anderem die Thunberg-Methode (Messung der Entfärbungszeit mit Methylenblau als Wasserstoffacceptor) zur Messung der Glutaminsäuredehydrogenase angewandt, die allenfalls als halbquantitative Methode zu Orientierungszwecken benutzt werden kann.

Als weiteres Verfahren bleibt noch die Messung des bei der Glutamatoxydation entstehenden Ammoniaks (z.B. in der Diffusionszelle), die vielleicht in Spezialfällen nützlich sein kann, sonst aber zu umständlich und zeitraubend ist.

Bestimmung der Glutaminsäuredehydrogenase-Aktivität im optischen Test nach Olson und Anfinsen[5].

Zur Durchführung optischer Tests s. S. 292 ff. Man mißt mit einem Spektralphotometer bei 340 mμ oder mit einem geeigneten Photometer (z.B. Photometer Eppendorf bei 366 mμ oder Elko III von Zeiss).

Prinzip:
  a) Messung der DPN-Reduktion bei der Oxydation von Glutamat.
  b) Messung der DPNH-Oxydation bei der reduktiven Aminierung von α-Ketoglutarsäure.

  a) Test auf DPN-Reduktion.
Reagentien:
  1. 0,001 m DPN in 0,2 m Kaliumphosphatpuffer, p_H 7,7.
  2. 0,33 m Kalium-glutamat.
  3. 0,2 m Kaliumphosphatpuffer, p_H 7,7*.

Ansatz:
  0,5 ml DPN.
  0,1 ml Glutamat.
  2,35 ml Phosphatpuffer.
  0,05 ml Enzymlösung.

Ausführung:
Mit der Enzymlösung wird die Reaktion in Gang gebracht. Wird mehr oder weniger Enzymlösung benötigt, so wird durch Phosphatpuffer das Volumen ausgeglichen.

Sind in Rohextrakten noch andere Dehydrogenasen und ihre Substrate enthalten, so muß man sie vor Zusatz von Glutamat abreagieren lassen. Man bringt dann die Reaktion durch Zusatz von Glutamat in Gang.

---

* Wir fanden höhere Aktivitäten bei p_H 8,0.

[1] Duve, C. de, B. C. Pressman, R. Gianetto, R. Wattiaux and F. Appelmans: Biochem. J. **60**, 604 (1955).
[2] Bendall, D. S., and C. de Duve: Biochem. J. **74**, 444 (1960).
[3] Lowry, O. H., N. R. Roberts and C. Lewis: J. biol. Ch. **220**, 879 (1956).
[4] Lowry, O. H., N. R. Roberts and M.-L. W. Chang: J. biol. Ch. **222**, 97 (1956).
[5] Olson, J. A., and C. B. Anfinsen: J. biol. Ch. **197**, 67 (1952).

Die DPNH-Bildung bei der Oxydation von Glutamat verläuft nicht lange linear. Olson mißt die Extinktionszunahme in 5 min nach Verstreichen der 1. min. Die Werte sind der Enzymkonzentration proportional, wenn sie unter 0,070 liegen.

Strecker[1] mißt die Extinktionszunahme in dem Intervall von 15—30 sec nach dem Start und multipliziert den Wert mit 4, um ΔE/min zu bekommen. Hierbei hat man einen weiteren Spielraum bezüglich der Aktivitäten.

Weitgehend unabhängig vom kinetischen Typ der Reaktion wird man, wenn man die Zeit mißt, die für eine definierte Extinktionsänderung erforderlich ist.

b) Test auf DPNH-Oxydation.

Reagentien:
1. 0,001 m DPNH in 0,2 m Kaliumphosphatpuffer, p_H 7,6.
2. 0,167 m α-Ketoglutarat.
3. 3,0 m NH_4Cl.
4. 0,2 m Kaliumphosphatpuffer, p_H 7,6.

Ansatz:
0,6 ml DPNH.
0,2 ml α-Ketoglutarat.
0,15 ml NH_4Cl.
2,0 ml Phosphatpuffer.
0,05 ml Enzym.

Auch hier Ausgleich des Volumens durch Puffer, wenn mehr oder weniger Enzym benötigt wird.

Ausführung:

Die Reaktion verläuft hier längere Zeit linear. Man liest alle 15 sec ab und berechnet die Anfangsgeschwindigkeit aus dem linearen Bereich der Reaktion.

Laut Angaben in der Literatur[2] sollen die Aktivitäten bei Verwendung von 0,05 m Tris-HCl-Puffer höher liegen als bei Verwendung von Phosphatpuffer.

Umrechnung von Extinktionsdifferenz auf Mikromol Substrat:

Bei 366 mμ

$$\frac{\Delta E \cdot V}{3{,}3 \cdot d} = \Delta\ \mu\text{Mol Substrat.}$$

Bei 340 mμ

$$\frac{\Delta E \cdot V}{6{,}22 \cdot d} = \Delta\ \mu\text{Mol Substrat.}$$

$V =$ ml Gesamtvolumen in der Küvette; $d =$ Schichtdicke in cm.

Vorbereitung von Mitochondrien zum optischen Test nach Bässler[3]. Zu je 1 ml Mitochondriensuspension (etwa 10—21 mg Protein) gibt man 0,1 ml einer 4%igen wäßrigen Lösung von Triton X-100*, mischt gut durch und läßt wenige min stehen. Der optische Test wird durchgeführt wie bei Olson unter a) oder b) beschrieben. Tritonbehandelte Mitochondrien oxydieren α-Ketoglutarsäure nicht weiter; sie oxydieren DPNH nur in äußerst geringem Umfang, so daß sich ein Cyanidzusatz erübrigt; allenfalls kann ein Leerwert, der nur DPNH ohne Substrat enthält, abgezogen werden.

Manometrische Bestimmung der Glutaminsäuredehydrogenase-Aktivität nach Copenhaver, McShan und Meyer[4].

Prinzip:

Die Sauerstoffaufnahme bei der Glutamatoxydation in einem wäßrigen Homogenat wird manometrisch bestimmt. Technik s. S. 55ff.

---
* Rohm and Haas Company, Philadelphia, Pa., U.S.A.
[1] Strecker, H. J.: Arch. Biochem. **46**, 128 (1953).
[2] Wallenfels, K., H. Sund u. K. Diekmann: B. Z. **329**, 48 (1957).
[3] Bässler, K. H.: Unveröffentlicht.
[4] Copenhaver, J. H. jr., W. H. McShan and R. K. Meyer: J. biol. Ch. **183**, 73 (1950).

Reagentien:
1. 0,2 m Kaliumphosphatpuffer, p_H 7,2.
2. 0,5 m Kalium-L-glutamat.
3. DPN-Lösung, 1%ig.
4. 4×10^{-4} m Cytochrom c.
5. 1,0 m Semicarbazid (Hydrochlorid mit NaOH auf p_H 7,2 gebracht).
6. KOH, 10%ig.
7. 5%iges Homogenat (nach Frischgewicht berechnet) in destilliertem Wasser.

Ansatz:
0,3 ml Phosphatpuffer.
0,6 ml Glutamat.
0,6 ml DPN.
0,2 ml Cytochrom c.
0,2 ml Semicarbazid.
0,2 ml Homogenat.
Destilliertes Wasser ad 3,0 ml.
0,2 ml KOH im Einsatz zur Absorption von CO_2.

Ausführung:
Bei hoher DPNase-Aktivität des Gewebes empfiehlt sich ein Zusatz von 0,3 ml 0,3 m Nicotinamid.

COPENHAVER mißt über längere Zeit die Sauerstoffaufnahme und berechnet den Q_{O_2} aus den zwei besten aufeinanderfolgenden 10 min-Perioden.

1.4.1.5	L-Aminoacid-NAD-Oxydoreductase	s. S. 758
1.4.3.1	D-Aspartat:O_2-Oxydoreductase (desaminierend)	s. S. 872
1.4.3.2	L-Aminoacid:O_2-Oxydoreductase (desaminierend)	s. S. 873 ff.
1.4.3.3	D-Aminoacid:O_2-Oxydoreductase (desaminierend)	s. S. 870

Aminoxydasen.

Von

Eugen Werle*.

Unter Mitarbeit von DETLEV HOSENFELD und ERNST HENNING.

Mit 4 Abbildungen.

I. Einteilung und Wirkungsspezifität.

Aminoxydasen sind Enzyme, die die oxydative Desaminierung von Aminen (Mono-, Di- und Polyamine) katalysieren, wobei als Reaktionsprodukte Aldehyde oder Aminoaldehyde, Ammoniak und Wasserstoffperoxyd entstehen:

$$\begin{aligned}
1.\ & R-CH_2-NH_2 + O_2 \to R-CH=NH + H_2O_2 \\
2.\ & R-CH=NH + H_2O \to R-CHO + NH_3 \\
\hline
& R-CH_2-NH_2 + O_2 + H_2O \to R-CHO + NH_3 + H_2O_2
\end{aligned}$$

Es werden dabei Elektronen vom Amin auf den molekularen Sauerstoff übertragen, der zum Wasserstoffperoxyd reduziert wird. Dabei geht die Aminogruppe in die Iminogruppe über, die anschließend durch Hydrolyse in Form von Ammoniak abgespalten wird.

* Klinisch-Chemisches Institut an der Chirurgischen Klinik der Universität München.

Andere Bezeichnungen für die Aminoxydasen sind: O_2-Transhydrogenasen[1], fakultative 2-Elektronen-Transferasen[2].

Von den verschiedenen bis jetzt bekannten oxydativ desaminierenden Enzymen können die Monoaminoxydasen und Diaminoxydasen als differenzierbare Hauptgruppen gegeneinander abgegrenzt werden. Jede Hauptgruppe umfaßt zwar je nach dem Ursprung (verschiedene Species bzw. Organe) wieder eine Anzahl homologer Enzyme, aber das Verhalten gegenüber Hemmstoffen, die Substratspezifität und die Löslichkeit unterscheiden die Monoaminoxydasen deutlich von den Diaminoxydasen. Außerdem gibt es noch eine Reihe von Enzymen, die nach ihren Eigenschaften zwischen diesen beiden Hauptgruppen stehen. Von ZELLER[3] werden die terminale Amine angreifenden Oxydasen eingeteilt in:

a) Semicarbazidresistente Monoaminoxydasen (mit 1 Typ von Receptor).
b) Semicarbazidempfindliche Diaminoxydasen (mit 2 Typen von Receptoren).

II. Allgemeine Bemerkungen zu den Bestimmungsmethoden für Aminoxydasen.

Nach der Reaktionsgleichung kann sich die Aktivitätsmessung der Aminoxydasen auf den Sauerstoffverbrauch, die Ammoniakbildung oder die Bestimmung des gebildeten Aldehyds gründen. Außerdem kann die Substratabnahme und die Wasserstoffperoxydbildung verfolgt werden.

Die manometrische Messung des O_2-Verbrauchs gestattet, die Kinetik der Reaktion zu verfolgen; sie wird am meisten angewandt. Das Verfahren ist aber relativ unempfindlich. Die Ammoniakentstehung kann mit der Mikrodiffusionsmethode nach CONWAY — auch in Kombination mit der manometrischen Bestimmung — gemessen werden. Fehlschlüsse sind möglich, wenn in ungereinigten Enzympräparaten das gebildete Ammoniak durch Nebenreaktionen wieder verbraucht wird.

In trübungsfreien Lösungen kann die Aldehydbestimmung herangezogen werden, wobei der entstehende Aminoaldehyd durch Hinzufügen von Aldehyd-Dehydrogenase und DPN zur Säure oxydiert und DPN zu DPNH reduziert wird, das spektrophotometrisch bestimmt wird.

Bei pharmakologisch hoch aktiven Substraten kann die Substratabnahme biologisch gemessen werden. Dabei ist auszuschließen, daß das Substrat in unspezifischer Weise, d.h. unter Ausschluß der Aminoxydasen umgesetzt wird. Die biologischen Methoden sind zwar besonders empfindlich, doch meist zu unspezifisch.

Das gebildete Wasserstoffperoxyd kann indirekt über die Oxydation von Indigodisulfonat oder Äthanol bestimmt werden. Diese Methode ist bisher nur zur Messung der Diaminoxydase-Aktivität angewandt worden[4]. Die Verläßlichkeit der Methode wird angezweifelt[5].

III. Die einzelnen Enzyme.
1. Monoaminoxydasen*.
[1.4.3.4 Monoamin: O_2-Oxyreductase (desaminierend).]

Einführung. Die Monoaminoxydase desaminiert Alkyl- und Aralkylamine mit primärer oder sekundärer Aminogruppe, unter Freisetzung von Ammoniak bzw. Methyl-

---

* Zusammenfassende Darstellungen: ALLES, G. A., and E. V. HEEGARD: J. biol. Ch. 147, 487 (1943). — BLASCHKO, H.: Pharmacol. Rev. 4, 415 (1952). — DAVISON, A. N.: Physiol. Rev. 38, 729 (1958). — PLETSCHER, A., K. F. GEY u. P. ZELLER: Fortschr. Arzneim.-Forsch. 2, 417 (1960). — ZELLER, E. A.: Ann. N.Y. Acad. Sci. 80, 583 (1959). — ZELLER, E. A.: in: Sumner-Myrbäck, Enzymes Bd. II, Teil 1, S. 536 (1951).

[1] HOFFMANN-OSTENHOF, O.: Enzymologie. Wien 1954.
[2] MASON, H. S.: Adv. Enzymol. 19, 79 (1957).
[3] ZELLER, E. A., L. A. BLANKSMA, W. P. BURKARD, W. L. PACHA and J. C. LAZANAS: Ann. N.Y. Acad. Sci. 80, 583 (1959).
[4] KAPELLER-ADLER, R., and R. RENWICK: Clin. chim. Acta, Amsterdam 1, 197 (1956).
[5] ZELLER, E. A.: Ciba Found. Sympos. on Histamine. S. 339. London 1956.

amin. Die entstehenden Aldehyde werden, wenn sie nicht abgefangen werden, meist durch Aldehyd-Dehydrogenasen zu Carbonsäuren oxydiert.

Beispiel:

$$\text{HO}-\underset{\substack{\text{N}\\\text{H}}}{\boxed{}}-\text{CH}_2-\text{CH}_2-\text{NH}_2 \xrightarrow{\substack{\text{Monoamin-}\\\text{oxydase}}} \text{HO}-\underset{\substack{\text{N}\\\text{H}}}{\boxed{}}-\text{CH}_2\text{CHO} \xrightarrow{\substack{\text{Aldehyd-}\\\text{Dehydro-}\\\text{genase}}} \text{HO}-\underset{\substack{\text{N}\\\text{H}}}{\boxed{}}-\text{CH}_2-\text{COOH}$$

5-Hydroxytryptamin (Serotonin)   5-Hydroxyindol-acetaldehyd   5-Hydroxyindol-essigsäure

Als Substrate werden durch die Monoaminoxydase mit relativ hoher Geschwindigkeit umgesetzt: Dopamin und Tyramin, mit mittlerer Geschwindigkeit: 3-Methoxytyramin, Tryptamin, 5-Hydroxytryptamin und Isoamylamin. Phenyläthylamin, Normetanephrin, Metanephrin, Adrenalin, Noradrenalin, N-Methylhistamin und Kynuramin werden nur langsam desaminiert[1].

Die Umsatzgeschwindigkeiten differieren stark je nach Art und Ursprung der Monoaminoxydase-Präparate.

Da es im Gegensatz zur Diaminoxydase bei der Monoaminoxydase noch nicht gelungen ist, nennenswert gereinigte Enzympräparate herzustellen, ist es nicht sicher, ob es sich bei der Monoaminoxydase um ein einziges einheitliches Enzym handelt[2,3], s. dazu auch[4,5]. Einzelne Untersucher[6,7] fanden, daß sich „die Monoaminoxydase" in mehrere, jeweils für ein bestimmtes Substrat spezifische Enzyme auftrennen läßt. Als Hinweis für das Vorhandensein von Monoaminoxydasen verschiedener Spezifität kann wohl auch die Tatsache angesehen werden, daß bei fast allen Untersuchungen über die Eigenschaften des Enzymes Species- und Organunterschiede beobachtet wurden.

Vorkommen und Normalwerte. Die Angaben der verschiedenen Autoren über Durchschnittswerte der Monoaminoxydase-Aktivität können nur sehr bedingt miteinander verglichen werden, da die angewandten Versuchsbedingungen sehr ungleich sind. So wurden verschiedene Substrate und verschiedene Präparate (Homogenate, Extrakte, Mitochondrienfraktionen) verwendet[8]. Soweit möglich, sollten Enzymeinheiten künftig entsprechend einer internationalen Vereinbarung nur noch auf μMol Substratumsatz/min bezogen werden[9,10]. Für die bisher bei der Monoaminoxydase verwendeten Einheiten Umrechnungsfaktoren für die internationalen Einheiten anzugeben, erscheint wenig sinnvoll, da es noch nicht gelungen ist, die Monoaminoxydase nennenswert anzureichern und die Frage der Einheitlichkeit des Enzyms noch nicht entschieden ist.

Die Monoaminoxydase ist in fast allen Organen des Menschen und der Säugetiere nachgewiesen worden. Homologe Enzyme kommen auch bei den übrigen Wirbeltieren (Vögeln, Reptilien und Amphibien) sowie bei Invertebraten[11], Pflanzen und Bakterien vor. Beim Menschen und bei den Säugetieren findet sich der höchste Enzymgehalt in der Leber, in den Speicheldrüsen, in den Ganglien und in der Niere. Es folgen dann Darm, große Arterien, Lunge, Skeletmuskel, Uterus, Gehirn, Nebennierenmark und Milz. Im Herzen, in der Schilddrüse und im Pankreas wurden nur geringe Enzymmengen angetroffen[1,8]. Neuere Befunde sprechen für das Vorkommen von Monoaminoxydase in

---

[1] PLETSCHER, A., K. F. GEY u. P. ZELLER: Fortschr. Arzneim.-Forsch. **2**, 417 (1960).
[2] BLASCHKO, H., and F. J. PHILPOT: J. Physiol., London **122**, 403 (1953).
[3] ALLES, G. A., and E. V. HEEGAARD: J. biol. Ch. **147**, 487 (1943).
[4] PUGH, C. E. M., and J. H. QUASTEL: Biochem. J. **31**, 2306 (1937).
[5] KOBAYASHI, Y., and R. SCHAYER: Arch. Biochem. **58**, 181 (1955).
[6] WERLE, E., u. F. ROEWER: B. Z. **322**, 320 (1952).
[7] HOPE, D. B., and A. D. SMITH: Biochem. J. **74**, 101 (1960).
[8] BLASCHKO, H.: Pharmacol. Rev. **4**, 415 (1952).
[9] WEBB, E. C.: 4. Int. Congr. clin. Chem. Edinburgh 1961. S. 55.
[10] RICHTERICH, R., P. SCHAFROTH, J. P. COLOMBO u. F. TEMPERLI: Kli. Wo. **1961**, 987.
[11] BLASCHKO, H., D. RICHTER and H. SCHLOSSMANN: Biochem. J. **31**, 2187 (1937).

Erythrocyten[1] und im Blutplasma[2]. Auch die Blutplättchen von Mensch, Kaninchen und Ratte sollen in vitro 5-Hydroxytryptamin abbauen[3].

Im Uterus scheint die Monoaminoxydase-Aktivität vom Funktionszustand abzuhängen; auch in der menschlichen und Säugetier-Placenta wurde Monoaminoxydase-Aktivität nachgewiesen, ferner in den männlichen Geschlechtsorganen, Hoden, Prostata und Samenblasen[4].

Bei menschlichen Feten und Neugeborenen enthält die Niere etwa halb so viel Enzym wie die Niere des Erwachsenen[5,6], ebenso bei Schweinen[6]. Bei 3 Monate alten Kindern ist in der Niere der Monoaminoxydasegehalt bereits so hoch wie beim Erwachsenen. Leber und Darmschleimhaut haben beim Neugeborenen den gleichen Enzymgehalt wie beim Erwachsenen[5].

Die Enzymmenge in Speicheldrüsen von Katzen ist etwa zehnmal geringer als in Speicheldrüsen von Menschen[7]. In der Nickhaut der Katze sowie der Iris der Katze und des Kaninchens wurde eine hohe Monoaminoxydase-Aktivität nachgewiesen[8].

Bei der experimentellen Hypothyreose der Ratte steigt der Monoaminoxydase-Gehalt in der Leber stark an[9].

Tabelle 1. *Monoaminoxydase-Aktivität verschiedener Organe des Menschen.*
O_2-Verbrauch in μl/g Frischgewicht/Std, Substrat: Tyramin; Cyanidzusatz.

Organ	μl O_2	Literatur	Organ	μl O_2	Literatur
Submaxillaris . . .	1830	10	Gehirn, Putamen	246	12
Parotis	1000	10	Schilddrüse	253	12
Leber	1618	11	Skeletmuskel	147	11
Nierenrinde	560	11	Uterus	111	11
Nierenmark	246	11	Blase	92	12
Herz	552	12	Thymus	46	12
Lunge	339	11	Leber (Carcinommetastasen)	138	12
Gehirn, Thalamus .	323	12	Lunge (Carcinommetastasen)	99	12

Tabelle 2. *Monoaminoxydase-Aktivität in verschiedenen Gehirnregionen des Menschen.*
μl O_2-Verbrauch/mg Mitochondrien-Eiweiß/Std, Substrat: Tyramin[13].

Gehirnregion	μl O_2	Gehirnregion	μl O_2
Thalamus	19,0	Cortex	9,8
Hypothalamus	16,6	Corpus callosum	9,6
Putamen und Globus pallidus .	16,3	Subcortex	9,1
Hirnstamm	10,3	Cerebellum	6,8

Frühere Untersuchungen hatten ähnliche Resultate ergeben, außerdem war eine Zunahme der Monoaminoxydase-Aktivität mit dem Alter beobachtet worden[14].

---

[1] WAALKES, T. P., and H. COBURN: Proc. Soc. exp. Biol. Med. **99**, 742 (1958).
[2] BARSKY, J.: Ph. Diss. Northwest. Univ. Chicago, Ill. (1958).
[3] PAAONEN, M.: Biochem. Pharmacol. **8**, 241 (1961).
[4] ZELLER, E. A.: Helv. **24**, 968 (1941).
[5] BLASCHKO, H.: Pharmacol. Rev. **4**, 415 (1952).
[6] HENNIG, E.: Diss. München (1960). — WERLE, E., u. E. HENNIG: Z. Vit.-, Ferm.-Horm.-Forsch. **11**, 159 (1960).
[7] STRÖMBLAD, B. C. R.: Acta physiol. scand. **36**, 1 (1956).
[8] ROBINSON, J.: J. Physiol., London **115**, 39P (1951).
[9] ZILE, M. H.: Fed. Proc. **18**, 359 (1959).
[10] STRÖMBLAD, B. C. R.: J. Physiol., London **147**, 639 (1959).
[11] Nach PLETSCHER, A., K. F. GEY u. P. ZELLER: Fortschr. Arzneim.-Forsch. **2**, 417 (1960).
[12] PUGH, C. E. M., and J. H. QUASTEL: Biochem. J. **31**, 286 (1937).
[13] WEINER, N.: J. Neurochem. **6**, 79 (1960).
[14] BIRKHÄUSER, H.: Helv. **23**, 1071 (1940).

Tabelle 3. *Monoaminoxydase-Aktivität in Säugetierorganen.*
µl O$_2$-Verbrauch pro 0,63 g Frischgewicht/Std, Substrat: Tyramin[1].

Tier	Organ	Leerwert	µl O$_2$	Tier	Organ	Leerwert	µl O$_2$
Rind	Leber	8	501	Schaf	Schilddrüse	10	27
	Niere	55	412		Pankreas	2	11
	Darm	23	175		Herz	3	4
	Milz	14	61	Schwein	Niere	37	285
	Herz	3	33		Leber	0	162
	Gehirn	13	16		Darm	5	59
Schaf	Leber	5	387		Pankreas	2	47
	Niere	7	349		Herz	7	21
	Darm	2	104		Milz	18	9
	Milz	2	57		Schilddrüse	2	4
	Gehirn	12	55				

Bemerkenswert ist, daß beim Schwein die Niere mehr Monoaminoxydase enthält als die Leber.

Tabelle 4. *Aktivität der Monoaminoxydase im Hundehirn[2], gemessen am Abbau von 5-Hydroxytryptamin in µg/g/Std.*

Hirnregion	µg Serotonin	Hirnregion	µg Serotonin
Hypothalamus	1624 ± 510	Cerebellum	930 ± 87
Septum pellucidum	1212 ± 58	Cortex pyriformis	926 ± 183
Hippocampus	1176 ± 38	Mesencephalon	842 ± 122
Medulla oblongata	1117 ± 230	Cortex (Neocortex)	819 ± 300
N. amygdalae	968 ± 23	Corpus geniculatum	707 bis 844
Thalamus	940 ± 164	Tractus opticus	701 ± 95
Pons	936 ± 110	Bulbus olfactorius	573
N. caudatus	935 ± 200	Corpus callosum und Capsula interna	466 ± 120

Über ähnliche Ergebnisse berichtete WEINER[3] bei Homogenaten und Mitochondriensuspensionen von Hunde- und Rinderhirn.

Tabelle 5. *Monoaminoxydase-Aktivität in verschiedenen Organen von Nagetieren.*
µl O$_2$-Verbrauch/Std/g Gewebe, Substrat: Tyramin[4].

Tier	Organ	Leerwert	µl O$_2$
Meerschweinchen	Leber	22	462
	Darm	29	306
	Niere	3	135
	Gehirn	15	73
Ratte	Leber	47	252
	Lunge	20	84
	Niere	23	37

Tabelle 6. *Monoaminoxydase-Aktivität in Darm und Leber verschiedener Wirbeltiere.*
µl O$_2$-Verbrauch/g/Std, Substrat: Tyramin[4].

Tier	Organ	Leerwert	µl O$_2$
Taube	Darm	7	75
	Leber	13	155
Frosch	Darm	3	2
	Leber	15	167
Forelle	Darm	3	55
	Leber	0	30
Schildkröte	Darm	22	274
	Leber	24	296

Unter den Avertebraten wurde eine sehr hohe Monoaminoxydase-Aktivität bei den Cephalopoden, Octopus und Sepia, vor allem im Hepatopankreas, festgestellt[5].

---

[1] BHAGVAT, K., H. BLASCHKO and D. RICHTER: Biochem. J. **33**, 1338 (1939).
[2] BOGDANSKI, D. F., H. WEISSBACH and S. UDENFRIEND: J. Neurochem. **1**, 272 (1957).
[3] WEINER, N.: J. Neurochem. **6**, 79 (1960).
[4] BLASCHKO, H., D. RICHTER and H. SCHLOSSMANN: Biochem. J. **31**, 2187 (1937).
[5] BLASCHKO, H.: J. Physiol., London **99**, 364 (1941).

Tabelle 7. *Monoaminoxydase-Aktivität in Organen von Cephalopoden.*
μl O_2-Aufnahme/g Frischgewicht/Std, Substrat: Tyramin.

Tier	Organ	O_2-Aufnahme	Temperatur °C
Sepia	Leber	657	19
	„Nieren"	246	21
	Hintere Speicheldrüse	246	19,5
	Tintensack	173	18,5
	Muskel	0	19,5
Meerschweinchen	Leber	486	37

Bei folgenden Echinodermen und Mollusken wurde Monoaminoxydase-Aktivität in der Verdauungsdrüse bzw. im Darm gefunden: Asteroiden: *Luidia ciliaris, Asterias rubens, Porania pulvillis, Echinus esculentus*; Gastropoden: *Pecten maximus, Pecten opercularis*[1].

Tabelle 8. *Monoaminoxydase-Aktivität in Pflanzenextrakten.*
μl O_2-Verbrauch/mg Trockengewicht/30 min.

Pflanzenart (wäßriger Extrakt)	Substrat	Q_{O_2}
Monocotylen		
Colchicum Bormülleri	Butylamin	2
Ananas sativus . . .	Butylamin	2
Dicotylen		
Salvia uliginosa . . .	Butylamin	17
Cannabis indica . . .	Butylamin	5
Momordica balsamina	Butylamin	5
Papaver rhoeas . . .	Butylamin	3
Aconitum napellus . .	Butylamin	3
Chelidonium maius .	Butylamin	5
Salvia uliginosa . . .	Tyramin	6
Chelidonium maius .	Tyramin	1

Pflanzliche Monoaminoxydase. Im Pflanzenreich wurde bei folgenden Angiospermen eine deutlich nachweisbare Monoaminoxydase-Aktivität vor allem gegenüber Butylamin festgestellt[2,3].

Bei *Salvia uliginosa* war der Monoaminoxydase-Gehalt von Wurzeln, Stengeln und Blüten während der Blütezeit gleich.

Bakterien-Monoaminoxydase. Über den Nachweis eines tyraminabbauenden Enzymes, das aus zellfreien Extrakten von *Sarcina lutea* gewonnen wurde, berichteten KORZENOVSKY u. Mitarb.[4].

Darstellung. Die Bemühungen, die Aminoxydase z.B. aus Leber anzureichern, waren bisher wenig erfolgreich, weil das Enzym an die Strukturelemente der Zelle (Mitochondrien und Mikrosomen) gebunden ist[5-7]. Man erhielt stets nur aktive Suspensionen. Nach RICHTER[6] wird je 1 g Leber mit Sand verrieben und weiter mit 1 ml 0,07 m Phosphatpuffer, p_H 7,3, verrührt. Es wird bei niedriger Tourenzahl zentrifugiert. Der trübe Überstand, der einen Teil der Monoaminoxydase-Aktivität der Leber enthält, wird zur Entfernung niedermolekularer oxydabler Substanzen 5 Std lang gegen fließendes Wasser dialysiert. Nach KOHN[7] wird Lebergewebe durch die Latapie-Mühle getrieben und in dem 1,5fachen Volumen Leitungswasser aufgenommen. Der Brei wird durch Mull gegossen und mit dem vierfachen Volumen Wasser verdünnt. Nach 45 min langem Stehen wird abzentrifugiert. Der Rückstand wird einmal mit Leitungswasser, zweimal mit 0,9%iger Kochsalzlösung und schließlich einmal mit 0,1 m Phosphatpufferlösung, p_H 7,7, auf der Zentrifuge gewaschen, dann wird er mit dem gleichen Volumen Sand zerrieben und mit 0,03 m Phosphatpuffer, p_H 7,7, extrahiert. Der erhaltene Extrakt wird mit n Essigsäure auf schwach saure Reaktion eingestellt (Orangefärbung von Methylrot), dann wird zentrifugiert. Der enzymhaltige Rückstand wird in 0,3 m Phosphatpuffer, p_H 7, suspendiert. Zur Konservierung der in ähnlicher Weise gewonnenen Monoaminoxydase-Suspensionen verwenden ALLES und HEEGAARD[8] Phenylquecksilberacetat 1:10000.

---

[1] BLASCHKO, H., and D. B. HOPE: Arch. Biochem. **69**, 10 (1957).
[2] WERLE, E., u. F. ROEWER: B. Z. **320**, 198 (1950).
[3] WERLE, E., u. F. ROEWER: B. Z. **322**, 320 (1952).
[4] KORZENOVSKY, M., C. P. WALTERS and M. S. HUGHES: Fed. Proc. 18, 1045 (1959).
[5] BLASCHKO, H., D. RICHTER and H. SCHLOSSMANN: Biochem. J. **31**, 2187 (1937).
[6] RICHTER, D.: Biochem. J. **31**, 2022 (1937).
[7] KOHN, H. I.: Biochem. J. **31**, 1693 (1937).
[8] ALLES, G. A., and E. V. HEEGAARD: J. biol. Ch. **147**, 487 (1943).

Eine weitere Anreicherung durch Fraktionierung mit Ammoniumsulfat, Alkohol oder Aceton mißlang[1]. Versuche, durch Hitzedenaturierung von Ballastproteinen eine Reinigung zu erzielen, schlugen fehl, weil das Enzym sehr thermolabil ist. HARE[2] versuchte durch Adsorption der Leberextrakte bei p_H 6,5 an Kaolin und Elution bei p_H 8 die Monoaminoxydase anzureichern, jedoch waren die erhaltenen Präparate sehr instabil. Versuche durch Frieren und Auftauen der gemahlenen Leber das Enzym in Lösung zu bringen, scheiterten, weil das Enzym dabei zerstört wird[3].

BLASCHKO[4] und FASTIER[5] bereiteten aus Meerschweinchen- und Kaninchenleber mit tiefgekühltem Aceton in üblicher Weise ein gegenüber Tyramin und Adrenalin jahrelang fast unverändert wirksames Trockenpräparat. WERLE und ROEWER[6] gelangten durch Fraktionierung von Kaninchen- und Rinderleberextrakten mit Aceton zu einer nur gegenüber Butylamin aktiven Fraktion.

Beispiel. Rinder- oder Kaninchenleber wird in gekühlter Reibschale mit Seesand zerrieben und mit der dreifachen Gewichtsmenge Wasser 20 min lang extrahiert. Zu 260 ml des auf der Zentrifuge gewonnenen, gegenüber Butylamin und Tyramin hochaktiven Extraktes werden bei 5° C 130 ml Aceton von 5° C zugegeben. Der Niederschlag wird abzentrifugiert und wie üblich weiter mit Aceton getrocknet (Fraktion I nur gegenüber Butylamin aktiv). Aus der Restlösung wird durch Zugabe des halben Volumens Aceton unter den obigen Bedingungen eine zweite Fraktion niedergeschlagen: Fraktion II mit bedeutender Aktivität gegenüber Butylamin und sehr geringer gegenüber Tyramin. Zu je 100 ml der Restlösung werden je 300 ml Aceton gegeben und so ein dritter Niederschlag gewonnen, der wiederum nur gegenüber Butylamin aktiv ist. Zur Bestimmung der Aktivität mit Butylamin und Tyramin in der WARBURG-Apparatur werden 1,5 ml Frischextrakt oder je 10 mg Trockenpulver der Fraktionen I—III, in 1,5 ml Wasser suspendiert, verwendet.

Weitere Reinigungsversuche wurden durch Differentialzentrifugierung in Nichtelektrolytlösungen versucht. So hat HAWKINS[7] Rattenleberhomogenate in hypertonischer (0,88 m) und isotonischer (0,25 m) Rohrzuckerlösung bei 105000 ×g zentrifugiert, wobei die Mitochondrienfraktion (mit $^2/_3$ Enzymaktivität) von der Mikrosomenfraktion (mit $^1/_3$ Enzymaktivität) getrennt wurde. Nach AXELROD[8] sind jedoch die Mikrosomen frei von Monoaminoxydase. Die Sedimentation der Cytoplasma-Granula war mit einer Reinigung des Enzyms verbunden.

BARSKY, BERMAN und ZELLER[9] gelang es, 11—23% der Monoaminoxydase-Aktivität der Mitochondrien von Schweineleber durch Behandeln mit Desoxycholsäure und Ultraschall (9 kHz Ultraschalleinheiten) in Lösung zu bringen. Selbst 1stündiges Zentrifugieren der Lösung bei 105000 ×g ergab kein Sediment mehr. COTZIAS, SERLIN und GREENOUGH[10] legten das Enzym aus Leberhomogenaten durch Einwirkung von Invertseifen oder Polyalkoholen frei. Besonders wirksam war Isooctyl-phenoxy-polyoxy-äthanol, das bei einer Konzentration von 5% das Enzym innerhalb 1 Std freisetzte. Nach Zentrifugieren bei 144000 ×g blieb fast die gesamte Aktivität im klaren Überstehenden. Der wachsartige Rückstand war nur wenig aktiv.

---

[1] BLASCHKO, H., D. RICHTER and H. SCHLOSSMANN: Biochem. J. **31**, 2187 (1937).
[2] HARE, M. L. C.: Biochem. J. **22**, 968 (1928).
[3] WERLE, E., u. G. MENNICKEN: B. Z. **296**, 99 (1938).
[4] BLASCHKO, H.: Pharmacol. Rev. **4**, 415 (1952).
[5] FASTIER, F. N., and J. HAWKINS: Brit. J. Pharmacol. **6**, 256 (1951).
[6] WERLE, E., u. F. ROEWER: B. Z. **322**, 320 (1952).
[7] HAWKINS, J.: Biochem. J. **50**, 577 (1952).
[8] AXELROD, J.: Private Mitteilung [SJOERDSMA, A., T. E. SMITH, T. D. STEVENSON and S. UDENFRIEND: Proc. Soc. exp. Biol. Med. **89**, 36 (1955)].
[9] BARSKY, J., E. R. BERMAN u. E. A. ZELLER: 19. Int. Congr. Physiol. Montreal 1953. S. 191.
[10] COTZIAS, G. C., T. SERLIN and J. J. GREENOUGH: Science, N.Y. **120**, 144 (1954).

Gewinnung eines löslichen Monoaminoxydase-Präparates nach KOBAYASHI und SCHAYER[1].

Frische Rattenleber wird im POTTER-ELVEHJEM-Homogenisator mit 3—4 Vol. 0,25 m Rohrzuckerlösung homogenisiert, Zelltrümmer werden bei niedriger Tourenzahl abzentrifugiert. Das Überstehende wird bei 21000 ×g zentrifugiert. Das die Mitochondrien enthaltende Sediment wird mit 0,25 m Rohrzuckerlösung gewaschen, anschließend in demselben Medium suspendiert, so daß auf 1 g Frischleber wiederum 3—4 Vol. Zuckerlösung kommen. Sämtliche Operationen werden bei +4° C ausgeführt. In gefrorenem Zustand behält das Präparat 14 Tage lang seine Monoaminoxydase-Aktivität unverändert. Ein lösliches Monoaminoxydase-Präparat wird aus der Mitochondriensuspension erhalten durch 60 min langes Beschallen bei 2—3° C in einem Raytheon 9 kc Magnetostriktion-Oscillator, Typ S-102 A.

Gewinnung eines löslichen Monoaminoxydase-Präparates nach WEISSBACH, REDFIELD und UDENFRIEND[2].

Gewebshomogenat (Verdünnung mit Wasser 1:4) wird bei 8000 ×g 20 min zentrifugiert und das Sediment verworfen. Der Überstand (I) wird bei 100000 ×g 30 min erneut zentrifugiert und der erhaltene Überstand (II) mit gesättigter Ammoniumsulfatlösung, p_H 8, bis zu einer Konzentration von 25% versetzt, das Sediment wird verworfen. Die Ammoniumsulfat-Konzentration des Überstandes (II) wird bis auf 40% erhöht; der entstehende Niederschlag wird mit etwa $^1/_3$ Vol. des ursprünglichen Überstandes (II) in 0,01 m Phosphatpuffer, p_H 7,4, aufgenommen und durch Zugabe von 0,5 n Essigsäure auf p_H 5,0—5,1 gebracht. Der entstehende Niederschlag wird rasch abzentrifugiert und in 0,05 m Phosphatpuffer, p_H 7,4, gelöst. Die spezifische Aktivität (Abbau von μM Serotonin/mg Protein/Std) erhöht sich nach Angaben der Autoren von 0,05 im Überstand II auf 0,6 im Säurepräcipitat. Die Ausbeute beträgt 40% der Aktivität des Überstandes (II). Meerschweinchenleber und -niere hatten den höchsten Gehalt an löslicher Monoaminoxydase.

Darstellung eines Mitochondrien-Lyophilisates nach GIORDANO, BLOOM und MERRILL[3].

1. Kaninchen- oder Hundeniere wird mit 4 Vol. 0,25 m Rohrzuckerlösung im Starmix homogenisiert nach Einstellen des p_H auf 7 mit Kaliumhydroxyd.

2. Weiteres Homogenisieren im POTTER-ELVEHJEM-Homogenisator 1 min lang, anschließend 10 min zentrifugieren bei 700 ×g, Niederschlag verwerfen.

3. Überstand noch einmal 10 min bei 700 ×g zentrifugieren, Sediment verwerfen.

4. Überstand 20 min bei 11000 ×g zentrifugieren, nun den Überstand verwerfen und das Sediment mit 20 ml 0,24 m Rohrzuckerlösung waschen und noch einmal 20 min bei 11000 ×g zentrifugieren. Alle Operationen sind im Kühlraum durchzuführen.

5. Das zuletzt erhaltene Präcipitat wird gewogen und in 0,067 m Phosphatpuffer, p_H 7,4, aufgeschwemmt (1 ml Puffer für 50 mg des feuchten Sediments). Diese Suspension wird schnell gefriergetrocknet und das entstehende Pulver bei −10° C aufgehoben. Die enzymatische Aktivität bleibt bis zu 13 Monaten erhalten.

Ein weiteres Verfahren zur Isolierung von monoaminoxydaseaktiven Mitochondrien wurde von ERNSTER und LÖW[4] angegeben.

ZELLER u. Mitarb. gewannen durch Behandlung mit Ultraschall und Desoxycholsäure lösliche Monoaminoxydase-Präparate[5].

---

[1] KOBAYASHI, Y., and R. W. SCHAYER: Arch. Biochem. 58, 181 (1955).
[2] WEISSBACH, H., B. G. REDFIELD and S. UDENFRIEND: J. biol. Ch. 229, 953 (1957).
[3] GIORDANO, C., J. BLOOM and J. P. MERRILL: Exper. 16, 346 (1960).
[4] ERNSTER, L., and H. LÖW: Exp. Cell Res., Suppl. 3, 134 (1955).
[5] ZELLER, E. A., J. BARSKY and E. R. BERMAN: J. biol. Ch. 214, 267 (1955).

Ebenso gelang es WERLE u. Mitarb.[1], aus Schweinelebern (Schweinenieren waren nicht geeignet) mit Hilfe von Polyglykoläthern die Monoaminoxydase in Lösung zu bringen. Eine weitere Reinigung des Enzyms schlug fehl.

Eigenschaften. *Löslichkeit.* Die Monoaminoxydase ist im Gegensatz zur Diaminoxydase vorwiegend an Zellpartikel gebunden (z.B. in Leber, Gehirn, Lunge, Niere[2]). Bei der fraktionierten Differentialzentrifugation von Leber-, Gehirn- und Nierenhomogenaten werden etwa 50% der Gesamtaktivität in der Mitochondrienfraktion und etwa 25% in der Mikrosomenfraktion gefunden[3,4]. Der verbleibende Überstand ist in der Regel inaktiv. Nach HAWKINS[5] sind über $2/3$ der Monoaminoxydase-Aktivität in Mitochondrien, der Rest in den Mikrosomen lokalisiert. Beim Meerschweinchen ist die Monoaminoxydase der Leber und Niere zum Teil gut löslich[6,7].

Beständigkeit. Die Aktivität der Monoaminoxydase ist anscheinend nicht an die Unversehrtheit der Zellpartikel gebunden. So soll sie erhalten bleiben, wenn die Mitochondrien durch Lysolecithin zerstört werden[3].

In Acetontrockenpulverpräparaten ist die Monoaminoxydase sehr stabil, auch die Mitochondrienfraktion ist in lyophilisiertem Zustand bei $-15°$ C mehrere Monate haltbar; dagegen ist das gelöste Ferment ziemlich unbeständig. Temperaturerhöhung auf 50 und 60° C wirkt inaktivierend, ebenso verliert die Monoaminoxydase im p_H-Bereich unter 5,5 und über 8,5 rasch ihre Aktivität[8].

Die Monoaminoxydase-Aktivität ist vom Sauerstoffpartialdruck abhängig[9]; sie ist in Luft um $1/3$ niedriger als in Sauerstoffatmosphäre[10].

p_H-*Optimum.* Das p_H-Optimum ist von Herkunft und Reinheit des Enzyms abhängig.

Für ein suspendiertes Acetontrockenpräparat aus Meerschweinchenleber mit Tyramin als Substrat lag das p_H-Optimum im Bereich von 7,10—7,40[11].

Für Kaninchenleberpräparationen mit verschiedenen Alkylaminen und Aralkylaminen als Substrat ergaben sich folgende p_H-Optima[12]:

Butylamin	8,1	Phenylmethylamin	8,4
Amylamin	7,6	Phenylpropylamin	7,9
Hexylamin	7,1—7,2	Phenylbutylamin	7,1
Octylamin	7,1—7,2	Phenylamylamin	7,1
Heptylamin	6,9	Phenyläthylamin	6,2

MICHAELIS-*Konstanten.* Aus Meerschweinchenleber bereitete lösliche Monoaminoxydase ergab mit verschiedenen Substraten folgende Werte für die MICHAELIS-Konstante[13]:

Serotonin	$1,4 \cdot 10^{-4}$ M
Adrenalon	$6,6 \cdot 10^{-4}$ M
Adrenalin	$9,4 \cdot 10^{-4}$ M

P(S)-Werte für Tyramin 2,75, für Adrenalin 2,15[14].

---

[1] HENNIG, E.: Diss. München (1960).
[2] DAVISON, A. N.: Physiol. Rev. **38**, 729 (1958).
[3] BLASCHKO, H.: Pharmacol. Rev. **4**, 415 (1952).
[4] COTZIAS, G. C., and V. P. DOLE: Proc. Soc. exp. Biol. Med. **78**, 157 (1951).
[5] HAWKINS, J.: Biochem. J. **50**, 557 (1952).
[6] BLASCHKO, H., and R. DUTHIE: Biochem. J. **39**, 347 (1945).
[7] WEISSBACH, H., B. G. REDFIELD and S. UDENFRIEND: J. biol. Ch. **229**, 953 (1957).
[8] BLASCHKO, H. D., D. RICHTER and H. SCHLOSSMANN: J. Physiol., London **90**, 1 (1937).
[9] BLASCHKO, H.: Brit. med. Bull. **9**, 146 (1953).
[10] KOHN, H. J.: Biochem. J. **31**, 1693 (1937).
[11] MALAFAYA-BAPTISTA, A., J. GARRETT, W. OSSWALD u. M. F. MALAFAYA-BAPTISTA: A.e.P.P. **230**, 10 (1957).
[12] ALLES, G. A., and E. V. HEEGAARD: J. biol. Ch. **147**, 487 (1943).
[13] IMAIZUMI, R., K. OMORI, A. UNOKI, K. SANO, Y. WATARI, J. NAMBA and K. INUI: Jap. J. Pharmacol. **8**, 87 (1959).
[14] BLASCHKO, H., D. RICHTER and H. SCHLOSSMANN: Biochem. J. **31**, 2187 (1937).

Substratoptimum. Die Substratsättigung liegt für Tyramin bei etwa 2×10^{-3} bis 2×10^{-2} M, für Adrenalin bei 4×10^{-2} M, für Tryptamin bei 4×10^{-3} M und für 5-Hydroxytryptamin bei 10^{-2} bis 10^{-3} M [1-3].

Aktivatoren. Eine Aktivierung der Monoaminoxydase von Ratten-[4] und Schweineleber-Homogenaten[5] und -Mitochondrien[4] wurde bei der Verwendung von Detergentien bei der Solubilisierung beobachtet. Ferner wurde eine von der Kettenlänge abhängige Aktivierung der Monoaminoxydase durch aliphatische Alkohole festgestellt[6].

Prosthetische Gruppe. Über den Bau der prosthetischen Gruppe der Monoaminoxydase ist noch sehr wenig bekannt. Die Ähnlichkeit mit der D-Aminosäureoxydase (Reaktionsmechanismus, geringe Cyanidempfindlichkeit) ließ an FAD als Coenzym denken. Diese Frage ist noch nicht entschieden; es wurde lediglich festgestellt, daß Vitamin B_2-Mangel die Monoaminoxydase-Aktivität der Rattenleber um 50% vermindert[7]. Da die Monoaminoxydase durch Carbonylgruppenreagentien nicht gehemmt wird, dürfte sie kein Pyridoxalphosphat enthalten.

Bei 20stündiger Dialyse gegen Phosphat-Locke-Lösung blieb die Monoaminoxydase-Aktivität unverändert[8].

SH-Gruppen. Im Gegensatz zur Diaminoxydase scheint die Monoaminoxydase Sulfhydrylgruppen im aktiven Zentrum zu besitzen[2,9]. Chlormercuribenzoat wirkt inaktivierend, dieser Effekt kann durch Zufügen von Glutathion oder Cystein wieder aufgehoben werden[2]. Die Denaturierung der Monoaminoxydase durch hohe Harnstoffkonzentrationen hängt möglicherweise mit einer vermehrten Oxydation der SH-Gruppen zusammen[10].

Substratspezifität. Zur Charakterisierung der Monoaminoxydase ist die Substratspezifität allein nicht ausreichend, da sich für die Arylalkylamine der Spezifitätsbereich mit der Diaminoxydase überschneidet. Hingegen ergänzen sich die Wirkungsbereiche der Monoaminoxydase und Diaminoxydase für die aliphatischen Monoamine und Diamine bis zu einem gewissen Grade.

Wenn auch in bezug auf die Substratspezifität der Monoaminoxydase deutliche Species- und Organunterschiede bestehen, so lassen sich doch folgende allgemeine Regeln erkennen:

Aliphatische Monoamine. Gegenüber den niedrigsten Gliedern einer homologen Reihe der aliphatischen Monoamine besteht nur eine minimale Aktivität. Die optimale Kettenlänge liegt meist beim Butylamin, doch sind die Speciesunterschiede hier besonders deutlich[11].

Tabelle 9. *Desaminierung aliphatischer Amine durch Monoaminoxydase.*
Aktivitätsangabe in % der Oxydationsgeschwindigkeit von Phenyläthylamin.

Substrat	Rinderleber	Kaninchenleber	Substrat	Rinderleber	Kaninchenleber
Methylamin . .	7	0	Amylamin . .	91	106
Äthylamin . . .	8	0	Hexylamin . .	91	114
Propylamin . .	75	0	Heptylamin .	89	127
Butylamin . .	117	51	Octylamin . .	75	140

[1] BLASCHKO, H., D. RICHTER and H. SCHLOSSMANN: Biochem. J. **31**, 2187 (1937).
[2] LAGNADO, J. R., and T. L. SOURKES: Canad. J. Biochem. Physiol. **34**, 1185 (1956).
[3] WEISSBACH, H., B. G. REDFIELD and S. UDENFRIEND: J. biol. Ch. **229**, 953 (1957).
[4] COTZIAS, G. C., I. SERLIN and J. J. GREENOUGH: Science, N.Y. **120**, 114 (1954).
[5] WERLE, E., u. E. HENNIG: Z. Vit.-, Horm.- u. Ferm.-Forschg. **11**, 159 (1960).
[6] COTZIAS, G. C., and J. J. GREENOUGH: Nature **185**, 384 (1960).
[7] HAWKINS, J.: Biochem. J. **51**, 399 (1952).
[8] PUGH, C. E. M., and J. H. QUASTEL: Biochem. J. **31**, 2306 (1937).
[9] FRIEDENWALD, J. S., and H. HERRMANN: J. biol. Ch. **146**, 411 (1942).
[10] MANUKHIN, B. N. [PLETSCHER, A., K. F. GEY u. P. ZELLER: Fortschr. Arzneim.-Forsch. **2**, 417 (1960)].
[11] ALLES, G. A., and E. V. HEEGAARD: J. biol. Ch. **187**, 487 (1943).

Auch für Monoaminoxydase aus Schweineleber ist die optimale Kettenlänge der aliphatischen Amine vier[1].

Die geringe Affinität zu den höheren aliphatischen Monoaminen hängt mit ihrer geringeren Löslichkeit und ihrer zunehmenden Neigung zur Micellenbildung zusammen[2].

Aliphatische Diamine. Die typischen Substrate der Diaminoxydase, Putrescin und Cadaverin, werden von der Monoaminoxydase nicht angegriffen. Aber fast in dem Maße, in dem mit der zunehmenden Methylenkettenlänge die Affinität zur Diaminoxydase abnimmt, wächst sie zur Monoaminoxydase. Die Verbindung mit 13 C-Atomen wird am raschesten oxydativ desaminiert[1].

Im Gegensatz zu Äthylendiamin werden seine Derivate N-o-Aminophenyläthylendiamin und N-o-Nitrophenyläthylendiamin und Naphthyläthylendiamin von der Monoaminoxydase oxydativ desaminiert[3].

Arylalkylamine und Indolalkylamine. Nach fallenden Umsatzgeschwindigkeiten geordnet, ergibt sich für die aromatischen und Indolamine folgende Reihe[4]: Dopamin, Tyramin, 3-Methoxytyramin, Tryptamin, 5-Hydroxytryptamin, Phenyläthylamin, Normetanephrin, Metanephrin, Adrenalin, Noradrenalin, N-Methylhistamin, Kynuramin. Aromatische Amine, wie Anilin, bei denen die Aminogruppe direkt am Ring sitzt, werden von der Monoaminoxydase nicht angegriffen[2], mit wachsender Methylenkettenlänge nimmt die Oxydationsgeschwindigkeit zu, z.B. von Benzylamin über β-Phenyläthylamin zu γ-Phenylpropylamin[5].

Speicheldrüsenhomogenate von Menschen inaktivieren unter gleichen Bedingungen 5-Hydroxytryptamin zu 70%, Tryptamin zu 66%, Adrenalin zu 60% (iso-Amylamin zu 42%), β-Phenyläthylamin zu 35%, Noradrenalin zu 26% und Tyramin zu 100%[5]. Aber nicht nur Verbindungen mit der Hydroxylgruppe in p-Position, wie Tyramin, sind Substrate der Monoaminoxydase, sondern auch m-Phenyl- und o-Phenylderivate[2]. Die Oxydationsrate von Tryptamin und 5-Hydroxytryptamin beträgt bei Meerschweinchenleber etwa 60% der von Tyramin[6].

Bufotenin (N-Dimethyl-5-hydroxytryptamin) wird wesentlich langsamer oxydiert als 5-Hydroxytryptamin (durch Katzen und Meerschweinchenleber). Das quartäre Amin Bufotenidin wird nicht abgebaut[2].

Histamin wird in vitro in sehr geringem Umfang von Monoaminoxydase aus Schweinenieren abgebaut; allerdings ist die Affinität der Monoaminoxydase zu Histamin verglichen mit der von Tyramin sehr gering (0,7%)[7]. N-Methylhistamin dagegen wird in vivo hauptsächlich von der Monoaminoxydase oxydativ desaminiert[8,9].

Substitution am N-Atom. Wird eines der beiden H-Atome der Aminogruppe durch eine Methylgruppe substituiert, so wird die Angreifbarkeit nicht wesentlich beeinträchtigt. Beispiel Adrenalin, Vergleich mit Noradrenalin. Bei Ersatz durch eine Äthylgruppe oder Isopropylgruppe sinkt die Abbaugeschwindigkeit deutlich. Werden beide H-Atome durch CH_3-Gruppen substituiert, so wird die Angreifbarkeit stark vermindert. Beispiel Hordenin-Bufotenin. Andere tertiäre Amine, wie Tributylamin und Triisoamylamin, werden überhaupt nicht angegriffen; ebensowenig quartäre Amine[2].

Optische Antipoden. Die L-Form des Adrenalins wird durch Meerschweinchenleber-Präparate zweimal so schnell abgebaut wie die D(+)-Form[10]. Während die beiden

---

[1] ZELLER, E. A., L. A. BLANKSMA, W. P. BURKARD, W. L. PACHA and J. C. LAZANAS: Ann. N.Y. Acad. Sci. 80, 583 (1959).
[2] BLASCHKO, H.: Pharmacol. Rev. 4, 415 (1952).
[3] BLASCHKO, H., M. L. CHATTERJE, J. H. HIMMS and A. ALBERT: Brit. J. Pharmacol. 10, 314 (1955).
[4] PLETSCHER, A., K. F. GEY u. P. ZELLER: Fortschr. Arzneim.-Forsch. 2, 417 (1960).
[5] STRÖMBLAD, B. C. R.: J. Physiol., London 147, 639 (1959).
[6] BLASCHKO, H., and F. J. PHILPOT: J. Physiol., London 122, 403 (1953).
[7] ZELLER, E. A., P. STERN u. L. A. BLANKSMA: Naturwiss. 43, 157 (1956).
[8] LINDELL, S. E., and H. WESTLING: Acta physiol. scand. 39, 370 (1957).
[9] ILJA, B., and S. E. LINDELL: Brit. J. Pharmacol. 16, 203 (1961).
[10] BLASCHKO, H., D. RICHTER and H. SCHLOSSMANN: J. Physiol., London 90, 1 (1937).

Tabelle 10. *Umsatzgeschwindigkeit bei einigen Substraten, verglichen mit der von Tyramin = 100%.*
Präparat Meerschweinchenleber, Aktivität = % der gegenüber Tyramin/Std in Gegenwart von Cyanid + Semicarbazid[1,2].

Dihydroxyphenyläthylamin 140	Butylamin 54	D,L-Alkamin 12
Epinin 125	β-Phenyl-β-hydroxyäthylamin 46	Hordenin 12
Isoamylamin 105	D-Adrenalin 45	β-Phenyläthylamin . . . 11
Tyramin 100	Adrenalon 30	Benzylamin 9
Tryptamin 87	β-Phenyläthylmethylamin . . 29	Isoamylamin 9
L-Adrenalin 65	β-3-Methoxyphenyläthylamin . 24	Propylamin 7
D,L-Sympatol 59	Amylamin 19	Heptylamin 5
D,L-Arterenol 59	Homorenon 16	Mescalin 5

Stereoisomeren des β-Hydroxyphenyläthylamins durch Kaninchenleber mit gleicher Geschwindigkeit abgebaut werden, wird von der Meerschweinchenleber die D-Form vor der L-Form bevorzugt[3].

Substitution eines H-Atoms in α-Stellung. Wird eine Methylgruppe in α-Stellung eingeführt, so geht bei den aliphatischen und aromatischen Aminen die Substrateignung verloren[2,4]. Beispiel: sekundäres Butylamin, Isopropylamin, Amphetamin, Ephedrin, sekundäres Amylamin.

Substitution eines H-Atoms in β-Stellung. Wird am β-C-Atom ein Wasserstoffatom durch eine OH-Gruppe ersetzt, z.B. beim Noradrenalin, so vermindert sich die Affinität zur Monoaminoxydase, die Substitution beider H-Atome verhindert den Abbau durch die Monoaminoxydase, z.B. beim β-Hydroxy-β-methyl-β-phenyläthylamin[5].

Substitution am Benzolring. Je mehr H-Atome am aromatischen Ring durch Methoxygruppen substituiert werden, desto weniger sind diese Verbindungen als Substrate der Monoaminoxydase geeignet; abnehmende Angreifbarkeit: β-(Methoxyphenyl)-äthylamin → β-(3,4-Dimethoxyphenyl)-äthylamin → β-(3,4,5-Trimethoxyphenyläthylamin/Mezcalin)[2].

Die Species- und Organabhängigkeit der Substratspezifität. Eine Abhängigkeit der Substratspezifität von der Herkunft der Enzympräparate wurde mehrfach festgestellt. Die Homogenität der Monoaminoxydase wurde deshalb angezweifelt[3].

Die relative Oxydationsgeschwindigkeit für Tyramin, Tryptamin und 5-Hydroxytryptamin ist in verschiedenen Tierarten nicht gleich; Tryptamin und 5-Hydroxytryptamin werden von der Katzenleber wesentlich langsamer als Tyramin abgebaut, Schweineleber dagegen oxydiert Tryptamin und Tyramin etwa gleich schnell, aber 5-Hydroxytryptamin bedeutend langsamer, ebenso greift die Leber von *Eusepia*, eines Cephalopoden, 5-Hydroxytryptamin langsamer an als die beiden anderen Amine[6]. Die menschliche Leber baut Tyramin und Isoamylamin mit gleicher Geschwindigkeit ab, die Leber von *Sepia* hat eine viermal größere Affinität zu Tyramin als zu Isoamylamin[7].

Kaninchenleberextrakte bauen Tyramin rascher ab als Butylamin, Rinderleberextrakte desaminieren Tyramin und Butylamin etwa mit gleicher Geschwindigkeit, Monoaminoxydase-Präparate aus Pflanzen bevorzugen Butylamin stets vor Tyramin[8]. Bei der Fraktionierung von Kaninchenleberextrakten mit Aceton nahm die Aktivität gegenüber Butylamin zu, während sie gegenüber Tyramin bis auf minimale Werte absank[8]; ähnliches wurde bei Rinderleberextrakten beobachtet[8].

---

[1] BLASCHKO, H., D. RICHTER and H. SCHLOSSMANN: Biochem. J. 31, 2187 (1937).
[2] BHAGVAT, K., H. BLASCHKO and D. RICHTER: Biochem. J. 33, 1338 (1939).
[3] PRATESI, P., and H. BLASCHKO: Brit. J. Pharmacol. 14, 256 (1959).
[4] ALLES, G. A., and E. V. HEEGAARD: J. biol. Ch. 147, 487 (1943).
[5] SNYDER, F. H., H. GOETZE and F. W. OBERST: J. Pharmacol. exp. Therap. 86, 145 (1956).
[6] BLASCHKO, H., and F. J. PHILPOT: J. Physiol., London 122, 403 (1953).
[7] BLASCHKO, H.: J. Physiol., London 99, 364 (1941).
[8] WERLE, E., u. F. ROEWER: B. Z. 322, 320 (1952).

Benzylamin wird von Kaninchenleber schneller oxydiert als von Meerschweinchenleber. Hordenin wird von Meerschweinchenleber langsamer angegriffen als von Schweineniere. Katzenleber greift tertiäre Amine rascher an als Menschenleber[1].

ZELLER u. Mitarb. stellten fest, daß Monoaminoxydase aus Rinderlebermitochondrien kurzkettige aliphatische Amine bevorzugt, während Kaninchenleber-Mitochondrien die langkettigen stärker angreifen. Es wurde für die beiden homologen Monoaminoxydasen die Bezeichnung Mo-L (lepidae) und Mo-B (bovidae) vorgeschlagen[2,3].

Einen Hinweis für die Existenz von spezifischen Enzymen für Serotonin und Tyramin in Rattenleber-Mitochondrien gaben kürzlich HARDEGG und HEILBRONN[5].

Aktives Zentrum der Monoaminoxydase. Nach ZELLER[6,7] besteht für die optimalen Substrate (Phenyläthylamin) und wirksamsten Hemmstoffe (trans-2-Phenylcyclopropylamin, α-Alkylphenyläthylamin und Isopropylhydrazin = Pseudamin) eine strukturelle Verwandtschaft. Das gemeinsame

Tabelle 11. *Vergleich der Aktivität von Monoaminoxydase aus Salvia uliginosa und aus Meerschweinchenleber gegenüber verschiedenen Aminen*[4].

Substrat	$Q_{O_2}^{30}$	
	Salvia uligin.	Meerschweinchenleber
Methylamin	0,2	0,2
Propylamin	4	1
Butylamin	6	2
Tyramin	4	1
3-Fluortyramin	—	2

Prinzip dieser Verbindungen ist ein Benzolring mit zweigliedriger Seitenkette, in der 2 α-Wasserstoffatome enthalten sind und eine Aminogruppe. Die Anlagerung an das aktive Zentrum erfolgt nach ZELLER nach folgendem Schema:

$$R\overset{H}{\underset{\ddot{H}}{C}}NH_2 + -\ddot{X}=Y- \rightarrow \begin{array}{c} HN-\boxed{H} \\ H\,RC-\boxed{H} \\ -\ddot{X}-\ddot{Y}- \end{array}$$

X—Y = ein Teil des Enzymzentrums; $\boxed{H}$ = werden von einem H-Acceptor übernommen.

Ein α-H-Atom ist für die Bindung der Substrate oder Inhibitoren an das aktive Zentrum notwendig, während das zweite α-Wasserstoffatom im Verlauf der Enzymreaktion abgespalten wird.

Wirkung von Metallkomplexbildnern auf die Monoaminoxydase-Aktivität. Die Mitochondrien-Monoaminoxydase aus Rattenleber und -gehirn wurde unter aeroben Bedingungen bei pH 7,4 mit Tyramin als Substrat durch folgende Metallchelatbildner reversibel gehemmt: 8-Hydroxychinolin, „Plumbon", Diäthyldithiocarbamat, o-Phenanthrolin, Cyclohexendiamin-tetraacetat. Durch Zusatz von zweiwertigen Metallionen, Zn, Cu, konnte eine teilweise Reaktivierung der 8-Hydroxychinolin- und Cyclohexendiamintetraacetat-Hemmung erreicht werden. Nach diesen Ergebnissen könnte die Monoaminoxydase ein Metalloenzym sein[8].

Über den Einfluß verschiedener Metallionen auf Rattenleberhomogenate s.[9]. Wegen der hemmenden Wirkung von Quecksilber-, Cadmium- und Silberionen wurde auf die Anwesenheit von aktiven Sulfhydrylgruppen im Enzymzentrum geschlossen[9].

Hemmsubstanzen[10]. Inhibitoren der Monoaminoxydase haben in den letzten Jahren eine ständig zunehmende Beachtung erfahren, in erster Linie deshalb, weil Hydrazin-

---

[1] BLASCHKO, H.: Pharmacol. Rev. 4, 415 (1952).
[2] SARKAR, S., and E. A. ZELLER: Fed. Proc. 20, 238 (1961).
[3] BARSKY, J., S. SARKAR and E. A. ZELLER: 5. Int. Congr. Biochem. Moskau 1961. S. 139.
[4] WERLE, E., u. F. ROEWER: B. Z. 322, 320 (1952).
[5] HARDEGG, W., and E. HEILBRONN: Biochim. biophys. Acta 51, 553 (1961).
[6] SARKAR, S., R. BANERJEE, M. S. ISE u. E. A. ZELLER: Helv. 43, 439 (1959).
[7] ZELLER, E. A., W. L. PACHA and S. SARKAR: Biochem. J. 76, 45P (1960).
[8] GORKIN, V. Z.: Biochimija, Moskva 24, 826 (1959).
[9] LAGNADO, J. R., and T. L. SOURKES: Canad. J. Biochem. Physiol. 34, 1185 (1956).
[10] Zum Teil nach PLETSCHER, A., K. F. GEY u. P. ZELLER: Fortschr. Arzneim.-Forsch. 2, 417 (1960).

verbindungen in der Psychiatrie und der inneren Medizin (zur Behandlung von Depressionen bzw. von Angina pectoris) Anwendung fanden. Die Reihe der synthetisierten Monoaminoxydase-Hemmstoffe ist fast unübersehbar geworden, hier können nur die wichtigsten Gruppen berücksichtigt werden. Man kann die Inhibitoren in kompetitive und nichtkompetitive einteilen. Die wirksamsten kompetitiven Hemmstoffe gleichen in ihrer Struktur den am besten geeigneten Monoaminoxydase-Substraten. Die Hydrazine können als Pseudoamine angesehen werden[1].

Kompetitive Inhibitoren:
1. Hydrazinderivate
   a) Alkyl- und Arylhydrazine
   b) Arylalkylhydrazine
   c) Dialkylhydrazine
   d) Hydrazide
2. α-alkylierte Arylalkylamine
3. Cholinaryläther
4. Harmala-Alkaloide
5. Verschiedene Alkaloide

Nichtkompetitive Inhibitoren:
1. Amidine
   a) Mono- und Polyamidine
   b) Monoisothioharnstoffderivate
   c) Diisothioharnstoffderivate
2. Antihistaminica

Die in vitro-Wirkung geht der in vivo beobachteten häufig nicht parallel[2,3].

Kompetitive Inhibitoren.

1. **Hydrazinderivate.** Von der Entdeckung ausgehend, daß Iproniazid[4] (das ursprünglich als Tuberkulostaticum entwickelt worden war) die Monoaminoxydase stark hemmt, wurden zahlreiche weitere Hydrazinderivate auf ihre Monoaminoxydase-inaktivierende Fähigkeit hin untersucht.

a) Alkyl- und Arylhydrazine:

$$R-\underset{(1)}{\overset{H}{N}}-\underset{(2)}{NH_2}$$

Hydrazin beeinflußt nicht die Aktivität der Monoaminoxydase, auch Methylhydrazin kaum. Die wirksamsten Verbindungen haben 2—4 C-Atome; längere Ketten vermindern wieder den Hemmeffekt, z.B. sind Alkylhydrazine mit 8 C-Atomen ohne Wirkung[6].

Arylreste direkt am N(1)-Atom setzen die Hemmwirkung herab, Phenylhydrazin ist nur ein schwacher Inhibitor.

Tabelle 12. *Einfluß der aliphatischen Kette (R) der Arylalkylhydrazine auf die Monoaminoxydase-Hemmung*[5].

Nr.	R	% Hemmung in vitro		In vivo Eff. Iproniazid = 1
		10^{-5} m	10^{-6} m	
1	—	0	0	1
2	CH_2-	100	21	40
3	CH_2-CH_2-	50	30	4
5	$-\underset{OH}{CH}-CH_2-$	0		8
6	$-\underset{C_2H_5}{CH}-$	65	5	2
7	$-CH_2-\underset{CH_3}{CH}-$	100	60	40
8	$-\underset{CH_3}{CH}-CH_2-$	80	25	16
9	$-CH_2-CH_2-\underset{CH_3}{CH}-$	100	80	20
11	Iproniazid	25	0	1

---

[1] ZELLER, E. A., L. A. BLANKSMA, W. P. BURKARD, W. L. PACHA and S. C. LAZANAS: Ann. N.Y. Acad. Sci. 80, 583 (1959).
[2] OZAKI, M., H. WEISSBACH, A. OZAKI, B. WITKOP and S. UDENFRIEND: J. med. pharmaceut. Chem. 2, 591 (1960).
[3] PLETSCHER, A., u. K. F. GEY: Helv. physiol. Acta 17, 635 (1959).
[4] ZELLER, E. A., J. BARSKY, J. R. FOUTS, W. F. KIRCHHEIMER and L. S. VAN ORDEN: Exper. 8, 349 (1952).
[5] BIEHL, J. H., P. A. NUHFER and A. C. CONWAY: Ann. N.Y. Acad. Sci. 80, 568 (1959).
[6] PLETSCHER, A., K. F. GEY u. P. ZELLER: Fortschr. Arzneim.-Forsch. 2, 417 (1960).

b) Arylalkylhydrazine:

$$\langle\text{Ph}\rangle-\text{R}-\underset{\text{H}}{\text{N}}-\text{NH}_2$$

Die stärkste Hemmwirkung besitzt β-Phenylisopropylamin (Nr. 7) (= Amphetamin-Seitenkette), fast gleich stark hemmt Benzylhydrazin (Nr. 2). Die Verlängerung der Seitenkette zu Isobutylhydrazin vermindert die in vivo Wirksamkeit (Nr. 9). Verlängerung der verzweigten Kette läßt die Hemmfähigkeit absinken (Nr. 6) und Ersatz der Methyl- durch eine Hydroxygruppe ergibt eine inaktive Verbindung (Nr. 5).

β-*Phenylisopropylhydrazin* (PIH, J.B. 516, Castron) (Pheniprazin) ist in vitro 50mal wirksamer als Iproniazid (10^{-6} m PIH = 5×10^{-5} m Iproniazid); auch in vivo hemmt diese Verbindung sehr stark und sehr andauernd[1, 2].

$$\langle\text{Ph}\rangle-\text{CH}_2-\underset{\underset{\text{CH}_3}{|}}{\text{CH}}-\underset{\text{H}}{\text{N}}-\text{NH}_2$$

β-Phenyläthylhydrazin (W-1544)[3]

$$\langle\text{Ph}\rangle-\text{CH}_2-\text{CH}_2-\underset{\text{H}}{\text{N}}-\text{NH}_2$$

stellt ebenfalls einen sehr gut wirksamen Hemmstoff der Monoaminoxydase dar, der zwischen Iproniazid und PIH einzureihen ist.

p-Methylphenylhydrazin 10^{-6} m

$$\text{CH}_3-\langle\text{Ph}\rangle-\underset{\text{H}}{\text{N}}-\text{NH}_2$$

hemmt die Monoaminoxydase vollständig und irreversibel[4].

Substitution am Benzolring des Phenylisopropylhydrazins[5].

$$\text{R}-\langle\text{Ph}\rangle-\text{CH}_2-\underset{\underset{\text{CH}_3}{|}}{\text{CH}}-\underset{\text{H}}{\text{N}}-\text{NH}_2$$

Tabelle 13. *Einfluß der Substitution am Benzolring des Phenylisopropylhydrazins auf die Monoaminoxydase-Hemmung*[5].

Nr.	R	In vitro Hemmung	
		10^{-5} m	10^{-6} m
13	p-OCH$_3$	100	10
14	3,4-(OCH$_3$)$_2$	65	15
15	3,4,5-(OCH$_3$)$_3$	50	5
16	3,4-CH$_2$O$_2$	100	55
17	o-Methyl	100	45
18	p-Isopropyl	95	25
19	m-Chlor	100	49
20	6 H	86	
	Iproniazid	25	0

Tabelle 14. *Hemmwirkung von Dialkylhydrazinen*[6].

1,2-disubstituierte Hydrazine	pI ox* 50	pI am** 50
Dimethylhydrazin	4,3	4,7
Diäthylhydrazin	4,6	4,6
Di-n-propylhydrazin	4,6	4,6
Diisopropylhydrazin	2,6	2,7

* ox bedeutet gemessen am O_2-Verbrauch;
** am bedeutet gemessen an der NH_3-Entwicklung.

Fortschreitende Methoxylierung (Nr. 13, 14, 15) vermindert die Hemmfähigkeit, doch ist die 3,4-Methylendioxyverbindung (Nr. 16) noch ein sehr starker Inhibitor, zunehmende Alkylierung (Nr. 17, 18) reduziert die Hemmwirkung, ebenso die Hydrierung des Benzolrings (Nr. 20).

Verbindungen wie β-Phenylisopropylhydrazin zeigen Stereospezifität; das d-Amphetamin hemmt stärker als der Antipode.

---

[1] HORITA, A.: J. Pharmacol. exp. Therap. **122**, 176 (1958).
[2] HORITA, A.: Ann. N.Y. Acad. Sci. **80**, 590 (1959).
[3] CHESSIN, M., B. DUBNICK, G. LEESON, C. C. SCOTT: Ann. N.Y. Acad. Sci. **80**, 597 (1959).
[4] ARAI, A.: Jap. J. Pharmacol. **9**, 159 (1960).
[5] BIEL, J. H., P. A. NUHFER and A. C. CONWAY: Ann. N.Y. Acad. Sci. **80**, 568 (1959).
[6] CARBON, J. A., W. P. BURKARD and E. A. ZELLER: Helv. **41**, 1883 (1958).

c) Dialkylhydrazine:

$$R_1-\underset{H}{N}-\underset{H}{N}-R_2$$

Auch Isopropylbenzylhydrazin soll ein guter Monoaminoxydase-Hemmer sein[1].

d) Hydrazide:

$$R-CO-\underset{H}{N}-\underset{H}{N}-R_1$$

Von den verschiedenen Alkylhydrazidderivaten haben Acetylhydrazin, 2-Methylisonicotinylhydrazin, 1-Methyl-1-isonicotinylhydrazin, Isonipecotylhydrazin und Isonicotinylhydrazin keine nennenswerte hemmende Wirkung gegenüber der Monoaminoxydase. Benzoylhydrazin hemmt mäßig stark[2].

Wird aber am N-(2)Atom ein Alkyl oder Arylrest eingeführt, so entstehen gute Hemmkörper der Monoaminoxydase.

$$R-\underset{\underset{O}{\|}}{C}-\underset{H}{N}(1)-\underset{H}{N}(2)-R$$

Tabelle 15. *Hemmwirkung N-substituierter Hydrazidderivate*[2].

N(2)-substituierte Hydrazide		pI_{ox}	pI_{am}
N(2)-Äthyl	N(1)-Acetylhydrazin	5,6	5,5
N(2)-Äthyl	N(1)-Benzoylhydrazin	5,7	5,7
N(2)-Benzyl	N(1)-Isonicotinylhydrazin	5,8	5,7
N(2)-Cyclohexyl	N(1)-Isonicotinylhydrazin	4,9	4,5
N(2)-Isopropyl	N(1)-(2-Methylisonicotinyl)-hydrazin	5,3	5,2
N(2)-Methyl	N(1)-1-Methyl-1-isonicotinylhydrazin	3,0	2,7
N(2)-Isopropyl	N(1)-Isonipecotylhydrazin	4,3	3,8

N(2)-Alkyl- und α-Methylderivate des Isonicotinylhydrazid[2]:

$$-CO-NH-NH-R$$

Verlängerung der Alkylkette von C_1 bis C_4 steigert die Hemmwirkung, das Maximum liegt bei $C_4 = pI_{ox}$ 5,7; bei den Hexyl- und Heptylderivaten nimmt sie wieder ab.

α-Methylierung der Alkylgruppe vermindert die Hemmeigenschaft im Vergleich zu den unverzweigten Verbindungen.

Alkylderivate von Picolinsäurehydrazid[2]:

$$-\underset{\underset{O}{\|}}{C}-\underset{H}{N}-\underset{H}{N}-R$$

Während Picolinsäurehydrazid keine Hemmwirkung aufweist, liegt der pI_{ox}-Wert für die N(2)-Methyl-äthyl- und auch Isopropylderivate bei etwa 5,4.

Aminosäurehydrazide. Von den optischen Antipoden der Aminosäurehydrazide hemmen die L-Formen wesentlich stärker als die D-Formen[1].

Iproniazid (1-Isonicotinyl-2-isopropylhydrazin), IIH, Marsilid:

$$\underset{}{\bigcirc}-CO-\underset{H}{N}-\underset{H}{N}-\underset{\underset{CH_3}{|}}{\overset{\overset{CH_3}{|}}{CH}}$$

Iproniazid gehört zu den sowohl in vitro wie auch in vivo stark hemmenden Hydrazinderivaten; nachdem man erkannt hatte, daß das Isopropylhydrazin das wirksame Prinzip des Iproniazid darstellt[2-4], wurden mehrere noch stärker aktive Monoaminoxydase-

---

[1] PLETSCHER, A., K. F. GEY u. P. ZELLER: Fortschr. Arzneim.-Forsch. 2, 417 (1960).
[2] BARSKY, J., W. L. PACHA, S. SARKAR and E. A. ZELLER: J. biol. Ch. 234, 389 (1959).
[3] HEIM, F., u. K. DIEMER: Med. exp., Basel 3, 249 (1961).
[4] DAVISON, A. N.: Biochem. J. 67, 316 (1957).

Hemmer durch Substitution am N(1)-Atom und N(2)-Atom des Hydrazinrestes entwickelt. Der $pI_{50\,ox}$ für Iproniazid beträgt 5,28 (Rattenleber-Mitochondrien)[1,2]. Die Homogenate verschiedener Gewebe von Ratten und Meerschweinchen sind wesentlich weniger empfindlich gegenüber IIH als die entsprechenden Mitochondriensuspensionen. Bei Schweineleber-Präparaten wurden die Mitochondrien- und Mikrosomenfraktion, das „lösliche" Enzym, aber auch die Monoaminoxydase von Leberschnitten durch IIH stärker gehemmt als die Monoaminoxydase des Leberhomogenates[3].

Die Mitochondrien-Monoaminoxydase von Niere, Leber und Gehirn bei Mäusen, Kaninchen, Katze, Hund, Schwein, Rind und Mensch werden durch IIH 10^{-4} m zu 90—100% gehemmt[3].

Nach DAVISON[4] soll sich bei der Einwirkung von Iproniazid auf die Monoaminoxydase eine ähnliche Reaktion abspielen wie bei der Einwirkung des Enzyms auf ein Substrat: Dehydrierung des Iproniazid zu 1-Isopropyliden-2-isonicotinylhydrazin. Durch Präinkubation mit einem Substratüberschuß kann die IIH-Hemmung verhindert werden. Die Hemmung des Enzyms erfolgt also durch Vorinkubation mit dem Hemmstoff; durch Dialyse wird die IIH-Wirkung nicht aufgehoben[3].

Iproniazid verliert seine Fähigkeit zur Monoaminoxydase-Hemmung durch Inkubation mit Erythrocyten. Das Iproniazidinaktivierende Prinzip ist wahrscheinlich in der Erythrocytenmembran lokalisiert[5].

Isocarboxazid [*1-Benzyl-2-(5'-methyl-3'-isoxazolyl-carbonyl)-hydrazin*], Marplan, Ro 5-0831/1:

Isocarboxazid hemmt in vitro und in vivo noch viel stärker als IIH und ist weniger toxisch als IIH. Der pI_{ox}-Wert beträgt 6,1 (Rattenleber-Mitochondrien)[1,6].

Nialamid [*N(1)-Isonicotinyl-N(2)-(N-benzylcarbamoyl)-äthyl-hydrazin*][7]:

2-Benzyl-1-picolinylhydrazin, Ro 5-0700[1,6]:

sind weitere ähnlich stark wirkende Monoaminoxydase-Inhibitoren aus der Reihe der Hydrazinderivate.

2. α-alkylierte Arylalkylamine.

Amphetamin, β-Phenylisopropylamin:

---

[1] RANDALL, L. O., and R. E. BAGDON: Ann. N.Y. Acad. Sci. **80**, 626 (1959).
[2] WERLE, E., A. SCHAUER u. G. HARTUNG: Kli. Wo. **1955**, 562.
[3] ZELLER, E. A., J. BARSKY and E. R. BERMAN: J. biol. Ch. **214**, 267 (1955).
[4] DAVISON, A. N.: Biochem. J. **67**, 316 (1957).
[5] ROEWER, F., u. E. WERLE: A.e.P.P. **230**, 552 (1957).
[6] GARDNER, T. S., E. WENIS and J. LEE: J. med. pharmaceut. Chem. **2**, 133 (1960).
[7] PLETSCHER, A., K. F. GEY u. P. ZELLER: Fortschr. Arzneim.-Forsch. **2**, 417 (1960).

Amphetamin hemmt die Monoaminoxydase reversibel und fast nur in vitro. Der $pI_{ox\,50}$-Wert beträgt 3,05 (Rattenleber-Mitochondrien)[1]. Von den zwei Isomeren des Amphetamins hat die D-Verbindung einen nahezu doppelt so starken Hemmeffekt gegenüber der Monoaminoxydase aus Gehirn, Parotis und Submaxillaris des Menschen[2] wie die L-Form.

Ephedrin:

$$\text{C}_6\text{H}_5-\underset{\underset{\text{OH}}{|}}{\text{CH}}-\underset{\underset{\text{CH}_3}{|}}{\text{CH}}-\text{NH}-\text{CH}_3$$

Ephedrin wirkt im Prinzip ähnlich wie Amphetamin, doch vermindert die β-Hydroxygruppe die Hemmwirkung merklich[3].

Phenylcyclopropylamin, Tranylcypromin, Parnate SKF 385-B trans:

$$\text{C}_6\text{H}_5-\text{CH}-\underset{\underset{\text{CH}_2}{|}}{\text{CH}}-\text{NH}_2$$

Phenylcyclopropylamin hemmt die Monoaminoxydase in vitro und in vivo wesentlich stärker als Iproniazid (Substrat: Serotonin, 50% Hemmung bei SKF 385 $2,8 \times 10^{-6}$ m, bei Iproniazid 7×10^{-4} m)[4]. Der Wirkungsmechanismus von Phenylcyclopropylamin scheint von dem der Hydrazinderivate verschieden zu sein[5]. Trans-2-Phenylcyclopropylamin hemmt die Monoaminoxydase stärker als cis-2-Phenylcyclopropylamin. Bei Rinderleber-Mitochondrien hatten beide Phenylcyclopropylamine eine etwa zehnmal stärkere Hemmwirkung als bei Kaninchenleber-Mitochondrien[6]. Die Phenylcyclopropylamin-Hemmung ist in einem gewissen Umfang reversibel (Reaktivierung der Monoaminoxydase durch Dialyse)[6].

3. **p-Tolylcholinäther, TM 6:**

$$\text{H}_3\text{C}-\text{C}_6\text{H}_4-\text{O}-\text{CH}_2-\text{CH}_2-\text{N}-\underset{\underset{\text{CH}_3}{|}}{\overset{\overset{\text{CH}_3}{|}}{\text{CH}}}$$

Aus der Gruppe der Cholinaryläther sind solche mit quartärem, dreifach methyliertem N die wirksamsten Monoaminoxydase-Inhibitoren. Cholin-p-tolyläther, Cholin-o-chlorphenyläther und Cholin-o-tolyläther hemmen dreimal so stark wie Amphetamin, 30mal so stark wie Ephedrin und 300mal so stark wie Cocain [10 μg/ml p-Tolylcholinäther hemmt den Adrenalinabbau durch Meerschweinchenleberschnitte um 37,5% (biologisch bestimmt)][7]. TM 6 hemmt in einer Konzentration von 10^{-3} die Monoaminoxydase zu 100%[8].

4. **Harmalin:**

$$\text{CH}_3\text{O}-\text{[Harmalin-Struktur]}-\text{CH}_3$$

Unter den Harmala-Alkaloiden sind Harmalin und Harmin die stärksten Inhibitoren, in vitro ist die Hemmung reversibel und daher in vivo von kurzer Dauer (40—60% Hemmwirkung in vitro durch 10^{-6} m/l)[9].

5. **Verschiedene Alkaloide und Chlortetracyclin:** Coniin, Piperidin, Nicotin und Chlortetracyclin gehören zu den kompetitiven Hemmstoffen der Monoaminoxydase[9].

---

[1] RANDALL, L. O., and R. E. BAGDON: Ann. N.Y. Acad. Sci. **80**, 626 (1959).
[2] BLASCHKO, H., and B. C. R. STRÖMBLAD: Arzneim.-Forsch. **10**, 327 (1960).
[3] BLASCHKO, H.: Pharmacol. Rev. **4**, 415 (1952).
[4] MAAS, A. R., and M. J. NIMMO: Nature **184**, 547 (1959).
[5] HORITA, A., and W. R. MCGRATH: Biochem. Pharmacol. **3**, 206 (1960).
[6] SARKAR, S., R. BANERJEE, M. S. ISE u. E. A. ZELLER: Helv. **43**, 439 (1959).
[7] BROWN, B. G., and P. HEY: Brit. J. Pharmacol. **11**, 58 (1956).
[8] CORNE, S. J., and J. D. P. GRAHAM: J. Physiol., London **135**, 339 (1957).
[9] PLETSCHER, A., K. F. GEY u. P. ZELLER: Fortschr. Arzneim.-Forsch. **2**, 417 (1960).

Nichtkompetitive Inhibitoren.

1. Amidine:

$$HN=C(NH_2)-C_6H_4-O-(CH_2)_n-O-C_6H_4-C(NH_2)=NH$$

a) *Propamidin und Pentamidin.* Aus der Gruppe der Mono- und Polyamidine zeichnen sich vor allem Propamidin ($n=3$) und Pentamidin ($n=5$) durch starke Hemmwirkung gegenüber der Monoaminoxydase aus, diese Hemmstoffe können nur schwer ausgewaschen werden.

Auch bei diesen Inhibitoren treten die Speciesunterschiede deutlich hervor; während Monoaminoxydase aus Katzen-, Kaninchen- und Hundeleber durch Propamidin ($n=3$) und Pentamidin ($n=5$) am stärksten gehemmt wird, wirken auf Schweineleber und Niere sowie Meerschweinchenleber-Monoaminoxydase hauptsächlich die Amidine dieser Serie mit 8 CH_2-Gruppen (Konzentrationsbereich für 80—100% Hemmung = 2×10^{-4} bis 10^{-3} m)[1].

b) *Monoisothioharnstoffderivate:*

$$CH_3-(CH_2)_n-S-C(NH_2)=NH$$

Bei den Monoisothioharnstoff-Verbindungen liegt das Maximum der Monoaminoxydase-Hemmung bei $n=9$ (Konzentration 10^{-3} m = 70% Hemmung)[2].

c) *Diisothioharnstoffderivate:*

$$H_2N-C(=NH)-S-(CH_2)_n-S-C(NH_2)=NH$$

Unter den Diisothioharnstoff-Homologen sind die niedrigen Glieder $CH_2 = 1$—6 nur schwache Monoaminoxydase-Hemmer, dagegen sind die höheren ($n = 9$—12) wesentlich stärker wirksam (10^{-3} m = 90—100%)[2].

2. Antihistaminica. Die Hemmwirkung verschiedener Antihistaminica bei der Monoaminoxydase von Rattenleber ist in Tabelle 16 veranschaulicht[3].

Tabelle 16. *Hemmwirkung von Antihistaminsubstanzen auf die Monoaminoxydase.*

Inhibitor	% Hemmung durch		
	10^{-4} m	10^{-3} m	10^{-2} m
	Konzentration		
Diphenhydramin (Benadryl)	22	49	79
Tripelenamin (Pyribenzamin)	18	44	82
Antazolin (Antistin)	9	36	77
Mepyramin (Anthisan)	9	32	81
Promethazin (Phenergan)	25	48	93
Phenindamin (Thephorin)	10	45	—
Piperidinomethyl-benzodioxan (933 F)	0	22	74
N,N-Dibenzyl-β-chloräthylamin (Dibenamin)	0	12	—

Bestimmungsmethoden. α) *Manometrische Bestimmung des Sauerstoffverbrauchs.* Nebenreaktionen, die eine bedeutende, zusätzliche Steigerung des Sauerstoffverbrauchs zur Folge haben, z.B. die Kerndehydrierung von Brenzcatechinaminen, wie Adrenalin, Hydroxytyramin usw., oder die weitere Dehydrierung des bei der Monoaminoxydase-Reaktion gebildeten Aldehyds zur Säure werden durch Zusatz von Cyanid oder Semicarbazid (z.B. 0,05 m) unterdrückt.

---
[1] BLASCHKO, H., and J. M. HIMMS: Brit. J. Pharmacol. **10**, 451 (1955).
[2] FASTIER, F. N., and J. HAWKINS: Brit. J. Pharmacol. **6**, 256 (1951).
[3] TICKNER, A.: Brit. J. Pharmacol. **6**, 606 (1951).

Nach Untersuchungen von CREASEY[1] kann die Messung des Sauerstoffverbrauchs bei der oxydativen Desaminierung von Tyramin durch Suspensionen von gewaschenen Rattenleber-Mitochondrien durch Zusatz von Cyanid (10^{-3} m) und Semicarbazid (10^{-2} m) so geleitet werden, daß kein durch Nebenreaktionen bedingter Mehrverbrauch von Sauerstoff eintritt. In den genannten Präparaten fehlt eine Aldehydoxydase; Peroxydase ist infolge Abwesenheit eines Substrates, auf das der nach Spaltung des gebildeten Wasserstoffperoxyds frei werdende Sauerstoff übertragen werden kann, unwirksam, ebenso die Cytochromoxydase wegen Fehlens ausreichender Mengen an Cytochrom c. Der Zusatz von Cyanid in der angegebenen Konzentration reicht zur Hemmung der reichlich vorhandenen Katalase nicht aus, Semicarbazid (10^{-2} m) hemmt keines der in dem System vorhandenen Enzyme. Cyanid und Semicarbazid unterbinden die Autoxydation des durch die Desaminierung gebildeten Aldehyds zur Säure.

Bestimmung der Monoaminoxydase-Aktivität nach CREASEY[1].

Reagentien:
1. 0,24 m Natriumphosphatpuffer, p_H 7,0.
2. 0,01 m KCN-Lösung.
3. 0,1 m Semicarbazidlösung.
4. 0,1 m Tyramin- oder Isoamylaminlösung.
5. 2 m KCN-Lösung.
6. Katalase.

Ausführung:
Alle Lösungen, außer der KCN-Lösung, werden vor Gebrauch auf p_H 7,0 eingestellt; Sauerstoffatmosphäre. WARBURG-Gefäße. Im Hauptraum: 1 ml Enzymsuspension, 0,2 ml Natriumphosphatpuffer, 0,2 ml 0,01 m KCN, 0,2 ml Semicarbazid und 0,2 ml Wasser. Im Kipper: 0,2 ml Tyramin- oder Isoamylaminlösung. Im Innengefäß: 0,1 ml 2 m KCN in Filtrierpapierstreifen.

Mit dieser Anordnung wird der Verbrauch von 1 Atom Sauerstoff pro oxydiertes Tyramin und Isoamylamin erreicht. Zur Verhütung der Zerstörung des Enzyms durch das entstehende H_2O_2 werden, besonders bei gereinigten Enzympräparaten, den Ansätzen 0,05 E Katalase zugefügt.

Beim Kontrollversuch enthält der Kipper destilliertes Wasser an Stelle der Substratlösung. Es wird entweder in Sauerstoff oder in Luftatmosphäre bei 37° C geschüttelt[2]; vgl. auch [3,4].

Einheit. Die Aktivität wird in der Regel durch den Sauerstoffverbrauch in μl pro Gewichtseinheit des Enzympräparates nach definierter Reaktionszeit angegeben. Dabei wird das Gewicht in g oder mg Organfrisch- oder -trockengewicht, mg Protein oder Gesamt-N gewählt. Bei längerer Reaktionsdauer wird der Sauerstoffverbrauch angegeben, der erreicht würde, wenn die Reaktion mit der in den ersten 10 min gemessenen Geschwindigkeit weiterliefe (vgl. auch [5]).

Beispiel. $Q_{O_2,60}$ = Sauerstoffverbrauch in μl nach 60 min pro mg Protein.

β) Bestimmung des gebildeten Ammoniaks. Ist das im Reaktionsgemisch enthaltene Substratamin nicht wasserdampfflüchtig, so kann Ammoniak in üblicher Weise durch Alkalisieren ausgetrieben und nach Überdestillieren in titrierte Säure maßanalytisch bestimmt werden; auch die colorimetrische Bestimmung mit NESSLERs Reagens ist möglich. Ist jedoch das Substratamin ebenso wie Ammoniak wasserdampfflüchtig, so muß

---
[1] CREASEY, N. H.: Biochem. J. 64, 178 (1956).
[2] MANN, P. J. G.: Biochem. J. 59, 609 (1955).
[3] WERLE, E., u. F. ROEWER: B. Z. 322, 320 (1952).
[4] WERLE, E., u. E. v. PECHMANN: Z. Vit.-, Horm.-Ferm.-Forsch. 2, 433 (1948/49).
[5] PFLEIDERER, G.; in: Rauen, Biochem. Taschenb., S. 992.

eine Trennung des ersteren von Ammoniak durchgeführt werden. PUGH und QUASTEL[1] bedienten sich zur Trennung der Tatsache, daß Ammoniak im Gegensatz zu flüchtigen Aminen bei schwach alkalischer Reaktion durch gelbes Quecksilber(II)-oxyd gebunden wird. Die Bindung läßt sich durch Erwärmen mit konzentriertem Alkali wieder lösen.

Ammoniakbestimmung nach CONWAY *und* BYRNE[2]. Diese Methode (s. Bd. III, S. 17) ist für den Fall anwendbar, daß das Substratamin im Gegensatz zu Ammoniak oder dem bei der oxydativen Desaminierung entstehenden Amin nicht flüchtig ist. Der inaktivierte neutrale oder saure Versuchsansatz wird in die Außenkammer des CONWAY-Gefäßes gebracht und die Innenkammer mit 1—2 ml Schwefelsäure von bekanntem Titer (z.B. 0,01n) beschickt. Nach dem Alkalisieren des Inhaltes der Außenkammer mit konzentrierter Sodalösung und luftdichtem Verschluß wird der Inhalt der Außenkammer durch vorsichtiges Bewegen gemischt. Anschließend läßt man bei Zimmertemperatur oder 38° C diffundieren. Nach RICHTER[3] gehen bei 38° C von 1 ml 0,015 m Lösung in die Schwefelsäure (2 ml; 0,01 n) der inneren Kammer über: Ammoniak in 1 Std 100%, Isobutylamin in 4 Std 100%, Methylamin in 4 Std 90% und Äthylamin in 4 Std 95%. Bei Zimmertemperatur empfiehlt es sich, 12 Std lang überzutreiben. Anschließend wird das in die Innenkammer destillierte Ammoniak oder Amin durch Rücktitration der nicht verbrauchten Säure oder durch Colorimetrieren mit NESSLERs Reagens quantitativ bestimmt. Die colorimetrische Methode kann nur bei der Bestimmung von Ammoniak verwendet werden, da viele Amine selbst in sehr geringer Konzentration mit NESSLERs Reagens Fällungen ergeben. Die CONWAY-Methode wurde von COTZIAS und DOLE[4] in folgender Weise modifiziert:

Bestimmung des Ammoniak nach CONWAY **und** BYRNE, **modifiziert von** COTZIAS **und** DOLE[4].

Reagentien:
1. 0,05 m Tyraminlösung.
2. Borsäure-Indicatorlösung (s. Bd. III, S. 17).
3. Metaboratlösung, gesättigt.
4. 0,02 n HCl.

Ausführung:

In die Außenkammer der CONWAY-Einheit werden das Enzympräparat (pH 7,3) und Tyramin als Substrat gegeben. Die Innenkammer wird mit Borsäure-Indicatorlösung beschickt. Nach einstündiger Inkubation bei 20° C — bei dieser Temperatur ist die Reaktionsgeschwindigkeit unabhängig von der Substratkonzentration[4] — wird das Ammoniak aus der Außenkammer durch gesättigte Metaboratlösung ausgetrieben und im Innengefäß mit Salzsäure titrimetrisch ermittelt. Als *Monoaminoxydase-Einheit* gilt die Enzymmenge, die unter den gewählten Bedingungen die Entwicklung von 1 µM Ammoniak/Std katalysiert. Die Methode wird als sehr genau bezeichnet; die Fehlerbreite betrug in 22 Parallelversuchen weniger als 1%.

Ultramikromethode der Ammoniakbestimmung nach RICHTERICH[5]. Das Diffusionsverfahren nach CONWAY wird durch die Verwendung von Gefäßen nach SELIGSON und eines Rotationsapparates vereinfacht und abgekürzt. NH_3-N-Bestimmung durch Neßlerisierung oder BERTHELOT-Reagenz (Meßbereich: 0,25—5 µg).

Gleichzeitige Bestimmung des Sauerstoffverbrauches und der Ammoniakentwicklung nach COTZIAS **und** GREENOUGH[6].

Apparatur:

WARBURG-Gefäße mit zwei Kippern; zweiter Hahn (F) am Manometer (vgl. Abb. 1)[6], Rehberg-Bürette, 0,2 ml.

---

[1] PUGH, C. E. M., and J. H. QUASTEL: Biochem. J. **31**, 286 (1937).
[2] CONWAY, E. J., and A. BYRNE: Biochem. J. **27**, 419 (1933).
[3] RICHTER, D.: Biochem. J. **31**, 2022 (1937).
[4] COTZIAS, G. C., and V. P. DOLE: J. biol. Ch. **190**, 665 (1951).
[5] RICHTERICH, R., u. J. P. COLOMBO: Ärztl. Lab. **8**, 129 (1962); persönl. Mitteilung.
[6] COTZIAS, G. C., and J. J. GREENOUGH: Arch. Biochem. **75**, 15 (1958).

Reagentien:
1. Borsäure, 2%ig.
2. Kaliummetaborat in gesättigter Lösung.
3. Mischindicator: Bromkresolgrün 0,033%ig und Methylrot 0,066%ig in 95%igem Äthanol.

Beschickung der WARBURG-*Gefäße:*
Es werden 0,5 ml Enzympräparat in den Hauptraum, 0,5 ml Substrat in den Kipper A, 0,2 ml Borsäure in das Zentralgefäß C und 0,5 ml Kaliummetaboratlösung in das Seitengefäß D gegeben.

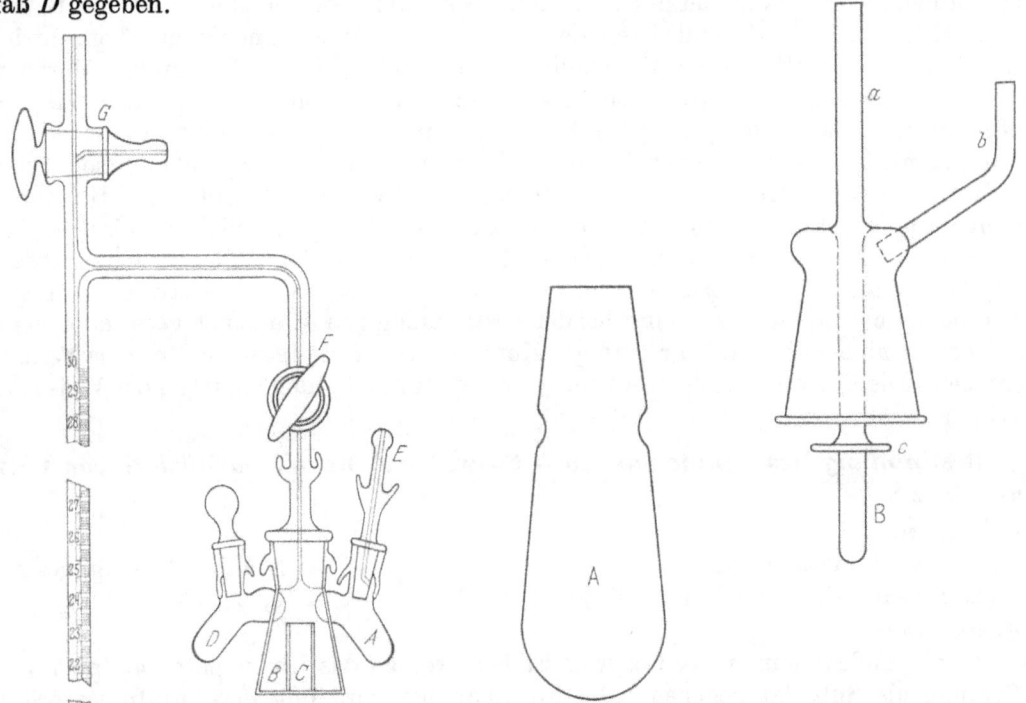

Abb. 1. Manometriergefäß nach COTZIAS und GREENOUGH [1].   Abb. 2. Reaktionsgefäß nach PUGH und QUASTEL [2].

Ausführung der Bestimmung:
Nach Durchströmen mit Sauerstoff, Temperaturausgleich auf 20° C und Zugabe des Substrates zum Enzym wird nach beliebig gewählter Reaktionszeit Hahn F verschlossen und die Reaktion durch Zukippen der Metaboratlösung zum Hauptraum beendet. Damit wird die Überleitung des Ammoniaks ins Zentralgefäß eingeleitet, die nach 140 min genau 50% des vorhandenen Ammoniaks beträgt (Schütteln der WARBURG-Gefäße bei 20° C). Diese „Halbwertszeit" ist unter den angegebenen Bedingungen konstant; sie läßt sich durch Erhöhung der Temperatur und durch Evakuierung des Systems verkürzen. Nach siebenfacher „Halbwertszeit" finden sich 99—100% des Ammoniaks im Zentralgefäß.

Nach erfolgter Überleitung wird der Hauptraum des WARBURG-Gefäßes entleert, Mischindicator (0,05 ml) ins Zentralgefäß gegeben und mittels der Rehberg-Bürette mit HCl bis zur Rosafärbung titriert. Als Vergleich kann eine Mischung aus 0,2 ml Borsäure und 0,05 ml Mischindicator benutzt werden.

Bestimmung von Ammoniak neben flüchtigem Substratamin nach PUGH und QUASTEL [2].

Apparatur:
Die verwendete Apparatur (Abb. 2) besteht 1. aus einem starkwandigen hitzebeständigen Glasgefäß A, das gleichzeitig als Reaktionsgefäß und als Zentrifugenbecher dient,

---
[1] COTZIAS, G. C., and J. J. GREENOUGH: Arch. Biochem. **75**, 15 (1958).
[2] PUGH, C. E. M., and J. H. QUASTEL: Biochem. J. **31**, 286 (1937).

2. aus einem Aufsatz B, der auf Teil A mittels Schliff aufgesetzt wird und 2 Rohre a und b zum Durchleiten von Luft trägt. Das zum Einleiten verwendete Rohr ist mit einer Glasplatte versehen, die ein Überschäumen der im Reaktionsgefäß vorhandenen Flüssigkeit verhindern soll.

Reagentien:
1. Kaliumcarbonatlösung, gesättigt.
2. 0,1 n H_2SO_4.
3. n NaOH.
4. 5 n NaOH.
5. 0,2 m Phosphatpuffer, p_H 7,4.
6. Quecksilber(II)-oxyd, gelb.
7. NESSLERs Reagens.
8. Paraffin, rein.

Ausführung:
Beschickung des Gefäßes A mit der inaktivierten Versuchslösung, Überschichten mit 1 ml Paraffin, Zugabe von 2,5 ml Kaliumcarbonatlösung. Aufsetzen des Teils B, Verbindung von Rohr b mit der 10 ml Schwefelsäure enthaltenden Vorlage. Bei der Temperatur des siedenden Wasserbades wird durch Rohr a ein mäßiger, mit Säure gewaschener Luftstrom geleitet; nach 15 min wird die Geschwindigkeit des Luftstromes gesteigert und schließlich nach 1 Std einige min lang ein sehr kräftiger Luftstrom hindurchgeleitet. Anschließend wird das Einleitungsrohr abgespült und in die Vorlage (etwa 20 ml fassend) 1 ml n NaOH und 3 ml Phosphatpuffer sowie 0,5 g gelbes Quecksilber(II)-oxyd gegeben. Die Mischung wird auf einem Wasserbad unter dauerndem Rühren 15 min auf etwa 70° C erwärmt; anschließend wird 4—5 min lang bei 2500 Touren zentrifugiert. Nach Dekantieren des Überstehenden wird der Rückstand auf der Zentrifuge zweimal mit je etwa 10 ml Wasser gewaschen, danach mit wenig Wasser aufgerührt und mit 1 ml Paraffin überschichtet. Das Ammoniak wird durch Zugabe von 2,5 ml 5 n NaOH und anschließendes einstündiges Erhitzen auf dem Wasserbad durch einen kräftigen Luftstrom in die Vorlage (10 ml 0,1 n Schwefelsäure) übergetrieben. Dann Ammoniakbestimmung mit NESSLERs Reagens.

γ) Bestimmung des gebildeten Aldehyds. PUGH und QUASTEL[1] verwenden zur Aldehydbestimmung die Hydrogensulfitmethode, die von BERNHEIM[2] für die Bestimmung von Ketosäuren angegeben wurde. Die Versuchsansätze werden mit Trichloressigsäure enteiweißt, dann wird, wie Bd. V, S. 103ff. beschrieben, weiter verfahren. UDENFRIEND u. Mitarb.[3] verfolgen den Abbau von Serotonin durch lösliche Monoaminoxydase photometrisch: Der bei der Monoaminoxydase-Reaktion entstehende 5-Hydroxy-indolacetaldehyd wird in Gegenwart von Aldehyddehydrogenase in 5-Hydroxy-indolessigsäure übergeführt, wobei DPN reduziert wird. Die Reaktion wird bei 3400 Å photometriert. Aldehyd-Dehydrogenasepräparate (s. auch S. 556) werden aus Meerschweinchenleber- und -nierenhomogenaten zwischen 33 und 55 % Ammoniumsulfatsättigung aus dem Überstand nach Zentrifugieren bei 100000 ×g (30 min) gewonnen. Eine weitere Reinigung ist für die angegebenen Versuche nicht notwendig.

δ) Messung der Aminoxydaseaktivität an Hand der abnehmenden Absorptionsintensität der Substrate Tryptamin und Serotonin im UV[4]. Wäßrige Organhomogenate werden in WARBURG-Gefäße mit 2 Kippern gegeben. Der eine Kipper ist mit Substrat beschickt (Endkonzentration 7—40 μM), der andere mit 0,2 ml 60%iger Perchlorsäure. Im Innengefäß befindet sich mit Kalilauge getränktes Filtrierpapier. Die Messung wird in Sauerstoffatmosphäre bei 38° C wie üblich durchgeführt; Leerversuche mit Wasser statt Substrat. Durch Zukippen von Perchlorsäure wird die Reaktion unterbrochen. In der enteiweißten Lösung wird unter Verwendung eines Beckman-DU-Spektrophotometers Tryptamin bei 2790 oder 2870 Å quantitativ bestimmt, Serotonin bei 2760 Å. Beispielsweise entspricht einer Konzentration von 0,1 μM Tryptamin eine Ablesung von 0,570

---

[1] PUGH, C. E. M., and J. H. QUASTEL: Biochem. J. **31**, 286 (1937).
[2] BERNHEIM, F., M. L. C. BERNHEIM and A. G. GILLASPIE: J. biol. Ch. **114**, 657 (1936).
[3] WEISSBACH, H., B. G. REDFIELD and S. UDENFRIEND: J. biol. Ch. **229**, 953 (1957).
[4] SOURKES, T. L., E. TOWNSEND and G. N. HANSEN: Canad. J. Biochem. Physiol. **33**, 725 (1955).

bei 2790 Å oder von 0,474 bei 2870 Å. Mit Serotonin wird bei derselben Konzentration der Wert 0,605 bei 2760 Å abgelesen. Das Verfahren liefert noch bei den gewählten sehr geringen Substratkonzentrationen brauchbare Werte, bei denen die Messung des Sauerstoffverbrauchs zu unempfindlich ist.

ε) *Histochemischer Nachweis der Monoaminoxydase.* Zur Lokalisierung des Enzyms im Gewebe sind mehrere Verfahren angegeben worden. BLASCHKO und HELLMANN[1] bedienen sich der von PUGH und QUASTEL[2] entdeckten Braunfärbung monoaminoxydasehaltiger Gewebe bei Angebot von Tryptamin.

Hierzu werden Schnitte von 25 μ Dicke in 0,067 m Phosphatpuffer, p_H 7,4, mit Tryptamin und Serotonin (1 mg/ml) 45—180 min inkubiert und mikroskopisch ausgewertet. Der durch die Enzymwirkung entstandene Farbstoff ist in Äthanol, Aceton, n-Butanol und Dioxan löslich. Seine Lösungen fluorescieren im UV-Licht.

FRANCIS[3] inkubiert Schnitte von 40 μ Dicke bei 37° C 2—3 Std lang in einer Lösung von gleichen Teilen 0,1%iger Neotetrazoliumchlorid-(pp'-Diphenylen-bis-2-(3,5-diphenyl)-tetrazoliumchlorid)-Lösung, 0,1 m Phosphatpuffer, p_H 7,4, und Tyraminhydrochlorid (0,1%). An den Enzymorten bildet sich ein blauer Formacylniederschlag. Bezüglich der Färbemethoden zur Identifizierung der das Enzym enthaltenden Zellen s. die histologische Originalliteratur.

Nach KOELLE und DE VALK[4] werden Gefrierschnitte zur Blockierung von Carbonylgruppen mit 0,1 m Hydrazinhydrochlorid-Lösung behandelt, anschließend wird in Sauerstoffatmosphäre bei 37° C mit 0,1 m Tryptamin und 0,005 m 2-Hydroxy-3-naphthoesäurehydrazid in 0,2 m sekundärer Natriumphosphatlösung inkubiert, die 40% Natriumsulfat enthält. Hierbei kondensiert sich der bei der Aminoxydasereaktion gebildete Aldehyd mit dem Säurehydrazid. Das gebildete Produkt wird anschließend mit Tetrazo-o-dianisidin gekuppelt. Es resultiert eine bläulichrote Färbung in aminoxydasehaltigen Zellen. Die Schnitte werden mit Wasser und dann mit einer Lösung von 300 mg Naphthanil-Diazoblau B in 10 ml Wasser und 5 ml 0,2 m Phosphatpufferlösung, bestehend aus 9 Teilen sekundärer Natriumphosphatlösung und 1 Teil primärer Kaliumphosphatlösung, behandelt. Schließlich werden sie nach Behandeln mit 10%igem Formalin an der Luft getrocknet und in einer wäßrigen Lösung, bestehend aus 4% Gelatine, 50% Glycerin und 1% Phenol, eingebettet.

Bestimmung der Monoaminoxydase-Aktivität durch spektrophotometrische Messung des Kynuraminabbaues nach WEISSBACH u. Mitarb.[5].

Prinzip:

Kynuramin wird durch die Monoaminoxydase zu einem Aldehyd oxydiert, der entweder zu 4-Hydroxychinolin kondensiert oder weiter oxydiert wird zu einer Säure, die in das Lactam 2,4-Dihydroxychinolin übergeht. Das Verschwinden des Kynuramin oder das Erscheinen von 4-Hydroxychinolin kann spektrophotometrisch verfolgt werden.

Der Vorteil dieser Methode liegt darin, daß auch rohe Gewebehomogenate verwendet werden können.

Reagentien und Apparatur:
1. Kynuramindihydrobromid (hergestellt nach einer Modifikation der Ozonolysemethode nach WITKOP[6]).
2. 0,5 m Phosphatpuffer, p_H 7,4.
3. Lösliche, teilweise gereinigte Monoaminoxydase nach [7].
4. Beckman-Spektrophotometer Modell DU.

---

[1] BLASCHKO, H., and K. HELLMANN: J. Physiol., London **122**, 419 (1953).
[2] PUGH, C. E. M., and J. H. QUASTEL: Biochem. J. **31**, 286 (1937).
[3] FRANCIS, C. M.: J. Physiol., London **124**, 188 (1954).
[4] KOELLE, G. B., and A. T. DE VALK: J. Physiol., London **126**, 434 (1954).
[5] WEISSBACH, H., T. E. SMITH, J. W. DALY, B. WITKOP and S. UDENFRIEND: J. biol. Ch. **235**, 1160 (1960).
[6] WITKOP, B.: A. **556**, 103 (1944).
[7] WEISSBACH, H., B. G. REDFIELD and S. UDENFRIEND: J. biol. Ch. **229**, 953 (1957).

Ausführung:

Der Versuchsansatz (in einer 3 ml-Silica-Küvette) besteht aus 0,3 μM Kynuramin, 0,3 ml Phosphatpuffer und dem Monoaminoxydase-Präparat. Mit Wasser wird auf 3 ml Gesamtvolumen aufgefüllt.

Das Kontrollgefäß enthält statt Kynuramin Wasser. Nach Durchmischen der Lösung wird nach verschiedenen Zeitintervallen bei 360 mμ die Absorption gemessen (trübe Lösungen ergeben in den ersten min ungenaue Werte).

Die Aktivität ist der Extinktionsabnahme bei 360 mμ/Zeiteinheit proportional.

Über eine neue *Mikrobestimmungsmethode* der Monoaminoxydase durch Verwendung von radioaktiven Substraten (Tyramin-1-^{14}C, 3-Hydroxytyramin-1-^{14}C, Serotonin-1-^{14}C) berichtete McCaman[1].

Die Reaktionsprodukte, ^{14}C-markierte Aldehyde, wurden mit einem organischen Lösungsmittel extrahiert und die Radioaktivität in einem Scintillationsspektrometer bestimmt.

Colorimetrische Bestimmung der Monoaminoxydase-Aktivität nach Green und Haughton[2].

Prinzip:

Der bei der oxydativen Desaminierung durch die Monoaminoxydase entstehende Aldehyd wird durch Zusatz von Semicarbazid als Semicarbazon abgefangen und nach Zufügen von 2,4-Dinitrophenylhydrazin in das entsprechende Dinitrophenylhydrazon

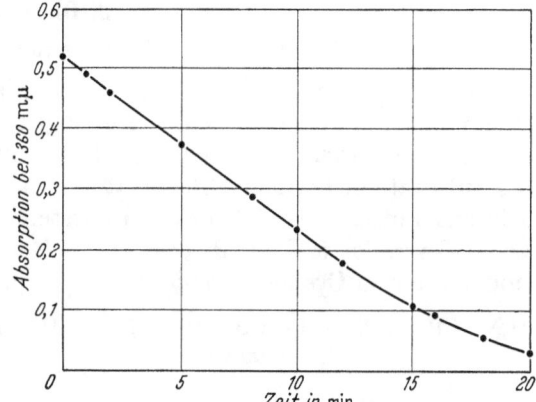

Abb. 3. Abnahme der Absorption bei 360 mμ als Funktion der Zeit während der Inkubation von Kynuramin mit Rattenleberhomogenat (0,1 ml).

umgewandelt, die rotgefärbte Verbindung wird mit Benzol extrahiert und ihre Absorption bei 450 mμ (Unicam SP 500 Spektrophotometer) bestimmt.

Reagentien:
1. 0,05 m Semicarbazidhydrochlorid.
2. 0,2 m Phosphatpuffer, p_H 7,4.
3. 2,4-Dinitrophenylhydrazin.
4. Benzol.
5. 0,5 n Essigsäure.
6. Tyraminhydrochlorid.
7. 0,1 n NaOH.
8. 2 n HCl.
9. Monoaminoxydase aus Meerschweinchenleber-Mitochondrien nach [3].
10. p-Hydroxyphenylacetaldehyd-2,4-dinitrophenylhydrazon hergestellt nach [4] als Vergleichsstandardlösung.

Ausführung:

1 ml der zehnfach mit Puffer verdünnten Enzymlösung, 1 ml 0,05 m Semicarbazidhydrochlorid (auf p_H 7,4 gebracht) und 1,6 ml 0,2 m Phosphatpuffer, p_H 7,4, werden im Wasserbad bei 25° C geschüttelt, nach Temperaturausgleich werden 0,4 ml 0,1 m Tyraminhydrochlorid (auf p_H 7,4 eingestellt) zugefügt und unter Schütteln weiter inkubiert. Ein Kontrollansatz läuft ohne Substrat. Nach 30 min wird die Reaktion durch Zugabe von 1 ml 0,5 n Essigsäure abgestoppt. Durch 3 min langes Erhitzen in kochendem Wasserbad wird das Eiweiß ausgefällt, das dann abzentrifugiert wird.

---
[1] McCaman, R. E.: Fed. Proc. **20**, 344 (1961).
[2] Green, A. L., and T. M. Haughton: Biochem. J. **78**, 172 (1961).
[3] Hawkins, J.: Biochem. J. **50**, 577 (1952).
[4] Richter, D.: Biochem. J. **31**, 2022 (1937).

Zu 2 ml des Überstandes werden 2 ml 2,4-Dinitrophenylhydrazin (in HCl gelöst 0,5 mg/ml) gegeben und 10 min bei Zimmertemperatur belassen. Das gebildete Dinitrophenylhydrazon wird mit 5 ml Benzol extrahiert, und 4 ml der Benzolschicht werden mit gleichem Volumen 0,1 n NaOH geschüttelt. Nach Zentrifugieren wird die Benzolschicht verworfen und die alkalische Lösung bei 80° C 10 min lang erhitzt, um die rote Form des Dinitrophenylhydrazons in die orangegelbe überzuführen. Die abgekühlte Lösung wird in eine 1 cm Glasküvette überführt und gegen den Leerwert bei 450 mμ im Spektrophotometer gemessen.

Die Extinktion ist ein direktes Maß der Enzymaktivität.

2. Diaminoxydase*

[1.4.3.6 Diamin:O_2-Oxydoreductase (desaminierend)] (Histaminase).

Durch die Diaminoxydase wird eine der beiden Aminogruppen von Diaminen oxydativ desaminiert. Ist eine der beiden Aminogruppen substituiert, so wird nur die freie Aminogruppe angegriffen. In zweiter Linie kommen Histamin und auch einzelne Monoamine als Substrate in Betracht. Substrate mit 4 und 5 C-Atomen werden besonders bevorzugt. Die aus Putrescin und Cadaverin entstehenden γ- und ω-Aminoaldehyde kondensieren zu Δ^1-Pyrrolin und Δ^1-Piperidin[1-3]. Der aus Cystamin entstehende Aminoaldehyd kondensiert zu Cystaldimin[4,5].

$$H_2N-CH_2-CH_2-CH_2-CH_2-CH_2-NH_2 + O_2 + H_2O \rightarrow$$
Cadaverin $\qquad\qquad H_2N-CH_2-CH_2-CH_2-CH_2-CHO + NH_3 + H_2O_2$
$\qquad\qquad\qquad\qquad\qquad\qquad\qquad$ ω-Aminovaleraldehyd

Histamin, das auch als substituiertes Diamin aufgefaßt werden kann, nimmt eine Sonderstellung ein. Bei der oxydativen Desaminierung entsteht aus Histamin Imidazolacetaldehyd, der (durch andere Enzyme) zu Imidazolessigsäure weiter oxydiert wird. Das Enzym wurde deshalb zuerst Histaminase genannt[6,**].

Als später nachgewiesen wurde[7], daß es auch Diamine abbaut, erhielt es die Bezeichnung Diaminoxydase.

Die Frage, ob die Diaminoxydase mit der Histaminase identisch ist, ist indes noch nicht entschieden. KAPELLER-ADLER nimmt an, daß Schweinenieren- und Placentaextrakte ganz spezifische Enzyme, z.B. Cadaverinase, Putrescinase und Histaminase, enthalten[8]. Wegen der angewandten Meßmethodik wurden die Ergebnisse dieser Autorin angezweifelt[9], doch gelang es ihr kürzlich, sehr hochgereinigte Histaminase aus Schweinenieren herzustellen[10], die keine Aktivität gegenüber Cadaverin, Putrescin oder Hexamethylendiamin besitzt.

Bei dem aus Erbsenkeimlingen gewonnenen Enzym nimmt mit fortschreitender Reinigung die Aktivität gegenüber Histamin ab und gegenüber Cadaverin zu[11].

---

* Zusammenfassende Darstellungen: AHLMARK, A.: Acta physiol. scand. 9, 28 (1944). — SWANBERG, H.: Acta physiol. scand. 23, Suppl. 79 (1950). — TABOR, H.: Pharmacol. Rev. 6, 299 (1954). — WERLE, E.: Fermentforsch. 17, 103 (1943). — ZELLER, E. A.: Oxydation of amines; in: Sumner-Myrbäck, Enzymes Bd. II/1, S. 536. — ZELLER, E. A.: Diaminoxydase. Adv. Enzymol. 2, 93 (1942).

** In diesem Artikel wird der Ausdruck Histaminase gebraucht, wenn der Histaminabbau biologisch bestimmt wurde.

[1] SCHÖPF, C., u. F. OECHLER: A. 523, 1 (1936).
[2] HASSE, K., u. H. MAISACK: Naturwiss. 42, 627 (1955).
[3] OKUYAMA, T., and Y. KOBAYASHI: Arch. Biochem. 95, 242 (1961).
[4] BERGERET, B., and H. BLASCHKO: Brit. J. Pharmacol. 12, 513 (1957).
[5] CAVALLINI, D., C. DE MARCO and B. MONDOVI: Biochim. biophys. Acta 24, 353 (1957).
[6] BEST, C. H.: J. Physiol., London 67, 256 (1929).
[7] ZELLER, E. A.: Helv. 21, 880 (1938).
[8] KAPELLER-ADLER, R.: Ciba Found. Sympos. Histamine. S. 356. London 1956.
[9] ZELLER, E. A.: Ciba Found. Symp. Histamine. S. 339. London 1956.
[10] KAPELLER-ADLER, R., and H. MCFARLANE: Biochem. J. 82, 49 (1962).
[11] WERLE, E., I. TRAUTSCHOLD u. D. AURES: H. 326, 200 (1961).

Neuerdings sind weitere Enzyme beschrieben worden, die Histamin inaktivieren können, z.B. Methyltransferase in Placentaschnitten, Monoaminoxydase in Leberhomogenaten, Aminoxydase der Mäuseleber[1,2].

Außerdem wurde festgestellt, daß Histamin, je nach dem Ionisationszustand, durch verschiedene Enzyme angegriffen wird[3,4] (s. ferner [5]).

Vorkommen. Die Diaminoxydase ist nicht so ubiquitär verbreitet wie die Monoaminoxydase. Das Enzym wurde in mehreren Organen des menschlichen Organismus, der Säugetiere, Vögel und Reptilien nachgewiesen. Besonders große Enzymmengen finden sich in Leguminosenkeimlingen. Bakterien können große Mengen von Diaminoxydase adaptiv bilden. Die Frage, ob es sich bei der Diaminoxydase verschiedenen Ursprungs (Tierart, verschiedene Organe des gleichen Tieres, Pflanze, Bakterien) um homologe oder heterologe Enzyme handelt, ist noch offen.

Im menschlichen Blut und Urin kommen normalerweise nur ganz minimale Diaminoxydase-Mengen vor[6-9]. Ein Teil der histaminabbauenden Fähigkeit des Blutes scheint in den Blutplättchen lokalisiert zu sein[10]. In der Schwangerschaft steigt der Histaminasegehalt des Blutplasmas stark an[6] (maximal auf das 1000fache)[8,9]. Vom Beginn der Schwangerschaft an nimmt der Enzymgehalt stetig zu, um im 6.—7. Monat die höchsten Werte zu erreichen, die nach einer vorübergehenden geringfügigen Abnahme der Konzentration bis zum Ende der Gravidität erhalten bleibt[7,8]. Die Histaminase wird vor allem in der Placenta[11], und zwar im (mütterlichen) Deciduaanteil, gebildet, die fetale Seite der Placenta enthält etwa 15mal weniger Enzym[8]. Im fetalen Blutplasma ist das Enzym nicht vermehrt[11] (die Konzentration gleicht hier etwa der im Plasma der nichtgraviden Frau[11,12]).

Im Uterusmuskel ist der Enzymgehalt 25mal geringer als in der Decidua, die Konzentration in der Amnionflüssigkeit geht der im mütterlichen Plasma parallel[8]. Nach der Geburt fällt der Histaminasespiegel innerhalb weniger Tage zur Norm ab[13,14]. Mit Gaben von Progesteron läßt sich bei nichtschwangeren Frauen die Bildung einer Plasmahistaminase induzieren[8]. Auch Colostrum und Muttermilch enthalten Histaminase. Das Enzym ist auch im Vaginalsekret schwangerer und nichtschwangerer Frauen[15], ferner im Spermaplasma und in der Prostata nachgewiesen worden[16].

Geringe Histaminmengen werden auch von dem in der Globulinfraktion enthaltenen Plasmapexin I gebunden (PARROT, LABORDE); Literatur bei [17].

Die Verteilung der Diaminoxydase in den übrigen Organen des Menschen gleicht im wesentlichen der bei den Säugetieren. Die Enzymkonzentration nimmt in folgender Reihe ab: Niere, Darmmucosa, Leber und Lunge[18]. Die Niere des erwachsenen Menschen

---

[1] LINDAHL-KIESSLING, K. M.: Akad. Avh. Uppsala 1960.
[2] KOBAYASHI, Y.: Arch. Biochem. **71**, 352 (1957).
[3] BLASCHKO, H., P. FRIEDMAN and K. NILSSON: J. Physiol., London **142**, 33P (1956).
[4] LINDAHL, K. M.: Acta physiol. scand. **49**, 114 (1960).
[5] WERLE, E.: Allergie u. Asthma **3**, 335 (1957).
[6] WERLE, E., u. G. EFFKEMANN: Arch. Gynäk. **172**, 448 (1942). — WERLE, E.: B. Z. **311**, 329 (1942). — WERLE, E., u. G. EFFKEMANN: Kli. Wo. **1940**, 719.
[7] AHLMARK, A.: Acta physiol. scand. **9**, Suppl. 28 (1944).
[8] SWANBERG, H.: Acta physiol. scand. **23**, Suppl. 79 (1950).
[9] KAPELLER-ADLER, R., and R. RENWICK: Clin. chim. Acta, Amsterdam **1**, 197 (1956).
[10] VALETTE, G.: Ärztl. Forsch. 10/I, 425 (1956).
[11] EFFKEMANN, G., u. E. WERLE: Arch. Gynäk. **170**, 173 (1940).
[12] WICKSELL, F.: Acta physiol. scand. **17**, 395 (1949).
[13] KAPELLER-ADLER, R.: Ciba Found. Symp. Histamine. S. 356. London 1956.
[14] WERLE, E., u. G. EFFKEMANN: Arch. Gynäk. **176**, 448 (1942).
[15] BERG, S. P.: Dtsch. Z. gerichtl. Med. **39**, 89 (1948).
[16] ZELLER, E. A.: Helv. **24**, 117 (1941). — LUSCHINSKI, H. L., and H. O. SINER: Arch. Biochem. **19**, 95 (1948).
[17] GILLISSEN, G.: Med. Welt **1961**, 673.
[18] BEST, C. H., and E. W. MCHENRY: J. Physiol., London **70**, 349 (1930).

und der erwachsenen Säugetiere enthält mehr Enzym als das Neugeborenenorgan[1,2]. Bei Meerschweinchen, Känguruh, Vögeln und Schlangen besitzt die Leber eine höhere Enzymaktivität als die Niere[3]. Beim Kaninchen findet sich in der Lunge der größte Histaminasegehalt[4,5]. Die Niere der Nagetiere weist nur Spuren des Enzyms auf[6,7]. Eine auffallend hohe Menge Diaminoxydase konnte in der lactierenden Milchdrüse des Meerschweinchens nachgewiesen werden[3]. Die Lymphe von Hunden und Katzen hat einen hohen Histaminasespiegel[8,9]. Bei den Säugetieren konnte unter den geformten Elementen des Blutes nur in den Thrombocyten die Fähigkeit zur Histaminaktivierung lokalisiert werden[10]. Das Blut von (nichtträchtigen) Rindern, Pferden, Schafen, Schweinen, Meerschweinchen und Kaninchen hat eine Histaminase von ganz geringer Aktivität, nur bei Ratte und Meerschweinchen nimmt die Enzymmenge während der Trächtigkeit zu[11].

Die Placenta von Pferden und Schweinen, die keine Decidua besitzen, enthält keine Histaminase; im Gegensatz dazu findet sich vor allem in der deciduahaltigen Rattenplacenta eine hohe Enzymaktivität[11]. Bei trächtigen Rindern und Ratten steigt der Enzymgehalt in Leber und Niere an, bei Meerschweinchen im Uterus[12-14]; ist nur ein Uterushorn gravide, so ist dort mehr Enzym vorhanden als im nichtgraviden[13].

In Pflanzen wurde ein histamininaktivierendes Enzym zuerst bei der etiolierten *Atropa belladonna* gefunden[15]. Bei der systematischen Untersuchung zahlreicher Angiospermen und Gymnospermen stellten WERLE u. Mitarb. eine besonders hohe Diaminoxydase-Aktivität in den Keimlingen verschiedener Leguminosen und in Blättern von Labiaten fest[16-18]. Bei der Frage nach der Entstehung des Enzyms zeigte es sich, daß im ruhenden Samen der Erbsen keine Diaminoxydase vorhanden ist, der Gehalt aber nach dem Aufquellen bis zum 6. Tag der Keimung zu einer maximalen Höhe ansteigt. Die höchsten Werte sind in den Keimblättern nachweisbar, wesentlich geringere finden sich in Sproß und Wurzel[19]. Dunkelheit fördert die Diaminoxydase-Bildung[20].

Unter den Pilzen vermochten mehrere *Aspergillus*-Arten und *Claviceps purpurea* Histamin abzubauen[21].

Bei den Bakterien ist *Pseudomonas aeruginosa* besonders gut zur adaptiven Diaminoxydase-Bildung befähigt, wenn Cadaverin als Substrat angeboten wird[21,22].

Auch die Gruppe der Mycobakterien *(M. smegmatis* und *M. tuberculosis var. hominum* und *M. avium)* ist in der Lage, verschiedene Substrate oxydativ zu desaminieren, Einzelheiten s. unter [23,24]. Die Aktivität der Diaminoxydase in Smegmabakterien-Kulturen ist

---

[1] WERLE, E., u. H. SCHMIDT-ELMENDORFF: Geburtsh. u. Frauenheilkde. 10, 605 (1950).
[2] HENNIG, E.: Diss. München (1960).
[3] ZELLER, E. A.: Adv. Enzymol. 2, 93 (1942). Sumner-Myrbäck, Enzymes Bd. II, S. 1.
[4] SATO, T.: Nippon Yakurigaku Zasshi 55, 959 (1959).
[5] KOEDA, T.: Nippon Yakurigaku Zasshi 56, 1093 (1960).
[6] HOLTZ, P., R. HEISE u. W. SPREYER: A.e.P.P. 188, 580 (1936).
[7] ANREP, G. V., G. S. BARSOUM and M. TALAAT: J. Physiol., London 86, 55 (1936).
[8] CARLSTEN, A., G. KAHLSON and F. WICKSELL: Acta physiol. scand. 17, 370 (1949).
[9] CARLSTEN, A.: Acta physiol. scand. 20, Suppl. 70 (1950).
[10] HUIDOBRO, H.: Rev. Fac. Cienc. quím. La Plata 28, 65 (1953/54).
[11] SWANBERG, H.: Acta physiol. scand. 23, Suppl. 79 (1950).
[12] ZELLER, E. A.: Schweiz. med. Wschr. 22, 93 (1941).
[13] WERLE, E.: Unveröffentlichte Versuche.
[14] ROBERTS, M., and J. M. ROBSON: J. Physiol., London 119, 286 (1953).
[15] CROMWELL, B. T.: Biochem. J. 37, 722 (1943).
[16] WERLE, E., u. A. RAUB: B. Z. 318, 538 (1948).
[17] WERLE, E., u. A. ZABEL: B. Z. 318, 554 (1948).
[18] WERLE, E., u. E. v. PECHMANN: A. 562, 44 (1948).
[19] WERLE, E., G. BEAUCAMP u. V. SCHIRREN: Planta, Berlin 53, 125 (1959).
[20] WERLE, E., I. TRAUTSCHOLD u. D. AURES: H. 326, 200 (1960).
[21] WERLE, E.: B. Z. 309, 61 (1941).
[22] GALE, E. F.: Biochem. J. 36, 64 (1942).
[23] ZELLER, E. A., and C. A. OWEN: Enzymology of the Genus Mycobacterium, in: Fortschr. Tuberk.-Forsch., 4, 39 (1951).
[24] ROULET, F., u. E. A. ZELLER: Helv. 28, 1326 (1945).

direkt vom Alter der Kultur abhängig[1]. MAGGIO u. Mitarb. fanden nach Histaminzusatz (Inkubation 2 Std) bei folgenden Bakterienarten eine deutliche meßbare Ammoniakentwicklung: *Staphylococcus aureus, Streptococcus pyogenes, Proteus* OX_{19}, *Pseudomonas aeruginosa, Brucella melitensis, Klebsiella pneumoniae, Shigella dysenteriae* und in einer Aufschwemmung des Herpesvirus[2]. Ratten und Mäuse, die mit *Bordetella pertussis*-Toxin durch i. p.-Injektionen sensibilisiert worden waren, zeigten gegenüber unbehandelten Tieren eine um $2/3$ herabgesetzte Diaminoxydase-Aktivität in Lunge, Leber und Gehirn[3].

Normalwerte. Die Einheit der Diaminoxydase-Aktivität wird von den einzelnen Autoren verschieden definiert. In der Tabelle sind die am häufigsten verwendeten Einheiten zusammengestellt.

Als 1 internationale Enzymeinheit = IU wird die Enzymmenge bezeichnet, die 1 μM Substrat pro min (unter Standardbedingungen) umsetzt[4-6].

Tabelle 17. *Übersicht über gebräuchliche Diaminoxydase-Einheiten.*
Messung des O_2-Verbrauchs in der WARBURG-Apparatur.

Autor	O_2-Verbrauch Zeiteinheit	Substrat und Konzentration	Meßtemperatur °C	Atmosphäre	Puffer	Umrechnungsfaktor IU 1 μM/1 min
ZELLER[7]	1 μM/Std	Cadaverin-HCl, 0,01 m	38	O_2	p_H 7,2, 0,067 m	0,0166
TABOR[8]	1 μl/Std	Histamin-di-HCl, 0,02 m	37,5	Luft	p_H 7,2, 0,2 m	0,0126 *
MANN[9]	1 μl/Std	Putrescin-di-HCl, 0,01 m	28	Luft	p_H 7, 0,067 m	0,00131 *
WERLE[10]	1 μl/min	Cadaverin-di-HCl, 0,01 m	37	O_2	p_H 7, 0,067 m	0,00742 **

* Volumen auf Normalbedingungen umgerechnet; Po = 740 mm Hg.
** Volumen auf Normalbedingungen umgerechnet; Po = 720 mm Hg.

Darstellung der Diaminoxydase.

a) Ausgangsmaterial Schweineniere. Gewinnung eines haltbaren Trockenpräparates nach ZELLER[11-13].

Nierenrinde wird von Fett und Mark befreit, fein gemahlen und mit Aceton an der Luft getrocknet. Aus dem Trockenpulver kann das Enzym bei 38° C mit 2,5% NaCl-Lösung extrahiert werden (pro g 20 ml Kochsalzlösung, Einwirkungsdauer 15 min). Anschließend wird die Enzymlösung mehrere Stunden lang dialysiert.

Reinigung der Diaminoxydase nach ARVIDSON, PERNOW **und** SWEDIN[14].

1. Vorreinigungsschritt. Schweineniere wird von Fett und Bindegewebe befreit, bei —20° C gefroren, anschließend homogenisiert und zu gleichen Teilen mit physiologischer Kochsalzlösung versetzt.

2. Hitzschritt. 10 min auf 62° C erwärmen.

3. Filtrieren. Bei 4° C (Eisschrank) über Nacht abfiltrieren.

4. Fällung mit Aceton. Zum Filtrat wird Aceton bis zur Endkonzentration von 40% gegeben, nach 30 min wird der Niederschlag abzentrifugiert und in möglichst wenig 2,5%iger Kochsalzlösung aufgenommen.

---

[1] ZELLER, E. A., and C. A. OWEN: Enzymology of the Genus Mycobacterium, in: Fortschr. Tuberk.-Forsch., 4, 39 (1951).
[2] MAGGIO, E., F. SALVATORE e L. ZARRILLI: Boll. Soc. ital. Biol. sperim. 32, 841 (1956).
[3] MATSUI, T., M. KISHIGAMI, Y. KUWAJIMA and M. NIWA: Nature 183, 755 (1959).
[4] WEBB, E. C.: 4. Int. Congr. Clin. Chem. Edinburgh 1961. S. 55.
[5] KING, E. S., and D. M. CAMPBELL: 4. Int. Congr. Clin. Chem. Edinburgh 1961, S. 185.
[6] RICHTERICH, R., P. SCHAFROTH, S. P. COLOMBO u. F. TEMPERLI: Kli. Wo. 1961, 987.
[7] ZELLER, E. A.; in: Sumner-Myrbäck, Enzymes Bd. II/1, S. 536.
[8] TABOR, H.; in: Colowick-Kaplan, Meth. Enzymol. Bd. II, S. 394.
[9] MANN, P. J. G.: Biochem. J. 59, 609 (1955).
[10] WERLE, E., G. BEAUCAMP u. V. SCHIRREN: Planta, Berlin 53, 125 (1959).
[11] EDLBACHER, S., u. E. A. ZELLER: Helv. 20, 717 (1937).
[12] ZELLER, E. A.: Helv. 21, 880 (1938).
[13] ZELLER, E. A.: Helv. 21, 1645 (1938).
[14] ARVIDSON, U., B. B. PERNOW u. B. SWEDIN: Acta physiol. scand. 35, 338 (1956).

Tabelle 18. *Konzentration der Diaminoxydase in verschiedenen Warmblüter-Organen*[1].
Organhomogenate 48 Std dialysiert, 2,5 ml Enzymlösung, 0,1—0,3 ml Cadaverinhydrochlorid 10^{-1} M als Substrat, µl O_2-Verbrauch (Gasphase Luft). Bei sehr geringem Enzymgehalt Bestimmung der NH_3-Entwicklung nach PARNAS (4—24 Std).

Species	Organ		E/g Frischgewicht
Mensch, erwachsen	Niere	Rinde	1,4
		Mark	1,8
	Leber		1,3
	Nebenniere		1,7
	Pankreas		0,6
	Placenta		>0,5
	Blut		0,1—0,3
	Gehirn	Rinde	0,1
		Mark	0,2
		Stamm	0,2
	Lunge		<0,1
Mensch, neugeboren	Niere	Rinde	0,1
		Mark	1,6
	Leber		0,2
	Nebenniere		0,3
	Gehirn		0
Rind, 4—6 Jahre alt	Niere	Rinde	0,5
		Mark	3,5
	Leber		1,1
	Milch		?
Kalb, 5 Wochen alt	Niere	Rinde	0,8
	Leber		1,0
Schaf, erwachsen	Niere	Rinde	3,2
	Leber		1,4
Pferd, erwachsen	Niere	Rinde	5,2
		Mark	1,6
	Leber		1,2
Schwein, erwachsen	Niere	Rinde	20
		Mark	2
	Leber		0—2
Ratte, erwachsen	Niere		Spur
	Leber		1,1
	Darm		8,0
	Muskel		<0,1
Meerschweinchen, erwachsen	Niere		1,0
	Leber		1,0
	Darm		0,5
Haustaube, erwachsen	Niere		0,9
	Leber		2,0
	Darm		0,2
	Muskel		0,3
	Lunge		0,2
	Milz		1,0
Turmfalke, 30 Tage alt (*Falco tinnunculus*)	Niere		0,8
	Leber		0,9
Ente, 4 Wochen alt	Niere		0
	Leber		1,1
Steinkauz, juvenil (*Athenae noctua Scop.*)	Niere		0,4
	Leber		1,5
Seidenhuhn, 2 Monate alt (*Gall. bankiva dom.*)	Niere		?
	Leber		0,2

[1] ZELLER, E. A., H. BIRKHÄUSER, H. MISLIN u. M. WENK: Helv. 22, 1381 (1939).

Tabelle 18 (Fortsetzung).

Species	Organ	E/g Frischgewicht
Elster, 1³/₄ Jahre alt (Pica pica)	Niere	< 0,1
	Leber	1,4
Star, 10 Tage alt (Sturnus vulgaris)	Niere	0,3
	Leber	2,3
	Darm	< 0,1
Star, 75 Tage alt	Niere	0,1
	Leber	1,8

Tabelle 19. *Messung der NH_3-Bildung.*
Substrat: Cadaverin. Vergleich des Histaminasegehaltes verschiedener Warmblüterorgane[1-3]. Die Anzahl der + gibt ein Maß für die relative Aktivität der gleichartig gewonnenen Organextrakte.

Species	Niere	Darm	Leber	Nebennieren	Lunge	Blut	Muskel	Milz	Herz	Haut
Hund	+++	+++	±	+	+	+	+	+	—	—
Katze	+++		+			+				
Jaguar . . .	+++	++	?							
Känguruh . .	+	++	+++							
Kaninchen . .	±		±		—			—		±
Huhn	+	+	+							
Küken	—									

Tabelle 20. *Histaminasegehalt der Niere verschiedener Tiere und des Menschen.*
Die Zahlen geben an: mg Histamin, innerhalb 24 Std abgebaut durch 1 g Frischorgan bei 38° C[4].

Schwein	3,6	Katze	2,0	Meerschweinchen	0
Schaf	3,2	Hund	1,9	Ratte	0
Pferd	2,7	Rind	1,6	Huhn	0
Affe	2,4	Kaninchen	1,6	Mensch	0—1,6

Tabelle 21. *Histaminolytische Aktivität des Plasmas (Histaminase)*[5].
(Histaminolytische Aktivität = biologische Bestimmung der Menge von Histamindihydrochlorid, die durch 1 ml Plasma oder 1 g Gewebe innerhalb von 1 Std inaktiviert wird, µg/ml/Std oder µg/g/Std.)
Durchschnittswerte.

Nichtschwangere Frauen . . . 0,007 ± 0,001 µg/ml/Std
Männer . . . . 0,008 ± 0,003 µg/ml/Std
Schwangere Frauen . . . . . 7,23 ± 0,42 µg/ml/Std

Tabelle 22. *Diaminoxydasegehalt verschiedener Pflanzen*[6].
µl O_2-Verbrauch/g Pflanzengewebe/5 min mit Cadaverin als Substrat ($1,5 \times 10^{-2}$ m).

Pflanze	Pflanzenteil	Diaminoxydase-Einheit/g	Pflanze	Pflanzenteil	Diaminoxydase-Einheit/g
Ackerbohne	Keimling	8	Luzerne	Wurzelknöllchen	50
Buschbohne	Keimling	27	Rotklee	Keimling	157
Folger-Bohne	Keimling	107		Blatt	25
Sojabohne	Keimling	158	Weißklee	Keimling	68
Lupine	Keimling	62	Lavendel	Blatt	25
Luzerne	Keimling	113	Wicke	Wurzelknöllchen	50

---

[1] ZELLER, E. A., H. BIRKHÄUSER, H. MISLIN u. M. WENK: Helv. **22**, 1381 (1939).
[2] ZELLER, E. A.: Adv. Enzymol. **2**, 93 (1942).
[3] EDLBACHER, S., u. E. A. ZELLER: Helv. **20**, 717 (1937).
[4] McHENRY, E. W., and S. GAVIN: Biochem. J. **26**, 1365 (1932).
[5] SWANBERG, H.: Acta physiol. scand. **32**, Suppl. 79 (1950).
[6] WERLE, E., u. E. v. PECHMANN: A. **562**, 44 (1948).

5. Fällung mit neutralem Ammoniumsulfat bis zu einer Sättigung von 67%. Der Niederschlag wird mit möglichst wenig Aqua bidest. aufgenommen und 48 Std bei 4° C gegen 2,5%ige Kochsalzlösung dialysiert; Ausbeute etwa 10%.

Anreicherung durch Säulenchromatographie. Aluminiumoxydsäulen (BROCKMANN) (4 × 20 cm) werden mit 0,0067 m Phosphatpuffer, p_H 7, äquilibriert. Das vorgereinigte Material (etwa 300 mg Protein) wird in Phosphatpuffer gelöst oder gegen Phosphatpuffer dialysiert und dann auf die Säule gegeben. Elution mit Phosphatpuffer 0,067 m mit 2,5% NaCl, p_H 7. Durchflußgeschwindigkeit 40 ml/Std. Anstieg der spezifischen Aktivität auf das 70fache; Ausbeute etwa 53%. Ein ähnlicher Reinigungseffekt wird bei Verwendung einer DEAE-Cellulosesäule erzielt.

Weitere Verfahren zur Reinigung der tierischen Diaminoxydase stammen von TABOR[1] und KAPELLER-ADLER[2].

Über eine 700fache Anreicherung der Diaminoxydase aus Schweinenieren und eine 550fache aus Erbsenkeimlingen berichteten USSPENSKAJA, GORYATSCHENKOWA u. Mitarb.[3].

b) *Reinigung der Diaminoxydase aus Erbsenkeimlingen*[4,5].

1. Schritt. 1 kg Erbsen *(Pisum sativum)* läßt man 24 Std in Leitungswasser quellen und sät dann in feuchten Sand aus. Abschirmung des Tageslichtes fördert die Enzymbildung. Ernte der gekeimten Erbsen nach etwa 6—7 Tagen, wenn das Maximum der Aktivität erreicht ist (600—800 AO/ml/10 min im Rohsaft). Waschen der Keimlinge und Trocknen unter Zellstoff.

2. Schritt. Portionsweises Homogenisieren mit gleichem Volumen Phosphatpuffer, p_H 7, im Starmix. Das Homogenat wird durch ein Nylontuch gepreßt. Der Rückstand wird mit ½ Volumen Phosphatpuffer in gleicher Weise extrahiert.

3. Schritt. Aus dem Rohsaft werden das Chlorophyll und andere inaktive Bestandteile durch ein tiefgekühltes (−5° C) Äthanol-Chloroformgemisch (2:1) ausgefällt. Dieses Gemisch wird der Rohenzymlösung innerhalb von 90 min unter Umrühren zugesetzt (30 ml/100 ml Enzymlösung). Nach dem Zentrifugieren läßt sich ein klarer gelblicher Überstand von einer zusammenhängenden Chloroformschicht abgießen.

4. Schritt. Es werden (in der Kälte) pro 100 ml Lösung 45 g Ammoniumsulfat langsam zugegeben. Die entstandene Fällung kann abgeschöpft oder abfiltriert werden und enthält die Hauptmenge der Enzymaktivität, die mit 200 ml 0,02 m Phosphatpuffer, p_H 7, eluiert wird.

5. Schritt. Erste Ammoniumsulfatfraktionierung mit Zugabe von 18 g/100 ml Enzymlösung. Der Niederschlag wird verworfen, er enthält vorwiegend inaktives Protein.

6. Schritt. Die zweite Ammoniumsulfatfraktionierung mit weiteren 23 g/100 ml ergibt eine Ausfällung des Enzyms, das nach dem Abzentrifugieren in 20 ml 0,2 m Phosphatpuffer, p_H 7, gelöst wird.

7. Schritt. Dialyse 48 Std lang gegen Aqua bidest. bei 4° C.

8. Schritt. Chromatographie an der Kieselgursäule. Auf 170 g Kieselgur werden 50 ml Enzymlösung, z.B. mit 300000 AE/ml/10 min, spezifische Aktivität 100, gegeben. Nachwaschen mit 270 ml 0,01 m Phosphatpuffer, p_H 6, und 220 ml 0,2 m Phosphatpuffer, p_H 6. Das Enzym wird mit 0,2 m Phosphatpuffer, p_H 8, eluiert. Die Fraktionen mit der höchsten Enzymkonzentration sind rosa gefärbt und behalten bei −10° C mehrere Monate ihre Aktivität.

Eigenschaften. *Löslichkeit.* Die Diaminoxydase gilt als relativ gut löslich. Wenn Schweinenierenenzymlösung mehrere Std bei 140000 ×g zentrifugiert wird, reichert sich

---

[1] TABOR, H.; in: Colowick-Kaplan, Meth. Enzymol. Bd. II, S. 394.
[2] KAPELLER-ADLER, R., and H. McFARLANE: Biochem. J. **82**, 49P (1962).
[3] USSPENSKAJA, W. D., J. W. GORYATSCHENKOWA, S. G. MOGILEWSKOI u. W. P. POLJAKOWA: Biochimija, Moskva **23**, 212 (1958).
[4] MANN, P. J. G.: Biochem. J. **59**, 609 (1955).
[5] WERLE, E., I. TRAUTSCHOLD u. D. AURES: H. **326**, 200 (1961).

Tabelle 23. *Reinigung der Diaminoxydase*[1].

Fraktion	Volumen ml	Gesamt-aktivität	Spezifische Aktivität	Reinigung	Ausbeute %
3000 g Keimlinge	5550	3350	15,8	—	—
Äthanol/Chloroformfällung	6590	1965	48	3	58,7
Erste Ammoniumsulfatfällung	1300	1805	460	29	54
Zweite Ammoniumsulfatfällung	72	1440	1210	77	43

Tabelle 24. *Beispiel zur Säulenchromatographie*[1].

Waschlösung	Fraktion	Volumen	Gesamt-aktivität	Spezifische Aktivität
Durchlauf	—	90	—	—
0,01 m Phosphatpuffer, p_H 6	1—16	270	—	—
0,2 m Phosphatpuffer, p_H 6	1—13	220	1100	—
0,2 m Phosphatpuffer, p_H 8	1—15	250	—	—
	16	16	500	5320
	17	16	53200	14500
	18	16	59400	21200
	19	16	53600	20800
	20	16	43400	18700
	21	16	28000	11200
	22	16	13500	8100

Gesamtausbeute etwa 83%.

die Diaminoxydase im Sediment nicht an[2]. Bei ganz frischen Nierenpräparaten werden etwa 10% der Aktivität in der Mitochondrienfraktion gefunden[2]. In der Kaninchenleber ist die Diaminoxydase nur an die Mitochondrien gebunden[3], mit verschiedenen Detergentien soll die Freisetzung möglich sein[2].

Die Methoden der Reinigung des Erbsenenzyms lassen auch auf eine gute Wasserlöslichkeit des pflanzlichen Enzyms schließen.

Aus Diaminoxydase bildenden Bakterienkulturen ist es schwierig, zellfreie aktive Lösungen des Enzyms zu gewinnen[4].

Beständigkeit. Das mit Aceton getrocknete, aus Schweinenieren gewonnene Pulver behält seine Aktivität monatelang[5]. Die nach TABOR gereinigte Diaminoxydase aus Schweinenieren (spezifische Aktivität gegen Putrescin etwa 670[6]) ist mehrere Wochen unverändert aktiv, wenn sie bei — 10° C aufbewahrt wird[6]. Mit Hilfe der Stärkegel-Elektrophorese sehr hoch gereinigte tierische und pflanzliche Enzympräparate waren nur 24 Std haltbar[7].

Die vorgereinigten Enzymlösungen aus Erbsenkeimlingen mit der spezifischen Aktivität von 3000—5000 sind bei — 10° C mehrere Monate lang haltbar, dagegen verlieren Lösungen mit einer spezifischen Aktivität über 10000 rasch die Hälfte ihrer Aktivität. Beim Lyophilisieren gehen etwa 10% der Enzymaktivität zugrunde, das Lyophilisat ist stabil[1]. Die gereinigte Diaminoxydase ist bei 37° C zwischen p_H 3 und 10 über 2 Std haltbar[1]. In hochgereinigten Präparaten, die keine Katalase enthalten, wird das Enzym bei der Enzym-Substrat-Reaktion durch das entstehende Wasserstoffperoxyd zerstört[8].

---
[1] WERLE, E., I. TRAUTSCHOLD u. D. AURES: H. **326**, 200 (1961).
[2] ZELLER, E. A.: Ciba Found. Symp. Histamine. S. 339. London 1956.
[3] COTZIAS, G. C., and V. P. DOLE: J. biol. Ch. **196**, 235 (1952).
[4] WERLE, E.: B. Z. **309**, 61 (1941).
[5] EDLBACHER, S., u. E. A. ZELLER: Helv. **20**, 717 (1937).
[6] TABOR, N.; in: Colowick-Kaplan, Meth. Enzymol. Bd. II, S. 394.
[7] USSPENSKAJA, W. D., J. W. GORYATSCHENKOWA, S. G. MOGILEWSKOI u. W. P. POLJAKOWA: Biochimija, Moskva **23**, 212 (1958).
[8] WERLE, E., u. E. v. PECHMANN: A. **562**, 44 (1949).

Wirkung proteolytischer Enzyme. Das ungereinigte Schweinenierenenzym wird durch Salzsäure + Pepsin, Trypsin und Papain innerhalb kurzer Zeit inaktiviert[1-3]. Das ungereinigte pflanzliche Enzym aus Kleekeimlingen wird durch Papain nicht angegriffen[2].

Nach 2 Std Inkubation von 0,5 mg Diaminoxydase-Enzymprotein mit 400 γ kristallisiertem Trypsin und 600 μg Chymotrypsin bei p_H 7 war die Diaminoxydase-Aktivität unverändert[4].

p_H-Optimum. Der optimale p_H-Bereich für das tierische Enzym erstreckt sich (mit Cadaverin als Substrat) von p_H 6,8—7,6[5]. Für das pflanzliche Enzym war mit Cadaverin und Histamin als Substrat p_H 7, für Putrescin p_H 7,5 und für Diaminohexan p_H 8 optimal[4,6].

Die Wirkung der bakteriellen Diaminoxydase ist besonders stark von der H-Ionenkonzentration abhängig, bei verschiedenen Arten hat das p_H-Optimum ganz unterschiedliche Werte[7]: Für *Staphylococcus aureus* und *Shigella dysent.* liegt es bei 5, für *Streptococcus pyog.* und *Proteus OX_{19}* bei 6,5; für *Pseudomonas aerugin.*, *Brucella melitensis* und *Klebsiella pneum.* bei 7,2 [7].

MICHAELIS-*Konstanten.* Die MICHAELIS-Konstanten des Enzyms aus Schweinenieren für verschiedene Substrate sind in Tabelle 25 zusammengestellt[8].

Tabelle 25. MICHAELIS-*Konstanten für verschiedene Substrate der Diaminoxydase.*

Substrat	K_M	$1/K_M$
Putrescin	0,0012	840
Cadaverin	0,00056	1800
Histamin	0,00050	2000

Für Histamin fanden COHN und SHORE beim Schweinenierenenzym $K = 3 \times 10^{-5}$ [8], der Wert betrug bei der Meerschweinchenleber-Diaminoxydase für Histamin und Agmatin: $3—5 \times 10^{-6}$ [9].

Substratsättigung. Die Substratsättigung wird für Histamin bei etwa 10^{-3}, für Putrescin und Cadaverin bei 2×10^{-3}, für Agmatin bei 4×10^{-3}, für Spermin bei 6×10^{-3} und für Spermidin erst bei 10^{-2} molarer Konzentration erreicht[10]. Bei Histamin und Agmatin ruft eine überoptimale Substratkonzentration die sog. Eigenhemmung hervor, d.h. ein Überschuß der Substratmoleküle über die freien Enzymgruppen wirkt hemmend auf den Ablauf der Diamin-Diaminoxydase-Reaktion. Wird ein Teil der freien Gruppen des Enzyms außerdem noch durch bestimmte Reagentien (KCN, Cholin, Semicarbazid) blockiert, so kann die vorher noch optimale Substratkonzentration zur überoptimalen werden (Summationseffekt)[11].

Aktivatoren. Phosphat- und Oxalat-Ionen aktivieren den enzymatischen Abbau von Histamin durch das tierische Enzym, wahrscheinlich durch Entfernung der hemmenden Ca^{++}-Ionen[12].

Ein Aceton-Wasser-Extrakt des Nierentrockenpulvers enthält einen nicht dialysablen Aktivator für das Schweinenierenferment[1]. Mit Kochextrakten aus Schweinenieren und Bierhefe konnte ebenfalls eine aktivierende Wirkung auf das tierische Enzym erzielt werden[13].

Jodessigsäure und p-Chlormercuribenzoat haben weder auf das tierische noch auf das pflanzliche Enzym hemmende Wirkung, folglich besitzt das aktive Zentrum der Diaminoxydase keine SH-Gruppen[5,6].

Prosthetische Gruppe. Die Natur der prosthetischen Gruppe ist noch nicht aufgeklärt. Die Bildung von Wasserstoffperoxyd bei der Enzymreaktion gilt als Hinweis auf die

---

[1] ZELLER, E. A.: Helv. **21**, 1645 (1938).
[2] WERLE, E.: B. Z. **304**, 202 (1940).
[3] BEST, C. H., and E. W. MCHENRY: J. amer. med. Ass. **115**, 235 (1940).
[4] WERLE, E., I. TRAUTSCHOLD u. D. AURES: H. **326**, 200 (1961).
[5] ZELLER, E. A.; in: Sumner-Myrbäck, Enzymes Bd. II/1, S. 536.
[6] KENTEN, R. H., and P. J. G. MANN: Biochem. J. **50**, 360 (1952).
[7] MAGGIO, E., F. SALVATORE e L. ZARRILLI: Boll. Soc. ital. Biol. sperim. **32**, 378 (1956).
[8] ZELLER, E. A., B. SCHÄR u. S. STAEHLIN: Helv. **22**, 837 (1939).
[9] COHN jr., V. H., and P. A. SHORE: Fed. Proc. **20**, 258 (1961).
[10] SINCLAIR, H. M.: Biochem. J. **51**, 10 (1952).
[11] ZELLER, E. A.: Adv. Enzymol. **2**, 95 (1942).
[12] BEST, C. H., and E. W. MCHENRY: J. Physiol., London **70**, 349 (1930).
[13] PECHMANN, E. v.: Diss. München 1948.

Beteiligung von FAD in der prosthetischen Gruppe[1]. Nach KAPELLER-ADLER wirkt FAD bei der Oxydation von Histamin, aber nicht von Putrescin und Cadaverin mit[2]. Diaminoxydase aus *Achromobacter*, deren Aktivität durch Dialyse vermindert worden war, konnte durch Zugabe von FAD wieder zum Ausgangswert aktiviert werden[3].

Wegen der Hemmwirkung der Carbonylreagentien auf die Pyridoxalenzyme vermutete man auch Pyridoxalphosphat als Bestandteil der prosthetischen Gruppe[4]. DAVISON konnte teilweise gereinigte und durch INH gehemmte Schweinenieren-Diaminoxydase zum Teil reaktivieren[5]. GORYATSCHENKOWA beobachtete bei Vitamin B_6- und Vitamin B_2-Mangelratten eine Senkung der Histaminaseaktivität und konnte durch Zusatz von Pyridoxalphosphat und FAD zum Futter der Tiere wieder eine Steigerung der Enzymaktivität hervorrufen. Sie konnte auch bei diaminoxydasehaltigen Extrakten pflanzlichen und tierischen Ursprungs, die teilweise inaktiviert worden waren (durch schwach saure Dialyse oder UV-Bestrahlung) mit FAD und Pyridoxalphosphatzusatz die Aktivität zurückgewinnen[5, 6].

Nach MANN und nach WERLE sind die Absorptionsspektren hochgereinigter Erbsen-Enzympräparate nicht typisch für FAD- oder Pyridoxalphosphatenzyme[7, 8].

Im Verlaufe der Reinigung der Erbsen-Diaminoxydase gehen die anfangs gelblich gefärbten Präparate mit zunehmender Anreicherung in rosarote Fraktionen über. Die am höchsten konzentrierten Präparate zeigen ein bei 700 mμ liegendes Absorptionsmaximum, das zum kurzwelligen Bereich hin zunimmt und bei 500 mμ eine leichte Schulter ergibt[8]. Die Dialyse eines sehr hoch gereinigten Erbsen-Enzympräparates gegen Natrium-diäthyldithiocarbamat bewirkte, daß innerhalb der Membran ein Kupfer-diäthyldithiocarbamat-Komplex ausgefällt wurde. Das Präcipitat löste sich in CCl_4 und ließ bei 436 mμ ein Absorptionsmaximum erkennen. Der inaktive Überstand konnte durch Kupferionenzusatz (1 μM) maximal reaktiviert werden[7]. In den höchstgereinigten Fraktionen des pflanzlichen Enzyms wurde ein Kupfergehalt von 0,09%[7] und 0,12%[8] festgestellt, während von den anderen Spurenelementen 0,05% Eisen[8] und 0,006% Mangan[7] gefunden wurden.

Substratspezifität. *Diaminoxydase aus Schweineniere.* Die tierische Diaminoxydase greift zwar in erster Linie Diamine an, doch erstreckt sich ihre Wirkung mit geringerer Intensität auch auf Monoamine.

Typische Substrate sind Cadaverin, Putrescin und auch Agmatin[1]. Äthylendiamin und Propylendiamin einerseits und Hexamethylendiamin andererseits werden nur in geringem Maße abgebaut. Diamine mit einer aliphatischen Kette von 5 C-Atomen sind optimale Substrate der Diaminoxydase. Die effektive Kettenlänge wird aber nicht nur durch die Zahl der Methylengruppen bestimmt, sondern auch C(NH)- und NH-Gruppen eines Guanidinrestes[9] und S—S-Gruppen werden mit einbezogen (z.B. ist Homocystamin als Substrat viel weniger gut geeignet als Cystamin)[10]. Die den Diaminen entsprechenden Diaminocarbonsäuren (Ornithin, Lysin, Arginin und Histidin) werden nicht angegriffen[1]. Aliphatische Monoamine mit einer Kettenlänge von C_2 bis C_7 werden mit sehr geringer Geschwindigkeit desaminiert, am raschesten noch das Propylamin[11]. Auch Mezcalin soll von der Diaminoxydase abgebaut werden[12]. Histamin und Methylhistamin werden in vitro auch von der Diaminoxydase oxydativ desaminiert (in vivo gibt es noch andere

---

[1] ZELLER, E. A.: Helv. **21**, 880 (1938).
[2] KAPELLER-ADLER, R.: Ciba Found. Symp. Histamine. S. 356. London 1956.
[3] SATAKE, K., S. ANDO u. H. FUJITA: J. Biochem. **40**, 299 (1953).
[4] WERLE, E., u. E. v. PECHMANN: A. **562**, 44 (1949).
[5] DAVISON, A. N.: Biochem. J. **64**, 546 (1956).
[6] GORYATSCHENKOWA, J. W.: Biochimija, Moskva **21**, 247 (1956).
[7] MANN, P. J. G.: Biochem. J. **79**, 623 (1961).
[8] WERLE, E., I. TRAUTSCHOLD u. D. AURES: H. **326**, 200 (1961).
[9] ZELLER, E. A., J. R. FOUTS, H. A. CARBON, J. C. LAZANAS u. W. VOEGTLI: Helv. **39**, 1632 (1956).
[10] BERGERET, B., u. H. BLASCHKO: Brit. J. Pharmacol. **12**, 513 (1957).
[11] FOUTS, J. R., L. A. BLANKSMA, J. A. CARBON and E. A. ZELLER: J. biol. Ch. **225**, 1025 (1957).
[12] ZELLER, E. A.: Ciba Found. Symp. Histamine. S. 339. London 1956.

Möglichkeiten der Histamininaktivierung[1]). Trotz großer Affinität der tierischen Diaminoxydase zum Histamin zerfällt der Histamin-Enzymkomplex wesentlich langsamer als der Cadaverin- und der Putrescin-Enzymkomplex[2]. Diese drei Substrate werden in der folgenden Reihe mit abnehmender Geschwindigkeit abgebaut: Cadaverin, Putrescin, Histamin[3].

Eine systematische Untersuchung über die Spezifität, die 62 verschiedene Substrate berücksichtigt, ergab folgendes (als Enzympräparat wurde ein teilweise gereinigter Schweinenierenextrakt verwendet)[4]:

Substitution einer Aminogruppe. Werden in eine der beiden Aminogruppen eines Diamins eine oder zwei Methylgruppen eingeführt, so vermindert sich die enzymatische Abbaugeschwindigkeit auf die Hälfte und bei Trimethylammoniumderivaten, z.B. Trimethylcadaverin und Trimethylputrescin, sinkt sie auf Null ab. Die Desaminierung vollzieht sich immer an der freien Aminogruppe, z.B. ist nach der Einwirkung des Enzyms auf N-Methylputrescin kein Methylamin nachweisbar.

Von den untersuchten homologen Aminoguanidinen wird das Aminopropylguanidin am raschesten umgesetzt. Das Histaminderivat mit der Seitenkette in 2-Stellung 2-(2'-Aminoäthyl)-imidazol war für die Diaminoxydase unangreifbar, während Histamin und seine 1-, 2- oder 3-Methylderivate etwa mit gleicher Geschwindigkeit abgebaut werden. Pyrazol- und Triazolverbindungen mit der Äthylamin-Seitenkette in 4-Stellung sind gute Substrate der Diaminoxydase; befindet sich die Seitenkette in Position 1 oder 3, so werden sie nur gering oxydativ desaminiert.

Substitution beider Aminogruppen. N,N'-substituierte Diamine wie N,N'-Dimethylputrescin, N,N'-Dimethylcadaverin und die entsprechenden symmetrischen Tetramethylderivate werden nicht abgebaut. Gleiches Verhalten zeigen die N-methylierten Pyridinderivate 2-(2'-Methylaminoäthyl)-pyridin und 3-(4'-Methylaminobutyl)-pyridin sowie die Diguanidine und Trimethylen-, Pentamethylen- und Hexamethylendiguanidine. Ebensowenig werden Arcain und Synthalin von der Diaminoxydase angegriffen.

α-Methyldiamine. Eine in α-Stellung in ein aliphatisches Diamin eingeführte Methylgruppe beeinflußt den enzymatischen Abbau durch Diaminoxydase nicht. 1,3-Diaminobutan wird sogar rascher als 1,3-Diaminopropan und beinahe ebenso schnell wie 1,4-Diaminobutan desaminiert. Wird aber eine weitere Methylgruppe in die zweite α-Methylengruppe (am anderen Ende des Diamins) eingeführt, so geht die Substrateigenschaft verloren, z.B. bei 2,5-Diaminohexan.

Weitere α- und β-substituierte Diamine. Eine Hydroxylgruppe in α-Stellung reduziert die Oxydationsgeschwindigkeit deutlich, so wird 1,3-Diaminopropanol langsamer abgebaut als 1,3-Diaminopropan.

Mindestens ein β-H-Atom ist für die aliphatischen Diamine notwendig zur Eignung als Diaminoxydase-Substrat, so wird z.B. das 4-(5-Aminomethyl)-imidazol nicht angegriffen.

Auch mehrfach substituierte Diamine wie 2-Propanol-1,3-diguanidin werden nicht abgebaut.

ZELLER hat auf Grund dieser Ergebnisse folgendes Schema für den Bau der Diaminoxydase-Substrate entworfen:

$$\underbrace{\overset{R'\quad R''}{R\cdot N\cdot C}}_{\text{(b)}} \cdots \overset{R'''}{\underset{H}{C}} \cdot CH_2 \underbrace{NH_2}_{\text{(a)}}$$

$$\underbrace{}_{B} \underbrace{}_{C} \underbrace{}_{A}$$

R = H oder organischer Rest; A = enzymatisch abspaltbare Aminogruppe; B = stabile (nicht frei werdende) Gruppe; C = nicht basisches Teilstück, z.B. aliphatische Kette; (a) und (b) entsprechen den Affinitätsstellen im aktiven Zentrum der Diaminoxydase.

---

[1] KAHLSON, G.: Lancet 1960/I, 67.
[2] ZELLER, E. A.: Helv. 22, 837 (1939).
[3] ZELLER, E. A.: Ciba Found. Symp. Histamine. S. 258. London 1956.
[4] ZELLER, E. A., J. R. FOUTS, H. A. CARBON, J. C. LAZANAS u. W. VOEGTLI: Helv. 39, 1632 (1956).

A ist die terminale unsubstituierte Aminogruppe. C muß die für die Desaminierung erforderlichen α- und β-H-Atome enthalten und ist notwendig als Angriffspunkt der VAN DER WAALSschen Kräfte, durch die das Substrat an die Enzymoberfläche angeheftet wird. Durch C ist auch der Abstand zwischen A und B festgelegt, wovon, wie schon erwähnt, die Geschwindigkeit, mit der die aliphatischen Diamine angegriffen werden, abhängt. Wird die Kette verlängert, ohne daß sich der Abstand der basischen Gruppen ändert, so nimmt die Substratqualität zu. Die Gruppe B stellt die substituierbare Aminogruppe dar. Sie fungiert als Elektronendonator, als nucleophiles System.

Die Gruppe (a) des Enzyms ist fähig, zwischen nahe verwandten Heterocyclen und zwischen Diaminen mit identischem Ring und gleicher, aber verschieden lokalisierter Seitenkette scharf zu unterscheiden[1].

Nach BLASCHKO[2] unterscheidet sich das histaminabbauende Enzym der Schweineniere von dem des Schweineserums dadurch, daß das erste spezifisch für die dikatione und das zweite für die monokatione Form ist. Schweinenierenenzym besitzt bei p_H 6 (hier liegt Histamin in der dikationen Form vor) eine größere Affinität zu Histamin als zu Cadaverin; bei p_H 8 ist es umgekehrt. Schweineserumenzym wirkt dagegen bei p_H 7,8 stärker auf Histamin und schwächer auf β-Phenyläthylamin als bei p_H 6.

Diaminoxydase des Schwangerenserums und der Placenta. Die meisten Untersuchungen über die Diaminoxydase im Schwangerenblut und Placenta gründen sich auf den Nachweis des abgebauten Histamins[3-7], aber es wurde auch gezeigt, daß das Schwangerenserum außerdem Cadaverin[8] und Putrescin[9] abbaut. Kürzlich wurde nachgewiesen, daß der Sauerstoffverbrauch eines Placentaextraktes bei Histamin und Methylhistamin [1-Methyl-4-(β-amino-äthyl)-imidazol] ungefähr gleich hoch und bei Cadaverin als Substrat etwa doppelt so hoch liegt[10].

Nach KAPELLER-ADLER soll die Diaminoxydase des Schwangerenblutes und Placentaextraktes eine höhere Affinität gegenüber Cadaverin als gegen Histamin, Putrescin und Agmatin besitzen[11].

Diaminoxydase pflanzlichen Ursprungs. MANN[12] bezeichnet die aus Erbsenkeimlingen gewonnene Diaminoxydase als Aminoxydase, um die weniger strenge Spezifität für Diamine zu betonen. Das Enzym greift auch eine Reihe von Monoaminen und einzelne Diaminocarbonsäuren an (s. Tabelle 26).

Tabelle 26. *Umsatz verschiedener Substrate durch pflanzliche Diaminoxydase.*
Ansätze: 1 ml Rohextrakt (5—6 Tage alte Keimlinge), Substrat 0,01 m (als Hydrochlorid) in 0,3 ml Phosphatpuffer 0,067 m, p_H 7. Leerwert 20—30 µl O_2/Std.

Substrat	O_2-Verbrauch/Std	Substrat	O_2-Verbrauch/Std	Substrat	O_2-Verbrauch/Std
Cadaverin	370	Adrenalin	54	Colamin	24
Putrescin	342	Tryptamin	49	L-Lysin	15
Agmatin (Hydrobromid)	190	n-Heptylamin	39	Äthylendiamin	10
β-Phenyläthylamin	134	Allylamin	30	Trimethylamin	10
1,6-Diaminohexan	150	Benzylamin	27	n-Amylamin	15
Histamin	101	Äthylamin	29	β-Phenyl-β-hydroxy-	
Tyramin	54	Spermin	24	äthylamin	9

---

[1] ZELLER, E. A., J. R. FOUTS, J. A. CARBON, J. C. LAZANAS u. W. VOEGTLI: Helv. **39**, 1632 (1956).
[2] BLASCHKO, H., P. FRIEDMAN and K NILSSON: J. Physiol., London **142**, 33P (1958).
[3] MARCOU, L., E. ATHANASIU-VERGU, D. CHIRICEANU, G. COSMA, N. GINGOLD et C. C. PARHON: Presse méd. **46**, 371 (1938).
[4] WERLE, E., u. G. EFFKEMANN: Arch. Gynäk. **170**, 82 (1940).
[5] AHLMARK, A.: Acta physiol. scand. **9**, Suppl. 28 (1944).
[6] WICKSELL, F.: Acta physiol. scand. **17**, 395 (1949).
[7] SWANBERG, H.: Acta physiol. scand. **23**, Suppl. 79 (1950).
[8] ZELLER, E. A., u. H. BIRKHÄUSER: Schweiz. med. Wschr. **71**, 975 (1940).
[9] WERLE, E., u. D. HOSENFELD: Unveröff. Versuche.
[10] LINDAHL, K. M.: Ark. Kemi **16**, 1 (1960).
[11] KAPELLER-ADLER, R.: Ciba Found. Symp. Histamine. S. 356. London 1956.
[12] KENTEN, R. H., and P. J. G. MANN: Biochem. J. **50**, 360 (1952).

Auch die Diaminoxydase aus Erbsenkeimlingen desaminiert oxydativ Cystamin; bei p_H 7,4 (0,1 m Phosphatpuffer) liegt der Sauerstoffverbrauch höher als bei p_H 5,6 [1].

Bei der Reinigung des Erbsenenzyms blieb die Affinität zu den meisten Substraten unverändert [2] (s. Tabelle 27).

Tabelle 27. *Substratspezifität gereinigter pflanzlicher Diaminoxydase.*
Ansätze: 0,5 ml Enzymlösung, Substrat: 0,01 m in 0,5 ml Phosphatpuffer 0,067 m, p_H 7, O_2-Verbrauch in 10 min, 37° C, Aktivität gegenüber Cadaverin = 1000.

Substrate	Aktivität	Substrate	Aktivität	Substrate	Aktivität
Cadaverin	1000	β-Phenyläthylamin	81	Noradrenalin	20
Spermidin	570	Histamin	44	Serotonin	8
Tyramin	104	Hydroxytyramin	34	Hydroxyserotonin	1
Spermin	85	Tryptamin	27	Adrenalin	0

Aus Bakterien gewonnene Diaminoxydase. Die Diaminoxydase der Smegmabakterien bevorzugt die Diamine mit 3 und 4 Kettengliedern, sie greift deshalb Putrescin wesentlich schneller an als Cadaverin und Histamin [3]. Weitere Substrate des *Mycobakterium smegmatis* sind: 1,3-Diaminopropan, 1,3-Diamino-2-propanol, 1,3-Diaminobutan, 1,6-Diaminohexan und N,N-Dimethyl-diamino-propan [3]. Die Verschiedenheit der Substratspezifität bei verschiedenen Bakterienarten geht aus folgender Übersicht hervor [4]:

Tabelle 28. *Substratspezifität bakterieller Diaminoxydase.*
Ansätze: 1 ml Zellsuspension (etwa 5 mg Trockengewicht) von 20stündigen Kulturen auf Gehirn-Herz-Aufguß-Agar, Phosphatpuffer 0,067 m, p_H 7, Gesamtvolumen 3,2 ml, Inkubation Luft 15 Std, O_2-Verbrauch μl.

Bakterienart	Spermin	Spermidin	Putrescin	Agmatin	Cadaverin	Leerwert
Pseudomonas aeruginosa	1880	2140	570	533	870	79
Serratia marcescens	0	923	612	580	0	51
Corynebacterium pseudodiphtheriae	0	0	452	0	0	43

Nach zweistündiger Inkubation einer Bakterienaufschwemmung mit Histamin bzw. Cadaverin und nachfolgender Ammoniakbestimmung fand MAGGIO [5], daß beim gleichzeitigen Angebot von 2 Substraten (Histamin und Cadaverin) folgende Bakterienkulturen eine additive NH_3-Entwicklung zeigten: *Staphylococcus aureus*, *Proteus OX_{19}*, *Pseudomonas aeruginosa*, *Brucella melitensis* und *Shigella dysenteriae*. Dagegen hatte *Streptococcus pyogenes* eine größere Affinität zu Histamin und *Klebsiella pneumoniae* zu Cadaverin.

Wie rasch die Diaminoxydase bei *Pseudomonas pyocyanea* adaptiv gebildet werden kann, zeigt die folgende Tabelle.

Tabelle 29. *Adaptive Bildung bakterieller Diaminoxydase* [6].
Ansatz: 1,5 ml Bakteriensuspension (4 mg Trockengewicht) von 24 Std gewachsenen Kulturen auf synthetischem Medium (Glucose, Na-acetat, KH_2PO_4, $(NH_4)_2SO_4$, KCl, $MgSO_4$, Fe-citrat); Inkubationslösung 3 × 10⁻² Cadaverin · 2 HCl, 0,067 m Phosphatpuffer, p_H 7,2, ad 3 ml, Luftatmosphäre.

Inkubationsdauer	O_2-Verbrauch μl Bakterien allein	O_2-Verbrauch μl Bakterien + Inkubationslösung	Inkubationsdauer	O_2-Verbrauch μl Bakterien allein	O_2-Verbrauch μl Bakterien + Inkubationslösung
15	52	49	60	195	225
30	97	96	75	228	268
45	150	162	90	260	330

[1] CAVALLINI, D., C. DE MARCO and B. MONDOVI: Biochim. biophys. Acta 24, 353 (1957).
[2] WERLE, E., I. TRAUTSCHOLD u. D. AURES: H. **326**, 200 (1961).
[3] ZELLER, E. A., u. C. A. OWEN: Fortschr. Tuberk.-Forsch. 4, 39 (1951).
[4] RAZIN, S., I. GERY and U. BACHRACH: Biochem. J. 71, 551 (1959).
[5] MAGGIO, E., F. SALVATORE e L. ZARRILLI: Boll. Soc. ital. Biol. sperim. **32**, 841 (1956).
[6] WERLE, E., u. E. v. PECHMANN: A. **562**, 44 (1948).

Bei der Züchtung von *Achromobacter sp.* auf Histamin, Putrescin und Amylamin enthaltenden Kulturen konnte gezeigt werden, daß die Bakterien in der Lage sind, streng substratspezifische Enzyme induktiv zu bilden[1].

Aktives Zentrum. ZELLER hat aus der Wirkung verschiedener Inhibitoren auf die Diaminoxydase und aus der Substratspezifität folgende Modellvorstellung für das aktive Zentrum der Diaminoxydase entwickelt:

$$\begin{array}{cc} (B) & (A) \\ H_2N \text{———} & NH_2 \quad \text{Substrat} \\ \hline NHCO \text{———} & CHO \quad \text{Enzym} \\ (b) & (a) \end{array}$$

(a) stellt eine Aldehydgruppe dar, (b) wird als Peptidgruppe angesehen und für identisch mit einer entsprechenden Gruppe der Monoaminoxydase erachtet. Beide Gruppen haben elektrophile Natur (Elektronenacceptoren)[2].

Hemmstoffe. *Metalle und Metallkomplexbildner.* Kupferionen in einer molaren Konzentration von 10^{-3} bewirken eine völlige Hemmung der hochgereinigten Diaminoxydase, Zinkionen in gleicher Konzentration hemmen etwa zu 75%, Eisenionen 10^{-3} bis 10^{-6} m beeinflussen das gereinigte Erbsenenzym nicht[3].

Die Metallkomplexbildner Pyrophosphat und Natriumazid haben auf ungereinigte Histaminasepräparate keinen Einfluß[4]. Auch Natriumsulfid und Thioharnstoff bewirken nur eine mäßige Hemmung des rohen Schweinenierenenzyms[5].

Natriumdiäthyldithiocarbamat 10^{-3} m und Kaliumäthylxanthat 10^{-3} m sowie Salicylaldoxim 10^{-2} m hemmen das gereinigte Erbsenenzym zu etwa 95%, während Natriumazid 10^{-2} m nur zu 8% hemmt[6]. Thioharnstoff und Phenylthioharnstoff haben auch auf das pflanzliche Enzym nur eine minimale Wirkung[6].

Von den Chelatbildnern hemmt 8-Hydroxychinolin das gereinigte Erbsenenzym — mit Cadaverin als Substrat — in einer Konzentration von 10^{-5} m zu 50% und 10^{-3} m zu 100%; o-Phenanthrolin 10^{-3} m zu 100% und 10^{-5} m zu 55%. Beide Inhibitorwirkungen werden durch Zinkacetatlösungen 10^{-3} m nach längerer Vorinkubation reaktiviert zu etwa 78 bzw. 50%. α,α'-Dipyridyl oder Dithizon 10^{-3} m hemmt zu 100% und 10^{-5} m zu 50%. Aufhebung der Hemmwirkung durch Zinkionen ist nicht möglich[3].

Zu ähnlichen Ergebnissen kommt SUZUKI bei Extrakten aus Erbsen- und Lupinenkeimlingen mit Putrescin als Substrat[7].

Kaliumcyanid. Das Ausmaß der Hemmung hängt von der Art und Konzentration des Substrates und dem Reinheitsgrad des Enzympräparates ab. Das Schweinenierenenzym wird durch eine $1,3 \times 10^{-2}$ m KCN-Lösung zu 100% und durch eine 6×10^{-3} m Lösung nicht mehr merklich gehemmt[8]. Eine gereinigte Erbsenenzymlösung wird durch KCN 10^{-2} m zu 100%, durch KCN 10^{-3} m zu 90% und durch KCN 10^{-4} m noch zu 27% gehemmt[6]. Nach BEST und MCHENRY wird die Bakterienhistaminase durch HCN 10^{-3} m zu 100% und 10^{-4} m nur zu 10% gehemmt[9].

Carbonylreagentien. Die Carbonylreagentien aus folgenden 3 verschiedenen Gruppen hemmen die Diaminoxydase:

1. **Hydrazinverbindungen**, Semicarbazid, Thiosemicarbazid, Phenylhydrazin, Dinitrophenylhydrazin, Girard Reagens T und F und Hydroxylamin.

---

[1] SATAKE, K., S. ANDO and H. FUJITA: J. Biochem. **40**, 299 (1953).
[2] CARBON, J. A., W. P. BURKARD u. E. A. ZELLER: Helv. **41**, 1883 (1958).
[3] WERLE, E., I. TRAUTSCHOLD u. D. AURES: H. **326**, 200 (1961).
[4] MCHENRY, E. W., and G. GAVIN: Biochem. J. **26**, 1365 (1932).
[5] ZELLER, E. A.: Helv. **23**, 1418 (1940).
[6] MANN, P. J. G.: Biochem. J. **59**, 609 (1955).
[7] SUZUKI, Y.: Naturwiss. **46**, 427 (1959).
[8] ZELLER, E. A.: Adv. Enzymol. **2**, 93 (1942).
[9] BEST, C. H., and E. W. MCHENRY: J. Physiol., London **70**, 349 (1930).

2. **Hydroaromatische Verbindungen** wie Dimedon (Dimethylhexandion).
3. **Anorganische Verbindungen** wie Natriumhydrogensulfit.

Das ungereinigte Schweinenierenenzym wird mit Cadaverin als Substrat durch eine 10^{-4} m Semicarbazidlösung zu etwa 95%, durch 10^{-2} m Lösung von Natriumbisulfit zu etwa 43%, durch Thiosemicarbazid 2×10^{-3} m zu etwa 77% und 10^{-2} m zu etwa 100% gehemmt[1]. Eine 10^{-2} m Hydroxylaminlösung hemmt zu 50%[2].

Tabelle 30. *Hemmung der Diaminoxydase aus Mycobacterium smegmatis*[3].

Substrat 10^{-3} m	Inhibitorkonzentration	Hemmwirkung %
Putrescin	Hydroxylamin 10^{-4} m	90
	Hydroxylamin 10^{-3} m	90
Putrescin	Semicarbazid 10^{-4} m	39
	Semicarbazid 10^{-3} m	62

Das gereinigte Erbsenkeimlingsenzym wird schon durch Semicarbazid 10^{-5} m zu 98%, durch 10^{-6} m zu 31% gehemmt[4]. Isonicotinsäurehydrazid 10^{-4} m hemmt das gereinigte pflanzliche Enzym zu 50%[5].

Im Gegensatz zur tierischen Diaminoxydase wird das Bakterienenzym durch Hydroxylamin stärker gehemmt als durch Semicarbazid[3].

Die Ketonreagentien von GIRARD, Hydrazido-carboxymethyl-pyridiniumchlorid und Dimethyl-amidoessigsäurehydrazid-chlormethylat hemmen in 10^{-4} m Lösung die Histaminase aus Rinderdarmschleimhaut, Kaninchenniere und -leber zu 100%[6].

Die L-Form optischer Antipoden von Hydrazinderivaten verschiedener Aminosäuren hemmt die Diaminoxydase (Schweinenierenenzym, wenig gereinigt) etwa zehnmal stärker als die D-Formen[7]:

Tabelle 31. *Optische Spezifität von Inhibitoren der Diaminoxydase.*

Hemmsubstanzen	PI		
	L-Form	D-Form	D,L-Form
Alanyl-hydrazin · HCl	6,4	5,2	
Leucyl-hydrazin · HCl	6,8	6,0	
Phenylalanyl-hydrazin · HCl	6,1	5,1	
Isolysergsäure-hydrazin · HCl	4,4	5,0	
N-Isonicotinyl-N'-alanyl-hydrazin	4,0	3,5	4,8
N-Isonicotinyl-N'-acetylalanyl-hydrazin	4,4	2,6	5,0
N-Isonicotinyl-N'-acetylmethionyl-hydrazin	3,3	2,4	2,0
N-Isonicotinyl-N'-acetylleucyl-hydrazin	2,7	2,0	4,6

Außer den Carbonylreagentien, die Hydrazone, Semicarbazone und Oxime mit der Aldehydgruppe (a) des aktiven Enzymzentrums bilden, sind auch 1,2-disubstituierte

Tabelle 32. *Hemmwirkung disubstituierter Hydrazinderivate.*

Hemmkörper	PI	Hemmkörper	PI
Dimethylhydrazin	5,9	Di-n-propylhydrazin	6,0
Diäthylhydrazin	5,7	Di-iso-propylhydrazin	3,7

Hydrazinderivate starke Inhibitoren. Es wird angenommen, daß das nucleophile dialkylierte Hydrazin mit einer oder mehreren der elektrophilen Gruppen des aktiven Zentrums reagiert[8].

---

[1] ZELLER, E. A.: Helv. **21**, 1645 (1938).
[2] ZELLER, E. A.: Helv. **21**, 880 (1938).
[3] ROULET, F., u. E. A. ZELLER: Helv. **28**, 1326 (1945).
[4] MANN, P. J. G.: Biochem. J. **59**, 609 (1955).
[5] WERLE, E., G. BEAUCAMP u. V. SCHIRREN: Planta, Berlin **53**, 125 (1959).
[6] WERLE, E.: B. Z. **304**, 201 (1940).
[7] ZELLER, E. A., L. A. BLANKSMA u. J. A. CARBON: Helv. **40**, 257 (1957).
[8] CARBON, J. A., W. P. BURKARD u. E. A. ZELLER: Helv. **41**, 1883 (1958).

Tabelle 33. *Hemmwirkung verschiedener Hydrazin- und Amidderivate sowie von Penicillamin bei dem gereinigten Erbsenenzym*[1].

Hemmstoff	Molarität	Hemmung %
N-Isopropyl-isonicotinsäurehydrazid	10^{-5}	70
Isopropylhydrazin	10^{-6}	100
Polyacrylhydrazid	10^{-6}	100
Lysergsäure-diäthylamid	10^{-4}	21
Bromlysergsäure-diäthylamid	10^{-4}	11
Penicillamin	10^{-2}	60

Tabelle 34. *Hemmwirkung von Hydrazinderivaten auf Diaminoxydase von Schweinenieren und Rattendarm*[2].

Hemmstoff	PI_{50}
Isopropylhydrazin	6,1
Semicarbazid	6,1
Di-isopropylhydrazin	4,6
Isoniazid	4,0
Iproniazid	4,2

Guanidinderivate. Alle Guanidinderivate wirken wie die Carbonylreagentien als kompetitive Inhibitoren. Die Methylierung steigert beim Guanidin seine Basizität und damit seine Hemmwirkung, wie die folgende Übersicht zeigt[3]:

Tabelle 35. *Schweinenierenenzym, ungereinigt.*
Substrat: Cadaverin, NH_3-Messung.

Inhibitor	Konzentration	Hemmung %
Guanidin	10^{-2}	42
Methylguanidin	10^{-2}	93
Dimethylguanidin (asymm.)	10^{-2}	100

Aminoguanidin gehört zu den in vitro am stärksten hemmenden Verbindungen. Das Schweinenierenenzym (ungereinigt) wird durch 5×10^{-8} m Aminoguanidin zu 50 % gehemmt[4].

Das gereinigte Erbsenenzym wird durch Aminoguanidin 10^{-4} m zu 100 % gehemmt[5].

Weitere Hemmstoffe. Das Rauwolfiaalkaloid Serpentin hemmt im Gegensatz zu Reserpin die Histaminase (Torantil) in ähnlicher Konzentration wie Aminoguanidin[6]. Das Schweinenierenenzym wird durch Bulbokapnin $5,5 \times 10^{-4}$ m zu 50 % gehemmt; der gleiche Hemmeffekt wird durch $6,3 \times 10^{-6}$ m Isonicotinsäurehydrazid erzielt[7].

Streptomycin, Streptotricin, Chloramphenicol, 1-p-Nitrophenyl-1-amino-1,3-propandiol und 4-Acetylamino-benzaldehyd-thiosemicarbazon (TB I) hemmen die Diaminoxydase von *Mycobacterium smegmatis* stark[8,9].

Wie die Monoaminoxydase, so wird auch die Diaminoxydase durch die Guanylhydrazonderivate von PETERSEN und DOMAGK[10] stark gehemmt, z. B. durch Benzochinon-bisguanylhydrazon $1,6 \times 10^{-5}$ m zu 50 %[11].

Nach KAPELLER-ADLER wirken die natürlichen Oestrogene, wie Oestrol, Oestradiol, Oestron und auch Equilin, auf die Nieren- und Placentahistaminase aktivierend, während durch alle synthetischen Oestrogene, wie Stilboestrol, Dienoestrol und Hexoestrol sowie Androsteron und DOCA, die beiden Enzyme gehemmt werden[12].

---

[1] WERLE, E., I. TRAUTSCHOLD u. D. AURES: H. **326**, 200 (1961).
[2] BURKARD, W. P., K. F. GEY and A. PLETSCHER: Biochem. Pharmacol. **3**, 249 (1960).
[3] ZELLER, E. A.: Helv. **21**, 1645 (1938).
[4] SCHULER, W.: Exper. **8**, 230 (1952).
[5] WERLE, E., G. BEAUCAMP u. V. SCHIRREN: Planta, Berlin **53**, 125 (1959).
[6] SACHDEV, K. S., R. AIMAN and M. V. RAJAPURKAR: Brit. J. Pharmacol. **16**, 146 (1961).
[7] CHAPMAN, J. E., and E. J. WALASZEK: Fed. Proc. **20**, 164 (1961).
[8] OWEN jr., C. A., A. G. KARLSON and E. A. ZELLER: J. Bact. **62**, 53 (1951).
[9] OWEN, C. A., and E. A. ZELLER: Fed. Proc. **9**, 212 (1950).
[10] PETERSEN, S., u. G. DOMAGK: Naturwiss. **41**, 10 (1954).
[11] WERLE, E., A. SCHAUER u. G. HARTUNG: Kli. Wo. **1955**, 562.
[12] KAPELLER-ADLER, R.: Ciba Found. Symp. Histamine. S. 274. London 1956.

Colorimetrische Aktivitätsmessung der Diaminoxydase nach HOLMSTEDT, LARSSON und THAM[1].

Substrat: Putrescin.

Prinzip:

Putrescin wird durch die Diaminoxydase zu γ-Aminobuttersäurealdehyd oxydativ desaminiert und dann zu Δ^1-Pyrrolin kondensiert. Bei Zusatz einer o-Aminobenzaldehydlösung bildet sich eine gefärbte Verbindung, wahrscheinlich 2,3-Trimethylen-1,2-dihydrochinazolinhydroxyd mit einem Absorptionsmaximum bei 430 mμ. Der molare Extinktionskoeffizient beträgt $1,86 \times 10^3$ M/cm (bestimmt mit einer Lösung von γ-Aminobuttersäurealdehyd-diäthylacetal und o-Aminobenzaldehyd).

Reagentien:
1. 0,005 m o-Aminobenzaldehyd, in Phosphatpuffer, p_H 6,8, gelöst.
2. 0,1 m Putrescindihydrochlorid, in Phosphatpuffer, p_H 6,8, gelöst.
3. Phosphatpuffer nach SØRENSEN, p_H 6,8.
4. Trichloressigsäure, 10%ig.

Ausführung:

2,5 ml o-Aminobenzaldehyd und die mit Phosphatpuffer, p_H 7,0, auf ein Volumen von 4,5 ml gebrachte Enzymlösung werden mit 0,5 ml Putrescindihydrochloridlösung 60 min lang bei 37° C inkubiert. Kontrollansatz ohne Substrat. Abstoppen der Reaktion durch 1 ml Trichloressigsäure. Zentrifugieren und Bestimmung der Extinktion im Überstehenden bei 430 mμ. Es können Homogenate und Rohpräparate verwendet werden, da die Reaktion durch andere Enzyme wie Katalase und Peroxydase nicht beeinflußt wird.

Bestimmung der Diaminoxydase-Aktivität in Serum und Urin mit dem Indigosulfonatverfahren nach KAPELLER-ADLER und RENWICK[2].

Substrate: Cadaverin, Histamin.

Prinzip:

Setzt man dem Enzym-Substratgemisch eine Indigosulfonatlösung zu, so wird diese durch das entstehende Wasserstoffperoxyd (bei Anwesenheit von Katalase) entfärbt. Der übrigbleibende Farbstoff wird mit einer Kaliumpermanganatlösung zurücktitriert.

Reagentien:
1. Indigosulfonatlösung (200 mg Indigokarmin auf 300 ml Aqua bidest.).
2. 0,07 m Phosphatpuffer, p_H 7,2.
3. Histamindihydrochlorid, 1 mg/ml ($5,4 \times 10^{-5}$ m) in Puffer gelöst; Cadaverindihydrochlorid, 10 mg/ml ($5,7 \times 10^{-4}$ m) in Puffer gelöst.
4. 0,002 n $KMnO_4$-Lösung.
5. Chloroform.

Ausführung:

a) Im Serum. 10 ml Blutserum werden 16 Std gegen fließendes Wasser dialysiert. Zu 1 ml Dialysat werden 8,4 ml Phosphatpuffer (Endkonzentration des Puffers $1,68 \times 10^{-4}$ m), 0,1 ml Substratlösung (Histamin oder Cadaverin) und 0,5 ml Indigosulfonatlösung zugegeben. Mit 1 Tropfen Chloroform wird Bakterienwachstum verhindert. Durch den Ansatz wird genau 1 min lang O_2 hindurchgeleitet. Das mit einem Gummistopfen verschlossene Reagensglas wird gut durchgeschüttelt und 24 Std bei 37° C inkubiert. Kontrollansätze ohne Substrat und solche mit Histamin und Cadaverin ohne Enzym laufen gleichzeitig. Nach der Inkubation Rücktitration des Farbstoffs. Die verbrauchte $KMnO_4$-Menge wird von der für die Kontrollen verbrauchten Menge abgezogen. Die Enzymaktivität wird in Permanganat-Einheiten= PU ausgedrückt. 1 PU entspricht der Enzymmenge, die 0,1 ml einer 0,002 n $KMnO_4$-Lösung verbraucht (Inaktivierung von 0,46 μg Histamin pro Std).

---
[1] HOLMSTEDT, B., L. LARSSON and R. THAM: Biochim. biophys. Acta 48, 182 (1961).
[2] KAPELLER-ADLER, R., and R. RENWICK: Clin. chim. Acta, Amsterdam 1, 197 (1956).

b) Im Urin. 3 Tage hintereinander wird Urin gesammelt (mit Chloroform zur Konservierung), 100 ml davon werden 16 Std lang dialysiert gegen fließendes Wasser, anschließend wird das Volumen gemessen und die Enzymbestimmung in aliquoten Teilen mit Cadaverin oder Histamin als Substrat durchgeführt (auf 24 Std-Menge bezogen). Zu 5 ml dialysiertem Urin werden 4,4 ml Phosphatpuffer (Endkonzentration $8,8 \times 10^{-5}$ m), 0,1 ml Substrat, 0,5 ml Indigolösung und 1 Tropfen Chloroform zugesetzt. Weitere Behandlung wie bei Serum.

Kritik der Methode bei [1].

Bestimmung der Diaminoxydase-Aktivität mit dem Flüssigkeitsscintillationszähler nach OKUYAMA *und* KOBAYASHI[2]. Substrate: Cadaverin-^{14}C, Putrescin-^{14}C. Die bei der oxydativen Desaminierung von Cadaverin-^{14}C und Putrescin-^{14}C entstehenden radioaktiven Endprodukte lassen sich selektiv mit einer Toluol-2,5-diphenyloxazol-Lösung extrahieren und quantitativ mit dem Flüssigkeitsscintillationsspektrometer bestimmen. Einzelheiten s. [2]. Die Methode wurde vor allem zur Bestimmung des Enzyms im Serum von Schwangeren herangezogen.

Neuerdings wird über eine sehr empfindliche Ammoniakbestimmungsmethode berichtet, die bei der Aktivitätsmessung der meisten Aminoxydasen verwendet werden kann. Diese *enzymatische Mikrobestimmung des Ammoniaks nach* KIRSTEN *u. Mitarb.*[3] gründet sich auf die Verwendung von NH_4^+ als Substrat der Glutamatdehydrogenase (α-Ketoglutarat + NH_4^+ + DPNH + $H^+ \to$ Glutamat + DPN^+ + H_2O); die Reaktion läuft im neutralen Milieu ab und vermeidet die beim CONWAY-Verfahren notwendige starke Alkalisierung.

Bestimmung der Histaminase-Aktivität nach COTZIAS und DOLE[4].

Reagentien:

1. Phosphatpuffer, p_H 7,3, Ionenstärke 0,2.
2. Octylalkohol.
3. 0,03 m Histamindihydrochlorid-Lösung.
4. Metaboratlösung, gesättigt.
5. Borsäurelösung von bekanntem Titer.
6. 0,02 n HCl.

Ausführung:

Die zu untersuchenden Gewebe werden ausgepreßt, der Preßrückstand mit 5 Volumen Phosphatpuffer homogenisiert, anschließend wird 48 Std lang bei 0° C gegen dieselbe Pufferlösung unter Zugabe einiger Tropfen Octylalkohol dialysiert (sechsmaliges Wechseln des Außendialysats), schließlich wird mit Puffer so verdünnt, daß sich in 1 ml Suspension 80—200 mg Frischgewebe befinden. Zur eigentlichen Bestimmung werden CONWAY-Gefäße, deren Außenkammer mit einem Film von Silicon überzogen ist, herangezogen; dieser Kunstgriff erlaubt eine gleichzeitige Verbringung des Enzympräparates und des Substrates in die Außenkammer, ohne daß die beiden Komponenten während der Dauer der Vorinkubation sich mischen. 1 ml der Enzymsuspension wird zusammen mit 1 Tropfen Octylalkohol auf die eine Seite der Kammer gebracht, auf die andere Seite, also getrennt von dem Enzympräparat, 1 ml Histamin-dihydrochlorid-Lösung oder im Leerversuch das gleiche Volumen an Phosphatpufferlösung. Nach Verschließen des Gefäßes durch eine mit Silicon bestrichene Glasplatte wird dasselbe 20 min in einem Wasserbad von $10 \pm 0,01°$ C inkubiert. Dann werden Enzym- und Substratlösung durch Neigen des Gefäßes vermischt. Nach 24stündiger, bei niedriger Aktivität auch 48stündiger Inkubation wird die Reaktion durch Zugabe von gesättigter Metaboratlösung gestoppt. Das

---

[1] ZELLER, E. A.: Ciba Found. Symp. Histamine. London 1956. S. 258.
[2] OKUYAMA, T., and Y. KOBAYASHI: Arch. Biochem. **95**, 242 (1961).
[3] KIRSTEN, E., C. GEREZ u. R. KIRSTEN: B. Z. **337**, 312 (1963).
[4] COTZIAS, G. C., and V. P. DOLE: J. biol. Ch. **190**, 665 (1951).

entwickelte Ammoniak wird in Borsäurelösung von bekanntem Titer übergetrieben. Anschließend wird mit 0,02 n HCl zurücktitriert (s. auch S. 673). Als „1 Histaminaseeinheit" wird die Enzymmenge bezeichnet, die in 24 Std die Freisetzung von 1 μM Ammoniak bei 10° C katalysiert.

Bestimmung der Histaminase-Aktivität im Schwangerenserum nach Dodge[1].

Die Methode ist sowohl für eine qualitative Schnellbestimmung als auch für quantitative Messungen geeignet. In beiden Fällen wird eine bekannte Menge Histamin mit dem Serum inkubiert, danach wird das noch vorhandene Histamin mit 2,4-Dinitro-fluorbenzol (DNFB) gekuppelt und colorimetrisch ermittelt.

Reagentien:
1. 0,02 m Phosphatpuffer, p_H 6,8.
2. Histaminstandardlösung (40 μg Histaminbase in 1 ml 0,01 n HCl gelöst oder 66,3 μg Histamindihydrochlorid oder 110 μg Histamindiphosphat in je 1 ml Wasser).
3. Trichloressigsäure, 10%ig.
4. Phosphatpuffer, alkalisch (150 ml 4 m K_2HPO_4, 20 g KBr und 40 ml 5 m NaOH).
5. 2,4-Dinitro-fluorbenzol, 2%ig in Äthanol.
6. Methyl-n-hexylketon.
7. 2 n HCl.

Qualitative Schnellbestimmung:

In einem 20 ml fassenden Reagensglas werden 5 ml Serum mit 0,25 ml Histaminstandardlösung 1 Std lang bei 56° C inkubiert. Danach wird mit 5 ml 10%iger Trichloressigsäure enteiweißt. Nach 30 min langem Stehen wird abzentrifugiert. 5 ml des erhaltenen Überstandes werden in einem 20 ml fassenden Reagensglas zu 3 ml alkalischer Phosphatpufferlösung und 0,3 ml DNFB gegeben. Nach Durchmischen wird in einem Wasserbad von 56° C 30 min erwärmt. Nach dem Abkühlen Zugabe von 5 ml Methyln-hexylketon. Mischung heftig durchschütteln, anschließend kurz zentrifugieren. 4 ml der oberen (Keton-)Schicht werden in einem 8 ml-Glas zu 1 ml 2 n Salzsäure hinzugefügt. Nach Verschließen des Reagensglases wird stark geschüttelt. Dann wird kurz zentrifugiert, die Ketonschicht abgesaugt und die (untere) Säureschicht in ein anderes 8 ml-Reagensglas gebracht. Es wird mit einer Probe verglichen, die in gleicher Weise angesetzt war, mit dem Unterschied, daß die Histaminstandardlösung *nach* dem Inaktivieren mit Trichloressigsäure, jedoch *vor* dem Zentrifugieren zugesetzt wird. Der Histaminasetest gilt als positiv, wenn die Gelbfärbung der Säureschicht in einem mit Histamin inkubierten Serum deutlich schwächer ist als in der nach der oben beschriebenen Weise hergestellten Leerprobe. Ist die Farbminderung nicht signifikant, so empfiehlt sich eine Inkubationszeit von 4 Std. Zur Durchführung einer Bestimmung werden einschließlich der einstündigen Inkubation etwa 3 Std benötigt, doch können 15 Parallelbestimmungen bei derselben Inkubationszeit in 4 Std ausgeführt werden.

Quantitative Bestimmung:

Vier 8 ml fassende Reagensgläser werden mit je 2 ml Serum (gegebenenfalls mit 0,02 m Phosphatpuffer, p_H 6,8, verdünnt) beschickt. In 2 Gläser werden außerdem 0,1 ml der Standardhistaminlösung (s. oben) bzw. Wasser gegeben. Anschließend werden alle 4 Proben 5 min bis 24 Std lang bei 38° oder 56° C inkubiert (bei 56° C ist die Histaminaseaktivität doppelt so groß wie bei 38° C). Anschließend wird die Reaktion durch Vermischen der Ansätze mit je 2 ml 10%iger Trichloressigsäure unterbrochen. Zu den Proben ohne Histamin wird je 0,1 ml Standardlösung hinzugefügt. Nach 30 min Stehen werden sämtliche Proben zentrifugiert. 2 ml des Überstehenden werden jeweils in ein 20 ml-Reagensglas mit 1 ml des alkalischen Phosphatpuffers und 0,1 ml DNFB gegeben, anschließend wird durchgemischt. Es wird dann 30 min in einem Wasserbad von 56 C° erwärmt, nach dem Abkühlen werden 5 ml Methyl-n-hexylketon zugegeben. Es wird

---
[1] Dodge, A. C.: Amer. J. Obstet. Gynec. **63**, 1213 (1952).

unter Verschließen mit dem Daumen heftig geschüttelt, dann wird zentrifugiert. 4 ml der Ketonschicht werden in ein anderes 8 ml-Reagensglas zu 1 ml 2 n HCl gegeben. Es wird wieder heftig geschüttelt und dann zentrifugiert. Die Ketonschicht wird entfernt, anschließend die Extinktion der Säureschicht bei 3600 Å im Spektrophotometer abgelesen (es wurde ein Beckman-Modell verwendet). Lichte Weite der Küvetten 1 mm, Schichtdicke 10 mm.

Durch Subtraktion der Extinktion der Hauptversuche von der der Standardproben (inaktiviertes Serum + Standardhistamin) ergibt sich die durch das Serum abgebaute Histaminmenge, für die die Bezeichnung „serum net optical density" verwendet wird. In gleicher Weise wird aus der Differenz der Extinktionen von Wasser + Histaminstandard und Wasser allein die Differenz „standard net optical density" gebildet.

Berechnung:

Die Histaminaseaktivität wird auf Grund der Zeit beurteilt, in der die Hälfte des eingesetzten Histamins desaminiert wird (Ausdruck: $t_{0,5}$).

Hieraus ergibt sich folgende Gleichung:

$$t_{0,5} = \frac{1}{\text{Verdünnung}} \times \frac{0{,}301\, t}{\log \frac{\text{Anfangskonzentration}}{\text{Endkonzentration}}}$$

$$\log \frac{\text{Anfangskonzentration}}{\text{Endkonzentration}} = \log \frac{\text{„std. net o.d."}}{\text{„std. net o.d."} - \text{„serum net o.d."}} ,$$

wobei t = Inkubationszeit in min, Serumverdünnungen = 1, 6, 36 oder 216, je nach dem Alter der Schwangerschaft.

Zur Umrechnung auf 38° C sollen die bei 56° C gemessenen $t_{0,5}$-Werte verdoppelt werden.

Beispiel:

Ein Serum wurde 18 Std lang bei 38° C bei einer Verdünnung von 1:36 inkubiert, worauf die folgenden Extinktionswerte abgelesen wurden: Wasserstandard 0,150; Wasserleerprobe 0,025; Serumstandard 0,160; Serum nach Inkubation 0,110. Dann ist:

$$t_{0,5} = \frac{1}{36} \times \frac{0{,}301 \times 18 \times 60}{\log \frac{0{,}150 - 0{,}025}{(0{,}150 - 0{,}025) - (0{,}160 - 0{,}110)}}$$

$$t_{0,5} = \frac{9{,}03}{\log \frac{0{,}125}{0{,}075}} = \frac{9{,}03}{0{,}222} = 40{,}7 \text{ min.}$$

Verfahren zur Histaminasebestimmung im Schwangerenserum am isolierten, atropinisierten Meerschweinchen-Ileum, die sich auf die quantitative Messung des im Versuchsansatz nach der Inkubation noch vorhandenen Histamins gründen s.[1,2].

Zur Methodik der quantitativen Histaminbestimmung am isolierten Meerschweinchendarm wird auf Bd. III, S. 1174 verwiesen.

Die Messung wird durch die Anwesenheit anderer darmkontrahierender Substanzen erschwert. Zur Eliminierung dieser Fehlerquelle wurde von VAN DEN DRIESSCHE[2] eine Differenzmethode vorgeschlagen. Ausführliche Literatur über Histaminase bei intakter und gestörter Schwangerschaft s.[2].

Das Vorkommen erheblicher Diaminoxydase-Aktivitäten im Sperma und im Blute Schwangerer wurde von BERG[3] zum forensischen Nachweis von Sperma und Schwangerenblut herangezogen; Methode s.[3], vgl. dazu die Kritik von[4].

---
[1] WERLE, E., u. G. EFFKEMANN: Arch. Gynäk. **172**, 448 (1942).
[2] DRIESSCHE, R. VAN DEN: Extr. Ann. Soc. R. Sci. méd. natur. Bruxelles **1**, 5 (1953).
[3] BERG, S. P.: Dtsch. Z. gerichtl. Med. **39**, 89 (1948).
[4] SCHLEYER, F., u. C. GREFERATH: Dtsch. Z. gerichtl. Med. **45**, 62 (1956).

Histochemische Lokalisierung der Histaminase in Geweben nach VALETTE und COHEN[1].

Reagentien:
1. $NaHSO_3$-Lösung, 2%ig.
2. Histamindihydrochlorid-Lösung, 0,5%ig, auf p_H 7 eingestellt.
3. Semicarbazidhydrochlorid-Lösung, 0,01%ig.
4. FEULGEN-Reagens (s. Bd. IV/2, S. 1299).
5. Glycerin.

Ausführung:
Frische Gefrierschnitte werden 24 Std bei 37° C in einer 2%igen Natriumhydrogensulfit-Lösung aufbewahrt. Nach gründlichem Waschen mit Wasser wird 24 Std lang bei 37° C mit einer 0,5%igen, auf p_H 7 eingestellten Histamindihydrochlorid-Lösung inkubiert. Zum Vergleich werden Schnitte ohne Histamin und solche, die außer der Histaminlösung noch eine 0,01%ige Lösung von Semicarbazid-hydrochlorid enthielten, angesetzt. Nach Waschen mit abgekochtem, destilliertem Wasser werden die Schnitte 1 Std lang in FEULGEN-Reagens gebracht, danach zweimal mit einer 2%igen Lösung von Natriumhydrogensulfit und einmal mit abgekochtem, destilliertem Wasser gewaschen. Anschließend wird in Glycerin eingebettet. Die Orte der Histaminasewirkung erscheinen violett, das histaminasefreie Gewebe und die Kontrollschnitte sind rosa gefärbt. Meerschweinchennieren zeigen eine Histaminaseaktivität vor allem in den proximalen geschlängelten Tubuli; bei der histaminasefreien Rattenniere blieb die Violettfärbung aus. Histaminase wurde bei Meerschweinchen und Ratten im Epithel des Darmes und der Bronchiolen lokalisiert. In einer menschlichen Placenta war die Histaminaseaktivität auf die Deciduazellen beschränkt.

3. Sperminoxydase

[1.5.3.3 Spermin:O_2-Oxydoreductase (donatorspaltend)] (Plasmaaminoxydase).

Die Sperminoxydase katalysiert die oxydative Desaminierung der Polyamine Spermin und Spermidin. Sie unterscheidet sich von der Monoaminoxydase und Diaminoxydase durch ihr Vorkommen, ihre Substratspezifität und Hemmbarkeit.

Beim Abbau der Polyamine durch die Sperminoxydase werden anscheinend nicht die primären terminalen Aminogruppen angegriffen, sondern die Spaltung beginnt innerhalb des Moleküls an einer sekundären Aminogruppe[2]. So entstehen aus Spermin Spermidin und β-Aminopropionsäurealdehyd[3,4]:

$$H_2N-(CH_2)_3-NH-(CH_2)_4-NH-(CH_2)_3-NH_2 + O_2 + H_2O \xrightarrow{\text{Sperminoxydase}}$$
Spermin

$$H_2N-(CH_2)_3-NH-(CH_2)_4-NH_2 + OHC-(CH_2)_2-NH_2 + H_2O_2$$
Spermidin   β-Aminopropionsäurealdehyd

und aus Spermidin entstehen Trimethylendiamin und γ-Aminobutyraldehyd:

$$H_2N-(CH_2)_3-NH-(CH_2)_4-NH_2 + O_2 + H_2O \xrightarrow{\text{Sperminoxydase}}$$
Spermidin

$$H_2N-(CH_2)_3-NH_2 + OHC-(CH_2)_3-NH_2 + H_2O_2$$
Trimethylendiamin   γ-Aminobutyraldehyd

BLASCHKO[2] vermutet, daß bei der Spermin-Sperminoxydase-Reaktion die untenstehende Ringverbindung gebildet wird und daß die Fähigkeit zur Bildung dieser Verbindung die Sperminoxydase von den Aminoxydasen, die Spermin nicht angreifen, unterscheidet.

$$\diagup C \diagdown \begin{matrix} NR \cdot CH_2 \\ NH \cdot CH_2 \end{matrix} \diagup CH_2 \diagdown$$

---
[1] VALETTE, G., et Y. COHEN: C. R. Soc. Biol. **146**, 714 (1952).
[2] BLASCHKO, H.: J. Physiol., London **153**, 17P (1960).
[3] TABOR, C. W., H. TABOR and S. M. ROSENTHAL: J. biol. Ch. **208**, 645 (1954).
[4] RAZIN, S., I. GERY and U. BACHRACH: Biochem. J. **71**, 551 (1959).

Die stöchiometrischen Verhältnisse beim Abbau der Polyamine sind nicht ganz geklärt[1,2].

Vorkommen. Die Sperminoxydase findet sich vorwiegend im Blutplasma bzw. Serum von Wiederkäuern. Unter den huftragenden Säugetieren wurde Sperminoxydase-Aktivität im Serum der Tylopoden und Ruminantia nachgewiesen[3].

Tabelle 36. *Vorkommen der Sperminoxydase im Serum der Ungulaten*[3].

Ordnung Unterordnung	Perissodactyla Hippomorpha Pferd		Unterordnung Familie	Ruminantia Cervidae Damwild	+
Ordnung Unterordnung	Artiodactyla Suiformes Schwein	—	Familie Familie	Giraffidae Giraffe Bovidae	+
Unterordnung	Tylopoda Kamel Lama	+ +		Rind Schaf Ziege	+ + +

Menschliches Blutserum sowie das Serum von Hund, Frettchen, Katze, Löwe, Tiger, Seal, Känguruh, indischem Elefant und Kaninchen hat keine Sperminoxydase-Aktivität[3,4].

Das Auftreten der Sperminoxydase im Blutserum der Wiederkäuer hängt mit der Funktion des Pansen zusammen. Spermin ist ein Wuchsstoff für die Mikroorganismen des Pansen, wirkt aber toxisch vor allem auf die Niere der Säugetiere, wenn es in den Kreislauf gelangt. Es wird deshalb angenommen, daß der Sperminoxydase die Aufgabe zufällt, das in das Blut gelangte Spermin zu inaktivieren[3].

Bei neugeborenen Wiederkäuern ist die Sperminoxydase noch nicht nachweisbar, erst mit dem Übergang von der Milch- zur Pflanzenernährung, wenn der Pansen in Funktion tritt, steigt der Spiegel der Sperminoxydase im Blut des Jungtieres an, um nach einigen Wochen die Werte des Muttertieres zu erreichen[3].

Über den Abbau von Spermin und Spermidin durch *Pseudomonas aeruginosa* und *Mycobacterium smegmatis* berichteten[2,5].

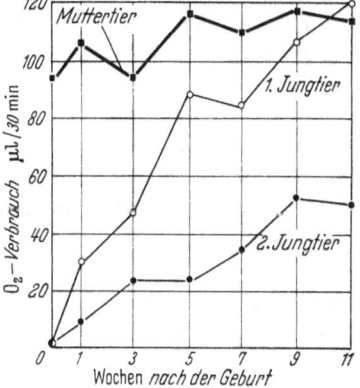

Abb. 4. Sperminoxydase im Serum der Mutterziege (■—■) und von zwei weiblichen Jungen (o—o und ●—●)[3]. Abszisse: Zeit nach der Geburt in Wochen; Ordinate: O_2-Verbrauch durch 1,0 ml dialysiertes Serum (μl/30 min). Substrat: Spermin.

Darstellung.

Anreicherung der Sperminoxydase aus Rinderblutplasma nach TABOR, TABOR *und* ROSENTHAL[1,6].

1. Zur Gewinnung von Plasma wird Rinderblut sofort nach der Entnahme mit $^1/_6$ seines Volumens mit einer Citratlösung vermischt, die 8 g Citronensäure und 26,7 g Natriumcitrat im Liter enthält. Es wird 30 min bei 2000 Touren zentrifugiert und das Plasma abgezogen.

2. Fraktionierung mit gesättigter Ammoniumsulfatlösung*. Zu 3930 ml Plasma werden 2118 ml gesättigter Ammoniumsulfatlösung unter Rühren gegeben. Endkonzentration

---

* Die benützte Ammoniumsulfatlösung wird bei Zimmertemperatur gesättigt und ist etwa 4 m $(NH_4)_2SO_4$. Die Ammoniumsulfatkonzentrationen der verschiedenen Fraktionen werden durch Leitfähigkeitsmessungen bestimmt. Die Lösungen werden 1:50000 verdünnt und die Leitfähigkeitswerte mit denen von Standardlösungen verglichen.

[1] TABOR, C. W., H. TABOR and S. M. ROSENTHAL: J. biol. Ch. **208**, 645 (1954).
[2] BACHRACH, U., S. PERSKY and S. RAZIN: Biochem. J. **76**, 306 (1960).
[3] BLASCHKO, H., and R. HAWES: J. Physiol., London **145**, 124 (1959).
[4] WERLE, E., u. F. ROEWER: B. Z. **325**, 550 (1954).
[5] RAZIN, S., I. GERY and U. BACHRACH: Biochem. J. **71**, 551 (1959).
[6] TABOR, C. W., H. TABOR and S. M. ROSENTHAL; in: Colowick-Kaplan, Meth. Enzymol. Vol. II, S. 390.

1,4 m. Nach Abkühlen auf 0—3° C wird der Niederschlag durch Filtration durch Faltenfilter entfernt. Zum Filtrat werden 3760 ml gesättigter Ammoniumsulfatlösung gegeben. Endkonzentration etwa 2,4 m. Der Niederschlag wird durch Filtration gesammelt und in Wasser auf ein Endvolumen von 800 ml gelöst. Diese Fraktion enthält den größten Teil der Aktivität. Die Ammoniumsulfatkonzentration dieser Lösung ist etwa 1 m.

Eine zweite Ammoniumsulfatfraktionierung wird ausgeführt durch Zufügen der folgenden Volumina gesättigter Ammoniumsulfatlösung und gesonderte Isolierung der Niederschläge durch Filtration: I. 185 ml (Endkonzentration an Ammoniumsulfat etwa 1,66 m). II. 85 ml (Endkonzentration 1,87 m). III. 75 ml (Endkonzentration 2,04 m). IV. 100 ml (Endkonzentration 2,2 m). V. 100 ml (Endkonzentration 2,36 m). Jeder Niederschlag wird in Wasser aufgenommen und auf spezifische Aktivität getestet. Die höchste spezifische Aktivität besitzen die Niederschläge III und IV aus Lösungen, die an Ammoniumsulfat 1,78 und 2,2 m sind. Diese Niederschläge werden zusammen in Wasser gelöst, (Gesamtvolumen 214 ml) und 48 Std gegen je 2 l 0,01 m Natriumacetat unter dreimaligem Wechseln dialysiert. Das Endvolumen der dialysierten Lösung: 285 ml.

An Hand von Leitfähigkeitsmessungen wird die Vollständigkeit der Dialyse kontrolliert. Bei unvollständigen Dialysen ist die nachfolgende Alkoholfraktionierung gestört.

3. *Alkoholfällung.* 50 ml-Anteile des dialysierten Materials werden im Wasserbad unter Rühren rasch auf 65° C erhitzt und bei dieser Temperatur 10 min belassen. Dann werden sie rasch auf 0° C abgekühlt und vereinigt. Alle Alkoholfällungen werden bei 0° C mit Alkohol von mindestens $-10°$ C ausgeführt. Nach Zufügen von 28,3 ml 0,1 m $MnCl_2$ werden 283 ml der Lösung mit Äthanol fraktioniert. Die folgenden Alkoholfraktionen werden erhalten durch langsames Zufügen der angegebenen Alkoholvolumina unter mechanischem Rühren: I. 142 ml Alkohol, 25%ig (10,2% Alkohol); II. 71 ml Alkohol, 25%ig (14,6% Alkohol); III. 71 ml 28%iger Alkohol (und 14,2 ml absoluter Alkohol) (21,5% Alkohol); IV. 71 ml absoluter Alkohol (33,4% Alkohol); V. 57 ml absoluter Alkohol (40,7% Alkohol).

Die Niederschläge werden durch Zentrifugieren in der Kühlzentrifuge gesammelt, auf 30—40 ml in kaltem Wasser gelöst und die spezifischen Aktivitäten bestimmt. Die Lösung mit der höchsten spezifischen Aktivität (gewöhnlich Fraktion IV) wird dann einer zweiten Alkoholfraktionierung unterworfen. Zu dieser Fraktion (37,5 ml) werden 3,75 ml 0,1 m $MnCl_2$ zugefügt. Dann werden weitere Fraktionierungen durch Zufügen der angegebenen Mengen von gekühltem Alkohol durchgeführt.

I. 1,91 ml (4,43% Alkohol); II. 1,3 ml (72% Alkohol); III. 1,13 ml (9,5% Alkohol); IV. 1,63 ml (12,7% Alkohol); V. 1,63 ml (15,6% Alkohol).

Die Niederschläge werden durch Zentrifugieren in der Kühlzentrifuge isoliert und in etwa 10 ml kaltem Wasser gelöst. Die höchsten spezifischen Aktivitäten werden in den Fraktionen III, IV und V gefunden. Diese werden für den nächsten Schritt (Endvolumen 30,3 ml) zusammengegeben.

4. *Calciumphosphat-Adsorption und Elution.* 6 ml-Portionen der aktiven Alkoholfraktionen, die etwa 90 mg Protein enthalten, werden mit 21 ml Calciumphosphat-Gel (4 Monate gealtert, enthaltend 14 mg Trockensubstanz/ml bereitet nach KEILIN und HARTREE[1]) gemischt. Nach Abzentrifugieren bei hoher Geschwindigkeit wird das Enzym mit 42 ml kalter 0,01 m K_2HPO_4-Lösung eluiert.

Die Angaben stellen die Gesamteinheiten dar, die bei den Fraktionen insgesamt gewonnen wurden.

Reinigung und Kristallisation der Sperminoxydase nach YAMADA und YASUNOBU[2].

Plasma aus Rinder-Citratblut wird mit Ammoniumsulfat fraktioniert, weiter der Chromatographie an DEAE-Cellulose unterworfen, dann nochmals mit Ammoniumsulfat

---

[1] KEILIN, D., and E. F. HARTREE: Proc. R. Soc. London (B) **124**, 397 (1938).
[2] YAMADA, H., and K. T. YASUNOBU: J. biol. Ch. **237**, 1511 (1962).

Tabelle 37. *Überblick über die Reinigungsoperationen bei der Sperminoxydase*[1].

Schritt	Gesamt-volumen ml	Einheiten pro ml	Gesamt-einheiten	Protein mg/ml	Spezifische Aktivität E/mg	Ausbeute in %
Citratplasma . . .	3930	103	405000	69,2	1,49	
Ammoniumsulfat . .	214	440	94100	24,8	17,8	23,3
Alkohol*	30,3	1873	56800	16,0	117	14,1
Calciumphosphat** .	212	189	40200	0,86	219	9,9

* Schritt der Dialyse und des Erhitzens.
** Dieser Reinigungsschritt wurde an aliquoten Anteilen ausgeführt.

fraktioniert. Die dialysierte Enzymlösung wird dann an Hydroxylapatit chromatographiert. Wie bei der Fraktionierung an DEAE-Cellulose werden auch hierbei verschiedene Fraktionen mit Enzymaktivität erhalten. Aus den nach Ammoniumsulfatfällung erhaltenen konzentrierten Lösungen mit 20—40 mg Protein/ml wird das Enzym kristallisiert gewonnen. Auf dem geschilderten Wege wird das Enzym 300—400fach angereichert. Es ist elektrophoretisch einheitlich und nach Daten der Ultrazentrifugierung zu 90% rein.

Eigenschaften. Im Gegensatz zur Monoaminoxydase ist die Sperminoxydase gut löslich und läßt sich auch relativ leicht reinigen.

p_H-Optimum. Die gereinigte Sperminoxydase hatte für Spermin ein p_H-Optimum bei 6,2, für Spermidin bei 7,2 und für Benzylamin bei 7,5[1].

MICHAELIS-*Konstanten*. Die MICHAELIS-Konstanten ergaben für Benzylamin einen Wert von $1,6 \times 10^{-3}$ m und für Homosulfanilamid 2×10^{-3} m. Die Enzym-Inhibitor-Dissoziationskonstante für Spermin/Homosulfanilamid betrug 8×10^{-5} m.

Prosthetische Gruppe. Bei der Reinigung des Enzyms (Ammoniumsulfatfraktionierung, Zonenelektrophorese auf Cellulosepulver und Säulenchromatographie auf Hydroxylapatit) steigt der Zn-Gehalt parallel mit dem Reinheitsgrad. Die höchstgereinigten Fraktionen, die 70% reines Enzym enthielten, hatten einen Zinkgehalt von 0,1—0,2%, auch spektrographische und polarographische Untersuchungen ließen Zn als einziges Spurenelement erkennen[2]. Die Dialyse gereinigter Sperminoxydase gegen eine EDTA-Lösung setzt die Enzymaktivität und den Zn-Gehalt herab. Zugabe von Zn-Ionen bewirkt Reaktivierung[2].

Die Absorptionsspektren hochgereinigter Sperminoxydase sind nicht charakteristisch für FAD oder Pyridoxalphosphat[2]. Wegen des Zinkgehaltes und der Hemmung durch chelatbildende Substanzen wird das Enzym als Metallprotein angesehen[3]. Außerdem rechnet man mit Carbonylgruppen im aktiven Zentrum der Sperminoxydase.

Zu anderen Ergebnissen kamen YAMADA und YASUNOBU[4]. Während der Reinigung bis zur Kristallisation des Enzyms fanden sie eine direkte Proportionalität zwischen spezifischer Aktivität und Kupfergehalt der Präparate. Durch Dialyse gegen Diäthyldithiocarbamat bei p_H 7,0 wurde das Kupfer abgetrennt. Das so inaktivierte Enzym konnte durch Zusatz von Cu^{++} reaktiviert werden. Fe, Zn, Mn und Mo fanden sich nur in Spuren. Die prosthetische Gruppe enthält ferner Pyridoxalphosphat, das das Kupfer in Chelatbindung fixiert. Für das Enzym wird von YAMADA und YASUNOBU die folgende Zusammensetzung vorgeschlagen:

$$\text{Enzymprotein-}(Cu^{++})_4\text{-(Pyridoxalphosphat)}_2.$$

Substratspezifität. Die gereinigte Sperminoxydase des Rinderserums greift Spermin, Spermidin, Heptylamin, Homosulfanilamid, Benzylamin, Dekamethylendiamin und Butylamin an[1]. Die Tabelle 38 gibt einen Überblick über die Angreifbarkeit von Aminen durch Rinderplasma und gereinigte Sperminoxydase aus Rinderplasma.

---
[1] TABOR, C. W., H. TABOR and S. M. ROSENTHAL: J. biol. Ch. **208**, 645 (1954).
[2] GORKIN, V. Z.: Vopr. med. Chim. **7**, 632 (1961).
[3] GORKIN, V. Z.: 5. Int. Congr. Biochem. Moskau 1961. S. 107.
[4] YAMADA, H., and K. T. YASUNOBU: Biochem. biophys. Res. Comm. **8**, 387 (1962).

Tabelle 38. *Umsatz von Aminen durch Sperminoxydase aus Rinderplasma*[1].
Aktivitätsangabe in manometrischen Einheiten.

Substrate	Plasma roh	Gereinigte Sperminoxydase, Anreicherung etwa 100fach	Substrate	Plasma roh	Gereinigte Sperminoxydase, Anreicherung etwa 100fach
Monoamine			*Monoamine*		
Butylamin	6,8	3,6	Furfurylamin. . .	—	3,6
Amylamin	—	3,3	Tyramin	—	0,8
Hexylamin. . . .	—	5,3	Mezcalin.	—	1,0
Heptylamin. . . .	8,1	5,9	Homosulfanilamid	5,1	—
Octylamin	—	3,1	Cadaverin	0	0
Decylamin	—	3,3	Histamin	0	0
Dodecylamin . . .	—	4,4	Dekamethylendiamin	—	4,0
Octadecylamin . .	—	0—0,1	*Polyamine*		
Benzylamin. . . .	5	4,8	Spermin	10	10
β-Phenyläthylamin	—	2,3	Spermidin	10	5,7

Ferner werden Isoamylamin und in geringem Umfange Tyramin durch das ungereinigte Enzym des Rinderserums abgebaut[2]. Auch Histamin und 1,4-Methylhistamin wurden von Wiederkäuerseren oxydativ desaminiert, allerdings mit einer sehr geringen Geschwindigkeit im Vergleich zu Spermin[3], s. Tabelle 39.

Tabelle 39. *Desaminierung verschiedener Substrate durch Wiederkäuerseren.*
1,6 ml dialysiertes Serum, 10^{-2} m Substratkonzentration, µl/30 min.

Tierart	Spermin	Histamin	1,4-Methylhistamin
Rind . .	200	12,5	31
Schaf . .	168,5	16	20,5
Ziege . .	151,5	9,5	11,5

Inhibitoren. Typische Hemmstoffe der Diaminoxydase, wie KCN, Hydroxylamin, Semicarbazid und INH, hemmen die Sperminoxydase etwa gleich stark wie der Monoaminoxydase-Inhibitor Iproniazid[1,2]. Besonders stark wirken auch die Monoaminoxydase-Inhibitoren aus der Gruppe der Amidine, vor allem das Pentamidin (80—100% = 5×10^{-6} m)[4]. Schwächer wirksam sind Ephedrin und Benzedrin. (Die meisten Hemmstoffe müssen eine gewisse Zeit mit dem Enzym inkubiert werden.)

Weitere Hemmstoffe sind die folgenden Äthylendiaminderivate: 1,2-Aminoäthylbenzimidazol, 1,2-Aminoäthyl-2-phenyl-benzimidazol, N—O-Aminophenyläthylendiamin[5], die in 5×10^{-3} m Lösung zu 95, 83 bzw. 33% hemmen. Die Metallkomplexbildner Cysteamin, 1,10-Phenanthrolin, Diäthyldiaminocarbamat und 8-Hydroxychinolin hemmen ebenfalls die Sperminoxydase[6].

Eigenschaften der kristallisierten Sperminoxydase[7]. Die Lösung des reinen Enzyms ist rosa gefärbt. Das Absorptionsspektrum der Lösung des kristallisierten Enzyms hat Maxima bei 280 und 480 mµ. Die Aktivität des kristallisierten Enzyms gegenüber verschiedenen Substraten entspricht den Angaben der Tabelle 38. Als neues Substrat wurde noch Kynuramin erkannt. Die Aktivität des kristallisierten Enzyms gegenüber kurzkettigen Aminen ist deutlich geringer als beim teilgereinigten Enzym. Die Aktivität des Enzyms ist stark von der Ionenstärke des Mediums abhängig und hat ein Optimum bei Ionenstärke 0,1.

Bestimmung. Eine Aktivitätsbestimmung ist möglich durch Messung des Sauerstoffverbrauchs oder der Ammoniakproduktion. Zur manometrischen Bestimmung s. S. 55ff., zur Bestimmung des gebildeten Ammoniaks s. Bd. III, S. 11f.

---

[1] TABOR, C. W., H. TABOR and S. M. ROSENTHAL: J. biol. Ch. **208**, 645 (1954).
[2] WERLE, E., u. F. ROEWER: B. Z. **325**, 550 (1954).
[3] BLASCHKO, H.: J. Physiol., London **148**, 570 (1959).
[4] BLASCHKO, H., and J. M. HIMMS: Brit. J. Pharmacol. **10**, 451 (1955).
[5] BLASCHKO, H., M. L. CHATTERJEE, J. M. HIMMS and A. ALBERT: Brit. J. Pharmacol. **10**, 314 (1955).
[6] GORKIN, V. Z.: Vopr. med. Chim. **7**, 632 (1961).
[7] YAMADA, H., and K. T. YASUNOBU: J. biol. Ch. **237**, 1511 (1962).

TABOR, TABOR und ROSENTHAL[1] verwenden bei ihren Aktivitätsbestimmungen der Sperminoxydase Benzylamin als Substrat. Es wird der bei der oxydativen Desaminierung entstehende Benzaldehyd auf Grund der Absorption bei 250 mμ bestimmt, die sehr viel höher ist als die des Benzylamins. Molarer Extinktionskoeffizient von Benzaldehyd: 13000, von Benzylamin: kleiner als 200.

Tabelle 40. *Wirkungen verschiedener Inhibitoren auf gereinigte Sperminoxydase*[1].

Substanzen	Vorinkubationszeit min	Konzentration Mol/l	Hemmung %
Ephedrin	70	4×10^{-3}	0
	10	4×10^{-3}	0
		2×10^{-2}	82
		4×10^{-2}	92
Benzedrin	136	4×10^{-2}	0
Urethan	10	4×10^{-2}	0
Äthylendiamintetraacetat	10	4×10^{-3}	0
Isoniazid	65	1×10^{-5}	36
		1×10^{-4}	97
Iproniazid	65	2×10^{-4}	18
		8×10^{-4}	86
Dibenamin	109	2×10^{-5}	53
		2×10^{-4}	98
Quinacrin	70	2×10^{-3}	63
	115	2×10^{-3}	68
Trimethylendiamin	36	2×10^{-3}	60
Trimethylenimin	36	2×10^{-3}	53
Pyridoxamin*	30	5×10^{-4}	100 (31)
		2×10^{-3}	100 (63)
		5×10^{-3}	100 (80)
Pyridoxaminphosphat	36	1×10^{-3}	0
Phenobarbital	75	2×10^{-3}	0
Pyribenzamin	109	2×10^{-3}	91
Benadryl	60	2×10^{-3}	78
Octylalkohol	127	0,1 ml	0
Hydroxylamin	45	4×10^{-4}	100
Semicarbazid	45	4×10^{-3}	100
Cyanid	60	1×10^{-3}	100

* In Gegenwart von Pyridoxamin setzt der Sauerstoffverbrauch verzögert ein (z.B. erst nach 15 min). In der folgenden Periode war die Hemmung wie in den Klammern angegeben.

Bestimmung der Aktivität der Sperminoxydase nach TABOR, TABOR und ROSENTHAL[1].

Reagentien:
1. 0,2 m Kaliumphosphatpuffer, p$_H$ 7,2.
2. 0,1 m Benzylaminsulfat: 1,07 g redestilliertes Benzylamin und 5 ml 2 n Schwefelsäure werden auf 100 ml mit destilliertem Wasser aufgefüllt.
3. Enzymlösung: Etwa 10—50 spektrophotometrische Einheiten werden für jede Bestimmung benötigt.

Ausführung:

1 ml 0,2 m Phosphatpuffer, 0,1 ml 0,1 m Benzylaminsulfat, Enzymlösung und Wasser, Endvolumen 3 ml werden in ein 1 ml-Quarzgefäß eingefüllt. Ein Leeransatz ohne Benzylamin wird in gleicher Weise bereitet. Ablesungen bei 250 mμ erfolgen sofort, dann in Abständen von je 1 min, 5 min lang.

Als spektrophotometrische *Einheit* ist diejenige Enzymmenge definiert, welche eine Anfangsgeschwindigkeit in der Änderung der Extinktion bei 250 mμ um 0,001/min bei

---
[1] TABOR, C. W., H. TABOR and S. M. ROSENTHAL: J. biol. Ch. **208**, 645 (1954).

30° C bewirkt. Eine manometrische Einheit = 10 spektrophotometrische Einheiten. Die *spezifische Aktivität* wird ausgedrückt in spektrophotometrischen Einheiten/mg Protein in der Enzymlösung.

4. Spermidinoxydase[1].

BACHRACH isolierte aus Spermidin-adaptierten Zellen von *Serratia marcescens* eine Spermidinoxydase, die streng spezifisch Spermidin und 3,3'-Diamino-dipropylamin oxydativ desaminiert. Alle anderen Substrate der Sperminoxydase werden nicht angegriffen. Die Reaktionsprodukte der Spermidinspaltung Δ^1-Pyrrolin, das aus der Zyklisierung von γ-Aminobutyraldehyd hervorgeht, und Propan-1,3-diamin wurden an Hand von ^{14}C-markierten Spermidinpräparaten identifiziert.

1.5.1.1	L-Prolin:NAD(P)-2-Oxydoreductase	s. S. 760
1.5.1.2	L-Prolin:NAD(P)-5-Oxydoreductase	s. S. 759
1.5.1.3	5,6,7,8-Tetrahydrofolat:NAD(P)-Oxydoreductase	s. Bd. VI/B
1.5.1.5	10-Hydroxymethyltetrahydrofolat:NADP-Oxydoreductase	s. Bd. VI/B
1.5.3.3	Spermin:O_2-Oxydoreductase (Donator spaltend)	s. S. 698

Polyol-Dehydrogenasen, Dehydrogenasen von On- und Uronsäuren, Glucose-Dehydrogenasen.

Von

Siegfried Hollmann*.

A. Polyalkohol-Dehydrogenasen.

I. Tierische Polyalkohol-Dehydrogenasen.

1. Sorbit-Dehydrogenase.

[1.1.1.14 L-Idit:NAD-Oxydoreductase.]

Spezifität[2-5]. Sorbit-Dehydrogenase katalysiert in Gegenwart von DPN+ bzw. DPNH die folgenden Reaktionen:

Ribit ⇌ D-Ribulose
Xylit ⇌ D-Xylulose
D-Sorbit ⇌ D-Fructose
L-Idit ⇌ L-Sorbose
Allit ⇌ D-Allulose
L-Gala-D-glucoheptit ⇌ Perseulose (L-Galaheptulose)
D-Altro-D-glucoheptit ⇌ Sedoheptulose (D-Altroheptulose)

Sie reduziert mit DPNH außerdem L-Erythrulose. Ein Gemisch von Phosphoglycerinaldehyd und Dihydroxyacetonphosphat wird mit etwa 3% der Geschwindigkeit von

---

* Institut für Physiologische Chemie, Medizinische Akademie Düsseldorf.

[1] BACHRACH, V.: J. biol. Ch. **237**, 3443 (1962).
[2] MCCORKINDALE, J., and N. L. EDSON: Biochem. J. **57**, 518 (1954).
[3] WILLIAMS-ASHMAN, H. G., and J. BANKS: Arch. Biochem. **50**, 513 (1954).
[4] HOLZER, H., and H. W. GOEDDE: Biochim. biophys. Acta **40**, 297 (1960).
[5] WILLIAMS-ASHMAN, H. G., J. BANKS and S. K. WOLFSON jr.: Arch. Biochem. **72**, 485 (1957).

Erythrulose reduziert. Die relativen Oxydationsgeschwindigkeiten betragen für: D-Sorbit 100, L-Idit 96, D-Altro-D-glucoheptit 87, Xylit 85, L-Gala-D-glucoheptit 52, Ribit 49, Allit 45[1]. In Gegenwart von DPN$^+$ werden nicht dehydriert: Erythrit, D- und L-Arabit, Dulcit, D-Gulit, D-Idit, D-Mannit, D-Talit, Perseit, Volemit, Cyclite (myo-Inosit, D- und L-Inosit u. a.). In Gegenwart von DPNH werden nicht reduziert: D-Tagatose, D-Mannoheptulose, D-Glucoheptulose, D-Glucose, Fructose-6-phosphat, D,L-Glycerinaldehyd, Dihydroxyaceton, Pyruvat, Hydroxypyruvat, α-Ketoglutarat, Acetaldehyd, Glykolaldehyd. Das gereinigte Enzym ist mit TPN$^+$ bzw. TPNH völlig wirkungslos[1,2]. Wegen der geringen Substratspezifität sind für das Enzym unter anderem die Bezeichnungen L-Idit-Dehydrogenase[1] und Ketose-Reductase[3] vorgeschlagen worden.

Vorkommen. Das Enzym kommt im Lebercytoplasma[2,4] von Ratte, Maus, Meerschweinchen, Kaninchen, Katze, Rind, Pferd, Schwein, Hammel, Taube und Frosch vor. Hammelleber weist die höchste Aktivität auf. Es ist ferner nachgewiesen in den Samenblasen von Bulle[2], Ratte, Meerschweinchen und Hamster[5], in der Koagulationsdrüse und dorsalen Prostata der Ratte[3,5], in der Rattenniere[4] und in Hammel-Spermatozoen[6]. Seine Aktivität in verschiedenen menschlichen Geweben zeigt die Tabelle 1.

Darstellung und Reinigung von Sorbit-Dehydrogenase aus Hammelleber nach HOLZER *und* GOEDDE[2].

Frische Hammelleber wird im Starmix mit dem 20fachen Volumen an kaltem Aceton (vorgekühlt auf −15° C) zerkleinert und auf der Nutsche abgesaugt. Der Rückstand wird im Starmix nochmals in kaltem Aceton verteilt und nach dem Absaugen 60 min auf Filtrierpapier an der Luft bei Zimmertemperatur getrocknet. Das Trockenpulver ist im Kühlraum etwa 4 Wochen ohne wesentlichen Aktivitätsverlust haltbar.

Rohextrakt. 50 g Trockenpulver werden im Mörser bei Zimmertemperatur 10 min mit 500 ml destilliertem Wasser verrieben und dann weitere 30 min mechanisch gerührt. Anschließend wird 30 min bei 27000 × g und 0° C zentrifugiert.

Tabelle 1. *Sorbit-Dehydrogenase-Aktivität in menschlichen Geweben* (nach GERLACH[7]).

Gewebe	Einheiten/mg Frischgewebe
Leber	5,73
Prostata	1,37
Niere	1,24
Milz	0,45
Testes	0,19
Rechter Ventrikel	0,23
Linker Ventrikel	0,10
Skeletmuskel	0,11

Testbedingungen: 1 mg DPNH, 40 mg Fructose in Triäthanolamin-Puffer, p_H 7,4. Endvolumen 3,0 ml. 1 Einheit: $-\Delta E$ von 0,001/min bei 366 mμ, $d = 1$ cm, 24° C.

Säurefällung. Der klare Überstand wird mit 1 n Essigsäure auf p_H 4,65 angesäuert und 20 min bei 27000 × g und 0° C zentrifugiert. Das Dekantat wird mit 1 n Ammoniumhydroxyd auf p_H 7,8 eingestellt und wiederum 20 min bei 27000 × g und 0° C zentrifugiert. Durch diese Säurefällung werden gefärbte Proteide und der Hauptteil der Alkohol-Dehydrogenase entfernt.

1. Äthanolfällung. Zum Überstand wird bei −15° C langsam absoluter Äthanol bis zu einem Gehalt von 45% (v/v) zugefügt. Dann wird 20 min bei 27000 × g und 0° C zentrifugiert und der Äthanolgehalt des Überstandes bei −15° C langsam auf 55% (v/v) erhöht. Der Niederschlag wird durch Zentrifugieren (20 min bei 27000 × g und 0° C) abgetrennt und in so viel 0,01 m Phosphatpuffer, p_H 7,4, gelöst, daß die Proteinkonzentration der Lösung 10—15 mg/ml beträgt.

---

[1] MCCORKINDALE, J., and N. L. EDSON: Biochem. J. **57**, 518, (1954).
[2] HOLZER, H., and H. W. GOEDDE: Biochim. biophys. Acta **40**, 297 (1960).
[3] WILLIAMS-ASHMAN, H. G., and J. BANKS: Arch. Biochem. **50**, 513 (1954).
[4] BLAKLEY, R. L.: Biochem. J. **49**, 257 (1951).
[5] WILLIAMS-ASHMAN, H. G., J. BANKS and S. K. WOLFSON jr.: Arch. Biochem. **72**, 485 (1957).
[6] KING, T. E., and T. MANN: Nature **182**, 868 (1958).
[7] GERLACH, U.: Kli. Wo. **1959**, 93.

Acetonfällung. Zur Lösung in Phosphat wird bei $-15°$ C das gleiche Volumen Aceton zugegeben. Der bei $27\,000 \times g$ und $0°$ C abzentrifugierte Niederschlag kann ohne wesentlichen Aktivitätsverlust bei $-20°$ C im Exsiccator über Nacht aufbewahrt werden.

Behandlung mit Aluminium C_γ-Gel. Der Rückstand wird in 45 ml 0,01 m Phosphatpuffer, p_H 7,4, aufgenommen. Zu der durch Zentrifugieren geklärten Lösung, die etwa 20 mg Protein/ml enthält, wird das doppelte Volumen eines etwa 6 Monate alten Aluminium-C_γ-Gels[1] (Trockengewicht 20 mg/ml) zugefügt. Nach 15 min Rühren wird 30 min bei $27\,000 \times g$ und $0°$ C zentrifugiert.

Fraktionierung an Diäthyl-aminoäthyl-(DEAE-)cellulose. Der Überstand nach Aluminium-C_γ-Gel-Behandlung (etwa 120 ml) wird auf eine mit 20 g DEAE-SF-Cellulosepulver (Firma Serva, 0,4 mÄq/g) gefüllte Säule (7×2 cm) gegeben, die vorher mit 0,01 m Phosphatpuffer, p_H 7,4, behandelt worden ist. Mit dem gleichen Puffer wird anschließend unter Sammeln von 15 ml-Fraktionen eluiert. Die die Sorbit-Dehydrogenase enthaltenden Fraktionen (meistens 3.—10.) werden vereinigt.

2. *Äthanolfällung.* Zu den vereinigten Fraktionen wird bei $-16°$ C Äthanol bis zu einem Gehalt von 55% (v/v) zugesetzt. Der Niederschlag wird durch Zentrifugieren (45 min bei $27\,000 \times g$ und $0°$ C) abgetrennt und in wenig 0,01 m Tris-(hydroxymethyl)-aminomethan-Puffer (= Trispuffer), p_H 7,4, gelöst.

Fraktionierung mit Ammoniumsulfat. Die Lösung in Trispuffer wird durch Zugabe von fein pulverisiertem Ammoniumsulfat zu 40% gesättigt. Nach Abzentrifugieren einer geringen Trübung wird die Ammoniumsulfat-Konzentration im Überstand auf 60% Sättigung erhöht, wobei starker Seidenglanz auftritt. Das durch 45 min Zentrifugieren bei $27\,000 \times g$ und $0°$ C gewonnene Sediment wird in wenig 0,01 m Trispuffer, p_H 7,4, aufgenommen. Dieses Präparat, in dem die Sorbit-Dehydrogenase bei einer Endausbeute von 7,9%, bezogen auf Rohextrakt, 96fach angereichert ist, ist bei $-20°$ C mehrere Monate ohne Aktivitätsverlust haltbar.

Eine etwas bessere Reinigung mit größerer Ausbeute kann erzielt werden, wenn die Acetonfällung und die Behandlung mit Aluminium-C_γ-Gel unterbleiben und wenn bei der zweiten Äthanolfällung nur die zwischen 42 und 52% ausfallende Fraktion verwendet wird[2].

Über die Darstellung eines kristallinen Präparates aus Schafsleber (Anreicherung 188fach, Ausbeute etwa 1%) ist von Smith[3] kurz berichtet worden.

Eigenschaften. Das Enzym ist bei $38°$ C zwischen p_H 5—9 relativ stabil. Bei p_H 3,2 und $0°$ C wird es in wenigen Sekunden völlig inaktiviert[4].

β_{280}/β_{260} beträgt für das aus Leber gereinigte Enzym in 0,033 m Natriumphosphat, p_H 7,4, 1,62[5].

Das aus Ratten-Samenblasen partiell gereinigte Enzym wird in Pyrophosphatpuffer, p_H 9,0, durch 5×10^{-4} m $AgNO_3$ bzw. $HgCl_2$ komplett gehemmt. 2×10^{-4} m 2,3-Dimercaptopropanol hemmt zu 91%, Cystein hat keine Hemmwirkung[6]. 0,02 m Natriumborat hemmt bei p_H 7,8 zu 95%[4]. Hohe Xylit-Konzentrationen hemmen die Dehydrierung dieses Substrates durch das Samenblasen-Enzym[6].

Das p_H-Optimum der Dehydrierung liegt für das Spermatozoen-Enzym bei p_H 8,6[7].

Die Michaelis-Konstanten des aus Leber gereinigten Enzyms betragen für: Sorbit 7×10^{-4} m[4]; Fructose $25-30 \times 10^{-2}$ m; L-Erythrulose $2,5 \times 10^{-2}$ m[8]. Die Gleichgewichtskonstante für die Sorbit-Dehydrierung[5] ist bei $25°$ C $2,05 \times 10^{-9}$.

---

[1] Bauer, E.; in: Bamann-Myrbäck, Bd. II, S. 1449.
[2] Holzer, H.: Private Mitteilung.
[3] Smith, M. G.: Proc. Univ. Otago med. School **38**, 6 (1960).
[4] Blakley, R. L.: Biochem. J. **49**, 257 (1951).
[5] Williams-Ashman, H. G., and J. Banks: Arch. Biochem. **50**, 513 (1954).
[6] Williams-Ashman, H. G., J. Banks and S. K. Wolfson jr.: Arch. Biochem. **72**, 485 (1957).
[7] King, T. E., and T. Mann: Nature **182**, 868 (1958).
[8] Holzer, H., and H. W. Goedde: Biochim. biophys. Acta **40**, 297 (1960).

Bestimmung der Sorbit-Dehydrogenase nach Holzer und Goedde[1].

Reaktionsgleichung:

$$\text{D-Fructose} + \text{DPNH} + \text{H}^+ \rightleftharpoons \text{D-Sorbit} + \text{DPN}^+$$

Die Abnahme der Extinktion bei der Oxydation von DPNH in Gegenwart von Fructose wird bei 366 mμ gemessen.

Der *Testansatz* enthält in einem Gesamtvolumen von 3 ml:
  198 μM Triäthanolamin-Puffer, p_H 7,4,
  48 μM Fructose,
  0,5 mg DPNH,
  Rohextrakt bzw. gereinigtes Enzym.

Im Leerwert wird DPNH weggelassen. Die Reaktion wird durch Zusatz der Fructose gestartet.

Der Test ist anwendbar für die Bestimmung in Rohextrakten (Extrakte aus Acetontrockenpulver, 25000 × g-Überstand von Homogenaten) oder in gereinigten Enzympräparaten.

Als *Einheit* wird diejenige Enzymmenge definiert, die unter den Bedingungen des Testes bei 18—22° C, $d=1$ cm, eine Abnahme der Extinktion um 0,001/min bewirkt.

2. Aldose-Reductase.

[1.1.1.21 Polyol:NADP-Oxydoreductase.]

$$\text{RCHO} + \text{TPNH} + \text{H}^+ \rightleftharpoons \text{RCH}_2\text{OH} + \text{TPN}^+$$

Alle Angaben über dieses Enzym sind den Arbeiten von Hers[2-4] entnommen.

Spezifität. Die Substrate der Aldose-Reductase aus Hammel-Samenblasen sind zusammen mit ihren Michaelis-Konstanten und den relativen, maximalen Reaktionsgeschwindigkeiten in der Tabelle 2 zusammengestellt. Reaktionsform der Zucker ist wahrscheinlich in jedem Fall die freie Aldehydform. Außer Zuckern werden vom Enzym auch aliphatische und aromatische Aldehyde, z.B. Acetaldehyd, Propionaldehyd, Isobutyraldehyd, Benzaldehyd, reduziert. Produkt der Glucose-Reduktion ist D-Sorbit; aus Glucoson entsteht D-Fructose.

Tabelle 2. *Substrate der Aldose-Reductase (nach Hers[2]).*

Substrat	V	K_M (m)
D-Glycerinaldehyd	110	5×10^{-4}
L-Arabinose	56	$1,5 \times 10^{-3}$
D-Ribose	55	2×10^{-3}
D-Xylose	56	$1,5 \times 10^{-3}$
L-Xylose	56	3×10^{-2}
D-Galaktose	43	3×10^{-3}
D-Glucose	51	2×10^{-2}
D-Mannose	60	5×10^{-2}
D-Glucoson	100	4×10^{-4}
D-Glucosamin	30	5×10^{-2}
D-Glucuronolacton	70	3×10^{-4}
L-Fucose	46	2×10^{-2}
D-Rhamnose	38	7×10^{-3}
D-Glycero-L-alloheptose	19	3×10^{-2}
D-Glycero-D-galaktoheptose	30	10^{-2}
D-Glycero-L-galaktoheptose	33	5×10^{-2}
D-Glycero-D-guloheptose	26	2×10^{-2}
D-Glycero-L-mannoheptose	17	3×10^{-2}

Die angegebenen Michaelis-Konstanten sind nur approximativ. V ist ausgedrückt in Prozent der für Glucoson gemessenen, maximalen Reaktionsgeschwindigkeit.

Infolge der niedrigen Michaelis-Konstanten für Glucoson und Glucuronolacton wird die Reduktion von Glucose zu Sorbit in Samenblasenextrakten in Gegenwart von Glucoson oder Glucuronolacton fast vollständig gehemmt.

TPNH kann nicht durch DPNH ersetzt werden.

Vorkommen. Das Enzym kommt in den Samenblasen des Hammels und in der Placenta von Schaf und Kuh, aber nicht in der Placenta von Mensch und Kaninchen vor. Es fehlt in der Leber, Niere und im Gehirn (Ratte). Eine in Extrakten aus Ratten-

---

[1] Holzer, H., and H.W. Goedde: Biochim. biophys. Acta **40**, 297 (1960).
[2] Hers, H. G.: Biochim. biophys. Acta **37**, 120 (1960).
[3] Hers, H. G.: Biochim. biophys. Acta **22**, 202 (1956).
[4] Hers, H. G.: Biochim. biophys. Acta **37**, 127 (1960).

und Kälberlinsen nachgewiesene Dehydrogenase[1,2], die in Gegenwart von TPNH D-Xylose zu Xylit und ferner Glucose und Galaktose reduziert, ist möglicherweise mit dem Samenblasen-Enzym identisch. Eine ähnliche Reductase der Leber (s. S. 721) ist indessen gegenüber Aldopentosen und Hexosen inaktiv.

Darstellung von Aldose-Reductase aus Hammel-Samenblasen nach HERS[3].

Die vom Schlachthof frisch bezogenen Samenblasen werden im Starmix in 2 Volumenteilen kaltem Wasser homogenisiert. Aus dem Homogenat wird durch Zentrifugieren (1500000 g/min, z.B. 30 min bei 50000 × g) ein klarer Extrakt gewonnen. Das Sediment wird verworfen. Der Extrakt kann nötigenfalls im Kühlraum gegen 0,003 m Phosphatpuffer, p_H 7,4, dialysiert werden.

Zur Inaktivierung der in diesem Rohextrakt enthaltenen Sorbit-Dehydrogenase wird der Extrakt 15 min bei 18° C in Gegenwart von 0,01 m Äthylendiamintetraacetat inkubiert.

Eine weitgehende Reinigung des Enzyms ist bisher nicht gelungen. Eine gewisse Reinigung läßt sich durch Adsorption inaktiven Proteins an Kohle oder Diaminoäthylcellulose erzielen. Die relativen Aktivitäten des Enzyms gegenüber verschiedenen Aldosen bleiben dabei unverändert.

Eigenschaften. Das Enzym, das durch Erhitzen auf 55° C zerstört wird, wird durch Zusatz von TPN$^+$ gegen diese Denaturierung geschützt. Es ist löslich in Ammoniumsulfatlösungen von 55% Sättigung.

Sulfationen (zugesetzt als Natrium- oder Ammoniumsulfat) aktivieren das Enzym, maximal bei 0,4 m. Das Ausmaß der Aktivierung ist sehr unterschiedlich für die verschiedenen Substrate und beträgt 15—150%.

Bestimmung der Aldose-Reductase.

Reaktionsgleichung:

$$\text{Glucose} + \text{TPNH} + \text{H}^+ \rightleftharpoons \text{Sorbit} + \text{TPN}^+$$

Da die verwendeten Extrakte Glucose-6-phosphat-Dehydrogenase enthalten, kann TPNH in der Reaktion durch Glucose-6-phosphat + TPN$^+$ ersetzt werden. Nach Zugabe von TPN$^+$ und einer begrenzten Menge von Glucose-6-phosphat wird abgewartet, bis letzteres vollständig dehydriert ist, und dann erst Glucose zugefügt. Die nun einsetzende Reoxydation des TPNH wird bei 340 mμ verfolgt. Um einen weiteren Umsatz des entstehenden Sorbits zu verhindern, muß die Sorbit-Dehydrogenase in den verwendeten Extrakten zuvor durch Behandlung mit Äthylendiamintetraacetat inaktiviert werden.

Testansatz. In eine 3 ml-Küvette, Schichtdicke 1 cm, werden eingefüllt:
  50 μM Phosphatpuffer, p_H 7,0,
  0,2 μM Glucose-6-phosphat,
  0,5 μM TPN$^+$,
  0,2 ml Hammel-Samenblasenextrakt (vorinkubiert mit Äthylendiamintetraacetat, s. unter Darstellung).

Das Volumen wird mit Wasser auf 2,8 ml ergänzt.

Nachdem bei 18° C eine konstante Extinktion bei 340 mμ erreicht worden ist, werden 0,2 ml einer 15%igen Glucoselösung (= 30 mg) zugesetzt. Die initiale Abnahme der Extinktion bei 340 mμ/min kann als Maß der Aldose-Reductase-Aktivität gewertet werden.

Im Leerwert wird TPN$^+$ weggelassen.

3. TPN-Xylit-(L-Xylulose)-Dehydrogenase.

[1.1.1.10 Xylit:NADP-Oxydoreductase (L-Xylulose-bildend).]

Vorkommen und Spezifität. Das bisher nur in der Meerschweinchenleber, und zwar in den strukturierten Anteilen der Mitochondrien, sicher nachgewiesene Enzym

---
[1] VAN HEYNINGEN, R.: Nature **184**, 194 (1959).
[2] VAN HEYNINGEN, R.: Biochem. J. **73**, 197 (1959).
[3] HERS, H. G.: Biochim. biophys. Acta **37**, 120 (1960).

katalysiert unter absolutem Bedarf für TPN außer der ursprünglich nachgewiesenen Reaktion[1-4]

$$\text{Xylit} + \text{TPN}^+ \rightleftharpoons \text{L-Xylulose} + \text{TPNH} + \text{H}^+$$

nach Batt u. Mitarb.[5] mit geringerer Geschwindigkeit ferner die Reaktion

$$\text{D-Threit} + \text{TPN}^+ \rightleftharpoons \text{D-Erythrulose} + \text{TPNH} + \text{H}^+$$

Darstellung und Reinigung aus Meerschweinchenleber nach Hickman *und* Ashwell[3].

Rohextrakt. 5 g Meerschweinchenleber-Acetontrockenpulver werden in 100 ml destilliertem Wasser suspendiert und 10 min bei Zimmertemperatur verrührt. Der durch Zentrifugieren gewonnene, klare, dunkelgefärbte Überstand muß wegen der Instabilität des Enzyms in diesem Stadium unverzüglich weiter verarbeitet werden.

Säurefällung. Der Rohextrakt wird im siedenden Wasserbad rasch auf 50° C erwärmt, in einem zweiten, konstant temperierten Wasserbad 5 min bei dieser Temperatur gehalten und danach sofort in Eis auf Zimmertemperatur abgekühlt. Der nach Einstellen des p_H auf 5,8 mit 1 n Essigsäure ausfallende Niederschlag wird abzentrifugiert und verworfen.

Behandlung mit Calciumphosphat-Gel[6]. Im Überstand der Säurefällung (enthaltend 575 mg Protein) wird die gleiche Gewichtsmenge (575 mg Trockensubstanz) Calciumphosphat-Gel suspendiert. Zwecks Vermeidung einer Verdünnung wird das Gel vor dem Zusatz abzentrifugiert (z.B. 96 ml eines Gels, enthaltend 6 mg Trockensubstanz/ml = 576 mg). Die Suspension bleibt 10 min bei 0° C stehen und wird danach zentrifugiert. Der Gel-Rückstand wird verworfen.

Fällung mit Ammoniumsulfat. Zum klaren, strohgelb gefärbten Dekantat wird das gleiche Volumen einer kalten (2°C), gesättigten, mit konz. NH_4OH auf p_H 8,0 eingestellten Ammoniumsulfatlösung zugegeben. Nach 15 min Stehen bei 0° C wird das gefällte Protein abzentrifugiert und in einer kleinen Menge Wasser gelöst.

Fraktionierung mit Aceton. 5 ml dieser Lösung werden in einer Alkohol-Eismischung auf 0° C gekühlt und langsam unter Erniedrigung der Temperatur auf $-8°$ C mit 5 ml Aceton (vorgekühlt auf $-14°$ C) versetzt. Der ausfallende Niederschlag, der etwa 20% der Gesamtaktivität des Enzyms enthält, wird abzentrifugiert und verworfen. Zu dem 50% Aceton enthaltenden Überstand werden in gleicher Weise weitere 5 ml Aceton zugegeben. Das gefällte Protein wird sofort abzentrifugiert und in 2 ml Wasser gelöst.

Die mit dieser Methode erzielbare Reinigung ist etwa 100—110fach bei einer Ausbeute von 25% (bezogen auf Rohextrakt).

Eigenschaften[3,4]. Das Enzym ist im Rohextrakt sehr instabil. Die durch Ammoniumsulfat- und Acetonfällung gewonnenen Fraktionen können indessen mehrere Tage bei Eisschranktemperatur ohne wesentlichen Aktivitätsverlust aufbewahrt werden.

Das p_H-Optimum für die Xylulose-Reduktion liegt bei 7,0. Gereinigte Präparate benötigen Cystein (optimal 10^{-3} m) für maximale Aktivität. Das Enzym wird durch p-Chlormercuribenzoat bei 2×10^{-4} m zu 89%, bei 10^{-3} m komplett gehemmt. 28% der Hemmung können durch 5×10^{-3} m Glutathion wieder aufgehoben werden. Äthylendiamintetraacetat hemmt nicht. Für einen Metallbedarf liegt kein Anhalt vor.

Die Gleichgewichtskonstante für die Xylit-Oxydation beträgt $2,97 \times 10^{-11}$. Die Michaelis-Konstanten betragen: für Xylit $2,54 \times 10^{-2}$ m, für L-Xylulose $2,9 \times 10^{-4}$ m.

Bestimmung der TPN-Xylit-(L-Xylulose)-Dehydrogenase nach Hickman *und* Ashwell[3].

Die bei Zusatz von L-Xylulose erfolgende TPNH-Oxydation wird bei 340 mμ gemessen.

---

[1] Hollmann, S., and O. Touster: Am. Soc. **78**, 3544 (1956).
[2] Hollmann, S., and O. Touster: J. biol. Ch. **225**, 87 (1957).
[3] Hickman, J., and G. Ashwell: J. biol. Ch. **234**, 758 (1959).
[4] Hollmann, S.: H. **317**, 193 (1959).
[5] Batt, R. D., F. Dickens and D. H. Williamson: Biochem. J. **77**, 272 (1960).
[6] Keilin, D., and E. F. Hartree: Proc. R. Soc. London (B) **124**, 397 (1938).

Der *Testansatz* enthält in einem Endvolumen von 1,0 ml:

    40   μM Tris-(hydroxymethyl)-aminomethan-Puffer, p_H 7,0,
    1,0 μM Cystein,
    5,0 μM $MgCl_2$,
    0,10 μM TPNH,
    1,0 μM L-Xylulose*,
    Enzym, etwa 0,05—0,1 Einheiten.

Im Leerwert wird TPNH durch Wasser ersetzt. Die Reaktion wird durch Zusatz der L-Xylulose gestartet.

Als Einheit wird diejenige Enzymmenge definiert, die unter den beschriebenen Bedingungen des Testes bei 20—22° C, $d = 1$ cm, eine Extinktionsabnahme um 1,0/min bewirkt. Spezifische Aktivität ist ausgedrückt als Einheiten/mg Protein. Protein wird nach LOWRY et al.[1] bestimmt.

Der Test ist sowohl für die Bestimmung in Rohextrakten als auch in den gereinigten Präparaten geeignet.

4. DPN-Xylit-(D-Xylulose)-Dehydrogenase.
[1.1.1.9 Xylit:NAD-Oxydoreductase (D-Xylulose-bildend)].

Vorkommen und Spezifität[2,3]. Das Enzym wurde bisher nur in der Meerschweinchenleber nachgewiesen. Es ist ebenso wie die TPN-Xylit-(L-Xylulose)-Dehydrogenase in den strukturierten Anteilen der Mitochondrien lokalisiert.

Die Substratspezifität des Enzyms ist die gleiche wie die der Sorbit-Dehydrogenase (s. S. 704). Durch die unterschiedliche celluläre Lokalisation, Unterschiede der relativen Oxydationsgeschwindigkeiten der Polyalkohol-Substrate und Unterschiede der kinetischen Konstanten sind diese beiden Dehydrogenasen aber als verschiedene Enzyme charakterisiert.

Die relativen Oxydationsgeschwindigkeiten (bezogen auf Xylit = 100) betragen für: L-Idit 115, D-Sorbit 110, Xylit 100, D-Altro-D-glucoheptit 58, Ribit 48, Allit 29, L-Threit 26. Das Verhältnis der Aktivitäten gegenüber diesen Polyalkoholen bleibt während der Reinigung des Enzyms unverändert. Die für ein Substrat erforderliche Konfiguration ist die eines D-*erythro*-1,2,4-Polyalkohols. Aus diesem Grunde ist statt der bisher gebrauchten Bezeichnung DPN-Xylit-(D-Xylulose)-Dehydrogenase[4] die unmißverständliche Bezeichnung DPN-D-*erythro*-1,2,4-Polyol-Dehydrogenase vorgeschlagen worden[3].

Spezifischer Wasserstoffacceptor des Enzyms ist DPN^+.

Darstellung und Reinigung von DPN-Xylit-(D-Xylulose)-Dehydrogenase aus Meerschweinchenleber nach HOLLMANN[3].

Wegen des Vorkommens der annähernd homospezifischen Sorbit-Dehydrogenase im Lebercytoplasma muß die Darstellung der DPN-Xylit-(D-Xylulose)-Dehydrogenase von Suspensionen reiner Mitochondrien ausgehen. Der gesamte Arbeitsgang wird im Kühlraum bei 0 bis $+2°$ C durchgeführt.

Rohextrakt. In Eis gekühlte und mit der Schere grob zerkleinerte Meerschweinchenleber wird im Glashomogenisator mit motorbetriebenem Teflonpistill in 0,25 m Saccharoselösung homogenisiert. Zu dem durch zweimaliges Zentrifugieren (je 5 min) des Homogenates bei 600 × g gewonnenen Überstand wird $^1/_{10}$ seines Volumens 1,5 m KCl zugesetzt.

---

* Dargestellt aus L-Xylose durch Isomerisierung in Pyridin[5–7].
[1] LOWRY, O. H., N. J. ROSEBROUGH, A. L. FARR and R. J. RANDALL: J. biol. Ch. **193**, 265 (1951).
[2] HOLLMANN, S., and O. TOUSTER: J. biol. Ch. **225**, 87 (1957).
[3] HOLLMANN, S.: H. **317**, 193 (1959).
[4] HICKMAN, J., and G. ASHWELL: J. biol. Ch. **234**, 758 (1959).
[5] SCHMIDT, O. T., u. R. TREIBER: B. **66**, 1765 (1933).
[6] TOUSTER, O., V. H. REYNOLDS and R. M. HUTCHESON: J. biol. Ch. **221**, 697 (1956).
[7] HICKMAN, J., and G. ASHWELL: J. biol. Ch. **232**, 737 (1958).

10 min nach dem Zusatz werden aus dieser Suspension die Mitochondrien durch Zentrifugieren bei 1600 × g isoliert und anschließend dreimal in 0,15 m KCl/0,015 m NaHCO$_3$ resuspendiert. Die gewaschenen Mitochondrien werden in destilliertem Wasser suspendiert, bleiben 1 Std bei 0° C stehen und werden danach im Glashomogenisator rupturiert. Die strukturierten Anteile der Mitochondrien werden durch Zentrifugieren bei 13000 × g von der löslichen Fraktion getrennt und in 0,02 m Natriumphosphatpuffer, p_H 7,92—7,98, suspendiert. Zu der auf —1° C gekühlten Suspension wird während 80—90 min kaltes n-Butanol aus einer Bürette unter ständigem Rühren in einer Gesamtmenge von 40% des Suspensionsvolumens zugesetzt. Während dieser Zeit wird die Außentemperatur allmählich auf —5° C gesenkt. Nach Abschluß des Butanolzusatzes wird bei —5° C 30 min weitergerührt. Die dabei resultierende Emulsion wird durch Zentrifugieren (30 min bei 21000 × g und —8° C) entmischt. Die Butanolphase, die von der wäßrigen Phase durch eine kompakte Schicht von denaturiertem Protein getrennt ist, wird dekantiert und verworfen. Aus der filtrierten, wäßrigen Schicht wird durch Gefriertrocknung ein Trockenpräparat gewonnen, das bei —15° C ohne Aktivitätsverlust mehrere Wochen aufbewahrt werden kann.

Die Rohenzymlösung wird durch Auflösen des Trockenrückstandes in einer 50% des ursprünglichen Lebergewichtes entsprechenden Menge destillierten Wassers hergestellt. Die Lösung ist unter Umständen zu filtrieren.

Dialyse. Der Rohextrakt wird bei 0 bis +2° C in Cellulose-Dialysierschläuchen 14 Std gegen etwa 6 l fließenden, destillierten Wassers auf einer Schaukel dialysiert. Wahrscheinlich infolge Entfernung hemmender SH-Verbindungen steigt dabei die spezifische Aktivität des Enzyms um durchschnittlich 52% an.

Calciumphosphat-Gel-Adsorption. Zum dialysierten Rohextrakt, p_H 6,6, wird tropfenweise unter Schütteln Calciumphosphatgel[1] (2 mg Gel-Trockensubstanz/mg Protein) zugesetzt. Nach 15 min Stehen in Eis unter gelegentlichem Schütteln wird das Gel abzentrifugiert. Im günstigsten Fall werden 91% des Enzyms an das Gel adsorbiert. Wenn ein Probetest am Dekantat eine Adsorption von weniger als 70% des Enzyms anzeigt, was bei Verwendung von länger als 12 Monate „gealtertem" Gel der Fall ist, wird am Dekantat eine zweite Gel-Behandlung vorgenommen, jedoch nur mit 0,65 mg Gel/mg Protein im dialysierten Rohextrakt. Nach einmaligem Auswaschen des ersten Gel-Rückstandes mit destilliertem Wasser werden die beiden Gel-Rückstände vereinigt und sechsmal mit 0,1 m Natriumphosphatpuffer, p_H 7,18, eluiert.

1. Ammoniumsulfat-Fällung. Zu den vereinigten Eluaten wird bei 0° C unter Rühren $^1/_3$ ihres Volumens kaltgesättigte, mit konz. NH$_4$OH auf p_H 7,1 eingestellte Ammoniumsulfatlösung zugesetzt. Das ausgefällte Protein wird nach 40 min abzentrifugiert und verworfen. Durch Zusatz von pulverisiertem Ammoniumsulfat zum Überstand wird die Ammoniumsulfat-Konzentration von 25 auf 65% Sättigung erhöht. Der Niederschlag wird 30 min später abzentrifugiert und in destilliertem Wasser gelöst.

Acetonfällung. Die Lösung der Ammoniumsulfat-Fällung wird auf 0° C gekühlt und langsam unter Senkung der Temperatur auf —7° C mit $^3/_7$ ihres Volumens Aceton (vorgekühlt auf —18° C) versetzt. Der ausfallende Niederschlag wird 10 min später bei —8° C abzentrifugiert und verworfen. Im Überstand wird die Acetonkonzentration von 30 auf 50% erhöht unter weiterer Erniedrigung der Temperatur auf —10° C. Das ausfallende Protein wird nach 5 min bei —11° C abzentrifugiert, in 0,005 m Natriumphosphatpuffer, p_H 6,93—7,0, suspendiert und 14 Std bei 1° C gegen 3 l des gleichen Puffers dialysiert. Ein nach der Dialyse verbleibender, ungelöster Rückstand wird abzentrifugiert.

Behandlung mit Diäthylaminoäthyl-(DEAE-)Cellulose. DEAE-SF-Cellulose (Firma Serva, 10 µÄq/mg Protein der Acetonfraktion) wird mit 0,25 n NaOH zunächst in die

---

[1] KEILIN, D., and E. F. HARTREE: Proc. R. Soc. London (B) **124**, 397 (1938).

Hydroxylform umgesetzt, dann mit destilliertem Wasser und solange mit 0,005 m Natriumphosphatpuffer, p_H 6,93—7,0, gewaschen, bis der p_H des Dekantates mit dem des Phosphatpuffers übereinstimmt. Der so vorbehandelte Anionenaustauscher wird in der Acetonfraktion suspendiert und nach 10 min abzentrifugiert. Der Rückstand wird dreimal mit dem 0,005 m Phosphatpuffer, p_H 6,93—7,0, gewaschen. Die drei Waschflüssigkeiten werden mit dem ersten Dekantat vereinigt.

2. *Ammoniumsulfat-Fällung.* Die vereinigten Lösungen werden durch Zugabe von fein pulverisiertem Ammoniumsulfat zu 30% gesättigt. Nach Abzentrifugieren eines geringen Niederschlages wird die Ammoniumsulfat-Konzentration im Überstand auf 60% Sättigung erhöht. Das ausfallende Protein wird abzentrifugiert und in so viel Wasser gelöst, daß 0,1 ml der klaren, farblosen Lösung 10—15 Einheiten des Enzyms enthält. Diese Lösung, in der das Enzym bei einer Endausbeute von 38% 40fach angereichert ist (beides bezogen auf den dialysierten Rohextrakt) ist bei 0° C mehrere Wochen ohne wesentlichen Aktivitätsverlust haltbar. Die gereinigten Präparate sind absolut frei von TPN-Xylit-(L-Xylulose)-Dehydrogenase.

Tabelle 3. *Gleichgewichtskonstanten der Oxydation von Polyalkoholen durch die DPN-Xylit-(D-Xylulose)-Dehydrogenase und* MICHAELIS-*Konstanten für die gleichen Polyalkohole* (nach HOLLMANN[1]).

Polyalkohol	K	K_M (m)
L-Threit	$6{,}91 \times 10^{-12}$	$1{,}24 \times 10^{-2}$
Xylit	$4{,}18 \times 10^{-11}$	$5{,}96 \times 10^{-4}$
Ribit	$1{,}75 \times 10^{-11}$	$1{,}78 \times 10^{-2}$
D-Sorbit	$4{,}19 \times 10^{-10}$	$3{,}38 \times 10^{-3}$
L-Idit	$4{,}23 \times 10^{-10}$	$4{,}18 \times 10^{-3}$
Allit	$1{,}44 \times 10^{-11}$	$3{,}70 \times 10^{-2}$
D-Altro-D-glucoheptit	$5{,}54 \times 10^{-11}$	$1{,}47 \times 10^{-2}$

Eigenschaften[1]. $\beta_{280}/\beta_{260 m\mu}$ beträgt für das reinste Präparat in 0,02 m Phosphat, p_H 7,2, 1,58; Extinktionskoeffizient $\beta_{278 m\mu} = 0{,}87$.

2×10^{-4} m p-Chlormercuribenzoat hemmt komplett, 5×10^{-3} m Glutathion hebt 13% dieser Hemmung wieder auf. Das Enzym wird durch $2{,}5 \times 10^{-3}$ m 8-Hydroxychinolin ebenfalls vollständig gehemmt. $2{,}5 \times 10^{-3}$ m Cystein hemmt im Mittel 34%. Gleichzeitiger Zusatz von $2{,}5 \times 10^{-4}$ m Zinksulfat hebt nicht nur die Hemmung durch Cystein auf, sondern steigert die Aktivität über den unter Standardbedingungen gemessenen Wert.

Die Gleichgewichtskonstanten für die Oxydation der Polyalkohole und ihre MICHAELIS-Konstanten sind in der Tabelle 3 zusammengefaßt. Aus diesen Werten ergibt sich eine Abhängigkeit der Höhe der Gleichgewichtskonstanten von der Kettenlänge des Polyols. Da die MICHAELIS-Konstante für Xylit am niedrigsten ist, ist dieser Polyalkohol als natürliches Substrat des Enzyms anzusprechen. Hohe Xylit-Konzentrationen hemmen das Enzym. Die optimale Konzentration für Xylit liegt bei 4—8 $\times 10^{-3}$ m.

Bestimmung der DPN-Xylit-(D-Xylulose)-Dehydrogenase nach HOLLMANN[1].
Reaktionsgleichung:

$$\text{Xylit} + \text{DPN}^+ \rightleftharpoons \text{D-Xylulose} + \text{DPNH} + \text{H}^+$$

Die Initialgeschwindigkeit der DPN-Reduktion wird bei 340 mμ gemessen.

Als Einheit ist die Enzymmenge definiert, die unter den Testbedingungen bei 23° C, $d = 1$ cm, eine Extinktionszunahme bei 340 mμ um 0,001 in der Zeit von der 60.—120. sec nach DPN$^+$-Zusatz bewirkt. Spezifische Aktivität ist ausgedrückt als Einheiten/mg Protein. Protein wird nach LOWRY et al.[2] bestimmt.

Der *Testansatz* enthält in einem Endvolumen von 3,0 ml:

150   μM Tris-(hydroxymethyl)-aminomethan-Puffer, p_H 8,10,
24   μM MgCl$_2$,

---

[1] HOLLMANN, S.: H. **317**, 193 (1959).
[2] LOWRY, O. H., N. J. ROSEBROUGH, A. L. FARR and R. J. RANDALL: J. biol. Ch. **193**, 265 (1951).

19,7 μM Xylit*,
0,394 μM DPN$^+$,

Enzymlösung, enthaltend etwa 10 Einheiten.

Der Leerwert enthält keinen Xylit. Die Reaktion wird durch Zusatz des DPN$^+$ gestartet.

Der Test ist zur Aktivitätsmessung in jedem Reinheitsgrad des Enzyms anwendbar.

5. TPN-spezifische Glycerin-Dehydrogenase der Leber.

Alle Angaben über dieses Enzym sind der Arbeit von MOORE[1] entnommen.

Vorkommen und Spezifität. Das in der Rattenleber nachgewiesene Enzym oxydiert in Gegenwart von TPN$^+$ bei p_H 9,5 folgende Hydroxyverbindungen in 0,1 m Konzentrationen mit den angegebenen, relativen Geschwindigkeiten: 2-Amino-2-methyl-1,3-propandiol (200), Glycerin (100), Tris-(hydroxymethyl)-aminomethan und 2-Amino-2-methyl-1-propanol (66). Äthanol wird nicht oxydiert. In Gegenwart von TPNH werden bei p_H 7,0 vom Enzym reduziert: D-Glycerinaldehyd > D,L-Glycerinaldehyd (100), Dihydroxyaceton (< 20).

Eine in der Leber angenommene DPN-spezifische Glycerin-Dehydrogenase[2,3] ist von HOLZER u. Mitarb.[4,5] als Alkohol-Dehydrogenase identifiziert worden.

Darstellung von TPN-spezifischer Glycerin-Dehydrogenase aus Rattenleber.

Normale Rattenleber wird durchströmt und in 0,25 m Saccharoselösung homogenisiert. 20 ml des durch Zentrifugieren gewonnenen Überstandes (enthaltend etwa 200 mg Protein) werden nach Dialyse gegen 0,005 m Phosphatpuffer, p_H 8,0, an einer Diäthylaminoäthyl-cellulosesäule (1,1 × 30 cm) chromatographiert. Nach der Elution locker adsorbierter Proteine mit 150 ml 0,005 m Phosphatpuffer, p_H 8,0, wird mit einem konkaven Chloridgradienten bis zu einer Konzentration von 1,0 m eluiert[6]. Die TPN-spezifische Dehydrogenase wird zwischen 80 und 120 ml eluiert. Die durch die Chromatographie erzielte Reinigung ist 40—50fach. Einzelheiten des Darstellungsverfahrens wurden noch nicht mitgeteilt.

Eigenschaften. Das p_H-Optimum der TPNH-Oxydation liegt unterhalb 7,0, das p_H-Optimum der TPN-Reduktion beträgt 9,5. Das Gleichgewicht der Reaktion Glycerin ⇌ D-Glycerinaldehyd liegt stark zugunsten des Glycerins. Die MICHAELIS-Konstanten betragen bei 38° C für: Glycerin 0,63 m, 2-Amino-2-methyl-1,3-propandiol 0,13 m, D-Glycerinaldehyd $6,2 \times 10^{-4}$ m, TPN$^+$ (in Gegenwart von 2-Amino-2-methyl-1,3-propandiol) $1,7 \times 10^{-4}$ m.

10^{-5} m p-Chlormercuribenzoat hemmt zu 95%.

Bestimmung der TPN-spezifischen Glycerin-Dehydrogenase nach MOORE[1].

Reaktionsgleichung:

$$\text{D,L-Glycerinaldehyd} + \text{TPNH} + \text{H}^+ \rightleftharpoons \text{Glycerin} + \text{TPN}^+$$

Die bei Glycerinaldehyd-Zusatz erfolgende TPNH-Oxydation wird bei 340 mμ gemessen.

---

* Dargestellt aus D-Xylose durch Reduktion mit Raney Nickel[7].
[1] MOORE, B. W.: Am. Soc. **81**, 5837 (1959).
[2] WOLF, H. P., u. F. LEUTHARDT: Helv. **36**, 1463 (1953).
[3] LEUTHARDT, F., u. H. P. WOLF: Helv. **37**, 1732 (1954).
[4] HOLZER, H., S. SCHNEIDER u. K. LANGE: Angew. Chem. **67**, 276 (1955).
[5] HOLZER, H., u. S. SCHNEIDER: Kli. Wo. **1955**, 1006.
[6] MOORE, B. W.: Fed. Proc. **18**, 289 (1959).
[7] HOLLMANN, S., and O. TOUSTER: J. biol. Ch. **225**, 87 (1957).

Testansatz. Eine Küvette, $d = 1$ cm, enthält in einem Endvolumen von 3,0 ml:
  60   µM Triäthanolaminpuffer, p_H 7,0,
  300 µM D,L-Glycerinaldehyd,
  0,3 µM TPNH (fehlt im Leerwert),
  Enzymlösung.

Die nach Glycerinaldehyd-Zusatz bei 38° C stattfindende initiale Abnahme der Extinktion bei 340 mµ/min wird als Maß der Enzymaktivität gewertet. Bei vergleichenden Aktivitätsbestimmungen kann auch bei 20° C gemessen werden.

II. Bakterielle Polyalkohol-Dehydrogenasen.

Von den bakteriellen Polyalkohol- und Polyalkoholphosphat-Dehydrogenasen sind im folgenden nur die Ribit- und Mannit-1-phosphat-Dehydrogenase ausführlich besprochen, da diese beiden Dehydrogenasen für die spezifische, enzymatische Bestimmung von D-Ribulose und D-Fructose-6-phosphat verwendet werden können. Die übrigen, zum Teil erst unvollkommen charakterisierten, bakteriellen Polyalkohol-Dehydrogenasen sind in Tabelle 4 zusammengestellt.

1. Ribit-Dehydrogenase[1,2].

Vorkommen und Spezifität. *Aerobacter aerogenes* enthält nach Vorzüchtung in Ribit eine adaptive Ribit-Dehydrogenase, die spezifisch folgende Reaktion katalysiert:

$$\text{Ribit} + \text{DPN}^+ \rightleftharpoons \text{D-Ribulose} + \text{DPNH} + \text{H}^+$$

In Gegenwart von DPN⁺ werden nicht dehydriert: D-Sorbit, Dulcit, Xylit, Ribit-1-phosphat, in Gegenwart von DPNH nicht reduziert: L-Ribulose, D- und L-Arabinose, D-Fructose. TPN⁺ kann DPN⁺ nicht ersetzen.

Darstellung und Reinigung von Ribit-Dehydrogenase nach NORDLIE *und* FROMM[1,2].

Vorzüchtung und Herstellung des Extraktes. *Aerobacter aerogenes (ATCC 9621)* wird 48 Std in einem anorganischen Salzmedium[3], enthaltend 0,4% Glucose und 0,06% Ribit, bei 37° C unter Schütteln vorgezüchtet. Die durch Zentrifugieren bei +3° C gesammelten Zellen werden viermal mit kaltem 0,1 m Tris-(hydroxymethyl)-aminomethan-Puffer, p_H 7,4, gewaschen und danach im gleichen Puffer suspendiert (30 ml/10 g Feuchtgewicht). Die mit 1 g Glasperlen/ml Puffer versetzten Suspensionen werden durch Ultraschallbehandlung aufgeschlossen (z. B. 30 min im 9 kHz-Raytheon-Gerät). Alle folgenden Operationen werden bei +3° C ausgeführt. Alle Puffer werden bei Zimmertemperatur auf den gewünschten p_H eingestellt und dann auf 3° C gekühlt.

Streptomycin-Behandlung. Zu 30 ml des aus 10 g Frischzellen gewonnenen zellfreien Extraktes werden 35 ml 0,1 m Trispuffer, p_H 7,4, und langsam unter Rühren 13 ml 5% Streptomycinsulfat zugefügt. Der ausfallende Niederschlag wird nach 10 min Stehen abzentrifugiert (10 min bei 10000 × g).

Säurefällung. Der Überstand nach Streptomycin-Behandlung wird mit 0,1 n Essigsäure auf p_H 6,2 eingestellt und unter kräftigem Rühren 20 min in einem Wasserbad von 40° C exponiert. Der durch 10 min Zentrifugieren bei 10000 × g abgetrennte Niederschlag wird verworfen.

Fraktionierung mit Ammoniumsulfat. Der Überstand nach Säurefällung wird durch langsamen Zusatz von 0,1 n KOH auf p_H 7,15 eingestellt und durch Zusatz von festem Ammoniumsulfat unter Rühren zu 30% gesättigt. Das gefällte Protein wird 5 min später bei 13000 × g abgetrennt und verworfen. Im Überstand wird die Ammoniumsulfat-

---
[1] FROMM, H. J.: J. biol. Ch. **233**, 1049 (1958).
[2] NORDLIE, R. C., and H. J. FROMM: J. biol. Ch. **234**, 2523 (1959).
[3] LIEBERMAN, I.: J. biol. Ch. **223**, 327 (1956).

Tabelle 4. *Bakterielle Polyalkohol- und Polyalkoholphosphat-Dehydrogenasen.*

Name	Vorkommen	Wasserstoffacceptor	Katalysierte Reaktion	Aktivatoren, Inhibitoren	Kinetische Konstanten	Lit. Zit.
Glycerin-Dehydrogenase	*Aerobacter aerogenes, E. coli, Acetobacter suboxydans*	DPN	Glycerin ⇌ Dihydroxyaceton	p-CMB* und Schwermetalle hemmen	K_s für: DPN = $2{,}6 \times 10^{-4}$ m, Glycerin = $1{,}07 \times 10^{-2}$ m	1–3
Xylit-Dehydrogenase	*Penicillium chrysogenum*	DPN	Xylit ⇌ D-Xylulose	Mg^{++} stimuliert		4
D-Xylose-Reductase	*Penicillium chrysogenum*	TPN	Xylit ⇌ D-Xylose	Fluorid, Zn^{++}, p-CMB hemmen; p-CMB-Hemmung aufgehoben durch Glutathion und Cystein	K_s für: D-Xylose = 9×10^{-2} m, TPNH = $2{,}2 \times 10^{-5}$ m	4
Galaktit-Dehydrogenase	*Pseudomonas fluorescens*	DPN	Galaktit ⇌ D-Tagatose, D-Sorbit ⇌ D-Fructose		K_M Galaktit = 1×10^{-2} m	5
DPN-D-Mannit-Dehydrogenase	*Pseudomonas fluorescens, Acetobacter suboxydans, Candida utilis*	DPN	D-Mannit ⇌ D-Fructose			5–7
DPN-Sorbit-Dehydrogenase	*Acetobacter suboxydans*	DPN	D-Sorbit ⇌ D-Fructose	Gehemmt durch Hg^{++}, p-CMB; Mg^{++} oder Mn^{++} stimulieren		8, 9
TPN-Sorbit-Dehydrogenase	*Acetobacter suboxydans*	TPN	D-Sorbit ⇌ L-Sorbose			9, 10
D-Sorbit-6-phosphat-Dehydrogenase	*Lactobacillus casei*	DPN	D-Sorbit-6-phosphat ⇌ D-Fructose-6-phosphat	p-CMB und Schwermetalle hemmen	K_s für: Sorbit-6-phosphat = $2{,}9 \times 10^{-5}$ m, DPN = $5{,}4 \times 10^{-5}$ m. $K_e = 1{,}07 \times 10^{-9}$	11

* p-CMB = p-Chlormercuribenzoat.

Sättigung durch Zusatz von Ammoniumsulfat in Substanz auf 45% erhöht und das gefällte Protein nach 10 min durch Zentrifugieren bei 13000 × g abgetrennt. Der Rückstand wird in so viel 0,1 m Tris-(hydroxymethyl)-aminomethan-Puffer, p_H 7,4, gelöst, daß die Eiweißkonzentration der resultierenden Lösung etwa 8 mg/ml beträgt. Diese Lösung wird 6 Std gegen 0,01 m Trispuffer, p_H 7,4, unter Schütteln dialysiert und danach 15 min bei 15000 × g zentrifugiert.

---

[1] ASNIS, R. E., and A. F. BRODIE: J. biol. Ch. **203**, 153 (1953).
[2] BURTON, R. M., and N. O. KAPLAN: Am. Soc. **75**, 1005 (1953).
[3] BURTON, R. M.; in: Colowick-Kaplan, Meth. Enzymol. Bd. I, S. 397.
[4] CHIANG, C., and S. G. KNIGHT: Biochim. biophys. Acta **35**, 454 (1959).
[5] SHAW, D. R. D.: Biochem. J. **64**, 394 (1956).
[6] EDSON, N. L.: Rep. Austral. New Zeal. Ass. Adv. Sci. **29**, 281 (1953).
[7] ARCUS, A. C., and N. L. EDSON: Biochem. J. **64**, 385 (1956).
[8] ARCUS, A. C., and N. L. EDSON: Proc. Univ. Otago med. School. **32**, 6 (1954).
[9] CUMMINS, J. T., V. H. CHELDELIN and T. E. KING: J. biol. Ch. **226**, 301 (1957).
[10] CUMMINS, J. T., T. E. KING and V. H. CHELDELIN: J. biol. Ch. **224**, 323 (1957).
[11] SHOCKLEY, T. E., and H. S. PRIDE: J. Bact. **77**, 695 (1959).

Behandlung mit Calciumphosphat-Gel. Die dialysierte und zentrifugierte Lösung wird mit so viel 0,01 m Trispuffer, p_H 7,4, verdünnt, daß die Eiweißkonzentration 3,7 mg/ml beträgt. Zu 27,5 ml dieser Lösung werden 11 ml einer kalten Suspension von Calciumphosphat-Gel[1] (21,5 mg Trockensubstanz/ml) zugefügt. Der p_H des Ansatzes wird mit 0,1 n Essigsäure auf 6,0 eingestellt. Das Gel wird 20 min später durch Zentrifugieren (5 min bei 2500 × g) abgetrennt.

Der Gel-Rückstand wird in 10 ml 1,0 m Trispuffer, p_H 8,5, aufgerührt, und die Suspension nach 20 min Stehen bei $+8°$ C 10 min bei 2500 × g zentrifugiert. In der durch Dekantieren erhaltenen Enzymlösung ist die Ribit-Dehydrogenase gegenüber dem zellfreien Extrakt auf mehr als das 300fache angereichert. Diese Lösung ist bei $+3°$ C mit geringem Aktivitätsverlust mehrere Wochen haltbar. Wiederholtes Einfrieren und Auftauen führt indessen zu erheblicher Inaktivierung.

Eigenschaften. Durch 15 min Vorinkubation des Enzyms bei p_H 8,0 und 37° C wird seine Aktivität stark herabgesetzt. DPN^+ oder DPNH, aber nicht Ribit oder D-Ribulose, schützen vor dieser thermischen Inaktivierung.

Das p_H-Optimum für die Ribit-Dehydrierung liegt zwischen p_H 10—10,5.

p-Chlormercuribenzoat hemmt das Enzym; gleichzeitiger Zusatz von L-Cystein oder DPN^+ hebt diese Hemmung teilweise auf.

Die Gleichgewichtskonstante für die Ribit-Dehydrierung beträgt im Mittel $1,49 \times 10^{-10}$; die für die Substrate gemessenen MICHAELIS-Konstanten sind: Ribit $= 8,5 \times 10^{-3}$ m, $DPN^+ = 1,5 \times 10^{-3}$ m, D-Ribulose $= 1,4 \times 10^{-3}$ m, DPNH $= 3,2 \times 10^{-4}$ m.

Bestimmung der Ribit-Dehydrogenase nach FROMM[2].

Das nach obiger Reaktionsgleichung gebildete DPNH wird bei 340 mμ gemessen.

Testansatz:

    400 μM Tris-(hydroxymethyl)-aminomethan-Puffer, p_H 7,4,
    4 μM Ribit,
    4 μM DPN^+,
    Enzymlösung,
    Endvolumen 2,3 ml.

Der Leerwert enthält durch Kochen inaktivierte Enzymlösung.

Als Einheit ist diejenige Enzymmenge definiert, die unter den beschriebenen Testbedingungen in 2 min bei 28° C, Schichtdicke 1 cm, einen Extinktionsanstieg bei 340 mμ um 0,100 bewirkt.

In Rohextrakten wird mittels des spektrophotometrischen Testes infolge der Anwesenheit einer DPNH-Oxydase eine zu niedrige Ribit-Dehydrogenase-Aktivität gemessen.

2. D-Mannit-1-phosphat-Dehydrogenase aus *E. coli*[3].

[1.1.1.17 D-Mannit-1-phosphat:NAD-Oxydoreductase.]

Vorkommen und Spezifität. Hohe Aktivitäten an diesem Enzym sind in Bakterien der *Coli-aerogenes*-Gruppe und in homo- und heterofermentativen Stämmen der *Lactobacillus*-Gruppe nachgewiesen worden. *Saccharomyces cerevisiae* hat nur geringe Aktivität. In *Neurospora crassa* ist das Enzym nicht nachweisbar, dagegen in einigen *Aspergillus*-Arten[4].

Das Enzym katalysiert ausschließlich die folgende Reaktion:

D-Mannit-1-phosphat $+ DPN^+ \rightleftharpoons$ D-Fructose-6-phosphat $+$ DPNH $+ H^+$

Von allen geprüften Zuckerphosphaten wird nur Fructose-6-phosphat reduziert. Das Enzym reagiert nicht mit freier Glucose oder Fructose. DPN^+ ist nicht durch TPN^+ ersetzbar. Die Geschwindigkeit der Fructose-6-phosphat-Reduktion in Gegenwart von Desamino-DPNH beträgt 22% der in Gegenwart von DPNH.

---

[1] KEILIN, D., and E. F. HARTREE: Proc. R. Soc. London (B) **124**, 397 (1938).
[2] FROMM, H. J.: J. biol. Ch. **233**, 1049 (1958).
[3] WOLFF, J. B., and N. O. KAPLAN: J. biol. Ch. **218**, 849 (1956).
[4] YAMADA, H., K. OKAMOTO, K. KODAMA and S. TANAKA: Biochim. biophys. Acta **33**, 271 (1959).

Darstellung und Reinigung von D-Mannit-1-phosphat-Dehydrogenase nach WOLFF und KAPLAN[1].

Die in einem Salze, Hefeextrakt und Glucose enthaltendem Medium vorgezüchteten *E. coli B* werden abzentrifugiert, gewaschen und durch Gefriertrocknung getrocknet. Die getrockneten Bakterien können bei Zimmertemperatur ohne Wirkungsverlust aufbewahrt werden.

Rohextrakt. 15 g frisch gewonnener oder lyophil getrockneter Zellen werden mit der gleichen Gewichtsmenge pulverisierten Aluminiumoxyds in einem kalten Mörser verrieben und mit 150 ml eisgekühltem 0,02 m $NaHCO_3$-Puffer extrahiert. Der durch 10 min Zentrifugieren bei 0° C und 2300 × g gewonnene, zellfreie Extrakt wird über Nacht gegen 4 l 0,02 m $NaHCO_3$ bei 4° C dialysiert.

Der dialysierte Rohextrakt wird mit 1 n Essigsäure auf p_H 4,7 angesäuert und danach zentrifugiert. Die überstehende Lösung wird nach Neutralisation durch Zusatz von festem Ammoniumsulfat zu 55% gesättigt (= 2,66 m) und dann 10 min bei 0° C und 20000 × g zentrifugiert. Im Überstand nach der ersten Ammoniumsulfat-Fällung wird die Ammoniumsulfat-Konzentration auf 65% Sättigung (= 3,16 m) erhöht, das ausfallende Protein durch 10 min Zentrifugieren bei 20000 × g abgetrennt und der Rückstand in wenig Wasser gelöst. Die bei diesem Vorgehen erzielbare Reinigung ist 25—30fach.

Eigenschaften. Die gereinigten Präparate sind frei von DPNH-Oxydase, Alkohol-Dehydrogenase, Milchsäure-Dehydrogenase und α-Glycerophosphat-Dehydrogenase, enthalten aber noch Phosphoglucoisomerase.

Das Enzym ist bei —20° C über mehrere Monate stabil. Dialyse verursacht einen mit der Dialysezeit zunehmenden Aktivitätsabfall infolge Proteindenaturierung. 10 min Erhitzen bei 60° C, vor allem im sauren p_H-Bereich, zerstört das Enzym.

Das Enzym wird durch 10^{-4} m p-Chlormercuribenzoat zu 60% gehemmt und durch 5×10^{-4} m Glutathion völlig reaktiviert. Es hemmen nicht: Semicarbazid, Hydroxylamin, Natriumfluorid, Äthylendiamintetraacetat, KCN, Natriumazid. Mg^{++} hat keinen stimulierenden Effekt.

Das p_H-Optimum der Mannit-1-phosphat-Oxydation liegt nahe p_H 10. Die Geschwindigkeit der Fructose-6-phosphat-Reduktion nimmt von p_H 6—10 allmählich ab.

Die Gleichgewichtskonstante der Mannit-1-phosphat-Oxydation beträgt $K_e = 4,9 \pm 3,6 \times 10^{-10}$. Die MICHAELIS-Konstanten K_M des Enzyms sind für: Fructose-6-phosphat $= 1,17 \times 10^{-3}$ m, Mannit-1-phosphat $= 1,40 \times 10^{-3}$ m, DPNH $= 2,49 \times 10^{-4}$ m, $DPN^+ = 2,29 \times 10^{-4}$ m.

Bestimmung der D-Mannit-1-phosphat-Dehydrogenase nach WOLFF und KAPLAN[1].

Die bei Fructose-6-phosphat-Zusatz erfolgende DPNH-Oxydation wird bei 340 mμ gemessen. — Eine Einheit ist diejenige Enzymmenge, die unter den im folgenden angegebenen Testbedingungen bei 25° C und $d = 1$ cm einen initialen Abfall der Extinktion bei 340 mμ von 0,01/min bewirkt. Spezifische Aktivität ist ausgedrückt als Einheiten/mg Protein. Protein wird nach LOWRY et al.[2] bestimmt.

Testansatz. Eine 3 ml-Küvette enthält in einem Gesamtvolumen von 2,9 ml:

30 μM Kaliumphosphat-Puffer, p_H 6,0,
0,2—0,3 μM DPNH,
etwa 5—25 Einheiten Enzym.

Die Extinktion bei 340 mμ wird registriert und nach Zusatz von 0,1 ml 0,1 m Fructose-6-phosphat-Lösung im Abstand von 15—30 sec gemessen.

Rohe Extrakte müssen hinreichend mit Puffer verdünnt werden, um genaue Messungen bei 340 mμ zu ermöglichen. Im Leerwert fehlt DPNH. Das Ausmaß der endogenen DPNH-Oxydation ist in einem gesonderten Ansatz ohne Fructose-6-phosphat zu ermitteln und von dem im Hauptansatz gemessenen ΔE in Abzug zu bringen.

---

[1] WOLFF, J. B., and N. O. KAPLAN: J. biol. Ch. **218**, 849 (1956).
[2] LOWRY, O. H., N. J. ROSEBROUGH, A. L. FARR and R. J. RANDALL: J. biol. Ch. **193**, 265 (1951).

B. Glucose-Dehydrogenasen.

β-D-Glucopyranose + DPN$^+$ ⇌ D-Glucono-δ-lacton + DPNH + H$^+$

1. Glucose-Dehydrogenase aus Rinderleber[1, 2].

[1.1.1.47 β-D-Glucose:NAD(P)-Oxydoreductase.]

Spezifität. Außer β-D-Glucose wird durch die reinsten Präparate nur β-D-Xylose mit meßbarer Geschwindigkeit oxydiert (Verhältnis 100:30). Es werden nicht oxydiert: D-Glycerinaldehyd, D-Ribose, D-Arabinose, D-Mannose, D-Fructose, Heptosen, Disaccharide, Hexosephosphate. Eine geringfügige DPN-Reduktion bei Zusatz von Galaktose beruht vermutlich auf einer Unreinheit des Zuckers. Glucono-γ-lacton wird vom Enzym langsamer hydriert als das δ-Lacton.

Als Wasserstoff-Acceptor kann DPN$^+$ ohne Beeinflussung der Oxydationsgeschwindigkeit durch TPN$^+$ oder Desamino-DPN$^+$ ersetzt werden[2].

Reinigung aus Rinderleber nach BRINK[2].

Rohextrakt. Im gefrorenen Zustand aufbewahrte Rinderleber, die über Nacht bei +3° C partiell aufgetaut ist, wird in etwa 1 cm große Würfel geschnitten und im Kühlraum bei −18° C in 2 Volumteilen Aceton der gleichen Temperatur im Starmix homogenisiert. Die Suspension wird unter Rühren in 10 Volumteile Aceton eingegossen, filtriert, der Filterrückstand wird abermals in Aceton homogenisiert und die Suspension wieder in 10 Volumteile frischen Acetons eingegossen. Der Rückstand wird abfiltriert, in 3 Volumteile Äther unter Zerbröckeln eingetragen, im Äther verrührt und dann abfiltriert. Aceton und Äther sind vor Gebrauch auf −18° C abzukühlen. Der letzte Filterrückstand wird bei Zimmertemperatur rasch bis zur Gewichtskonstanz getrocknet. Bei −18° C behält das Trockenpulver mehrere Wochen seine unveränderte Aktivität.

Das Trockenpulver wird in 8 Volumteilen destillierten Wassers 45 min bei Zimmertemperatur verrührt. Der nach 45 min Zentrifugieren bei 2300 U/min erhaltene Rohextrakt kann bei +3° C mehrere Tage aufbewahrt werden.

1. Fraktionierung mit Ammoniumsulfat (bei Zimmertemperatur). Der Rohextrakt wird mit Ammoniumsulfat (174 g/l) versetzt und durch tropfenweisen Zusatz von konz. NH$_4$OH auf p$_H$ 6,8—7,2 eingestellt. Der nach 15 min ausgefallene Niederschlag wird abzentrifugiert (45 min bei 2300 U/min) und verworfen. Zum Überstand wird weiter Ammoniumsulfat (137 g/l) zugefügt und der p$_H$ wieder auf 6,8—7,2 eingestellt. Der nach 15 min Stehen durch Zentrifugieren (1 Std) abgetrennte Niederschlag wird in 0,05 m Phosphatpuffer, p$_H$ 7,6, gelöst (100 ml/l Rohextrakt). Die resultierende Lösung ist möglichst nicht länger als über Nacht bei +3° C aufzubewahren.

2. Fraktionierung mit Ammoniumsulfat. Dieser und die folgenden Reinigungsschritte werden, wenn nicht anders vermerkt, bei +3—5° C durchgeführt. Die bei der ersten Fraktionierung erhaltene Lösung wird mit Wasser auf einen Proteingehalt von 80 mg/ml verdünnt und mit Ammoniumsulfat (61,5 g/l) versetzt. Der nach 15 min ausgefallene Niederschlag wird abzentrifugiert (1 Std bei 6000 U/min) und verworfen. Zum Überstand wird die gleiche Gewichtsmenge Ammoniumsulfat wie zuvor zugegeben, nach einigen Minuten Stehen bei 5° C wird zentrifugiert und der Rückstand in 0,05 m Phosphatpuffer, p$_H$ 7,6, gelöst. Diese Lösung, deren Volumen nicht mehr als 40% des für die zweite Fraktionierung eingesetzten Volumens betragen soll, wird bei 3° C über Nacht gegen 8 Volumteile 0,02 m Phosphatpuffer, p$_H$ 7,6, enthaltend 50 mg Cysteinhydrochlorid/l, dialysiert.

3. Fraktionierung mit Ammoniumsulfat. Die dialysierte Lösung wird mit dem 0,02 m Puffer, p$_H$ 7,6, so verdünnt, daß ihr Eiweißgehalt nicht mehr als 50 mg/ml beträgt, mit Ammoniumsulfat bis zu einer Sättigung von 30% versetzt und zentrifugiert. Zum Über-

---

[1] STRECKER, H. J., and S. KORKES: J. biol. Ch. **196**, 769 (1952).
[2] BRINK, N. G.: Acta chem. scand. 7, 1081 (1953).

stand wird tropfenweise gesättigte Ammoniumsulfat-Lösung, p_H 7, zugesetzt, zunächst bis zu einer Sättigung von 36% und dann von 43%. Die beiden ausfallenden Niederschläge werden getrennt abzentrifugiert und in 0,05 m Puffer von p_H 7,6 gelöst. Die beiden Lösungen werden anschließend wie oben angegeben unter zweifachem Wechsel der Dialysierlösung dialysiert. Die Hauptaktivität ist gewöhnlich in der zweiten, zwischen 36—43% Sättigung ausfallenden Fraktion enthalten.

Fraktionierung mit Äthanol. Die die Hauptaktivität enthaltende, dialysierte Fraktion wird mit Natriumchlorid bis zu einer Konzentration von 0,1 m versetzt und mit 10% Essigsäure auf p_H 5,9—6,1 eingestellt. Zu dieser auf 0° C gekühlten Lösung wird fraktioniert 50% Äthanol (v/v) von −18° C so langsam zugegeben, daß die Temperatur der Mischung bei den beiden ersten Fraktionen nicht über −2° C, bei den folgenden nicht über −3 bzw. −4° C ansteigt. Die erste, nach Zusatz von 0,2 Volumen 50%igen Äthanols ausfallende Fraktion wird verworfen. Die weiteren, nach Zusatz von 0,10, 0,10, 0,15 und 0,20 Volumen 50%igen Äthanols erhaltenen Fraktionen werden einzeln durch Zentrifugieren abgetrennt, in 0,05 m Puffer von p_H 7,6 gelöst und nach der oben gegebenen Vorschrift dialysiert. Etwa 40% der Aktivität sind gewöhnlich in den Fraktionen 3 und 4 enthalten.

Fraktionierung mit 4,5 m Phosphat. Zu den aktivsten, bei der Äthanol-Fraktionierung gewonnenen Lösungen wird tropfenweise 4,5 m Phosphatpuffer, p_H etwa 7, bis zum ersten Auftreten eines Niederschlages, gewöhnlich bei einer Phosphatkonzentration von 1,0—1,2 m zugegeben. Nach der Abtrennung dieses Niederschlages durch Zentrifugieren werden durch Erhöhen der Phosphatkonzentration um jeweils nicht mehr als 0,1 m weitere Fraktionen abgetrennt, jede in 0,05 m Puffer gelöst und dialysiert. Etwa 60% der Aktivität sind in den Fraktionen enthalten, die bei Phosphatkonzentrationen zwischen 1,15 und 1,30 m ausfallen.

Tabelle 5. MICHAELIS-*Konstanten für Glucose und Wasserstoff-Acceptoren und Hemmungskonstanten der kompetitiven Inhibitoren der Glucose-Dehydrogenase aus Rinderleber* (nach BRINK[1]).

		K_M bzw. K_i (m)
Glucose bei p_H	6,28	$34,9 \times 10^{-2}$
	6,70	$8,38 \times 10^{-2}$
	7,00	$3,13 \times 10^{-2}$
	7,84	$3,67 \times 10^{-2}$
	8,92	$32,6 \times 10^{-2}$
DPN+		$4,3 \times 10^{-6}$
TPN+		$6,2 \times 10^{-6}$
Desamino-DPN+		$9,0 \times 10^{-6}$
Glucose-6-phosphat		$\sim 2,5 \times 10^{-6}$
Fructose-1,6-diphosphat		$6,2 \times 10^{-5}$

Die spezifische Aktivität dieser Präparate kann durch eine folgende Fraktionierung mit gesättigter Ammoniumsulfat-Lösung und anschließende zweite und dritte Fraktionierung der dialysierten Lösungen mit 4,5 m Phosphat unter Umständen noch auf das Vierfache gesteigert werden. Die aktivsten Präparate enthalten 3200—3400 Einheiten/mg Protein (Definition s. u.). Die Endausbeute beträgt bei ausschließlicher Verarbeitung der jeweils aktivsten Fraktionen bei einer 150fachen Reinigung etwa 0,5%.

Eigenschaften[1]. Die Lösungen des Enzyms im verdünnten Puffer, p_H 7,6, können im Kühlschrank 1—2 Wochen ohne wesentlichen Aktivitätsverlust aufbewahrt werden. Als Suspension in 55% gesättigter Ammoniumsulfat-Lösung kann das Enzym mehrere Wochen im Kühlschrank gehalten werden.

Aus der Aktivität der reinsten Präparate ist unter der Annahme eines Molekulargewichtes des Enzyms von 100000 bei p_H 7,6 eine Reduktion von 55 M DPN+/Mol Glucose-Dehydrogenase/min berechnet worden.

Das p_H-Optimum der Glucose-Dehydrierung liegt bei etwa p_H 8,0. Die Gleichgewichtskonstante der Glucose-Oxydation beträgt bei 21° C $K_e = 2,9$—$3,3 \times 10^{-7}$. Die K_M-Werte für Glucose und Wasserstoffacceptoren und die Hemmungskonstanten der kompetitiven Inhibitoren der Glucose-Dehydrierung, nämlich Glucose-6-phosphat und Fructose-1,6-diphosphat, sind in Tabelle 5 zusammengestellt. Die Glucose-Dehydrogenase-Reaktion

---

[1] BRINK, N. G.: Acta chem. scand. **7**, 1081 (1953).

wird durch Pyridin-3-sulfosäure, 4-Pyridoxinsäure, ATP und andere substituierte Pyridine und Adeninderivate kompetitiv zu DPN gehemmt[1].

Bestimmung der Glucose-Dehydrogenase aus Rinderleber nach STRECKER und KORKES[2].

Die Initialgeschwindigkeit der DPN^+-Reduktion wird spektrophotometrisch gemessen.

Testansatz. In einem Endvolumen von 3,0 ml sind enthalten:
- 150 µM Kaliumphosphatpuffer, p_H 7,6,
- 0,15 µM DPN^+,
- 20—100 Einheiten Enzym.

Die Reaktion wird durch Zusatz von 400 µM Glucose gestartet, die im Leerwert durch die gleiche Wassermenge ersetzt wird. Die Extinktion bei 340 mµ wird nach Glucosezusatz im Abstand von je 30 sec gemessen.

Als *Einheit* wird diejenige Enzymmenge definiert, die unter den beschriebenen Bedingungen einen Extinktionsanstieg bei 340 mµ von 0,001/min bei 21—22° C, $d = 1$ cm, hervorruft.

2. Glucose-Dehydrogenase aus *Bacillus cereus*[3].

Spezifität. Das gereinigte Enzym oxydiert außer Glucose nur Mannose mit etwa 14% der Geschwindigkeit der Glucoseoxydation. Xylose, Galaktose und Fructose werden praktisch nicht dehydriert. Wasserstoffacceptor ist DPN^+, das durch TPN^+ nicht ersetzt werden kann.

Darstellung und Reinigung von Glucose-Dehydrogenase nach DOI u. Mitarb.[3].

Aus den nach einer Vorschrift von CHURCH u. Mitarb.[4] gewonnenen Sporen von *Bacillus cereus* var. *terminalis* wird durch Ultraschallbehandlung ein Extrakt hergestellt[5].

Der Ultraschallextrakt von 6 g Sporen wird 1 Std bei 140000 × g zentrifugiert. Zu 41 ml des klaren Überstandes werden 3 ml einer Lösung von 2% Protaminsulfat, p_H 5,0, zugesetzt, der gebildete Niederschlag wird unverzüglich abzentrifugiert. Der so erhaltene Überstand wird 15 Std gegen 10^{-2} m Tris-(hydroxymethyl)-aminomethan-Puffer, p_H 7,6, dialysiert. Nach Abzentrifugieren der bei der Dialyse auftretenden Fällung wird der Überstand bei 1° C mit festem Ammoniumsulfat fraktioniert. Glucose-Dehydrogenase ist in der zwischen 70—90% Sättigung ausfallenden Fraktion enthalten. Diese durch Zentrifugieren abgetrennte Fraktion wird in 10 ml 0,1 m Trispuffer, p_H 7,6, suspendiert und 15 Std gegen 10^{-2} m Trispuffer, p_H 7,6, dialysiert. Die Anreicherung des Enzyms in dieser Fraktion gegenüber dem Ultraschallextrakt ist 33fach.

Statt der hier angegebenen Reinigung kann eine Anreicherung auch durch eine Chromatographie des dialysierten Extraktes an Diäthylaminoäthyl-cellulose erzielt werden.

Eigenschaften. Das p_H-Optimum der Dehydrierung liegt bei p_H 7,8. Durch Zusatz von PO_4^{---}, Ca^{++} oder durch Dialyse gegen Äthylendiamintetraacetat wird die Aktivität des Enzyms nicht beeinflußt.

Die K_M-Werte betragen für: Glucose $= 6{,}7 \times 10^{-3}$ m, $DPN^+ = 9{,}1 \times 10^{-5}$ m.

Bestimmung der Glucose-Dehydrogenase aus Bacillus cereus.

Das Prinzip der Bestimmung ist das gleiche wie bei der Bestimmung der Leber-Glucose-Dehydrogenase.

Testansatz. Der Reaktionsansatz enthält in einem Endvolumen von 3 ml:
- 300 µM Tris-(hydroxymethyl)-aminomethan-Puffer, p_H 7,6,
- 0,7 µM DPN^+,
- 0,1 ml Enzymlösung (70—90% Ammoniumsulfat-Fraktion).

---

[1] BRINK, N. G.: Acta chem. scand. **7**, 1090 (1953).
[2] STRECKER, H. J., and S. KORKES: J. biol. Ch. **196**, 769 (1952).
[3] DOI, R., H. HALVORSON and B. CHURCH: J. Bact. **77**, 43 (1959).
[4] CHURCH, B. D., H. HALVORSON and H. O. HALVORSON: J. Bact. **68**, 393 (1954).
[5] HALVORSON, H., and B. D. CHURCH: J. appl. Bact. **20**, 359 (1957).

Die Reaktion wird gestartet durch Zusatz von 10 μM Glucose, die im Leerwert durch Wasser ersetzt wird. Die Extinktion bei 340 mμ wird nach Glucose-Zusatz in Abständen von je 40 sec gemessen.

Eine Einheit ist die Enzymmenge, die unter den beschriebenen Testbedingungen bei 340 mμ, $d = 1$ cm, einen Extinktionsanstieg von 0,001/100 sec bei 30° C bewirkt.

C. Aldonsäure- und Uronsäure-Dehydrogenasen.

1. TPN-L-Gulonat-Dehydrogenase (TPN-L-Hexonat-Dehydrogenase)[1].

[1.1.1.19   L-Gulonat:NADP-Oxydoreductase.]

Spezifität. Außer den in Tabelle 6 aufgeführten Substanzen werden vom gereinigten Enzym in Gegenwart von TPNH reduziert[1]: L-Iduronat, L-Threuronat, D,L-Tartronsäuresemialdehyd und die Lactone, Ester und Amide der genannten Alduronsäuren, z.B. D-Glucuronamid, L-Idurono-γ-lacton, Methyldiacetyl-L-threuronat. Ferner werden reduziert: Glyoxal, die Semialdehyde der Malonsäure, Bernsteinsäure und Glutarsäure, D-Galaktoson, Aldotriosen und Aldotetrosen (D,L-Glycerinaldehyd-3-phosphat, D-Erythrose, D-Threose), Dialdehyde (Glyoxal, Malondialdehyd, Bernsteindialdehyd und Glutarsäuredialdehyd) und in geringem Umfang, proportional der Kettenlänge, aliphatische Aldehyde, wie Acetaldehyd, Propionaldehyd, n-Butyraldehyd und n-Valeraldehyd. Die aktivste unter allen getesteten Substanzen ist Methylglyoxal. Die Reduktionen von D-Glucuronolacton und D-Glucoson sind bei p_H 7,2 praktisch irreversibel[2].

Tabelle 6. *Substrate der L-Hexonat-Dehydrogenase* (nach MANO u. Mitarb.[2]).

Reduzierbar in Gegenwart von TPNH		Oxydierbar in Gegenwart von TPN+	
Substrat	$-\Delta E$ 340 mμ*)	Substrat	$+\Delta E$ 340 mμ*)
D-Glucuronat	0,154	L-Gulonat	0,033
D-Glucurono-γ-lacton	0,182	L-Gulono-γ-lacton . .	0,003
Äthyl-D-glucuronat . .	0,145		
D-Galakturonat . . .	0,194	L-Galaktonat	0,120
Methyl-D-galakturonat	0,162	L-Galaktono-γ-lacton .	0,068
		D-Galaktonat	0
		D-Galaktono-γ-lacton .	0
D-Mannuronat. . . .	0,180		
D-Mannurono-γ-lacton	0,192		
D-Glucoson	0,178	D-Fructose	0,004
D,L-Glycerinaldehyd .	0,227	Glycerin	0,038
Glykolaldehyd . . .	0,052		

* Testbedingungen s. unter „Bestimmung" (s. S. 722).

Vom Enzym werden nicht reduziert: Alduronsäuren mit 5 C-Atomen, Ketouronsäuren, 2- und 5-Keto-D-gluconat, Hydroxypyruvat und andere α-Ketosäuren, Osone von Pentosen, Aldopentosen, Aldohexosen und Ketomonosaccharide. Auf Grund dieser Spezifitätsteste wird angenommen[1], daß die Oxoform des Kohlenhydrats, d.h. eine freie Aldehydgruppe, essentiell für die reduktive Wirkung des Enzyms ist. Mit dieser Ansicht stimmt überein, daß zwar 2,3,4,5,6-Pentaacetyl-D-glucose, aber nicht 2,3,5,6-Tetraacetyl-D-glucose reduziert wird.

Folgende Reaktionsprodukte wurden bisher identifiziert[1,2]: L-Gulonat aus D-Glucuronat, L-Gulono-γ-lacton aus D-Glucurono-γ-lacton und aus Äthyl-D-glucuronat, L-Galaktono-γ-lacton aus Methyl-D-galakturonat, D-Xylose aus D-Xylodialdopentofuranose. Wahrscheinliche Produkte der D-Glucoson- bzw. Methylglyoxal-Reduktion sind Fructose bzw. Acetol.

---

[1] MANO, Y., K. SUZUKI, K. YAMADA and N. SHIMAZONO: Biochem. biophys. Res. Comm. **3**, 136 (1960). J. Biochem. **49**, 618 (1961).

[2] MANO, Y., K. YAMADA, K. SUZUKI and N. SHIMAZONO: Biochim. biophys. Acta **34**, 563 (1959).

In Gegenwart von TPN⁺ werden zusätzlich zu den in Tabelle 6 zitierten die folgenden Verbindungen oxydiert[1]: L-Gluconat und sein δ-Lacton, L-Mannonat und L-Idonat und ihre γ-Lactone. D-Mannonat und sein γ-Lacton werden nur geringgradig oxydiert. Die freien Säuren werden im allgemeinen besser oxydiert als ihre Lactone. Da L-Rhamnonat und sein γ-Lacton nicht als Substrat dienen, wird angenommen, daß oxydierbare Substrate außer der L-Hexonat-Konfiguration eine intakte Alkoholgruppe an C(6) aufweisen müssen. Nicht oxydiert werden: D-Glucoheptonat, D-Hexonate (mit Ausnahme von D-Mannonat), D- und L-Pentonate, L-Threonat, D,L-Erythronat, D,L-Glycerat, Glykolat, N-Acetylneuraminsäure, β-Hydroxypropionat und β-Hydroxybutyrat sowie Polyalkohole.

TPN⁺ bzw. TPNH können in der Reaktion nicht durch DPN⁺ bzw. DPNH ersetzt werden.

Vorkommen. Die gesamten Versuche über die Spezifität wurden an einem aus Rattenleber gereinigten Präparat durchgeführt. Das Enzym kommt im Säugetier indessen weit verbreitet vor, unabhängig von der Fähigkeit eines Gewebes zur Synthese von Ascorbinsäure. Es ist nicht nachweisbar im Gehirn, Herzmuskel und in der Milz[1,2].

Ein Enzym mit ähnlicher Substratspezifität ist in der Hämolymphe der Seidenraupe (*Bombyx mori*) aufgefunden worden[3].

Darstellung und Reinigung von TPN-L-Gulonat-Dehydrogenase aus Rattenleber nach Mano u. Mitarb.[4]

Die im partikelfreien Überstand von Ratten-Leberhomogenat zwischen 40 und 50% Ammoniumsulfat-Sättigung ausfallende Fraktion wird nach Dialyse einer Fraktionierung an einer Diäthylaminoäthyl-cellulosesäule unterworfen. Die zweite, von der Säule mit 0,02 m Tris-(hydroxymethyl)-aminomethan-Puffer, p_H 7,5, eluierte Fraktion hat eine 350—500fach höhere spezifische Aktivität als der Rohextrakt. Einzelheiten des Verfahrens wurden noch nicht mitgeteilt.

Eigenschaften[1,2]. Das Optimum für eine Substrat-Oxydation liegt bei p_H 9,6, eine Substrat-Reduktion verläuft zwischen p_H 6,7—8,3 mit konstanter Geschwindigkeit. Ein Metallbedarf des Enzyms ist nicht nachweisbar.

Sulfationen aktivieren das Enzym beträchtlich, Barbital (Veronal = 5,5′-Diäthylbarbiturat) hemmt spezifisch, 92% bei $3,3 \times 10^{-3}$ m.

Die Gleichgewichtskonstante beträgt bei p_H 7,0 für die Reaktion D-Glucuronolacton → L-Gulonolacton $3,2 \times 10^{-2}$ und für die Reaktion D-Glucuronat → L-Gulonat $2,6 \times 10^{-2}$.

Folgende MICHAELIS-Konstanten wurden bisher gemessen: Für D-Glucuronolacton $6,9 \times 10^{-4}$ m, D-Glucuronat $3,3 \times 10^{-4}$ m, D-Galakturonat $9,1 \times 10^{-5}$ m, D,L-Glycerinaldehyd $1,54 \times 10^{-3}$ m.

Bestimmung der TPN-L-Gulonat-Dehydrogenase nach Mano u. Mitarb.[4]

Reaktionsgleichung:

$$\text{D-Glucurono-}\gamma\text{-lacton} + \text{TPNH} + \text{H}^+ \rightleftharpoons \text{L-Gulono-}\gamma\text{-lacton} + \text{TPN}^+.$$

Die Oxydation von TPNH wird durch Messung der Extinktionsabnahme bei 340 mμ bestimmt.

Der *Testansatz* enthält in einem Endvolumen von 3,0 ml:

    50   μM Phosphatpuffer, p_H 7,2,
    10   μM D-Glucurono-γ-lacton,
    0,5 μM TPNH,
    30   μg des gereinigten Enzympräparates.

---

[1] Mano, Y., K. Suzuki, K. Yamada and N. Shimazono: Biochem. biophys. Res. Comm. **3**, 136 (1960). J. Biochem. **49**, 618 (1961).
[2] Mano, Y., K. Suzuki, K. Yamada and N. Shimazono: Persönl. Mitteilung.
[3] Faulkner, P.: Biochem. J. **68**, 374 (1958).
[4] Mano, Y., K. Yamada, K. Suzuki and N. Shimazono: Biochim. biophys. Acta **34**, 563 (1959).

Im Leerwert wird TPNH durch Wasser ersetzt. Die Reaktion wird durch Zusatz des Glucuronolactons gestartet.

Der während 10 min bei 37° C erfolgende Extinktionsabfall bei 340 mμ wird als Maß der Aktivität gewertet.

2. DPN-L-Gulonat-Dehydrogenase.
[1.1.1.45 L-Gulonat:NAD-Oxydoreductase (decarboxylierend).]

Spezifität. Das nach Ashwell u. Mitarb.[1] gereinigte Enzym katalysiert die folgende Reaktion:

$$\text{L-Gulonat} + \text{DPN}^+ \rightleftharpoons \text{L-Xylulose} + \text{DPNH} + \text{H}^+ + \text{CO}_2$$

L-Gulonolacton wird mit etwa $^1/_3$ der Geschwindigkeit, verglichen mit der freien Säure, dehydriert. Vom Enzym werden nicht dehydriert: D-Gulonat, 2-Keto-L-gulonat, L-Galaktonat, D-Glucuronat, D-Galakturonat, L-Ascorbat. D-Mannonat wird nach Ishikawa[2] mit 33% der Geschwindigkeit des L-Gulonats oxydiert. Für die intermediäre Bildung einer Substanz mit den Eigenschaften einer 3-Keto-L-gulonsäure bei der oxydativen Decarboxylierung von L-Gulonat zu L-Xylulose, die Ishikawa[2] nicht nachweisen konnte, wurden von Ashwell u. Mitarb.[1] die ersten experimentellen Anhaltspunkte erbracht.

Eine Reversibilität der Reaktion ist von Bublitz u. Mitarb.[3] durch den Nachweis eines DPN$^+$-abhängigen Einbaues von $^{14}\text{CO}_2$ in die Carboxylgruppe der Gulonsäure unter Verwendung eines Enzympräparates aus Rattenleber gezeigt worden. Bei Verwendung eines aus Meerschweinchenleber gereinigten Präparates ist der Nachweis einer Reversibilität nicht gelungen[2].

DPN kann in der Reaktion durch TPN nicht ersetzt werden[4].

Vorkommen[5]. Das Enzym kommt in der Leber des Menschen und aller untersuchten Säugetiere (Affe, Meerschweinchen, Hund, Kuh, Schwein, Kaninchen, Maus, Ratte), ferner in der Leber von Vögeln (Huhn, Taube) und der Schildkröte vor. Die Aktivität des Enzyms ist bei allen aufgeführten Säugetieren, mit Ausnahme von Kaninchen und Kuh, in der Niere höher als in der Leber. Vereinzelt ist das Enzym auch im Herzmuskel (Kaninchen, Meerschweinchen, Huhn, Taube) und in der Milz (Ratte, Schildkröte) nachgewiesen worden.

Darstellung und Reinigung der DPN-L-Gulonat-Dehydrogenase aus Schweineniere nach Ashwell u. Mitarb.[1].

Die Nieren von frisch geschlachteten Schweinen werden, in Eis eingebettet, ins Institut transportiert. Bei $-12°$ C können die Nieren ohne Verlust ihrer enzymatischen Aktivität mehrere Monate aufbewahrt werden.

Rohextrakt. 40 g der gefrorenen Nieren werden im Starmix mit 160 ml kalter, isotonischer (0,154 m) KCl-Lösung homogenisiert. Das Homogenat wird in der Kälte 15—20 min bei 20000 $\times$ g zentrifugiert; der Rückstand wird verworfen.

Fraktionierung mit Ammoniumsulfat. Der getrübte Überstand (130 ml) wird mit Ammoniumsulfat (29,4 g) zu 40% gesättigt. Der nach 15 min Stehen bei 0° C ausfallende Niederschlag wird abzentrifugiert und ebenfalls verworfen. In der klaren, überstehenden Lösung (135 ml) wird die Ammoniumsulfat-Sättigung durch Zusatz von weiteren 16,2 g Ammoniumsulfat auf 60% erhöht. Der ausfallende Niederschlag wird abzentrifugiert und in einem kleinen Volumen kalten, destillierten Wassers gelöst. Die über Nacht bei 2° C gegen 4 l 0,01 m K_2HPO_4 dialysierte Lösung kann bei $-12°$ C für mindestens zwei Wochen ohne wesentlichen Aktivitätsverlust aufbewahrt werden.

---

[1] Ashwell, G., J. Kanfer and J. J. Burns: J. biol. Ch. **234**, 472 (1959).
[2] Ishikawa, S.: J. Biochem. **46**, 347 (1959).
[3] Bublitz, C., A. P. Grollman and A. L. Lehninger: Biochim. biophys. Acta **27**, 221 (1958).
[4] Ishikawa, S., and K. Noguchi: J. Biochem. **44**, 465 (1957).
[5] Grollman, A. P., and A. L. Lehninger: Arch. Biochem. **69**, 458 (1957).

Da die höher gereinigten Fraktionen sehr instabil sind, empfiehlt es sich, die folgenden Reinigungsschritte nur bei Bedarf an einem aliquoten Teil der dialysierten Ammoniumsulfat-Fraktion vorzunehmen und die gereinigten Präparate innerhalb von 24—48 Std zu verwenden.

Behandlung mit Aluminium-C_γ- und Calciumphosphat-Gel. Zu 2 ml der dialysierten Ammoniumsulfat-Fraktion (enthaltend 80 mg Protein) wird Aluminium-C_γ-Gel[1] (230 mg Trockensubstanz) zugesetzt. Nach 10 min Stehen bei 0° C wird das Gel abzentrifugiert und mit dem gleichen Volumen destillierten Wassers gewaschen. Anschließend wird das Enzym mit 2 ml 0,01 m Phosphatpuffer, p_H 8,5, vom Gel eluiert. Unter Umständen kann es erforderlich sein, die Phosphatkonzentration auf 0,02 m zu erhöhen, um die Hauptmenge des Enzyms wiederzugewinnen. Durch Behandlung des Eluates mit Calciumphosphat-Gel[2] (140 mg Trockengewicht) kann die spezifische Aktivität ohne merklichen Verlust an Gesamtaktivität weiter gesteigert werden.

Die mit dieser Methode erzielbare Reinigung ist etwa 35fach bei einer Endausbeute von 38%. Bei der Reinigung aus Meerschweinchenleber nach Ishikawa[3] ist die Anreicherung etwa 20fach. Anschließende Fraktionierung an einer Diäthylaminoäthyl-cellulosesäule erhöht zwar die spezifische Aktivität, setzt die Ausbeute aber stark herab. Inzwischen ist über eine 100fache Reinigung der Dehydrogenase (jetzt genannt β-L-Hydroxysäure-Dehydrogenase), Isolierung von 3(β)-Keto-L-gulonat als Produkt der L-Gulonat-Dehydrierung[4] und über eine 20fache Reinigung der β-Keto-L-gulonat-Decarboxylase aus Meerschweinchenleber[5] berichtet worden.

Eigenschaften[6]. Das gereinigte Enzym ist sehr instabil und verliert etwa 50% seiner Aktivität innerhalb von 24—48 Std. Es wird durch Zusatz von Substrat, Ammoniumsulfat oder Sulfhydrylverbindungen nicht stabilisiert.

Die Aktivität des Enzyms ist stark abhängig vom p_H und steigt an bis zu p_H-Werten von 9,5.

10^{-3} m Cystein steigert die Enzymaktivität auf das Doppelte, p-Chlormercuribenzoat hemmt komplett bei 10^{-3} m. Schwermetalle, z.B. Cd^{++} und Zn^{++}, sind bei Konzentrationen von 10^{-4} m gleichfalls starke Inhibitoren des Enzyms[3]. Glutathion, Mercaptoäthanol, 2,3-Dimercapto-1-propanol bzw. Arsenit, Fluorid, Äthylendiamintetraacetat, Semicarbazid, Hydrazin haben keinen stimulierenden bzw. hemmenden Effekt. Thiaminpyrophosphat, ATP, UTP und AMP sind ebenfalls ohne Einfluß auf die Aktivität[3]. Ein Bedarf des gereinigten Enzyms an Mg^{++} oder Mn^{++} konnte von Ashwell u. Mitarb.[6] nicht festgestellt werden. Das Enzym aus Meerschweinchenleber[3] wird dagegen durch Mn^{++} (optimal bei 10^{-5} m) beträchtlich aktiviert; Mg^{++} ist weniger wirksam.

K_M für L-Gulonat beträgt $4,3 \times 10^{-4}$ m[3].

Bestimmung der *DPN*-L-*Gulonat-Dehydrogenase* nach Ashwell u. Mitarb.[6].

Die Geschwindigkeit der nach der einleitend wiedergegebenen Reaktionsgleichung erfolgenden DPN-Reduktion wird bei 340 mμ gemessen.

Der *Testansatz* enthält in einer 1 ml-Küvette, Schichtdicke 1 cm:

    20   μM Phosphatpuffer, p_H 8,5,
     5   μM L-Gulonsäure*,
     1   μM Cystein,
     0,5 μM DPN^+,

---

* Dargestellt aus L-Gulonolacton durch Umsetzung mit der stöchiometrischen Menge NaOH in wäßriger Lösung bei 50° C.

[1] Bauer, E.; in: Bamann-Myrbäck, Bd. II, S. 1449.
[2] Keilin, D., and E. F. Hartree: Proc. R. Soc. London (B) **124**, 397 (1938).
[3] Ishikawa, S.: J. Biochem. **46**, 347 (1959).
[4] Smiley, J. D., and G. Ashwell: J. biol. Ch. **236**, 357 (1961).
[5] Winkelman, J., and G. Ashwell: Biochim. biophys. Acta **52**, 170 (1961).
[6] Ashwell, G., J. Kanfer and J. J. Burns: J. biol. Ch. **234**, 472 (1959).

0,02—0,04 Einheiten Enzym (entsprechend etwa 2—4 µg eines gereinigten Präparates),
Endvolumen 1,0 ml.

Der Leerwert enthält keine L-Gulonsäure. Durch Zusatz der L-Gulonsäure zum Hauptansatz wird die Reaktion gestartet. Der Test ist zur Aktivitätsbestimmung in jedem Stadium der Enzymreinigung anwendbar.

Eine Einheit ist diejenige Enzymmenge, die unter den beschriebenen Bedingungen einen Anstieg der Extinktion von 1,0/min bei 340 mµ hervorruft.

3. Uronsäure-Reductase aus Erbsen.

Alle Angaben über dieses Enzym sind einer Arbeit von MAPSON und ISHERWOOD[1] entnommen.

Spezifität und Vorkommen. Durch das in der löslichen Cytoplasmafraktion von Homogenaten aus gekeimten Erbsen vorkommende Enzym werden in Gegenwart von TPNH Derivate von D-Uronsäuren zu Aldonsäuren reduziert, z.B.:

$$\text{Methyl-D-galakturonat} + \text{TPNH} + \text{H}^+ \rightarrow \text{L-Galaktono-}\gamma\text{-lacton} + \text{TPN}^+$$

Die intermediäre Bildung von Methyl-L-galaktonat, das rasch in das Lacton umgewandelt wird, ist nicht ausgeschlossen. Die relativen Reduktionsgeschwindigkeiten betragen für Methyl-D-galakturonat und n-Propyl-D-galakturonat 100, D-Mannurono-γ-lacton 50, D-Glucurono-γ-lacton etwa 33. Das Amid der Galakturonsäure und die freie Säure werden nicht reduziert. Versuche über die Reversibilität der Reaktion wurden nicht mitgeteilt.

Als Wasserstoffdonator kann TPNH nicht durch DPNH ersetzt werden.

Darstellung der Uronsäure-Reductase nach MAPSON *und* ISHERWOOD[1].

30 g getrocknete Erbsen werden zwecks Verringerung einer bakteriellen Infektion 1 min in 1% $HgCl_2$ getaucht und danach gründlich in sterilem Wasser gewaschen. Die nach 48 Std Aufbewahrung in Wasser bei 20° C teilweise gekeimten Erbsen werden bei 0° C mit 40 ml 0,025 m Phosphatpuffer, p_H 7,4, unter Zusatz von Sand verrieben. Die durch 20 min Zentrifugieren der Suspension bei 20000 × g erhaltene lösliche Fraktion wird gegen den gleichen Phosphatpuffer bei 1° C 24—48 Std dialysiert. Zur Klärung dieser Lösung und zur Entfernung eines Enzymproteins, das eine Oxydation von TPNH in Anwesenheit von Sauerstoff katalysiert, wird die dialysierte Lösung unter guter Kühlung durch Zusatz verdünnter Essigsäure auf p_H 5,0—5,3 angesäuert. Das hierbei ausfallende Protein wird durch 5 min Zentrifugieren bei 20000 × g entfernt, und der p_H des klaren Überstandes auf 6,5 eingestellt.

Eigenschaften. Infolge einer reversiblen Hemmung des Enzyms während der Reaktion durch einen bisher nicht identifizierten Faktor beträgt die Umwandlung von Methylgalakturonat in das L-Galaktonsäure-Derivat nur etwa 10%.

Das Enzym wird durch 10^{-3} m Jodacetat zu 18%, durch 10^{-3} m KCN zu 25% gehemmt. 10^{-3} m Fluorid, Arsenit, Arsenat, Azid, Jodosobenzoat und Äthylendiamintetraacetat sowie 2×10^{-4} m Dinitrophenol haben keine oder nur geringe Hemmwirkung.

Das p_H-Optimum für die Reduktion von Methylgalakturonat liegt zwischen p_H 7,0 bis 7,5. Wegen der hohen MICHAELIS-Konstante für Methylgalakturonat von 10^{-2} m wird angenommen, daß diese Substanz nicht das natürliche Substrat des Enzyms ist.

Bestimmung der Uronsäure-Reductase nach MAPSON *und* ISHERWOOD[1].

Laut obiger Reaktionsgleichung läßt sich die Aktivität des Enzyms durch spektrophotometrische Messung der TPNH-Oxydation aus der Extinktionsabnahme bei 340 mµ bestimmen. Da die nur teilweise gereinigten Extrakte aktive Isocitrico-Dehydrogenase enthalten, kann TPNH in der Reaktion durch TPN^+ + Isocitrat ersetzt werden.

---
[1] MAPSON, L. W., and F. A. ISHERWOOD: Biochem. J. **64**, 13 (1956).

Der *Testansatz* enthält in einer Küvette, $d = 1$ cm:
  200   μM Phosphatpuffer, p_H 7,4,
  8   μM MgCl$_2$,
  0,3   mg Natrium-D,L-isocitrat,
  1,05 mg TPN$^+$,
  1   ml Enzymlösung.

Das Volumen wird mit Wasser auf 2,8 ml aufgefüllt. Die Extinktion dieses bei 17° C inkubierten Ansatzes wird bei 340 mμ gegen einen Leerwert gemessen, der bei gleicher übriger Zusammensetzung kein TPN$^+$ enthält. Nach Erreichen einer konstanten Extinktion (nach etwa 6—8 min) werden zu beiden Küvetten je 9 mg Methyl-D-galakturonat*, gelöst in 0,2 ml Wasser, zugesetzt. Der hierauf erfolgende initiale Extinktionsabfall bei 340 mμ/min kann als Maß der Enzymaktivität gewertet werden.

4. Uronsäure-Dehydrogenase aus *Pseudomonas syringae*.

Spezifität und Vorkommen[1]. Zellfreie Extrakte aus *Pseudomonas syringae* und anderen phytopathogenen *Pseudomonadeen* katalysieren nach Wachstum der Zellen in Galakturonat, Glucuronat, Schleimsäure oder Zuckersäure die folgende Reaktion:

$$\text{D-Galakturonat} + \text{DPN}^+ \to \text{Schleimsäure} + \text{DPNH} + \text{H}^+$$

Die gleichen Extrakte oxydieren D-Glucuronsäure, vermutlich zu Zuckersäure. Beide Reaktionen sind in der umgekehrten Richtung bisher nicht untersucht worden. TPN$^+$ ist als Wasserstoffacceptor wirkungslos. Das partiell gereinigte Enzym oxydiert nicht D-Mannuronat, L-Iduronat, Glucose oder Galaktose.

Die Dehydrogenase ist in Extrakten aus Zellen nach Wachstum derselben in Glucose nicht nachweisbar. Extrakte aus an Uronat adaptierten Zellen enthalten keine Uronsäure-Isomerase oder Ketouronsäure-Reductase (s. S. 727).

Eine ähnliche, ebenfalls DPN-spezifische Dehydrogenase ist in Extrakten aus glucuronat-adaptierten Zellen des phytopathogenen *Agrobacterium tumefaciens* nachgewiesen worden. Letztere oxydiert jedoch außer den genannten zwei Uronsäuren und Glucuronolacton auch Mannuronsäure und deren γ-Lacton. Die Oxydationsprodukte wurden noch nicht identifiziert[2].

Darstellung[1]. Das Enzym ist aus Extrakten aus galakturonat- oder glucuronat-adaptierten Zellen von *Pseudomonas syringae* durch Ammoniumsulfat-Fällung und Chromatographie an Diäthylaminoäthyl-cellulose partiell gereinigt worden. Einzelheiten der Methode wurden bisher nicht mitgeteilt.

Bestimmung der Uronsäure-Dehydrogenase nach KILGORE und STARR[1].

Die DPN$^+$-Reduktion wird bei 340 mμ gemessen. Der *Testansatz* enthält in einer Küvette, $d = 1$ cm, in einem Endvolumen von 3,0 ml:
  100   μM Tris-(hydroxymethyl)-aminomethan-Puffer, p_H 7,4,
  0,2—0,24 μM Substrat (D-Glucuronat oder D-Galakturonat),
  0,6 μM DPN$^+$,
  0,1   ml Enzymlösung.

Der Leerwert enthält kein Substrat. Die Reaktion wird durch den DPN$^+$-Zusatz gestartet. Der in den ersten 2—5 min nach DPN$^+$-Zusatz erfolgende, lineare Anstieg der Extinktion bei 340 mμ ist ein Maß der Enzymaktivität.

Unter den angegebenen Bedingungen verläuft die Reaktion bis zur Bildung der der zugesetzten Uronsäuremenge äquimolaren Menge DPNH.

---

* Dargestellt aus D-Galakturonsäure in chlorwasserstoffhaltigem Methanol[3].
[1] KILGORE, W. W., and M. P. STARR: Nature 183, 1412 (1959).
[2] ZAJIC, J. E.: J. Bact. 78, 734 (1959).
[3] JANSEN, E. F., and R. JANG: Am. Soc. 68, 1475 (1946).

Ketouronsäure-Reductasen.
Enzyme der Wirkung

Ketohexuronsäure + Pyridinnucleotid$_{red.}$ ⇌ D-Hexonsäure + Pyridinnucleotid$_{ox.}$

sind in *Serratia marcescens, Aerobacter aerogenes*[1], *Erwinia carotovora*[2,3] und *E. coli*[4] nach Wachstum der Zellen in Glucuronat oder Galakturonat nachgewiesen worden. Durch die Untersuchungen von HICKMAN und ASHWELL[4] an *E. coli* ist der Beweis dafür erbracht worden, daß für die Reduktion von D-Fructuronsäure (5-Keto-L-gulonsäure oder D-*lyxo*-5-Hexulosonsäure) bzw. von D-Tagaturonsäure (5-Keto-L-galaktonsäure oder D-*arabino*-5-Hexulosonsäure) zwei verschiedene Dehydrogenasen verantwortlich sind.

5. D-Altronsäure-Dehydrogenase.

D-Tagaturonsäure + DPNH + H$^+$ ⇌ D-Altronsäure + DPN$^+$

Spezifität[3,4]. Fructuronsäure, 5-Keto-D-gluconsäure, 2-Keto-D-gluconsäure, 2-Keto-L-gulonsäure, D-Glucuronsäure, D-Galakturonsäure, Mannuronsäure und Iduronsäure werden vom gereinigten Enzym nicht reduziert, D-Mannonsäure, L-Gulonsäure und L-Galaktonsäure werden nicht oxydiert.

DPN ist in der Reaktion nicht durch TPN ersetzbar.

Infolge der ausgeprägten Substratspezifität ist das Enzym für die quantitative Bestimmung von D-Tagaturonsäure (Bereich 0,01—0,1 μM) geeignet.

Darstellung und Reinigung aus E. coli nach HICKMAN *und* ASHWELL[4].

Da *E. coli*-Extrakte nach Vorzüchtung der Zellen in Glucuronat außer Altronsäure- auch Mannonsäure-Dehydrogenase enthalten, wird die Vorzüchtung zweckmäßig in Galakturonat vorgenommen.

Vorzüchtung der Zellen und Herstellung zellfreier Extrakte[5]. 250 ml eines Mediums, enthaltend 1,32% prim. Kaliumphosphat, 0,2% Ammoniumsulfat, 0,02% Magnesiumsulfat, 0,001% Calciumchlorid, 0,00005% Eisen(III)-sulfat, 0,8% Kaliumgalakturonat, End-p$_H$ 7,2, werden mit *E. coli (ATCC 9637)* von Glucose-Hefe-Casein-Agarplatten beimpft und unter Schütteln 18 Std bei 37° C inkubiert. Mit je 500 ml dieser Vorkultur wird ein Kulturkolben, enthaltend 15 l des gleichen Kulturmediums, beimpft und ebenfalls 18 Std bei 37° C unter Einleiten eines sterilen Luftstromes inkubiert. Nach dieser Zeit werden die Zellen durch Zentrifugieren bei 3° C abgetrennt und zweimal mit destilliertem Wasser oder 0,9% NaCl-Lösung gewaschen (Ausbeute 4 g Frischzellen/l Kulturmedium). Je 100 g Frischzellen werden in 100 ml 0,1 m Phosphatpuffer, p$_H$ 7—7,5, enthaltend 0,1% Cysteinhydrochlorid, suspendiert und durch Ultraschallbehandlung (15 min bei 0° C) in einem 10 kHz-Raytheon-Gerät rupturiert. Die Zelltrümmer werden durch Zentrifugieren abgetrennt und verworfen. Der zellfreie Überstand kann bei —10° C mehrere Wochen aufbewahrt werden.

Behandlung mit Protaminsulfat. 34 ml des zellfreien Extraktes werden versetzt mit 488 mg Ammoniumsulfat und 51 ml (1,5 Volumen) einer 1%igen Protaminlösung. Der Ansatz wird unmittelbar danach zentrifugiert und der Rückstand verworfen.

Hitzebehandlung. Der Überstand nach Protaminsulfat-Behandlung wird in einem Wasserbad von 70° C unter leichtem Rühren erhitzt, bis seine Temperatur 55° C erreicht hat, und dann sofort in einem Eisbad abgekühlt. Der entstandene Niederschlag wird abzentrifugiert und verworfen.

---

[1] PAYNE, W. J., and R. A. McRORIE: Biochim. biophys. Acta **29**, 466 (1958).
[2] KILGORE, W. W., and M. P. STARR: Biochim. biophys. Acta **30**, 652 (1958).
[3] KILGORE, W. W., and M. P. STARR: J. biol. Ch. **234**, 2227 (1959).
[4] HICKMAN, J., and G. ASHWELL: J. biol. Ch. **235**, 1566 (1960).
[5] ASHWELL, G., A. J. WAHBA and J. HICKMAN: J. biol. Ch. **235**, 1559 (1960).

Ammoniumsulfat-Fällung. Zu 68 ml des Überstandes nach Hitzebehandlung werden 15,3 g Ammoniumsulfat in Substanz zugesetzt (Sättigung 40%). Nach 15—20 min Stehen bei 0° C wird der Niederschlag abzentrifugiert und verworfen. Der nach Zusatz von weiteren 4,3 g festen Ammoniumsulfates (Sättigung 50%) zum Überstand ausfallende Niederschlag wird abzentrifugiert und in Wasser gelöst. Diese Lösung wird über Nacht gegen 3 l destillierten Wassers bei 0° C dialysiert. Ein während der Dialyse auftretender, inaktiver Niederschlag wird durch Zentrifugieren abgetrennt.

Behandlung mit Aluminium-C_γ-Gel. In 8,2 ml der dialysierten Lösung (enthaltend 32,8 mg Protein) wird die gleiche Gewichtsmenge (32,8 mg Trockengewicht) Aluminium-C_γ-Gel[1] suspendiert. Zwecks Verringerung der Verdünnung wird das Gel vor dem Zusatz zentrifugiert und die Gel-Suspensionsflüssigkeit abgegossen. Die Suspension wird nach 15 min Stehen bei 0° C zentrifugiert und das so gewonnene Dekantat noch 4—5mal der gleichen Behandlung mit Aluminium-C_γ-Gel unterworfen, wie vorstehend beschrieben. Jeder Gel-Rückstand wird sodann getrennt mit je 8 ml einer 10%igen Lösung von Ammoniumsulfat extrahiert. Die Hauptaktivität ist in der Regel im Eluat aus dem zweiten oder dritten Gelrückstand enthalten.

Die mit dieser Methode erzielbare Reinigung ist etwa 40fach bei einer Endausbeute von 20%. Das Präparat ist frei von Uronsäure-Isomerase und Mannonsäure-Dehydrogenase.

Eigenschaften[2]. Altronsäure-Dehydrogenase ist relativ stabil und kann bei $+3°$ C oder $-10°$ C über 1 Monat aufbewahrt werden.

Das p_H-Optimum der Tagaturonsäure-Reduktion liegt bei p_H 6,0. Bei Verfolgung der Reaktion in der umgekehrten Richtung bei p_H 9,0 enthält der Ansatz im Gleichgewicht etwa 10% Tagaturonsäure.

10^{-4} m p-Chlormercuribenzoat hemmt das Enzym zu 60%. Fluorid und Jodacetat besitzen keine Hemmwirkung. Aktivatoren oder Cofaktoren sind bisher nicht aufgefunden worden.

K_M für Tagaturonsäure beträgt 1×10^{-4} m.

Bestimmung der D-Altronsäure-Dehydrogenase nach Hickman und Ashwell[2].

Die Initialgeschwindigkeit der bei Zusatz von D-Tagaturonsäure erfolgenden DPNH-Oxydation wird bei 340 mμ gemessen.

Der *Testansatz* enthält in einer 1 ml-Küvette, Schichtdicke 1 cm:

    50   μM Phosphatpuffer, p_H 6,0,
    1   μM D-Tagaturonsäure*,
    0,1 μM DPNH,
0,01—0,04 Einheiten Enzym,
          Endvolumen 1 ml.

Der Leerwert enthält kein DPNH. Die Extinktion wird nach Zusatz des Enzyms im Abstand von je 1 min über einen Zeitraum von 5 min gemessen. Eine spontane, ohne Zusatz von Substrat erfolgende DPNH-Oxydation wird in einem gesonderten Kontrollansatz ohne Tagaturonsäure gemessen und vom Hauptansatz in Abzug gebracht. Bei Anwendung dieser Korrektur kann die Bestimmung auch in Rohextrakten durchgeführt werden.

Eine Einheit ist diejenige Enzymmenge, die unter den beschriebenen Bedingungen eine Extinktionsabnahme von 1,0/min bewirkt.

---

* Dargestellt aus D-Galkturonsäure durch Isomerisierung in Kalkwasser[3,4].

[1] Bauer, E.; in: Bamann-Myrbäck, Bd. II, S. 1449.
[2] Hickman, J., and G. Ashwell: J. biol. Ch. **235**, 1566 (1960).
[3] Ehrlich, F., u. R. Guttmann: B. **67**, 573 (1934).
[4] Ashwell, G., A. J. Wahba and J. Hickman: J. biol. Ch. **235**, 1559 (1960).

6. D-Mannonsäure-Dehydrogenase[1].

D-Fructuronsäure + DPNH + H⁺ ⇌ D-Mannonsäure + DPN⁺

Spezifität. Da eine Abtrennung von der D-Altronsäure-Dehydrogenase bisher nicht gelungen ist, weisen gereinigte Präparate der D-Mannonsäure-Dehydrogenase gegen Fructuronsäure und Tagaturonsäure bzw. gegen D-Mannonsäure und D-Altronsäure etwa gleiche Aktivität auf. Andere Substrate werden vom gereinigten Enzym nicht angegriffen. Das gereinigte Enzym ist völlig unwirksam, wenn DPN durch TPN ersetzt wird.

Mittels gereinigter D-Mannonsäure-Dehydrogenase läßt sich demnach die Summe von D-Tagaturonsäure und D-Fructuronsäure genau bestimmen. Der Gehalt an Fructuronsäure ergibt sich aus der Differenz nach spezifischer Bestimmung der Tagaturonsäure mittels D-Altronsäure-Dehydrogenase.

Darstellung und Reinigung von D-Mannonsäure-Dehydrogenase nach HICKMAN *und* ASHWELL[1].

Da die Aktivität an D-Mannonsäure-Dehydrogenase in *E. coli (ATCC 9637)* nach Vorzüchtung in Glucuronat höher ist als nach Vorzüchtung in Galakturonat, wird die Vorzüchtung am besten in 0,8% Kaliumglucuronat vorgenommen. Im übrigen gelten für die Vorzüchtung und für die Herstellung zellfreier Extrakte die gleichen Angaben, die im Abschnitt über die D-Altronsäure-Dehydrogenase mitgeteilt worden sind (s. S. 727).

Durch eine Fällung mit $MnCl_2$, negative Adsorption an Aluminium-C_γ-Gel, Ammoniumsulfat-Fällung und eine negative Adsorption an Calciumphosphat-Gel kann in zellfreien Extrakten eine 30fache Anreicherung der D-Mannonsäure-Dehydrogenase erzielt werden, ohne daß dabei eine Trennung von der D-Altronsäure-Dehydrogenase erreicht wird. Die gereinigten Präparate sind frei von Uronsäure-Isomerase.

Eigenschaften. Dialyse, mildes Erhitzen oder Aufbewahrung bei p_H-Werten unterhalb 6,5 führt zu einem raschen Aktivitätsverlust des Enzyms. Durch Einfrieren und Wiederauftauen wird es komplett inaktiviert. Zusatz von 10^{-3} m Cystein stabilisiert das Enzym bei p_H 7, so daß es bei 3° C ohne wesentlichen Aktivitätsverlust 1—2 Wochen aufbewahrt werden kann.

In gereinigten Fraktionen wird die Enzymaktivität durch Zusatz von $1,5 \times 10^{-2}$ m Äthylendiamintetraacetat bzw. 5×10^{-3} m 2-Mercaptoäthanol mehr als verdoppelt. Bei maximaler Aktivierung durch eine der beiden Substanzen ist durch Zusatz der zweiten keine weitere Aktivierung möglich. Eine stabilisierende Wirkung wird von Äthylendiamintetraacetat bzw. Mercaptoäthanol nicht ausgeübt, wie Cystein umgekehrt keine Aktivierung bewirkt.

Durch 10^{-5} m p-Chlormercuribenzoat wird das Enzym völlig gehemmt; Fluorid und Jodacetat hemmen nicht.

Das p_H-Optimum der Fructuronsäure-Reduktion liegt bei p_H 6,0. K_M für D-Fructuronsäure beträgt 1×10^{-3} m.

Bestimmung der D-Mannonsäure-Dehydrogenase nach HICKMAN *und* ASHWELL[1].

Die Bestimmung erfolgt nach dem gleichen Prinzip und unter Verwendung der gleichen Einheit wie die Bestimmung der D-Altronsäure-Dehydrogenase (s. S. 728).

Der *Testansatz* enthält in einer 1 ml-Küvette, Schichtdicke 1 cm, in einem Endvolumen von 1 ml:

50 μM Phosphatpuffer, p_H 6,0,   3 μM D-Fructuronsäure*,
5 μM 2-Mercaptoäthanol,   0,1 μM DPNH,
10 μM Äthylendiamintetraacetat,   0,01—0,075 Einheiten Enzym.

---

* Dargestellt aus D-Glucuronsäure durch Isomerisierung[2].
[1] HICKMAN, J., and G. ASHWELL: J. biol. Ch. **235**, 1566 (1960).
[2] ASHWELL, G., A. J. WAHBA and J. HICKMAN: J. biol. Ch. **235**, 1559 (1960).

Die Extinktionsabnahme bei 340 mμ wird nach Zusatz des Enzyms im Abstand von je 1 min über eine Gesamtzeit von 5 min gegen einen Leerwert gemessen, der kein DPNH enthält. Eine spontan erfolgende DPNH-Oxydation muß auch in diesem Test in einem Kontrollansatz ohne Fructuronsäure bestimmt und von der im Hauptansatz erfolgenden DPNH-Oxydation abgezogen werden.

Ketogluconat-Reductasen und 2-Keto-D-gluconat-6-phosphat-Reductase.
7. 2-Ketogluconat-Reductase aus *Corynebacterium helvolum*[1].

Gluconat + TPN$^+$ $\rightleftharpoons$ 2-Ketogluconat + TPNH + H$^+$

Vorkommen und Spezifität. Eine Dehydrogenase der obigen Wirkung ist von DE LEY und DEFLOOR[1] in *Corynebacterium helvolum*, *Debaryomyces hansenii* und *Aspergillus nidulans* nach Vorzüchtung der Zellen in 2-Ketogluconat nachgewiesen worden. Die Aktivitäten in Extrakten aus den genannten, adaptierten Mikroorganismen verhalten sich wie 30:1,5:1. Das Enzym fehlt nach Vorzüchtung in Glucose, Pepton oder Malzextrakt.

Durch das Enzym werden nicht dehydriert bzw. mit einer Geschwindigkeit von weniger als 7% der der Gluconat-Oxydation: Ribonat, D-Xylonat, D-Arabonat, Mannonat, Gulonat, Galaktonat, Mannuronat, Glucuronat, Galakturonat, 2-Keto-3-desoxygalaktonat, Lactobionat, Saccharat. Obwohl rohe Enzymextrakte in Gegenwart von TPNH außer 2-Ketogluconat auch 2-Keto-6-phosphogluconat reduzieren (Verhältnis 100:25), ist die 2-Ketogluconat-Reductase sicher von der 2-Keto-6-phosphogluconat-Reductase (s. S. 732) verschieden. — Ersatz von TPNH durch DPNH erniedrigt die Geschwindigkeit der 2-Ketogluconat-Reduktion auf 6%.

Eine 2-Ketogluconat-Reductase kommt gleichfalls in Extrakten aus *Acetobacter suboxydans*[2] nach Vorzüchtung der Zellen in Gluconat vor. Sie oxydiert jedoch außer Gluconat auch Galaktonat mit etwa halber Geschwindigkeit. Vermutliches Oxydationsprodukt ist 2-Ketogalaktonat. Ersatz von TPN$^+$ durch DPN$^+$ setzt die Geschwindigkeit der durch das *Acetobacter*-Enzym katalysierten Reaktionen auf $^1/_3$ herab.

Darstellung von 2-Ketogluconat-Reductase aus Corynebacterium helvolum nach DE LEY *und* DEFLOOR[1].

Vorzüchtung. Je 200 ml eines Mediums, enthaltend 0,1% Difco-Hefeextrakt, 0,5% KH$_2$PO$_4$, 0,5% NaCl, 0,025% MgSO$_4 \cdot$ 7 H$_2$O, 0,025% FeSO$_4 \cdot$ 7 H$_2$O, pH 7,2, werden in 800 ml Erlenmeyer-Kolben sterilisiert. Natrium-2-ketogluconat wird durch Sterilfiltration sterilisiert und dem Nährmedium getrennt zugesetzt (Endkonzentration 0,5%). Die mit *Corynebacterium helvolum* beimpften Kolben werden unter Schütteln 24 Std bei 30° C inkubiert. Die Ausbeute beträgt unter diesen Bedingungen etwa 8 g Feuchtzellen/Liter Medium.

Herstellung des Extraktes. Die durch Zentrifugieren aus dem Medium abgetrennten Zellen werden zweimal mit 0,01 m Phosphatpuffer, pH 7,0, gewaschen und danach im gleichen Puffer suspendiert (1 ml Puffer/270 mg Bakterien). Durch eine Ultraschallbehandlung von 45 min in einer 250 W, 10 kHz-Raytheon-Apparatur werden die Zellen aufgeschlossen. Die so gewonnenen, leicht viscösen Suspensionen werden zuerst 1 Std bei 4° C und 10000 U/min und die erhaltenen Überstände anschließend 2 Std bei 4° C und 100000 $\times$ g zentrifugiert. Der gelbliche, partikelfreie Überstand wird über Nacht gegen 0,01 m Phosphatpuffer, pH 7,0, dialysiert.

Eine partielle Reinigung des Enzyms kann durch Fraktionierung mit Ammoniumsulfat erzielt werden. Die zwischen 35 und 63% Sättigung mit Ammoniumsulfat bei 0° C ausfallende Fraktion wird bei 4° C abzentrifugiert, im ursprünglichen Volumen

---
[1] LEY, J. DE, and J. DEFLOOR: Biochim. biophys. Acta **33**, 47 (1959).
[2] LEY, J. DE, and A. J. STOUTHAMER: Biochim. biophys. Acta **34**, 171 (1959).

Phosphatpuffer gelöst und über Nacht dialysiert. Diese Fraktion enthält $^2/_5$ der Gesamtaktivität des Enzyms.

Eigenschaften. Das Enzym ist aktiv zwischen p_H 5—11. Das Optimum für die 2-Ketogluconat-Reduktion liegt bei p_H 7,3, für die Gluconat-Oxydation bei p_H 10. Die Gleichgewichtskonstante K_e für die Gluconatoxydation beträgt $0{,}52 \pm 0{,}19 \times 10^{-10}$; daraus ergibt sich $\Delta G° = 13\,800 \pm 200$ cal. E'_0 des Systems Gluconat$^-$/2-Ketogluconat$^-$ beträgt bei p_H 7 und 20° C $-0{,}222$ V.

Bestimmung der 2-Ketogluconat-Reductase nach DE LEY und DEFLOOR[1].

Die Aktivität des Enzyms kann bestimmt werden entweder durch Messung der Initialgeschwindigkeit der TPNH-Oxydation nach Zusatz von 2-Ketogluconat oder durch Messung der Initialgeschwindigkeit der TPN$^+$-Reduktion nach Gluconat-Zusatz. Die Größe von $\Delta E/\text{min}$ bei 340 mμ ist in beiden Fällen ein Maß der Enzymaktivität.

Test zur Messung der TPNH-Oxydation. Da die rohen Enzymextrakte Glucose-6-phosphat-Dehydrogenase enthalten, kann TPNH im Testansatz durch TPN$^+$ + Glucose-6-phosphat ersetzt werden.

Der *Ansatz* enthält in einer 3 ml-Küvette, Schichtdicke 1 cm, in einem Gesamtvolumen von 2,9 ml:

- 60 μM Tris-(hydroxymethyl)-aminomethan-HCl-Puffer, p_H 7,3,
- 0,3 μM Natrium-glucose-6-phosphat,
- 0,35 μM TPN$^+$,
- 0,2 ml Extrakt aus *Corynebacterium helvolum* (bzw. 0,6—0,8 ml Extrakt aus *Debaryomyces hansenii* oder *Aspergillus nidulans*). Im Leerwert fehlt TPN$^+$.

Nach Erreichen einer konstanten Extinktion bei 340 mμ wird 0,1 ml Natrium-2-ketogluconat, enthaltend 2 μM, zugesetzt und die Extinktionsabnahme in Abständen von je 1 min gemessen.

Test zur Messung der TPN$^+$-Reduktion. Zu einem *Ansatz*, enthaltend in 2,9 ml:

- 60 μM Glycin-NaOH-Puffer, p_H 10,
- 50 μM Natriumgluconat,
- 0,2—0,8 ml Enzymextrakt

werden 0,3 μM TPN$^+$, gelöst in 0,1 ml, zugesetzt. Der Leerwert enthält kein Gluconat. Der Extinktionsanstieg bei 340 mμ wird nach Gluconatzusatz in Abständen von je 1 min gemessen.

8. 5-Ketogluconat-Reductase aus *Acetobacter suboxydans*[2].

Vorkommen und Spezifität. Zellfreie Extrakte aus *Acetobacter suboxydans*, vorgezüchtet in Gluconat, katalysieren die folgende Reaktion:

$$\text{Gluconat} + \text{TPN}^+ \rightleftharpoons \text{5-Ketogluconat} + \text{TPNH} + \text{H}^+$$

D-Glucuronat, D-Galakturonat, 5-Keto-L-galaktonat, Pyruvat werden in Gegenwart von TPNH durch diese Extrakte nicht reduziert. Eine Gluconat-Oxydation in Gegenwart von TPN$^+$ ist bei p_H 10 und hoher Gluconat-Konzentration demonstrierbar. D-Gulonat, D-Mannonat, D-Arabonat, D-Ribonat und D-Xylonat werden nicht oxydiert.

Bei einer Substitution von TPN$^+$ durch DPN$^+$ wird die Geschwindigkeit der Gluconat-Oxydation auf $^1/_3$ herabgesetzt. Da eine sehr aktive DPNH-Oxydase in den Extrakten enthalten ist, war es bisher nicht möglich, DPNH als Wasserstoff-Donator für die 5-Ketogluconat-Reduktion zu untersuchen.

Eine 5-Ketogluconat-Reductase findet sich auch in *Klebsiella*, *Escherichia coli* und in *Alcaligenes*[3] nach Vorzüchtung in 5-Ketogluconat. Die Reductase dieser Bakterien reagiert jedoch in Gegenwart von DPNH doppelt so schnell wie in Gegenwart von TPNH.

---

[1] LEY, J. DE, and J. DEFLOOR: Biochim. biophys. Acta **33**, 47 (1959).
[2] LEY, J. DE, and A. J. STOUTHAMER: Biochim. biophys. Acta **34**, 171 (1959).
[3] LEY, J. DE: Biochim. biophys. Acta **27**, 652 (1958).

Sie ist aktiv zwischen pH 4—11, reduziert 5-Ketogluconat optimal bei pH 6—7 und oxydiert Gluconat optimal zwischen pH 10—11. 2-Ketogluconat, D-Fructose oder L-Sorbose werden nicht reduziert.

Darstellung aus Acetobacter suboxydans nach DE LEY und STOUTHAMER[1].

Vorzüchtung. Ein Medium, enthaltend 2% Calciumgluconat, 0,2% $NH_4H_2PO_4$, 0,1% K_2HPO_4, 0,025% $MgSO_4 \cdot 7 H_2O$, 0,5% Hefeextrakt, wird in dünner Schicht in Erlenmeyer-Kolben mit *Acetobacter suboxydans* beimpft und 48—72 Std unter Schütteln bei 30° C inkubiert. Das während der Inkubation abgeschiedene Calcium-5-ketogluconat wird durch Dekantieren und Filtrieren abgetrennt, die Zellen werden abzentrifugiert und zweimal mit 0,01 m Phosphatpuffer, pH 6,0, gewaschen.

Herstellung des Extraktes. In *Acetobacter*-Suspensionen, die 9—12 g Feuchtzellen in 50 ml 0,01 m Phosphatpuffer, pH 6,4, enthalten, werden die Zellen durch Ultraschallbehandlung rupturiert (15 min im 250 W, 10 kHz-Raytheon-Gerät). Die Suspension wird danach 1 Std bei 12000 U/min bei 4° C und der Überstand der ersten Zentrifugierung 2 Std bei 105000 × g und 0° C zentrifugiert. Der zellfreie Extrakt wird 18 Std bei 4° C gegen 0,01 m Phosphatpuffer, pH 6,0, dialysiert.

Bestimmung der 5-Ketogluconat-Reductase nach DE LEY und STOUTHAMER[1].

Maß der Enzymaktivität ist die Geschwindigkeit der nach Zusatz von 5-Ketogluconat erfolgenden TPNH-Oxydation, die bei 340 mµ und 20° C spektrophotometrisch gemessen wird. TPNH wird vorher aus TPN^+ und Glucose-6-phosphat durch die im Extrakt enthaltene Glucose-6-phosphat-Dehydrogenase gebildet.

Der *Testansatz* in einer 3 ml-Küvette, Schichtdicke 1 cm, enthält in einem Volumen von 2,9 ml:

    60 µM Tris-(hydroxymethyl)-aminomethan-Puffer, pH 7,4,
    60 µM $MgCl_2$,
    2 µM Natrium-glucose-6-phosphat,
    0,3 µM TPN^+,
    0,3 ml *Acetobacter*-Extrakt.

Im Leerwert fehlt TPN^+. Nach maximaler TPN^+-Reduktion wird Natrium-5-ketogluconat (10 µM in 0,1 ml) zugesetzt und die Abnahme der Extinktion bei 340 mµ im Abstand von je 1 min gemessen.

Die Aktivität des Enzyms kann ebenfalls durch Messung der Geschwindigkeit der Gluconat-Dehydrierung bestimmt werden. Für diesen Zweck ist der gleiche Testansatz geeignet, der zur Messung der 2-Ketogluconat-Reductase-Aktivität angegeben worden ist (s. S. 731).

9. 2-Keto-D-gluconat-6-phosphat-Reductase aus *Aerobacter cloacae*[2,3].

2-Keto-D-gluconat-6-phosphat + TPNH + H^+ → D-Gluconat-6-phosphat + TPN^+

Vorkommen und Spezifität. Ein Enzym dieser Spezifität kommt in *Aerobacter cloacae* nach Vorzüchtung in 2-Ketogluconat vor. Seine Aktivität beträgt in *Aerobacter*-Extrakten nach Vorzüchtung in Glucose, Saccharose, Gluconat oder Glutamat nur $1/25$ der in Extrakten aus adaptierten Zellen. Das Enzym kommt in geringer Menge ferner in Bäckerhefe vor, es fehlt dagegen in Gerstenkeimen, Würmern und Säugetiergeweben.

Extrakte aus adaptierten *Aerobacter cloacae* katalysieren außer der obigen Reaktion mit geringer Geschwindigkeit auch die Reduktion von 2-Ketogluconat und 2-Keto-3-desoxygluconat-6-phosphat. Pyruvat wird nicht reduziert.

Ersatz von TPNH durch DPNH vermindert die Reaktionsgeschwindigkeit auf $1/20$. Eine Umkehr der Reaktion ist bisher nicht gezeigt worden.

---

[1] LEY, J. DE, and A. J. STOUTHAMER: Biochim. biophys. Acta **34**, 171 (1959).
[2] LEY, J. DE, and S. VERHOFSTEDE: Naturwiss. **42**, 584 (1955).
[3] LEY, J. DE, and S. VERHOFSTEDE: Enzymologia **18**, 47 (1957).

Darstellung von Extrakten nach DE LEY ***und*** VERHOFSTEDE[1].

Aerobacter cloacae K_3 wird vorgezüchtet in einem halbsynthetischen Medium, dem nach der Sterilisation durch Sterilfiltration sterilisiertes Natrium-2-ketogluconat (Endkonzentration 0,5%) zugesetzt worden ist. Zellfreie Extrakte werden durch Verreiben der abzentrifugierten, gewaschenen Bakterien mit alkalischem Glaspulver und anschließendes Zentrifugieren gewonnen. Durch Fällung mit Ammoniumsulfat kann die Reductase von der 6-Phosphogluconat-Dehydrogenase partiell getrennt werden.

Bestimmung der 2-Keto-D-gluconat-6-phosphat-Reductase nach DE LEY ***und*** VERHOFSTEDE[1, 2].

Die Bestimmung erfolgt nach demselben Prinzip wie die der beiden Ketogluconat-Reductasen (s. S. 731 und 732). Auch hier läßt sich TPNH durch TPN$^+$ + Glucose-6-phosphat ersetzen, da die *Aerobacter*-Extrakte Glucose-6-phosphat-Dehydrogenase enthalten.

Der *Testansatz* in einer 3 ml-Küvette, Schichtdicke 1 cm, enthält in einem Volumen von 2,85 ml:

    120   μM Tris-(hydroxymethyl)-aminomethan-Puffer, p_H 7,46,
      60   μM $MgCl_2$,
    4,5 μM Natrium-glucose-6-phosphat,
    0,5 μM TPN$^+$,
    0,1 ml *Aerobacter*-Extrakt.

Der Leerwert enthält kein TPN$^+$. Nachdem bei 20° C eine konstante Extinktion bei 340 mμ erreicht worden ist, werden 2 μM Natrium-2-keto-6-phosphogluconat*, gelöst in 0,15 ml, zugesetzt. Nach dem Zusatz wird die Extinktionsabnahme bei 340 mμ in 1 min-Abständen gemessen.

Weniger bekannte Pyridinnucleotid-Enzyme.

Von

Gertrud Mohn**.

Mit 4 Abbildungen.

Einführung. Die Gruppe der Pyridinnucleotid-Enzyme stellt ein Bindeglied zwischen Atmungskette und Intermediärstoffwechsel dar. Die meisten dieser Enzyme gehören zu den löslichen Enzymen des Cytoplasmas oder doch zu den sog. Endo-Enzymen, die nach Zerstörung der Zellstrukturen leicht in löslicher Form zu erhalten sind. Ihre Aufgabe ist stets eindeutig: Sie dehydrieren ihre spezifischen Substrate in meist reversibler Reaktion bei gleichzeitiger Reduktion des Pyridinnucleotids (PN). Ihre Coenzyme, Diphosphopyridinnucleotid (DPN) und Triphosphopyridinnucleotid (TPN), sind verhältnismäßig leicht dissoziabel und können daher an andere Apo-Enzyme der PN-Enzym-Reihe weitergegeben werden. Aus diesem Grund sind sie nicht nur für den oxydativen Endstoffwechsel, sondern vor allem auch für den Intermediärstoffwechsel selbst, wie z. B. Glykolyse und Aminosäurestoffwechsel, von großer Wichtigkeit.

---

   * Dargestellt aus 2-Ketogluconat durch Phosphorylierung mittels einer aus *Aerobacter aerogenes* gereinigten Kinase[3].
   ** Physiologisch-Chemisches Institut der Universität Homburg/Saar.
[1] LEY, J. DE, and S. VERHOFSTEDE: Enzymologia **18**, 47 (1957).
[2] LEY, J. DE, and S. VERHOFSTEDE: Naturwiss. **42**, 584 (1955).
[3] FRAMPTON, E. W., and W. A. WOOD: J. biol. Ch. **236**, 2578 (1961).

Im folgenden soll über eine Anzahl PN-Dehydrogenasen berichtet werden, die man in neuerer Zeit aufgefunden hat. Über die Bedeutung ihrer Funktion für den Gesamtstoffwechsel, besonders der Mikroorganismen und Pflanzen, aber auch des tierischen Organismus, bestehen häufig nur Hypothesen. Selbst ihre Charakterisierung und Identifizierung ist oft nur unvollkommen und harrt der weiteren Aufklärung.

Einteilung. Entsprechend dem vorliegenden Material wurden die Enzyme folgendermaßen geordnet:

An erster Stelle stehen Dehydrogenasen, die die aliphatische oder cycloaliphatische Hydroxylgruppe zur Carbonylgruppe oxydieren. Diese Gruppe ist die umfangreichste. Ihre Substrate sind chemisch bifunktionell oder polyfunktionell. Sie enthalten außer dem enzymatisch reagierenden Hydroxyl a) eine zweite OH-Gruppe, b) Carbonylgruppen mit oder ohne OH-Gruppe, c) Carboxylgruppen mit oder ohne OH-Gruppe und d) sowohl Carbonyl- als auch Carboxylgruppen. Als besondere Untergruppe wurden die Hydroxyl-Dehydrogenasen des Aminosäurestoffwechsels zusammengefaßt. Zu ihnen gehört, obwohl in anderm Sinne, auch die Pyridoxol-Dehydrogenase, die das Vitamin B_6 in Pyridoxal, die phosphorsäurefreie Vorstufe des Co-Enzyms der Desaminierung, Transaminierung und Decarboxylierung der Aminosäuren, überführt.

Eine spezielle Gruppe bilden die Aminosäure- und Iminosäure-Dehydrogenasen. Die ersten können als „two headed enzymes" angesehen werden, da sie nicht nur die Dehydrierung von $H\overset{|}{C}-NH_2$ zu $\overset{|}{C}=NH$, sondern auch die Hydrolyse der Imino- zur Carbonylgruppe bewirken. Beide Vorgänge sind reversibel.

Die Iminosäure-Dehydrogenasen werden ihrer einsinnigen Wirkungsweise entsprechend besser als Reductasen bezeichnet. Sie reduzieren in irreversibler Reaktion die Prolin, Hydroxyprolin und Piperidin-2-carbonsäure (Pipecolinsäure) zugehörigen N-ungesättigten Verbindungen zu den genannten cyclischen Iminosäuren. Im Gegensatz zur freien Iminogruppe ist die cyclische $\overset{|}{C}=N$-Doppelbindung recht stabil.

Weiter folgen Dehydrogenasen, die Aldehydgruppen zu Carboxylgruppen oxydieren. Die enzymatische Oxydation einfacher Aldehyde und der Glucose ist bekannt. Es bleiben die Dehydrogenasen einiger anderer Aldosen, von Aldehydsäuren sowie von Aldehydaminosäuren bzw. deren Cyclisierungsprodukten. Die Carbonylgruppe scheint in jeder Richtung enzymatisch unbeständig zu sein. Bei den durch die Hydroxyl-Dehydrogenasen katalysierten Redoxreaktionen liegt das Gleichgewicht stets zugunsten der Hydroxylverbindung, während die Aldehyd-Dehydrogenasen die Oxydation der Aldehydgruppe zur Carboxylgruppe bevorzugt beschleunigen, sie sogar in vielen Fällen irreversibel ablaufen lassen.

Von allen bisher angeführten PN-Enzymen unterscheiden sich Histidinol-Dehydrogenase und Uridindiphosphatglucose-Dehydrogenase dadurch, daß sie eine zweistufige Oxydation bewirken, sie dehydrieren eine primäre alkoholische Gruppe zur Carboxylgruppe, ohne daß eine Zwischenstufe gefaßt werden kann. Trotzdem setzt die Histidinol-Dehydrogenase Histidinal sowohl oxydativ als auch reduktiv um. Bei Uridindiphosphatglucose-Dehydrogenasen fehlen die entsprechenden Versuche, wohl infolge des Fehlens des synthetischen Uridindiphosphat-glucosedialdehyds.

Unter die Rubrik „Andere Dehydrogenasen" fallen a) Ameisensäure-Dehydrogenase, zu deren Substrat es keine Analogen gibt, b) Guanosinmonophosphat-Dehydrogenase und Dejodase, die beide die reduktive Abspaltung negativ einwertiger Substituenten katalysieren, sowie c) Dihydropyrimidin-Dehydrogenasen und Chinon-Reductasen, die den aromatischen Zustand ihrer heterocyclischen bzw. isocyclischen Substrate aufheben bzw. herstellen. Die hierher gehörenden Einzelenzyme sind zum großen Teil zu wenig untersucht, als daß man entscheiden könnte, ob sie Pyridinnucleotide als Coenzym oder als Co-Substrat benutzen. Bei den Chinon-Reductasen deutet schon die Art der spezifischen Inhibitoren darauf hin, daß hier keine einfachen Pyridinnucleotid-Enzyme vorliegen können. In letzter Zeit hat man unter den Dejodasen, Dehydrogenasen der Dihydropyrimidine und Chinon-Reductasen einzelne Enzyme als Flavinenzyme identifizieren können. Sie werden hier nicht berücksichtigt. Vermutlich gibt es bei Chinon-Reductasen sowohl Flavoproteide als auch PN-Enzyme.

Als Coenzym ist das Pyridinnucleotid selbst in Verbindung mit seinem Apoenzym der einzige direkte Vermittler der Wasserstoffübertragung zwischen reduzierter und oxydierter Form des Substrats. Als Co-Substrat kann es seine Wirkung nur indirekt unter Vermittlung der prosthetischen Gruppe des Flavoenzyms (oder eines anderen Wasserstoff oder Elektronen transferierenden Enzyms) ausüben.

Da Flavinadenindinucleotid (FAD) und Flavinmononucleotid (FMN) meist viel fester an das Enzymprotein gebunden sind, als es bei den Pyridinnucleotiden möglich ist, können sie als Bestandteil des Enzyms oft nicht ohne weiteres, z. B. spektrophotometrisch oder durch Aktivierungsversuche, erkannt werden.

Die Bezeichnung der PN-Enzyme ist, wie allgemein üblich, Dehydrogenasen, unabhängig davon, ob die Oxydation oder die Reduktion des Substrats die bevorzugte Reaktionsrichtung ist. Nur solche Enzyme, die irreversible Reduktionen ausführen bzw. bei denen die Umkehrbarkeit der Reduktion nicht nachgewiesen werden konnte, werden Reductasen genannt. Homospezifische (isodyname) Enzyme verschiedenen Ursprungs werden einzeln aufgeführt, wenn sie untereinander charakteristische Unterschiede aufweisen. Diese betreffen am häufigsten das Verhalten gegenüber Effektoren, weiter auch verschiedene Lokalisierung innerhalb der Zelle, verschiedene Darstellungsweise und spezifische Aktivität.

Eigenschaften. Vorkommen, Coenzym- und Substratspezifität, Co-Faktoren, Effektoren, p_H-Optimum, kinetische und thermodynamische Daten, Anreicherungsverfahren, spezifische Aktivität, Stabilität und Testbedingungen sind in die Tabelle 16 aufgenommen worden. Da die PN-Enzyme häufig einen breiten Spezifitätsbereich haben, der bisweilen offenbar nicht einmal die Oxydationsgrenze der Hauptreaktion einhält (s. z. B. die Dismutation des Formaldehyds durch die Alkohol-Dehydrogenase der Leber...), erscheint es notwendig, anzugeben, welche anderen in Frage kommenden biochemischen Verbindungen nicht umgesetzt werden. Gleichzeitig ist damit ein Hinweis für die Beurteilung des Reinheitsgrades des Enzympräparats gegeben.

Die Unvollkommenheit unserer Kenntnisse der in diesem Abschnitt behandelten Enzyme geht nur zum Teil aus den Lücken der Tabelle 16 hervor. In den wenigsten Fällen hat man einheitliche oder kristalline Präparate erhalten können. Dadurch sind in manchen Fällen Coenzym- und Substratspezifitätsbereich nicht genügend gesichert. Die Konstanz des Aktivitätsverhältnisses verschiedener Substrate bei Anreicherung und partieller Inaktivierung des Enzyms scheint als Kriterium der Einheitlichkeit nicht immer auszureichen, zumal der Begriff „Konstanz" bisweilen recht großzügig gehandhabt wird. Die spezifischen Aktivitäten der angeführten Enzyme sind oft nicht untereinander vergleichbar, z.B. wenn die Sättigungskonzentrationen von Co-Enzym und Substrat nicht bekannt sind, wenn das Reaktionsprodukt durch ein Hilfsenzym oder mit chemischen Reagentien ständig entfernt wurde, oder wenn bei verschiedenen Reaktionszeiten die Proportionalität von Umsatz und Zeit nicht feststeht. MICHAELIS-Konstanten und Gleichgewichtskonstanten sind bei geringer Anreicherung des Enzyms nur Näherungswerte.

Auf diese Unsicherheiten kann hier nur allgemein hingewiesen werden. Der der Tabelle 16 vorausgehende Textteil bringt keine selbständige Beschreibung der einzelnen Enzyme, sondern Ergänzungen zu den Angaben der Haupttabelle, die aus praktischen Gründen an den Schluß dieses Abschnitts gestellt wurde. Die Enzymreaktionen werden formelmäßig wiedergegeben, und einige der zur Sicherung der Angaben durchgeführten Versuche sowie einzelne qualitative und quantitative analytische Methoden werden angeführt. Für die weniger bekannten Redoxreaktionen erscheint es notwendig, kurz auf ihre Bedeutung im Stoffwechsel des betreffenden Organismus hinzuweisen. Viele der Enzyme dieses Abschnitts entstammen Mikroorganismen, deren individueller Stoffwechsel sich von dem der höheren Lebewesen unterscheidet. Andererseits aber finden sich gerade bei ihnen Hinweise für den Weg, den Katabolismus und Anabolismus mancher biochemisch wichtigen Substanzen auch in tierischen Zellen einschlagen könnten.

Hydroxyl-Dehydrogenasen.

1. Sec.-Alkohol-Dehydrogenase aus *Pseudomonas*[1]*.

[Sec.-Alkohol: NAD-Oxydoreductase.]

$$CH_3-CHOH-CH_3 + DPN^+ \rightleftharpoons CH_3-CO-CH_3 + DPNH + H^+$$
Isopropanol — Aceton

Es ist zwar schon länger bekannt, daß einige Mikroorganismen Isopropanol zu Aceton oxydieren können[1], aber erst in letzter Zeit wurde ein entsprechendes Enzym aus *Pseudomonas* angereichert[2]. Wegen der hohen Affinität zum Aceton erscheint das Enzym zur quantitativen Bestimmung von Aceton geeignet. Die Affinitäten der sekundären Alkohole liegen um mehr als 3 Zehnerpotenzen niedriger. Trotzdem beträgt die maximale Reduktionsgeschwindigkeit des Acetons nur 8% der maximalen Oxydationsgeschwindigkeit des Isopropanols.

2. vic-Glykol-Dehydrogenase A des *Aerobacter aerogenes, Stamm ATCC 8724*[2].

[vic-Glykol: NAD-Oxydoreductase.]

$$R-CHOH-CH_2OH + DPN^+ \rightleftharpoons R-CO-CH_2OH + DPNH + H^+$$
$R = CH_3$: 1,2-Propandiol — Acetol (Hydroxyaceton)

Der stöchiometrische Umsatz von DPN$^+$ und 1,2-Propandiol wurde durch fluorometrische Bestimmung des Acetols nach MILLER[3] bewiesen. Bei der Anreicherung des Enzyms durch Fraktionierung mit Ammoniumsulfat tritt eine Aktivierung um mehr als 200% ein. Während der vier Reinigungsschritte blieb das Verhältnis von 1,2-Propandiol- zu Glycerin-Aktivität konstant 1,3 (1,1—1,4).

Das Enzym A ist adaptiv und wird durch Glycerin als einzige Kohlenstoffquelle des Nährmediums, nicht aber durch 1,2-Propandiol, Dihydroxyaceton oder Glucose induziert.

3. vic-Glykol-Dehydrogenase B aus *Aerobacter aerogenes, Stamm ATCC 8724*[2].

[vic-Glykol: NAD-Oxydoreductase.]

Das Enzym B bewirkt die gleichen Reaktionen wie A. Es ist konstitutiv und läßt sich aus *A. aerogenes* nach Wachstum auf Glucose anreichern. Charakteristische Unterschiede gehen aus Tabelle 16 hervor. B ist darüber hinaus im Rohextrakt bedeutend stabiler als A. Seine spezifische Aktivität ist schon im Rohextrakt 4—5mal höher. Liegen beide Enzyme nebeneinander vor, wie z. B. nach Übertragung der Zellen von Glucose- in Glycerinmedium, so herrschen die Eigenschaften von A vor. Immunologisch unterscheiden sich beide Enzyme dadurch, daß B nicht antigen wirkt und durch Anti-A-Serum nicht gehemmt wird.

Die spezifische Aktivität und der Spezifitätsbereich der vic-Glykol-Dehydrogenasen, zu denen auch die Glycerin-Dehydrogenasen (Dihydroxyaceton-Reductasen) gehören, wechseln nicht nur von Bakterienart zu Bakterienart, sondern z. B. auch bei verschiedenen Stämmen des *A. aerogenes* ganz erheblich. Zudem werden die Eigenschaften dieser Enzyme durch Glycerin oder Glucose in ganz verschiedener Richtung beeinflußt. Sie können daher nicht als ubiquitär notwendig für den Stoffwechsel von 1,2-Propandiol und Glycerin angesehen werden.

---

* Die Zahlen in runden Klammern entsprechen den in Tabelle 16 (s. S. 776—829) verwendeten Literaturzitatnummern.

[1] SCIARINI, L. J., R. P. MULL, J. C. WIRTH and F. F. NORD: Proc. nat. Acad. Sci. USA 29, 121 (1943). — FOSTER, J. W.: J. gen. Physiol. 24, 123 (1940). — SIEGEL, J. M., and M. D. KAMEN: J. Bact. 59, 693 (1950).

[2] JAKOBY, W. B., and J. FREDERICKS: Biochim. biophys. Acta 58, 217 (1962).

[3] HUGGINS, C. G., and O. N. MILLER: J. biol. Ch. 221, 711 (1956).

Nach ABELES, BROWNSTEIN und RANDLES[1] gibt es für *A. aerogenes ATCC 8724* noch eine andere Möglichkeit des Umsatzes von vicinalen Glykolen. Bei anaerobem Wachstum in 0,1 m Phosphat + 3% Glycerin werden 35—50% des Glycerins in 1,3-Propandiol überführt:

$$CH_2OH-CHOH-CH_2OH \xrightarrow{-H_2O} CH_2OH-CH_2-CHO \xrightarrow{DPNH+H^+} CH_2OH-CH_2-CH_2OH$$
Glycerin $\qquad\qquad\qquad$ β-Hydroxypropionaldehyd $\qquad\qquad$ 1,3-Propandiol

1,2-Propandiol wird zu Propionaldehyd dehydratisiert. Das Enzym, das die Reduktion des β-Hydroxypropionaldehyds bzw. die Oxydation von 1,3-Propandiol bewirkt, ist nicht näher untersucht worden. Es scheint für β-Hydroxypropionaldehyd spezifisch zu sein.

4. TPN-1,2-Propandiol-Dehydrogenase der Säugetiere [4].

[1,2-Propandiol:NADP-Oxydoreductase.]

$$CH_3-CHOH-CH_2OH + TPN^+ \rightleftharpoons CH_3-CHOH-CHO + TPNH + H^+$$
1,2-Propandiol $\qquad\qquad\qquad\qquad$ L-Lactaldehyd

Die TPN-spezifische 1,2-Propandiol-Dehydrogenase ist in Leber und Niere am aktivsten. Ein ähnliches Enzym kommt auch in Pflanzen und Mikroorganismen vor (s. Tabelle 1).

Der Spezifitätsbereich des Enzyms ist noch nicht hinreichend bekannt. Zwar wurden die relativen Aktivitäten mit Glucuronsäure, Methylglyoxal, Glycerinaldehyd, Ribose und Xylose durch partielle Inaktivierung durch Hitze, niedrige p_H-Werte oder Inhibitoren kaum verändert. Sie wurden jedoch durch Einwirkung von Chymotrypsin verschoben.

Lactaldehyd wird auch durch die Alkohol-Dehydrogenase der Leber reduziert[3]. Er kann durch die DPN$^+$-abhängige Aldehyd-Dehydrogenase der Hefe zu L-Milchsäure oxydiert werden. Aus D,L-Lactaldehyd wie auch aus Acetol wird in der Leber hungernder Mäuse Glykogen gebildet[4]. In Mikroorganismen entsteht L-Lactaldehyd vermutlich durch Aldolasespaltung von Methylketopentose-1-phosphat, wie z. B. L-Rhamnulose-1-phosphat.

L-Lactaldehyd wird auf chemischem Wege durch Oxydation von Threonin mit Ninhydrin dargestellt[5]. Die Konzentration in wäßriger Lösung kann nach LEWIS und WEINHOUSE[6] mit Hilfe des Bisulfit-Bindungsvermögens bestimmt werden.

Tabelle 1. *Vorkommen der TPN^+-Propandiol-Dehydrogenase* (nach GUPTA und ROBINSON[2]).

Präparate: Rohpräparate tierischer Gewebe durch Extraktion mit 20 vol.-%igem Äthanol in Gegenwart von etwa 0,5 m KCl (s.Tabelle 16); Acetonpulver von Spinatblättern bzw. gefriergetrocknete Zellen der Mikroorganismen wurden mit 0,1 m Phosphat (p_H 7,4) extrahiert. Dialyse aller Präparate gegen 0,1 m Phosphat (p_H 7,4). Test: s. Tabelle 16.

Enzymquelle	Relative spezifische Aktivität (0,02 μM × mg Protein^{-1} × min^{-1} = 100)
Schweineniere	100
Schweineherz	23
Schweineleber	279
Rinderleber	88
Rinderhirn......	22
Rattenniere	128
Rattenleber	119
Tetrahymena pyriformis	0
Pseudomonas fluorescens	21
Spinatblätter ...	6

Die Butandiol-Dehydrogenasen der Mikroorganismen. Die bakteriellen Butandiol-Dehydrogenasen der Mikroorganismen sind ebenso wie die Propandiol-Dehydrogenasen mehr oder weniger spezifische, adaptiv veränderliche Enzyme. Sie wurden u. a. in *Aerobacter aerogenes* (s. unten), *Micrococcus ureae* und *Corynebacterium*[7], *Staphylococcus*

---

[1] ABELES, R. H., A. M. BROWNSTEIN and C. H. RANDLES: Biochim. biophys. Acta **41**, 530 (1960).
[2] GUPTA, N. K., and W. G. ROBINSON: J. biol. Ch. **235**, 1609 (1960).
[3] HUFF, E.: Biochim. biophys. Acta **48**, 506 (1961).
[4] SHULL, K. H., and O. N. MILLER: J. biol. Ch. **235**, 551 (1960).
[5] HUFF, E., and H. RUDNEY: J. biol. Ch. **234**, 1060 (1959).
[6] LEWIS, K. F., and S. WEINHOUSE; in: Colowick-Kaplan, Meth. Enzymol., Bd. III, S. 275.
[7] JUNI, E., and G. A. HEYM: J. Bact. **74**, 757 (1957).

aureus[1-3], *Leuconostoc mesenteroides*[3], *Pseudomonas fluorescens* und *aeruginosa*[4], *Pseudomonas hydrophila*[1], *Acetobacter suboxydans*[5], *Bacillus subtilis*[1, 6, 7], *Bacillus megaterium*[7] und auch in *Bäckerhefe*[1] aufgefunden. Die meisten dieser Enzyme sind nicht besonders gereinigt und angereichert worden. Ihre Einheitlichkeit ist selbst bei gereinigten Präparaten in keinem Fall sichergestellt und höchst unwahrscheinlich.

5. „Spezifische" 2,3-Butandiol-Dehydrogenase des auf Glucose gewachsenen *Aerobacter aerogenes*, Stamm ATCC 8724 [5, 6].

[1.1.1.4 2,3-Butylenglykol:NAD-Oxydoreductase.]

$$CH_3-CHOH-CHOH-CH_3 + DPN^+ \rightleftharpoons CH_3-CO-CHOH-CH_3 + DPNH + H^+$$

2,3-Butandiol　　　　　　　　　　　Acetoin (Acetylmethylcarbinol)

Der Ausdruck „spezifisch" bezieht sich in erster Linie darauf, daß dieses Enzym im Gegensatz zur „unspezifischen" Butandiol-Dehydrogenase (Diacetylmethylcarbinol-Reductase, s. Nr. 7) keine C-Acetylderivate von Acetoin und Butandiol umsetzt. Bemerkenswert ist ferner auch, daß Glycerin und Dihydroxyaceton nicht zu ihren Substraten gehören. Die Diacetyl-Reductaseaktivität kommt nach STRECKER und HARARY[2] einem andern Enzym zu. Bei der Anreicherung der Butandiol-Dehydrogenase sank das Verhältnis von Diacetyl- zu Acetoin-Reduktion von 1,5 auf 0,5 ab. Das STRECKERsche Präparat hat die höchste spezifische 2,3-Butandiol-Aktivität, die bisher erreicht wurde (Verbrauch von 14,2 μM DPN$^+$ × mg Protein^{-1} × min^{-1}).

Eine 2,3-Butandiol-Dehydrogenase mit besonders engem Spezifitätsbereich scheint das Enzym des auf Glucose gewachsenen *Bacillus polymyxa* zu sein[1]. Als Substrate wurden nur Acetoin, Dihydroxyaceton und Methylglyoxal mit den relativen Aktivitäten 100, 48 und 20 gefunden. Man kann annehmen, daß die Aktivität mit Dihydroxyaceton und Methylglyoxal auf der Beimischung anderer Enzyme beruht.

6. Die 2,3-Butandiol-Dehydrogenase des auf Butandiol gewachsenen *Neisseria winogradskyi* [7].

[1.1.1.4 2,3-Butylenglykol:NAD-Oxydoreductase.]

Dieses Enzym, das seinem Spezifitätsbereich nach eher zu den 1,2-Propandiol-Dehydrogenasen zu zählen wäre, ist ein Beispiel dafür, daß die vic-Glykol-Dehydrogenasen stereospezifisch orientiert sind (s. Tabelle 2).

Tabelle 2. *Stereospezifität von 2,3-Butandiol-Dehydrogenasen* (nach TAYLOR und JUNI[6]).

Mikroorganismus	Kohlenstoffquelle	Stereospezifität
Aerobacter aerogenes ..	Glucose	L-(+)
Aerobacter aerogenes ..	meso-Butandiol	D-(−)
Micrococcus ureae ...	Na-acetat, Lactat, D,L-Acetoin oder meso-Butandiol	D-(−)
Pseudomonas hydrophila	Glucose	L-(+)
Neisseria winogradskyi .	meso-Butandiol	D-(−)
Acetobacter suboxydans .	meso-Butandiol	D-(−)
Bacillus subtilis	Glucose	D-(−) und L-(+)
Bacillus polymyxa ...	Pepton/Trypton/Stärke	D-(−)
Bäckerhefe	Glucose	D-(−)

---

[1] JUNI, E., and G. A. HEYM: J. Bact. **74**, 757 (1957).
[2] STRECKER, H. J., and I. HARARY: J. biol. Ch. **211**, 263 (1954).
[3] DE MOSS, R. D., R. C. BARD and I. C. GUNSALUS: J. Bact. **62**, 499 (1951).
[4] SEBEK, O. K., and C. I. RANDLES: Arch. Biochem. **40**, 373 (1952).
[5] GOLDSCHMIDT, E. P., and L. O. KRAMPITZ: Bact. Proc. **1954**, 96.
[6] TAYLOR, M. B., and E. JUNI: Biochim. biophys. Acta **39**, 448 (1960).
[7] AUBERT, J. P., et R. GAVARD: Ann. Inst. Pasteur **84**, 735 (1953).

In manchen Mikroorganismen, wie z. B. *Ps. hydrophila*, kommt eine Acetoin-Racemase vor. Dies muß bei der Untersuchung der Stereospezifität der 2,3-Butandiol-Dehydrogenasen berücksichtigt werden. *A. aerogenes* enthält nach Wachstum in Gegenwart von Äthanol keine 2,3-Butandiol-Dehydrogenase.

7. „Unspezifische" 2,3-Butandiol-Dehydrogenase (Diacetylmethylcarbinol-Reductase) aus *Micrococcus ureae* und *Corynebacterium* [6].

[1.1.1.4 2,3-Butylenglykol:NAD-Oxydoreductase.]

Das Enzym katalysiert außer der reversiblen Reduktion von Acetoin vor allem folgende Reaktionen:

a) $CH_3-CO-\underset{\underset{CH_3}{|}}{C}OH-CO-CH_3 + DPNH + H^+ \rightarrow CH_3-CO-\underset{\underset{CH_3}{|}}{C}OH-CHOH-CH_3 + DPN^+$

    Diacetylmethylcarbinol   Acetyl-2,3-butandiol

b) $CH_3-CO-\underset{\underset{CH_3}{|}}{C}OH-CHOH-CH_3 + DPNH + H^+ \rightleftharpoons CH_3-CHOH-\underset{\underset{CH_3}{|}}{C}OH-CHOH-CH_3 + DPN^+$

                                         1,2,3-Trimethylglycerin

c) $CH_3-CO-CO-CH_3 + DPNH + H^+ \rightarrow CH_3-CO-CHOH-CH_3 + DPN^+$

    Diacetyl   Acetoin

Es fällt auf, daß nur die Reduktion von Diacetylmethylcarbinol und Diacetyl irreversibel verläuft, denn die Reduktionsgeschwindigkeiten liegen in gleicher Größenordnung wie bei Acetoin und Acetyl-2,3-butandiol.

Im Gegensatz zu STRECKER und HARARY[1] sind JUNI und HEYM[2] der Ansicht, daß die Reduktion von Diacetyl durch dasselbe Enzym vor sich geht wie die Reduktionen a) und b). Während der (nur 8fachen) Anreicherung wurde keine Verschiebung der Aktivitätsverhältnisse der Substrate festgestellt, auch nicht nach partieller Inaktivierung durch Hitze oder Ag^+-Ionen. Der Einfluß von Proteinasen auf den Spezifitätsbereich (s. S. 737) wurde nicht untersucht.

Die enzymatische Reduktion von Diacetylmethylcarbinol kann in vitro mit der Oxydation von 2,3-Butandiol oder auch mit der Oxydation von Glucose bzw. Äthanol durch Glucose-Dehydrogenase bzw. Alkohol-Dehydrogenase gekoppelt werden. Milchsäure-Dehydrogenase wird dagegen durch 8×10^{-4} m Diacetylmethylcarbinol zu 93% gehemmt.

„Unspezifische" 2,3-Butandiol-Dehydrogenasen kommen auch in *Vibrio costicolus*[3] und in *Acetobacter suboxydans*[4] vor. Für diese wie für das Enzym aus *Micrococcus* und *Corynebacterium* ist es charakteristisch, daß sie durch relativ niedrige Konzentrationen an Acetoin (10^{-3} m) gehemmt werden, während die übrigen Substrate keine Hemmung verursachen.

Aerobacter und einige Bacillusarten bilden als Hauptprodukt des Abbaus von Kohlenhydraten 2,3-Butandiol. Dieses entsteht aus Pyruvat über α-Acetomilchsäure und Acetoin[5]. Viele Bodenbakterien können Butandiol oder Acetoin als einzige Kohlenstoff- und Energiequelle benutzen, sie wachsen ebenso gut auf Acetat[6]. Die erwähnten Mikroorganismen setzen im Lauf des Butandiol-Cyclus (s. Abb. 1) 1 Molekül 2,3-Butandiol in 2 Moleküle Essigsäure um, nach der Summengleichung $CH_3-CHOH-CHOH-CH_3 + 2H_2O - 6H \rightarrow 2CH_3-COOH$. Sie kondensieren die Essigsäure im Glyoxylsäure-Cyclus zu Bernsteinsäure[7].

---

[1] STRECKER, H. J., and I. HARARY: J. biol. Ch. **211**, 263 (1954).
[2] JUNI, E., and G. A. HEYM: J. Bact. **74**, 757 (1957).
[3] BAXTER, R. M., and N. E. GIBBONS: Canad. J. Biochem. Physiol. **32**, 206 (1954).
[4] GOLDSCHMIDT, E. P., and L. O. KRAMPITZ: Bact. Proc. **1954**, 96.
[5] JUNI, E.: J. biol. Ch. **195**, 715 (1952).
[6] JUNI, E., and G. A. HEYM: J. Bact. **71**, 425 (1956).
[7] KORNBERG, H. L., and H. A. KREBS: Nature **179**, 988 (1957). — KORNBERG, H. L.: Biochem. J. **68**, 535, 542, 549 (1958).

Der 2,3-Butandiol-Cyclus umfaßt die Intermediärprodukte Acetoin, Diacetyl, Diacetylmethylcarbinol und Acetyl-2,3-butandiol. Auch im tierischen Gewebe, wie z. B. dem Taubenbrustmuskel, können mit Hilfe der Pyruvat-Oxydase Diacetylmethylcarbinol und Acetoin aus Pyruvat und Diacetyl gebildet werden[1]. Hier ist über ihren weiteren Umsatz nichts bekannt.

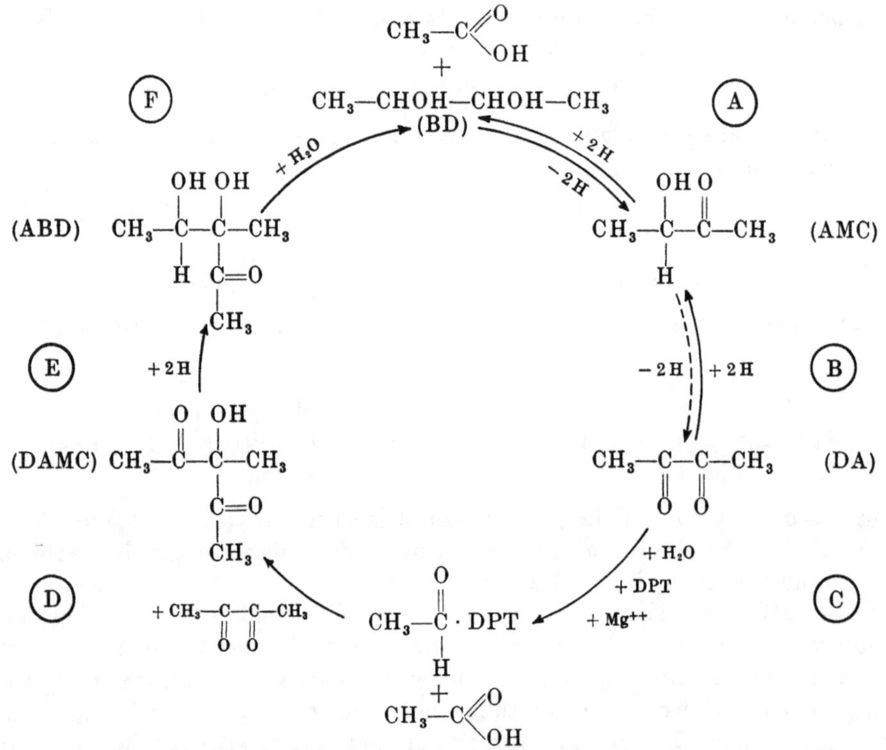

Abb. 1. Cyclus des 2,3-Butandiols in Bakterien (nach JUNI und HEYM[1]). BD = 2,3-Butandiol; AMC = Acetylmethylcarbinol (Acetoin); DA = Diacetyl; DAMC = Diacetylmethylcarbinol; ABD = Acetyl-2,3-butandiol; DPT = Diphosphothiamin. Die spezifische Butandiol-Dehydrogenase katalysiert Reaktion A, die unspezifische Butandiol-Dehydrogenase Reaktion A und E. Bei Reaktion B ist nur die Reduktion von DA durch die Diacetyl-Reductase bekannt. Die Schritte C und D sind bei Bakterien Reaktionen der Diacetyl-Oxydase.

Die Identifizierung von Butandiol und Acetoin sowie ihrer C-Acetylderivate kann durch Perjodatoxydation erfolgen[2]. Diacetylmethylcarbinol kann darüber hinaus colorimetrisch auf Grund seiner reduzierenden Wirkung auf Molybdänsäure bei 660 oder 690 mμ bestimmt werden[2, 3]. Auch für Butandiol, Acetoin und Diacetyl sind quantitative Bestimmungsmethoden ausgearbeitet worden[4-6].

8. Diacetyl-Reductase aus *Staphylococcus aureus* [5].

[1.1.1.5 Acetoin:NAD-Oxydoreductase.]

$$CH_3—CO—CO—CH_3 + DPNH + H^+ \rightarrow CH_3—CO—CHOH—CH_3 + DPN^+$$

Weder STRECKER und HARARY[7] noch JUNI und HEYM[8] konnten die Oxydation von Acetoin zu Diacetyl durch Diacetyl-Reductase nachweisen. Nach JUNI und HEYM wird

---
[1] JUNI, E., and G. A. HEYM: J. biol. Ch. **218**, 365 (1956). — GREEN, D. E., P. K. STUMPF and K. ZARUDNAYA: J. biol. Ch. **167**, 811 (1947).
[2] JUNI, E., and G. A. HEYM: J. Bact. **71**, 425 (1956).
[3] JUNI, E., and G. A. HEYM: Arch. Biochem. **67**, 410 (1957).
[4] HAPPOLD, F. C., and C. P. SPENCER: Biochim. biophys. Acta **8**, 18 (1952).
[5] WESTERFELD, W. W.: J. biol. Ch. **161**, 495 (1945).
[6] WHITE, A. G. C., L. O. KRAMPITZ and C. H. WERKMAN: Arch. Biochem. **9**, 229 (1946).
[7] STRECKER, H. J., and S. OCHOA: J. biol. Ch. **209**, 331 (1954).
[8] JUNI, E., and G. A. HEYM: J. Bact. **74**, 757 (1957).

Acetoin durch ein besonderes Enzym dehydriert, das offenbar sehr labil ist. Zellsuspensionen von *Micrococcus ureae* können Acetoin zu Butandiol und Diacetyl dismutieren.

JUNI und HEYM konnten in Extrakten aus *Aerobacter aerogenes* keine Trennung von Diacetyl-Reductase- und Butandiol-Dehydrogenase-Aktivität erreichen.

Hydroxysäure-Dehydrogenasen.

9. DPN-abhängige Glykolsäure-Dehydrogenase (Glyoxylsäure-Reductase) der Pflanzen [8,9].

[1.1.1.26 Glykolat:NAD-Oxydoreductase.]

$$CH_2OH\text{—}COOH + DPN^+ \rightleftharpoons CHO\text{—}COOH + DPNH + H^+$$
Glykolsäure   Glyoxylsäure

Während der Isolierung des Enzyms steigt das Verhältnis von Glyoxylsäure- zu Hydroxybrenztraubensäure-Aktivität von 1,0 auf 2,8 an und bleibt dann selbst nach zweifachem Umkristallisieren konstant. Demnach kommen der Glyoxylsäure-Reductase beide Aktivitäten zu. Im Rohpräparat ist D-Glycerinsäure-Dehydrogenase enthalten (s. Tabelle 16, Nr. 17), die während der Anreicherung abgetrennt wird. Glyoxylsäure und Hydroxypyruvat können auch durch die Milchsäure-Dehydrogenase (des Muskels) reduziert werden.

Nach ZELITCH und OCHOA[1] kann die Glyoxylsäure-Reductase in Gegenwart von Katalase mit dem FMN-Enzym Glykolsäure-Oxydase[2] gekoppelt werden. Die resultierende Summenreaktion ist $DPNH + H^+ + \frac{1}{2}O_2 \rightarrow DPN^+ + H_2O$. Das gekoppelte Enzymsystem ist in vivo vermutlich an der pflanzlichen Atmung beteiligt.

10. TPN-abhängige Glykolsäure-Dehydrogenase (Glyoxylsäure-Reductase) der Pflanzen [10].

[Glykolat:NADP-Oxydoreductase.]

$$CH_2OH\text{—}COOH + TPN^+ \rightleftharpoons CHO\text{—}COOH + TPNH + H^+$$

In Spinat- und Tabakblättern findet sich neben dem DPN-Enzym auch eine TPN-spezifische Glyoxylsäure-Reductase, die erst bei höherer Ammoniumsulfatkonzentration ausfällt. Da der K_M-Wert der Glyoxylsäure beim TPN-Enzym 70mal niedriger ist als beim DPN-Enzym, ist das erste für die enzymatische Bestimmung von Glyoxylsäure geeignet. Beide Enzyme können mit Glyoxylsäure nebeneinander bestimmt werden. Zwar liegen die MICHAELIS-Konstanten weitaus zugunsten des TPN-Enzyms, aber bei Substratsättigung läuft die Reduktion mit DPNH zweimal schneller ab als mit TPNH. Das TPN-Enzym zeichnet sich gegenüber dem DPN-Enzym durch seine recht geringe Aktivität mit Hydroxypyruvat aus.

11. Glykolsäure-Dehydrogenase aus *Pseudomonas* [11].

[Glykolat:NADP-Oxydoreductase.]

$$CH_2OH\text{—}COOH + TPN^+ (DPN^+) \rightleftharpoons CHO\text{—}COOH + TPNH (DPNH) + H^+$$

Das Gleichgewicht der Reaktion liegt wie bei den beiden pflanzlichen Enzymen zugunsten der Glykolsäure. Die Glykolsäure-Dehydrogenase aus *Pseudomonas* ist ein konstitutives Enzym. Ihre Entdeckung erklärt das Auftreten von Glykolsäure in Bakterien, die mit Acetat als Kohlenstoffquelle gewachsen sind, denn Glyoxylsäure entsteht neben Bernsteinsäure als Spaltprodukt der Isocitronensäure. Damit wird die Hypothese der direkten Oxydation von Essigsäure über Glykolsäure zu Glyoxylsäure[3] entkräftet.

---

[1] ZELITCH, I., and S. OCHOA: J. biol. Ch. **201**, 707 (1953). — ZELITCH, I.: J. biol. Ch. **216**, 553 (1955).
[2] ZELITCH, I.; in: Colowick-Kaplan, Meth. Enzymol., Bd. I, S. 528. — FRIGERIO, N. A., and H. A. HARBURY: J. biol. Ch. **231**, 135 (1958).
[3] BOLCATO, V., M. E. SCEVOLA und M. A. TISSELI: Exper. **14**, 212 (1958). — BOLCATO, V.: Leeuwenhoek **25**, 179 (1959).

Die enzymatische Reduktion der Glyoxylsäure kann im dialysierten Rohextrakt aus *Pseudomonas* mit der Dehydrierung von Äpfelsäure, Isocitronensäure oder Glucose-6-phosphat gekoppelt werden[1]. Die Oxydation der Glyoxylsäure verläuft über den Dicarbonsäurecyclus[2] nach der Summenreaktion $CHO-COOH + H_2O \rightarrow 2\ CO_2 + 4\ H$.

12. β-Hydroxypropionsäure-Dehydrogenase aus Schweineniere [12].

[3-Hydroxypropionat:NAD-Oxydoreductase.]

$$CH_2OH-CH_2-COOH + DPN^+ \rightleftharpoons CHO-CH_2-COOH + DPNH + H^+$$
β-Hydroxypropionsäure   Malonhalbaldehyd

Das Enzym kommt nicht nur in tierischem Gewebe, sondern auch in Mikroorganismen vor (s. Tabelle 3). Sein Spezifitätsbereich ist noch nicht genügend gesichert. Über einen Zusammenhang zwischen β-Hydroxypropionsäure- und β-Hydroxybuttersäure-Dehydrogenase[3] (s. S. 364) kann daher nichts ausgesagt werden. Das Enzym ist nicht mit der β-Hydroxyisobuttersäure-Dehydrogenase identisch.

Tabelle 3. *Vorkommen der β-Hydroxypropionsäure-Dehydrogenase* (nach DEN, ROBINSON und COON[4]). Test: s. Tabelle 16, S. 784.

Enzymquelle	Präparat	Relative spezifische Aktivität ($7{,}1 \times 10^{-4}$ E/mg Protein = 100)
Schweineniere	Äthanol-KCl-Extrakt (s. Tabelle 16)	100
Schweineherz	Äthanol-KCl-Extrakt (s. Tabelle 16)	100
Schweineleber	Auszug von Acetonpulver mit 0,1 m Phosphat (p_H 7,4)	89
Hühnerbrustmuskel	Auszug von Acetonpulver mit 0,1 m Phosphat (p_H 7,4)	20
Schweinehirn	Äthanol-KCl-Extrakt	0
Propionibacterium shermanii	Homogenat mit Al_2O_3, ausgezogen mit 0,01 m Phosphat (p_H 7,4)	155
Eremothecium ashbyii	Acetonpulver, 0,1 m Phosphat	41
Tetrahymena pyriformis	Homogenat mit Al_2O_3, ausgezogen mit 0,01 m Phosphat (p_H 7,4)	41
Escherichia coli	Ultraschallextrakt in 0,15 m KCl	23
Spinatblätter	Acetonpulver, 0,1 m Phosphat	0

Im tierischen Organismus kann β-Hydroxypropionsäure aus Propionsäure über Propionyl-CoA, Acrylyl-CoA und β-Hydroxypropionyl-CoA gebildet werden. Der mit Hilfe der β-Hydroxypropionsäure-Dehydrogenase entstehende Malonhalbaldehyd kann durch eine Transaminase, die in Mikroorganismen nicht vorkommt, in β-Alanin umgewandelt werden. Andererseits kann er als Ausgangsprodukt für die reduktive Synthese von Fettsäuren dienen[5].

13. β-Hydroxyisobuttersäure-Dehydrogenase aus Schweineniere [13].

[1.1.1.31 3-Hydroxyisobutyrat:NAD-Oxydoreductase.]

$$\underset{\underset{\beta\text{-Hydroxyisobuttersäure}}{CH_3}}{CH_2OH-CH-COOH} + DPN^+ \rightleftharpoons \underset{\underset{\text{Methylmalonhalbaldehyd}}{CH_3}}{CHO-CH-COOH} + DPNH + H^+$$

---

[1] HASSAL, H., and R. P. HULLIN: Biochem. J. **84**, 517 (1962).
[2] KORNBERG, H. L., and J. R. SADLER: Nature **185**, 153 (1960).
[3] LEHNINGER, A. L., H. C. SUDDUTH and J. B. WISE: J. biol. Ch. **235**, 2450 (1960).
[4] DEN, H., W. G. ROBINSON and M. J. COON: J. biol. Ch. **234**, 1666 (1959).
[5] WAKIL, S. J.: Am. Soc. **80**, 6465 (1958). — WAKIL, S. J., and J. GANGULY: Am. Soc. **81**, 2597 (1959). — GANGULY, J.: Biochim. biophys. Acta **40**, 110 (1960). — WAKIL, S. J., and D. M. GIBSON: Biochim. biophys. Acta **41**, 122 (1960).

Das Enzym ist offenbar streng spezifisch für β-Hydroxyisobuttersäure. Es ist weder mit der β-Hydroxypropionsäure- noch mit der β-Hydroxybuttersäure-Dehydrogenase identisch. Über seine Stereospezifität ist nichts bekannt. Es kommt auch in Mikroorganismen vor (s. Tabelle 4).

Tabelle 4. *Vorkommen der β-Hydroxyisobuttersäure-Dehydrogenase* (nach ROBINSON und COON[1]). Test: s. Tabelle 16, S. 784.

Enzymquelle	Präparat*	Relative spezifische Aktivität
Schweineniere	Äthanol-KCl-Extrakt (0,3 m KCl, 20 Vol.-% Äthanol, 0,004 m Phosphat, p_H 7,4)	100
Schweineherz	desgl.	42
Schweineleber	desgl.	10
Kaninchenleber	Acetonpulverauszug mit 0,1 m Phosphat (p_H 7,4)	130
Taubenleber	desgl.	87
Rinderleber	desgl.	37
Tetrahymena pyriformis	gefrieren und auftauen	80
Neurospora crassa	Äthanol-KCl-Extrakt	77
Aerobacter aerogenes	Acetonpulverauszug mit 0,1 m Phosphat (p_H 7,4)	(+)
Propionibacterium shermanii[2]	verreiben mit Al_2O_3, extrahieren mit 0,01 m Phosphat (p_H 7,4)	0
Spinatblätter	Äthanol-KCl-Extrakt oder Acetonpulverauszug	0

* Alle Extrakte wurden über Nacht bei 4° C gegen 0,01 m Phosphat (p_H 7,4) + 0,001 m Cystein dialysiert.

β-Hydroxyisobuttersäure gilt als Stoffwechselprodukt des Valins. Sein Oxydationsprodukt, Methylmalonhalbaldehyd, kann über Methylmalonyl-CoA zu Succinyl-CoA[3], wahrscheinlich aber auch unter Decarboxylierung in Propionyl-CoA überführt werden. Durch eine Glutaminsäure-Transaminase entsteht β-Aminoisobuttersäure, ein Stoffwechselprodukt des Thymins[4].

14. und 15. γ-Hydroxybuttersäure-Dehydrogenase aus *Pseudomonas* [14] und *Clostridium aminobutyricum* [15].

[4-Hydroxybutyrat : NAD-Oxydoreductase.]

$$CH_2OH-CH_2-CH_2-COOH + DPN^+ \rightleftharpoons CHO-CH_2-CH_2-COOH + DPNH + H^+$$
γ-Hydroxybuttersäure   Bernsteinsäurehalbaldehyd

γ-Hydroxybuttersäure-Dehydrogenase kommt nicht nur in Mikroorganismen vor, sondern wurde auch im Gehirn beobachtet. Das Enzym des *Pseudomonas* und des *Cl. aminobutyricum* ist adaptiv. Im ersten Fall wurde es durch das Substrat, im zweiten Fall jedoch mit weit größerem Erfolg durch γ-Aminobuttersäure induziert. Bei gleichem Reinigungsfaktor hat das Präparat aus *Clostridium* eine fast 70mal höhere spezifische Aktivität als dasjenige aus *Pseudomonas*. Es ist allerdings weit unstabiler als dieses.

Bernsteinsäurehalbaldehyd wird durch Bernsteinsäurehalbaldehyd-Dehydrogenase (s. Tabelle 16, Nr. 50/51, S. 812) in Bernsteinsäure überführt. Er kann durch eine α-Ketoglutarsäure-Transaminase aus γ-Aminobuttersäure gebildet werden.

16. D-Glycerinsäure-Dehydrogenase aus Rinderleber [16, 17].

[D-Glycerat:NAD(P)-Oxydoreductase.]

$$CH_2OH-CHOH-COOH + DPN^+ (TPN^+) \rightleftharpoons CH_2OH-CO-COOH + DPNH (TPNH) + H^+$$
D-Glycerinsäure   Hydroxybrenztraubensäure

---

[1] ROBINSON, W. G., and M. J. COON: J. biol. Ch. **225**, 511 (1957).
[2] DEN, H., W. G. ROBINSON and M. J. COON: J. biol. Ch. **234**, 1666 (1959).
[3] BECK, W. S., M. FLAVIN and S. OCHOA: J. biol. Ch. **229**, 997 (1957).
[4] ROBINSON, W. G., R. NAGLE, B. K. BACHHAWAT, F. P. KUPIECKI and M. J. COON: J. biol. Ch. **224**, 1 (1957). — FINK, K., and C. MCGAUGHEY: Fed. Proc. **13**, 207 (1954).

Die D-Glycerinsäure-Dehydrogenase des tierischen Organismus wurde erst neuerdings in der Rinderleber aufgefunden[1,2]. Wie das Bakterien-Enzym (Tabelle 16, Nr. 19) ist sie mit DPN und TPN wirksam. Sie gleicht der pflanzlichen Glycerinsäure-Dehydrogenase (Tabelle 16, Nr. 17) hinsichtlich der Substratspezifität und des p_H-Optimums. Beide greifen Brenztraubensäure nicht an. Beide werden, wie auch die Glyoxylsäure-Reductase (Tabelle 16, Nr. 9), bei der Rückreaktion durch Anionen aktiviert. Die spezifische Aktivität der bisher vorliegenden Präparate des tierischen Enzyms liegt jedoch um mehr als 2 Zehnerpotenzen niedriger.

Die Konzentration der Glycerinsäure-Dehydrogenase macht in der Leber 1% der Milchsäure-Dehydrogenase-Konzentration aus[1]. Die beiden Dehydrogenasen unterscheiden sich eindeutig voneinander. Die Lactat-Dehydrogenase (des Muskels) reduziert zwar Hydroxybrenztraubensäure ebenso schnell wie Brenztraubensäure[3], aber sie bildet L-Glycerinsäure. Außerdem ist sie DPN^+-spezifisch. Kristalline Lactat-Dehydrogenase aus Rinderherz reduziert Pyruvat unter sonst vergleichbaren Bedingungen mit TPNH erst bei 200facher Enzymkonzentration etwa ebenso schnell wie mit DPNH[4]. Mit Glycerinsäure und TPN^+ ist sie praktisch inaktiv[2]. Nach WILLIS und SALLACH[2] beträgt das Verhältnis DPN^+-Reduktion/TPN^+-Reduktion mit D-Glycerinsäure bei der D-Glycerinsäure-Dehydrogenase der Leber bei gleichen Reaktionsbedingungen dagegen etwa 1,3, während HEINZ u. Mitarb.[1] bei ihrem etwa achtfach stärker angereicherten Präparat den Wert 1,1 finden. Sie trennen die Lactat-Dehydrogenase durch Chromatographie an Hydroxylapatit ab. In vivo kann durch Zusammenwirken beider Dehydrogenasen eine Konfigurationsumkehr von D- und L-Glycerinsäure zustande kommen. Über Hydroxypyruvat stehen L- wie D-Glycerinsäure durch Transaminasen[5] mit dem Serinstoffwechsel in Verbindung.

Im tierischen wie im pflanzlichen Gewebe kann D-Glycerinsäure mit Hilfe von Phosphatasen aus 2- oder 3-Phosphoglycerinsäure freigesetzt werden. Eine besondere Bedeutung aber kommt ihr als Zwischenprodukt des Fructose-Abbaues zu, der unter Umgehung des EMBDEN-MEYERHOF-Weges über Fructose-1-phosphat, Glycerinaldehyd (+ Dihydroxyacetonphosphat) und Glycerinsäure zu 2-Phosphoglycerinsäure führt[6]. Von hier aus kann es durch Umkehr der Glykolyse zur Gluconeogenese und damit zur Glykogensynthese kommen[1].

D-Glycerinsäure wird wie auch Glykolsäure nach SCHÄFER und LAMPRECHT[7] in den Mitochondrien der Leber durch die FAD-abhängige α-Hydroxysäure-Dehydrogenase ohne Mitwirken eines Pyridin-adenin-dinucleotids zur α-Ketosäure dehydriert. Sie könnte daher analog dem α-Glycerophosphat dem Wasserstofftransport vom Cytoplasma in die Mitochondrien dienen.

17. D-Glycerinsäure-Dehydrogenase aus Spinatblättern [18].

[1.1.1.29 D-Glycerat:NAD-Oxydoreductase.]

$$CH_2OH-CHOH-COOH + DPN^+ \rightleftharpoons CH_2OH-CO-COOH + DPNH + H^+$$

Während der 400fachen Anreicherung des Enzyms variierte das Verhältnis der Aktivitäten mit Hydroxypyruvat und Glyoxalat nur zwischen 4,0 und 5,2. Trotzdem addierten sich die Aktivitäten, wenn beide Substrate nebeneinander in Sättigungskonzentration vorlagen. Nur die Reduktion des Substrats wird durch Anionen aktiviert.

---

[1] HEINZ, F., K. BARTELSEN u. W. LAMPRECHT: H. **329**, 222 (1962).
[2] WILLIS, J. E., and H. J. SALLACH: J. biol. Ch. **237**, 910 (1962). Biochim. biophys. Acta **62**, 443 (1962).
[3] MEISTER, A.: J. biol. Ch. **197**, 309 (1952).
[4] MEHLER, A. H., A. KORNBERG, S. GRISOLIA and S. OCHOA: J. biol. Ch. **174**, 961 (1948).
[5] SALLACH, H. J.: J. biol. Ch. **223**, 1101 (1956). — HEDRICK, J. L., and H. J. SALLACH: Biochim. biophys. Acta **41**, 531 (1960).
[6] LAMPRECHT, W., T. DIAMANTSTEIN, F. HEINZ u. P. BALDE: H. **316**, 97 (1959). — LAMPRECHT, W., F. HEINZ u. T. DIAMANTSTEIN: H. **328**, 204 (1962).
[7] SCHÄFER, G., u. W. LAMPRECHT: H. **326**, 259 (1961).

Die D-Glycerinsäure-Dehydrogenase ist nicht mit der Glykolsäure-Dehydrogenase (s. Tabelle 16, Nr. 9) identisch. Es könnte sich um homospezifische Enzyme handeln. Die unterschiedlichen relativen Aktivitäten mit Hydroxybrenztraubensäure und Glyoxylsäure und das verschiedene Verhalten gegenüber Aktivatoren wären durch den Artunterschied von Spinat und Tabak zu erklären.

Nach STAFFORD, MAGALDI und VENNESLAND[1] variiert das Verhältnis von Hydroxypyruvat- zu Glyoxalat-Aktivität in pflanzlichen Rohpräparaten (s. Tabelle 5) ganz erheblich. Es beträgt z. B. bei Erbsenblättern 18, Erbsensamen 3,2, frischen bzw. gealterten Mohrrübenwurzeln 3,5 bzw. 12, Petersilienblättern 40, frischen bzw. gealterten Spinatblättern 7 bzw. 16 und bei Chloroplasten aus Spinatblättern 60. Über das Vorkommen von D-Glycerinsäure-Dehydrogenase in Pflanzen unterrichtet Tabelle 5.

Die in Tabelle 5 aufgeführten Präparate enthielten im Gegensatz zu Rohpräparaten aus Kartoffelknollen und weißen Rüben keine Milchsäure-Dehydrogenase. Da die pflanzlichen D-Glycerinsäure-Dehydrogenasen mit Pyruvat inaktiv sind[2], können sie also zur Bestimmung von Hydroxypyruvat neben Pyruvat dienen.

Tabelle 5. *Vorkommen von D-Glycerinsäure-Dehydrogenase in höheren Pflanzen* (nach STAFFORD u. Mitarb.[1]).

Präparate: Überstand von Preßsaft bei $18000 \times g$ (20 min, 4°C), Fällung mit Ammoniumsulfat von 0,0—0,56 Sättigung, lösen in 0,001 m Phosphat (p_H 7,4). Test: 0,0033 m Tris (p_H 7,4), 7×10^{-5} m DPNH, 0,0033 m Hydroxypyruvat, Enzym, 5—15 min bei Zimmertemperatur; Best. von Δ o.D. bei 340 mμ.

Enzymquelle	Spezifische Aktivität in 10^{-3} μM × mg Prot.$^{-1}$ × min^{-1}	Enzymquelle	Spezifische Aktivität in 10^{-3} μM × mg Prot.$^{-1}$ × min^{-1}
Blätter *		*Andere Pflanzenteile*	
Erbsen	46,6	Mohrrübenwurzeln	6,44
Runkelrüben	67,5	Grüne Tomaten	30,0
Tomaten	87,0	Gurken	6,28
Radieschen	64,0	Erbsensamen **	0,161
Spinat	80,5	Runkelrüben	0,483
Petersilie	46,9	Weizenkorn ***	2,09
Salat	40,2	reife Honigtau-Melone	2,25
Getreide	20,9	reife Tomaten	0,0
Kohlrabi	7,25	reife Pflaumen	0,0
Mohrrüben	9,35		

* Blätter wurden vor Gebrauch gefroren.
** Erbsensamen wurden gepulvert und 30 min mit H_2O extrahiert.
*** Weizen wurde 30 min mit H_2O extrahiert, der Extrakt wurde 15 min auf 55° C erwärmt und zentrifugiert (weiter wie oben).

D-Glycerinsäure wird durch die D-Glycerinsäure-Kinase (s. Bd. VI/B), die außer in tierischem Gewebe z. B. auch in Spinatblättern vorkommt, in Phosphoglycerinsäure überführt[3] und damit den letzten Stufen der Glykolyse zugänglich. Hydroxypyruvat kann durch Transaminierung in Serin übergehen oder selbst aus diesem entstehen[4].

18. Glycerinsäure-Dehydrogenase aus *Aspergillus niger* [19].

[Glycerat:NAD-Oxydoreductase.]

$$CH_2OH—CHOH—COOH + DPN^+ \rightleftharpoons CH_2OH—CO—COOH + DPNH + H^+$$

Wie die pflanzlichen Glycerinsäure-Dehydrogenase und das Enzym aus Leber, aber im Gegensatz zur Glycerinsäure-Dehydrogenase des *Pseudomonas* (s. unten), bildet das *Aspergillus*-Enzym in der Hinreaktion Hydroxypyruvat. Das Präparat von BEHAL und HAMILTON[5] ist bisher das einzige dieser Art, das Glyoxylsäure nicht reduziert.

---

[1] STAFFORD, H. A., A. MAGALDI and B. VENNESLAND: J. biol. Ch. **207**, 621 (1954).
[2] HOLZER, H., u. A. HOLLDORF: B.Z. **329**, 292 (1957).
[3] HOLZER, H., u. A. HOLLDORF: B.Z. **329**, 283 (1957).
[4] SPRINSON, D. B., and E. CHARGAFF: J. biol. Ch. **164**, 411 (1946).
[5] BEHAL, F. J., and R. D. HAMILTON: Arch. Biochem. **96**, 530 (1962).

19. D-Glycerinsäure-Dehydrogenase aus *Pseudomonas ovalis Chester* [20].

[D-Glycerat:NAD(P)-Oxydoreductase.]

$$CH_2OH-CHOH-COOH + DPN^+ (TPN^+) \rightleftharpoons CHO-CHOH-COOH + DPNH (TPNH) + H^+$$
D-Glycerinsäure   Tartronsäurehalbaldehyd

Im Gegensatz zu den vorhergehenden Enzymen oxydiert die Glycerinsäure-Dehydrogenase des *Pseudomonas* die primäre Hydroxylgruppe der Glycerinsäure. Bei der reversiblen Reaktion ist die Reduktion des Tartronsäurehalbaldehyds die bevorzugte Richtung. Die Oxydation der Glycerinsäure findet mit vergleichbarer Geschwindigkeit nur bei Reoxydation des entstehenden DPNH durch DPNH-Dehydrogenase statt.

Tartronsäurehalbaldehyd wird mit Hilfe der Glyoxylsäure-Carboligase und Thiaminpyrophosphat in Gegenwart von Mg^{++} aus 2 Molekülen Glyoxylsäure unter Abspaltung von CO_2 gebildet[1]. Beide Enzyme sind adaptiv und werden bei Wachstum mit Glykolsäure als einziger Kohlenstoffquelle synthetisiert[2].

20. Tartronsäure-Dehydrogenase höherer Pflanzen [21].

[Tartronat:NAD-Oxydoreductase.]

$$COOH-CHOH-COOH + DPN^+ \rightleftharpoons COOH-CO-COOH + DPNH + H^+$$
Tartronsäure   Mesoxalsäure

Bei 80facher Anreicherung der Tartronsäure-Dehydrogenase-Aktivität stiegen gleichzeitig Weinsäure- und Äpfelsäure-Dehydrogenase-Aktivität nur um das 28- bzw. 48fache an. Es liegen also offenbar verschiedene Enzyme nebeneinander vor.

Tabelle 6. *Vorkommen von Tartronsäure-Dehydrogenase neben Diketobernsteinsäure-Reductase und Äpfelsäure-Dehydrogenase in höheren Pflanzen* (nach STAFFORD[3]).
Präparate: Dialysierte Extrakte von Acetonpulvern. Test: s. Tabelle 16, S. 790.

Enzymquelle	Spezifische Aktivität in μM DPNH × mg Protein^{-1} × min^{-1} mit		
	Mesoxalat	Diketosuccinat	Oxalacetat
Erbsenschößlinge	0,0140	0,0164	0,499
Erbsenwurzeln	0,0348	0,0130	1,114
Erbsensamen.	0,0045	0,0013	0,193
Petersilienschößlinge . .	0,0029	0,0024	0,161
Wasserkressenschößlinge	0,0105	0,0039	0,541
Karottenwurzeln	0,0010	0,0003	0,060
Weizenwurzeln	0,0048	0,0042	0,169
Weizenkeimlinge	0,0336	0,0175	1,173

Die Präparate aus Schößlingen zeigten außerdem eine Glycerinsäure-Dehydrogenase-Aktivität von etwa 0,0482 μM DPNH × mg Protein^{-1} × min^{-1}.

21. meso-Weinsäure-Dehydrogenase der Rinderherzmitochondrien [22].

[meso-Tartrat:NAD-Oxydoreductase.]

$$COOH-CHOH-CHOH-COOH + DPN^+ \xrightleftharpoons[Mg^{++}+ÄDTE]{Mg^{++}} COOH-CO-CHOH-COOH + DPNH + H^+;$$
meso-Weinsäure   Oxalglykolsäure

$$COOH-CO-CHOH-COOH \rightleftharpoons COOH-COH=COH-COOH$$
                                                                Dihydroxyfumarsäure

Das oxydierte Substrat Oxalglykolsäure lagert sich in die recht stabile Endiolform Dihydroxyfumarsäure um, die ein intensives Absorptionsmaximum bei 290 mμ aufweist.

---
[1] KRAKOW, G., and S. S. BARKULIS: Biochim. biophys. Acta **21**, 593 (1956).
[2] KORNBERG, H. L., and A. M. GOTTO: Nature **183**, 1791 (1959). Biochem. J. **78**, 69 (1961).
[3] STAFFORD, H. A.: Plant Physiol. **31**, 135 (1956).

Mg^{++} aktiviert die Weinsäure-Oxydation anscheinend durch Entfernung des Reaktionsprodukts (s. u.). Die Rückreaktion kann nur in Gegenwart von ÄDTE* durch Mg^{++} aktiviert werden.

Bei der quantitativen Verfolgung der enzymatischen Weinsäure-Oxydation durch Mitochondrien sind folgende Nebenreaktionen der Oxalglykolsäure zu berücksichtigen: a) enzymatische Oxydation zu Diketobernsteinsäure (s. Tabelle 16, Nr. 23), b) die spontane Decarboxylierung zu Hydroxypyruvat, die durch Mg^{++} aktiviert wird, c) die enzymatische oder spontane Spaltung in 2 Moleküle Glyoxylsäure in Gegenwart von Mg^{++} und ÄDTE.

Alle diese möglichen Reaktionsprodukte können papierchromatographisch getrennt und identifiziert werden[1]. Zur quantitativen Bestimmung hat man die 2,4-Dinitrophenylhydrazone nach Papierchromatographie eluiert und colorimetriert[2]. Dihydroxyfumarsäure ergibt in Abwesenheit von Mg^{++} allerdings erst nach 10—12 Std ein 2,4-Dinitrophenylhydrazon[3]. Durch das Metallion wird offenbar die Endiolform labilisiert und die Ketolform begünstigt. — Die Dinitrophenylhydrazone können mit Platinoxyd und Wasserstoff in die entsprechenden Aminosäuren überführt werden[2].

22. meso-Weinsäure-Dehydrogenase-Aktivität höherer Pflanzen [23].

[meso-Tartrat:NAD-Oxydoreductase.]

Das pflanzliche Enzym unterscheidet sich vom tierischen dadurch, daß es durch Mg^{++} bzw. Mg^{++} + ÄDTE nicht beeinflußt wird. Es ist noch sehr wenig untersucht. Bei aeroben Bedingungen hat man nach STAFFORD[4] u. a. mit der Decarboxylierung von Oxalglykolsäure über Hydroxypyruvat zu Glykolaldehyd, mit der Autoxydation zu Diketobernsteinsäure und möglicherweise mit einer Dehydratisierung der Weinsäure zu Oxalessigsäure zu rechnen.

Man kennt bisher kein Enzym, das (+)-Weinsäure umsetzt. Diese kommt nur in wenigen Pflanzen, wie z. B. in Weinbeeren, vor. Jedoch können viele Bakterien und Schimmelpilze sowohl (—)- als auch (+)-Weinsäure oxydieren, und zwar (+)-Tartrat häufig mit größerer Geschwindigkeit als (—)-Tartrat[5].

23. Oxalglykolsäure-Dehydrogenase-Aktivität der Mitochondrien [22].

[Oxalglykolat:NAD-Oxydoreductase.]

$$\text{COOH—CO—CHOH—COOH} + \text{DPN}^+ \rightleftharpoons \text{COOH—CO—CO—COOH} + \text{DPNH} + \text{H}^+$$

Oxalglykolsäure   Diketobernsteinsäure

Das Gleichgewicht der Reaktion liegt stark zugunsten des reduzierten Substrats. Die Oxydation von Oxalglykolsäure (bzw. Dihydroxyfumarsäure) kann nur nachgewiesen werden, wenn das entstehende DPNH sofort reoxydiert wird, z. B. durch Diaphorase + 2,6-Dichlorphenolindophenol oder Phenazinmethoniumsulfat sowie durch DPNH-Cytochrom c-Reductase + Cytochrom c. Der Nachweis der enzymatischen Oxydation ist auch dann noch dadurch erschwert, daß Oxalglykolsäure durch die genannten Elektronenacceptoren mit beträchtlicher Geschwindigkeit auch nicht-enzymatisch oxydiert wird. Dazu ist Diketobernsteinsäure besonders in Gegenwart von Metallionen und bei höheren p$_H$-Werten unbeständig und zerfällt in Tartronsäure und CO$_2$. In 5 min bei p$_H$ 8,3 zersetzen sich 65—80%, in Gegenwart von 0,01 m ÄDTE sind es nach 30 min 88%. Bei p$_H$ 6,8 (0,5 m Phosphat) ist sie mit ÄDTE bei 0° C 30—45 min stabil.

---

* ÄDTE = Äthylendiamintetraessigsäure.
[1] KUN, E., and M. G. HERNANDEZ: J. biol. Ch. 218, 201 (1956).
[2] KUN, E., and M. G. HERNANDEZ: Biochim. biophys. Acta 23, 181 (1957).
[3] KUN, E.: J. biol. Ch. 221, 223 (1956).
[4] STAFFORD, H. A.: Plant Physiol. 31, 135 (1956); 32, 338 (1957).
[5] VAUGHN, R. H., G. L. MARSH, T. C. STADTMAN and B. C. CANTINO: J. Bact. 52, 311 (1946).

24. Diketobernsteinsäure-Reductase höherer Pflanzen [24].

[NADH$_2$:Diketosuccinat-Oxydoreductase.]

COOH—CO—CO—COOH + DPNH + H$^+$ → COOH—CO—CHOH—COOH + DPN$^+$

Hier wurde die Oxydation von Oxalglykolsäure nicht nachgewiesen. Diese kann in Pflanzen durch Peroxydasen erfolgen[1].

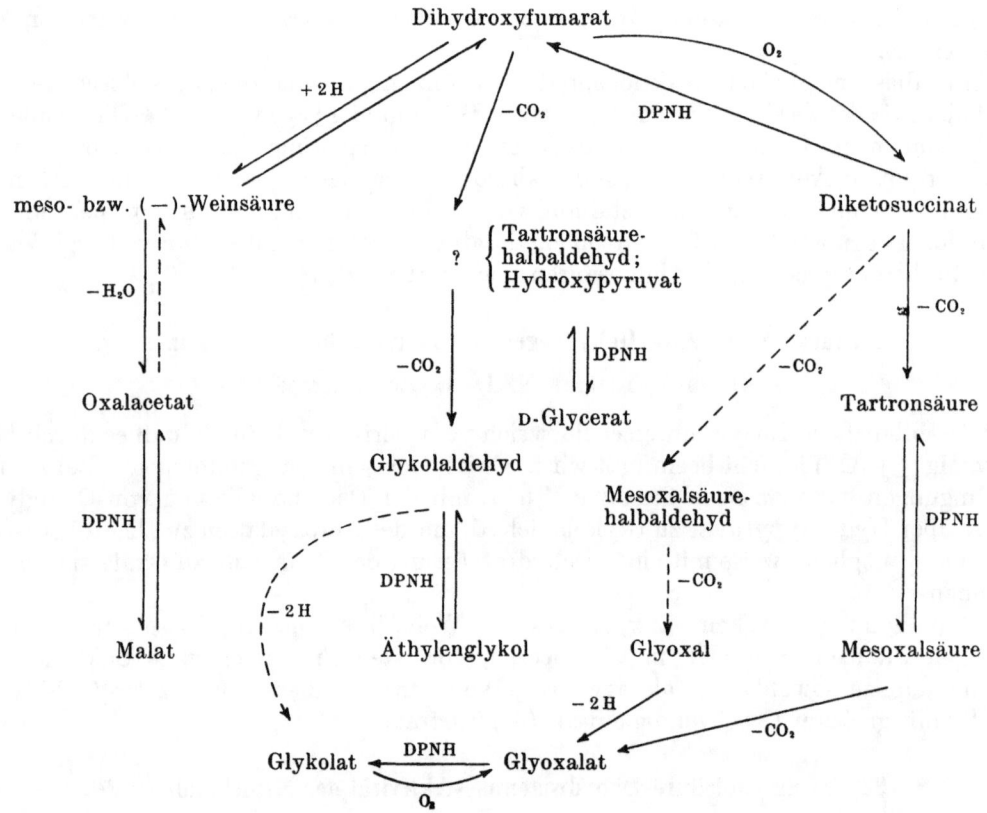

Abb. 2. Möglicher Stoffwechsel von Dihydroxyfumarat in Pflanzen (nach STAFFORD)[2]. Gestrichelte Linien: in Tiergeweben beobachtete oder geforderte Reaktionen; ausgezogene Linien: enzymatische oder nichtenzymatische Reaktionen, die in höheren Pflanzen beobachtet wurden.

Die verschiedenen Möglichkeiten des Stoffwechsels von Dihydroxyfumarsäure in Pflanzen zeigt Abb. 2 nach STAFFORD[2].

Hydroxyl-Dehydrogenasen des Aminosäurestoffwechsels.

25. Chinasäure-Dehydrogenase aus *Aerobacter aerogenes*, Mutante A 170—143 S 1 [25].

[1.1.1.24 Chinat:NAD-Oxydoreductase.]

(A) Chinasäure (CS) + DPN$^+$ ⇌ 5-Dehydrochinasäure (DHC) + DPNH + H$^+$

---

[1] KUN, E., and M. G. HERNANDEZ: J. biol. Ch. **218**, 201 (1956), speziell S. 208.
[2] STAFFORD, H. A.: Plant Physiol. **32**, 338 (1957).

(B) [structure: HO,COOH cyclohexanone diol ⇌ COOH cyclohexenone diol + H₂O]

5-Dehydroshikimisäure (DHS)

Mit der Chinasäure-Dehydrogenase wird gleichzeitig auch die 5-Dehydrochinasäure-Dehydratase („Dehydrochinase") angereichert. In Gl. (B) liegt das Gleichgewicht zugunsten der 5-Dehydroshikimisäure ([DHS]/[DHC] = 15). Man erhält daher nicht 5-Dehydrochinasäure, sondern 5-Dehydroshikimisäure als Oxydationsprodukt. Die Gleichgewichtskonstante der Summenreaktion (A) + (B) ist

$$K_{AB} = \frac{[DHS] \times [DPNH] \times [H^+] \times [H_2O]}{[CS] \times [DPN^+]} = 2{,}44 \times 10^{-7} \, M^2/l^2;$$

daraus läßt sich K_A errechnen:

$$K_A \frac{[DHC] \times [DPNH] \times [H^+]}{[CS] \times [DPN^+]} = \frac{K_{AB}}{15 \times [H_2O]} = 3 \times 10^{-10} \, m.$$

Chinasäure scheint kein direktes Intermediärprodukt der Biosynthese der aromatischen Aminosäuren und der p-Aminobenzoesäure bzw. p-Hydroxybenzoesäure zu sein. *Escherichia coli, Saccharomyces cerevisiae, Euglena gracilis,* Erbsen und Spinatblätter enthalten keine Chinasäure-Dehydrogenase, obgleich Dehydrochinasäure-Dehydratase und Shikimisäure-Dehydrogenase vorhanden sind.

In *E. coli* wird Dehydroshikimisäure aus Erythrose-4-phosphat und Phosphoenolpyruvat über 2-Keto-3-desoxy-7-phospho-D-araboheptonsäure gebildet[1].

In Rohpräparaten aus *Aerobacter* findet man außer Chinasäure-Dehydrogenase und 5-Dehydrochinasäure-Dehydratase auch DPNH-Oxydase, Pyridinnucleotid-Transhydrogenase und Shikimisäure-Dehydrogenase. Hier bestimmt man als Maß des Umsatzes der Chinasäure die Summe Shikimisäure + 5-Dehydroshikimisäure im Biotest mit Hilfe der aromatisch auxotrophen *E. coli*-Mutanten 83-1, die Chinasäure und 5-Dehydrochinasäure nicht angreift[2]. Die einzelnen cycloaliphatischen Carbonsäuren können auch papierchromatographisch getrennt und identifiziert werden.

COOH
|
CO
|
CH₂
|
HOCH
|
HCOH
|
HCOH
|
CH₂—O—PO₃H₂

2-Keto-3-desoxy-7-phospho-D-araboheptonsäure

26. Shikimisäure-Dehydrogenase aus *Escherichia coli*, Stamm W [26].

[1.1.1.25 Shikimat:NADP-Oxydoreductase.]

[structure: Shikimisäure + TPN⁺ ⇌ 5-Dehydroshikimisäure + TPNH + H⁺]

Shikimisäure   5-Dehydroshikimisäure

Nur bei Kopplung mit der irreversiblen Reduktion von oxydiertem Glutathion durch Glutathion-Reductase (s. S. 888) verläuft die Oxydation der Shikimisäure proportional

---

[1] SRINIVASAN, P. R., M. KATAGIRI and D. B. SPRINSON: J. biol. Ch. **234**, 713 (1959); — SRINIVASAN, P. R., and D. B. SPRINSON: J. biol. Ch. **234**, 716 (1959); — SRINIVASAN, P.R., D. B. SPRINSON, E. B. KALAN and B. D. DAVIS: J. biol. Ch. **223**, 913 (1956).
[2] DAVIS, B. D., C. GILVARG and S. MITSUHASHI; in: Colowick-Kaplan, Meth. Enzymol., Bd. II, S. 307.

der Enzymkonzentration (bis 0,012 E/ml). (Das Glutathion-Reductase-Präparat bestand aus einem wäßrigen Extrakt von Acetonpulver aus Meerschweinchenleber.)

Tabelle 7. *Vorkommen der Shikimisäure-Dehydrogenase* (nach YANIV und GILVARG[1]).
Präparate: Verreiben mit Glaspulver, Extraktion mit Puffer. Test: s. Tabelle 16, S. 794.

Enzymquelle	Spezifische Aktivität in 10^{-3} μM Shikimisäure $\times$ mg Protein^{-1} $\times$ min^{-1}
E. coli Wildstamm 9637 ATCC	8,2
Aerobacter aerogenes Wildstamm	9,0
E. coli 83-2	<0,1
E. coli 156-53	<0,1
E. coli 83-1	5,0
Euglena gracilis	3,2
Saccharomyces cerevisiae	2,9
Spinat*	1,8
Erbsen*	5,6
Meerschweinchenleber**	<0,1

* Extrakt im Homogenisator hergestellt.
** Wäßriger Extrakt von Acetonpulver.

27. Prephensäure-Dehydrogenase der *Escherichia coli*-Mutante 83-5 [28].

[Prephenat:NAD(P)-Oxydoreductase.]

Prephensäure + DPN$^+$ → [Zwischenstufe] → p-Hydroxyphenylbrenztraubensäure + DPNH + H$^+$ + CO$_2$

Die Prephensäure-Oxydation ist anscheinend irreversibel. Es ist nicht bekannt, ob mehr als ein Enzym an der Reaktion beteiligt ist oder ob die Prephensäure-Dehydrogenase zu den „two headed enzymes" gehört. Die semichinoide Zwischenstufe ist bisher hypothetisch. Die *E. coli-Mutante 83-5* eignet sich besonders zur Anreicherung des Enzyms, weil sie keine Prephensäure-Aromatase besitzt (s. u.).

Wegen der Anwesenheit DPNH-oxydierender Enzyme in dem nur wenig gereinigten Präparat kann die Reaktionsgeschwindigkeit nicht durch Absorptionsmessung bei 340 mμ bestimmt werden. p-Hydroxyphenylbrenztraubensäure wird zum Teil durch Glutaminsäure-Transaminase in Tyrosin bzw. durch Milchsäure-Dehydrogenase in p-Hydroxyphenylmilchsäure überführt. Die Summe aller drei Verbindungen kann mit Hilfe einer modifizierten MILLON-Methode wie folgt erfaßt werden:

Ein abgemessener Teil der Reaktionsmischung wird mit 0,67 Vol. 6 n H$_2$SO$_4$ versetzt und bis zur Endkonzentration von 1 n H$_2$SO$_4$ verdünnt. Nach Zentrifugieren wird der Überstand mit 0,2 Vol. 15%iger HgSO$_4$-Lösung in 6 n H$_2$SO$_4$ 10 min auf 100° C erhitzt und nach dem Abkühlen in Eis erneut zentrifugiert. Im Überstand wird die Extinktion bei 490 mμ vor und nach Zugabe von 0,04 Vol. 5%iger NaNO$_2$-Lösung bestimmt. Unter diesen Bedingungen beträgt der Extinktionskoeffizient für alle drei Phenolderivate 3×10^6 cm^2/M (bzw. $3 \times 10^3 \times 1 \times$ M$^{-1} \times$ cm^{-1}).

Da Prephensäure bei pH 7,5 (s. Test, Tabelle 16, S. 796) und darüber genügend stabil ist und keine Phenylbrenztraubensäure entsteht, kann p-Hydroxyphenylbrenztrauben-

---
[1] YANIV, H., and C. GILVARG: J. biol. Ch. **213**, 787 (1955).

säure in alkalischer Lösung bei 330 mµ spektrophotometrisch bestimmt werden ($\varepsilon = 2{,}19 \times 10^7$ cm²/M bzw. $2{,}19 \times 10^4 \times l \times M^{-1} \times cm^{-1}$). Sie macht 60—85% der MILLON-positiven Substanz aus. Bei Zusatz von Pyridoxalphosphat und genügend Glutaminsäure zum Testansatz kann sie quantitativ in Tyrosin überführt werden.

Während der tierische Organismus Tyrosin durch Hydroxylierung von Phenylalanin synthetisieren kann, ist dies bei Mikroorganismen, wie *E. coli*, nicht der Fall. Die aus Shikimisäure über unbekannte Zwischenstufen entstehende Prephensäure ist das gemeinsame Ausgangsprodukt für beide Aminosäuren. Phenylalanin wird aus ihr durch Prephensäure-Aromatase über Phenylbrenztraubensäure ohne Mitwirken von Pyridinnucleotiden gebildet[1]. Tyrosin aber entsteht nur mit Hilfe der Prephensäure-Dehydrogenase, deren Konzentration in den Zellen von der Zusammensetzung des Nährmediums abhängig ist.

28. und 29. α-Keto-β-hydroxysäure-Reductase aus *Neurospora crassa* und *Escherichia coli* [29].

[NAD(P)H$_2$: 2-Keto-3-hydroxysäure-Oxydoreductase.]

Der Verlauf der Biosynthese von Valin und Isoleucin in Mikroorganismen ist bekannt und wird in dem folgenden Schema nach RADHAKRISHNAN u. Mitarb. dargestellt.

Biosynthese von Valin und Isoleucin (nach RADHAKRISHNAN u. Mitarb.[2])

R = H: Valinsynthese; R = CH$_3$: Isoleucinsynthese; DPT = Diphosphothiamin; PP = Pyridoxalphosphat.

Die α-Keto-β-hydroxysäure-Reductase katalysiert die Reaktion (III), die irreversibel verläuft. Ein Enzym, das die Reaktion (II) bewirkt, konnte bisher nicht aufgefunden werden. Es ist daher ungewiß, ob die α-Keto-β-hydroxysäure-Reductase direkt am Aufbau der beiden Aminosäuren beteiligt ist. Der Gehalt der Mikroorganismen an α-Keto-β-hydroxysäure-Reductase wird durch Valin oder Isoleucin im Nährmedium nicht beeinflußt. Bemerkenswert ist die hohe Aktivität mit Hydroxypyruvat, das das natürliche Substrat sein könnte. Es wurde offenbar nicht geprüft, ob auch die Reduktion dieses Substrats irreversibel ist. Ebenso ist nicht bekannt, wieweit die D-Glycerinsäure-Dehydrogenase der höheren Pflanzen (s. Tabelle 16, Nr. 17) α-Keto-β-hydroxyisovaleriansäure und α-Keto-β-hydroxy-β-methylvaleriansäure zu reduzieren vermag.

Die Enzyme aus *Neurospora* und *Escherichia coli* unterscheiden sich u. a. in den relativen Aktivitäten mit DPNH und in ihren Affinitäten zu den beiden α-Keto-β-hydroxysäuren. Auch im tierischen Gewebe kommen, wie Tabelle 8 zeigt, ähnliche Enzyme vor.

---

[1] WEISS, U., C. GILVARG, E. S. MINGIOLI and B. D. DAVIS: Science, N.Y. **119**, 774 (1954).
[2] RADHAKRISHNAN, A. N., R. P. WAGNER and E. E. SNELL: J. biol. Ch. **235**, 2322 (1960). — RADHAKRISHNAN, A. N., and E. E. SNELL: J. biol. Ch. **235**, 2316 (1960).

Tabelle 8. *Vorkommen von α-Keto-β-hydroxyisovalerianśäure-Reductase*
(nach RADHAKRISHNAN u. Mitarb.[1]).

Präparate: zellfreie Bakterienextrakte, s. Tabelle 16; Überstand von Homogenaten tierischer Gewebe. Test: s. Tabelle 16, S. 796 (spezifische Aktivität in $\mu M \times$ mg Protein$^{-1} \times$ in 5 min).

Enzymquelle	Spezifische Aktivität	Enzymquelle	Spezifische Aktivität
N. crassa Wildstamm	0,258	Meerschweinchenleber	0,048
Mutante 16117	0,316	Menschenleber	0,0
Mutante 16117-25	0,191	Mäuseleber	0,031
Mutante T 304	0,204	Kaninchenleber	0,037
Mutante 7110	0,281	Rattenleber	0,161
E. coli K-12 (Wildstamm)	0,198	Schafniere	0,024
K-12-Mutante 413	0,154	Rinderhirn	0,0
		Menschenhirn	0,0

30. α-Hydroxy-β-ketosäure-Reductoisomerase aus *Escherichia coli K-12* [29].

[Isomerisierende NADPH$_2$:2-Hydroxy-3-ketosäure-Oxydoreductase.]

Dieses Enzym katalysiert die ebenfalls irreversible Reaktion (IV) im Schema der Valin- bzw. Isoleucinsynthese (s. oben). Außer Mg^{++} und TPNH benötigt es zur Entfaltung seiner Tätigkeit einen noch unbekannten Faktor, der in gekochtem Extrakt aus *E. coli* oder *N. crassa* enthalten ist. Dieser konnte nicht durch ATP, CoA, Tetrahydrofolsäure oder das Vitamin B$_{12}$-ähnliche Coenzym ersetzt werden, das zur Überführung von Glutaminsäure in β-Methylasparaginsäure bei *Clostridium kluyveri*[2] essentiell ist.

Es gelang nicht, die isomerisierende Aktivität von der reduzierenden Aktivität zu trennen, so daß beide Funktionen einem einzigen Enzym zugeschrieben werden müssen. Die Reductoisomerase kommt neben der α-Keto-β-hydroxysäure-Reductase vor und konnte bei *E. coli*, nicht aber bei *N. crassa* von ihr getrennt werden.

Als Reduktionsprodukt von α-Aceto-α-hydroxybuttersäure wurde in einem Ansatz von 1,9 E Enzym aus *E. coli*, 200 μM Substrat, 25 μM Mg^{++}, 50 μM Mercaptoäthanol, 0,2 μM TPN$^+$, 100 μM Glucose-6-phosphat, 0,2 ml gereinigter Glucose-6-phosphat-Dehydrogenase aus *N. crassa*[3], und 0,5 ml gekochtem Extrakt aus *E. coli* in 10,0 ml 0,06 m Tris nach 6 Std bei pH 7,5 und 37° C nur eine Dihydroxysäure gefunden. Sie wurde nach Eintrocknen, Befeuchten mit 6 n HCl und Entfernung des Wassers mit Na$_2$SO$_4$ in Äther aufgenommen und nach Einengen in einem mit Wasser gesättigten Gemisch von Äther zu Benzol = 7:3, das 3 m Ameisensäure enthielt[4], papierchromatographisch isoliert. Nach Perjodatoxydation wurden nur Glyoxylsäure und Methyläthylketon gefunden, die als 2,4-Dinitrophenylhydrazone identifiziert wurden.

Die α-Hydroxy-β-ketosäure-Reductoisomerase ist ein konstitutives Enzym. Ein ähnliches Enzym hat man auch in *Saccharomyces cerevisiae* aufgefunden[5]. ARMSTRONG und WAGNER[6] reicherten sie aus *Salmonella typhimurium* 110fach an und erreichten mit α-Aceto-α-hydroxybutyrat eine spezifische Aktivität von 18,5 μM TPNH $\times$ mg Protein$^{-1} \times$ min^{-1}. Offenbar besteht ein Zusammenhang zwischen α-Keto-β-hydroxysäure-Reductase und α-Hydroxy-β-ketosäure-Reductoisomerase insofern, als das letztgenannte Enzym bei Alterung bis zu 90% seiner Reductoisomerase-Aktivität verliert und plötzlich 5—6% Reductase-Aktivität zeigt. Durch Dialyse gegen 2-Mercaptoäthanol kann die Hauptaktivität bis zu etwa 30% wiederhergestellt und die Reductase-Aktivität auf 2—3% gesenkt werden.

---

[1] RADHAKRISHNAN, A. N., R. P. WAGNER and E. E. SNELL: J. biol. Ch. **235**, 2322 (1960).
[2] BARKER, H. A., H. WEISSBACH and R. D. SMYTH: Proc. nat. Acad. Sci. USA **44**, 1093 (1958).
[3] RADHAKRISHNAN, A. N.: Biochim. biophys. Acta **40**, 546 (1960).
[4] SJOLANDER, J. R., K. FOLKERS, E. A. ADELBERG and E. L. TATUM: Am. Soc. **76**, 1085 (1954).
[5] STRASSMAN, M., J. B. SHATTON and S. WEINHOUSE: J. biol. Ch. **235**, 700 (1960).
[6] ARMSTRONG, F. B., and R. P. WAGNER: J. biol. Ch. **236**, 2027 (1961).

31. L-Homoserin-Dehydrogenase aus Bäckerhefe [30].

[1.1.1.3 L-Homoserin: NAD(P)-Oxydoreductase.]

$$CH_2OH-CH_2-CHNH_2-COOH + DPN^+ (TPN^+) \rightleftharpoons CHO-CH_2-CHNH_2-COOH + DPNH(TPNH) + H^+$$
L-Homoserin   L-Asparaginsäure-β-halbaldehyd

Während der 100fachen Anreicherung und bei 99%iger Hitzeinaktivierung (10 min bei 60° C) stieg das Verhältnis von DPN- zu TPN-Aktivität von 2,5 (2,6) auf 3,1. Bei Sättigungskonzentration werden mit DPN und TPN fast gleiche Maximalgeschwindigkeiten erreicht. Die Aktivitäten addieren sich nicht.

Die Homoserin-Dehydrogenase scheint das einzige bisher bekanntgewordene Pyridinnucleotid-Enzym zu sein, das durch p-Chlormercuribenzoat nicht gehemmt wird. Im Gegensatz zu Äpfelsäure-, Glutaminsäure-, Milchsäure-, Alkohol- und Glucose-6-phosphat-Dehydrogenase steht auch die Unempfindlichkeit gegenüber Thyroxin[1].

Homoserin kann papierchromatographisch in n-Propanol:H_2O:Diäthylamin (85:15:2 bis 4) leicht von Threonin unterschieden werden. Die R_F-Werte betragen 0,43 bzw. 0,52[2,3].

32. ω-Hydroxy-L-α-aminosäure-Dehydrogenase aus *Neurospora crassa 21863-6A* [32].

[ω-Hydroxy-L-α-aminosäure: NAD(P)-Oxydoreductase.]

$$CH_2OH-(CH_2)_n-CHNH_2-COOH + DPN^+(TPN^+)$$
$$\rightleftharpoons CHO-(CH_2)_n-CHNH_2-COOH + DPNH(TPNH) + H^+$$

$n = 1$: L-Homoserin   L-Asparaginsäure-β-halbaldehyd
$n = 2$: L-Pentahomoserin   L-Glutaminsäure-γ-halbaldehyd
$n = 3$: L-Hexahomoserin   L-α-Aminoadipinsäure-δ-halbaldehyd

Die relativen Aktivitäten mit DPN und TPN sowie mit Pentahomoserin und Hexahomoserin scheinen bei Anreicherung und 90%iger Hitzeaktivierung konstant zu bleiben. Homoserin wird dagegen im frischen Präparat durch TPN^+ bedeutend schneller oxydiert als durch DPN^+, während im erhitzten Präparat das Umgekehrte der Fall ist. Offenbar ist im Frischpräparat ein besonderes, für Homoserin spezifisches Enzym enthalten.

Die Oxydationsprodukte, L-Glutaminsäure-γ-halbaldehyd und L-α-Aminoadipinsäure-δ-halbaldehyd, liegen nicht als solche, sondern als Cyclisierungsprodukte, Δ^1-Pyrrolin-5-carbonsäure und Δ^1-Piperidein-6-carbonsäure, vor. Sie lassen sich durch Gelb- bzw. Orangefärbung mit o-Aminobenzaldehyd nachweisen[4]. Glutaminsäurehalbaldehyd wird mit *E. coli 55-25*, Pentahomoserin (nach Überführung in Prolin[5]) mit der *Mutanten 55-1* bestimmt[4]. Hexahomoserin kann bei lysinabhängigen *Neurospora-Mutanten* das Lysin ersetzen[6].

Die ω-Hydroxy-L-α-aminosäure-Dehydrogenasen sind nicht mit den Pyrrolincarbonsäure-Reductasen (s. Tabelle 16, Nr. 41—44) zu verwechseln, die ebenfalls in *Neurospora* vorkommen. Im Gegensatz zu diesen reagieren sie nur mit der offenen Form der ω-Carbonyl-α-aminosäuren. Zudem sind die von ihnen bewirkten Reaktionen reversibel.

Die *N. crassa-Mutante 21863-6A* eignet sich besonders gut zur Anreicherung der ω-Hydroxy-L-aminosäure-Dehydrogenase, da sie nur 0,2% der Pyrrolin-5-carbonsäure-Reductase-Aktivität des Wildstamms besitzt.

33. L-Threonin-Dehydrogenase (Threonin-Decarboxylase) aus *Rhodopseudomonas spheroides* [33].

[L-Threonin: NAD-Oxydoreductase.]

(A) $CH_3-CHOH-CHNH_2-COOH + DPN^+ \rightarrow CH_3-CO-CHNH_2-COOH + DPNH + H^+$
        L-Threonin   L-α-Amino-β-ketobuttersäure

(B) $CH_3-CO-CHNH_2-COOH \rightarrow CH_3-CO-CH_2NH_2 + CO_2$
                                            Aminoaceton

---

[1] WOLFF, J., and E. C. WOLFF: Biochim. biophys. Acta **26**, 387 (1957).
[2] REDFIELD, R. R.: Biochim. biophys. Acta **10**, 344 (1953).
[3] BLACK, S., and N. G. WRIGHT: J. biol. Ch. **213**, 51 (1955).
[4] VOGEL, H. J., and B. D. DAVIS: Am. Soc. **74**, 109 (1952).
[5] PLIENINGER, H.: B. **83**, 271 (1950).
[6] GOOD, N., R. HEILBRONNER and H. K. MITCHELL: Arch. Biochem. **28**, 464 (1950).

Es ist nicht bekannt, ob die Reaktionen (A) und (B) durch das gleiche Enzym katalysiert werden. Nach LAVER, NEUBERGER und SCOTT[1] spaltet α-Amino-β-ketobuttersäure unter physiologischen Bedingungen (p_H 7) mit einer Halbwertszeit von weniger als 1 min spontan CO_2 ab. Es muß sich also nicht unbedingt um eine enzymatische Decarboxylierung handeln.

Aminoaceton kann nach Kondensation mit Acetylaceton zum Pyrrolderivat und Farbreaktion mit p-Dimethylaminobenzaldehyd colorimetrisch bestimmt werden[2]. Es scheint nicht nur für den Intermediärstoffwechsel vieler Mikroorganismen, sondern auch in tierischen Zellen, wie z. B. Hühnererythrocyten, von Bedeutung zu sein. Nach ELLIOTT[3] besteht ein Aminoaceton-Cyclus, dessen Einzelreaktionen bekannt sind (s. Abb. 3).

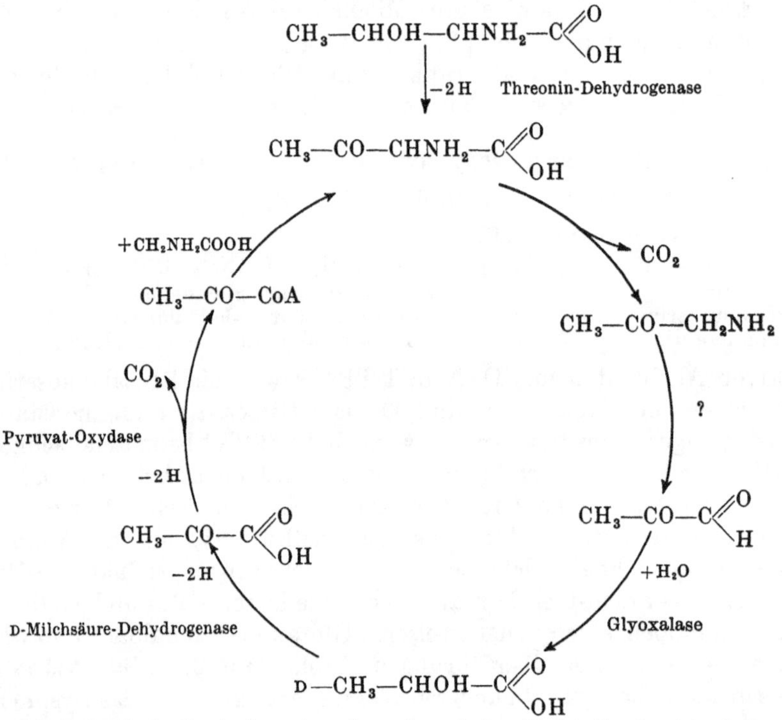

Abb. 3. Geforderter Cyclus des Aminoacetons (bzw. der α-Amino-β-ketobuttersäure) (nach ELLIOTT[3]).

34. und 35. Pyridoxol-Dehydrogenase (Pyridoxin-Dehydrogenase) aus Hefe [35, 36].

[Pyridoxol:NADP-Oxydoreductase.]

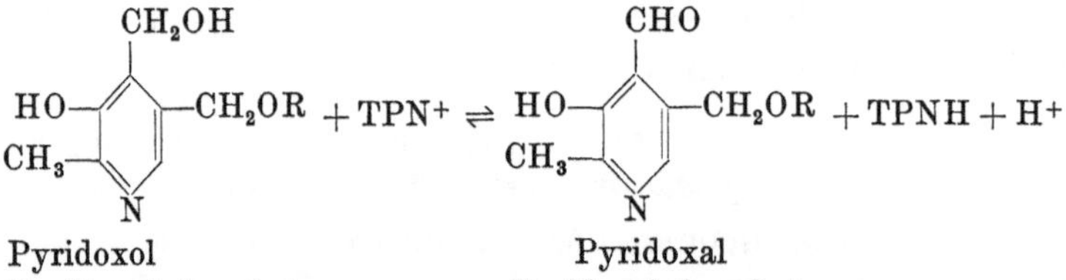

R = H: Pyridoxol
R = PO_3H_2: Pyridoxolphosphat

Pyridoxal
Pyridoxalphosphat

Pyridoxol, das Vitamin B_6, kann in tierischen Geweben und Mikroorganismen auf verschiedenen Wegen in Pyridoxalphosphat, das Co-Enzym der Transaminasen, Decarboxylasen und anderer Enzyme des Aminosäurestoffwechsels, umgewandelt werden. Es ist die Frage, ob die Dehydrierung oder die Phosphorylierung die Primärreaktion ist. In

---

[1] LAVER, W. G., A. NEUBERGER and J. J. SCOTT: Soc. **1959**, 1483.
[2] MAUZERALL, D., and S. GRANICK: J. biol. Ch. **219**, 435 (1956). — GIBSON, K. D., W. G. LAVER and A. NEUBERGER: Biochem. J. **70**, 71 (1958).
[3] ELLIOTT, W. H.: Nature **183**, 1051 (1959).

Pseudomonas aeruginosa und Kaninchenleber werden Pyridoxolphosphat wie auch Pyridoxol durch die Pyridoxolphosphat-Oxydase, ein Flavo-Enzym, oxydiert[1]. Das von HOLZER und SCHNEIDER[2] aus Bierhefe angereicherte Enzym ist dagegen eine TPN-spezifische Dehydrogenase, die vornehmlich Pyridoxal, aber auch Pyridoxalphosphat, in reversibler Reaktion reduziert. MORINO und SAKAMOTO[3] fanden jedoch in ihrem Präparat aus Bäckerhefe keine Aktivität mit Pyridoxolphosphat. Sie untersuchten hauptsächlich die Oxydationsreaktion, die durch die Anwesenheit von TPNH-Oxydase beschleunigt wird.

36. Isopyridoxal-Reductase aus Bäckerhefe [37].

[Isopyridoxol:NADP-Oxydoreductase.]

Isopyridoxal + TPNH + H$^+$ → Pyridoxol + TPN$^+$

Die Isopyridoxal-Reductase ist nicht mit der Pyridoxol-Dehydrogenase identisch. Sie ist bei p_H 4,8 beständiger, bei 50° C jedoch unbeständiger als diese. In *Pseudomonas aeruginosa* und *Lactobacillus casei*, die beide Pyridoxol-Dehydrogenase enthalten, sowie in Leber und Niere der Ratte kommt sie nicht vor. In *Escherichia coli* findet man sie fast ebenso aktiv wie in Bäckerhefe: 0,00134 an Stelle von 0,00141 μM Pyridoxol × mg Trockengewicht^{-1} × Std^{-1} (37° C).

Beim Test wird das entstandene Pyridoxol mit ATP und Pyridoxol-Kinase phosphoryliert und darauf mittels des Flavoenzyms Pyridoxolphosphat-Oxydase des *Pseudomonas aeruginosa* zu Pyridoxalphosphat oxydiert[4]. Das letzte wird mit Hilfe von Tryptophan und Apo-Tryptophanase bestimmt[5].

Aminosäure- und Iminosäure-Dehydrogenasen.

37. und 38. L-Alanin-Dehydrogenasen von Bacillen und anderen Mikroorganismen [38, 39].

[1.4.1.1 Desaminierende L-Alanin:NAD-Oxydoreductase.]

$CH_3-CHNH_3^+-COO^- + DPN^+ + H_2O \rightleftharpoons CH_3-CO-COO^- + DPNH + H^+ + NH_4^+$
L-Alanin — Brenztraubensäure

Im Gegensatz zur L-Glutaminsäure-Dehydrogenase hat die L-Alanin-Dehydrogenase einen sehr engen Spezifitätsbereich. Sie ist daher zur quantitativen Bestimmung von L-Alanin in Gegenwart anderer Aminosäuren geeignet, wenn keine Ammoniumionen zugegen sind.

Die Alanin-Dehydrogenase-Aktivität des *B. subtilis IRC-6* (Am$^-$S) verdreifacht sich bei Wachstum mit Glutaminsäure als einziger Kohlenstoff- und Stickstoffquelle. Glutaminsäure-Dehydrogenase wird nicht gebildet. Glutaminsäure kann infolge eines Mangels an Alanin-α-Ketoglutarsäure-Transaminase nicht durch Alanin ersetzt werden. SHEN, HONG und BRAUNSTEIN[6] erbrachten für den Wildstamm N-1235 den Beweis, daß für die Assimilation von NH_4^+ genügende Mengen an Pyruvat und α-Ketoglutarat zur Verfügung stehen müssen.

---

[1] MORISUE, T., Y. MORINO, Y. SAKAMOTO and K. ICHIHARA: J. Biochem. 48, 28 (1960). — MORINO, Y., H. WADA, T. MORISUE, Y. SAKAMOTO and K. ICHIHARA: J. Biochem. 48, 18 (1960).
[2] HOLZER, H., u. S. SCHNEIDER: Biochim. biophys. Acta 48, 71 (1961).
[3] MORINO, Y., and Y. SAKAMOTO: J. Biochem. 48, 733 (1960).
[4] NAKAMURA, I., Y. MORINO, T. MORISUE and Y. SAKAMOTO: J. Biochem. 49, 339 (1961).
[5] WADA, H., T. MORISUE, Y. SAKAMOTO and K. ICHIHARA: J. Vitaminol. (jap.) 3, 183 (1957).
[6] SHEN, S. C., M. M. HONG and A. E. BRAUNSTEIN: Biochim. biophys. Acta 36, 290 (1959).

Das Enzym des *Mycobacterium tuberculosis var. hominis H 37 Ra* unterscheidet sich von demjenigen aus *B. subtilis* durch seine weit größere Empfindlichkeit gegenüber p-Chlormercuribenzoat, sein Unvermögen, α-Aminobuttersäure zu oxydieren und die trotz größeren Reinigungsfaktors weit geringere spezifische Aktivität. GOLDMAN[1] nimmt für die reduktive Aminierung der Brenztraubensäure bzw. die Alanin-Dehydrierung den folgenden Reaktionsmechanismus an:

$$E + NH_4^+ \rightleftharpoons E \sim NH_4^+$$
$$E + CH_3-CO-COO^- \rightleftharpoons E \sim CH_3-CO-COO^-$$
$$E \sim NH_4^+ + CH_3-CO-COO^- \rightleftharpoons E \sim CH_3-CNH-COO^- + H_2O + H^+$$
$$E \sim CH_3-CNH-COO^- + DPNH + H^+ \rightleftharpoons E \sim CH_3-CHNH_2-COO^- + DPN^+$$
$$E \sim CH_3-CHNH_2-COO^- \rightleftharpoons E + CH_3-CHNH_2-COO^-$$

Ähnlich wie es STRECKER[2] für die Glutaminsäure-Dehydrogenase annimmt, so gilt auch hier, daß Bildung und Spaltung der Iminosäure enzymatisch verlaufen. Freie Iminosäure tritt nicht auf. Bei hoher konstanter NH_4^+-Konzentration (0,16 m) hemmt Pyruvat in Konzentrationen von mehr als 0,003 m. Umgekehrt hemmt NH_4^+ im Bereich von 0,2 m in Gegenwart von 0,002 m Pyruvat nur wenig. Die K_M-Werte des einen Substrats sinken mit steigender Konzentration des anderen.

Wie aus Tabelle 9 hervorgeht, vertreten sich Alanin- und Glutaminsäure-Dehydrogenase offenbar in Bacillen. Nur eine von sieben untersuchten Bacillusarten enthielt beide Enzyme gleichzeitig.

O'CONNOR und HALVORSON[4] wiesen die L-Alanin-Dehydrogenase auch in Rohextrakten aus *Bacillus cereus* und seinen Sporen nach. Obwohl die spezifische Aktivität der Sporen, verglichen mit derjenigen der vegetativen Zellen, nur klein ist (Verbrauch von 0,098 gegenüber 7,65 μM DPNH × mg Protein^{-1} × min^{-1}), spielt sie doch eine wesentliche Rolle für die Sporenkeimung, die mit L-Alanin als „Auslöser" in Gang gesetzt werden kann[5]. Dabei wird Pyruvat gebildet[6]. Transaminierung und Aminosäure-Oxydasereaktion konnten ausgeschlossen werden. Das Sporenenzym wurde bis zu einer spezifischen Aktivität von 5,92 μM DPNH × mg Protein^{-1} × min^{-1} angereichert und erwies sich in seinen Eigenschaften den L-Alanin-Dehydrogenasen von *B. subtilis* und *Mycobacterium* recht ähnlich[4]. Da die Sporen eine sehr aktive DPNH-Oxydase enthalten, kann die Oxydation des Alanins unter aeroben Bedingungen im Rohextrakt leicht übersehen werden.

Tabelle 9. *Vorkommen von L-Alanin-Dehydrogenase und L-Glutaminsäure-Dehydrogenase in Bacillus-Arten* (nach HONG, SHEN und BRAUNSTEIN[3]).

Kulturbedingungen: 8 Std Wachstum in Mineralsalzmedium mit 1% Glucose und 1% L-Glutaminsäure. Präparate: dialysierte Lysozymlysate. Test: 0,05 m $Na_4P_2O_7$ (pH 8,3), 0,0033 m L-Alanin bzw. L-Glutaminsäure, 2×10^{-4} m DPN$^+$ bzw. TPN$^+$ + Enzym, 24° C.

Bacillus	Spezifische Aktivität in 10^{-3} μM × mg Protein^{-1} × min^{-1}	
	mit L-Alanin	mit L-Glutaminsäure
B. subtilis		
Wildstamm N-1235 . . .	6,85	0,0
Wildstamm B-1	2,90	0,0
Wildstamm Z-1	3,71	0,0
Am$^+$-Mutante IRC-1 . . .	0,0	4,9
Am$^+$-Mutante IRC-7 . . .	0,0	2,78
Am$^-$-Mutanten	(+)	(0)
B. mycoides N-537	2,89	0,0
B. mesentericus vulg. N-1226	6,23	0,0
B. megaterium LI-665 . . .	7,15	0,0
B. brevis	3,31	0,0
B. anthracoides N-1312 . .	9,2	17,4
B. cereus	(+)	(?)

---

[1] GOLDMAN, D. S.: Biochim. biophys. Acta **34**, 527 (1959).
[2] STRECKER, H. J.: Arch. Biochem. **46**, 128 (1953).
[3] HONG, M. M., S. C. SHEN and A. E. BRAUNSTEIN: Biochim. biophys. Acta **36**, 288 (1959).
[4] O'CONNOR, R. J., and H. HALVORSON: Arch. Biochem. **91**, 290 (1960). Biochim. biophys. Acta **48**, 47 (1961).
[5] HILLS, G. M.: Biochem. J. **45**, 363 (1949).
[6] O'CONNOR, R. J., and H. HALVORSON: J. Bact. **78**, 844 (1959).

Um die reduktiv aminierende Aktivität der Alanin-Dehydrogenase in Gegenwart geringer Konzentrationen an DPNH-Oxydase und Milchsäure-Dehydrogenase an Hand der Extinktionsabnahme bei 340 mµ bestimmen zu können, liest man Δ o. D. jeweils nach Zugabe des Coenzyms, des Pyruvats und des Ammoniumchlorids zum Enzym (s. Tabelle 16, S. 803, Spalte j) für mehrere 15 sec-Intervalle ab. Die Differenz Gesamtreaktionsrate — (Rate ohne Pyruvat und NH_4Cl + Rate ohne NH_4Cl) ergibt die Aktivität der Alanin-Dehydrogenase[1].

39. L-Leucin-Dehydrogenase aus *Bacillus subtilis IRC-1*[40, 41].

[Desaminierende L-Leucin:NAD-Oxydoreductase.]

$$CH_3-CH-CH-CHNH_3^+-COO^- + DPN^+ + H_2O \rightleftharpoons CH_3-CH-CH-CO-COO^- + DPNH + H^+ + NH_4^+$$
$$\qquad\quad |\quad\; |\qquad\qquad\qquad\qquad\qquad\qquad\qquad\qquad\qquad\qquad |\quad\; |$$
$$\qquad\quad R_1\; R_2 \qquad\qquad\qquad\qquad\qquad\qquad\qquad\qquad\qquad\qquad\qquad R_1\; R_2$$

$R_1 = CH_3$; $R_2 = H$: Leucin $\qquad\qquad\qquad$ α-Keto-γ-methylvaleriansäure
$R_1 = H$; $R_2 = CH_3$: Isoleucin $\qquad\qquad\qquad$ α-Keto-β-methylvaleriansäure

$$CH_3-CH-CHNH_3^+-COO^- + DPN^+ + H_2O \rightleftharpoons CH_3-CH-CO-COO^- + DPNH + H^+ + NH_4^+$$
$$\qquad\quad |\qquad\qquad\qquad\qquad\qquad\qquad\qquad\qquad\qquad\qquad |$$
$$\qquad\; CH_3 \qquad\qquad\qquad\qquad\qquad\qquad\qquad\qquad\qquad\; CH_3$$
$$\qquad\; \text{Valin} \qquad\qquad\qquad\qquad\qquad\qquad\qquad\; \text{α-Ketoisovaleriansäure}$$

Es ist häufig die Ansicht vertreten worden, die Dehydrierung von Leucin und Valin sei eine Nebenaktivität der Glutaminsäure-Dehydrogenase oder der Alanin-Dehydrogenase[2]. Aber SANWAL und LATA[3] fanden, daß weder die DPN-spezifische noch die TPN-spezifische Glutaminsäure-Dehydrogenase der *Neurospora crassa* die reduktive Aminierung von α-Keto-γ-methylvaleriansäure und α-Ketoisovaleriansäure bzw. die oxydative Desaminierung von Valin katalysieren, und nach WIAME u. Mitarb.[1] setzt die Alanin-Dehydrogenase des *B. subtilis* weder Leucin noch Norvalin oder Isoleucin um. Die 350fache Anreicherung einer Leucin-Dehydrogenase aus *B. subtilis* IRC-1 durch ZINK und SANWAL[4] beweist die Existenz eines Enzyms in Mikroorganismen, das für die Monoaminomonocarbonsäuren mit 5 und 6 C-Atomen spezifisch ist.

Die Leucin-Dehydrogenase ist ein konstitutives Enzym, das in den untersuchten Bacillus-Arten häufig neben Alanin-Dehydrogenase vorkommt, aber fast nie gleichzeitig mit Glutaminsäure-Dehydrogenase anzutreffen war (s. Tabelle 10). Nur der *B. subtilis-Stamm IRC-1* enthielt alle drei Enzyme nebeneinander. Die Abtrennung der Glutaminsäure-Dehydrogenase gelingt leicht, da sie in ammoniakalischer Lösung unbeständig ist und an Aluminiumhydroxyd-Gel-C_γ nur langsam adsorbiert wird. Schwieriger erwies sich die Beseitigung der Alanin-Dehydrogenase. Wenn man bei der Chromatographie an DEAE-Cellulose mit Phosphatpuffer arbeitet, wird sie zusammen mit Leucin-Dehydrogenase bei 0,5 m eluiert, während sie mit Tris bei stufenweise erhöhter Pufferkonzentration selbst bei 3 m nicht frei wird.

Es ist bemerkenswert, daß die Leucin-Dehydrogenase Leucin und Valin nebeneinander langsamer oxydiert als der Summe der Einzelreaktionen entspricht. Die Temperaturabhängigkeit der Reaktionsgeschwindigkeit folgt zwischen 2 und 28° C der Arrhenius-Gleichung.

Die Angaben der Tabelle 10 über die spezifische Aktivität der Glutaminsäure-Dehydrogenase und Alanin-Dehydrogenase sind quantitativ nicht mit den entsprechenden Werten der Tabelle 9 zu vergleichen, weil HONG u. Mitarb.[5] die oxydative Desaminierung, ZINK und SANWAL dagegen die reduktive Aminierung als Testreaktion verwandten. Die

---
[1] WIAME, J. M., A. PIÉRARD and F. RAMOS; in: Colowick-Kaplan, Meth. Enzymol. Bd. V, S. 673.
[2] STRUCK jr., J., and I. W. SIZER: Arch. Biochem. **86**, 260 (1960). — TOMKINS, G. M., K. L. YIELDING and J. CURRAN: Proc. nat. Acad. Sci. USA **47**, 270 (1961). — YIELDING, K. L., and G. M. TOMKINS: Proc. nat. Acad. Sci. USA **46**, 1483 (1960). — O'CONNOR, R. J., and H. HALVORSON: Biochim. biophys. Acta **48**, 47 (1961).
[3] SANWAL, B. D., and M. LATA: Canad. J. Microbiol. **7**, 319 (1961).
[4] ZINK, M. W., and B. D. SANWAL: Arch. Biochem. **99**, 72 (1962).
[5] HONG, M. M., S. C. SHEN and A. E. BRAUNSTEIN: Biochim. biophys. Acta **36**, 288 (1959).

Tabelle 10. *Das Vorkommen von L-Leucin-Dehydrogenase neben L-Glutaminsäure-Dehydrogenase und L-Alanin-Dehydrogenase in Bacillus-Arten* (nach ZINK und SANWAL[1]).
Kulturbedingungen: Medium nach VOGEL und BONNER[2], ergänzt durch 0,2% Glucose, 0,1% Hefeextrakt und 0,1% Casaminosäuren. Test: Reduktive Aminierung s. Tabelle 16.

Mikroorganismus	Spezifische Aktivität in $10^{-3}\mu M$ DPNH × mg Protein^{-1} × min^{-1}		
	Leu-DH	Glu-DH	Ala-DH
B. niger	6,4	0	27,3
B. mycoides	5,6	0	24,1
B. megaterium	28,9	0	35,3
B. pumilus	32,1	0	35,3
B. cereus	7,6	0	32,1
B. sphaericus	37,0	0	51,5
B. subtilis, Laboratoriumsstamm	28,9	0	32,1
B. subtilis IRC-1*	25,7	6,4	80,4
B. subtilis IRC-2	0	0	40,2
B. subtilis IRC-3	0	0	24,1
B. subtilis IRC-4	0	3,9	21,5
B. subtilis IRC-5	0	0	38,6
B. subtilis IRC-6	0	0	48,2
B. subtilis IRC-7	0	8,0	45,0
B. subtilis IRC-8	0	4,8	38,6
B. cereus, Sporen	1,6	0	1,9

* Medium nach SPIZIZEN[3]: 0,2% $(NH_4)_2SO_4$, 0,1% Natriumcitrat + 2 H_2O, 0,5% Glucose, 1,4% K_2HPO_4, 0,6% KH_2PO_4 und 0,02% $MgSO_4 \times 7\ H_2O$.

qualitativen Unterschiede bei den *Subtilis-Mutanten IRC-1* und *IRC-7* weisen offenbar auf die Abhängigkeit der enzymatischen Eigenschaften der Mutanten von der Zusammensetzung des Nährmediums hin.

40. Phosphatabhängige Aminosäure-Dehydrogenase aus *Clostridium sporogenes* [42].

[1.4.1.5 Desaminierende L-Aminosäure:NAD-Oxydoreductase.]

$$R-CHNH_3^+-COO^- + DPN^+ + H_2O \rightleftharpoons R-CO-COO^- + DPNH + H^+ + NH_4^+$$

Die Rolle des Phosphats als Co-Faktor ist nicht geklärt. Sie kann nicht darin bestehen, den phosphoroklastischen Abbau von Pyruvat zu stimulieren, da 0,0033 m Jodacetat die oxydative Decarboxylierung des Pyruvats in Bakterien vollständig hemmt, die Aminosäure-Dehydrierung jedoch unbeeinflußt läßt.

Das Enzym ist keine Aminosäure-Oxydase. Auch Glutaminsäure-Dehydrogenase, die, mit Glutaminsäure-Transaminase gekoppelt, die gleichen Summenreaktionen ergeben würde, liegt nicht vor.

41. L-Δ^1-Pyrrolin-5-carbonsäure-Reductase aus Rinderleber [43].

[L-Prolin:NAD-5-Oxydoreductase.]

R—CH—CH₂ | CH CH—COOH ⇌ | O H₂N

R—CH—CH₂ | CH CH—COOH + DPNH + H⁺ → | \N/

R—CH—CH₂ | CH₂ CH—COOH + DPN⁺ | \N/ | H

R = H:
L-Glutaminsäure-γ-halbaldehyd

L-Δ^1-Pyrrolin-5-carbonsäure

L-Prolin

R = OH:
γ-Hydroxy-L-glutaminsäure-γ-halbaldehyd

L-Δ^1-Pyrrolin-3-hydroxy-5-carbonsäure

L-Hydroxyprolin

[1] ZINK, M. W., and B. D. SANWAL: Arch. Biochem. **99**, 72 (1962).
[2] VOGEL, H. J., and D. M. BONNER: Microb. Genet. Bull. **13**, 42 (1956).
[3] SPIZIZEN, J.: Proc. nat. Acad. Sci. USA **44**, 1072 (1958).

Prolin und Hydroxyprolin entstehen irreversibel, anscheinend durch das gleiche Enzym. Bei der Kopplung der enzymatischen Hydrierung von Δ^1-Pyrrolin-3-hydroxy-5-carbonsäure mit der Oxydation von L-Histidinol zu L-Histidin durch Histidinol-Dehydrogenase (s. Tabelle 16, Nr. 56) wurde der zu erwartende stöchiometrische Umsatz von Pyrrolinderivat, Hydroxyprolin und Histidinol im Verhältnis 2:2:1 festgestellt.

Die Dehydrierung von Prolin und Hydroxyprolin zu Δ^1-Pyrrolin-5-carbonsäure und Δ^1-Pyrrolin-3-hydroxy-5-carbonsäure bzw. Glutaminsäure-γ-halbaldehyd und γ-Hydroxyglutaminsäure-γ-halbaldehyd geschieht in Leber und Niere durch den Prolinoxydase-Komplex der Mitochondrien[1] (s. S. 839). Aus D-Prolin entsteht im Gegensatz zu L-Prolin δ-Amino-α-ketovaleriansäure, deren Cyclisierungsprodukt das Substrat der Δ^1-Pyrrolin-2-carbonsäure-Reductase (s. Tabelle 16, Nr. 44) ist.

γ-Hydroxyglutaminsäure-halbaldehyd könnte auch durch Reduktion der γ-Hydroxyglutaminsäure entstehen, die in der Leber durch Kondensation von Brenztraubensäure und Glyoxylsäure über γ-Hydroxy-α-ketoglutarsäure gebildet wird[2]. Es ist noch nicht geklärt, wieweit die γ-Hydroxyglutaminsäure für die Biosynthese des Hydroxyprolins von Kollagen[3] von Bedeutung ist[4]. Bisher kennt man kein Enzym, das die Säure zum Semialdehyd bzw. das Cyclisierungsprodukt 2-Pyrrolidon-3-hydroxy-5-carbonsäure zu Δ^1-Pyrrolin-3-hydroxy-5-carbonsäure reduziert (s. S. 758).

42. Δ¹-Pyrrolin-5-carbonsäure-Reductase der löslichen Fraktion der Rattenleber [(45)].

[1.5.1.2 L-Prolin:NAD(P)-5-Oxydoreductase.]

Die Gesamtaktivität der Δ^1-Pyrrolin-5-carbonsäure-Reductase der löslichen Fraktion der Leber ist zunächst, offenbar infolge der Anwesenheit eines Inhibitors, relativ gering. Durch 2 Std Stehen bei Zimmertemperatur steigt sie auf das 3—4fache und nach der ersten Ammoniumsulfat-Fällung auf das 4—8fache des ursprünglichen Wertes an. Die zweite Ammoniumsulfat-Fällung ist dagegen mit einem Verlust von etwa 40% der Totalaktivität verbunden, der noch ansteigt, wenn nicht bei neutralem p_H gearbeitet wird. Die spezifische Aktivität des gereinigten Enzyms liegt etwa 40mal niedriger als diejenige des Präparates aus Lebervollhomogenat (s. Tabelle 16, Nr. 41).

Die L-Ornithin-α-Ketoglutarsäure-Transaminase der Leber überführt L-Ornithin in α-Amino-δ-oxovaleriansäure = Glutaminsäure-γ-halbaldehyd und damit in Δ^1-Pyrrolin-5-carbonsäure[5]. Diese kann daher in Rohpräparaten durch L-Ornithin und α-Ketoglutarsäure ersetzt werden.

43. Δ¹-Pyrrolin-5-carbonsäure-Reductase des *Neurospora crassa*-Wildstammes St. Lawrence 74 A [(46)].

[1.5.1.2 L-Prolin:NAD(P)-5-Oxydoreductase.]

Das Enzym der *Neurospora crassa* unterscheidet sich vom Leberenzym durch die hohe Aktivität mit TPNH und dadurch, daß es Δ^1-Pyrrolin-3-hydroxy-5-carbonsäure nicht angreift[6]. Das Verhältnis von TPNH- zu DPNH-Aktivität änderte sich nicht bei der Anreicherung des Enzyms oder bei 90%iger Inaktivierung durch Dialyse oder Aufbewahren ohne Glutathion.

---

[1] LANG, K., u. G. SCHMID: B. Z. **322**, 1 (1951). — LANG, K., u. U. MAYER: B. Z. **324**, 237 (1953). — LANG, K., u. H. LANG: B. Z. **329**, 577 (1958). — ADAMS, E., R. FRIEDMAN and A. GOLDSTONE: Biochim. biophys. Acta **30**, 212 (1958).
[2] KURATOMI, K., and K. FUKUNAGA: Biochim. biophys. Acta **43**, 562 (1960).
[3] ROBERTSON, W. VAN B., J. HIWETT and C. HERMAN: J. biol. Ch. **234**, 105 (1959). — GREEN, N. M., and D. A. LOWTHER: Biochem. J. **71**, 55 (1959). — STETTEN, M. R.: J. biol. Ch. **181**, 31 (1949). — STETTEN, M. R., and R. SCHOENHEIMER: J. biol. Ch. **153**, 113 (1944).
[4] ADAMS, E., and A. GOLDSTONE: J. biol. Ch. **235**, 3499 (1960).
[5] MEISTER, A.: J. biol. Ch. **206**, 587 (1954).
[6] ADAMS, E., and A. GOLDSTONE: J. biol. Ch. **235**, 3499 (1960).

Das Enzym ist direkt an der Biosynthese von L-Prolin beteiligt. Enthält das Nährmedium des Mikroorganismus $8{,}7 \times 10^{-4}$ m L-Prolin, so wird nach 3 Tagen nur die Hälfte der Δ^1-Pyrrolin-5-carbonsäure-Reductase-Aktivität gefunden. Die prolinauxotrophe *Mutante 21863-6A* besitzt nur 0,2% der Aktivität des Wildstamms.

Ähnliche Enzyme kommen auch in *Escherichia coli* und *Aerobacter aerogenes* vor[1].

44. Δ^1-Pyrrolin-2-carbonsäure-Reductase aus Rattenniere [47].

[1.5.1.1 L-Prolin:NAD(P)-2-Oxydoreductase.]

$$\underset{\substack{\alpha\text{-Keto-}\omega\text{-amino-}\\ \text{valeriansäure}}}{\text{CH}_2\text{-CH}_2\text{-CH}_2\text{-C(=O)-COOH}\ \text{NH}_2} \rightleftharpoons \underset{\substack{\Delta^1\text{-Pyrrolin-}\\ \text{2-carbonsäure}}}{\text{[Pyrrolin-2-COOH]}} + \text{DPNH(TPNH)} + \text{H}^+ \rightarrow \underset{\text{L-Prolin}}{\text{[Prolin]}} + \text{DPN}^+(\text{TPN}^+)$$

$$\underset{\substack{\alpha\text{-Keto-}\omega\text{-amino-}\\ \text{capronsäure}}}{\text{[Keto-amino-capronsäure]}} \rightleftharpoons \underset{\substack{\Delta^1\text{-Piperidein-}\\ \text{2-carbonsäure}}}{\text{[Piperidein-2-COOH]}} + \text{DPNH(TPNH)} + \text{H}^+ \rightarrow \underset{\substack{\text{L-Piperidin-}\\ \text{2-carbonsäure}\\ \text{(L-Pipecolinsäure)}}}{\text{[Pipecolinsäure]}} + \text{DPN}^+(\text{TPN}^+)$$

Die Reduktionen mit TPNH lassen sich mit der enzymatischen Oxydation von Isocitronensäure koppeln. Δ^1-Pyrrolin-2-carbonsäure und Δ^1-Piperidein-2-carbonsäure werden offenbar durch das gleiche Enzym reduziert. Dieses ist nicht mit der Δ^1-Pyrrolin-5-carbonsäure-Reductase identisch. Die entstehenden Iminosäuren besitzen L-Konfiguration, da sie nicht von D-Aminosäure-Oxydase angegriffen werden.

Tabelle 11. *Vorkommen von Δ^1-Pyrrolin-2-carbonsäure- und Δ^1-Pyrrolin-5-carbonsäure-Reductase in Geweben der Ratte* (nach MEISTER u. Mitarb.[1]).

Präparate: Homogenat von 1 g Frischgewebe in 2 ml 0,1 m Phosphat (pH 7,0), Überstand bei 144000 × g (2 Std). Test: s. Tabelle 16, jedoch 0,05 oder 0,1 ml Enzymlösung und Bestimmung von Δ o.D. bei 340 mμ in den ersten 60—180 sec.

L-Prolin und L-Piperidin-2-carbonsäure (L-Pipecolinsäure) können quantitativ mit Ninhydrin in Eisessig mit oder ohne HCl bei 530 oder 560 mμ colorimetrisch bestimmt werden[2]. Bei der Auswertung langfristiger Versuche ist zu berücksichtigen, daß Δ^1-Pyrrolin-2-carbonsäure und Δ^1-Piperidein-2-carbonsäure im Gegensatz zu Δ^1-Pyrrolin-5-carbonsäure bei pH 6,2 und höherer Temperatur mit DPNH auch nichtenzymatisch reduziert werden. So entstanden z.B. in 2 Std bei 37° C in einer Reaktionsmischung mit 0,0067 m Δ^1-Pyrrolin-2-carbonsäure und 0,0133 m DPNH in 0,067 m Phosphat — also bei dreifach höherer Substratkonzentration und 90fach höherer DPNH-Konzentration, als im Test angegeben (s. Tabelle 16) — 0,624 μM Prolin/ml in Abwesenheit des Enzyms. Die Substrate der Δ^1-Pyrrolin-2-carbonsäure-Reductase können in Anwesenheit von Katalase durch oxydative α-Desaminierung von

Organ	Spezifische Aktivität in μM DPNH × ml Enzym^{-1} × Std^{-1} mit		
	Pyr-2-CS	Pip-2-CS	Pyr-5-CS *
Niere	13,4	11,5	0,096
Gehirn	7,9	5,94	1,58
Leber	3,34	2,34	1,82
Testes	3,18	1,95	1,82
Herz	0,579	0,362	0,115
Milz	0,444	0,355	1,07

* Pyr-2-CS = Δ^1-Pyrrolin-2-carbonsäure; Pip-2-CS = Δ^1-Piperidein-2-carbonsäure; Pyr-5-CS = Δ^1-Pyrrolin-5-carbonsäure.

---

[1] MEISTER, A., A. N. RADHAKRISHNAN and S. D. BUCKLEY: J. biol. Ch. **229**, 789 (1957).
[2] SCHWEET, R. S.: J. biol. Ch. **208**, 603 (1954). — TROLL, W., and J. LINDSLEY: J. biol. Ch. **215**, 655 (1955).

Ornithin und Lysin mittels L-Aminosäure-Oxydase aus Truthahnleber[1] oder Klapperschlangengift[2] gebildet werden. Bei Säugetieren wurden diese Reaktionen noch nicht aufgefunden.

Wie die Tabelle 11 zeigt, kommen Δ^1-Pyrrolin-5-carbonsäure-Reductase und Δ^1-Pyrrolin-2-carbonsäure-Reductase in tierischen Geweben meist vergesellschaftet vor. Die Niere mit ihrem recht geringen Gehalt an 5-Carbonsäure-Reductase und einer um so höheren 2-Carbonsäure-Reductase-Aktivität eignet sich besonders für die Anreicherung der letzten.

Das Enzym kommt auch in Pflanzen und Bakterien vor. In Extrakten aus gekeimten Samen von *Phaseolus radiatus* und *Pisum sativum* fanden sich Aktivitäten gleicher Größenordnung wie bei tierischem Gewebe. Die prolinabhängige *Neurospora crassa*-Mutante *21863A*, die infolge eines Mangels an Δ^1-Pyrrolin-5-carbonsäure-Reductase nicht Δ^1-Pyrrolin-5-carbonsäure anstelle von Prolin verwenden kann, enthält ebenfalls Δ^1-Pyrrolin-2-carbonsäure-Reductase, die es ihr ermöglicht, mit Δ^1-Pyrrolin-2-carbonsäure zu wachsen. Das Enzym ist auch in dem prolinunabhängigen Elternstamm enthalten, kommt jedoch nicht in prolinauxotrophen *Escherichia coli*-Mutanten vor.

Aldehydgruppen oxydierende Dehydrogenasen.

45. Aldose-Dehydrogenase der Kalbslinse [48].

[Aldose:NAD-Oxydoreductase.]

```
HC=O                        COOH
 |                           |
HCOH                        HCOH
 |                           |
HOCH                        HOCH
 |      +DPN+ +H2O  ⇌        |      +DPNH +H+
HCOH                        HCOH
 |                           |
HCOH                        HCOH
 |                           |
 R                           R
```

R = H: D-Xylose   D-Xylonsäure
R = CH$_2$OH: D-Glucose   D-Gluconsäure

Das Enzym ist nicht mit der Glucose-Dehydrogenase der Leber identisch, da es nicht mit TPN reagiert und vornehmlich Xylose umsetzt. Die Aktivitäten mit Xylose und Glucose addieren sich nicht.

In vivo ist die Oxydation der Xylose mit der Reduktion von Dihydroxyacetonphosphat durch α-Glycerophosphat-Dehydrogenase (s. S. 831) gekoppelt. Dabei vermindert sich die Entstehung von Milchsäure aus Brenztraubensäure. Verfütterung großer Mengen Xylose an junge Ratten führt zu Katarakt (Trübung der Augenlinse).

46. Lösliche Aldose-Dehydrogenase aus *Acetobacter suboxydans* [49].

[Aldose:NADP-Oxydoreductase.]

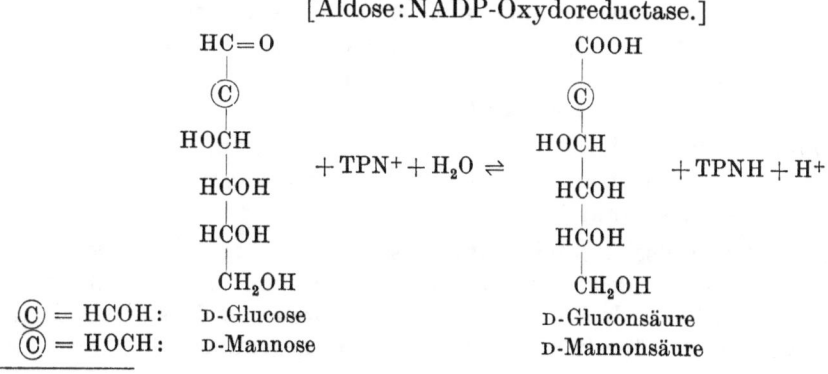

ⓒ = HCOH: D-Glucose   D-Gluconsäure
ⓒ = HOCH: D-Mannose   D-Mannonsäure

---

[1] BOULANGER, P., and R. OSTEUX: Biochim. biophys. Acta **21**, 552 (1956).
[2] MEISTER, A.: J. biol. Ch. **206**, 577 (1954).

Über die Einheitlichkeit des Enzyms ist nichts bekannt. Die Hexonsäuren werden durch ebenfalls TPN-spezifische Dehydrogenasen in 2-Ketohexonsäuren und 5-Ketohexonsäuren überführt.

47. D-Galaktose-Dehydrogenase aus *Pseudomonas saccharophila* [50].

[1.1.1.48 D-Galaktose:NAD-Oxydoreductase.]

$$\begin{array}{c}\text{HC=O}\\\text{HCOH}\\\text{HOCH}\\\text{HOCH}\\\text{HCOH}\\\text{CH}_2\text{OH}\end{array} + \text{DPN}^+ \rightleftharpoons \begin{array}{c}\overline{}\text{C=O}\\\text{HCOH}\\\text{O}\text{HOCH}\\\text{CH}\overline{}\\\text{HCOH}\\\text{CH}_2\text{OH}\end{array} + \text{DPNH} + \text{H}^+$$

D-Galaktose   D-Galaktonsäure-γ-lacton

Das Enzym läßt sich durch D-Galaktose als einzige Kohlenstoffquelle des Nährmediums bei *Pseudomonas saccharophila* leicht induzieren und ist der L-Arabinose-Dehydrogenase des gleichen Mikroorganismus sehr ähnlich (s. unten). Der galaktoseadaptierte Mikroorganismus wächst weder auf Glucose noch auf Fructose.

48. L-Arabinose-Dehydrogenase aus *Pseudomonas saccharophila* [52].

[1.1.1.46 L-Arabinose:NAD-Oxydoreductase.]

$$\begin{array}{c}\text{HC=O}\\\text{HCOH}\\\text{HOCH}\\\text{HOCH}\\\text{CH}_2\text{OH}\end{array} + \text{DPN}^+ \rightleftharpoons \begin{array}{c}\overline{}\text{C=O}\\\text{HCOH}\\\text{O}\text{HOCH}\\\text{CH}\overline{}\\\text{CH}_2\text{OH}\end{array} + \text{DPNH} + \text{H}^+$$

L-Arabinose   L-Arabonsäure-γ-lacton

L-Arabinose wird auch von D-Galaktose-Dehydrogenase oxydiert. Die durch die Pentose in *Ps. saccharophila* induzierte L-Arabinose-Dehydrogenase unterscheidet sich von ihr durch die weit höhere Affinität zur L-Arabinose, ein höheres p_H-Optimum und größere Wärmeempfindlichkeit. In vitro verläuft die Eigenhydrolyse der enzymatisch entstehenden Aldonolactone bei p_H 8,6 so schnell, daß beim Test auch in Abwesenheit von Lactonase nur die freien Aldonsäuren auftreten und die Oxydation irreversibel wird. Gleichgewichtskonstanten können daher nur bei niedrigerem p_H (6,7) bestimmt werden. Eingefrorene Enzympräparate müssen zur Erreichung ihrer vollen Aktivität vor dem Test kurze Zeit auf 30° C vorgewärmt werden[1].

Bei *Ps. saccharophila* kann durch D-Arabinose auch D-Arabinose-Dehydrogenase induziert werden[2]. Der auf D-Arabinose gewachsene Mikroorganismus zeigt keine D-Galaktose-Dehydrogenase-Aktivität.

Der Umsatz von D-Galaktose, L- und D-Arabinose in entsprechend adaptiertem *Ps. saccharophila* verläuft zunächst gleichartig. Es werden die γ-Lactone der Aldonsäuren gebildet, die durch spezifische Hydrolasen in freie Aldonsäuren und durch Dehydratasen in 2-Keto-3-desoxyaldonsäuren überführt werden. — Dem gegenüber wird Gluconsäure

---

[1] DOUDOROFF, M.; in: Colowick-Kaplan, Meth. Enzymol., Bd. V, S. 339 u. 342.
[2] DOUDOROFF, M., J. DE LEY, N. J. PALLERONI and R. WEIMBERG: Fed. Proc. 15, 244 (1956).

nur als 6-Phosphoderivat weiter abgebaut[1]. — 2-Keto-3-desoxygalaktonsäure wird phosphoryliert und durch eine Aldolase-Reaktion in Brenztraubensäure und 3-Phosphoglycerinaldehyd, die gleichen Abbauprodukte wie bei Glucose, gespalten[2]. Aus dem D-Arabonsäurederivat entstehen ohne Phosphorylierung unter Mitwirkung von DPN^+ Brenztraubensäure und Glykolsäure[3], während die L-Verbindung letztlich in α-Ketoglutarsäure umgewandelt wird[4].

Hier wurden nur drei verschiedene adaptive Aldose-Dehydrogenasen eines einzigen Bakterienstammes berücksichtigt. Es liegt nahe, daß man auch bei andern Bakterien je nach den Kulturbedingungen mit zuckerdehydrierenden Enzymen der verschiedensten Spezifität zu rechnen hat.

49. Malonsäurehalbaldehyd-Dehydrogenase aus *Pseudomonas aeruginosa*[54].

[Malonhalbaldehyd:NAD(P)-Oxydoreductase.]

$$HCO-CH_2-COOH + DPN^+(TPN^+) + H_2O \rightarrow COOH-CH_2-COOH + DPNH(TPNH) + H^+$$
Malonsäurehalbaldehyd — Malonsäure

Die Malonsäurehalbaldehyd-Dehydrogenase ähnelt der Succinsemialdehyd-Dehydrogenase (s. Nr. 50 und 51) des gleichen *Pseudomonas*-Stammes. Sie unterscheidet sich von ihr durch die stärkere Aktivierbarkeit mit Mg^{++}, Ca^{++} und Mn^{++} und die geringere Phosphatempfindlichkeit. Malonsäure wird auch in Gegenwart von 0,001 m Semicarbazid nicht reduziert.

Malonhalbaldehyd entsteht aus β-Alanin durch Transaminierungsreaktion mit Pyruvat[5].

50. und 51. Bernsteinsäurehalbaldehyd-Dehydrogenasen aus *Pseudomonas*[14, 55].

[Succinsemialdehyd:NAD(P)-Oxydoreductase.]

$$HCO-CH_2-CH_2-COOH + DPN^+(TPN^+) + H_2O \rightarrow$$
$$COOH-CH_2-CH_2-COOH + DPNH(TPNH) + H^+$$
Bernsteinsäurehalbaldehyd — Bernsteinsäure

Obgleich die Reduktion von Bernsteinsäure in zellfreien Rohextrakten aus *Pseudomonas aeruginosa* beobachtet wurde[6], konnte die Entstehung von Succinsemialdehyd mit den gereinigten Enzympräparaten selbst bei Zusatz von 0,001 m Semicarbazid nicht nachgewiesen werden[7,8].

In dem von Nirenberg und Jakoby[9] untersuchten *Pseudomonas*-Stamm und in *Ps. aeruginosa*[8] kommen DPN- und TPN-abhängige Succinsemialdehyd-Dehydrogenase nebeneinander vor. Sie konnten getrennt werden. Nakamura[8] gelang bei *Ps. aeruginosa* die zwölffache Anreicherung des DPN-Enzyms und die dreifache Anreicherung des TPN-Enzyms. Beide zeigten hier das gleiche p_H-Optimum (p_H 8,6—8,7). Ihre spezifische Aktivität lag mit 0,08 μM DPNH bzw. 0,015 μM TPNH × mg $Protein^{-1}$ × min^{-1} 100- bzw. 500mal niedriger als diejenige der Präparate von Nirenberg und Jakoby. Das DPN-Enzym war jedoch mit TPN vollkommen inaktiv.

Nirenberg und Jakoby nehmen an, daß die geringe restliche Aktivität ihrer Präparate mit dem zweiten Pyridinnucleotid (s. Tabelle 16) nicht einer Verunreinigung mit dem

---

[1] MacGee, J., and M. Doudoroff: J. biol. Ch. **210**, 617 (1954).
[2] De Ley, J., and M. Doudoroff: J. biol. Ch. **227**, 745 (1957).
[3] Palleroni, N. J., and M. Doudoroff: J. biol. Ch. **223**, 499 (1956).
[4] Weimberg, R.: J. biol. Ch. **234**, 727 (1959). — Weimberg, R., and M. Doudoroff: J. biol. Ch. **217**, 607 (1955).
[5] Nishizuka, Y., M. Takeshita, S. Kuno and O. Hayaishi: Biochim. biophys. Acta **33**, 591 (1959).
[6] Bachrach, U.: Biochem. J. **77**, 417 (1960).
[7] Jakoby, W. B., and E. M. Scott: J. biol. Ch. **234**, 937 (1959).
[8] Nakamura, K.: Biochim. biophys. Acta **45**, 554 (1960).
[9] Nirenberg, M. W., and W. B. Jakoby: J. biol. Ch. **235**, 954 (1960).

andern Enzym, sondern den Spezifitätsverhältnissen der Einzelenzyme entspricht, da jedes mit beiden Coenzymen das für es selbst charakteristische p_H-Optimum hat.

Das TPN-Enzym ist konstitutiv, während das DPN-Enzym neben γ-Hydroxybuttersäure-Dehydrogenase (s. Tabelle 16, Nr. 14) und γ-Aminobuttersäure-α-Ketoglutarsäure-Transaminase durch γ-Hydroxybuttersäure, γ-Aminobuttersäure oder Pyrrolidin als einzige Kohlenstoffquelle des Nährmediums induziert wird (s. auch Tabelle 12).

Die Reaktionskinetik gehorcht der Gleichung

$$\frac{V_{max}}{v} = 1 + \frac{K_a}{[PN^+]} + \frac{K_b}{[Substrat]} + \frac{K_c}{[PN^+] \cdot [Substrat]};$$

d. h., daß am Reaktionsmechanismus ein ternärer Komplex aus Apoenzym, Coenzym und Substrat geschwindigkeitsbestimmend beteiligt ist, wie es z. B. auch bei Alkohol- und Milchsäure-Dehydrogenase der Fall ist[1, 2].

Synthese und Bestimmung von Bernsteinsäurehalbaldehyd können nach BESSMAN, ROSSEN und LAYNE[3] durchgeführt werden. Succinsemialdehyd und Bernsteinsäure haben im aufsteigenden Papierchromatogramm in mit 4 m Ameisensäure gesättigtem Isoamylalkohol die R_F-Werte 0,68 bzw. 0,48[4].

52. DPN⁺-Bernsteinsäurehalbaldehyd-Dehydrogenase aus Affenhirn [56].

[Succinsemialdehyd:NAD-Oxydoreductase.]

Das Enzym vermittelt gekoppelt mit γ-Aminobuttersäure-Transaminase den oxydativen Abbau einer Aminosäure mit Hilfe des Citronensäurecyclus. Die Oxydation des Substrats ist wie bei den *Pseudomonas*-Enzymen irreversibel. Da die MICHAELIS-Konstante des Succinsemialdehyds sehr niedrig ist, erscheint es nicht verwunderlich, wenn die Substanz in freier Form im Gehirn nicht nachzuweisen ist.

Die durch 2-Mercaptoäthanol reduzierte und damit für Arsenit zugängliche Disulfidbrücke nimmt offenbar nicht direkt an der Enzymreaktion teil.

53. γ-Aminobutyraldehyd-Dehydrogenase aus *Pseudomonas fluorescens* ATCC 13430 [58].

[4-Aminobutyraldehyd:NAD-Oxydoreductase.]

```
CH₂—CH₂      CH₂—CH₂
 |    |       |    |
CH₂  CH  ⇌  CH₂   CH  + DPN⁺ + H₂O → CH₂NH₂—CH₂—CH₂—COOH + DPNH + H⁺
  \ N /        |    ||
              NH₂   O
 Pyrrolin     γ-Aminobutyraldehyd              γ-Aminobuttersäure
```

Tabelle 12. *Induktion von Enzymen des Stoffwechsels von γ-Aminobutyraldehyd bei Pseudomonas* (nach JAKOBY und FREDERICKS[5]).

Inductor	γ-Aminobutyr-aldehyd-Dehydrogenase	Trans-aminase*	Succin-semialdehyd-Dehydrogenase
γ-Hydroxybuttersäure		+	++
γ-Aminobuttersäure	—	+	+
Pyrrolidin	++	+	++
Putrescin	+	+	(+)**
Glucose	—	(+)	(+)**
L-Glutaminsäure	—	—	(+)**

* γ-Aminobuttersäure-α-Ketoglutarsäure-Transaminase.
** Konstitutives Enzym.

[1] THEORELL, H.: Discuss. Faraday Soc. **20**, 224 (1955).
[2] HAKALA, M. T., A. J. GLAID and G. W. SCHWERT: J. biol. Ch. **221**, 191 (1956).
[3] BESSMAN, S. P., J. ROSSEN and E. C. LAYNE: J. biol. Ch. **201**, 385 (1953).
[4] NIRENBERG, M. W., and W. B. JAKOBY: J. biol. Ch. **235**, 954 (1960).
[5] JAKOBY, W. B., and J. FREDERICKS: J. biol. Ch. **234**, 2145 (1959).

Wie die Oxydation des Succinsemialdehyds, so ist auch diese Reaktion irreversibel. Versuche mit γ-Aminobuttersäure-1-^{14}C und DPNH bei p_H 7,7 ergaben kein radioaktives Pyrrolin.

Das Enzym entsteht adaptiv, wie aus Tabelle 12 hervorgeht.

54. Δ^1-Pyrrolin-5-carbonsäure-Dehydrogenase aus Rinderleber [60, 61].

[L-Glutamat-γ-halbaldehyd:NAD(P)-Oxydoreductase.]

$$\begin{array}{c} R-CH-CH_2 \\ |\quad\quad| \\ CH\quad CH-COOH \\ \diagdown N \diagup \end{array} \rightleftharpoons \begin{array}{c} R-CH-CH_2 \\ |\quad\quad| \\ CH\quad CH-COOH \\ \|\quad| \\ O\quad H_2N \end{array} + DPN^+ + H_2O$$

$$\rightarrow COOH-CHR-CH_2-CHNH_2-COOH + DPNH + H^+$$

R = H:
L-Δ^1-Pyrrolin-5-carbon-
säure

L-Glutaminsäure-
γ-halbaldehyd

L-Glutaminsäure

R = OH:
L-Δ^1-Pyrrolin-3-hydro-
xy-5-carbonsäure

γ-Hydroxy-L-glutamin-
säure-γ-halbaldehyd

γ-Hydroxy-L-glutaminsäure

Es handelt sich hier offenbar um eine irreversible Oxydation. Dies erscheint in Analogie zum Succinsemialdehyd und γ-Aminobutyraldehyd nicht absonderlich. Die vergeblichen Versuche, die Rückreaktion nachzuweisen, wurden jedoch mit 2-Pyrrolidon-5-carbonsäure, dem Cyclisierungsprodukt der Glutaminsäure, und nicht mit Glutaminsäure selbst durchgeführt. STRECKER[1] konnte die 2-Pyrrolidon-5-carbonsäure als Oxydationsprodukt der Δ^1-Pyrrolin-5-carbonsäure nicht nachweisen. Nach ADAMS und GOLDSTONE[2] wird sie unter Einwirkung der Dehydrogenase auch nicht hydrolysiert. Man kann allerdings annehmen, daß die Hydrolyse nur am enzymgebundenen Produkt eintritt.

Im Gegensatz zur Δ^1-Pyrrolin-5-carbonsäure-Reductase (s. Tabelle 16, Nr. 41) besitzt die Δ^1-Pyrrolin-5-carbonsäure-Dehydrogenase keine Stereospezifität. STRECKER[1] erhielt aus D,L-Δ^1-Pyrrolin-5-carbonsäure D,L-Glutaminsäure. Bei partiellem und vollständigem Ablauf der Reaktion wurden nach Behandlung des Reaktionsprodukts mit L-Glutaminsäure-Decarboxylase äquivalente Mengen Glutaminsäure und γ-Aminobuttersäure gefunden, die zusammen der Menge des gebildeten DPNH entsprachen. ADAMS und GOLDSTONE[2] erhielten aus enzymatisch dargestellter Δ^1-Pyrrolin-3-hydroxy-5-carbonsäure[3] kristalline (+)-γ-Hydroxyglutaminsäure mit etwa 75% Ausbeute. Es ist also unwahrscheinlich, daß beim STRECKERschen Versuch eine Racemisierung stattfand.

Δ^1-Pyrrolin-5-carbonsäure und Δ^1-Pyrrolin-3-hydroxy-5-carbonsäure werden durch das gleiche Enzym oxydiert. Bei der Anreicherung der Dehydrogenase findet während der ersten Ammoniumsulfat-Fraktionierung eine scheinbare Zunahme der Gesamtaktivität um etwa 200% statt. Dies ist durch Abtrennung der Pyrrolincarbonsäure-Reductase und wohl auch anderer DPNH-oxydierender Enzyme zu erklären. Die das gereinigte Enzym begleitenden Aldehyd-Dehydrogenasen können selektiv durch Präinkubation mit Tetraäthylthiuramdisulfid zu 90% gehemmt werden[2]. Umgekehrt werden sie durch Inhibitoren der Glutaminsäurebildung, wie L-Prolin, L-Hydroxyprolin und δ-Aminovaleriansäure, nicht beeinflußt. Weitere Inhibitoren der Δ^1-Pyrrolin-5-carbonsäure-Dehydrogenase sind in Tabelle 13 zusammengefaßt. Bemerkenswert ist die durch Mercaptoäthanol verstärkte Arsenithemmung, die auf die Bedeutung von Disulfidgruppen nicht nur für die Stabilität des Apoenzyms, sondern vor allem auch für die enzymatische Reaktion selbst hinweist.

---

[1] STRECKER, H. J.: J. biol. Ch. **235**, 3218 (1960).
[2] ADAMS, E., and A. GOLDSTONE: J. biol. Ch. **235**, 3504 (1960).
[3] ADAMS, E., and A. GOLDSTONE: J. biol. Ch. **235**, 3492 (1960).

Tabelle 13. *Inhibitoren der Δ^1-Pyrrolin-5-carbonsäure-Dehydrogenase aus Rinderleber* (nach STRECKER[1]).

Präparat: 30fach angereichertes Enzym s. Tabelle 16 Nr. 54. Test: Test II, s. Tabelle 16.

Inhibitoren	Konzentration in 10^{-3} M/l	% Hemmung
p-Hydroxymercuribenzoat	0,033	97
Adenosinmonophosphat	3,3	50
Adenosindiphosphat	3,3	83
Adenosintriphosphat	3,3	50
δ-Aminovaleriansäure	3,3	83
	0,33	67
δ-Valerolactam	0,33	15
L-Hydroxyprolin	3,3	78
γ-Aminobuttersäure	3,3	65
L-Prolin	3,3	65
D,L-Prolin	3,3	42
δ-Valerolacton	2,8	37
ε-Aminocapronsäure	3,3	26
D,L-α-Aminobuttersäure	3,3	20
L-Pyrrolidoncarbonsäure	3,3	20
β-Alanin	3,3	15
2,4-Dinitrophenol	3,3	11
Na-arsenit	0,66	32
Mercaptoäthanol	0,33	11
Arsenit + Mercaptoäthanol	0,66 + 0,33	78

55. Phosphatabhängige L-Asparaginsäure-β-halbaldehyd-Dehydrogenase [62].

[1.2.1.11 Phosphorylierende L-Aspartat-β-semialdehyd:NADP-Oxydoreductase.]

$$HCO-CH_2-CHNH_3^+-COO^- + TPN^+ + HPO_4^{--} \rightleftharpoons {}^{--}PO_3-O-CO-CH_2-CHNH_3^+-COO^- + TPNH + H^+$$

L-Asparaginsäure-β-halbaldehyd   L-Asparaginsäure-β-phosphat

Die Asparaginsäure-β-halbaldehyd-Dehydrogenase ist in ihrer Reaktionsweise der 3-Phosphoglycerinaldehyd-Dehydrogenase zu vergleichen, da ein gemischtes Phosphorsäureanhydrid gebildet bzw. umgesetzt wird. Mit Arsenat anstelle von Phosphat entsteht freie Asparaginsäure als Oxydationsprodukt.

L-Asparaginsäure-β-phosphat wird in Gegenwart des Enzyms mit Arsenat schnell gespalten, Acetylphosphat ist dagegen inert. Durch Jodacetat werden Reduktion und Arsenolyse in gleichem Maß gehemmt, jedoch ist das Enzym weniger empfindlich gegen Jodessigsäure als 3-Phosphoglycerinaldehyd-Dehydrogenase. Anders als bei diesem Enzym konnte die Notwendigkeit des Pyridinnucleotids für die enzymatische Arsenolyse nicht nachgewiesen werden, denn durch Kohlebehandlung wurde diese Teilreaktion nicht beeinflußt.

L-Asparaginsäure-β-phosphat kann mit der Hydroxamsäuremethode[2] und L-Asparaginsäure-β-halbaldehyd mit Homoserin-Dehydrogenase (s. Tabelle 16, Nr. 31) bestimmt werden. Die Aldehydaminosäure wird chemisch durch Ozonspaltung von L-Allylglycin erhalten. Ebenso wie Glutaminsäure-γ-halbaldehyd reagiert sie nur schwer mit Carbonylreagentien. Bei neutraler Reaktion scheint sie sich in Substanz wie in Lösung innerhalb weniger Stunden zu polymerisieren, während sie im Sauren stabil ist. Asparaginsäure-β-phosphat wird durch die β-Aspartokinase der Hefe synthetisiert[3].

---

[1] STRECKER, H. J.: J. biol. Ch. **235**, 3218 (1960).
[2] LIPMANN, F., and L. C. TUTTLE: J. biol. Ch. **159**, 21 (1945).
[3] BLACK, S., and N. G. WRIGHT: J. biol. Ch. **213**, 27 (1955).

Zweistufig dehydrierende Pyridinnucleotid-Enzyme.

56. L-Histidinol-Dehydrogenase aus Hefe und *Arthrobacter histidinolovorans* [63].

[1.1.1.23 L-Histidinol:NAD-Oxydoreductase.]

$$\text{L-Histidinol} + 2\,\text{DPN}^+ + \text{H}_2\text{O} \rightarrow \text{L-Histidin} + 2\,\text{DPNH} + 2\,\text{H}^+$$

$$\text{DPN}^+ + \text{L-Histidinol} \underset{}{\overset{}{\leftarrow}} \text{H}^+ + \text{DPNH} + \text{L-Histidinal} \xrightarrow{+\text{DPN}^+ + \text{H}_2\text{O}} \text{L-Histidin} + \text{DPNH} + \text{H}^+$$

Die Histidinol-Dehydrogenase oxydiert L-Histidinol direkt zu L-Histidin. Das Gleichgewicht liegt weit auf seiten des Histidins, denn aus 120 µM L-Histidin wurden bei hohen Konzentrationen an Histidinol-Dehydrogenase, DPN$^+$, Glucose und Glucose-Dehydrogenase höchstens 0,2 µM L-Histidinol gebildet. Obwohl L-Histidinal als Zwischenprodukt der Histidinbildung mit Semicarbazid oder Hydroxylamin nicht abgefangen werden kann, wird freies Histidinal doch zu Histidin oxydiert bzw. zu Histidinol reduziert. Die Geschwindigkeit der Reduktion von DPN$^+$ beträgt mit Histidinal über 80% derjenigen mit Histidinol (Hefe), Histidinal wird also schneller oxydiert als Histidinol. Werden beide im Verhältnis 12:1 angeboten, so erfolgt der Umsatz mit der Geschwindigkeit der Histidinaloxydation (Arthrobacter).

Semicarbazid und Hydroxylamin hemmen die Oxydation von Histidinol nur in höheren Konzentrationen. Ebenso wie bei der Reinigung des Enzyms bleibt auch hier der stöchiometrische Umsatz von 2 DPN$^+$ pro Histidinolmolekül erhalten. Besonders Semicarbazid wird in Gegenwart von L-Histidinal zu einem gut wirksamen kompetitiven Inhibitor, offenbar als L-Histidinal-Komplex. D-Histidinal, selbst ein starker Inhibitor, beeinflußt die Semicarbazidwirkung dagegen nicht.

Die Histidinol-Dehydrogenase des *Arthrobacter* ist ein adaptives Enzym, das durch L-Histidinol induziert wird. Das Enzym ist in Mikroorganismen direkt an der Synthese des L-Histidins beteiligt. Die *Escherichia coli*-Mutanten *M-18* und *M-25*, die ebensogut auf Histidinol wie auf Histidin wachsen, enthalten es, während es in den *Mutanten M-22, M-23* und *M-29*, die nur Histidin assimilieren können, nicht vorkommt. Es wurde keine Mutante gefunden, die mit Histidinal, aber nicht mit Histidinol wächst.

Histidinaldihydrochlorid ist in wäßriger Lösung unter pH 6 mehrere Tage bei Raumtemperatur und einige Monate bei —15° C haltbar. Bei pH 7 oder höheren pH-Werten wird es dagegen in 5—10 min bei Raumtemperatur zersetzt.

57. Uridindiphosphatglucose-Dehydrogenase aus Kalbsleber[66].
[1.1.1.22 UDPG:NAD-Oxydoreductase.]

$$\begin{array}{c} \text{HC}-\text{UDP} \\ | \\ \text{HCOH} \\ | \\ \text{HOCH} \text{O} \\ | \\ \text{HCOH} \\ | \\ \text{HC}- \\ | \\ \text{CH}_2\text{OH} \end{array} + 2\,\text{DPN}^+ + \text{H}_2\text{O} \rightarrow \begin{array}{c} \text{HC}-\text{UDP} \\ | \\ \text{HCOH} \\ | \\ \text{HOCH} \text{O} \\ | \\ \text{HCOH} \\ | \\ \text{HC}- \\ | \\ \text{COOH} \end{array} + 2\,\text{DPNH} + 2\,\text{H}^+$$

Uridindiphosphat-α-D-glucosid;   Uridindiphosphat-α-D-glucuronid;
UDP-Glucose (UDPG)   UDP-Glucuronsäure (UDPGS)

$$\text{UDP} = -\text{O}-\overset{\text{O}}{\underset{\text{OH}}{\text{P}}}-\text{O}-\overset{\text{O}}{\underset{\text{OH}}{\text{P}}}-\text{O}-\text{CH}_2-\overset{\text{H}}{\underset{}{\text{C}}}-\overset{\text{H}}{\underset{\text{OH}}{\text{C}}}-\overset{\text{H}}{\underset{\text{OH}}{\text{C}}}-\overset{\text{H}}{\underset{}{\text{C}}}-\text{N}\underset{\text{CH}}{\overset{\text{OC}-\text{NH}-\text{CO}}{\diagdown\diagup}}\text{CH}$$

Das Enzym gehört der Cytoplasmafraktion der Leberzellen an. Es ist streng spezifisch für UDPG, deren Oxydation irreversibel verläuft. Es ist bisher nicht gelungen, UDP-Glucosedialdehyd als Zwischenprodukt nachzuweisen oder auch nur wahrscheinlich zu machen. Selbst das reinste, 400fach angereicherte Präparat aus Leber katalysierte beide Oxydationsschritte zugleich. Auch mit Desamino-DPN⁺ und 3-Acetylpyridinadenindinucleotid wurde keine Auftrennung der beiden Oxydationsstufen beobachtet. Mit Semicarbazid oder Hydroxylamin wurde keine Aldehydverbindung abgefangen. Zwar wird die Reduktion des DPN⁺ durch 0,025 m Thiosemicarbazid um 50 % herabgesetzt, aber die Summe von nicht umgesetzter UDPG und UDPGS entsprach der eingesetzten Substratmenge. Papierchromatographisch wurde kein neuer UV-absorbierender Fleck gefunden. Die Verstärkung der Thiosemicarbazidhemmung durch Präinkubation mit dem Enzym spricht dafür, daß der Inhibitor mit einer essentiellen Carbonylgruppe des Apoenzyms reagiert.

Das entstehende UDP-Glucuronid hat sehr wahrscheinlich α-Konfiguration. Hierfür spricht nicht nur die α-Struktur der UDPG, sondern auch die Labilität von UDPGS im Alkalischen. Hier bildet sich vermutlich ein 1:2-cyclisches Phosphat. So muß also bei den durch die Lebermikrosomen vermittelten Konjugationsreaktionen der UDPGS Inversion an C-1 eintreten.

Die Aktivität des Enzyms ist in vitro stark von der Art des Puffers (0,1 m, p_H 9,0) abhängig: Glycin = 100 %; Tris = 83 %, Pyrophosphat = 55 %, Diäthanolamin = 48 %.

58. Uridindiphosphatglucose-Dehydrogenase aus Erbsenkeimlingen [69].
[1.1.1.22 UDPG:NAD-Oxydoreductase.]

Das pflanzliche Enzym gleicht dem tierischen weitgehend in seinen Eigenschaften. Gleiche Frischgewichte an Leber und Erbsenkeimen ergeben in den Rohextrakten absolute Aktivitäten gleicher Größenordnung. Die spezifische Aktivität des Erbsenenzyms bleibt jedoch trotz 4fach höherer Anreicherung geringer als die des Leberenzyms. Es finden sich weitere Unterschiede in den Löslichkeiten bei Gegenwart von Ammoniumsulfat und Aceton. Der Nachweis der UDPGS geschieht durch Konjugationsreaktion mit o-Aminophenol mit Hilfe der Mikrosomenfraktion von Meerschweinchenleber, da Erbsenextrakte keine Glucuronsäure übertragenden Enzyme aufweisen. Weder bei p_H 7,2 noch bei 8,8 konnte die Reduktion von UDPGS beobachtet werden.

UDPG-Dehydrogenase kommt auch in Mikroorganismen vor. SMITH, MILLS, BERNHEIMER und AUSTRIAN[1] wiesen ein solches Enzym z. B. in einem kapsellosen Stamm (R 19) von *Streptococcus pneumoniae* nach.

UDPG-Dehydrogenase hat offensichtlich Allgemeinbedeutung. UDP-Glucuronsäure dient nicht nur der Synthese einfacher Glucuronide, sondern ist in Tier, Pflanze und Bakterien der Glucuronsäure-Donator für den Aufbau von glucuronsäurehaltigen Polysacchariden. Man kennt bisher keine anderen UDP-Glykosid-Dehydrogenasen. MILLS u. Mitarb.[2] zeigten, daß UDP-Galakturonsäure in *Pneumokokken Typ I* und *XXXIII* nicht durch Oxydation von UDP-Galaktose, sondern mit Hilfe einer C-4-Epimerase aus UDP-Glucuronsäure gebildet wird. RODÉN und DORFMAN[3] wiesen nach, daß die Radioaktivität von Glucose-6-^{14}C in der Carboxylgruppe der in Chondroitinschwefelsäure B aus Rattenhaut enthaltenen L-Iduronsäure wieder erscheint. Auch hier könnte der Weg über UDP-Glucuronsäure führen. Er würde eine Epimerisierung an C-5 erfordern.

Andere Dehydrogenasen.

59. Ameisensäure-Dehydrogenase aus *Pisum sativum* [70].

[1.2.1.2 Formiat:NAD-Oxydoreductase.]

$$HCOO^- + DPN^+ \rightarrow CO_2 + DPNH$$

Die Formiat-Oxydation ist irreversibel, denn selbst mit $^{14}CO_2$ konnte die Rückreaktion nicht nachgewiesen werden.

Das Enzym kommt in den Samen zahlreicher Dicotyledonen vor. Bei Monocotyledonen findet man es seltener[4]. Alle geprüften 28 Leguminosenarten enthielten es, davon 13 mit besonders hoher Aktivität. Das Erbsenenzym besitzt seine höchste Aktivität in den reifen Samen. Während des Keimens nimmt die Gesamtaktivität vom 2. Tage an ab. Nach MATHEWS und VENNESLAND[5] wird Ameisensäure auch durch dialysierte Rohpräparate (Homogenat in 0,05 m Phosphat, p_H 7,0; Überstand bei $20000 \times g$) aus Rattenleber und -niere langsam oxydiert.

Die pflanzliche Formiat-Dehydrogenase ist ein DPN^+-spezifisches Enzym. Dagegen kommt in einigen Stämmen des *Escherichia coli*, z.B. in *Stamm Crookes, American Type Culture Collection 8739*, ein Hydrogen-Lyase-System vor, das die Reaktion $HCOOH \rightarrow H_2 + CO_2$ bewirkt und kein Pyridinnucleotid braucht[6]. Aus *E. coli, Stamm Yamagutchi*, wurde ein partikelgebundener Enzymkomplex isoliert, der ein Metallflavoproteid, Cytochrom b_1 und Nitrat-Reductase enthält und die Oxydation von Formiat mit der Reduktion von Nitrat koppelt[7]. Auch ein Enzym aus den Tuberkelbacillen der Vögel benötigt kein Pyridinnucleotid, sondern reduziert direkt Cytochrom b[8].

---

[1] SMITH, E. E. B., G. T. MILLS, H. P. BERNHEIMER and R. AUSTRIAN: Biochim. biophys. Acta **28**, 211 (1958).
[2] MILLS, G. T., E. E. B. SMITH, H. P. BERNHEIMER, R. AUSTRIAN and B. GALLOWAY: Biochem. J. **76**, 31P (1960).
[3] RODÉN, L., and A. DORFMAN: J. biol. Ch. **233**, 1030 (1958).
[4] DAVISON, D. C.: Proc. linnean Soc. N.S.Wales **74**, 26, 37 (1949/1950).
[5] MATHEWS, M. B., and B. VENNESLAND: J. biol. Ch. **186**, 667 (1950).
[6] BOVARNICK, M.; in: Colowick-Kaplan, Meth. Enzymol., Bd. I, S. 539.
[7] ITAGAKI, E., T. FUJITA and R. SATO: J. Biochem. **52**, 131 (1962).
[8] SASAKAWA, T., T. KIMURA and H. KATAYAMA: Symp. Enzyme Chem. Tokyo **10**, 103 (1954).

60. Guanosinmonophosphat-Reductase aus *Salmonella typhimurium* (75).

[Reduktiv desaminierende GMP:NADPH$_2$-Oxydoreductase.]

Guanosinmonophosphat; Guanylsäure (GMP) + TPNH + H$^+$ → Inosinmonophosphat; Inosinsäure (IMP) + TPN$^+$ + NH$_3$

Die von der GMP-Reductase katalysierte irreversible reduktive Abspaltung von NH$_3$ aus Guanylsäure erscheint neuartig und ist bisher nur in Bakterien beobachtet worden. Die vorliegenden Untersuchungen reichen nicht aus, um zu entscheiden, ob das Ferment eine Pyridinnucleotid-Dehydrogenase oder etwa ein Flavoenzym ist.

In *Enterobacteriaceae (Escherichia coli, Aerobacter aerogenes)* sind die enzymatischen Reaktionen, die von GMP zu AMP führen, nicht die gleichen, die GMP aus AMP bilden. Die Zusammenhänge zwischen beiden werden in Abb. 4 angedeutet. Eine wirksame Regulation des Purinnucleotidhaushalts der Bakterien besteht darin, daß einerseits ATP die Guanylsäure-Reductase zu hemmen vermag und andererseits GMP die Inosinsäure-Dehydrogenase (ein Flavoenzym) hemmt[1].

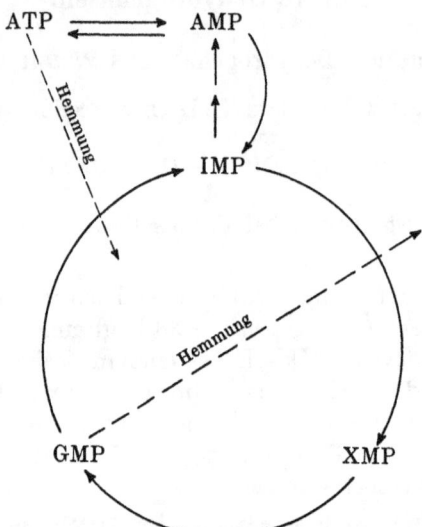

Abb. 4. Umwandlung von Purinnucleotiden und ihre Regelung bei Bakterien (nach MAGER und MAGASANIK[1]). ATP = Adenosintriphosphat; AMP = Adenylsäure; GMP = Guanylsäure; IMP = Inosinsäure; XMP = Xanthosinsäure.

61. Dejodase aus Mikrosomen der Schilddrüse des Schafes (76).

[L-Jodtyrosin:NADPH$_2$-Oxydoreductase.]

(A) L-Dijodtyrosin + TPNH → L-Monojodtyrosin + TPN$^+$ + J$^-$

(B) L-Monojodtyrosin + TPNH → L-Tyrosin + TPN$^+$ + J$^-$

---

[1] MAGER, J., and B. MAGASANIK: J. biol. Ch. **235**, 1474 (1960).

Die Dejodase der Mikrosomen der Schilddrüse führt sowohl Reaktion (A) als auch (B) aus, wirkt aber bekanntlich nicht auf L-Thyroxin. Die Abspaltung des ersten Jodions verläuft langsamer als die des zweiten. Die Dejodierung ist irreversibel.

Das Enzym ist in gewaschenen Mikrosomen ohne Zusatz von Cytoplasma inaktiv. Es wird nicht durch Flavine, sondern nur durch TPNH reaktiviert. Damit ist jedoch noch nicht ausgeschlossen, daß es fest gebundenes, endogenes Flavin als prosthetische Gruppe enthält (s. u.).

In Leber- und Nierenmikrosomen werden erst nach Hemmung der TPN-ase durch Zusatz von Nicotinamid Dejodase-Aktivitäten gleicher Größenordnung gefunden. In Gegenwart von Pyruvat kommt es besonders bei Leberpräparaten zu Transaminierungsreaktionen. Da die Dejodierung durch Pyruvat nicht stimuliert wird, geht also die Abspaltung des Jods auf der Stufe der Aminosäuren und nicht der entsprechenden α-Ketosäuren oder α-Hydroxysäuren vor sich.

62. Dejodase der löslichen Fraktion der Rattenleber [78].

Die Dejodase der Cytoplasmafraktion der Leber ist noch recht wenig untersucht. Sie greift offenbar auch L-Thyroxin an. Auch in vitro geht die Reaktion anscheinend mit plasmaeigenem Pyridinnucleotid vor sich. Die spezifische Aktivität des Enzyms mit Dijodtyrosin scheint größenordnungsmäßig derjenigen des Mikrosomenenzyms nahe zu kommen.

TATA[1] hat festgestellt, daß die von ihm aus Kaninchenskeletmuskel angereicherte lösliche Thyroxin-Dejodase durch FAD, FMN und Riboflavin aktiviert und durch Flavin-Antagonisten gehemmt wird. Ein ähnliches Enzym fand er auch im Gehirn. Es liegt nahe, anzunehmen, daß auch im Cytoplasma der Leberzelle eine FAD-Thyroxin-Dejodase vorkommt und daß zumindest die Thyroxin-Dejodierung im Präparat nach HARTMANN[2] auf diese zurückzuführen ist.

Die Thyroxin-Dejodase nach TATA[1] unterscheidet sich hinsichtlich ihres Spezifitätsbereichs ganz wesentlich von der Jodtyrosin-Dejodase der Mikrosomen nach STANBURY[3]. Ihre Affinität zu den Substraten nimmt in der angegebenen Reihenfolge ab: L-Thyroxin > Trijodthyronin > Tetrajodthyroessigsäure = Trijodthyroessigsäure > Dijodtyrosin = Monojodtyrosin. Die Thyroxin-Dejodase greift auch Bromderivate von Tyrosin und Thyronin an.

Dihydropyrimidin-Dehydrogenasen.

In letzter Zeit haben FRIEDMANN und VENNESLAND[4] die Dihydroorotsäure-Dehydrogenase des *Zymobacterium oroticum* in kristalliner Form isoliert (spezifische Aktivität: 17,7 E/mg Protein). Sie fanden in 62000 g Protein 1 Mol FMN, 1 Mol FAD und 2 Atomgewichte Eisen. Da bei Dihydropyrimidin-Dehydrogenasen anderer Herkunft bisher fast nichts über spezifische Inhibitoren und Aktivatoren bekannt ist, da ferner keine Versuche unternommen worden sind, Flavine direkt nachzuweisen oder ihre Anwesenheit auszuschließen, ist die Zuordnung der folgenden Dihydropyrimidin-Dehydrogenasen zur Gruppe der Pyridinnucleotid-Enzyme zweifelhaft geworden, zumal C=C-Bindungen auch sonst im allgemeinen durch Flavoenzyme aufgehoben oder gebildet werden.

---

[1] TATA, J. R.: Biochem. J. 73, 36P (1959).
[2] HARTMANN, N.: H. 306, 107 (1956); 301, 60 (1955). Z. Vit.-, Horm.-Ferm.-Forsch. 10, 382 (1959/60). — ROCHE, J., R. MICHEL, O. MICHEL et S. LISSITZKY: Biochim. biophys. Acta 9, 161 (1952).
[3] STANBURY, J. B.: J. biol. Ch. 228, 801 (1957). — STANBURY, J. B., and M. L. MORRIS: J. biol. Ch. 233, 106 (1958).
[4] FRIEDMANN, H. C., and B. VENNESLAND: J. biol. Ch. 235, 1526 (1960).

63. und 64. Dihydropyrimidin-Dehydrogenasen der Leber [79-81].

[1.3.1.2 4,5-Dihydrouracil:NADP-Oxydoreductase.]

$$\begin{array}{c}\text{OH}\\|\\\text{N}=\overset{\text{C}}{\underset{|}{}}\\\text{HO}-\overset{|}{\text{C}}\quad\overset{\text{CH}-\text{R}}{\underset{\text{CH}_2}{}}\\\diagdown\text{N}\diagup\end{array}+\text{TPN}^+\rightleftharpoons\begin{array}{c}\text{OH}\\|\\\text{N}=\overset{\text{C}}{\underset{|}{}}\\\text{HO}-\overset{|}{\text{C}}\quad\overset{\text{C}-\text{R}}{\underset{\text{CH}}{}}\\\diagdown\text{N}\diagup\end{array}+\text{TPNH}+\text{H}^+$$

R = H: Dihydrouracil;   Uracil;
R = CH$_3$: Dihydrothymin   Thymin

Die von den Dihydropyrimidin-Dehydrogenasen katalysierten Reaktionen sind frei reversibel. Das Gleichgewicht liegt zugunsten der hydrierten Substrate. Die Präparate von GRISOLIA und CARDOSO[1] aus Lebervollhomogenat und von FRITZSON und SPAEREN[2] aus der Cytoplasmafraktion gleichen sich in den bisher bekannten Eigenschaften. Der Spezifitätsbereich des letzten ist noch nicht genügend untersucht, um zu entscheiden, ob es sich um ein und dasselbe Enzym handelt. Bei dem Enzym aus Vollhomogenat ist die vollkommen gleiche Abhängigkeit der Oxydations- und Reduktionsgeschwindigkeit von der Wasserstoffionenkonzentration bemerkenswert.

Bei der Messung der Dihydropyrimidin-Dehydrogenase-Aktivität in Homogenat muß TPN bzw. TPNH vor der meist durch die Partikelfraktionen katalysierten enzymatischen Zerstörung geschützt werden. FRITZSON[2] gibt folgende anaerobe Bedingungen an*: $1,9\times10^{-4}$ m Uracil, 8×10^{-4} m TPN$^+$, 0,008 m Glucose-6-phosphat und 0,08 E Glucose-6-phosphat-Dehydrogenase/ml werden in 0,032 m Phosphat (p$_H$ 7,6) 15 min bei 25° C präinkubiert. Dazu kommen 0,04 m Nicotinamid, 0,002 m ATP, 0,02 m Fluorid und 0,33 ml Homogenat/ml (entsprechend 0,1 g Leber/ml) in 0,032 m Phosphat. Der Mittelwert der spezifischen Aktivität von 6 Lebern weiblicher Ratten betrug bei 10 min langer Inkubation bei 37° C unter 99,99 %igem Stickstoff 0,75 μM reduziertes Uracil pro g Leber in 10 min und stimmte mit der spezifischen Aktivität der zugehörigen Cytoplasmafraktionen überein. Es wäre demnach anzunehmen, daß das Leberenzym nur in der Cytoplasmafraktion vorkommt.

Nicotinamid hemmt die Pyridinnucleosidase, ATP verhindert den enzymatischen Abbau von TPN zu DPN, Fluorid hemmt Pyrophosphatase und ATP-ase, und durch den Ausschluß von Sauerstoff werden Pyridinnucleotid-Oxydase-Reaktionen verhindert.

Das Leberenzym scheint weniger am Aufbau als am Abbau von Uracil und Thymin beteiligt zu sein. Im Homogenat wird aus Uracil-6-^{14}C nur β-Alanin-1-^{14}C gebildet, aber es wird kein Uracil-6-^{14}C in die Ribonucleinsäuren eingebaut. β-Alanin entsteht aus Dihydrouracil durch enzymatische Hydrolyse über β-Ureidopropionsäure[3,4]. Es wird in vitro praktisch nicht weiter umgesetzt. Da die Hydrierung beim Abbau des Uracils geschwindigkeitsbestimmend ist, kann die Zunahme der Konzentration an β-Alanin-1-^{14}C pro Zeiteinheit als Maß für die Pyrimidin-Reductase-Aktivität dienen. Das dem Thymin entsprechende Endprodukt ist β-Aminoisobuttersäure.

In Versuchen mit gereinigten Enzympräparaten, die keine Dihydropyrimidin-Hydrolase mehr enthalten, kann Dihydrouracil mit 0,06 m NaOH bei 25° C zu β-Ureidopropionsäure gespalten werden, die sich papierchromatographisch leicht von Uracil trennen läßt[5]. Durch die Verwendung ^{14}C-markierten Substrats wird die quantitative Bestimmung des Reaktionsprodukts wesentlich vereinfacht.

---

* Endkonzentrationen.

[1] GRISOLIA, S., and S. S. CARDOSO: Biochim. biophys. Acta **25**, 430 (1957).
[2] FRITZSON, P., and U. SPAEREN: J. biol. Ch. **235**, 719 (1960).
[3] WALLACH, D. P., and S. GRISOLIA: J. biol. Ch. **226**, 277 (1957).
[4] CARAVACA, J., and S. GRISOLIA: J. biol. Ch. **231**, 357 (1958).
[5] FRITZSON, P., and A. PIHL: J. biol. Ch. **226**, 229 (1957).

65. Dihydrouracil-Dehydrogenase aus *Clostridium uracilicum* [82].

[1.3.1.1 4,5-Dihydrouracil:NAD-Oxydoreductase.]

Dieses Bakterienenzym unterscheidet sich vom Leberenzym durch seine strenge Spezifität für Uracil bzw. Dihydrouracil, durch die DPN-Spezifität und vor allem durch seine 1000mal höhere spezifische Aktivität. Aus einem Großansatz wurde Dihydrouracil als Reaktionsprodukt kristallin isoliert. R_F-Wert, Schmelzpunkt, Elementaranalyse, UV- und Ultrarotspektrum stimmten mit den Kriterien authentischen Dihydrouracils überein.

Auch in *Clostridium uracilicum* kommen die für den hydrolytischen Abbau des Dihydrouracils verantwortlichen Enzyme vor[1,2].

Chinon-Reductasen.

Allgemein ist zu bemerken, daß Chinone auch durch Flavoenzyme reduziert werden können. Das bekannteste Beispiel ist die von MÄRKI und MARTIUS[3] 12000fach angereicherte Menadion-Reductase (Vitamin K-Reductase) aus Rinderleber. Die an dieser Stelle beschriebenen drei Chinon- bzw. Menadion-Reductasen sind anscheinend keine Flavoenzyme. Nach der Art ihrer spezifischen Inhibitoren (Nitrophenole) und Wasserstoffacceptoren nehmen sie jedoch innerhalb der Gruppe der Pyridinnucleotid-Dehydrogenasen eine Sonderstellung ein. Ihre reduzierten Substrate kommen als Elektronendonatoren für die Atmungskette in Frage. So werden z. B. in Herzmuskelpräparaten nach KEILIN und HARTREE[4] bei Zugabe von DPNH, Menadion und DPNH-Chinon-Reductase der Leber innerhalb weniger Sekunden die Banden der reduzierten Cytochrome a, b und c beobachtet, die ohne Menadion während 1—2 min nicht auftreten[5]. (Die FAD-Menadion-Reductase reduziert mit Dihydromenadion direkt Cytochrom b[6].)

66. Chinon-Reductase aus Schweineleber [83].

[NADH$_2$:Chinon-Oxydoreductase.]

p-Benzochinon + DPNH + H$^+$ → Hydrochinon + DPN$^+$

Menadion + DPNH + H$^+$ → Dihydromenadion + DPN$^+$

Das Enzym gehört der Cytoplasmafraktion der Leberzellen an. Es greift Ubichinone und Vitamin K nicht an. Die Reduktionen verlaufen irreversibel.

Für das Präparat nach FRIMMER[5] ist es charakteristisch, daß hohe Konzentrationen des Coenzyms DPNH, des Reduktionsproduktes Dihydromenadion und des Aktivators

---

[1] CAMPBELL jr., L. L.: J. biol. Ch. **233**, 1236 (1958).
[2] CAMPBELL jr., L. L.: J. biol. Ch. **235**, 2375 (1960).
[3] MÄRKI, F., u. C. MARTIUS: B. Z. **333**, 111 (1960).
[4] KEILIN, D., and E. F. HARTREE: Biochem. J. **41**, 500 (1947).
[5] FRIMMER, M.: B. Z. **332**, 522 (1960).
[6] MARTIUS, C.: B. Z. **326**, 26 (1954/1955).

$K_3[Fe(CN)_6]$ hemmen. Da Dihydromenadion autoxydabel ist, verläuft die Reaktion in O_2 oder Luft schneller als in N_2. Die aktivierende Wirkung niedriger Konzentrationen an Kaliumferricyanid beruht darauf, daß Dihydromenadion durch dieses schneller reoxydiert wird als durch Sauerstoff. $K_3[Fe(CN)_6]$ allein wird weder enzymatisch noch nichtenzymatisch durch DPNH reduziert. Ähnlich wie Kaliumferricyanid verhält sich auch 2,5-Bis-(äthylenimino)-3,6-bis-(n-propoxy)-1,4-benzochinon (E 39).

Die Reduktion von p-Benzochinon wird unter vergleichbaren Bedingungen durch Kaliumferricyanid und E 39 kaum beeinflußt. Benzohydrochinon wirkt nicht als Inhibitor. Nur mit p-Benzochinon als Substrat und bei geringen Enzymmengen ist die Reduktionsgeschwindigkeit der Enzymkonzentration proportional. Die Bindung des p-Benzochinons (nicht des Menadions) an das Enzym gibt sich im Differenzspektrum von echter und optischer Mischung von Enzym und Substrat durch ein intensives scharfes Absorptionsmaximum bei 250 mμ zu erkennen. Dieses wird durch den Inhibitor Salyrgan gelöscht.

Ähnlich der FAD-Menadion-Reductase nach MÄRKI und MARTIUS[2] besitzt das Chinon-Reductase-Präparat von FRIMMER[1] zwei ausgeprägte pH-Optima bei 4,7 und 8,2. Während die Chinon-Reductase-Aktivität bei pH 8,2 unabhängig von der Art des Puffers ist, bestehen bei pH 4,7 Differenzen von über 60% zwischen Citrat und Mischpuffer aus Phosphat, Acetat und Borat.

Die Chinon-Reductase von FRIMMER ist im Gegensatz zur FAD-Menadion-Reductase flavinunabhängig. Nach der Methode von WARBURG und CHRISTIAN[3] wurde kein Flavin gefunden. Durch wiederholte Behandlung mit Trichloressigsäure wurden maximal 0,03 M FAD/100 000 g Protein abgespalten. Die spezifische Aktivität des flavinfreien Präparats blieb mit Menadion in gleicher

Tabelle 14. *Inhibitoren der Chinon-Reductase aus Schweineleber* (nach FRIMMER[1]).
Präparat und Test s. Tabelle 16; Substrat: Menadion.

Inhibitor	Konzentration in M/l, die zu 50% hemmt	pH
Thyroxin	$5{,}0 \times 10^{-4}$	8,0
Insulin	$8{,}0 \times 10^{-6}$ (27% Hemmung)	7,4
2,4-Dinitrophenol	$1{,}1 \times 10^{-4}$	8,0
m-Nitrophenol	$1{,}3 \times 10^{-3}$	7,4
p-Nitrophenol	$1{,}2 \times 10^{-4}$	7,4
o-Nitrophenol	$3{,}3 \times 10^{-6}$	7,4
	$6{,}7 \times 10^{-6}$	8,0
2-Chlor-1,3-dinitrobenzol	$8{,}0 \times 10^{-4}$	8,0
p-Nitroanilin	$3{,}5 \times 10^{-4}$	7,4
Chloromycetin[a]	$1{,}0 \times 10^{-3}$	7,4
Phenol	$2{,}5 \times 10^{-4}$	7,4
Dicumarol[b]	etwa 7×10^{-4}	8,0
Marcumar[c]	$4{,}5 \times 10^{-5}$	7,4
	$1{,}3 \times 10^{-3}$	8,0
Tromexan[d]	$7{,}0 \times 10^{-4}$	8,0
Salyrgan[e]	$7{,}0 \times 10^{-5}$	7,4
	$2{,}5 \times 10^{-4}$	8,0
p-Chlormercuribenzoat	$1{,}7 \times 10^{-4}$	7,4
BAL[f]	$5{,}7 \times 10^{-5}$	7,4
	$7{,}3 \times 10^{-5}$	8,0
E 39[g]	$1{,}4 \times 10^{-4}$	8,0
Buttergelb[h]	$1{,}3 \times 10^{-4}$	7,4
Resochin[i]	$1{,}3 \times 10^{-4}$	8,0
$CuSO_4$	$5{,}3 \times 10^{-4}$	8,0
$FeCl_3$	$1{,}5 \times 10^{-3}$	8,0

[a] 1-p-Nitrophenyl-1,3-dihydroxy-2-dichloracetamidopropan.
[b] Methylen-3,3'-bis-(4-hydroxycumarin).
[c] 3-(1-Phenylpropyl)-4-hydroxycumarin.
[d] Carbäthoxymethylen-3,3'-bis-(4-hydroxycumarin).
[e] N-(3-Methoxy-2-acetoxymercuripropyl)-salicylamid-O-essigsaures Natrium.
[f] 2,3-Dimercaptopropanol.
[g] 2,5-Bis-(äthylenimino)-3,6-bis-(n-propoxy)-1,4-benzochinon.
[h] p-Dimethylaminoazobenzol.
[i] 7-Chlor-4-[(4-diäthylamino-1-methylbutyl)-amino]-chinolindiphosphat.

Größenordnung. Jedoch wurden die relativen Aktivitäten mit den andern Substraten nicht geprüft, ebenso wie auch die relativen Aktivitäten bei pH 4,7 und ihr Verhalten während der Anreicherung des Enzyms unbekannt sind.

Die spezifische Aktivität der Chinon-Reductase ist mit Menadion bei pH 8,0 mehr als 1000mal kleiner als die der FAD-Menadion-Reductase bei pH 6,0. Ihre Empfindlichkeit

---

[1] FRIMMER, M.: B. Z. 332, 522 (1960).
[2] MÄRKI, F., u. C. MARTIUS: B. Z. 333, 111 (1960).
[3] WARBURG, O., u. W. CHRISTIAN: B. Z. 298, 150 (1938).

gegenüber Dicumarol ist 35000mal kleiner. Sie wird im Gegensatz zum FAD-Enzym durch p-Chlormercuribenzoat, 2,4-Dinitrophenol und Thyroxin gehemmt (s. Tabelle 14).

67. Chinon-Reductase aus Erbsensamen [84].

[1.6.5.1 NAD(P)H$_2$:Chinon-Oxydoreductase.]

Dieses Enzym unterscheidet sich von der Chinon-Reductase der Leber vor allem dadurch, daß es Menadion nicht angreift und auch mit TPNH als Coenzym wirksam ist. Wie das Leberpräparat, so enthält auch das Enzym aus Erbsensamen Flavin, das nach der Methode von WARBURG und CHRISTIAN[1] durch mehrfaches Fällen mit saurer Ammoniumsulfatlösung (p$_H$ 3,1) abgetrennt werden kann. Das resultierende, partiell inaktivierte Enzym konnte durch Inkubation mit FAD oder FMN nicht reaktiviert werden.

Unter den in Tabelle 16 angegebenen Reaktionsbedingungen findet mit den Substraten p-Benzochinon, Toluchinon und 1,2-Naphthochinon auch eine nichtenzymatische Reduktion durch DPNH und TPNH statt, die bei Aktivitätsbestimmungen zu berücksichtigen ist. Es ist aber hervorzuheben, daß gerade 2,5- und 2,6-Dichlorbenzochinon, die die hydrierten Pyridinnucleotide sehr schnell nichtenzymatisch oxydieren, enzymatisch nicht reduziert werden. — Unterhalb p$_H$ 6,0 macht sich die Zerstörung der reduzierten Pyridinnucleotide durch Säureeinwirkung bemerkbar.

Die pflanzliche Chinon-Reductase kann über p-Benzochinon mit Laccase und über 1,2-Naphthochinon mit Tyrosinase gekoppelt werden, und diese Systeme spielen wahrscheinlich in vivo eine wichtige Rolle bei der pflanzlichen Atmung.

68. Menadion-Reductase aus *Escherichia coli* [85].

[1.6.5.2 NAD(P)H$_2$:2-Methyl-1,4-naphthochinon-Oxydoreductase.]

In Mikroorganismen, wie *E. coli*, *Clostridium kluyveri* und *Aspergillus niger*, werden im Verhältnis von etwa 1:5 nebeneinander beträchtliche Menadion- und Chinon-Reductase-Aktivitäten gefunden (s. Tabelle 15). Da die Menadion-Reductase des *E. coli* nicht völlig von der Chinon-Reductase befreit werden konnte, kann ihr Spezifitätsbereich nicht angegeben werden. Die beiden Enzyme sind nicht identisch, denn unter verschiedenen Bedingungen ist das Aktivitätsverhältnis Menadion/Chinon stark variabel. Es hat z. B. bei p$_H$ 10,3 den Wert 7,7 und im Überstand einer 0,5-gesättigten Ammoniumsulfatlösung den Wert 0,06. Die Menadion-Reductase aus *E. coli* reagiert wie das pflanzliche Enzym mit beiden Pyridinnucleotiden.

Tabelle 15. *Menadion-Reductase- und Chinon-Reductase-Aktivität in Pflanzen und Mikroorganismen* (nach WOSILAIT u. Mitarb.[2]).

Präparate: Homogenat von gefrorenem Material in 0,1 m Phosphat (p$_H$ 7,5, 4° C), Überstand von 3000—4000×g (20 min). Test: I. Menadion-Reductase s. Tabelle 16, Nr. 68. II. Chinon-Reductase s. Tabelle 16, Nr. 67 (spezifische Aktivitäten in μM DPNH × mg Protein^{-1} × min^{-1}).

Enzymquelle	Spezifische Aktivität von	
	Menadion-Reductase	Chinon-Reductase
Erbsen	0,0	0,019
Gingko biloba (Blätter)	0,0	0,010
Daucus carota (Wurzeln)	0,009	0,458
Kartoffelknollen	0,033	0,080
Champignon	0,0	0,379
Aspergillus niger	0,120	0,555
Bäckerhefe	0,030	0,120
Escherichia coli (gefriergetrocknet)	0,166	0,610
Clostridium kluyveri	0,322	+

[1] WARBURG, O., u. W. CHRISTIAN: B. Z. **298**, 150 (1938).
[2] WOSILAIT, W. D., A. NASON and A. J. THERRELL: J. biol. Ch. **206**, 271 (1954). — WOSILAIT, W. D., and A. NASON: J. biol. Ch. **208**, 785 (1954).

Tabelle 16. *Anreicherung und Eigenschaften*

a) Enzym, Enzymquelle	b) Coenzym	c) Substrate	d) *Nicht* umgesetzte ähnliche Verbindungen und Substrate anderer Dehydrogenasen	e) Co-Faktoren, Aktivatoren, Protektoren	f) Inhibitoren (Konzentration, die um x % hemmt)
Hydroxyl-Dehydrogenasen.					
1. Sec.-Alkohol-Dehydrogenase aus Pseudomonas[1]	DPN, nicht TPN	*Oxydation:* Isopropanol ($V_{max} = 100\%$); Butan-2-ol (88%); Cyclohexanol (37%); 2-Methylbutan-2-ol und 3-Methylbutan-2-ol (<10%); L(+)-β-Hydroxybuttersäure (<2%) *Reduktion:* Aceton (8%); Heptan-2-on	*Oxydation:* Äthanol, Propanol, Butanol *Reduktion:* Acetaldehyd, Glykolaldehyd, Succinsemialdehyd	Aktivierung durch 0,075 m $MgCl_2 \approx$ 0,0075 m $MnCl_2$; Stabilisierung durch Mercaptoäthanol (MÄ), DPN^+ sowie Rinderserumalbumin (RSA)	
2. vic-Glykol-Dehydrogenase A des Aerobacter aerogenes[2] (Stamm ATCC Nr. 8724). Vorkommen in Escherichia coli und Acetobacter suboxydans	DPN = 100%; PA-AD (20%); DA-DPN (0,002 m, 16%, 0,009 m, 252%); AP-AD (4%)	*Oxydation:* 1,2-Propandiol = 100%; Glycerin (67 bis 75%) *Reduktion:* Hydroxyaceton, Dihydroxyaceton	*Reduktion:* Lactaldehyd	Stabilisierung durch Substrat	

* Abkürzungen s. S. 828.

weniger bekannter Pyridinnucleotid-Enzyme*.

g) pH-Optimum	h) Kinetische und thermodynamische Daten	i) Anreicherung, Ausbeute, spezifische Aktivität, Stabilität; Anwesenheit anderer Enzyme	j) Test bzw. Reaktionsbedingungen (1 Enzymeinheit = 1 μM/min)
Oxydation: 8,4 in 0,1 m Tris; (70% Aktivität bei 7,4, 80% bei 9,4) *Reduktion:* 6,8 in 0,1 m Phosphat oder Tris (50% Aktivität bei 5,3 und 9,4)	K_M-*Werte:* DPN$^+$: 2×10^{-4} m mit Isopropanol; Isopropanol: 0,02 m; Butan-2-ol: 0,01 m; Cyclohexanol: 0,01 m; Aceton: 6×10^{-5} m	Alle Lösungen enthalten 0,005 m MÄ und etwa 5×10^{-4} m DPN$^+$: Ultraschallhomogenat (10 kc, 15 min) von Pseudomonas, der mit Isopropanol als C-Quelle gewachsen ist, in 0,1 m Tris (pH 7,4); Reinigung des Überstandes bei $15000 \times g$ (15 min) mit 0,05 m MnCl$_2$; AS-Fällung im Überstand von 0,0—0,5 Sätt., lösen in Tris; Fällung von 40—67 Vol.-% Isopropanol bei $-10°$ C, lösen in Tris; AS-Fällung von 0,0—0,5 Sätt. in Gegenwart von 1 mg RSA/ml; Adsorption an Ca-phosphat-Gel, Elution mit 0,1 m Phosphat (pH 7,4); AS-Fällung von 0,0—0,35 Sätt. in Gegenwart von RSA. 19fache Anreicherung, 26% scheinbare Ausbeute; Entstehung von 3,5 μM DPNH $\times$ mg Protein^{-1} $\times$ min^{-1}. Ohne Stabilisatoren wird das Präparat selbst bei $-4°$ C oder $-20°$ C schnell inaktiv. Mit den Stabilisatoren ist es einige Tage haltbar und verliert in 30 min bei $37°$ C 35% Aktivität. DPNH-oxydierende Enzyme sind enthalten	*Oxydation:* 0,05 m Tris (pH 8,4), 0,075 m MgCl$_2$, 8×10^{-4} m DPN$^+$, $< 0,024$ E Enzym pro ml + 0,2 m Isopropanol. Bestimmung von Δ o.D. bei 340 mμ 5 min lang *Reduktion:* 0,05 m Succinat (pH 6,0), 0,001 m MgCl$_2$, $1,5 \times 10^{-4}$ m DPNH, 0,3 E Enzym/ml, 2×10^{-5} bis 1×10^{-4} m Aceton. Bestimmung von Δ o.D. bei 340 mμ
Oxydation: 9—9,3 mit DPN$^+$ (scharfes Optimum mit Glycerin bei 9,0); 7,8 mit DA-DPN (1,2-Propandiol)		Ultraschallextrakt (10 kc, 30 min), AS-Fällung von 0,5—0,85 Sätt. (pH 7—7,2), Reinigung mit MnCl$_2$ bei pH 7,9, Adsorption an Ca-phosphat-Gel, Elution mit 0,05 m Phosphat (pH 7,5), 2 min Erhitzen auf 70° C. Aktivität mit 1,2-Propandiol: 60fache Anreicherung, 55% scheinbare Ausbeute; Entstehung von 0,96 μM DPNH $\times$ mg Protein^{-1} $\times$ min^{-1}. Aktivität mit Glycerin: 90fache Anreicherung, 74% scheinbare Ausbeute; Entstehung von 0,72 μM DPNH $\times$ mg Protein^{-1} $\times$ min^{-1}. In Gegenwart von Substrat ist das Präparat über 3 Monate bei $-15°$ C stabil	*Oxydation:* 0,1 m Pyrophosphat (pH 9,2) 0,167 m Substrat, 0,001 m DPN$^+$ + 0,005—0,05 E Enzym/ml. Bestimmung von Δ o. D. alle 15 sec, und zwar für DPNH und DA-DPNH bei 340 mμ, AP-ADH bei 365 mμ sowie PA-ADH bei 355 mμ. $\varepsilon_{340m\mu, DA\text{-}DPNH} = 5,95 \times 10^6$ cm^2/M; $\varepsilon_{363m\mu, AP\text{-}ADH} = 7,85 \times 10^6$ cm^2/M; $\varepsilon_{355m\mu, PA\text{-}ADH} = 9,10 \times 10^6$ cm^2/M [2a] Bestimmung von Acetol fluorometrisch [3]

Tabelle 16

a) Enzym, Enzymquelle	b) Coenzym	c) Substrate	d) Nicht umgesetzte ähnliche Verbindungen und Substrate anderer Dehydrogenasen	e) Co-Faktoren, Aktivatoren, Protektoren	f) Inhibitoren (Konzentration, die um x % hemmt)
3. vic-Glykol-Dehydrogenase B des A. aerogenes Stamm ATCC 8724[2]	DPN = 100%; AP-AD (73%); PA-AD (55%); DA-DPN (0,002 m, 5%; 0,009 m, 12%); nicht TPN	Oxydation: 1,2-Propandiol = 100%; Glycerin (15 bis 75%)	wie 1.	Stabilisierung durch Substrat	
4. 1,2-Propandiol-Dehydrogenase (Lactaldehyd-Reductase) der Schweineniere[4]; weiteres Vorkommen s. Tabelle 1, S. 737	TPN, nicht DPN	Oxydation: 1,2-Propandiol Reduktion: L-Lactaldehyd (Glucuronsäure, Methylglyoxal, Glycerinaldehyd, Ribose, Xylose)	Reduktion: Acetaldehyd, Propionaldehyd und Glykolaldehyd, Glyoxylsäure und Brenztraubensäure, Hexosen, Pentosen, D-Galakturonsäure, L-Fucose und L-Rhamnose, i-Erythrit, Glucose-6-phosphat, Isocitronensäure	schwache Aktivierung durch J⁻ und andere Anionen	p-CMB (3,3 × 10⁻⁴ m, 100%); N-Äthylmaleinimid (0,003 m, 50%); BAL ≫ Thioäthanol, GSH, Cystein Ohne Einfluß: o-Phenanthrolin, 8-Hydroxychinolin, ÄDTE
5. Spezifische 2,3-Butandiol-Dehydrogenase (Acetoin-Reductase) des auf Glucose gewachsenen Aerobacter aerogenes (ATCC 8724 und J₁)[5,6] [1.1.1.4]	DPN	Oxydation: 2,3-Butandiol Reduktion: Acetoin = 100%; Diacetyl (100 bis 122%), Acetylbenzoyl (15 bis 19%), Methylglyoxal (5—12%)[6]	Oxydation: Äthanol, Isopropanol und Isobutanol, Isoamylalkohol, Glykol, Glycerin, Glucose, Äpfelsäure und Weinsäure Reduktion: Mono- und Diacetyl-2,3-butandiol, Dihydroxyaceton, Acetolacetat		
6. 2,3-Butandiol-Dehydrogenase des auf meso-2,3-Butandiol gewachsenen Neisseria wino-	DPN	Oxydation: Test I. meso = D(−) = L(+)-2,3-Butandiol = 100%; D,L-1,2-Propandiol	Oxydation: Acetoin, Äthanol, Glykol, Sorbit, Glucose, Äpfelsäure und Milchsäure	Aktivierung durch 0,02 m CN⁻	Test I: Bromessigsäure (0,007 m, 48%); NaF (0,04 m, 15%); Na-arsenat (0,05 m, 23%);

(Fortsetzung).

g) pH-Optimum	h) Kinetische und thermodynamische Daten	i) Anreicherung, Ausbeute, spezifische Aktivität, Stabilität; Anwesenheit anderer Enzyme	j) Test bzw. Reaktionsbedingungen (1 Enzymeinheit = 1 μM/min)
Oxydation: 7,8 für Propandiol + DPN$^+$; 9—10 für Glycerin + DPN$^+$		Ultraschallextrakt (9 kc, 40 min), AS-Fällung von 0,0—0,4 Sätt. (pH 7,0—7,2), Extraktion des Niederschlags mit 0,05 m Phosphat (pH 7,6), Reinigung mit Ca-phosphat-Gel, 5 min erhitzen auf 60°C. Aktivität mit 1,2-Propandiol: 74fache Anreicherung; Entstehung von 4,7 μM DPNH × mg Protein^{-1} × min^{-1}. Aktivität mit Glycerin: 57fache Anreicherung; Entstehung von 3,6 μM DPNH × mg Protein^{-1} × min^{-1}	wie 2.
Reduktion: 7,5 (65% Aktivität bei 6,5, 85% bei 8,5 in Tris)	K_M-*Werte:* Die Affinität zu TPNH ist zu groß, um K_M optisch bestimmen zu können. L-Lactaldehyd: 0,0019 m K_{Gl}-*Wert:* 2,4×10^{-13} m *Sättigungskonzentration* für Propandiol: > 0,67 m	Homogenat gefrorener Niere in 0,5 m KCl + 0,016 m Phosphat (pH 7,4) wird bei −5°C mit $^1/_3$ Vol. Äthanol + $^1/_3$ Vol. 0,5 m KCl gefällt. Dialyse des Überstandes von 23000 × g (30 min), AS-Fällung bei 0,33—0,53 Sätt., Dialyse, Chromatographie an DEAE-Cellulose mit 0,01 m Phosphat (pH 7,4), Reinigung mit Al(OH)$_3$-C$_\gamma$-Gel, AS-Fällung von 0,0—0,75 Sätt., Chromatographie an DEAE-Cellulose mit 0,005—0,015 m Tris (pH 7,4). 110fache Anreicherung, 21% Ausbeute; Verbrauch von 2,18 μM TPNH × mg Protein^{-1} × min^{-1}	*Oxydation:* bei Konzentrationen von etwa 0,67 m 1,2-Propandiol und hohen pH-Werten *Reduktion:* 0,017 m Phosphat (pH 7,4), 10^{-4} m TPNH, 0,002 bis 0,013 E Enzym/ml, 0,033 m D,L-Lactaldehyd, 25°C. Bestimmung von Δo.D. bei 340 mμ einige min lang
Reduktion: 5,5—8,0	K_{Gl}-*Wert:* 2,74 × 10^{-10} m bei 27°C	Ultraschallextrakt (9 kc, 30 bis 45 min), Überstand bei 13000 U je min (20—30 min), Reinigung mit Protaminsulfat, AS-Fällung von 0,0—0,55 Sätt., fällen mit Zn-acetat von 0,002—0,008 m aus 40%igem Äthanol bei −10°C, Extraktion des Niederschlags mit 0,01 m Phosphat (pH 7). 80fache Anreicherung, 12% Ausbeute; Entstehung von 14,2 μM DPNH × mg Protein^{-1} × min^{-1}. Die Lösung behielt beim Aufbewahren bei −14 bis −18°C über zwei Jahre lang einen Teil ihrer Aktivität[5]	*Oxydation:* 0,05 m Phosphat (pH 7,0) 10^{-4} m DPN$^+$, Enzym + 0,013 m Butandiol. Bestimmung von Δo.D. zwischen 15. und 30. sec bei 340 mμ *Reduktion:* wie oben, an Stelle von DPN$^+$ DPNH, an Stelle von Butandiol Acetoin
Oxydation: 8,5 (65% Aktivität bei 7,5, 30% bei 9,5; Test I)	K_M-*Wert:* 2,3-Butandiol: 0,007 m (Test I) K_{Gl}-*Werte:* Test II:	Acetonpulver, 6 Std Autolyse in 0,067 m Phosphat (pH 7,0) im Vakuum bei 37°C, zentrifugieren mit hoher Geschwindigkeit, AS-Fällung von 0,32—0,70 Sätt., Dialyse.	*Oxydation:* Test I: 0,005 m Na$_2$HPO$_4$, 0,09 m meso-Butandiol, 0,05% Methylenblau, 0,035 m NH$_2$OH/HCl, Enzym

Tabelle 16

a) Enzym, Enzymquelle	b) Coenzym	c) Substrate	d) *Nicht* umgesetzte ähnliche Verbindungen und Substrate anderer Dehydrogenasen	e) Co-Faktoren, Aktivatoren, Protektoren	f) Inhibitoren (Konzentration, die um x % hemmt)
gradskyi[7] [1.1.1.4]		(180%), Glycerin (10%), 1,3-Butandiol (8%) *Reduktion:* L(−)-Acetoin, D(+)-Acetoin Stereospezifität von Butandiol-Dehydrogenasen s. Tabelle 2, S. 738			Acetoin (0,03 m, 70%)
7. *Unspezifische 2,3-Butandiol-Dehydrogenase* (Diacetylmethylcarbinol-Reductase) des auf Butandiol, Acetat oder Lactat gewachsenen Micrococcus ureae und des Corynebacterium[6]	DPN, nicht TPN	*Oxydation:* 2,3-Butandiol, Glycerin, 1,2-propandiol, 1,2,3-Trimethylglycerin *Reduktion:* Diacetylmethylcarbinol = 100%; Diacetyl (90%), Acetoin (78%), Acetylbutandiol (77%); Dihydroxyaceton, Acetol	*Oxydation:* Acetoin, Acetylbutandiol *Reduktion:* Glycerinaldehyd, Diacetylmonoxim, Glyoxylsäure, Brenztraubensäure und Essigsäure, Acetaldehyd und Propionaldehyd, Aceton, Methyläthylketon, Fructose, Brenztraubensäureamid		p-CMB, Ag$^+$, Cu^{++}; Acetoin (0,004 m, 60%)
8. *Diacetyl-Reductase* des Staphylococcus aureus[5]	DPNH	*Reduktion:* Diacetyl	*Oxydation:* Acetoin		

Hydroxysäure-Dehydrogenasen.

a) Enzym, Enzymquelle	b) Coenzym	c) Substrate	d) Nicht umgesetzte ähnliche Verbindungen	e) Co-Faktoren, Aktivatoren, Protektoren	f) Inhibitoren
9. *Kristalline Glykolsäure-Dehydrogenase* (Glyoxylsäure-Reductase) der Blätter von Nicotiana	DPN, nicht TPN	*Oxydation:* Glykolsäure, D-Glycerinsäure *Reduktion:* Glyoxylsäure =	*Oxydation:* Milchsäure *Reduktion:* Phenylglyoxyl-	Aktivierung nur der Reduktion von Hydroxypyruvat durch J$^-$ > NO$_3^-$ > Br$^-$ >	Reduktion durch 0,01 E Enzym/ml: p-CMB, vor DPNH und Substrat zugesetzt: 1,1—1,5 × 10^{-7} m,

(Fortsetzung).

g) pH-Optimum	h) Kinetische und thermodynamische Daten	i) Anreicherung, Ausbeute, spezifische Aktivität, Stabilität; Anwesenheit anderer Enzyme	j) Test bzw. Reaktionsbedingungen (1 Enzymeinheit = 1 μM/min)
	meso-Butandiol: $2{,}0 \times 10^{-10}$ m bei pH 6, $4{,}0 \times 10^{-10}$ m bei pH 7, $2{,}6 \times 10^{-10}$ m bei pH 7,9; L(+)-Butandiol: $3{,}9 \times 10^{-10}$ m bei pH 6, $5{,}0 \times 10^{-10}$ m bei pH 7, $3{,}4 \times 10^{-10}$ m bei pH 7,9	85—100% Ausbeute; Verbrauch von etwa 0,88 μM $O_2 \times$ mg $N^{-1} \times$ min^{-1}	(0,18 mg N/ml) + 4,5 $\times$ 10^{-4} m DPN$^+$, pH 7,9, Luft, 37° C. Bestimmung der in 10 min verbrauchten μM O_2 im WARBURG-Apparat. Test II: 0,01 m Phosphat, 0,074 m Butandiol, Enzym (0,067 mg N/ml) + $3{,}1 \times 10^{-4}$ m DPN$^+$, 20° C. Bestimmung der Gleichgewichtskonzentration von DPNH durch Messen von Δo.D. bei 340 mμ
Reduktion: 5,5—8,0	K_M-*Werte:* Diacetylmethylcarbinol: $2{,}3 \times 10^{-4}$ m; Acetoin: 4×10^{-5} m; Acetylbutandiol: $1{,}7 \times 10^{-4}$ m; Diacetyl: 7×10^{-5} m	Ultraschallextrakt von auf Butandiol gewachsenem M. ureae, Adsorption an Ca-phosphat-Gel bei pH 5,5, Elution mit 0,1 m Phosphat (pH 7,4), AS-Fällung von 0,45—0,58 Sätt., Reinigung mit Ca-phosphat-Gel bei pH 7,4 8fache Anreicherung, 40% Ausbeute; Verbrauch von 0,78 μM DPNH $\times$ mg Protein$^{-1} \times$ min^{-1}. Das Präparat ist frei von Diacetylmethylcarbinol synthetisierendem Enzym. Es ist bei —18° C mindestens 1,5 Monate stabil	*Reduktion:* 0,1 m Phosphat (pH 6,3), $2{,}9 \times 10^{-4}$ m Diacetylmethylcarbinol, $1{,}1 \times 10^{-4}$ m DPNH, 0,0016—0,008 E Enzym/ml. Bestimmung von Δo.D. zwischen 30. und 90. sec bei 340 mμ
		Ultraschallextrakt (9 kc, 30 bis 45 min) bei pH 7, Reinigung mit Protaminsulfat, Adsorption an Ca-phosphat-Gel bei pH 5,7, Elution mit 0,14-gesätt. AS-Lösung (pH 8,0), AS-Fällung von 0,3 bis 0,6 und 0,25—0,50 Sätt. (pH 7,0) Etwa 8fache Anreicherung, 42% Ausbeute; Verbrauch von 1,97 μM DPNH $\times$ mg Protein$^{-1} \times$ min^{-1} Das Präparat behielt bei —14 bis —18° C über 2 Jahre lang einen Teil seiner Aktivität	*Reduktion:* 0,05 m Phosphat (pH 7,0), 10^{-4} m DPNH, Enzym + 0,013 m Diacetyl. Bestimmung von Δo.D. bei 340 mμ zwischen 15. und 30. sec
Reduktion: 6,5 (80% Aktivität bei 5,5, 65% bei 7,5) (Glyoxalat)	K_M-*Werte:* DPNH: nicht meßbar; Glyoxalat: 0,0091 m;	Klarer, von Chlorophyll befreiter Preßsaft (pH 5,3): AS-Fällung von 0,22—0,4 Sätt. bei pH 6,3, Dialyse gegen 0,01 m Phosphat (pH 7) + 0,005 m ÄDTE, Reinigung mit Protaminsulfat, AS-Fällung von	*Oxydation:* 0,017 m Pyrophosphat (pH 8,4), 0,67 m K-glykolat, $4{,}5 \times 10^{-4}$ m DPN$^+$ + 3,3 E Enzym/ml, 25° C.

Tabelle 16

a) Enzym, Enzymquelle	b) Coenzym	c) Substrate	d) *Nicht* umgesetzte ähnliche Verbindungen und Substrate anderer Dehydrogenasen	e) Co-Faktoren, Aktivatoren, Protektoren	f) Inhibitoren (Konzentration, die um x% hemmt)
tabacum[8] [1.1.1.26]; Vorkommen in Blättern von Spinat[9], Alfalfa, Kohl, Gerste, Erbsen; in Erbsensamen und Karotten[8]		100%; Hydroxybrenztraubensäure (35%)	säure, Mesoxalsäure, Oxalessigsäure und α-Ketoglutarsäure, Acetaldehyd, Brenztraubensäure	$Cl^- > SO_4^{--} >$ Phosphat mit den Faktoren 5,7—1,4 bei p_H 6,9; DPNH (nicht DPN^+) als Protektor gegen p-CMB	50%; nach Substrat: 3,0—20 × 10^{-7} m, 50%; nach DPNH: 2×10^{-5} m, 50%; 0,01 m Pyruvat (56%), Oxaminsäure (31%), Oxalacetat (22%), Phenylglyoxalat (21%); 0,01 m Arsenit (19%), Jodacetat (nach 20 min Präinkubation 22%), CN^- (57%), Semicarbazid (65%) *Ohne Einfluß:* 0,001 m Azid, 10^{-4} m 2,4-Dinitrophenol
10. *TPN-abhängige Glyoxylsäure-Reductase* aus Blättern von Spinacea oleracea (oder Nicotiana tabacum)[10]	TPN	*Reduktion:* Glyoxylsäure = 100%; Hydroxybrenztraubensäure (6%)	*Reduktion:* Brenztraubensäure, Oxalessigsäure		
11. *Glyoxylsäure-Reductase* aus Pseudomonas[11]	TPN, DPNH mit etwa 15% der TPNH-Aktivität	*Oxydation:* Glykolsäure *Reduktion:* Glyoxylsäure			Pyruvat (0,013 m, 56%); Semicarbazid (0,013 m, 88%); Cyanid (0,013 m, 86%)

(Fortsetzung).

g) pH-Optimum	h) Kinetische und thermodynamische Daten	i) Anreicherung, Ausbeute, spezifische Aktivität, Stabilität; Anwesenheit anderer Enzyme	j) Test bzw. Reaktionsbedingungen (1 Enzymeinheit = 1 μM/min)
	Hydroxypyruvat: gehorcht nicht dem Gesetz nach MICHAELIS-MENTEN K_{Gl}-Werte: Glykolsäure: $1{,}65 \times 10^{-15}$ m bei pH 7,8—8,4 und 25° C; D-Glycerinsäure: $3{,}55 \times 10^{-13}$ m (0,0067—0,0267 m Substrat, 2,02 bis $20{,}2 \times 10^{-4}$ m DPN$^+$, pH 7,0 bis 9,2, 25° C). Redoxpotentiale: $E_0' = -0{,}087$ bzw. $-0{,}156$ V	0,17—0,30 Sätt., Dialyse, Chromatographie an Ca-phosphat-Gel aus 0,03 gesätt. AS-Lösung, AS-Fällung von 0,0—0,4 Sätt., Kristallisation durch Dialyse gegen 0,12—0,19 gesätt. AS-Lösung mit 0,01 m Phosphat (pH 7,0) + 0,005 m ÄDTE innerhalb von 72 Std bei 5—6° C. 70fache Anreicherung, 26% Ausbeute; Verbrauch von 10 μM DPNH $\times$ mg Protein^{-1} $\times$ min^{-1}. Das Präparat enthält keine Glykolsäure-Oxydase oder DPNH-Oxydase. Es ist unter 0° C monatelang stabil; es verliert beim Umkristallisieren an Aktivität	Bestimmung von Δo.D. bei 340 mμ Reduktion: 0,033 m Phosphat (pH 6,4), 0,017 m Glyoxalat, 0,0016 bis 0,04 E Enzym/ml + $3{,}3$—$6{,}7 \times 10^{-5}$ m DPNH, 25° C. Bestimmung von Δo.D. alle 15 sec bei 340 mμ
Reduktion: 6,0 (50% Aktivität bei etwa 8,0)	K_M-Werte: Glyoxylsäure: $1{,}3 \times 10^{-4}$ m	Je 100 g Spinatblätter werden unter Zusatz von 88 mg Cystein/HCl und 100 mg KHCO$_3$ gemahlen und durch Gaze gepreßt. Der Saft wird nach Zusatz von Filtrierpapierschnitzeln in der hydraulischen Presse gereinigt. AS-Fällung im filtrierten Extrakt von 0,45—0,6 Sätt., Dialyse gegen 0,01 m K-citrat (pH 5,4) bis pH 6,0; Äthanolfällung von 30—40 Vol.-% bei $-6°$ C. 24fache Anreicherung, 4,4% Ausbeute; Verbrauch von 0,35 μM TPNH $\times$ mg Protein^{-1} $\times$ min^{-1}. Das Verhältnis von TPNH- zu DPNH-Aktivität stieg von 1,3 (im Rohextrakt) auf 64 an	Reduktion: 0,017 m Phosphat (pH 6,4), 5—$8{,}3 \times 10^{-5}$ m TPNH, Enzym + 0,001 m Glyoxalat. Bestimmung von Δo.D. bei 340 mμ alle 15 sec
Reduktion: 7,7—7,8 (etwa 50% Aktivität bei 6,5 und 8,5)	K_M-Werte: TPNH: $5{,}2 \times 10^{-5}$ m; Glyoxylsäure: 0,0029 m	Zerstören der Zellen in einer Hughes-Presse, verreiben mit feinem Al$_2$O$_3$-Pulver in 0,015 m K-phosphat (pH 7,0), Überstand bei $12\,000 \times g$ (30 min); AS-Fällung von 0,3—0,65 Sätt., lösen in und Dialyse gegen 0,02 m Tris/HCl (pH 7,3); Reinigung mit 0,085 m MnSO$_4$, AS-Fällung von 0,5—0,6 Sätt. Fünffache Anreicherung, 47% Ausbeute; Verbrauch von etwa 0,029 μM TPNH $\times$ mg Protein^{-1} $\times$ min^{-1}	Reduktion: 0,05 m Tris (pH 7,3), 0,013 m Glyoxalat, Enzym + $7{,}8 \times 10^{-5}$ m TPNH, 22° C. Bestimmung von Δo.D. bei 340 mμ alle 15 sec

Tabelle 16

a) Enzym, Enzymquelle	b) Coenzym	c) Substrate	d) *Nicht* umgesetzte ähnliche Verbindungen und Substrate anderer Dehydrogenasen	e) Co-Faktoren, Aktivatoren, Protektoren	f) Inhibitoren (Konzentration, die um x % hemmt)
12. β-Hydroxypropionsäure-Dehydrogenase aus Schweineniere[12]. Vorkommen s. Tabelle 3, S. 742	DPN, nicht TPN	*Oxydation:* β-Hydroxypropionsäure. Pantoylsäure, γ-Hydroxybuttersäure und Glycerinsäure; (β-Hydroxybuttersäure, β-Hydroxyäthylsulfonat) *Reduktion:* Malonsäurehalbaldehyd	*Oxydation:* β-Hydroxypropionyl-CoA, Glykolsäure, Milchsäure, Äpfelsäure, γ-Hydroxyvaleriansäure und Mevalonsäure; Äthanol, Propanol, 1,2-Propandiol, Cholin *Reduktion:* Pyridoxal, Pyridoxalphosphat		
13. β-Hydroxyisobuttersäure-Dehydrogenase aus Schweineniere[13] [1.1.1.31]. Vorkommen s. Tabelle 4, S. 743	DPN, nicht TPN	*Oxydation:* D,L-β-Hydroxyisobuttersäure *Reduktion:* Methylmalonsäurehalbaldehyd	*Oxydation:* Glykolsäure, Milchsäure und β-Hydroxypropionsäure; D,L-Homoserin; D,L-β-Hydroxybuttersäure, γ-Hydroxybuttersäure, α-Methyl-γ-hydroxybuttersäure und α-Hydroxy-β,β-dimethylbuttersäure; D,L-Pantoylsäure und γ-Hydroxyvaleriansäure; β-Hydroxyisobutyryl-CoA und D,L-β-Hydroxybutyryl-CoA *Reduktion:* Malonsäurehalbaldehyd, α-Ketoglutarsäure, Pyridoxal	DPN+ schützt gegen p-CMB	Oxydation durch 0,0047 E Enzym je ml: p-CMB bei 30 min Präinkubation bei 25° C ($1,5 \times 10^{-7}$ m, 85%); nach Präinkubation mit 0,033 m Substrat ($1,5 \times 10^{-7}$ m, 70%); nach Präinkubation mit 0,005 m DPN+ ($1,5 \times 10^{-7}$ m, 0%). Jodacetat (0,02 m, 100%) *Ohne Einfluß:* Hydroxylamin, Dimedon (5,5-Dimethylcyclohexan-1,3-dion)
14. γ-Hydroxybuttersäure-Dehydrogenase aus Pseudomonas[14]	DPN, TPN mit 2% der DPN-Aktivität	*Oxydation:* γ-Hydroxybuttersäure	*Oxydation:* 0,001 und 10^{-4} m β-Hydroxypropionsäure, Átha-		p-CMB nach 20 min Präinkubation mit dem Enzym (0,001 m,

(Fortsetzung).

g) p_H-Optimum	h) Kinetische und thermodynamische Daten	i) Anreicherung, Ausbeute, spezifische Aktivität, Stabilität; Anwesenheit anderer Enzyme	j) Test bzw. Reaktionsbedingungen (1 Enzymeinheit = 1 μM/min)
Oxydation: 10,0 (85 % Aktivität bei 9 und 11)	K_M-*Werte:* DPN$^+$: $3,4 \times 10^{-4}$ m; β-Hydroxypropionat: 0,02 m K_{Gl}-*Wert:* 9×10^{-12} m	Homogenat von 700 g gefrorener Niere mit insgesamt 2800 ml 0,5 m KCl + 70 ml 1 m Phosphat (p_H 7,4) + 1400 ml Äthanol bei $-5°$ C extrahieren, Überstand von $800 \times g$ (2 Std), Dialyse gegen 0,025 m Phosphat + 0,001 m Cystein, AS-Fällung von 0,32—0,53 Sätt., Reinigung durch Einstellen auf p_H 6,0, Erhitzen auf 60° C in 3 min, AS-Fällung von 0,33—0,43 Sätt. bei p_H 7,4, Äthanol-Fällung von 20—30 Vol.-% bei $-10°$ C, Reinigung mit Bentonit, Adsorption an DEAE-Cellulose, Elution mit 0,03 m Phosphat (p_H 7,8), AS-Fällung bei 0,75 Sätt., Dialyse gegen 0,1 m Phosphat. 227fache Anreicherung, 3 % Ausbeute; Entstehung von 0,161 μM DPNH $\times$ mg Protein^{-1} $\times$ min^{-1}. Das Präparat enthält β-Hydroxyisobutyrat-Dehydrogenase. Eingefroren ist die Lösung einige Wochen lang stabil	*Oxydation:* 0,167 m Tris (p_H 9,0), 0,003 m ÄDTE, 0,001 m DPN$^+$, 0,002—0,01 E Enzym/ml + 0,093 m β-Hydroxypropionat. Bestimmung von Δ o.D. alle 30 sec bei 340 mμ. Identifizierung von Malonhalbaldehyd durch Papierchromatographie des 2,4-Dinitrophenylhydrazons *Reduktion:* 0,017 m Phosphat, p_H 7,4, 0,003 m ÄDTE, 5×10^{-4} m DPNH, $3,3 \times 10^{-4}$ m Malonhalbaldehyd, 0,0065 E Enzym/ml
Oxydation: 9,0 (70 % Aktivität bei 8,0, 95 % bei 10,0)	K_M-*Werte:* DPN$^+$: $5,4 \times 10^{-5}$ m; β-Hydroxyisobuttersäure: $1,2 \times 10^{-4}$ m K_{Gl}-*Wert:* 3×10^{-11} m (p_H 8,0—10,0)	Homogenat von 700 g gefrorener Niere mit insgesamt 2100 ml 0,03 m KCl + 21 ml 1 m Phosphat (p_H 7,4) + 700 ml Äthanol bei $-5°$ C extrahieren; Überstand von $800 \times g$ (2 Std), Fällung mit Zn-acetat von 0,005—0,025 m bei $-5°$ C, lösen in 0,2 m K-citrat (p_H 7,4), Dialyse gegen 0,01 m K-phosphat (p_H 7,4) + 0,001 m Cystein, erwärmen bis auf 56° C bei p_H 6,0, AS-Fällung von 0,0—0,64 Sätt., Reinigung mit Al(OH)$_3$-C$_y$-Gel, Äthanol-Fällung von 10 bis 30 Vol.-% bei $-5°$ C, Aceton-Fällung von 10—40 Vol.-% bei $-5°$ C, AS-Fällung von 0,33—0,53 Sätt., Äthanol-Fällung von 0—10 Vol.-Prozent bei p_H 6 und $-5°$ C. 209fache Anreicherung, 3 % Ausbeute; Entstehung von 3,36 μM DPNH $\times$ mg Protein^{-1} $\times$ min^{-1}. Das Präparat ist bei 0 und $-20°$C in 0,01 m Phosphat (p_H 7,4) + 0,001 m Cystein stabil	*Oxydation:* 0,167 m Tris (p_H 9,0), 0,003 m ÄDTE, 5×10^{-4} m DPN$^+$, 0,0024—0,0094 E Enzym/ml + 0,003 m β-Hydroxyisobutyrat. Bestimmung von Δ o.D. bei 340 mμ während mehrerer min *Reduktion:* (Methylmalonhalbaldehyd ist unstabil)
Oxydation: 10,3 (60 % Aktivität bei 9,3 und 10,8)	*Reduktion:* $\dfrac{V_{max}}{V} = 1 + \dfrac{6,5 \times 10^{-6}}{[\text{DPNH}]}$	Ultraschallextrakt (10 kc, 15 min) in 0,1 m Phosphat (p_H 7,0) + 0,006 m Mercaptoäthanol (MÄ), Überstand von $15000 \times g$ (15 min),	*Oxydation:* 0,1 m Tris (p_H 8,8), 0,006 m MÄ, 0,001 m DPN$^+$, 0,048 E DPN$^+$-Succinsemialdehyd-

Tabelle 16

a) Enzym, Enzymquelle	b) Coenzym	c) Substrate	d) *Nicht* umgesetzte ähnliche Verbindungen und Substrate anderer Dehydrogenasen	e) Co-Faktoren, Aktivatoren, Protektoren	f) Inhibitoren (Konzentration, die um x % hemmt)
		Reduktion: Bernsteinsäurehalbaldehyd (SS) *Reduktion:* Brenztraubensäure	nol, n-Butanol, 1,4-Butandiol, Glykolsäure und Mevalonsäure, D,L-Serin und D,L-Threonin		50%; 10^{-4} m, 0%) *Ohne Einfluß:* 0,001 m Jodacetat und o-Jodosobenzoat sowie 0,002 m Arsenit
15. *γ-Hydroxybuttersäure-Dehydrogenase* des Clostridium aminobutyricum[15]	DPN, nicht TPN	*Oxydation:* γ-Hydroxybuttersäure	*Oxydation:* β-Hydroxypropionsäure, Milchsäure, Glykolsäure; Methanol, Äthanol	Aktivierung: 2-Mercaptoäthanol (MÄ) >Cystein, GSH, Na$_2$S. Maximale Aktivierung nach 12 Std Dialyse durch 10^{-4} m Zn^{++} (300%); Mn^{++} (200%), Ca^{++} (100%), Co^{++} (100%); 0,001 m Mg^{++} (etwa 70%)	ÄDTE (3×10^{-4} m, 50%); 50% Hemmung durch 5 min Präinkubation mit SH-Reagentien in Gegenwart von 0,0083 m Na$_2$S an Stelle von MÄ: p-CMB (7×10^{-6} m), Arsenit (7×10^{-5} m), Jodacetat (0,001 m)

(Fortsetzung).

g) pH-Optimum	h) Kinetische und thermodynamische Daten	i) Anreicherung, Ausbeute, spezifische Aktivität, Stabilität; Anwesenheit anderer Enzyme	j) Test bzw. Reaktionsbedingungen (1 Enzymeinheit = 1 μM/min)
Reduktion: 7,0 (85% Aktivität bei 6,5; 50% bei 8,0)	$+\dfrac{1,4\times 10^{-6}}{[SS]}$ $+\dfrac{1,7\times 10^{-11}}{[DPNH]\times[SS]}$. $K_{Gl}= 2,6\times 10^{-7}$ m; $\Delta G' = -490$ cal/M bei pH 7,0	AS-Fällung von 0,0—0,70 Sätt. und von 0,20—0,40 Sätt. bei pH 7,0; 5 min Erwärmen auf 55° C in Gegenwart von $3,6\times 10^{-4}$ m MÄ + 0,0015 m DPN$^+$, Aceton-Fällung von 40—60 Vol.-% bei $-10°$ C, Extraktion des Niederschlages mit 0,1 m Phosphat (pH 7,0) + 0,006 m MÄ, AS-Fällung von 0,35—0,55 Sätt. im Alkalischen (5 ml konz. NH$_3$/100 ml gesätt. AS-Lösung). Chromatographie aus 0,1 m Glycylglycin (pH 7,0) + 0,006 m MÄ an DEAE-Cellulose, Gradientenelution mit 0,03 m Tris + 0,006 m MÄ (pH 7,3) + 0,0—0,5 m NaCl. Etwa 20fache Anreicherung, 16% Ausbeute; Entstehung von 0,154 μM DPNH × mg Protein^{-1} × min^{-1}, entsprechend 0,077 μM Succinsemialdehyd. Das Präparat ist frei von DPN$^+$-Succinsemialdehyd-Dehydrogenase und enthält nur Spuren des TPN$^+$-Enzyms. In 6 Monaten bei $-15°$ C verlor es 20% der Aktivität	Dehydrogenase/ml, 0,002 bis 0,007 E Hydroxybutter-säure-Dehydrogenase/ml + 0,04 m γ-Hydroxybutyrat. Bestimmung von Δ o.D. alle 30 sec (3 min lang) bei 340 mμ *Reduktion:* 0,1 m Phosphat (pH 7,0), 0,006 m Mercaptoäthanol, Enzym, $1,7$—$5,0\times 10^{-5}$ m DPNH und $2,1$—$6,4\times 10^{-5}$ m Succinsemialdehyd
Oxydation: 8,5	K_M-*Werte:* DPN$^+$: $2,65\times 10^{-4}$ m; γ-Hydroxybutter-säure: 0,0112 m	Zum Lösen und zur Dialyse wird 0,01 m Tris (pH 7,4) + 0,015 m MÄ + 10^{-4} m ÄDTE verwendet: Ultraschallextrakt (10 kc, 10 min) aus Cl. aminobutyricum, der mit γ-Aminobuttersäure als C- und N-Quelle gewachsen ist; Überstand bei 16500 U/min (15 min); AS-Fällung von 0,0—0,9 Sätt., Dialyse, Reinigung mit Protaminsulfat (30 mg/100 mg Protein), AS-Fällung von 0,3—0,6 sowie 0,38—0,55 Sätt., Dialyse; Chromatographie an DEAE-Cellulose, Elution mit 0,3 m Phosphat (pH 6,3). Etwa 20fache Anreicherung bei 13% Ausbeute; Entstehung von 5,28 μM DPNH × mg Protein^{-1} × min^{-1}. Inaktivierung durch Einfrieren; Unbeständigkeit bei pH 8 und darüber; in Gegenwart von 5'-AMP ist das Präparat 2—3 Tage bei 3° C stabil	*Oxydation:* 0,1 m 2-Amino-2-methyl-1,3-propandiol/HCl (pH 8,5), 0,018 m Mercaptoäthanol, 0,001 m MgSO$_4$, 0,1 m γ-Hydroxybutyrat, < 0,008 E Enzym/ml + 3×10^{-4} m DPN$^+$. Bestimmung von Δ o.D. alle 30 sec bei 340 mμ

Tabelle 16

a) Enzym, Enzymquelle	b) Coenzym	c) Substrate	d) Nicht umgesetzte ähnliche Verbindungen und Substrate anderer Dehydrogenasen	e) Co-Faktoren, Aktivatoren, Protektoren	f) Inhibitoren (Konzentration, die um x % hemmt)
16. D-*Glycerinsäure-Dehydrogenase* aus Rinderleber [16, 17]	DPN, TPN+ mit 90% der DPN+-Aktivität[16]	*Oxydation:* D-Glycerinsäure *Reduktion:* Hydroxybrenztraubensäure (HP) (100%); Glyoxylsäure (GOS) (10%)	*Oxydation:* L-Glycerinsäure, Glykolsäure, D- und L-Milchsäure, β-Hydroxypropionsäure, D,L-Weinsäure, meso-Weinsäure; 2-Phosphoglycerinsäure, 3-Phosphoglycerinsäure; D,L-Glycerinaldehyd; Glycerin; Äthanol *Reduktion:* Brenztraubensäure, α-Ketoglutarsäure, Acetessigsäure	*Reduktion:* 0,056 m Cl^- $= Br^- = J^- \gg$ $NO_3^- \gg F^- \approx$ 0,028 m SO_4^{--} $\approx$ 0,042 m $H_2PO_4^- +$ HPO_4^{--} als Aktivatoren[17]; Aktivierung auch durch 5 min Präinkubation mit p-CMB (3×10^{-8} m, DPNH, 250%; 3×10^{-6} m, TPNH, 370%)[16]	*Reduktion:* 5 min Präinkubation mit p-CMB ($1,15 \times 10^{-5}$ m, TPNH, 59%; $2,9 \times 10^{-5}$ m, DPNH, 62%)[16]
17. D-*Glycerinsäure-Dehydrogenase* aus Spinatblättern[18] [1.1.1.29]. Vorkommen s. Tabelle 5, S. 745	DPN, nicht TPN	*Oxydation:* D-Glycerinsäure *Reduktion:* Hydroxybrenztraubensäure = 100%; (Glyoxylsäure, 20%)	*Reduktion:* Acetaldehyd, Brenztraubensäure, Brombrenztraubensäure, Phenylbrenztraubensäure, α-Ketoglutarsäure und α-Ketobuttersäure	Aktivierung der Reduktion von Hydroxypyruvat durch 0,17 m $Br^- >$ $NO_3^- > SO_4^{--}$ $= Cl^- = J^- >$ Tris (p_H 7,0) > F^-; (Aktivierungsfaktoren 3,1—1,7 bei p_H 6,0)	Sulfit, vor Hydroxypyruvat zugesetzt ($5,3 \times 10^{-6}$ m, 12%; $2,1 \times 10^{-4}$ m, 50%). Zusatz von Inhibitoren vor DPNH und Substrat: p-CMB (5×10^{-6} m, 55%); Phenylmercuriacetat (10^{-6} m, 38%); Jodacetat (10^{-4} m, 37%); Semicarbazid (0,01 m, 65%); KCN (0,01 m, 42%); Pyruvat (0,01 m, 34%); Brompyruvat (0,01 m, 52%); α-Ketobutyrat (0,01 m, 31%)

(Fortsetzung).

g) pH-Optimum	h) Kinetische und thermodynamische Daten	i) Anreicherung, Ausbeute, spezifische Aktivität, Stabilität; Anwesenheit anderer Enzyme	j) Test bzw. Reaktionsbedingungen (1 Enzymeinheit = 1 μM/min)
Reduktion: 6,8—7,0 (50% Aktivität bei 5,9 und 7,8), (identische Kurven mit DPNH und TPNH)[16]	K_M-*Werte*[16]: DPNH: 10^{-5} m mit HP; TPNH: 10^{-5} m mit HP; HP: $4,5 \times 10^{-5}$ m mit DPNH; GOS: $1,4 \times 10^{-4}$ m mit DPNH; $2,5 \times 10^{-4}$ m mit TPNH	[16]: Homogenat in 0,15 m KCl; Überstand bei 4800 × g (15 min); reinigen durch Einstellen auf pH 4,5; AS-Fällung bei 0,38—0,55 Sätt., waschen mit 0,5 gesätt. AS-Lösung, Extraktion mit 0,4 gesätt. AS-Lösung, fällen bei 0,5 Sätt., Dialyse; Adsorption an Ca-phosphat-Gel, waschen mit 0,08 m Phosphat (pH 7,0), Elution mit 0,05 m Phosphat (pH 7,5), AS-Fällung bei 0,5 Sätt., entsalzen des gelösten Niederschlages an Sephadex G-50; Chromatographie an DEAE-Cellulose aus 0,008 m Phosphat (pH 7,0), Elution mit 0,02 m Phosphat (pH 7,5), AS-Fällung, Entsalzung; Chromatographie an Hydroxylapatit aus 0,008 m Phosphat (pH 7,0), waschen mit 0,02 m und 0,05 m, Elution mit 0,1 m Phosphat (pH 7,5), AS-Fällung bei 0,6 Sätt. Nach Chromatographie an DEAE-Cellulose 200fache Anreicherung bei 4% Ausbeute; Verbrauch von 0,141 μM TPNH × mg Protein^{-1} × min^{-1}. Das Präparat ist, suspendiert in 0,5 gesätt. AS-Lösung, bei 5°C monatelang und, in Lösung eingefroren, wochenlang haltbar. Es enthält offenbar Maleinsäure-Dehydrogenase	*Oxydation*[16]: 0,15 m Glycin + 0,8 m Hydrazin (pH 9,8), $5,8 \times 10^{-4}$ m DPN$^+$ oder $5,2 \times 10^{-4}$ m TPN$^+$, Enzym + 0,00375 m Ammoniumglycerat. Bestimmung von Δ o.D. bei 366 mμ ($\varepsilon = 3,4 \times 10^6$ cm$^2 \times$ Mol^{-1}) *Reduktion*[16]: 0,044 m Phosphat (pH 6,8), $1,5 \times 10^{-4}$ m TPNH (oder $3,3 \times 10^{-4}$ m DPNH), 0,0047 m Lithiumhydroxypyruvat (oder 0,006 m Glyoxylsäure) + Enzym. Bestimmung von Δ o.D. bei 366 mμ
Reduktion: 6,2 (60% Aktivität bei 5,2, 80% bei 7,2)	K_M-*Werte*: Hydroxypyruvat: $1,2 \times 10^{-4}$ m mit 0,025 m NaBr; Glyoxalat: 0,014 m mit 0,025 m NaBr K_{Gl}-*Wert*: $3,31 \times 10^{-13}$ m	Wäßriges Homogenat (1:2), Überstand bei 3000 × g (60 min), AS-Fällung von 0,19—0,40 Sätt., Reinigung durch Einstellen auf pH 4,8, AS-Fällung von 0,17 bis 0,28 Sätt., Dialyse, Adsorption an Al(OH)$_3$-C$_\gamma$-Gel, Elution mit 0,1—0,2 m Phosphat (pH 6,0), AS-Fällung von 0,22—0,47 Sätt. 400fache Anreicherung, 26% scheinbare Ausbeute; Verbrauch von 19,3 μM DPNH × mg Protein^{-1} × min^{-1}. Das Präparat ist bei −16° C monatelang haltbar	*Oxydation*: 0,067 m Diäthanolamin (pH 9,0), 0,025 m D,L-Glycerat, $4,4 \times 10^{-4}$ m DPN$^+$ + 6,4 E Enzym/ml *Reduktion*: 0,2 m Phosphat (pH 6,0), 0,067 m AS, $8,3 \times 10^{-5}$ m DPNH, $6,7 \times 10^{-4}$ m Hydroxypyruvat (oder 0,04 m Glyoxalat) + 0,012—0,024 E Enzym/ml bei 22—23° C. Bestimmung von Δ o.D. alle 30 sec (30.—210. sec) bei 366 mμ. ($\varepsilon = 3,4 \times 10^6$ cm^2/Mol)

Tabelle 16

a) Enzym, Enzymquelle	b) Coenzym	c) Substrate	d) *Nicht* umgesetzte ähnliche Verbindungen und Substrate anderer Dehydrogenasen	e) Co-Faktoren, Aktivatoren, Protektoren	f) Inhibitoren (Konzentration, die um x % hemmt)
18. *Glycerinsäure-Dehydrogenase* des Aspergillus niger[19] [1.1.1.29]	DPN	*Reduktion:* Hydroxybrenztraubensäure	*Reduktion:* Glyoxylsäure, Brenztraubensäure, Oxalessigsäure, α-Ketoglutarsäure	DPNH oder die vierfache Konzentration an Hydroxypyruvat schützen zu 70% vor 2×10^{-5} m p-CMB	*Ohne Einfluß:* 0,001 m o-Phenanthrolin und α,α'-Dipyridyl 0,0043 E Enzym je ml: p-CMB (2×10^{-5} m, 95%; bei Präinkubation 100%); Jodacetat (0,01 m, 80%; bei Präinkubation 100%); Semicarbazid (0,02 m, 85%); Pyruvat (0,007 m, 5%) *Ohne Einfluß:* 0,02 m F⁻
19. *Kristalline* D-*Glycerinsäure-Dehydrogenase* (Tartronsäurehalbaldehyd-Reductase) aus Pseudomonas ovalis Chester[20]	DPN, TPN	*Oxydation:* D-Glycerinsäure *Reduktion:* Tartronsäurehalbaldehyd	*Oxydation:* Glykolsäure, L-Milchsäure, 3-Phosphoglycerinsäure, L-Äpfelsäure		
20. *Tartronsäure-Dehydrogenase* aus Petersilienschößlingen[21]. Vorkommen s. Tabelle 6, S. 746	DPN	*Oxydation:* Tartronsäure, [(−)-Weinsäure] *Reduktion:* Mesoxalsäure, (Diketobernsteinsäure, Oxalessigsäure)	*Oxydation:* Hydroxybrenztraubensäure		

(Fortsetzung).

g) pH-Optimum	h) Kinetische und thermodynamische Daten	i) Anreicherung, Ausbeute, spezifische Aktivität, Stabilität; Anwesenheit anderer Enzyme	j) Test bzw. Reaktionsbedingungen (1 Enzymeinheit = 1 μM/min)
Reduktion: 6,6 (50% Aktivität bei 6,1 und 7,3)	K_M-*Wert:* Hydroxybrenztraubensäure: $2,3 \times 10^{-4}$ m	Homogenat mit gepulvertem Glas in 1,5 Teilen 0,01 m Phosphat (pH 7,2), Überstand bei 18000×g (30 min), Dialyse gegen 0,005 m Phosphat (pH 8,6), AS-Fällung von 0,2—0,5 Sätt.; Chromatographie an DEAE-Cellulose, Gradientenelution von 0,005—0,01 m Phosphat bei pH 8,6—6,4. Das Enzym erscheint bei 0,0062 m und pH 7,3 (Zufluß) bzw. 0,0045 m und pH 7,9 (Abfluß). 123fache Anreicherung, 47% scheinbare Ausbeute; Verbrauch von 2,57 μM DPNH × mg N^{-1} × min^{-1}. 40% Inaktivierung in 1 min bei 50° C, 100% in 1 min bei 55° C	*Reduktion:* 0,033 m Phosphat (pH 6,6), 2×10^{-4} m DPNH, $7,3 \times 10^{-4}$ m Hydroxypyruvat + Enzym, 27° C. Bestimmung von Δ o.D. bei 340 mμ
Reduktion: 8,7	K_M-*Werte:* DPNH: 2×10^{-5} m; TPNH: 6×10^{-5} m; Tartronsäurehalbaldehyd: 2×10^{-4} m; D-Glycerinsäure: 4×10^{-4} m	Ultraschallextrakt (25 kc, 3,5 A, 5 min) von auf Glykolat gewachsenem Ps. ovalis (nach Gefrieren und Auftauen) in 0,005 m Phosphat (pH 7,0); Überstand bei 35000×g (1 Std); Reinigung mit Protaminsulfat, Reinigung mit Al(OH)$_3$-C$_\gamma$-Gel, AS-Fällung von 0,4—0,75 Sätt., Dialyse gegen 0,005 m Phosphat + 0,001 m Mercaptoäthanol, Chromatographie an DEAE-Cellulose, Gradientenelution zwischen 0,11 und 0,18 m KCl, AS-Fällung bei 0,75 Sätt., lösen in 0,005 m Phosphat, Zusatz von AS bis zur Trübung; dreifache Umkristallisation. 178fache Anreicherung, 7,4% Ausbeute; Entstehung von 160 μM DPNH × mg Protein^{-1} × min^{-1}. Das Präparat erscheint in der Ultrazentrifuge einheitlich	*Oxydation:* 0,1 m Phosphat (pH 8,5), 0,005 m KCN, 0,0035 m D-Glycerinsäure, $1,5 \times 10^{-4}$ m 2,6-Dichlorphenolindophenol, 5×10^{-4} m DPN$^+$, DPNH-Dehydrogenase und Glycerinsäure-Dehydrogenase. Bestimmung von Δ o.D bei 600 mμ ($\varepsilon = 2,56 \times 10^6$ cm^2/Mol)
	(K_{Gl}-Wert eines Präparates aus Weizenkeimen: 10^{-14} m)	Acetonpulver aus Petersilienschößlingen, Extraktion mit 0,001 m Phosphat (pH 7,4), AS-Fällung von 0,0—0,55 und 0,28 bis 0,55 Sätt., lösen bei pH 5,0, AS-Fällung von 0,35—0,55 Sätt., Reinigung mit Ca-phosphat-Gel. 80fache Anreicherung, 1% Ausbeute; Verbrauch von 0,235 μM	*Reduktion:* 0,0033 m Phosphat, 10^{-4} m DPHN, 0,0033 m Substrat und Enzym. Bestimmung von Δ o.D. bei 340 mμ

Tabelle 16

a) Enzym, Enzymquelle	b) Coenzym	c) Substrate	d) *Nicht* umgesetzte ähnliche Verbindungen und Substrate anderer Dehydrogenasen	e) Co-Faktoren, Aktivatoren, Protektoren	f) Inhibitoren (Konzentration, die um x % hemmt)
21. *meso-Weinsäure-Dehydrogenase* aus Rinderherzmitochondrien [22]. Das Enzym wurde auch in Mitochondrien aus Rattenherz >-niere>-leber >-hirn nachgewiesen. Es ist in Extrakten weit aktiver als bei intakten Partikeln	DPN	*Oxydation:* meso-Weinsäure >(−)-Weinsäure *Reduktion:* Oxalglykolsäure ⇅ Dihydroxyfumarsäure	*Oxydation:* (+)-Weinsäure	Aktivierung durch Mg^{++} bzw. Mg^{++} + ÄDTE	
22. *meso-Weinsäure-Dehydrogenase*-Aktivität höherer Pflanzen [23]. Vorkommen in Wurzeln, Schößlingen und Samen der Erbse; im Weizenembryo; in Bohnen	DPN, nicht TPN	*Oxydation:* meso-Weinsäure >(−)-Weinsäure		Aktivierung durch NH_2OH *Ohne Einfluß:* Mg^{++}; Mg^{++} + ÄDTE	
23. *Oxalglykolsäure-Dehydrogenase-Aktivität* der Mitochondrien [22]	DPN	*Oxydation:* Dihydroxyfumarsäure bzw. Oxalglykolsäure *Reduktion:* Diketobernsteinsäure, Oxalessigsäure			

(Fortsetzung).

g) pH-Optimum	h) Kinetische und thermodynamische Daten	i) Anreicherung, Ausbeute, spezifische Aktivität, Stabilität; Anwesenheit anderer Enzyme	j) Test bzw. Reaktionsbedingungen (1 Enzymeinheit = 1 μM/min)
Oxydation: 8—8,3		DPNH $\times$ mg Protein^{-1} $\times$ min^{-1} mit Mesoxalsäure Mitochondrien, gewonnen als Sediment bei 700—5000 $\times$ g (10 min) in 0,25 m Saccharose, werden in Acetonpulver überführt. Extraktion mit 0,1 m Tris (pH 8,3); Gefriertrocknung des Extrakts. Entstehung von 0,05—0,02 μM DPNH $\times$ mg Protein^{-1} in der 1. min. Verbrauch von 10 μM DPNH $\times$ mg Protein^{-1} $\times$ min^{-1}	*Oxydation:* 0,1 m Tris (pH 8,3), etwa 0,0015 m DPN$^+$, 0,0036 m Mg^{++}, 0,007 m meso-Weinsäure + 0,32—0,93 mg Mitochondrienprotein/ml. Bestimmung von Δo.D. alle 30 sec bei 340 mμ *Reduktion:* 0,5 m Phosphat (pH 6,8), 0,005 m Dihydroxyfumarat 0,003 m ÄDTE, 2,2 $\times$ 10^{-5} m DPNH, 3 min Präinkubation mit 0,0036 m Mg^{++}; + 6,4 μg Protein/ml. Bestimmung von Δo.D. alle 20 sec bei 340 mμ
		Extraktion von Acetonpulver aus Erbsen (Pisum sativum), Weizenkeimen oder Bohnen (Phaseolus vulgaris) mit 0,005 m Phosphat (pH 7,4), AS-Fällung von 0,28 bis 0,55 Sätt.	*Oxydation:* 0,083 m Tris (pH 9,0), 2 $\times$ 10^{-4} m DPN$^+$, 0,033 m meso- oder (—)-Tartrat, Enzym (z.B. 3 mg Protein je ml aus Weizenkeimen). Bestimmung von Δo.D. bei 340 mμ bis zu 1 Std *Reduktion:* 0,033 m Phosphat oder Tris (pH 7,4), 8,3 $\times$ 10^{-5} m DPNH, 6,7 $\times$ 10^{-5} m Dihydroxyfumarat, Enzym (z.B. 0,77 mg Protein/ml aus Weizenkeimen) unter Ausschluß von O$_2$. Bestimmung von Δo.D. bei 340 mμ bis zu 1 Std; Weinsäure konnte als Reduktionsprodukt nicht nachgewiesen werden
		Präparat siehe meso-Weinsäure-Dehydrogenase Nr. 21. Verbrauch von 22,5 μM DPNH $\times$ mg Protein^{-1} $\times$ min^{-1}. Das Präparat enthält Diaphorase	*Oxydation:* 0,1 m Tris (pH 8,3), 0,0054 m Dihydroxyfumarsäure, 2,6-Dichlorphenolindophenol, Enzym (1,43 mg Protein/ml), DPN$^+$. Bestimmung von Δo.D. bei 600 mμ *Reduktion:* 0,5 m Phosphat (pH 6,8), 2,2 $\times$ 10^{-5} m DPNH, 0,0055 m Diketosuccinat,

Tabelle 16

a) Enzym, Enzymquelle	b) Coenzym	c) Substrate	d) *Nicht* umgesetzte ähnliche Verbindungen und Substrate anderer Dehydrogenasen	e) Co-Faktoren, Aktivatoren, Protektoren	f) Inhibitoren (Konzentration, die um x % hemmt)
24. *Diketobernsteinsäure-Reductase* der Erbsen [24]; weit verbreitet in Blättern und auch in Samen höherer Pflanzen s. Tabelle 6, S. 746	DPNH, nicht TPNH	*Reduktion:* Diketobernsteinsäure	*Oxydation:* Dihydroxyfumarsäure		

Hydroxyl-Dehydrogenasen des Aminosäure-Stoffwechsels.

25. *Chinasäure-Dehydrogenase* aus Aerobacter aerogenes, Mutante A 170-143 S 1[25] [1.1.1.24]; der Wildstamm und die Mutante A 170-143 besitzen nur geringe Aktivität	DPN, nicht TPN	*Oxydation:* Chinasäure	*Oxydation:* Shikimisäure		*Ohne Einfluß:* 0,05 m ÄDTE
26. *Shikimisäure-Dehydrogenase* von Escherichia coli, Stamm W [26] [1.1.1.25]. Vorkommen s. Tabelle 7, S. 750	TPN, nicht DPN	*Oxydation:* Shikimisäure *Reduktion:* 5-Dehydroshikimisäure	*Oxydation:* epi-Dihydroshikimisäure, 5-epi-Shikimisäure, 3-Phosphoshikimisäure, 5-Phosphoshikimisäure, Chinasäure		*Oxydation* durch 0,0125 E Enzym je ml: 5-epi-Shikimisäure (0,005 m, 47%), 1,6-Dihydro-epi-shikimisäure (0,005 m, 29%), Chinasäure (0,005 m, 14%) *Ohne Einfluß:* 0,006 m ÄDTE

(Fortsetzung).

g) pH-Optimum	h) Kinetische und thermodynamische Daten	i) Anreicherung, Ausbeute, spezifische Aktivität, Stabilität; Anwesenheit anderer Enzyme	j) Test bzw. Reaktionsbedingungen (1 Enzymeinheit = 1 μM/min)
		Präparat aus Erbsenwurzeln	0,003 m ÄDTE + Enzym (6,4 μg Protein/ml). Bestimmung von Δ o.D. alle 20 sec (0.—90. sec) bei 340 mμ *Reduktion:* 0,033 m Phosphat (pH 6,5) DPNH, Enzym + 0,0046 bzw. $4,6 \times 10^{-4}$ m Diketosuccinat. Bestimmung von Δ o.D. bei 340 mμ; linearer Verlauf der Reaktion bis zur 4. bzw. 14. min
Oxydation: 9,8 (50% Aktivität bei 8,8, 95% bei 10,3)	K_M-Werte: DPN+: $1,4 \times 10^{-5}$ m; Chinasäure: $4,9 \times 10^{-4}$ m K_{Gl}-Wert: 3×10^{-10} m (pH 7,2, 32° C; s. Text)	Verreiben mit Glaspulver, aufnehmen in 0,033 m Tris (pH 7,4), Überstand bei 5000×g (10 min), Nucleinsäurefällung mit MnCl₂ (0,074 m); der Überstand der isoelektrischen Fällung bei pH 5,5 wird fraktioniert an Ca-phosphat-Gel adsorbiert: waschen der zweiten Fraktion mit 0,1 m Phosphat (pH 6,1), Elution mit 0,1 m Phosphat (pH 7,0); AS-Fällung von 0,5—0,6 Sätt. bei pH 7,0, Dialyse gegen 0,033 m Tris (pH 7,4). 8,6fache Anreicherung, 8% Ausbeute; Entstehung von 2,15 μM DPNH × mg Protein⁻¹ × min⁻¹. Das Präparat ist 6 Monate bei −15° C und wenigstens 3 Tage bei 0° C stabil. Es enthält Dehydrochinasäure-Dehydratase (s. S. 749)	*Oxydation:* 0,033 m KHCO₃/K₂CO₃ (pH 9,4), $3,3 \times 10^{-4}$ m DPN+, 0,0032—0,032 E Enzym je ml, (präinkubiert mit 0,01 m KCN) + 0,0033 m Chinasäure, etwa 25° C. Bestimmung von Δ o.D. alle 30 sec bei 340 mμ 6 min lang *Reduktion:* 0,033 m Phosphat (pH 7,4), etwa 6×10^{-5} m DPNH, etwa 2×10^{-4} m Dehydroshikimisäure + 0,02 mg Enzymprotein/ml.
Oxydation: 8,5 (ohne GSSG-Reductase) (50% Aktivität bei 7,5 und 10,5, 95% bei 9,5)	K_M-Werte: TPN+: $3,1 \times 10^{-5}$ m; Shikimisäure: $5,5 \times 10^{-5}$ m K_{Gl}-Werte: $1,8 \times 10^{-9}$ m bei pH 7,9 und 30° C; $3,6 \times 10^{-9}$ m bei pH 7,0 und 30° C; (ohne GSSG-Reductase)	Tris-Extrakt wie bei 25., Reinigung mit MnCl₂ (0,05 m), Fraktionierung mit Ca-phosphat-Gel bei pH 5,5, waschen der 2. Fraktion mit H₂O, Elution mit 0,1 m Phosphat (pH 6,0), AS-Fällung von 0,32—0,45 Sätt. bei pH 7,0, Dialyse gegen 0,033 m Tris (pH 8,0). 9,5fache Anreicherung, 15% Ausbeute; Entstehung von 0,078 μM GSH, entsprechend 0,078 μM 5-Dehydroshikimisäure × mg Protein⁻¹ × min⁻¹. Das Präparat enthält keine Dehydrochinasäure-Dehydratase. Es verlor in 4 Monaten bei −15° C 20% Aktivität	*Oxydation:* 0,067 m Tris (pH 8,0), 0,0067 m ÄDTE (pH 8,0), $6,67 \times 10^{-5}$ m TPN+, 0,0017 m GSSG, 0,0017 m Shikimisäure, GSSG-Reductase im Überschuß + etwa 0,005 E Enzym/ml, 30° C, 20 min; stoppen durch 3% Metaphosphorsäure. Bestimmung des GSH mit Nitroprussid bei 520 mμ nach[27]

Tabelle 16

a) Enzym, Enzymquelle	b) Coenzym	c) Substrate	d) Nicht umgesetzte ähnliche Verbindungen und Substrate anderer Dehydrogenasen	e) Co-Faktoren, Aktivatoren, Protektoren	f) Inhibitoren (Konzentration, die um x % hemmt)
27. Prephensäure-Dehydrogenase der Escherichia coli-Mutante 83-5 [28]	DPN+, TPN+ mit 25% der DPN+-Aktivität	*Oxydation:* Prephensäure *Reduktion:* nicht nachgewiesen		Stabilisierung durch Substrat + DPN+ > Substrat > DPN+	
28. α-Keto-β-hydroxysäure-Reductase aus Neurospora crassa 16117 [29]. Vorkommen s. Tabelle 8, S. 752	TPNH > DPNH; (die DPNH-Aktivität betrug mit KHI 49%, mit KHM 76% und mit HP 88% der TPNH-Aktivität)	*Oxydation:* nicht nachweisbar (pH 8—10, Entfernung von TPNH durch GSSG-Reductase) *Reduktion:* α-Keto-β-hydroxy-isovaleriansäure (KHI), D,L-α-Keto-β-hydroxy-β-methylvaleriansäure (KHM) und Hydroxybrenztraubensäure (HP) mit etwa gleicher Geschwindigkeit bei Optimalkonzentrationen	*Reduktion:* α-Acetomilchsäure, α-Aceto-α-hydroxybuttersäure; Brenztraubensäure, α-Ketoisovaleriansäure und α-Keto-β-methylvaleriansäure, Acetoin	*Ohne Einfluß:* Mg++, Mn++ und Mercaptoäthanol	Hemmung durch TPNH, das aus TPN+ mit Dithionit hergestellt wurde. Hemmung durch mehr als 0,005 m KHM
29. α-Keto-β-hydroxysäure-Reductase aus E. coli K-12 [29]	TPNH > DPNH; (die DPNH-Aktivität betrug bei KHI 26,5%, bei KHM 14,6%, bei HP 11,6% der TPNH-Aktivität	*Reduktion:* α-Keto-β-hydroxyisovaleriansäure (KHI) = 100%; Hydroxypyruvat (HP) (100%), D,L-α-Keto-β-hydroxy-β-methyl-valeriansäure (KHM) (53%) bei Optimalkonzentrationen	*Reduktion:* α-Hydroxy-β-ketosäuren	wie 28.	Hemmung durch mehr als 0,001 m KHI

(Fortsetzung).

g) pH-Optimum	h) Kinetische und thermodynamische Daten	i) Anreicherung, Ausbeute, spezifische Aktivität, Stabilität; Anwesenheit anderer Enzyme	j) Test bzw. Reaktionsbedingungen (1 Enzymeinheit = 1 μM/min)
Oxydation: 7,0 (50% Aktivität bei 6,0, 65% bei 9,0, 7% bei 9,5 in Phosphat- bzw. Glycinpuffer)	K_M-*Wert:* Prephensäure: etwa 0,002 m bei pH 9,0. (Bei pH 6,5 und 7,5 gehorcht die Reaktion besonders bei mehr als 0,003 m Substrat nicht dem Gesetz nach MICHAELIS-MENTEN)	Zellen aus 20—22 Std alten Kulturen in Phenylalanin-Lactat-Medium, Ultraschallhomogenat (9 kc, 30 min) in 0,05 m Phosphat (pH 7,5), Überstand von 25 000 × g (30 min), Reinigung mit Protaminsulfat. 2—3fache Anreicherung, 150% scheinbare Ausbeute; Entstehung von 2 μM MILLON-positiver Substanz × mg Protein^{-1} × Std^{-1}. Die Aktivität bleibt mehrere Wochen bei −15° C erhalten. Das Präparat enthält DPNH-oxydierende Enzyme und Glutaminsäure-Transaminase. Bei AS-Fällung von 0,40—0,65 Sätt. wird es unstabil	*Oxydation:* 0,05 m Phosphat (pH 7,5), 0,0027 m Bariumprephenat, 0,001 m DPN$^+$ + 0,6—2 E Enzym/ml (1 E = 1 μM MILLON-positive Substanz je Std), 37° C, 1 Std. Bestimmung der phenolischen Reaktionsprodukte s. Text
Reduktion: 7,0—7,5 (KHI: 90% Aktivität bei 6,5, 80% bei 8,5) (KHM: 60% Aktivität bei 6,5, 70% bei 8,5)	K_M-*Werte:* KHI: 0,0016 m; KHM: 3,8 × 10^{-4} m (pH 7,5, 25° C). (Bei mehr als 0,001 m KHM gehorcht dessen Reduktion nicht mehr der Theorie nach MICHAELIS-MENTEN)	Verreiben des Mycels unter flüssigem N$_2$, homogenisieren in 0,1 m Phosphat (pH 7,0), Überstand bei 18 000 × g (30 min), Abtrennung der Fettschicht, Reinigung mit Protaminsulfat (0,15 g/g Protein), AS-Fällung von 0,53—0,63 Sätt. bei pH 7,0, fraktionierte Adsorption an Al(OH)$_3$-C$_\gamma$-Gel bei pH 6,5, Elution der 8. Fraktion mit 0,2 m Phosphat (pH 8,0). 30fache Anreicherung, 20% scheinbare Ausbeute; Verbrauch von 1,3 μM TPNH × mg Protein^{-1} in 5 min mit KHM oder KHI. Das Präparat ist frei von α-Hydroxy-β-ketosäure-Reductoisomerase. Es verliert 50—90% seiner Aktivität in 4 Monaten bei Tiefkühlung	*Reduktion:* 0,1 m Tris (pH 7,5), 0,01 m α-Keto-β-hydroxyisovalerat oder 0,005 m α-Keto-β-hydroxy-β-methylvalerat, 10^{-4} m TPNH, etwa 0,016 E Enzym/ml, 25° C. Bestimmung von Δ o.D. bei 340 mμ
Reduktion: 6,5—7,0 (KHI: 92% Aktivität bei 8,0; KHM: 93% Aktivität bei 8,0)	K_M-*Werte:* KHI: 1,4 × 10^{-4} m. KHM: 0,0067 m (Bei mehr als 6 × 10^{-4} m KHI gehorcht die Reduktion nicht mehr dem Gesetz nach MICHAELIS-MENTEN)	Ultraschallextrakt (10 kc, 20 min) in 0,1 m Phosphat (pH 7,5), Reinigung mit Protaminsulfat, AS-Fällung von 0,42—0,74 und 0,58 bis 0,63 Sätt., Dialyse gegen 0,005 m Phosphat (pH 7,5) + 10^{-4} m MgSO$_4$ + 10^{-4} m Mercaptoäthanol, fraktionierte Adsorption an Al(OH)$_3$-C$_\gamma$-Gel in 6 Stufen, Elution der 1. Fraktion mit 0,2 m Phosphat (pH 8,0). 12fache Anreicherung, 12% Ausbeute; Verbrauch von 4,2 μM TPNH × mg Protein^{-1} in 5 min mit KHM.	*Reduktion:* wie 28.

Tabelle 16

a) Enzym Enzymquelle,	b) Coenzym	c) Substrate	d) *Nicht* umgesetzte ähnliche Verbindungen und Substrate anderer Dehydrogenasen	e) Co-Faktoren, Aktivatoren, Protektoren	f) Inhibitoren (Konzentration, die um x % hemmt)
30. α-*Hydroxy-β-ketosäure-Reductoisomerase* aus E. coli K-12 [29]	TPNH, nicht DPNH	*Oxydation:* nicht nachzuweisen *Reduktion:* D,L-α-Aceto-α-hydroxybuttersäure = 100 %; D,L-α-Acetomilchsäure (12,5 %)	*Reduktion:* α-Keto-β-hydroxysäuren	Aktiviert durch 10^{-4} m Mg^{++} = 100 %; Al^{+++} (19 %) Ni^{++} (17 %) Cu^{++} (12 %) *Ohne Einfluß:* 10^{-4} m Ca^{++}, Mn^{++}, Fe^{++}, Zn^{++}, Cd^{++} oder Hg^{++}	Hemmung durch mehr als 0,0025 m Mg^{++} und durch hohe ATP-Konzentrationen
31. L-*Homoserin-Dehydrogenase* (L-Asparaginsäurehalbaldehyd-Reductase) aus Bäckerhefe [30] [1.1.1.3]	DPN, TPNH mit 33 bis 40 % der DPNH-Aktivität	*Oxydation:* L-Homoserin (HS) *Reduktion:* L-Asparaginsäure-β-halbaldehyd (AHA) = 100 % D,L-Glutaminsäure-γ-halbaldehyd (1 %)	*Oxydation:* D-Homoserin, D,L-Serin, D,L-Threonin, D,L-Homocystein, 3-Aminopropanol, γ-Hydroxybuttersäure *Reduktion:* Acetaldehyd, D-Asparaginsäure-β-halbaldehyd	Rinderserumalbumin als Stabilisator des gereinigten Enzyms; 0,15 m Phosphat (pH 6,5) schützt vor Inaktivierung durch Hitze (10 min, 60° C: 25—30 % Aktivität an Stelle von < 1 %)	*Ohne Einfluß:* p-CMB (gesättigte Lösung bei 1 Std Präinkubation des Enzyms); 10^{-4} m L-Thyroxin [31]
32. ω-*Hydroxy-L-α-aminosäure-Dehydrogenase* aus Neurospora crassa, Mutante 21863-6A [32]	DPN, TPN$^+$ mit 10 % der DPN$^+$-Aktivität; TPNH mit 5,6 % der DPNH-Aktivität	*Oxydation:* L-Pentahomoserin (PHS); L-Hexahomoserin (HHS) (L-Homoserin) *Reduktion:* L-Glutaminsäure-	*Oxydation:* D-Pentahomoserin, D-Hexahomoserin, L-Serin, L-Threonin *Reduktion:* Acetaldehyd		

(Fortsetzung).

g) pH-Optimum	h) Kinetische und thermodynamische Daten	i) Anreicherung, Ausbeute, spezifische Aktivität, Stabilität; Anwesenheit anderer Enzyme	j) Test bzw. Reaktionsbedingungen (1 Enzymeinheit = 1 μM/min)
Reduktion: 7,5 (0 bzw. 20% Aktivität bei 6,5, 75 bzw. 85% bei 8,5 in Tris bzw. Phosphat)	K_M-*Werte:* D,L-α-Aceto-α-hydroxybuttersäure: $7,25 \times 10^{-4}$ m; D,L-α-Acetomilchsäure: $6,5 \times 10^{-4}$ m	Das Präparat enthielt noch α-Hydroxy-β-ketosäure-Reductoisomerase (Verbrauch von 1,1 μM TPNH × mg Protein^{-1} in 5 min mit α-Aceto-α-hydroxybutyrat). Stabilität wie 28. Siehe Nr. 29: 5. Fraktion der Adsorption an Al(OH)$_3$-C$_\gamma$-Gel, Elution mit 0,2 m Phosphat (pH 8,0). 72fache Anreicherung, 34% scheinbare Ausbeute; Verbrauch von 16,2 μM TPNH × mg Protein^{-1} in 5 min mit α-Aceto-α-hydroxybutyrat. α-Keto-β-hydroxysäure-Reductase ist nicht mehr enthalten	*Reduktion:* 0,1 m Tris (pH 7,5), 0,02 m α-Aceto-α-hydroxybutyrat, 0,005 m Mercaptoäthanol, 0,0025 m MgSO$_4$, gekochter Extrakt aus E. coli oder N. crassa (0,05 ml/ml), 10^{-4} m TPNH, etwa 0,04 E Enzym je ml, 25° C. Bestimmung von Δo.D. bei 340 mμ
Reduktion: mit DPNH: 6,8 (0% Aktivität bei 4,5, 90% bei 5,8, 85% bei 7,8); mit TPNH: 5,0 (0% Aktivität bei 4,5, 80% bei 6,0)	K_M-*Werte:* DPN$^+$: $2,1 \times 10^{-5}$ m; TPN$^+$: $4,6 \times 10^{-4}$ m; HS: 0,0021 m mit DPN$^+$; 0,015 m mit TPN$^+$ bei pH 9,0; DPNH: $2,4 \times 10^{-5}$ m; TPNH: $2,9 \times 10^{-5}$ m; AHA: $2,5 \times 10^{-4}$ m mit DPNH; $1,2 \times 10^{-4}$ m mit TPNH bei pH 6,7; K_{Gl}-*Werte:* $1,1 \times 10^{-11}$ m mit DPN; $7,7 \times 10^{-12}$ m mit TPN (0,055 m Tris)	Einfrieren in flüssigem N$_2$, 2 Tage rühren in H$_2$O bei pH 8,4 und 0° C, Überstand bei 12000×g; 10 min erhitzen auf 55° C bei pH 6,5, Reinigung durch Einstellen auf pH 4,6, AS-Fällung von 0,45—0,60 Sätt., Dialyse gegen 0,01 m KHCO$_3$/HCl (pH 6,5) + 0,001 m ÄDTE, Säulenchromatographie an Ca-phosphat-Gel, Gradienten-Elution von 0,01 bis 0,2 m Phosphat (pH 6,4). 116fache Anreicherung, 22% Ausbeute; Verbrauch von 186 μM DPNH × mg Protein^{-1} × min^{-1}. In Gegenwart von 0,5% Rinderserumalbumin eingefroren, ist das Präparat mehrere Monate stabil	*Oxydation:* 0,1 m Diäthanolamin (pH 9,0), 8×10^{-5} m DPN$^+$ oder TPN$^+$, Enzym + 0,02 bis 0,1 m D,L-Homoserin. Bestimmung von Δo.D. bei 340 mμ alle 30 sec *Reduktion:* 0,1 m Phosphat (pH 6,7), 0,004—0,02 E Enzym/ml, 8×10^{-5} m DPNH oder TPNH + 0,001 m Asparaginsäurehalbaldehyd. Bestimmung von Δo.D. bei 340 mμ alle 30 sec
Oxydation: PHS mit DPN$^+$: 9,8 (70% Aktivität bei 9,0, 80% bei 10,2); HHS: 9,4 (85% Aktivi-	K_M-*Werte:* PHS: $9,0 \times 10^{-4}$ m; HHS: 0,0032 m (pH 9,8); scheinbarer K_M-*Wert:* GHA: 0,002 m	Mycel aus L-prolinhaltigem Minimalmedium (30° C) wurde nach Gefriertrocknung pulverisiert; Extraktion mit 0,1 m Phosphat (pH 7), Überstand bei 80000×g (1 Std), Reinigung mit Protaminsulfat (0,15 mg/mg Protein), AS-Fällung von 0,45—0,55 Sätt., Fällung mit (NH$_4$)$_2$HPO$_4$ von 0,6 bis	*Oxydation:* 0,093 m Diäthanolamin, 0,010 m D,L-PHS, 0,001 m DPN$^+$ oder TPN$^+$ + 0,02 E Enzym/ml mit 0,0067 m Phosphat, pH 9,8, 25° C. Bestimmung von Δo.D. bei 340 mμ

Tabelle 16

a) Enzym, Enzymquelle	b) Coenzym	c) Substrate	d) *Nicht* umgesetzte ähnliche Verbindungen und Substrate anderer Dehydrogenasen	e) Co-Faktoren, Aktivatoren, Protektoren	f) Inhibitoren (Konzentration, die um x % hemmt)
		halbaldehyd (GHA)			
33. *Threonin-Dehydrogenase* (Threonin-Decarboxylase) in Rhodopseudomonas spheroides [33]	DPN, nicht TPN	*Oxydation:* L-Threonin, D-allo-Threonin	*Oxydation:* D-Threonin, L-allo-Threonin, D,L-Serin, D,L-1-Aminopropan-2-ol		*Ohne Einfluß:* D,L-1-Aminopropan-2-ol; D,L-Serin, D-Threonin, L-allo-Threonin
34. *Pyridoxol-Dehydrogenase* (Pyridoxin-Dehydrogenase) aus Bierhefe [35]	TPN, nicht DPN	*Oxydation:* Pyridoxol (Pyridoxin), Pyridoxolphosphat *Reduktion:* Pyridoxal = 100 %; Pyridoxalphosphat (33 %)	*Reduktion:* 0,01 m Formaldehyd, Acetaldehyd, Glykolaldehyd und Glycerinaldehyd; Brenztraubensäure, Hydroxybrenztraubensäure, Oxalessigsäure und α-Ketoglutarsäure; Ribose, Xylose, Glucose, Fructose, Sorbose, Fucose; 0,004 m Benzaldehyd, 0,002 m Orotsäure, $2,9 \times 10^{-4}$ m Oestronsulfat	Aktivierung durch 10^{-4} m Zn^{++} (25 %); 0,01 m ÄDTE (25 %)	p-CMPS (8×10^{-4} m, 100 %); Sulfit (0,001 m, 75 %); etwa 50 % Hemmung durch 0,01 m Mn^{++}, Cu^{++}, Co^{++} und Zn^{++} *Ohne Einfluß:* 0,001 m CN^-, 0,01 m Arsenit, 10^{-4} m Dithizon, 5×10^{-5} m Salyrgan, 0,01 m Jodacetat
35. *Pyridoxol-Dehydrogenase* aus Bäckerhefe [36]	TPN, nicht DPN	*Oxydation:* Pyridoxol, 5-Desoxypyridoxol *Reduktion:* Pyridoxal, 5-Desoxypyridoxal	*Oxydation:* 4-Desoxypyridoxol, Pyridoxolphosphat	Aktivierung durch Co^{++} (2×10^{-5} m, 88 %); Mg^{++} (0,002 m, 62 %); Mn^{++} (2×10^{-5} m, 24 %); GSH (0,002 m, 174 %). Protektorwirkung von GSH > TPN^+ gegen p-CMB	p-CMB (10^{-5} m, 5 min Präinkubation, 50 %); Zn^{++} (5×10^{-4} m, 64 %); Ni^{++} (5×10^{-4} m, 58 %). *Ohne Einfluß:* 5×10^{-4} m Fe^{+++}, 0,001 m ÄDTE, α,α'-Dipyridyl und o-Phenanthrolin

(Fortsetzung).

g) pH-Optimum	h) Kinetische und thermodynamische Daten	i) Anreicherung, Ausbeute, spezifische Aktivität, Stabilität; Anwesenheit anderer Enzyme	j) Test bzw. Reaktionsbedingungen (1 Enzymeinheit = 1 μM/min)
tät bei 8,6, 40% Aktivität bei 10,2) *Reduktion:* GHA mit DPNH: 5,7		0,8 Sätt. (Sätt. = 43 g + 100 ml H_2O), AS-Fällung von 0,45 bis 0,53 Sätt., Dialyse gegen 0,1 m Phosphat (pH 7). 16fache Anreicherung, 29% Ausbeute; Verbrauch von 0,016 μM DPNH × mg Protein^{-1} × min^{-1}. Das Präparat enthält offenbar ein besonderes, Homoserin umsetzendes Enzym als Beimischung	*Reduktion:* 0,1 m Phosphat (pH 6), 0,002 m D,L-GHA, 2×10^{-4} m DPNH oder TPNH + 0,015 E Enzym/ml, 25° C. Bestimmung von Δo.D. bei 340 mμ alle 60 sec
Oxydation: 8,8 in 0,1 m Tris, nur 50% Aktivität in 0,1 m Carbonat/Bicarbonat (pH 8,8)		Homogenat von anaerob im Licht oder aerob im Dunkeln gewachsenen Zellen in 0,05 m Phosphat (pH 7,4), Überstand bei 105000 × g (120 min), Dialyse gegen 0,05 m Phosphat. Entstehung von 0,09 μM Aminoaceton × mg Protein^{-1} × Std^{-1}	*Oxydation:* 0,1 m Tris (pH 8,8), 0,067 m L-Threonin, $6,7 \times 10^{-4}$ m DPN$^+$, Enzym (1,33 mg Protein/ml), 37° C, 1 Std. Bestimmung von Δo.D. bei 340 mμ bzw. Bestimmung von Aminoaceton nach [34]
Reduktion: 6,0 in 0,03 bis 0,2 m Phosphat = 100%; (50% Aktivität bei 5,0 und 8,0); 0,03 m Citrat (100%), 0,2 m Citrat (42%), 0,02 m $NaHCO_3/CO_2$ (77%)	K_M-*Werte:* TPN$^+$: $2,0 \times 10^{-5}$ m; Pyridoxol: 0,007 m; TPNH: 10^{-6} m; Pyridoxal: 0,0016 m; K_{Gl}-*Wert:* (zwischen $2,5 \times 10^{-11}$ und $2,5 \times 10^{-12}$ m im pH-Bereich von 6,8—8,5) ($E_0' = -0,195$ V)	Macerieren der getrockneten Bierhefe in H_2O bei 37° C während 3 Std, Überstand bei 22000 × g (20 min), Reinigung bei pH 3,6 in Gegenwart von 0,25% Hefenucleinsäure, Reinigung bei pH 5,6, Dialyse gegen 0,0015 m ÄDTE, AS-Fällung von 0,20—0,52 Sätt., Dialyse, Chromatographie an Carboxymethyl-cellulose, Gradientenelution von 0,0—0,2 m Phosphat (pH 6,0), AS-Fällung von 0,0—0,55 Sätt., Reinigung bei pH 3,4 und 5,6, Zusatz von 0,39 M AS/l (0,10 Sätt.) und $1,5 \times 10^{-5}$ m ÄDTE. 46fache Anreicherung, 16% Ausbeute; Verbrauch von 4,88 μM TPNH × mg Protein^{-1} × min^{-1}. Das Präparat verlor in 2 Monaten bei −15 bis −20° C nur wenige % seiner Aktivität	*Reduktion:* 0,2 m Phosphat (pH 6,0), 0,002 m Pyridoxal, $5,4 \times 10^{-4}$ m TPNH + Enzym. Bestimmung von Δo.D. bei 366 mμ ($\varepsilon = 3,4 \times 10^6$ cm$^2 \times$ M^{-1})
Oxydation: 9,3 (0,05 m Phosphat oder Carbonat) (76% Aktivität bei 8,3, 31% bei 10,3)	K_M-*Werte:* TPN$^+$: 6×10^{-4} m (anaerobe Bedingungen); Pyridoxol: 0,0016 m; Pyridoxal: $4,4 \times 10^{-5}$ m; 5-Desoxypyridoxal: $3,7 \times 10^{-4}$ m	3 Std Autolyse in 3 Vol. 0,1 m $NaHCO_3$ bei 37° C, Überstand bei 15000 × g (20 min), AS-Fällung von 0,5—0,6 Sätt., Dialyse gegen 0,001 m Phosphat (pH 7,4) + 0,001 m GSH, Adsorption an $Al(OH)_3$-C_γ-Gel bei pH 6,0, Elution mit 0,1 m Phosphat (pH 7,4), AS-Fällung von 0,6—0,7 Sätt., Dialyse gegen 0,005 m Phosphat, Gefriertrocknung. 82,5fache Anreicherung; Entstehung von 0,14 μM Pyridoxal × mg Protein^{-1} in 10 min.	*Oxydation:* 0,04 m $Na_2CO_3/NaHCO_3$ (pH 9,0), 0,01 m Pyridoxol, 0,001 m TPN$^+$, etwa 1 mg Enzym/ml; 10 min, 37° C. Bestimmung von Pyridoxal mit 2,4-Dinitrophenylhydrazin *Reduktion:* 0,08 m Carbonat (pH 9,0), 0,002 m GSH, 0,01 m Glucose-6-phosphat, 0,8 mg Glucose-6-phosphat-Dehy-

a) Enzym, Enzymquelle	b) Coenzym	c) Substrate	d) *Nicht* umgesetzte ähnliche Verbindungen und Substrate anderer Dehydrogenasen	e) Co-Faktoren, Aktivatoren, Protektoren	f) Inhibitoren (Konzentration, die um x % hemmt)
36. *Isopyridoxal-Reductase* der Bäckerhefe[37]	TPN, DPNH mit 6% der TPNH-Aktivität	*Reduktion:* Isopyridoxal	*Reduktion:* Pyridoxal		

Amino- und Iminosäure-Dehydrogenasen.

a) Enzym, Enzymquelle	b) Coenzym	c) Substrate	d)	e)	f)
37. L-*Alanin-Dehydrogenase* des Bacillus subtilis, Mutante IRC-6 (Am⁻ S) nach Wachstum auf Glutaminsäure[38] [1.4.1.1]	DPN, nicht TPN	*Oxydation:* L-Alanin = 100%; D,L-α-Aminobuttersäure (0,09 m, 13%); bei 500 bis 1000facher Substratkonzentration auch D,L-Serin, Vinylalanin, L-Valin, D,L-Norvalin (1,5 bis 0,8%) (25° C, p_H 9,2) *Reduktion:* Brenztraubensäure + NH_4^+	*Oxydation:* D-Alanin, β-Alanin, Glykokoll, L-Phenylalanin, L-Asparaginsäure, L-Glutaminsäure, L-Leucin, D,L-Norleucin, L-Isoleucin	0,01 m Cystein hebt die Wirkung von 0,003 m p-CMB auf	*Reduktive Aminierung* durch 0,055 E Enzym je ml bei p_H 8,0: p-CMB vor oder nach DPNH und Pyruvat zugesetzt (0,0015 m, 26%; 0,003 m, 37%). o-Jodosobenzoat (0,5—1×10⁻³ m, 15%); H_2O_2 in Gegenwart von 10⁻⁶ m Fe⁺⁺ oder Cu⁺⁺ nach 2 Std Einwirkung (0,001 m, 49%; 0,002 m, 84%)
38. L-*Alanin-Dehydrogenase* aus Mycobacterium tuberculosis var. hominis H 37 Ra[39] [1.4.1.1]; weiteres Vorkommen s. Tabelle 9, S. 756	DPN, nicht TPN	*Oxydation:* L-Alanin *Reduktion:* Brenztraubensäure + NH_4^+	*Oxydation:* L-Phenylalanin, β-Alanin, D,L-α-Aminobuttersäure, L-Serin *Reduktion:* Oxalessigsäure bzw. α-Ketoglutarsäure + NH_4^+	Stabilisierung durch Rinderserumalbumin	*Aminierung:* p-CMB (10⁻⁶ m, 52%), 2-Aminofluoren (2,8×10⁻⁴ m, 28%), 2-Acetylaminofluoren (2,3×10⁻⁴ m, 28%) *Ohne Einfluß:* 0,02 m F⁻, 0,01 m Arsenat, 0,001 m

(Fortsetzung).

g) pH-Optimum	h) Kinetische und thermodynamische Daten	i) Anreicherung, Ausbeute, spezifische Aktivität, Stabilität; Anwesenheit anderer Enzyme	j) Test bzw. Reaktionsbedingungen (1 Enzymeinheit = 1 μM/min)
		Das trockene Präparat ist in der Kälte 2 Monate stabil; 50 bzw. 100% Aktivitätsverlust in 2 min bei 50 bzw. 60° C. Das Präparat enthält TPNH-Oxydase	drogenase/ml, 8×10^{-4} m Pyridoxal, 4×10^{-4} m TPN+, 1,6 mg Enzym/ml: 2 min, 37° C
Reduktion: 6,5 (50% Aktivität bei etwa 6,0 und 7,5)		60 min Autolyse von Bäckerhefe in etwa 3 Vol. 0,1 m NaHCO$_3$ bei 37° C und 120 min bei 30° C; AS-Fällung von 0,45—0,6 Sätt., Dialyse; Adsorption an Al(OH)$_3$-C$_\gamma$, Elution mit 0,2 m Phosphat (pH 7,4); Reinigung durch Einstellen auf pH 4,8, einstellen des Überstandes auf pH 7,4. 24fache Anreicherung; Entstehung von 0,0725 μM Pyridoxol × mg Protein^{-1} × Std^{-1}. Das Präparat enthält Pyridoxol-Dehydrogenase	*Reduktion:* 0,05 m Phosphat (pH 7,4), $6,25 \times 10^{-4}$ m TPN+, 0,005 m Glucose-6-phosphat, 2,5 mg Glucose-6-phosphat-Dehydrogenase/ml, $1,25 \times 10^{-4}$ m Isopyridoxal + Isopyridoxal-Reductase, 31,5° C, 60 min. Bestimmung des entstandenen Pyridoxols s. Text
Oxydation: 10,0 (50% Aktivität bei 9,0, etwa 90% bei 10,2)	K_M-Werte: DPN+: $2,65 \times 10^{-4}$ m; L-Alanin: 0,0035 m (pH 8,0); DPNH: $4,1 \times 10^{-5}$ m; Pyruvat: $8,8 \times 10^{-4}$ m; NH$_4^+$: 0,36 m; (pH 8,0); L-Alanin: 0,0013 m; D,L-α-Aminobuttersäure: 0,09 m (pH 9,2) K_{Gl}-Wert: $K_{Gl} \times [H_2O] = 9 \times 10^{-14}$ M²/l² (pH 8—9,4, 25° C, 4,5 E Enzym/ml); $\Delta G' = -8240$ cal/M	Lysozym-Lysat oder Ultraschall-homogenat (10 kc), Überstand bei 30000 × g (60 min), Reinigung mit MnSO$_4$ (0,05 m), Dialyse gegen 0,01 m Triäthanolamin (pH 7,0); der AS-Niederschlag bei 1,0 Sätt. wird mit 0,65—0,45-gesätt. AS-Lösung ausgezogen; 5 min Erhitzen auf 65° C; Reinigung mit Ca-phosphat-Gel. 8,4fache Anreicherung, 51% Ausbeute; Verbrauch von 64 μM DPNH × mg Protein^{-1} × min^{-1}. Das Enzym ist relativ stabil gegen Alkali; 24 Std Dialyse gegen Borat (pH 10) verdoppelt die spezifische Aktivität (Ausbeute 80%), jedoch nur im Rohextrakt. 5 min Erhitzen auf 65° C führen nur zu 12% Abnahme der Gesamtaktivität	*Oxydation:* 0,1 m Pyrophosphat (pH 10), 0,017 m Alanin, $3,3 \times 10^{-4}$ m DPN+ + Enzym, 25° C. Bestimmung von Δo.D. bei 340 mμ *Reduktion:* 0,043 m Triäthanolamin (pH 7,6), Enzym + $2,5 \times 10^{-4}$ m DPNH + 0,01 m Pyruvat + 0,15 m NH$_4$Cl, 25° C. Bestimmung von Δo.D. bei 340 mμ jeweils nach den einzelnen Zusätzen in Intervallen von 15 sec
Oxydation: 10,0 in 0,06 m Glycin (75% Aktivität bei 9,0, 90% bei 10,5) *Reduktion:* etwa 9 in 0,08 m Tris; etwa 8 in 0,08 m Phos-	K_M-Werte: DPN+: etwa 2×10^{-4} m; L-Alanin: etwa 0,003 m; Pyruvat: $1,6-0,6 \times 10^{-3}$ m bei 0,02—0,16 m NH$_4^+$; (s. S. 756); NH$_4^+$: 0,03 bis 0,016 m bei 4×10^{-4} m bis	Ultraschallhomogenat (10 kc, 35 bis 40 min), Überstand bei 15000 × g (120 min), Dialyse gegen 0,1 m Phosphat (pH 7,0), AS-Fällung von 0,40—0,60 Sätt. bei pH 7,5, AS-Fällung von 0,32 bis 0,38 Sätt. im Alkalischen (5 ml konz. NH$_3$/100 ml gesätt. AS-Lösung), Adsorption von 50—53% des Proteins an Ca-phosphat-Gel bei pH 6,0, danach Adsorption des Enzyms an Ca-phosphat-Gel, Elu-	*Oxydation:* 0,1 m 2-Amino-2-methyl-propan-1,3-diol-Puffer (pH 9,8), 0,001 m DPN+, 0,01 m Alanin + etwa 0,075 E Enzym/ml, 21° C *Reduktion:* 0,06 m Tris, 0,1 m (NH$_4$)$_2$SO$_4$, 8×10^{-5} m DPNH, 0,003 m Lithiumpyruvat, 0,9 mg Rinderserumalbu-

Tabelle 16

a) Enzym, Enzymquelle	b) Coenzym	c) Substrate	d) *Nicht* umgesetzte ähnliche Verbindungen und Substrate anderer Dehydrogenasen	e) Co-Faktoren, Aktivatoren, Protektoren	f) Inhibitoren (Konzentration, die um x % hemmt)
39. L-*Leucin-Dehydrogenase* des Bacillus subtilis, Stamm IRC-1[40] bzw. des Bacillus cereus[41]. Vorkommen in Bacillusarten s. Tabelle 10, S. 758	DPN, nicht TPN	*Oxydation:* L-Leucin > L-Valin > L-Isoleucin > D,L-Norleucin > D,L-Norvalin *Reduktion:* α-Keto-γ-methylvaleriansäure (KMV) + NH_4^+; α-Ketoisovaleriansäure (KIV) + NH_4^+	*Oxydation:* L-Alanin, D,L-α-Aminobuttersäure, L-Glutaminsäure, D,L-Asparaginsäure, D,L-Serin, D,L-Threonin *Reduktion:* Brenztraubensäure + NH_4^+; α-Ketoglutarsäure + NH_4^+; α-Ketobuttersäure + NH_4^+		Propionsäure und Malonsäure *Desaminierung:* Zn^{++} ($2,5 \times 10^{-5}$ m, 59%); Hg^{++} (10^{-4} m, 100%); Cu^{++} (10^{-4} m, 36%); 10^{-4} m $Mg^{++}, Fe^{++}, Fe^{+++}, Co^{++}, Ni^{++}$ oder Al^{+++} hemmen nur in Gegenwart von 0,14 mg Terramycin/ml zu etwa 50%. Terramycin allein ist ohne Einfluß *Oxydation*[41]: p-CMB (10^{-6} m, 77%; 10^{-4} m, 100%); Na_2S (0,03 m, 91%) *Ohne Einfluß:* 0,1 m Glycin; D-Valin, D-Leucin und D-Alanin[40]; ferner 0,01 m ÄDTE, N_3^-, F^-, $HAsO_4^{--}$, 0,001 m α,α'-Dipyridyl, 0,005 m o-Phenanthrolin und 5×10^{-4} m 8-Hydroxychinolin[41]
40. *Phosphatabhängige Aminosäure-Dehydrogenase* in Clostridium sporogenes	DPN, nicht TPN	*Oxydation:* L-Alanin > L-Norleucin > L-Leucin > L-Isoleucin > L-Valin		Phosphat oder Arsenat als Co-Faktor	*Ohne Einfluß:* 0,0033 m Jodacetat

(Fortsetzung).

g) pH-Optimum	h) Kinetische und thermodynamische Daten	i) Anreicherung, Ausbeute, spezifische Aktivität, Stabilität; Anwesenheit anderer Enzyme	j) Test bzw. Reaktionsbedingungen (1 Enzymeinheit = 1 μM/min)
phat oder 0,04 m Pyrophosphat	0,002 m Pyruvat (s. S. 756) (0,022 E Enzym/ml)	tion mit 4% AS (pH 5,7), AS-Fällung von 0,06—0,4 Sätt. 19fache Anreicherung, 6,5% Ausbeute; Verbrauch von 1,32 μM DPNH × mg Protein^{-1} × min^{-1}	min/ml + 0,005—0,02 E Enzym/ml, pH 8,6, 21° C. Bestimmung von Δo.D. bei 340 mμ 2—3 min lang
Oxydation: 11,3 (starke Abnahme der Aktivität unterhalb 10,0 und oberhalb 11,6)[41]	K_M-*Werte*[40]: DPN$^+$: 1,6 × 10^{-4} m; L-Leu: 0,0062 m; L-Val: 0,02 m; L-Ileu: 0,0052 m; DPNH: 1,2 × 10^{-4} m; KMV: 0,0033 m; KIV: 0,0022 m; NH$_4^+$: 0,013 m V_{max}-*Werte*[40]: (in μM × min^{-1}) L-Leu: 0,0201; L-Val: 0,0162; L-Ileu: 0,0129; D,L-Norleucin: 0,0049; D,L-Norvalin: 0,0042 *Aktivierungsenergie* der Oxydation von L-Leu: 4185 cal/M [40] K_{Gl}-*Wert*[41]: K_{Gl} × [H$_2$O] = 11,1 ± 1,1 × 10^{-14} M^2/l^2 (mit L-Leu bei pH 11,0)	Verreiben der gefrorenen Zellen des B. subtilis mit dem zweifachen Gewicht Al$_2$O$_3$, extrahieren mit 5 Vol. 0,1 m Tris (pH 8,5) + 0,001 m Mercaptoäthanol (MÄ), einstellen auf pH 7,0; AS-Fällung von 0,40—0,65 Sätt. im Überstand bei 10000 × g, lösen in Tris, AS-Fällung von 0,4—0,6 Sätt. unter Zusatz von NH$_4$OH (5 ml konz. NH$_4$OH auf 100 ml bei 0° C gesätt. AS-Lösung); 5 min erwärmen auf 58° C in 0,05 m Tris (pH 7,0), Dialyse des Überstandes gegen 0,05 m Tris (pH 7,0); fraktionierte Adsorption an Al(OH)$_3$-C$_\gamma$, Elution mit 0,2 m K-phosphat (pH 8,7) + 0,001 m MÄ, Dialyse; Chromatographie an DEAE-Cellulose, Elution mit Tris/HCl (pH 9,3) durch stufenweise Erhöhung der Konzentration von 0,1 auf 2,3 m. 350fache Anreicherung, 5,5% Ausbeute; Verbrauch von 9,0 μM DPNH × mg Protein^{-1} × min^{-1}. Das Präparat ist frei von DPNH-Oxydase, Glu-Dehydrogenase, Ala-Dehydrogenase, Glu-Ala-Transaminase, Glu-Leu-Transaminase und Ala-Leu-Transaminase	*Oxydation*[41]: 0,093 m Glycin/NaOH (pH 11,3) 1,27 × 10^{-4} m DPN$^+$, 0,0067 m L-Leucin + Enzym, 22—25° C. Bestimmung von Δo.D. bei 340 mμ alle 30 sec, 2 min lang *Reduktion*[41]: 0,092 m Tris (pH 9,3), 7,7 × 10^{-4} m DPNH, 0,004 m α-Keto-γ-methylvaleriansäure, 0,04 m (NH$_4$)$_2$SO$_4$ + Enzym, 22—25° C. Bestimmung von Δo.D. bei 340 mμ alle 15 sec, 2 min lang
		Ultraschallextrakt in Gegenwart von Katalase, Dialyse. Test I: Aktivität in 0,0625 m Phosphat:	*Oxydation:* Test I: 0,0625 m Phosphat (pH 8), 0,0125 m L-Alanin, 1,33 × 10^{-4} m DPN$^+$,

Tabelle 16

a) Enzym, Enzymquelle	b) Coenzym	c) Substrate	d) *Nicht* umgesetzte ähnliche Verbindungen und Substrate anderer Dehydrogenasen	e) Co-Faktoren, Aktivatoren, Protektoren	f) Inhibitoren (Konzentration, die um x % hemmt)
GO 1 und saccharobutyricum GR 4[42] [1.4.1.5]		*Reduktion:* Brenztraubensäure + NH_4^+			
41. L-Δ^1-Pyrrolin-5-carbonsäure-Reductase aus Rinderleber[43]	DPNH, nicht TPNH	*Oxydation:* nicht nachzuweisen *Reduktion:* L-Δ^1-Pyrrolin-5-carbonsäure (PC) = 100%; L-Δ^1-Pyrrolin-3-hydroxy-5-carbonsäure (PHC) (45%) (Test I)	*Oxydation:* L-Prolin, L-Hydroxyprolin *Reduktion:* Δ^1-Pyrrolin-2-carbonsäure, Δ^1-Pyrrolin, L-Asparaginsäure-β-halbaldehyd, Acetaldehyd	Stabilisierung durch 0,01 m GSH + 0,001 m ÄDTE	Hemmung der *Reduktion von PC:* L-Prolin (10^{-4} m, 55%); D-Prolin (0,005 m, 9%); L-Hydroxyprolin (0,01 m, 55%); D-allo-Hydroxyprolin (0,01 m, 55%), Imidazol (0,001 m, 55%). *Reduktion von PHC* L-Hydroxyprolin (10^{-4} m, 50%); D-allo-Hydroxyprolin (0,001 m, 67%). Hemmung auch durch 0,001 m Δ^1-Pyrrolin-2-carbonsäure
42. L-Δ^1-Pyrrolin-5-carbonsäure-Reductase der löslichen Fraktion der Rattenleber[45] [1.5.1.2]; Vorkommen in anderen tierischen Geweben s. Tabelle 11, S. 760	DPNH, TPNH mit 33% der DPNH-Aktivität	*Reduktion:* L-Δ^1-Pyrrolin-5-carbonsäure (PC) (Glutaminsäure-γ-halbaldehyd)		0,02 m BAL schützt zum Teil vor SH-Reagentien, PC schützt vor Cu^{++}	p-CMB (2×10^{-5} m, 87%; 6×10^{-6} m, 12%); $HgCl_2$ (4×10^{-5} m, 82%; 10^{-5} m, 19%); $AgNO_3$ (10^{-5} m, 89%; 3×10^{-6} m, 13%); $CdCl_2$ (0,001 m, 87%); $Cu(NO_3)_2$ (0,001 m, 24%); Jodacetat (0,1 m, 50%); o-Jodosobenzoat (0,01 m, 50%). Kompetitive Hemmung: ATP

(Fortsetzung).

g) pH-Optimum	h) Kinetische und thermodynamische Daten	i) Anreicherung, Ausbeute, spezifische Aktivität, Stabilität; Anwesenheit anderer Enzyme	j) Test bzw. Reaktionsbedingungen (1 Enzymeinheit = 1 μM/min)
		Verbrauch von 0,334 μM O_2 und Entstehung von 0,445 μM NH_3 × mg Trockengewicht^{-1} in 120 min. Aktivität in 0,0625 m Veronal (pH 8): 0,05 μM O_2 und 0,089 μM NH_3 × mg Trockengewicht^{-1} in 120 min. Aktivität in 0,0167 m Arsenat + 0,0625 m Veronal (pH 8): 0,234 μM O_2 und 0,289 μM NH_3 × mg Trockengewicht^{-1} in 120 min. Test II: Entstehung von etwa 0,008 μM DPNH × mg Trockengewicht^{-1} in 10 min	$6,25 \times 10^{-5}$ m Methylenblau + Enzym aus Cl. sporogenes (14,1 mg Trockengewicht je ml), 37° C, Luft, 120 min. Test II: 0,05 m Phosphat (pH 8), $1,33 \times 10^{-4}$ m DPN$^+$, 0,005 m L-Alanin + Enzym (5 mg je ml). Bestimmung von Δ o.D. bei 340 mμ alle 2 min
Reduktion: 7—8 (50% Aktivität bei 6,4, 80% bei 8,3)	K_M-*Werte:* PC: $4,9 \times 10^{-5}$ m; PHC: 0,0044 m	Homogenat in 10 Vol. Aceton bei −15° C, Extraktion des Acetonpulvers mit 0,05 m Phosphat (pH 7,5), Überstand bei 16000×g (10 min), Zusatz von GSH (0,01 m) + ÄDTE (0,001 m), AS-Fällung von 0,0—0,3 Sätt., lösen in 0,05 m Phosphat (pH 7,5) + GSH + ÄDTE, erhitzen auf 58° C (30 min), isoelektrische Fällung bei pH 5,0, lösen wie vorher. Test I: 40fache Anreicherung, 22% Ausbeute; Verbrauch von 0,64 μM DPNH × mg Protein^{-1} × min^{-1} mit Δ^1-Pyrrolin-5-carbonsäure	*Reduktion:* Test I: 0,05 m Phosphat (pH 6,5), bis zu 0,016 E Enzym/ml, $1,6 \times 10^{-4}$ m DPNH + 0,001 m Substrat. Bestimmung von Δ o.D. bei 340 mμ nach 30 und 60 sec. Test II: 0,05 m Phosphat (pH 7,5), $4,3 \times 10^{-4}$ m DPNH, 0,003 m PHC, $7,1 \times 10^{-4}$ m Histidinol, Histidinol-Dehydrogenase, PC-Reductase, 15 min; enteiweißen mit TCE (5%), colorimetrische Bestimmung des Hydroxyprolins nach [44]
Reduktion: 6,6—7,0 (0% Aktivität bei 5,6, 65% bei 8,0)	K_M-*Werte:* DPNH: $2,5 \times 10^{-4}$ m; PC: $2,1 \times 10^{-4}$ m	Homogenat in 0,025 m Phosphat (pH 8) + 0,001 m GSH, Überstand bei 100000×g (30 min), 2fache AS-Fällung von 0,4—0,6 Sätt. bei pH 7,5, fraktioniertes Ausziehen des Niederschlages von 0,0—0,6 AS-Sätt. mit 0,50, 0,45 und 0,40 gesätt. AS-Lösung, lösen des Rückstandes in und Dialyse gegen 0,1 m Phosphat (pH 8). 27fache Anreicherung, 25% scheinbare Ausbeute; Verbrauch von 0,08 μM DPNH × mg Protein^{-1} in 5 min. Das Präparat verliert in 2 Wochen bei 4° C 70% Aktivität	*Reduktion:* 0,05 m Triäthanolamin (pH 6,8), $3,3 \times 10^{-4}$ m PC, etwa 0,05 E Enzym/ml (1 E = 1 μM in 5 min) + $2,5 \times 10^{-4}$ m DPNH. Bestimmung von Δ o.D. bei 340 mμ nach 0 und 5 min

Tabelle 16

a) Enzym, Enzymquelle	b) Coenzym	c) Substrate	d) *Nicht* umgesetzte ähnliche Verbindungen und Substrate anderer Dehydrogenasen	e) Co-Faktoren, Aktivatoren, Protektoren	f) Inhibitoren (Konzentration, die um x % hemmt)
43. L-Δ^1-Pyrrolin-5-carbonsäure-Reductase der Neurospora crassa (Wildstamm St. Lawrence 74 A)[46] [1.5.1.2]; ähnliche Enzyme auch in E. coli und Aerobacter aerogenes[47]	TPNH, DPNH mit 6% der TPNH-Aktivität	*Reduktion:* L-Δ^1-Pyrrolin-5-carbonsäure	*Reduktion:* L-Δ^1-Pyrrolin-3-hydroxy-5-carbonsäure[43]	Glutathion als Protektor	(0,001 m, 86%); ADP (0,01 m, 82%); DPN+ (0,001 m, 23%). Nichtkompetitive Hemmung: TPN+ (10^{-5} m, 60%)
44. Δ^1-Pyrrolin-2-carbonsäure-Reductase (α-Keto-ω-aminosäure-Reductase) der Rattenniere[47] [1.5.1.1]. Vorkommen in anderen tierischen Geweben s. Tabelle 11, S. 760	DPNH, TPNH mit 80—90% der DPNH-Aktivität	*Oxydation:* nicht nachzuweisen *Reduktion:* Δ^1-Pyrrolin-2-carbonsäure (I) = 100%; Δ^1-Piperidein-2-carbonsäure (II) (80%)	*Reduktion:* Δ^1-Pyrrolin-5-carbonsäure, Δ^1-Piperidein-6-carbonsäure, Pyrrol-2-carbonsäure, Picolinsäure, 5-Pyrrolidon-2-carbonsäure, Δ^1-Pyrrolin-4-hydroxy-2-carbonsäure		

Aldehydgruppen-oxydierende Dehydrogenasen.

a) Enzym, Enzymquelle	b) Coenzym	c) Substrate	d) *Nicht* umgesetzte ähnliche Verbindungen und Substrate anderer Dehydrogenasen	e) Co-Faktoren, Aktivatoren, Protektoren	f) Inhibitoren
45. *Aldose-Dehydrogenase* der Kalbslinse[48]	DPN, nicht TPN	*Oxydation:* D-Xylose = 100%; D-Glucose mit 10 bzw. 33% der Aktivität			
46. Lösliche *Aldose-Dehydrogenase(n)* in Acetobacter suboxydans[49]	TPN, nicht DPN	*Oxydation:* D-Mannose > D-Glucose ≫ D-Galaktose = D-Xylose > L-Arabinose	*Oxydation:* D-Ribose, D-Arabinose		

(Fortsetzung).

g) p_H-Optimum	h) Kinetische und thermodynamische Daten	i) Anreicherung, Ausbeute, spezifische Aktivität, Stabilität; Anwesenheit anderer Enzyme	j) Test bzw. Reaktionsbedingungen (1 Enzymeinheit = 1 μM/min)
Reduktion: mit TPNH: 7,0 (72% Aktivität bei 6,0, 78% bei 8,0); mit DPNH: 6,0 (89% Aktivität bei 5,5, 67% bei 7,0)	K_M-*Wert:* L-Δ^1-Pyrrolin-5-carbonsäure: $4,5 \times 10^{-4}$ m mit TPNH; $5,3 \times 10^{-4}$ m mit DPNH	Gefriergetrocknetes Mycel aus Minimalmedium in 0,1 m Phosphat (pH 7) mit Sand verreiben, Überstand bei 100000×g (1 Std), Reinigung mit Protaminsulfat (0,15 mg je mg Protein) (pH 6,7), AS-Fällung von 0,25—0,35 Sätt., Fällung mit $(NH_4)_2HPO_4$ von 0,35 bis 0,45 Sätt. (Sätt. = 43 g + 100 ml H_2O), AS-Fällung von 0,26—0,32 Sätt., lösen in und Dialyse gegen 0,1 m Phosphat (pH 7) + 0,001 m GSH. 34fache Anreicherung, 44% Ausbeute; Verbrauch von 0,276 μM DPNH × mg Protein^{-1} × min^{-1}	*Reduktion:* 0,1 m Phosphat (pH 7,0), 0,002 m Δ^1-Pyrrolin-5-carbonsäure, 2×10^{-4} m DPNH (oder TPNH) + Enzym, 25°C. Bestimmung von Δo.D. bei 340 mμ alle 1—2 min (10—20 min lang). (Bei diesen Testbedingungen ist DPNH der begrenzende Faktor. Die Enzymaktivität kann als Vielfaches der Geschwindigkeitskonstanten $k = \frac{1}{t} \ln \frac{c_0}{c_t} = 0,001$ ausgedrückt werden)
Reduktion: 6,0	K_M-*Werte:* DPNH mit (I): $4,27 \times 10^{-5}$ m; DPNH mit (II): $7,4 \times 10^{-5}$ m; TPNH mit (II): $3,82 \times 10^{-5}$ m; (I) mit DPNH: $8,6 \times 10^{-5}$ m; (II) mit DPNH: $6,0 \times 10^{-5}$ m; (II) mit TPNH: $1,2 \times 10^{-4}$ m	Homogenat in 0,1 m Phosphat (pH 7,0), Überstand bei 144000×g (2 Std), AS-Fällung von 0,45 bis 0,50 Sätt. bei pH 7,0, lösen in und Dialyse gegen 0,05 m Phosphat (pH 7,0), Reinigung mit Ca-phosphat-Gel, Gefriertrocknung. 50—60fache Anreicherung, 10% Ausbeute; Verbrauch von 5,84 μM DPNH × mg Protein^{-1} × min^{-1} mit Δ^1-Piperidein-2-carbonsäure. Das Präparat ist frei von Δ^1-Pyrrolin-5-carbonsäure-Reductase	*Reduktion:* 0,08 m Phosphat (pH 6,1) $1,5 \times 10^{-4}$ m DPNH, 0,01—0,05 E Enzym je ml + 0,002 m Substrat, 26°C. Bestimmung von Δo.D. bei 340 mμ 1—2 min lang
		Verreiben der Linse im Mörser mit dem 2fachen Gewicht H_2O, Dialyse, zentrifugieren. Entstehung von 0,08 μM DPNH × ml Extrakt^{-1} × min^{-1} bei 0,44 m D-Xylose	*Oxydation:* 0,67 m Phosphat (pH 8), 0,02 bzw. 0,44 m Xylose oder Glucose, $6,7 \times 10^{-5}$ m DPN$^+$, 0,33 ml Linsenextrakt/ml. Bestimmung von Δo.D. bei 340 mμ während 10—20 min
		Ultraschallhomogenat (10 kc, 250 W, 15 min) in 5 Teilen 0,01 m Phosphat (pH 6,4), Überstand bei 105000 × g (2 Std)	*Oxydation:* 0,02 m Tris (pH 7,4), 0,02 m $MgCl_2$, 10^{-4} m TPN$^+$, $6,67 \times 10^{-4}$ m Substrat + 0,1 ml Enzym/ml, 20°C. Bestimmung von Δo.D. bei 340 mμ 10—20 min lang

Tabelle 16

a) Enzym, Enzymquelle	b) Coenzym	c) Substrate	d) Nicht umgesetzte ähnliche Verbindungen und Substrate anderer Dehydrogenasen	e) Co-Faktoren, Aktivatoren, Protektoren	f) Inhibitoren (Konzentration, die um x % hemmt)
47. D-*Galaktose-Dehydrogenase* aus Pseudomonas saccharophila[50] [1.1.1.48]	DPN, TPN+ mit etwa 2% der DPN+-Aktivität	*Oxydation:* D-Galaktose = 100%; L-Arabinose (33%)	*Oxydation:* D- und L-Glucose, D-Mannose, D-Ribose, D-Xylose, α-D-Galaheptose, D-Glucose-6-phosphat, D-Galaktose-6-phosphat, D-Galaktonsäure, D-Galakturonsäure, D-Galaktosamin	GSH und ÄDTE als Protektoren; DPN+ schützt zum Teil vor $K_3[Fe(CN)_6]$ und Inaktivierung durch Hitze\n\n*Ohne Einfluß:* 0,02 m Nicotinamid	Schwermetalle; $K_3[Fe(CN)_6]$; geringe Hemmung durch D-Galakturonsäure und D-Galaktosamin\n\n*Ohne Einfluß:* 0,01 m F-, 0,001 m CN-, 0,01 m Jodacetat
48. L-*Arabinose-Dehydrogenase* aus Pseudomonas saccharophila[52] [1.1.1.46]	DPN, nicht TPN	*Oxydation:* L-Arabinose = 100%; D-Galaktose (83%) ≫ α-D-Mannoheptose	*Oxydation:* D-Arabinose, D- und L-Xylose, D-Ribose, D- und L-Glucose, D-Mannose, α-D-Galaheptose; D- und L-Arabonsäure, D-Galaktonsäure, D-Galakturonsäure, D-Glucose-6-phosphat, D-Galaktose-6-phosphat, D-Galaktosamin	GSH und ÄDTE als Protektoren\n\n*Ohne Einfluß:* 0,02 m Nicotinamid	wie 47
49. *Malonsäurehalbaldehyd-Dehydrogenase* der Pseudomonas aeruginosa[54]	DPN+, TPN+ mit 5—8% der DPN+-Aktivität	*Oxydation:* Malonsäurehalbaldehyd	*Oxydation:* Formaldehyd, Acetaldehyd, Propionaldehyd, Isovaleraldehyd, Benzaldehyd, Anisaldehyd, Glycerinaldehyd, 3-Phosphoglycerinaldehyd, Glyoxylsäure, Succinsemialdehyd\n\n*Reduktion:* Malonsäure	Aktivatoren: 0,001 m Mg++ (64%), Ca++ (42%), Mn++ (27%).\n\nProtektoren: DPN+; Rinderserumalbumin	Bicarbonat, Phosphat, überschüssiges DPN+; Malonat ($K_i = 5{,}7 \times 10^{-4}$ m); Glyoxalat ($K_i = 0{,}0018$ m); Succinsemialdehyd ($K_i = 5{,}6 \times 10^{-4}$ m); $HgCl_2$ (10^{-4} m, 100%); p-CMB (5×10^{-4} m, 98% in Gegenwart von 0,001 m Mercaptoäthanol); 10^{-4} m Cu++ (88%), Zn++ (69%), Cd (62%), Ni (37%).

(Fortsetzung).

g) pH-Optimum	h) Kinetische und thermodynamische Daten	i) Anreicherung, Ausbeute, spezifische Aktivität, Stabilität; Anwesenheit anderer Enzyme	j) Test bzw. Reaktionsbedingungen (1 Enzymeinheit = 1 μM/min)
Oxydation: 8,0—9,0	K_M-*Werte:* DPN$^+$: $2,65 \times 10^{-4}$ m mit Galaktose; D-Galaktose: 0,0037 m; L-Arabinose: 0,01 m K_{Gl}-*Wert:* $K_{Gl}/[H^+] = 570$ bei pH 6,7 und 30° C	Verreiben der mit Galaktose als C-Quelle gewachsenen Zellen mit Al$_2$O$_3$, extrahieren mit 4 Teilen 0,033 m Phosphat (pH 6,8) + 0,01 m GSH + 5 × 10^{-4} m ÄDTE + 0,0025 m MgCl$_2$ + 0,01 mg Desoxyribonuclease/g Zellen; AS-Fällung von 0,25—0,4 und 0,25—0,3 Sätt., lösen in Phosphat + ÄDTE. 36fache Anreicherung, 32% Ausbeute; Entstehung von 61 μM DPNH × mg Protein^{-1} × min^{-1}. 25% Aktivitätsverlust in 5 min bei 59° C. Das Präparat ist bei −20° C einige Wochen haltbar. Es ist frei von Lactonase und L-Arabinose-Dehydrogenase	*Oxydation:* 0,033 m Tris/HCl (pH 8,6), 0,0033 m GSH, $3,3 \times 10^{-4}$ m DPN$^+$, 0,002 m Phosphat (pH 6,8), 5×10^{-5} m ÄDTE, 0,005 E Enzym/ml + 0,025 m D-Galaktose, 30° C. Bestimmung von Δo.D. bei 340 mμ alle 60 sec. Bestimmung von D-Galaktonolacton als Hydroxamsäure nach [51]
Oxydation: 9,0—10,0	K_M-*Werte:* DPN$^+$: $1,3 \times 10^{-4}$ m mit Arabinose; L-Arabinose: $9,2 \times 10^{-4}$ m; D-Galaktose: 0,003 m	Verreiben der mit L-Arabinose als C-Quelle gewachsenen Zellen mit Al$_2$O$_3$, extrahieren mit 4 Teilen 0,033 m Phosphat (pH 6,8) + 0,01 m GSH + 5 × 10^{-4} m ÄDTE + 0,0025 m MgCl$_2$ + 0,01 mg Desoxyribonuclease/g Zellen; AS-Fällung von 0,25—0,4 Sätt., lösen in 0,02 m Phosphat + ÄDTE, AS-Fällung von 0,35—0,65 Sätt., lösen in Phosphat + ÄDTE. 16fache Anreicherung, 41% Ausbeute; Entstehung von 111 μM DPNH × mg Protein^{-1} × min^{-1}. 100% Aktivitätsverlust in 5 min bei 59° C. Das Präparat ist frei von Galaktose-Dehydrogenase und enthält noch Lactonase	*Oxydation:* wie 47, mit L-Arabinose. Pentose-Bestimmung nach [53]; Lactonbestimmung nach [51]
Oxydation: 8,7 (Tris)	K_M-*Werte:* DPN$^+$: $1,1 \times 10^{-4}$ m; Malonsäurehalbaldehyd: $4,3 \times 10^{-5}$ m	Ultraschallextrakt (10 kc, 5 min) des mit β-Alanin als C- und N-Quelle gewachsenen Pseudomonas in 0,01 m Phosphat (pH 7,2) + 0,001 m Mercaptoäthanol; Überstand bei 18000×g (1 Std), reinigen mit Protaminsulfat, zweifache AS-Fällung von 0,35—0,70 Sätt. (Succinsemialdehyd-Dehydrogenase bleibt in Lösung), Dialyse, Adsorption an Ca-phosphat-Gel, Elution mit 0,1 m Phosphat (pH 7,65), Dialyse, zweifache Adsorption an DEAE-Cellulose und Gradientenelution von 0,01—0,20 m NaCl + 0,001 m Mercaptoäthanol; Dialyse. 194fache Anreicherung, 65% scheinbare Ausbeute; Entstehung	*Oxydation:* 0,04 m Tris (pH 8,7), 0,001 m Mercaptoäthanol, 0,001 m DPN$^+$, Enzym + 4×10^{-4} m Malonsäurehalbaldehyd; 25,5° C. Bestimmung von Δo.D. bei 340 mμ alle 30 sec 5 min lang

Tabelle 16

a) Enzym, Enzymquelle	b) Coenzym	c) Substrate	d) *Nicht* umgesetzte ähnliche Verbindungen und Substrate anderer Dehydrogenasen	e) Co-Faktoren, Aktivatoren, Protektoren	f) Inhibitoren (Konzentration, die um x % hemmt)
50. DPN+-Bernsteinsäure-halbaldehyd-Dehydrogenase eines auf γ-Hydroxybuttersäure gewachsenen Pseudomonas[14]	DPN+, TPN+ mit etwa 8% der DPN+-Aktivität	*Oxydation:* Bernsteinsäurehalbaldehyd (SS)	*Oxydation:* 0,001 und 10^{-4} m Glyoxylsäure, Malonhalbaldehyd, D,L-Glycerinaldehyd, 3-Phosphoglycerinaldehyd, Glykolaldehyd, Butyraldehyd	Protektoren: Mercaptoäthanol (MÄ) und Rinderserumalbumin	*Ohne Einfluß:* 0,002 m Succinat Arsenit (0,002 m, 25%)
51. TPN+-Bernsteinsäure-halbaldehyd-Dehydrogenase eines auf γ-Hydroxybuttersäure gewachsenen Pseudomonas[14] bzw. des auf Pyrrolidin gewachsenen Ps. fluorescens[55]	TPN+, DPN+ mit etwa 8% der TPN+-Aktivität[14]; DPN+ mit 12% der TPN+-Aktivität[55]	*Oxydation:* Bernsteinsäurehalbaldehyd *Reduktion:* nicht nachzuweisen	*Oxydation:* s. DPN+-Enzym[14]; aliphatische, aromatische und heterocyclische Aldehyde[55]	s. DPN+-Enzym[14]; Aktivierung durch 40 min Präinkubation mit 0,005 m MÄ, Cystein oder GSH[55]	Arsenit (0,002 m, 75%)[14]; kompetitive Hemmung durch Glyoxylsäure ($K_i = 3 \times 10^{-4}$ m) und Malonhalbaldehyd ($K_i = 10^{-4}$ m) *Ohne Einfluß:* 0,002 m Glykolaldehyd, 0,01 m Bernsteinsäure, 0,01 m ÄDTE[55]

(Fortsetzung).

g) pH-Optimum	h) Kinetische und thermodynamische Daten	i) Anreicherung, Ausbeute, spezifische Aktivität, Stabilität; Anwesenheit anderer Enzyme	j) Test bzw. Reaktionsbedingungen (1 Enzymeinheit = 1 μM/min)
		von 0,204 μM DPNH × mg Protein^{-1} × min^{-1}. 10—20% Aktivitätsverlust in 1 Monat bei —20° C in Gegenwart von 0,001 m Mercaptoäthanol. Stabilitätsoptimum: pH 8,7 bei 55° C und 0,005 m DPN$^+$	
Oxydation: mit DPN$^+$: 8,0 (60% Aktivität bei 7,0, 55% bei 9,0) mit TPN$^+$: 7,9	$\dfrac{V_{max}}{v} =$ $1 + \dfrac{4,7 \times 10^{-5}}{[DPN^+]} +$ $\dfrac{9,6 \times 10^{-6}}{[SS]} +$ $\dfrac{1,3 \times 10^{-9}}{[DPN^+] \times [SS]}$	Ultraschallhomogenat (10 kc, 15 min) in 0,1 m Phosphat + 0,006 m MÄ (pH 7,0), Überstand bei 15000×g (15 min), AS-Fällung von 0,0—0,70 Sätt. bei pH 7,0; AS-Fällung von 0,0—0,30 Sätt. (der Überstand dient als Ausgangsmaterial zur Anreicherung des TPN$^+$-Enzyms), Acetonfällung von 40—60 Vol.-% bei —10° C, Extraktion mit 0,1 m Phosphat + 0,006 m MÄ, AS-Fällung von 0,0—0,40 Sätt. im Alkalischen (5 ml konz. NH$_3$/100 ml gesätt. AS-Lösung), lösen in 0,1 m Glycylglycin + 0,006 m MÄ (pH 7,0), Chromatographie an DEAE-Cellulose, Elution mit 0,03 m Tris + 0,006 m MÄ (pH 7,3), Zusatz von 1 mg Rinderserumalbumin/ml. 70fache Anreicherung, 55% scheinbare Ausbeute; Entstehung von 9 μM DPNH × mg Protein^{-1} × min^{-1}. Kein Aktivitätsverlust in 4 Monaten bei —15° C in 0,1 m Phosphat (pH 7,0) + 0,006 m MÄ. Das Präparat enthielt keine γ-Hydroxybuttersäure-Dehydrogenase, DPNH-Oxydase, Transhydrogenase oder TPN$^+$-Succinsemialdehyd-Dehydrogenase	*Oxydation:* 0,1 m Tris (pH 8,1), 0,006 m MÄ, 0,001 m DPN$^+$, etwa 0,01 E Enzym/ml + 5 × 10^{-4} m Succinsemialdehyd. Bestimmung von Δ o.D. bei 340 mμ alle 30 sec während 3 min
Oxydation: mit TPN$^+$: 9,0 (35% Aktivität bei 8,0, 75% bei 10,0); mit DPN$^+$: 8,7[14]; mit TPN$^+$: 8,5 (62% Aktivität bei 7,5, 17% bei 9,5)[55]	$\dfrac{V_{max}}{v} = 1 +$ $\dfrac{6,5 \times 10^{-5}}{[TPN^+]} +$ $\dfrac{9,7 \times 10^{-5}}{[SS]} +$ $\dfrac{5,7 \times 10^{-9}}{[TPN^+] \times [SS]}$ (pH 8,8)[14]. $K_a = 2,8 \times 10^{-6}$; $K_b = 5,6 \times 10^{-6}$; $K_c = 3,4 \times 10^{-9}$ bei pH 7,9 [55]	I. Überstand der Fällung des DPN$^+$-Enzyms bei 0,3 AS-Sätt., AS-Fällung von 0,45—0,70 Sätt. (pH 7,0), Acetonfällung von 35 bis 50 Vol.-% bei —10° C, AS-Fällung im Alkalischen von 0,65 bis 0,80 Sätt., Chromatographie an DEAE-Cellulose. 130fache Anreicherung, 32% scheinbare Ausbeute; Entstehung von 7,6 μM TPNH × mg Protein^{-1} × min^{-1}. 15% Aktivitätsverlust in 2 Monaten bei —15° C[14]	*Oxydation:* I. s. DPN$^+$-Enzym, jedoch TPN$^+$ an Stelle von DPN$^+$ und pH 8,8[14]. II. 0,05 m Tris (pH 7,9), 0,003 m MÄ, 0,001 m TPN$^+$ und etwa 0,02 E Enzym/ml werden 40 min präinkubiert; + 5 × 10^{-4} m Succinsemialdehyd, 23° C. Bestimmung von Δ o.D. alle 30 sec bei 340 mμ 3 min lang[55]

Tabelle 16

a) Enzym, Enzymquelle	b) Coenzym	c) Substrate	d) *Nicht* umgesetzte ähnliche Verbindungen und Substrate anderer Dehydrogenasen	e) Co-Faktoren, Aktivatoren, Protektoren	f) Inhibitoren (Konzentration, die um x % hemmt)
52. *DPN+-Bernsteinsäure-halbaldehyd-Dehydrogenase* des Affenhirns[56]; Vorkommen auch im Gehirn von Katzen und Ratten	DPN+, AP-AD+, DA-DPN+; nicht TPN+	*Oxydation:* Succinsemialdehyd	*Oxydation:* Formaldehyd, Acetaldehyd, Butyraldehyd, Triosephosphat, 5-Hydroxypentanal, Glyoxal und Glyoxylsäure	Reaktivierung gealterter Präparate mit Cystein oder Mercaptoäthanol; Stabilisierung durch DPN+	Succinsemialdehyd in höherer Konzentration als 2×10^{-5} m; p-CMPS (10^{-6} m, 50%); N-Äthylmaleinimid (10^{-5} m, 50%); Jodacetamid (5×10^{-5} m, 50%); p-Hydroxybenzaldehyd ($1,25 \times 10^{-5}$ m, 60%); H_2O_2; Arsenit (0,004 m, 50%); Arsenit + 2-Mercaptoäthanol (5×10^{-5} m + 0,003 m, 50%); Mercaptoäthanol allein war ohne Einfluß
53. *γ-Aminobutyraldehyd-Dehydrogenase* des Pseudomonas fluorescens ATCC 13430 nach Wachstum auf Pyrrolidin (oder Putrescin)[58]	DPN+, nicht TPN+	*Oxydation:* γ-Aminobutyraldehyd (Δ^1-Pyrrolin)	*Oxydation:* Δ^1-Piperidein, Glutaminsäure-γ-halbaldehyd, Succinsemialdehyd, Malonhalbaldehyd, aliphatische Aldehyde	Serumalbumin, GSH und DPN+ als Protektoren, Mercaptoäthanol als Aktivator	

(Fortsetzung).

g) pH-Optimum	h) Kinetische und thermodynamische Daten	i) Anreicherung, Ausbeute, spezifische Aktivität, Stabilität; Anwesenheit anderer Enzyme	j) Test bzw. Reaktionsbedingungen (1 Enzymeinheit = 1 μM/min)
		II. Bei Einschieben einer Reinigung mit Protaminsulfat und Fraktionierung mit Ca-phosphat-Gel an Stelle von DEAE-Cellulose wurde bei Ps. fluorescens bei ähnlicher spezifischer Aktivität des Rohpräparates eine 50fache Anreicherung mit 39% scheinbarer Ausbeute erzielt. Entstehung von 3,61 μM TPNH × mg Protein^{-1} × min^{-1}. Größte Stabilität von pH 6,5 bis 7,1; 10% Aktivitätsverlust in 1 Woche bei 2° C in 0,05 m Phosphat (pH 7,0) + 0,005 m MÄ[55]	
Oxydation: 8,7—9,1 (in 0,1 m Tris und 2-Amino-2-methylpropanol) (50% Aktivität bei 8 und 9,9)	K_M-Wert: Succinsemialdehyd: $2,7 \times 10^{-6}$ m bei $3,7 \times 10^{-4}$ m DPN$^+$	Wäßriges Homogenat von gefrorenem Affenhirn, Überstand bei 14000×g (30 min), isoelektrische Reinigung bei pH 5,5; Fällung mit 0,67% Hefenucleinsäure bei pH 4,8, fällen der Nucleinsäure mit 0,4% Protaminsulfat, AS-Fällung von 0,26—0,43 Sätt., 20 min Erwärmen auf 50° C bei pH 7,4 in Gegenwart von 0,0013 m 2-Mercaptoäthanol. 21fache Anreicherung; Entstehung von 3,98 μM DPNH × mg Protein^{-1} × Std^{-1}	*Oxydation:* 0,1 m Pyrophosphat (pH 8,4), 0,003 m Mercaptoäthanol, $3,7 \times 10^{-4}$ m DPN$^+$, Enzym + 2×10^{-5} m Succinsemialdehyd. Fluorometrische Bestimmung des DPNH: Anregung bei 365 mμ, Messung bei 480 mμ[57]
Oxydation: 8,2 (etwa 80% Aktivität bei 7,2, 60% bei 8,8 in 0,1 m Tris)	$V_{max}/2$ bei 4×10^{-5} m DPN$^+$ mit 10^{-4} m Δ^1-Pyrrolin; bzw. bei $1,5 \times 10^{-5}$ m Δ^1-Pyrrolin mit $1,5 \times 10^{-5}$ m DPN$^+$	Ultraschallhomogenat (10 kc, 15 min) in 0,1 m Phosphat (pH 7,0) + 0,005 m GSH + 5×10^{-4} m DPN$^+$, Überstand von 15000×g (15 min), Reinigung mit Protaminsulfat, AS-Fällung von 0,0—0,55 Sätt., erwärmen auf 55° C (< 5 min) bei pH 7,0 in 0,1 m Phosphat + GSH + DPN$^+$, AS-Fällung von 0,0 bis 0,32 Sätt., Aceton-Fällung von 40—60 Vol.-% bei −10° C, Reinigung mit Ca-phosphat-Gel bei pH 7,0, Chromatographie an DEAE-Cellulose, Gradientenelution mit 0,03 m Tris (pH 7,3) + 0,0—0,5 m NaCl, Zusatz von GSH + DPN$^+$ + Serumalbumin (0,18%), AS-Fällung von 0,0—0,45 Sätt., lösen in 0,05 m Phosphat + GSH + DPN$^+$.	*Oxydation:* 0,05 m Tris (pH 8,2), 0,005 m Mercaptoäthanol, 7×10^{-4} m DPN$^+$, bis zu 0,018 E Enzym/ml + 10^{-4} m Pyrrolin, 23° C. Bestimmung von Δ o.D. bei 340 mμ alle 30 sec 3 min lang. Bestimmung von Δ^1-Pyrrolin nach Enteiweißen mit ZnSO$_4$ und Reaktion mit o-Aminobenzaldehyd colorimetrisch bei 435 mμ nach[59] ($\varepsilon = 2,1 \times 10^6$ cm^2/M). Bestimmung von γ-Aminobuttersäure s.[55]

Tabelle 16

a) Enzym, Enzymquelle	b) Coenzym	c) Substrate	d) *Nicht* umgesetzte ähnliche Verbindungen und Substrate anderer Dehydrogenasen	e) Co-Faktoren, Aktivatoren, Protektoren	f) Inhibitoren (Konzentration, die um x % hemmt)
54. Δ^1-Pyrrolin-5-carbonsäure-Dehydrogenase (Glutaminsäure-γ-halbaldehyd-Dehydrogenase) aus Rinderleber [60, 61]	DPN, TPN mit etwa 20% der DPN-Aktivität [61]	*Oxydation:* Test I [60] D,L-Δ^1-Pyrrolin-5-carbonsäure (PC) = 100%; Δ^1-Pyrrolin-3-hydroxy-5-carbonsäure (PHC) (55 bis 75%); Δ^1-Pyrrolin, Asparaginsäure-β-halbaldehyd (<5%) Test II [61] D,L-PC (0,0013 m) = 100%; 0,0035 m PHC (86%), 0,003 m Δ^1-Pyrrolin (9%), 0,0015 m Δ^1-Piperidein (9%), 0,0017 m Glutardialdehyd (4,3%)	*Oxydation:* Δ^1-Pyrrolin-2-carbonsäure [60]; Propionaldehyd, Butyraldehyd und Crotonaldehyd, Ribose, Xylose *Reduktion:* 2-Pyrrolidon-5-carbonsäure	GSH schützt vor p-CMB und N-Äthylmaleinimid; 0,01 m GSH schützt *nicht* vor Arsenit	[60]: p-CMB (8 × 10^{-5} m, 52%); N-Äthylmaleinimid (2,5 × 10^{-4} m, 50%) und Jodacetat (0,02 m, 38%) in Abwesenheit von GSH; Arsenit mit GSH (0,0025 m, 55%). Kompetitive Hemmung der Oxydation von PC bzw. PHC durch Imidazol: K_i = 0,029 bzw. 0,030 m; L-Prolin: K_i = 0,0026 bzw. 0,0033 m; L-Hydroxyprolin: K_i = 7 × 10^{-4} bzw. 0,0019 m; Hemmung auch durch Δ^1-Pyrrolin-2-carbonsäure. Weitere Inhibitoren s. Tabelle 13, S. 766 [61] *Ohne Einfluß:* D-allo-Hydroxyprolin.
55. Phosphatabhängige Asparaginsäure-β-halbaldehyd-Dehydrogenase aus Hefe [62] [1.2.1.11]	TPN, nicht DPN	*Oxydation:* L-Asparaginsäurehalbaldehyd (AHA) *Reduktion:* L-Asparaginsäure-β-phosphat (AP)	*Oxydation:* D-Asparaginsäurehalbaldehyd	Phosphat > Arsenat als Co-Faktoren der Oxydation	Jodacetat (0,01 m, 95%; 0,001 m, 10%); NH_2OH

(Fortsetzung).

g) pH-Optimum	h) Kinetische und thermodynamische Daten	i) Anreicherung, Ausbeute, spezifische Aktivität, Stabilität; Anwesenheit anderer Enzyme	j) Test bzw. Reaktionsbedingungen (1 Enzymeinheit = 1 μM/min)
		46fache Anreicherung, 60% scheinbare Ausbeute; Entstehung von 11,6 μM DPNH × mg Protein^{-1} × min^{-1}. Das Präparat verliert 80% der Aktivität in 2 Tagen bei 2° C und 30% in 2 Wochen bei $-15°$ C	
Oxydation: [61]: Mit PC: 8,5—8,6 mit DPN$^+$ und TPN$^+$ (45% Aktivität bei 7,5, 33% bei 9,5). Tris ergibt um 20% höhere Aktivität als Pyrophosphat. [60]: Mit PC: 8—9; mit PHC: 7,3 in Phosphat (45% Aktivität bei 6,3, 70% bei 8,3)	K_M-*Werte:* [60]: DPN$^+$ mit PC: 3×10^{-5} m; DPN$^+$ mit PHC: $1,3 \times 10^{-4}$ m; TPN$^+$ mit PHC: etwa 0,001 m. Mit DPN$^+$: PC: $2,3 \times 10^{-5}$ m; PHC: $4,0 \times 10^{-4}$ m; Δ^1-Pyrrolin: 0,011 m; [61]: DPN$^+$ mit PC: $5,3 \times 10^{-5}$ m; TPN$^+$ mit PC: $1,2 \times 10^{-4}$ m; PC mit DPN$^+$: $2,9 \times 10^{-4}$ m; PC mit TPN$^+$: $6,2 \times 10^{-5}$ m	Acetonpulver von Rinderleber, Extraktion mit 0,05 m Phosphat (pH 7,5), Überstand bei 16000 × g (10 min), Zusatz von GSH ad 0,01 m + ÄDTE ad 0,001 m, AS-Fällung von 0,3—0,6 Sätt., Dialyse gegen 0,05 m Phosphat (pH 7,5) + GSH + ÄDTE, Reinigung mit Ca-phosphat-Gel, Adsorption an Ca-phosphat-Gel, Elution mit 0,1 m Phosphat (pH 7,5) + GSH + ÄDTE, Acetonfällung von 43—50 Vol.-% bei $-15°$ C, AS-Fällung von 0,5 bis 0,6 Sätt., lösen in 0,05 m Phosphat + GSH + ÄDTE. 60fache Anreicherung, 120% scheinbare Ausbeute; Entstehung von 0,183 μM DPNH × mg Protein^{-1} × min^{-1} (Test I mit PHC). Wechselnde Stabilität; der Rohextrakt ist mehrere Wochen bis Monate bei $-15°$ C stabil. Das gereinigte Präparat enthält Aldehyd-Dehydrogenase(n). Nach [61] wurde etwa 30fache Anreicherung bei 40% scheinbarer Ausbeute erreicht. Entstehung von 0,055 μM (0,024—0,161 μM) DPNH × mg Protein^{-1} × min^{-1} nach Test II mit PC. Mehr als 50% Aktivitätsverlust in 2 Monaten bei $-15°$ C. Auch dieses Präparat enthielt andere, aldehyd-oxydierende Enzyme	*Oxydation:* Test I [60]: 0,025 m Phosphat (pH 6,9), 5×10^{-4} m DPN$^+$, Enzym + 5×10^{-4}—0,001 m Δ^1-Pyrrolin-3-hydroxy-5-carbonsäure. Bestimmung von Δ o.D. bei 340 mμ 2 min lang. Test II [61]: 0,05 m Tris (pH 8,2), $3,8 \times 10^{-4}$ m DPN$^+$, 0,0013 m Δ^1-Pyrrolin-5-carbonsäure + < 0,015 E Enzym/ml, 28—30° C. Bestimmung von Δ o.D. bei 340 mμ
Oxydation: mit Phosphat: 9,0 (50% Aktivität bei 8,4 und 9,5); mit Arsenat: 8—9 *Reduktion:* 8,0 (50% Aktivi-	K_M-*Werte:* TPN$^+$: $3,6 \times 10^{-5}$ m; AHA: 0,0026 m; Phosphat: 0,0014 m; TPNH: $8,3 \times 10^{-5}$ m; AP: $1,6 \times 10^{-4}$ m	Einfrieren von Bäckerhefe in flüssigem N$_2$, 2 Tage rühren in 1 Vol. H$_2$O bei pH 8,3—8,5 und 0° C, Überstand bei 12000 × g, 10 min erwärmen auf 60° C bei pH 6,5, isoelektrische Fällung bei pH 4,3, lösen in 1 m Tris (pH 8,0), Reinigung mit Protaminsulfat bei pH 6,5, AS-Fällung von 0,60 bis 0,90 Sätt., lösen in und Dialyse gegen 0,01 m KHCO$_3$/HCl (pH 6,5) + 0,001 m ÄDTE.	*Oxydation:* 0,1 m Diäthanolamin (pH 9,0), 6×10^{-5} m TPN$^+$, 0,01 m K$_2$HPO$_4$, 0,029 E Enzym/ml + 0,006 m Asparaginsäurehalbaldehyd, 23—26° C. Bestimmung von Δ o.D. bei 340 mμ alle 30 sec 4 min lang *Reduktion:* 0,1 m Tris (pH 8,0), 8×10^{-5} m

a) Enzym, Enzymquelle	b) Coenzym	c) Substrate	d) *Nicht* umgesetzte ähnliche Verbindungen und Substrate anderer Dehydrogenasen	e) Co-Faktoren, Aktivatoren, Protektoren	f) Inhibitoren (Konzentration, die um x % hemmt)

Tabelle 16

Zweistufig dehydrierende Pyridinnucleotid-Enzyme.

a) Enzym, Enzymquelle	b) Coenzym	c) Substrate	d) Nicht umgesetzte ähnliche Verbindungen	e) Co-Faktoren, Aktivatoren, Protektoren	f) Inhibitoren
56. L-*Histidinol-Dehydrogenase* a) aus Hefe und b) aus Arthrobacter histidinovorans[63] [1.1.1.23]. Vorkommen auch in E. coli	DPN, DA-DPN, AP-AD, nicht TPN	*Oxydation:* L-Histidinol (I), L-Histidinal (II) *Reduktion:* L-Histidinal	*Oxydation:* b) D-Histidinol, die entsprechenden Aminoalkohole von D,L-Met, L-Phe, L-Ser, D,L-Try, L-Tyr und L-Leu; Aminoäthanol; Imidazolylacetol *Reduktion:* L-Histidin; b) L-Histidinaldiäthylacetal, Imidazolylformaldehyd, Glycinal, Acetaldehyd	a) 50—100 % Aktivierung durch 0,01 m Thioglykolsäure	*Oxydation von L-Histidinol:* b) p-CMB (2×10^{-5} m, 50 bis 100 %; $K_i = 3,3 \times 10^{-5}$ m); D-(I) (5×10^{-4} m, 39 %); D-(II) (5×10^{-4} m, 40 %); NH_2OH (0,10 m, 57 %); Semicarbazid (0,10 m, 30 %), [2×10^{-5} m L-(I)]; kompetitive Hemmung durch L-(II) + NH_2OH (5×10^{-4} m + 0,05 m, 64 %); L-(II) + Semicarbazid (5×10^{-4} m + 0,005 m, 56 %); *nicht* mit D-(II) [5×10^{-4} m L-(I)]; a) D-(I): $K_i = 5 \times 10^{-5}$ m [2×10^{-5} m L-(I)] *Oxydation von L-Histidinal:* a) D-(I): $K_i = 5 \times 10^{-5}$ m [5×10^{-5} m L-(II)]; b) D-(I) (5×10^{-4} m, 38 %); D-(II) (5×10^{-4} m, 34 %), [2×10^{-5} m L-(II)]; Semicarbazid (0,025 m, 96 %); Thiosemicarbazid, NH_2OH
57. *Uridindiphosphatglucose-Dehydrogenase* aus Kalbsleber[66] [1.1.1.22]	DPN^+, $DA-DPN^+$, $AP-AD^+$, nicht TPN^+	*Oxydation:* Uridindiphosphatglucose (UDPG)	*Oxydation:* UDP-Galaktose, UDP-N-Acetylglucosamin, UDP-N-Acetylgalaktosamin; Guanosin-	0,01 m Cystein hebt die Hemmung durch 10^{-6} m p-CMB auf	p-CMB (2×10^{-7} m, 43 %; 5×10^{-7} m, 93 %); Thiosemicarbazid (0,025 m, etwa 50 %); Pyrophosphat vor

(Fortsetzung).

g) pH-Optimum	h) Kinetische und thermodynamische Daten	i) Anreicherung, Ausbeute, spezifische Aktivität, Stabilität; Anwesenheit anderer Enzyme	j) Test bzw. Reaktionsbedingungen (1 Enzymeinheit = 1 μM/min)
tät bei 6,9 und 8,6)	K_{Gl}-Wert: $\dfrac{[AP]\times[TPNH]\times[H^+]}{[AHA]\times[TPN^+]\times[P]}$ $\approx 3{,}3\times 10^{-7}$	33fache Anreicherung, 33% Ausbeute; Verbrauch von 1,6 μM TPNH $\times$ mg Protein^{-1} $\times$ min^{-1}. Das Präparat enthält keine Homoserin-Dehydrogenase (s. Nr. 31) und keine L-Asparaginsäure-β-Kinase	TPNH, 0,003—0,01 E Enzym/ml + 4—6$\times 10^{-4}$ m Asparaginsäure-β-phosphat, 23—26° C. Bestimmung von Δ o.D. bei 340 mμ alle 30 sec
Oxydation: a) 8,5—9,0 b) 8,7 (30% Aktivität bei 7,7, 10% bei 9,7)	K_M-Werte: b) DPN$^+$: 4,4 $\times 10^{-4}$ m mit 5 $\times 10^{-4}$ m (I); 4,3 $\times 10^{-4}$ m mit 5 $\times 10^{-5}$ m (II); DA-DPN$^+$: 2,1 $\times 10^{-4}$ m mit (I); 4,6 $\times 10^{-4}$ m mit (II)	a) 3 Std Autolyse von getrockneter Bierhefe bei 30° C in 3 Vol. 0,1 n NaHCO$_3$, Überstand bei 22000 $\times$ g (10 min), AS-Fällung von 0,0—0,67 Sätt., lösen in 0,04 m Phosphat (pH 6,8), Dialyse, AS-Fällung von 0,5—0,67 Sätt., lösen bei pH 6,0, Reinigung durch isoelektrische Fällung bei pH 4,0 bis 4,3, Dialyse, Adsorption an Ca-phosphat-Gel, Elution mit 0,004 m Phosphat (pH 6,8). 70fache Anreicherung, 30% Ausbeute (bezogen auf den 1. AS-Niederschlag); Entstehung von 0,161 μM DPNH $\times$ mg Protein^{-1} $\times$ min^{-1} mit L-Histidinol; Entstehung von 0,132 μM DPNH $\times$ mg Protein^{-1} $\times$ min^{-1} mit L-Histidinal. Das Präparat ist vor der Adsorption an Ca-phosphat mehrere Wochen bei $-15°$ C stabil; nachher verliert es in einigen Tagen bei $-15°$ C etwa 50% der Aktivität	*Oxydation:* 0,05 m Tris (pH 8,7), 5 $\times 10^{-4}$ m DPN$^+$, 0,01 m Thioglykolat, 0,013 E Enzym je ml + 5 $\times 10^{-4}$ m L-Histidinol oder L-Histidinal. Bestimmung von Δ o.D. bei 340 mμ nach 30—150 sec. Bestimmung von Histidinol nach[64]. Bestimmung von L-Histidin nach Überführen in Urocaninsäure[65]
Oxydation: 8,7 in 0,1 m Phosphat + 0,1 m Tris + 0,1 m Glycin (45% Aktivi-	K_M-Werte: in Glycin: DPN$^+$: 1,1 $\times 10^{-4}$ m; UDPG: 2 $\times 10^{-5}$ m;	Wäßriger Extrakt aus Acetonpulver, AS-Fällung von 0,31—0,43 und 0,25—0,42 Sätt., Reinigung durch 1,5 min bei 50° C und pH 4,9 bis 4,1, AS-Fällung von 0,35—0,55 Sätt. bei pH 8,0, lösen in und Dia-	*Oxydation:* 0,1 m Glycin (pH 8,7), 2 $\times 10^{-4}$ m UDPG, 0,001 m DPN$^+$ + etwa 0,015 E Enzym/ml.

Tabelle 16

a) Enzym, Enzymquelle	b) Coenzym	c) Substrate	d) *Nicht* umgesetzte ähnliche Verbindungen und Substrate anderer Dehydrogenasen	e) Co-Faktoren, Aktivatoren, Protektoren	f) Inhibitoren (Konzentration, die um x % hemmt)
		Reduktion: nicht nachzuweisen	diphosphatmannose; α-Glucose-1-phosphat, Glucose, Äthanol *Reduktion:* UDP-Glucuronsäure		DPN$^+$ zugegeben (0,04 m, 70%) *Ohne Einfluß:* 0,001 m Zn^{++}, Mn^{++}, Mg^{++}, Fe^{++}, Co^{++} und ÄDTE
58. *Uridindiphosphatglucose-Dehydrogenase* aus Erbsenkeimlingen[69] [1.1.1.22]	DPN$^+$, nicht TPN$^+$	*Oxydation:* UDPG (2':3'-O,O-Diacetyl-UDPG) *Reduktion:* nicht nachzuweisen	*Oxydation:* s. tierisches Enzym; UDPG-2':3'-Dibenzyläther *Reduktion:* UDP-Glucuronsäure	Aktivierung durch 0,01 m Cystein (bis 200%) und Thioglykolat (bis 250%) bei niedriger Enzymkonzentration (etwa 0,005 E/ml)	p-CMB (10^{-6} m, 55%; keine Reaktivierung durch 0,01 m Cystein); 1,5 Std Präinkubation des Enzyms mit GSSG bei 20°C (0,01 m, 42%; durch 0,05 m GSH keine Reaktivierung); 10 min Präinkubation mit o-Jodosobenzoat (0,001 m, 34%), mit F$^-$ (0,001 m, 50%); Pyrophosphat, vor DPN$^+$ zugegeben (0,02 m, 40%; 0,004 m, 17%) *Ohne Einfluß:* Jodacetat und CN$^-$ (0,001 m, 10 min Präinkubation)

Andere Dehydrogenasen.

a)	b)	c)	d)	e)	f)
59. *Ameisensäure-Dehydrogenase* aus Pisum sativum[70] [1.2.1.2]; 20fach angereichertes Enzym aus Phaseolus multiflorus[71]. Vorkommen in	DPN$^+$, nicht TPN$^+$	*Oxydation:* Ameisensäure, H^{14}COOH[72], DCOOH[73] *Reduktion:* nicht nachweisbar	*Reduktion:* CO$_2$		[70]: N$_3^-$ (5×10^{-6} m, 100%; 5×10^{-7} m, 65%); CN$^-$ (10^{-4} m, 80%); 8-Hydroxychinolin (0,005 m, 100%) *Ohne Einfluß:* u.a. 0,005 m

(Fortsetzung).

g) pH-Optimum	h) Kinetische und thermodynamische Daten	i) Anreicherung, Ausbeute, spezifische Aktivität, Stabilität; Anwesenheit anderer Enzyme	j) Test bzw. Reaktionsbedingungen (1 Enzymeinheit = 1 μM/min)
tät bei 7,7, 20% bei 9,7)	in Diäthanolamin: DPN^+: $7,1 \times 10^{-4}$ m; UDPG: $2,5 \times 10^{-4}$ m	lyse gegen 0,02 m Acetat (pH 5,9), Acetonfällung von 0—13 Vol.-% bei —5°C, Adsorption an Ca-phosphat-Gel, waschen mit 0,05 m Phosphat (pH 7,3), Elution mit 0,16 m Phosphat (pH 7,3), AS-Fällung von 0,0—0,55 Sätt., lösen in H_2O. 220fache Anreicherung, 5% Ausbeute; Entstehung von 2,06 μM DPNH $\times$ mg Protein^{-1} $\times$ min^{-1} (entsprechend dem Verbrauch von 1,03 μM UDPG). Das Präparat ist mehrere Wochen bei —10°C stabil; vor der Acetonfällung ist das Enzym bei pH 8,0 sehr unstabil	Bestimmung von Δ o.D. bei 340 mμ. Bestimmung von Glucuronsäure mit Carbazol nach [67]. Bestimmung von UDPG mit Pyrophosphorylase nach [68]
Oxydation: 9,0 in 0,1 m Glycin + 0,1 m Phosphat (50% Aktivität bei 8,0, 40% bei 10,0)	K_M-*Werte:* DPN^+: $1,15 \times 10^{-4}$ m; UDPG: 7×10^{-5} m in 0,1 m Glycin (pH 8,8)	Homogenat von Erbsenkeimen in 0,025 m Phosphat (pH 6,8), Überstand bei 20000 $\times$ g (15 min) bei pH 5,5, AS-Fällung von 0,0—0,49 Sätt. bei pH 6,8, 1,5 min erwärmen auf 50°C bei pH 5,5 in 0,001 m ÄDTE, AS-Fällung von 0,21 bis 0,32 Sätt. bei pH 6,8, Acetonfällung von 35—50 Vol.-%, lösen in 0,01 m Phosphat (pH 6,6) +0,076 m AS, Dialyse, Adsorption an Ca-phosphat-Gel, Elution mit 0,1 m Phosphat (pH 6,6), AS-Fällung von 0,0—0,42 Sätt., lösen in 0,01 m Phosphat (pH 6,6) + 0,001 m ÄDTE. 970fache Anreicherung, 21% Ausbeute; Entstehung von 0,78 μM DPNH $\times$ mg Protein^{-1} $\times$ min^{-1} entsprechend einem Verbrauch von 0,39 μM UDPG. Das Präparat ist bei —20°C mindestens 3 Monate haltbar (nach Gefriertrocknung)	*Oxydation:* s. tierisches Enzym
Oxydation: 5,5—6,5	*Geschwindigkeits-Konstanten*[72]: $k = 1/t \cdot \ln c_o/c_t$; $H^{12}COOH$: 0,00151; $H^{14}COOH$: 0,00119 bei pH 7 und 37°C	Homogenat eingeweichter Erbsen in 0,1 m Na_2HPO_4, Überstand bei 3000 $\times$ g (30 min), AS-Fällung von 0,31—0,47 Sätt., lösen in 0,1 m, Dialyse gegen 0,01 m Phosphat (pH 7,0), Adsorption an $Al(OH)_3$-C_γ-Gel, Elution mit 0,1 m Phosphat (pH 7,9), Vereinigung des Eluats mit dem Überstand des Gels, AS-Fällung von 0,34—0,52	*Oxydation:* 0,167 m Phosphat (pH 6,5), $6,67 \times 10^{-5}$ m DPN^+, 0,0064 E Enzym/ml + 0,05 m Formiat. Bestimmung von Δ o.D. bei 340 mμ zwischen 15. und 45. sec

Tabelle 16

a) Enzym, Enzymquelle	b) Coenzym	c) Substrate	d) *Nicht* umgesetzte ähnliche Verbindungen und Substrate anderer Dehydrogenasen	e) Co-Faktoren, Aktivatoren, Protektoren	f) Inhibitoren (Konzentration, die um x % hemmt)
anderen höheren Pflanzen s. S. 769					ÄDTE, Salicylaldoxim, Diäthyldithiocarbamat, F^-, Thioharnstoff, Cystein, o-Phenanthrolin, α,α'-Dipyridyl, NH_2OH, weiter auch 10^{-4} m $Mg^{++}, Zn^{++}, Cu^{++}, Co^{++}, Mn^{++}, Fe^{++}, Ca^{++}, BO_3^{---}$ und MoO_4^{--} [71]: p-CMB (0,001 m, 100%); o-Jodosobenzoat (0,001 m, 60%); starke Hemmung auch durch 0,001 m Fe^{+++} und Cu^{++} *Ohne Einfluß:* BAL, Malonat, Semicarbazid, Jodacetat
60. *Guanosinmonophosphat-Reductase* aus Salmonella typhimurium AD-12[75]; Vorkommen auch in Aerobacter aerogenes 1033 und P-14 sowie E. coli	TPNH, nicht DPNH	*Oxydation:* nicht nachzuweisen *Reduktion:* Guanosinmonophosphat (GMP)	*Reduktion:* Guanin, Guanosin, 2'-GMP, 3'-GMP, GDP, GTP	*Co-Faktoren:* Cystein, GSH oder Thioglykolsäure *Ohne Einfluß* 5×10^{-7} m FAD oder FMN	Kompetitive Hemmung der Reduktion von 0,001 m GMP durch ATP (5×10^{-4} m, 57%); AMP (0,005 m, 60%); IMP (0,01 m, 57%) *Ohne Einfluß:* 0,01 m ÄDTE, 0,001 m KCN
61. *Dejodase* aus Mikrosomen der Schilddrüse des Schafs[76]; Vorkommen in Leber- und Nierenmikrosomen von Schaf und Ratte	TPNH, nicht DPNH	*Reduktion:* L-Monojodtyrosin > L-Dijodtyrosin	*Reduktion:* D-Monojodtyrosin, D-Dijodtyrosin[76]; D,L-Thyroxin, D,L-3,5,3'-Trijodthyronin[77]	GSH schützt vor p-CMB, ÄDTE vor Schwermetallen *Ohne Einfluß:* O_2, FAD, FMN, ATP, GTP, CoA	p-CMB (10^{-4} m, fast 100%); $CuCl_2$ ($5,6 \times 10^{-5}$ m, 100%); Jodacetat. Kompetitive Hemmung der Dejodierung von Dijodtyrosin durch Monojodtyrosin

(Fortsetzung).

g) pH-Optimum	h) Kinetische und thermodynamische Daten	i) Anreicherung, Ausbeute, spezifische Aktivität, Stabilität; Anwesenheit anderer Enzyme	j) Test bzw. Reaktionsbedingungen (1 Enzymeinheit = 1 μM/min)
	K_M-Werte[73]: Präparat aus Bohnen nach[74]: HCOO$^-$: 0,0027 m; DCOO$^-$: 0,0031 m *Aktivierungsenergie*[73]: HCOO$^-$: $-11\,900$ cal/M DCOO$^-$: $-14\,900$ cal/M	Sätt., Reinigung mit Ca-phosphat-Gel, Adsorption an Al(OH)$_3$-C$_\gamma$-Gel, Reinigung mit basischem Bleiacetat, AS-Fällung von 0,34 bis 0,52 Sätt., Dialyse. 190fache Anreicherung, $< 10\%$ Ausbeute, Entstehung von 0,082 μM DPNH $\times$ mg Protein^{-1} $\times$ min^{-1}. Das Präparat ist bei pH 7—8 im Tiefkühlraum stabil; durch 10 min bei 60° C oder bei pH 5,3 wird es inaktiviert. Es enthält keine Diaphorase	
Reduktion: 7,5—8,2	K_M-Wert: GMP: $9,6 \times 10^{-5}$ m	Ultraschallhomogenat (10 kc, 7 bis 8 min) in 0,025 m Phosphat (pH 7,4) + 0,005 m GSH, Überstand bei 20000$\times$g (20 min), Dialyse, Reinigung mit Streptomycinsulfat (0,5%), 15 min erwärmen auf 54—56° C, Überstand bei 105000$\times$g (15 min), Reinigung mit Ca-phosphat-Gel bei pH 6,8, Adsorption an Ca-phosphat-Gel bei pH 7,2, Elution mit 0,4 m Phosphat (pH 8), AS-Fällung von 0,3—0,6 Sätt. 90fache Anreicherung, 35% Ausbeute; Verbrauch von 1,16 μM TPNH $\times$ mg Protein^{-1} $\times$ min^{-1}. Das Präparat enthält keine TPNH-Oxydase	*Reduktion:* 0,04 m Tris (pH 7,5), 0,0025 m Cystein, 0,002 m GMP, 10^{-4} m TPNH, etwa 0,01 E Enzym/ml. Bestimmung von Δ o.D. bei 340 mμ
	K_M-Werte: L-Monojodtyrosin: $9,2 \times 10^{-7}$ m; L-Dijodtyrosin: $3,7 \times 10^{-7}$ m	Sediment von Schilddrüsenhomogenat in 0,38 m Saccharose + 0,05 m Nicotinamid + 0,1 m Tris (pH 7,3) zwischen 8000$\times$g (15 min) und 100000$\times$g (1—2 Std), waschen und resuspendieren in 0,38 m Saccharose + 0,005 m MgCl$_2$ + 0,025 m KCl + 0,028 m KHCO$_3$ (pH 7,3—7,4). Entstehung von 0,0055 μM Jodid in 20 min pro Mikrosomen-	*Reduktion:* KREBS-RINGER-Phosphat-Puffer (pH 7,3), Mikrosomen entsprechend 50 mg Gewebe/ml, 0,00167 m Glucose-6-phosphat, $3,6 \times 10^{-4}$ m TPN$^+$ (0,167 mg Glucose-6-phosphat-Dehydrogenase/ml), 0,0056 m L-Monojodtyrosin-^{131}J (20000—50000 c.p.m. je ml), 0,001 m Thiouracil, 37° C, 20 min;

Tabelle 16

a) Enzym, Enzymquelle	b) Coenzym	c) Substrate	d) *Nicht* umgesetzte ähnliche Verbindungen und Substrate anderer Dehydrogenasen	e) Co-Faktoren, Aktivatoren, Protektoren	f) Inhibitoren (Konzentration, die um x % hemmt)
62. *Dejodase* der Cytoplasmafraktion der Rattenleber[78]; Vorkommen in der Leber von Schwein > Hund > Kaninchen > Pferd > Rind	Pyridinnucleotid?	*Reduktion:* L-Dijodtyrosin > L-Thyroxin; aliphatische Jodverbindungen			
63. *Dihydropyrimidin-Dehydrogenase* (Uracil-Reductase) aus Rinderleber[79] [1.3.1.2]	TPN, nicht DPN	*Reduktion bzw. Oxydation:* Uracil = 100%; 5-Bromuracil (130%), 5-Joduracil (57%), Thymin (56%); Dihydrothymin (55%), Dihydrouracil (28%), Dihydrouridylsäure (5%)	*Oxydation:* 5-Bromdihydrouracil *Reduktion:* Cytosin, Uridin, Uracil-6-methylsulfon		*Ohne Einfluß:* 0,001 m Mg++, Mn++, Zn++, Fe++, Co++, ÄDTE und Cystein
64. *Dihydropyrimidin-Dehydrogenase* des Cytoplasmas der Rattenleber[80,81] [1.3.1.2]	TPN, nicht DPN	*Oxydation:* Dihydrouracil *Reduktion:* Uracil, Thymin			
65. *Dihydrouracil-Dehydrogenase* aus Clostridium uracilicum Stamm M 5-2[82] [1.3.1.1]	DPN, nicht TPN	*Oxydation:* Dihydrouracil *Reduktion:* Uracil	*Reduktion:* Cytosin, 5-Methylcytosin, Thymin, Orotsäure		

(Fortsetzung).

g) pH-Optimum	h) Kinetische und thermodynamische Daten	i) Anreicherung, Ausbeute, spezifische Aktivität, Stabilität; Anwesenheit anderer Enzyme	j) Test bzw. Reaktionsbedingungen (1 Enzymeinheit = 1 μM/min)
		äquivalent von 150 mg Gewebe aus Monojodtyrosin. Inaktivierung durch 1 min bei 65° C bzw. 8 min bei 55° C. Inaktivierung durch Acetonfällung oder Ultraschallbehandlung	Stoppen durch 45 sec bei 100° C, Papierchromatographie, Anfärben mit diazotierter Sulfanilsäure + Palladiumchlorid, Bestimmung des ^{131}J-
Reduktion: 7,5—7,9	K_M-*Werte:* Enzym aus Schweineleber: Dijodtyrosin: $2,3 \times 10^{-6}$ m; Thyroxin: $2,8 \times 10^{-7}$ m	Rattenleberhomogenat in 0,067 m Phosphat (pH 8,0), Überstand bei 118000 × g (1 Std); Entstehung von 2,05 μM Jodid aus L-Dijodtyrosin in 18 Std bei 37° C durch Cytoplasma entsprechend 5 g Leber	*Reduktion:* 0,1 m Phosphat, pH 8,0, $7,5 \times 10^{-4}$ m L-Dijodtyrosin, Cytoplasma entsprechend 0,111 g Leber/ml, 18 Std, 37° C, unter Toluol. Enteiweißen mit TCE (6 %), potentiometrische Bestimmung des Jodids mit 0,005 m AgNO$_3$ (Ag- gegen Kalomel-Elektrode)
Oxydation und Reduktion: 7,4 (etwa 50 % Aktivität bei 6,4, 60 % bei 8,4)	K_M-*Werte:* Dihydrothymin und Dihydrouracil: etwa 6×10^{-4} m; Thymin und Uracil: $< 3 \times 10^{-6}$ m	Wäßriger Extrakt aus Acetonpulver, AS-Fällung von 0,0—0,5 und 0,37—0,57 Sätt. bei pH 7,4, Reinigung mit 0,034 m Sulfosalicylsäure bei pH 4,1, Adsorption an Ca-phosphat-Gel, entfernen inaktiven Proteins mit 0,2 m Phosphat (pH 7,35), Elution des Enzyms mit 0,5 m Phosphat (pH 7,35), AS-Fällung von 0,0—0,75 Sätt. 20fache Anreicherung, 30 % Ausbeute; Entstehung von $3,5 \times 10^{-4}$ μM TPNH × mg Protein^{-1} × min^{-1}	*Oxydation:* 0,067 m Phosphat (pH 7,35), 0,0083 m Dihydrothymin, $1,67 \times 10^{-4}$ m TPN$^+$, 0,0022 E Enzym/ml, 30° C. Bestimmung von Δ o.D. bei 340 mμ alle 60 sec etwa 4 min lang
Reduktion: 7,0—7,6 (Phosphat und Tris) (etwa 80 % Aktivität bei 6,6, 75 % bei 8,0)	K_M-*Werte:* Dihydrouracil: 0,002 m; TPNH: $1,7 \times 10^{-5}$ m; Uracil: $< 4 \times 10^{-6}$ m *Sättigungskonzentrationen:* Dihydrouracil: 0,01 m; TPNH: 7×10^{-5} m; Uracil: $< 8 \times 10^{-6}$ m	Homogenat in 0,25 m Saccharose $+ 5 \times 10^{-4}$ m ÄDTE (pH 7,3), Überstand bei 105000 × g (1 Std), abtrennen der Fettschicht, AS-Fällung von 0,32—0,42 Sätt. bei pH 7,6 in Gegenwart von ÄDTE, lösen in H$_2$O. Entstehung von $6,6 \times 10^{-4}$ μM TPNH × mg Protein^{-1} × min^{-1}. 20 % Aktivitätsverlust in 1 Monat bei −15° C. Das Präparat enthält keine Dihydrouracil-Hydrolase	*Oxydation:* wie Reduktion, jedoch 0,005 m Dihydrouracil und 5×10^{-4} m TPN$^+$ an Stelle von Uracil und TPNH *Reduktion:* 0,025 m Phosphat (pH 7,35), $2,5 \times 10^{-4}$ m Uracil, 0,0006 bis 0,0018 E Enzym/ml + $1,5 \times 10^{-4}$ m TPNH, 25° C. Bestimmung von Δ o.D. alle 30 sec bei 340 mμ 10 min lang
Reduktion: 7,0—7,8 (Phosphat und Tris) (35 % Aktivität bei 6,5, 60 % bei 8,2)	K_M-*Wert:* Uracil: $1,4 \times 10^{-4}$ m	Zellfreier Extrakt durch Verreiben mit Al$_2$O$_3$ oder durch Ultraschall in 0,05 m Phosphat + 0,002 m Na$_2$S (pH 7,4) und Zentrifugieren, Reinigung mit MnCl$_2$ (0,0475 m), Dialyse gegen 0,006 m Na$_2$S, AS-Fällung von etwa 0,4 bis 0,5 Sätt. bei pH 6,0, AS-Fällung von 0,33—0,55 Sätt. bei pH 4,6,	*Oxydation:* wie Reduktion, an Stelle von Uracil Dihydrouracil, 0,01 E Enzym/ml, ohne Glucose und Glucose-Dehydrogenase *Reduktion:* 0,05 m Phosphat (pH 7,4),

Tabelle 16

a) Enzym, Enzymquelle	b) Coenzym	c) Substrate	d) *Nicht* umgesetzte ähnliche Verbindungen und Substrate anderer Dehydrogenasen	e) Co-Faktoren, Aktivatoren, Protektoren	f) Inhibitoren (Konzentration, die um x % hemmt)
66. *Chinon-Reductase* aus Schweineleber [83]	DPNH, nicht TPNH	*Oxydation:* nicht nachzuweisen *Reduktion:* p-Benzochinon = 100%; 1,4-Naphthochinon (145%), Menadion (100%), 2,3,5-Trimethylbenzochinon (35%), 2,6-Dimethylbenzochinon (20%), 2,6-Dimethyl-1,4-naphthochinon (10%), Tetramethylbenzochinon (3%), 2-Äthylenimino-1,4-naphthochinon (2%), 2-Methyl-3-(Δ^2-3,7-dimethyloctenyl)-1,4-naphthochinon (1%)	*Reduktion:* Phthiocol, Vitamin K_1, K_2 und vitamin-K-ähnliche 1,4-Naphthochinone, Tokopherylchinon, Ubichinone, Phytyltrimethylbenzochinon, o-Benzochinon, Adrenochrom, Anthrachinon; FMN, FAD, Methylenblau, $K_3[Fe(CN)_6]$, Triphenyltetrazoliumchlorid, Cytochrom c; Nitrophenol u.a.	Aktivierung der Reduktion von Menadion und 1,4-Naphthochinon durch 2×10^{-4} m $K_3[Fe(CN)_6]$ *Ohne Einfluß:* Lactoflavin, FMN, FAD	50% Hemmung durch 3×10^{-4} m DPNH, 0,0013 m $K_3[Fe(CN)_6]$, $4,5 \times 10^{-5}$ m Dihydromenadion; weitere Inhibitoren s. Tabelle 14, S. 774 *Ohne Einfluß:* Hydrochinon, ÄDTE, o-Phenanthrolin, Dithizon, Cystein, Jodacetat, Atebrin, $K_4[Fe(CN)]_6$, Co^{++}, Arsenat, CN^-, F^-, N_3^-, CO
67. *Chinon-Reductase* aus Erbsensamen [84] [1.6.5.1]. Vorkommen s. Tabelle 15, S. 775	DPNH = 100%; TPNH (60%), nicht DA-DPNH	*Reduktion:* p-Benzochinon = 100%; Toluchinon (59%), p-Xylochinon (31%), 1,2-Naphthochinon (29%), Benzochinonessigsäure (22%), 1,4-Naphthochinon (16%)	*Reduktion:* Menadion, 2,5- und 2,6-Dichlorbenzochinon; Diacetyl, Brenztraubensäure, Cytochrom c, Cortisonacetat, Dehydroandrosteron	*Ohne Einfluß:* FAD, FMN	U.a. 10^{-6} m 2,6-Dichlor-4-nitrophenol (87%), 2,4,6-Trinitrophenol (86%), 2,4-Dinitro-α-naphthol (69%), 2,4-Dinitrophenol (35%); 10^{-4} m 2-Amino-4-nitrophenol (88%), 2,4-Dinitroresorcin (80%), p-Nitrophenol (75%), o-Nitrophenol (45%); nichtkompetitive

(Fortsetzung).

g) pH-Optimum	h) Kinetische und thermodynamische Daten	i) Anreicherung, Ausbeute, spezifische Aktivität, Stabilität; Anwesenheit anderer Enzyme	j) Test bzw. Reaktionsbedingungen (1 Enzymeinheit = 1 μM/min)
		lösen in 0,01 m Acetat (pH 6), Reinigung mit Ca-phosphat-Gel, Adsorption an Ca-phosphat-Gel bei pH 5,5, Elution mit 0,2 m Phosphat (pH 7,4). 27fache Anreicherung, 26% Ausbeute; Verbrauch von 5,5 μM Uracil × mg Protein^{-1} in 10 min. Das Präparat enthält keine Enzyme des weiteren Abbaues von Dihydrouracil	0,003 m MgCl$_2$, 1,67 × 10^{-4} m Uracil, 0,003 m Cystein, 1,67 × 10^{-5} m DPN$^+$, 0,067 m Glucose, 0,006—0,032 E Enzym/ml (1 E = 1 μM in 10 min) + 0,0134 E Glucose-Dehydrogenase/ml. Bestimmung von Δ o.D. bei 260 mμ. ($\varepsilon_{260 m\mu, \text{Uracil}}$ = 8,15 × 10^6 cm^2/M)
Reduktion: 2 Optima: 8,2 (gleiche Aktivität in Citrat und 0,004 m Phosphat + Acetat + Borat); 4,7: In Citrat ist die Aktivität weitaus am höchsten	*Optimalkonzentrationen:* DPNH: 0,7—1,5 × 10^{-4} m; p-Benzochinon: 6 × 10^{-4} m; 1,4-Naphthochinon: 1,3—2,6 × 10^{-4} m; Menadion: > 8 × 10^{-4} m *Temperaturkoeffizient der Menadionreduktion:* 20—30° C: 2,0; 30—40° C: 1,5 K_{Gl}-Werte: Menadion: 10^{-9} m; p-Benzochinon: 10^{-20} m	Homogenat in 0,073 m KH$_2$PO$_4$, Äthanol-Fällung von 25—75 Vol.-Prozent bei −35° C, AS-Fällung von 0,0—0,5 Sätt., Dialyse gegen 0,09 m NaCl, Adsorption an Ca-phosphat-Gel, Elution mit 0,22 m KH$_2$PO$_4$, AS-Fällung von 0,0 bis 0,5 Sätt., lösen in 0,003 m ÄDTE + 0,034 m Methionin, Abtrennung des durch AS denaturierten Proteins, Entfernung der Katalase mit HCl, mehrfache Fraktionierung durch Dialyse gegen gesätt. AS-Lösung und Extraktion des Niederschlages mit 0,4—0,0 gesätt. AS-Lösung (schwankende Löslichkeitsgrenzen), Chromatographie an Ca-phosphat + Kieselgur aus 0,09 m NaCl, Elution mit 0,22 m KH$_2$PO$_4$. Verbrauch von bis zu 0,35 μM DPNH × mg Protein^{-1} × min^{-1} mit Menadion. Das Enzym ist in Lösung unstabil, als Suspension in AS-Lösung jedoch monatelang haltbar; Inaktivierung in 10 min bei 50° C bei pH 7,4	*Reduktion:* 0,07 m Phosphat (pH 8,0), 1,3 × 10^{-4} m DPNH, 1,6 × 10^{-4} m Substrat (durch Tween 80 in Lösung gebracht), Enzym, 21° C, in Luft. Bestimmung von Δ o.D. bei 340 mμ
Reduktion: 6,5 (Pyrophosphat, Phosphat und Acetat); Glycylglycin ist nicht geeignet	K_M-Werte: DPNH: 2,1 × 10^{-5} m; TPNH: 0,8 × 10^{-5} m; p-Benzochinon: 1,7 × 10^{-4} m mit DPNH; 2,2 × 10^{-4} m mit TPNH K_{Gl}-Wert: p-Benzochinon: etwa 10^{-20} m	Homogenat gequollener Erbsen in 0,1 m Phosphat (pH 7,5), Überstand bei 3000 × g (20 min), Reinigung mit Ca-phosphat-Gel, AS-Fällung von 0,50—0,65 Sätt., Reinigung mit Al(OH)$_3$-Gel. 24fache Anreicherung, 29% Ausbeute; Verbrauch von 0,45 μM DPNH × mg Protein^{-1} × min^{-1}. Das Präparat ist zwischen pH 7,0 und 7,5 am stabilsten; es verlor in 5 Wochen bei −15° C 20% Aktivität	*Reduktion:* 0,09 m Phosphat (pH 6,5), 10^{-4} m DPNH, 0,01 bis 0,027 E Enzym/ml + 1,5 × 10^{-4} m p-Benzochinon, 25° C. Bestimmung von Δ o.D. bei 340 mμ zwischen 15. und 45. sec

Tabelle 16

a) Enzym, Enzymquelle	b) Coenzym	c) Substrate	d) Nicht umgesetzte ähnliche Verbindungen und Substrate anderer Dehydrogenasen	e) Co-Faktoren, Aktivatoren, Protektoren	f) Inhibitoren (Konzentration, die um x % hemmt)
68. Menadion-Reductase aus Escherichia coli[85] [1.6.5.2]. Vorkommen s. Tabelle 15, S. 775	DPNH = 100%; TPNH (33%) (Maximalaktivität)	Reduktion: Menadion (p-Benzochinon)	Reduktion: Vitamin K	Ohne Einfluß: FAD und FMN	Hemmung durch Dicumarol (5×10^{-5} m, 68%). Cu^{++} bei Präinkubation (10^{-4} m, 30%) 3×10^{-5} m 2,6-Dichlor-4-nitrophenol (62%), o-Nitrophenol (40%), 2,4,6-Trinitrophenol, 2,4-Dinitrophenol und 2,4-Dinitranilin (38%), p-Nitrophenol (18%); Atebrin (10^{-4} m, 25%), Aureomycin (10^{-4} m, 28%), Cystein (0,001 m, 80%). Kompetitive Hemmung durch Dicumarol (5×10^{-5} m, 55%)

Anmerkungen zu Tabelle 16.

1. In Spalte a angefügte Zahlen in eckigen Klammern, z.B. [1.1.1.4] bei 2,3-Butandiol-Dehydrogenase, sind die System-Nummern des Berichtes der Enzymkommission der IUB.
2. Die Coenzymspezifität (Spalte b) wird mit PN (DPN oder TPN) bezeichnet, wenn es sich um reversible Prozesse handelt. PN+ bzw. PNH bedeutet, daß die Oxydation bzw. Reduktion des Substrats irreversibel ist.
3. Für die die Aktivität betreffenden Angaben gelten in allgemeinen die in Spalte j) angegebenen Testbedingungen.
4. Der Test findet meist bei „Raumtemperatur" statt. Diejenige Substanz, mit der gestartet wird, steht am Ende und ist mit einem vorgesetzten + gekennzeichnet.
5. Konzentrationen werden als Endkonzentrationen angegeben.
6. Alle Arbeitsgänge der Anreicherung finden zwischen 0 und 5° C statt.

Abkürzungen. m = molar; M = Mol; PN = Pyridinnucleotid; PA-AD = Pyridin-3-aldehyd-adenindinucleotid; DA-DPN = Desamino-diphosphopyridinnucleotid; AP-AD = 3-Acetylpyridin-adenindinucleotid; FMN = Flavinmononucleotid; FAD = Flavinadenindinucleotid; p-CMB = p-Chlormercuribenzoat; p-CMPS = p-Chlormercuriphenylsulfonat; ÄDTE = Äthylendiamintetraessigsäure; BAL = 1,2-Dimercaptopropanol; GSH = reduziertes Glutathion; GSSG = oxydiertes Glutathion; Tris = Tris-(hydroxymethyl)-aminomethan;

$$K_{Gl} = \frac{[\text{Substrat}] \times [\text{PNH}] \times [\text{H}^+]}{[\text{Substrat-H}_2] \times [\text{PN}^+]};$$

AS = Ammoniumsulfat; Sätt. = Sättigung = 72 g AS + 100 ml Lösung; DEAE-Cellulose = Diäthylaminoäthyl-cellulose; TCE = Trichloressigsäure; o.D. = log I_0/I; $\varepsilon_{340 m\mu}$, DPNH (TPNH) = $6{,}22 \times 10^6$ cm²/M.

---

[1] JAKOBY, W. B., and J. FREDERICKS: Biochim. biophys. Acta **58**, 217 (1962).
[2] LAMBORG, M. and N. O. KAPLAN: Biochim. biophys. Acta **38**, 272, 284 (1960).
[2a] SIEGEL, J. M., G. A. MONTGOMERY and R. M. BOCK: Arch. Biochem. **82**, 288 (1959). — KAPLAN, N. O., and M. M. CIOTTI: J. biol. Ch. **221**, 823 (1956).

(Fortsetzung).

g) pH-Optimum	h) Kinetische und thermodynamische Daten	i) Anreicherung, Ausbeute, spezifische Aktivität, Stabilität; Anwesenheit anderer Enzyme	j) Test bzw. Reaktionsbedingungen (1 Enzymeinheit =1 μM/min)
Reduktion: 8,3 (Pyrophosphat oder Phosphat)	K_M-*Werte:* DPNH: etwa 4×10^{-5} m; TPNH: etwa 4×10^{-5} m; Menadion: 6×10^{-6} m mit DPNH; $4,5 \times 10^{-5}$ m mit TPNH	Verreiben mit Al_2O_3 in 0,001 m Phosphat (pH 7,5), Überstand bei $20000 \times g$(20 min), mehrfaches Ausziehen des Sedimentes mit 0,001 m Phosphat, Acetonfällung von 47,5—62,0 Vol.-% bei $-10°$ C. 2—4fache Anreicherung, 60 bis 80% Ausbeute; Verbrauch von 1,16 μM DPNH × mg Protein^{-1} × min^{-1}. 50% Aktivitätsverlust in 5 Wochen bei $-15°$ C; Inaktivierung in 5 min bei 60° C. Das Präparat enthält Chinon-Reductase	*Reduktion:* 0,063 m Pyrophosphat (pH 8,3), 10^{-4} m Menadion, $1,2 \times 10^{-4}$ m DPNH + 0,01—0,03 E Enzym/ml, 25° C. Bestimmung von Δ o.D. bei 340 mμ von der 15.—45. sec

Literatur zu Tabelle 16 (Fortsetzung).

[3] HUGGINS, C. G., and O. N. MILLER: J. biol. Ch. **221**, 711 (1956).
[4] GUPTA, N. K., and W. G. ROBINSON: J. biol. Ch. **235**, 1609 (1960).
[5] STRECKER, H. J., and I. HARARY: J. biol. Ch. **211**, 263 (1954).
[6] JUNI, E., and G. A. HEYM: J. Bact. **74**, 757 (1957); **71**, 425 (1956).
[7] AUBERT, J. P., et R. GAVARD: Ann. Inst. Pasteur **84**, 735 (1953).
[8] ZELITCH, I.: J. biol. Ch. **216**, 553 (1955). Colowick-Kaplan, Meth. Enzymol., Bd. I, S. 532.
[9] ZELITCH, I.: J. biol. Ch. **201**, 719 (1953).
[10] ZELITCH, I., and A. M. GOTTO: Biochem. J. **84**, 541 (1962).
[11] HASSAL, H., and R. P. HULLIN: Biochem. J. **84**, 517 (1962).
[12] DEN, H., W. G. ROBINSON and M. J. COON: J. biol. Ch. **234**, 1666 (1959).
[13] ROBINSON, W. G., and M. J. COON: J. biol. Ch. **225**, 511 (1957).
[14] NIRENBERG, M. W., and W. B. JAKOBY: J. biol. Ch. **235**, 954 (1960).
[15] HARDMAN, J. K.; in: Colowick-Kaplan, Meth. Enzymol., Bd. V, S. 778.
[16] HEINZ, F., K. BARTELSEN u. W. LAMPRECHT: H. **329**, 222 (1962).
[17] WILLIS, J. E., and H. J. SALLACH: J. biol. Ch. **237**, 910 (1962). Biochim. biophys. Acta **62**, 443 (1962).
[18] HOLZER, H., u. A. HOLLDORF: B. Z. **329**, 292 (1957).
[19] BEHAL, F. J., and R. D. HAMILTON: Arch. Biochem. **96**, 530 (1962).
[20] GOTTO, A. M., and H. L. KORNBERG: Biochim. biophys. Acta **48**, 604 (1961).
[21] STAFFORD, H. A.: Plant Physiol. **31**, 135 (1956).
[22] KUN, E.: J. biol. Ch. **221**, 223 (1956). — KUN, E., and M. G. HERNANDEZ: J. biol. Ch. **218**, 201 (1956).
[23] STAFFORD, H. A.: Plant Physiol. **32**, 338 (1957); **31**, 135 (1956).
[24] STAFFORD, H. A., A. MAGALDI and B. VENNESLAND: Science, N.Y. **120**, 265 (1954).
[25] MITSUHASHI, S., and B. D. DAVIS: Biochim. biophys. Acta **15**, 268 (1954). — DAVIS, B. D., C. GILVARG and S. MITSUHASHI; in: Colowick-Kaplan, Meth. Enzymol., Bd. II, S. 307.
[26] DAVIS, B. D., C. GILVARG and S. MITSUHASHI; in: Colowick-Kaplan, Meth. Enzymol., Bd. II, S. 301. — YANIV, H., and C. GILVARG: J. biol. Ch. **213**, 787 (1955).
[27] GRUNERT, R. R., and P. H. PHILLIPS: Arch. Biochem. **30**, 217 (1951).
[28] SCHWINCK, I., and E. ADAMS: Biochim. biophys. Acta **36**, 102 (1959).
[29] RADHAKRISHNAN, A. N., R. P. WAGNER and E. E. SNELL: J. biol. Ch. **235**, 2322 (1960).

Literatur zu Tabelle 16 (Fortsetzung).

[30] BLACK, S., and N. G. WRIGHT: J. biol. Ch. **213**, 51 (1955).
[31] WOLFF, J., and E. C. WOLFF: Biochim. biophys. Acta **26**, 387 (1957).
[32] YURA, T., and H. J. VOGEL: J. biol. Ch. **234**, 339 (1959). Biochim. biophys. Acta **24**, 648 (1957).
[33] NEUBERGER, A., and G. H. TAIT: Biochim. biophys. Acta **41**, 164 (1960).
[34] MAUZERALL, D., and S. GRANICK: J. biol. Ch. **219**, 435 (1956).
[35] HOLZER, H., and S. SCHNEIDER: Biochim. biophys. Acta **48**, 71 (1961).
[36] MORINO, Y., and Y. SAKAMOTO: J. Biochem. **48**, 733 (1960).
[37] FUJIOKA, M., Y. MORINO and Y. SAKAMOTO: J. Biochem. **49**, 333 (1961).
[38] PIÉRARD, A., and J. M. WIAME: Biochim. biophys. Acta **37**, 490 (1960). — WIAME, J. M., and A. PIÉRARD: Nature **176**, 1073 (1955). — WIAME, J. M., A. PIÉRARD and F. RAMOS; in: Colowick-Kaplan, Meth. Enzymol., Bd. V, S. 673.
[39] GOLDMAN, D. S.: Biochim. biophys. Acta **34**, 527 (1959). J. biol. Ch. **235**, 616 (1960).
[40] ZINK, M. W., and B. D. SANWAL: Arch. Biochem. **99**, 72 (1962).
[41] SANWAL, B. D., and M. W. ZINK: Arch. Biochem. **94**, 430 (1961).
[42] NISMAN, B., and J. MAGER: Nature **169**, 243 (1952).
[43] ADAMS, E., and A. GOLDSTONE: J. biol. Ch. **235**, 3499 (1960).
[44] NEUMAN, R. E., and M. A. LOGAN: J. biol. Ch. **184**, 299 (1950).
[45] SMITH, M. E., and D. M. GREENBERG: J. biol. Ch. **226**, 317 (1957).
[46] YURA, T., and H. J. VOGEL: J. biol. Ch. **234**, 335 (1959). Biochim. biophys. Acta **17**, 582 (1955).
[47] MEISTER, A.; in: Colowick-Kaplan, Meth. Enzymol., Bd. V, S. 878. — MEISTER, A., A. N. RADHAKRISHNAN and S. D. BUCKLEY: J. biol. Ch. **229**, 789 (1957). — MEISTER, A., and S. D. BUCKLEY: Biochim. biophys. Acta **23**, 202 (1957).
[48] HEYNINGEN, R. VAN: Biochem. J. **69**, 481 (1958).
[49] LEY, J. DE, and A. J. STOUTHAMER: Biochim. biophys. Acta **34**, 171 (1959).
[50] DOUDOROFF, M.; in: Colowick-Kaplan, Meth. Enzymol., Bd. V, S. 339. — LEY, J. DE, and M. DOUDOROFF: J. biol. Ch. **227**, 745 (1957).
[51] HESTRIN, S.: J. biol. Ch. **180**, 249 (1949).
[52] DOUDOROFF, M.; in: Colowick-Kaplan, Meth. Enzymol., Bd. V, S. 342. — WEIMBERG, R., and M. DOUDOROFF: J. biol. Ch. **217**, 607 (1955).
[53] BIAL, M.; in: H.-Th., Bd. III/1, S. 705. — DRURY, H. F.: Arch. Biochem. **19**, 455 (1948).
[54] NAKAMURA, K., and F. BERNHEIM: Biochim. biophys. Acta **50**, 147 (1961).
[55] JAKOBY, W. B., and E. M. SCOTT: J. biol. Ch. **234**, 937 (1959). — SCOTT, E. M., and W. B. JAKOBY: Science, N.Y. **128**, 361 (1958).
[56] ALBERS, R. W., and R. A. SALVADOR: Science, N.Y. **128**, 359 (1958). — ALBERS, R. W., and G. J. KOVAL: Biochim. biophys. Acta **52**, 29 (1961).
[57] LOWRY, O. H., N. R. ROBERTS and J. I. KAPPHAHN: J. biol. Ch. **224**, 1047 (1957).
[58] JAKOBY, W. B., and J. FREDERICKS: J. biol. Ch. **234**, 2145 (1959).
[59] SCHÖPF, C., u. F. OECHLER: A. **523**, 1 (1936).
[60] ADAMS, E., and A. GOLDSTONE: J. biol. Ch. **235**, 3504 (1960). — ADAMS, E., R. FRIEDMAN and A. GOLDSTONE: Biochim. biophys. Acta **30**, 212 (1958).
[61] STRECKER, H. J.: J. biol. Ch. **235**, 3218 (1960).
[62] BLACK, S., and N. G. WRIGHT: J. biol. Ch. **213**, 39 (1955).
[63] ADAMS, E.: J. biol. Ch. **217**, 325 (1955); **209**, 829 (1954).
[64] ROSENTHAL, S. M., and H. TABOR: J. Pharmacol. exp. Ther. **92**, 425 (1948).
[65] MEHLER, A. H., and H. TABOR: J. biol. Ch. **201**, 775 (1953).
[66] STROMINGER, J. L., E. S. MAXWELL, J. AXELROD and H. M. KALCKAR: J. biol. Ch. **224**, 79 (1957). — MAXWELL, E. S., H. M. KALCKAR and J. L. STROMINGER: Arch. Biochem. **65**, 2 (1956). — STROMINGER, J. L., E. S. MAXWELL and H. M. KALCKAR; in: Colowick-Kaplan, Meth. Enzymol., Bd. III, S. 974.
[67] DISCHE, Z.: J. biol. Ch. **167**, 189 (1947).
[68] MUNCH-PETERSEN, A., and H. M. KALCKAR; in: Colowick-Kaplan, Meth. Enzymol., Bd. II, S. 675.
[69] STROMINGER, J. L., and L. W. MAPSON: Biochem. J. **66**, 567 (1957).
[70] NASON, A., and H. N. LITTLE; in: Colowick-Kaplan, Meth. Enzymol., Bd. I, S. 536.
[71] DAVISON, D. C.: Biochem. J. **49**, 520 (1951).
[72] RABINOWITZ, J. L., J. S. LAFAIR, H. D. STRAUSS and H. C. ALLEN jr.: Biochim. biophys. Acta **27**, 544 (1958).
[73] AEBI, H., E. FREI u. M. SCHWENDIMANN: Helv. **39**, 1765 (1956).
[74] MATHEWS, M. B., and B. VENNESLAND: J. biol. Ch. **186**, 667 (1950).
[75] MAGER, J., and B. MAGASANIK: J. biol. Ch. **235**, 1474 (1960).
[76] STANBURY, J. B.: J. biol. Ch. **228**, 801 (1957). — STANBURY, J. B., and M. L. MORRIS: J. biol. Ch. **233**, 106 (1958).
[77] ROCHE, J., O. MICHEL, R. MICHEL, A. GORBMAN and S. LISSITZKY: Biochim. biophys. Acta **12**, 570 (1953).

Literatur zu Tabelle 16 (Fortsetzung).

[78] HARTMANN, N.: H. **306**, 107 (1956); **301**, 60 (1955). Z. Vit.-, Horm.-Ferm.-Forsch. **10**, 382 (1959/1960). — ROCHE, J., R. MICHEL, O. MICHEL et S. LISSITZKY: Biochim. biophys. Acta **9**, 161 (1952).
[79] GRISOLIA, S., and S. S. CARDOSO: Biochim. biophys. Acta **25**, 430 (1957).
[80] CANELLAKIS, E. S.: J. biol. Ch. **221**, 315 (1956).
[81] FRITZSON, P., and U. SPAEREN: J. biol. Ch. **235**, 719 (1960).
[82] CAMPBELL jr., L. L.: J. biol. Ch. **227**, 693 (1957). J. Bact. **73**, 220, 225 (1957).
[83] FRIMMER, M.: B. Z. **332**, 522 (1960). Biochim. biophys. Acta **48**, 205 (1961).
[84] WOSILAIT, W. D., and A. NASON; in: Colowick-Kaplan, Meth. Enzymol., Bd. II, S. 725. J. biol. Ch. **206**, 255 (1954). — WOSILAIT, W. D., A. NASON and A. J. THERELL: J. biol. Ch. **206**, 271 (1954).
[85] WOSILAIT, W. D., and A. NASON: J. biol. Ch. **208**, 785 (1954).

L-α-Glycerophosphatdehydrogenasen.

Von

Walther Lamprecht und Fritz Heinz*.

L-α-Glycerophosphatdehydrogenase.

[1.1.1.8 L-Glycerin-3-phosphat:NAD-Oxydoreductase.]

L-α-Glycerophosphatdehydrogenase katalysiert die DPN-abhängige Dehydrierung von L-α-Glycerophosphat zu Dihydroxyacetonphosphat:

$$\text{L-α-Glycerophosphat} + \text{DPN}^+ \rightleftharpoons \text{Dihydroxyacetonphosphat} + \text{DPNH} + \text{H}^+$$

L-α-Glycerophosphatdehydrogenase (GDH) wurde von v. EULER[1] als DPN+-abhängiges Enzym erkannt. BARANOWSKI[2] konnte 1949 die Dehydrogenase aus einer 1%igen Myogen-A-Lösung kristallisiert darstellen.

Tabelle 1. *Enzymverteilung der L-α-Glycerophosphatdehydrogenase in verschiedenen Organen der Ratte.*

Organ	Enzym-konzentration für männliche Ratten mg/g Trockengewicht	Enzym-konzentration für weibliche Ratten mg/g Trockengewicht	Gesamtgehalt des Organismus		% des Gesamtenzymgehaltes des Körpers	
			männlich mg	weiblich mg	B	A
Skeletmuskel .	0,17	0,2	4,71	5,51	95,0	86,8
Leber	0,06	0,2	0,19	0,76	3,8	12,0
Niere	0,07	0,15	0,04	0,07	0,8	1,1
Gehirn . . .	0,02	0,03	0,01	0,01	0,2	0,1
Dünndarm . .	0,02	Spuren	0,01	Spuren	0,2	—
Herz	Spuren	Spuren	Spuren	Spuren	—	—
Milz	Spuren	Spuren	Spuren	Spuren	—	—
Lunge	Spuren	Spuren	Spuren	Spuren	—	—
Gesamt			4,96	6,35	100	100

Vorkommen und Verteilung. Die Enzymverteilung in der Ratte ist von YOUNG und PACE[3] gemessen worden (Tabelle 1).

---
* Organisch-Chemisches Institut der Technischen Hochschule München.

[1] EULER, H. v., E. ADLER, G. GÜNTHER u. H. HELLSTRÖM: H. **245**, 217 (1937). — EULER, H. v., E. ADLER u. G. GÜNTHER: H. **249**, 1 (1937).
[2] BARANOWSKI, T.: J. biol. Ch. **180**, 535 (1949).
[3] YOUNG, H. L., u. N. PACE: Arch. Biochem. **76**, 112 (1958).

Nach LAMPRECHT und TRAUTSCHOLD[1] enthält Rattenleber 2670 BEE (Enzymeinheiten nach BÜCHER[2]) pro g Frischgewicht, nach HOLZER[3] finden sich in der Rattenleber 60000 Einheiten* pro g Leber/30 sec und 1300 Enzymeinheiten/ml Vollblut/30 sec (der Ratte).

Nach DELBRÜCK[4] setzt 1 g Rattenleber (Frischgewicht) 5000 M Dihydroxyacetonphosphat pro Std um.

Tabelle 2. *Enzymaktivität der L-α-Glycerophosphatdehydrogenase im menschlichen Leberpunktat.*

	BEE/mg Protein	BEE/g Leber
Ohne Befund	7,5	631
Beruhigte chronische Hepatitis	6,4	551
Beruhigte Cirrhose	4,2	324
Aktive chronische Hepatitis	5,6	477
Aktive progrediente Cirrhose	4,1	333
Nekrotischer Schub	2,9	203
Akute Hepatitis	1,6	94
Akute Hepatitis mit cholostatischem Einschlag	2,8	220
Abklingende Hepatitis	5,2	339
Subakute Hepatitis	5,2	417
Zustand nach Hepatitis	4,9	436
Posthepatische Hyperbilirubinämie	8,9	747

LAMPRECHT[5] gibt für den Herzmuskel der Ratte 287 BEE/g Frischgewicht an. Im suffizienten Hundeherzen sind nach LAMPRECHT[5] 133 Enzymeinheiten enthalten, im anoxischen Herzen (akut insuffizient) steigt die Enzymaktivität nach relativ kurzer Zeit auf 200 bis 350 und beim insuffizienten Organ bis auf Werte über 450 BEE an.

Tabelle 3. *Verteilung der L-α-Glycerophosphatdehydrogenase in der Leber der Ratte.*

	Enzym in mg/g Leber	Gesamthomogenat %
Homogenat	0,188	100
Überstand	0,180	95,7
Mitochondrien	0,002	1,1
Mikrosomen	0,001	0,5
Zellkern	0,006	3,2

SCHMIDT u. Mitarb.[6] haben im menschlichen Leberpunktat ausgedehnte Enzymbestimmungen bei verschiedensten pathologischen Stoffwechselstörungen durchgeführt (Tabelle 2).

Nach SCHMIDT u. Mitarb.[6] enthält menschliches Blutserum 0,12 BEE/ml.

YOUNG und PACE[7] haben die Enzymverteilung in der Leber der Ratte analysiert (Tabelle 3).

Die relativ hohe Enzymaktivität der Zellkerne kann durch Anwesenheit nichtzerstörter Leberzellen in dieser Fraktion bedingt sein.

Darstellung. Kristallisierte Enzympräparate können nach BÜCHER u. Mitarb.[2] oder nach BARANOWSKI[8] dargestellt werden. Eine Kristallsuspension aus Kaninchenmuskel ist im Handel (C. F. Boehringer und Söhne, Mannheim).

Eigenschaften. *Aktivitätsmaximum.* Die durch L-α-Glycerophosphatdehydrogenase katalysierte Reduktionsreaktion Dihydroxyaceton→L-α-Glycerophosphat hat bei p_H 7,5

---

* 1 Einheit = E in $1/1000$ Extinktionseinheiten bei $d = 1$ cm und $V = 3$ ml bei 366 mμ und 21—23° C bei optimalen Bedingungen.

[1] TRAUTSCHOLD, T.: Diplom-Arbeit TH München 1956.
[2] BEISENHERZ, G., H. J. BOLTZE, T. BÜCHER, R. CZOK, K. H. GARBADE, E. MEYER-AHRENDT u. G. PFLEIDERER: Z. Naturforsch. 8b, 555 (1953).
[3] HOLZER, H., G. SEDLMAYR u. M. KIESE: B. Z. **328**, 176 (1956).
[4] DELBRÜCK, A., H. SCHIMASSEK, K. BARTSCH u. T. BÜCHER: B. Z. **331**, 297 (1959).
[5] LAMPRECHT, W.: Struktur und Stoffwechsel des Herzmuskels. I. Symposion an der Medizin. Univ. Klinik Münster. S. 75. Stuttgart 1959.
[6] SCHMIDT, E., F. W. SCHMIDT u. E. WILDHIRT: Kli. Wo. **36**, 172, 227, 280, 611 (1958).
[7] YOUNG, H. L., u. N. PACE: Arch. Biochem. **76**, 112 (1958).
[8] BARANOWSKI, T.: J. biol. Ch. **180**, 535 (1949).

das Aktivitätsmaximum. Die Oxydationsreaktion L-α-Glycerophosphat → Dihydroxyacetonphosphat zeigt bei p_H 10,2 ein Maximum an Aktivität.

Substratspezifität. Nur die Substrate Dihydroxyacetonphosphat und L-α-Glycerophosphat werden durch das Enzym umgesetzt.

Coenzymspezifität. Die Spezifität gegen Coenzyme und Coenzymanaloge ist in Tabelle 4 angegeben[1].

Tabelle 4. *Coenzymspezifität der L-Glycerophosphatdehydrogenase (aus Kaninchenmuskel).*

Coenzym bzw. Coenzymanaloge	μM/min/mg Protein	Relative Geschwindigkeit %
DPN^+	29,5	100
Desamino-DPN^+	17,8	60,3
Acetylpyridin-DPN^+	0,057	0,19
Desaminoacetylpyridin-DPN^+	0,026	0,09
Pyridinaldehyd-DPN^+	0,058	0,20
Desaminopyridinaldehyd-DPN^+	0,022	0,075
TPN^+	—	—
4-(Imidazolyl)-DPN^+	—	—
Desamino-4-(1-imidazolyl)-DPN^+	—	—
DPN^+ + Acetylpyridin-DPN^+	24,0	81,4
DPN^+ + Pyridinaldehyd-DPN^+	22,4	75,9
DPN^+ + 4-(1-Imidazolyl)-DPN^+	30,0	101,7

Testbedingung: 20 μM α-Glycerophosphat, 1,5 μM Coenzym, 300 μM Tris, p_H 9,3, in 3,0 ml.

Inhibierung wird mit derselben Konzentration an Coenzym getestet. Ausnahme: 4-(1-Imidazolyl)-DPN, hier wurden 75 μM verwendet.

Stabilität[2]. L-α-Glycerophosphatdehydrogenase ist verhältnismäßig thermolabil, das Enzym verliert 53% seiner Aktivität, wenn es 1 min auf 55° C erwärmt wird. Temperaturerhöhung auf 60° C ist mit vollständiger Inaktivierung verbunden. Die p_H-Stabilität wurde von YOUNG[2] bei 1,5° C und 28° C untersucht. Die Dehydrogenase ist in jedem p_H-Bereich bei 28° C labiler als bei tieferen Temperaturen. Der p_H-Bereich, bei dem das Enzym bei 1,5° C und 28° C am stabilsten ist, liegt bei 5,7. Bei weiterer p_H-Erhöhung sinkt die Stabilität ab und erreicht bei p_H 7,0 ein Minimum, dann steigt die Stabilität wieder an und erreicht bei p_H 8,5 ein zweites Maximum, das jedoch kleiner als das bei p_H 5,7 ist, bei weiterer p_H-Erhöhung sinkt die Stabilität wieder ab.

Verdünnte Enzymlösungen (1 mg/ml) sind bei 1—4° C in 0,2 n $(NH_4)_2SO_4$-Lösung über 2 Wochen stabil. Nach BÜCHER u. Mitarb.[3] hat die Zugabe von inertem Eiweiß (Humanalbumin) einen negativen Einfluß auf die Enzymstabilität.

MICHAELIS-*Konstanten* (s. Tabelle 5).

Tabelle 5. MICHAELIS-*Konstanten der L-α-Glycerophosphatdehydrogenase (aus Kaninchenmuskel).*

Substrat	p_H	K_M	Autor
L-α-Glycerophosphat	7,00	$1,1 \times 10^{-4}$	YOUNG[2]
Dihydroxyacetonphosphat	7,00	$4,6 \times 10^{-4}$	YOUNG[2]
Dihydroxyacetonphosphat	7,42	$2,5 \times 10^{-4}$	YOUNG[2]
DPN^+	7,00	$3,8 \times 10^{-4}$	YOUNG[2]
L-α-Glycerophosphat		$1,25 \times 10^{-3}$	GREEN[4]

---

[1] EYS, J. VAN, B. J. NUENKE and M. K. PATTERSON: J. biol. Ch. **234**, 2308 (1959).
[2] YOUNG, H. L., and N. PACE: Arch. Biochem. **75**, 125 (1958).
[3] BEISENHERZ, G., H. J. BOLTZE, T. BÜCHER, R. CZOK, K. H. GARBADE, E. MEYER-AHRENDT u. G. PFLEIDERER: Z. Naturforsch. **8b**, 555 (1953).
[4] GREEN, D. E.: Biochem. J. **30**, 629 (1936).

Umsatzzahlen. Nach BÜCHER u. Mitarb.[1] ist für das nucleotidhaltige „native" Enzym die Umsatzzahl 5800 M je 70000 g Protein/min bei 25° C, nach YOUNG[2] ist der aus der

Tabelle 6. *Umsatzzahlen der L-α-Glycerophosphatdehydrogenase (aus Kaninchenmuskel).*

Substrat	Umsatzzahl	Temperatur °C	Autor
Dihydroxyacetonphosphat	26500	20	BARANOWSKI[3]
Dihydroxyacetonphosphat	30000	25	BÜCHER u. a.[4]

MICHAELIS-Konstante berechnete Wert 84400 M/min/M Enzym (Molgewicht 173000) bei 22° C. Eine Abhängigkeit der Umsatzzahl von der Temperatur zeigen die Angaben der Tabelle 7.

Bei p_H 9,5 in Gegenwart von Hydrazin und Äthylendiamintetraacetat finden BÜCHER et al.[1] einen Umsatz von 1350 M L-α-Glycerophosphat/70000 g Protein/min. Ohne den Zusatz von Äthylendiamintetraacetat ist der Umsatz 60% dieses Wertes.

Tabelle 7. *Abhängigkeit der Umsatzzahl von der Temperatur* (nach YOUNG u. PACE[2]). (Dihydroxyacetonphosphat-Konzentration $2,0 \times 10^{-4}$, p_H 7,0).

Temperatur (in °C)	Umsatzzahl M/min/M Enzym
3,0	3650
23,1	27000
42,0	90000

Gleichgewichtskonstanten. Die Gleichgewichtskonstante für die Reaktion 1 ist nach YOUNG[2] $5,79 \times 10^{-12}$ M bei 24,5° C. Dieser Wert stimmt mit den Angaben von BURTON[5] überein, der bei verschiedenen Ionenstärken einen Wert von $4,81—6,51 \times 10^{-12}$ M findet. BARANOWSKI[3] findet 7×10^{-12} M und v. EULER[6] gibt für rohe Enzympräparate einen Wert von 1,4, 5,1 und 5×10^{-12} M an.

Nach BURTON[5] ist die Änderung der freien Enthalpie $\Delta G° = 10,24$ kcal. Das Normalpotential bei p_H 7,0: $E_0' = -0,192$ V.

Nucleotidgehalt. Native GDH enthält ein Nucleotid, das sich durch Adsorption an Aktivkohle entfernen läßt. Das Nucleotid scheint für die Enzymaktivität nicht erforderlich zu sein. Nach BÜCHER u. Mitarb.[1] soll es sich hierbei um Adenosindiphosphatribose (ADPR) handeln.

DPNH-Bindung. 70000 g Protein binden nach BÜCHER u. Mitarb.[1] 1 M DPNH. Für das ADP-ribosefreie Enzym wurde derselbe Wert gefunden.

SH-Gruppen (vgl. Tabelle 8).

Tabelle 8. *SH-Gruppen der L-α-Glycerophosphatdehydrogenase (aus Kaninchenmuskel).*

p_H	Mit ADPR	Ohne ADPR	Methode	Autor
7,1	14,8	15,5	p-CMB[8]	BÜCHER et al.[1]
4,6	14,1	16,4	p-CMB[8]	
	3,8 (7,6 Äq. Jod)	2,15 (4,3 Äq. Jod)	Oxydation[9]	VAN EYS[7]

Inhibierung durch SH-Reagentien. Eine Messung der Blockierung der SH-Gruppen des Enzymes durch Sulfhydrylreagentien stammt von VAN EYS[7] (Tabelle 9).

---

[1] ANKEL, H., T. BÜCHER u. R. CZOK: B. Z. **332**, 31 (1960).
[2] YOUNG, H. L., u. N. PACE: Arch. Biochem. **75**, 125 (1958).
[3] BARANOWSKI, T.: J. biol. Ch. **180**, 535 (1949).
[4] BEISENHERZ, G., H. J. BOLTZE, T. BÜCHER, R. CZOK, K. H. GARBADE, E. MEYER-AHRENDT u. G. PFLEIDERER: Z. Naturforsch. **8b**, 555 (1953).
[5] BURTON, K., u. T. WILSON: Biochem. J. **54**, 86 (1953).
[6] EULER, H. v., E. ADLER, G. GÜNTHER u. H. HELLSTRÖM: H. **245**, 217 [1937]; EULER, H. v., E. ADLER u. G. GÜNTHER: H. **249**, 1 (1937).
[7] EYS, J. VAN, B. J. NUENKE and M. K. PATTERSON: J. biol. Ch. **234**, 2308 (1959).
[8] BOYER, P. D.: Am. Soc. **76**, 4331 (1954).
[9] CUNNINGHAM, L. W., u. B. J. NUENKE: J. biol. Ch. **234**, 1447 (1959).

Tabelle 9. *Hemmung der L-α-Glycerophosphatdehydrogenase (aus Kaninchenmuskel).*

SH-Reagentien	Konzentration Mol	Geschwindigkeit E_{340}/min	Inhibierung in %
0	—	0,112	
p-Chlormercuribenzoat (p-CMB)	1×10^{-4}	0,000	100
p-Chlormercuribenzoat (p-CMB)	1×10^{-5}	0,007	93
N-Äthylmaleinimid	1×10^{-4}	0,000	100
N-Äthylmaleinimid	1×10^{-5}	0,016	86
Jodacetat	1×10^{-4}	0,086	23

Beim mit Aktivkohle vorbehandelten Enzym sind die Werte gleich. 1 M p-Chlormercuribenzoat inhibiert 1 M Enzym vollständig.

Absorptionsspektren[1]. Extinktionskoeffizient bei 280 mµ: 0,63 (cm²/g) (nativ), 0,53 (cm²/g) (kohlebehandelt).

Quotient 280/260 mµ: 1,1 (nativ), 1,6 (kohlebehandelt).

Sedimentationskonstanten (s. Tabelle 10).

Tabelle 10. *Sedimentationskonstanten der L-α-Glycerophosphatdehydrogenase (aus Kaninchenmuskel).*

$S_{20,W}$	Molekulargewicht	Autor
$6,5 \times 10^{-13}$ sec	173 000	YOUNG[2]
$4,9 \times 10^{-13}$ sec	78 000	VAN EYS[3]
$4,94 \times 10^{-13}$ sec	70 000	BÜCHER et al.[1]

Bestimmung der L-α-Glycerophosphatdehydrogenase-Aktivität nach BEISENHERZ u. Mitarb.[4]

Prinzip:

Dihydroxyacetonphosphat wird mit DPNH zu L-α-Glycerophosphat reduziert, die Änderung der DPNH-Extinktion bei 366 mµ in der Zeiteinheit dient als Meßgröße.

Reagentien:

1. 0,05 m Triäthanolaminpuffer, p_H 7,6.
2. DPNH-Lösung, 10 mg/ml.
3. Triosephosphorsäureester (0,02 m an Dihydroxyacetonphosphat).

Ausführung:

In eine 10 mm-Küvette werden nacheinander 2,9 ml Triäthanolaminpuffer, 0,05 ml DPNH, 0,05 ml Triosephosphorsäureester pipettiert.

Start: 0,01—0,04 ml Glycerophosphatdehydrogenase (1000—2000 BEE/ml).

Die Reaktion wird durch Zugabe des Enzymes gestartet. Nachdem die Extinktion um etwa $E = 0,050$ abgelaufen ist, stoppt man die Zeit für eine weitere Extinktionsänderung von genau 0,100.

Bemerkung. Eine Triosephosphorsäureesterlösung (TPE) ist im Handel (Firma C. F. Boehringer und Soehne), diese Lösung ist ungefähr 0,02 m an Dihydroxyacetonphosphat. An Stelle der TPE-Lösung können auch reine Dihydroxyacetonphosphatlösungen verwendet werden.

Eine Möglichkeit, Dihydroxyaceton in der Küvette zu bilden, bietet die Kopplung mit der Aldolasereaktion, Substrat ist Fructose-1,6-diphosphat. Der Umsatz der Aldolasereaktion muß so groß dimensioniert sein, daß die Reduktion des Dihydroxyacetonphosphats geschwindigkeitsbestimmend bleibt.

---

[1] ANKEL, H., T. BÜCHER u. R. CZOK: B. Z. **332**, 31 (1960).
[2] YOUNG, H. L., u. N. PACE: Arch. Biochem. **75**, 125 (1958).
[3] EYS, J. VAN, B. J. NUENKE and M. K. PATTERSON: J. biol. Ch. **234**, 2308 (1959).
[4] BEISENHERZ, G., H. J. BOLTZE, T. BÜCHER, R. CZOK, K. H. GARBADE, E. MEYER-AHRENDT u. G. PFLEIDERER: Z. Naturforsch. **8b**, 555 (1953).

Enzymeinheiten. Eine Enzymeinheit nach Bücher[1] ist die Enzymmenge, die bei 25° C die DPNH-Extinktion bei 366 mµ in 100 sec um 0,100 ändert, bezogen auf 1 ml und die 10 mm-Küvette.

L-α-Glycerophosphat-Oxydase.

[1.1.2.1 L-Glycerin-3-phosphat: Cytochrom c-Oxydoreductase.]

(Cytochrom c-abhängige Glycerophosphatdehydrogenase, Greensche Oxydase.)

L-α-Glycerophosphat-Oxydase katalysiert mit dem intakten Enzymsystem der Atmungskette unter Sauerstoffaufnahme die direkte Oxydation von L-α-Glycerophosphat zu Dihydroxyacetonphosphat:

$$\text{L-}\alpha\text{-Glycerophosphat} + {}^1/_2\,O_2 \to \text{Dihydroxyacetonphosphat} + H_2O$$

Die sauerstoffabhängige Oxydation von L-α-Glycerophosphat wurde bereits 1919 von Meyerhof[2] beschrieben. Durch Zerreiben von Mitochondrien aus Kaninchenmuskel mit Seesand konnte Green[3] an Zellpartikel gebundene L-α-Glycerophosphat-Oxydase isolieren. Tung, Anderson und Lardy[4] haben die Oxydase mit Natriumdesoxycholat aus Mitochondrien extrahiert und weiter angereichert. Solche Enzympräparate stellen keine wahren Lösungen dar, wie auch die von Ting[5] aus Acetontrockenpulver durch tryptische Verdauung in Anwesenheit von Desoxycholat erhaltenen Präparate strukturgebundene Enzymfraktionen sind. Ringler und Singer[6,7] erhielten durch Einwirkung von Lecithinase A auf Acetontrockenpulver von Gehirnmitochondrien des Schweines L-α-Glycerophosphat-oxydase in wahrer Lösung. L-α-Glycerophosphat-Oxydase kann daraus durch fraktionierte Ammoniumsulfatfällung angereichert werden.

Vorkommen und Verteilung. L-α-Glycerophosphat-Oxydase ist in Mitochondrien lokalisiert.

Tabelle 11. *Enzymverteilung der L-α-Glycerophosphat-Oxydase in verschiedenen Organen des Kaninchens* (nach Green und Ogston[8]).

L-α-Glycerophosphat als Q_{O_2}/mg Trockengewicht pro Std in Gegenwart von 1,5 mg Methylenblau, $T = 38°$ C.

Gehirn . .	3,82	Herz . .	0,79	Niere . .	2,42	Darm . .	0,88
Muskel . .	2,72	Leber . .	2,66	Lunge . .	1,43		

Nach Bücher et al.[9,10] ist die Oxydase das Schlüsselenzym in dem von ihm entdeckten Glycerin-1-P-Cyclus.

In Tabelle 12 sind einige Daten zusammengestellt, welche die potentielle, relative Bedeutung des Glycerin-1-P-Cyclus in verschiedenen Organen zeigen. Die Glycerin-1-P-Atmung von Mitochondrien ist auf den Cytochrom c-Gehalt bezogen.

Wagner, Meyerrichs und Sparaco[11] beschrieben eine hohe L-α-Glycerophosphat-Oxydase-Aktivität in Leukocyten. Im Flugmuskel der Heuschrecke *(Locusta migratoria)* betätigt L-α-Glycerophosphat-Oxydase den Wasserstofftransport vom cytoplasmatischen in den mitochondrialen Raum (Bücher[10]).

---

[1] Beisenherz, G., H. J. Boltze, T. Bücher, R. Czok, K. H. Garbade, E. Meyer-Arendt u. G. Pfleiderer: Z. Naturforsch. 8b, 555 (1953).
[2] Meyerhof, O.: Pflügers Arch. 175, 10 (1919).
[3] Green, D. E.: Biochem. J. 30, 629 (1936).
[4] Tung, T. C., L. Anderson and H. A. Lardy: Arch. Biochem. 40, 194 (1952).
[5] Ting, S. M., and C. C. Tung: Tai-wan I Hsüeh Hui Tsa Chih 56, 132 (1957) [Chem. Abstr. 52, 2109 (1958)].
[6] Ringler, R. L., and T. P. Singer: Fed. Proc. 18, 297 (1958).
[7] Ringler, R. L., and T. P. Singer: Biochim. biophys. Acta 29, 661 (1958).
[8] Green, D. E., and F. J. Ogston: Biochem. J. 29, 1983 (1935).
[9] Klingenberg, M.: 11. Mosbacher Coll. S. 82 (1961).
[10] Zebe, E., A. Delbrück u. T. Bücher: B. Z. 331, 254 (1959).
[11] Wagner, R., N. Meyerrichs and R. Sparaco: Arch. Biochem. 61, 278 (1956).

Tabelle 12. *Glycerin-1-P-Atmung* (nach KLINGENBERG und BÜCHER[1]).

	Leber	Skelet-muskel	Herz	Hirn	Flug-muskel
Cytochrom c „turnover" 10^3/Std Atmung der Mitochondrien mit Glycerin-1-P . .	3,8	17	0,6	17	56
Mol O_2/Std/g Frischgewicht Maximale Gewebsatmung mit Glycerin-1-P, berechnet mit Cytochrom c-Gehalt.	16	42	6	34	1000

Darstellung. Angaben zur Anreicherung des Enzymes sind noch unvollständig, RINGLER und SINGER[2,3] konnten in letzter Zeit die Oxydase in löslicher Form gewinnen, verweisen aber dabei auf eine noch nicht veröffentlichte Anreicherungsmethode[4]. An Partikel gebundene Enzympräparate können nach TUNG, ANDERSON und LARDY[5], LING[6,7] und TING[8] hergestellt werden.

Eigenschaften.
p_H-Optimum. s. Tabelle 13.

Tabelle 13. *p_H-Optimum der L-α-Glycerophosphat-Oxydase (aus Mitochondrien aus Kaninchenmuskel) mit verschiedenen Elektronenacceptoren.*

Elektronenacceptor	Optimum	Autor	Bemerkung
Methylenblau . . .	7,5—10	GREEN[9]	strukturgebunden
Methylenblau . . .	7,9	RINGLER und SINGER[2,3]	löslich
Phenazinmethosulfat	7,7	RINGLER und SINGER[2,3]	löslich

MICHAELIS-*Konstanten* (vgl. Tabelle 14).

Tabelle 14. *MICHAELIS-Konstanten der L-Glycerophosphat-Oxydase (aus Mitochondrien aus Kaninchenmuskel).*

Elektronenacceptor	p_H	K_M	Autor	Bemerkungen
Methylenblau				
hohe Konzentration . . .	7,2	1×10^{-2}	GREEN[9]	strukturgebunden
niedrige Konzentration .	7,2	1×10^{-3}	GREEN[9]	strukturgebunden
Phenazinmethosulfat. . . .	7,7	$6,7 \times 10^{-3}$	RINGLER und SINGER[2,3]	löslich

Enzymspezifität. Angereicherte Enzympräparate zeigen mit folgenden Substraten keine Sauerstoffaufnahme: L-β-Glycerophosphat, D-α-Glycerophosphat, Glycerin, 2-Phosphoglycerat und 3-Phosphoglycerat.

Elektronenacceptoren. Enzympräparate katalysieren bei intakter Atmungskette die sauerstoffabhängige Oxydation des Substrates, dabei wird das Cytochromsystem der Atmungskette vollständig reduziert[1]. Bei der Anreicherung der Oxydase geht diese

---

[1] KLINGENBERG, M.: 11. Mosbacher Coll. S. 82 (1961).
[2] RINGLER, R. L., and T. P. SINGER: Fed. Proc. 18, 297 (1958).
[3] RINGLER, R. L., and T. P. SINGER: Biochim. biophys. Acta 29, 661 (1958).
[4] RINGLER, R. L., and T. P. SINGER: J. biol. Ch. 234, 2211 (1959).
[5] TUNG, T. C., L. ANDERSON and H. A. LARDY: Arch. Biochem. 40, 194 (1952).
[6] LING, K. H., S. M. TING u. T. C. TUNG: Tai-wan I Hsüeh Hui Tsa Chih 57, 232, 277 (1958) [Chem. Abstr. 53, 8220 (1959)].
[7] LING, K. H., C. C. TUNG u. L. T. CHANG: Tai-wan I Hsüeh Hui Tsa Chih 57, 347 (1958) [Chem. Abstr. 53, 13222 (1959)].
[8] TING, S. M., and C. C. TUNG: Tai-wan I Hsüeh Hui Tsa Chih 56, 132 (1957) [Chem. Abstr. 52, 2109 (1958)].
[9] GREEN, D. E.: Biochem. J. 30, 629 (1936).

Fähigkeit verloren. Analoges Verhalten zeigen diese Präparate gegen Cytochrom c, nach TUNG[1] reduzieren nur unreine Enzympräparationen Cytochrom c.

An die Stelle der physiologischen Elektronenacceptoren können Farbstoffe wie Methylenblau, Phenazinmethosulfat, Indophenol als primäre Elektronenacceptoren treten. BÜCHER diskutiert bei einem P/O-Quotienten von 2 einen primären Elektronenacceptor, der beim Flavinadenindinucleotid und Cytochrom b liegt.

Auf Grund der Beeinflussung der L-α-Glycerophosphat-oxydation durch eine gleichzeitig ablaufende Succinatoxydation nehmen RINGLER und SINGER[2] Cytochrom b als primären Elektronenacceptor an. Nach RINGLER und SINGER[2] ändert sich bei Zugabe von L-α-Glycerophosphat das bei 412 mμ beobachtete Absorptionsmaximum.

Inhibitoren und Aktivatoren. Wenn Farbstoffe als Elektronenacceptoren fungieren, erhöhen Natriumazid und Kaliumcyanid die Enzymaktivität. Nach Cyanidzusatz bleibt die Sauerstoffaufnahme über einen längeren Zeitraum linear.

Das Reaktionsprodukt, Dihydroxyacetonphosphat, inhibiert in hoher Konzentration die L-α-Glycerophosphat-oxydation. Jodacetat u. a. SH-gruppenblockierende Substanzen haben auf die Oxydationsrate einen negativen Einfluß. Ferner wird eine Hemmung mit Äthylurethan, Octylalkohol oder mit 3-Phospho-D-glycerinsäure beobachtet.

Bestimmung der L-α-Glycerophosphat-Oxydase-Aktivität bei intakter Atmungskette nach RINGLER und SINGER[2].

L-α-Glycerophosphat wird mit Sauerstoff nach folgender Gleichung zu Dihydroxyacetonphosphat oxydiert:

$$\text{L-}\alpha\text{-Glycerophosphat} + 1/_2\,O_2 \rightarrow \text{Dihydroxyacetonphosphat} + H_2O$$

Reagentien:
1. $9,6 \times 10^{-2}$ m L-α-Glycerophosphat.
2. 0,1 m Phosphatpuffer, pH 7,6.
3. Cytochrom c-Lösung, 6,3 mg/ml.
4. Mitochondriensuspension in isotoner Saccharose (etwa 6 mg/ml).

Ausführung:

Testansatz. Die Aktivitätsbestimmung erfolgt in WARBURG-Gefäßen. Trog: 0,5 ml L-α-Glycerophosphat, 1,5 ml Phosphatpuffer, 0,2 ml Cytochrom c-Lösung, 0,65 ml Wasser. Seitenarm: 0,15 ml Mitochondriensuspension. Temperatur: 38° C.

Nach Vorinkubation bei 38° C werden die beiden Lösungen vereinigt und die Sauerstoffaufnahme über 20 min bestimmt. Die Enzymaktivität wird aus dem linearen Anteil der Aktivitätskurve bestimmt.

Bestimmung der L-α-Glycerophosphat-Oxydase-Aktivität bei geschädigter Atmungskette nach TUNG, ANDERSON und LARDY[1].

Methylenblautest.

Prinzip:

a) L-α-Glycerophosphat + Methylenblau → Dihydroxyacetonphosphat + Leukomethylenblau
b) Leukomethylenblau + O_2 → Methylenblau + H_2O_2

Reagentien:
1. D,L-α-Glycerophosphat.
2. Methylenblau.

Ausführung:

Die Testung erfolgt im WARBURG-Apparat bei 37° C.

Jedes Gefäß enthält in einem Gesamtvolumen von 3 ml: Enzym (1,5—2 mg Stickstoff); 0,6 mM D,L-α-Glycerophosphat und 0,02 mM Methylenblau. Die Sauerstoffauf-

---

[1] TUNG, T. C., L. ANDERSON and H. A. LARDY: Arch. Biochem. **40**, 194 (1952).
[2] RINGLER, R. L., and T. P. SINGER: Biochim. biophys. Acta **29**, 661 (1958).

nahme wird in Abhängigkeit von der Zeit gemessen, die Aktivität aus dem geraden Teil der Sauerstoffaufnahme-Zeitkurve bestimmt.

Phenazinmethosulfat-Methode nach SINGER u. *Mitarb.*[1].

SINGER und RINGLER[1] haben für die Bestimmung von L-α-Glycerophosphat-Oxydase eine Methode mit Phenazinmethosulfat beschrieben. Der Farbstoff kann nach SINGER und KEARNEY[2] dargestellt werden, er besitzt als Elektronenacceptor bessere Eigenschaften als Methylenblau (Reaktionsmechanismus ähnlich dem von Methylenblau).

Testansatz (nach RINGLER und SINGER[1]). Die Bestimmung wird in WARBURG-Gefäßen durchgeführt. Der Bestimmungsansatz enthält pro ml folgende Endkonzentrationen: 0,5 mg Farbstoff, 1 ml 5×10^{-2} m Phosphatpuffer, p_H 7,6; 10^{-3} m Cyanid und $1,6 \times 10^{-2}$ m L-α-Glycerophosphat. Temperatur: 38° C. Der Farbstoff befindet sich im Seitenarm. Nach Einstellung des Temperaturgleichgewichts wird der Farbstoff eingekippt und die Sauerstoffaufnahme zwischen der 2. und 7. min gemessen.

Enzymeinheiten. Die Angabe der Enzymaktivität erfolgt als

$$Q_{O_2}^N = \mu l\ O_2/mg\ \text{Stickstoff in der Std.}$$

Das Prolinoxydase-System.

Von

Konrad Lang*.

NEBER[3] hatte als erster nachgewiesen, daß L-Prolin im tierischen Organismus in L-Glutaminsäure übergeführt wird. Bei dieser Umwandlung sind zwei Pyridinenzyme beteiligt. Das erste bewirkt eine Dehydrierung von L-Prolin zu Δ^1-Pyrrolin-5-carbonsäure und arbeitet mit DPN. Es wurde von STRECKER und MELA[4] sowie von SMITH und GREENBERG[5] in der Rattenleber aufgefunden. Es wurde weiterhin in *E. coli*[4] nachgewiesen. In *Neurospora* wurde ein analoges, mit TPN oder DPN arbeitendes Enzym festgestellt[6]. Das zweite Enzym, die Δ^1-Pyrrolin-5-carbonsäure-Dehydrogenase[7], dehydriert die Δ^1-Pyrrolin-5-carbonsäure (bzw. vielleicht den mit ihr in einem Gleichgewicht stehenden γ-Glutaminsäurehalbaldehyd) zu Glutaminsäure. Diese Dehydrogenase wurde aus Acetontrockenpulver von Rinderleber dargestellt. Näheres über diese beiden Dehydrogenasen findet man in dem Beitrag MOHN, S. 733 ff.

1932 teilten F. BERNHEIM und M. L. C. BERNHEIM[8] mit, daß Präparationen aus Leber und Niere Prolin und Hydroxyprolin unter Aufnahme von Sauerstoff oxydieren. Diese Befunde wurden von LANG[9] bestätigt, der das dabei beteiligte Enzymsystem Prolinoxydase nannte. Er stellte fest, daß die Prolinoxydase an die unlöslichen Zelltrümmer gebunden ist und daß bei der Oxydation von 1 Mol. L-Prolin 1 Atom Sauerstoff aufgenommen wird. LANG und SCHMID[10] fanden, daß bei der Oxydation keine Desaminierung

---

* Physiologisch-Chemisches Institut der Universität Mainz.

[1] RINGLER, R. L., and T. P. SINGER: J. biol. Ch. **234**, 2211 (1959).
[2] SINGER, T. P., u. E. B. KEARNEY: Meth. biochem. Analysis **4**, 307 (1957).
[3] NEBER, M.: H. **240**, 70 (1936).
[4] STRECKER, H. M., and P. MELA: Biochim. biophys. Acta **17**, 580 (1955).
[5] SMITH, M. E., and D. M. GREENBERG: Nature **177**, 1130 (1955).
[6] YURA, T., and H. J. VOGEL: Biochim. biophys. Acta **17**, 582 (1955).
[7] STRECKER, H. J.: J. biol. Ch. **235**, 3218 (1960).
[8] BERNHEIM, F., and M. L. C. BERNHEIM: J. biol. Ch. **96**, 325 (1932); **106**, 79 (1934).
[9] LANG, K.: Kli. Wo. **1943**, 529.
[10] LANG, K., u. G. SCHMID: B. Z. **322**, 1 (1951).

erfolgt. Sie konnten als Reaktionsprodukt γ-Glutaminsäurehalbaldehyd als Dinitrophenylhydrazon isolieren. γ-Glutaminsäurehalbaldehyd steht mit Δ^1-Pyrrolin-5-carbonsäure in einem nichtenzymatischen Gleichgewicht[1], das nahezu vollständig auf seiten der cyclischen Verbindung gelegen ist, die als primäres Dehydrierungsprodukt des L-Prolins entsteht.

Reaktionsprodukt bei der Einwirkung der Prolinoxydase auf L-Hydroxyprolin ist der γ-Hydroxyglutaminsäurehalbaldehyd[2].

K. Lang und H. Lang[3] stellten später fest, daß die Prolinoxydase ein Multienzymsystem ist, das aus Partikelchen besteht, in denen die Prolindehydrogenase fest an das terminale Elektronentransportsystem gebunden ist. Zusammensetzung und Eigenschaften der Prolin oxydierenden Partikelchen entsprechen völlig denen der ,,Elektronen transportierenden Partikelchen". Die Prolin oxydierenden Partikelchen enthalten immer auch den Succinoxydase-Komplex.

Darstellung des Prolinoxydase-Systems nach K. Lang und H. Lang[3].

Als Ausgangsmaterial dient das ,,Cyclophorase-System" aus Rattenleber, von dem Taggart und Krakauer[4] nachgewiesen hatten, daß es L-Prolin und L-Hydroxyprolin vollständig zu H_2O, CO_2 und NH_3 zu oxydieren vermag. Albinoratten von etwa 150 bis 200 g Gewicht wurden durch Genickschlag getötet, durch Auftrennen der Carotis entblutet, 40 g Leber rasch entnommen, gewogen und sofort in eisgekühlte 0,9%ige KCl-Lösung, enthaltend 0,2% Versen, p_H 8,0 (weiterhin als KCl-Lösung abgekürzt), eingeworfen. Nach Befreien von Fremdgewebe wurden die Lebern im Ganzglas-Homogenisator von Hand, danach maschinell mit etwa 10000 U/min homogenisiert. Alle Arbeitsgänge im Kühlraum mit zusätzlicher Eiskühlung. Das Homogenat wurde durch eine Lage feinen Perlongewebes getrieben, mit KCl-Lösung auf 200 ml verdünnt und 20 min bei $2000 \times g$ zentrifugiert. Der Überstand wurde dekantiert, das Sediment von den unten angesammelten Erythrocyten abgehoben, mit KCl-Lösung homogenisiert und nach Verdünnen auf 100 ml wieder zentrifugiert. Diese Operation wurde noch einmal wiederholt und das letzte Sediment in KCl-Lösung homogenisiert = Cyclophorase-Präparat. Die Cyclophorase-Suspension wurde in ein Glasrohr von 8 cm Länge und 4 cm Durchmesser, das unten mit einer 0,35 mm starken Gummimembran dicht verschlossen war, eingefüllt, mit KCl-Lösung und 5 ml 0,05 m Phosphatpuffer, p_H 7,7, randvoll gemacht und mit einer gleichen Membran oben verschlossen. Mit einer Injektionsspritze wurde durch die Membran KCl-Lösung eingespritzt, bis keine Luftblasen mehr vorhanden und innen ein geringer Überdruck vorhanden war, danach das Loch mit wasserfestem Klebstoff verschlossen. Die gut durchgekühlte Cuvette wurde auf einem vierbeinigen Glasgestell, das einen festen Bodenabstand von 3 cm sicherte, in den Glasaufsatz des Ultraschall-Kopfes gebracht (Gerät T 200 der Fa. Dr. Lehfeldt & Co., Heppenheim-B., Frequenz 800 kHz, strahlende Fläche des Quarzes 20 cm²), gut mit zerkleinertem Eis umgeben und 30 min mit 15 W/cm² (Stufe 3) beschallt, wobei die Kühlung (auch unter der Cuvette mußte die Wärme abgeführt werden) über den Erfolg entschied. Danach wurde die Cuvette geöffnet, der Inhalt mit KCl-Lösung ad 100 ml homogenisiert und 30 min bei $2000 \times g$ zentrifugiert. Der rote, schwach durchscheinende Überstand wurde durch ein Filter (Schl. & Sch. Nr. 604) vom hellen Sediment abgegossen und 1 Std bei $41000 \times g$ zentrifugiert (Spinco-Ultrazentrifuge, Modell L, Rotor Nr. 40, 25000 U/min), der hellrote, klare Überstand verworfen und das Sediment in 40 ml 0,05 m Phosphat, p_H 7,7, in 30%iger Rohrzuckerlösung oder in 0,9%iger KCl-Lösung, p_H 7,0, homogenisiert. Aufbewahrung über längere Zeit in Kunststoff-Flasche bei —15° C, mehrfaches Einfrieren und Auftauen zerstörten die Aktivität.

---

[1] Vogel, H. J., and B. Davis: Am. Soc. 74, 109 (1951).
[2] Lang, K., u. U. Mayer: B. Z. 324, 237 (1953).
[3] Lang, K., u. H. Lang: B. Z. 329, 577 (1958).
[4] Taggart, J. V., and R. B. Krakauer: J. biol. Ch. 177, 641 (1949).

Anreicherungsversuche durch Fällung: Es wurde versucht, mit den klassischen Methoden aus den Ultraschall-Lösungen das Enzym anzureichern. Protaminsulfat-Fällung, Ammoniumsulfat-Fällung (das Enzym konnte zwischen 30 und 50% Sättigung mit 80% Ausbeute ohne Erhöhung der spez. Aktivität gefällt werden) und isoelektrische Fällung hatten keinen Erfolg. Auch an Suspensionen der Partikel wurde noch einmal untersucht, ob durch Fällung abtrennbares, inaktives Material vorhanden war; durch Fraktionierungsversuche mit Ammoniumsulfat und Aceton konnte die spez. Aktivität nicht, mit Alkohol um etwa 10% erhöht werden.

Messung der Aktivität nach K. Lang und H. Lang[1].

Die Messung der Aktivität kann manometrisch oder durch Methylenblauentfärbung entsprechend der Technik von Thunberg erfolgen. Bei der empfehlenswerteren manometrischen Bestimmung geht man folgendermaßen vor:

Reagentien:
1. 0,5 m Phosphatpuffer, p_H 8,0.
2. 0,05 m L-Prolin.
3. 0,2 n NaOH.
4. DPN 1 μM.
5. Das oben beschriebene Enzympräparat.

Ausführung:

Die Normalansätze enthalten, in folgender Reihenfolge in den Hauptraum einpipettiert: 0,5 ml 0,5 m Phosphatpuffer, p_H 8,0; 0,5 ml 0,05 m L-Prolin; 1,0—2,0 ml Enzymsuspension, Wasser ad 3,0 ml. Im Nebenraum: 0,2 ml 2 n NaOH. Die Gefäße werden mit den Manometern verbunden, mit offenem Hahn 5 min im Thermostaten ($37 \pm 0,5°C$) inkubiert, dann alle Hähne geschlossen und von dieser Zeit Null ab alle 5 min abgelesen. Die Enzymeinheit wurde definiert: 1 E_w = Aufnahme von 1 μM O_2 in den ersten 30 min der Reaktion. Bis zu diesem Zeitpunkt war die O_2-Aufnahme noch hinreichend genau der Zeit proportional. Der Fehler der Meßwerte betrug $\pm 12\%$.

Vorkommen und Eigenschaften des Prolinoxydase-Systems. Prolinoxydase wurde in Leber und Niere von Ratte, Maus, Meerschweinchen, Kaninchen, Hund und Katze nachgewiesen[2].

Tabelle 1. *Zusammensetzung der das Prolinoxydase-System enthaltenden Partikel*[1].

Lipide	rund 35%
Gesamt-Fe	10×10^{-3} μAtome/mg Protein
Nicht-Hämin-Fe	7×10^{-3} μAtome/mg Protein
Cu	$0,9 \times 10^{-3}$ μAtome/mg Protein
Flavin	$0,5 \times 10^{-3}$ μM/mg Protein
Hämine	$2,4 \times 10^{-3}$ μM/mg Protein

Die Präparate sind praktisch frei von Nucleotiden. Durch Inkubation mit Trypsin wird die Aktivität bezüglich Sauerstoffaufnahme rasch völlig zerstört, im Thunberg-Versuch bleibt die Aktivität teilweise erhalten. Behandlung mit RN-ase ergibt keine Beeinträchtigung der Enzymwirksamkeit.

Das p_H-Optimum ist scharf bei 7,8 gelegen. K_M für L-Prolin beträgt $3,1 \times 10^{-3}$ m.

Bezogen auf L-Prolin = 100, ergaben sich mit L-Hydroxyprolin 35%, mit D-Prolin 26% der Aktivität[1]. Außerdem wird noch Pipecolinsäure angegriffen[3]. Im manometrischen Test ergeben die Partikelchen noch Enzymaktivitäten mit L-Citrullin, L-Glutaminsäure, Succinat und Glycerophosphat. Keine Enzymaktivitäten ergaben sich bei den folgenden Substraten: Malat, α-Ketoglutarat, Pyruvat und Glucose-6-phosphat[1].

Angaben über Hemmstoffe finden sich in der Tabelle 2.

---
[1] Lang, K., u. H. Lang: B. Z. **329**, 577 (1958).
[2] Bernheim, F., and M. L. C. Bernheim: J. biol. Ch. **106**, 79 (1934).
[3] Lang, K., u. G. Schmid: B. Z. **322**, 1 (1951).

Tabelle 2. *Hemmstoffe des Prolinoxydase-Systems*[1].

Hemmstoff	Endkonzentration	WARBURG-Methode % Hemmung	THUNBERG-Methode % Hemmung
Cu^{++}	10^{-2} m	Fällung	0
Cu^{++}	10^{-3} m	100	0
Cu^{++}	10^{-4} m	47,22	0
Cu^{++}	10^{-5} m	25	—
Ag^+	10^{-3} m	Fällung	
Ag^+	10^{-4} m	100	53
Ag^+	10^{-5} m	43	3
Salyrgan	10^{-3} m	100	100
Salyrgan	10^{-4} m	77	54
Salyrgan	10^{-5} m	26	4
Salyrgan	10^{-3} m + 10^{-2} m BAL*	100	nicht genau zu messen, etwa 0
Salyrgan	10^{-3} m + 10^{-4} m BAL	95	—
Salyrgan	10^{-3} m + 10^{-2} m Glutathion	49	35
Glutathion	10^{-2} m	47	15
BAL	10^{-2} m	74	nicht meßbar
BAL	10^{-3} m	41	32
BAL	10^{-4} m	20	0
BAL	10^{-5} m	—	2
Antimycin A	3 µg/ml	72	23
Antimycin A	0,3 µg/ml	62	18
KCN	10^{-3} m	100	38
KCN	10^{-4} m	55	23
o-Phenanthrolin	10^{-3} m	46	—
8-Oxychinolin	10^{-3} m	37	—
Na-desoxycholat	8×10^{-3} m	—	100

* BAL und Gluthathion wurden vor Salyrgan-Zugabe mit dem Enzym inkubiert.

Pyridine nucleotide transhydrogenases.
[1.6.1.1 $NADPH_2$:NAD oxidoreductase.]

By

H. G. Williams-Ashman and Shutsung Liao*.

Introduction. The existence of enzymes which catalyze the direct transfer of hydrogen between TPNH and DPN was adumbrated by BALL[2] in 1941. 11 years later, KAPLAN,

---

Abbreviations: DPN = diphosphopyridine nucleotide; TPN = triphosphopyridine nucleotide; desamino DPN = the hypoxanthine analogue of diphosphopyridine nucleotide; desamino TPN = the hypoxanthine analogue of triphosphopyridine nucleotide; acetylpyridine DPN = the 3-acetylpyridine analogue of DPN; pyridinealdehyde DPN = the pyridine-3-aldehyde analogue of DPN; thionicotinamide DPN = the thionicotinamide analogue of DPN; acetylpyridine TPN = the 3-acetylpyridine analogue of TPN; NMN = nicotinamide mononucleotide; NR = ribosyl nicotinamide. The symbol "H" (e.g. DPNH, TPNH, etc.) refers to the corresponding dihydro forms of these nucleotids.

* The Ben May Laboratory for Cancer Research and Department of Biochemistry, The University of Chicago, Chicago 37, Illinois, USA.

[1] LANG, K., u. H. LANG: B. Z. **329**, 577 (1958).
[2] BALL, E. G.; in: A Symposium on Respiratory Enzymes (O. MEYERHOF, ed.), p. 40. University of Wisconsin Press, Madison, Wisconsin. 1941.

COLOWICK and their collaborators[1, 2] discovered such an enzyme in *Pseudomonas fluorescens* which they designated pyridine nucleotide transhydrogenase. Enzymes of this class have since been found in some animal[3-9] and plant[10] tissues, and in various micro-organisms[1, 11]. The pyridine nucleotide transhydrogenases of *Pseudomonas fluorescens*[1] and of spinach[10] are soluble enzymes, while the animal transhydrogenases appear to be confined to the mitochondria and microsomes[4, 5, 8, 9]. The highest levels of transhydrogenase in animal tissues are located in the mitochondria of heart, kidney and liver[4, 8].

The *specificity* for donor and acceptor nucleotides varies greatly among various pyridine nucleotide transhydrogenases. KAPLAN et al.[1, 2, 12] showed that the purified transhydrogenase of *Pseudomonas fluorescens* catalyzes the following reactions:

$$TPNH + DPN^+ \rightarrow TPN^+ + DPNH \tag{1}$$
$$DPNH + desaminoDPN^+ \rightarrow DPN^+ + desaminoDPNH \tag{2}$$
$$TPNH + desaminoDPN^+ \rightarrow TPN^+ + desaminoDPNH \tag{3}$$
$$TPNH + desaminoTPN^+ \rightarrow TPN^+ + desaminoTPNH \tag{4}$$
$$TPNH + NMN^+ \rightarrow TPN^+ + NMNH \tag{5}$$
$$DPNH + NMN^+ \rightarrow DPN^+ + NMNH \tag{6}$$
$$TPNH + NR^+ \rightarrow TPN^+ + NRH. \tag{7}$$

With the *Pseudomonas* enzyme reaction (*1*) is poorly reversible and reduction of TPN by DPNH (back reaction) can be demonstrated only if the concentration of TPN and inorganic phosphate is low. But reaction (*1*) proceeds readily from right to left in the presence of 2′-adenylic acid, or 2′,5′-diphosphoadenosine, or 2′-phosphoadenosine diphosphate[12]. In the presence of inorganic phosphate, 2′-adenylic acid promotes the completeness of the oxidation of TPNH by DPN. Reactions (*2*) and (*6*) barely proceed in the absence of 2′-adenylic acid, while the latter nucleotide has little influence on reactions (*3*), (*4*) and (*5*). 2′-Adenylic acid affects the *Pseudomonas* transhydrogenase in two ways: a) as a competitive antagonist of the inhibitory effects of TPN, and b) as an enzyme activator. With the bacterial enzyme as catalyst, the rate of reaction (*1*) is approximately 6 and 20 times the rate of reactions (*5*) and (*7*), respectively.

Reaction (*1*) cannot involve phosphate transfer, since it was found[2] that desamino DPNH and TPN were the products of reaction (*3*). The possibility that an exchange of the two nicotinamide mononucleotide moieties, rather than a direct transfer of hydrogen from TPNH to DPN, could account for reaction (*1*) was ruled out by studies with DPN labelled with ^{14}C-nicotinamide[13]. With DPN-labelled in the nicotinamide moiety it was shown[13] that the *Pseudomonas* transhydrogenase catalyzed an exchange reaction between DPNH and DPN. This exchange reaction was not catalyzed by lactic dehydrogenase, triose phosphate dehydrogenase and alcohol dehydrogenase, although it did occur with the latter enzyme if ethanol was present. The interaction between DPNH and DPN promoted by the *Pseudomonas* transhydrogenase is enhanced by 2′-adenylic acid[13]. An exchange of hydrogen between TPNH and 3′-TPN[14] is also catalyzed by this enzyme[12].

---

[1] COLOWICK, S. P., N. O. KAPLAN, E. F. NEUFELD and M. M. CIOTTI: J. biol. Ch. **195**, 95 (1952).
[2] KAPLAN, N. O., S. P. COLOWICK and E. F. NEUFELD: J. biol. Ch. **195**, 107 (1952).
[3] KAPLAN, N. O., S. P. COLOWICK and E. F. NEUFELD: J. biol. Ch. **205**, 1 (1953).
[4] KAPLAN, N. O., M. N. SWARTZ, M. E. FRECH and M. M. CIOTTI: Proc. nat. Acad. Sci. USA **42**, 481 (1956).
[5] STEIN, A. M., N. O. KAPLAN and M. M. CIOTTI: J. biol. Ch. **234**, 979 (1959).
[6] VIGNAIS, P. V., and P. M. VIGNAIS: J. biol. Ch. **229**, 265 (1957).
[7] KIELLEY, W. W., and J. R. BRONK: J. biol. Ch. **230**, 521 (1958).
[8] HUMPHREY, G. F.: Biochem. J. **65**, 546 (1957).
[9] BALL, E. G., and O. COOPER: Proc. nat. Acad. Sci. USA **43**, 357 (1957).
[10] KEISTER, D. L., and A. SAN PIETRO: Biochem. biophys. Res. Comm. **1**, 110 (1959).
[11] MITSUHASHI, S., and B. D. DAVIS: Biochim. biophys. Acta **15**, 54 (1954).
[12] KAPLAN, N. O., S. P. COLOWICK, E. F. NEUFELD and M. M. CIOTTI: J. biol. Ch. **205**, 17 (1953).
[13] KAPLAN, N. O., S. P. COLOWICK, L. J. ZATMAN and M. M. CIOTTI: J. biol. Ch. **205**, 31 (1953).
[14] SHUSTER, L., and N. O. KAPLAN: J. biol. Ch. **215**, 183 (1955).

The diphosphopyridine nucleotidase of pig brain catalyzes an exchange between various substituted pyridine compounds and DPN to form analogues of DPN[1, 2]. Some of these analogues react with a variety of pyridine nucleotide-linked enzymes[3, 4]. The maxima of the absorption bands of the reduced forms of some of these pyridine nucleotide analogues are at longer wavelengths than that of DPNH and TPNH (340 mμ). Thus the reduction of such analogues by substrate amounts of DPNH or TPNH can be measured by differential spectrophotometry. The transhydrogenase of *Pseudomonas fluorescens* does not catalyze the reduction of acetylpyridine DPN, and acetylpyridine TPN by either TPNH or DPNH[5, 6]. Spinach transhydrogenase[7] catalyzes reaction (1), and also the reaction:

$$\text{TPNH} + \text{acetylpyridineTPN}^+ \to \text{TPN}^+ + \text{acetylpyridineTPNH}. \tag{8}$$

But the spinach enzyme does not readily promote the following reactions:

$$\text{DPNH} + \text{acetylpyridineDPN}^+ \to \text{DPN}^+ + \text{acetylpyridineDPNH} \tag{9}$$

$$\text{DPNH} + \text{acetylpyridineTPN}^+ \to \text{DPN}^+ + \text{acetylpyridineTPNH} \tag{10}$$

$$\text{TPNH} + \text{acetylpyridineDPN}^+ \to \text{TPN}^+ + \text{acetylpyridineDPNH}. \tag{11}$$

Reversibility of reaction (1) could not be demonstrated with the spinach enzyme even in the presence of 2'-adenylic acid, which inhibited the reduction of DPN by TPNH by this enzyme (forward reaction).

Certain flavine adenine dinucleotide enzymes catalyze the transfer of hydrogen from DPNH or TPNH to some pyridine nucleotide analogues of higher oxidation-reduction potential[5, 6, 8]. Thus reaction (9) is catalyzed by the DPNH diaphorase and the DPNH cytochrome c reductase of pig heart and by xanthine oxidase[5], as well as by microsomal cytochrome reductase[8]. The TPNH diaphorase of spinach, pig liver TPNH cytochrome c reductase and the TPNH nitrate reductase of *Neurospora* all catalyze reaction (8)[5]. Some of these transhydrogenase reactions are inhibited by p-chloromercuribenzoate, and may exhibit a requirement for flavine adenine dinucleotide[8]. These "non-specific" transhydrogenase reactions are not catalyzed by enzymes whose prosthetic group is flavine mononucleotide[5]. The reduction of acetylpyridine DPN by DPNH catalyzed by pig heart diaphorase seems to involve an electron rather than a direct hydrogen transfer[6]. This is in contrast to the action of transhydrogenases which catalyze the transfer of hydrogen from TPNH to DPN such as the *Pseudomonas* enzyme, which catalyzes a direct and stereospecific hydrogen transfer[9].

The precise specificity and multiplicity of the particulate transhydrogenases of animal tissues are rather obscure, since these enzymes have not been purified extensively. The pyridine nucleotide transhydrogenases of beef heart catalyzes reactions (1) (the reduction of DPN by TPNH) at about one-third of the rate of the transfer of hydrogen from DPNH to desamino DPN (reaction 2). In marked contrast to the *Pseudomonas* transhydrogenase, 2'-adenylic acid is without influence on the catalysis of reactions (1) and (2) by the beef heart enzyme[10]. Also, the beef heart transhydrogenase will not catalyze the reduction of desamino TPN by TPNH (reaction 4), which is promoted readily by the bacterial transhydrogenase. The latter enzyme is markedly influenced by inorganic phosphate, while the beef heart transhydrogenase is not[10]. Recently, STEIN

---

[1] KAPLAN, N. O., and M. M. CIOTTI: J. biol. Ch. **221**, 823 (1956).
[2] ANDERSON, B. M., C. J. CIOTTI and N. O. KAPLAN: J. biol. Ch. **234**, 1219 (1959).
[3] ANDERSON, B. M., and N. O. KAPLAN: J. biol. Ch. **234**, 1226 (1959).
[4] KAPLAN, N. O., M. M. CIOTTI and F. E. STOLZENBACH: J. biol. Ch. **221**, 833 (1956).
[5] WEBER, M. M., and N. O. KAPLAN: J. biol. Ch. **225**, 909 (1957).
[6] WEBER, M. M., N. O. KAPLAN, A. SAN PIETRO and F. E. STOLZENBACH: J. biol. Ch. **227**, 27 (1957).
[7] KEISTER, D. L., A. SAN PIETRO and F. E. STOLZENBACH: J. biol. Ch. **235**, 2989 (1960).
[8] STRITTMATTER, P.: J. biol. Ch. **233**, 748 (1958).
[9] SAN PIETRO, A., N. O. KAPLAN and S. P. COLOWICK: J. biol. Ch. **212**, 941 (1955).
[10] KAPLAN, N. O., S. P. COLOWICK and E. F. NEUFELD: J. biol. Ch. **195**, 107 (1952).

et al.[1] provided evidence that, in beef heart mitochondria, the enzyme catalyzing the TPNH-DPN reaction (1) also catalyzes the reduction of acetylpyridine DPN by TPNH (11), but is quite distinct from enzyme(s) which catalyze reaction (9) (the reduction of acetylpyridine DPN by DPNH). They found that the rat liver and beef heart transhydrogenase promote reaction (11) (the reduction of acetylpyridine DPN by TPNH) at a much faster rate than the transfer of hydrogen from DPNH to acetylpyridine TPN (10). Furthermore, the enzymes in beef heart mitochondria which catalyze the DPNH-acetylpyridine DPN and the TPNH-acetylpyridine DPN reactions appear to be distinct from the DPNH and TPNH diaphorases of these particles.

Beef heart and liver mitochondria[1] will also promote the reduction of other pyridine nucleotide analogues by DPNH and TPNH:

$$TPNH + pyridinealdehydeDPN^+ \rightarrow TPN^+ + pyridinealdehydeDPNH \qquad (12)$$
$$DPNH + pyridinealdehydeDPN^+ \rightarrow DPN^+ + pyridinealdehydeDPNH \qquad (13)$$
$$TPNH + thionicotinamideDPN^+ \rightarrow TPN^+ + thionicotinamideDPNH \qquad (14)$$
$$DPNH + thionicotinamideDPN^+ \rightarrow DPN^+ + thionicotinamideDPNH. \qquad (15)$$

The transhydrogenases of *Pseudomonas* and of mammalian mitochondria probably catalyze the transfer of hydrogen between TPNH and DPN without the mediation of an additional hydrogen carrier.

Coupled reactions which mimic the action of pyridine nucleotide transhydrogenases. A number of types of coupled reaction can simulate the action of pyridine nucleotide transhydrogenases. Thus, the coupling of a DPN-specific enzyme which has a common substrate for another TPN-specific enzyme may effect the net transfer of hydrogen from TPNH to DPN. Examples of transhydrogenations which could result from the combined action of two enzymes of different pyridine nucleotide specificity are: a) the conversion of L-xylulose to D-xylulose[2] and b) the transformation of glucose to fructose in male accessory sexual tissues[3-5]. The latter transformation is represented by the equations:

$$\text{Glucose} + TPNH + H^+ \rightleftarrows \text{Sorbitol} + TPN^+$$
$$\underline{\text{Sorbitol} + DPN^+ \rightleftarrows \text{Fructose} + DPNH + H^+}$$
$$\text{Sum: Glucose} + TPNH + DPN^+ \rightleftarrows \text{Fructose} + TPN^+ + DPNH.$$

Another type of "substrate-mediated" transhydrogenase reaction can be visualized to occur in the presence of a dehydrogenase with dual pyridine nucleotide specificity and a substrate thereof. COLOWICK et al.[6] found that a number of pyridine nucleotide linked dehydrogenases which react with both TPN and DPN would not catalyze the TPNH-DPN reaction in the absence or in the presence of their substrates. HOLZER and SCHNEIDER[7] reported that both glutamic and lactic[8] dehydrogenases catalyzed a very small transfer of hydrogen from TPNH to DPN in the presence of α-ketoglutarate plus ammonia, and of pyruvate respectively. But the total amount of hydrogen transferred from one pyridine nucleotide to another in these experiments was very small in comparison with the concentration of carrier (substrate) molecules added to the reaction mixture. The extremely inefficient catalysis of the TPNH-DPN reaction by glutamic and lactic dehydrogenases probably results, at least in part, from: a) unfavourable equilibrium constants for the oxidation of their substrates by pyridine nucleotide, and b) the relatively low affinity for their substrates[9].

---

[1] STEIN, A. M., N. O. KAPLAN and M. M. CIOTTI: J. biol. Ch. **234**, 979 (1959).
[2] HOLLMANN, S., and O. TOUSTER: J. biol. Ch. **225**, 87 (1957).
[3] HERS, H. G.: Biochim. biophys. Acta **22**, 202 (1956).
[4] HERS, H. G.: Biochim. biophys. Acta **37**, 127 (1960).
[5] WILLIAMS-ASHMAN, H. G., J. BANKS and S. K. WOLFSON jr.: Arch. Biochem. **72**, 485 (1957).
[6] COLOWICK, S. P., N. O. KAPLAN, E. F. NEUFELD and M. M. CIOTTI: J. biol. Ch. **195**, 95 (1952).
[7] HOLZER, H., u. S. SCHNEIDER: B. Z. **330**, 240 (1958).
[8] NAVAZIO, F., B. B. ERNSTER and L. ERNSTER: Biochim. biophys. Acta **26**, 416 (1957).
[9] TALALAY, P., and H. G. WILLIAMS-ASHMAN: Recent Progr. Hormone Res. **16**, 1 (1960).

In the presence of their steroid substrates, a number of hydroxysteroid dehydrogenases appear to catalyze an efficient transfer of hydrogen between various pyridine nucleotides. Villee and Gordon[1,2] demonstrated that very low levels of estradiol-17β, or estrone, stimulated the reduction of DPN (but not of TPN) by soluble extracts of human placenta. Villee[1] suggested that these steroidal estrogens stimulated a placental DPN-specific isocitric dehydrogenase. But Talalay and Williams-Ashman[3] showed that the estradiol-dependent reduction of DPN required catalytic amounts of TPN, and that estradiol stimulated reaction (1) (the TPNH-DPN reaction) in placental extracts. Thus the results of Villee could be accounted for by the following coupled reactions:

$$\text{Isocitrate} + \text{TPN}^+ \rightleftarrows \alpha\text{-Ketoglutarate} + \text{TPNH} + CO_2 \qquad (a)$$
$$\underline{\text{TPNH} + \text{DPN}^+ \rightleftarrows \text{TPN}^+ + \text{DPNH} \qquad\qquad\qquad\qquad\qquad (b)}$$
$$\text{Isocitrate} + \text{DPN}^+ \longrightarrow \alpha\text{-Ketoglutarate} + \text{DPNH} + CO_2 \qquad (c)$$

in which only step b) was stimulated by the steroid. In placenta the estradiol-stimulated formation of DPNH was also observed in the presence of TPN-specific glucose-6-phosphate dehydrogenase, in accordance with the above formulation. That the estradiol-sensitive reaction in placenta was a transhydrogenation between TPNH and DPN, rather than a DPN-specific isocitric dehydrogenase, was confirmed by Villee and Hagerman[4] and by Hollander[5].

It was suggested by Talalay[3,6,7] that the estradiol-sensitive TPNH-DPN reaction in soluble extracts of human placenta was catalyzed by the placental 17β-hydroxysteroid (estradiol) dehydrogenase. Langer and Engel[8] found that this enzyme promoted the oxidation of estradiol-17β to estrone by both DPN and TPN. In the presence of catalytic amounts of estradiol-17β, the transfer of hydrogen from TPNH to DPN can be visualized as follows:

$$\text{TPNH} + H^+ + \text{Estrone} \rightleftarrows \text{TPN}^+ + \text{Estradiol-17}\beta$$
$$\underline{\text{Estradiol-17}\beta + \text{DPN}^+ \rightleftarrows \text{DPNH} + H^+ + \text{Estrone}}$$
$$\text{TPNH} + \text{DPN}^+ \rightleftarrows \text{TPN}^+ + \text{DPNH}.$$

The soluble placental transhydrogenase system will also catalyze the estradiol-dependent transfer of hydrogen from DPNH and/or TPNH to acetylpyridine DPN and pyridinealdehyde DPN[6,7].

The evidence for the identity of the estradiol-17β hydroxysteroid dehydrogenase with the placental estradiol-sensitive transhydrogenase has been given by Talalay[3,6,7,9], and may be summarized as follows: a) the specificity for both steroids and pyridine nucleotides is identical in both dehydrogenase and transhydrogenase reactions; b) estradiol-17β and estrone are interconverted during the course of the transhydrogenase reaction; c) the action of various inhibitors are not consistent with the existence of separate dehydrogenases and transhydrogenases; d) both dehydrogenase and transhydrogenase activities, when measured with a number of pyridine nucleotides, parallel one another during purification of the enzyme; e) the stereospecificity of the placental dehydrogenase for transfer of hydrogen from estradiol-17β to DPN or TPN is the same as the stereospecificity of the transhydrogenase reaction for DPNH. Hagerman and Villee[10], on the contrary, reported that they could separate the placental estradiol-stimulated trans-

---

[1] Gordon, E. E., and C. A. Villee: J. biol. Ch. **216**, 215 (1955).
[2] Villee, C. A., and E. E. Gordon: J. biol. Ch. **216**, 203 (1955).
[3] Talalay, P., and H. G. Williams-Ashman: Proc. nat. Acad. Sci. USA **44**, 15 (1958).
[4] Villee, C. A., and D. D. Hagerman: J. biol. Ch. **233**, 42 (1958).
[5] Hollander, V. P., N. Hollander and J. D. Brown: J. biol. Ch. **234**, 1678 (1959).
[6] Talalay, P., and H. G. Williams-Ashman: Recent Progr. Hormone Res. **16**, 1 (1960).
[7] Talalay, P., B. Hurlock and H. G. Williams-Ashman: Proc. nat. Acad. Sci. USA **44**, 862 (1958).
[8] Langer, L. J., and L. L. Engel: J. biol. Ch. **233**, 583 (1958).
[9] Jarabak, J., and P. Talalay: J. biol. Ch. **235**, 2147 (1960).
[10] Hagerman, D. D., and C. A. Villee: J. biol. Ch. **234**, 2031 (1959).

hydrogenase from two estradiol-17β dehydrogenases, specific for DPN and TPN, respectively. HAGERMAN and VILLEE[1, 2] believe that estradiol-17β stimulates the soluble placental transhydrogenase not by undergoing alternate oxidation and reduction but rather by converting (in an unspecified manner) an inactive form of the transhydrogenase into an active one. Unequivocal proof that the estradiol-sensitive transhydrogenase is a different protein from the enzyme(s) which catalyze the reduction of DPN and TPN by estradiol-17β in placenta must await isolation of the protein(s) in a crystalline and/or homogeneous form[3].

TALALAY[4, 5] has shown that other hydroxysteroid dehydrogenases will promote the transfer of hydrogen between pyridine nucleotides upon the addition of their steroid substrates in catalytic concentrations. Thus, the TPNH-DPN reaction and the DPNH-acetylpyridine DPN reaction is catalyzed by the 3α-hydroxysteroid dehydrogenase of rat liver in the presence of androsterone[5]. The 3α- and β-hydroxysteroid dehydrogenases of *Pseudomonas testosteroni*[6] react with DPN and a number of analogues thereof, but are inert towards TPN. With their appropriate steroid substrates as cofactors, these enzymes will not catalyze the transfer of hydrogen from TPNH to DPN, but readily catalyze transhydrogenation between DPNH and the acetylpyridine, pyridinealdehyde and thionicotinamide analogues of DPN[4]. The special features of hydroxysteroid dehydrogenases which make them efficient catalysts for the transfer of hydrogen between pyridine nucleotides are: a) extremely low Michaelis constants for their steroid substrates, and b) suitable equilibrium constants for the oxidation of their substrates by pyridine nucleotides.

All types of "substrate-mediated" transhydrogenations may interfere with the measurement of pyridine nucleotide transhydrogenase activity. This article will be concerned with the purification, properties and assay of the pyridine nucleotide transhydrogenases of *Pseudomonas fluorescens*, spinach and mammalian mitochondria which apparently catalyze a direct transfer of hydrogen between pyridine nucleotides and do not require any intermediary hydrogen carrier.

Preparation of pyridine nucleotide transhydrogenase from pseudomonas fluorescens according to COLOWICK, KAPLAN, NEUFELD and CIOTTI[7].

After 2 days' growth at 30° C on a medium containing 5.0 g of $NaNO_2$, 1.0 g of KH_2PO_4, 0.5 g of $MgSO_4 \cdot 7 H_2O$, 5.0 g of sodium citrate, 4.0 g of Difco yeast extract, water to 1 l and 1 N NaOH to p_H 7.0, the cells are collected by centrifugation. The yield was about 2 to 3 g of packed cells per liter of medium. The cells were frozen in a cold mortar (−15° C) and ground with an equal weight of alumina powder with the gradual addition of 5 volumes of cold 1 M phosphate buffer (p_H 7.5). The suspension was centrifuged in the cold at 10000 r.p.m. for 40 min in a Servall angle centrifuge. The clear supernatant fluid (crude extract) could be stored frozen at −15° C without loss of activity for many months. Acetone (−15° C) was added slowly with stirring to 334 ml of the crude extract while the temperature of the mixture was maintained near its freezing point by means of a dry ice-alcohol bath. The precipitates obtained serially with 30, 43, 46 and 49% acetone were centrifuged at −5° C and discarded, since they possessed little transhydrogenase activity. The acetone concentration was raised to 52% and the precipitate, which contained most of the transhydrogenase activity, was centrifuged at −5° C. The precipitate was

---

[1] HAGERMAN, D. D., and C. A. VILLEE: J. biol. Ch. **234**, 2031 (1959).
[2] VILLEE, C. A., D. D. HAGERMAN and P. B. JOEL: Recent Progr. Hormone Res. **16**, 48 (1960).
[3] JARABAK, J., J. A. ADAMS, H. G. WILLIAMS-ASHMAN and P. TALALAY: J. biol. Ch. **237**, 345 (1962).
[4] TALALAY, P., and H. G. WILLIAMS-ASHMAN: Recent Progr. Hormone Res. **16**, 1 (1960).
[5] HURLOCK, B., and P. TALALAY: J. biol. Ch. **233**, 886 (1958).
[6] TALALAY, P.: Rec. chem. Progr. **18**, 31 (1957).
[7] COLOWICK, S. P., N. O. KAPLAN, E. F. NEUFELD and M. M. CIOTTI: J. biol. Ch. **195**, 95 (1952).

extracted in the cold with 60 ml of 0.1 M potassium phosphate (p_H 7.5), and after centrifugation the residue was re-extracted 3 times with 30, 20 and 10 ml of 0.1 M $NaHCO_3$. The four extracts were combined. For each 120 ml of the combined extract was added 37 ml of calcium phosphate gel (16 mg of dry weight per ml; 9 months old). After 5 to 10 min at about 10 to 15° C, the suspension was centrifuged in the cold. The supernatant fluid was treated with a second volume (37 ml) of gel as previously described, and then with 45-, 60-, 60- and 60-ml portions. Most of the transhydrogenase activity was adsorbed on the fifth and sixth gels. The fifth gel was eluted at room temperature, first with 75 ml, and then with 15 ml of 0.1 M potassium phosphate (p_H 7.5). The sixth gel was eluted once with 20 ml of phosphate, and then all 3 eluates were combined. The combined eluates were precipitated serially with increasing amounts of acetone. The material precipitating at 40 and 45% acetone was inactive, and was discarded after centrifugation. The fraction which precipitated between 46 and 50% acetone was dissolved in 45 ml of 0.1 M potassium phosphate (p_H 7.5). The suspension was stirred occasionally at 0° C for 30 min to ensure complete solution of the enzyme. 45 ml of the second acetone fraction was treated stepwise with 18, 18 and 54 ml of calcium phosphate gel as described above. The gels were eluted twice with an equal volume of 0.1 M potassium phosphate (p_H 7.5). The most active preparations obtained by this procedure catalyzed the transfer of approximately 6 μmoles of hydrogen from TPNH to DPN per mg of protein per minute at 25° C.

Preparation of pyridine nucleotide transhydrogenase from beef heart according to KAPLAN, COLOWICK *and* NEUFELD[1].

Cytoplasmic particles were prepared by homogenizing fresh tissue with 10 volumes of 0.9% KCl in 0.01 M $NaHCO_3$ in a Waring blendor at 4° C. The homogenate was centrifuged for 4 min at 600 $\times$ g and the insoluble material discarded. The supernatant fluid was centrifuged for 20 min at 15000 $\times$ g. The particles obtained were suspended in 0.1 M potassium phosphate (p_H 7.0) in a volume equivalent to 1 ml per 1 g of fresh tissue. To each 1 ml of the particle suspension was added 1 ml of a 2% digitonin* solution, and the mixture was allowed to stand for 20 min. The residual particles are removed by centrifugation. From 50 to 75% of the transhydrogenase activity is recovered in the supernatant solution. The digitonin extract loses about 50% of its activity on storage at 4° C for 24 hours and further purification must be carried out immediately. To 180 ml of the digitonin extract is added 90 ml of calcium phosphate gel (12 mg dry weight per ml), and the mixture is allowed to stand for 30 min at 4° C. The gel is then eluted with 5 to 10 ml portions of 0.1 M K_2HPO_4 and the most active fractions are retained. Very little activity is eluted in the first few fractions. The active eluates are adjusted to p_H 6.7 and stored in the frozen state.

Separation of the spinach transhydrogenase from the photosynthetic pyridine nucleotide reductase[2] of spinach grana by treatment with protamine sulfate has been described by KEISTER and SAN PIETRO[3,4].

Properties. p_H *optima.* For the reduction of DPN by TPNH [reaction (1)], the p_H optimum of the *Pseudomonas* transhydrogenase is in the vicinity of p_H 7. For the same reaction catalyzed by heart mitochondria, the maximal rate of reaction occurs at p_H 6.0—6.2[1,5].

---

* The digitonin solution is prepared by suspending 2 g of digitonin in a few ml of water; about 20 ml of 5 N NaOH is then added with vigorous shaking until the digitonin is dissolved. The solution is neutralized with 5 N HCl and diluted to 100 ml with water, making the final NaCl concentration about 1 M. The digitonin remains in solution under these conditions.

[1] KAPLAN, N. O., S. P. COLOWICK and E. F. NEUFELD: J. biol. Ch. **205**, 1 (1953).
[2] SAN PIETRO, A., and H. M. LANG: J. biol. Ch. **231**, 211 (1958).
[3] KEISTER, D. L., and A. SAN PIETRO: Biochem. biophys. Res. Comm. **1**, 110 (1959).
[4] KEISTER, D. L., A. SAN PIETRO and F. E. STOLZENBACH: J. biol. Ch. **235**, 2989 (1960).
[5] HUMPHREY, G. F.: Biochem. J. **65**, 546 (1957).

Equilibrium constants. The equilibrium constant for reaction (1):

$$K = \frac{[DPNH][TPN^+]}{[DPN^+][TPNH]}$$

was found to have a value of 1.43 at 37° C in experiments carried out with the transhydrogenase of beef heart mitochondria[1]. The oxidation-reduction potentials of the acetylpyridine-, pyridinealdehyde- and thionicotinamide-analogues of DPN and TPN are higher than those of DPN and TPN (-0.32 volt)[2]. Hence it is to be expected that the equilibrium constants for the reduction of these analogues by DPNH or TPNH would be larger than that of the TPNH-DPN reaction.

Affinity for pyridine nucleotides. The Michaelis constants (K_M) for various pyridine nucleotides are as follows:

Donor nucleotide	K_M (M)	Acceptor nucleotide	K_M (M)	Enzyme source
TPNH	5×10^{-5}	DPN	7×10^{-5}	*P. fluorescens*[3]
DPNH	1.4×10^{-5}	TPN	15.7×10^{-5}	Rat heart mitochondria[4]
TPNH	7.5×10^{-5}	Acetylpyridine DPN	1.5×10^{-5}	Beef heart mitochondria[5]
DPNH	9.3×10^{-6}	Acetylpyridine DPN	7.7×10^{-5}	Beef heart mitochondria[5]

Inhibitors. The exchange of hydrogen between TPNH and DPN catalyzed by the transhydrogenase of *Pseudomonas fluorescens* is inhibited powerfully by TPN and by inorganic phosphate, and the inhibition by TPN can be overcome by the addition of 2′-adenylic acid (vide supra). The transhydrogenase of beef heart mitochondria is not inhibited by TPN or inorganic phosphate[1]. Consequently, reaction (1) (the TPNH-DPN exchange) is freely reversible in the presence of the mitochondrial transhydrogenase.

Mammalian pyridine nucleotide transhydrogenases are inhibited by sulfhydryl reagents. Thus, the inhibition of the rat heart enzyme by p-chloromercuribenzoate (4.5×10^{-3} M), iodosobenzoate (1.7×10^{-4} M) and phenylmercuriacetate (3×10^{-5} M) was found to be 85, 21 and 67 % respectively[4]. The following substances did not inhibit the rat heart transhydrogenase: fluoride, azide, cyanide, o-phenanthroline, diethyl dithiocarbamate, glycine and oxalate[4]. The "non-specific" hydrogen transfers between DPNH or TPNH and certain pyridine nucleotide analogues catalyzed by some flavoproteins (TPNH-cytochrome c reductase, TPNH and DPNH diaphorases) are inhibited by p-chloromercuribenzoate, although similar reactions catalyzed by other flavoproteins (TPNH nitrate reductase, xanthine oxidase) are not affected by this sulfhydryl agent.

Thyroxine and tri-iodothyronine in low concentrations inhibit reactions (1) (TPNH-DPN exchange), (2) (TPNH-acetylpyridine DPN exchange) and (10) (DPNH-acetylpyridine TPN exchange), but not reaction (9) (DPNH-acetylpyridine DPN exchange) catalyzed by beef heart mitochondria[5, 6].

Assay methods.

Estimation of pyridine nucleotide transhydrogenase according to Colowick *et al.*[3].
Principle:

The assay involves the reduction of DPN by TPNH. Catalytic amounts of TPN are reduced in situ by the action of a TPN-specific isocitric dehydrogenase. The TPNH then reduces DPN in the presence of the transhydrogenase.

---

[1] Kaplan, N. O., S. P. Colowick and E. F. Neufeld: J. biol. Ch. **205**, 1 (1953).
[2] Anderson, B. M., and N. O. Kaplan: J. biol. Ch. **234**, 1226 (1959).
[3] Colowick, S. P., N. O. Kaplan, E. F. Neufeld and M. M. Ciotti: J. biol. Ch. **195**, 95 (1952).
[4] Humphrey, G. F.: Biochem. J. **65**, 546 (1957).
[5] Stein, A. M., N. O. Kaplan and M. M. Ciotti: J. biol. Ch. **234**, 979 (1959).
[6] Ball, E. G., and O. Cooper: Proc. nat. Acad. Sci. USA **43**, 357 (1957).

Reagents:
1. 0.1 M potassium phosphate buffer (pH 7.5).
2. 0.1 M $MgCl_2$.
3. 0.05 M sodium D-isocitrate.
4. Pig heart TPN-specific isocitric dehydrogenase* [1].
5. 0.002 M TPN.
6. 0.005 M DPN.

Procedure:
The following solutions are placed in quartz or silica spectrophotometer cells of 1 cm light path: 0.05 ml TPN, 0.1 ml $MgCl_2$, 1.0 ml phosphate buffer; 0.2 ml isocitric dehydrogenase, and water and transhydrogenase to a total volume of 2.6 ml. Isocitrate (0.2 ml) is then added, and the change in absorbance at 340 mμ (due to the reduction of TPN) is recorded. When the latter reaction is completed, 0.2 ml of DPN is added and the change in absorbance at 340 mμ (due to transhydrogenase action) is followed with time. With crude tissue extracts, suitable controls must be set up to compensate for any reduction of DPN in the absence of TPN and/or isocitrate. If the optical density change at 340 mμ due to the reduction of DPN by TPNH is divided by 2.07, one obtains a value for the micromoles of hydrogen transferred by the action of the transhydrogenase. The reaction catalyzed by the *Pseudomonas* enzyme[2], but not by the transhydrogenase of heart mitochondria[3] is accelerated by 2'-adenylic acid (0.003 M).

Determination of pyridine nucleotide transhydrogenase according to KAPLAN et al.[3]

Principle:
DPNH is generated in situ by the action of the DPN-specific isocitric dehydrogenase of yeast; desamino DPN is not reduced by this enzyme. The transhydrogenase activity is followed by the reduction of desamino DPN in the presence of catalytic quantities of DPN.

Reagents:
1. 0.1 M potassium phosphate buffer (pH 7.5).
2. 0.1 M $MgCl_2$.
3. 0.04 M 5'-adenylic acid (Na salt).
4. 0.04 M 2'-adenylic acid (Na salt).
5. Yeast DPN-specific isocitric dehydrogenase** [4].
6. 0.05 M sodium D-isocitrate.
7. 0.003 M DPN.
8. 0.005 M desamino DPN.

Procedure:
The following solutions are placed in silica or quartz spectrophotometer cuvettes of 1 cm light path: 0.05 ml DPN; 0.1 ml $MgCl_2$; 1.0 ml phosphate buffer; 0.3 ml yeast DPN-specific isocitric dehydrogenase; 0.1 ml 5'-adenylic acid (required for the action of the yeast enzyme[4]), and 0.85 ml water. Isocitrate (0.2 ml) is added, and the change in absorbance at 340 mμ (due to the reduction of DPN) is recorded. When the latter reaction is complete, 0.2 ml of desamino DPN and 0.2 ml of the transhydrogenase solution is added, and the change in absorbance at 340 mμ (due to transhydrogenase action) is followed with time. With crude tissue extracts, appropriate controls must be set up

---

* 0.2 ml of the enzyme solution should catalyze the reduction of at least 1 μmole of TPN per min at 25° C. See p. 387.
** 0.3 ml of the enzyme solution should catalyze the reduction of at least 1 μmole of DPN per minute at 25° C. See p. 393.

[1] SIEBERT, G., J. DUBUC, R. C. WARNER and G. W. E. PLAUT: J. biol. Ch. **226**, 965 (1957).
[2] KAPLAN, N. O., S. P. COLOWICK, E. F. NEUFELD and M. M. CIOTTI: J. biol. Ch. **205**, 17 (1953).
[3] KAPLAN, N. O., S. P. COLOWICK and E. F. NEUFELD: J. biol. Ch. **205**, 1 (1953).
[4] KORNBERG, A., and W. E. PRICER jr.: J. biol. Ch. **189**, 123 (1951).

to compensate for any reduction of desamino DPN in the absence of DPN and/or isocitrate. If the optical density change at 340 mμ due to the reduction of desamino DPN by DPNH is divided by 2.07, one obtains a value for the micromoles of hydrogen transferred by the action of the transhydrogenase. In experiments with the *Pseudomonas* transhydrogenase[1], 2′-adenylic acid (0.25 ml) must be added to the reaction mixture and the volume of water is changed to 0.60 ml.

Determination of pyridine nucleotide transhydrogenase according to STEIN et al.[2].

Principle:

Hydrogen is transferred from TPNH to acetylpyridine DPN [reaction (*11*)]. The reaction is followed by differential spectrophotometry, and does not necessitate the use of auxiliary enzymes to reduce the donor nucleotide. The method is applicable only to the transhydrogenases of animal tissues, since the enzyme from *Pseudomonas* and spinach does not catalyze reaction (*11*).

Reagents:
1. 0.3 M potassium phosphate buffer (p_H 7.5).
2. 0.004 M TPNH.
3. 0.006 M acetylpyridine DPN.
4. 0.03 M KCN (neutralized to p_H 7.4).

Procedure:

Pipette the following solutions into a quartz or silica spectrophotometer cuvette of 1 cm light path: 1.0 ml phosphate buffer; 0.1 ml KCN; 0.1 ml TPNH; 0.1 ml acetylpyridine DPN and water and transhydrogenase to a final volume of 3.0 ml. The rate of change in absorbance at 375 mμ is followed with time. Suitable controls must be set up to correct for any reduction of acetylpyridine DPN in the absence of TPNH, and also for the endogenous oxidation of TPNH (since the latter nucleotide absorbs light at 375 mμ). The latter correction is obviated if the reaction is followed at 400 mμ, at which wave length acetylpyridine DPNH absorbs light ($\varepsilon = 2500$)*. At 375 mμ, the difference between the extinction coefficient of acetylpyridine DPNH and that of TPNH is $\varepsilon = 5100$*. Hence, if the transhydrogenase activity is measured at 375 mμ, in a reaction mixture of 3.0 ml total volume, the change in optical density due to the reduction of acetylpyridine DPN by TPNH divided by 1.70 gives the micromoles of hydrogen transferred between these nucleotides per unit time. It may be noted that reaction (*9*) (the reduction of acetylpyridine DPN by DPNH) can also be followed by this method if the TPNH in the reaction mixture is replaced by an equimolar concentration of DPNH.

Other methods. Hydrogen transfer from TPNH to DPN can be followed by measurement of dye reduction in the presence of DPNH-specific diaphorase, or by the reduction of cytochrome c in the presence of DPNH cytochrome c reductase[4], or manometrically (oxygen consumption) upon the addition of a specific DPNH oxidase system. The reduction of TPN by DPNH can be determined with the aid of a specific TPNH diaphorase or TPNH-cytochrome c reductase, or by change in absorbance at 340 mμ in the presence of catalytic amounts of TPN and a specific TPNH-glutathione reductase[5]. The high extinction coefficient of ferrocytochrome c at 550 mμ makes methods dependent upon cytochrome c exquisitely sensitive ones.

---

* Some uncertainty is attached to the values for the extinction coefficient for acetylpyridine DPNH given in the literatur[2], cf. [3].

[1] KAPLAN, N. O., S. P. COLOWICK, E. F. NEUFELD and M. M. CIOTTI: J. biol. Ch. **205**, 17 (1953).
[2] STEIN, A. M., N. O. KAPLAN and M. M. CIOTTI: J. biol. Ch. **234**, 979 (1959).
[3] SIEGEL, J. M., G. A. MONTGOMERY and R. M. BOCK: Arch. Biochem. **82**, 288 (1959).
[4] KAPLAN, N. O., M. N. SWARTZ, M. E. FRECH and M. M. CIOTTI: Proc. nat. Acad. Sci. USA **42**, 481 (1956).
[5] TALALAY, P., B. HURLOCK and H. G. WILLIAMS-ASHMAN: Proc. nat. Acad. Sci. USA **44**, 862 (1958).

Application of assay methods to crude tissue extracts. Enzymes which oxidize reduced pyridine nucleotides or ferrocytochrome c will cause interference with various methods, and can be inhibited by the addition of neutralized KCN to a final concentration of 0.001 M. The breakdown of the oxidized forms of pyridine nucleotides may be prevented by the addition of nicotinamide (0.02 M). For maximal rates of many of the reactions catalyzed by the *Pseudomonas* enzyme (vide supra) it is necessary to add 2'-adenylic acid to a final concentration of 0.003 M. It must be emphasized again that in all methods, suitable controls must be run to ensure that the transhydrogenase reactions are dependent upon the presence of all of the essential reactants.

The mitochondria of some tissues are rather impermeable to pyridine nucleotides. STEIN et al.[1] have shown that pigeon liver mitochondria show little transhydrogenase activity when assayed directly by the reduction of acetylpyridine DPN by TPNH or DPNH, but on treatment with digitonin there is a remarkable increase in both activities. Thus measurements of the relative transhydrogenase levels in mitochondria must be interpreted with caution.

As noted above, the transfer of hydrogen from TPNH or DPNH to pyridine nucleotide analogues of higher oxidation-reduction potential is catalyzed by some flavoproteins as well as by certain pyridine nucleotide transhydrogenases. In crude tissue extracts such "non-specific" transhydrogenations may be quantitatively large, e.g.[2]. It may also be mentioned that crude extracts may contain considerable amounts of bound pyridine nucleotides, cf.[3, 4] which make obscure the dependence of the action of transhydrogenases upon some of the requisite nucleotides, especially when the assay system contains one of the nucleotides in only catalytic concentration.

Addendum.

The placental soluble 17β-hydroxysteroid dehydrogenase was purified 2500-fold recently by JARABAK et al.[5]. The purification procedures were highly reproducible and the over-all yield was about 30%. The key to the success of the purification lay in the use of glycerol as a stabilizing agent[6] in every step of the isolation procedure[5]. The methods used for the fractionation were: precipitation with ammonium sulfate, heat treatment, and successive chromatography on DEAE-cellulose and Ecteola-cellulose. No separation between any steroid dehydrogenase (DPN, TPN and acetylpyridine DPN as coenzymes) and transhydrogenase (TPNH-DPN and DPNH-acetylpyridine DPN exchanges) functions was apparent at any stage of the purification procedure. When the most purified fractions were subjected to LKB column electrophoresis in a density gradient of glycerol at pH 7.4, the various dehydrogenase and transhydrogenase activities, together with the total protein, migrated in an entirely parallel manner to give a single symmetrical peak. By electrophoresis on starch blocks at pH 8.6, under conditions reported by VILLEE[7] to effectively separate discrete dehydrogenases and transhydrogenases, JARABAK et al.[5] were unable to separate the various catalytic functions of the enzyme preparations. This essentially homogeneous placental enzyme preparation (which exhibited about 100 times the specific dehydrogenase and transhydrogenase activities of the enzyme fraction earlier described by HAGERMAN and VILLEE[7]) failed to catalyze any transhydrogenation between TPNH and DPN or between DPNH and acetylpyridine DPN in the presence of a wide range of concentrations of diethylstilbestrol or

---

[1] STEIN, A. M., N. O. KAPLAN and M. M. CIOTTI: J. biol. Ch. **234**, 979 (1959).
[2] TALALAY, P., B. HURLOCK and H. G. WILLIAMS-ASHMAN: Proc. nat. Acad. Sci. USA **44**, 862 (1958).
[3] TALALAY, P., and H. G. WILLIAMS-ASHMAN: Proc. nat. Acad. Sci. USA **44**, 15 (1958).
[4] KAPLAN, N. O., S. P. COLOWICK and E. F. NEUFELD: J. biol. Ch. **205**, 1 (1953).
[5] JARABAK, J., J. A. ADAMS, H. G. WILLIAMS-ASHMAN and P. TALALAY: J. biol. Ch. **237**, 345 (1962).
[6] LANGER, L. J., and L. L. ENGEL: J. biol. Ch. **233**, 583 (1958).
[7] HAGERMAN, D. D., and C. A. VILLEE: J. biol. Ch. **234**, 2031 (1959).

hexestrol[1]. These and other studies[1] on the steroid specificity of the enzyme did not confirm the claim of VILLEE[2-5] that transhydrogenase functions could be mediated by steroids which are not oxidized by the enzyme.

KAUFMAN and KAPLAN[6] reinvestigated pyridine nucleotide transhydrogenase(s) of beef heart mitochondria. The enzyme(s) was purified approximately 15-fold by means of ethanol precipitation and treatment with calcium phosphate gel. The partially purified preparation appears to be devoid of succinic-cytochrome c reductase, TPNH-diaphorase and lipoic dehydrogenase activities. DPNH-diaphorase, DPNH-oxidase, DPNH and TPNH-cytochrome c reductase activities were still present in the enzyme fraction. Mild heating at 46° C for a few minutes resulted in the activation of the DPNH-diaphorase activity and the concomitant decrease in the DPNH-acetylpyridine DPN and TPNH-acetylpyridine DPN transhydrogenase functions. This phenomenon may be in accord with the hypothesis that the diaphorase activity is derived from a modification of pyridine nucleotide transhydrogenase protein[7] and may be similar to the observations reported by VEEGER and MASSEY[8] for lipoic dehydrogenase. Antimycin A strongly inhibited DPNH-cytochrome c reductase reaction associated with the mitochondrial transhydrogenase preparation, but TPNH-cytochrome c reductase and pyridine nucleotide transhydrogenase activities were not sensitive to this antibiotic[6]. However, cytochrome c reduction by TPNH was stimulated by the addition of small amounts of DPN and this enhancement was completely abolished by antimycin A. This is evidently due to the inhibition of DPN-cytochrome c pathway and is compatible with the suggestion that TPNH-DPN transhydrogenase reaction is one of the main routes for the TPNH oxidation via terminal respiration in animal mitochondria[6]. Possible roles of the transhydrogenase in the mitochondrial respiration have been discussed by KAPLAN[9,10], ERNSTER[11,12] and more recently by PURVIS[13] and VIGNAIS[14].

PESCH et al.[15,16] described a particulate fraction derived from male rat liver mitochondria which catalyzed both DPNH-acetylpyridine DPN and TPNH-acetylpyridine DPN transhydrogenation. *In vitro* addition of 10^{-7} M estradiol or diethylstilbestrol results in a twofold stimulation of both reactions[16]. The enzyme has been partially purified by a combination of *tert*-amylalcohol extraction, ammonium sulphate precipitation and column chromatography on DEAE cellulose[16]. In soluble form, this preparation catalyzes predominantly the DPNH-acetylpyridine DPN exchange. Dialysis of the same fraction, however, resulted in precipitation of the enzyme and an increase in its capacity for transhydrogenation between TPNH and acetylpyridine DPN. The precipitated enzyme can be re-extracted with *tert*-amylalcohol and converted back to the soluble form, suggesting that the pyridine nucleotide specificity is dependent on the molecular state of the enzyme.

---

[1] ADAMS, J. A., J. JARABAK and P. TALALAY: J. biol. Ch. **237**, 3069 (1962).
[2] HAGERMAN, D. D., and C. A. VILLEE: J. biol. Ch. **234**, 2031 (1959).
[3] VILLEE, C. A., D. D. HAGERMAN and P. B. JOEL: Recent Progr. Hormone Res. **16**, 48 (1960).
[4] VILLEE, C. A.: Kli. Wo. **39**, 173 (1961).
[5] HAGERMAN, D. D., and C. A. VILLEE; in: Mechanism of Action of Steroid Hormones (C. A. VILLEE and L. L. ENGEL, eds.) Pergamon Press, New York, 1961, p. 169.
[6] KAUFMAN, B., and N. O. KAPLAN: J. biol. Ch. **236**, 2133 (1961).
[7] STEIN, A. M., B. T. KAUFMAN and N. O. KAPLAN: Biochem. biophys. Res. Comm. **2**, 354 (1960).
[8] VEEGER, C., and V. MASSEY: Biochim. biophys. Acta **37**, 181 (1960).
[9] KAPLAN, N. O., M. N. SWARTZ, M. E. FRECH and M. M. CIOTTI: Proc. nat. Acad. Sci. USA **42**, 481 (1956).
[10] STEIN, A. M., N. O. KAPLAN and M. M. CIOTTI: J. biol. Ch. **234**, 979 (1959).
[11] ERNSTER, L., and A. J. GLASKY: Biochim. biophys. Acta **38**, 168 (1960).
[12] ERNSTER, L.: Biochim. biophys. Acta **38**, 170 (1960).
[13] PURVIS, J. L.: Biochim. biophys. Acta **52**, 148 (1961).
[14] VIGNAIS, P. V., and P. M. VIGNAIS: Biochim. biophys. Acta **47**, 515 (1961).
[15] PESCH, L. A., K. PIROS and G. KLATSKIN: Biochim. biophys. Acta **62**, 602 (1962).
[16] PESCH, L., K. PIROS and R. MOQUIN: Fed. Proc. **22**, 409 (1963).

McGuire and Pesch[1] also found that particulate matter sedimenting between 900 and 10000 ×g from the homogenate of beef anterior hypophysis catalyzed the transfer of hydrogen from DPNH or TPNH to acetylpyridine DPN. The transhydrogenase activities were stimulated by several compounds of biological importance including serotonin, epinephrine, norepinephrine and estradiol-17β. McGuire and Fanning[2] were able to extract the enzyme with 2 per cent tert-amylalcohol from the heavy cytoplasmic particles of the porcine anterior pituitary homogenate. The rate of reduction of acetylpyridine DPN by such partially purified preparations was enhanced by Mg^{++}. ADP and ATP retarded transhydrogenation which was then stimulated by estradiol-17β (10^{-6} M). They suggested that ADP produced a structural alteration in the hypophyseal transhydrogenase rendering it sensitive to estradiol-17β.

Whereas *Pseudomonas* pyridine nucleotide transhydrogenase catalyzed the direct hydrogen transfer from the β side (the hydrogen attacked by glutamic and glyceraldehyde-3-phosphate dehydrogenase[3]) of the dihydropyridine ring of DPNH[4], Drysdale et al.[5] showed that microsomal cytochrome b_5 reductase catalyzed transhydrogenation involving a direct and stereospecific hydrogen transfer from the α side (the one removed by alcohol and lactic dehydrogenase) of DPNH to the α side of the acetylpyridine DPN. Although the nonenzymic reduction of acetylpyridine DPN by DPNH also involves direct transfer of the hydrogen[6], the transhydrogenation catalyzed by cytochrome b_5 reductase was completely dependent on the presence of its coenzyme, FAD[5].

The changes in pyridine nucleotide transhydrogenase activity during the development of bean leaves have been studied[7] and a suggestion on the possible role of the enzyme in the photosynthetic reduction of pyridine nucleotide was given recently[8]. Robinson and Mills[9] also studied pyridine nucleotide transhydrogenase activities of various enzyme preparations obtained from *Pasteurella tularensis*.

Yellow enzymes.

By

Agnar P. Nygaard*.

General properties and procedures.

Presently some 40 yellow enzymes have been characterized, and many of these have been purified to a state of homogeneity, as judged by one or more criteria; the old yellow enzyme of yeast, L-lactic cytochrome c reductase (cytochrome b_2) of yeast, xanthine oxidase of milk, and L-lactic oxidative decarboxylase of *Mycobacterium phlei* have been obtained in a crystalline form.

---

* From the Department of Biochemistry, University of Bergen.

Abbreviations: DPNH, DPN, reduced and oxidized form of diphosphopyridine nucleotide; TPNH, TPN, reduced and oxidized forms of triphosphopyridine nucleotide; FAD, flavin adenine dinucleotide; FMN, flavin mononucleotide; $CyFe^{++}$, $CyFe^{+++}$, reduced and oxidized form of cytochrome c; EDTA, ethylene diamine tetraacetic acid; Tris, tris (hydroxymethyl) amino methane; pCMB, p-chloromercuribenzoate; E, optical density.

[1] McGuire, J., and L. A. Pesch: Proc. nat. Acad. Sci. USA 48, 2157 (1962).
[2] McGuire, J., and H. Fanning: Fed. Proc. 22, 409 (1963).
[3] Vennesland, B.: Fed. Proc. 17, 1150 (1958).
[4] San Pietro, A., N. O. Kaplan and S. P. Colowick: J. biol. Ch. 212, 941 (1955).
[5] Drysdale, G. R., M. J. Spiegel and P. Strittmatter: J. biol. Ch. 236, 2323 (1961).
[6] Spiegel, M. J., and G. R. Drysdale: J. biol. Ch. 235, 2498 (1960).
[7] Lazzarini, R. A., and A. San Pietro: Biochim. biophys. Acta 62, 417 (1962).
[8] Keister, D. L., A. T. Jagendorf and A. San Pietro: Biochim. biophys. Acta 62, 332 (1962).
[9] Robinson, D. A., and R. C. Mills: Biochim. biophys. Acta 48, 77, 85 (1961).

In the present review the yellow enzymes are arranged according to both substrate and acceptor specificity, but some of them having a wide substrate or acceptor specificity may be grouped in more than one section; this is the case for xanthine oxidase and some of the enzymes oxidizing reduced pyridine nucleotides.

Composition. The prosthetic group of most of the yellow enzymes is FAD. The following enzymes contain FMN: the old yellow enzyme, TPNH-cytochrome c reductase of yeast, glycolic oxidase of spinach leaves, L-amino acid oxidase of rat kidney, L-lactic oxidative decarboxylase of *Mycobacterium phlei*, L-lactic cytochrome c reductase of yeast, and D-lactic dehydrogenase of aerobically grown yeast. The prosthetic group of DPNH-cytochrome c reductase of muscle may be neither FMN nor FAD, but an unknown flavin compound. FAD is usually identified by both chemical and enzymatic tests; the latter is carried out with the apoenzyme of D-amino acid oxidase (see below). A number of yellow enzymes contain one mole of flavin per 70 000 g of protein.

Several yellow enzymes are inactivated by dialysis against metal-chelating agents like o-phenanthroline and cyanide, and can be reactivated by the addition of a metal ion. Iron appears to form an integral part of succinic dehydrogenase, DPNH-cytochrome c reductase of heart muscle, and xanthine oxidase of milk; xanthine oxidase of milk, liver aldehyde oxidase, TPNH-nitrate reductase of *Neurospora crassa*, and hydrogenase of *Clostridium pasteurianum* contain molybdenum; D-lactic dehydrogenase of anaerobically grown yeast appears to require a divalent metal for activity; DPNH-cytochrome b_5 reductase contains magnesium.

L-lactic cytochrome c reductase of yeast and aldehyde oxidase of liver contain a heme group in addition to the flavin nucleotide; in the former enzyme the protoheme acts as an electron carrier, taking part in the oxidation-reduction cycle.

Binding of the flavin group. With a few exceptions, such as D-aspartic acid oxidase of liver and glycine oxidase of kidney, the flavin group is tightly bound to the apoenzyme, as is evident from the fact that salt precipitation, dialysis, or treatment with adsorbants fail to dissociate the holoenzyme during the purification procedure. The dissociation constant of the old yellow enzyme has been measured directly, and is known to be less than 1×10^{-11} M in water at neutral pH. For other enzymes a low apparent MICHAELIS constant for the flavin group may be indicative of a low dissociation constant.

Many of the yellow enzymes have been split reversibly into apoenzyme and flavin group. This is by no means the case for all of the yellow enzymes, however; native apoenzyme has not been prepared for glucose oxidase of mold, xanthine oxidase of milk and liver, L-amino oxidase of snake venom, or L-lactic cytochrome c reductase of yeast, although the flavin groups are readily split from the protein. In succinic dehydrogenase FAD appears to be bound to the protein with covalent linkages.

Interaction of the protein with the isoalloxazine nucleus. The functional unit of the flavin nucleotides is the isoalloxazine nucleus. The combination of the prosthetic group with the protein part may bring about several changes in the chemical properties of this unit: (a) the flavin fluorescence is quenched in all the yellow enzymes except DPNH-diaphorase of heart (b) the absorption spectrum of the free flavin, with maxima at 375 and 450 mμ, is shifted in many enzymes toward longer wavelength; in some of them no shift is observed, and in DPNH-cytochrome c reductase of heart the shift is toward shorter wavelength (c) the oxidation-reduction potential may be changed, and (d) the autoxidizability may decrease or be lost entirely.

Most flavoenzymes exhibit a high order of specificity toward the flavin group; thus, the apoenzyme of D-amino acid oxidase is used in the test for FAD, since the protein is completely inactive with FMN. Conversely, the apoenzyme of TPNH-cytochrome c reductase is used in the enzymatic test for FMN, and the protein is completely inactive with FAD. There are several exceptions to this rule, however. The apoenzymes of the old yellow enzyme, TPNH-nitrate reductase, glycolic oxidase, TPNH cytochrome c reductase of pig liver, and L-lactic oxidative decarboxylase are active both with FAD and FMN.

Reaction mechanism. Flavoenzymes are typical dehydrogenases, in that they catalyse the transfer of two hydrogens from the substrate to the enzyme, which again is reoxidized by 1- or 2-electron acceptors. Even glucose oxidase, which reacts rapidly with oxygen, is in reality a true dehydrogenase. The flavin nucleotide undergoes its whole catalytic cycle while attached to the same protein molecule, and is therefore a true "prosthetic group". The reaction between the reduced enzyme and molecular oxygen gives rise to H_2O_2 formation. If the hydrogen peroxide is decomposed by catalase, the oxygen consumption is decreased by 50%; this is required in some cases inasmuch as hydrogen peroxide decomposes some enzymes. When cytochrome c, ferricyanide or other 1-electron acceptors are used, the hydrogens from the flavin are liberated as protons, and only electrons are passed on to the oxidant. The reaction between the reduced enzyme and 1-electron acceptors may either occur by a trimolecular reaction, or the flavin can be oxidized by two successive reactions through the formation of a free radical. The former reaction is a very unlikely event, and studies of the overall-reaction of several of the cytochrome c reductases indicate that this hardly occurs. Radical forms of flavoproteins have been demonstrated, however, in the case of acyl-CoA dehydrogenase and the old yellow enzyme. It has been suggested that metals may facilitate the formation of semiquinone, or act as a carrier between the flavin and the 1-electron acceptor: thus, molybdenum of xanthine oxidase and liver aldehyde oxidase, and the iron of DPNH-cytochrome c reductase have been observed to be necessary for the reduction of cytochrome c and other 1-equivalent acceptors, while they were not necessary for the reduction of divalent acceptors. More work is necessary, however, before the function of the metal is known.

Methods of determination. The yellow colour, or the absorption at 450 mμ, has been used as a guide in the purification of many flavoenzymes. By the addition of substrate, the optical density is decreased; the reaction has to be carried out under anaerobic conditions if the enzyme is rapidly oxidized. The difference in the molar extinction coefficient between the reduced and oxidized states of yellow enzymes is approximately $11 \times 10^6 \, M^{-1} \, cm^2$ in the 450 mμ region if the relationship is not obscured by other coloured components. Thus, the concentration of the enzyme can be determined before it is obtained in a pure state. From the substrate-reducible flavin and the overall reaction velocity the turnover number is computed. In the present review it is expressed as equivalents of substrate oxidized or acceptor reduced per flavin equivalent of the enzyme per min.

The enzymic activity of yellow enzymes is frequently determined spectrophotometrically; the oxidation of reduced pyridine nucleotides is measured at 340 mμ, the reduction of cytochrome c at 550 mμ, the reduction of 2,6-dichlorophenol indophenol at 600 mμ, and the reduction of ferricyanide at 410 mμ. The differences in the molar extinction coefficients between the reduced and oxidized states are: for pyridine nucleotides (DPN, and TPN), $6.2 \times 10^6 \, M^{-1} \, cm^2$; cytochrome c, $18.6 \times 10^6 \, M^{-1} \, cm^2$; 2,6-dichlorophenol indophenol, $16 \times 10^6 \, M^{-1} \, cm^2$; and ferricyanide, $1 \times 10^6 \, M^{-1} \, cm^2$. The reduction of cytochrome c, 2,6-dichlorophenol indophenol, and ferricyanide can be measured under aerobic conditions; exclusion of air is not necessary. Except when otherwise stated, the reactions are carried out at "room temperature". The unit of activity is frequently expressed as (a) μequivalents of acceptor reduced per hour, or (b) as the amount which yields a rate of 1.0 optical density change per min; except when otherwise stated, the reaction is carried out in a cell of 1 cm light path. Specific activity is defined as the number of units per mg of protein.

The manometric assays are usually carried out at 37° C; in many cases the reaction rate is increased if air is replaced by oxygen in the gas phase. The specific activity is frequently expressed as $Q_{O_2} = \mu l$ of oxygen consumed per hour per mg protein.

Individual flavoenzymes.
I. Enzymes oxidizing pyridine nucleotides.
Cytochrome c reductases.

DPNH- and TPNH-cytochrome c reductase catalyse the reaction DPNH (TPNH) + 2 cytochrome c $Fe^{+++} \rightarrow DPN^+$ (TPN^+) + 2 cytochrome c $Fe^{++} + H^+$.

These enzymes exhibit a high order of specificity toward the pyridine substrate. Various dyes can replace cytochrome as acceptor, but the reaction with oxygen is very slow.

The transfer of electrons from reduced pyridine nucleotides to cytochrome c via these enzymes may well represent a general pathway in biological oxidations; NAD(P) cytochrome c reductases are likely to be present in most aerobic cells. TPNH-linked enzymes have been isolated from yeast[1,2] and pig liver[3]; DPNH-linked enzymes have been obtained from pig heart[4] and E. coli[5].

Determination. These enzymes are determined spectrophotometrically by following the reduction of cytochrome c at 550 mμ. In several of the assays, TPNH is produced continuously from TPN^+ (3×10^{-4} M), glucose-6-phosphate (0.02 M) and Zwischenferment (0.1 mg per ml), the "Zwischenferment-system"[6]. The materials needed for this reaction are commercially available.

1. TPNH-cytochrome c reductase (yeast).
[1.6.2.3 $NADPH_2$:cytochrome c oxidoreductase.]

Preparation[1,2]. The enzyme is extracted from dried top ale yeast by autolysis at 20° C. The purification is carried out at 0° C. The supernatant fluid is precipitated between 0.31 and 0.51 saturated ammonium sulfate at p_H 4.5. After dialysis the enzyme is precipitated with 1 volume of 30% ethanol to 2 volumes of solution at p_H 4.5. At this stage the yield is 58% and the purification 6-fold. The precipitate can be dried *in vacuo* over $CaCl_2$ at 0° C, and the powder is stable at 0° C. The dissolved enzyme preparation is adsorbed on $Al(OH)_3$-gel, C_γ, at p_H 9. The gel is added in fractions until the supernatant solution becomes colourless. Elution is accomplished with 0.64 saturated ammonium sulfate which is 0.1 N with respect to NH_4OH. The enzyme is then precipitated at 0.65 saturated ammonium sulfate, p_H 4.5. The dissolved precipitate is adjusted to p_H 9 and adsorbed on calcium phosphate gel, which has been aged for 8 months. The gel is added fractionally to the enzyme solution until the supernatant becomes colourless; the enzyme is eluted with 0.2 M phosphate, p_H 6.1, and is subsequently precipitated at 0.8 saturated ammonium sulfate. The adsorption on $Al(OH)_3$ is repeated, and the enzyme is finally precipitated at 0.8 saturated ammonium sulfate, p_H 4.5. At the highest level of purity the preparation contains 155 units per mg protein; the enzyme deteriorates in solution, but is fairly stable in the lyophilized state.

Properties. The FMN content is one mole per 78000 g of protein. The enzyme is 98% pure based on the titration of the reduced preparation with ferricytochrome c. The visible adsorption peaks are located at 455 and 385 mμ. The enzyme has been split reversibly into flavin and apoenzyme by the Warburg and Christian method[6]. FAD is inactive, and the apoenzyme can be used in tests for FMN.

Substituted phenols and atebrin are potent inhibitors of the holoenzyme[7].

---

[1] Haas, E., B. L. Horecker and T. R. Hogness: J. biol. Ch. **136**, 747 (1940).
[2] Haas, E., B. L. Horecker and T. R. Hogness: J. biol. Ch. **143**, 341 (1942).
[3] Horecker, B. L.: J. biol. Ch. **183**, 593 (1950).
[4] Mahler, H. R., N. K. Sarkar, L. P. Vernon and R. A. Alberty: J. biol. Ch. **199**, 585 (1952).
[5] Brodie, A. F.: J. biol. Ch. **199**, 835 (1952).
[6] Warburg, O., u. W. Christian: B. Z. **298**, 150 (1938).
[7] Haas, E.: J. biol. Ch. **155**, 321 (1944).

The enzyme reacts 7×10^5 times faster with cytochrome c than with oxygen. The turnover number is 650 min^{-1}. The apparent MICHAELIS constant for FMN is 1×10^{-9} M.

Assay procedure. The assay system is composed of excess Zwischenferment, TPN, and glucose-6-phosphate and enzyme in 0.025 M phosphate, pH 7.3.

One unit of enzyme activity yields a rate of 1.0 optical density change per min.

2. TPNH-cytochrome c reductase (animal).
[1.6.2.3 NADPH$_2$:cytochrome c oxidoreductase.]

The activity is associated with the particulate fraction of pig liver[1], and the content of the enzyme is comparable with that observed in ale yeast; 3 kg of fresh liver yields about 65 mg of enzyme with a specific activity of 140 to 160.

The best preparations contain one mole of FAD per 68 000 g of protein. The absorption peaks are located at 380 and 455 mμ. The enzyme has been split reversibly with acid in the presence of ammonium sulfate[2]; the apoenzyme combines also with FMN to form an enzymatically active unit. The apparent MICHAELIS constants for FMN and FAD are 1×10^{-8} and 2×10^{-8} M, respectively. The FAD and the FMN enzymes are about equally active. The FAD content of the natural enzyme accounts for 65 to 80% of the total absorption at 455 mμ; this peak is greatly diminished upon addition of TPNH, but t is not removed entirely.

The turnover number is 570 min^{-1}. The reaction with oxygen is less than 2% as fast as the reaction with cytochrome c.

Assay procedure. The enzyme is assayed in the same way as TPNH-cytochrome c reductase of yeast. The pH should be ascertained to be 7.5 or above, since a marked fall in the activity occurs below this pH.

One unit of enzyme activity yields a rate of 1.0 optical density change per min.

3. DPNH-cytochrome c reductase (animal)[3].
[1.6.2.1 NADH$_2$:cytochrome c oxidoreductase.]

Preparation. The enzyme is located in the sarcosomal fraction. The purification procedure involves preparation of lyophilized extract and fractionation with ammonium sulfate both at acidic and alkaline pH. All operations except where otherwise stated, are carried out at temperatures between 0 and 4° C. The details are as follows:

4500 g of pig heart muscle is homogenized for 2 min in WARING blendor with 13.5 l of 0.02 M K$_2$HPO$_4$. The 2000 $\times$ g supernatant, which contains the enzyme, is brought to pH 5.4 by means of acetic acid, whereby the enzyme precipitates and is collected; the precipitate is washed with water and then extracted with 700 ml of 10% ethanol for 15 min at 42 to 44° C. The yellow, 2000 $\times$ g supernatant, containing the enzyme, is lyophilized. The yield is 1.5 to 2.5 g of dry, light tan powder of spec. act. 20 to 35. 2 g of this powder are dissolved in 300 ml of distilled water and then precipitated with 60 g of ammonium sulfate; the precipitate is discarded, and 90 g of ammonium sulfate are added to the supernatant. The enzyme precipitate is dissolved in 0.05 M phosphate buffer, pH 7.2, and brought to a final volume of 75 ml. To this solution 19.5 g of ammonium sulfate is added, and after standing for 15 min the precipitate is collected by centrifugation and subsequently dissolved in 0.05 M phosphate, pH 7.2, to a final volume of 55 ml; 10.5 g of ammonium sulfate is added slowly at pH 8.0 to 8.2, the pH being maintained by the addition of concentrated ammonium hydroxide. The precipitate is discarded, and 3.0 g of ammonium sulfate is added to the supernatant at pH 8.0 to 8.2.

---
[1] HORECKER, B. L.: J. biol. Ch. **183**, 593 (1950).
[2] WARBURG, O., u. W. CHRISTIAN: B. Z. **298**, 150 (1938).
[3] MAHLER, H. R., N. K. SARKAR, L. P. VERNON and R. A. ALBERTY: J. biol. Ch. **199**, 585 (1952).

The enzyme precipitate is dissolved in 15 ml of water and again precipitated with 3.25 g of ammonium sulfate. By reprecipitation with ammonium sulfate preparations with spec. act. 180 to 190 are obtained.

Properties. These preparations are electrophoretically homogeneous, and the sedimentation constant in the ultracentrifuge is $S_{20,w} = 5.1$ to 5.3. On the assumption that the diffusion coefficient is the same as that of the old yellow enzyme, the molecular weight is 75000 to 80000. This figure is the same as the minimum molecular weight computed from the flavin content. The purified enzyme is best stored as a solution, 1% in enzyme protein and 1 to 2% with respect to albumin, in the frozen state at $-10°$ C. At $0°$ C the purified enzyme is stable for some hours.

In this enzyme the flavin absorption band is shifted towards shorter wavelength (355 and 440 mμ); the 355 mμ-band exceeds the 440 mμ maximum. The reduction by substrate is less complete than by chemical agents. The flavin nucleotide decomposes during the process of liberation of the prosthetic group from the apoenzyme, and the nature of this group is unknown; it appears to be neither FMN nor FAD. It has not been possible to obtain an active apoenzyme from DPNH-cytochrome c reductase of pig heart. Certain nucleotides, such as adenylic acid, DPNH, and FMN protect against inactivation at pH 3.5.

The activity is inhibited by added flavin nucleotides, Atebrin, and by thiol reagents. A number of anions and cations are inhibitory to the enzyme.

Preparations of DPNH-cytochrome c reductase always show diaphorase activity. Once the enzyme has been solubilized, the ratio cytochrome c reductase to diaphorase activity remains constant throughout the purification procedure; the diaphorase activity is believed to be an inherent property of the enzyme, and not due to the presence of STRAUB's diaphorase; the latter enzyme contains a fluorescent flavin group.

DPNH-cytochrome c reductase of pig heart contains 4 atoms of iron per molecule of flavin. Metal-binding agents reduce the capacity to react with cytochrome c, but have no effect on the 2,6-dichlorophenol indophenol reduction; thus a preparation is obtained which is functionally similar to diaphorase, although a difference still exists with respect to fluorescence and the nature of the prosthetic group[1-3]. The cytochrome c reductase activity may be partially restored by treatment of an iron-depleted enzyme with Fe^{+++} but not with Fe^{++}. Inhibition of the enzyme by citrate or pyrophosphate is cytochrome c-competitive. This suggests that cytochrome c is chelated with the iron of the reductase.

DPNH-cytochrome c reductase follows the empirical rate equation[4] $v = V/(1 + K_{DPNH}/DPNH) \times (1 + K_{cyt.\,c}/cyt.\,c)$ which indicates that the enzymic reaction may be treated as a two substrate case, even though three molecules (DPNH + 2 cyt. c) are involved; this indicates that the two cytochrome c molecules react in sequence, and suggests the participation of a semiquinone flavin radical. K_{DPNH} is independent of cytochrome c concentration, and $K_{cyt.\,c}$ is independent of DPNH concentration; this condition requires K_{DPNH} to become identical with the dissociation constant defined by the relation $K = \frac{(E) \cdot (DPNH)}{(E\text{-}DPNH)}$. The same statement is not necessarily true for $K_{cyt.\,c}$.

The pH-dependence of the maximum velocity indicates that three ionizing groups are involved in the enzymic reaction and that two of these are associated with the oxidation of DPNH; the third group is involved in the reduction of cytochrome c.

DPNH-cytochrome c reductase is stereospecific for the β-configuration of the nicotinamide ring[5].

---

[1] MAHLER, H. R., and D. G. ELOWE: Am. Soc. **75**, 5769 (1953).
[2] MAHLER, H. R., and D. G. ELOWE: J. biol. Ch. **210**, 165 (1954).
[3] MAHLER, H. R., and D. E. GREEN: Science, N.Y. **120**, 7 (1954).
[4] FRIEDEN, C.: Biochim. biophys. Acta **24**, 241 (1957).
[5] DRYSDALE, G. R., and M. COHN: Biochim. biophys. Acta **21**, 397 (1956).

A DPNH-cytochrome c reductase has been extracted from "electron transport particles" of beef heart mitochondria[1], and the properties of this enzyme resemble those of the pig heart enzyme.

Assay procedure. The assay system of DPNH cytochrome c reductase is composed of 2×10^{-4} M DPNH and 2.6×10^{-5} M cytochrome c in a 0.02 M glycylglycine buffer p_H 8.5.

One unit of enzyme activity yields a rate of 1.0 optical density change per min.

4. DPNH-cytochrome c reductase of *E. coli*[2].

[1.6.2.1 NADH$_2$:cytochrome c oxidoreductase.]

Preparation. The washed cells are disintegrated by sonic vibration for 45 min at 9 kc. in a Raytheon magnetoconstrictor oscillator; the particulate fraction is discarded, and the yellow supernatant, containing the enzyme, is heat treated at 60° C for 10 min. The ammonium sulfate precipitate between 0.4 and 0.55 saturation contains most of the activity; it is collected and dialysed. Further purification is obtained by precipitating the nucleoproteins with protamine followed by reprecipitation with ammonium sulfate. The dialyzed enzyme is then adjusted to p_H 9 and the solution treated with 4 months old calcium phosphate gel. The best preparations have spec. activity of 58.

Properties. The holoenzyme, which is non-fluorescent, exhibits absorption maxima at 370 and 460 mμ; the latter band disappears upon reduction with DPNH. The enzyme has been split reversibly into FAD and apoenzyme; FMN cannot replace FAD. The enzyme reacts 435 times faster with cytochrome c than with oxygen.

Antimycin A, which inhibits the particulate DPNH-cytochrome c reductase systems, has no effect on the enzyme; pCMB, Atebrine, and acriflavin are effective inhibitors.

The apparent MICHAELIS constant of DPNH at p_H 8.0 (p_H optimum) is 5.9×10^{-5} M.

Assay procedure. The assay system is composed of 2.8×10^{-4} M DPNH and 2.6×10^{-5} M cytochrome c; 0.03 M pyrophosphate, p_H 8.0 is used as buffer.

One unit of enzyme activity yields a rate of 1.0 optical density change per min.

Diaphorases.

[NAD(P)H$_2$:(acceptor) oxidoreductases.]

Diaphorases constitute a group of enzymes which oxidize pyridine nucleotides and reduce methylene blue or other dyes, but which do not reduce cytochrome c; the reaction is:

$$PNH + MB + H^+ \rightarrow PN^+ + MBH_2$$

where MB denotes methylene blue or some other dye. These enzymes exhibit, like the PNH-cytochrome c reductases, a high order of specificity toward the pyridine substrate. They are not rapidly autoxidizable.

Diaphorase activity has been demonstrated in extracts of a large number of animal tissues and organisms[3-11]. Diaphorases and cytochrome c reductases concerned with the oxidation of the same coenzyme (PNH may also be used instead of "coenzyme") have

---

[1] BERNARD, B. DE: Biochim. biophys. Acta **23**, 510 (1957).
[2] BRODIE, A. F.: J. biol. Ch. **199**, 835 (1952).
[3] GREEN, D. E., J. G. DEWAN and L. F. LELOIR: Biochem. J. **31**, 934 (1937).
[4] DEWAN, J. G., and D. E. GREEN: Nature **140**, 1097 (1937).
[5] ADLER, E., H. v. EULER u. G. GÜNTHER: Ark. Kemi, Min. Geol. **12**, No. 54 (1938).
[6] ADLER, E., H. v. EULER u. H. HELLSTRÖM: Ark. Kemi, Min. Geol. **12**, No. 38 (1937).
[7] STRAUB, F. B.: Biochem. J. **33**, 789 (1939).
[8] SAVAGE, N.: Biochem. J. **67**, 146 (1957).
[9] HAAS, E.: B. Z. **298**, 378 (1938).
[10] AVERON, M., and A. T. JAGENDORF: Arch. Biochem. **65**, 475 (1956).
[11] DAVISON, D. C.: Nature **166**, 265 (1950).

been isolated from the same tissue, e.g. beef heart. A lipoflavoprotein has recently been isolated from beef heart muscle mitochondria, which contains both the STRAUB diaphorase and DPNH-cytochrome c reductase[1]. The preparation contains one mole of FAD per 74000 g of protein.

Until a few years ago no physiological acceptor was known for the diaphorases, and it has been suggested that these enzymes are in reality altered forms of the corresponding cytochrome c reductases. Recently, however, MASSEY[2-4] detected that α-lipoic acid is an efficient coupling agent linking oxidation of DPNH by pig heart diaphorase to reduction of cytochrome c

$$DPNH + H^+ + lipS_2 \rightarrow DPN^+ + lip(SH)_2$$
$$lip(SH)_2 + 2\,CyFe^{+++} \rightarrow lipS_2 + 2\,CyFe^{++} + 2\,H^+.$$

Furthermore, the enzyme has been demonstrated to be a necessary constituent of the α-ketoglutaric oxidase system of pig heart, together with lipoic acid. This suggests that a physiological role of diaphorase is as a lipoic acid dehydrogenase of keto acid oxidation.

Determination. Diaphorases can be determined (a) manometrically in the presence of methylene blue, (b) by the THUNBERG technique, or, most conveniently, (c) spectrophotometrically using non-autoxidizable acceptors such as 2,6-dichlorophenol indophenol (at 600 mμ) or ferricyanide (at 410 mμ). The differences in the molar extinction coefficient between the reduced and oxidized states of theses two acceptors are $16 \times 10^6\,M^{-1}\,cm^2$ and $1 \times 10^6\,M^{-1}\,cm^2$, respectively. The same definition of activity is used as for the PNH-cytochrome c reductases.

1. DPNH-diaphorase (animal)[5].

[1.6.4.3 NADH$_2$:lipoamide oxidoreductase.]

Preparation. Twelve pig hearts are passed through an electric meat mincer; the mince is washed repeatedly with water, and then homogenized with 0.02 M Na$_2$HPO$_4$ in a WARING blendor. The precipitate obtained at 2000 rev. per min in an International serum centrifuge after 30 min centrifugation, is discarded. The supernatant is adjusted to p$_H$ 4.6 with M acetate, p$_H$ 4.6, and the precipitate obtained overnight in the cold room is a source of the enzyme. It is suspended in water, heat-treated at 38 to 40° C for 5 min, centrifuged as described, and the enzyme is now in the supernatant. The yellow fluorescent supernatant is adjusted to p$_H$ 6 to 6.5 with N acetic acid, and the enzyme is absorbed on alumina C$_\gamma$. The washed gel is eluted with 0.2 M Na$_2$HPO$_4$ until the eluate ceases to be yellow; the eluate is dialysed overnight, made 1% with respect to ammonium sulfate, and heated at 60° C for 5 min. The precipitate is discarded, ammonium sulfate is added to 0.45 saturation, and the precipitate obtained after 1 hr. in the cold is likewise discarded. The enzyme is precipitated with 0.8 saturated ammonium sulfate in the cold. The precipitate is dissolved in water, and dialyzed until a precipitate appears. This is spun off, and the dialysis is continued until no further precipitation occurs. The precipitate, containing the enzyme, is dissolved by the slow addition of 0.1% ammonium hydroxide to p$_H$ 7—7.4. The solution is heated to 62° C for 5 min, and after cooling it is brought to 0.55 saturation with ammonium sulfate. The diaphorase appears as a yellow precipitate, and the yield is 50 to 90 mg per kilo of washed mince. The dissolved precipitate is dialyzed in the cold until a colourless precipitate appears; this is discarded. The solution is diluted to 1—2% protein concentration, and then dialyzed against 0.05 M Tris buffer, p$_H$ 8.5, containing 0.05 M sodium chloride. Electrophoresis is carried out

---

[1] DAVISON, D. C.: Nature **166**, 265 (1950).
[2] MASSEY, V.: Biochem. J. **69**, 58P (1958).
[3] MASSEY, V.: Biochim. biophys. Acta **30**, 205 (1958).
[4] MASSEY, V.: Biochim. biophys. Acta **32**, 286 (1959).
[5] SAVAGE, N.: Biochem. J. **67**, 146 (1957).

in TISELIUS apparatus, with a potential of 100 v and a current of 11 mA. The duration of the electrophoresis is 8—9 hr.; the descending limb is isolated from the remainder of the cell and the content removed. The combined fractions of several runs are brought to 0.3 saturation with solid ammonium sulfate. Inert protein is removed by centrifugation, and the enzyme is precipitated with 0.65 saturated ammonium sulfate.

The enzyme is at least 95% pure. The molecular and the equivalent weight (per mole of FAD) are 80000 and 67000, respectively. The fluorescence of the proteinbound FAD is the same as that of free FAD. The absorption maxima are at 370 and 450 mμ; thus no significant shift of the absorption bands of FAD is manifest. The difference spectrum shows the presence of an additional peak at 485 mμ. Resolution of the holoenzyme into intact apoenzyme and FAD has not been possible by the usual means.

Assay procedure. The assay system consists of 2×10^{-4} M DPNH and 4×10^{-5} M 2,6-dichlorophenol indophenol in Tris buffer, 0.02 M, p_H 7.5. The best preparations have spec. act. 100.

Preparation II. The diaphorase of MASSEY[1], which has a powerful lipoic acid dehydrogenase activity, is extracted from pig heart muscle and purified without the use of the heat treatments. The enzyme is more than 90% pure by ultracentrifugal measurements, and $S_{20,w}$ is 5.3; this is in excellent agreement with the value obtained for the diaphorase of SAVAGE[2]. The ratio of lipoic dehydrogenase activity and diaphorase activity remains constant during the purification procedure after the removal of some flavoproteins which exhibit diaphorase activity, but which do not react with lipoic acid. Further proof that the lipoic dehydrogenase activity is associated with the same enzyme as the diaphorase activity is that both are inhibited to the same extent by various concentrations of pCMB.

Assay procedure. The lipoic dehydrogenase activity is followed either (a) anaerobically by change in absorbancy at 340 mμ caused by DPNH oxidation, or (b) by coupling DPNH oxidation to cytochrome c reduction by means of the reduced lipoic acid formed. While the p_H optimum of DPNH oxidation is 4.8 when $K_3[Fe(CN)_6]$ is the acceptor, the optimum with D,L-lipoic acid is at p_H 5.9, and with D,L-lipoamide, p_H 6.5. The turnover numbers at 25° C and at the p_H optimum are 8000 with ferricyanide, 230 with D,L-lipoic acid, and about 80000 with D,L-lipoamide.

2. TPNH-diaphorase (yeast)[3].

[NADPH$_2$:(acceptor) oxidoreductase.]

Preparation. The enzyme is extracted from dried brewers' yeast by autolysis, precipitated twice with 0.6 saturated ammonium sulfate at p_H 4.5, and fractionated with ethanol at 0° C. Further purification is achieved by selective denaturation at p_H 10 in 0.08 saturated ammonium sulfate, and precipitation of impurities with 0.45 saturated ammonium sulfate at p_H 4.6. The enzyme is precipitated with 0.6 saturated ammonium sulfate, adsorbed on infusorial earth, eluted at p_H 10.2, and again precipitated with ethanol. The purification is 1100-fold, but no evidence for homogeneity has been presented.

Properties. The purest preparation contains one mole of FAD per 66000 g of protein. Reversible resolution of the holoenzyme has been achieved; FMN cannot combine with the apoenzyme to form an enzymatically active unit. The light absorption maxima are located at 377 and 455 mμ.

Assay procedure. "The new yellow enzyme" is determined manometrically at 37° C in phosphate buffer, $\Gamma/2 \sim 0.1$, p_H 7.4. TPNH is produced continuously in the Zwischenferment system (see p. 857ff.); 0.004 M KCN is added in order to prevent decomposition of H_2O_2 by impurities of catalase; 70 μg of methylene blue is used as acceptor. In the

---

[1] MASSEY, V.: Biochim. biophys. Acta 32, 286 (1959).
[2] SAVAGE, N.: Biochem. J. 67, 146 (1957).
[3] HAAS, E.: B. Z. 298, 378 (1938).

absence of methylene blue the oxygen consumption is negligible. The reaction rate with methylene blue is about three times that of the old yellow enzyme, which reacts directly with oxygen (see p. 864).

DPNH-cytochrome b_5 reductase (animal)[1-5].
[1.6.2.2 $NADH_2$:cytochrome b_5 oxidoreductase.]

The enzyme catalyzes the reaction $DPNH + 2$ cytochrome b_5 (ox) $\rightarrow DPN^+ + 2$ cytochrome b_5 (red) $+ H^+$. It ist completely inactive with TPNH as electron donor, or with cytochrome c as electron acceptor. Cytochrome c is rapidly reduced by cytochrom b_5, however. Ferricyanide and various dyes can act as electron acceptors in the absence of cytochrome b_5.

The enzyme is extracted from liver microsomes of rats, rabbits, and calf. Recently, evidence has been presented to show that the enzyme, and also cytochrome b_5, are present in the mitochondrial fraction of liver, too[6,7].

The enzyme is probably the major part of the so-called DPNH cytochrome c reductase system in microsomes.

Preparation[2]. 2 kg of calf liver are passed through a cold meat grinder and then homogenized for 30 sec in WARING blendor with 6 l of 0.25 M sucrose and 0.001 M EDTA, p_H 7.6. The calf liver should be fresh, and all operations, unless otherwise indicated, are carried out at 2—5° C. The suspension is diluted with an additional 12 l of sucrose media, filtered quickly through two layers of gauze, and passed through a SHARPLES centrifuge at the rate of 1 l per min. The supernatant fluid is next passed through the centrifuge at a rate of 1 l per 6 to 10 min, and the supernatant fluid is saved; it is brought to p_H 5.35 by the dropwise addition of 1 N acetic acid, and then collected as a precipitate by centrifuging in the SHARPLES centrifuge at a rate of 1 l per 6 to 10 min. The precipitate is suspended in 1500 ml of 0.05 M Tris-acetate plus 0.001 M EDTA, p_H 8.15, and stored overnight. The suspension is brought to p_H 5.35 with 1 N acetic acid and centrifuged for 7 min at $8500 \times g$. The precipitate is resuspended with 925 ml of 0.05 M Tris-acetate plus 0.001 M EDTA, p_H 8.1. 160 mg copra venom, dissolved in Tris-acetate, p_H 8.1, is then added slowly to the suspension, and the p_H is adjusted carefully to 6.55 at 5° C with 1 N acetic acid. The preparation is stirred gently at 37° C for 5 hr., after which the suspension is cooled to 5° C and centrifuged at $8500 \times g$ for 20 min. The supernatant, containing the enzyme, is brought to p_H 8.4, where it is more stable. The protein precipitated between 0.45 and 0.85 saturated ammonium sulfate, p_H 8.4, is centrifuged at $8500 \times g$ for 10 min, dissolved in Tris-acetate, p_H 8.1, and dialyzed against 0.1 M Tris-acetate plus 0.001 M EDTA, p_H 9.1; the volume of the dialyzed preparation is 160 ml. The enzyme preparation is treated with C_γ gel batchwise, first in order to remove impurities, and then, with larger quantities of gel, in order to adsorb the enzyme. The gel containing the enzyme is suspended in Tris-acetate plus 0.001 M EDTA, p_H 9.1. Celite is added, and the suspension is layered on a C_γ gel-Celite column, consisting of a mixture of 10 g of Celite and 40 ml of C_γ gel (15.5 mg of dry weight per ml). The column is washed with 1 M Tris-acetate, p_H 9.1, and then with 1 M Tris-acetate, p_H 9.1, containing 10 ml of saturated ammonium sulfate per liter. By the time the reductase, which forms a bright yellow band, has moved within 5 cm of the bottom of the 2×40 cm column, all except the lower 8 cm of the gel-Celite mixture is removed, and the enzyme is eluted with 1 M

---

[1] STRITTMATTER, P., and S. F. VELICK: J. biol. Ch. **221**, 277 (1956).
[2] STRITTMATTER, P., and S. F. VELICK: J. biol. Ch. **228**, 785 (1957).
[3] STRITTMATTER, P.: J. biol. Ch. **233**, 748 (1958).
[4] STRITTMATTER, P.: J. biol. Ch. **234**, 2661 (1959).
[5] STRITTMATTER, P.: J. biol. Ch. **234**, 2665 (1959).
[6] RAW, I., R. MOLINARI, D. F. DO AMARAL and H. R. MAHLER: J. biol. Ch. **233**, 225 (1958).
[7] RAW, I., and H. R. MAHLER: J. biol. Ch. **234**, 1867 (1959).

Tris-acetate, p_H 9.1, containing 20 ml of saturated ammonium sulfate per liter. The eluted enzyme is then fractionated with ammonium sulfate; the enzyme precipitates between 0.60 and 0.85 saturated solution. The reductase of this last step is between 90 and 100% pure as judged by sedimentation, diffusion, and electrophoretic analysis, and the yield is 3250 units (see standard assay procedure); the specific activity is 136.

Properties. The enzyme can be stored either in 0.1 M Tris-acetate plus 0.001 M EDTA, p_H 8.1, for one week, or in 50% saturated ammonium sulfate, p_H 8.1, for several weeks at 5° C with negligible loss of activity.

The flavin prosthetic group is FAD, as determined by chemical and enzymatic means. The oxidized form of the enzyme has absorption maxima at 273, 390, 461, and 485 mμ. While the first three peaks are typical of flavoproteins, the absorption at 485 mμ has been reported only in a few cases (the old yellow enzyme, see below). Some reversible splitting of FAD from the holoenzyme has been achieved, but most of the activity is lost in 0.66 saturated ammonium sulfate, p_H 2.8, where the enzyme dissociates. The minimal molecular weight, as based on the molecular extinction coefficient of 10.2×10^6 cm^2 M^{-1} at 461 mμ, is approximately 40 000. This is in good agreement with the molecular weight obtained from sedimentation and diffusion analysis; thus, the enzyme probably contains one mole of FAD; two moles of magnesium are present per mole of FAD.

The oxidation-reduction potential of the enzyme has been determined by titration with a mixture of DPNH and indigomonosulfonate; the results suggests that E_0 lies between -0.33 and -0.25 v. at p_H 8.1 and 25° C.

The maximal turnover numbers with cytochrome b_5, ferricyanide, indigotetrasulfonate, and oxygen as acceptors are 7800, 15900, 2400, and 4, respectively. The enzyme is inhibited by pyrophosphate, citrate and EDTA. The inhibition by pyrophosphate is acceptor-competitive, and it is suggested that magnesium provides a natural site of attack for this inhibitor[1].

Spectral observations during anaerobic titrations of the enzyme with DPNH[2] reveals a stable complex between the protein and nucleotide with 315 mμ absorption maximum. The complex involves a binding of the reduced enzyme with oxidized nucleotide; the apoenzyme does not form the complex.

The active enzyme contains three sulfhydryl groups with differing reactivities; denaturation releases a fourth SH-group. One SH group appears to be involved in the nucleotide interaction with the enzyme[3,4].

Assay procedure[1]. As a general assay procedure, the optical density change at 550 mμ is followed at 25° C in an aerobic silica microcell containing 0.01 μmole of DPNH, 0.001 μmole of cytochrome b_5, and 0.01 μmole of cytochrome c in 0.20 ml of 0.1 M Tris-acetate and 0.001 M EDTA at p_H 8.1. The concentration of cytochrome b_5 is not optimal in this assay system. The activity is defined as μmoles of cytochrome c reduced per min, and the specific activity as units per mg of protein.

TPNH-Oxidase, the old yellow enzyme (yeast).
[1.6.99.1 NADPH$_2$:(acceptor) oxidoreductase.]

The enzyme catalyzes the reaction

$$TPNH + H^+ + O_2 \rightarrow TPN^+ + H_2O_2$$

The rate of oxidation is faster in pure oxygen than in air; the reaction rates with methylene blue and with 100% oxygen are equal[5,6]. The old yellow enzyme is also

---

[1] STRITTMATTER, P., and S. F. VELICK: J. biol. Ch. **228**, 785 (1957).
[2] STRITTMATTER, P.: J. biol. Ch. **233**, 748 (1958).
[3] STRITTMATTER, P.: J. biol. Ch. **234**, 2661 (1959).
[4] STRITTMATTER, P.: J. biol. Ch. **234**, 2665 (1959).
[5] WARBURG, O., u. W. CHRISTIAN: B. Z. **266**, 377 (1933).
[6] HAAS, E.: B. Z. **298**, 378 (1938).

capable of reducing cytochrome c, but the rate with this acceptor is extremely slow[1].

The enzyme has been isolated from brewers' bottom yeast.

The old yellow enzyme was crystallized by THEORELL[2] already in 1935. The purification method has been improved, and in the most recent procedure[3] the enzyme is obtained in a nicely crystalline form, and it is homogeneous by ultracentrifugation, electrophoresis, and solubility tests.

Preparation[3]. The enzyme is extracted from dried ale bottom yeast by autolysis for 4 hr. at 37° C, impurities are precipitated with basic lead acetate [$2\,Pb(Ac)_2Pb(OH)_2$], and acetone is added slowly in the cold to the supernatant fluid. The precipitate obtained with 400 ml acetone per liter of aquous extract is discarded, and the enzyme is precipitated when 600 ml acetone has been added. The dissolved and dialysed precipitate is adjusted to p_H 5.5 with acetic acid, and the supernatant fluid obtained after centrifugation is precipitated with 0.8 saturated ammonium sulfate at p_H 7. The enzyme obtained in the precipitate is dialysed and adsorbed on calcium phosphate gel, and then eluted with 0.2 M ammonium phosphate p_H 9.1. The adsorption procedure is repeated, the eluate is dialysed, adjusted to p_H 7 with 0.1 M phosphate, and impurities are removed with 0.55 saturated ammonium sulfate; the enzyme is precipitated between 0.55 and 0.65 saturated ammonium sulfate, and the yield at this point is 200 mg per kg dry yeast of a preparation containing 0.65% of FMN. Further purification is achieved by fractionation with ethyl alcohol in 0.1 M NaCl plus 0.025 M phosphate, p_H 7. The solution is cooled gradually during the alcohol addition, and is $-12°$ C at the highest concentration of alcohol. The purest preparation is obtained between 50 and 60 volume per cent of alcohol. The enzyme is now fractionated in the same salt solution (0.025 M phosphate plus 0.1 M NaCl) at p_H 6 with ethyl alcohol which contains 0.005 M zink acetate. The purest preparation is obtained between 40 and 54 volume per cent of alcohol. Crystals are precipitated with 0.53 saturated ammonium sulfate, p_H 8.6, and the FMN content is 0.877%, corresponding to a minimum molecular weight of 52000.

Properties. Molecular weight determination according to ARCHIBALD's method indicates M.W = 100000 to 105000, thus suggesting that the enzyme contains two moles of FMN. The turnover number is 35 min^{-1}.

The old yellow enzyme was the first flavoprotein to be split reversibly, and the holoenzyme resulting from the stoichiometric combination of FMN and apoenzyme was identical with the original enzyme with respect to catalytic activity, sedimentation velocity, flavin content, absorption maximum, and cataphoretic mobility[4]. The apoenzyme can be activated also by FAD, resulting in an enzyme which is 30% less active than the natural one[5].

FMN and the old yellow enzyme have an isosbestic point at 464 mμ, and at this wavelength the enzyme has an absorption maximum with a molecular extinction coefficient[3] of 10.5×10^6 cm^2 M^{-1}.

The presence of a red colour was observed by HAAS[6] some twenty years ago when the old yellow enzyme was reduced by hydrosulfite in the presence of TPN. This colour was attributed to the formation of a free radical such as would be present in the semiquinone form of riboflavin. Recently, BEINERT[7] observed the appearance of a transient intermediate, characterized by a broad absorption band in the region of 500 to 650 mμ,

---

[1] THEORELL, H.: B. Z. **288**, 317 (1936).
[2] THEORELL, H.: B. Z. **278**, 263 (1935).
[3] THEORELL, H., and Å. ÅKESON: Arch. Biochem. **65**, 439 (1956).
[4] THEORELL, H.: B. Z. **290**, 293 (1937).
[5] WARBURG, O., u. W. CHRISTIAN: B. Z. **298**, 369 (1938).
[6] HAAS, E.: B. Z. **290**, 291 (1937).
[7] BEINERT, H.: J. biol. Ch. **225**, 465 (1957).

during oxidation-reduction of the old yellow enzyme, yellow acyl dehydrogenase, and L-amino acid oxidase of snake venom. The absorption band was typical for the semi-quinone form of free flavin at neutral p_H, and since the band was observed also in the absence of substrate, it was ascribed to an intermediate oxidation state of the prosthetic flavin rather than to an enzyme-substrate complex. The presence of a free radical form has been observed also by the use of spin resonance determinations[1].

The reaction between apoenzyme and FMN to form holoenzyme, and the dissociation of the holoenzyme, have been studied by means of a sensitive fluorimetric technique[2-4]. The dissociation constant has been determined, both directly and from the ratio between the first and the second order velocity constant. In a neutral and salt-free medium the old yellow enzyme has an immeasurably low dissociation constant (10^{-11} to 10^{-12} M or less). Anions of strong acids dissociate the enzyme, as well as high or low p_H. The results obtained suggest that primary amino groups of the protein may serve as binding sites for FMN, and that only doubly anionic FMN couples rapidly with the protein. The reaction between riboflavin and apoenzyme is approximately one-tenth as rapid, and the dissociation 100000 times as rapid as the corresponding reactions in the FMN-apoenzyme system. The reaction between FMN and apoenzyme, as measured fluorimetrically, agrees well with a spectrophotometric determination, based on the shift in absorption at 495 mμ. Chemical modification of the apoenzyme with functional group reagents, which did not change the sedimentation constant of the protein, confirmed the essential nature of the amino groups for the binding, and suggested that tyrosyl hydroxyl may interact with the isoalloxazine nucleus[4].

Precipitating antibodies have been formed against the old yellow enzyme and its apoprotein[5]. The prosthetic group, FMN, does have hapten activity. The antibody does not compete with TPNH for the enzyme, and it does not decrease the reaction velocity between FMN and apoenzyme; nevertheless, it is strongly inhibitory[6].

Chlorpromazine and other promazine derivatives inhibit the old yellow enzyme activity when they are preincubated with the apoenzyme[7], but they increase the overall reaction rate when incubated with the holoenzyme. When it concerns the reaction between FMN and apoenzyme, promazin derivatives decrease the rate but have no effect on the binding capacity.

Assay procedure. The enzyme is determined manometrically at 37° C in a medium containing TPNH, produced in the Zwischenferment system (p. 857) and phosphate, p_H 7.4; 0.004 M KCN is added in order to prevent catalase decomposition of H_2O_2; alkali is used in the center well[8].

TPNH (DPNH) nitrate reductase (*Neurospora*).

[1.6.6.3 NAD(P)H$_2$:nitrate oxidoreductase.]

The enzyme catalyzes the reaction:

$$\text{TPNH (DPNH)} + NO_3^- + H^+ \rightarrow \text{TPN}^+ \text{(DPN}^+) + NO_2^- + H_2O$$

The reaction proceeds to completion[9].

---

[1] EHRENBERG, A., and G. D. LUDWIG: Science, N.Y. 127, 1177 (1958).
[2] THEORELL, H., and A. P. NYGAARD: Acta chem. scand. 8, 877 (1954).
[3] THEORELL, H., and A. P. NYGAARD: Acta chem. scand. 8, 1649 (1954).
[4] NYGAARD, A. P., and H. THEORELL: Acta chem. scand. 9, 1587 (1955).
[5] KISTNER, S.: Acta chem. scand. 14, 1389 (1960).
[6] KISTNER, S.: Acta chem. scand. 13, 1149 (1959).
[7] KISTNER, S.: Acta chem. scand. 12, 2034 (1958).
[8] WARBURG, O., u. W. CHRISTIAN: B. Z. 266, 377 (1933).
[9] NASON, A., and H. J. EVANS: J. biol. Ch. 202, 655 (1953).

The enzyme from *Neurospora* has been shown to be a flavoprotein[1-3]. Soluble preparations have been obtained also from yeast[4] and *Escherichia coli*[5]. The maximal rate of activity of the *Neurospora* enzyme with TPNH is about 20-fold that obtained with DPNH[1]. The enzymes from yeast and *Escherichia coli* are DPN-linked.

The activity of these enzymes can be determined colorimetrically by testing for nitrate, or spectrophotometrically by measuring the rate of TPNH (DPNH) oxidation[6,7].

Preparation. The enzyme is present only in mycelia grown in the presence of nitrate and nitrite[1]. Cell-free extracts are prepared from the mats of the wild type fungus, *Neurospora crassa* (5297a), grown in the FRIES basal medium. The mycelium mats are washed with water, frozen at $-15°$ C for 1 to 3 hr., and then homogenized in a glass homogenizer in 3 times their weight of cold 0.1 M K_2HPO_4. The supernatant solution obtained after centrifugation for 10 min at $20000 \times g$ is used for purification; 85% or more of the nitrate reductase activity of the homogenate is present in this supernatant solution. All steps of the purification procedure are carried out at 0—4° C; centrifugations are performed at $3000 \times g$; and ammonium sulfate is used as the saturated solution adjusted to p_H 7.0 to 7.5.

The enzyme is first precipitated at 0.43 saturated ammonium sulfate; the precipitate is dissolved in 0.1 M phosphate buffer, p_H 7.0; impurities are precipitated at 0.24 saturated ammonium sulfate, and the enzyme is precipitated between 0.24 and 0.46 saturated ammonium sulfate. The dissolved enzyme is adsorbed on calcium phosphate gel, aged 9 months or longer; the gel containing the enzyme is washed twice with 0.1 M phosphate buffer, p_H 7.5, and then eluted with 0.1 M pyrophosphate, p_H 7.0. The enzyme of the eluate is finally precipitated with 0.60 saturated ammonium sulfate; at this stage the purification is 60 to 70-fold, and the yield is 10% of the crude starting material.

Properties. The purified enzyme is quite unstable, losing at least half of its activity when stored overnight at $-15°$ C; the less pure preparations are more stable. The enzyme is a flavoprotein with FAD as the prosthetic group, as shown by reactivation studies, fluorimetric analysis, and the D-amino acid oxidase test; FMN can serve as prosthetic group, but the activity with FMN is half of that with FAD. The apparent dissociation constants of FAD and FMN are 3.2×10^{-7} M and 30×10^{-7} M, respectively.

The enzyme is inhibited by cyanide, azide, thiourea, potassium ethyl xanthate, o-phenanthroline, and 8-hydroxyquinoline, indicating a heavy metal constituent. When the fungus has been grown under molybdenum deficient conditions, the nitrate reductase activity is low[8]. Enzyme preparations, which have been dialyzed against cyanide, are specifically reactivated by molybdenum trioxide or sodium molybdate[9]. It has been shown that the molybdenum of the enzyme is undergoing oxidation-reduction changes, and therefore may be serving as a carrier in the electron transport between flavin and nitrate, as indicated in the following scheme[10]:

$$TPNH \to FAD \to Mo \to NO_3$$

The chemically reduced molybdenum can serve as electron donor in the absence of added TPNH for the enzymatic conversion of nitrate to nitrite[10]. Sulfhydryl groups appear to be necessary for the first step in the electron transport, namely from TPNH to flavin, as indicated by high sensitivity to pCMB inhibition; the inhibition is reversed

---

[1] NASON, A., and H. J. EVANS: J. biol. Ch. **202**, 655 (1953).
[2] NICOLAS, D. J. D., A. NASON and W. D. MCELROY: Nature **172**, 34 (1953).
[3] NICOLAS, D. J. D., and A. NASON: Arch. Biochem. **51**, 310 (1954).
[4] SILVER, W. S.: J. Bact. **73**, 241 (1957).
[5] TANIGUCHI, S., and E. ITAGAKI: Biochim. biophys. Acta **31**, 294 (1959).
[6] SILVER, W. S., and W. D. MCELROY: Arch. Biochem. **51**, 379 (1954).
[7] NASON, A., and H. J. EVANS; in: Colowick-Kaplan, Meth. Enzymol. Vol. II, p. 411.
[8] NICHOLAS, D. J. D., W. D. MCELROY and A. NASON: J. biol. Ch. **207**, 341 (1954).
[9] NICOLAS, D. J. D., and A. NASON: J. biol. Ch. **207**, 353 (1954).
[10] NICOLAS, D. J. D., and A. NASON: Arch. Biochem. **51**, 312 (1954).

by reduced glutathione. The subsequent transfer of electrons from reduced flavin to molybdenum and in turn to nitrate is less affected by pCMB.

When nitrate reductase is purified by a method different from that described above[1], the preparation is stimulated strongly by phosphate, and it has TPNH-cytochrome c reductase activity. The nitrate reductase and the cytochrome c reductase activities are induced in *Neurospora* in a parallel fashion, and the ratio between them remains constant over a wide range of purification. The K_M values for TPNH and FAD are almost identical for both activities, and in both cases FMN is about one-half as effective as FAD. The above results are consistent with the idea that nitrate and cytochrome c reductase are identical, or that they possess a common intermediate step. The enzymic activity has a sharp pH optimum at pH 7.0; the apparent MICHAELIS constants of TPNH and nitrate are 7×10^{-5} M and 1.4×10^{-3} M, respectively, under the specified assay conditions.

Assay procedure. Enzymic activity is determined colorimetrically by testing for nitrate with the use of the sulfanilamide and N-(1-naphtyl)ethylenediamine hydrochloride reagents[2]. The test procedure consists of adding 50 μl of enzyme to 0.5 ml of medium consisting of 0.02 M KNO_3, 1.5×10^{-6} M FAD, 1.6×10^{-4} M TPNH, and 0.1 M pyrophosphate, pH 7.0. After 5 min of incubation at 23—28° C, the sulfanilamide reagent is added to stop the reaction. Control tubes lacking TPNH are used to correct for the turbidity of the enzyme. One unit of nitrate reductase is defined as that amount of enzyme which results in the formation of 10^{-3} μmole of nitrite under the above conditions.

DPNH peroxidase *(Streptococcus faecalis)*.
[1.11.1.1 $NADH_2:H_2O_2$ oxidoreductase.]

The enzyme catalyses the reaction

$$DPNH + H_2O_2 + H^+ \rightarrow DPN^+ + 2\,H_2O$$

which proceeds to completion.

The physiological oxidant of the enzyme is H_2O_2; 1,4-naphtoquinone, menadione, and ferricyanide may function as acceptors. The enzyme has been isolated from *Streptococcus faecalis*[3,4].

Preparation. Vacuum-dried *Streptococcus faecalis* is suspended in 0.02 M potassium phosphate buffer, pH 7.0, in a concentration of 50 mg per ml, and subjected to sonic oscillation for 30 min in a Raytheon 10 kc, 200 W sonic oscillator. All succeeding operations are carried out at 0° C. The bulk of the enzyme of the cellfree extract is precipitated between 0.5 and 1.0 saturated ammonium sulfate. Nucleic acids are removed by the addition of protamine sulfate, so that the absorbancy ratio at 280/260 mμ is raised from 0.50 to 0.73. The enzyme is now precipitated between 0.45 and 0.57 saturated ammonium sulfate, and the precipitate has spec. activity 54 as compared to 5 for the original extract. Further removal of nucleic acids is now accomplished by the addition of protamine sulfate until the 280/260-ratio is 1.11. The supernatant is brought to pH 5.4 with 0.1 N acetic acid, and calcium phosphate gel, prepared according to KEILIN and HARTREE[5], is added, first in order to remove impurities, and then for adsorption of the enzyme. Considerable purification (50 to 100 fold) is accomplished by stepwise elution of the gel with 0.02 M phosphate at pH 6.5, 6.7, 7.0 and 7.7; the pH range where the maximum purification is obtained varies from run to run. At this stage the preparation contains 30% of the initial units. Further purification is achieved by zone electrophoresis on starch blocks in 0.033 M sodium acetate buffer, pH 5.65; the experiment is carried out at 500—600 volts,

---

[1] KINSKY, S. C., and W. D. MCELROY: Arch. Biochem. **73**, 466 (1958).
[2] NASON, A., and H. J. EVANS: J. biol. Ch. **202**, 655 (1953).
[3] DOLIN, M. I.: J. biol. Ch. **225**, 557 (1957).
[4] DOLIN, M. I.: Arch. Biochem. **55**, 415 (1955).
[5] KEILIN, D., and E. F. HARTREE: Proc. Soc. London (B) **124**, 397 (1938).

20 mA, 4—6° C, and is allowed to proceed for 17 hr. By repeated electrophoresis, solutions with specific activity 8500 to 9000 are obtained; the over-all yield is 2%. The single protein peak migrates at the same rate as the activity, and it contains 0.66% FAD, thus indicating an equivalent weight of 120000.

Properties. DPNH peroxidase differs markedly from the typical hematin peroxidase; the flavoprotein contains no hematin prosthetic group and no metal has been detected. The enzyme is resistant to various metal-chelating agents. Organic anions like acetate, propionate, and formate stimulate the reaction; heavy metals are potent inhibitors.

DPNH combines with the flavoprotein to form a spectrophotometrically visible complex; the extinction at 450 mμ is reduced about 20% and a new broad absorption band appears in the region 520 to 600 mμ. Upon addition of peroxide the spectrum of the oxidized enzyme is regenerated. The changes observed are strikingly similar to those found with acyl CoA dehydrogenase[1]. However, contrary to the findings in the acyl CoA dehydrogenase system, the long wave length band forms also when reduced substrate is added to a hydrosulfite-reduced enzyme. This indicates that these absorption changes may not be due to oxidation-reduction reactions but rather to the nature of the DPNH binding.

Strict conformity to MICHAELIS-MENTEN kinetics is observed. The apparent MICHAELIS constant for DPNH depends upon the oxidant used. It is 1.4×10^{-5} M for the peroxidase system. The turnover number is approximately 5000 min^{-1}.

Assay procedure. The reaction mixture is composed of 7×10^{-5} M DPNH and 1.3×10^{-3} M H_2O_2 in 0.03 M sodium acetate, p_H 5.4; 26° C. DPNH oxidation is measured at 340 mμ. The reaction follows zero order kinetics until the DPNH level decreases to about 3×10^{-5} M. The rate of oxidation is directly proportional to enzyme concentration. An enzyme unit is defined as that amount of enzyme which causes a change of 0.01 optical density unit per min in a total volume of 3.0 ml.

Glutathione reductase *(Escherichia coli)*.

[1.6.4.2 NAD(P)H$_2$:glutathione oxidoreductase.]

The enzyme catalyzes the reaction

$$\text{TPNH (DPNH)} + \text{GSSG} + \text{H}^+ \rightarrow \text{TPN}^+ + 2\,\text{GSH}$$

(where GSSG and GSH denote oxidized and reduced glutathione, respectively). The presence of GSSG reductase has been demonstrated in extracts of yeast[2,3], plant tissues[4-6], mammalian tissues[3,7], and in *Escherichia coli*[8,9]. Only the enzyme in *E. coli* has been shown to be a flavoprotein. This enzyme is specific for TPNH, whereas several of the others oxidize DPNH as well as TPNH.

Preparation. 18 hr. cultures are collected by centrifugation, washed, and suspended in water to give 20 mg dry weight per ml. The suspension is subjected for 40 min to sonic vibrations in a 9 kilocycle RAYTHEON magneto-constriction oscillator. To the supernatant solution, which contains the enzyme, M MnCl$_2$ is added slowly and with stirring at 3—4° C until the final concentration is 0.05 M; the precipitated nucleoprotein is removed after 30 min in the cold. After thorough dialysis the enzyme is precipitated between

---

[1] BEINERT, H.: J. biol. Ch. **225**, 465 (1957).
[2] MELDRUM, N. U., and H. L. A. TARR: Biochem. J. **29**, 109 (1935).
[3] RACKER, E. J.: J. biol. Ch. **217**, 855 (1955).
[4] MAPSON, L. W., and D. R. GODDARD: Biochem. J. **49**, 592 (1951).
[5] CONN, E. E., and B. VENNESLAND: J. biol. Ch. **192**, 17 (1951).
[6] ANDERSON, G. A., H. A. STAFFORD, E. E. CONN and B. VENNESLAND: Plant Physiol. **27**, 675 (1952).
[7] RALL, T. W., and A. L. LEHNINGER: J. biol. Ch. **194**, 119 (1952).
[8] ASNIS, R. E.: Bact. Proc. **81** (1953).
[9] ASNIS, R. E.: J. biol. Ch. **213**, 77 (1955).

0.4 and 0.6 saturated ammonium sulfate. The dissolved preparation is heat-treated at 60—70° C for 10 min, the heat-coagulated proteins are removed, and the enzyme is finally precipitated with 0.6 saturated ammonium sulfate. The above procedure results in approximately 50-fold purification, and the preparation has a specific activity of 2.6; freezing results in no loss of activity; it is stable for several weeks at 4° C.

Properties. The prosthetic group appears to be FAD; native apoenzyme has been prepared, and active enzyme has been obtained with FAD; FMN and riboflavin cannot serve as prosthetic group.

The enzyme is inactive with cysteine, oxygen, triphenyltetrazolium chloride, neotetrazolium chloride, cytochrome c, or Furacin; 2,6-dichlorobenzenone indophenol is reduced at a measurable but relatively slow rate. The optimal activity with GSSG is at p_H 6.9. The enzyme is reversibly inhibited by pCMB; it is also inhibited by Fe^{+++}, Zn^{++}, and Cu^{++}.

Assay procedure. The oxidation of TPNH is measured spectrophotometrically at 340 mμ in 0.067 M phosphate, p_H 7.0, in a total volume of 3.0 ml, at 30° C. The concentrations of TPNH and GSSG are 3.6×10^{-5} M and 5.4×10^{-4} M, respectively. Control systems containing TPNH and enzyme but no GSSG show no activity. One unit of activity is defined as the amount of enzyme required to produce an optical density change of 0.10 in the first min; spec. act. is units per μg of protein. TPNH may be prepared from TPN by reduction with hydrosulfite[1].

II. Amino acid oxidases.

The first step in the oxidation of D- and L-amino acids to α-ketoacids is the dehydrogenation, which yields an imino acid

(a) $\quad\quad\quad\quad\quad\quad RCH(NH_2) COOH \xrightarrow{-2H} RC(=NH)COOH$

The second step is the non-enzymatic hydrolysis of this imino acid to give NH_3 and α-ketoacid

(b) $\quad\quad\quad\quad\quad\quad RC(=NH)COOH + H_2O \rightarrow RCOCOOH + NH_3 + H_2O_2$

Thus, the over-all reaction catalyzed by amino acid oxidases of the flavoenzyme type is as follows:

$$RCH(NH_2)COOH + O_2 + H_2O \rightarrow RCOCOOH + NH_3 + H_2O_2$$

In the presence of catalase the stoichiometry is

$$RCH(NH_2)COOH + {}^1/_2 O_2 \rightarrow RCOCOOH + NH_3$$

The commonly used method of determination is the manometric estimation of the oxygen uptake.

A number of amino acid oxidases of different origin and with differing substrate specificities are known; they possess absolute stereospecificity, oxidizing either the L- or the D-form only. Some amino acid oxidases are capable of attacking many different α-amino acids, others are specific for one substrate.

D-Amino acid oxidase (mammals).

[1.4.3.3 D-Aminoacid:O_2 oxidoreductase.]

This enzyme is specific for D-amino acids, but it acts on a considerable number of different amino acids. Enzymes from different sources show some difference in the pattern of specificity. In the series of amino acids with unbranched aliphatic chains, the rate

---
[1] OHLMEYER, P.: B. Z. **297**, 66 (1938).

falls off with increasing chain length[1,2]; branching of the chain has little effect. Amino acids with aromatic chain are also oxidized. The enzyme oxidizes N-methylamino acids and proline; the latter may be regarded as an N-substituted amino acid. Glycine and glutamic acid are not attacked, however, and lysine is oxidized very slowly[3,4].

The enzyme occurs in kidney and liver of all vertebrates investigated. Sheep and pig kidney cortex are rich sources[1,2]; the concentration of the enzyme in horse appears to be one pro mille of that of sheep. The search for D-amino acid oxidase in mammalian tissues other than liver and kidney has generally given negative results[5].

Preparation. Commercial preparations of the pig kidney enzyme are available (Sigma Chemical Co., Nutritional Biochemicals Corporation). The method of preparation frequently used is that of NEGELEIN and BRÖMEL[6].

Acetone powder is made from freshly minced sheep kidney cortex, and the powder is stirred into 20 times its weight of 0.017 M pyrophosphate buffer, p_H 8.3. The suspension is kept at 38° C for 45 min and then filtered through cloth. Acetic acid, 2 N, is added in quantities of 21.6 ml per liter of the extract, and the fluid, of p_H 5.1, is kept at 38° C for 5 min. The enzyme of the supernatant solution is precipitated with 236 g per liter of ammonium sulfate, and the precipitate is suspended in 0.0033 M pyrophosphate buffer, p_H 8.3. The following step, which involves the splitting of the holoenzyme into apoenzyme and FAD, is performed at 0° C: 260 ml of saturated ammonium sulfate is added per liter, and N HCl is added with stirring to give p_H 2.8. The precipitated apoenzyme is washed with 1 l of saturated ammonium sulfate, and then resuspended in 0.016 M pyrophosphate p_H 8.3. The p_H is then adjusted to 6.0, and the solution is kept at 38° C for 10 min; the precipitate is discarded. The solution is cooled to 0° C, p_H is adjusted to 5.0 with 2 N HAc, and the enzyme is precipitated with 118 g of ammonium sulfate per liter. The precipitate is redissolved in 0.0013 M pyrophosphate buffer, p_H 8.3, the solution is adjusted to p_H 5.1 with 2 N HAc, and kept at 38° C for 10 min. The heat-coagulated protein is discarded, and the enzyme is now precipitated with 119 g per liter of ammonium sulfate, at 20° C; the precipitate may be dried at 0° C over P_2O_5 and KOH *in vacuo*. Some further purification is achieved by fractionation of the dissolved powder with ammonium sulfate at p_H 4.9.

Properties. The best preparations of NEGELEIN and BRÖMEL[6] have been estimated to be 70% pure. About 100000 g of protein is required to bind 1 mole of the prosthetic group, FAD[7]. The equivalent weight is, therefore, 100000 or less.

The apoenzyme cannot utilize FMN as prosthetic group, and the D-amino acid oxidase system is widely used for the testing of flavin prosthetic groups.

Sulfhydryl reagents, such as p-aminophenylarsine oxide, iodosobenzoate, and pCMB, reversibly inhibit the activity of the oxidase from sheep, pig, and rat kidneys[8,9].

Substrate-competitive inhibition is obtained with benzoate and several of its derivatives[10,11]; the phenylcarboxylate ion appears to be the essential unit for inhibition; the most powerful inhibitor of the group is m-methylbenzoic acid. Sodium benzoate protects D-amino acid oxidase apoenzyme from thermal inactivation[12].

---

[1] BENDER, A. E., and H. A. KREBS: Biochem. J. **46**, 210 (1950).
[2] KREBS, H. A.: Biochem. J. **29**, 1620 (1935).
[3] HANDLER, P., F. BERNHEIM and J. R. KLEIN: J. biol. Ch. **138**, 203 (1941).
[4] KARRER, P., and R. APPENZELLER: Helv. **24**, 127, 861 (1941).
[5] KREBS, H. A.; in: Sumner-Myrbäck, Enzymes Vol. II/1. p. 499.
[6] NEGELEIN, E., u. H. BRÖMEL: B. Z. **300**, 225 (1939).
[7] WARBURG, O., u. W. CHRISTIAN: B. Z. **298**, 150 (1938).
[8] SINGER, T. P., and E. S. G. BARRON: J. biol. Ch. **157**, 241 (1945).
[9] SINGER, T. P.: J. biol. Ch. **174**, 11 (1948).
[10] KLEIN, J. R., and H. KAMIN: J. biol. Ch. **138**, 507 (1941).
[11] BARTLETT, G.: Am. Soc. **70**, 1010 (1948).
[12] BURTON, K.: Biochem. J. **48**, 458 (1950).

Quinine, atabrine, and related substances inhibit D-amino acid oxidase strongly at low concentrations of FAD, and only slightly at high concentrations[1]. The rate-concentration relationship with quinine as inhibitor is readily interpretable on the assumption of reversible FAD-competitive inhibition; this is not strictly true with atebrine.

Adenosine-5'-phosphate and ADP combine with the oxidase in competition with FAD[2]. Adenosine-5'-phosphate also protects the oxidase against inactivation. The affinity of the apoenzyme for ADP and AMP appears to be at least 20 times the affinity for the related compounds ATP, inosine-3'-phosphate, guanosine-3'-phosphate, or adenosine. This seems reasonable for ADP and AMP are more closely related to FAD than are the other compounds[2].

The physiological significance of this enzyme is unknown.

The apparent K_M for alanine is 2×10^{-3} M. The enzyme has a rather sharp optimum between pH 8 and 9[3]. The rate of oxidation of the best preparations is 935 μl oxygen per mg protein per min[4,5]. The turnover number is 1440 min^{-1} at 38° C in an atmosphere of 100% oxygen[4,6].

Assay procedure[4,5]. The assay medium is composed of 0.05 M D,L-alanine, 4×10^{-6} M FAD, and 5 μg of catalase per ml (when highly purified enzyme preparations are used) in 0.04 M pyrophosphate buffer, pH 8.3, 37° C. The substrate is added from the side arm; alkali is used in the center well.

D-Aspartic acid oxidase (mammals).
[1.4.3.1   D-Aspartate:O$_2$ oxidoreductase.]

In contrast to the general D-amino acid oxidase described above (section II A), D-aspartic acid oxidase has a high substrate specificity; the enzyme oxidizes none of the other D-amino acids, except possibly D-glutamic acid, which is oxidized at a much lower rate; the ratio of aspartic to glutamic activity varies in different preparations; thus, two separated enzymes may be implicated[7,8].

The enzyme has been prepared from rabit kidney and liver. In these tissues D-aspartic acid oxidase is present in relatively high concentrations compared to D-amino acid oxidase[8]. Pig kidney, the standard source of the general D-amino acid oxidase, contains roughly equal amounts of the two enzymes. Although the enzyme was originally found in the particulate fraction of the cell[7], most of the activity is in the soluble part of the cell.

The enzyme can be resolved into FAD and apoenzyme; the apoenzyme is reactivated with FAD, whereas FMN is inactive. Unlike the general D-amino acid oxidase, the D-aspartic acid oxidase (holoenzyme and apoenzyme) is not inhibited by moderate concentrations of sodium benzoate.

Assay procedure[7,8]. The medium for the manometric assay is composed of 0.03 M D-aspartate, 0.025% ethyl alcohol, and 30 μl of FAD per ml, in 0.03 M phosphate buffer, pH 7.5. Alkali is added to the center well, and air is used in the gas phase; the temperature is 37° C.

Ethyl alcohol is oxidized to acetaldehyde by H_2O_2 in the presence of catalase, which is present as an impurity; this doubles the rate of oxygen uptake.

---

[1] HELLERMAN, L., A. LINDSAY and M. R. BOVARNICK: J. biol. Ch. **163**, 553 (1946).
[2] BURTON, K.: Biochem. J. **48**, 458 (1950).
[3] KREBS, H. A.: Biochem. J. **29**, 1620 (1935).
[4] NEGELEIN, E., u. H. BRÖMEL: B. Z. **300**, 225 (1939).
[5] BURTON, K., in: Colowick-Kaplan, Meth. Enzymol. Vol. II/1, p. 199.
[6] WARBURG, O., u. W. CHRISTIAN: B. Z. **298**, 150 (1938).
[7] STILL, J. L., M. V. BUELL, W. E. KNOX and D. E. GREEN: J. biol. Ch. **179**, 831 (1949).
[8] STILL, J. L., and E. SPERLING: J. biol. Ch. **182**, 585 (1950).

L-Amino acid oxidase (mammals).
[1.4.3.2   L-Aminoacid:O_2 oxidoreductase.]

The enzyme catalyses the oxydative deamination of approximately half of the naturally occuring amino acids[1-3]. With the exception of glycine, threonine, and serine all monoaminomonocarboxylic acids are oxidized. The rate increases with increasing chain length. Branching of the chain is favourable on the rate of oxidation. The enzyme scarcely acts at all on dicarboxylic acids. An interesting feature of this enzyme is that it also oxidizes L-α-hydroxy acids[3]. The rate of oxidation of leucine to the rate of oxidation of L-lactate is 1:2.7. N-methylamino acids and proline are oxidized. Methylene blue can replace oxygen as hydrogen acceptor.

At present rat kidney and liver have been found to be the only satisfactory sources of the enzyme. The activity of crude tissue suspensions decreases strongly with the dilution[4]; it has been suggested that oxygen is not the physiological electron acceptor.

Preparation[2]. Acetone powder is made of finely minced rat kidneys, and the enzyme is extracted from the powder with water; it is then precipitated with 15 g per 100 ml of sodium sulfate at 5.1, the precipitate is suspended in water and brought to p_H 8.5. The suspension is kept at 57° C for 5 min, heat-coagulated proteins are removed, and the precipitation with sodium sulfate is repeated, this time at p_H 5.6. The preparation is suspended in water, brought to p_H 8.7, and then dialysed for 18 hr. against 0.025 M phosphate buffer, p_H 7.3. The solution is now brought to p_H 4.9 with acetic acid, the precipitate is discarded, and the solution is neutralized. The solution is then fractionated repeatedly with ammonium sulfate; the 0.43 to 0.50 saturated fraction finally obtained has purity index 22.2 and is homogeneous in the electrophoresis apparatus; in the ultracentrifuge, two components of equal activity appear, with S_{20} of 13.5 and 5.0 . The diffusion constant, D_{20} of the light component is 4.0×14^{-7} cm^2/sec and of the heavy component, 3.0×10^{-7} cm^2/sec, or less. On the basis of these figures the molecular weights are 120000 and 430000 (or less), respectively[5].

Properties. The prosthetic group is FMN[2]; the identification is based on the ratio of P to flavin in the prosthetic group, which is 1 to 1. The lighter component contains 2 moles of FMN per mole of enzyme; the heavier one may be a tetrameric aggregate of the former[2]. The absorption maximum at 375 mμ is higher than that at 450 mμ. The substrates bleach the preparation partially.

The enzyme has the extraordinarily low turnover number of 6 at 38° C; the prosthetic group is reduced by the substrates of the enzyme at rates which correspond to this observed activity[2]. In contrast to the L-amino acid oxidase activity of slices or brei, the purified enzyme is not inhibited by cyanide at 10^{-2} M or by capryl alcohol[4]. The enzyme is inhibited by iodoacetate at 10^{-2} M; it is not affected appreciably by benzoate.

Assay procedure. The medium for the manometric assay is composed of 0.015 M L-leucine (added from the side arm) and catalase in 0.015 M phosphate buffer, p_H 8.8 (p_H optimum), at 38° C. Supplementation of catalase is necessary with the more purified preparations; washed erythrocytes may be used as a source of this enzyme. Alkali is used in the center well, and air in the gas phase.

One unit catalyzes the uptakes of 60 μl of O_2 per hr. Purity index is defined as the ratio of the optical density at 280 mμ to the number of units per ml of enzyme.

---

[1] BLANCHARD, M., D. E. GREEN, V. NOCITO and S. RATNER: J. biol. Ch. **155**, 421 (1944).
[2] BLANCHARD, M., D. E. GREEN, V. NOCITO and S. RATNER: J. biol. Ch. **161**, 583 (1945).
[3] BLANCHARD, M., D. E. GREEN, V. NOCITO-CARROLL and S. RATNER: J. biol. Ch. **163**, 137 (1946).
[4] KREBS, H. A.: Biochem. J. **29**, 1620 (1935).
[5] MOORE, D. H.: J. biol. Ch. **161**, 597 (1945).

L-Amino acid oxidase (snake venom).

[1.4.3.2 L-Aminoacid:O_2 oxidoreductase (deaminating).]

The enzyme attacks only amino acids of the L-form. The highest activity is obtained with monoaminomonocarboxylic acids; branching of the chain has little effect; there is an optimum at 5 to 6 C-atoms, with some variation among different species. Peptides are not oxidized, and L-amino acids with secondary amino group, such as N-methylleucine and proline, are not attacked[1-3].

The enzyme has been found in snake venom from a great many species, and in several tissues of venomous and nonvenomous snakes[1-3]. The amino acid oxidase activity of crude venom is much greater than that of any other crude animal tissue extract. The entire flavin content of moccasin venom can be accounted for in terms of L-amino acid oxidase[4].

Preparation[4]. The dried moccasin venom with Q_{O_2} 500 is dissolved in water to give a concentration of 10 mg per ml, and then kept at 73° C for 5 min in the presence of 10^{-3} M L-leucine; heat-coagulated protein is discarded. The rest of the procedure is carried out at 0 to 3° C. To the supernatant solution graded amounts of calcium phosphate gel are added in order to adsorb impurities. The gel is discarded, and the clear supernatant solution is adjusted to p_H 4.6; in this p_H range the enzyme has high affinity for the gel, and more than 95% of the activity is easily adsorbed. The gel is washed with 0.06 to 0.1 M acetate buffer, p_H 5.5 to 5.7, whereby no more than 5 to 10% of the enzyme is eluted. The oxidase is eluted with 0.65 saturated ammonium sulfate, which has been adjusted to p_H 4.6 with acetate buffer (65 ml saturated ammonium sulfate plus 35 ml 0.2 M acetate, p_H 4.6). The eluate is adjusted to p_H 5.5, and the enzyme is precipitated by the addition of 1.35 g of ammonium sulfate to each 10 ml of solution. The precipitate is dissolved in 0.1 M acetate buffer, p_H 5.5, and then dialysed for 12 hr. under continuous stirring against 0.625 saturated ammonium sulfate. A light precipitate is discarded. Saturated ammonium sulfate is now added to give 0.73 saturation, and a yellow precipitate, containing the enzyme, is obtained. Further purification is achieved by electrophoresis in 0.05 M Tris buffer, p_H 7.2, using the separatory cell in the TISELIUS apparatus. The enzyme migrates to the positive pole.

The enzyme is precipitated in 40 to 50% yield and at 93% purity with 0.78 saturated ammonium sulfate, and the final product, with a yield of 25%, is homogeneous in the TISELIUS apparatus, in the ultracentrifuge, and also by phase-solubility criteria; Q_{O_2} is 2800. The enzyme is unstable to freezing or lyophilization and is best stored at 0 to 5° C as an ammonium sulfate precipitate[4].

Properties. The enzyme has absorption maxima at 273, 389, 465 and 490 mμ[5]. The molecular extinction coefficient of the enzyme at 465 mμ is 11×10^6 M^{-1} cm^2. The absorption in the visible region is bleached by hydrosulfite and by 0.01 M L-leucine to the same extent. The prosthetic group is FAD, and the minimum molecular weight on the basis of FAD content is 62 200; this figure agrees well with the molecular weight of 61 600 calculated from sedimentation velocity and diffusion constant[4].

Reoxidation of the reduced flavin appears to be the rate limiting step. Oxygen consumption is tripled when oxygen replaces air in the gas phase; furthermore, bleaching of the enzyme may be accomplished by L-leucine even under aerobic conditions. No reaction between the leucoenzyme and cytochrome c is observed.

Riboflavin and many of its analogues, such as isoriboflavin, Atebrin, and alloxazine, are effective inhibitors, but the inhibition is non-competitive[5].

---

[1] ZELLER, E. A., and A. MARITZ: Helv. **27**, 1888 (1944).
[2] ZELLER, E. A., and A. MARITZ: Helv. **28**, 365 (1945).
[3] ZELLER, E. A.: Adv. Enzymol. **8**, 459 (1948).
[4] SINGER, T. P., and E. B. KEARNEY: Arch. Biochem. **29**, 190 (1950).
[5] SINGER, T. P., and E. B. KEARNEY: Arch. Biochem. **27**, 348 (1950).

The inhibiting effect of various carboxylic and sulfonic acids has been ascribed to competition with the substrate[1].

The enzymes of many venoms undergo a complete, reversible inactivation under appropriate conditions[2-4]. The inactivation of the highly purified enzyme of moccasin venom has been studied in great detail[3]. Inactivation takes place in water or in the presence of phosphate or other bi- and trivalent anions. The degree of inactivation is determined by the p_H. The curve relating the extent of inactivation at equilibrium to p_H has the shape of an acid-base dissociation curve with pK 6.55. The energy of activation for the reaction

$$\text{active enzyme} \rightarrow \text{inactive enzyme}$$

is 42 500 cal per mole. The reaction is of the first order in both directions. Monovalent anions, substrates, and flavin analogues stabilize the enzyme against the reversible inactivation; the most effective stabilizers of the protein are substances that are likely to combine with the active center of the enzyme. Neither partial nor complete inactivation gives rise to changes in sedimentation velocity or electrophoretic mobility. SINGER and KEARNEY[3] visualize the changes as minor alteration of the specific structure of the enzyme, caused by rupture or formation of several relatively weak bonds.

The turnover number in pure oxygen is 3100 min^{-1} at p_H 7.2 and 38° C. The apparent MICHAELIS constant for the substrate L-leucine, is approximately 1×10^{-3} M. The region of p_H optimum extends from 7.0 to 7.5[5]. A sharp decline on the alkaline side has been ascribed to instability of the enzyme[3]. The decreased activity on the acid side (p_H 7→5.5) of the p_H optimum cannot be ascribed either to the instability of the enzyme or to the repression of the ionization of the substrate, but could be caused by the ionization of an imidazol nitrogen, toward which the NH_3^+ end of the substrate is orientated[3].

Assay procedure. The medium used for the manometric assay contains 0.006 M L-leucine in 0.07 M tris(hydroxymethyl)aminomethane chloride buffer, p_H 7.2; the substrate is added from the side arm. Alkali is used in the center well. Measurements are made at 38° C with air in the gas phase. The venom does not contain catalase, and the addition of this enzyme is unnecessary, since the oxidase is not affected by small amounts of H_2O_2.

L-Amino acid oxidase *(Neurospora)*.

[1.4.3.2 L-Aminoacid:O_2 oxidoreductase (deaminating).]

33 amino acids have been found to be oxidized with different rates[6]. With straight-chain monoaminomonocarboxylic acids there is an optimum at 4 or 5 C-atoms. Branching of the chain has a variable effect: valine is oxidized very much more slowly than its straight-chain isomer, leucine is oxidized more readily than the straight-chain isomer. Aminoadipic and aminopimelic acids are oxidized more rapidly than aspartic and glutamic acids and the C_3 members of the monoaminodicarboxylic acids. Amino acids with cyclic substituents are oxidized; tyrosine shows a slower rate of oxidation than phenylalanine. Proline is not attacked.

The enzyme has been found in 17 strains of *Neurospora crassa* and 3 strains of *Neurospora sitophila*. The highest yield is obtained with *Neurospora crassa CMI 3411* in stationary culture on a liquid medium[7].

---

[1] ZELLER, E. A., and A. MARITZ: Helv. **27**, 1888 (1944).
[2] SINGER, T. P., and E. B. KEARNEY: Arch. Biochem. **27**, 348 (1950).
[3] KEARNEY, E. B., and T. P. SINGER: Arch. Biochem. **33**, 377, 397, 414 (1951).
[4] SINGER, T. P., and E. B. KEARNEY: Arch. Biochem. **21**, 242 (1949).
[5] SINGER, T. P., and E. B. KEARNEY: Arch. Biochem. **29**, 190 (1950).
[6] BENDER, A. E., and H. A. KREBS: Biochem. J. **46**, 210 (1950).
[7] BURTON, K.: Biochem. J. **50**, 258 (1952).

The yield varies with the supply of biotin[1-3]. Concentrations of biotin above 1 μg per l considerably reduces the yield of L-amino acid oxidase. The yield is normally about 10 units per mg mycelial dry weight; almost half of this is normally in the culture fluid.

The purified enzyme[1] contains one mole of FAD per 11 000 g of non-dialyzable nitrogen; this corresponds to a minimum molecular weight of approximately 79 000, which is in the range reported for many other flavoproteins. The spectrum of the oxidized enzyme is atypical, with only a slight shoulder at 450 mμ. The yellow colour is partially bleached by D,L-alanine; further bleaching is obtained with hydrosulfite.

The turnover number is 2100 moles of phenylalanine oxidized per min per mole of flavin at 30° C. The p_H-activity curve has a broad maximum between p_H 6 and 9.5. High concentrations of substrate inhibit the enzyme[1].

Assay procedure[1]. The medium used for the manometric assay contains 0.0025 M D,L-phenylalanine in 0.033 M pyrophosphate buffer, p_H 8.3. The substrate is added from the side arm, and the total fluid volume is 4.5 ml. In the later stages of purification, an extract of red blood cells, equivalent to 0.02 ml of blood, is added to supply catalase. Alkali is added to the center well. The gas phase is oxygen, and the temperature is 30° C. The endogeneous respiration of some of the crude extracts is high, which precludes the exact assessment of the oxidase activity. The blank is very small with purified preparations. D-amino acid oxidase is not present. One unit is defined as the amount of enzyme causing 1 μl O_2-uptake in 10 min.

Glycine oxidase (mammals).

[Glycine:O_2 oxidoreductase.]

The enzyme catalyses the oxidation of glycine and sarcosine to glyoxylic acid; N-dimethylglycine is not attacked. Glycylglycine and leucylglycine are attacked immeasurably slowly, if at all. Glycine oxidase reacts with methylene blue as acceptor, but addition of methylene blue does not increase the rate of oxygen consumption[3].

The enzyme occurs in the livers and kidneys of most mammalian species tested. Rat kidney is inactive. Pig kidney has been found to be the best source of the enzyme[3].

The enzyme has not been purified extensively. The preparations invariably contain D-amino acid oxidase, but there is evidence that the two enzymes are distinct: (a) the glycine enzyme may be completely split under conditions which do not appreciably split the D-enzyme, and (b) the reaction between FAD (the prosthetic group) and the apoenzyme takes place more rapidly with the D-enzyme than with glycine oxidase. Glycine oxidase does not dissociate to any significant extent over the p_H range 4 to 9; nevertheless, splitting takes place during the purification procedure, and it is necessary to add FAD in order to get maximum activity. A factor in crude preparations appears to destroy the bound FAD.

The MICHAELIS constant for glycine is as high as 0.04 M, and optimal activity is reached at approximately 0.15 M. The enzyme has a rather sharp p_H optimum around p_H 8.3.

Assay procedure. The manometric assay is carried out in a medium containing 0.3 M glycine; the buffer is 0.1 M dimethylglycine, p_H 8.3. FAD is added at a concentration of 3 μg per ml. Alkali in the center well; 38° C. The reaction rate is the same in air as in 100% oxygen.

---

[1] BURTON, K.: Biochem. J. **50**, 258 (1952).
[2] BENDER, A. E., H. A. KREBS and N. H. HOROWITZ: Biochem. J. **45**, 21 (1949).
[3] RATNER, S., V. NOCITO and D. E. GREEN: J. biol. Ch. **152**, 119 (1944).

III. Enzymes oxidizing —CHOH— to —CO.

L-Lactate cytochrome c reductase (yeast).

[1.1.2.3   L-Lactate:cytochrome c oxidoreductase.]

The enzyme catalyses the reaction[1]:

$$R\text{—CHOH—COOH} + 2\,CyFe^{+++} \rightarrow R\text{—CO—COOH} + 2\,CyFe^{++} + 2\,H^+$$

L-Lactate is oxidized more rapidly than α-hydroxybutyrate, which in turn is oxidized more rapidly than α-hydroxycaproate. The D-isomers are not oxidized. Glycollate appears to be attacked, but at a rate which is only 5% of that with L-lactate as substrate. Ferricyanide, 2,6-dichlorophenol indophenol, and 1,2-naphtoquinone-4-sulfonate are reduced at the same rate as cytochrome c. The reaction with molecular oxygen is very slow[2-5].

The enzyme has been shown to be present in several strains of aerobically grown yeast.

Purification. The purification and crystallization method of APPLEBY and MORTON is as follows[6]: Dried yeast is stirred with butan-1-ol for 1 hr. at room temperature, collected by centrifugation, and thoroughly dispersed in a solution at pH 5.1 containing 0.1 M lactate and 0.02 mM EDTA; fresh butan-1-ol is added to ensure saturation. The suspension is stirred mechanically for 2 hr. at room temperature. After centrifuging, the clear yellow-brown aqueous layer is collected, cooled to $-2°$ C, and acetone is added to 18% (v/v). The flocculent precipitate is discarded, and the supernatant is brought to 27—30% with acetone at $-15°$ C. The red precipitate, containing the enzyme, is collected, and then dispersed in a solution at pH 6.8 containing 0.12 M lactate, 0.02 mM EDTA, and 25% acetone at $-4°$ C. The clear red supernatant is poured from the grey precipitate. Acetone at $-10°$ C is slowly added until a light turbidity appears at about 27%; the solution is centrifuged, and the clear supernatant is brought to 30% with acetone. The precipitate which is formed, contains the enzyme, and it is dissolved at $0°$ C in a solution at pH 6.8 containing 0.03 M pyrophosphate, 0.1 M lactate, and 0.02 mM EDTA. Crystallization is achieved by dialysis for 24 to 40 hr. at $0°$ C against a solution at pH 6.8 containing 0.05 M lactate and 0.01 mM EDTA; the enzyme solution is maintained under anaerobic conditions as far as possible during dialysis. The crystals are collected by centrifuging, dissolved at $0°$ C in 0.5 M lactate + 0.1 mM EDTA, pH 6.8, and the solution is stored anaerobically at $-15°$ C. Under these conditions activity is retained for months. The yield is approximately 10% of the original extract, and the specific activity is increased from approximately 50 to approximately 6000 μmoles of ferricyanide reduced per mg protein per hour.

Properties. The crystalline enzyme, which is homogeneous by electrophoretic and ultracentrifugal criteria[7], contains equimolar quantities of FMN and protoheme, and also 5% of deoxynucleotides; there is 1 g atom of magnesium per 80000 g of protein, which is the equivalent weight of the enzyme[2]. The enzyme has an absorption spectrum typical of hemoproteins, and the large SORET band prevents the direct observation of the oxidation — reduction of the flavin group. Several lines of evidence indicate strongly, however, that the flavin is the first hydrogen acceptor: (a) the inactivation of the enzyme is paralleled by the dissociation of the flavin group (this process is irreversible), (b) the extinction coefficient of the reduced enzyme at 450 mμ is only 6.2×10^6 cm^2 M^{-1}, which is approximately half of that for oxidized flavin, and (c) titration of the reduced enzyme

---

[1] BACH, S. J., M. DIXON and L. G. ZERFAS: Biochem. J. **40**, 229 (1946).
[2] APPLEBY, C. A., and R. K. MORTON: Biochem. J. **73**, 539 (1959).
[3] NYGAARD, A. P.: Biochim. biophys. Acta **33**, 517 (1959).
[4] NYGAARD, A. P.: Biochim. biophys. Acta **35**, 212 (1959).
[5] BOERI, E., and L. TOSI: Arch. Biochem. **60**, 463 (1956).
[6] APPLEBY, C. A., and R. K. MORTON: Biochem. J. **71**, 492 (1959).
[7] ARMSTRONG, J. McD., J. H. COATES and R. K. MORTON: Nature **186**, 1032 (1960).

with ferricyanide suggests that electrons can be donated from components other than the heme[1]; the heme is also oxidized-reduced[2]. Acceptor-competitive inhibition is obtained with salts, and this is primarily caused by the cation; substrate-competive inhibition has been observed with a number of carboxylic acids[3].

The best preparations have a turnover number of 8000 min^{-1} (equivalents of acceptor reduced per equivalent of enzyme), at optimal p$_H$. The enzyme has p$_H$ optimum between 7 and 8.

Assay procedure. The enzyme can be determined in phosphate buffer, p$_H$ 7.1, $\Gamma/2 = 0.01$ with 5×10^{-3} M L-lactate and 2×10^{-5} M cytochrome c; the enzyme is saturated with respect to substrate and acceptor under these conditions. The reaction is measured spectrophotometrically by following the reduction of the acceptor at 550 mμ; 1×10^{-4} M ferricyanide can replace cytochrome c as acceptor.

One unit of enzyme activity is defined as that amount which causes the reduction of 1 μmole of acceptor per hour.

D-Lactate cytochrome c reductase (yeast).

[1.1.2.4   D-2-Hydroxyacid:cytochrome c oxidoreductase.]

The enzyme catalyses the reaction:

$$\text{D-lactate} + 2\,\text{CyFe}^{+++} \rightarrow \text{Pyruvate} + 2\,\text{CyFe}^{++} + 2\,\text{H}^+$$

L-Lactate is not oxidized. α-Hydroxybutyrate is attacked at the same rate as lactate. The enzyme does not reduce ferricyanide, 2,6-dichlorophenol indophenol, or methylene blue. The reaction is essentially irreversible[4].

The enzyme has been detected in several strains of yeast grown aerobically; its concentration is approximately half that of L-lactate cytochrome c reductase, and it is firmly associated with the particulate fraction of the cell.

Preparation[4]. Pressed bakers' yeast is suspended in 0.025 M Na$_2$HPO$_4$ and disrupted with micro glass beads in a blendor at 20° C; whole cells and large fragments are removed by centrifugation at 1000 $\times$ g for 10 min. Acetone at $-10°$ C is added to the cold suspension until a concentration of 30 % (v/v) is attained. The precipitate, containing the enzyme, is collected, residual acetone is removed under vacuum, and the precipitate is suspended in water. The suspension is kept at 55° C for 3 min, and the precipitate is collected by centrifugation. The following steps are done at $-10°$ C: the precipitate is thoroughly dispersed in butan-1-ol, the insoluble material is collected, and a suspension is made with acetone. The acetone is removed, and the residue is treated with ethyl ether. Residual ether is removed under vacuum, and a dry powder is obtained; the powder can be stored for weeks with little loss in activity. The powder is suspended thoroughly in water and kept at 5° C for 24 hr. prior to centrifugation. Long incubation time is necessary for solubilization of the enzyme. The clear supernatant solution is added to a diethylaminoethylcellulose column at p$_H$ 7.0; the enzyme is adsorbed, and can be eluted with 0.04 M phosphate buffer, p$_H$ 5.4, to which sodium chloride has been added. The most active fraction is eluted with 0.08 to 0.12 M sodium chloride; it has a specific activity of 5000 μmoles of cytochrome c reduced per mg protein per hour. The preparation is stabilized by D-lactate; it is destroyed by freezing. The yield from 1 kg of dry yeast is approximately 9000 units.

Properties. The prosthetic group, viz. FAD, has not been split reversibly from the protein; it dissociates spontaneously from the protein in certain preparations.

---

[1] CHANCE, B., M. KLINGENBERG and E. BOERI: Fed. Proc. 15, 231 (1956).
[2] BACH, S. J., M. DIXON and L. G. ZERFAS: Biochem. J. 40, 229 (1946).
[3] NYGAARD, A. P.: J. biol. Ch. 236, 2779 (1961).
[4] NYGAARD, A. P.: J. biol. Ch. 236, 920 (1961).

The reaction may involve the reduction of the oxidized form of the enzyme by D-lactate, and the subsequent reoxidation of the reduced enzyme by ferricytochrome c; one or two binary complexes may be formed[1]. A number of carboxylic acids appear to interact specifically at the substrate site, whereas salts of mono- and polyvalents cations seem to combine with the acceptor site. Mono- and divalent cations interact in the ratio 3:1, whereas proteins (with isoelectric points above p_H 7) interact in the ratio 1:1 [2]. The turnover is 8000 of cytochrome c reduced per equivalents of enzyme per min[3]; p_H optimum is at p_H 7.0. The enzym is inactivated above p_H 7.5.

Assay procedure. The soluble enzyme is determined as described for L-lactic cytochrome c reductase, and the same unit of activity is used. The particulate enzyme is assayed in the same reaction mixture, but with the addition of 0.0025 M azide; this agent inhibits cytochrome oxidase, and does not affect D-lactate cytochrome c reductase. Occasionally, the turbidity of the reaction mixture, as recorded at 540 mμ, increases with time. Hence the absorbancy is routinely recorded at 540 mμ as well as at 550 mμ and appropriate corrections are made.

D-Lactate dehydrogenase (yeast).

[D-2-Hydroxyacid:(acceptor) oxidoreductase.]

The enzymes catalyse the reaction:

$$\text{D-lactate} + A \rightarrow \text{pyruvate} + AH_2$$

where A denotes ferricyanide or 2,6-dichlorophenol indophenol. Two enzymes of this type have been detected, one in anaerobically grown bakers' yeast[4], the other in aerobically grown bakers' yeast[3]; they differ in respect to relative activities with ferricyanide and 2,6-dichlorophenol indophenol; the enzyme from anaerobically grown yeast is known not to reduce cytochrome c. The anaerobic enzyme oxidizes D-lactate, D-hydroxybutyrate, and D-malate in the ratio 1:1:1 [5]; the enzyme of aerobically grown yeast oxidizes D-lactate, D,L-α-hydroxybutyrate, and D,L-α-hydroxyvalerate in the ratio 1:1:0.5.

The enzyme of anaerobically grown yeast is readily obtained in the soluble fraction of yeast homogenates; no purification procedure has yet been described. The prosthetic group appears to be FAD[4-6]; in addition, the enzyme appears to contain a metal which is essential for activity; upon dialysis against chelating agents, it is inactivated, and can subsequently be reactivated with several divalent metals. FAD is readily split from the enzyme, but the native apoprotein has not been obtained under controlled conditions.

The enzyme of aerobically grown yeast is associated with the particulate fraction of the cell, and it accompanies D-lactate cytochrome c reductase (III B) during the purification procedure. The prosthetic group appears to be FMN, and it dissociates spontaneously and irreversibly from the enzyme. The apparent MICHAELIS constant for D-lactate is approximately 1×10^{-5} M, and this is at least 10 times less than that for the enzyme of anaerobically grown yeast.

Assay procedure. Both enzymes are determined spectrophotometrically at 410 mμ using ferricyanide (2×10^{-4} M) as acceptor; the concentration of D-lactate is 1×10^{-2} M.

The enzyme of anaerobically grown yeast is assayed in 0.05 M Tris buffer p_H 8.0 (p_H optimum); the enzyme of aerobically grown yeast is determined in 0.01 M phosphate, p_H 6.0 (p_H optimum).

---

[1] NYGAARD, A. P.: J. biol. Ch. **236**, 2128 (1961).
[2] NYGAARD, A. P.: J. biol. Ch. **236**, 2779 (1961).
[3] NYGAARD, A. P.: J. biol. Ch. **236**, 920 (1961).
[4] LABEYRIE, F., P. P. SLONIMSKI and L. NASLIN: Biochim. biophys. Acta **34**, 262 (1959).
[5] BOERI, E., T. CREMONA and T. P. SINGER: Biochem. biophys. Res. Comm. **2**, 298 (1960).
[6] CURDEL, A., L. NASLIN et F. LABEYRIE: Cr. **249**, 1959 (1959).

L-Lactate oxidative decarboxylase *(Myobacterium phlei)*.

[1.1.3.2 D-Lactate:O_2 oxidoreductase (decarboxylating).]

The enzyme catalyzes the over-all reaction:

$$\text{L-lactate} + O_2 \rightarrow \text{acetate} + CO_2 + H_2O$$

Cytochrome c is inactive as acceptor.

The enzyme has been isolated from *Mycobacterium phlei*[1-3]; a similar type of enzyme is present in *Mycobacterium tuberculosis avium*[4].

Preparation[1-3]. The extract of *Mycobacterium phlei* is made by sonic disintegration of washed cells in a RAYTHEON oscillator operated at 10 kc for 40 min. The cell debris is removed by centrifugation at $24000 \times g$, and the supernatant is dialyzed for 34 hr. against distilled water. Purification is conducted at temperatures between 0 and 4° C unless otherwise specified. The p_H is adjusted to 4.5 with 2 N acetic acid, and the precipitate, containing the enzyme, is dissolved in 0.1 M phosphate, p_H 7.0. Ammonium sulfate is now added to give 0.3 saturation, the precipitate is discarded, and the enzyme is precipitated with 0.6 saturated ammonium sulfate; it is dissolved in 0.1 M phosphate, p_H 7.0. Nucleic acids are now removed by the addition of protamin sulfate at the rate of 64 mg per 100 mg of protein; this brings the light absorption ratio 280/260 mμ from 0.63 to 0.82. Removal of inert proteins is accomplished by adsorption on calcium phosphate gel; the supernatant solution, containing the enzyme, is further purified by precipitation of impurities at 0.4 saturated ammonium sulfate. The fraction containing the enzyme is collected at 0.45 saturation; this point is critical, the ammonium sulfate concentration should not be as high as 0.50 saturation; the specific activity at this step in the purification procedure varies between 50 and 65 units per mg protein; it is brought to 150 or 180 units per mg protein by precipitation at p_H 5.1, the isoelectric point of the enzyme. This is accomplished by dialysis for a few hours against 0.05 M acetate buffer, p_H 5.1, at 4° C. After centrifugation the enzyme is dissolved in 0.1 M phosphate buffer, p_H 6.0, plus 0.8 ml saturated ammonium sulfate solution for each ml of the buffer. The crystallization is accomplished by further addition of ammonium sulfate sufficient to produce an incipient turbidity, and subsequent cooling to 4 to 6° C. The specific activity is 240 units per mg of protein.

Properties. The homogeneity of the protein has been established by electrophoresis and ultracentrifugation. Thus, the two activities, oxidation and decarboxylation, seem to be associated with a single protein unit. A tentative molecular weight of 260000 has been assigned the enzyme. The prosthetic group appears to be FMN, and the enzyme contains 1 g molecule of flavin per 125700 g of protein; hence, each mole of enzyme may contain 2 moles of FMN. Native apoenzyme has been prepared; reactivation takes place by the addition of FMN, FAD, or riboflavin, but FMN is the most effective flavin. The turnover number is[2] 470 $\min^{-1}$.

Pyruvate and H_2O_2 are likely to be intermediate products; pyruvate has been shown to be associated with the enzyme protein; H_2O_2, if formed, is not available to catalase.

Assay method. The enzyme is determined manometrically; both oxygen consumption and CO_2 evolution are measured in a medium containing 0.1 M lithium lactate and 0.01 M phosphate buffer, p_H 7.0; final volume, 2.7 ml. The reaction is carried out at 37° C, with air in the gas phase. The rate of oxygen uptake or CO_2 production is not directly proportional to the enzyme concentration for any time interval or enzyme concentration tested. For this reason, 1 unit of enzyme activity has been arbitrarily defined as the

---

[1] SUTTON, W. B.: J. biol. Ch. **210**, 309 (1954).
[2] SUTTON, W. B.: J. biol. Ch. **216**, 749 (1955).
[3] SUTTON, W. B.: J. biol. Ch. **226**, 395 (1957).
[4] YAMAMURA, Y., M. KUSUNOSE and E. KUSUNOSE: Nature **170**, 207 (1952).

logarithm of that amount of enzyme that is sufficient to produce 10 μl of oxygen consumed (or CO_2 produced) in 10 min, measured from the second 10 min of the reaction. The amount of enzyme is adjusted to produce from 50 to 150 μl of gas exchange during the second 10 min period. Protein may be determined by measuring the light absorption at 280 and 260 mμ.

Glycolic acid oxidase (plant).

[1.1.3.1 glycollate:O_2 oxidoreductase.]

The enzyme catalyses the reaction:

$$CH_2OH\text{—}COOH + O_2 \rightarrow CHO\text{—}COOH + H_2O_2 \rightarrow HCOOH + CO_2 + H_2O$$

Also L-lactate is oxidized[1]. The rate of oxidation of L-lactate is approximately half of the rate with glycolate; H_2O_2 produced reacts with pyruvate to yield acetic acid. 2,6-dichlorophenol indophenol serves as hydrogen acceptor.

The enzyme has been prepared from spinach leaves[1]. Enzymes of similar function have been partially purified from tobacco leaves[2] and from mammalian liver[3]. The mammalian enzyme has been reported to oxidize glycolaldehyde and D-lactate at 15—20% the rate of glycolate[4]; it is inactive in L-lactate oxidation.

Preparation[1]. Spinach leaves are ground in a WARING blendor, the juice expressed with a hydraulic press, cooled to 0 to 5° C, and adjusted to pH 5.4 with acetic acid; the temperature is maintained at 0 to 5° C throughout the procedure unless otherwise stated. The small precipitate is discarded, and ammonium sulfate is added to the supernatant to give 0.2 saturation. The precipitate is removed by high-speed centrifugation, and the supernatant liquid is brought to 0.3 saturation, whereby the enzyme is precipitated. It is dissolved in 0.20 M potassium phosphate buffer of pH 8.0, and then dialyzed with stirring for 4 hr. against the same buffer. Inert protein is precipitated by lowering of the pH to exactly pH 4.9 with acetic acid. Absolute ethanol at —50° C is slowly added to the cold supernatant to give a concentration of 8% by volume at a final temperature of —1° C. The precipitate is discarded, and ethanol is added to the supernatant fluid to a final concentration of 20% by volume, at a final temperature of —5° C. The precipitate is dissolved in 0.02 M potassium phosphate buffer, pH 8.0, and again inert protein is precipitated by lowering of the pH to 4.9 with acetic acid. Further purification is achieved by fractional adsorption and elution with calcium phosphate gel, prepared according to KEILIN and HARTREE[5]. Inactive protein is first adsorbed and removed; the enzyme is completely adsorbed by further addition of the gel, and it is eluted stepwise with 0.033 and 0.1 M potassium phosphate of pH 8.0; the eluates have specific activities of 120 and 289 (or more), respectively. The enzyme can be preserved in 0.5 saturated ammonium sulfate.

Properties[1]. The enzyme so obtained appears to be 70 to 80% pure, as judged by ultracentrifugation and electrophoresis. The specific activity is increased 2.7-fold by the addition of FMN, thus indicating that the enzyme is partially dissociated during the purification procedure through loss of the prosthetic group. The apoenzyme is very stable; it is activated both by FAD and FMN, but a larger concentration of FAD is required to activate the apoenzyme. The absorption maxima of the holoenzyme are at 276, 360—365, and 450 mμ.

Cyanide at a concentration of 10^{-2} M increases the activity from 50 to 100%. Malonate, iodacetate, and hydroxylamine inhibit the enzyme.

---

[1] ZELITCH, I., and S. OCHOA: J. biol. Ch. **201**, 707 (1953).
[2] CLAGETT, C. O., N. E. TOLBERT and R. H. BURRIS: J. biol. Ch. **178**, 977 (1949).
[3] KUN, E.: Fed. Proc. **11**, 364 (1952).
[4] KUN, E.: Fed. Proc. **12**, 338 (1953).
[5] KEILIN, D., and E. F. HARTREE: Proc. R. Soc. London (B) **124**, 397 (1938).

The oxidation of glycolate in Tris buffer has a rather sharp p_H optimum around p_H 8.3; with L-lacetate as substrate the p_H optimum is in the same region, but the peak is somewhat broader. The apparent MICHAELIS constants for glycolate and L-lactate are 3.8×10^{-4} M and 2.0×10^{-3} M, respectively.

Assay procedure[1]. The enzyme is assayed most conveniently by measuring the reduction of 2,6-dichlorophenol indophenol at 620 mμ. The medium is composed of 0.0066 M glycolate, 0.001% 2,6-dichlorophenol indophenol, and 3.3×10^{-4} M cyanide in 0.033 M potassium phosphate buffer of p_H 8.0. One enzyme unit is defined as the amount which causes a decrease in optical density (1-cm light path) of 0.01 per min. Specific activity is expressed as units per mg of protein.

Aldehyde oxidase (animal).
[1.2.3.1 Aldehyde:O_2 oxidoreductase.]

The action of this enzyme may be represented by the following equation:

$$RCHO + O_2 + H_2O \rightarrow RCOO^- + H^+ + H_2O_2$$

The enzyme reacts as rapidly with methylene blue and with 2,6-dichlorophenol as with molecular oxygen[2], and in the presence of added MoO_3, cytochrome c is reduced also at the same rate[3]. Nitrate can function as acceptor under anaerobic conditions, but it is relatively inefficient. The enzyme oxidizes a variety of aldehydes such as acetaldehyde, propionaldehyde, butyraldehyde, crotonaldehyde, benzaldehyde, salicylaldehyde, and glycolic aldehyde; it is denatured by formaldehyde. The reaction rate decreases with increasing chain length. The unsaturated crotonaldehyde is oxidized as rapidly as acetaldehyde. Hydroxyaldehydes such as glycolic aldehyde and salicylaldehyde are attacked less rapidly than the corresponding unsubstituted aldehydes[2]. The enzyme oxidizes quinolines to their carbostyrils, and it may be identical with the quinineoxidizing enzyme of KNOX[4]. The rate of oxidation of cinchonidine by aldehyde oxidase at optimal level is less than 1% of that of acetaldehyde.

The enzyme is present in liver of pig and rabbit. A similar type of enzyme has been partially purified from horse liver[5]. The horse liver enzyme oxidizes a number of aldehydes, including formaldehyde; furfural and salicylaldehyde are about twice as effective as substrates as acetaldehyde; the activity with methylene blue as acceptor is enhanced by the presence of ammonium salts[5].

Purification[2,3]. Aldehyde oxidase is extracted from pig liver by homogenization with 30% ethanol, and subsequent incubation of the suspension at 48° C for 5 min; denatured protein is discarded. The enzyme of the supernatant fluid is precipitated with basic lead acetate, and the collected precipitate is decomposed with saturated Na_2HPO_4: lead phosphate is discarded, and the liberated enzyme is precipitated with 0.4 saturated ammonium sulfate; it is dissolved in water. The subsequent steps are carried out at 0° C. The enzyme is fractionated with ammoniacal ammonium sulfate between the limits of 0.27 and 0.40 saturation; the ammoniacal solution employed is prepared by adding 6 ml of ammonia (sp. gr. 0.880) to 94 ml of saturated ammonium sulfate. At this stage the preparation appears to be of the order of 50% pure. Further purification is achieved by aging the enzyme preparation in 0.30 saturated ammoniacal ammonium sulfate at 0° C [3]. Inert protein precipitates successively and is discarded. When no further precipitation occurs during a 24 hr. period, the saturation of the solution is raised to 40% with respect to ammonium sulfate, and the enzyme precipitate is collected and dissolved

---
[1] ZELITCH, I., and S. OCHOA: J. biol. Ch. **201**, 707 (1953).
[2] GORDON, A. H., D. E. GREEN and V. SUBRAHMANYAN: Biochem. J. **34**, 764 (1940).
[3] MAHLER, H. R., B. MACKLER, D. E. GREEN and R. M. BOCK: J. biol. Ch. **210**, 465 (1954).
[4] KNOX, W. E.: J. biol. Ch. **163**, 699 (1946).
[5] CARPENTER, F. H.: Acta chem. scand. **5**, 406 (1951).

in water. The ageing period may extend for a longer period than 24 hr., it varies from preparation to preparation. The optical density ratios E_{410}/E_{450} and E_{280}/E_{450} can be used as guides through the purification, and especially during the ageing procedure. E_{410}/E_{450} should be equal to or less than 1.5, whereas E_{280}/E_{450} is 10.8 for the most highly purified preparations. These are homogeneous by electrophoretic measurements, but several fractions with identical absorption spectra and specific activities appear in the ultracentrifuge.

The specific activity with cytochrome c as acceptor, expressed as units per mg protein, increases from 0.2 to 4.0 during the purification procedure.

Properties. The absorption maxima are located at 278, 350, and 405 mμ, with shoulders at 450, 530, and 630 mμ; the enzyme is bleached by aldehydes and hydrosulfite. The flavin component, FAD, has not been split reversibly from the enzyme. The turnover number of the best preparations is 520 min^{-1} per mole of flavin at 38° C. All the flavin of the enzyme is rapidly reduced by the substrate under anaerobic conditions.

Besides FAD aldehyde oxidase contains molybdenum and iron-protoporphyrin; the three groups are present in the ratio 2:1:1 [1]. The function of the heme, if any, is unknown; the SORET band blurs the characteristic flavin bands at 360 and 450 mμ. Molybdenum appears to be required for the reduction of cytochrome c, but not of dyes or molecular oxygen. The cytochrome c reduction is lost when the enzyme is dialysed against 0.01 M ammonia, and it is restored by the addition of molybdenium trioxide; molybdate has no effect. The presence of phosphate, silicate, or arsenate is necessary for the reduction of cytochrome c. Arsenate can only partially take the place of phosphate; tungstate will partially replace molybdenum. The dissociation constant for the metal component as MoO_3 has been determined as 2.8×10^{-4} M [1].

Sulfhydryl reagents inhibit the enzyme, and the substrate protects against the inhibition. The inhibiting effect of metal-chelating agents is overcome by molybdenum, and quinacrine inhibition is counteracted by FAD [1].

The apparent MICHAELIS constant for crotonaldehyde is 0.007 M. The enzyme is active over the p_H range 5—11, with a maximum velocity at ca. p_H 7 [2].

Assay method[1]. For the assay with 2,6-dichlorophenol indophenol as acceptor, the medium is made up to contain 0.40 ml of 0.2 M phosphate buffer, p_H 7.1; 0.1 ml of a 0.01% solution of 2,6-dichlorophenol indophenol; 0.1 ml of 0.1% catalase, 0.02 ml of ethyl alcohol, 0.02 ml of enzyme, and 0.45 ml of distilled water; the reaction is started by the addition of 0.02 ml of 1 M acetaldehyde (redistilled), and the decrease of optical density at 600 mμ is measured with time; anaerobic condition is not necessary. Catalase and ethanol are added to destroy any H_2O_2 formed by reaction with oxygen.

The medium used for the assay with cytochrome c as acceptor is the same as that described above, except that indophenol is replaced by 0.1 ml of 1% ferricytochrome c, and 0.45 ml of 0.001 M MoO_3 is added instead of water.

One unit of the enzyme is the amount required to cause an optical density change of 1.0 in 1 min.

Xanthine oxidase (milk).
[1.2.3.2 Xanthine:O_2 oxidoreductase.]

The oxidation of hypoxanthine to xanthine, and the further oxidation of xanthine to uric acid, by molecular oxygen, are two of the many reactions catalyzed by xanthine oxidase:

$$\text{Hypoxanthine} + O_2 \rightarrow \text{xanthine} + H_2O_2$$
$$\text{xanthine} + O_2 \rightarrow \text{uric acid} + H_2O_2$$

The enzyme has exceptionally broad substrate and acceptor specificities. It oxidizes at least 10 different purines and all of the 31 aliphatic and aromatic aldehydes tested;

---
[1] MAHLER, H. R., B. MACKLER, D. E. GREEN and R. M. BOCK: J. biol. Ch. **210**, 465 (1954).
[2] GORDON, A. H., D. E. GREEN and V. SUBRAHMANYAN: Biochem. J. **34**, 764 (1940).

furthermore, it acts on a series of pterins[1-9]. Besides molecular oxygen, a number of dyes, nitrate, and also cytochrome c [3] can function as acceptors.

Xanthine oxidase is present in liver and milk; in the cow it occurs in several organs[10,11]. The enzymes from milk and from pig liver[2] have been purified. They both oxidize a number of purines, aldehydes, and pterins, but the relative rates of oxidation are different for the two enzymes.

Preparation. The preparation of highly active xanthine oxidase from fresh raw cream has been achieved by several investigaters[3,4,12]. A short description of the method which leads to a crystalline preparation[12] is as follows: Buttermilk is incubated with 1.7 g/l of pancreatin (from British Drug Houses Ltd.) at 34° C for 15 min, in the presence of 0.005 M calcium chloride. Precipitated casein is removed by straining through nylon net. The fluid is filtered under pressure and with the aid of Hyflo Super Cel. The clear brown-yellow filtrate, adjusted to p_H 6.2 with acetic acid, is passed through a calcium phosphate gel — Celite column[13,14]; a pressure of 4 lb./sq. inch has to be applied; the temperature is kept at 5° C. The column, which adsorbs the enzyme, is washed with 0.02 M phosphate, p_H 6.2, and is then eluted with M phosphate, p_H 5.8. To the eluate an equal volume of 4 M phosphate buffer, p_H 9, is added, and the precipitate containing the enzyme is filtered off in a sintered-glass funnel with the aid of Hyflo Super Cel. The enzyme concentrate is dissolved in a minimum of water, and then dialyzed against 0.01 M acetate, p_H 5.1; the resulting precipitate is discarded. The supernatant solution is concentrated by a current of air blown on the dialyzing sac to give a 1% protein solution. It is cooled to 0° C, and 70% (v/v) ethanol, precooled in carbon dioxide-acetone bath, is added while stirring to give a final concentration of 23% ethanol. The solution in which the enzyme precipitate forms is set aside for 16 hr. at —6° C before centrifugation. The precipitate is dissolved in water, and for each 100 ml of enzyme solution 1 ml of 1 M phosphate buffer, p_H 5.8, and 10 ml of 50% (v/v) ethanol are added in the manner described. The solution is placed in a thermostat-controlled bath at —1° C for 0.5 hr., the initial precipitate is removed, and the supernatant liquid is seeded with material obtained from a previous batch. Crystals appear after ca. 12 hr.; without seeding it may take 36 hr.; they are centrifuged off after 4 days.

Properties. The crystalline enzyme is more than 90% pure, as judged by electrophoretic and solubility tests[15]. The molecular weight has been calculated at 290000 from sedimentation, diffusion, and density data, and the isoelectric point is 5.3 to 5.4 [15].

The enzyme has a brownish yellow colour, and the light absorption is atypical for flavoproteins. The flavin group, FAD, has not been split reversibly from the enzyme. In some preparations the rate of reduction of a fraction of FAD is too slow to account for the overall reaction rate. A possible explanation of this behaviour is that a part of the enzyme has been inactivated during the purification procedure; FAD attached to the inactive apoenzyme could be reduced slowly by the active enzyme[5].

---

[1] BOOTH, V. H.: Biochem. J. **32**, 494 (1938).
[2] CORRAN, H. S., J. G. DEWAN, A. H. GORDON and D. E. GREEN: Biochem. J. **33**, 1694 (1939).
[3] HORECKER, B. L., and L. A. HEPPEL: J. biol. Ch. **178**, 683 (1949).
[4] BALL, E. G.: J. biol. Ch. **128**, 51 (1939).
[5] MORELL, D. B.: Biochem. J. **51**, 657, 666 (1952).
[6] HOFSTEE, B. H. J.: J. biol. Ch. **179**, 633 (1949).
[7] LOWRY, O. H., O. A. BESSEY and E. J. CRAWFORD: J. biol. Ch. **180**, 399 (1949).
[8] KREBS, E. G., and E. R. NORRIS: Arch. Biochem. **24**, 49 (1949).
[9] WIELAND, H., u. R. LIEBIG: A. **555**, 146 (1948).
[10] MORGAN, E. J., C. P. STEWARD and F. G. HOPKINS: Proc. R. Soc. London (B) **94**, 109 (1922).
[11] MORGAN, E. J.: Biochem. J. **20**, 1282 (1926).
[12] AVIS, P. G., F. BERGEL and R. C. BRAY: Soc. **1955**, 1100.
[13] POLIS, B. D., and H. W. SHMUKLER: J. biol. Ch. **201**, 475 (1953).
[14] UTKIN, L.: B. Z. **267**, 64 (1933).
[15] AVIS, P. G., F. BERGEL, R. C. BRAY, D. W. F. JAMES and K. V. SHOOTER: Soc. **1956**, 1212.

Xanthine oxidase contains three prosthetic groups, FAD, molybdenum, and iron[1-4]; the crystalline preparation contains 2 moles of FAD, 2 moles of molybdenum, and 8 moles of iron for each protein molecule[5]. It has been maintained that molybdenum is not required for xanthine oxidase activity but only for transfer of electrons to single electron acceptors, such as cytochrome c or ferricyanide[6]. This must be compared with the observation that loss of molybdenum parallels loss of xanthine oxidase activity[1,7]. Evidence has been presented to show that iron functions in the electron transport[8,9]; the inhibition of the enzyme by cyanide could be caused by the addition of cyanide across iron-sulfur bond to form a stable ferric cyanide complex. The iron atoms are said to be involved in the bonds to the sulfhydryl groups of the protein and to FAD.

Sulfhydryl group reagents like p-chloromercuribenzoate and phenylmercuric acetate inhibit the enzymic activity, and the inhibition can be reversed by cysteine and EDTA[10]. On the other hand, those sulfhydryl reagents which react with two sulfhydryl groupings, such as iodosobenzoate and porphyrindin, cause an irreversible inhibition.

The addition of dithionite removes about one-half of the absorption of xanthine oxidase at 450 mμ; upon acidification of the enzyme a spectrum appears which is more nearly that expected of a flavin group; it has been suggested that chelation of the iron with the flavin coenzyme gives the additional colour[1].

The activity of xanthine oxidase may be measured manometrically[11], by the methylene blue technique[12], uric acid formation[13], and cytochrome c reduction[14]. The highest activity reported with xanthine as substrate is 2300 μmoles per hour per mg protein at 23° C[5]. The turnover number of one preparation at 38° C has been calculated to be 660 min^{-1} with xanthine as substrate[14]. The pH optimum is approximately pH 8; it varies somewhat with the nature of the substrate[15]. The apparent MICHAELIS constants for purines are exceptionally low, of the order of magnitude 1×10^{-6} M. The apparent MICHAELIS constants for some pterines are equally low, and inasmuch as they are oxidized more slowly than the purines, they will act as competitive inhibitors of purine oxidation[16]. 2-Amino-4-hydroxy-6-formylpteridine is an extremely strong inhibitor, with K_I as low as 0.6×10^{-9} M [15-17]. The aldehyde inhibitor appears to combine with the enzyme in the ratio 1:1 (1 mole of inhibitor for each 2 moles of FAD). The inhibitor itself is slowly oxidized.

Contrary to the findings of HORECKER and HEPPEL[14], MORELL[18] observed that the anaerobic rate of reduction of cytochrome c is greater than under aerobic conditions[18]; it is considered that oxygen and ferricytochrome c compete with one another as hydrogen acceptors in the xanthine oxidase system.

---

[1] RICHERT, D. A., and W. W. WESTERFELD: J. biol. Ch. **209**, 179 (1954).
[2] GREEN, D. E., and H. BEINERT: Biochim. biophys. Acta **11**, 599 (1953).
[3] TOTTER, J. R., W. T. BURNETT, R. A. MONROE, I. B. WHITNEY and C. L. COMAR: Science, N.Y. **118**, 555 (1953).
[4] MACKLER, B., H. R. MAHLER and D. E. GREEN: J. biol. Ch. **210**, 149 (1954).
[5] AVIS, P. G., F. BERGEL and R. C. BRAY: Soc. **1956**, 1219.
[6] MAHLER, H. R., and D. E. GREEN: Science, N.Y. **120**, 7 (1954).
[7] RENZO, E. C. DE, P. G. HEYTLER and E. KALEITA: Arch. Biochem. **49**, 242 (1954).
[8] FRIDOVICH, I., and P. HANDLER: J. biol. Ch. **231**, 899 (1958).
[9] FRIDOVICH, I., and P. HANDLER: J. biol. Ch. **233**, 1581 (1958).
[10] HARRIS, J., and L. HELLERMAN; in: McElroy-Glass, Inorganic Nitrogen Metabolism, p. 561. Baltimore, Md. 1956.
[11] BALL, E. G.: J. biol. Ch. **128**, 51 (1939).
[12] DIXON, M.: Biochem. J. **20**, 703 (1926).
[13] WIELAND, H., u. R. LIEBIG: A. **555**, 146 (1948).
[14] HORECKER, B. L., and L. A. HEPPEL: J. biol. Ch. **178**, 683 (1949).
[15] HOFSTEE, B. H. J.: J. biol. Ch. **179**, 633 (1949).
[16] LOWRY, O. H., O. A. BESSEY and E. J. CRAWFORD: J. biol. Ch. **180**, 399 (1949).
[17] KALCKAR, H. M., N. O. KJELDGAARD and H. KLENOW: J. biol. Ch. **174**, 771 (1948).
[18] MORELL, D. B.: Biochem. J. **57**, 657, 666 (1952).

Assay procedure. A convenient procedure is to measure the rate of increase of the optical density at 290 mμ caused by the oxidation of xanthine to uric acid[1]. A medium which has been used[2] is composed of 6.6×10^{-5} M xanthine, 0.08 M glycine, pH 8.3, and 1 mg serum albumin in 3.0 ml volume. Enzyme is added to give a change in optical density of less than 0.2 per min. Catalase is not required. The reaction rates are proportional to the enzyme concentration. One unit of activity is defined as the amount of enzyme which gives an optical change of 1.0 per min (1-cm light path), and the specific activity is expressed as units per mg protein. The Q_{O_2}, μl of oxygen consumed per hour per mg protein, is obtained by multiplying the specific activity by the factor 184. A reference cell, not containing the enzyme, is used.

Glucose oxidase (mold).
[1.1.3.4 β-D-Glucose:O$_2$ oxidoreductase.]

The enzyme catalyses the reaction[3,4]:

$$\beta\text{-D-glucopyranose} + O_2 \rightarrow \delta\text{-D-gluconolactone} + H_2O_2$$

The enzyme is highly specific for β-D-glucose; alterations in the molecule reduce the rate of oxidation strongly. α-D-glucose is oxidized with less than 1% of the rate of the natural substrate. Four of the aldo-D-hexoses are not oxidized at all. Substitution on C(2) or C(3) completely abolishes the activity. The corresponding pentose is oxidized slowly[4,5].

The enzyme is present in several molds. It is usually prepared from a culture of *Penicillium notatum* WESTLING[6]. Preparations of 80—90% purity are obtained, as judged by the behaviour in the ultracentrifuge[7] and in the electrophoresis apparatus[5]. Commercial preparations are available.

The molecular weight of the enzyme has been estimated at 149000[5,7]. The prosthetic group is FAD, and each enzyme molecule appears to contain 2 moles of flavin. The absorption maxima are located at 377 and 455 mμ; the yellow colour of the enzyme is bleached by the substrate under anaerobic conditions. The enzyme is non-fluorescent, but flavin fluorescence appears readily by denaturation of the protein.

BENTLEY and NEUBERGER[3] have shown that the enzyme functions as a true dehydrogenase and not as an oxidase. When glucose oxidation is carried out in water labelled with ^{18}O, no ^{18}O is found in the hydrogen peroxide formed. This shows that hydrogen is carried over to molecular oxygen, and that molecular oxygen is not activated to enter into the reaction.

Catalytic activity is obtained in the region of pH 2—7.5, with a rather flat optimum at pH 5.6. The apparent MICHAELIS constant for glucose is 4.2×10^{-3} M. Pure oxygen gives a reaction rate 2.5 times higher than air. The Q_{O_2} of the best preparations is 48600 at 15° C in air.

Assay procedure. The reaction rate is measured manometrically. It is essential to obtain the initial rate of oxygen consumption, since the concentration of the substrate may rapidly decrease below saturation level in the presence of mutarotase (see vol. VI/C). The medium is made up to contain 0.1 M β-glucose, 0.2 M phosphate buffer, pH 5.6, and 4×10^{-5} M catalase. Enzyme is added to give an oxygen uptake of less than 400 to 500 μl per hour[4].

---

[1] KALCKAR, H. M.: J. biol. Ch. **167**, 429 (1947).
[2] MORELL, D. B.: Biochem. J. **51**, 657, 666 (1952).
[3] BENTLEY, R., and A. NEUBERGER: Biochem. J. **45**, 584 (1949).
[4] KEILIN, D., and E. F. HARTREE: Biochem. J. **50**, 331 (1952).
[5] KEILIN, D., and E. F. HARTREE: Biochem. J. **42**, 221 (1948).
[6] COULTHARD, C. E., R. MICHAELIS, W. F. SHORT, G. SYKES, G. E. H. SKRIMSHIRE, A. F. B. STANDFAST, J. H. BIRKINSHAW and H. RAISTRICK: Biochem. J. **39**, 24 (1945).
[7] CECIL, R., and A. G. OGSTON: Biochem. J. **42**, 229 (1948).

Pyruvate oxidase *(Lactobacillus delbrueckii)*.
[1.2.3.3   Pyruvate:O_2 oxidoreductase.]

The enzyme of *Lactobacillus delbrueckii*[1] catalyses the overall reaction:

$$2 \text{ pyruvate} + \text{phosphate} + O_2 \rightarrow \text{acetylphosphate} + 2 \text{ acetate} + CO_2 + H_2O$$

The reaction sequence may be represented by the equations:

(1) $\qquad\qquad$ pyruvate + phosphate + $O_2 \rightarrow$ acetylphosphate + CO_2 + H_2O_2

and

(2) $\qquad\qquad$ pyruvate + $H_2O_2 \rightarrow$ acetate + CO_2 + H_2O.

The second reaction is non-enzymatic.

Oxygen is the best electron acceptor; methylene blue and ferricyanide are about one-half as efficient as oxygen.

The enzyme is obtained from sonic extracts of *Lactobacillus delbrueckii*[1] by a method which involves ammonium sulfate fractionation, protamine and acid precipitation, and calcium phosphate gel adsorption and elution; the oxidase is purified some 30 fold with 30% yield.

The purified fraction is bright yellow in colour and has a typical flavoprotein absorption spectrum with maxima at 380 and 450 mμ. The 450 mμ absorption peak disappears when pyruvate is added to the enzyme. The prosthetic group FAD can be split off from the enzyme and added back to reconstitute the holoenzyme.

In addition to FAD, thiamin pyrophosphate and a divalent metal (Mg, Mn, or Co) function as prosthetic groups; orthophosphate is required for the reaction[1,2]; lipoic acid does not participate.

In contrast to enzymes which require lipoic acid for pyruvate oxidation, the oxidase of *Lactobacillus delbrueckii* is not sensitive to arsenite or mercurials.

Assay procedure. The oxidase is assayed by measuring oxygen uptake in a medium containing 200 μmoles of phosphate buffer, p_H 6.0, 10 μmoles of $MgCl_2$, 0.2 μmoles of thiamin pyrophosphate, 50 μmoles of pyruvate, and enzyme; final volume 2.0 ml. Alkali is added to the center well.

One oxidase unit is defined as the amount of enzyme which causes an oxygen uptake of 1 μl per 30 min. The most purified preparations contain 580 units per mg of protein.

IV. Hydrogenases.
[1.98.1.1.]

Hydrogenases activate hydrogen to react with various acceptors. The enzymes in *Clostridium pasteurianum*[3] and in *Clostridium butilium*[4] have been reported to be flavoproteins.

The methods employed in the determination of hydrogenases are based on (a) the reduction of a hydrogen acceptor[5], (b) the exchange between hydrogen and heavy water, or between deuterium and water[6], or (c) the conversion of parahydrogen to normal hydrogen[7].

The enzyme from *Clostridium pasteurianum*[3]. The difference spectrum obtained between the reduced and oxidized forms of the enzyme is typical of that for flavoproteins. Treatment of the enzyme with 0.7 saturated ammonium sulfate, followed by dialysis,

---
[1] HAGER, L. P., D. M. GELLER and F. LIPMANN: Fed. Proc. **13**, 734 (1954).
[2] LIPMANN, F.: J. biol. Ch. **134**, 463 (1940).
[3] SHUG, A. L., P. W. WILSON, D. E. GREEN and H. R. MAHLER: Am. Soc. **76**, 3355 (1954).
[4] PECK, H. D., and H. GEST: J. Bact. **73**, 569 (1957).
[5] GEST, H.: J. Bact. **63**, 111 (1952).
[6] HYNDMAN, L. A., R. H. BURRIS and P. W. WILSON: J. Bact. **65**, 522 (1953).
[7] KRASNA, A. I., and D. RITTENBERG: Am. Soc. **76**, 3015 (1954).

reduces the activity with either methylene blue or cytochrome c to a very low level. The activity with methylene blue can be restored by the addition of FAD, while it is necessary to add both FAD and molybdenum, in the form of MoO_3, to restore the cytochrome c activity. The presence of phosphate is required only for the metal-catalysed reaction. Thus the pattern for hydrogenase with respect to metal requirement resembles that observed for milk xanthine oxidase and aldehyde oxidase.

The best preparations obtained oxidise 7.5×10^5 μl of hydrogen per mg protein nitrogen per hour, at 30° C, and with methylene blue as acceptor.

Assay procedure. The enzyme from *Clostridium pasteurianum* is tested spectrophotometrically in cells with THUNBERG attachment, in an atmosphere of hydrogen. The cytochrome c reduction is carried out in 0.067 M phosphate buffer, p_H 6.8, containing 0.3 mg of cytochrome c per ml and 7 μg of molybdenum per ml. The composition of the blank is the same, except that the atmosphere is air.

V. Enzymes oxidizing $>\!\!C\!-\!C\!\!<$ to $>\!\!C\!=\!C\!\!<$.

1.3.99.1	Succinate:(acceptor) oxidoreductase	s. S. 632.
1.3.2.2	Acyl-CoA:cytochrome c oxidoreductase	s. Bd. VI B.

Glutathione reductase.

[1.6.4.2   NAD(P)H$_2$:glutathione oxidoreductase.]

By

Shutsung Liao and H. G. Williams-Ashman*.

Introduction. Glutathione reductase catalyzes the reduction of oxidized glutathione (GSSG) by reduced triphosphopyridine nucleotide (TPNH).

$$GSSG + TPNH + H^+ \rightarrow 2\,GSH + TPN^+$$

The enzyme was first discovered in 1951 in wheat germ by CONN and VENNESLAND[1] and independently by MAPSON and GODDARD[2] in pea seeds. A similar enzyme was later found in yeast and in animal tissues by RALL and LEHNINGER[3]. Glutathione reductases are widely distributed in animal[3-8] and vegetable[9] tissues, and in microorganisms[10, 11]. In mammalian liver the enzyme is localized mainly in the soluble portion of the cytoplasm[3], but a considerable proportion of the glutathione reductase activity of rat brain

---

* The Ben May Laboratory for Cancer Research and Department of Biochemistry University of Chicago, Chicago 37, Illinois, USA.

[1] CONN, E. E., and B. VENNESLAND: J. biol. Ch. **192**, 17 (1951).
[2] MAPSON, L. W., and D. R. GODDARD: Biochem. J. **49**, 592 (1951).
[3] RALL, T. W., and A. L. LEHNINGER: J. biol. Ch. **194**, 119 (1952).
[4] HORN, H. D., u. F. H. BRUNS: B. Z. **331**, 58 (1958).
[5] MANSO, C., and F. WRÓBLEWSKI: J. clin. Invest. **37**, 214 (1958).
[6] WILLIAMS-ASHMAN, H. G.: Cancer Res. **13**, 721 (1953).
[7] FRANCOEUR, M., and O. F. DENSTEDT: Canad. J. Biochem. Physiol. **32**, 663 (1954).
[8] McILWAIN, H., and M. A. TRESIZE: Biochem. J. **65**, 288 (1957).
[9] ANDERSON, D. G., H. A. STAFFORD, E. E. CONN and B. VENNESLAND: Plant Physiol. **27**, 675 (1952).
[10] ASNIS, R. E.: J. biol. Ch. **213**, 77 (1955).
[11] NICHOLAS, D. J. D., A. NASON and W. D. McELROY: J. biol. Ch. **207**, 341 (1954).

is bound to the mitochondria[1]. The enzyme has been detected in thymus nuclei[2]. Many plants contain soluble glutathione reductases[3, 4], but the enzyme is bound to the mitochondria of some plant tissues[5].

The glutathione reductase of wheat germ[6], *E. coli*[7] and liver[8, 9] is specific for TPNH. The enzyme from erythrocytes[10], human blood serum[11] and yeast[12] reacts also with DPNH, although at a much slower rate than with TPNH (relatively crude preparations of liver glutathione reductase have also been found to react very slowly with DPNH[12]). The DPNH-GSSG reaction catalyzed by the purified yeast enzyme is inhibited by high concentrations of sodium chloride and also by high levels of some commercial specimens of GSSG, while the reduction of GSSG by TPNH is unaffected by these agents. However, unequivocal evidence for separate DPNH- and TPNH-linked enzymes in yeast[12] was not obtained.

Plant[12-14] and animal[9] glutathione reductases are highly specific for GSSG as hydrogen acceptor; they do not reduce the disulfides of L-cysteine, D,L-homocysteine, aspartathione, coenzyme A and γ-glutamylcysteine.

Reduced glutathione (GSH) can reduce other disulfides (YSSY) via the intermediate formation of mixed disulfides[15]:

$$GS^- + YSSY \rightleftharpoons GSSY + YS^-$$
$$GSSY + GS^- \rightleftharpoons GSSG + YS^-$$

Thus, glutathione reductase can catalyze the reduction of other disulfides (e.g. cystamine, N,N'-diacetylcystamine, homocystine and cystine) by TPNH in the presence of *catalytic* amounts of GSH. Although Pihl et al.[16] consider that such coupled reactions proceed non-enzymatically, there is unequivocal evidence for glutathione-disulfide transhydrogenases which catalyze the reduction of homocystine[13] and other disulfides[17] by GSH.

Assay methods.

Determination of glutathione reductase according to Racker[12].

Reagents:
1. 1 M potassium phosphate buffer p_H 7.6.
2. 0.001 M TPNH.
3. Bovine serum albumin 1 % (dissolved in 0.1 M phosphate buffer p_H 7.6).
4. GSSG 2 %, adjusted to p_H 7.4.
5. Enzyme: dilute enzyme in 0.05 M phosphate buffer containing 0.5 mg serum albumin per ml).

Procedure:

Place the following solutions in a quartz spectrophotometer cuvette of 1 cm light path: 0.05 ml phosphate buffer, 0.55 ml water, 0.1 ml TPNH, 0.1 ml serum albumin,

---

[1] Aldridge, W. N., and M. K. Johnson: Biochem. J. **73**, 270 (1959).
[2] Stern, H., and S. Timonsen: J. gen. Physiol. **38**, 41 (1954).
[3] Davies, D. D.: Proc. R. Soc. London (B) **142**, 155 (1954).
[4] Mapson, L. W., and E. M. Moustafa: Biochem. J. **62**, 248 (1956).
[5] Young, L. C. T., and E. E. Conn: Plant Physiol. **31**, 205 (1956).
[6] Conn, E. E., and B. Vennesland: J. biol. Ch. **192**, 17 (1951).
[7] Asnis, R. E.: J. biol. Ch. **213**, 77 (1955).
[8] Rall, T. W., and A. L. Lehninger: J. biol. Ch. **194**, 119 (1952).
[9] Langdon, R. G.: Biochim. biophys. Acta **30**, 432 (1958).
[10] Francoeur, M., and O. F. Denstedt: Canad. J. Biochem. Physiol. **32**, 663 (1954).
[11] Manso, C., and F. Wróblewski: J. clin. Invest. **37**, 214 (1958).
[12] Racker, E.: J. biol. Ch. **217**, 855 (1955).
[13] Racker, E.: J. biol. Ch. **217**, 867 (1955).
[14] Mapson, L. W.: Biochem. Soc. Symp. No. 17, "Glutathione". pp. 28—42.
[15] Eldjarn, L., and A. Pihl: J. biol. Ch. **225**, 499 (1957).
[16] Pihl, A., L. Eldjarn and J. Bremer: J. biol. Ch. **227**, 339 (1957).
[17] Thompson, J. F., S. Black and B. Hudson: Fed. Proc. **19**, 33 (1960).

0.1 ml GSSG and 0.1 ml diluted enzyme. After mixing, optical density at 340 mµ is measured at suitable time intervals against a blank cell containing all the reagents except TPNH. If the optical density change at 340 mµ per minute is divided by 6.22, one obtains a value for micromoles of TPNH oxidized (equivalent to micromoles GSSG reduced) per minute.

Determination of glutathione reductase according to Conn *and* Vennesland[1].

Reagents:
1. 0.5 M Tris (hydroxymethyl) aminomethane-HCl buffer p_H 7.4.
2. GSSG 1%, adjusted to p_H 7.4.
3. TPN 0.1%.
4. 0.05 M glucose-6-phosphate, adjusted to p_H 7.4.
5. Glucose-6-phosphate dehydrogenase (the preparation should reduce at least 2 micromoles TPN per minute per 1 ml of enzyme solution, and must be devoid of glutathione reductase activity).
6. Metaphosphoric acid 20% (make a fresh solution every week).
7. 0.1 N $KIO_3 \cdot HIO_3$. Dilute 1 ml to 100 ml before use.
8. KI 4% (make fresh daily).
9. Soluble starch 1%, dissolved in saturated NaCl.

Procedure:
To a 15 ml centrifuge tube add 0.2 ml tris(hydroxymethyl)aminomethane buffer, 0.1 ml glucose-6-phosphate dehydrogenase, 0.2 ml TPN, 0.1 ml glucose-6-phosphate, 0.2 ml GSSG, water and glutathione reductase to a total volume of 2.7 ml. Incubate in air at 30° C for 15 min. The reaction is stopped by the addition of 0.3 ml of metaphosphoric acid. Mix and centrifuge. Measure 1.5 ml of the clear supernatant into a 50 ml centrifuge tube immersed in ice. Add 0.2 ml KI, two drops of starch solution, and titrate with iodate. A blank determination is also run on an incubation mixture containing all the ingredients except the glutathione reductase. The consumption of 1.0 ml of 0.001 N iodate is equivalent to the formation of 1 micromole of GSH.

Other methods. The GSH formed by the action of glutathione reductase can also be measured enzymatically with glyoxylase[2], or colorimetrically by the nitroprusside reaction[3].

Application of assay methods to crude tissue extracts. Enzymes which oxidize TPNH will interfere with both methods, and in the spectrophotometric assay of Racker[4] it is advisable to run a vessel containing all the ingredients except GSSG in order to compensate for endogenous oxidation of TPNH. Since crude tissue extracts may contain GSSG, it may be necessary to dialyze them free of residual GSSG before one can apply corrections for such side reactions. Similarly, all methods may be interfered with by enzymes which either oxidize GSH, or degrade TPN or TPNH. Some of the enzymes which degrade these nucleotides may be inhibited by the addition of nicotinamide (in the case of TPN) or adenosine-5'-phosphate[5]. Glutathione reductase is extremely sensitive to certain heavy metals, the inhibitory action of which may be counteracted by the addition of ethylenediamine tetra-acetic acid (EDTA) to a final concentration of 0.001 M[6].

Purification.

From yeast[4]. Baker's yeast is dried between two sheets of paper in a thin layer for 4—5 days at room temperature. 300 g of dry yeast is extracted with 900 ml of 0.066 M

---
[1] Conn, E. E., and B. Vennesland: J. biol. Ch. **192**, 17 (1951).
[2] Woodward, G. E.: J. biol. Ch. **109**, 1 (1935).
[3] Grunert, R. R., and P. H. Phillips: Arch. Biochem. **30**, 217 (1951).
[4] Racker, E.: J. biol. Ch. **217**, 855 (1955).
[5] Anderson, D. G., H. A. Stafford, E. E. Conn and B. Vennesland: Plant Physiol. **27**, 675 (1952).
[6] Langdon, R. G.: Biochim. biophys. Acta **30**, 432 (1958).

disodium phosphate for 2 hr. at 37° C with continuous stirring, followed by extraction at room temperature for an additional 3 hr. The suspension is centrifuged and the supernatant solution quickly brought to 55° C and maintained at this temperature for 15 min. After cooling, the mixture is centrifuged. To the clear supernate is added 0.5 volumes of ice-cold acetone, the temperature of the mixture being kept at −2° C. The precipitate is collected by centrifugation and extracted for 20 min with 100 ml of 0.01 M potassium phosphate p_H 7.4, and centrifuged. This and the following steps are carried out between 0 and 2° C. The supernatant is adjusted to p_H 5.9 with 0.2 N acetic acid. For each 100 ml of solution, 20 ml of 95% ethanol is added at −3° C and the mixture centrifuged at $15000 \times g$ for 10 min at −3° C. The precipitate is dissolved in 30 ml of 0.05 M potassium phosphate buffer p_H 7.6. To this solution is added 5 ml of 2% protamine sulfate and the precipitate is centrifuged. The supernatant fluid is carefully adjusted to p_H 5.5 with 0.1 N acetic acid. For each 10 ml of solution, 2 ml of 95% ethanol is added, the solution being kept at −3° C. The mixture is centrifuged at −3° C and the precipitate dissolved in 10 ml of water. The p_H is then adjusted to 5.6 and 0.2 ml of calcium phosphate gel (20 mg per ml) is added. The mixture is centrifuged and the gel washed with 5 ml of water. It is then eluted three times at room temperature with 3 ml of 0.05 M potassium phosphate p_H 7.6*. To each 10 ml of the combined eluates is added 2.8 g of solid dibasic ammonium phosphate, and the precipitate is centrifuged. To the supernatant fluid, 1 additional g of ammonium phosphate per 10 ml was added slowly, and the mixture allowed to stand at 0° C for 1 hr. The crystalline material was collected by centrifuging at $16000 \times g$ for 20 min.

The crystalline enzyme prepared in this manner reduces approximately 25 micromoles of GSSG per minute per mg of protein.

From liver. RACKER[1] has partially purified liver glutathione reductase from aqueous extracts of beef liver acetone powders by fractionation with ethanol, followed by isoelectric precipitation. LANGDON[2] states that the liver enzyme could be purified more than 300-fold by protein chromatography, but does not describe experimental details (the most purified preparation catalyzed the reduction of 19.8 micromoles GSSG per minute per mg of enzyme).

From other tissues. Glutathione reductase has been partially purified from *E. coli* by a procedure involving treatment of crude extracts obtained by sonication with $MgCl_2$, followed by fractionation with ammonium sulfate and heat treatment[3]. Methods for partial purification of the enzyme from wheat germ[4] and peas[5] have been described.

Properties. Glutathione reductase in crude tissue extracts and in the crystalline form[1] is stable for some months if stored in the frozen state. Rapid surface denaturation occurs if the enzyme solution is very dilute, against which serum albumin is a good protective agent. The enzyme loses activity rapidly when heated to temperatures greater than 60° C[1].

The MICHAELIS constant for TPNH is 3.7×10^{-5} M for the *E. coli* enzyme[3], 2.5×10^{-5} M for the human serum enzyme[6] and 3×10^{-6} M for purified liver enzyme[2]. The MICHAELIS constant for GSSG is 1.4×10^{-3} M for the *E. coli* enzyme[3] and 5.5×10^{-5} M for the liver enzyme[2]. The optimum p_H for glutathione reductase from various sources varies between p_H 6.5 to 7.5.

The glutathione reductases of yeast and *E. coli* catalyze a stereospecific transfer of hydrogen from TPNH to GSSG, both enzymes have β-stereospecificity to TPN[7].

---

* In case of difficulties with elution, 0.1 M phosphate buffers can be used.
[1] RACKER, E.: J. biol. Ch. **217**, 855 (1955).
[2] LANGDON, R. G.: Biochim. biophys. Acta **30**, 432 (1958).
[3] ASNIS, R. E.: J. biol. Ch. **213**, 77 (1955).
[4] BARNETT, R. C., H. A. STAFFORD, E. E. CONN and B. VENNESLAND: Plant Physiol. **28**, 115 (1953).
[5] MAPSON, L. W., and D. R. GODDARD: Biochem. J. **49**, 592 (1951).
[6] HORN, H. D., u. F. H. BRUNS: B. Z. **331**, 58 (1958).
[7] STERN, B. K., and B. VENNESLAND: J. biol. Ch. **235**, 209 (1960).

The glutathione reductase of *E. coli*[1] and of peas[2] is inactivated by acid treatment. Since low concentrations of flavine adenine dinucleotide (FAD), but not of flavine mono-

Table 1. *Glutathione reductase activity of plant tissues**.

Tissue	µmoles GSSG** reducet per min per g dry weight	Tissue	µmoles GSSG** reduced per min per g dry weight
Wheat germ	12.8	Potato tuber	0.5
Etiolated pea seedlings	2.3	Tomato leaf and stem	1.7
Spinach leaf	11.5	Cabbage leaf	2.2
Sunflower leaf	1.5	Sweet potato root	0.3
Sedum spectabile leaf	6.2	Avocado fruit	1.5
Parsley leaf and stem	3.8	Cantaloupe fruit	11.5
Parsley root	8.5	Cucumber fruit	45.0
Carrot root	2.8	Yeast	9.6

* All values calculated from data of ANDERSON et al.[3], except that for crude yeast extract which was reported by RACKER[4].

** All values obtained at 30° C except in case of yeast where measurements were made at 25° C.

nucleotide or riboflavine, reactivate the acid-treated enzyme, it may be concluded that some bacterial and plant glutathione reductases are flavoproteins. However, no evidence for the presence of a bound flavine prosthetic group in purified liver glutathione reductase was obtained by LANGDON[5] (see also p. 869, 893).

Glutathione reductases from many sources are strongly inhibited by low concentrations of p-chloromercuribenzoate[1,2,13,14], and the inhibition by the mercurial is reversed by cysteine or GSH. A number of heavy metals[1,5,14] (Cu^{++}, Pb^{++}, Hg^{++}, Cd^{++}) and especially Zn^{++}[5] inhibit the enzyme. The glutathione reductase of rat adipose tissue is inhibited very powerfully by the phenylalanyl chain of insulin[15], the inhibition by

Table 2. *Gluthathione reductase activities of tissues*.

Species	Tissue	Temperature °C	µmoles GSSG reduced per min per g wet weight of tissue
Human	Liver	26	1.55[6]
Human	Kidney	26	1.55[6]
Human	Pancreas	26	0.63[6]
Human	Heart	26	0.29[6]
Human	Thyroid	26	0.13[6]
Human	Spinal cord	26	0.08[6]
Human	Lung	26	0.06[6]
Human	Seminal plasma	25	0.02[7]
Rabbit	Lens	38	0.16[8]
Rabbit	Cornea	38	0.64[8]
Guinea pig	Liver	37	16.3[9]
Guinea pig	Cerebral hemisphere	37	4.0[9]
Mouse	Liver	26	0.82[6]
Rat	Liver	26	0.29[10]
Rat	Brain	38	3.44[8]
Rat	Brain	22	0.73[11]
Rat	Lens	38	0.16[8]
Calf	Lens	38	0.11[8]
Cattle	Lens	37	0.012—0.063[12]

---

[1] ASNIS, R. E.: J. biol. Ch. **213**, 77 (1955).
[2] MAPSON, L. W.: Biochem. Soc. Symp. No. 17, "Glutathione". pp. 28—42.
[3] ANDERSON, D. G., H. A. STAFFORD, E. E. CONN and B. VENNESLAND: Plant Physiol. **27**, 675 (1952).
[4] RACKER, E.: J. biol. Ch. **217**, 855 (1955).
[5] LANGDON, R. G.: Biochim. biophys. Acta **30**, 432 (1958).
[6] MANSO, C., and F. WRÓBLEWSKI: J. clin. Invest. **37**, 214 (1958).
[7] RHODES, J. B., and H. G. WILLAMS-ASHMAN: Med. Exp. **3**, 123 (1960).
[8] KAHLMAN, R. E., and R. A. RESNICK: Biochem. J. **72**, 261 (1959).
[9] McILWAIN, H., and M. A. TRESIZE: Biochem. J. **65**, 288 (1957).
[10] MANSO, C., K. SUGIURA and F. WRÓBLEWSKI: Cancer Res. **18**, 682 (1958).
[11] ALDRIDGE, W. N., and M. K. JOHNSON: Biochem. J. **73**, 270 (1959).
[12] HEYNINGEN, R. VAN, and A. PIRIE: Biochem. J. **53**, 436 (1953).
[13] HORN, H. D., u. F. H. BRUNS: B. Z. **331**, 58 (1958).
[14] YOUNG, L. C. T., and E. E. CONN: Plant Physiol. **31**, 205 (1956).
[15] LANGDON, R. G.: J. biol. Ch. **235**, PC 15 (1960).

the peptide at a final concentration of 7×10^{-8} M being 66%. The inhibition of cattle lens glutathione reductase by chloracetophenone and phlorhizin was reported by van Heyningen and Pirie[1].

The equilibrium of the TPNH-GSSG reaction catalyzed by glutathione reductase is much in favour of the reduction of the disulfide. In the usual test systems the reduction of GSSG by TPNH is virtually complete, and the reduction of TPN by GSH has not been demonstrated[2]. From these facts, Rall and Lehninger[2] concluded that the standard oxidation-reduction potential for the GSH-GSSG system at p_H 7 is not lower than -0.13 volt. This value is clearly incompatible with chemical studies[3] which strongly suggest that the potential of the GSH-GSSG system is -0.32 volt at p_H 7. Further studies on the equilibria catalyzed by highly purified glutathione reductase would seem desirable.

Tissue levels of glutathione reductase. The glutathione reductase activities of various plant tissues are summarized in Table 1. The levels of this enzyme in animal tissues are shown in Table 2. The glutathione reductase activities of a number of transplantable rat and mouse tumors were measured by Manso, Sugiura and Wróblewski[5]. The levels of glutathione reductase in erythrocytes and blood serum or plasma are summarized in Table 3. Marked changes in the plasma enzyme levels in human patients with toxic and infectious hepatitis and with carcinoma[4] and in rodents bearing transplanted malignant tumors[5] have been reported.

Table 3. *Glutathione reductase activity of blood plasma and erythrocytes.*

Species	μmoles GSSG reduced per min* per 1 ml serum or per 1 ml packed red cells	
	Blood plasma	Erythrocytes
Hamster[4]	0.034	0.097
Rabbit[4]	0.019	0.290
Guinea pig[4]	0.013	0.048
Monkey[4]	0.013	0.145
Goat[4]	0.008	0.029
Mouse[5]	0.013—0.033	0.024
Chicken[4]	0.004	0.097
Dog[4]	0.003	0.097
Pig[4]	0.002	0.387
Rat[5,6]	0.005—0.007	0.039
Human[4]	0.005—0.023	0.097
Human[7]	0.019 (serum)	

* Measurements performed at 26° C.

Addendum.

By chromatography on columns of DEAE-cellulose and carboxymethylcellulose, Mize and Langdon[8] recently purified glutathione reductase from rat liver to a higher degree. The purified enzyme catalyzed the oxidation of 839 μmoles of TPNH per minute per mg of protein. The molecular weight of the hepatic glutathione reductase, derived from sedimentation velocity and diffusion data, was approximately 44000[9]. The measurements of the binding of radioactivity from ^{14}C-labeled GSSG to enzyme and its subsequent release by the addition of TPNH indicated that the enzyme contains one catalytically active site per molecule of protein[9]. No conclusive evidence has been obtained for the presence or absence of a flavine in the highly purified enzyme.

Black and Hudson obtained a purified glutathione reductase preparation from yeast which gave a light absorption band typical of a flavoprotein[10]. In the presence of an active substrate, TPNH (or DPNH) or GSH, there is a decrease in the absorption of light between 450 and 505 mμ and a rise in the region above 505 mμ. Non-substrate

---

[1] Heyningen, R. van, and A. Pirie: Biochem. J. **53**, 436 (1953).
[2] Rall, T. W., and A. L. Lehninger: J. biol. Ch. **194**, 119 (1952).
[3] Boyer-Lardy-Myrbäck, Enzymes, Vol. 1, pp. 511—588.
[4] Manso, C., and F. Wróblewski: J. clin. Invest. **37**, 214 (1958).
[5] Manso, C., K. Sugiura and F. Wróblewski: Cancer Res. **18**, 682 (1958).
[6] Rall, T. W., and A. L. Lehninger: J. biol. Ch. **194**, 119 (1952).
[7] Horn, H. D., u. F. H. Bruns: B. Z. **331**, 58 (1958).
[8] Mize, C. E., and R. G. Langdon: J. biol. Ch. **237**, 1589 (1962).
[9] Mize, C. E., T. E. Thompson and R. G. Langdon: J. biol. Ch. **237**, 1596 (1962).
[10] Blacks, S., and B. Hudson: Biochem. Biophys. Res. Commun. **5**, 135 (1961).

thiols (for example, cysteine or mercaptoethanol) did not produce this change. The flavine, however, has not been successfully dissociated from the enzyme or identified. Like glutathione reductases isolated from *E. coli* and peas, partially purified preparations of the reductase from rat erythrocytes, liver and kidney are inactivated by acid treatment and specifically reactivated by FAD. The apparent K_M for FAD in these preparations and in the *E. coli* system was approximately 1×10^{-7} M[1].

Some nitrofuran and nitrobenzene derivatives were found to be powerful inhibitors of the glutathione reductase from various sources[1]. The hepatic enzyme was found to be inhibited by thyroxine $(5 \times 10^{-5}$ M$)$[2].

1.6.4.3	$NADH_2$:Lipoamid-Oxydoreductase	s. S. 861.
1.6.5.1	$NAD(P)H_2$:Chinon-Oxydoreductase	s. S. 775.
1.6.5.2	$NAD(P)H_2$:2-Methyl-1,4-naphthochinon-Oxydoreductase	s. S. 775.
1.6.6.3	$NAD(P)H_2$:Nitrat-Oxydoreductase	s. S. 866.
1.6.99.1	$NADPH_2$:(Acceptor)-Oxydoreductase	s. S. 864.

Uricase.

[1.7.3.3 Urate:O_2 oxidoreductase.]

By

H. R. Mahler*.

Distribution and range[3-8]. Uricase (urico-oxidase, urate oxidase) is found in the tissues of most animals, except for those of the higher primates and man, and in certain microorganisms (e.g. urate-adapted yeasts). For the routine preparation of the enzyme, pork liver and beef kidney appear to be the preferred sources. Crude, alkaline extracts of these tissues will catalyze the oxidation by air of approximately 10 mμmoles of substrate per minute per mg protein, when tested at p$_H$ 9.0 in a borate-containing buffer at 38° C.

Preparation[3, 4, 8]. *1. Preparation of acetone-dried mitochondria.* Fresh pork liver is obtained at the slaughter house, immersed in crushed ice and brought to the laboratory as quickly as possible. There it is freed of connective tissue, diced, and divided into 100 g portions. (Unless otherwise indicated, all operations are performed in a cold-room, maintained at 0—2° C, and all centrifugations are carried out at this temperature in refrige-

---

* Department of Chemistry (Publication No. 1167) Indiana University, Bloomington, Indiana, USA.
[1] BUZARD, J. A., and F. KOPKO: J. biol. Ch. **238**, 464 (1963).
[2] MIZE, C. E., and R. G. LANGDON: J. biol. Ch. **237**, 1589 (1962).
[3] MAHLER, H. R., G. HÜBSCHER and H. BAUM: J. biol. Ch. **216**, 625 (1955).
[4] HÜBSCHER, G., H. BAUM and H. R. MAHLER: Biochim. biophys. Acta **23**, 43 (1957).
[5] ROBBINS, K. C., E. L. BARNETT and N. H. GRANT: J. biol. Ch. **216**, 27 (1955).
[6] LONDON, M., and P. B. HUDSON: Biochim. biophys. Acta **21**, 290 (1956).
[7] PRAETORIUS, E.: Biochim. biophys. Acta **2**, 590, 602 (1958).
[8] LEONE, E.; in: Colowick-Kaplan, Meth. Enzymol., Bd. II, S. 485.

rated machines.) Each 100 g portion is added to 300 ml of a solution prepared by dissolving 85 g sucrose and 5 g K_2HPO_4 in a liter of deionized water. The mixture is blended for about 50 sec in WARING blendors operating at half maximal speed, and its pH is maintained at 7.0 (spot plate, bromthymol blue) by the dropwise addition of 6 M KOH as needed. 1 kg of liver is processed at one time, and the homogenate derived from this quantity of material is then centrifuged at 2300 × g for 6 min in the INTERNATIONAL, or an equivalent centrifuge. The supernatant fluid is strained through two layers of cheese cloth and added to 10 l of 0.9% KCl with constant stirring. The suspension is then passed through the SHARPLES SUPERCENTRIFUGE and the particles are collected in the bowl. (If no SHARPLES centrifuge is available the mitochondria may be collected by lowering the pH to 5.4 by means of acetic acid and centrifuging then quickly at 10 000 × g in a SERVALL SUPERSPEED or equivalent centrifuge.) The particles are suspended in a total of 400 ml by brief blending with 0.9% KCl and are then stirred into 4 l of acetone at −15° C. The mixture is filtered by aspiration on Buchner funnels, and the material is collected, washed with additional acetone, and air-dried by continuous agitation by hand. The powder so obtained should be friable and white or light tan in color. 1 kg of liver will yield about 40—50 g of powder; 150 to 200 g can readily be obtained in one day's work.

2. *Extraction of acetone powder.* 100 g of acetone-dried particles are suspended in 1 l of 0.02 M phosphate buffer, pH 7.8 and extracted for 30 min with continuous stirring. The extract is centrifuged for 45 min at top speed in the angle head of the INTERNATIONAL centrifuge. The supernatant solution is discarded, and the residue suspended in 1 l of 0.15% Na_2CO_3 solution and again extracted for 30 min (pH during extraction 9.5). The suspension is centrifuged at top speed in a high speed centrifuge (SERVALL or SPINCO) until a clear supernatant is obtained. The residue is discarded. The enzyme extract will contain approximately 160 units of specific activity ∼0.012 (for definitions see below).

3. *Precipitation with $(NH_4)_2SO_4$* and *tertiary butanol treatment.* To each 100 ml of clear supernatant are added 30 ml of alkaline (pH 8.5, maintained by means of conc. NH_4OH), saturated $(NH_4)_2SO_4$ solution. The resulting suspension is centrifuged, and the residue is discarded. To each 100 ml of supernatant fluid are added 70 ml of the $(NH_4)_2SO_4$ solution described above, and the mixture is again centrifuged. The residue is suspended in a small volume of 1% Na_2CO_3 solution, homogenized in a POTTER-ELVEHJEM homogenizer with Teflon pestle, and diluted with the carbonate solution to a final concentration (Biuret protein) of 8—10 mg/ml. 15 ml of 60% aqueous *tert*-butanol are then added to each 100 ml of enzyme suspension and the mixture kept at 38° C for 30 min. The preparation is frozen, stored at −12° C for ≧16 hr., thawed and centrifuged in a high speed centrifuge to obtain a clear supernatant solution (∼80 units of specific activity 0.58).

4. *Acetic acid precipitation and dialysis.* To the clear solution glacial acetic acid is added dropwise until the pH reaches 4.2. The precipitate is collected by centrifugation, resuspended in 0.1 M $KHCO_3$, and homogenized in a POTTER-ELVEHJEM homogenizer, great care being taken to avoid foaming by the CO_2 liberated, and the pH adjusted to 7.0 by further addition of HCO_3^-. The suspension is centrifuged at high speed, and the residue dissolved in a 1% Na_2CO_3 solution to contain 8—10 mg protein/ml. The preparation is then dialysed vs. 200 volumes of 0.02 M $KHCO_3$. After 24 hr. the dialysed preparation is centrifuged, and the supernatant is discarded. The residue should contain approximately 80 units of specific activity 2.

5. *Second butanol treatment and dialysis.* The precipitate is suspended in a small volume of 1% Na_2CO_3, the protein content adjusted to 8—10 mg/ml by the addition of more carbonate and then 1.5 ml of 60% *tert*-butanol are added for each 10 ml of suspension. The mixture is kept at 20—25° C for about 6 hr., frozen, and stored at −12° C for ≧16 hr. The preparation is then thawed, centrifuged at high speed, and the residue discarded. The supernatant fluid is dialysed vs. 100 volumes of 0.01 M Tris-EDTA (prepared by neutralizing tris (hydroxymethyl) aminomethane by means of ethylene diamine

Table 1. *Properties of uricase*[1-5].

Molecular weight[a]	1×10^5
Copper content	1 g atom $\times$ 120000 $\pm$ 40000 g^{-1} enzyme protein
Other metals (especially Fe and Zn)	$\ll$ 1 g atom $\times$ 100000 g^{-1} enzyme protein
Sedimentation constant ($S_{20,w}$)	5.5×10^{-13} sec
Mobility	3.8×10^{-5} cm^2 volt^{-1} sec^{-1}
Optical density: $E^{1\%}_{276\,m\mu}$ (in 1% Na$_2$CO$_3$)	11.3
$E^{1\%}_{330\,m\mu}$ (in 1% Na$_2$CO$_3$)	2.0
Isoelectric point[b] (pI)	6.3
Acid ionization constants of active site	7.5 (pK$_{aE}$), 9.2 (pK$_{bE}$)
pH-Independent MICHAELIS constant (K_{ES})	1.7×10^{-5} M
Binding constant for excess urate (K_{SES})	4.0×10^{-4} M
Turnover number[c] (22° C, pH 8.0, urate 1×10^{-5} M, gas phase air)	1.0×10^3 (observed)
Turnover number[c] (38° C, pH 9.0, urate ∞, gas phase O$_2$)	12.0×10^3 (calculated)
Q_{O_2} (protein)	1.2×10^5
V_{O_2}/V_{air}	1.6
Optimal pH range	8.5—9.2
ARRHENIUS activation energy (range 20—34° C)	12.4 kcal
(range 35—55° C)	4.5 kcal

(a) Based on the $S_{20,w}$ measured, an assumed partial specific volume of 0.74 ± 0.01, and a frictional ratio of 1.30 ± 0.15.
(b) From miminum solubility.
(c) Assuming MW = 100000.

tetraacetic acid of pH 8.0 for 4 to 6 hr. The precipitated enzyme is collected by high speed centrifugation, and dissolved in a solution containing 10 mg each of Na$_2$CO$_3$ and KHCO$_3$ per ml. At this point the enzyme, containing approximately 65 units of specific activity 6.5—7.5 is about 75% pure and suitable for most investigations.

6. *Fractional $(NH_4)_2SO_4$ precipitation.* If a pure enzyme is required, further purification may be achieved by means of alkaline $(NH_4)_2SO_4$. A saturated solution is added dropwise with stirring until the first persistent turbidity. After standing for 15—20 min the precipitate is collected by centrifugation, dissolved in the Na$_2$CO$_3$—KHCO$_3$ described, and the process is repeated with the supernatant solution.

Table 2. *Inhibition constants of uricase.* [Defined as the total, stoichiometric concentration of inhibitor required to give 50% inhibition under standard conditions, or (for purines) by conventional kinetic analysis (competitive inhibition)].

KCN (pH 7.0)	8.2×10^{-7} M
KCN (pH 8.0)	6.6×10^{-7} M
KCN (pH 9.0)	7.6×10^{-6} M
KCN (pH 10.0)	6.8×10^{-6} M
Ascorbate	5×10^{-4} M
Hydroxylamine	1×10^{-3} M
Cu^{++}	1×10^{-4} M
6-chloropurine[6]	6.0×10^{-8} M
2,6,8-trichloropurine	8.0×10^{-7} M
2,6-dichloro-8-hydroxypurine	1.3×10^{-6} M
2-hydroxy-6,8-diaminopurine	1.8×10^{-6} M
2,6-dihydroxypurine	1.2×10^{-5} M
2,6-dihydroxy-8-aminopurine	2.3×10^{-5} M
2-chloro-6-amino-8-hydroxypurine	4.0×10^{-5} M
2,8-dihydroxy-6-aminopurine	1.5×10^{-4} M
2,6-diamino-8-hydroxypurine	5×10^{-4} M

Four or five fractions are collected *seriatim*, and are assayed for protein, and enzymatic activity. The highest specific activity ($\sim$10) is usually found in one or two of the center

---

[1] MAHLER, H. R., G. HÜBSCHER and H. BAUM: J. biol. Ch. **216**, 625 (1955).
[2] HÜBSCHER, G., H. BAUM and H. R. MAHLER: Biochim. biophys. Acta **23**, 43 (1957).
[3] BAUM, H., G. HÜBSCHER and H. R. MAHLER: Biochim. biophys. Acta **22**, 514 (1956).
[4] MAHLER, H. R., H. BAUM and G. HÜBSCHER: Science, N.Y. **124**, 705 (1956).
[5] MAHLER, H. R., Trace Elements, S. 311. New York 1958.
[6] DUGGAN, D. E., and E. TITUS: J. biol. Ch. **234**, 2100 (1959).

fractions, precipitating generally at an $(NH_4)_2SO_4$ concentration in the neighborhood of 30—35% of saturation.

Commercial availability. The pure enzyme is not available commercially. Partially purified preparations are prepared in the US by Worthington Biochemicals, Freehold, N. J. and in Europe by Leo Pharmaceuticals, Copenhagen, Denmark. Worthington offers two products, one a soluble extract with a specific activity of 0.0045 and a suspension in $(NH_4)_2SO_4$ of approximate specific activity 0.8. The product prepared by Leo has a specific activity around 0.2.

Specificity[1,2]. Of all the substituted purines tested only 2,6-dioxy-8-aminopurine was oxidized, with a rate 10^{-3} as great as that for urate under comparable conditions; substituted urates such as the mono-, di- and trimethyl, as well as the corresponding ethyl derivatives, and ribosides are inert. Oxygen cannot be replaced as electron acceptor by methylene blue, brilliant cresyl blue, 2,6-dichlorophenolindophenol or ferricyanide.

Enzyme units. 1 enzyme unit is defined as the amount of enzyme required to oxidize 1 μmole of urate per minute in the standard assay system defined below. This corresponds to a $\Delta A_{290\,m\mu}$ of $4.0 \times \text{min}^{-1}$ in 3 ml total volume or of 12.0 in 1.0 ml i.e. 1.0 optical density unit (3 ml) = 0.25 μmoles or 1.0 optical density unit (1 ml) = 0.083 μmoles.

Specific activity = number of units $\times \text{mg}^{-1}$ protein. Thus a specific activity = 1 corresponds to a Q_{O_2} (protein) = 1345.

Spectrophotometric determination of uricase activity. Measurement of disappearance of urate according to PRAETORIUS[3].

Reaction:

$$\text{urate}^{-1} + O_2 + 3\,H_2O \xrightarrow[\text{borate}]{\text{uricase}} n\,\text{allantoin} + n\,HCO_3^- + m\,\text{alloxanate} + m\,\text{urea} + H_2O_2$$

Reagents:
1. Uric acid (c.p.) freshly dissolved in distilled water, 20 mg/l.
2. Borate buffer p_H 8.5 in distilled water, 0.2 M.
3. KCN solution in distilled water, 0.1 M.
4. Enzyme sufficient to give a $-\Delta A_{290\,m\mu}$ of 0.010—$0.050 \times \text{min}^{-1}$.

Procedure:

Mix uric acid solution with equal volume of buffer prior to experiment. Blank cuvette: Substrate solution 2.0 ml; KCN 0.2 ml; enzyme plus water 0.8 ml. Experimental cuvette: similar to blank, but omit KCN, and substitute for it 0.2 ml H_2O. Measurement: every 30 sec for 5 min. Rate of decrease of optical density at 290 mμ ($-\Delta A_{290\,m\mu}$) corrected for that observed in the blank should be linear. The temperature should be controlled (thermostated cell compartment) in the range 20—25° C.

Calculations. $-\Delta A_{290\,m\mu} \times \text{min}^{-1} \times 0.25 = \mu$moles uric acid oxidized $\times \text{min}^{-1}$. This assay is suitable for use with crude enzyme preparations provided that the turbidity of the latter does not interfere. With highly purified enzyme preparations the change in optical density due to enzyme is negligible, the blank can be omitted and the $-\Delta A_{290\,m\mu}$ determined directly on the experimental cuvette.

Manometric determination of uricase activity. Measurement of oxygen uptake according to LEONE[2].

Reaction: as before.

Reagents:
1. Lithium urate — dissolve 500 mg of uric acid in 31.25 ml of boiling 0.1 N LiOH, cool, bring to 100 ml with H_2O; this solution must be prepared daily.

---

[1] MAHLER, H. R., G. HÜBSCHER and H. BAUM: J. biol. Ch. **216**, 625 (1955).
[2] LEONE, E.; in: Colowick-Kaplan, Meth. Enzymol., Bd. II, S. 485.
[3] PRAETORIUS, E.: Biochim. biophys. Acta **2**, 590, 602 (1958).

2. Borate buffer, p_H 9.0, 0.1 M.
3. Enzyme, so chosen as to give less than 60—65 μl $O_2 \times$ 15 min^{-1}.
4. KOH, 20%.

Procedure:

In WARBURG manometer flasks place 1 ml of buffer, enzyme, and H_2O to a final volume of 2.6 ml. Center well contains 0.3 ml of 20% KOH adsorbed to a filter paper roll; the side arm contains 0.4 ml of urate solution. Temperature 39° C; gas phase, air. After equilibration, tip in urate, and take readings every 5 min for the first 15 min.

The blank flask is treated similarly with 0.4 ml of H_2O substituted for the urate in the side arm.

Calculations: $4 \times O_2$ uptake by experimental flask during 1st 15 min $- O_2$ uptake by blank $= \mu$l O_2 taken up $\times$ hr.$^{-1}$.

This is probably the method of choice for very crude enzyme preparations or for the determination of the enzyme in whole cells of microorganisms, tissue slices, crude homogenates, etc.

Kupferenzyme.

Von

Ingeborg Schirrmacher-Göllner[*].

Mit 7 Abbildungen.

Einteilung und Spezifität. Die im Tier- und Pflanzenreich vorkommenden kupferhaltigen Enzyme sind charakterisiert durch die Fähigkeit, eine Reihe von Substraten aerob zu oxydieren. Der molekulare Sauerstoff wird dabei gemäß der schematischen Gleichung

$$AH_2 + {}^1/_2 O_2 \rightarrow A + H_2O$$

zu Wasser reduziert und nicht zu Wasserstoffperoxyd. Im Gegensatz zu den sie häufig begleitenden Peroxydasen benötigen sie für ihre Funktion keinen peroxydischen Sauerstoff. Um Verwechslungen mit Peroxydasen zu vermeiden, ist daher beim Oxydasennachweis in jedem Falle die Anwesenheit von Peroxyden auszuschließen.

Tabelle 1. *Kupfergehalt der Cu-Enzyme.*

Name	Cu-Gehalt %
Tyrosinase	0,25
Ascorbinsäureoxydase	0,26
Laccase	0,24

Als Substrate für derartige in die Reihe der Oxydasen einzuordnenden Enzyme dienen H-Donatoren aus der Gruppe der Phenole und Diamine, aber auch die Ascorbinsäure. Diese Vielzahl angreifbarer Substrate wie Phenol, Brenzcatechin, Guajacol, Hydrochinon, m- und p-Kresol, Pyrogallol, Tyrosin, Dopa (o-Dihydroxyphenylalanin), Adrenalin u. a. sowie die Schwierigkeiten bei der Reindarstellung der aus den verschiedensten pflanzlichen und tierischen Lebewesen gewonnenen Enzyme führten dazu, daß im Laufe der Jahre ein und demselben Enzym viele Namen gegeben wurden. So ist z. B. Tyrosinase seit ihrer Auffindung durch BOURQUELOT und BERTRAND im Jahre 1896 auch Phenolase, Monophenolase, Polyphenol-

---

[*] Behringwerke, Marburg a. d. Lahn.

oxydase, Dopaoxydase, Brenzcatechinoxydase genannt worden. Die Bezeichnung Monophenolase wurde gewählt, weil die Tyrosinase im Gegensatz zu Polyphenolasen auch Monophenole angreifen kann. Da sie aber auch auf Polyphenole einwirkt, soll im folgenden in Anlehnung an SUMNER und SOMERS[1] unterschieden werden zwischen den Oxydasen vom Tyrosinase-Typ (Monophenolase, Polyphenoloxydase), vom Laccase-Typ (Polyphenoloxydase) sowie der Ascorbinsäureoxydase.

Die Zuordnung eines Cu-Enzyms zu einem dieser Typen läßt sich mit Hilfe der aus Tabelle 2 ersichtlichen Spezifität durchführen.

Über die Art der chemischen Bindung zwischen dem Kupfer und dem Protein ist bisher noch nichts bekannt. Auffallend ist, daß sich das Enzym-Kupfer, im Gegensatz zu anderen kupferhaltigen Proteinen, nicht direkt durch Dialyse entfernen läßt. Setzt man zu einer Lösung der Cu-Enzyme Verbindungen wie Blausäure oder Na-diäthyldithiocarbamat, also Komplexbildner hinzu, so verliert das Enzym seine biologische Funktion. Nach der Dialyse erhält man ein Cu-freies Protein, das sich aber durch Zugabe von überschüssigen Cu-Salzen wieder in die aktive, Cu-haltige Enzymform zurückführen läßt. KUBOWITZ[2], der diese Untersuchungen an Kartoffel-Tyrosinase (Phenoloxydase) durchführte, fand, daß andere zweiwertige Metalle wie Fe, Co, Zn und Ni unwirksam sind. Seine Versuche führten ihn zu folgenden Schlüssen:

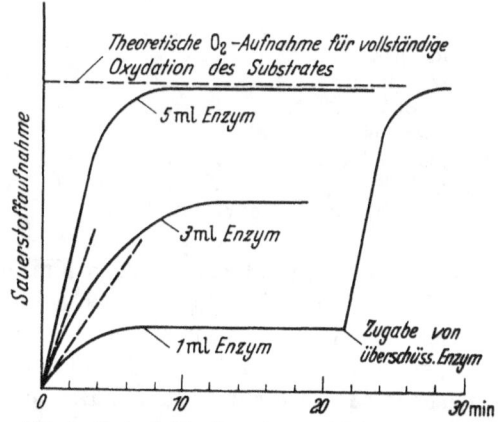

Abb. 1. Sauerstoffverbrauch verschiedener Mengen gereinigten Enzyms (nach DAWSON[4]).

1. Das Cu ist die Wirkgruppe des Enzyms.

2. Der reversibel abtrennbare Bestandteil des Enzyms, seine prosthetische Gruppe, ist das Cu-Ion. Prosthetische Gruppe und Wirkgruppe dieses Enzyms sind also identisch.

Aus der Arbeit von KUBOWITZ[3] geht hervor, daß Kohlenoxyd (CO) in Abwesenheit des Substrates nicht von den aktiven Tyrosinasepräparaten gebunden wird. Sättigt man jedoch die Enzymlösung nach Zusatz von Brenzcatechin mit CO, so wird CO in einer dem Cu-Gehalt des Enzyms entsprechenden Menge aufgenommen. Da CO sich nur mit einwertigen Cu-Ionen verbindet, muß das aktive Enzym Cu^{++}-Ionen enthalten, die während der katalytischen Oxydation zu Cu^+-Ionen reduziert werden. Er bewies, daß der Valenzwechsel des Kupfers der Wirkung des Enzyms zugrunde liegt, und formulierte die katalytische Oxydation von Brenzcatechin folgendermaßen:

$$4\ Cu^{++}\ (\text{Enzym}) + 2\ \text{Brenzcatechin} \rightarrow 4\ Cu^+\ (\text{Enzym}) + 2\ o\text{-Chinon} + 4\ H^+$$
$$4\ Cu^+\ (\text{Enzym}) + 4\ H^+ + O_2 \rightarrow 4\ Cu^{++}\ (\text{Enzym}) + 2\ H_2O$$

Danach würde die inaktive reduzierte Form des Enzyms während der Reaktion laufend in die aktive zurückgeführt werden. In Wirklichkeit erleiden aber die in Tabelle 1 aufgeführten Cu-Enzyme eine deutliche Inaktivierung während der Reaktion. DAWSON[4] nimmt an, daß das Enzym durch den ständigen Valenzwechsel eine strukturelle Veränderung erfährt. Die in Abb. 1 dargestellten Kurven zeigen den Sauerstoffverbrauch bei verschiedenen Mengen gereinigten Enzyms. Wird eine relativ kleine Enzymmenge eingesetzt, so ist der Punkt, an dem alles Enzym inaktiviert ist, sehr bald erreicht.

---

[1] SUMNER, J. B., and G. F. SOMERS: Chemistry and Methods of Enzymes, S. 240. New York 1953.
[2] KUBOWITZ, F.: B. Z. **296**, 443 (1938).
[3] KUBOWITZ, F.: B. Z. **299**, 32 (1938).
[4] DAWSON, C. R.; in: MCELROY, W. P, and H. BENTLEY GLASS (Hrsgb.): Copper Metabolism. S. 44. Baltimore 1950.

Zugabe eines Enzymüberschusses bringt die Reaktion sofort wieder in Gang. Nur bei Verwendung einer ausreichenden Enzymmenge kann vollständige Oxydation des eingesetzten Substrates erreicht werden. Diese Reaktionsinaktivierung der Cu-Oxydasen ist irreversibel und läßt sich nicht auf irgendwelche sich bildenden Reaktionsprodukte zurückführen[1].

Auch über die Ursache der Spezifität dieser Oxydasen ist noch nichts bekannt. Vergleicht man den in Tabelle 1 aufgeführten Cu-Gehalt der Enzyme, so lassen sich von ihm ausgehend keine Unterschiede in der Spezifität erklären. Und doch können sie, wie aus Tabelle 2 hervorgeht, durch ihre ganz spezifische Aktivität unterschieden werden. So katalysiert die Ascorbinsäureoxydase die aerobe Oxydation der Ascorbinsäure und übt keinerlei Wirkung auf Phenole aus. Für die Tyrosinase gelten als Substrate Tyrosin, Phenol, m- und p-Kresol, Brenzcatechin, Dopa, Pyrogallol, Adrenalin u. a. ähnlich aufgebaute Verbindungen, während Guajacol, o-Kresol, Hydrochinon sowie Ascorbinsäure nicht angegriffen werden. Die Laccase schließlich vermag die Oxydation von Ascorbinsäure und Polyphenolen zu beeinflussen und besitzt darüber hinaus noch die Fähigkeit, Diamine wie p-Phenylendiamin und Benzidin aerob zu oxydieren. Monophenole werden jedoch nicht angegriffen. Betrachtet man z.B. die Substrate Brenzcatechin und Ascorbinsäure, so fällt auf, daß sie eine -en-diol-Gruppe $\left(\begin{array}{c}-C=C-\\ || \\ OHOH\end{array}\right)$ besitzen:

Tabelle 2. *Substratspezifität der Cu-Enzyme.*

Substrat	Tyrosinase	Ascorbin-säure-oxydase	Laccase
Ascorbinsäure	−	+	+
Phenol	+	−	−
Tyrosin	+	−	−
m- und p-Kresol	+	−	−
Brenzcatechin	+	−	−
Guajacol	−	−	+
Hydrochinon	−	−	+
p-Phenylendiamin	−	−	+
Pyrogallol	+	−	+
Dopa (o-Dihydroxyphenylalanin)	+	−	+

[Reaktionsschema: Brenzcatechin + ½ O₂ →(Tyrosinase) o-Benzochinon + H₂O]

[Reaktionsschema: L-Ascorbinsäure + ½ O₂ →(Ascorbinsäure-oxydase) Dehydroascorbinsäure + H₂O]

Es ist nicht verwunderlich, daß m-Phenole, wie z.B. Resorcin, nicht angegriffen werden, da sie die oben erwähnte -en-diol-Gruppierung nicht aufweisen und sich daher nicht zu Chinonen oxydieren lassen.

---

[1] Dawson, C. R.; in: McElroy, W. P., and H. Bentley Glass (Hrsgb.): Copper Metabolism. S. 44. Baltimore 1950.

Zur Aktivitätsbestimmung dieser Enzymgruppe wird vorwiegend die manometrische Methode* angewandt, bei der diejenige Sauerstoffmenge bestimmt wird, die das Enzym verbraucht, um eines seiner Substrate unter festgelegten Bedingungen zu oxydieren. Dabei soll die Reaktionszeit so gewählt werden, daß in ihr die Geschwindigkeit der Sauerstoffaufnahme eine lineare Funktion der Zeit ist. Als Versuchszeit eignet sich diejenige, in der etwa $1/10$ der Sauerstoffmenge verbraucht wird, die für die vollständige Oxydation der vorgelegten Substratmenge nötig wäre. Da die Oxydationsprodukte der Substrate aus der Reihe der Phenole gefärbte Substanzen sind, läßt sich die Aktivität auch mit colorimetrischen oder spektrophotometrischen Methoden bestimmen.

Nähere Angaben über die Reaktionsansätze werden im Anschluß an die Besprechungen der einzelnen Enzyme gegeben.

Die einzelnen Enzyme.
1. Tyrosinase**.
[1.10.3.1 o-Diphenol:O_2-Oxydoreductase.]
(Brenzcatechin-Oxydase)

Vorkommen. Schon Ende des vorigen Jahrhunderts (1895) beobachteten BOURQUELOT und BERTRAND[1], daß in Pilzen eine Substanz vorhanden sein muß, die durch gleichzeitig anwesendes Enzym braun bis schwarz gefärbt wird. Später gelang es BERTRAND[2] diese Substanz als Tyrosin zu identifizieren, und er nannte das Enzym „Tyrosinase". Diese Oxydase ist in der Natur weit verbreitet. Besonders im Pflanzenreich und bei den Invertebraten wird sie häufig angetroffen, aber auch bei den Säugetieren konnte sie nachgewiesen werden. So findet man sie in Pilzen, Kartoffeln, Bohnen, Spinat, Weizenkleie, Dahlienknollen, Teeblättern, Bakterien, bei Mehlwürmern, dem Tintenfisch, den Puppen des Wolfsmilchschwärmers sowie anderen Insekten und Larven. Auch in Melanomen und Meerschweinchenleber konnte Tyrosinase nachgewiesen werden.

Darstellung. Da die Kupferenzyme im allgemeinen nur in geringen Mengen in den einzelnen Ausgangsmaterialien tierischer und pflanzlicher Art vorkommen, ist die Reindarstellung und Kristallisation nicht leicht durchzuführen. Es werden auch in diesen Fällen Methoden angewandt, wie sie allgemein von der Gewinnung der Enzyme her bekannt sind, wie Aufschluß der Zellen durch Einfrieren, Aceton- oder Alkohol-Extraktion, Salzfraktionierung, Adsorption an indifferente Stoffe wie Al_2O_3 usw. Die große Empfindlichkeit der Tyrosinase gegenüber erhöhten Temperaturen und niedrigen p_H-Werten erfordert ein Arbeiten bei p_H 5,0 und Temperaturen unter Raumtemperatur. Ausgedehnte Reinigungsstudien an Oxydasen vom Tyrosinasetyp wurden durchgeführt von KUBOWITZ[3] an Kartoffeln, EIGER und DAWSON[4] an süßen Kartoffeln, KEILIN und MANN[5], LUDWIG und NELSON[6], PARKINSON und NELSON[7] sowie MALLETTE u. Mitarb.[8] an dem Pilz *Psalliota campestris*, DALTON und NELSON[9] an dem Pilz *Lactarius piperatus*, SREERANGACHAR[10] an Teeblättern und HOGEBOOM und ADAMS[11] sowie LERNER u. Mitarb.[12] am Mäuse-Melanom.

---

* Siehe S. 55 ff. und 907.
** Siehe auch S. 928, 1024 und 1028 im Beitrag ABRAHAM u. Mitarb.
[1] BOURQUELOT, E., et G. BERTRAND: C.R. Soc. Biol. **47**, 582 (1895).
[2] BERTRAND, G.: Cr. **122**, 1215 (1896).
[3] KUBOWITZ, F.: B. Z. **299**, 32 (1938).
[4] EIGER, J. Z., and C. R. DAWSON: Arch. Biochem. **21**, 194 (1949).
[5] KEILIN, D., and T. MANN: Proc. R. Soc. Lond. (B) **125**, 187 (1938).
[6] LUDWIG, B. J., and J. M. NELSON: Am. Soc. **61**, 2601 (1939).
[7] PARKINSON, G. G., and J. M. NELSON: Am. Soc. **62**, 1693 (1940).
[8] MALLETTE, M. F., S. LEWIS, S. R. ANUS, J. M. NELSON and C. R. DAWSON: Arch. Biochem. **16**, 283 (1948).
[9] DALTON, H. R., and J. M. NELSON: Am. Soc. **61**, 2946 (1939).
[10] SREERANGACHAR, H. B.: Biochem. J. **37**, 667 (1944).
[11] HOGEBOOM, G. H., and M. H. ADAMS: J. biol. Ch. **145**, 273 (1942).
[12] LERNER, A. B., T. B. FITZPATRICK, E. CALKINS and W. H. SUMMERSON: J. biol. Ch. **178**, 185 (1949).

DALTON und NELSON[1] konnten einen geringen Teil der Tyrosinase-Präparate aus dem Pilz *Lactarius piperatus* in kristalliner Form erhalten. Diese farblosen Kristalle enthielten 0,25 % Kupfer und 13,6 % Stickstoff. Abb. 2 zeigt eine perspektivische Zeichnung eines solchen Kristalls.

Darstellung der Kartoffeltyrosinase nach KUBOWITZ[2].

Ausgangsmaterial und Ausgangsextrakt. „Gelbe" Kartoffeln werden mit Wasser gewaschen. Die Kernstücke der Kartoffeln, die nur wenig Enzym enthalten, werden mit einem Messer herausgeschnitten und verworfen. Die Rindenteile mit den Schalen werden in einer Kartoffelreibmaschine zerrieben, der Brei wird mit eiskaltem Wasser (600 ml Wasser zu Brei von 1,5 kg Rindenteilen) extrahiert, der Extrakt wird sofort durch Abnutschen von Stärke und anderen Bestandteilen befreit. Die Lösung ist braun, ihr p_H ist 6,0. Von 1,5 kg Rindenteilen erhält man etwa 1,1 l „Ausgangsextrakt".

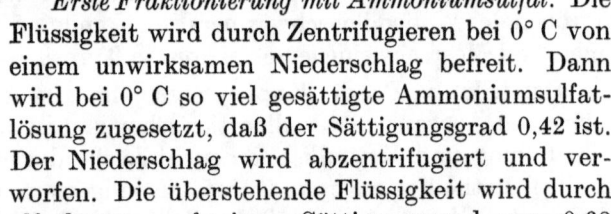

Abb. 2. Perspektivische Zeichnung eines Tyrosinasekristalles (nach DALTON u. NELSON[1]).

Erste Fraktionierung mit Aceton. Der Extrakt wird bei 0° C mit Aceton bis zu 40 Vol.-% versetzt, der Niederschlag wird verworfen. Bei weiterem Zusatz von Aceton bis zu 55 Vol.-% fällt ein Niederschlag, der das Enzym enthält. Der Niederschlag wird mit $^1/_{30}$ des Extraktionsvolumens Wasser zu einer trüben Flüssigkeit gelöst, die man bei 0° C ohne Wirkungsverlust längere Zeit aufbewahren kann.

Erste Fraktionierung mit Ammoniumsulfat. Die Flüssigkeit wird durch Zentrifugieren bei 0° C von einem unwirksamen Niederschlag befreit. Dann wird bei 0° C so viel gesättigte Ammoniumsulfatlösung zugesetzt, daß der Sättigungsgrad 0,42 ist. Der Niederschlag wird abzentrifugiert und verworfen. Die überstehende Flüssigkeit wird durch Zugabe von gesättigter Ammoniumsulfatlösung auf einen Sättigungsgrad von 0,68 gebracht. Der Niederschlag, der das Enzym enthält, wird abzentrifugiert, in Wasser (1 l, wenn das Volumen des Ausgangsextraktes 50 l war) suspendiert und 2 Tage in Cellophanschläuchen bei 0° C gegen Wasser dialysiert. Der braune Niederschlag wird abzentrifugiert und verworfen.

Zweite Fraktionierung mit Aceton. 1200 ml Flüssigkeit (aus 50 l Ausgangsextrakt) werden bei 0° C mit Acetatpuffer auf p_H 5,4 eingestellt (die Pufferkonzentration ist etwa 0,05 m). Dann wird so viel eiskaltes Aceton zugesetzt, daß die Lösung 34 Vol.-% enthält. Der Niederschlag, der die Hauptmenge des Enzyms enthält, wird sofort in 70 ml 0,0143 m Phosphatlösung vom p_H 7,4 gelöst. (Durch weitere Zugabe von Aceton zur Mutterlauge der Acetonfällung bis zu 42 Vol.-% erhält man eine weitere, aber weniger wirksame Enzymfällung.)

Erwärmen bei p_H 7,4. Die Lösung des Enzyms in Phosphat wird unter gutem Rühren 4 min auf 59—60° C erwärmt, dann schnell in Eiswasser gekühlt. Ein Niederschlag von denaturiertem Eiweiß wird bei 0° C abzentrifugiert und mit einem dem Niederschlagsvolumen gleichen Volumen Wasser in einer hochtourigen Zentrifuge gewaschen. Das Waschwasser wird mit der Hauptmenge vereinigt.

Erwärmen bei p_H 9,7 mit Chloroform-Octanol. Zu 100 ml Lösung werden 19 ml Glycerin und 6 ml Glykokollpuffer von p_H 10,7 hinzugefügt. Der p_H der Lösung ist dann etwa 9,7. Nach Zusatz von 2 ml Chloroform und 0,2 ml Octanol wird 5 min unter kräftigem

---

[1] DALTON, H. R., and J. M. NELSON: Am. Soc. **61**, 2946 (1939).
[2] KUBOWITZ, F.: B. Z. **299**, 32 (1938).

Rühren auf 48—49° C erwärmt, sofort in Eiswasser gekühlt und unter gutem Rühren bei 0° C mit (3,6 ml) 2 n Essigsäure auf p_H 5 angesäuert. Der Niederschlag wird abzentrifugiert, mit einem dem Niederschlagsvolumen gleichen Wasservolumen in der Zentrifuge bei 0° C gewaschen und dann verworfen. Das Waschwasser wird mit dem ersten Zentrifugat vereinigt. Da das Enzym in der Lösung bei p_H 5 wenig beständig ist, wird der nächste Schritt sofort angeschlossen.

Zweite Fraktionierung mit Ammoniumsulfat. 100 ml der Lösung werden mit so viel gesättigter Ammoniumsulfatlösung versetzt, daß der Sättigungsgrad 0,45 ist. Der Niederschlag wird bei 0° C abzentrifugiert und verworfen. Zu der überstehenden Lösung wird gesättigte Ammoniumsulfatlösung zugesetzt, bis der Sättigungsgrad 0,75 ist. Der Niederschlag wird bei 0° C abzentrifugiert und in 45 ml 0,067 m Na_2HPO_4-Lösung aufgelöst. Die Lösung wird in Cellophanschläuchen 48 Std bei 0° C gegen Wasser dialysiert, wobei ein Niederschlag ausfällt, der verworfen wird.

Dritte Fraktionierung mit Aceton. 100 ml der dialysierten eiskalten Lösung werden mit 1,5 ml 1 m Acetatpuffer auf p_H 5,4 gebracht. Dann wird so viel eiskaltes Aceton zugegeben, daß die Acetonkonzentration 40 Vol.-% beträgt. Der Niederschlag, der die Hauptmenge des Enzyms enthält, wird in 15 ml 0,01 m Phosphatpuffer, p_H 7,4, gelöst. Die Lösung wird 48 Std bei 0° C gegen Wasser dialysiert, ein dabei ausfallender Niederschlag wird abzentrifugiert und verworfen.

Reinigung mit Silberacetat. Die dialysierte Lösung wird soweit verdünnt, daß die Proteinkonzentration 6 mg/ml beträgt. Zu 100 ml dieser Lösung werden nacheinander 1 ml, 1 ml, 3 ml und 7,5 ml einer 0,25%igen Silberacetatlösung zugefügt, nach jedem Zusatz wird bei 0° C zentrifugiert. Die durch Silberacetat erzeugten Niederschläge, die zusammen etwa 50% der Wirkung und die noch vorhandenen braungefärbten Verunreinigungen enthalten, werden verworfen. Die überstehende Lösung wird mit 3 ml 1 m Natriumchloridlösung versetzt und 24 Std gegen das 50fache ihres Volumens 0,2 m Natriumchlorid in Cellophanschläuchen bei 0° C dialysiert. Dann wird 48 Std gegen fließendes Wasser dialysiert. Ein bei der Dialyse ausgefallener Niederschlag (AgCl) wird abzentrifugiert und verworfen.

Reinigung mit Aluminiumhydroxyd. Zu 100 ml der dialysierten Enzymlösung, die 7—8 mg Protein pro ml enthält, wird bei 0° C allmählich so viel frisch gefälltes Aluminiumhydroxyd zugegeben, bis der größte Teil der braunen Farbe adsorbiert ist. Das an das Aluminiumhydroxyd adsorbierte Enzym wird von dem Aluminiumhydroxyd teilweise eluiert, indem man mit 80 ml 0,25 m NaCl 3 Std unter gelegentlichem Schütteln extrahiert und die Extraktion mit 50 ml m NaCl in 0,01 m Phosphatpuffer von p_H 7,4 wiederholt.

Die Eluate werden mit dem ersten Abguß des Aluminiumhydroxyds vereinigt. Dann wird mit 1 ml Acetatpuffer auf p_H 5,4 angesäuert und bei 0° C so viel gesättigte Ammoniumsulfatlösung zugegeben, bis der Sättigungsgrad des Ammoniumsulfates 0,70 beträgt. Der Niederschlag, der das Enzym enthält, wird abzentrifugiert, mit 0,05 m Phosphatpuffer von p_H 7,4 auf 30 ml gebracht und 60 Std bei 0° C gegen fließendes Wasser dialysiert. Ein bei der Dialyse entstehender Niederschlag wird abzentrifugiert und verworfen.

Vierte Fraktionierung mit Aceton. Zu 100 ml der dialysierten Enzymlösung, die 10 mg Protein pro ml enthält, werden bei 0° C 2 ml 1 m Acetatpuffer von p_H 5,4 gegeben und so viel eiskaltes Aceton, daß die Acetonkonzentration 28 Vol.-% beträgt. Die Flüssigkeit, in der ein Niederschlag ausgefallen ist, wird vorsichtig auf 25° C erwärmt, wobei sich der Niederschlag löst, und dann in den Eisraum gebracht, wo sich beim langsamen Abkühlen ein körniger Niederschlag bildet, der bei 0° C abzentrifugiert wird. Zu der überstehenden Lösung wird bei 0° C Aceton bis 36 Vol.-% gegeben, erwärmt und abgekühlt wie oben, wobei eine zweite, körnige Enzymfraktion erhalten wird. Schließlich wird Aceton bis 44 Vol.-% zugegeben, erwärmt und abgekühlt wie oben, wobei eine dritte Enzymfraktion erhalten wird.

Die Niederschläge werden zusammengegeben, mit 0,0033 m Phosphatpuffer von p_H 7,4 auf 40 ml gebracht und bei 0° C 60 Std gegen fließendes Wasser dialysiert. Mit der dialysierten Lösung wird die oben beschriebene Fraktionierung mit Aceton bei p_H 5,4 wiederholt, wobei wieder drei Fraktionen erhalten werden.

Darstellung der Tyrosinase aus Psalliota campestris (Champignon) nach KEILIN und MANN[1].

Extraktion. 15 kg frischer, junger gezüchteter Pilze werden in Scheiben geschnitten und dann zerkleinert. Der Brei wird mit 1 kg feinen Sandes gemischt und durch Leinen gepreßt, zuerst mit der Hand und dann mit der hydraulischen Presse. Die Ausbeute ist etwa 5 l Extrakt. Der Rückstand wird mit Wasser gemischt und ausgepreßt und ergibt 2,5 l. Er wird dann mit 1 l Wasser und 1 kg Sand vermischt und in vier getrennten Portionen in einem mechanischen Mörser zermahlen, was etwa 3—4 Std dauert. Der Brei wird wiederum ausgepreßt und ergibt 2,5 l Flüssigkeit. Die Extraktion wird zweimal wiederholt. Die gesammelten Extrakte ergeben 15 l einer braunen Flüssigkeit (Extrakt A) mit einem Gehalt von 48 mg Trockengewicht per ml. Q_{O_2}* mit Brenzcatechin als Substrat ist 600—1200. Es ist wichtig, fein zu zerkleinern und zu einem feinen Brei zu mahlen. Das Pressen soll gründlich erfolgen. Läßt man Fraktion A über Nacht stehen, so kann eine Vermehrung des Enzymgehaltes eintreten, entweder infolge der Entfernung eines Hemmungsstoffes oder des Freiwerdens von aktivem Enzym aus einem inaktiven Komplex.

Fällung mit Ammoniumsulfat und Dialyse. Der p_H des Extraktes A wird mit Essigsäure auf 4,8—5 gebracht und die Flüssigkeit mit Ammoniumsulfat gesättigt, indem unter kräftigem Mischen etwa 11 kg dieses Salzes eingetragen werden. Nach 2 Std ballt sich die Fällung zusammen und zeigt Bestreben, zur Oberfläche zu steigen. Die Mischung wird durch mehrere Büchner-Trichter mit zwei Schichten Filtrierpapier gefiltert und läßt eine sehr dunkle und dicke Masse eines Niederschlages zurück. Der Niederschlag wird in 1,5 l Wasser suspendiert und in Cellophan-Säcken gegen fließendes Leitungswasser dialysiert. Nach 8—12 Std, wenn das Ammoniumsulfat zumeist entfernt ist, wird die Flüssigkeit in lange Cellophanschläuche (2 cm Durchmesser) gefüllt und 10 bis 20 Std gegen fließendes Leitungswasser dialysiert. 4 l der dunklen Flüssigkeit nach der Dialyse (Flüssigkeit B) ergaben das folgende Resultat: Trockengewicht = 24 mg pro ml; $Q_{O_2} = 55000$.

Reinigung mit Bleiacetat. Flüssigkeit B wird mit kaltem, destilliertem Wasser auf 8 l verdünnt und mit einer sehr kleinen Menge Bleiacetat versetzt, um die Trübung und das meiste der Färbung zu entfernen. Um die nötige Menge Bleiacetat zu bestimmen, nimmt man 4 Proben von je 20 ml der Flüssigkeit B und fügt dazu 0,25, 0,35, 0,5 und 0,75 ml einer Bleiacetatlösung hinzu, die durch Verdünnen einer gesättigten Bleiacetatlösung mit 10 Teilen kohlensäurefreien, destillierten Wassers hergestellt ist. Unmittelbar nach dem Zufügen wird der Niederschlag abzentrifugiert. Diejenige Menge Bleiacetat, welche eine klare, leicht braune Flüssigkeit ergibt, ist hinreichend. Flüssigkeit B wird in zehn 800 ml-Portionen geteilt und die notwendige Menge Bleiacetat (1 Teil gesättigte Lösung + 9 Teile CO_2-freies Aqua dest.) zugefügt. Der Niederschlag wird sofort abzentrifugiert. Dies ergibt 7800 ml einer klaren, leicht braunen Flüssigkeit C_1. Trockengewicht = 1,6 mg pro ml.

Erste fraktionierte Adsorption an Tricalciumphosphat. Die Flüssigkeit C_1 wird mit 2 g Tricalciumphosphatgel gemischt und auf p_H 7,0—7,2 gebracht. Nachdem sie über Nacht gestanden hat, wird sie durch ein CHARDIN-Faltenfilter filtriert, wobei sie einen schwarzen Rückstand hinterläßt. Das klare, leicht gelbe Filtrat wird auf p_H 6,6—6,7 angesäuert und mit 9 g frisch hergestelltem, gelatinösem Tricalciumphosphat gemischt.

---

* Definition von Q_{O_2} s. S. 55ff. und 908.
[1] KEILIN, D., and T. MANN: Proc. R. Soc. Lond. (B) **125**, 187 (1938).

Nach 30 min Stehenlassen zentrifugiert man und verwirft die Flüssigkeit. Der feste Anteil wird dreimal mit 0,5 m K_2HPO_4 extrahiert; die Mischungen bleiben jeweilig $^1/_2$, 2 und 4 Std stehen, bevor sie zentrifugiert werden. Diese Phosphatelutionen werden vereinigt und über Nacht gegen destilliertes Wasser dialysiert.

Zweite fraktionierte Adsorption an Tricalciumphosphat. Die nach der Dialyse sich ergebenden 800 ml brauner Flüssigkeit werden auf p_H 6,7 angesäuert und zuerst mit nur 2 g Calciumphosphatgel behandelt. Nach gründlichem Mischen wird es abzentrifugiert. Dies ergibt Fällung C_2. Weitere 4 g des Gels werden nun zugefügt. Dies ergibt nach Mischen und Zentrifugieren Fällung D. Die beiden Fällungen werden mit Alkaliphosphat getrennt eluiert und die Flüssigkeiten 24 Std lang gegen destilliertes Wasser dialysiert. Dies ergibt die beiden Enzymfraktionen C_2 und D. C_2 hat das Trockengewicht 1 mg pro ml; $Q_{O_2} = 112000$; Volumen: 360 ml. Fraktion D hat das Trockengewicht 0,8 mg pro ml; $Q_{O_2} = 462000$; Volumen: 300 ml.

Erste fraktionierte Fällung mit Aceton in Gegenwart von Bleiacetat. 300 ml der Lösung D werden durch Ultrafiltration durch Bechholds abgestufte Ultrafiltermembranen konzentriert und gewaschen. Die Enzymlösung wird auf eine „$4^1/_2$"-Membran gegossen, deren Oberfläche fortdauernd von einer feinen, mit Motor betriebenen Bürste bestrichen wird. Das Enzym wird von der Membran zurückgehalten und kann in der Weise schnell konzentriert und mit Wasser gewaschen werden, wobei letzteres durch Saugen entfernt wird. Die Lösung D zu 60 ml einer leicht trüben Flüssigkeit konzentriert, wird mit 1,2 ml $^1/_{10}$ gesättigter Bleiacetatlösung und 3 ml kalten Acetons behandelt ($= 5\%$ Aceton).

Die dunkle, schleimige Fällung wird abzentrifugiert und die überstehende Flüssigkeit mit 40 ml Aceton behandelt, um die Endkonzentration auf etwa 40% zu bringen. Der p_H wird mit Acetatpuffer auf 5,5 gebracht und die Flüssigkeit nach 5 min Stehen zentrifugiert. Die Fällung D_1 wird in 35 ml 5×10^{-4} m Phosphatpuffer von p_H 7,3 gelöst. Die überstehende Flüssigkeit ergibt bei Mischung mit 2 Vol. Aceton eine zweite Fällung D_2, die in 30 ml desselben Phosphatpuffers gelöst wird. Nach Dialysieren über Nacht gegen destilliertes Wasser wurden folgende Werte erhalten: Lösung $D_1 = 30$ ml (fast farblos), Trockengewicht 3,5 mg pro ml; $Q_{O_2} = 560000$; Lösung $D_2 = 35$ ml; Trockengewicht $= 1,1$ mg pro ml.

Zweite Fällung mit Bleiacetat. Lösung D_1 wird mit 2,5 ml einer $^1/_{100}$ gesättigten Lösung von Bleiacetat behandelt. Man zentrifugiert den Niederschlag ab, dialysiert die Flüssigkeit 24 Std gegen aus Glas destilliertes Wasser und zentrifugiert den bei der Dialyse gebildeten geringen Niederschlag ab. Die Flüssigkeit D_3 ergab bei der Prüfung auf enzymatische Aktivität $Q_{O_2} = 800000$.

Dritte Adsorption an Tricalciumphosphat. Lösung D_3 wird mit 100 mg Calciumphosphatgel gemischt und zentrifugiert. Die überstehende Flüssigkeit wird mit kaltem, glasdestilliertem Wasser auf 200 ml verdünnt, mit 400 mg Calciumphosphatgel behandelt und zentrifugiert. Die Fällung wird vorsichtig mit 0,05 m K_2HPO_4 eluiert und die Elution gegen aus Glas destilliertes Wasser dialysiert ($=$ Lösung E). Volumen 21 ml (farblos). Trockengewicht 1,5 mg.

Zweite fraktionierte Fällung mit Aceton in Gegenwart von Bleiacetat. Lösung E wird gekühlt und mit 1,2 ml $^1/_{100}$ gesättigter Bleiacetatlösung und 1,3 ml kaltem Aceton ($= 5\%$) behandelt.

Der Niederschlag wird abzentrifugiert. Die überstehende Flüssigkeit wird durch zwei aufeinanderfolgende Fällungen mit Aceton fraktioniert, die erste mit 4,8 ml ($= 22\%$), die zweite mit 9 ml ($= 41\%$). Jeder der beiden Niederschläge wird in 8 ml 5×10^{-4} m Phosphat vom p_H 7,3 gelöst und gegen aus Glas destilliertes Wasser dialysiert. Es ergeben sich zwei farblose Lösungen E_1 und E_2. $E_1 = 7,1$ ml; Trockengewicht 1,6 mg; $Q_{O_2} = 1170000$.

Eigenschaften. Die Lösungen der meisten Tyrosinasepräparate sind schwach gelb gefärbt. KUBOWITZ[1] konnte gereinigtes Enzym im Gegensatz zu unreinen Produkten in einer 0,002 m Phosphatlösung bei p_H 7,4 im Eisschrank 4 Monate lang aufbewahren, ohne daß erhebliche Wirkungsverluste beobachtet wurden. Seine reinsten Präparate enthielten 0,2% Cu bei einem N-Gehalt von 14,4% und dem isoelektrischen Punkt von p_H 5,4. NELSON und DAWSON[2] nehmen jedoch an, daß der isoelektrische Punkt der aktiven Komponente gereinigter Tyrosinase unter p_H 5,0 liegt, wahrscheinlich in der Nähe von p_H 3,0. Die Aktivität der Tyrosinasepräparate ist proportional dem Cu-Gehalt (s. Abb. 3). Zugesetzte Cu-Ionen steigern die Enzymwirksamkeit nicht und wirken ohne Enzym nicht katalytisch. Als Hemmstoff sind solche Verbindungen anzusprechen, die mit dem Cu des Enzyms reagieren, wie z.B. Cyanide, Diäthyldithiocarbamat, Salicylaldoxim, Schwefelwasserstoff, Natriumazid, Thioharnstoff, Cystein sowie Kohlenoxyd u.a. Als p_H-Optimum wurde der Bereich von 5,5—7,3 ermittelt.

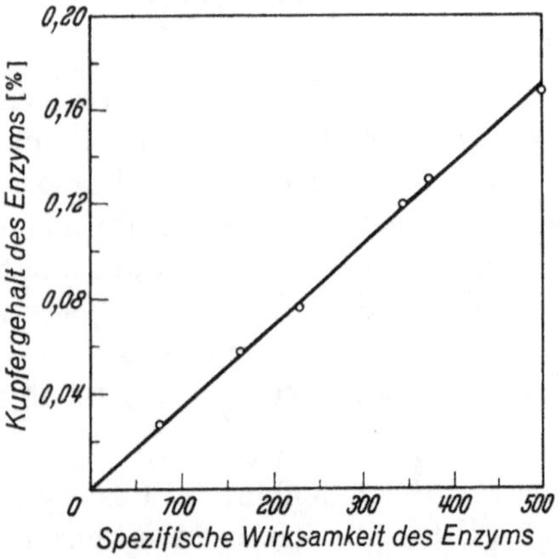

Abb. 3. Aktivität der Tyrosinase in Abhängigkeit vom Cu-Gehalt (nach KUBOWITZ[3]).

Läßt man Tyrosinase auf Phenol einwirken, so ist das erste Oxydationsprodukt Brenzcatechin[4]. Die katalytische Oxydation von Brenzcatechin zu dem tief gefärbten „Melanin" verläuft über folgende Stufen[2]:

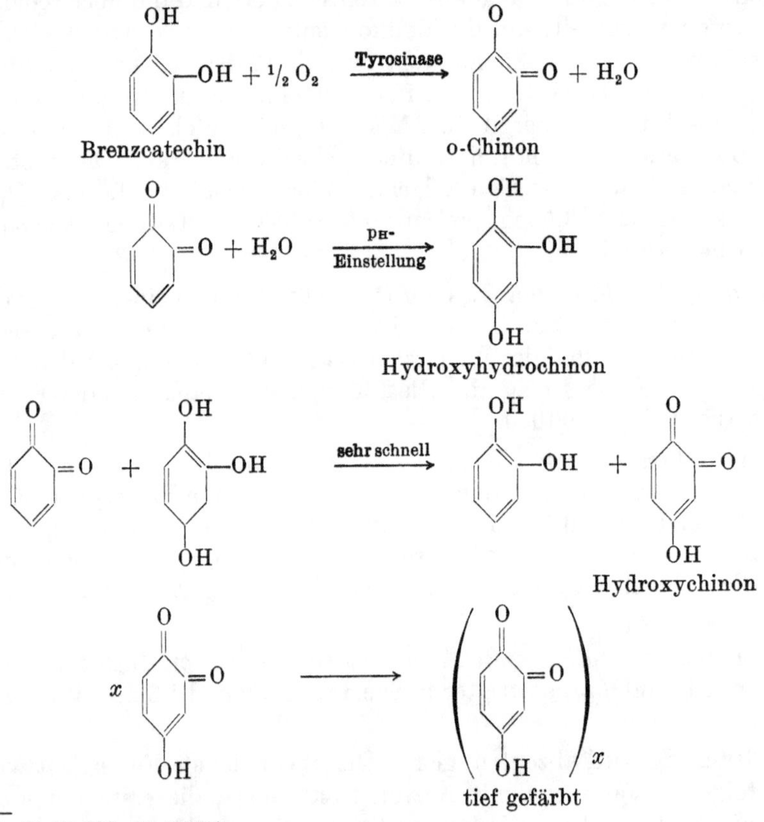

Brenzcatechin + ½ O_2 →(Tyrosinase) o-Chinon + H_2O

o-Chinon + H_2O →(p_H-Einstellung) Hydroxyhydrochinon

o-Chinon + Hydroxyhydrochinon →(sehr schnell) Brenzcatechin + Hydroxychinon

x Hydroxychinon → (Hydroxychinon)$_x$ tief gefärbt

---
[1] KUBOWITZ, F.: B. Z. **299**, 32 (1938).
[2] NELSON, J. M., and C. R. DAWSON: Adv. Enzymol. **4**, 99 (1944).
[3] KUBOWITZ, F.: B. Z. **292**, 221 (1937).
[4] MALLETTE, M. F.; in: MCELROY, W. P., and H. BENTLEY GLASS (Hrsgb.): Copper metabolism. S. 48. Baltimore 1950.

Werden Monophenole als Substrate verwandt wie z.B. Tyrosin, so wird eine längere Induktionsphase beobachtet, die durch Zugabe sehr kleiner Mengen Diphenol verkürzt werden kann[1]. Auffallend ist das unterschiedliche Verhältnis von Brenzcatechin-Aktivität zur p-Kresol-Aktivität verschiedener Tyrosinasepräparate, das vermuten läßt, daß ein und dasselbe Ferment zwei verschiedene katalytische Gruppen besitzt. Im allgemeinen ist die Kresol-Aktivität weniger beständig als die Brenzcatechin-Aktivität[2].

Nelson und Dawson[3] geben für drei gereinigte Enzympräparate aus dem Pilz *Psalliota campestris* folgende Aktivitätswerte sowie elektrophoretische Daten an:

Tabelle 3. *Aktivitäten* und elektrophoretische Daten für drei gereinigte Tyrosinasepräparate.*

Enzympräparat	Cu %	Aktivität/µg Cu		Aktivität/mg Trockengewicht		Verhältnis $\frac{\text{Brenzcatechin}}{\text{Kresol}}$	Elektrophoretische Daten		
		Brenzcatechin	p-Kresol	Brenzcatechin	p-Kresol		$X \cdot 10^{-5}$	p_H	Reinheitsgrad %
C 211—228 F 2	0,21	2130	48	4400	95	48	6,3	7,58	100
C 175—BI	0,10	2100	104	2150	107	20	5,3	7,71	95
C 172—5 AB	0,10	2300	137	2270	135	17	4,6	7,58	93

* Die Aktivitätswerte pro mg Trockengewicht ergeben durch Multiplikation mit 600 den Q_{O_2}-Wert.

Bestimmung der Tyrosinase nach Graubard und Nelson[4].

Prinzip:

Es wird die Sauerstoffmenge bestimmt, die durch die eingesetzte Enzymlösung in 1 min unter den folgenden Bedingungen von dem Substrat aufgenommen wird.

Reagentien:
1. p-Kresol, 0,1%ig.
2. 0,2 m Phosphat — 0,1 m Citratpuffer, p_H 6,2.

Apparatur:

Barcroft-Warburg-Manometer mit Reaktionsgefäßen von 50 ml.

Ausführung:

Je 2 ml Puffer, Enzymlösung und p-Kresol werden mit Wasser auf ein Gesamtvolumen von 8 ml gebracht. Bei einer Temperatur von 25° C wird die O_2-Aufnahme in μl gegen die Zeit in min, aufgetragen.

Enzymeinheit. Diejenige Enzymmenge, die unter den genannten Bedingungen in 1 min eine Sauerstoffaufnahme von 10 μl bewirkt, wird eine Kresol-Einheit genannt.

Bestimmung der Tyrosinase nach Keilin und Mann[5].

Prinzip:
Wie bei der vorstehenden Methode.

Reagentien:
1. Brenzcatechin.
2. 0,03 m Phosphatlösung, p_H 7,3.

Apparatur:
Differentialmanometer.

---

[1] Onslow, M. W., and M. E. Robinson: Biochem. J. 22, 1327 (1928).
[2] Adams, M. H., and J. M. Nelson: Am. Soc. 60, 2472 (1938).
[3] Nelson, J. M., and C. R. Dawson: Adv. Enzymol. 4, 99 (1944).
[4] Graubard, M., and J. M. Nelson: J. biol. Ch. 111, 757 (1935); 112, 135 (1935).
[5] Keilin, D., and T. Mann: Proc. R. Soc. Lond. (B) 125, 187 (1938).

Ausführung:
5 oder 10 mg Brenzcatechin in 3 ml Phosphatlösung gelöst, werden in das rechte Gefäß gebracht, während das linke 3,3 ml Wasser enthält. Ein im Innern hängendes Becherchen wird mit 0,3 ml Enzymlösung beschickt. Nach Druckausgleich bei 20° C werden die Hähne geschlossen und das Becherchen durch kurze Erschütterung ausgehakt. Die Manometer werden etwa 180mal in der min geschüttelt und die Ablesungen nach 1 und nach 2 min und dann alle 2 oder 4 min vorgenommen.

Enzymeinheit. Die Enzymwirkung wird als Q_{O_2} angegeben, eine Zahl, die den Sauerstoffverbrauch in μl von Brenzcatechin, katalysiert von 1 mg Trockenprodukt des Oxydasepräparates in 1 Std bei 20° C, berechnet aus der Sauerstoffabsorption, während der ersten 2 min zum Ausdruck bringt.

Photometrische Bestimmung der Tyrosinase nach SMITH und STOTZ[1].

Prinzip:
Das bei der katalytischen Oxydation von Brenzcatechin entstehende o-Chinon oxydiert den reduzierten Farbstoff (Leukoverbindung). Die Intensität des sich bildenden Farbstoffes wird zeitlich verfolgt. Sie stellt ein Maß dar für die Aktivität des Enzympräparates.

Reagentien:
1. 0,1 m Brenzcatechinlösung, die auf 100 ml 1 Tropfen einer 10%igen Essigsäure enthält (frisch bereiten).
2. 0,1 m Phosphat-Citrat-Puffer, p_H 6,0 (McILVAINE).
3. 0,0002 m Leukoverbindung von 2,6-Dichlorbenzolindo-3'-chlorphenol. Reduktion des Farbstoffes: Es wird eine 0,001 m Farbstofflösung hergestellt (vom Ungelösten abfiltrieren). Diese Lösung, die 3—4 Tage bei Raumtemperatur aufbewahrt werden kann, wird auf das Fünffache verdünnt (0,0002 m). 200 ml werden mit 1 ml einer frisch bereiteten 0,2%igen Suspension von 5%igem Palladiumasbest versetzt und mit Wasserstoff durchströmt. Nach vollendeter Reduktion (etwa 15 min) gibt man 3—4 ml 0,1 m Phosphat-Citrat-Puffer, p_H 6,0 zu und filtriert die Lösung, die farblos sein soll.

Ausführung:
5,0 ml Phosphat-Citrat-Puffer, 5,0 ml Leukoverbindung, 1,0 ml Brenzcatechin, 1,0 ml Enzymlösung werden in einem Colorimeterglas (20 × 150 mm) gut gemischt, nachdem jede Lösung für sich auf 30° C gebracht worden war. Bei der Wellenlänge von 645 mμ wird während 30—60 sec in Abständen von 5 sec die Abnahme der Durchlässigkeit im Photometer bestimmt. Auf semilogarithmischem Papier trägt man die Transmission (I) gegen die Zeit auf. Die Aktivität wird durch folgenden Ausdruck gekennzeichnet:

$$\frac{\text{Mikromol}}{\text{ml} \cdot \text{min} \cdot \text{g}} = \frac{\log I/\text{min} \cdot \text{Verdünnungsfaktor}}{3{,}50 \cdot \text{Volumen}}$$

Verdünnungsfaktor $= \frac{\text{Volumen des Enzympräparates}}{\text{Gewicht des Gewebes}}$; Volumen $= 12$ ml Reaktionsmischung; $3{,}50 =$ optische Dichte von 1 μM oxydiertem Farbstoff in 12 ml Lösung unter den genannten Bedingungen.

2. Ascorbinsäureoxydase.
[1.10.3.3 L-Ascorbat:O_2-Oxydoreductase.]

Vorkommen. Bei den Enzymen, die die aerobe Oxydation der Ascorbinsäure (Vitamin C) katalysieren, hat man zu unterscheiden zwischen direkt und indirekt reagierenden. Von den zur ersten Gruppe gehörenden Enzymen, welche die Ascorbinsäure direkt ohne Einschaltung irgendwelcher Zwischenprodukte dehydrieren, unterscheidet man solche

---
[1] SMITH, F. G., and E. STOTZ: J. biol. Ch. **179**, 865 (1949).

Oxydasen, die Chinone oder andere Oxydationsprodukte bilden, die ihrerseits die Oxydation der Ascorbinsäure bewirken. Zu dieser zweiten Gruppe gehören unter anderem die Tyrosinase sowie die Peroxydase.

Die von Szent-Györgyi[1] im Jahre 1930 aus Kohl gewonnene „Hexooxydase", welche die direkte Oxydation von „Hexuronsäure" katalysiert, ist als eine echte Ascorbinsäureoxydase anzusprechen. Seit dieser Zeit wurde das Enzym in vielen pflanzlichen Extrakten gefunden und seine Darstellung und Eigenschaften beschrieben[2-9]. Man findet sie in Gurken[10] *(Cucumis sativus)*, in Kürbis[11,12] *(Cucurbita maxima)*, in verschiedenen Kohlarten *(Brassica)*, im Kopfsalat *(Lactuca sativa)*, in Bananen, im Spinat[13], in Sojabohnen[14,15], Runkelrüben[16], Reiskeimen, ferner in der indischen Pflanze *Moringa pterygosperma*[17] (dem engl. „drumstick tree").

Darstellung der Ascorbinsäureoxydase nach Powers, Lewis und Dawson[18].

Gelber Sommerkürbis wird geschält. Aus den Schalen, die zerkleinert werden, preßt man mit einer hydraulischen Presse den Saft aus. Man gewinnt auf diese Weise rohen Saft mit einer Oxydase-Aktivität von 1,2 Einheiten pro mg Trockengewicht (Definition der Einheit s. S. 912). Der p_H-Wert beträgt 5,9. Mit Natriumtetraborat wird er auf 7,6 eingestellt. Zum Klären des Saftes gibt man m Bariumacetat hinzu (10 ml/Liter Saft), läßt über Nacht absetzen und hebert die überstehende Lösung ab. Hierdurch werden Fremdproteine beseitigt, ohne daß Aktivitätsverluste der Oxydase zu beobachten sind.

Fraktionierung mit Ammoniumsulfat. Aus dem geklärten Filtrat werden die Bariumionen bei Zimmertemperatur durch Zugabe von Ammoniumsulfat bis zu 0,3% Sättigung (210 g/l) entfernt. Der Niederschlag wird abzentrifugiert und das Enzym aus dem Filtrat durch Ammoniumsulfat bis zu 0,6% Sättigung gefällt. Der Niederschlag wird in 9 l 0,067 m Na_2HPO_4-Lösung gelöst. Diese Lösung enthält eine Aktivität von 88 Einheiten pro mg Trockengewicht.

Fraktionierung mit Magnesiumsulfat. Das erste Präcipitat nach der Fällung mit Magnesiumsulfat (500 g $MgSO_4$/l Lösung) enthält Enzym und inaktives Protein. Da jedoch die Reinigung des Enzyms aus dieser Fraktion nicht einfach ist, wird es verworfen. Nach weiterer Zugabe von $MgSO_4$ (400 g/l) fällt der Rest der Oxydase aus. Das Präcipitat wird abfiltriert und in $2^1/_2$ l 0,067 m Na_2HPO_4-Lösung gelöst. Nach dem Dialysieren gegen Leitungswasser (2 Tage bei 15° C) wächst das Volumen um etwa 3 l. Diese Lösung enthält 150 Einheiten pro mg Trockengewicht.

Fraktionierung durch Adsorption an Aluminiumhydroxyd. Die Enzymlösung wird zunächst mit Aluminiumhydroxyd behandelt (5 ml pro 100 ml Lösung) und sofort filtriert. Das Adsorbat wird verworfen, obwohl es auch Enzym enthält. Das Filtrat

---
[1] Szent-Györgyi, A.: Science, N.Y. 72, 125 (1930). J. biol. Ch. 90, 385 (1931).
[2] Ebihara, T.: J. Biochem. 29, 199 (1939).
[3] Matsukawa, D.: J. Biochem. 32, 257 (1940).
[4] Mituda, H.: J. agric. chem. Soc. Jap. 14, 1485 (1938).
[5] Powers, W. H., S. Lewis and C. R. Dawson: J. gen. Physiol. 27, 167 (1944).
[6] Ramasarma, G., N. Datta u. N. Doctor: Enzymologia 8, 108 (1940).
[7] Stotz, E.: J. biol. Ch. 133, C (1940).
[8] Tadokoro, T., u. N. Nakasugi: J. chem. Soc. Jap. 60, 188 (1939).
[9] Tauber, A., J. S. Kleiner and D. Mishkind: J. biol. Ch. 110, 211 (1935).
[10] Meiklejohn, G., and S. Stewart: Biochem. J. 35, 755 (1941).
[11] Tauber, H.: Ergebn. Enzymforsch. 7, 301 (1938).
[12] Johnson, S. W., and S. S. Zilva: Biochem. J. 31, 438 (1937).
[13] Stone, W.: Biochem. J. 31, 508 (1937).
[14] Rangenekar, Y. B., S. S. De and V. Subrahmanyan: Ind. J. med. Res. 36, 361 (1948).
[15] Shen, T., K. M. Hsieh and T. M. Chen: Biochem. J. 39, 107 (1945).
[16] Levi, J., M. Michaelis and H. Hibbert: Arch. Biochem. 3, 167 (1943).
[17] Srinivasan, M.: Biochem. J. 30, 2077 (1936).
[18] Powers, W. H., S. Lewis and C. R. Dawson: J. gen. Physiol. 27 (3), 167 (1944).

(etwa 3,15 l) wird mit $^1/_{10}$ gesättigtem Bleioxydacetat* (1 ml pro 600 ml Filtrat) gefällt und das Präcipitat ebenfalls verworfen. Durch Zugabe von weiterem Aluminiumhydroxyd (10 ml pro 100 ml Lösung) fällt man das Enzymadsorbat aus, filtriert sofort, eluiert mit 0,067 m Na_2HPO_4-Lösung und dialysiert über Nacht gegen Leitungswasser ($t = 15°C$). Das Volumen beträgt jetzt 1,5 l. Die Lösung hat eine Aktivität von 232 Einheiten pro mg Trockengewicht.

Fraktionierung mit Bleioxydacetat. Zur weiteren Reinigung werden je 100 ml obiger Lösung mit 10 ml Aceton (mit Trockeneis gekühlt) behandelt und danach mit 1 ml der $^1/_{10}$ gesättigten Bleioxydacetatlösung versetzt. Das erste Bleipräcipitat wird verworfen, obwohl es beträchtliche Mengen Oxydase enthält, da die Trennung von Fremdprotein in dem Niederschlag Schwierigkeiten bereitet. Ein zweites Präcipitat gewinnt man durch Zugabe weiterer 5 ml pro 100 ml der $^1/_{10}$ gesättigten Bleioxydacetatlösung (wie vorher 10 ml eisgekühltes Aceton pro 100 ml Filtrat zusetzen). Der Niederschlag wird vom Filtrat abgetrennt und in 0,067 m Na_2HPO_4-Lösung gelöst. Während zweitägiger Dialyse scheidet sich ein blaugrüner Niederschlag ab, der in 10 ml 0,1 m Na_2HPO_4-Lösung gelöst wird. Man erhält auf diese Weise eine blaugrüne Enzymlösung mit 640 Einheiten pro mg Trockengewicht.

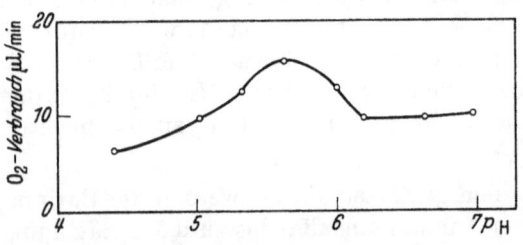

Abb. 4. Aktivität von Ascorbinsäure-Oxydase bei verschiedenen pH-Werten.

Filtrat A wird noch einmal mit gekühltem Aceton und 15 ml pro 100 ml Filtrat der $^1/_{10}$ gesättigten Bleioxydacetatlösung gefällt. Der Niederschlag wird verworfen.

Adsorption an Aluminiumhydroxyd und Dialyse. Das Filtrat von der Bleioxydacetatbehandlung wird mit Aluminiumhydroxyd versetzt (5 ml pro 100 ml Filtrat). Nach der Filtration wird mit 130 ml 0,067 m Na_2HPO_4-Lösung eluiert. Man dialysiert 2 Tage gegen Aqua bidest. (Cu^{++}-frei) bei p_H 6,5—7,0. Ein amorphes, dunkelgefärbtes Präcipitat scheidet sich in den Dialysierschläuchen ab. Es wird durch einen GOOCH-Tiegel aus Porzellan abfiltriert. Der blaugrüne Niederschlag wird in 50 ml 0,1 m Na_2HPO_4-Lösung (Cu^{++}-frei) gelöst. Die blaue Farbe läßt sich mit einer $Cu(NO_3)_2$-Lösung, die 2500 μg Cu^{++} pro ml enthält, vergleichen. Die Lösung besitzt eine Aktivität von 1060 Einheiten pro mg Trockengewicht.

Eigenschaften. Wie schon auf S. 900 mitgeteilt, wird die L-Ascorbinsäure durch Einwirkung des Enzyms katalytisch zur Dehydroascorbinsäure oxydiert. Außer dem Vitamin C wurden von JOHNSON und ZILVA[1] auch L-Araboascorbinsäure, L-Glucoascorbinsäure und L-Galaktoascorbinsäure als Substrate verwandt, wogegen ihre Antipoden nur wenig angegriffen werden. Mono- oder Polyphenole werden nicht oxydiert[2,3].

Das p_H-Optimum dieses blaugrünen Globulins liegt bei p_H 5,6[2] (Abb. 4)[4] und der isoelektrische Punkt bei p_H 5—5,5. Ein von DUNN und DAWSON[5] hochgereinigtes Präparat aus gelbem Flaschenkürbis besaß ein Mol.-Gew. von etwa 150000 und einen Kupfergehalt von 0,26%, was einem Protein mit 6 Atomen Kupfer entspräche. Die Sedimentationskonstante beträgt 6,9 S. Einige ihrer elektrophoretischen Daten sowie die Aktivitäten von drei Enzympräparaten sind aus Tabelle 4 zu entnehmen.

---

* Die Bleioxydacetatlösung wird folgendermaßen bereitet: 420 g Bleiacetat $Pb(C_2H_3O_2)_2 \cdot 3 H_2O$ und 140 g Bleioxyd PbO werden im Mörser verrieben und mit 1,24 l Wasser in einer Glasflasche geschüttelt. Man läßt eine Woche bei Raumtemperatur stehen und filtriert. Ein Teil des Filtrates wird um das Zehnfache verdünnt, um eine $^1/_{10}$ gesättigte Bleioxydacetatlösung zu erhalten.

[1] JOHNSON, S. W., and S. S. ZILVA: Biochem. J. **31**, 1366 (1937).
[2] TAUBER, A., J. S. KLEINER and D. MISHKIND: J. biol. Ch. **110**, 211 (1935).
[3] JOHNSON, S. W., and S. S. ZILVA: Biochem. J. **31**, 438 (1937).
[4] POWERS, W. H., S. LEWIS and C. R. DAWSON: J. gen. Physiol. **27** (3), 167 (1944).
[5] DUNN, F. J., and C. R. DAWSON: J. biol. Ch. **189**, 485 (1951).

Die Enzymaktivität der Ascorbinsäureoxydase ist ebenso wie die der Tyrosinase abhängig von ihrem Kupfergehalt[1,2]. Sie wird gehemmt durch Cyanide, Na-diäthyldithiocarbamat, 8-Hydroxychinolin und Kaliumäthylxanthogenat[3], aber nicht durch H_2S oder Kohlenoxyd. In diesem Falle bewirken aber schon Cu^{++}-Ionen allein sowie Cu^{++}-Ionen in Verbindung mit inertem Protein oder anderem kolloidalem Material eine katalytische Oxydation der Ascorbinsäure, die LAMPITT und CLAYSON[4,5] dazu veranlaßte anzunehmen, daß Spuren von Kupfer, die nach folgender Gleichung

$$Cu(P) \rightleftharpoons Cu^{++} + (P)^{--}$$

vom Protein abdissoziieren, die katalytische Oxydation bewirken (P=inertes Protein oder anderes kolloidales Material wie z.B. Calciumphosphatgel). Gegen eine solche Annahme sprechen jedoch die Untersuchungen mit radioaktivem Kupfer von JOSELOW und DAWSON[6], an denen deutlich wurde, daß unter physiologischen Bedingungen die Kupferproteinbindung des Enzyms nicht dissoziiert. Außerdem konnte gezeigt werden, daß sich die Katalyse der Oxydase von der der Cu^{++}-Ionen in bezug auf den Sauerstoffverbrauch[7,8] sowie die Substratspezifität[9-11] unterscheidet.

Tabelle 4. *Aktivitäten und elektrophoretische Daten für drei Ascorbinsäure-Oxydase-Präparate.*

In allen Fällen wurde ein KH_2PO_4-KOH-Puffer von der Ionenstärke 0,2 verwandt.

Enzympräparat-Nr.	Aktivität-Einheiten/mg	p_H des Versuches	Beweglichkeit der aktiven Komponente $\times 10^{-5}$	Zahl der gefundenen Komponenten	Prozent-Gehalt aktiver Komponente
2	1530	5,75	0,57	2	70
		6,13	1,05	3	70
		6,95	1,83	2	70
		7,74	2,40	2	
6 A	1925	5,75	0,62	1	100
		7,38	2,26	1	100
6 B	1850	6,38	1,24	2	90
		6,76	1,52	2	90
		7,38	2,22	2	95
		7,90	2,49	2	90

Bestimmung der Ascorbinsäureoxydase nach POWERS, LEWIS und DAWSON[1].

Prinzip:

Es wird diejenige Sauerstoffmenge bestimmt, die durch die eingesetzte Enzymlösung in 1 min unter den folgenden Bedingungen von dem Substrat aufgenommen wird:

Reagentien:

1. 0,1 m Citronensäure — 0,2 m Na_2HPO_4-Puffer, p_H 5,7.
2. L-Ascorbinsäure, 0,5%ig (frisch bereiten).
3. Gelatine, 0,5%ig.

Apparatur:

WARBURG-Manometer mit Reaktionsgefäßen von 50 ml.

Ausführung:

1 ml der 0,5%igen Gelatinelösung und 1 ml der verdünnten Enzymlösung werden gemischt. 1 ml dieser Verdünnung gibt man in den Seitenarm der WARBURG-Apparatur.

---

[1] POWERS, W. H., S. LEWIS and C. R. DAWSON: J. gen. Physiol. 27 (3), 167 (1944).
[2] LOWETT-JANISON, P. L., and I. M. NELSON: Am. Soc. 62, 1409 (1940).
[3] GIRI, K. V., and P. SESHAGIRIAO: Proc. ind. Acad. Sci. 24B, 264 (1946). — STOTZ, E., C. J. HARRER and C. G. KING: J. biol. Ch. 119, 111 (1937). — TAUBER, H., and I. S. KLEINER: Proc. Soc. exp. Biol. Med. 32, 577 (1935).
[4] LAMPITT, L. H., and D. H.-F. CLAYSON: Biochem. J. 39, 15 (1945).
[5] LAMPITT, L. H., D. H.-F. CLAYSON and E. M. BARNES: Biochem. J. 39, 16 (1945).
[6] JOSELOW, M., and C. R. DAWSON: J. biol. Ch. 191, 1 (1951).
[7] STEINMANN, H. G., and C. R. DAWSON: Am. Soc. 64, 1212 (1942).
[8] HAND, D. B., and E. C. GREISEN: Am. Soc. 64, 358 (1942).
[9] TAUBER, A., J. S. KLEINER and D. MISHKIND: J. biol. Ch. 110, 211 (1935).
[10] JOHNSON, S. W., and S. S. ZILVA: Biochem. J. 31, 1366 (1937).
[11] DODDS, M. L.: Arch. Biochem. 18, 51 (1948).

In den Hauptraum gibt man 2 ml des Puffers p_H 5,7, 1 ml der L-Ascorbinsäurelösung und 4 ml Wasser, p_H der Reaktionsmischung beträgt 5,6. Nachdem das Gefäß mit den Lösungen 15 min bei 25° C im Thermostaten gehalten wurde, gibt man die Enzymlösung in den Hauptraum und schüttelt das Gefäß (120mal pro min). Nach 2 min beginnt man mit dem Ablesen des Sauerstoffverbrauches. Der Leerwert besteht aus der gleichen Reaktionsmischung, enthält aber kein Enzym.

Enzymeinheit. Diejenige Enzymmenge, die unter den genannten Bedingungen einen Sauerstoffverbrauch von 10 μl in 1 min bewirkt, wird eine Ascorbinsäureeinheit genannt.

Es ist peinlichst darauf zu achten, daß alle Gefäße und Lösungen kupferfrei sind.

Photometrische Bestimmung der Ascorbinsäureoxydase nach FUJITA und EBIHARA[1].

Prinzip:

Nach Einwirken des Enzyms auf die Ascorbinsäure wird die nicht oxydierte Säure mit Hilfe von Phosphor-8-wolframsäure (FOLIN-Reagens) photometrisch bestimmt.

Reagentien:
1. m Acetatpuffer, p_H 5,6.
2. Ascorbinsäure, 0,025 %ig.
3. Metaphosphorsäure, 5 %ig.
4. Phosphatpuffer, p_H 6,2 (8,17 g KH_2PO_4 und 6,97 g K_2HPO_4 auf 100 ml Wasser).
5. m Monojodessigsäure. Herstellung; 18,6 g werden in wenig Wasser gelöst (das etwa vorhandene freie Jod wird mit Thiosulfat beseitigt) und auf 100 ml aufgefüllt.
6. FOLIN-Reagens (s. Bd. III, S. 600).

Ausführung:

1,0 ml Acetatpuffer, 2,0 ml Ascorbinsäurelösung und 1,0 ml verdünnte Enzymlösung werden mit Wasser auf ein Gesamtvolumen von 5,0 ml gebracht und 5 min im Wasserbad von 40° C gehalten. Zur Bestimmung der nicht oxydierten Ascorbinsäure wird zu dieser Lösung das vierfache Volumen Metaphosphorsäurelösung sowie das fünffache Volumen Wasser gegeben. (Bei geringem Ascorbinsäuregehalt kann die Menge auf die Hälfte oder $1/4$ reduziert werden.) Nach 5—10 min wird zentrifugiert. Zu 4 ml des klaren Filtrates gibt man 1 ml Monojodessigsäurelösung und 2 ml Phosphatpuffer und erwärmt die Mischung 5 min auf 40° C. Nun setzt man 1 ml Folin-Reagens zu und erwärmt nach dem Durchmischen weitere 10 min auf 40° C. Dann kühlt man die Lösung mit fließendem Wasser mindestens 10 min ab und mißt die je nach dem Ascorbinsäuregehalt verschieden intensiv blaugefärbte Lösung im Photometer bei der Wellenlänge 720 mμ gegen Wasser. Nur wenn die Versuchslösung stärkere Eigenfarbe gezeigt hat, ist ein Blindversuch ohne Ascorbinsäure notwendig, dem man statt Folin-Reagens 0,3 n Schwefelsäure zusetzt.

Der zu bestimmende Ascorbinsäuregehalt (a mg pro g Substanz) errechnet sich nach der Formel: $a = 0,0813 \, (E - E_0) \cdot v$, wobei E die Extinktion des Hauptversuches, E_0 die des Kontrollansatzes und v die Verdünnung des Versuchsmaterials während der Bestimmung bedeutet.

Enzymeinheit. Als Ascorbinsäureoxydase-Einheit wird diejenige Enzymmenge definiert, die bei 40° C in 5 min 0,25 mg Ascorbinsäure dehydriert in einem Ansatz, der auf 5 ml 0,5 mg Ascorbinsäure und 1 ml m Acetatpuffer, p_H 5,6, enthält.

3. Laccase.

Vorkommen. 1883 fand YOSHIDA[2] das Enzym Laccase im Saft der Lackbäume *Rhus succedanea* und *Rhus vernicifera*, 1894 konnte es G. BERTRAND[3] im indonesischen Lackbaum nachweisen. Das Enzym verwandelt den Milchsaft der Lackbäume

---
[1] FUJITA, A., u. E. EBIHARA: B. Z. **290**, 182 (1937).
[2] YOSHIDA, H.: Soc. **43**, 472 (1883).
[3] BERTRAND, G.: Cr. **118**, 1215 (1894). Bull. Soc. chim. Paris (3) **11**, 717 (1894).

in schwarzen japanischen oder tonkinesischen Lack, wobei ein aromatischer Körper, Laccol, kondensiert wird.

Auch in vielen Pflanzen wie Kartoffeln, Pilzen, Äpfeln, Zuckerrüben, Kohl[1,2] sowie im Tierreich konnte die Laccase nachgewiesen werden. Als eine tierische Laccase ist das kupferhaltige Coeruloplasmin* des Blutplasmas anzusprechen, das 0,030 g% dieser Oxydase enthält, entsprechend 0,5% der Gesamtplasmaproteine. Es scheint außerordentlich wichtige physiologische Bedeutung zu haben und ist besonders bei der hepatolentikulären Degeneration markant vermindert. CARTWRIGHT u. Mitarb. haben eine Zusammenfassung der Verteilung dieser Oxydase in normalen und pathologischen Seren gegeben[3].

Darstellung der Laccase.

GREGG und MILLER[4] gewinnen aus den wilden Pilzen *(Russula foetens)* folgendermaßen ein rohes Enzympräparat: 100 g getrocknetes Pilzpulver werden in 500 ml Wasser suspendiert und 72 Std im Eisschrank gehalten. Zu diesem rohen Extrakt wird so viel Ammoniumsulfatlösung gegeben, daß eine halbgesättigte Lösung resultiert. Der tiefgefärbte, gummiartige Niederschlag wird mit einer kleinen Menge Dinatriumphosphat verrieben und in Wasser gelöst. Zu dieser Lösung wird die doppelte Menge Aceton gegeben. Durch mehrmalige Adsorption an Aluminiumhydroxyd, Elution und Dialyse werden Verunreinigungen entfernt. Die so gewonnenen Präparate haben eine Aktivität von 5 Hydrochinoneinheiten pro mg Trockengewicht (s. S. 916).

Aus der Latex des Lackbaumes *Rhus succedanea* stellen KEILIN und MANN[5] durch Behandeln von Aceton, Trocknen des Niederschlages, Extraktion mit Wasser und anschließende Reinigung des Enzyms durch Salzfällung (s. Darstellung der Tyrosinase, S. 904) ein gereinigtes Enzym dar.

Darstellung von Coeruloplasmin aus Blutserum nach HOLMBERG *und* LAURELL[6].

Serum wird mit Ammoniumsulfat gefällt. Die Fraktion, die bei einer Ammoniumsulfat-Sättigung von 36—55% anfällt, wird in Wasser gelöst und 24 Std gegen fließendes Wasser dialysiert. Danach wird der p_H-Wert mit verdünnter Essigsäure auf 6,2 eingestellt und der gelbe Niederschlag abzentrifugiert und verworfen. Nach dem Einstellen der Lösung auf p_H 5,5 wird bei einer Temperatur von — 5—0° C Alkohol zugesetzt und der ausfallende, stark blau gefärbte Niederschlag bei niederer Temperatur abzentrifugiert. Dieser wird in Wasser, das etwas Kochsalz enthält, gelöst und über Nacht dialysiert. Diese Lösung wird nach Einstellen auf p_H 6,5 bei 0° C mit einem gleichen Volumen Chloroform-Alkohol (9 Teile 90%iger Alkohol und 1 Teil Chloroform) gefällt. Das Präcipitat wird bei Raumtemperatur abzentrifugiert, das farblose Zentrifugat verworfen. Der schwachblaue Niederschlag wird mit dem gleichen Volumen 0,9%iger Kochsalzlösung in der Zentrifuge extrahiert, bis keine blaue Farbe mehr in dem Überstehenden erscheint. Die vereinten Extrakte werden über Nacht dialysiert, und am nächsten Tag wird nach der p_H-Einstellung auf 5,5 erneut in derselben Weise mit Chloroform-Alkohol behandelt. Die Kochsalzextrakte werden zuerst gegen Leitungswasser und danach gegen Aqua dest. dialysiert. Zur Konzentrierung dieser stark blauen Lösung kann noch einmal mit Ammoniumsulfat (65% Sättigung) gefällt, in einem kleinen Volumen Aqua dest. gelöst und dialysiert werden.

---

* Siehe Bd. IV/1, S. 759.

[1] BERTRAND, G.: Cr. **118**, 1215 (1894). Bull. Soc. chim. Paris (3) **11**, 717 (1894).
[2] BERTRAND, G.: Cr. **122**, 1132 (1896).
[3] MARKOWITZ, H., C. J. GUBLER, J. P. MAHONEY, G. E. CARTWRIGHT and M. M. WINTROBE: J. clin. Invest. **34**, 1498 (1955).
[4] GREGG, D. C., and W. H. MILLER: Am. Soc. **62**, 1374 (1940).
[5] KEILIN, D., and T. MANN: Nature **143**, 23 (1939).
[6] HOLMBERG, C. G., and C. B. LAURELL: Acta chem. scand. **2**, 550 (1948).

Eigenschaften. Schon G. BERTRAND[1] stellte fest, daß die Laccase ein Metallproteid ist, bei dem das Metall einen notwendigen Bestandteil der katalytischen Aktivität des Enzyms darstellt. Da rohe Präparate eine beträchtliche Menge Mangan enthalten, nahm BERTRAND an, daß dieses Metall den aktiven Teil des Enzyms ausmacht, ein Befund, der von M. D. BERTRAND[2] bestätigt wurde. KEILIN und MANN[3] konnten jedoch an gereinigtem Enzym aus der Latex verschiedener Lackbäume nur Kupfer als aktives Metall nachweisen. TISSIÈRES[4] gelang es, bei Laccase-Präparaten aus *Rhus succedanea* durch Cyanid das Kupfer vom Protein zu trennen und das auf diese Weise inaktivierte Enzym durch Zugabe von Kupferionen wieder in die aktive Form zu überführen.

Das p_H-Optimum dieses stark blau gefärbten Enzyms variiert etwas mit dem verwendeten Substrat[2], wie aus Abb. 5 zu entnehmen ist.

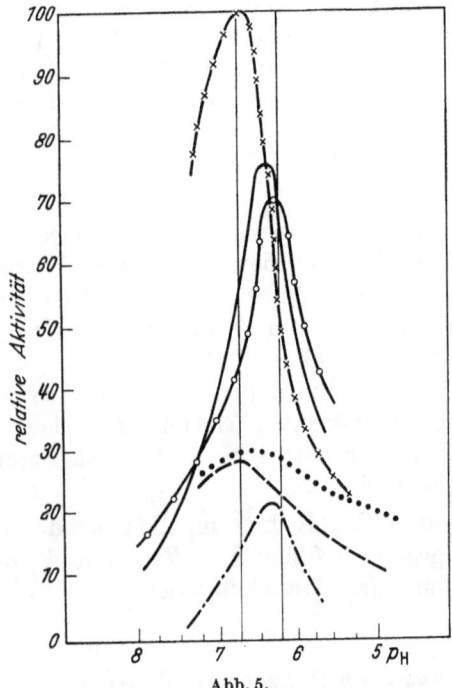
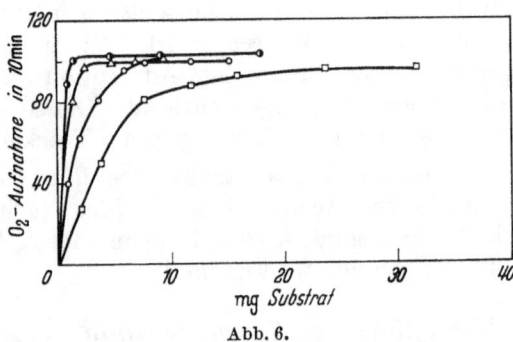

Abb. 5. p_H-Optimum der Laccase-Aktivität in Abhängigkeit vom Substrat. ×——× Guajakol, ——— Hydrochinon, ○——○ p-Phenylendiamin, •••• Brenzcatechin, —— o-Phenylendiamin, —·—· Benzidin.

Abb. 6. Abhängigkeit der O_2-Aufnahme von der Konzentration des Substrates. □——□ Brenzcatechin, ○——○ Hydrochinon, ▲——▲ Dimethylbrenzcatechin, ○——○ p-Phenylendiamin.

Die Abhängigkeit der Sauerstoffaufnahme von der Substratkonzentration[5] veranschaulicht Abb. 6.

Bemerkenswert ist die Stabilität dieses Enzyms gegenüber p_H-Veränderungen[5] in dem weiten Bereich von p_H 2—9,5, wodurch es sich von den anderen Oxydasen unterscheidet. Besonders deutlich wird dieses abweichende Verhalten bei niedrigen p_H-Werten, was in Tabelle 5 zum Ausdruck kommt.

Tabelle 5. *Vergleich zwischen Laccase und Tyrosinase bezüglich der Stabilität ihrer Aktivität bei niedrigen p_H-Werten.*

Enzym	Präparat-Nr.	Einheit/ml bei Beginn des Versuchs	p_H	Einwirkung Zeit	Resultierende Aktivität %
Laccase	roher Saft	0,18	2,20	20 Tage	70
Laccase	L—64	0,40	1,95	13 Tage	65
Laccase	L—64	0,20	1,50	13 Tage	17
Laccase	L—64	0,20	1,10	30 min	15
Tyrosinase	C—7—25—10	1,50	2,50	3 min	2,2
Tyrosinase	C—7—25—10	2,25	2,20	1 min	3,5
Tyrosinase	C—7—25—10	0,92	2,00	1 min	0,0

[1] BERTRAND, G.: Cr. **124**, 1032, 1355 (1897).
[2] BERTRAND, M. D.: Bull. Soc. Chim. biol. **26**, 40 (1944).
[3] KEILIN, D., and T. MANN: Nature **143**, 23 (1939); **145**, 304 (1940).
[4] TISSIÈRES, T.: Nature **162**, 340 (1948); **163**, 480 (1949).
[5] GREGG, D. C., and W. H. MILLER: Am. Soc. **62**, 1374 (1940).

Das von HOLMBERG und LAURELL[1] in relativ reiner Form aus dem Serum isolierte blaue Coeruloplasmin, das in die Gruppe der α_1-Globuline einzuordnen ist, wird folgendermaßen charakterisiert:

Tabelle 6. *Charakteristische Daten des Coeruloplasmins.*

Mol.-Gew.	Cu %	Atome Cu/Mol	Sedimentationskonstante	Isoelektrischer Punkt
151 000	0,34	8	7,2	4,4

Aus diesem Enzym läßt sich ebenfalls ein kupferfreies, inaktives Produkt gewinnen, das durch zweiwertige Kupferionen reaktiviert werden kann. Ob das Coeruloplasmin in Beziehung steht zu dem von KEILIN und MANN[2] aus dem Blut dargestellten Cu-Protein Hämocuprein*, ist noch nicht bewiesen.

Die Laccase wird nicht durch Kohlenoxyd[3], wohl aber durch die bei den anderen Oxydasen genannten Komplexbildner gehemmt.

Bestimmungsmethoden. Zur Aktivitätsbestimmung verwenden GREGG und MILLER[4] als Substrat Hydrochinon, das von Tyrosinase-Präparaten nicht angegriffen wird. Setzt man jedoch eine Mischung von Hydrochinon und Brenzcatechin ein, so addiert sich zu dem O_2-Verbrauch der Laccase derjenige der Tyrosinase. Auf diese Weise ist es möglich, sich von der Reinheit der Laccase-Präparate zu überzeugen.

Zur Aktivitätsbestimmung von Coeruloplasmin setzten HOLMBERG und LAURELL[5] ebenfalls die manometrische Methode ein. Als Substrat verwandten sie p-Phenylendiamin.

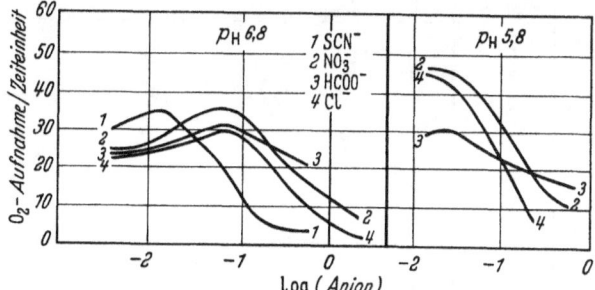

Abb. 7. Einfluß verschiedener einwertiger Anionen auf die Oxydation von p-Phenylendiamin in Gegenwart von Coeruloplasmin.

Dabei konnten sie zeigen, daß in Abhängigkeit vom p_H die Anwesenheit zweiwertiger Anionen die katalytische Oxydation des Substrates hemmt. Einwertige Ionen wirken in niedrigen Konzentrationen fördernd, wogegen bei größeren Konzentrationen ebenfalls eine Hemmung zu beobachten war (Abb. 7).

Bestimmung der Laccase nach GREGG und MILLER[4].

Prinzip:

Es wird die Sauerstoffmenge bestimmt, die während der enzymatischen Oxydation unter den nachfolgenden Bedingungen von Hydrochinon in 10 min aufgenommen wird.

Reagentien:

1. 0,2 m Citrat — 0,4 m Phosphatpuffer, p_H 6,1.
2. Wäßrige Gelatine-Lösung, 0,5 %ig.
3. Hydrochinon-Lösung, 0,1 %ig.

Apparatur:

BARCROFT-WARBURG-Manometer mit Reaktionsgefäßen von 30 ml.

---

* Siehe Bd. IV/1, S. 759.

[1] HOLMBERG, C. G., and C. B. LAURELL: Acta chem. scand. **2**, 550 (1948).
[2] MANN, T., and D. KEILIN: Proc. R. Soc. London (B) **126**, 303 (1938).
[3] KEILIN, D., and T. MANN: Nature **143**, 23 (1939).
[4] GREGG, D. C., and W. H. MILLER: Am. Soc. **62**, 1374 (1940).
[5] HOLMBERG, C. G., and C. B. LAURELL: Acta chem. scand. **5**, 921 (1951).

Tabelle 7. *Kupferenzyme.*

Enzym	Ausgangsmaterial	Farbe der Lösungen	Molekulargewicht	Elektrophoretische Beweglichkeit -10^{-5} cm²/Volt × sec	Isoelektrischer Punkt	N-Gehalt %	Cu-Gehalt %	Cu-Atome pro Mol	Substrate	p_H-Aktivitätsoptimum (substratabhängig)	Hemmstoffe der katalytischen Oxydation
Tyrosinase	Kartoffeln Pilze Rüben Bakterien Larven	gelb		6,3 bei p_H 7,58	5,4	etwa 14,0	0,25		Monophenole einige Diphenole Dopa Pyrogallol	5,5—7,0	HCN, H_2S, NaN_3, CO, Na-diäthyldithiocarbamat u. a. Komplexbildner
Ascorbinsäureoxydase	Kürbis Gurken Kohl	blaugrün	150000 S_{20} = 6,9	2,26 in KH_2PO_4-KOH-Puffer p_H 7,38; µ 0,2	5,0—5,5		0,26	6	L-Ascorbinsäure und Derivate	5,6	HCN, Na-diäthyldithiocarbamat u. a. Komplexbildner (nicht CO u. H_2S)
Laccase	Saft der Lackbäume Pilze	blau					0,24		o- und p-Diphenole, Polyphenole p-Phenylendiamin L-Ascorbinsäure	6,0—6,6	HCN, H_2S Na-diäthyldithiocarbamat u. a. Komplexbildner (nicht CO)
Coeruloplasmin	Blutserum	blau	151000 S_{20} = 7,2	2,7 in Phosphat-Puffer p_H 7,4	4,4	14,0	0,34	8	o- und p-Diphenole, Polyphenole p-Phenylendiamin L-Ascorbinsäure	6,0—7,2	HCN, H_2S Na-diäthylthiocarbamat u. a. Komplexbildner (CO?)

Ausführung:

1 ml Hydrochinonlösung, 3 ml Puffer, p_H 6,1, 1 ml Gelatinelösung und 1 ml verdünnte Enzymlösung werden mit Wasser auf ein Gesamtvolumen von 8 ml gebracht. Bei einer Temperatur von 25° C wird die O_2-Aufnahme in µl gegen die Zeit in min aufgetragen. Während der enzymatischen Reaktion wird das Manometer 120mal pro min geschüttelt. Die eingesetzte Enzymmenge sollte ungefähr einer Hydrochinon-Einheit entsprechen.

Enzymeinheit. Diejenige Enzymmenge, die unter den gegebenen Bedingungen in 1 min eine O_2-Aufnahme von 10 µl bewirkt, wird eine Hydrochinon-Einheit genannt.

Die Oxydasebestimmung im Serum führten HOLMBERG und LAURELL[1] in der WARBURG-Apparatur bei 37° C durch:

Ansatz:

0,3 ml des gegen Acetatpuffer, p_H 6,0, dialysierten Serums, 0,6 ml Acetatpuffer p_H 6,0, 1,0 ml p-Phenylendiamin, 0,5%ig (mit HCl auf p_H 6,0 einstellen).

Von denselben Autoren stammt auch eine *photometrische Methode*[1], bei der Benzidin als Substrat verwendet wird:

Ansatz:

1 ml Serum (dialysiert gegen Barbitursäurepuffer p_H 7,2), 1 ml Barbitursäurepuffer, p_H 7,2, 2 ml Benzidin (gesättigte Lösung in Barbitursäurepuffer p_H 7,2 mit 2% NaCl).

---

[1] HOLMBERG, C. G., and C. B. LAURELL: Scand. J. clin. Lab. Invest. **3**, 103 (1951).

Diese Mischung wird 16 Std bei 37° C gehalten und danach zentrifugiert. Bei der Wellenlänge 600 mµ wird die Extinktion dieser Lösung im Photometer gemessen gegen einen Leerwert, der nur aus Serum und Puffer besteht.

Zusammenfassung. Um die Unterschiede zwischen den einzelnen Cu-Enzymen deutlich herauszustellen, sei zum Abschluß das in den vorhergehenden Abschnitten zusammengetragene Material noch einmal tabellarisch aufgezeichnet.

Wie aus Tabelle 7 zu ersehen ist, weicht die Tyrosinase von den drei Typen nicht nur durch die Farbe ihrer Lösung, sondern offenbar vor allem durch die wesentlich größere elektrophoretische Beweglichkeit und die Hemmung durch Kohlenoxyd ab. Ihr Verhalten gegenüber den Substraten Kresol und Brenzcatechin deutet auf ein heterogenes Protein hin. Das Coeruloplasmin ordnet sich gut in die Gruppe der Laccasen ein.

1.11.1.1 $NADH_2 : H_2O_2$-Oxydoreductase   s. S. 868.

Hydroxylasen[*].

Von

Rudolf Abraham, Erika Balke, Klaus Krisch, Senta Leonhäuser, Karl Leybold, Karl Albert Sack und Hansjürgen Staudinger[**].

Mit 2 Abbildungen.

A. Definition und Begrenzung des Stoffes.

Im Stoffwechsel der Steroide, zahlreicher Aromaten und einiger Aminosäuren kennt man einzelne Schritte, die als direkte Einführung einer oder mehrerer Hydroxylgruppen an einem vorgegebenen Kohlenstoffgerüst aufgefaßt werden müssen. Seit 1949 wurden systematische in vitro-Untersuchungen zu diesen zunächst nur in vivo beobachteten Umsetzungen von zahlreichen Arbeitsgruppen durchgeführt.

Über den Reaktionsmechanismus der bisher untersuchten enzymatischen Hydroxylierungen besteht noch keine Klarheit. Eine Diskussion der bereits möglichen allgemeinen Vorstellungen soll in einem einleitenden Kapitel versucht werden. Eine Definition der enzymatischen Hydroxylierung muß somit zunächst auf das rein Phänomenologische

---

[*] Abgeschlossen am 31. 12. 1961, einige Nachträge bei der Korrektur Juni 1962.
[**] Physiologisch-chemisches Institut der Justus Liebig-Universität Gießen.

Abkürzungen.

DPN	Diphosphopyridinnucleotid	G-6-P-DH	Glucose-6-phosphat-Dehydrogenase
DPNH	reduziertes Diphosphopyridinnucleotid	ACTH	Adrenocorticotropes Hormon
TPN	Triphosphopyridinnucleotid	Dopa	Dihydroxyphenylalanin
TPNH	reduziertes Triphosphopyridinnucleotid	Dopamin	Dihydroxyphenyläthylamin
		E	Enzym
FMN	Flavinmononucleotid	AH	beliebiges Substratmolekül
FAD	Flavinadenindinucleotid	AOH	hydroxyliertes Substrat
AMP	Adenosinmonophosphat	e	Elektron
ADP	Adenosindiphosphat	DH_2	beliebiger Wasserstoffdonator
ATP	Adenosintriphosphat	K_M	MICHAELIS-Konstante
G-6-P	Glucose-6-phosphat	EDTA	Äthylendiamintetraessigsäure

beschränkt werden: Es sollen nur solche Enzyme als „Hydroxylasen" bezeichnet werden, die die direkte Substitution eines oder mehrerer an Kohlenstoff gebundener Wasserstoffatome durch eine Hydroxylgruppe als Primärreaktion — bei Erfüllung aller allgemeinen Kriterien einer Enzymreaktion — katalysieren.

Dieser vorläufigen Definition entsprechend werden in diesem Kapitel alle die Reaktionen bzw. die Enzyme nicht behandelt, bei denen Hydroxylgruppen durch Anlagerung von Wasser an eine Doppelbindung in ein Molekül eingeführt werden. Hierzu gehören neben den vielen bekannten Beispielen für Anhydratasen (Aconitase, Fumarase, Crotonase usw.), auch die Xanthinoxydase und verwandte Enzyme. Ein typisches Beispiel einer „Hydroxylierung" durch H_2O-Anlagerung, die Entstehung von Carbostyril aus Chinolin, mit nachfolgender enzymatischer Dehydrierung wird im Kapitel „Reaktionsmechanismen" behandelt (s. S. 919ff.).

Bisher sind nur sehr wenige Hydroxylasen unter enzymchemischen bzw. enzymkinetischen Gesichtspunkten näher untersucht worden. Nur in ganz wenigen Fällen konnten hydroxylierende Enzyme bisher in Lösung gebracht und angereichert werden. Meist ist die Reaktion nur durch das angewendete Substrat und durch das isolierte Produkt definiert. Daraus ergibt sich, daß weitaus die meisten Hydroxylasen bzw. die von ihnen katalysierten Hydroxylierungsreaktionen nur in einer tabellarischen Übersicht aufgeführt werden.

Aber auch für diese tabellarischen Übersichten haben wir ziemlich enge Grenzen gezogen. Nur Hydroxylierungen, die „in vitro" als enzymatische Reaktionen nachgewiesen sind, sind aufgenommen worden. Das ist vor allem bei den Fremdstoffen nur ein kleiner Bruchteil der bekannten Hydroxylierungen, die meist entdeckt wurden, indem ein Stoff „in vivo" zugeführt und das Hydroxylierungsprodukt aus dem Harn isoliert wurde. Der Begriff „in vitro" wurde allerdings recht weit gefaßt, so sind z.B. die für die Steroidhydroxylierung wichtigen Untersuchungen an perfundierten, isolierten Organen, für die Prolinhydroxylierung die lokalen Reaktionen in Granulomen des Unterhautzellgewebes berücksichtigt worden.

Die tabellarische Erfassung von Hydroxylasen hat zwangsläufig zur Folge, daß Stoffwechselfolgen, bei denen außer der Hydroxylierung noch andere Reaktionen beteiligt sind und die nur durch das Substrat und das mehrfach abgewandelte Endprodukt charakterisiert sind, außer acht gelassen werden mußten. Hierzu gehört z.B. die Entstehung der Gallensäuren aus Cholesterin, die Umwandlung von Cholesterin in Steroidhormone, die Entstehung der oestrogenen Hormone aus Androgenen. Es kann auch nicht Aufgabe dieses, den Hydroxylasen gewidmeten Kapitels sein, die Biogenese von wichtigen Naturstoffen zu beschreiben.

Bei aller Mühe, die einschlägige, weitverzweigte Literatur vollständig zu erfassen, ist es dennoch möglich, daß unsere Tabellen nicht ganz vollständig sind. Wir müssen also in dieser Hinsicht um Nachsicht bitten.

Wir haben uns im wesentlichen auf Hydroxylasen bei Warmblütern beschränkt. Wegen ihrer besonderen Bedeutung für die präparative Darstellung von zahlreichen Hydroxysteroiden sind die mikrobiologischen Steroidhydroxylierungen in einer gesonderten Tabelle, so weit es uns möglich war, erfaßt worden. Da ein großer Teil dieser Reaktionen in der Patentliteratur beschrieben ist, ist diese Tabelle sicher unvollständig. Mikrobiologische Hydroxylierungen bei anderen Substraten wurden nur soweit berücksichtigt, wie sie uns besonderes Interesse zu beanspruchen scheinen. Das gleiche gilt für Hydroxylasen bei höheren Pflanzen.

Die Phenylalaninhydroxylase und die p-Hydroxy-phenylbrenztraubensäure-hydroxylase werden im Zusammenhang mit dem Tyrosinstoffwechsel in einem anderen Kapitel dieses Bandes von L. ROKA abgehandelt (Bandteil B.), auch die Kynurenin-3-hydroxylase, die als echte Hydroxylase in dieses Kapitel gehörte, wird, um den Zusammenhang zu wahren, von O. WISS und F. WEBER beim Tryptophanabbau besprochen (Bandteil B.

B. Vorkommen und Bedeutung von Hydroxylasen.

Echte Hydroxylasen in eingangs definiertem Sinn kommen sowohl bei Pflanzen als auch bei Tieren vor. Hydroxylasen bei höheren Pflanzen sind — außer der Phenolhydroxylase (Phenolase) (vgl. S. 898ff. u. 922) — wenig bekannt und kaum untersucht. Große Bedeutung hingegen haben die Hydroxylasen bei Mikroorganismen gewonnen, sie werden z.B. für die technische Synthese von Corticosteroiden eingesetzt (vgl. Tabelle 2).

Die Hydroxylasen bei Warmblütern sind bis jetzt hinsichtlich ihrer biologischen Bedeutung und hinsichtlich ihrer enzymatischen Eigenschaften am besten, wenn auch verglichen mit anderen Enzymen noch durchaus unzureichend, untersucht. Die Steroid-Hydroxylasen kommen naturgemäß vor allem in den inkretorischen Organen, die Steroidhormone sezernieren, vor, d.h. vor allem in der Nebenniere, aber auch in Testes, Ovar und Placenta (vgl. S. 938ff.). Jedoch auch in der Leber, in der Steroidhormone physiologisch inaktiviert werden (meist durch Reductasen, s. S. 423ff.), sind Steroidhydroxylaseaktivitäten beobachtet worden (Tabelle 1). Sie wandeln die Steroidhormone durch Einführen weiterer Hydroxylgruppen zu höher polaren Steroiden um (z.B. 6-β-Hydroxylierung u.a.m.). Auch die Synthese von Gallensäuren aus Cholesterin besteht aus einer Folge von Hydroxylierungen; die Enzyme hierzu finden sich dementsprechend in der Leber (Tabelle 1).

Der Abbau aromatischer Aminosäuren in der Leber, die Synthese von Noradrenalin und Adrenalin im Nebennierenmark und in anderen zum Sympathicus gehörenden Geweben sind mit Hydroxylierungen verknüpft. Die Hydroxylierung von Prolin zu Hydroxyprolin, von Lysin zu Hydroxylysin ist an den genannten Aminosäuren offenbar nur im Peptidverband möglich. Dem, soweit bekannt, alleinigen Vorkommen dieser Hydroxyaminosäuren im Kollagen entsprechend findet sich die Aktivität für diese Hydroxylase nur im Bindegewebe. Sie scheint abhängig von Ascorbinsäure zu sein.

Eine besondere Beachtung haben in der letzten Zeit die Hydroxylierungsreaktionen gefunden, die als Entgiftungsreaktion vor allem bei aromatischen Fremdstoffen (verschiedene Medikamente, cancerogene Kohlenwasserstoffe, u.v.a.m.) bekannt geworden sind. Diese — möglicherweise unspezifischen — Hydroxylasen für Fremdstoffe kommen offenbar ausschließlich in der Leber vor. Es ist besonders bemerkenswert, daß diese Hydroxylaseaktivität in der Leber durch die Behandlung der Tiere mit verschiedenen Fremdstoffen stark gesteigert werden kann (Induktion; Näheres hierzu vgl. S. 1045).

Außer in den genannten Organen — endokrinen Drüsen, Leber und Bindegewebe — und sympathischem Nervengewebe und Melanomen hat man bislang eine Hydroxylaseaktivität nicht nachweisen können.

Innerhalb der Zelle findet sich die Hydroxylaseaktivität meist in der sog. Mikrosomenfraktion, doch gibt es Ausnahmen; darüber geben die tabellarischen Überblicke Auskunft.

C. Mechanismen der enzymatischen Hydroxylierung.
I. Allgemeines.

Die echten enzymatischen Hydroxylierungen in der eingangs gegebenen Definition sind alle an die Gegenwart von molekularem Sauerstoff gebunden.

Für die Hydroxylierung bei Steroiden wurde ursprünglich eine Reaktionsfolge diskutiert, die der β-Oxydation von Fettsäuren analog sein sollte. Entsprechend dieser Vermutung sollte durch Dehydrierung eine Doppelbindung entstehen, an die dann Wasser angelagert werden könnte[1,2]. Die Auffassung konnte jedoch durch Versuche widerlegt werden, nach denen ^{18}O aus $H_2^{18}O$ als Lösungsmittel nicht in der Hydroxylgruppe erscheint[3,4]. Auch Deuterium aus D_2O und Tritium aus tritiertem

---

[1] WETTSTEIN, A., in: WEISSBECKER, L.: Probleme des Hypophysen-Nebennierenrindensystems. S. 33. Berlin-Göttingen-Heidelberg 1953.
[2] DORFMAN, R. I.: Ciba Found. Coll. Endocrinol. 2, 303 (1952).
[3] POSNER, H. S., C. H. MITOMA, S. ROTHBERG and S. UDENFRIEND: Arch. Biochem. 94, 280 (1961).
[4] HAYANO, M., M. C. LINDBERG, R. I. DORFMAN, J. F. H. HANCOCK and W. v. E. DOERING: Arch. Biochem. 59, 529 (1955).

Wasser tritt nicht in das Steroidgerüst ein[1,2]. Ferner liefert die Inkubation von $\Delta^{9,11}$-Steroiden nicht die entsprechenden Hydroxyverbindungen, wenn man diese Substanzen mit Nebennierenpräparationen mit Hydroxylaseaktivität inkubiert[3].

Durch zahlreiche Versuche mit $^{18}O_2$ in der Gasphase konnte der Beweis erbracht werden, daß ein Atom vom molekularen Sauerstoff an das Kohlenstoffgerüst von Steroiden und Aromaten herantritt[1,4-6]. Unter anaeroben Bedingungen entstehen keine oder nur unbedeutende Mengen von Hydroxylierungsprodukten[7-17].

Für fast alle Hydroxylierungen ist neben dem molekularen Sauerstoff ein Wasserstoffdonator, meist ein reduziertes Pyridinnucleotid, erforderlich.

TPNH hat sowohl bei den Steroid- als auch bei den Aromatenhydroxylierungen die größte Wirksamkeit (Steroide[5,17,18]; Aromaten[7-10,19,20]).

Die Hydroxylasen sind also im allgemeinen TPNH-spezifisch. TPNH kann naturgemäß durch TPNH-liefernde Systeme ersetzt werden, die entweder vollständig den Ansätzen zugesetzt werden[5] oder bei Homogenaten durch Zusatz einzelner Faktoren aktiviert werden können[2,5,14-16,18,21-23]. In verschiedenen Fällen wurde auch DPNH als Wasserstoffdonator geprüft. Die Aktivitäten — gemessen an der Hydroxylierungsrate — waren jedoch mit Ausnahme der C-21-Hydroxylierung mancher Steroide[23] wesentlich geringer[10,19,20] oder gleich null[12,18,24,25].

Substrat, Sauerstoff und die Elektronen des Wasserstoffdonators reagieren nach folgendem Schema:

$$AH + 2e + O_2 \rightarrow AOH + O^{--}$$

Die Hydroxylasen sind also zugleich „Oxydasen" und „Reductasen". Deshalb werden sie von MASON treffend als „*mixed function oxidases*" definiert[26].

II. Einzelne hydroxylierende Systeme.
1. Steroidhydroxylasen.

Für die Steroidhydroxylasen ist besonders bemerkenswert, daß die Einführung der Hydroxylgruppe stereospezifisch erfolgt. Versuche mit 11α-D-markierten Steroiden zeigen, daß die 11β-Hydroxylierung unter Retention der Konfiguration verläuft:

---

[1] POSNER, H. S., C. H. MITOMA, S. ROTHBERG and S. UDENFRIEND: Arch. Biochem. **94**, 280 (1961).
[2] HAYANO, M., and R. I. DORFMAN: J. biol. Ch. **211**, 227 (1954).
[3] FRIED, J., R. W. THOMA, D. PERLMAN, J. E. HERZ and A. BORMAN: Recent Progr. Hormone Res. **11**, 149 (1955).
[4] HAYANO, M., M. C. LINDBERG, R. I. DORFMAN, J. F. H. HANCOCK and W. v. E. DOERING: Arch. Biochem. **59**, 529 (1955).
[5] SWEAT, M. L., R. A. ALDRICH, C. H. DE BRUIN, W. L. FOWLKS, L. H. HEISELT and M. S. MASON: Fed. Proc. **15**, 367 (1956).
[6] BLOOM, B. M., M. HAYANO, A. SAITO, D. STONE and R. I. DORFMAN: Fed. Proc. **15**, 222 (1956).
[7] KAUFMAN, S.: Biochim. biophys. Acta **23**, 445 (1957).
[8] MITOMA, C. H., H. S. POSNER, H. C. REITZ and S. UDENFRIEND: Arch. Biochem. **61**, 431 (1956).
[9] BRODIE, B. B., J. AXELROD, J. COOPER, L. GAUDETTE, B. N. LaDU, C. H. MITOMA and S. UDENFRIEND: Science, N.Y. **121**, 603 (1955).
[10] BOOTH, J., and E. BOYLAND: Biochem. J. **66**, 73 (1957).
[11] LEVIN, E. Y., B. LEVENBERG and S. KAUFMAN: J. biol. Ch. **235**, 2080 (1960).
[12] RYAN, K. J., and L. L. ENGEL: J. biol. Ch. **225**, 103 (1957).
[13] TOMKINS, G. M., J. E. CURRAN and P. J. MICHAEL: Biochim. biophys. Acta **28**, 449 (1958).
[14] GRANT, J. K., and A. C. BROWNIE: Biochim. biophys. Acta **18**, 433 (1955).
[15] McGINTY, D., G. SMITH, M. WILSON and C. S. WORREL: Science, N.Y. **112**, 506 (1950).
[16] RYAN, K. J.: Fed. Proc. **15**, 344 (1956).
[17] LYNN, W. S., and R. BROWN: Biochim. biophys. Acta **21**, 403 (1956).
[18] SWEAT, M. L., and M. D. LIPSCOMB: Am. Soc. **77**, 5185 (1955).
[19] KRISCH, K., u. HJ. STAUDINGER: B. Z. **334**, 312 (1961).
[20] POSNER, H. S., C. H. MITOMA, S. ROTHBERG and S. UDENFRIEND: Arch. Biochem. **94**, 269 (1961).
[21] BROWNIE, A. C., and J. K. GRANT: Biochem. J. **57**, 255 (1954).
[22] HAYANO, M., and R. I. DORFMAN: J. biol. Ch. **201**, 175 (1953).
[23] LEONHÄUSER, S.: Diss. Gießen 1961.
[24] HAYANO, M., M. WIESNER and M. C. LINDBERG: Fed. Proc. **12**, 216 (1953).
[25] PLAGER, J. E., and L. T. SAMUELS: Fed. Proc. **11**, 383 (1952).
[26] MASON, H. S.: Adv. Enzymol. **19**, 79 (1957).

Der Deuteriumgehalt des aus 11α-D-markierten 11-Desoxysteroids entstehenden 11β-Hydroxysteroids ist nämlich unverändert[1]. Zu dem gleichen Ergebnis gelangt man bei Markierung mit Tritium[2,3]. Es ist denkbar, daß das Enzym mit dem 11α-Wasserstoffatom in Wechselwirkung tritt und damit die α-Seite des Moleküls abschirmt. Ein Angriff ist daher nur noch von der β-Seite her möglich. Diese Hypothese würde die Retention der Konfiguration erklären[4].

2. Hydroxylierung aliphatischer Carbonsäuren.

Auch aliphatische Carbonsäuren können nach dem Mechanismus der „mixed function oxidases" hydroxyliert werden.

Bei der „ω-Oxydation" von Sorbinsäureamid zu Muconsäuremonoamid konnte ε-Hydroxysorbinsäureamid als Zwischenprodukt nachgewiesen werden. Die Enzymaktivität für diese Hydroxylierung findet sich im Überstand von Rattenleberhomogenaten nach dem Zentrifugieren bei $6000 \times g$ und benötigt offenbar molekularen Sauerstoff und TPNH[5].

Aus Stearinsäure entsteht bei der Inkubation unter aeroben Bedingungen mit Rattenleberhomogenat eine Hydroxystearinsäure noch unbekannter Konstitution[6]. Zudem ist bekannt, daß Ölsäure aus Stearinsäure nur in Gegenwart von TPNH und molekularem Sauerstoff entsteht[7]. An der Umwandlung von Stearinsäure in Ölsäure ist also offenbar auch eine Hydroxylase beteiligt.

γ-Butyrobetain wird in Gegenwart von TPNH, Ascorbinsäure und molekularem Sauerstoff zu Carnitin hydroxyliert. Das Enzym wurde im $100000 \times g$-Überstand von Rattenleberhomogenat gefunden und kann durch Fe^{++}-Ionen aktiviert werden[8].

3. Hydroxylasen für aromatische Aminosäuren.

In dieser Gruppe von Hydroxylasen findet man einige Ausnahmen von dem eingangs formulierten allgemeinen Reaktionsmechanismus. Ein aus Dünndarm angereichertes Enzym, das Tryptophan zu 5-Hydroxytryptophan hydroxyliert, benötigt offenbar weder einen Wasserstoffdonator noch molekularen Sauerstoff. Die Hydroxylierung verläuft anaerob ebenso schnell wie aerob. Notwendig scheint jedoch die Anwesenheit von Ascorbinsäure und Cu^{++}-Ionen zu sein. Die Ascorbinsäure kann durch Dehydroascorbinsäure ersetzt werden[9].

Einen anderen Sonderfall stellt das Enzymsystem dar, welches p-Hydroxyphenylbrenztraubensäure zu Homogentisinsäure hydroxyliert. Auch hier fehlt ein Wasserstoffdonator. Die Gesamtreaktion ist abhängig von zwei Enzymfraktionen, von denen eine (Fraktion A) durch Katalase ersetzt werden kann, sofern die andere (Fraktion B) vorhanden ist[10]. Ein besonderer Wasserstoffdonator wird für die Phenylalaninhydroxylase beschrieben[11-14]. Das Enzym hydroxyliert Phenylalanin zu Tyrosin. Wasserstoffdonator ist eine noch unbekannte Substanz, die durch Tetrahydrofolsäure ersetzt werden kann. Noch wirksamer sind Tetrahydropteridine, denen die p-Aminobenzoesäuregruppierung fehlt. Ebenfalls einen Sonderfall stellt ein aus Rindernebenniere

---

[1] COREY, E. J., G. A. GREGORIOU and D. H. PETERSON: Am. Soc. 80, 2338 (1958).
[2] HAYANO, M., M. GUT, R. I. DORFMAN, O. K. SEBEK and D. H. PETERSON: Am. Soc. 80, 2336 (1958).
[3] BERGSTRØM, S., S. LINDSTREDT and B. SAMUELSON: Am. Soc. 80, 2337 (1958).
[4] LEVY, H., R. W. JEANLOZ, C. W. MARSHALL, R. W. JACOBSON, O. HECHTER, V. SCHENKER and G. PINCUS: J. biol. Ch. 203, 433 (1953).
[5] WAKABAYASHI, K., and N. SHIMAZONO: Biochim. biophys. Acta 48, 615 (1961).
[6] JAMES, A. T., and J. B. MARSH: Biochim. biophys. Acta 57, 170 (1962).
[7] BLOOMFIELD, D. K., and K. BLOCH: J. biol. Ch. 235, 337 (1960).
[8] LINDSTEDT, G., and S. LINDSTEDT: Biochem. biophys. Res. Comm. 7, 394 (1962).
[9] COOPER, J. R.: Ann. N.Y. Acad. Sci. 92, 208 (1961).
[10] LaDU, B. N., and V. G. ZANNONI: Nature 177, 574 (1956).
[11] KAUFMAN, S.: Biochim. biophys. Acta 27, 428 (1958).
[12] KAUFMAN, S.: J. biol. Ch. 234, 2677 (1959).
[13] KAUFMAN, S.: J. biol. Ch. 230, 931 (1958).
[14] KAUFMAN, S., and B. LEVENBERG: J. biol. Ch. 234, 2683 (1959).

angereichertes Enzym dar, welches Dopamin zu Noradrenalin hydroxyliert und nur mit Ascorbinsäure als Wasserstoffdonator die volle Aktivität zeigt (s. S. 1029). Für die Dopamin-β-Hydroxylierung ist molekularer Sauerstoff notwendig. Ob dieser zunächst das Dopamin zum Chinon dehydriert, das durch Addition von Wasser in 1,4-Stellung an der Benzylstellung hydroxyliert werden kann, oder direkt am β-C-Atom angreift, muß noch durch Versuche mit $^{18}O_2$ geklärt werden. Die leichte Austauschbarkeit für das β-ständige Tritium des Dopamins spricht für beide Auffassungen[1]. Es wird jedoch auch über eine Phenyläthylamin-β-Hydroxylierung berichtet[2]. Dieser Befund spricht für einen direkten Angriff des „aktiven Sauerstoffs" am β-C-Atom der Seitenkette, weil in diesem Falle das additionsfähige Chinon intermediär nicht gebildet werden kann.

4. Hydroxylierung von Fremdstoffen.

Zu dieser Gruppe gehören die Hydroxylierungsaktivitäten der Mikrosomen gegenüber Fremdstoffen aus der aromatischen Reihe bzw. die aus Mikrosomen angereicherten entsprechenden Enzympräparationen. Sie entsprechen in allen Punkten den allgemeinen Reaktionsbedingungen für Hydroxylasen (vgl. S. 919).

Bei der Hydroxylierung aromatischer Verbindungen taucht die Frage auf, inwieweit es für bestimmte Stellungen am aromatischen Ringsystem spezifische Hydroxylasen gibt. Dieses Problem ist in vivo und in vitro[3,4] untersucht worden. Verschiedene Tierarten weisen bei der Hydroxylierung von Anilin ein verschiedenes Verhältnis von p- zu o-hydroxylierten Verbindungen auf. Die Werte bewegen sich zwischen 0,4 und 15,0. Dieser Befund wird so gedeutet, daß eine „o-" und eine „p-Hydroxylase" in unterschiedlichen Aktivitäten bei den einzelnen Tierarten vorkommen[3].

2-Acetylaminofluoren wird beim Meerschweinchen „in vivo" hauptsächlich in 7-Stellung, sehr wenig aber in 1, 3, 5 und 8 hydroxyliert. Die Substanz ist für diese Tierart *nicht* cancerogen. Ratten, für die dieselbe Verbindung cancerogen ist, hydroxylieren überwiegend in 1-, 3-, 5- und 8-Stellung. 1 und 3 sind o-Stellungen in bezug auf den Substituenten in 2-Stellung. Die C-Atome 5 und 8 stehen in o-Stellung zur Doppelbindung. Die einzige p-Stellung in bezug auf den Substituenten ist das C-Atom 7.

2-Acetylaminofluoren

Die Befunde weisen darauf hin, daß Ratten gegenüber 2-Acetylaminofluoren eine o-Hydroxylierungsaktivität besitzen, während bei Meerschweinchen fast nur eine p-Hydroxylierungsaktivität vorkommt[5].

Neben der Annahme verschiedener o- und p-Hydroxylasen gibt es jedoch noch eine andere Erklärungsmöglichkeit, nach welcher die bevorzugte Lenkung der Substitution in die o- bzw. p-Stellung von komplexchemischen Faktoren bestimmt wird[6]. Die Frage wird im Zusammenhang mit dem UDENFRIEND-Hydroxylierungssystem behandelt (s. S. 926).

5. Der Phenolasekomplex.

Zu den echten Hydroxylasen gehört ferner die Gruppe der pflanzlichen und tierischen Phenolasen. Die tierischen Enzyme sind weitgehend spezifisch für Tyrosin und Dihydroxyphenylalanin (Dopa), die pflanzlichen setzen dagegen eine Vielzahl von monophenolischen und diphenolischen Substraten um.

---

[1] SENOH, S., C. R. CREVELING, S. UDENFRIEND and B. WITKOP: Am. Soc. 81, 6236 (1959).
[2] LEVIN, E. Y., and S. KAUFMAN: J. biol. Ch. 236, 2043 (1961).
[3] PARKE, D. V., and R. T. WILLIAMS: Biochem. J. 63, 12P (1956).
[4] POSNER, H. S., C. H. MITOMA and S. UDENFRIEND: Arch. Biochem. 94, 269 (1961).
[5] WEISSBURGER, J. H., E. K. WEISSBURGER and H. P. MORRIS: Science, N.Y. 125, 503 (1957).
[6] BRESLOW, R., and L. N. LUKENS: J. biol. Ch. 235, 292 (1960).

Die erste Gruppe soll aus Gründen der Übersichtlichkeit als Tyrosinasekomplex, die zweite als Phenolasekomplex bezeichnet werden.

Gereinigte Phenolasepräparationen zeigen zwei Enzymaktivitäten, nämlich die einer Phenolorthohydroxylase („Kresolase") und einer o-Diphenoldehydrogenase („Catecholase"). Beide Reaktionen werden durch folgende Gleichungen dargestellt:

$$\text{Monophenol} + 2e + O_2 \to \text{o-Diphenol} + O^{--} \qquad \text{[Kresolase]}$$
$$\text{o-Diphenol} + {}^1/_2 O_2 \to \text{o-Chinon} + H_2O \qquad \text{[Catecholase]}$$

Für die Hydroxylasewirkung ist ein Elektronendonator notwendig. Dies ist in den meisten Fällen das entstehende o-Diphenol selbst. Das Zusammenwirken dieser beiden Enzymaktivitäten zeigt folgendes Schema[1-3]:

1. $\text{Prot.} - (Cu^+)_2 + O_2 \to \text{Prot.} - (Cu^+)_2 \cdot O_2$
2. $\text{Prot.} - (Cu^+)_2 \cdot O_2 + \text{Monophenol} + 2H^+ \to \text{Prot.} - (Cu^{++})_2 + \text{o-Diphenol} + H_2O$
3. $\text{Prot.} - (Cu^{++})_2 + 2e \to \text{Prot.} - (Cu^+)_2$
   $\text{o-Diphenol} \to \text{o-Chinon} + 2H^+ + 2e$

Dieser Mechanismus stützt sich auf zahlreiche Experimentalbefunde.

Es wurde zunächst die Frage untersucht, ob eine nichtenzymatische Entstehung des o-Diphenols nach der Gleichung

$$\text{Monophenol} + \text{o-Chinon} + H_2O \to 2 \text{ o-Diphenol}$$

möglich ist. Damit wäre molekularer Sauerstoff nur für die Bildung des o-Chinons notwendig, während der Sauerstoff für die zweite Hydroxylgruppe des o-Diphenols vom Lösungsmittelwasser geliefert würde. Versuche mit $^{18}O_2$ zeigen aber, daß der Sauerstoff beider Hydroxylgruppen aus dem molekularen Sauerstoff stammt[2]. In Schritt 3 erfolgt die Reduktion des Enzymkupfers mit o-Diphenol unter Bildung von o-Chinon.

Die Gleichung 3 stellt also die Formulierung der „Catecholaseaktivität" dar. Es wird vermutet, daß dieser Schritt über eine Chinonreductase in der Zelle mit dem DPNH- oder TPNH-Stoffwechsel gekoppelt werden kann[2]. Die eigentliche Hydroxylierung (Schritt 2) findet nur in Gegenwart des o-Diphenols statt, welches den hitzestabilen Cofaktor von Keilin und Mann darstellt[4]. Die Formulierung Prot. $-$ $(Cu^+)_2$ soll andeuten, daß jeweils 2 benachbarte Kupferatome eine enzymatische Funktionseinheit bilden. Es wird nämlich pro 2 Atome Kupfer 1 Molekül CO gebunden[2]. Dasselbe Verhältnis muß man daher auch für das Sauerstoffmolekül annehmen.

Diese Auffassung erklärt nicht nur die enge Verknüpfung von Kresolase- und Catecholaseaktivität, sondern auch das Absinken der Hydroxylaseaktivität mit fortschreitender Reinigung, in deren Verlauf ein Kupferatom aus dem Verband gelöst werden kann, so daß jedes der beiden delokalisierten Kupferatome für sich nur noch eine „Catecholaseaktivität" besitzt[1,5]. Diese hat tatsächlich mehr den Charakter einer unspezifischen, schwermetallkatalysierten Dehydrierung. Sie läßt sich daher auch sehr gut mit Morpholin-Cu^{++}-Komplexen[6] oder mit Cu^{++} in Gegenwart von Albumin[7] (also *einzelnen* katalytisch aktiven Kupferionen) imitieren. Der Phenolasekomplex wird also als ein einheitliches Enzym mit 2 aktiven Zentren angesehen[8,9]. Mit dieser Auffassung steht in Einklang, daß eine Trennung der beiden Aktivitäten in der Ultrazentrifuge und durch Elektrophorese nicht gelungen ist[5]. Ferner ist in diesem Zusammenhang die Feststellung wichtig, daß mit den kompetitiven Hemmstoffen Phenylthioharnstoff und 4-Chlorresorcin,

---

[1] Mason, H. S.: Nature 177, 79 (1956).
[2] Mason, H. S., W. L. Fowlks and E. W. Peterson: Am. Soc. 77, 2914 (1955).
[3] Brodie, B. B., J. Axelrod, J. Cooper, L. Gaudette, B. N. LaDu, C. Mitoma and S. Udenfriend: Science, N.Y. 121, 603 (1955).
[4] Keilin, D., and T. Mann: Proc. R. Soc. London (B) 125, 187 (1938).
[5] Malette, M. F., and C. R. Dawson: Arch. Biochem. 23, 29 (1949).
[6] Brockman, W., et E. Havinga: Recu. Trav. chim. Pays Bas 74, 937 (1955).
[7] Polonovski, M., et P. Gonnard: Bull. Soc. Chim. biol. 35, 633 (1953).
[8] Naono, S., N. Kimoto, S. Katsuya and K. Asanuma: Med. J. Osaka Univ. 6, 161 (1955).
[9] Kendal, L. P.: Biochem. J. 44, 442 (1949).

deren Wirkungsmechanismus verschieden ist (Cu-Chelatbildner und Substratanalogon), keine unterschiedliche Hemmung der beiden Aktivitäten beobachtet wird[1]. Von hervorragender Bedeutung für diese Vorstellung sind Austauschversuche mit ^{64}Cu an Tyrosinasepräparationen, aus denen hervorgeht, daß bei der Kresolasereaktion ein Cu-Austausch nicht stattfindet, während Catecholasepräparationen ^{64}Cu proportional der umgesetzten Menge an o-Diphenol aufnehmen[2].

Für den „Tyrosinasekomplex" wird folgendes Schema vorgeschlagen[3]:

1. $E^{Cu^{++}}_{Cu^{++}}$ + [DOPA structure] → $\left[E^{Cu^+}_{Cu^+} \text{[dopaquinone]} \right]$ + 2 H$^+$

2. $\left[E^{Cu^+}_{Cu^+} \text{[dopaquinone]} \right]$ + [tyrosine] → $\left[E^{Cu^+}_{Cu^+} \text{[tyrosine]} \right]$ + [dopaquinone]

3. $\left[E^{Cu^+}_{Cu^+} \text{[tyrosine]} \right]$ + O$_2$ → [DOPA] + O^{--} + $E^{Cu^{++}}_{Cu^{++}}$

Als Beweis für die Rolle von Dopa als Elektronendonator kann gewertet werden, daß die Induktionszeit der Tyrosinasereaktion bei Zusatz von Dopa proportional der zugefügten Menge abnimmt[4,5]. Auch andere reduzierende Substanzen, die das Tyrosinase-Cu^{++} rasch zum einwertigen Kupfer reduzieren, verkürzen die Induktionsperiode, z.B. Ferrocyanid, Ascorbinsäure, Hydrochinon und Homogentisinsäure[6,7], Protocatechusäure, Brenzcatechin, Pyrogallol und Adrenalin[7,8]. Die Wirkung der Ascorbinsäure auf die Kinetik des Phenolasekomplexes ist ausführlich untersucht worden[9]. Bei Zusatz oxydierender Substanzen wird die Induktionsperiode verlängert, da entweder das Kupfer im zweiwertigen Zustand verbleibt oder die Catechole zu Chinonen oxydiert werden. Ungeklärt ist noch die Wirkung von Chinonfängern, wie Natriumbenzolsulfinat und o-Phenylendiamin, die ebenfalls die Induktionsperiode verlängern[6,7]. Am Phenolase-

---

[1] HEYMANN, H., Z. ROGACH and R. L. MAYER: Am. Soc. **76**, 6330 (1954).
[2] DRESSLER, H., and C. R. DAWSON: Biochim. biophys. Acta **45**, 508, 515 (1960).
[3] LERNER, A. B.: Adv. Enzymol. **14**, 73 (1953).
[4] CALIFANO, L., and D. KERTÉSZ: Nature **142**, 1036 (1938).
[5] LERNER, A. B., T. B. FITZPATRICK, E. CALKINS and W. K. SUMMERSON: J. biol. Ch. **178**, 185 (1949).
[6] BORDNER, C. A., and J. M. NELSON: Am. Soc. **61**, 1507 (1939).
[7] NAONO, S., N. KIMOTO, S. KATSUYA and K. ASANUMA: Med. J. Osaka Univ. **6**, 161 (1955).
[8] KENDAL, L. P.: Biochem. J. **44**, 442 (1949).
[9] KRUEGER, R. C.: Am. Soc. **72**, 5582 (1950).

komplex läßt sich zeigen, daß im Laufe der Reaktionsfolge tatsächlich, wie formuliert, ein Valenzwechsel des Kupfers stattfindet. Das Enzym wird einerseits nämlich durch Zusatz von Cu^+-Ionen aktiviert, andererseits durch einen Überschuß eines Cu^{++}-Chelatbildners vollständig gehemmt. Die Hemmung kann nach Entfernung des überschüssigen Chelatbildners durch Zusatz von Cu^{++}-Ionen wieder aufgehoben werden[1-3]. Die mit diesen Experimenten gut belegte Auffassung blieb jedoch nicht unwidersprochen[4].

6. Peroxydasesysteme.

Das Peroxydase-Dihydroxyfumarat-System[5] ist ein „fakultativ hydroxylierendes" Enzym, d.h. Peroxydase ist nur in Gegenwart eines besonderen Cosubstrates, nämlich des Dihydroxyfumarats, eine Hydroxylase. Die Peroxydase kann nicht durch Cytochrom c, Leberkatalase, stromafreies Erythrocytenhämolysat, aber durch größere Mengen Häm ersetzt werden[6]. Als Substrate sind zahlreiche carbocyclische und heterocyclische Aromaten untersucht worden[7]. Dihydroxyfumarat (Wasserstoffdonator) und molekularer Sauerstoff sind für die Hydroxylaseaktivität notwendig. Beide Stoffe werden im Molverhältnis 1:1 umgesetzt[5]. Für den Mechanismus dieser Hydroxylierung diskutiert MASON folgendes Reaktionsschema[5,8]:

a) I. $Fe_p^{++} + O_2 \rightarrow (Fe_p^{++} \cdot O_2)$

II. $(Fe_p^{++} \cdot O_2) + AH \rightarrow (Fe_p^{++} \cdot O) + AOH$

III. $(Fe_p^{++} \cdot O) + 2e \rightarrow Fe_p^{++} + O^{--}$ (Oxyferroperoxydase)

b) II. $(Fe_p^{++} \cdot O_2) + 2e \rightarrow Fe_p^{++}O + O^{--}$

III. $Fe_p^{++}O + AH \rightarrow AOH + Fe_p^{++}$ (Ferrylperoxydase)

(Fe_p = Peroxydase-Eisen)

Für die Mitbeteiligung eines Oxyferro-peroxydasekomplexes spricht die Hemmbarkeit der Reaktion mit CO[9].

Entsprechend diesen Vorstellungen ist freies H_2O_2 nicht direkt an der Hydroxylierung beteiligt. Dies wird auch experimentell bestätigt, weil Peroxydase in alleiniger Gegenwart von H_2O_2, aber unter anaeroben Bedingungen, keine Hydroxylaseaktivität zeigt. Ferner wird die Reaktion durch Zusatz von Mn^{++}-Ionen gehemmt, die nämlich die Bildung von H_2O_2 aus Dihydroxyfumarat katalysieren[8].

Durch gleichzeitige Messung der Kinetik des Umsatzes von Peroxydase-, Sauerstoff- und Dihydroxymaleinsäure* konnte CHANCE[10] Gleichungen aufstellen, mit denen sich die Oxydase- und die Peroxydaseaktivität getrennt darstellen lassen:

1. $O_2 + \begin{array}{c} HO-C-COOH \\ \parallel \\ HO-C-COOH \end{array} \xrightarrow{Mn^{++}} H_2O_2 + \begin{array}{c} O=C-COOH \\ | \\ O=C-COOH \end{array}$

2. $H_2O_2 + \begin{array}{c} HO-C-COOH \\ \parallel \\ HO-C-COOH \end{array} \longrightarrow 2H_2O + \begin{array}{c} O=C-COOH \\ | \\ O=C-COOH \end{array}$

---

* Nach neueren Ergebnissen anderer Autoren handelt es sich um Dihydroxyfumarsäure [vgl. MASON, H. S.: Adv. Enzymol. 19, 117 (1957)].

[1] ISSAHA, S.: Nature 179, 578 (1957).
[2] LERNER, A. B., T. B. FITZPATRICK, E. CALKINS and W. H. SUMMERSON: J. biol. Ch. 187, 793 (1950).
[3] HEYMANN, H., Z. ROGACH and R. L. MAYER: Am. Soc. 76, 6330 (1954).
[4] KERTÉSZ, D.: Nature 180, 506 (1957).
[5] MASON, H. S., J. ONOPRYENKO and D. BUHLER: Biochim. biophys. Acta 24, 225 (1957).
[6] MASON, H. S.: Adv. Enzymol. 19, 143 (1957).
[7] BUHLER, D. R., and H. S. MASON: Arch. Biochem. 92, 424 (1961).
[8] MASON, H. S.: Adv. Enzymol. 19, 174 (1957).
[9] MASON, H. S., W. L. FOWLKS and E. W. PETERSON: Am. Soc. 77, 2914 (1955).
[10] CHANCE, B.: J. biol. Ch. 197, 577 (1952).

Für die volle Aktivität in Schritt 1 sind Mn^{++}-Ionen notwendig. Da die Hydroxylierung durch dieselben Ionen gehemmt wird und H_2O_2 den molekularen Sauerstoff nicht ersetzen kann[1], muß die Reaktion von einer zwischen O_2 und H_2O_2 liegenden Stufe ausgehen, deren Gleichgewichtskonzentration in Gegenwart von Mn^{++} sehr gering ist[1].

Ein Valenzwechsel des Peroxydaseeisens findet während der Reaktion nicht statt[2].

7. Modellsysteme.

Weitere Einblicke in den Mechanismus von Hydroxylierungsreaktionen liefern Untersuchungen mit den nichtenzymatischen hydroxylierenden Modellsystemen $Fe^{++} + H_2O_2$ (FENTONs Reagens) und dem UDENFRIEND-System.

a) FENTONs Reagens[3].

Diese Reaktion läßt sich wie folgt formulieren:

$$H_2O_2 + Fe^{++} \rightarrow OH^- + OH\cdot + Fe^{+++}$$

Die dabei intermediär gebildeten Hydroxylradikale sind das eigentliche „hydroxylierende Agens". Die Reduktion des H_2O_2 erfolgt entsprechend den Vorstellungen von HABER und WEISS[4,5] in zwei Einelektronenschritten:

1. $Fe^{++} + H_2O_2 \rightarrow Fe^{+++} + OH^- + OH\cdot$
2. $OH\cdot + H_2O_2 \rightarrow H_2O + O_2H\cdot$
3. $HO_2\cdot + H_2O_2 \rightarrow O_2 + H_2O + OH\cdot$
4. $OH\cdot + Fe^{++} \rightarrow Fe^{+++} + OH^-$

Nach MASON[6,7] sind auch Zweielektronenschritte denkbar, bei denen O^{--} entsteht und ein Ferrylion als Intermediärprodukt auftritt. Diese Betrachtungsweise ändert nichts an der durch das HABER-WEISS-Schema gegebenen Kinetik, da lediglich in Schritt 1 Fe^{++} durch das Ferrylion $Fe^{++}O$ ersetzt wird. Dieser Schritt ist mit Schritt 2 des folgenden Schemas identisch:

1. $Fe^{++} + H_2O_2 \rightarrow Fe^{++}O + H_2O$
2. $Fe^{++}O + H_2O_2 \rightarrow Fe^{++} + H_2O + O_2$

Über den Angriff des Ferrylions s. S. 930.

b) Das UDENFRIEND-System[8,9]. Die Ansätze enthalten Fe^{++}, Ascorbinsäure, H_2O_2 (oder O_2), Äthylendiamintetraessigsäure (EDTA) und das zu hydroxylierende Substrat. In diesem System laufen offenbar folgende Vorgänge nebeneinander ab:

1. Die Bildung einer aktiven Sauerstoffverbindung.
2. Die Reaktion der Ascorbinsäure mit dem aktiven Sauerstoff (Mechanismus s. S. 930).
3. Die Hydroxylierung des Substrats.

Für den Mechanismus der Hydroxylierung ist zunächst Schritt 1 von entscheidender Bedeutung. Es liegt nahe anzunehmen, daß die Hydroxylierung von einem EDTA-Fe^{++}-O_2-Komplex ausgeht. Hiergegen kann nicht eingewandt werden, daß die Hydroxylierung auch abläuft, wenn man den molekularen Sauerstoff durch H_2O_2 ersetzt und unter Stickstoff inkubiert, denn H_2O_2 wird durch stets in Spuren vorhandene Fe^{+++}-Ionen zu O_2 zersetzt[10]. Andererseits konnte auch in Gegenwart von molekularem Sauerstoff die

---

[1] BUHLER, D. R., and H. S. MASON: Arch. Biochem. **92**, 424 (1961).
[2] CHANCE, B.: J. biol. Ch. **197**, 577 (1952).
[3] FENTON, H. J., and H. O. JONES: Soc. **77**, 69 (1900).
[4] HABER, F., u. J. WEISS: Naturwiss. **20**, 948 (1932).
[5] HABER, F., and J. WEISS: Proc. R. Soc. London (A) **147**, 332 (1934).
[6] MASON, H. S., I. ONOPRYENKO and D. BUHLER: Biochim. biophys. Acta **24**, 225 (1957).
[7] MASON, H. S., and I. ONOPRYENKO: Fed. Proc. **15**, 310 (1956).
[8] BRODIE, B. B., J. AXELROD, P. A. SHORE and S. UDENFRIEND: J. biol. Ch. **208**, 741 (1954).
[9] UDENFRIEND, S., C. T. CLARK, J. AXELROD and B. B. BRODIE: J. biol. Ch. **208**, 731 (1954).
[10] BAXENDALE, J. H., and P. GEORGE: 1. Int. Congr. Biochem. Cambridge, S. 359, 1949.

Bildung von H_2O_2 nachgewiesen werden[1]. Auch ist es denkbar, daß sich in Fe^{++}-H_2O_2-Lösungen Komplexe von der Struktur $Fe^{++} \cdot O_2$ bilden können[2]. Im „UDENFRIEND-System" kann die Ascorbinsäure durch eine Reihe anderer Endiole ersetzt werden[3]. Sowohl cis- als auch trans-Endiole sind wirksam[4,5]. Ein früherer Befund, wonach auch die analogen Diketoverbindungen die Endiole ersetzen können[3], konnte nicht bestätigt werden[6]. Weiterhin konnte gezeigt werden, daß die Wirkung dieses Systems spezifisch an Fe^{++} gebunden ist. Zahlreiche andere Schwermetallionen, auch Fe^{+++}, können Fe^{++} nicht ersetzen[7]. Ohne EDTA findet keine Hydroxylierung statt. Die Substanz verändert also durch die Komplexbildung das Redoxpotential des Fe^{++} in diesem System zugunsten einer geeigneteren Lage zwischen dem H_2O_2 bzw. dem molekularen Sauerstoff und dem Substrat. Bei Verwendung von Acetat- statt Phosphatpuffer steigt die Ausbeute an Hydroxylierungsprodukten erheblich. Wahrscheinlich wird das Eisen wegen der großen Stabilität der Fe-Phosphatkomplexe teilweise inaktiviert. Andere Fe^{++}-Chelatbildner, wie α,α'-Dipyridyl und o-Phenanthrolin, von denen bekannt ist, daß sie Eisenenzyme hemmen, sind auch in diesem System starke Inhibitoren. Völlig neuartig und zunächst unerklärbar ist der Befund, daß Riboflavin + Fe^{++} allein schon die Wirkung des vollen Systems erreicht[7].

Beim Vergleich von FENTONs Reagens mit dem UDENFRIEND-System fällt auf, daß FENTONs Reagens in stärkerem Maße die o-Stellungen angreift. Es bildet sich offenbar unter Mitbeteiligung des primären Substituenten ein Fe^{++}-Komplex. Ist das Eisen, wie beim UDENFRIEND-System, durch die Chelatbildung mit EDTA bereits koordinativ besetzt, so entfällt auch der o-dirigierende Einfluß[6].

c) *Andere Modelle.* Hydroxylierungen an Aromaten sind sowohl mit dem System Cu^+/H_2O_2[8] als auch mit Cu^{++}/H_2O_2[9,10] durchgeführt worden.

Tertiäre C-Atome können durch Ozon bei 0° C zu Carbinolen hydroxyliert werden[11].

Weiterhin gibt es eine Reihe von Reaktionen, mit denen sich OH-Radikale erzeugen lassen, die dann auf gleichzeitig zugesetzte Aromaten hydroxylierend wirken. Hierzu gehören:

a) Die Einwirkung sehr kurzwelliger Strahlen auf wäßrige Lösungen[12,13]. Mit harten γ-Strahlen aus einer Neutronenkanone erhält man neben Phenolen auch Catechole, da sehr hohe lokale Hydroxylradikalkonzentrationen entstehen[13].

b) Einwirkung von Ozon auf H_2O_2[14].

c) Hydrolyse von Kaliumozonid[15].

III. Entstehung und Angriff des „aktiven Sauerstoffs".

1. Hinweise auf die peroxydische Struktur.

Im Zusammenhang mit den meisten der vorstehend dargestellten Untersuchungen und Befunden sind verschiedene Hypothesen über die Natur des „aktiven Sauerstoffs" aufgestellt worden.

---

[1] ZITO, R., and D. KERTÉSZ: Biochim. biophys. Acta 54, 197 (1961).
[2] GEORGE, P.: Adv. Catalysis 4, 367 (1952).
[3] UDENFRIEND, S., C. T. CLARK, J. AXELROD and B. B. BRODIE: J. biol. Ch. 208, 731 (1954).
[4] HARTREE, E. F.: Am. Soc. 75, 6244 (1953).
[5] GOODWIN, S., and B. WITKOP: Am. Soc. in Vorbereitung.
[6] BRESLOW, R., and L. N. LUKENS: J. biol. Ch. 235, 292 (1960).
[7] DEWHURST, F., and G. CALCUTT: Nature 191, 808 (1961).
[8] BAXENDALE, J. H., M. G. EVANS and G. S. PARK: Trans. Faraday Soc. 42, 155 (1946).
[9] WIELAND, H.: A. 434, 185 (1924).
[10] KONECNY, J. O.: Am. Soc. 76, 4993 (1954).
[11] DURLAND, J. R., and H. ADKINS: Am. Soc. 61, 429 (1939).
[12] JOHNSON, G. R. A., G. SCHOLES and J. WEISS: Science, N.Y. 114, 412 (1951).
[13] STEIN, G., and J. WEISS: Nature 161, 650 (1948).
[14] FORCHHEIMER, O. L., and H. TAUBE: Am. Soc. 74, 3705 (1952).
[15] KASARNOWSKY, J., N. LIPICHIN and M. TICHOMIROV: Nature 178, 100 (1956).

Zunächst hat man Hydroperoxyd, das aus TPNH und molekularem Sauerstoff in Gegenwart von Lebermikrosomen entsteht[1], in Betracht gezogen[2,3]. Gegen eine direkte Beteiligung von H_2O_2 an Hydroxylierungsreaktionen spricht jedoch, daß Nierenmikrosomen zwar TPNH zu H_2O_2 oxydieren können, aber keine Hydroxylierungsaktivität haben. In vielen Fällen kann TPNH nicht durch DPNH ersetzt werden, beide werden aber durch Leber- und Nierenmikrosomen unter Bildung von Hydroperoxyd oxydiert[1].

Zusatz von Hydroperoxyd oder Bereitstellung durch ein H_2O_2-regenerierendes System bewirken bei Fehlen von molekularem Sauerstoff keine Hydroxylierung[4-8]. Katalase hemmt die Hydroxylierung nicht[6,9]. Wenn somit freies Hydroperoxyd für Hydroxylierungen offenbar keine Rolle spielt, so ist doch die Bildung eines peroxydischen Zwischenproduktes als „aktivierte Form" des molekularen Sauerstoffs denkbar. Diese Auffassung kann durch Befunde gestützt werden, nach welchen bei Inkubation von Rattenlebermikrosomen mit TPNH in einer Sauerstoffatmosphäre aus bicyclischen Aromaten neben Phenolen auch 1,2-Dihydro-1,2-dihydroxy-Verbindungen entstehen[8,10].

Es werden also in diesem Fall durch das sonst hydroxylierende Enzym zwei Hydroxylgruppen in vicinaler Stellung angelagert und nicht, wie bei einkernigen Aromaten, substituiert. Dies läßt den Schluß zu, daß die Nachbarstellung beider Sauerstoffatome auch schon im „hydroxylierenden Agens" präformiert ist. Mit diesen Vorstellungen steht in Einklang, daß die Dihydromonohydroxy-Verbindungen keine Vorstufen für die Dihydrodihydroxy-Verbindungen sind[8], die sich in den Inkubationsansätzen auch nicht nachweisen lassen[8,10]. Zugesetztes freies Hydroperoxyd wird nicht an die Doppelbindung addiert[8]. Die Dihydro-dihydroxy-Verbindungen können enzymatisch nicht zu den entsprechenden o-Diphenolen dehydriert werden[8].

Monocyclische Aromaten werden durch das gleiche Enzym in vitro ausschließlich in Phenole überführt. Beim Übergang zu den bicyclischen Aromaten nimmt die Aromatisierungstendenz ab und damit der olefinische Charakter des einen Ringes zu, d.h. es wächst die Neigung zu Additionsreaktionen, in diesem Falle zur Bildung von Dihydro-dihydroxy-Verbindungen. Auch Chinolin wird entweder in die 3-Hydroxyverbindung oder in eine Dihydro-dihydroxy-Verbindung überführt. Die Bildung der 1,2-Dihydro-1,2-dihydroxy-Verbindungen stellt offenbar nur einen Sonderfall für bicyclische Aromaten dar, der jedoch auf einen Zusammenhang zwischen Substratkonstitution und Hydroxylierungsmechanismus hinweist. Auch bei diesen Hydroxylierungs- und Dihydroxylierungsreaktionen wurde experimentell sichergestellt, daß der Sauerstoff des Wassers nicht als Hydroxylsauerstoff verwendet wird (Versuche mit $H_2^{18}O$)[8]. Es liegt also ein grundsätzlich anderer Mechanismus vor als bei der bereits eingangs erwähnten

---

[1] GILETTE, J. R., B. B. BRODIE and B. N. LaDu: J. Pharmacol. exp. Therap. 119, 532 (1957).
[2] BRODIE, B. B., J. AXELROD, J. COOPER, L. GAUDETTE, B. N. LaDu, C. MITOMA and S. UDENFRIEND: Science, N.Y. 121, 603 (1955).
[3] GRANT, J. K., and A. C. BROWNIE: Biochim. biophys. Acta 18, 433 (1955).
[4] TOMKINS, G. M., J. E. CURRAN and P. J. MICHAEL: Biochim. biophys. Acta 28, 449 (1958).
[5] MITOMA, C., H. S. POSNER, H. C. REITZ and S. UDENFRIEND: Arch. Biochem. 61, 431 (1956).
[6] LYNN, W. S., and R. BROWN: Biochim. biophys. Acta 21, 403 (1956).
[7] BLOOM, M. S., and G. M. SHULL: Am. Soc. 77, 5767 (1955).
[8] POSNER, H. S., C. H. MITOMA, S. ROTHBERG and S. UDENFRIEND: Arch. Biochem. 94, 280 (1961).
[9] COOPER, J. R.: Ann. N.Y. Acad. Sci. 92, 208 (1961).
[10] BOOTH, J., and E. BOYLAND: Biochem. J. 66, 73 (1957).

Hydroxylierung von Chinolin zu Carbostyril, die durch eine aus Mikrosomen angereicherte typische Dehydrogenase katalysiert wird und bei der zuerst Wasser an die C=N-Doppelbindung angelagert wird. Nach Umlagerung der N-Hydroxy- in die C-Hydroxyverbindung wird die letztere durch die Dehydrogenase zum α-Pyridon dehydriert, das mit Carbostyril tautomer ist[1].

(Mb = Methylenblau)

Bei den Steroiden besteht auch die Möglichkeit, daß ein einzelnes aktiviertes O-Atom, das also ein Elektronensextett besitzt, besonders an olefinischen Doppelbindungen angreift, wobei zunächst ein Epoxyd entsteht, das enzymatisch je nach der sterischen Orientierung des Epoxydringes zu verschiedenen Diolen hydrolysiert werden kann. Die intermediäre Bildung eines solchen Epoxyds konnte für die Inkubation von $\Delta^{1,3,5,16}$-Oestratetraen-3-ol mit Rattenleberschnitten wahrscheinlich gemacht werden[2]. Auch dieser neuartige Befund, den man ebenfalls als Sonderfall ansehen darf, spricht für die enge Beziehung zwischen Hydroxylierungsmechanismus und Substratkonstitution.

2. Ionische Substitutionsmechanismen.

Auf Grund der beobachteten Substitutionslenkung bei der Hydroxylierung von Aromaten mit dem Fe^{++}-Ascorbinsäuresystem und dem Peroxydase-Dihydroxyfumaratsystem wurde diese Reaktion als elektrophile Substitution diskutiert, da bei den eingesetzten Aromaten die Stellungen höchster Elektronendichte bevorzugt hydroxyliert werden. Als die wahrscheinlichste Form des „aktiven Sauerstoffs" wurde ein OH^+-Ion angesehen[3-7]. Diese Auffassung hat nur noch historische Bedeutung, da sich eine Reihe von schwerwiegenden Einwänden vorbringen lassen, die wegen der ursprünglich großen Bedeutung dieser Hypothese ausführlich behandelt werden sollen:

Die Bildung eines Hydroxylkations ist nur unter erheblichem Energieaufwand möglich (z.B. durch Bestrahlung von Wasser mit ionisierenden Strahlen[8] oder durch Zersetzung sehr energiereicher Peroxyde[9]). Es muß ferner in Betracht gezogen werden, daß die Substitution an einem durch Substituenten 2. Ordnung erheblich desaktivierten Ring mit einem OH^+ nur unter energischen Bedingungen bei Ausschluß von Wasser möglich ist[10].

Es sind tatsächlich am Mesitylen Hydroxylierungen durchgeführt worden, die zur Annahme eines OH^+-Kations zwingen. Dies gelang jedoch nur unter sehr unphysiologischen Bedingungen mit Mischungen aus H_2O_2, Eisessig und Schwefelsäure[11].

Gegen einen ionischen Mechanismus sprechen ferner die gefundenen Isomerenrelationen, die von den klassischen Werten zum Teil erheblich abweichen. Sie stehen mit der Theorie einer radikalischen Substitution (z.B. mit $OH^·$) weitaus besser im Einklang[10,12,13].

---
[1] Knox, E.: J. biol. Ch. **163**, 699 (1946).
[2] Breuer, H., and R. Knuppen: Biochim. biophys. Acta **49**, 620 (1961).
[3] Brodie, B. B., J. Axelrod, P. A. Shore and S. Udenfriend: J. biol. Ch. **208**, 741 (1954).
[4] Udenfriend, S., C. T. Clark, J. Axelrod and B. B. Brodie: J. biol. Ch. **208**, 731 (1954).
[5] Dalgliesh, S.: Arch. Biochem. **58**, 214 (1955).
[6] Mason, H. S.: Adv. Enzymol. **19**, 137 (1957).
[7] Mason, H. S.: Proc. int. Symp. Enzyme Chem. Tokyo 1957, 220 (1958).
[8] Johnson, G. R. A., G. Scholes and J. Weiss: Science, N.Y. **114**, 412 (1951).
[9] Leffler, J. E.: Chem. Rev. **45**, 385 (1949).
[10] Acheson, R. M., and C. M. Hazelwood: Biochim. biophys. Acta **42**, 49 (1960).
[11] Derbyshire, P. H., and W. A. Waters: Nature **165**, 401 (1950).
[12] Wheland, G.: Am. Soc. **64**, 900 (1942).
[13] Longuet-Higgins, C.: Proc. chem. Soc. **1957**, 157.

Beim Cumarin findet man sogar die umgekehrten Verhältnisse, wie sie nach der klassischen Theorie zu erwarten wären[1].

Beim Eisen(II)-Ascorbatsystem (s. S. 926) ist für den Angriff des „aktiven Sauerstoffs" ein weiterer Mechanismus diskutiert worden, der im Prinzip eine elektrophile Substitution darstellt. Als Primärreaktion wird der Angriff der Ascorbinsäure auf den Modellenzym-O_2-Komplex angenommen[2,3]:

$$E \cdot O_2 + DH_2 \rightarrow E \cdot O + D + H_2O$$

(DH_2 = Ascorbinsäure). E steht für das Enzymmodell: $Fe^{++} + EDTA$.

Als Intermediärprodukt EO wird ein komplexes Ferrylion angesehen, das in einem Zweielektronenschritt gebildet wird:

$$EDTA \cdot Fe^{++} \cdot O_2 + 2e \rightarrow EDTA \cdot Fe^{++}O + O^{--}$$

Der Angriff auf das Substrat ließe sich dann folgendermaßen formulieren:

$$EDTA \cdot Fe^{++}O + AH \rightarrow EDTA \cdot Fe^{++} + AOH$$

Es wird auch die Auffassung vertreten, daß das hydroxylierende Agens direkt aus Ascorbinsäure und H_2O_2 gebildet wird[4,5].

Ein weiterer nucleophiler Substitutionsmechanismus, bei dem ein Hydridion gegen ein Hydroxylanion ausgetauscht wird, wird für die Tryptophanhydroxylase diskutiert[6].

Um die Retention der Konfiguration bei der Steroid-11β-hydroxylierung zu erklären, werden von TOMKINS[7] verschiedene ionische Mechanismen in Erwägung gezogen, für die es jedoch keine experimentellen Hinweise gibt:

(E = Enzym)

Schema 1 ist wegen der auf S. 929 genannten Argumente gegen die Bildung eines OH^+-Kations unter physiologischen Bedingungen unwahrscheinlich.

Daß der Substitutionsmechanismus bei der Steroidhydroxylierung ionisch formuliert werden kann, ist an Hand von Untersuchungen an einer Reihe von verschiedenen chemischen Modellen zu zeigen, an denen man die enge Verknüpfung zwischen Retention der Konfiguration und ionischem Substitutionsmechanismus nachweisen kann[8-11]. Bei einer radikalischen Substitution ist die Retention der Konfiguration ebenfalls vorstellbar.

---

[1] BUHLER, D. R., and H. S. MASON: Arch. Biochem. **92**, 424 (1961).
[2] MASON, H. S.: Proc. int. Symp. Enzyme Chem. Tokyo 1957, 220 (1958).
[3] MASON, H. S., and J. ONOPRYENKO: Fed. Proc. **15**, 310 (1956).
[4] UDENFRIEND, S., C. T. CLARK, J. AXELROD and B. B. BRODIE: J. biol. Ch. **208**, 731 (1954).
[5] UDENFRIEND, S., C. T. CLARK, J. AXELROD and B. B. BRODIE: Fed. Proc. **11**, 301 (1952).
[6] COOPER, J. R.: Ann. N.Y. Acad. Sci. **92**, 208 (1961).
[7] TOMKINS, G. M.: 4. Int. Congr. Biochem. Wien **13**, 153 (1959).
[8] BERGSTRÖM, S., S. LINDSTREDT and B. SAMUELSON: Am. Soc. **80**, 2337 (1958).
[9] WINSTEIN, S., T. G. TRAYLOR and C. S. GARNER: Am. Soc. **77**, 3741 (1955).
[10] WINSTEIN, S., and T. G. TRAYLOR: Am. Soc. **77**, 3747 (1955).
[11] COREY, E. J.: Am. Soc. **78**, 5036 (1956).

3. Radikalische Substitution.

Für den Mechanismus der Aromatenhydroxylierung in Modellsystemen gibt es einige eindeutige Befunde, die darauf hinweisen, daß es sich bei dieser Reaktion um eine „radikalische Substitution" handelt.

Besonders gut ist diese Frage für das Modellsystem „FENTONs Reagens" und für das Fe^{++}-Ascorbinsäuresystem (UDENFRIEND-System) untersucht worden (vgl. S. 926). Läßt man FENTONs *Reagens* in Gegenwart von Sauerstoff auf Benzol einwirken, so entsteht ausschließlich Phenol, während bei Abwesenheit von Sauerstoff auch Diphenyl nachgewiesen werden kann. Dies kann nur so gedeutet werden, daß das Benzol zunächst unter Bildung eines Phenylradikals reagiert. Das Phenylradikal vereinigt sich in Gegenwart von molekularem Sauerstoff schneller mit diesem zu einem Peroxyd, das schließlich zum Phenol reduziert wird, als mit sich selbst[1]:

Man muß also das HABER-WEISS-Schema als gültig betrachten und das Hydroxylradikal unter den normalen Reaktionsbedingungen als das hydroxylierende Agens ansehen. Hierfür spricht weiterhin, daß die gefundenen o-p-m-Relationen der Hydroxylierungsprodukte mit der Theorie der radikalischen Substitutionen im Einklang stehen[2-4]. Man kann auch mit dem Reaktionsgemisch Polymerisationen starten[5]. Das Verhältnis H_2O_2 zu Fe^{++} beeinflußt den Reaktionsverlauf erheblich, denn es konnte gezeigt werden, daß bei kleinen Werten dieses Verhältnisses die Bildung des Hydroxylradikals dominiert, während bei hohen Werten das Perhydroxylradikal den Vorrang hat. Zur ausführlichen Begründung dieser Behauptung sei auf[6] verwiesen.

Schließlich bleibt noch die Frage zu klären, ob nicht auch im Falle des UDENFRIEND-Systems nach dem HABER-WEISS-Schema ein Hydroxylradikal gebildet wird, das die Ascorbinsäure unter Bildung eines noch unbekannten Radikals angreift[1,7,8]:

$$DH_2 + OH^\cdot \to DH^\cdot + H_2O$$

Für diese Auffassung spricht der Befund, daß das aus Ascorbinsäure in diesem System entstehende Intermediärprodukt aus Ameisensäure CO_2 abspaltet. Dies kann man auch mit bestrahltem Wasser, welches Hydroxylradikale bildet[9], erreichen[10]. Auch mit diesem System lassen sich radikalische Polymerisationsreaktionen starten[11]. Das Radikal soll die Struktur eines Fe^{++}-Monodehydroascorbats, also eines Anionradikals haben. Diesem ist eine besonders große Stabilität zuzuschreiben, da das Fe^{++}-Monodehydroascorbatanionradikal (I) ein mesomeriefähiges System ist, in dem das Fe^{+++}-Ascorbat (II) als wichtigste

---

[1] MASON, H. S.: Adv. Enzymol. **19**, 140 (1957).
[2] LONGUET-HIGGINS, C.: Proc. chem. Soc. **1957**, 157.
[3] LOEBL, H., G. STEIN and D. WEISS: Soc. **1949**, 2074.
[4] WHELAND, G.: Am. Soc. **64**, 900 (1942).
[5] BAXENDALE, J. H., C. EVANS and G. PARK: Trans. Faraday Soc. **42**, 155 (1946).
[6] BAXENDALE, J. H., and P. GEORGE: 1. Int. Congr. Biochem. Cambridge, S. 359 (1949).
[7] BRESLOW, R., and L. N. LUKENS: J. biol. Ch. **235**, 292 (1960).
[8] MASON, H. S., and J. ONOPRYENKO: Fed. Proc. **15**, 310 (1956).
[9] JOHNSON, G. R. A., G. SCHOLES and J. WEISS: Science, N.Y. **114**, 412 (1951).
[10] KREUGER, R.: Fed. Proc. **15**, 294 (1956).
[11] ACHESON, R. M., and C. M. HAZELWOOD: Biochim. biophys. Acta **42**, 49 (1960).

Grenzstruktur anzusehen ist. Die Mesomeriemöglichkeit bedeutet einen Gewinn an Stabilität, da der tatsächlich eingenommene Zwischenzustand (Resonanzhybrid) den Energieinhalt des Systems um den Betrag der Mesomerieenergie vermindert.

Das Fe^{++}-Monodehydroascorbat-radikalanion kann aus Fe^{++}-Ascorbat durch Angriff eines Hydroxylradikals entstehen und als Resonanzhybrid aus Fe^{+++}-Ascorbat und dem entsprechenden Fe^{++}-Anionradikal stabilisiert werden[1].

$$\left[HO-CH_2-\underset{\underset{H}{|}}{\overset{\overset{H}{|}}{C}}-\underset{\underset{H}{|}}{\overset{\overset{H}{|}}{C}}-\underset{\underset{O}{|}}{\overset{\overset{-O}{|}}{C}}=\underset{}{\overset{\overset{\dot{O}}{|}}{C}}-C=O\right]_2 Fe^{++} \quad \left[HO-CH_2-\underset{\underset{O}{|}}{\overset{\overset{H}{|}}{C}}-\underset{}{\overset{\overset{H}{|}}{C}}=\underset{}{\overset{\overset{-O}{|}}{C}}-\underset{}{\overset{\overset{O^-}{|}}{C}}-C=O\right]_3 Fe_2^{+++}$$

I II

Mit Hilfe der paramagnetischen Resonanzabsorption wurde nachgewiesen, daß bei der Einwirkung von Peroxydase auf Dihydroxyfumarat, Hydrochinon und Ascorbinsäure Radikale entstehen[2,3]. Das Radikal soll bei der Dihydroxyfumarsäure folgende Struktur haben:

$$\underset{HOOC\ \ OH}{\overset{\dot{O}\ \ COO^-}{\underset{|}{C}=\underset{|}{C}}}$$

Für die Beteiligung eines Radikals an der Hydroxylierung wird folgendes Schema vorgeschlagen[4]:

$$\begin{array}{c} DH^\cdot \searrow \ \ \nearrow O_2 \\ D \ \ \ \ \ \ HO_2^\cdot \ \ \ DH_2 \\ \nearrow \ \ \ \ \ \ \ \ \ \searrow \\ H_2O_2 \ \ \ \ \ \ \ \ \ DH^\cdot \ \ O_2 \\ \downarrow \\ \text{Fortsetzung der Kette} \end{array}$$

Der Sauerstoff wird also am Peroxydasemolekül als Perhydroxylradikal (OOH·) aktiviert. Schon HABER und WILLSTÄTTER hatten bei der Katalase diese Form des aktiven Sauerstoffs in Betracht gezogen[5].

IV. Zusammenfassendes Reaktionsschema.

Auf Grund des vorliegenden experimentellen Materials kann man eine allgemeingültige Anschauung über den Mechanismus der enzymatischen Hydroxylierungen ableiten, und zwar an Hand der beiden experimentellen Grundbefunde, daß molekularer Sauerstoff und ein Wasserstoffdonator als essentielle Cosubstrate an der Hydroxylierung beteiligt sind. Die Utilisierung des molekularen Sauerstoffs kann grundsätzlich auf zwei Wegen erfolgen. Einmal kann in der Primärreaktion ein $E \cdot O_2$-Komplex gebildet werden, der nachfolgend vom Wasserstoffdonator angegriffen wird (Schema I), zum anderen kann die Reaktion des Wasserstoffdonators mit dem Enzym als Primärreaktion angesehen werden (Schema II), wobei der molekulare Sauerstoff in die zweite Phase der Reaktion eingreift:

I. $E + O_2 \rightarrow E \cdot O_2$
    $E \cdot O_2 + DH_2 \rightarrow \text{„EO"} + H_2O + D$

II. $E + DH_2 \rightarrow EH_2 + D$
    $EH_2 + O_2 \rightarrow \text{„EO"} + H_2O$

„EO" steht hier als Symbol für die aktivierte Form des Sauerstoffs, auf deren Bildung und Reaktionsweise im folgenden noch eingegangen wird. Schema I besitzt die größere

---

[1] BRESLOW, R., and L. N. LUKENS: J. biol. Ch. **235**, 292 (1960).
[2] YAMAZAKI, I., H. S. MASON and L. PIETTE: Biochem. biophys. Res. Comm. **1**, 336 (1959).
[3] YAMAZAKI, I., H. S. MASON, and L. PIETTE: J. biol. Ch. **235**, 2444 (1960).
[4] YAMAZAKI, I.: Proc. int. Symp. Enzyme Chem. Tokyo 1957, 224 (1958).
[5] HABER, F., u. R. WILLSTÄTTER: B. **64**, 2844 (1931).

Wahrscheinlichkeit, wenn man berücksichtigt, daß bei einer Reihe von Hydroxylaseaktivitäten typische Schwermetallhemmungen beobachtet wurden:

Eine 17α-Steroid-Hydroxylase aus Rattentestes wird durch Zusatz von Fe^{++}-Ionen von 15 auf 25% Ausbeute aktiviert. Der Effekt kann mit α,α'-Dipyridyl quantitativ rückgängig gemacht werden[1]. Eine mikrosomale C-21-Steroid-Hydroxylase wird durch 10% CO in einer Sauerstoffatmosphäre zu 35% gehemmt[2]. Dieser Befund kann zwanglos als Schwermetallhemmung gedeutet werden.

Starke Hemmung durch CO findet man auch bei der Phenolase[3]. Das Enzym wird ebenfalls durch Chelatbildner gehemmt (s. S. 925). Eine mikrosomale Acetanilidhydroxylase wird durch α,α'-Dipyridyl[4,5], 8-Hydroxychinolin[5] und o-Phenanthrolin[5] sowie Diäthyldithiocarbamat[5] gehemmt. Es liegen jedoch auch Befunde vor, nach denen α,α'-Dipyridyl und o-Phenanthrolin gegenüber bestimmten Hydroxylasen indifferent sind (vgl. Tabelle 5).

Die Annahme einer Primärreaktion im Sinne von Schema I darf also als wahrscheinlicher angesehen werden. Daß als Sekundärreaktion nur die Reaktion mit dem Wasserstoffdonator und nicht die noch verbleibende Möglichkeit eines Angriffs des Substrats auf den $E \cdot O_2$-Komplex in Frage kommt, zeigt ein Befund von GILETTE, nach welchem bei Fehlen von Substrat durch die mikrosomalen Enzyme aus TPNH und O_2 H_2O_2 gebildet wird[6].

Von entscheidender Bedeutung für den Mechanismus der Hydroxylierung sind die aus der Sekundärreaktion ($E \cdot O_2 + DH_2$) hervorgehenden intermediären Folgeprodukte. Die einfachste Annahme, die bei konsequenter Anwendung des OSTWALDschen Stufengesetzes auf die Reaktionsweise des H-Donators gemacht werden muß, ist der Einelektronenübergang, der als der kleinste energetische Schritt zwischen den möglichen Intermediärprodukten anzusehen ist und daher beim Aufbau des Reaktionsschemas zugrunde gelegt werden muß. Die Anwendung des OSTWALDschen Stufengesetzes verlangt natürlich auch, daß die Lösung der Doppelbindung im Sauerstoffmolekül schrittweise erfolgt. Diesen Forderungen wird am besten die Annahme gerecht, daß das aus der Reaktion des Wasserstoffdonators mit dem $E \cdot O_2$-Komplex entstehende Produkt „peroxydische" Struktur besitzt. Die Kombination mit dem postulierten Einelektronenschritt beim Angriff des Wasserstoffdonators führt zu einem Perhydroxylradikal (OOH·). Dieses wurde auch schon von BUHLER und MASON[7] und von YAMAZAKI[8] in Betracht gezogen.

$$E \cdot O_2 + DH_2 \rightarrow E \cdot OOH\cdot + DH\cdot$$

Es besteht nun die Möglichkeit, daß das Perhydroxylradikal noch im Verband mit dem Enzym, in dem es stabilisiert werden kann, entweder von einem Substratmolekül (Gleichung a) oder von einem zweiten Elektron des Wasserstoffdonators angegriffen wird (Gleichung b).

a) $E \cdot OOH\cdot + AH \rightarrow AOH + OH\cdot + E$
b) $E \cdot OOH\cdot + e \rightarrow E \cdot OOH^-$

Mit dem Schritt b wird ein ionischer Mechanismus eingeleitet. Es gibt keine Anhaltspunkte dafür, daß eine der Alternativen allein gültig ist, vielmehr lassen sich einige Argumente dafür anführen, daß beide Wege möglich sind, wenn man die Mesomeriemöglichkeiten am Wasserstoffdonator- und Substratmolekül entsprechend ihrer entscheidenden Bedeutung für alle chemischen Reaktionen der betreffenden Molekel berücksichtigt.

Reagiert der Wasserstoffdonator aus der Grenzstruktur des Hydridions heraus, wie dies am System $DPNH + H^+$ bereits nachgewiesen wurde[9,10], so wird der sofortige Übergang

---

[1] LYNN, W. S., and R. BROWN: Biochim. biophys. Acta 21, 403 (1956).
[2] RYAN, K. J., and L. L. ENGEL: J. biol. Ch. 225, 103 (1957).
[3] MASON, H. S., W. L. FOWLKS and E. W. PETERSON: Am. Soc. 77, 2914 (1955).
[4] MITOMA, C., H. S. POSNER, H. G. REITZ and S. UDENFRIEND: Arch. Biochem. 61, 431 (1956).
[5] KRISCH, K., u. HJ. STAUDINGER: in Vorbereitung.
[6] GILETTE, J. R., B. B. BRODIE and B. N. LaDu: J. Pharmacol. exp. Therap. 119, 532 (1957).
[7] BUHLER, D. R., and H. S. MASON: Arch. Biochem. 92, 424 (1961).
[8] YAMAZAKI, I.: Proc. int. Symp. Enzyme Chem. Tokyo 1957, 224 (1958).
[9] WALLENFELS, K., u. M. GELLRICH: B. 92, 1406 (1959).
[10] ABELES, R., R. HUTTON and F. H. WESTHEIMER: Am. Soc. 79, 712 (1957).

des zweiten Elektrons begünstigt. In diesem Falle wird also ein Perhydroxylanion (OOH⁻) gebildet. Die Hydroxylierung erhält damit ionischen Charakter. Ist der Angriff des Wasserstoffdonators jedoch radikalisch, d.h. besteht die Möglichkeit zur Ausbildung einer resonanzstabilisierten radikalischen Form des Donatorrestes (z.B. bei der Reaktion Ascorbinsäure→Monodehydroascorbinsäure + H), so folgt dem ersten Einelektronenschritt die Stabilisierung des Perhydroxylradikals durch Reaktion mit dem Substratmolekül. Die Hydroxylierung erhält damit radikalischen Charakter, zumal Radikale in Form von Radikalkettenreaktionen rasch weiterreagieren. Der Substitutionsmechanismus bei der Hydroxylierung kann also durch die Struktur des Wasserstoffdonatormoleküls erheblich beeinflußt werden. Beide der aufgezeigten Reaktionsmöglichkeiten sind denkbar.

Von entscheidender Bedeutung für die Bestimmung der beiden vorgezeichneten Reaktionswege ist weiterhin die Struktur des zu hydroxylierenden Substrats. Zum radikalischen Typ der Hydroxylierung werden besonders solche Verbindungen geeignet sein, die ein radikalisches Elektron durch Ausbildung entsprechender Resonanzstrukturen stabilisieren können, also vor allem die Aromaten. Für die Hydroxylierung der Oestrogene ist bereits ein radikalischer Mechanismus diskutiert worden, der die Hydroxylierung in o-, p- und in der Benzylstellung eines „3-Phenoxylradikals" sehr gut erklärt[1]. Im übrigen sei auf die bereits auf den S. 928 und 929 behandelten Beziehungen zwischen Substratkonstitution und Hydroxylierungsmechanismus verwiesen. Bei den normalen Schritten des Stoffwechsels von rein alicyclischen Steroiden wird eine strenge sterische Orientierung der eintretenden Hydroxylgruppe beobachtet. In diesen Fällen sollte man aus den auf S. 930 genannten Gründen einen ionischen Mechanismus annehmen und das Perhydroxylanion als das eigentliche substituierende Reagens betrachten. Auf Grund der gefundenen o-, m-, p-Relationen ist nicht nur ein radikalischer, sondern auch in vielen, wenn auch nicht in allen Fällen ein elektrophiler Mechanismus der Substitution durch den am Enzym aktivierten Sauerstoff denkbar. Eine genaue Formulierung dafür ist zur Zeit noch nicht möglich.

Es darf also angenommen werden, daß eine vorhandene Hydroxylaseaktivität unter dem Einfluß der chemischen Konstitution von Substrat und Wasserstoffdonator in den einen oder anderen dieser drei Substitutionstypen gelenkt wird. Die Überlegungen lassen sich zu dem folgenden Schema zusammenfassen, aus dem sich auch die Stöchiometrie der Reaktion ergibt.

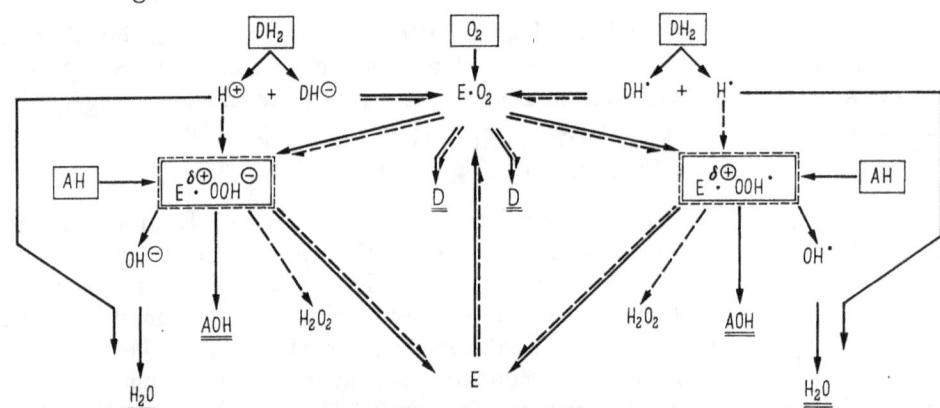

Abb. 1. Mögliche Reaktionswege des aktivierten Sauerstoffs bei der enzymatischen Hydroxylierung.
⟶ Reaktionsweg in Gegenwart von Substrat; --→ Reaktionsweg in Abwesenheit von Substrat; AH = Substrat; DH_2 = Wasserstoffdonator; E = Enzym.

Aus diesem Schema leiten sich folgende stöchiometrische Gleichungen ab:
In Anwesenheit des zu hydroxylierenden Substrats in Analogie zu MASON[2]

1) $DH_2 + O_2 + AH \rightarrow D + AOH + H_2O$

---

[1] HECKER, E., u. S. M. A. D. ZAYED: H. **325**, 209 (1961).
[2] MASON, H. S.: Adv. Enzymol. **19**, 128 (1957).

In Abwesenheit von Substrat (Befund von Gilette[1])

2) $\quad DH_2 + O_2 \rightarrow D + H_2O_2$

Die Stöchiometrie von Gleichung 1 konnte experimentell bestätigt werden[2].

D. Die Steroidhydroxylasen.
I. Steroidhydroxylasen bei Warmblütern.

Zu Beginn unserer Beschreibung der bisher beobachteten enzymatischen Steroidhydroxylierungen beim Warmblüter sei auf die besonders gut untersuchte Biosynthese der Corticosteroide und der Sexualhormone eingegangen, um an diesem Beispiel die große Bedeutung der Hydroxylierungsreaktion im Stoffwechsel der Steroide zu demonstrieren (vgl. Abb. 2).

Ausgangsprodukt für die Biosynthese der Steroidhormone ist das Cholesterin[3-7]; daneben wird allerdings auch die Bildung von Progesteron aus Essigsäure über bisher unbekannte Zwischenprodukte diskutiert[8,9].

Vom Cholesterin ausgehend werden zunächst zwei Hydroxylgruppen in die Positionen 20[10] und 22[11,12] eingeführt. Nach der Dehydrierung der Hydroxylfunktion an C-22 zur Ketogruppe wird dann die Seitenkette zwischen C-20 und C-22[13,14] abgespalten, und es entstehen Δ^5-Pregnenolon und i-Capronaldehyd[15-17]. Ersteres wird unter Beteiligung einer $DPN^\oplus$-abhängigen 3β-Hydroxysteroid-dehydrogenase und einer Δ^5-3-Ketosteroidisomerase in Progesteron übergeführt. Aus diesem wird nun entweder durch Hydroxylierung an C-17α und C-21 11-Desoxycortisol oder nach alleiniger Hydroxylierung an C-21 Cortexon gebildet. Durch nachfolgende 11β-Hydroxylierung entsteht Cortisol bzw. Corticosteron. (Zusammenfassende Übersichten vgl. [5,6,18-22] u.a.)

Durch Abspaltung der Seitenkette an C-17, die nur dann möglich ist, wenn in 17α-Stellung eine Hydroxylgruppe steht, gelangt man zur Gruppe der C-19-Steroide, z.B. 17-Ketosteroide, Testosteron.

Die Einführung einer Hydroxylgruppe an C-18 und deren nachfolgende Dehydrierung zur Aldehydgruppe führt zur Bildung von Aldosteron[23-25].

[1] Gilette, J. R., B. B. Brodie and B. N. LaDu: J. Pharmacol. exp. Therap. 119, 532 (1957).
[2] Kaufman, S.: Biochim. biophys. Acta 23, 445 (1957).
[3] Zaffaroni, A., O. Hechter and G. Pincus: Am. Soc. 73, 1390 (1951).
[4] Macchi, I. A., and O. Hechter: Arch. Biochem. 53, 305 (1954).
[5] Staudinger, Hj.: Mosbacher Coll. 5, 192 (1954).
[6] Pincus, G.: Ann. N.Y. Acad. Sci. 61, 283 (1955).
[7] Reich, E., and A. L. Lehninger: Biochim. biophys. Acta 17, 136 (1955).
[8] Stone, D., and O. Hechter: Arch. Biochem. 51, 457 (1954).
[9] Heard, R. D. H., E. G. Bligh, M. C. Cann, P. H. Jellinck, V. J. O'Donnell, B. G. Rao and J. L. Webb: Recent Progr. Hormone Res. 12, 45 (1956).
[10] Solomon, S., P. Levitan and S. Lieberman: Proc. canad. physiol. Soc. 20, 54 (1956).
[11] Halkerstone, I. D. K., and O. Hechter: Fed. Proc. 20, 177 (1961).
[12] Dorfman, R. I.: Cancer Res. 17, 535 (1957).
[13] Lynn jr., W. S., E. Staple and S. Gurin: Am. Soc. 76, 4048 (1954).
[14] Staple, E., W. S. Lynn jr. and S. Gurin: J. biol. Ch. 219, 845 (1956).
[15] Shimizu, K., R. I. Dorfman and M. Gut: J. biol. Ch. 235, PC 25 (1961).
[16] Constantopoulos, G., and T. T. Tchen: J. biol. Ch. 236, 65 (1961).
[17] Constantopoulos, G., and T. T. Tchen: Biochem. biophys. Res. Comm. 4, 460 (1961).
[18] Staudinger, Hj., u. G. Stoeck; in: Flaschenträger-Lehnartz Bd. II/1b, S. 869.
[19] Grant, J. K.: Ann. Rep. Chem. Soc. 52, 316 (1956).
[20] Pincus, G.: 4. Int. Congr. Biochem. Wien 1958. Symposion on Steroids S. 61.
[21] Engel, L. L., and L. J. Langer: Ann. Rev. 30, 499 (1961).
[22] Hayano, M., N. Saba, R. I. Dorfman and O. Hechter: Recent Progr. Hormone Res. 12, 79 (1956).
[23] Kahnt, F. W., R. Neher u. A. Wettstein: Helv. 38, 1237 (1955).
[24] Giroud, C. J. P., J. Stachenko and P. Piletta: International Symposium on Aldosterone. S. 232, London 1954.
[25] Ayres, P. J., J. Eichhorn, O. Hechter, N. Saba, J. F. Tait and S. A. S. Tait: Acta endocrinol., København 33, 27 (1960).

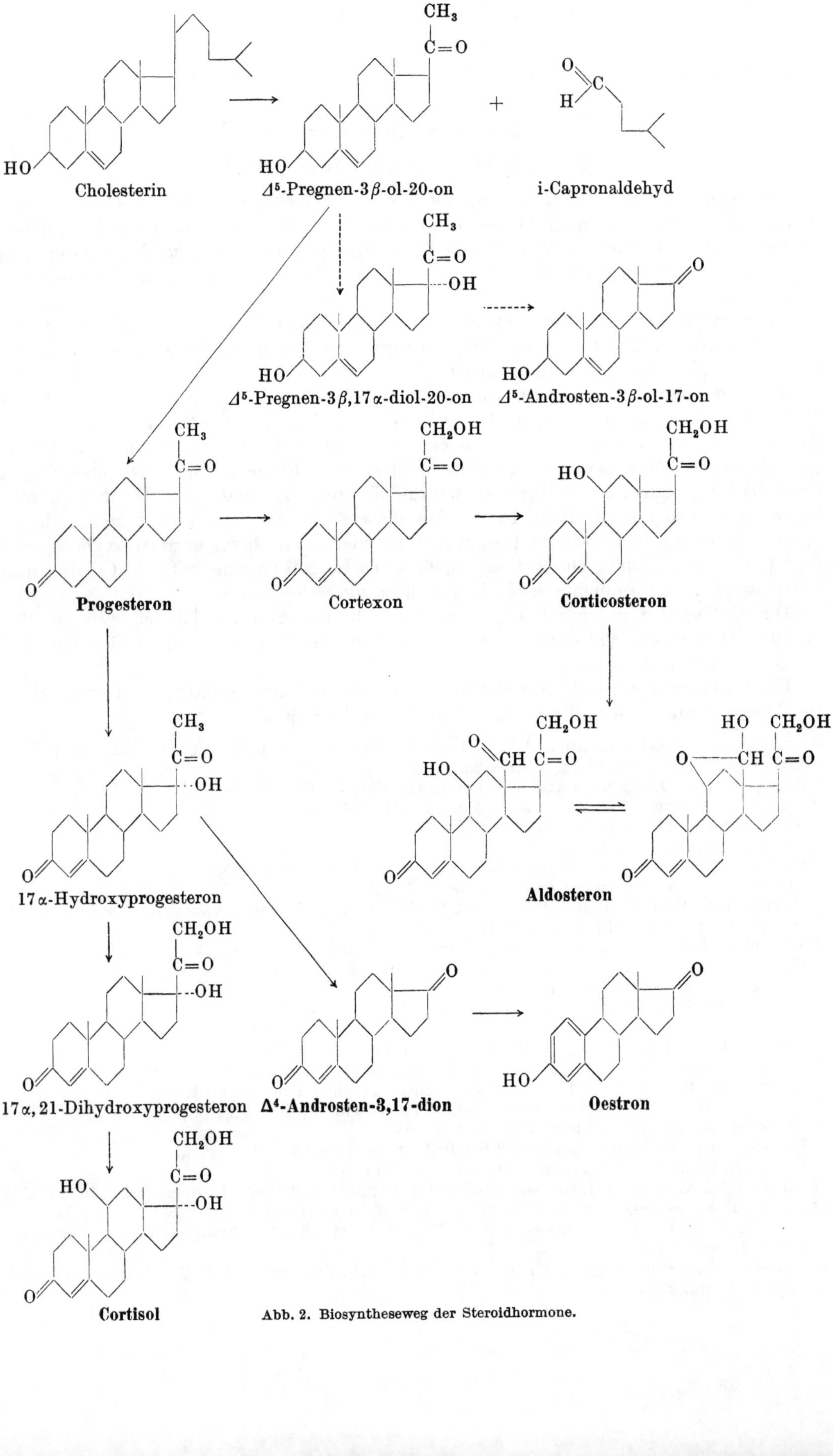

Abb. 2. Biosyntheseweg der Steroidhormone.

Die Hydroxylierung an C-19 ist der erste Schritt auf dem Weg zur Aromatisierung vom Ring A des Steroidgerüstes und damit zur Bildung der Oestrogene[1,2].

Alle Untersuchungen, die das Studium der an der Steroidhydroxylierung beteiligten Cofaktoren betrafen, mündeten folgerichtig in der Erkenntnis, daß ein reduziertes Pyridinnucleotid — zumeist $TPNH + H^{\oplus}$ [3] — als Wasserstoffdonator und molekularer Sauerstoff an der Reaktion beteiligt sind (vgl. Abschnitt C dieses Artikels).

Allgemeines Schema:

$$\mathrm{H\cdots\overset{H}{\underset{}{\diagup}}\diagdown + \overset{O}{\underset{O}{\|}} + [TPNH + H^{\oplus}] \xrightarrow{\text{Hydroxylase}} H\cdots\overset{OH}{\underset{}{\diagup}}\diagdown + H_2O + TPN^{\oplus}}$$

Die zunächst gebräuchlichen, die Hydroxylierungsrate steigernden Zusätze, wie Fumarat, ATP, $DPN^{\oplus}$, $TPN^{\oplus}$ und oxydierbare Substrate des KREBS-Cyclus dienten sämtlich — wenn auch auf verschiedene Weise — dazu, das für die Reaktion notwendige $TPNH + H^{\oplus}$ aus endogenen Vorprodukten zur Verfügung zu stellen. Dies geht im wesentlichen aus den Arbeiten von GRANT[4-7] über die 11β-Hydroxylase hervor, darf aber nach allem, was wir bisher wissen, auch für die anderen Steroidhydroxylasen als gültig angesehen werden. Das den Inkubationsansätzen vielfach zugesetzte Nicotinamid schützt das Pyridinnucleotid vor enzymatischem Abbau.

Alle bisher bekannten Steroidhydroxylasen sind streng stereospezifisch[8-11] und jede einzelne ist nur zur Hydroxylierung an einem ganz bestimmten C-Atom befähigt. Im Hinblick auf das zu hydroxylierende Substrat besteht keine strenge Spezifität. Rindernebennieren-Mitochondrien z. B. als Quelle der Steroid-11β-Hydroxylase sind in der Lage, eine ganze Reihe von 11-Desoxysteroiden am C-Atom 11 in β-Stellung zu hydroxylieren. Lediglich TOMKINS[12] beobachtete im Zuge seiner Arbeiten zur Isolierung und Reinigung der 11β-Hydroxylase bei einer seiner Enzymfraktionen eine gewisse Substratspezifität.

Über das Vorkommen der Steroidhydroxylasen in den verschiedenen Tierarten und in deren endokrinen Organen sowie über die Lokalisierung der Enzyme in der Zelle gibt die Tabelle 1 Auskunft. Es fällt auf, daß die Enzyme, die in C-11β-, C-18- und C-21-Stellung zu hydroxylieren vermögen, ausschließlich in der Nebenniere gefunden wurden.

Am Beginn aller in vitro-Untersuchungen über den Stoffwechsel der Corticosteroide stehen die von HECHTER[13] und seinen Mitarbeitern im Jahre 1949 durchgeführten Experimente mit der perfundierten, überlebenden Rindernebenniere. Wurden Δ^5-Pregnenolon, Progesteron oder 17α-Hydroxyprogesteron als Substrate verwendet, konnten aus dem Perfusat neben anderen Metaboliten Corticosteron und Cortisol isoliert werden. Damit war erwiesen, daß die Nebenniere neben anderen Enzymsystemen auch solche besitzt, die in der Lage sind, Hydroxylgruppen in die Positionen 11β, 17α und 21 einzuführen.

---

[1] MEYER, A. S.: Exper. 11, 99 (1955).
[2] MEYER, A. S.: Biochim. biophys. Acta 24, 1455 (1955).
[3] SWEAT, M. L., and M. D. LIPSCOMB: Am. Soc. 77, 5185 (1955).
[4] BROWNIE, A. C., and J. K. GRANT: Biochem. J. 57, 255 (1954).
[5] BROWNIE, A. C., and J. K. GRANT: Biochem. J. 58, XXXIX (1954).
[6] GRANT, J. K., and A. C. BROWNIE: Biochim. biophys. Acta 18, 433 (1955).
[7] BROWNIE, A. C., and J. K. GRANT: Biochem. J. 62, 29 (1956).
[8] COREY, E. J., G. A. GREGORIOU and D. H. PETERSON: Am. Soc. 80, 2338 (1958).
[9] HAYANO, M., M. GUT, R. I. DORFMAN, O. K. SEBEK and D. H. PETERSON: Am. Soc. 80, 2336 (1958).
[10] BERGSTRÖM, S., S. LINDSTREDT, B. SAMUELSON, E. J. COREY and G. A. GREGORIOU: Am. Soc. 80, 2337 (1958).
[11] LEVY, H., R. W. JEANLOZ, C. W. MARSHALL, R. P. JACOBSON, O. HECHTER, V. SCHENKER and G. PINCUS: J. biol. Ch. 203, 433 (1953).
[12] TOMKINS, G. M., P. J. MICHAEL and J. F. CURRAN: Biochim. biophys. Acta 23, 655 (1957).
[13] HECHTER, O., A. ZAFFARONI, R. P. JACOBSON, H. LEVY, R. W. JEANLOZ, V. SCHENKER and G. PINCUS: Am. Soc. 71, 3261 (1949).

Tabelle 1. *Übersicht über die beobachteten enzymatischen Steroidhydroxy-*

Lfd. Nr.	Position der OH-Gruppe	Substrat	Produkt	Tier	Organ
1	2β	Testosteron	2β-Hydroxytestosteron	Hund	Leber
2	2	Oestriol	2-Methoxyoestriol	Ratte	Leber
3	2	Oestriol	2-Methoxyoestriol	Ratte	Leber
4	2	Oestriol	2-Methoxyoestriol 2-Hydroxyoestriol	Kaninchen, Ratte	Leber
5	2	Oestriol	2-Methoxyoestriol 2-Hydroxyoestriol	Ratte	Leber
6	2	Oestriol	2-Hydroxyoestriol	Ratte	Leber
7	6	Progesteron	6-Ketoprogesteron	Mensch	Placenta
8	6β $6\beta(17\alpha 21)$,	Progesteron Progesteron	6β-Hydroxyprogesteron 6β-17α-Dihydroxy-cortexon	Rind	Nebenniere
9	6β	Progesteron	6β-Hydroxyprogesteron	Rind	Nebenniere
10	6β	Progesteron	6β-Hydroxyprogesteron	Mensch	Placenta
11	6β $6\beta(21)$	Progesteron Progesteron	6β-Hydroxyprogesteron 6β-Hydroxycortexon	Maus ♂	Testis, maligner interstitieller Zelltumor
12	6β	Progesteron	6β-Hydroxyprogesteron	Mensch	Ovar
13	6β	17α-Hydroxyprogesteron	$6\beta,17\alpha$-Dihydroxyprogesteron	Maus ♂	Testis, maligner interstitieller Zelltumor
14	6β	Cortexon	6β-Hydroxycortexon	Schwein	Nebenniere
15	6β	Cortexon	6β-Hydroxycortexon	Rind	Ovar, Corpus luteum
16	6β	Cortexon	6β-Hydroxycortexon	Ratte	Leber
17	6β	Cortexon	6β-Hydroxycortexon	Rind	Ovar, Corpus luteum
18	6β	Cortexon	6β-Hydroxycortexon	keine Angabe	Nebenniere

lierungen beim Warmblüter. (Literatur am Schluß der Tabelle, S. 978.)

Präparation	Zusätze	Bemerkungen	Literatur
Perfusion	heparinisiertes Blut	s. auch Nr. 29 und 157	1
Schnitt	Glucose	s. auch Nr. 42, 165 und 309	2
Schnitt	TPN, DPN, Methionin, Mg^{++}, ATP	Höchste Aktivität mit TPN + DPN, ATP stimuliert, Methionin ist essentiell; die Reaktion verläuft wahrscheinlich über 2-Hydroxyoestriol als Zwischenprodukt	3
Schnitt	O_2	N_2 hemmt, in Rinderleber keine Aktivität	4
Homogenat	Mg^{++}, O_2, ATP, DPN, TPN, L-Methionin, G-6-P, G-6-P-DH, Phosphatpuffer	Mit 2-Hydroxyoestriol als Substrat entsteht 2-Methoxyoestriol. Ohne Methionin findet keine Methylierung, sondern nur C-2-Hydroxylierung statt. Die Hydroxylierung geht der Methylierung voraus. — Auch Anhalt für C-2-Hydroxylierung von Oestron, 17α-Äthinyloestradiol-17β, Stilboestrol, Oestradiol-17β. Keine C-2-Hydroxylierung in Niere, Uterus, Ovar	5
Mikrosomen	TPNH bzw. G-6-P-DH-System, ATP, Tetra- bzw. Dihydrofolsäure, O_2, Phosphatpuffer	Die C-2-Hydroxylase ist in den Mikrosomen lokalisiert. TPNH ist essentiell; ATP und Tetrahydrofolsäure bzw. Dihydrofolsäure stimulieren. In Trispuffer keine Hydroxylierung. Keine Aktivität mit gewaschenen oder dialysierten Mikrosomen	5
Perfusion	Rinderblut		7
Perfusion		s. auch Nr. 220; 274	8
Perfusion			9
Hackbrei			10
Homogenat	DPN, ATP, Fumarat, Nicotinamid, 95% O_2/5% CO_2	s. auch Nr. 13, 189, 241 und 303	11
Hackbrei aus Stroma und Corpus luteum	Mg^{++}		12
Homogenat	DPN, ATP, Fumarat, Nicotinamid, 95% O_2/5% CO_2	s. auch Nr. 11, 189, 241 und 303	11
Hackbrei	Nicotinamid 95% O_2/5% CO_2	s. auch Nr. 70	14
Homogenat	ATP, DPN		15
Perfusion	Homologes heparinisiertes Blut		16
Homogenat	ATP, DPN, Fumarat, Mg^{++}		17
keine Angabe		GRANT zitiert in diesem Übersichtsreferat eigene unveröffentlichte Arbeiten. 11β- und 6β-Hydroxysteroide entstehen im Verhältnis 3:1. Die 6β-Hydroxylierung be-	18

Tabelle 1.

Lfd. Nr.	Position der OH-Gruppe	Substrat	Produkt	Tier	Organ
19	6β	Cortexon	6β-Hydroxycortexon	Rind	Nebenniere
20	6β	Cortexon	6β-Hydroxycortexon	Ratte	Nebenniere
21	6β(17α)	Cortexon	6β,17α-Dihydroxycortexon	Rind,	Nebenniere
	6β(11β)	Cortexon	6β-Hydroxycorticosteron	Schwein	
22	6β	Cortexon	6β-Hydroxycortexon	Rind	Nebenniere
23	6β	Cortexon	6β-Hydroxycortexon	Kaninchen	Leber
24	6	C-21-Steroide	C-6-hydroxylierte C-21-Steroide	Maus, embryonal	Testis-Carcinom
25	6β	17α-Hydroxycortexon	6β,17α-Dihydroxycortexon	Ratte	Leber
26	6β	Cortison	6β-Hydroxycortisol	Ratte	cirrhöse Leber
27	6β	Testosteron	6β-Hydroxytestosteron, Δ⁴-Androsten-6β-ol-3,17-dion	Hund	Leber
28	6β	Testosteron	Δ⁴-Androsten-6β-ol-3,17-dion	Ratte	Leber
29	6β	Testosteron	6β-Hydroxytestosteron, Δ⁴-Androsten-6β-ol-3,17-dion	Hund	Leber
30	6β	Δ⁴-Androsten-3,17-dion	Δ⁴-Androsten-6β-ol-3,17-dion	Ratte	Leber
31	6β	Δ⁴-Androsten-3,17-dion	Δ⁴-Androsten-6β-ol-3,17-dion	Rind	Nebenniere
32	6α	Δ⁴-Androsten-3,17-dion	Δ⁴-Androsten-6α-ol-3,17-dion	Rind	Nebenniere
	6α(11β)	Δ⁴-Androsten-3,17-dion	Δ⁴-Androsten-6α,11β-diol-3,17-dion		
33	6	Oestradiol-17β	6-Hydroxyoestradiol-17β, 6-Hydroxyoestron, 6-Ketooestradiol-17β	Maus	Leber
34	6	Oestradiol-17β Oestron	6-Hydroxyoestradiol-17β 6-Hydroxyoestron	Ratte Ratte	Leber Leber
35	6	Oestradiol-17β Oestron	6-Hydroxyoestradiol-17β 6-Hydroxyoestron	Ratte Ratte	Leber Leber
36	6	Oestradiol-17β	6-Hydroxyoestradiol-17β	Ratte	Leber
37	6α und 6β	Oestradiol-17β	6α-Hydroxyoestradiol-17β, 6β-Hydroxyoestradiol-17β	Ratte	Leber

(Fortsetzung.)

Präparation	Zusätze	Bemerkungen	Literatur
Homogenat	O_2, Fumarat, ATP, DPN, TPN, Mg^{++}, Nicotinamid	nötigt die gleichen Cofaktoren wie die C-11-Hydroxylierung	19
geviertelt	O_2, Glucose, ACTH	6β-Hydroxycortexon wurde in dem papierchromatographisch erhaltenen Fleck x nachgewiesen, der in einer früheren Arbeit beschrieben wurde: HEARD, R.D.H., et al., Recent Progr. Hormone Res. 9, 383 (1954)	20
Homogenat	Fumarat, O_2, ATP, DPN, TPN, Mg^{++}, Nicotinamid	s. auch Nr. 280	21
lösliches Enzym aus Mitochondrien	Fumarat, TPN	Das Enzym wird gewonnen durch Extraktion von Aceton-Äther-getrockneten Mitochondrien mit KCl-Lösung; s. auch Nr. 99	22
Homogenat	Nicotinamid		23
keine Angabe			24
Mikrosomen			25
Perfusion			26
Perfusion	homologes, heparinisiertes Blut		16
Perfusion	homologes, heparinisiertes Blut		16
Perfusion	heparinisiertes Blut	s. auch Nr. 1 und 157	1
Perfusion	homologes, heparinisiertes Blut		16
Homogenat, Sediment nach $5000\times g$, gewaschen	DPN, ATP, Mg^{++}, Fumarat		31
Homogenat, Sediment nach $5000\times g$, gewaschen	DPN, ATP, Mg^{++}, Fumarat	Letzteres Produkt nur wahrscheinlich, s. auch Nr. 142, 147 und 227	31
Mikrosomen	TPNH, O_2, Mg^{++}, Nicotinamid		33
Schnitt	Glucose		34
Schnitt	Glucose		
Schnitt	Glucose	s. auch Nr. 164	35
Schnitt	Glucose		
Schnitt	Glucose	s. auch Nr. 166	36
Schnitt	Glucose	Die sterische Anordnung der an C-6 eingeführten Hydroxylgruppe wurde in dieser Arbeit bestimmt	37

Tabelle 1.

Lfd. Nr.	Position der OH-Gruppe	Substrat	Produkt	Tier	Organ
38	6	Oestradiol-17β	6-Hydroxyoestradiol-17β	Mensch, fetal	Leber
39	6	Oestradiol-17β	6-Hydroxyoestradiol-17β	Mensch, fetal	Leber
40	6	Oestradiol-17β	6-Hydroxyoestradiol	Mensch ♀, geschlechtsreif	Ovar
41	6	Oestradiol-17β	6-Hydroxyoestron, 6-Hydroxyoestradiol-17β	Ratte	Leber
		Oestron	6-Hydroxyoestron, 6-Hydroxyoestradiol-17β	Ratte	Leber
42	6 6(16α)	Oestriol Oestradiol-17β	6-Hydroxyoestriol 6-Hydroxyoestriol	Ratte	Leber
43	7α	Desoxycholsäure	Cholsäure	Ratte	Leber
44	7α	Desoxycholsäure	Cholsäure	Ratte	Leber
45	7α	Desoxycholsäure	Cholsäure	Ratte	Leber
46	7α	Desoxycholsäure	Cholsäure	Ratte, Mensch	Leber
47	7α	Desoxycholsäure	Cholsäure	Ratte	Leber
48	7	3β-Hydroxy-Δ⁵-cholensäure	3β,7-Dihydroxy-Δ⁵-cholensäure	Ratte	Leber
49	7α	26-Hydroxycholesterin	7α,26-Dihydroxycholesterin	Maus	Leber
50	7α	Cortexon, 17α-Hydroxycortexon, Corticosteron	7α-Hydroxycortexon, 7α,17α-Dihydroxycortexon, 7α-Hydroxycorticosteron, bzw.	Hamster	Leber
51	7α	Cortexon	7α-Hydroxycortexon	Meerschweinchen	Leber
52	7α	Δ⁵-Androsten-3β-ol-17-on (DHA)	Δ⁵-Androsten-3β-ol-7α,17-dion, Δ⁵-Androsten-3β,7α-diol-17-on, Δ⁵-Androsten-3β,7α,17β-triol	Ratte	Leber
53	10β	Oestradiol-17β	17β-Hydroxyoestra-p-chinol-(10β)	Ratte	Leber
54	10β	Oestradiol-17β	17β-Hydroxyoestra-p-chinol-(10β)	Ratte, Maus	Leber

(Fortsetzung.)

Präparation	Zusätze	Bemerkungen	Literatur
Schnitt	Glucose	s. auch Nr. 170	38
Schnitt	Glucose	In der Leber von Erwachsenen nicht beobachtet; s. auch Nr. 40	39
Schnitt	Glucose	Nicht in Corpus luteum beobachtet; s. auch Nr. 39 und 167	39
Schnitt	Glucose	s. auch Nr. 168	41
Schnitt	Glucose		
Schnitt	Glucose	s. auch Nr. 2, 165 und 309	2
Schnitt	Glucose		43
Schnitt Homogenat		Cu^{++} und CN^- hemmen	44
Homogenat		Ölsäure im Verhältnis 8:1 hemmt die 7α-Hydroxylierung von Desoxycholsäure zu 50%	45
Schnitt Homogenat			46
Homogenat, Mikrosomen, Cytoplasma	s. Bemerkungen	30% der Aktivität des Homogenats in Mikrosomen; 40% der Aktivität im Cytoplasma; 100% nach Rekombination von Mikrosomen mit Cytoplasma. Die Aktivität des Cytoplasmas wird durch DPN und Fumarat sowie stark durch Zusatz von ATP gesteigert. TPN und Cytochrom c sind ohne Einfluß. — Versen in kleiner Konz. aktiviert, es hemmt in hoher Konz.	47
Mikrosomen + mikrosomenfreier Überstand	Nicotinamid, TPNH oder TPN, ATP, DPNH, Fructose-1,6-diphosphat, Glucose-6-phosphat	TPNH ist essentiell	48
Homogenat, auch: Mitochondrien + gekochter Leberextrakt		s. auch Nr. 258	49
Schnitt	O_2	Die Ausbeute an 7α-hydroxyliertem Produkt nimmt in der Reihe der angegebenen Substrate ab. Cortisol wird nicht hydroxyliert	50
Schnitt	O_2	Meerschweinchenleber hat etwa ein Viertel Aktivität der Hamsterleber. Keine Aktivität in Leber von Ratte, Katze, Kaninchen, Taube	50
Homogenat	ATP, DPN	Amphenon hemmt die Hydroxylierung an C-7	52
Mikrosomen	TPNH, O_2	vgl. Tabelle 4, Nr. 55	53
Homogenat, Mikrosomen	TPNH, O_2	Die Reaktion verläuft analog der Hydroxylierung von Tetrahydro-2-naphthol zu Tetralin-p-chinol, vgl. Tabelle 4, Nr. 55	54

Hydroxylasen.

Tabelle 1.

Lfd. Nr.	Position der OH-Gruppe	Substrat	Produkt	Tier	Organ
55	10β	Oestradiol-17β	17β-Hydroxyoestra-p-chinol-(10β)	Ratte	Leber
56	10β	Oestradiol-17β	17β-Hydroxyoestra-p-chinol-(10β)	Ratte	Leber
57	11β	Cortexon Cortexon-acetat	„glycogenic material" (später als Corticosteron identifiziert)	keine Angabe	Nebenniere
58	11β	Cortexon-glucosid Cortexon	„glycogenic material" (= Steroidhormon mit Leberglykogen vermehrender Wirkung)	keine Angabe	Nebenniere
59	11β	Cortexon	„glycogenic activity" (vgl. auch Nr. 58)	Rind	Nebenniere
60	11β	Cortexon	Corticosteron	Rind	Nebenniere
61	11β	Δ^4-Androsten-3,17-dion	Δ^4-Androsten-11β-ol-3,17-dion	Rind	Nebenniere
62	11β 11β	17α-Hydroxycortexon Androsteron	Cortisol 11β-Hydroxyandrosteron	Rind	Nebenniere
63	11β	17α-Hydroxycortexon	Cortisol	Rind	Nebenniere
64	11β	Cortexon-glucosid	„glycogenic material" (vgl. auch Nr. 58)	Rind	Nebenniere
65	11β	Cortexon 17α-Hydroxycortexon	Corticosteron Cortisol	Rind Rind, Schwein	Nebenniere Nebenniere
66	11β	11-Desoxycortisol	Cortisol	Rind	Nebenniere
67	11β	Cortexon 17α,21-Dihydroxyprogesteron 17α,21-Dihydroxyprogesteronacetat 5α-Pregnan-21-ol-3,20-dion 5α-Pregnan-21-ol-3,20-dionacetat Δ^4-Androsten-3,17-dion	Corticosteron Cortisol Cortisol 5α-Pregnan-11β,21-diol-3,20-dion Pregnan-11β,21-diol-3,20-dion Δ^4-Androsten-11β-ol-3,17-dion	Rind	Nebenniere
68	11β	Cortexon-glucosid	„glycogenic material" (vgl. auch Nr. 58)	Rind, Schwein	Nebennierenrinde

(Fortsetzung.)

Präparation	Zusätze	Bemerkungen	Literatur
Mikrosomen	TPNH, O_2	Diese Reaktion wird als wichtiger Inaktivierungsschritt der Oestrogene diskutiert. — Vgl. Tabelle 4, Nr. 55	55
Mikrosomen	TPNH, O_2 Nicotinamid	vgl. Tabelle 4, Nr. 55	56
Perfusion		Es wurden noch eine Reihe weiterer Steroide als Substrate eingesetzt. Die Analyse der Reaktionsprodukte war zur Zeit der Veröffentlichung noch nicht abgeschlossen	57
Schnitt und Homogenat	Glucose aerob, Fumarat	Zusatz von gekochtem Nebennierenrindenextrakt erhöht die Ausbeute	58
Brei oder filtrierter Gewebsextrakt			59
Homogenat	homologes Blut		60
Perfusion			61
Perfusion	homologes Citratblut oder Plasma		62
Homogenat	Glucose, Fumarat, Mg^{++}, aerob	Mit gekochtem Enzym oder bei anaerober Inkubation keine Bildung von Cortisol	63
Homogenat oder: 1500×g-Überstand oder: 5000×g-Rückstand des Homogenats(gewaschen)	Fumarat, ATP, O_2, Mg^{++}		64
Homogenat	Fumarat, H_2O_2 + Katalase an Stelle von O_2		65
Homogenat	s. Bemerkungen	Gegenstand der Arbeit ist die Untersuchung des Einflusses verschiedener zugesetzter Substanzen. — Es wirken aktivierend: Fumarat, Substrate des KREBSschen Citronensäurecyclus, Milchsäure, Glutaminsäure, Asparaginsäure, Alanin, Ascorbinsäure; ferner: Nicotinamid, Adenin, Adenosin, Hefeadenylsäure, Nicotinsäure; O_2 essentiell; Glucose, Mg^{++}, Phosphat nicht essentiell	
Mitochondrien	Glucose, Fumarat, Mg^{++}	Diäthyldithiocarbamat, CN^-, Versen, Azid sind Hemmstoffe	66
Gewaschener Rückstand (5000×g) des Homogenats	Fumarat, Malat, Succinat, cis-Aconitat, Maleat	Malat, Succinat, cis-Aconitat und Maleat stimulieren die Reaktion, wenn auch nicht im gleichen Ausmaß wie Fumarat. s. auch Nr. 252 und 262	67
Überstand des Homogenats nach	Glucose	Der Überstand des Homogenats nach 2000×g verliert seine Aktivität nach Dialyse; Wieder-	68

Hydroxylasen.

Tabelle 1.

Lfd. Nr.	Position der OH-Gruppe	Substrat	Produkt	Tier	Organ
69	11β	Cortexon 17α-Hydroxycortexon	Corticosteron Cortisol	Rind	Nebenniere
70	11β	Cortexon	Corticosteron 11-Dehydrocorticosteron	Schwein	Nebenniere
71	11β	17α-Hydroxycortexon	Cortisol	Rind	Nebennierenrinde
72	11β	Progesteron	11β-Hydroxyprogesteron	Rind	Nebenniere
73	11β	Progesteron	11β-Hydroxyprogesteron	Rind	Nebenniere
74	11β	Progesteron	11β-Hydroxyprogesteron	Rind	Nebenniere
75	11β	Progesteron	11β-Hydroxyprogesteron	Rind	Nebenniere
76	11β	Progesteron	11β-Hydroxyprogesteron 11-Ketoprogesteron	Schwein	Nebenniere
77	11β(21) 11β(17α)(21)	Progesteron Progesteron	Corticosteron Cortisol	Rind	Nebenniere
78	11β	Cortexon	Corticosteron	Rind	Nebennierenrinde
79	11β	Cortexon	Corticosteron	Rind	Nebenniere
80	11β	Cortexon	Corticosteron	Rind	Nebenniere
81	11β	Cortexon	Corticosteron	Rind	Nebenniere
82	11β	Cortexon Cortexon-acetat Cortexon-glucosid	Corticosteron	Rind	Nebenniere
83	11β	Cortexon	Corticosteron	Rind	Nebenniere
84	11β	Cortexon	Corticosteron	Rind	Nebenniere

(Fortsetzung.)

Präparation	Zusätze	Bemerkungen	Literatur
2000×g; Sediment nach 20000×g		herstellung der Aktivität durch Zusatz von 1. gekochtem Extrakt des Überstands, 2. eingeengtem Dialysat, 3. Fumarat, 4. ATP, 5. Ascorbinsäure	
Rückstand des Homogenats nach 5000×g	Fumarat, ATP, Mg^{++}		69
Brei		s. auch Nr. 14	14
Brei	ATP, AMP, Glutathion, Cytochrom c		71
Perfusion			72
Mitochondrien	ATP, Succinat, Mg^{++}		73
Mitochondrien	ATP, Mg^{++}		74
Mitochondrien	Fumarat, ATP, DPN, Mg^{++}, Nicotinamid, O$_2$		75
Überstand des Homogenats nach 700×g	Nicotinamid, Mg^{++}, Ca^{++}	Die Reaktion benötigt O$_2$. s. auch Nr. 153, 183, 198, 238 und 281	76
Perfusion		s. auch S. 921 Zitat ^{22} und Nr. 296. An C-11α befindliches Tritium verblieb nach der enzymatischen Hydroxylierung im Molekül; damit wurde die Stereospezifität der Hydroxylierungsreaktion bewiesen	77
Mitochondrien (gewaschen)	Mg^{++}, Substrate des Citrat-Cyclus, ATP	Die Substrate des Citrat-Cyclus sind für die Hydroxylierung notwendig; ATP steigert ihren Effekt. 2,4-Dinitrophenol hemmt. Vgl. Bemerkungen Nr. 92 und 108	78
Perfusion			79
Perfusion		s. auch Nr. 124	80
Rückstand des Homogenats nach 5000×g	ATP + DPN, TPN, Fumarat	Die Aktivität gealterter Nebennieren kann in Gegenwart von Fumarat durch Zusatz von ATP + DPN oder TPN wieder hergestellt werden	81
Sediment des Homogenats nach 5000×g (zweimal gewaschen)	Fumarat, Mg^{++}	Hohe Substratkonzentrationen hemmen die Reaktion. s. auch Nr. 119, 120 und 141	82
Extrakt aus acetongetrocknetem Sediment des Homogenats nach 5000×g	Fumarat, TPN, O$_2$	Fumarat, TPN und O$_2$ werden benötigt, die Anwesenheit von energiereichem oder anorganischem Phosphat ist nicht erforderlich. Die Erklärung des Mechanismus dieser Hydroxylierung durch Dehydrierung und nachfolgende Wasseranlagerung wird durch Einsatz von $\Delta^{9,11}$-ungesättigten Substraten und D$_2$O widerlegt, ebenso wird durch Einsatz von Cortexon und D$_2$O gezeigt, daß der Wasserstoff in der eingeführten Hydroxylgruppe nicht aus dem Wasser stammt; s. auch Nr. 122	83
Mitochondrien	Mg^{++}, Substrate des Citrat-Cyclus, ATP	s. dazu Nr. 78	84

Hydroxylasen.

Tabelle 1.

Lfd. Nr.	Position der OH-Gruppe	Substrat	Produkt	Tier	Organ
85	11β	Cortexon	Corticosteron	Rind	Nebenniere
86	11β	Cortexon	Corticosteron	Rind	Nebenniere
87	11β	Cortexon	Corticosteron	Rind	Nebenniere
88	11β	Cortexon	Corticosteron	Kalb	Nebenniere
89	11β	Cortexon	Corticosteron	Schwein	Nebenniere
90	11β	Cortexon	Corticosteron	Ratte, Rind	Nebenniere
91	11β	Cortexon	Corticosteron	Rind	Nebenniere
92	11β	Cortexon	Corticosteron	Rind	Nebenniere
93	11β	Cortexon	Corticosteron	Rind	Nebenniere
94	11β	Cortexon	Corticosteron	keine Angabe	Nebenniere
95	11β	Cortexon	Corticosteron	Rind	Nebenniere
96	11β	Cortexon	Corticosteron	Rind	Nebenniere
97	11β	Cortexon	Corticosteron	Rind	Nebenniere
98	11β	Cortexon-acetat	Corticosteron	Kaninchen, Schwein, Rind	Nebenniere
99	11β	Cortexon	Corticosteron	Rind	Nebenniere

(Fortsetzung.)

Präparation	Zusätze	Bemerkungen	Literatur
Mitochondrien		Untersuchungen über den Einfluß von Fumarat + TPN, DPN + ATP, Succinat und Malat auf die 11β-Hydroxylaseaktivität von acetongetrockneten bzw. hypoton vorbehandelten Mitochondrien, s. auch Nr. 97	85
Extrakt aus acetongetrockneten Mitochondrien	Fumarat, TPN, O_2	s. dazu Nr. 83 und 123	86
Extrakt aus acetongetrocknetem Sediment des Homogenats nach $5000 \times g$	ATP, DPN, TPN, Fumarat, Mg^{++}	s. dazu Nr. 83	87
Perfusion		s. auch Nr. 125, 148 und 275	88
Mitochondrien	Fumarat, ATP, DPN, Nicotinamid, UV-Licht, Ascorbinsäure, Dehydroascorbinsäure, aerob	*Aktivierung:* Fumarat > UV + ASC > ASC. *Keine Aktivierung:* UV; Dehydroascorbinsäure. UV-Licht steigert die Ascorbinsäurewirkung. Die Rolle der Ascorbinsäure als Glied einer Elektronentransportkette wird diskutiert	89
geviertelt	Glucose, O_2, ACTH	s. auch Nr. 197 und 267	90
Extrakt aus acetongetrockneten Mitochondrien	TPNH, O_2	Die echte Lösung des Enzymproteins wird durch hochtourige Zentrifugation bewiesen. Dialyse verursacht Aktivitätsverlust, der durch Mn^{++} zum Teil aufgehoben wird. Phosphat und Versen hemmen, Cyanidionen in geringem Umfang	91
Mitochondrien	TPNH, O_2, TPN + G-6-P-DH, O_2	Die aktivierende Wirkung von Fumarat, Malat und Substraten des Citrat-Cyclus auf die Hydroxylierung beruht auf ihrer Fähigkeit, aus endogenen Vorprodukten TPNH zu erzeugen. Die Beteiligung einer DPNH-TPN-Transhydrogenase wird diskutiert, vgl. Bemerkungen Nr. 78 und 108	92
Extrakt aus acetongetrocknetem Sediment des Homogenats nach $5000 \times g$	TPN, O_2	Untersuchungen der Hydroxylierung mit $H_2^{18}O$ werden kommentarlos erwähnt. s. auch Nr. 211, 224 und 271	93
Mitochondrien	keine Angabe	Hemmung durch: Cyanid 25%, Diäthyldithiocarbamat 60%, Methylenblau 100%, Stickstoff 50%	94
Homogenat	Fumarat, ATP, Glucose, Nicotinamid, O_2	s. auch Nr. 213 und 273	95
Homogenat	ATP, DPN, TPN, O_2, Fumarat, Pyruvat, Nicotinamid	s. auch Nr. 215 und 270	96
Mitochondrien	Mg^{++}	s. dazu Nr. 85	97
Schnitt	Glucose, O_2, ACTH	Zusatz von ACTH hatte nur quantitative Unterschiede zur Folge, s. auch Nr. 216 und 277	98
Extrakt aus acetongetrockneten Mitochondrien	Fumarat, TPN	Neben Corticosteron entstehen drei weitere Produkte: 6β-Hydroxycortexon und zwei bisher unidentifizierte. — Die C-11β-Hydroxylie-	22

Hydroxylasen.

Tabelle 1.

Lfd. Nr.	Position der OH-Gruppe	Substrat	Produkt	Tier	Organ
100	11β	Cortexon	Corticosteron	Kalb	Nebenniere
101	11β	Cortexon	Corticosteron	Rind	Nebenniere
102	11β	Cortexon	Corticosteron	Rind	Nebennierenrinde
103	11β	Cortexon	Corticosteron	Mensch Rind	Nebenniere Nebenniere
104	11β	Cortexon	Corticosteron	Rind, Schwein	Nebenniere
105	11β	Cortexon	Corticosteron	Kalb	Nebenniere
106	11β	Cortexon	Corticosteron	Rind	Nebennierenrinde
107	11β	Cortexon	Corticosteron	Rind	Nebenniere
108	11β	Cortexon (aus Analogie zu Nr. 110)	Corticosteron	Rind	Nebenniere
109	11β	Cortexon	Corticosteron	Schwein	Nebenniere
		Cortexon	Corticosteron	Schwein	Nebenniere

(Fortsetzung.)

Präparation	Zusätze	Bemerkungen	Literatur
		rung benötigt ausschließlich TPNH und molekularen Sauerstoff; der Zusatz von Fumarat bei ungereinigten Enzympräparationen bewirkt die Bereitstellung von TPNH aus endogenen Vorprodukten. — Die Bildung von Hydroperoxyden bei der enzymatischen Hydroxylierung wird diskutiert; s. auch Nr. 22	
Perfusion	ACTH, Glucose, Ca^{++}, Mg^{++}, 95% O_2/5% CO_2	Keine Hydroxylierung unter anaeroben Bedingungen, s. auch Nr. 126	100
Mitochondrien	TPNH oder TPN + G-6-P-DH	Bei Inkubation mit $^{18}O_2$ als Gasphase findet sich das Sauerstoffisotop in der eingeführten Hydroxylgruppe. — Diäthyldithiocarbamat hemmt, Cyanid hemmt schwach	101
Homogenat	Fumarat, ATP, DPN, Nicotinamid, Mg^{++}, O_2	s. auch Nr. 284	102
Homogenat Homogenat	Fumarat, ATP, TPN, Mg^{++}, O_2	Vergleich der 11β-Hydroxylaseaktivität und des histologischen Befundes beider Nebennieren vor und nach ACTH. Nach ACTH: 11β-Hydroxylase vermehrt, Lipidgehalt vermindert, Fasciculata- gleichen Retikulariszellen. Rindernebenniere: wie menschliche Nebenniere nach ACTH, s. auch Nr. 131	103
Extrakt aus acetongetrockneten Mitochondrien	TPNH, O_2	Hemmung der 11β-Hydroxylierung durch hohe Konzentrationen anorganischer Salze, z.B. Natriumsulfat, Natriumchlorid, Kaliumchlorid, Calciumchlorid, Dinatriumhydrogenphosphat, Magnesiumchlorid, Lithiumsulfat, Ammoniumsulfat. — Die Hemmung ist proportional der Salzkonzentration, s. auch Nr. 129	104
Extrakt (0,5% Digitonin) aus acetongetrockneten Mitochondrien	TPNH, O_2	Außer TPNH und O_2 benötigt die Reaktion zwei Enzyme, deren eines außer in Nebennieren auch in der Leber, der Milz und der Lunge von Ratten vorhanden ist. — Anhaltspunkte für gewisse Substratspezifität des gereinigten Enzyms, s. auch Nr. 130	105
Homogenat	ATP, DPN, Fumarat, Nicotinamid, Mg^{++}, O_2	s. auch Nr. 249 und 293	106
Extrakte aus acetongetrockneten Mitochondrien	TPNH, O_2	Bei der fraktionierten Extraktion von acetongetrockneten Mitochondrien wurden drei verschiedene Enzymsysteme gewonnen, die zusammen mit einem hitzestabilen Faktor aus Rattenleber maximale Hydroxylierungsaktivität ergeben	107
Mitochondrien		Die Rolle des Citrats als schwacher Aktivator bei der 11β-Hydroxylierung beruht nicht auf seiner Fähigkeit, TPNH bereitzustellen, denn Rinder-Nebennieren-Mitochondrien enthalten fast ausschließlich eine DPN-abhängige Isocitricodehydrogenase und eine nur äußerst geringe Pyridinnucleotidtranshydrogenaseaktivität. Vgl. Bemerkungen Nr. 78—92 und 110	108
Brei	Ascorbinsäure, Cyanid	KCN allein ohne Einfluß; Ascorbinsäure + KCN aktiviert mehr als Ascorbinsäure allein.	109
Mitochondrien, Mikrosomen	Nicotinamid, Cyanid, TPNH, DPNH,	TPNH als Elektronendonator bei der enzymatischen C-11β-Hydroxylierung ist durch das	109

Hydroxylasen.

Tabelle 1.

Lfd. Nr.	Position der OH-Gruppe	Substrat	Produkt	Tier	Organ
110	11β	Cortexon	Corticosteron	Rind	Nebenniere
111	11β	Cortexon	Corticosteron	1. Rind, Schaf, Ziege, Goldhamster 2. Hund, Meerschweinchen, Pferd, Löwe, Mensch, Kaninchen, Ratte	Nebenniere
112	11β	Cortexon	Corticosteron	Goldhamster	Nebenniere
113	11β	Cortexon	Corticosteron	Mensch ♀	Nebenniere
114	11β	Cortexon	Corticosteron	Rind	Nebenniere (Zona glomerulosa)
115	11β	Cortexon	Corticosteron	Rind	Nebenniere (Zona glomerulosa)
116	11β	Cortexon	Corticosteron	Mensch	Nebenniere
117	11β	Cortexon	Corticosteron	Ratte	Nebenniere und Nebennierenrindentumor
118	11β	Cortexon	Corticosteron	Ratte	Nebenniere
119	11β	allo-Pregnan-21-ol-3,20-dion Pregnan-21-ol-3,20-dion	allo-Pregnan-11β,21-diol-3,20-dion Pregnan-11β,21-diol-3,20-dion		
120	11β	17α-Hydroxycortexon 17α-Hydroxycortexon-acetat	Cortisol Cortisol		
121	11β	allo-Pregnan-21-ol-3,20-dion	allo-Pregnan-11β,21-diol-3,20-dion	Rind	Nebenniere
122	11β	17α-Hydroxycortexon	Cortisol		
123	11β	17α-Hydroxycortexon	Cortisol		
124	11β	17α-Hydroxycortexon	Cortisol		
125	11β	17α-Hydroxycortexon	Cortisol		
126	11β	17α-Hydroxycortexon	Cortisol		
127	11β	17α-Hydroxycortexon	Cortisol	Mensch ♀	Nebenniere
128	11β(17α)	Cortexon	Cortisol		
129	11β	17α-Hydroxycortexon	Cortisol		

(Fortsetzung.)

Präparation	Zusätze	Bemerkungen	Literatur
Mitochondrien	Ascorbinsäure, aerob	System Mikrosomen + DPNH + Ascorbinsäure ersetzbar s. dazu auch Nr. 108	110
Homogenat	Fumarat, TPN	ad 1. Tiere mit fettarmen Nebennieren („nonfatty-type") haben hohe 11β-Hydroxylaseaktivität. ad 2. Tiere mit fettreichen Nebennieren („fatty-type") haben geringere 11β-Hydroxylaseaktivität. s. auch Nr. 226 und 290	111
Schnitt bzw. Überst. des Homogenats nach 700×g	Fumarat, ATP, DPN, Nicotinamid, Glucose	s. auch Nr. 133, 247 und 301	112
Perfusion		s. auch Nr. 194	113
Zellbrei aus Zona glomerulosa	Fumarat, Glucose	s. auch Nr. 208 und 306	114
Schnitt	Glucose, 95% O_2/5% CO_2	s. auch Nr. 195, 207 und 300	115
Schnitt, Brei	ATP, DPN, Fumarat, 95% O_2/5% CO_2	s. auch Nr. 134, 188 und 297	116
Schnitt	Glucose	In Nebennierenrindentumorgewebe ist die 11β-Hydroxylaseaktivität gehemmt; es kommt zur Anhäufung von Cortexon, welches in normalem Gewebe zu Corticosteron und Aldosteron weiter metabolisiert wird, s. auch Nr. 243 und 310	117
geviertelt		s. auch Nr. 214, 254 und 312	118
		s. Nr. 82, 120 und 141	82
		s. Nr. 82, 119 und 141	82
Perfusion			121
		s. Nr. 83	83
		s. Nr. 86	86
		s. Nr. 80	80
		s. Nr. 88 148 und 275	88
		s. Nr. 100	100
Schnitt oder Homogenat	ATP, DPN, Fumarat	s. auch Nr. 278	127
		Wegen der Bedeutung der Arbeit für die 11β-Hydroxylierung hier nochmals aufgeführt, s. auch Nr. 276 und S. 920 Zit. [4]	128
		s. Nr. 104	104

Hydroxylasen.

Tabelle 1.

Lfd. Nr.	Position der OH-Gruppe	Substrat	Produkt	Tier	Organ
130	11β	17α-Hydroxycortexon	Cortisol		
131	11β	17α-Hydroxycortexon	Cortisol		
132	11β	17α-Hydroxycortexon	Cortisol	Mensch	Nebenniere
133	11β	17α-Hydroxycortexon	Cortisol		
134	11β	17α-Hydroxycortexon	Cortisol		
135	11β	6β,17α-Dihydroxycortexon	6β-Hydroxycortisol	Rind	Nebenniere
136	11β	Testosteron	11β-Hydroxytestosteron, Adrenosteron	Rind	Nebenniere
137	11β	Testosteron	11β-Hydroxytestosteron, Δ^4-Androsten-11β-ol-3,17-dion	Mensch (Kleinkind)	Testis, interstitieller Zelltumor
138	11β	Testosteron	11β-Hydroxytestosteron, Δ^4-Androsten-11β-ol-3,17-dion	Mensch	Testis, interstitieller Zelltumor
139	11β	Testosteron	11β-Hydroxytestosteron, Δ^4-Androsten-11β-ol-3,17-dion	Mensch, fünfjährig	Testis, interstitieller Zelltumor
140	11β	Δ^4-Androsten-3,17-dion	Δ^4-Androsten-11β-ol-3,17-dion	Rind	Nebenniere
141	11β	Δ^4-Androsten-3,17-dion	Δ^4-Androsten-11β-ol-3,17-dion		
142	11β	Δ^4-Androsten-3,17-dion	Δ^4-Androsten-11β-ol-3,17-dion, Adrenosteron	Rind	Nebenniere
143	11β	Δ^4-Androsten-6α-ol-3,17-dion	Δ^4-Androsten-6α,11β-diol-3,17-dion	Rind	Nebenniere
144	11β	Androstan-3β-ol-17-on	Androstan-11β-ol-3,17-dion, Androstan-3β,11β-diol-17-on	Rind	Nebenniere
145	11β	Δ^5-Androsten-3β-ol-17-on	Δ^4-Androsten-11β-ol-3,17-dion	Rind	Nebenniere
146	11β	Δ^5-Androsten-3β-ol-17-on	Δ^4-Androsten-11β-ol-3,17-dion	Rind	Nebenniere
147	11β	Δ^5-Androsten-3β-ol-17-on	Δ^4-Androsten-11β-ol-3,17-dion		
148	11β	Δ^5-Androsten-3β-ol-17-on	Δ^4-Androsten-11β-ol-3,17-dion	Kalb	Nebenniere
149	11β	Δ^5-Androsten-3β-ol-17-on	Δ^4-Androsten-11β-ol-3,17-dion	Schwein, 10 Tage alt	Nebenniere
150	11β	Oestron	11β-Hydroxyoestron	Rind	Nebenniere
151	12	Digitoxin	12-Hydroxydigitoxin (Digoxin)	Ratte	Leber

(Fortsetzung.)

Präparation	Zusätze	Bemerkungen	Literatur
		s. Nr. 105	105
		s. Nr. 103	103
Homogenat	ATP, DPN, Fumarat	Es handelt sich um die Nebenniere eines Kindes mit adrenogenitalem Syndrom; s. auch Nr. 246 und 292	132
		s. Nr. 112, 247 und 301	112
		s. Nr. 116, 188 und 297	116
Sediment des Homogenats nach 5000×g (gewaschen)	Fumarat, Mg^{++}		135
Perfusion, Brei, Homogenat	Perfusion: ohne, sonst: Fumarat, ATP		136
Schnitt	Glucose, Fumarat, Humanserum, Gonadotropin, 95% O_2/5% CO_2		137
Schnitt	Gonadotropin		138
Schnitt	Humanserum, Gonadotropin, 95% O_2/5% CO_2	s. auch Nr. 190	139
Perfusion			140
		s. auch Nr. 82, 119 und 120	82
Sediment des Homogenats nach 5000×g	Fumarat, ATP, DPN, Mg^{++}	s. auch Nr. 32, 147 und 227	32
Mitochondrien	Fumarat, ATP, DPN, Nicotinamid, Mg^{++}		143
Perfusion			144
Perfusion	Citratblut O_2/CO_2		145
Perfusion			146
		s. auch Nr. 32, 142 und 227	32
Perfusion		Verminderung der Hydroxylaseaktivität durch Einwirkung von γ-Strahlen, s. auch Nr. 88, 125 und 275	88
Schnitt, Homogenat	Fumarat, Mg^{++}, 95% O_2/5% CO_2	Darüber hinaus handelt es sich hier um die einzige Arbeit, in der die Umwandlung von C-19- in C-21-Steroide beschrieben wird	149
Brei	Citrat	Die Reaktion ist mit menschlicher Nebenniere nicht mit Sicherheit nachgewiesen, s. auch Nr. 171	150
Schnitt			151

Hydroxylasen.

Tabelle 1.

Lfd. Nr.	Position der OH-Gruppe	Substrat	Produkt	Tier	Organ
152	12	Neriifolin (Digitoxigenin-[α-L]-thevetosid)	12-Hydroxyneriifolin	Ratte	Leber
	12	Somalin (Digitoxigenin-[β-D]-cymarosid)	12-Hydroxysomalin		
	12	Digitoxigenin-[β-D]-bis-digitoxosid	Digoxigenin-[β-D]-bis-digitoxosid (vgl. Produkt aus Digitoxin)		
	12	Digitoxin	12-Hydroxydigitoxin (Digoxin)		
153	16α	Progesteron	16α-Hydroxyprogesteron	Schwein	Nebenniere
154	16α	Progesteron	allo-Pregnan-3α,16α-diol-20-on, allo-Pregnan-3β,16α-diol-20-on, Pregnan-3α,16α-diol-20-on	Ratte	Leber
155	16α	Progesteron	16α-Hydroxyprogesteron, allo-Pregnan-3β,16α-diol-20-on	Rind	Nebenniere
156	16α	Progesteron	16α-Hydroxyprogesteron	Mensch, fetal	Nebenniere
157	16α	Testosteron	16α-Hydroxytestosteron	Hund	Leber
158	16α	Testosteron	16α-Hydroxytestosteron	Ratte	Testis
159	16β	Δ^5-Androsten-3β-ol-17-on	Δ^5-Androsten-3β,16β,17α-triol	Kaninchen	Leber
160	16α	Oestradiol-17β	Oestriol	Mensch	Ovar, Leber
161	16α	Oestradiol-17β	Oestriol	Maus	Leber
162	16α	Oestradiol-17β	Oestriol	Mensch, fetal	Leber
163	16α	Oestradiol-17β	Oestriol	Ratte	Leber
164	16α	Oestradiol-17β	Oestriol	Ratte	Leber
165	16α(6)	Oestradiol-17β	6-Hydroxyoestriol	Ratte	Leber
	16α	6-Hydroxyoestradiol-17β	6-Hydroxyoestriol	Ratte	Leber
166	16α	Oestradiol-17β	Oestriol	Ratte	Leber
167	16α	Oestradiol-17β	Oestriol	Mensch, fetal	Leber
168	16α	Oestradiol-17β Oestron	Oestriol	Ratte	Leber
169	16β(17α)	$\Delta^{1,3,5,(10),16}$-Oestratetraen-3-ol	16β-Hydroxyoestradiol-17α (Epioestriol)	Ratte	Leber

(Fortsetzung.)

Präparation	Zusätze	Bemerkungen	Literatur
Schnitt	Pyruvat, Fumarat, L-Glutamat, Glucose, Ca^{++}, Mg^{++}, K^+		152
Überstand nach Zentrifugation des Homogenats (4 min 700×g)	Nicotinamid, O_2, Ca^{++}, Mg^{++}	s. auch Nr. 76, 183, 198, 281 und 338	76
Schnitt	Glucose, Ca^{++}, Mg^{++}	Bei dreistündiger Inkubation beträgt die Ausbeute an 16α-hydroxylierten Produkten weniger als 1%.	154
Homogenat	DPN, TPN, ATP, Mg^{++}, Nicotinamid	s. auch Nr. 155	
Homogenat	DPN, TPN, ATP, Mg^{++}, Nicotinamid, Fumarat	s. auch Nr. 154	154
Schnitt, Homogenat	TPNH lieferndes System	Im 12 Wochen alten Fetus ist diese Hydroxylierung nachweisbar	156
Perfusion	heparinisiertes Blut	s. auch Nr. 1 und 29	1
Homogenat	TPN, G-6-P, G-6-P-DH, Mg^{++}		158
Schnitt	O_2		159
Schnitt, Homogenat	DPN, AMP, O_2, Nicotinamid		160
Mikrosomen	TPNH, O_2		161
Schnitt		Nicht in Leber von Erwachsenen	162
Hackbrei, grob			163
Schnitt	Glucose	s. auch Nr. 35	35
Schnitt	Glucose	s. auch Nr. 2, 42 und 309	2
Schnitt	Glucose		
Schnitt	Glucose	s. auch Nr. 36	36
Schnitt	Glucose	s. auch Nr. 40	40
Schnitt	Glucose	Oestradiol und Oestron stehen in einem Gleichgewicht. Die Bildung von Oestriol geschieht im wesentlichen durch Hydroxylierung von Oestradiol-17β, wie aus kinetischen Untersuchungen hervorgeht, s. auch Nr. 41	41
Schnitt		Da das Produkt auch aus 16α,17α-Epoxyoestratrien-3-ol entsteht, wird geschlossen, daß letzteres ein Zwischenprodukt ist. — Die Hydroxylierung an einer isolierten Doppelbindung erfolgt nach Ansicht der Verfasser allgemein über Epoxydation, s. auch Nr. 308	169

Tabelle 1.

Lfd. Nr.	Position der OH-Gruppe	Substrat	Produkt	Tier	Organ
170	16α	Oestradiol-17β	Oestriol	Mensch, fetal	Leber
171	16α	Oestron	16α-Hydroxyoestron	Rind	Nebenniere
172	16α	Oestradiol-17β	Oestriol	Ratte	Leber
173	17α	Progesteron	17α-Hydroxyprogesteron	Rind	Nebenniere
174	17α	Progesteron	17α-Hydroxyprogesteron	Rind	Nebenniere
175	17α	Progesteron	17α-Hydroxyprogesteron	Rind ♀	Nebenniere
	17α	Cortexon	17α-Hydroxycortexon		
176	17α	Progesteron	17α-Hydroxyprogesteron	Rind	Nebenniere
177	17α	Progesteron	17α-Hydroxyprogesteron	Rind	Nebenniere
178	17α	Progesteron	17α-Hydroxyprogesteron, Δ^4-Pregnen-17α,20-diol-3-on	Ratte und Rind	Testis
179	17α	Progesteron	17α-Hydroxyprogesteron	Ratte, Mensch	Testis bzw. Testistumor
180	17α	Progesteron	17α-Hydroxyprogesteron	Ratte (s. Bemerkungen)	Testis
181	17α	Progesteron	17α-Hydroxyprogesteron	Mensch bzw. Rind	Ovar
182	17α	Progesteron	Δ^4-Androsten-3,17-dion und 17α-Hydroxyprogesteron als Zwischenprodukt	Ratte	Testis
183	17α	Progesteron	17α-Hydroxyprogesteron	Schwein	Nebenniere
184	17α	Δ^5-Pregnenolon, Progesteron, 11β-Hydroxyprogesteron, 17α-Hydroxyprogesteron, Cortexon, Corticosteron	an Hand der Differenz von formaldehydogenen und PORTER-SILBER-positiven Produkten wird ermittelt, welche der genannten Substrate an C-17α hydroxyliert werden	Ratte	Nebenniere
185	17α	Progesteron	17α-Hydroxyprogesteron	Mensch	Nebenniere

(Fortsetzung.)

Präparation	Zusätze	Bemerkungen	Literatur
Schnitt	Glucose	s. auch Nr. 38	38
Hackbrei	Citrat	Als weiteres Produkt entsteht 11β-Hydroxyoestron; s. auch Nr. 150	150
Mikrosomen	TPNH, O_2		172
20000 $\times$ g-Überstand des Homogenats	DPN, ATP, Nicotinamid, 95% O_2/5% CO_2	s. auch Nr. 266 und 236	173
20000 $\times$ g-Überstand des Homogenats	DPN, ATP, Nicotinamid	s. auch Nr. 235 und 264	174
20000 $\times$ g-Überstand des Homogenats	DPN, ATP		175
Perfusion		s. auch Nr. 269	176
Perfusion		s. auch Nr. 221 und 272	177
unklare Angabe	TPN, TPNH, O_2, ATP oder Fructose-1,6-diphosphat	Diskussion des Weges der Entstehung von C-19-Steroiden durch Seitenkettenabspaltung an C-17; der erste Schritt ist die Hydroxylierung an C-17α. Einführung der Hydroxylgruppe: Radikalmechanismus wird diskutiert	178
Brei bzw. Schnitt	Glucose, Fumarat, Humanserum, Gonadotropin	Ferner wurden Δ^4-Androsten-3,17-dion und Testosteron nachgewiesen	179
Stücke oder Homogenat	Rinderserum, 95% O_2/5% CO_2, DPN, ATP, Fumarat, Nicotinamid	Ferner wurden Δ^4-Androsten-3,17-dion und Testosteron nachgewiesen. — Durch Gonadotropinbehandlung der Ratte wurde eine Hyperplasie der interstitiellen Zellen erreicht	180
Homogenat			181
Mikrosomen	TPNH, O_2, Cyanid, Cytochrom c, Fe^{++}, Pyrophosphat	Einziges und essentielles Zwischenprodukt: 17α-Hydroxyprogesteron. Cyt c (red.) wird als Cofaktor für diese oxydative enzymatische Reaktion diskutiert, denn: 1. Cyt c (red.) wird bei der Seitenkettenabspaltung oxydiert; 2. CN^- und CO aktivieren. Jeder oxydative Schritt benötigt 1 Mol O_2. — Pyrophosphat aktiviert in gleichem Umfang wie Cyanid	182
400 $\times$ g-Überstand des Homogenats	Mg^{++}, Ca^{++}, Nicotinamid, O_2	s. auch Nr. 76, 153, 198, 238 und 281	76
geviertelt	O_2	Sauerstoffunktion an C-11β verhindert die Hydroxylierung an C-17α	184
Hackbrei		1. Patient, CUSHING-Syndrom: Ausbeute 0%. 2. Patient, Mamma-Carcinom: Ausbeute 4,5%. s. auch Nr. 240 und 287	185

Hydroxylasen.

Tabelle 1.

Lfd. Nr.	Position der OH-Gruppe	Substrat	Produkt	Tier	Organ
186	17α	Progesteron	17α-Hydroxyprogesteron	Mensch, fetal	Nebenniere
187	17α	Progesteron	17α-Hydroxyprogesteron, Δ⁴-Pregnen-17α,20ξ-diol-3-on	Ratte, Meerschweinchen	Testis
188	17α	Progesteron	17α-Hydroxyprogesteron	Mensch (Mamma-Ca.)	Nebenniere
189	17α	Progesteron	17α-Hydroxyprogesteron	Maus, Ratte	Testis
190	17α	Progesteron	17α-Hydroxyprogesteron	Mensch, fünfjährig	Testis, interstitieller Zelltumor
191	17α	Progesteron	17α-Hydroxyprogesteron, Δ⁴-Pregnen-17α,20ξ-diol-3-on	Mensch	Ovar (Stroma oder Corpus luteum)
192	17α	Progesteron	17α-Hydroxyprogesteron, Δ⁴-Pregnen-17α,20α-diol-3-on, Δ⁴-Pregnen-17α,20β-diol-3-on	Haussperling	Testis
193	17α	Progesteron	17α-Hydroxyprogesteron	Mensch	Placenta
194	17α	Cortexon	17α-Hydroxycortexon	Mensch ♀ (Cushing)	Nebenniere
195	17α	Corticosteron	Cortisol	Rind	Nebenniere (Fasciculata und Reticularis)
196	18 (11β,21)	Progesteron	Aldosteron (vgl. letzter Absatz S. 935)	Kalb	Nebenniere
197	18 (11β,21)	Progesteron	Aldosteron	Ratte und Rind	Nebenniere
	18 (11β)	Cortexon	Aldosteron		
198	18 (11β,21)	Progesteron	Aldosteron	Schwein	Nebenniere
199	18 (11β,21)	Progesteron	Aldosteron	Rind	Nebenniere
200	18 (11β,21)	Progesteron	Aldosteron	Rind	Nebenniere
	18 (11β)	Cortexon	Aldosteron		
	18	Corticosteron	Aldosteron		
201	18 (11β,21)	Progesteron	Aldosteron	Rind	Nebenniere
	18 (21)	11β-Hydroxyprogesteron	Aldosteron		
	18 (11β)	Cortexon	Aldosteron		

(Fortsetzung.)

Präparation	Zusätze	Bemerkungen	Literatur
Homogenat von Zona reticularis	ATP, DPN, Fumarat, Mg^{++}, Nicotinamid	Kein Aktivitätsunterschied zwischen fetaler und erwachsener Zone	186
Mikrosomen	TPNH, O$_2$, Cyanid, Pyrophosphat	Neben den genannten Produkten entsteht auch Testosteron; vgl. im übrigen Nr. 182	187
Schnitt, Brei	ATP, DPN, Fumarat 95% O$_2$/5% CO$_2$	s. auch Nr. 116, 134 und 297	116
Homogenat	ATP, DPN, Fumarat, Nicotinamid, 95% O$_2$/5% CO$_2$	Das Produkt entsteht auch bei Einsatz von interstitiellem Zelltumor von Mäusetestis; s. auch Nr. 11, 13, 241 und 303	11
Schnitt	Humanserum, Gonadotropin, 95% O$_2$/5% CO$_2$	s. auch Nr. 139	139
Hackbrei			191
Zellfreies Homogenat	TPN, Fumarat, 95% O$_2$/5% CO$_2$		192
Überstand des Homogenats nach 105000×g	TPNH		193
Perfusion		s. auch Nr. 113	113
Schnitt	Glucose, 95% O$_2$/5% CO$_2$	s. auch Nr. 115, 207 und 300	115
Perfusion	Glucose	Eine Umwandlung von Cortexon und Corticosteron in Aldosteron konnte nicht nachgewiesen werden; s. auch Nr. 279	196
geviertelt	Glucose, O$_2$, ACTH	Eine papierchromatographisch isolierte Substanz wurde später [HEARD, R. D. H., et al., Recent Progr. Hormone Res. 12, 45 (1956)] als Aldosteron erkannt; s. auch Nr. 90 und 267	90
400×g-Überstand des Homogenats und Schnitt	Nicotinamid, O$_2$, Ca^{++}, Mg^{++}	Schnitt ohne Zusätze; s. auch Nr. 76, 153, 183, 238 und 281	76
Zellbrei aus Zona glomerulosa	Glucose, ATP, Fumarat, O$_2$	s. auch Nr. 285	199
Zellbrei aus Zona glomerulosa	Glucose, Fumarat, O$_2$	s. auch Nr. 283	200
Schnitt aus Zona glomerulosa	Glucose, 95% O$_2$/5% CO$_2$	Die Aldosteronausbeute war mit allen vier Substraten etwa gleich. In Zona fasciculata-reticularis keine Aldosteronbildung; s. auch Nr. 295	201

Tabelle 1.

Lfd. Nr.	Position der OH-Gruppe	Substrat	Produkt	Tier	Organ
	18	Corticosteron	Aldosteron		
202	18 (11β,21)	Progesteron	Aldosteron	Rind	Nebenniere
	18 (11β)	Cortexon	Aldosteron		
	18	Corticosteron	Aldosteron		
203	18 (11β,21)	Progesteron	Aldosteron	Kalb	Nebenniere
204	18 (11β,21)	Progesteron	Aldosteron	Rind	Nebenniere
205	18 (11β,21)	Progesteron	Aldosteron	Rind	Nebenniere
	18 (11β)	Cortexon	Aldosteron		
	18	Corticosteron	Aldosteron		
206	18 (11β,21)	Progesteron	Aldosteron	Rind	Nebenniere
207	18 (11β,21)	Progesteron	Aldosteron	Rind	Nebenniere
	18 (11β)	Cortexon (auch Δ^5-Pregnen-3β,21-diol-20-on)	Aldosteron		
	18	Corticosteron	Aldosteron		
208	18 (11β,21)	Progesteron	Aldosteron	Rind	Nebenniere
	18 (11β)	Cortexon	Aldosteron		
	18	Corticosteron	Aldosteron		
209	18 (11β,21)	Progesteron	Aldosteron	Ochsenfrosch	Nebenniere
210	18 (11β,21)	Progesteron	Aldosteron	Rind	Nebenniere
	18 (11β)	Cortexon	Aldosteron		
	18	Corticosteron	Aldosteron		
211	18 (11β)	Cortexon	Aldosteron	Rind	Nebenniere
	18	Corticosteron, 11-Dehydrocorticosteron	Aldosteron		
212	18	Cortexon	18-Hydroxycortexon	Rind	Nebenniere
213	18 (11β)	Cortexon	Aldosteron	Rind	Nebenniere
214	18 (21)	Progesteron	18→20-Hemiketal von 18-Hydroxycortexon	Ratte	Nebenniere
	18	Cortexon	18→20-Hemiketal von 18-Hydroxycortexon		
215	18 (11β)	Cortexon	Aldosteron	Rind	Nebenniere

(Fortsetzung.)

Präparation	Zusätze	Bemerkungen	Literatur
Zellbrei aus Zona glomerulosa	Glucose, ATP, Nicotinamid, O_2, Fumarat	Mit Progesteron als Substrat ist die Ausbeute wesentlich höher als mit Corticosteron; für Cortexon fehlen entsprechende Angaben; s. auch Nr. 294	202
Perfusion	Glucose	s. auch Nr. 286	203
Zellbrei aus Zona glomerulosa	Glucose, Fumarat, Nicotinamid, O_2	s. auch Nr. 291	204
Zellbrei aus Zona gomerulosa	Glucose, Fumarat, ATP, Nicotinamid	Mit Progesteron als Substrat ist die Ausbeute an Aldosteron signifikant höher als mit den anderen Substraten; s. auch Nr. 288	205
Zellbrei aus Zona glomerulosa		s. auch Nr. 289	206
Schnitt aus Zona glomerulosa	Glucose, 95% O_2/5% CO_2	Die Aldosteronausbeute war mit allen drei Substraten etwa gleich; s. auch Nr. 115, 195 und 300	115
Zellbrei aus Zona glomerulosa	Glucose, Fumarat	Corticosteron wird schneller in Aldosteron umgewandelt als Progesteron und Cortexon; ersteres wird als unmittelbarer Vorläufer des Aldosterons diskutiert; s. auch Nr. 114 und 306	114
Hackbrei	Glucose, ACTH 95% O_2/5% CO_2	s. auch Nr. 304	209
Homogenat	Glucose, Fumarat, Nicotinamid	Mit Corticosteron und Progesteron als Substrat war die Aldosteronausbeute wesentlich geringer als mit Cortexon; s. auch Nr. 268	210
Hackbrei	TPN, O_2	s. auch Nr. 93, 224 und 271	93
Homogenat	ATP, TPN, DPN, Mg^{++}, Fumarat, Nicotinamid, O_2	s. auch Nr. 222	212
Homogenat	ATP, Glucose, Fumarat, O_2, Nicotinamid	Mit Progesteron und Corticosteron als Substrat wurde kein Aldosteron erhalten. ATP und Fumarat steigern die Aldosteronausbeute erheblich; s. auch Nr. 95 und 273	95
geviertelt		s. auch Nr. 118, 254 und 312	118
Homogenat	ATP, TPN, DPN, Fumarat, Pyruvat, Nicotinamid	s. auch Nr. 96 und 270	96

Hydroxylasen.

Tabelle 1.

Lfd. Nr.	Position der OH-Gruppe	Substrat	Produkt	Tier	Organ
216	18 (11β)	Cortexon	Aldosteron	Rind, Kaninchen, Schwein	Nebenniere
217	18	Corticosteron	Aldosteron	Mensch	Nebenniere
218	18	9α-Fluoro-Δ^4-androsten-3,17-dion	9α-Fluor-Δ^4-androsten-18-ol-3,17-dion	keine Angaben	Nebenniere
219	18	Oestron	18-Hydroxyoestron	Rind	Nebenniere
220	19 (21)	Progesteron	19-Hydroxycortexon	Rind	Nebenniere
	19 (17α,21)	Progesteron	17α,19-Dihydroxycortexon	Rind	Nebenniere
221	19 (17α,21)	Progesteron	19-Hydroxycortexon, 17α,19-Dihydroxycortexon	Rind	Nebenniere
222	19	Cortexon	19-Hydroxycortexon	Rind	Nebenniere
223	19	Cortexon	19-Hydroxycortexon	Rind	Nebenniere
224	19	Cortexon	19-Hydroxycortexon	Rind	Nebenniere
225	19	Cortexon	19-Hydroxycortexon	Rind	Nebenniere
226	19, (11β)	Cortexon	19-Hydroxycortexon, 11β,19-Dihydroxycortexon	Rind, Schaf, Ziege, Goldhamster	Nebenniere
227	19	Δ^4-Androsten-3,17-dion	Δ^4-Androsten-19-ol-3,17-dion	Rind	Nebenniere
228	19	Δ^4-Androsten-3,17-dion Δ^5-Androsten-3β-ol-17-on	Δ^4-Androsten-19-ol-3,17-dion	Rind	Nebenniere
229	19	Δ^4-Androsten-3,17-dion	Δ^4-Androsten-19-ol-3,17-dion sehr wahrscheinlich	Mensch	Placenta
230	19	Δ^4-Androsten-3,17-dion	Δ^4-Androsten-19-ol-3,17-dion	Mensch	Placenta
231	19	9α-Fluor-Δ^4-androsten-3,17-dion	9α-Fluor-Δ^4-androsten-19-ol-3,17-dion	keine Angabe	Nebenniere
232	20	Cholesterin	20-Hydroxycholesterin	Rind	Nebennierenrinde
233	20	Cholesterin	20-Hydroxycholesterin	Rind	Nebenniere

(Fortsetzung.)

Präparation	Zusätze	Bemerkungen	Literatur
Schnitt	Glucose, ACTH, O_2	s. auch Nr. 98 und 277	98
Schnitt	Glucose, 95% O_2/5% CO_2		217
Perfusion	Blut	s. auch Nr. 231	218
Homogenat	TPN, DPN, ATP, Fumarat, O_2, Mg^{++}, Nicotinamid		219
Perfusion		s. auch Nr. 8 und 274	8
Perfusion			
Perfusion		s. auch Nr. 177 und 272	177
Homogenat	TPN, DPN, ATP, Fumarat, O_2, Mg^{++}, Nicotinamid	s. auch Nr. 212	212
1. Hackbrei, 2. Homogenat, Sediment nach 5000×g, gewasch.			223
Homogenat, Sediment nach 5000×g, gewasch.	TPN. O_2	s. auch Nr. 93, 211 und 271	93
Hackbrei	Fumarat, Mg^{++}		225
Homogenat		s. auch Nr. 111 und 290	111
Sediment des Homogenats nach 5000×g	DPN, ATP, Fumarat, Mg^{++}	s. auch Nr. 32, 142 und 147	32
Homogenat, Sediment nach 5000×g		Da Δ^4-Androsten-19-ol-3,17-dion schneller als Δ^4-Androsten-3,17-dion zu Oestron umgewandelt wird (Placenta, Follikelflüssigkeit und Nebennierenhomogenat), wird die C-19-Hydroxylierung als Zwischenschritt bei der Oestrogenbildung diskutiert [s. auch MEYER, A. S., Biochim. biophys. Acta 17, 441 (1955)]	228
Mikrosomen	TPNH, O_2	Diskussion der Oestrogenbildung	229
Mikrosomen	G-6-P, G-6-P-DH, TPN	Außer dem Produkt war auch Oestron nachweisbar (radioaktiv markiertes Substrat)	230
Perfusion	Blut	s. auch Nr. 218	218
Homogenat	ATP, DPN, Mg^{++}, Nicotinamid	Die Hydroxylierung am C-Atom 20 geht der Abspaltung der Seitenkette zwischen C 20 und C 22 voraus	232
Homogenat	ATP, DPN, Mg^{++}, Nicotinamid		233

Tabelle 1.

Lfd. Nr.	Position der OH-Gruppe	Substrat	Produkt	Tier	Organ
234	21	Progesteron	Cortexon	Rind	Nebenniere
235	21	Progesteron	Cortexon	Rind	Nebenniere
236	21	Progesteron	Cortexon	Rind	Nebenniere
237	21	Progesteron 17α-Hydroxyprogesteron 11β-Hydroxyprogesteron 11β,17α-Dihydroxyprogesteron	Cortexon 17α-Hydroxycortexon Corticosteron Cortisol	Rind	Nebenniere
238	21	Progesteron	Cortexon	Schwein	Nebenniere
239	21	Progesteron 17α-Hydroxyprogesteron 11β-Hydroxyprogesteron 11β,17α-Dihydroxyprogesteron	Cortexon 17α-Hydroxycortexon Corticosteron Cortisol	Rind	Nebenniere
240	21	Progesteron	Cortexon	Mensch	Nebenniere
241	21	Progesteron 17α-Hydroxyprogesteron	Cortexon 17α-Hydroxycortexon	Ratte, Maus	Testis, interstitieller Zelltumor
242	21	Progesteron Δ^5-Pregnenolon	Cortexon	Meerschweinchen	Nebenniere
243	21	Progesteron	Cortexon	Ratte	Nebenniere und Nebennierenrindentumor
244	21	17α-Hydroxyprogesteron	17α-Hydroxycortexon	Rind ♀	Nebenniere
245	21	17α-Hydroxyprogesteron	17α-Hydroxycortexon	Rind	Nebenniere
246	21	17α-Hydroxyprogesteron	17α-Hydroxycortexon	Rind, Mensch	Nebenniere
247	21	Δ^5-Pregnen-3β,17α-diol-20-on	17α-Hydroxycortexon	Goldhamster	Nebenniere

(Fortsetzung.)

Präparation	Zusätze	Bemerkungen	Literatur
Homogenat	ATP + DPN	s. auch Nr. 263	234
20000 ×g-Überstand des Homogenats	ATP, DPN, Nicotinamid	s. auch Nr. 174 und 264	174
20000 ×g-Überstand des Homogenats	ATP, DPN, Nicotinamid, 95% O_2/5% CO_2	s. auch Nr. 173 und 266	173
Mikrosomen + Cytoplasma	TPN oder: ATP + DPN, oder: TPNH, Nicotinamid, aerob	Die eine Zellfraktion ist ohne die andere inaktiv. — Cyanid und Azid hemmen, Katalase hemmt nicht. — Keine Aktivität in Rattenlebermikrosomen; Nebennierencytoplasma jedoch durch Rattenlebercytoplasma ersetzbar	237
400 ×g-Überstand des Homogenats und Schnitt	Mg^{++}, Ca^{++}, Nicotinamid, O_2	s. auch Nr. 76, 153, 183, 198 und 281	76
Mikrosomen	TPNH, O_2	Katalase hemmt nicht	239
Hackbrei		1. Patient, CUSHING-Syndrom: 20—25% Ausbeute. 2. Patient, Mamma-Carcinom: 4—7% Ausbeute; s. auch Nr. 185 und 287	185
Homogenat	DPN, ATP, Fumarat, Nicotinamid	s. auch Nr. 11, 13, 189 und 303	11
15000 ×g-Überstand des Homogenats oder Mikrosomen	ATP + DPN; O_2 bzw. TPNH; O_2	Wenn Mikrosomen eingesetzt werden, ist TPNH essentiell; s. auch Nr. 302	242
Schnitt	Glucose	s. auch Nr. 117 und 310	117
20000 ×g-Überstand des Homogenats	ATP, DPN	Die Aktivität in Stier-Nebenniere war im Gegensatz zu der hier untersuchten gering; s. auch Nr. 265	244
20000 ×g-Überstand des Homogenats oder Mikrosomen + Cytoplasma	ATP, DPN, Nicotinamid, O_2		245
Homogenat	ATP, DPN, Fumarat	Die Nebenniere eines Kindes mit adrenogenitalem Syndrom enthielt keine C-21-Hydroxylaseaktivität, wohl aber C-11β-Hydroxylase; s. auch Nr. 132 und 292	132
Schnitt bzw. Überstand des Homogenats nach 700 ×g	Fumarat, ATP, DPN, Nicotinamid, Glucose	s. auch Nr. 112, 133 und 301	112

Tabelle 1.

Lfd. Nr.	Position der OH-Gruppe	Substrat	Produkt	Tier	Organ
248	21	17α-Hydroxyprogesteron	17α-Hydroxycortexon	keine Angabe	Nebennierenrinde
249	21	11β-Hydroxyprogesteron	Corticosteron	Rind	Nebennierenrinde
250	21	17α-Hydroxy-11-ketoprogesteron	Cortison	Rind	Nebenniere
251	21	17α-Hydroxy-11-ketoprogesteron	Cortison	Kalb	Nebenniere
252	21	17α-Hydroxy-11-ketoprogesteron	Cortison	Rind	Nebenniere
253	21	17α-Hydroxyprogesteron	17α-Hydroxycortexon	Schwein	Nebenniere
254	21	Progesteron	Cortexon	Ratte	Nebenniere
255	21	17α-Hydroxyprogesteron	17α-Hydroxycortexon	Schwein	Nebenniere
256	25 bzw. 26	Cholesterin	25-Hydroxycholesterin oder 26-Hydroxycholesterin	Maus	Leber
257	25 und 26	Cholesterin	25-Hydroxycholesterin und 26-Hydroxycholesterin	Maus	Leber
258	26	Cholesterin	26-Hydroxycholesterin	Maus	Leber
259	26	7α-Hydroxycholesterin	7α,26-Dihydroxycholesterin	Maus	Leber
260	27	Koprostan-3α,7α,12α-triol	Koprostan-3α,7α,12α,27-tetrol	Maus, Ratte	Leber
261	11β,21	Progesteron 17α-Hydroxyprogesteron	Corticosteron Cortisol	Rind	Nebenniere
262	11β,17α 11β,21 11β,21 11β,17α,21	Cortexon Progesteron 17α-Hydroxyprogesteron Progesteron	Cortisol Corticosteron Cortisol Cortisol	Rind	Nebenniere

(Fortsetzung.)

Präparation	Zusätze	Bemerkungen	Literatur
Mikrosomen	G-6-P, G-6-P-DH, TPN	Diäthyldithiocarbamat und Cyanid aktivieren; Azid, Versen, α,α'-Dipyridyl, o-Phenanthrolin hemmen	248
Homogenat	Mg^{++}, ATP, DPN, Fumarat, O_2, Nicotinamid	s. auch Nr. 106 und 293	106
Homogenat	ATP, Fumarat, Mg^{++}		250
Perfusion	Glucose, Ca^{++}, Mg^{++}, 95% O_2/5% CO_2	Anaerob keine Hydroxylierung	251
Sediment des Homogenats nach 5000 ×g		Verlust der C-21-Hydroxylaseaktivität durch Waschen des Sediments; s. dazu Nr. 67 und 262	67
Mikrosomen	Nicotinamid, DPNH oder TPNH, KCN	DPNH als Wasserstoffdonator erweist sich als fast ebenso wirksam wie TPNH. — Die enzymatische TPNH-Entstehung aus DPNH ist ausgeschlossen worden. — K_M (TPNH) = $9{,}0 \times 10^{-4}$ m, K_M (DPNH) = $4{,}5 \times 10^{-4}$ m, K_M (17α-Hydroxyprogesteron) = $5{,}0 \times 10^{-5}$ m (mit DPNH). — KCN steigert die Ausbeute; s. auch Nr. 255	253
geviertelt		s. auch Nr. 118, 214 und 312	118
Mikrosomen	Nicotinamid, DPNH oder TPNH, KCN	s. auch Nr. 253	255
Mitochondrien + hitzestabiler Cofaktor (s. Anm.)	AMP, DPN, Glutathion, Nicotinamid	Der hitzestabile Cofaktor befindet sich nach Ultrazentrifugation im Überstand, ist langsam dialysierbar und kann aus der gekochten Präparation mittels Tierkohle oder Kationenaustauscher gereinigt und konzentriert werden. Durch Veraschen wird er unwirksam. Der Faktor ist nicht identisch mit den bekannten purin- und isoalloxazinhaltigen Cofaktoren	256
Mitochondrien + hitzestabiler Cofaktor (s. Anm.)	AMP, DPN, Glutathion, Nicotinamid	Vgl. Bemerkungen Nr. 256	257
Mitochondrien	nicht angegeben	Das Produkt wird in der Gallenfistelratte in Chenodesoxycholsäure umgewandelt; s. auch Nr. 49	49
Homogenat	DPN, Nicotinamid	Sehr wahrscheinlich entsteht auch Δ^4-Cholesten-7α,26-diol-3-on; vgl. auch Bemerkung Nr. 258	259
Homogenat (auch gewaschene Mitochondrien + Cytoplasma)	Nicotinamid	Das Produkt wird als Zwischenstufe bei der Bildung 3α,7α,12α-Trihydroxy-koprostansäure angesehen, die gleichfalls nachgewiesen werden konnte. Mikrosomen sind inaktiv	260
Homogenat	ATP, Fumarat, Mg^{++}		250
Sediment des Homogenats nach 5000 ×g		Verlust der C-21-Hydroxylaseaktivität durch Waschen des Sediments; s. auch Nr. 67 und 252	67

Tabelle 1.

Lfd. Nr.	Position der OH-Gruppe	Substrat	Produkt	Tier	Organ
263	11β,21 17α,21 11β,17α, 21	Progesteron Progesteron Progesteron	Corticosteron 17α-Hydroxycortexon Cortisol	Rind	Nebenniere
264	17α,21	Progesteron	17α-Hydroxycortexon	Rind	Nebenniere
265	17α,21	Progesteron	17α-Hydroxycortexon	Rind	Nebenniere
266	17α,21	Progesteron	17α-Hydroxycortexon	Rind	Nebenniere
267	11β,21 11β,17α, 21 11β,17α	Progesteron Progesteron Cortexon	Corticosteron Cortisol Cortisol	Ratte, Rind	Nebenniere
268	11β,18 11β,18, 21	Cortexon Progesteron	Aldosteron Aldosteron	Rind	Nebenniere
269	11β,21 11β,21 11β,21 11β,17α, 21 11β,17α, 21	Progesteron Δ⁵-Pregnenolon 17α-Hydroxyprogesteron Progesteron Δ⁵-Pregnenolon	Corticosteron Corticosteron Cortisol Cortisol Cortisol	Rind	Nebenniere
270	11β,18	Cortexon	Aldosteron	Rind	Nebenniere
271	11β,18	Cortexon	Aldosteron	Rind	Nebenniere
272	19,21 17α,19, 21	Progesteron Progesteron	19-Hydroxycortexon 17α,19-Dihydroxycortexon	Rind	Nebenniere
273	17α,21 11β,17α, 21 11β,21 11β,17α, 21 11β,18	Δ⁵-Pregnenolon Δ⁵-Pregnenolon Progesteron Progesteron Cortexon	17α-Hydroxycortexon Cortisol, Cortison Corticosteron Cortisol, Cortison Aldosteron	Rind	Nebenniere
274	19,21 6β,17α	Progesteron Progesteron	19-Hydroxycortexon 6β,17α-Dihydroxyprogesteron	Rind	Nebenniere
275	11β,17α, 21	Progesteron	Cortisol	Kalb	Nebenniere
276	11β,17α	Cortexon	Cortisol	Rind	Nebenniere
277	11β,17α 11β,18	Cortexon-acetat Cortexon-acetat	Cortison Cortisol Aldosteron	Kaninchen, Schwein, Rind	Nebenniere

(Fortsetzung.)

Präparation	Zusätze	Bemerkungen	Literatur
Homogenat	ATP, DPN	s. auch Nr. 234	234
Überstand des Homogenats nach 20000×g	ATP, DPN, Nicotinamid	s. auch Nr. 174 und 235	174
Überstand des Homogenats nach 20000×g	ATP, DPN	s. auch Nr. 244	244
Überstand des Homogenats nach 20000×g	ATP, DPN, Nicotinamid, 95% O_2/5% CO_2	Die Nebennieren männlicher Tiere haben geringere C-21-Hydroxylaseaktivität; s. auch Nr. 173 und 236	173
geviertelt	Glucose, O_2, ACTH	Der Zusatz von ACTH beeinflußt die Umwandlungsrate weder qualitativ noch quantitativ; s. auch Nr. 90 und 197	90
Homogenat	Glucose, Fumarat, Nicotinamid	s. auch Nr. 210	210
Perfusion		Bei einmaligem Durchströmen der Nebenniere entsteht aus Pregnenolon ausschließlich Progesteron, nach 8 Durchströmungscyclen sind Corticosteron und Cortisol nachweisbar; s. auch Nr. 176	176
Homogenat	ATP, DPN, TPN, O_2, Fumarat, Pyruvat, Nicotinamid	s. auch Nr. 96 und 215	96
Brei	TPN, O_2	s. auch Nr. 93, 211 und 224	93
Perfusion		s. auch Nr. 177 und 221	177
Homogenat	ATP, Fumarat, Nicotinamid, Glucose, O_2	s. auch Nr. 95 und 213	95
Perfusion		s. auch Nr. 8 und 220	8
Perfusion		s. auch Nr. 88, 125 und 148	88
Extrakt des acetongetrockneten Sediments des Homogenats nach 5000×g	Fumarat, Mg^{++}	Das Sauerstoffatom der bei der Hydroxylierung eingeführten Hydroxylgruppe stammt aus der Luft (Versuche mit $H_2^{18}O$ und $^{18}O_2$); s. auch und Nr. 128	128
Schnitt	Glucose, O_2, ACTH	Zusatz von ACTH hatte nur quantitative Unterschiede zur Folge; s. auch Nr. 98 und 216	98

Tabelle 1.

Lfd. Nr.	Position der OH-Gruppe	Substrat	Produkt	Tier	Organ
278	11β,17α, 21	Progesteron	Cortisol	Mensch	Nebenniere
	11β,21	17α-Hydroxyprogesteron	Cortisol		
	11β,17α	Cortexon	Cortisol		
279	11β,18, 21	Progesteron	Aldosteron	Kalb	Nebenniere
280	6β,11β	Cortexon	6β-Hydroxycorticosteron	Rind	Nebenniere
	6β,17α	Cortexon	6β,17α-Dihydroxycortexon	Schwein, Rind	Nebenniere
	11β,17α	Cortexon	Δ⁴-Pregnen-17α,20,21-triol-3,11-dion	Schwein, Rind	Nebenniere
	11β,19	Cortexon	19-Hydroxycorticosteron	Schwein, Rind	Nebenniere
281	11β,21	Progesteron	Corticosteron 11-Dehydrocorticosteron	Schwein	Nebenniere
	17α,21	Progesteron	17α-Hydroxycortexon		
	11β,17α, 21	Progesteron	Cortisol, Cortison		
	11β,18, 21	Progesteron	Aldosteron		
282	11β,21	Progesteron	Corticosteron	Mensch (postnataler Exitus), Affe, jung	Nebenniere
	11β,17α, 21	Progesteron	Cortisol		
283	11β,18, 21	Progesteron	Aldosteron	Rind	Nebenniere
	11β,18	Cortexon	Aldosteron		
284	11β,21	Progesteron	Corticosteron	Rind	Nebennierenrinde
	11β,17α, 21	Progesteron	Cortisol		
285	11β, 18,21	Progesteron	Aldosteron	Rind	Nebenniere
286	11β,18, 21	Progesteron	Aldosteron	Kalb	Nebenniere
287	11β,21	Progesteron	Corticosteron	Mensch	Nebenniere
	11β,17α, 21	Progesteron	Cortisol		
288	11β, 18,21	Progesteron	Aldosteron	Rind	Nebenniere
	11β,18	Cortexon	Aldosteron		
289	11β,18, 21	Progesteron	Aldosteron	Rind	Nebenniere
290	11β,19	Cortexon	11β,19-Dihydroxycortexon	Rind, Schaf, Ziege, Goldhamster	Nebenniere
291	11β,21	Progesteron	Corticosteron	Rind	Nebenniere
	11β,17α, 21	Progesteron	Cortisol		
	11β,18, 21	Progesteron	Aldosteron		
292	11β,21	17α-Hydroxyprogesteron	Cortisol	Rind, Mensch	Nebenniere

(Fortsetzung.)

Präparation	Zusätze	Bemerkungen	Literatur
Schnitt, Brei	ATP, DPN, Fumarat, 95% O_2/5% CO_2	s. auch Nr. 127	127
Perfusion	Glucose	s. auch Nr. 196	196
Homogenat	ATP, DPN, TPN, Fumarat, Mg^{++}	s. auch Nr. 21	21
Homogenat			
Homogenat			
Homogenat			
Überstand des Homogenats nach 400 × g	Nicotinamid, Ca^{++}, Mg^{++}, O_2,	s. auch Nr. 76, 153, 183, 198 und 238	76
Schnitt	Schnitt: ohne Zusätze		
Schnitt	Glucose, O_2	Das Steroidhydroxylasesystem ist bereits vollständig vorhanden	282
Zellbrei aus Zona glomerulosa	Fumarat, O_2, Glucose	s. auch Nr. 200	200
Homogenat	ATP, DPN, Fumarat, Mg^{++}, O_2	s. auch Nr. 102	102
Zellbrei aus Zona glomerulosa	Glucose, ATP, Fumarat, O_2	s. auch Nr. 199	199
Perfusion	Glucose	s. auch Nr. 203	203
Brei		Patient mit Cushing-Syndrom; s. auch Nr. 185 und 240	185
Zellbrei aus Zona glomerulosa	Glucose, Fumarat, ATP, Nicotinamid	s. auch Nr. 205	205
Zellbrei aus Zona glomerulosa		s. auch Nr. 206	206
Homogenat		s. auch Nr. 111 und 226	111
Zellbrei aus Zona glomerulosa	Glucose, Fumarat, Nicotinamid, O_2	s. auch Nr. 204	204
Homogenat	ATP, DPN, Fumarat	Die Nebenniere eines Kindes mit adrenogenitalem Syndrom zeigt keine C-21-Hydroxylaseaktivität; s. auch Nr. 132 und 246	132

Hydroxylasen.

Tabelle 1.

Lfd. Nr.	Position der OH-Gruppe	Substrat	Produkt	Tier	Organ
293	11β,21	Progesteron	Corticosteron	Rind	Nebenniere
	11β,17α, 21	Progesteron	Cortisol		
	17α,21	11β-Hydroxyprogesteron	Cortisol		
	11β,17α	Cortexon	Cortisol		
294	11β,18, 21	Progesteron	Aldosteron	Rind	Nebenniere
	11β,18	Cortexon	Aldosteron		
295	11β,18	Cortexon	Aldosteron	Rind	Nebenniere
	18,21	11β-Hydroxyprogesteron	Aldosteron		
	11β,18, 21	Progesteron	Aldosteron		
296	11β,21	Progesteron	Corticosteron	Rind	Nebenniere
	11β,17α, 21	Progesteron	Cortisol		
297	11β,21	Δ⁵-Pregnenolon	Corticosteron	Mensch	Nebenniere
	11β,17α, 21	Δ⁵-Pregnenolon	Cortisol		
	11β,21	Progesteron	Corticosteron		
	11β,17α, 21	Progesteron	Cortisol		
	11β,21	17α-Hydroxyprogesteron	Cortisol		
	11β,17α	Cortexon	Cortisol		
298	11β,17α, 21	Progesteron	Cortisol	Mensch, fetal	Nebenniere
299	11β,21	Progesteron	Corticosteron	Rind	Nebenniere
	11β,17α, 21	Progesteron	Cortisol		
300	11β,21	Progesteron	Corticosteron	Rind	Nebenniere
	11β,17α, 21	Progesteron	Cortisol		
	11β,18, 21	Progesteron	Aldosteron		
	11β,21	17α-Hydroxyprogesteron	Cortisol		
	11β,17α	Cortexon	Cortison		
	11β,18	Cortexon	Aldosteron		
301	11β,21	Δ⁵-Pregnenolon	Corticosteron	Goldhamster	Nebenniere
	11β,17α, 21	Δ⁵-Pregnenolon	Cortisol, Cortison		
	11β,21	Δ⁵-Pregnen-3β,17α-diol-20-on	Cortisol		
	11β,21	Progesteron	Corticosteron, 11-Dehydrocorticosteron		
	11β,17α, 21	Progesteron	Cortisol, Cortison		
	17α,21	11β-Hydroxyprogesteron	Cortison, in Spuren Cortisol		
	11β,21	17α-Hydroxyprogesteron	Cortisol, Cortison		

(Fortsetzung.)

Präparation	Zusätze	Bemerkungen	Literatur
Homogenat	ATP, DPN, Fumarat, Nicotinamid, O_2, Mg^{++}	Gegenstand der Arbeit: Ablauf der Biosynthese der Corticosteroide aus Progesteron; s. auch Nr. 106 und 249	106
Zellbrei aus Zona glomerulosa	ATP, Fumarat, O_2, Nicotinamid, Glucose	Gegenstand der Arbeit: Biosyntheseweg des Aldosterons; Corticosteron wird von den Autoren nicht als Glied dieser Reaktionskette angesehen; s. auch Nr. 202	202
Schnitt aus Zona glomerulosa	Glucose, 95% O_2/5% CO_2	s. auch Nr. 201	201
Perfusion		s. auch Nr. 77	77
Schnitt, Homogenat		s. auch Nr. 116, 134 und 188	116
Homogenat	TPN, G-6 P, Mg^{++}, Ca^{++}		298
Homogenat	Fumarat, ATP, DPN, Nicotinamid, Mg^{++}, O_2	Gegenstand der Arbeit: Untersuchung über den Einfluß der Art des Inkubationsmediums auf den Metabolismus von Progesteron (und Cholesterin)	299
Schnitt, Zona glomerulosa	Glucose, 95% O_2/5% CO_2	Die C-18-Hydroxylaseaktivität ist in der Zona glomerulosa, die C-17α-Hydroxylaseaktivität in Zona fasciculata und Zona reticularis, die C-11β- und die C-21-Hydroxylaseaktivität in allen drei Zonen lokalisiert; s. auch Nr. 115, 195 und 207	115
Schnitt oder Überstand des Homogenats nach 700×g	ATP, DPN, Fumarat, Nicotinamid, Glucose, 95% O_2/5% CO_2	s. auch Nr. 112, 133 und 247	112

Hydroxylasen.

Tabelle 1.

Lfd. Nr.	Position der OH-Gruppe	Substrat	Produkt	Tier	Organ
302	17α,21	Δ^5-Pregnenolon	17α-Hydroxycortexon	Meerschweinchen	Nebenniere
303	6β,21	Progesteron	6β-Hydroxycortexon	Maus	Testis, interstitieller Zelltumor
	21	Progesteron	Cortexon		
	17α	Progesteron	17α-Hydroxyprogesteron		
	21	17α-Hydroxyprogesteron	17α-Hydroxycortexon		
	17α	Progesteron	17α-Hydroxyprogesteron	Maus	Testis
	21	Progesteron	Cortexon in Spuren		
	17α	Progesteron	17α-Hydroxyprogesteron	Ratte	Testis
	17α	Progesteron	Δ^4-Pregnen-17α,20β-diol-3-on		
	21	Progesteron	Cortexon in Spuren		
	17α,21	Progesteron	17α-Hydroxycortexon in Spuren		
304	11β,18,21	Progesteron	Aldosteron	Ochsenfrosch	Nebenniere
305	11β,21	17α-Hydroxyprogesteron	Cortisol	Mensch, fetal	Nebenniere
	11β,17α,21	Progesteron	Cortisol		
306	11β,21	Progesteron	Corticosteron	Rind	Nebenniere
	11β,18,21	Progesteron	Aldosteron		
	11β,18	Cortexon	Aldosteron		
307	11β,21	Progesteron	Corticosteron	Rind	Nebennierenrinde
	11β,17α,21	Progesteron	Cortisol		
308	16β,17α	$\Delta^{1,3,5(10),16}$-Oestratetraen-3-ol	16β-Hydroxyoestradiol-17α (Epioestriol)	Ratte	Leber
309	6,16α	Oestradiol-17β	6-Hydroxyoestriol	Ratte	Leber
310	11β,21	Progesteron	Corticosteron	Ratte	Nebenniere
	11β,18,21	Progesteron	Aldosteron		
	11β,18	Cortexon	Aldosteron		
311	17α,21	Progesteron	17α-Hydroxycortexon	Ratte	Testis, Nebenniere
	11β,17α,21	Progesteron	Cortisol in Spuren		
312	11β,21	Progesteron	Corticosteron	Ratte	Nebenniere
	18,21	Progesteron	18-Hydroxycortexon (18→20-Hemiketal)		

Nachträge

313	11β	Progesteron 17α-Hydroxyprogesteron Cortexon 17α-Hydroxycortexon Δ^4-Androsten-3,17-dion	Es entsteht jeweils das an C-11β hydroxylierte Produkt	Rind	Nebenniere

(Fortsetzung.)

Präparation	Zusätze	Bemerkungen	Literatur
Überstand des Homogenats nach 15000×g oder Mikrosomen	ATP + TPN, TPNH, O_2	Wenn Mikrosomen als Enzymquelle benützt werden, findet Hydroxylierung nur in Anwesenheit von TPNH und Sauerstoff statt; s. auch Nr. 242	242
Homogenat	ATP, DPN, Fumarat, Nicotinamid, 95% O_2/5% CO_2	Gegenstand der Arbeit: Enzymdissoziation bei maligner Entartung von Testis, untersucht am Beispiel der C-21-Hydroxylierung; s. auch Nr. 11, 13, 189 und 241	11
Homogenat	ATP, DPN, Fumarat, Nicotinamid, 95% O_2/5% CO_2		
Homogenat	ATP, DPN, Fumarat, Nicotinamid, 95% O_2/5% CO_2		
Brei	Glucose, ACTH, 95% O_2/5% CO_2	s. auch Nr. 209	209
Homogenat	TPN + G-6-P-DH oder TPNH	C-11β, C-17α und C-21-Hydroxylase sind schon ab 10. Schwangerschaftswoche nachweisbar	305
Zellbrei aus Zona glomerulosa	Glucose, Fumarat	s. auch Nr. 114 und 208	114
Homogenat		Zusatz von Homogenat aus Nebennierenmark oder von Catechinaminen steigern die Ausbeute	307
Schnitt		s. auch Nr. 169	169
Schnitt	Glucose	s. auch Nr. 2, 42 und 165	2
Schnitt	Glucose	In künstlich erzeugtem Nebennierenrindencarcinom ist die C-11β-Hydroxylaseaktivität geringer, s. auch Nr. 117 und 243	117
Überstände der Homogenate nach 700×g		Die Produkte entstehen nur im Gemisch beider Überstände, da Testis nur C-17α-Hydroxylase, Nebenniere andererseits C-21-Hydroxylase und weniger C-11β-Hydroxylase enthält	311
geviertelt		Zusatz von ACTH beeinflußt die Ausbeute entweder gar nicht oder hemmt; s. auch Nr. 118, 214 und 254	118
lösliche Enzympräparation aus Mitochondrien	TPN, G-6-P, G-6-P-DH, Mn^{++}, O_2	Extraktion des Mitochondrien-Acetontrockenpulvers mit Phosphatpuffer; Fraktionierung des Extrakts mit Ammoniumsulfat; 2 Fraktionen mit 11β-Hydroxylaseaktivität. Mn^{++} und (in geringerem Umfang) Mg^{++} stimulieren, Cu^{++} und Cu^+ hemmen	313

Tabelle 1.

Lfd. Nr.	Position der OH-Gruppe	Substrat	Produkt	Tier	Organ
314	11β	Cortexon 17α-Hydroxycortexon	Corticosteron Cortisol	Rind	Nebennierenrinde
315	11β 21 17α,21	17α-Hydroxycortexon 17α-Hydroxyprogesteron Progesteron	Cortisol 17α-Hydroxycortexon 17α-Hydroxycortexon	Rind	Nebennierenrinde
316	16α	Progesteron	16α-Hydroxyprogesteron	Mensch	Ovar
317	16α	Δ⁵-Androsten-3β-ol-17-on	Δ⁵-Androsten-3β,16α-diol-17-on	Ratte ♂	Leber
318	16α	Oestradiol-17β	Oestriol	Huhn	Leber
319	17α	Δ⁵-Pregnen-3β-ol-20-on	Δ⁵-Pregnen-3β,17α-ol-20-on	Rind	Nebenniere Testis
320	21	17α-Hydroxyprogesteron	17α-Hydroxycortexon	Rind	Nebennierenrinde
321	11β 11β 21 11β,21 11β,21 11β,17α,21	Cortexon 17α-Hydroxycortexon 17α-Hydroxyprogesteron Progesteron 17α-Hydroxyprogesteron Progesteron	Corticosteron Cortisol 17α-Hydroxycortexon Corticosteron Cortisol Cortisol	Stier	Nebennierenrinde
322	21	keine Angabe	keine Angabe	Rind	Nebennierenrinde

Literatur zu Tabelle 1.

[1] AXELROD, L. R., L. L. MILLER and F. HERLING: J. biol. Ch. **219**, 455 (1956).
[2] BREUER, H., R. KNUPPEN u. H. SCHRIEFERS: H. **319**, 136 (1960).
[3] KING, R. J. B.: Biochem. J. **74**, 22p (1960).
[4] KING, R. J. B.: Biochem. J. **79**, 355 (1961).
[5] KING, R. J. B.: Biochem. J. **79**, 361 (1961).
[7] HAGOPIAN, N., G. PINCUS, J. CARLO and E. B. ROMANOFF: Endocrinology **58**, 387 (1956).
[8] KUSHINSKY, S.: Doctoral Thesis, Boston University, Boston, Mass. (1955).
[9] LEVY, H., and S. KUSHINSKY: Unveröffentlichte Ergebnisse [M. HAYANO, M. C. LINDBERG, M. WIENER, H. ROSENKRANTZ and R. I. DORFMAN, Endocrinology **55**, 326 (1954)].
[10] BERLINER, D. L., and H. A. SALHANICK: J. clin. Endocrinol. **16**, 903 (1956).
[11] DOMINGUEZ, O. V., H. F. ACEVEDO, R. A. HUSEBY and L. T. SAMUELS: J. biol. Ch. **235**, 2608 (1960).
[12] SWEAT, M. L., D. L. BERLINER, M. J. BRYSON, C. NABORS jr., J. HASKELL and F. G. HOLMSTROM: Biochim. biophys. Acta **40**, 289 (1960).

Nachträge (Fortsetzung).

Präparation	Zusätze	Bemerkungen	Literatur
lösliche Enzympräparation durch Ultraschallbehandlung von Mitochondrien	TPN, G-6-P, G-6-P-DH, Mg^{++}, aerob	K_M (Cortexon): $0{,}847 \cdot 10^{-5}$ m K_M (17α-Hydroxycortexon): $2{,}084 \cdot 10^{-5}$ m Mg^{++} ist essentiell	314
zellfreies Homogenat	G-6-P, TPN	Bei suboptimaler TPN-Konzentration wird die C-11β-Hydroxylierung durch Ascorbinsäure gesteigert; die C-17α- und die C-21-Hydroxylase bleiben unbeeinflußt	315
Schnitt	keine		316
Schnitt	TPNH	Ratte ♀ geringere Aktivität; Kastration senkt die Aktivität	317
Schnitt	keine		318
Homogenat, Überstand des Homogenats nach 5000 × g	ATP, DPN, DPNH, TPN, TPNH, O$_2$	Nebenniere: höchste Aktivität im Überstand. Testis: Überstand und Gesamthomogenat haben gleiche Aktivität	319
Mikrosomen	Rinder-Albumin, Mg^{++}, TPN, G-6-P, G-6-P-DH, D(−)-Adrenalin D(−)-Noradrenalin L-Ascorbinsäure	Eine durch Ascorbinsäure (10^{-5} m) verursachte Hemmung der C-21-Hydroxylierung wird durch Noradrenalin oder Adrenalin aufgehoben	320
Homogenat	Albumin 95% O$_2$/5% CO$_2$	Zusatz von Noradrenalin steigert die C-21-, nicht aber die C-11β-Hydroxylierung	321
lösliche Enzympräparation aus Mikrosomen	keine Angabe	Lösung des Enzyms durch Behandlung der Mikrosomen mit Triton X-100. Dieses gelöste Enzym wird durch Ascorbinsäure bzw. Catecholamine nicht mehr beeinflußt in seiner Aktivität (s. dazu Bemerkung Nr. 320). Hemmstoffe: α,α'-Dipyridyl, o-Phenanthrolin, 2-Threonyltrifluoraceton, p-Chlormercuribenzoat, Cytochrom c. Aktivierung durch Amytal, Acroflavin	322

[14] HAINES, W. U.: Recent Progr. Hormone Res. 7, 255 (1952).
[15] HAYANO, M., M. WIENER and M. C. LINDBERG: Fed. Proc. 12, 216 (1953).
[16] AXELROD, L. R., and L. L. MILLER: Arch. Biochem. 49, 248 (1954).
[17] HAYANO, M., M. C. LINDBERG, M. WIENER, H. ROSENKRANTZ and R. I. DORFMAN: Endocrinology 55, 326 (1954).
[18] GRANT, J. K.: Ann. Rep. chem. Soc. 52, 316 (1955).
[19] KAHNT, F. W., R. NEHER u. A. WETTSTEIN: Helv. 38, 1237 (1955).
[20] HEARD, R. D. H., E. G. BLIGH, M. C. CANN, P. H. JELLINCK, V. J. O'DONNELL, B. G. RAO and J. L. WEBB: Recent Progr. Hormone Res. 12, 45 (1956).
[21] NEHER, R., u. A. WETTSTEIN: Helv. 39, 2062 (1956).
[22] GRANT, J. K.: Biochem. J. 64, 559 (1956).
[23] TAYLOR, W.: Biochem. J. 72, 442 (1959).
[24] BRYSON, M. J., and M. L. SWEAT: Fed. Proc. 29, 283 (1961).
[25] FORCHIELLI, E.: Doctoral Thesis, Boston University, Boston, Mass. 1956.

Literatur zu Tabelle 1 (Fortsetzung).

[26] MILLER, L. L., and L. R. AXELROD: Metabolism **3**, 438 (1954).
[31] MEYER, A. S., M. HAYANO, M. C. LINDBERG, M. GUT and O. G. RODGERS: Acta endocrinol., København **18**, 148 (1955).
[33] MUELLER, G. C., and G. RUMNEY: Am. Soc. **79**, 1004 (1957).
[34] BREUER, H., L. NOCKE u. R. KNUPPEN: Naturwiss. **45**, 397 (1958).
[35] BREUER, H., L. NOCKE u. R. KNUPPEN: H. **315**, 72 (1959).
[36] BREUER, H., and R. KNUPPEN: Biochim. biophys. Acta **39**, 408 (1960).
[37] BREUER, H., R. KNUPPEN and G. PANGELS: Biochem. J. **79**, 32P (1961).
[38] BREUER, H., R. KNUPPEN, R. ORTLEPP, G. PANGELS and A. PUCK: Biochim. biophys. Acta **40**, 560 (1960).
[39] BREUER, H., R. KNUPPEN and G. PANGELS: H. **321**, 57 (1960).
[41] BREUER, H., L. NOCKE and G. PANGELS: Acta endocrinol., København **34**, 359 (1960).
[43] BERGSTRÖM, S., A. DAHLQVIST and O. LJUNGQVIST: Kgl. fysiogr. Sällsk. Lund Förh. **23**, 99 (1953).
[44] BERGSTRÖM, S., and U. GLOOR: Acta chem. scand. **8**, 1373 (1954).
[45] GLOOR, U.: Helv. **37**, 1927 (1954).
[46] BERGSTRÖM, S., and U. GLOOR: Acta chem. scand. **8**, 1109 (1954).
[47] BERGSTRÖM, S., and U. GLOOR: Acta chem. scand. **9**, 34 (1955).
[48] USUI, T., and K. YAMASAKI: J. Biochem. **48**, 226 (1960).
[49] DANIELSSON, H.: Ark. Kemi **17**, 373 (1961).
[50] SCHNEIDER, J. J.: Fed. Proc. **19**, 151 (1960).
[52] STÁRKA, L., and J. KUTOVÁ: Biochim. biophys. Acta **56**, 76 (1962).
[53] HECKER, E.: Chem.-Ztg. **82**, 588 (1958).
[54] MUELLER, G. C., u. E. HECKER: Angew. Chem. **71**, 744 (1959).
[55] HECKER, E., u. S. M. A. D. ZAYED: H. **325**, 209 (1961).
[56] HECKER, E., u. S. M. A. D. ZAYED: Biochim. biophys. Acta **50**, 607 (1961).
[57] HECHTER, O., R. P. JACOBSEN, R. JEANLOZ, H. LEVY, C. W. MARSHALL, G. PINCUS and V. SCHENKER: Am. Soc. **71**, 3261 (1949).
[58] HAYANO, M., R. I. DORFMAN and D. A. PRINS: Proc. Soc. exp. Biol. Med. **72**, 700 (1949).
[59] SAVARD, K., L. A. LEWIS and A. A. GREEN: Fed. Proc. **9**, 223 (1950).
[60] SAVARD, K., A. A. GREEN and L. A. LEWIS: Endocrinology **47**, 418 (1950).
[61] JEANLOZ, R. W., H. LEVY, R. P. JACOBSEN, O. HECHTER, V. SCHENKER and G. PINCUS: Abstr. amer. chem. Soc. **118**, 29C (1950).
[62] HECHTER, O., R. P. JACOBSEN, R. JEANLOZ, H. LEVY, C. W. MARSHALL, G. PINCUS and V. SCHENKER: Arch. Biochem. **25**, 457 (1950).
[63] McGINTY, D. A., G. N. SMITH, M. L. WILSON and C. S. WORREL: Science, N.Y. **112**, 506 (1950).
[64] HAYANO, M., R. I. DORFMAN and E. Y. YAMADA: J. biol. Ch. **193**, 175 (1951).
[65] KAHNT, F. W., u. A. WETTSTEIN: Helv. **34**, 1790 (1951).
[66] SWEAT, M. L.: Am. Soc. **73**, 4056 (1951).
[67] DORFMAN, R. I., M. HAYANO, R. HAYNES and K. SAVARD: Ciba Found. Coll. Endocrinol. **7**, 191 (1953).
[68] DORFMAN, R. I., and M. HAYANO: Ciba Found. Coll. Endocrinol. **2**, 375 (1952).
[69] HAYANO, M., and R. I. DORFMAN: Fed. Proc. **11**, 228 (1952).
[71] KAHNT, F. W., CH. MEYSTRE, R. NEHER, E. VISCHER u. A. WETTSTEIN: Exper. **8**, 422 (1952).
[72] LEVY, H., R. W. JEANLOZ, R. P. JACOBSEN, O. HECHTER, V. SCHENKER and G. PINCUS: J. biol. Ch. **211**, 867 (1954).
[73] BROWNIE, A. C., and J. K. GRANT: Biochem. J. **56**, XXV (1954).
[74] BROWNIE, A. C., J. K. GRANT and D. W. DAVIDSON: Biochem. J. **58**, 218 (1954).
[75] SABA, N., and O. HECHTER: Fed. Proc. **14**, 775 (1955).
[76] RAO, B. G., and R. D. H. HEARD: Arch. Biochem. **66**, 504 (1957).
[77] HAYANO, M., M. GUT, R. I. DORFMAN, O. K. SEBEK and D. H. PETERSON: Am. Soc. **80**, 2336 (1958).
[78] BROWNIE, A. C., J. K. GRANT and W. TAYLOR: Biochem. J. **55**, XXII (1953).
[79] HECHTER, O., R. P. JACOBSEN, V. SCHENKER, H. LEVY, R. W. JEANLOZ, C. W. MARSHALL and G. PINCUS: Endocrinology **52**, 679 (1953).
[80] LEVY, H., R. W. JEANLOZ, C. W. MARSHALL, R. P. JACOBSEN, V. SCHENKER and G. PINCUS: J. biol. Ch. **203**, 433 (1953).
[81] HAYANO, M., M. WIENER and M. C. LINDBERG: Fed. Proc. **12**, 216 (1953).
[82] HAYANO, M., and R. I. DORFMAN: J. biol. Ch. **201**, 175 (1953).
[83] HAYANO, M.: Fed. Proc. **13**, 226 (1954).
[84] BROWNIE, A. C., and J. K. GRANT: Biochem. J. **57**, 255 (1954).
[85] BROWNIE, A. C., and J. K. GRANT: Biochem. J. **58**, XXXIX (1954).
[86] HAYANO, M., and R. I. DORFMAN: J. clin. Endocrinol. **14**, 780 (1954).
[87] HAYANO, M., and R. I. DORFMAN: J. biol. Ch. **211**, 227 (1954).
[88] ROSENFELD, G., F. UNGAR, R. I. DORFMAN and G. PINCUS: Endocrinology **56**, 24 (1955).

Literatur zu Tabelle 1 (Fortsetzung).

[89] KERSTEN, H., W. KERSTEN u. HJ. STAUDINGER: B. Z. **327**, 284 (1955).
[90] HEARD, R. D. H., R. W. JACOBS, V. O'DONNELL, F. G. PERON, J. C. SAFFRAN, S. S. SOLOMON, L. M. THOMPSON, H. WILLOUGHBY and C. M. YATES: Recent Progr. Hormone Res. **9**, 383 (1954).
[91] GRANT, J. K., and A. C. BROWNIE: Biochim. biophys. Acta **18**, 433 (1955).
[92] SWEAT, M. L., and M. D. LIPSCOMB: Am. Soc. **77**, 5185 (1955).
[93] HAYANO, M., R. I. DORFMAN and E. ROSEMBERG: Fed. Proc. **14**, 224 (1955).
[94] SWEAT, M. L.: Fed. Proc. **14**, 290 (1955).
[95] WETTSTEIN, A., F. W. KAHNT u. R. NEHER: Ciba Found. Coll. Endocrinol. **8**, 170 (1955).
[96] WETTSTEIN, A., F. W. KAHNT u. R. NEHER: Exper. **11**, 446 (1955).
[97] BROWNIE, A. C., and J. K. GRANT: Biochem. J. **62**, 29 (1956).
[98] HEARD, R. D. H., E. G. BLIGH, M. C. CANN, P. H. JELLINCK, V. J. O'DONNELL, B. G. RAO and J. L. WEBB: Recent Progr. Hormone Res. **12**, 45 (1956).
[100] ROSENFELD, G., and W. D. BASCOM: Proc. Soc. exp. Biol. Med. **92**, 66 (1956).
[101] SWEAT, M. L., R. A. ALDRICH, C. H. DE BRUIN, W. L. FOWLKS, L. R. HEISELT and H. S. MASON: Fed. Proc. **15**, 367 (1956).
[102] EICHHORN, J., and O. HECHTER: Proc. Soc. exp. Biol. Med. **95**, 311 (1957).
[103] GRANT, J. K., T. SYMINGTON and W. P. DUGUID: J. clin. Endocrinol. **17**, 933 (1957).
[104] TOMKINS, G. M., and P. J. MICHAEL: Nature **180**, 337 (1957).
[105] TOMKINS, G. M., P. J. MICHAEL and J. F. CURRAN: Biochim. biophys. Acta **23**, 655 (1957).
[106] EICHHORN, J., and O. HECHTER: Proc. Soc. exp. Biol. Med. **97**, 614 (1958).
[107] TOMKINS, G. M., J. F. CURRAN and P. J. MICHAEL: Biochim. biophys. Acta **28**, 449 (1958).
[108] GRANT, J. K., and K. MONGKOLKUL: Biochem. J. **69**, 36P (1958).
[109] KERSTEN, H., S. LEONHÄUSER and HJ. STAUDINGER: Biochim. biophys. Acta **29**, 350 (1958).
[110] GRANT, J. K., and K. MONGKOLKUL: Biochem. J. **71**, 34 (1959).
[111] GRIFFITHS, K., and J. K. GRANT: Biochem. J. **73**, 5P (1959).
[112] SCHINDLER, W. J., and K. M. KNIGGE: Endocrinology **65**, 748 (1959).
[113] KORUS, W., H. SCHRIEFERS, H. BREUER and J. M. BAYER: Acta endocrinol., København **31**, 529 (1959).
[114] AYRES, P. J., J. EICHHORN, O. HECHTER, N. SABA, J. F. TAIT and S. A. S. TAIT: Acta endocrinol., København **33**, 27 (1960).
[115] STACHENKO, J., and C. J. P. GIROUD: Endocrinology **64**, 730 (1959).
[116] LOMBARDO, M. E., and P. B. HUDSON: Endocrinology **65**, 417 (1959).
[117] JOHNSON, D. F., K. C. SNELL, D. FRANCOIS and E. HEFTMANN: Acta endocrinol., København **37**, 329 (1961).
[118] WARD, P. J., and M. K. BIRMINGHAM: Acta endocrinol., København **39**, 110 (1962).
[121] MEYER, A. S.: Science, N.Y. **118**, 101 (1953).
[127] LOMBARDO, M. E., E. ROITMAN and P. B. HUDSON: J. clin. Endocrinol. **16**, 1283 (1956).
[128] HAYANO, M., M. C. LINDBERG, R. I. DORFMAN, J. E. H. HANCOCK and W. v. E. DOERING: Arch. Biochem. **59**, 529 (1955).
[132] BONGIOVANNI, A. M., and W. EDER: J. clin. Invest. **37**, 1342 (1958).
[135] HAYANO, M., and R. I. DORFMAN: Arch. Biochem. **50**, 218 (1954).
[136] AXELROD, L. R., and G. ARROYAVE: Am. Soc. **75**, 5729 (1953).
[137] SAVARD, K., R. I. DORFMAN, B. BAGGETT and L. L. ENGEL: Fed. Proc. **15**, 346 (1956).
[138] SAVARD, K., R. I. DORFMAN, B. BAGGETT, L. L. ENGEL, L. M. LISTER and F. L. ENGEL: J. clin. Endocrinol. **16**, 970 (1956).
[139] SAVARD, K., R. I. DORFMAN, B. BAGGETT, L. L. FIELDING, L. L. ENGEL, H. T. MCPHERSON, L. M. LISTER, D. S. JOHNSON, E. C. HAMBLEN and F. L. ENGEL: J. clin. Invest. **39**, 534 (1960).
[140] JEANLOZ, R. W., H. LEVY, R. P. JACOBSEN, O. HECHTER, V. SCHENKER and G. PINCUS: J. biol. Ch. **203**, 453 (1953).
[143] MEYER, A. S.: Acta endocrinol., København **25**, 377 (1957).
[144] MEYER, A. S., O. G. RODGERS and G. PINCUS: Endocrinology **53**, 245 (1953).
[145] MEYER, A. S., R. W. JEANLOZ and G. PINCUS: J. biol. Ch. **203**, 463 (1953).
[146] UNGAR, F., A. M. MILLER and R. I. DORFMAN: J. biol. Ch. **206**, 597 (1954).
[149] YUDAV, N. A., and K. V. DRUHININA: Dokl. Akad. Nauk SSSR **110**, 1044 (1956).
[150] KNUPPEN, R., and H. BREUER: Biochim. biophys. Acta, im Druck.
[151] REPKE, K., F. LAUTERBACH, S. KLESCZEWSKI u. L. ROTH: Verh. dtsch. Ges. Kreislaufforsch. **25**, 290 (1959).
[152] LAUTERBACH, F., K. REPKE u. D. NITZ: A.e.P.P. **239**, 196 (1960).
[154] WETTSTEIN, A., R. NEHER u. H. J. URECH: Helv. **42**, 956 (1959).
[156] VILLEE, D. B., L. L. ENGEL, J. M. LORING and C. A. VILLEE: Endocrinology **69**, 354 (1961).
[158] STYLIANOU, M., E. FORCHIELLI and R. I. DORFMAN: J. biol. Ch. **236**, 1318 (1961).
[159] SCHNEIDER, J. J., and H. L. MASON: J. biol. Ch. **172**, 771 (1948).
[160] DOWBEN, R. M., and J. L. RABINOWITZ: Nature **178**, 696 (1956).

Literatur zu Tabelle 1 (Fortsetzung).

[161] RUMNEY, G.: Fed. Proc. **15**, 343 (1956).
[162] ENGEL, L. L., B. BAGGETT and M. HALLA: Biochim. biophys. Acta **30**, 435 (1958).
[163] HAGOPIAN, M., and L. K. LEVY: Biochim. biophys. Acta **30**, 641 (1958).
[169] BREUER, H., and R. KNUPPEN: Biochim. biophys. Acta **49**, 620 (1961).
[172] PANGELS, G., u. H. BREUER: Naturwiss. **49**, 106 (1962).
[173] PLAGER, J. E., and L. T. SAMUELS: J. biol. Ch. **211**, 21 (1954).
[174] PLAGER, J. E., and L. T. SAMUELS: Arch. Biochem. **42**, 477 (1953).
[175] PLAGER, J. E., and L. T. SAMUELS: Fed. Proc. **12**, 357 (1953).
[176] LEVY, H., R. W. JEANLOZ, R. P. JACOBSEN, O. HECHTER, V. SCHENKER and G. PINCUS: J. biol. Ch. **211**, 867 (1954).
[177] LEVY, H., and S. KUSHINSKY: Arch. Biochem. **55**, 290 (1955).
[178] LYNN jr., W. S.: Fed. Proc. **15**, 305 (1956).
[179] SAVARD, K., R. I. DORFMAN, B. BAGGETT and L. L. ENGEL: J. clin. Endocrinol. **16**, 1629 (1956).
[180] SLAUNWHITE jr., W. R., and L. T. SAMUELS: J. biol. Ch. **220**, 341 (1956).
[181] SOLOMON, S., R. VAN DE WIELE and S. LIEBERMAN: Am. Soc. **78**, 5453 (1956).
[182] LYNN, W. S., and R. BROWN: Biochim. biophys. Acta **21**, 403 (1956).
[184] HOFMANN, F. G.: Endocrinology **60**, 382 (1957).
[185] BERLINER, M. L., D. L. BERLINER and T. F. DOUGHERTY: J. clin. Endocrinol. **18**, 109 (1958).
[186] SOLOMON, S., J. T. LANMAN, J. LIND and S. LIEBERMAN: J. biol. Ch. **233**, 1084 (1958).
[187] LYNN jr., W. S., and R. S. BROWN: J. biol. Ch. **232**, 1015 (1958).
[191] SWEAT, M. L., D. L. BERLINER, M. J. BRYSON, C. NABORS jr., J. HASKELL and E. G. HOLMSTROM: Biochim. biophys. Acta **40**, 289 (1960).
[192] FEVOLD, H. R., and K. B. EIK-NES: Fed. Proc. **20**, 197 (1961).
[193] LITTLE, B., and A. SHAW: Acta endocrinol., København **36**, 455 (1961).
[196] ROSEMBERG, E., G. ROSENFELD, F. UNGAR and R. I. DORFMAN: Endocrinology **58**, 708 (1956).
[199] AYRES, P. J., O. GARROD, S. A. S. TAIT, J. F. TAIT, G. WALKER and W. H. PEARLMAN: Ciba Found. Coll. Endocrinol. **11**, 309 (1957).
[200] AYRES, P. J., O. HECHTER, N. SABA, S. A. SIMPSON and J. F. TAIT: Biochem. J. **65**, 22p (1957).
[201] GIROUD, C. J. P., J. STACHENKO and P. PILETTA: An International Symposium on Aldosterone. Ed. by A. F. MULLER and C. M. O'CONNOR. p. 56. London 1958.
[202] TRAVIS, R. H., and G. L. FARRELL: Fed. Proc. **17**, 324 (1958).
[203] CHEN, P. S., H. P. SCHEDL, G. ROSENFELD and F. C. BARTTER: Proc. Soc. exp. Biol. Med. **97**, 683 (1958).
[204] AYRES, P. J., W. H. PEARLMAN, J. F. TAIT and S. A. S. TAIT: Biochem. J. **70**, 230 (1958).
[205] TRAVIS, R. H., and G. L. FARRELL: Endocrinology **63**, 882 (1958).
[206] AYRES, P. J., J. BARLOW, O. GARROD, A. E. KELLIE, S. A. S. TAIT, J. F. TAIT and G. WALKER: An International Symposium on Aldosterone. Ed. by A. F. MULLER and C. M. O'CONNOR. p. 73. London 1958.
[209] ULICK, S., and S. SOLOMON: Am. Soc. **82**, 249 (1960).
[210] WETTSTEIN, A., u. G. ANNER: Exper. **10**, 397 (1954).
[212] KAHNT, F. W., R. NEHER u. A. WETTSTEIN: Helv. **38**, 1237 (1955).
[217] MULROW, P. J., and G. L. COHN: Proc. Soc. exp. Biol. Med. **101**, 731 (1959).
[218] BERGSTROM, C. G., and R. M. DODSON: Am. Soc. **82**, 3480 (1960).
[219] LOCKE, K. H., E. J. D. WATSON and G. F. MARRIAN: Biochim. biophys. Acta **26**, 230 (1957).
[223] HAYANO, M., and R. I. DORFMAN: Arch. Biochem. **55**, 289 (1955).
[225] ZAFFARONI, A., V. TRONCOSO and M. GARCIA: Chem. & Indust. **1955**, 534.
[228] MEYER, A. S.: Exper. **11**, 99 (1955).
[229] RYAN, K. J.: J. biol. Ch. **234**, 268 (1959).
[230] LONGCHAMPT, J. E., C. GUAL, M. EHRENSTEIN and R. I. DORFMAN: Endocrinology **66**, 416 (1960).
[232] SOLOMON, S., P. LEVITAN and S. LIEBERMANN: Rev. canad. Biol. **15**, 282 (1956).
[233] SOLOMON, S., P. LEVITAN and S. LIEBERMANN: Proc. canad. physiol. Soc. **20**, 54 (1956).
[234] PLAGER, J. E., and L. T. SAMUELS: Fed. Proc. **11**, 383 (1952).
[237] RYAN, K. J., and L. L. ENGEL: Am. Soc. **78**, 2654 (1956).
[239] RYAN, K. J., and L. L. ENGEL: J. biol. Ch. **225**, 103 (1957).
[242] HOFMANN, F. G.: Biochim. biophys. Acta **37**, 566 (1960).
[244] PLAGER, E. J., and L. T. SAMUELS: Fed. Proc. **12**, 357 (1953).
[245] RYAN, K. J.: Fed. Proc. **15**, 344 (1956).
[248] COOPER, D. Y., O. FOROFF and O. ROSENTHAL: Fed. Proc. **20**, 180 (1961).
[250] HAYANO, M., and R. I. DORFMAN: Arch. Biochem. **36**, 237 (1952).
[251] ROSENFELD, G., and W. D. BASCOM: Proc. Soc. exp. Biol. Med. **92**, 66 (1956).
[253] LEONHÄUSER, S.: Diss. Gießen 1961.
[255] LEONHÄUSER, S., u. HJ. STAUDINGER: In Vorbereitung.

Beschreibung besser definierter Steroidhydroxylasen.

1. Die C-11β-Hydroxylase.
[1.99.1.7.]

Am Beginn der Untersuchungen über die enzymatische Hydroxylierung des Steroidgerüstes in C-11β-Stellung stehen die bereits erwähnten Versuche von HECHTER[1]. Fast zur gleichen Zeit finden DORFMAN u. Mitarb.[2], daß bei der Inkubation von Cortexonglucosid als Substrat mit Rinder-Nebennieren-Schnitten „gluconeogenetisches Material" entsteht, welches später als Corticosteron identifiziert werden konnte[3]. Zusatz von Fumarat erhöht die Ausbeute. McGINTY[4] zeigt 1950, daß mit gekochtem Homogenat und unter anaeroben Bedingungen keine 11β-Hydroxylierung stattfindet. Obgleich eine Arbeit französischer Autoren vorliegt[5], die die erfolgreiche 11β-Hydroxylierung von 17α,21-Dihydroxyprogesteron zu Cortisol mit dem nichtenzymatischen „UDENFRIEND-System" (vgl. S. 926) zum Gegenstand hat, besteht kein Zweifel über die enzymatische Natur der in der Zelle ablaufenden Hydroxylierungsreaktionen am Steroidgerüst.

Eine Fülle von Arbeiten aus einer Reihe verschiedener Arbeitskreise ermöglicht folgende Aussagen über Vorkommen und Natur der C-11β-Hydroxylase:

Vorkommen. *Species:* Mensch, auch Fetus, Rind, Goldhamster, Schaf, Ziege, Hund, Meerschweinchen, Pferd, Löwe, Kaninchen, Ochsenfrosch, Ratte, Schwein.

Organ. Die 11β-Hydroxylase findet sich ausschließlich in der Nebennierenrinde; über die Verteilung der Aktivität innerhalb der drei Zonen der Nebennierenrinde besteht noch keine Klarheit. Mitteilungen über das Vorkommen in anderen Organen konnten nicht bestätigt werden; sie sind auf die zur Zeit der Untersuchungen noch mangelhaften analytischen Methoden zur Identifizierung des entstandenen Produkts zurückzuführen. SAVARD

---

[1] HECHTER, O., A. ZAFFARONI, H. P. JACOBSON, H. LEVY, R. W. JEANLOZ, V. SCHENKER and G. PINCUS: Am. Soc. **71**, 3271 (1949).
[2] HAYANO, M., R. I. DORFMAN and D. A. PRINS: Proc. Soc. exp. Biol. Med. **72**, 700 (1949).
[3] HAYANO, M., and R. I. DORFMAN: J. biol. Ch. **201**, 175 (1953).
[4] McGINTY, D. A., G. N. SMITH, M. L. WILSON and C. S. WORREL: Science, N.Y. **112**, 506 (1950).
[5] CIER, A., C. NOFRE et A. REVOL: Cr. **247**, 542 (1958). — REVOL, A., C. NOFRE et A. CIER: Cr. **247**, 2486 (1958).

Literatur zu Tabelle 1 (Fortsetzung).

[256] FREDRICKSON, D. S.: J. biol. Ch. **222**, 109 (1956).
[257] FREDRICKSON, D. S., and K. ONO: Biochim. biophys. Acta **22**, 183 (1956).
[259] DANIELSSON, H.: Ark. Kemi **17**, 363 (1961). Biochem. J. **81**, 13p (1961).
[260] DANIELSSON, H.: Acta chem. scand. **14**, 348 (1960).
[282] LANMAN, J. T., and L. M. SILVERMAN: Endocrinology **60**, 433 (1957).
[298] VILLEE, D. B., L. L. ENGEL and C. A. VILLEE: Endocrinology **65**, 465 (1959).
[299] EICHHORN, J., and O. HECHTER: Arch. Biochem. **84**, 196 (1959).
[305] VILLEE, D. B., J. M. LORING and C. A. VILLEE: Fed. Proc. **18**, 344 (1959).
[307] COOPER, D. Y., O. ROSENTHAL, V. J. PILEGGI and W. S. BLAKEMORE: Proc. Soc. exp. Biol. Med. **104**, 52 (1960).
[311] HOFMANN, F. G.: Fed. Proc. **20**, 181 (1961).

Nachträge

[313] SWEAT, M. L., and M. J. BRYSON: Arch. Biochem. **96**, 186 (1962).
[314] SHARMA, D. C., E. FORCHIELLI and R. I. DORFMAN: J. biol. Ch. **237**, 1495 (1962).
[315] JENKINS, J. S.: Endocrinology **70**, 267 (1962).
[316] WARREN, J. C., and H. A. SALHANICK: J. clin. Endocrinol. **21**, 1376 (1961).
[317] COLÁS, A.: Biochem. J. **82**, 390 (1962).
[318] MITCHELL, J. E., and R. HOBKIRK: Biochem. biophys. Res. Comm. **1**, 72 (1959).
[319] KAHNT, F. W., R. NEHER, K. SCHMID u. A. WETTSTEIN: Exper. **17**, 19 (1961).
[320] COOPER, D. Y., and O. ROSENTHAL: Arch. Biochem. **96**, 331 (1962).
[321] COOPER, D. Y., and O. ROSENTHAL: Arch. Biochem. **96**, 327 (1962).
[322] NARASIMHULU, S., D. Y. COOPER, O. FOROFF and O. ROSENTHAL: Fed. Proc. **21**, 51 (1962).

u. Mitarb.[1] fanden 11β-Hydroxylaseaktivität in Interstitium-Tumorzellen aus menschlichem Testis, die jedoch als adrenales Restgewebe aus der Embryonalentwicklung anzusehen sind.

Lokalisierung in der Zelle. Die ersten Arbeiten zur 11β-Hydroxylierung waren mit der perfundierten Drüse, weitere mit Schnitten, Brei oder Homogenaten durchgeführt worden. SWEAT[2] unterwarf dann ein Homogenat aus Rindernebennieren (Medium: 0,88 m Saccharose) dem Verfahren der Differentialzentrifugation nach HOGEBOOM und SCHNEIDER[3]. Die gesuchte 11β-Hydroxylaseaktivität fand sich in der zwischen 2000 und 19000 × g sedimentierten Mitochondrienfraktion. Es sei jedoch an dieser Stelle darauf hingewiesen, daß die von HOGEBOOM und SCHNEIDER für Rattenleber-Homogenate ausgearbeitete Methode der Differentialzentrifugation nicht ohne weiteres zur einwandfreien Trennung der Zellfraktionen anderer Organhomogenate angewendet werden kann[4,5].

Substrate. Aus der Tabelle 1 ist ersichtlich, daß Steroide verschiedenster Konstitution am C-Atom 11 in β-Stellung hydroxyliert werden können; außer Steroiden mit 21 C-Atomen können auch C-19-Steroide hydroxyliert werden; auch aus der Reihe der C-18-Steroide ist in jüngster Zeit ein Beispiel für die Einführung einer OH-Gruppe in 11β-Stellung bekanntgeworden[6]. Das Vorhandensein einer Δ^4-3-Ketogruppierung ist nicht Voraussetzung für eine 11β-Hydroxylierung.

Identifizierung der Reaktionsprodukte. Neben den klassisch-chemischen Methoden — wie Bestimmung der Mischschmelzpunkte mit authentischen Substanzen oder der Herstellung von Derivaten mit definierten Eigenschaften — werden fast alle Methoden der modernen Analytik angewendet: Papierchromatographie, Verteilungschromatographie, Aufnahme von Spektren im ultravioletten und infraroten Spektralbereich; weitaus charakteristischer als die normalen UV-Spektren der Steroide sind die zwischen 280 und 500 mμ aufgenommenen Spektren von Chromogenen, die bei der Einwirkung starker Säuren (z.B. Schwefelsäure oder sirupöser Phosphorsäure) auf das Steroidmolekül entstehen. Das gleiche gilt für die ebenfalls nach Säureeinwirkung auf Steroide aufgenommenen Fluorescenzspektren[7-16] (zum analytischen Nachweis von Steroiden vgl. Bd. III dieses Handbuches S. 1373 ff.). In neuester Zeit haben sich auch die Dünnschichtchromatographie[17-21] und die Gaschromatographie[22-28] bei der analytischen Erfassung von Steroiden bewährt.

---

[1] SAVARD, K., R. I. DORFMAN, B. BAGGETT and L. L. ENGEL: J. clin. Endocrinol. 16, 1629 (1956).
[2] SWEAT, M. L.: Am. Soc. 73, 4056 (1951).
[3] SCHNEIDER, W. C., and G. H. HOGEBOOM: J. biol. Ch. 183, 123 (1950).
[4] SPIRO, M. J., and E. G. BALL: J. biol. Ch. 236, 225, 231 (1961).
[5] LEONHÄUSER, S., K. LEYBOLD, K. KRISCH, HJ. STAUDINGER, P. H. GALE, A. C. PAGE and K. FOLKERS: Arch. Biochem. 96, 580 (1962).
[6] KNUPPEN, R., u. H. BREUER: Biochim. biophys. Acta 58, 147 (1962).
[7] SWEAT, M. L.: Analyt. Chem., Washington 26, 773 (1954).
[8] KALANT, H.: Biochem. J. 69, 79, 93 (1958).
[9] GUILLEMIN, R., G. W. CLAYTON, H. S. LIPSCOMB and J. D. SMITH: J. Lab. clin. Med. 53, 830 (1959).
[10] MONCLOA, F., F. G. PERON and R. I. DORFMAN: Endocrinology 65, 717 (1959).
[11] VIES, J. VAN DER, R. F. M. BAKKER and D. DE WIED: Acta endocrinol., København 34, 513 (1960).
[12] MOOR, P. DE, O. STEENO, M. RASKIN and A. HENDRIKX: Acta endocrinol., København 33, 297 (1960).
[13] RUDD, B. T., N. CRAWFORD and J. M. COWPER: Clin. chim. Acta 6, 686 (1961).
[14] COX, R. I.: Acta endocrinol., København 33, 477 (1960).
[15] GOLDZIEHER, J. W.; in: ENGEL, L. L. (Hrsg.): Physical Properties of the Steroid Hormones. London 1962.
[16] ABRAHAM, R., u. HJ. STAUDINGER: Z. klin. Chem. (im Druck).
[17] STAHL, E.: Pharmaz. Rdsch. 1, 1 (1959).
[18] BARBIER, M.: Helv. 42, 2440 (1959).
[19] METZ, H.: Naturwiss. 48, 569 (1961).
[20] WALDI, D.: Kli. Wo. 40, 827 (1962).
[21] ABRAHAM, R., O. NISHIKAZE u. HJ. STAUDINGER: J. Biochem., Tokyo 54 (1963), im Druck.
[22] WOTIZ, H. H., and H. F. MARTIN: J. biol. Ch. 236, 1312 (1961).
[23] BEERTHUIS, R. K., and J. H. RECOURT: Nature 186, 372 (1960).

Reaktionsbedingungen. Das p_H-Optimum der C-11β-Hydroxylase liegt zwischen p_H 7,0 und 7,4.

In bezug auf die an der 11β-Hydroxylierung beteiligten Cofaktoren sei auf das im allgemeinen Teil Gesagte verwiesen. — Darüber hinaus zeigen Arbeiten von STAUDINGER[1, 2], daß TPNH + H⁺ als Wasserstoffdonator durch DPNH + H⁺, Ascorbinsäure und Mikrosomen — letztere als Träger einer ascorbinsäureabhängigen DPNH-Oxydase — ersetzt werden kann. Die Autoren vermuten, daß dieses System OH-Radikale liefert, die mit Hilfe der mitochondrialen 11β-Hydroxylase stereospezifisch in das Steroidgerüst eingebaut werden.

Hemmstoffe. Die bisher in der Literatur beschriebenen Versuche mit Hemmstoffen, wie z.B. Diäthyldithiocarbamat, 2,4-Dinitrophenol, Phosphat, Versen, Amphenon B u.a., lassen — soweit sie sich in ihrer Aussage nicht sogar widersprechen — keine Rückschlüsse auf die Art der Wirkgruppe des Enzyms und die an der enzymatischen Hydroxylierung eventuell beteiligten Schwermetallionen zu.

Bei der Fraktionierung einer aus Aceton-Trockenpulver von Kälber-Nebennieren-Mitochondrien gewonnenen löslichen 11β-Hydroxylasefraktion mit Ammoniumsulfat beobachtete TOMKINS[3], daß die Enzymaktivität mit steigender Salzkonzentration des Mediums abnimmt. Das Ammoniumsulfat ist durch andere Salze wie KCl, NaCl, $CaCl_2$ usw., zu ersetzen. Eine befriedigende Erklärung für dieses Phänomen konnte bisher noch nicht erbracht werden.

Reinigung des Enzyms. Die Steroid C-11β-Hydroxylase konnte in gelöster Form zunächst von DORFMAN[4, 5], später von GRANT[6] und von TOMKINS[7, 8] durch Extraktion eines Trockenpulvers aus Nebennieren-Mitochondrien gewonnen werden.

GRANT trocknet die nach dem Verfahren der Differentialzentrifugation gewonnenen Rinder-Nebennieren-Mitochondrien mit Aceton und extrahiert das so gewonnene Pulver mit 0,154 m KCl-Lösung und erhält eine klare, rote Lösung mit 11β-Hydroxylaseaktivität.

TOMKINS[7] extrahierte das Acetontrockenpulver zunächst mit 0,1%igem Digitonin und erhielt eine gelöste Fraktion, die nach Kombination mit einem hitzestabilen Extrakt aus Nebenniere, Leber, Hirn oder Plasma unter aeroben Bedingungen hohe 11β-Hydroxylaseaktivität in Gegenwart von TPNH + H⁺ als Wasserstoffdonator hatte. Da aber Schwierigkeiten bei der weiteren Reinigung und Fraktionierung dieses Digitoninextraktes auftraten, extrahierte er sein Aceton-Trockenpulver nun schrittweise folgendermaßen[8]:

a) mit Wasser (10 Volumteile),

b) mit isotoner KCl-Lösung (10 Volumteile),

c) mit Digitonin (0,1%ig).

Die Extrakte a) und b) waren jeder für sich und auch gemeinsam nicht oder nur wenig aktiv; die Kombination beider Extrakte jedoch unter Zusatz des hitzestabilen Cofaktors ergab hohe Aktivitäten.

---

[1] KERSTEN, H., W. KERSTEN u. HJ. STAUDINGER: B. Z. **327**, 284 (1955).
[2] KERSTEN, H., S. LEONHÄUSER u. HJ. STAUDINGER: Biochem. biophys. Acta **29**, 350 (1958).
[3] TOMKINS, G. M., and P. J. MICHAEL: Nature **180**, 337 (1957).
[4] HAYANO, M., and R. I. DORFMAN: J. biol. Ch. **211**, 227 (1954).
[5] HAYANO, M., R. I. DORFMAN and E. ROSEMBERG: Fed. Proc. **14**, 224 (1955).
[6] GRANT, J. K., and A. C. BROWNIE: Biochim. biophys. Acta **18**, 433 (1955).
[7] TOMKINS, G. M., P. J. MICHAEL and J. F. CURRAN: Biochim. biophys. Acta **23**, 655 (1957).
[8] TOMKINS, G. M., J. F. CURRAN and P. J. MICHAEL: Biochim. biophys. Acta **28**, 449 (1958).

Literatur zu S. 984 (Fortsetzung).

[24] HEUVEL, W. J. A. VAN DEN, C. C. SWEELEY and E. C. HORNING: Biochem. biophys. Res. Comm. **3**, 33 (1960).
[25] HEUVEL, W. J. A. VAN DEN, C. C. SWEELEY and E. C. HORNING: Am. Soc. **82**, 3481 (1960).
[26] SWEELEY, C. C., and E. C. HORNING: Nature **187**, 144 (1960).
[27] HEUVEL, W. J. A. VAN DEN, and E. C. HORNING: Biochem. biophys. Res. Comm. **3**, 356 (1960).
[28] CHEN, C., and C. D. LANTZ: Biochem. biophys. Res. Comm. **3**, 451 (1960).

Dann wurden die Extrakte a) und b) durch Adsorption an Aluminium Cγ-Gel bzw. Calciumphosphatgel und nachfolgende Äthanolfällung weiter gereinigt. Inkubiert man in der gleichen Weise wie mit den nicht gereinigten Extrakten, wird nur eine geringe 11β-Hydroxylaseaktivität gemessen, auch in Anwesenheit des hitzestabilen Cofaktors und unter sonst optimalen Bedingungen. Erst durch Zusatz des Digitoninextraktes c) wird wieder volle Hydroxylaseaktivität erreicht. — Über die Natur des hitzestabilen Cofaktors kann bisher noch keine Aussage gemacht werden. Versuche mit Ascorbinsäure, Glutathion, Nicotinamid-ribosid, Fumarat, Citrat, höheren TPNH-Konzentrationen, Wasserstoffperoxyd, Folsäure, Tetrahydrofolsäure oder dem von KAUFMAN[1] isolierten „phenylalanine-hydroxylation-factor" blieben ohne Erfolg.

Aus den Befunden von TOMKINS muß also der Schluß gezogen werden, daß die Hydroxylierung in C-11β-Position am Steroidgerüst ein komplexer Vorgang ist, der das Eingreifen von drei hitzelabilen Fraktionen, einem hitzestabilen Cofaktor, TPNH + H$^+$ als Wasserstoffdonator und molekularem Sauerstoff, einschließt.

2. Die C-21-Hydroxylase.

Wie aus dem Stoffwechselschema ersichtlich, ist die Hydroxylierung am C-Atom 21 ein wesentlicher Schritt bei der Synthese der Corticosteroide. PLAGER und SAMUELS fanden C-21-Hydroxylaseaktivität in Rinder-Nebennierenhomogenaten[2-4]. Nach der Differentialzentrifugation fand sich die C-21-Hydroxylase neben der C-17-Hydroxylase im Überstand der Mitochondrienfraktion[5], schließlich wurde die Enzymaktivität in der Mikrosomenfraktion lokalisiert[6]. Wie die Tabelle 1 zeigt, wurde die Steroid-C-21-Hydroxylase bisher in folgenden Tierspecies gefunden: Mensch, Rind, Schwein, Ratte, Maus. Ebenso wie die 11β-Hydroxylase kommt die C-21-Hydroxylase ausschließlich in der Nebenniere bzw. im adrenalen Restgewebe von Testis-Interstitium-Tumorzellen vor.

Eine gründliche Studie über die C-21-Hydroxylase haben RYAN und ENGEL[6,7] veröffentlicht. Sie charakterisieren das Enzym folgendermaßen: Die C-21-Hydroxylase ist in der Mikrosomenfraktion lokalisiert, sie benötigt zu ihrer Wirksamkeit TPNH + H$^+$ und molekularen Sauerstoff. Wird DPNH + H$^+$ an Stelle von TPNH + H$^+$ als Wasserstoffdonator verwendet, so sinkt nach RYAN und ENGEL die Ausbeute an 17α,21-Dihydroxyprogesteron auf 20%. Als Substrate können Progesteron, 17α-Hydroxyprogesteron und 11β,17α-Dihydroxyprogesteron dienen. Die Autoren konnten außer den an C-21 hydroxylierten Produkten keine weiteren Steroidmetaboliten aus ihrem Inkubationsansatz isolieren.

Versuche der gleichen Autoren, die mikrosomale C-21-Hydroxylase in Lösung zu bringen, sind bisher gescheitert.

Im Mittelpunkt einer Arbeit von STAUDINGER und LEONHÄUSER[8,9] stehen kinetische Untersuchungen zur enzymatischen Hydroxylierung am C-Atom 21 des Steroidgerüstes. Aufgabe dieser Arbeit war es, die Spezifität des an der Hydroxylierungsreaktion beteiligten Elektronendonators zu untersuchen.

Die MICHAELIS-Konstante für das in dieser Arbeit ausschließlich als Substrat benützte 17α-Hydroxyprogesteron beträgt $K_M = 5{,}0 \times 10^{-5}$ m. Das entspricht einer relativ

---

[1] KAUFMAN, S.: J. biol. Ch. **234**, 2677 (1959).
[2] PLAGER, J. E., and L. T. SAMUELS: Fed. Proc. **11**, 383 (1952).
[3] PLAGER, J. E., and L. T. SAMUELS: Arch. Biochem. **42**, 477 (1953).
[4] PLAGER, J. E., and L. T. SAMUELS: J. biol. Ch. **211**, 21 (1954).
[5] HOFMAN, F. G.: Biochim. biophys. Acta **37**, 566 (1960).
[6] RYAN, K. J., and L. L. ENGEL: Am. Soc. **78**, 2654 (1956).
[7] RYAN, K. J., and L. L. ENGEL: J. biol. Ch. **225**, 103 (1957).
[8] STAUDINGER, HJ., u. S. LEONHÄUSER: In Vorbereitung.
[9] LEONHÄUSER, S.: Diss. Chem. Gießen 1961.

großen Affinität des Substrates zum Enzym. Da aber entsprechende Daten für andere Steroidhydroxylasen bisher nicht bekannt sind, fehlt ein unmittelbarer Vergleichsmaßstab.

Die MICHAELIS-Konstanten für die beiden reduzierten Pyridinnucleotide betragen: a) für DPNH: $K_M = 4{,}5 \times 10^{-4}$ m, b) für TPNH: $K_M = 9{,}0 \times 10^{-4}$ m.

Beide Affinitätskonstanten liegen zwar in der gleichen Größenordnung, diejenige für DPNH + H$^+$ ist aber um den Faktor 2 kleiner als diejenige, die für TPNH + H$^+$ gemessen wurde. Aus den LINEWEAVER-BURK-Kurven ist ferner zu entnehmen, daß beide Pyridinnucleotide die gleiche maximale Reaktionsgeschwindigkeit haben[1].

Die oben genannten Autoren konnten ausschließen, daß in den von ihnen ausgeführten Experimenten zur C-21-Hydroxylierung durch die Wirkung endogener Enzyme und Substrate aus dem als Elektronendonator zugesetzten TPNH DPNH entsteht. Damit kann die bisher vertretene Ansicht, TPNH sei der einzige essentielle Wasserstoffdonator bei enzymatischen Hydroxylierungen von Steroiden, unserer Ansicht nach nicht mehr aufrechterhalten werden.

Das p_H-*Optimum* für die C-21-Hydroxylase mit DPNH + H$^+$ liegt zwischen pH 6,9 und 7,8[1]; dasjenige für TPNH + H$^+$ liegt etwas mehr im sauren Bereich zwischen pH 6,5 und 7,0[2].

Inhibitoren. Die C-21-Hydroxylase wird gehemmt durch Monojodessigsäure[1,3], p-Chlormercuribenzoat[1-3] und Cu^{++}-Ionen[1-3]; dies ist ein Hinweis dafür, daß SH-Gruppen für die Aktivität des Enzyms von Bedeutung sind. Typische Metallkomplexbildner, wie α,α'-Dipyridyl[1-3] und Äthylendiamin-tetraacetat[2] hemmen die C-21-Hydroxylierung nicht, Na-diäthyldithiocarbamat[1,3] und 8-Hydroxychinolin[1,3] nur in geringem Umfang; d.h. Schwermetallionen wie Fe^{++} und Cu^{++} haben offenbar keine Bedeutung.

Von einem interessanten Befund bei der Untersuchung der C-21-Hydroxylierung mit Homogenaten aus Rinder-Nebennierenrinde berichten COOPER und ROSENTHAL[4]. Sie stellen fest, daß die C-21-Hydroxylaseaktivität durch Zusatz von Markgewebe oder auch von löslichen Medulla-Extrakten signifikant erhöht wird. Die gleiche Wirkung haben Catecholamine, wie Epinephrin oder Norepinephrin.

Weiterhin stellten die gleichen Autoren fest, daß Ascorbinsäure die C-21-Hydroxylierung hemmt, daß diese Hemmung aber durch Noradrenalin aufgehoben werden kann. Daraus wird der Schluß gezogen, daß die C-21-Hydroxylaseaktivität durch Catecholamine einerseits und Ascorbinsäure andererseits gesteuert werden kann. — Wieweit dieser Befund für den Corticosteroidstoffwechsel von Bedeutung ist, kann vorerst noch nicht abgesehen werden. Es ist jedenfalls bemerkenswert, daß damit ein Hinweis für ein mögliches Zusammenwirken der Stoffwechselvorgänge von Nebennierenrinde und Nebennierenmark gegeben wird (vgl. aber Nachtrag Tabelle 1, Nr. 322 [S. 978]).

II. Steroidhydroxylasen bei Mikroorganismen.

In der folgenden Tabelle 2 sind die mit Mikroorganismen beobachteten Steroidhydroxylierungen, geordnet nach der Position, an der die Hydroxylierung erfolgt, zusammengestellt. Die mikrobiologische Steroidhydroxylierung hat technisch präparativ zur Synthese von pharmakologisch wirksamen Hormonderivaten große Bedeutung gewonnen. Die Bezeichnung der verwendeten Mikroorganismen ist häufig ungenau.

Zusammenfassende Darstellung hierzu[5,6]. Literatur am Schluß der Tabelle (S. 1006).

---

[1] LEONHÄUSER, S.: Diss. Chem. Gießen 1961.
[2] RYAN, K. J., u. L. L. ENGEL: J. biol. Ch. 225, 103 (1957).
[3] STAUDINGER, HJ., u. S. LEONHÄUSER: In Vorbereitung.
[4] COOPER, D. Y., and O. ROSENTHAL: Proc. Soc. exp. Biol. Med. 104, 52 (1960).
[5] VISCHER, E., and A. WETTSTEIN: Adv. Enzymol. 20, 237 (1958).
[6] EPPSTEIN, S. H.: Vitamins Hormones 14, 359 (1956).

Hydroxylasen.

Tabelle 2. *Tabellarische Übersicht über Steroidhydroxylasen bei Mikroorganismen.*

Lfd. Nr.	Position	Substrat	Produkt	Mikroorganismus	Literatur
1	1α	Δ^4-Androsten-3,17-dion	Δ^4-Androsten-1α-ol-3,17-dion	Penicillium sp.	1
2		Δ^4-Androsten-3,17-dion	Androstan-1α-ol-3,17-dion	Penicillium sp.	1
3		Δ^4-Androsten-3,17-dion	Androstan-1α,3β-diol-17-on	Penicillium sp.	1
4		Δ^5-Androsten-3β-ol-17-on	Δ^5-Androsten-1α,3β-diol-17-on	Penicillium sp.	1
5		Δ^4-Androsten-3,17-dion	Δ^4-Androsten-1α-ol-3,17-dion	Penicillium sp.	5
6		Δ^5-Androsten-3β-ol-17-on	Δ^4-Androsten-1α-ol-3,17-dion	Penicillium sp.	5
7		Δ^5-Androsten-3β-ol-17-on	Δ^5-Androsten-1α,3β-diol-17-on	Penicillium sp.	5
8		Androstan-3,17-dion	Androstan-1α-ol-3,17-dion	Penicillium sp.	1
9	1ξ	17α-Hydroxycortexon	1ξ,17α-Dihydroxycortexon	Rhizoctonia ferrugena	9
10		9α-Fluorcortisol-21-acetat	1ξ-Hydroxy-9α-fluorcortisol	Streptomyces (Merck Coll.)	10
11	1ξ oder 2ξ	19-Nortestosteron-acetat-4-^{14}C	1ξ- oder 2ξ-Hydroxy-19-nortestosteron-acetat-4-^{14}C	Corynebacterium simplex	11
12		19-Nortestosteron-17-acetat	1ξ- oder 2ξ-Hydroxy-19-nortestosteron-17-acetat	Corynebacterium simplex	12
13	2β	Δ^4-Androsten-3,17-dion	Δ^4-Androsten-2β-ol-3,17-dion	Penicillium sp.	1
14		Δ^4-Androsten-3,17-dion	Δ^4-Androsten-2β-ol-3,17-dion	Penicillium sp.	5
15		17α-Hydroxycortexon	2β,17α-Dihydroxycortexon	Sclerotinia libertiana	15
16		17α-Hydroxycortexon	2β,17α-Dihydroxycortexon	Streptomyces sp.	16
17		17α-Hydroxycortexon	2β,17α-Dihydroxycortexon	Rhizoctonia ferrugena	9
18		Corticosteron	2β-Hydroxycorticosteron	Sclerotinia libertiana	18
19	2β,15β	Progesteron	2β,15β-Dihydroxyprogesteron	Sclerotinia libertiana	15
20		Cortexon-acetat	2β,15β-Dihydroxycortexon	Sclerotinia libertiana	18
21	5β	Progesteron	5β-Hydroxyprogesteron	Actinomyces sp.	21
22	6β	Δ^4-Androsten-3,17-dion	Δ^4-Androsten-6β-ol-3,17-dion	Fusarium caucasicum	22
23		Δ^4-Androsten-3,17-dion	Δ^4-Androsten-6β-ol-3,17-dion	Aspergillus niger	23
24		Δ^4-Androsten-3,17-dion	Δ^4-Androsten-6β-ol-3,17-dion	Aspergillus niger	24

Tabelle 2. (Fortsetzung.)

Lfd. Nr.	Position	Substrat	Produkt	Mikroorganismus	Literatur
25	6β	Δ^4-Androsten-3,17-dion	Δ^4-Androsten-6β-ol-3,17-dion	Rhizopus arrhizus	25
26		Δ^4-Androsten-3,17-dion	Δ^4-Androsten-6β-ol-3,17-dion	Gibberella saubinetti	26
27		Δ^4-Androsten-3,17-dion	Δ^4-Androsten-6β-ol-3,17-dion	Fusarium lateritium	22
28		Δ^4-Androsten-3,17-dion	Δ^4-Androsten-6β-ol-3,17-dion	Fusarium solani	22
29		Δ^4-Androsten-11β-ol-3,17-dion	Δ^4-Androsten-6β,11β-diol-3,17-dion	Rhizoctonia solani	26
30		Cortexon	6β-Hydroxycortexon	Trichothecium roseum	30
31		Cortexon	6β-Hydroxycortexon	Lenzites abietina	31
32		Cortexon	6β-Hydroxycortexon	Lenzites abietina	32
33		Cortexon	6β-Hydroxycortexon	Rhizopus arrhizus	33
34		Cortexon	6β-Hydroxycortexon	Rhizopus arrhizus	34
35		17α-Hydroxycortexon	6β,17α-Dihydroxycortexon	Rhizopus arrhizus	35
36		17α-Hydroxycortexon	6β,17α-Dihydroxycortexon	Rhizopus nigricans	35
37		17α-Hydroxycortexon	6β,17α-Dihydroxycortexon	Helicostylum piriforme	37
38		17α-Hydroxycortexon	6β,17α-Dihydroxycortexon	Sclerotium hydrophilum	15
39		17α-Hydroxycortexon	6β,17α-Dihydroxycortexon	Lenzites betulina	15
40		17α-Hydroxycortexon	6β,17α-Dihydroxycortexon	Bacillus cereus	15
41		17α-Hydroxycortexon	6β,17α-Dihydroxycortexon	Polyporus orientalis	41
42		17α-Hydroxycortexon	6β,17α-Dihydroxycortexon	Coniothyrium hellebori	42
43		17α-Hydroxycortexon	6β,17α-Dihydroxycortexon	Aspergillus nidulans	23
44		17α-Hydroxycortexon	6β,17α-Dihydroxycortexon	Helicostylum piriforme	37
45		17α-Hydroxycortexon	6β,17α-Dihydroxycortexon	Streptomyces sp.	45
46		17α-Hydroxycortexon	6β,17α-Dihydroxycortexon	Bacillus cereus	46
47		Progesteron	6β-Hydroxyprogesteron	Streptomyces sp.	45
48		Progesteron	6β-Hydroxyprogesteron	Streptomyces aureofaciens	48
49		Progesteron	6β-Hydroxyprogesteron	Penicillium urticae	49
50		Progesteron	6β-Hydroxyprogesteron	Penicillium urticae	50
51		Progesteron	6β-Hydroxyandrosten-3,17-dion	Gliocladium catenulatum	51
52		Progesteron	6β-Hydroxyprogesteron	Actinomyces sp.	15

Tabelle 2. (Fortsetzung.)

Lfd. Nr.	Position	Substrat	Produkt	Mikroorganismus	Literatur
53	6β	17α-Hydroxyprogesteron	6β,17α-Dihydroxyprogesteron	Rhizopus arrhizus	53
54		17α-Hydroxyprogesteron	6β,17α-Dihydroxyprogesteron	Rhizopus nigricans	53
55		11α-Hydroxyprogesteron	6β,11α-Dihydroxyprogesteron	Cunninghamella blakesleeana	55
56		16α-Hydroxyprogesteron	6β,16α-Dihydroxyprogesteron	Aspergillus nidulans	23
57		Testosteron	Δ^4-Androsten-6β-ol-3,17-dion	Fusarium sp.	57
58		Testosteron	6β-Hydroxytestosteron	Rhizopus reflexus	25
59		Testosteron	6β-Hydroxytestosteron	Wojnowicia graminis	59
60		Testosteron	Δ^4-Androsten-6β-ol-3,17-dion	Wojnowicia graminis	59
61		19-Nortestosteron	6β-Hydroxy-19-nortestosteron	Rhizopus nigricans	61
62		19-Nortestosteron	6β-Hydroxy-19-nortestosteron	Rhizopus nigricans	62
63		4-Methyltestosteron	6β-Hydroxy-4-methyltestosteron	Rhizopus nigricans	63
64		17α-Methyltestosteron	6β-Hydroxy-17α-methyltestosteron	Rhizopus nigricans	25
65	6β,11α	Progesteron *	6β,11α-Dihydroxyprogesteron	Aspergillus ochraceus	65
66		Progesteron	6β,11α-Dihydroxyprogesteron	Aspergillus ochraceus	66
67		Progesteron	6β,11α-Dihydroxyprogesteron	Aspergillus niger	67
68		Progesteron	6β,11α-Dihydroxyprogesteron	Aspergillus awaniori	15
69		Progesteron	6β,11α-Dihydroxyprogesteron	Rhizopus arrhizus	69
70		Progesteron	6β,11α-Dihydroxyprogesteron	Polyporus orientalis	41
71		Progesteron	6β,11α-Dihydroxyprogesteron	Rhizopus nigricans	69
72		Progesteron	6β,11α-Dihydroxyprogesteron	Rhizopus cambodjae	72
73		Progesteron	6β,11α-Dihydroxyprogesteron	Sclerotium hydrophilum	15
74		Progesteron	6β,11α-Dihydroxyprogesteron	Glomerella lagenarium	15
75		Progesteron	6β,11α-Dihydroxyprogesteron	Gloeosporium kaki	15
76		Progesteron	6β,11α-Dihydroxyprogesteron	Streptomyces sp.	45
77		17α-Hydroxycortexon	6β,11α,17α-Trihydroxycortexon	Polystictus versicolor	15

* Zn^{++} zur 6β-Hydroxylierung erforderlich.

Tabelle 2. (Fortsetzung.)

Lfd. Nr.	Position	Substrat	Produkt	Mikroorganismus	Literatur
78	6β, 11α	Δ^4-Cholen-3-on-22-al	Δ^4-Bisnorcholen-6β,11α,22-triol-3-on	Rhizopus arrhizus	78
79		3-Ketobisnor-Δ^4-cholen-22-al	6β,11α,22-Trihydroxy-bisnor-Δ^4-cholen-3-on	Rhizopus nigricans	78
80	6β,14α	Progesteron	6β,14α-Dihydroxy-progesteron	Mucor corymbifer	80
81		Progesteron	6β,14α-Dihydroxy-progesteron	Absidia regnieri	15
82		Progesteron*	6β,14α-Dihydroxy-progesteron	Curvularia sp.	82
83		Progesteron	6β,14α-Dihydroxy-progesteron	Cunninghamella elegans	83
84		Progesteron	6β,14α-Dihydroxy-progesteron	Cunninghamella blakesleeana	83
85		Progesteron	6β,14α-Dihydroxy-progesteron	Mucor mucedo	83
86		Progesteron	6β,14α-Dihydroxy-progesteron	Trichothecium roseum	83
87		Progesteron	6β,14α-Dihydroxy-progesteron	Curvularia lunata	83
88		Progesteron	6β,14α-Dihydroxy-progesteron	Naematoloma sublateritium	83
89	6β,15α	Progesteron	6β,15α-Dihydroxy-progesteron	Fusarium lini	89
90	6β,17α	Cortexon	6β,17α-Dihydroxy-cortexon	Cephalothecium roseum	90
91	7α	14α-Hydroxyprogesteron	7α,14α-Dihydroxy-progesteron	Curvularia sp.	91
92		Δ^5-Androsten-3β-ol-17-on	Δ^5-Androsten-3β,7α-diol-17-on	Rhizopus sp.	92
93		Cholesterin	7α-Hydroxycholesterin	Mycobacterium	93
94		Dehydrocholsäure	7α-Hydroxy-3,12-diketo-Δ^4-cholensäure	Corynebacterium sp.	94
95		Cortexon	7α-Hydroxycortexon	Peziza	31
96		Cortexon	7α-Hydroxycortexon	Curvularia sp.	31
97		4-Methyltestosteron	7α-Hydroxy-4-methyltestosteron	Rhizopus nigricans	63
98	7α,14α	17α-Hydroxycortexon	7α,14α,17α-Trihydroxy-cortexon	Curvularia lunata	98
99		Progesteron	7α,14α-Dihydroxy-progesteron	Curvularia sp.	91
100		Progesteron*	7α,14α-Dihydroxy-progesteron	Curvularia sp.	82
101	7β	allo-Pregnan-3β,21-diol-20-on	allo-Pregnan-3β,7β,21-triol-20-on	Rhizopus sp.	101
102		allo-Pregnan-3β-ol-20-on	allo-Pregnan-3β,7β-diol-20-on	Rhizopus arrhizus	57

* Zusätze von: NaN_3, NaCN, Fumarat, Citrat hemmen; Riboflavin, Succinat, Malonat fördern; Fe^{++} notwendig.

Hydroxylasen.

Tabelle 2. (Fortsetzung.)

Lfd. Nr.	Position	Substrat	Produkt	Mikroorganismus	Literatur
103	7β	allo-Pregnan-3β-ol-20-on	allo-Pregnan-3β,7β-diol-20-on	Rhizopus arrhizus	103
104		allo-Pregnan-3β-ol-20-on	allo-Pregnan-3β,7β-diol-20-on	Rhizopus arrhizus	104
105		Δ^5-Androsten-3β-ol-17-on	Δ^5-Androsten-3β,7β-diol-17-on	Rhizopus sp.	92
106		Digitoxigenin	7β-Hydroxydigitoxigenin	Aspergillus oryzae	106
107		Digitoxigenin	7β-Hydroxydigitoxigenin	Rhizopus arrhizus	106
108		Digitoxigenin	7β-Hydroxydigitoxigenin	Trichothecium roseum	106
109		Cholesterin	7β-Hydroxycholesterin	Proactinomyces roseus	109
110		Pregnenolon	7β-Hydroxypregnenolon	Rhizopus nigricans	57
111		4-Methyltestosteron	7β-Hydroxy-4-methyltestosteron	Rhizopus nigricans	63
112	7ξ	Cholesterin	7ξ-Hydroxycholesterin	Proactinomyces roseus	112
113		Progesteron	7ξ-Hydroxyprogesteron	Phycomyces blakesleeanus	113
114	7β,11α	Δ^5-Pregnen-3β-ol-20-on	Δ^5-Pregnen-3β,7β,11α-triol-20-on	Rhizopus arrhizus	57
115		Δ^5-Pregnen-3β-ol-20-on	Δ^5-Pregnen-3β,7β,11α-triol-20-on	Rhizopus arrhizus	115
116		Δ^5-Pregnen-3β-ol-20-on	Δ^5-Pregnen-3β,7β,11α-triol-20-on	Rhizopus arrhizus	116
117	8(β)?	Cortexon	8(β)?-Hydroxycortexon	Curvularia pallescens	32
118	8ξ	Cortexon	8ξ-Hydroxycortexon	Helicostylum piriforme	118
119		Cortexon	8ξ-Hydroxycortexon	Helicostylum piriforme	57
120		17α-Hydroxycortexon	8ξ,17α-Dihydroxycortexon	Helicostylum piriforme	104
121	8ξ oder 9ξ	Progesteron	8ξ- oder 9ξ-Hydroxyprogesteron	Streptomyces aureofaciens	48
122	8β oder 9α	17α-Hydroxycortexon	8β- oder 9α,17α-Dihydroxycortexon	Helicostylum piriforme	37
123		Cortexon-21-acetat	8β- oder 9α-Hydroxycortexon	Helicostylum piriforme	37
124		Cortexon-21-acetat	8β- oder 9α-Hydroxycortexon	Mucor parasiticus	37
125	9α	Progesteron	9α-Hydroxyprogesteron	Circinella sp.	125
126	9α,14α	Progesteron	9α,14α-Dihydroxyprogesteron	Circinella sp.	125
127	9β,11β epoxy	$\Delta^{4,9(11)}$-Pregnadien-17α,21-diol-3,20-dion	9β,11β-Epoxy-Δ^4-pregnen-17α,21-diol-3,20-dion	Curvularia lunata	127
128		$\Delta^{4,9(11)}$-Pregnadien-17α,21-diol-3,20-dion	9β,11β-Epoxy-Δ^4-pregnen-17α,21-diol-3,20-dion	Cunninghamella blakesleeana	127
129		$\Delta^{4,9(11)}$-Pregnadien-17α,21-diol-3,20-dion	9β,11β-Epoxy-Δ^4-pregnen-17α,20,21-triol-3-on	Curvularia lunata	129

Steroidhydroxylasen bei Mikroorganismen.

Tabelle 2. (Fortsetzung.)

Lfd. Nr.	Position	Substrat	Produkt	Mikroorganismus	Literatur
130	10β	19-Nortestosteron	10β-Hydroxy-19-nor-testosteron	Rhizopus nigricans	61
131	10ξ	19-Nortestosteron	10ξ-Hydroxy-19-nor-testosteron	Rhizopus nigricans	62
132	11α	Δ^4-Androsten-3,17-dion	Δ^4-Androsten-11α-ol-3,17-dion	Rhizopus arrhizus	25
133		Cortexon	11α-Hydroxycortexon	Aspergilli	133
134		Cortexon	11α-Hydroxycortexon	Aspergilli	55
135		Cortexon	11α-Hydroxycortexon	Aspergillus niger	67
136		Cortexon	11α-Hydroxycortexon	Rhizopus nigricans	34
137		Cortexon	11α-Hydroxycortexon	Dactylium dendroides	137
138		Cortexon	11α-Hydroxycortexon	Rhizopus sp.	101
139		Cortexon	11α-Hydroxycortexon	Rhizopus nigricans	33
140		17α-Hydroxycortexon	11α,17α-Dihydroxy-cortexon	Rhizopus sp.	101
141		17α-Hydroxycortexon	Pregnan-11α,17α,21-triol-3,20-dion	Rhizopus nigricans	35
142		17α-Hydroxycortexon	11α,17α-Dihydroxy-cortexon	Rhizopus nigricans	35
143		17α-Hydroxycortexon	11α,17α-Dihydroxy-cortexon	Aspergillus nidulans	24
144		17α-Hydroxycortexon	11α,17α-Dihydroxy-cortexon	Aspergillus nidulans	23
145		17α-Hydroxycortexon	11α,17α-Dihydroxy-cortexon	Aspergillus niger	104
146		17α-Hydroxycortexon	11α,17α-Dihydroxy-cortexon	Aspergillus niger	67
147		17α-Hydroxycortexon	11α,17α-Dihydroxy-cortexon	Aspergillus ochraceus	66
148		17α-Hydroxycortexon	11α,17α-Dihydroxy-cortexon	versch. Aspergilli sp.	148
149		17α-Hydroxycortexon	11α,17α-Dihydroxy-cortexon	Helicostylum piriforme	37
150		17α-Hydroxycortexon	11α,17α-Dihydroxy-cortexon	Dactylium dendroides	137
151		17α-Hydroxycortexon	11α,17α-Dihydroxy-cortexon	Streptomyces sp.	45
152		17α-Hydroxycortexon	11α,17α-Dihydroxy-cortexon	Bacillus cereus	46
153		17α-Hydroxycortexon	11α,17α-Dihydroxy-cortexon	Gloeosporium kaki	15
154		17α-Hydroxycortexon	11α,17α-Dihydroxy-cortexon	Glomerella lagenarium	15
155		17α-Hydroxycortexon	11α,17α-Dihydroxy-cortexon	Sclerotinia libertiana	15
156		17α-Hydroxycortexon	11α,17α-Dihydroxy-cortexon	Sclerotinia hydrophilum	15
157		17α-Hydroxycortexon	11α,17α-Dihydroxy-cortexon	Botrytis fabae	15

Tabelle 2. (Fortsetzung.)

Lfd. Nr.	Position	Substrat	Produkt	Mikroorganismus	Literatur
158	11α	17α-Hydroxycortexon	11α,17α-Dihydroxy-cortexon	Fusarium niveum	15
159		17α-Hydroxycortexon	11α,17α-Dihydroxy-cortexon	Bacillus cereus	15
160		17α-Hydroxycortexon	11α,17α-Dihydroxy-cortexon	Absidia regnieri	15
161		17α-Hydroxycortexon	11α,17α-Dihydroxy-cortexon	Absidia glauca	161
162		17α-Hydroxycortexon	11α,17α-Dihydroxy-cortexon	Absidia sp.	162
163		$\Delta^{1,4}$-Pregnadien-17α,21-diol-3,20-dion	$\Delta^{1,4}$-Pregnadien-11α,17α,21-triol-3,20-dion	Delacroixia coronata	163
164		Δ^{4}-Pregnen-17α,21-diol-3,20-dion	Δ^{4}-Pregnen-11α,17α,21-triol-3,20-dion	Absidia regnieri	164
165		Progesteron	allo-Pregnan-11α-ol-3,20-dion	Rhizopus nigricans	69
166		Progesteron	11α-Hydroxyprogesteron	Rhizopus nigricans	69
167		Progesteron	11α-Hydroxyprogesteron	Rhizopus arrhizus	167
168		Progesteron	11α-Hydroxyprogesteron	Rhizopus sp.	168
169		Progesteron	11α-Hydroxyprogesteron	Rhizopus sp.	101
170		Progesteron	11α-Hydroxyprogesteron	Pestalotia foedans	170
171		Progesteron	11α-Hydroxyprogesteron	Pestalotia foedans	171
172		Progesteron*	11α-Hydroxyprogesteron	Rhizopus nigricans	172
173		Progesteron	11α-Hydroxyprogesteron	Aspergillus ochraceus	172
174		Progesteron	11α-Hydroxyprogesteron	Aspergillus ochraceus	66
175		Progesteron	11α-Hydroxyprogesteron	Aspergillus ochraceus	65
176		Progesteron	11α-Hydroxyprogesteron	Aspergillus awamori	15
177		Progesteron	11α-Hydroxyprogesteron	Aspergillus niger	67
178		Progesteron	11α-Hydroxyprogesteron	Aspergillus sp.	178
179		Progesteron	11α-Hydroxyprogesteron	versch. Aspergilli sp.	148
180		Progesteron	11α-Hydroxyprogesteron	Aspergilli	133
181		Progesteron	11α-Hydroxyprogesteron	Dactylium dendroides	137

* Hinzugefügtes 16α,17α-Epoxy-11α-hydroxypregnan-3,20-dion hemmt die Hydroxylierung von Progesteron.

Tabelle 2. (Fortsetzung.)

Lfd. Nr.	Position	Substrat	Produkt	Mikroorganismus	Literatur
182	11α	Progesteron	11α-Hydroxyprogesteron	Neurospora sitophila	182
183		Progesteron	11α-Hydroxyprogesteron	Eurotium chevalieri	183
184		Progesteron	11α-Hydroxyprogesteron	versch. Penicillium sp.	148
185		Progesteron	11α-Hydroxyprogesteron	Bacillus cereus, Var. mycoides	185
186		17α-Hydroxyprogesteron	17α-Methyl-D-homo-Δ^4-androsten-11α,17α-diol-3,17-dion	Aspergillus niger	67
187		17α-Hydroxyprogesteron	11α,17α-Dihydroxyprogesteron	Aspergillus niger	23
188		17α-Hydroxyprogesteron	11α,17α-Dihydroxyprogesteron	Aspergillus niger	67
189		17α-Hydroxyprogesteron	11α,17α-Dihydroxyprogesteron	Rhizopus nigricans	53
190		17α-Hydroxyprogesteron	11α,17α-Dihydroxyprogesteron	Rhizopus arrhizus	53
191		17α-Hydroxyprogesteron	11α,17α-Dihydroxyprogesteron	Sclerotinia libertiana	15
192		17α-Hydroxyprogesteron	11α,17α-Dihydroxyprogesteron	Dactylium dendroides	137
193		16α-Hydroxyprogesteron	11α,16α-Dihydroxyprogesteron	Aspergillus nidulans	23
194		$\Delta^{4,16}$-Pregnadien-3,20-dion	11α-Hydroxy-,,17α''-progesteron	Rhizopus nigricans	194
195		$\Delta^{4,6}$-Pregnadien-3,20-dion	$\Delta^{4,6}$-Pregnadien-11α-ol-3,20-dion	Rhizopus nigricans	195
196		16α,17α-Epoxy-progesteron	11α-Hydroxy-16α,17α-epoxy-progesteron	Rhizopus nigricans	196
197		19-Norprogesteron	11α-Hydroxy-19-norprogesteron	Rhizopus nigricans	197
198		Pregnan-3,20-dion	Pregnan-11α-ol-3,20-dion	Rhizopus nigricans	198
199		Pregnan-3,20-dion	Pregnan-11α-ol-3,20-dion	Rhizopus nigricans	199
200		Pregnan-3,20-dion	Pregnan-11α-ol-3,20-dion	Rhizopus nigricans	200
201		allo-Pregnan-3,20-dion	11α-Hydroxyallo-pregnan-3,20-dion	Rhizopus nigricans	200
202		allo-Pregnan-3β-ol-20-on	allo-Pregnan-3β,11α-diol-20-on	Rhizopus nigricans	57
203		16α,17α-Epoxy-allopregnan-3,20-dion	16α,17α-Epoxy-allopregnan-11α-ol-3,20-dion	Rhizopus nigricans	203
204		16α,17α-Epoxy-allopregnan-3,20-dion	16α,17α-Epoxy-allo-pregnan-11α-ol-3,20-dion	Aspergillus ochraceus	203
205		$\Delta^{1,4}$-Pregnadien-17α,21-diol-3,20-dion	$\Delta^{1,4}$-Pregnadien-11α,17α,21-triol-3,20-dion	Delacroixia coronata	205

Tabelle 2. (Fortsetzung.)

Lfd. Nr.	Position	Substrat	Produkt	Mikroorganismus	Literatur
206	11α	Δ^5-Pregnen-3β-ol-20-on	Δ^5-Pregnen-3β,11α-diol-7,20-dion	Rhizopus arrhizus	57
207		Testosteron	11α-Hydroxytestosteron	Rhizopus reflexus	25
208		17α-Methyltestosteron	11α-Hydroxy-17α-methyltestosteron	Rhizopus nigricans	25
209		4-Methyltestosteron	11α-Hydroxy-4-methyltestosteron	Rhizopus nigricans	63
210		19-Nortestosteron	11α-Hydroxy-19-nortestosteron	Rhizopus nigricans	62
211		19-Nortestosteron	11α-Hydroxy-19-nortestosteron	Rhizopus nigricans	61
212		Δ^4-Cholen-3-on-22-al	Δ^4-Bisnorcholen-11α,22-diol-3-on	Rhizopus nigricans	78
213	11α,6β	Progesteron *	6β,11α-Dihydroxyprogesteron	Aspergillus ochraceus	65
214		Progesteron	6β,11α-Dihydroxyprogesteron	Aspergillus ochraceus	66
215		Progesteron	6β,11α-Dihydroxyprogesteron	Aspergillus niger	67
216		Progesteron	6β,11α-Dihydroxyprogesteron	Aspergillus awamori	15
217		Progesteron	6β,11α-Dihydroxyprogesteron	Rhizopus arrhizus	69
218		Progesteron	6β,11α-Dihydroxyprogesteron	Rhizopus nigricans	69
219		Progesteron	6β,11α-Dihydroxyprogesteron	Rhizopus cambodjae	219
220		Progesteron	6β,11α-Dihydroxyprogesteron	Sclerotium hydrophilum	15
221		Progesteron	6β,11α-Dihydroxyprogesteron	Gloeosporium kaki	15
222		Progesteron	6β,11α-Dihydroxyprogesteron	Glomerella lagenarium	15
223		Progesteron	6β,11α-Dihydroxyprogesteron	Polyporus orientalis	41
224		Progesteron	6β,11α-Dihydroxyprogesteron	Streptomyces sp.	45
225		Progesteron	6β,11α-Dihydroxyprogesteron	Actinomyces sp.	15
226		17α-Hydroxycortexon	6β,11α,17α-Trihydroxycortexon	Polystictus versicolor	15
227		Δ^4-Cholen-3-on-22-al	Δ^4-Bisnorcholen-6β,11α,22-triol-3-on	Rhizopus nigricans	78
228		Δ^4-Cholen-3-on-22-al	Δ^4-Bisnorcholen-6β,11α,22-triol-3-on	Rhizopus arrhizus	78
229	11α,7β	Δ^5-Pregnen-3β-ol-20-on	Δ^5-Pregnen-7β,11α-diol-20-on	Rhizopus arrhizus	115
230		Δ^5-Pregnen-3β-ol-20-on	Δ^5-Pregnen-7β,11α-diol-20-on	Rhizopus arrhizus	116

* Zn^{++} zur 6β-Hydroxylierung erforderlich.

Steroidhydroxylasen bei Mikroorganismen.

Tabelle 2. (Fortsetzung.)

Lfd. Nr.	Position	Substrat	Produkt	Mikroorganismus	Literatur
231	11α,7β	Δ^5-Pregnen-3β-ol-20-on	Δ^5-Pregnen-7β,11α-diol-20-on	Rhizopus arrhizus	57
232	11α,17α	Cortexon	11α,17α-Dihydroxy-cortexon	Cephalothecium roseum	90
233		Progesteron	11α,17α-Dihydroxy-progesteron	Dactylium dendroides	137
234		Progesteron	11α,17α-Dihydroxy-progesteron	Cephalothecium roseum	90
235	11α,21	Progesteron	Δ^4-Pregnen-11α,21-diol-3,20-dion	Aspergillus niger	235
236		Progesteron	Δ^4-Pregnen-11α,21-diol-3,20-dion	Aspergillus sp.	178
237	11β	Δ^4-Androsten-15α-ol-3,17-dion	Δ^4-Androsten-11β,15α-diol-3,17-dion	Cunninghamella elegans	26
238		Cortexon*	Corticosteron	Cunninghamella blakesleeana	238
239		Cortexon	Corticosteron	Curvularia lunata	239
240		Cortexon	Corticosteron	Cunninghamella blakesleeana	33
241		17α-Hydroxycortexon	Cortisol	Streptomyces fradiae	241
242		17α-Hydroxycortexon	Cortisol	Streptomyces fradiae	242
243		17α-Hydroxycortexon	Cortisol	Curvularia sp.	243
244		17α-Hydroxycortexon	Cortisol	Curvularia lunata	244
245		17α-Hydroxycortexon	Cortisol	Curvularia lunata	239
246		17α-Hydroxycortexon	Cortisol	Coniothyrium hellebori	42
247		17α-Hydroxycortexon**	Cortisol	Cunninghamella blakesleeana	247
248		17α-Hydroxycortexon	Cortisol	Cunninghamella blakesleeana	248
249		17α-Hydroxycortexon	Cortisol	Cunninghamella blakesleeana	249
250		17α-Hydroxycortexon***	Cortisol	Cunninghamella blakesleeana	238
251		17α-Hydroxycortexon	Cortisol	Dothichiza sp.	251
252		17α-Hydroxycortexon	Cortisol	Rhodoseptoria sp.	252
253		17α-Hydroxycortexon	Cortisol	Polyporus orientalis	41
254		17α-Hydroxycortexon	Prednisolon	Pseudomonas boreopolis	254
255		17α-Hydroxycortexon	Cortisol	Absidia sp.	162
256		17α-Hydroxycortexon	Cortisol	Absidia glauca	161
257		17α-Hydroxycortexon	Cortisol	Trichothecium roseum	257
258		17α-Hydroxycortexon	Cortisol	Coniothyrium sp.	258
259		17α-Hydroxycortexon	Cortisol	Pycnosporium sp.	259
260		17α-Hydroxycortexon	Cortisol	Polyporus orientalis	41
261		17α-Hydroxycortexon	Cortisol	Curvularia lunata	98

* Zusatz von Actidion erhöht Ausbeute.
** Alkohole, Saccharide und Ester langkettiger Fettsäuren steigern Ausbeute.
*** As^{5+} und As^{3+} hemmen die Reaktion.

Tabelle 2. (Fortsetzung.)

Lfd. Nr.	Position	Substrat	Produkt	Mikroorganismus	Literatur
262	11β	17α-Hydroxycortexon	Cortisol	Pycnosporium sp.	262
263		17α-Hydroxycortexon	Cortisol	Coniothyrium sp.	258
264		17α-Hydroxycortexon	Cortisol	Sclerotinia libertiana	15
265		17α-Hydroxycortexon	Cortisol	Botrytis fabae	15
266		19-Hydroxycortexon	19-Hydroxycorticosteron	Cunninghamella blakesleeana	266
267		Progesteron	11β-Hydroxyprogesteron	Cunninghamella blakesleeana	267
268		Progesteron	11β-Hydroxyprogesteron	Curvularia sp.	82
269		Progesteron	11β-Hydroxyprogesteron	Curvularia lunata	239
270		Progesteron	11β-Hydroxyprogesteron	Coniothyrium hellebori	42
271		14α,15α-epoxy-Δ^4-Pregnen-17α,21-diol-3,20-dion	14α,15α-Epoxy-Δ^4-pregnen-11β,17α,21-triol-3,20-dion	Curvularia lunata	271
272		17α-Hydroxyprogesteron	11β,17α-Dihydroxyprogesteron	Curvularia lunata	239
273		19-Norprogesteron	11β-Hydroxy-19-norprogesteron	Curvularia lunata	197
274	11β, 14α,15α epoxy	$\Delta^{14(15)}$-Pregnen-17α,21-diol-3,20-dion	14α,15α-Epoxy-Δ^4-pregnen-11β,17α,21-triol-3,20-dion	Curvularia lunata	271
275	11β,9β epoxy	$\Delta^{4,9(11)}$-Pregnadien-17α,21-diol-3,20-dion	9β,11β-Epoxy-Δ^4-pregnen-17α,21-diol-3,20-dion	Curvularia lunata	127
276		$\Delta^{4,9(11)}$-Pregnadien-17α,21-diol-3,20-dion	9β,11β-Epoxy-Δ^4-pregnen-17α,20,21-triol-3-on	Curvularia lunata	129
277		$\Delta^{4,9(11)}$-Pregnadien-17α,21-diol-3,20-dion	9β,11β-Epoxy-Δ^4-pregnen-17α,21-diol-3,20-dion	Cunninghamella elegans	127
278	11β,14α	Progesteron (s. Fußnote S. 991)	11β,14α-Dihydroxyprogesteron	Curvularia sp.	82
279		17α-Hydroxyprogesteron	11β,14α,17α-Trihydroxyprogesteron	Curvularia lunata	279
280	11β,21	Progesteron	Corticosteron	Curvularia lunata	280
281	12β*	Digitoxigenin	Digoxigenin	Fusarium lini	281
282		Gitoxigenin	Diginatigenin	Fusarium lini	282
283		3-Dehydrodigitoxigenin	3-Dehydrodigoxigenin	Fusarium lini	283
284		3-Dehydrodigitoxigenin	3-Epi-digoxigenin	Fusarium lini	283
285		3-Dehydrodigitoxigenin	3-Epi-digoxigenin	Fusarium lini	281
286		3-Dehydrodigitoxigenin	3-Dehydrodigoxigenin	Fusarium lini	281
287		3-O-Acetyldigitoxigenin	Digoxigenin	Fusarium lini	283
288		Bufalin	12β-Hydroxybufalin	Fusarium lini	288
289		Digitoxigenin	Digoxigenin	Trichothecium roseum	106
290		Digitoxigenin	Digoxigenin	Fusarium lini	283

* Eine 12α-Hydroxylierung an einem $\Delta^{9,11}$-Steroid ist in der Patentliteratur angegeben: US Pat. 2914543 [TAMM, C.: Angew. Chem. 74, 225 (1962)].

Tabelle 2. (Fortsetzung.)

Lfd. Nr.	Position	Substrat	Produkt	Mikroorganismus	Literatur
291	12β	17α-Hydroxycortexon	12β,17α-Dihydroxy-cortexon	Coniothyrium hellebori	42
292		Progesteron	12β-Hydroxyprogesteron	Coniothyrium hellebori	42
293		15β-Hydroxy-progesteron	12β,15β-Dihydroxy-progesteron	Calonectria decora	293
294	12β,15β	Progesteron	12β,15β-Dihydroxy-progesteron	Calonectria decora	283
295	12β,15α	Progesteron	12β,15α-Dihydroxy-progesteron	Calonectria decora	295
296		11β-Hydroxy-progesteron	11β,12β,15α-Trihydro-xyprogesteron	Calonectria decora	296
297		Pregnan-3,20-dion	Pregnan-12β,15α-diol-3,20-dion	Calonectria decora	297
298		allo-Pregnan-3,20-dion	allo-Pregnan-12β,15α-diol-3,20-dion	Calonectria decora	297
299		Δ^5-Pregnen-3β-ol-20-on	Δ^4-Pregnen-12β,15α-diol-3,20-dion	Calonectria decora	297
300	14α	Cortexon	14α-Hydroxycortexon	Neurospora crassa	300
301		Cortexon*	14α-Hydroxycortexon	Cunninghamella blakesleeana	238
302		Cortexon	14α-Hydroxycortexon	Helicostylum piriforme	118
303		Cortexon	14α-Hydroxycortexon	Helicostylum piriforme	307
304		Cortexon-21-acetat	14α-Hydroxycortexon	Mucor parasiticus	37
305		Cortexon-21-acetat	14α-Hydroxycortexon	Helicostylum piriforme	37
306		Cortexon-21-acetat	14α-Hydroxycortexon	Mucor griseocyanus	37
307		Cortexon	14α-Hydroxycortexon	Mucor griseocyanus	307
308		17α-Hydroxycortexon	14α,17α-Dihydroxy-cortexon	Cunninghamella blakesleeana	308
309		17α-Hydroxycortexon	14α,17α-Dihydroxy-cortexon	Absidia regnieri	15
310		17α-Hydroxycortexon	14α,17α-Dihydroxy-cortexon	Helicostylum piriforme	37
311		Cortexonacetat	14α-Hydroxycortexon-acetat	Absidia regnieri	164
312		Progesteron	14α-Hydroxyprogesteron	Mucor parasiticus	37
313		Progesteron	14α-Hydroxyprogesteron	Helicostylum piriforme	37
314		Progesteron	14α-Hydroxyprogesteron	Bacillus cereus	314
315		Progesteron	14α-Hydroxyprogesteron	Absidia regnieri	15
316		Progesteron	14α-Hydroxyprogesteron	Helicostylum piriforme	37
317		Progesteron (s. Fußnote S. 991)	14α-Hydroxyprogesteron	Curvularia sp.	82

* Zusatz von Actidion erniedrigt die Ausbeute.

Tabelle 2. (Fortsetzung.)

Lfd. Nr.	Position	Substrat	Produkt	Mikroorganismus	Literatur
318	14α	Progesteron	14α-Hydroxyprogesteron	Mucor parasiticus	37
319		Progesteron	14α-Hydroxyprogesteron	Mucor griseocyanus	37
320		Progesteron	14α-Hydroxyprogesteron	Circinella sp.	125
321		9α-Hydroxyprogesteron	9α,14α-Dihydroxyprogesteron	Circinella sp.	125
322		Δ^4-Pregnen-21-ol-3,11,20-trion	Δ^4-Pregnen-14α,21-diol-3,11,20-trion	Absidia regnieri	164
323		Testosteron	14α-Hydroxytestosteron	Mucor griseocyanus	37
324		Testosteron	Δ^4-Androsten-14α-ol-3,17-dion	Wojnowicia graminis	59
325	14α,6β	Progesteron	6β,14α-Dihydroxyprogesteron	Cunninghamella blakesleeana	83
326		Progesteron (s. Fußnote S. 991)	6β,14α-Dihydroxyprogesteron	Curvularia sp.	82
327		Progesteron	6β,14α-Dihydroxyprogesteron	Mucor corymbifer	80
328		Progesteron	6β,14α-Dihydroxyprogesteron	Absidia regnieri	15
329		Progesteron	6β,14α-Dihydroxyprogesteron	Trichothecium roseum	83
330		Progesteron	6β,14α-Dihydroxyprogesteron	Curvularia lunata	83
331		Progesteron	6β,14α-Dihydroxyprogesteron	Mucor mucedo	83
332		Progesteron	6β,14α-Dihydroxyprogesteron	Naematoloma sublateritium	83
333		Progesteron	6β,14α-Dihydroxyprogesteron	Cunninghamella elegans	83
334	14α,7α	17α-Hydroxycortexon	7α,14α,17α-Trihydroxycortexon	Curvularia lunata	98
335		Progesteron	7α,14α-Dihydroxyprogesteron	Curvularia sp.	91
336		Progesteron (s. Fußnote S. 991)	7α,14α-Dihydroxyprogesteron	Curvularia sp.	82
337	14α,9α	Progesteron	9α,14α-Dihydroxyprogesteron	Circinella sp.	125
338	14α,11β	Progesteron (s. Fußnote S. 991)	11β,14α-Dihydroxyprogesteron	Curvularia sp.	82
339		17α-Hydroxyprogesteron	11β,14α,17α-Trihydroxyprogesteron	Curvularia lunata	279
340	14α,15α epoxy 11β	$\Delta^{14(15)}$-Pregnen-17α,21-diol-3,20-dion	14α,15α-Epoxy-Δ^4-pregnen-11β,17α,21-triol-3,20-dion	Curvularia lunata	271
341	14α,15α epoxy	$\Delta^{4,14}$-Pregnadien-17α,21-diol-3,20-dion	14α,15α-Epoxy-Δ^4-pregnen-17α,21-diol-3,20-dion	Cunninghamella blakesleeana	127
342		$\Delta^{4,14}$-Pregnadien-17α,21-diol-3,20-dion	14α,15α-Epoxy-Δ^4-pregnen-17α,21-diol-3,20-dion	Helicostylum piriforme	127

Steroidhydroxylasen bei Mikroorganismen.

Tabelle 2. (Fortsetzung.)

Lfd. Nr.	Position	Substrat	Produkt	Mikroorganismus	Literatur
343	14α,15α epoxy	$\Delta^{4,14}$-Pregnadien-17α,21-diol-3,20-dion	14α,15α-Epoxy-Δ^4-pregnen-17α,21-diol-3,20-dion	Mucor griseocyanus	127
344		$\Delta^{4,14}$-Pregnadien-17α,21-diol-3,20-dion	14α,15α-Epoxy-Δ^4-pregnen-17α,21-diol-3,20-dion	Mucor parasiticus	127
345		$\Delta^{4,14}$-Pregnadien-17α,21-diol-3,20-dion	14α,15α-Epoxy-Δ^4-pregnen-17α,21-diol-3,20-dion	Curvularia lunata	127
346	15α	Δ^4-Androsten-3,17-dion	Δ^4-Androsten-15α-ol-3,17-dion	Fusarium caucasicum	22
347		Δ^4-Androsten-3,17-dion	Δ^4-Androsten-15α-ol-3,17-dion	Fusarium sp.	57
348		Δ^4-Androsten-3,17-dion	Δ^4-Androsten-15α-ol-3,17-dion	Fusarium lini	89
349		Δ^4-Androsten-3,17-dion	Δ^4-Androsten-15α-ol-3,17-dion	Gibberella saubinetti	26
350		Δ^4-Androsten-3,17-dion	Δ^4-Androsten-15α-ol-3,17-dion	Fusarium lateritium	22
351		Δ^4-Androsten-3,17-dion	Δ^4-Androsten-15α-ol-3,17-dion	Fusarium solani	22
352		Δ^4-Androsten-11β-ol-3,17-dion	Δ^4-Androsten-11β,15α-diol-3,17-dion	Gibberella saubinetti	26
353		Cortexon	15α-Hydroxycortexon	Fusarium sp.	353
354		Cortexon	15α-Hydroxycortexon	Fusarium lini	89
355		Cortexon	15α-Hydroxycortexon	Lenzites abietina	31
356		Cortexon	15α-Hydroxycortexon	Fusaria sp.	57
357		Cortexon	15α-Hydroxycortexon	Gibberella sp.	57
358		17α-Hydroxycortexon	15α,17α-Dihydroxycortexon	Hormodendrum viride	358
359		17α-Hydroxycortexon	15α,17α-Dihydroxycortexon	Hormodendrum olivaceum	359
360		Progesteron	15α-Hydroxyprogesteron	Fusarium lycopersici	360
361		Progesteron	15α-Hydroxyprogesteron	Fusarium solani	360
362		Progesteron	15α-Hydroxyprogesteron	Fusarium lini	89
363		Progesteron	15α-Hydroxyprogesteron	Fusarium culmorum	360
364		Progesteron	15α-Hydroxyprogesteron	Penicillium urticae	49
365		Progesteron	15α-Hydroxyprogesteron	Penicillium urticae	365
366		Progesteron	15α-Hydroxyprogesteron	Penicillium urticae	50
367		Progesteron	15α-Hydroxyprogesteron	Penicillium notatum	367
368		Progesteron	15α-Hydroxyprogesteron	Penicillium urticae	368

Hydroxylasen.

Tabelle 2. (Fortsetzung.)

Lfd. Nr.	Position	Substrat	Produkt	Mikroorganismus	Literatur
369	15α	Progesteron	15α-Hydroxyprogesteron	Colletotrichum antirrhini	113
370		Progesteron	15α-Hydroxyprogesteron	Fusaria sp.	57
371		Progesteron	15α-Hydroxyprogesteron	Gibberella sp.	57
372		Progesteron	5ξ-Pregnan-15α-ol-3,20-dion	Fusarium lini	89
373		Progesteron	15α-Hydroxyprogesteron	Gibberella saubinetti	15
374		Progesteron	15α-Hydroxyprogesteron	Fusarium lycopersici	15
375		Progesteron	15α-Hydroxyprogesteron	Streptomyces aureus	375
376		11α-Hydroxyprogesteron	11α,15α-Dihydroxyprogesteron	Calonectria decora	297
377		11β-Hydroxyprogesteron	11β,15α-Dihydroxyprogesteron	Calonectria decora	296
378		11α-Hydroxyprogesteron	11α,15α-Dihydroxyprogesteron	Calonectria decora	293
379		Testosteron	15α-Hydroxytestosteron	Fusarium sp.	57
380		Testosteron	Δ^4-Androsten-15α-ol-3,17-dion	Fusarium sp.	57
381		Testosteron	15α-Hydroxytestosteron	Fusarium lini	89
382		allo-Pregnan-11α-ol-3,20-dion	allo-Pregnan-11α,15α-diol-3,20-dion	Calonectria decora	297
383		Δ^4-Cholen-3-on-22-al	Δ^4-Bisnorcholen-15α,22-diol-3-on	Rhizopus nigricans	57
384	15α,14α epoxy 11β	$\Delta^{14(15)}$-Pregnen-17α,21-diol-3,20-dion	14α,15α-Epoxy-Δ^4-pregnen-11β,17α,21-triol-3,20-dion	Curvularia lunata	271
385	15α,6β	Progesteron	6β,15α-Dihydroxyprogesteron	Fusarium lini	89
386	15α,12β	Pregnan-3,20-dion	Pregnan-12β,15α-diol-3,20-dion	Calonectria decora	297
387		allo-Pregnan-3,20-dion	allo-Pregnan-12β,15α-diol-3,20-dion	Calonectria decora	297
388		Δ^5-Pregnen-3β-ol-20-on	Δ^4-Pregnen-12β,15α-diol-3,20-dion	Calonectria decora	297
389		Progesteron	12β,15α-Dihydroxyprogesteron	Calonectria decora	295
390		11β-Hydroxyprogesteron	11β,12β,15α-Trihydroxyprogesteron	Calonectria decora	296
391	15α,14α epoxy	$\Delta^{4,14}$-Pregnadien-17α,21-diol-3,20-dion	14α,15α-Epoxy-Δ^4-pregnen-17α,21-diol-3,20-dion	Cunninghamella blakesleeana	127
392		$\Delta^{4,14}$-Pregnadien-17α,21-diol-3,20-dion	14α,15α-Epoxy-Δ^4-pregnen-17α,21-diol-3,20-dion	Curvularia lunata	127

Tabelle 2. (Fortsetzung.)

Lfd. Nr.	Position	Substrat	Produkt	Mikroorganismus	Literatur
393	15α,14α epoxy	$\Delta^{4,14}$-Pregnadien-17α,21-diol-3,20-dion	14α,15α-Epoxy-Δ^{4}-pregnen-17α,21-diol-3,20-dion	Mucor parasiticus	127
394		$\Delta^{4,14}$-Pregnadien-17α,21-diol-3,20-dion	14α,15α-Epoxy-Δ^{4}-pregnen-17α,21-diol-3,20-dion	Mucor griseocyanus	127
395		$\Delta^{4,14}$-Pregnadien-17α,21-diol-3,20-dion	14α,15α-Epoxy-Δ^{4}-pregnen-17α,21-diol-3,20-dion	Helicostylum piriforme	127
396	15β	Cortexon	15β-Hydroxycortexon	Gibberella baccata	31
397		Cortexon	15β-Hydroxycortexon	Fusarium sp.	353
398		17α-Hydroxycortexon	15β,17α-Dihydroxycortexon	Bacillus megaterium	398
399		17α-Hydroxycortexon	15β,17α-Dihydroxycortexon	Spicaria simplicissima	359
400		17α-Hydroxycortexon	15β,17α-Dihydroxycortexon	Spicaria spec.	358
401		Corticosteron	15β-Hydroxycorticosteron	Sclerotinia libertiana	18
402		Progesteron	15β-Hydroxyprogesteron	Phycomyces blakesleeanus	113
403		Progesteron	15β-Hydroxyprogesteron	Bacillus megaterium	398
404		Progesteron	15β-Hydroxyprogesteron	Bacillus megaterium	185
405	15β,2β	Cortexonacetat	2β,15β-Dihydroxycortexon	Sclerotinia libertiana	18
406		Progesteron	2β,15β-Dihydroxyprogesteron	Sclerotinia libertiana	15
407	15β,12β	Progesteron	12β,15β-Dihydroxyprogesteron	Calonectria decora	293
408	16β	Testosteron	16β-Hydroxytestosteron	Wojnowicia graminis	59
409	16α	Δ^{4}-Androsten-3,17-dion	16α-Hydroxytestosteron	Wojnowicia graminis	59
410		Δ^{4}-Androsten-3,17-dion	Δ^{4}-Androsten-16α-ol-3,17-dion	Streptomyces roseochromogenus	410
411		Cortexon	16α-Hydroxycortexon	Streptomyces sp.	411
412		Cortexon	16α-Hydroxycortexon	Didymella vodakii	32
413		Cortexon	16α-Hydroxycortexon	Didymella vodakii	413
414		Progesteron	16α-Hydroxyprogesteron	Actinomyces sp.	21
415		Progesteron	16α-Hydroxyprogesteron	Actinomyces sp.	15
416		Progesteron	16α-Hydroxyprogesteron	Actinomyces sp.	416
417		Progesteron	Pregnan-16α-ol-3,20-dion	Actinomyces sp.	416
418		Testosteron	16α-Hydroxytestosteron	Pestalotia funera	418
419		Testosteron	16α-Hydroxytestosteron	Wojnowicia graminis	59

Tabelle 2. (Fortsetzung.)

Lfd. Nr.	Position	Substrat	Produkt	Mikroorganismus	Literatur
420	16α	Testosteron	16α-Hydroxytestosteron	Streptomyces roseochromogenus	410
421		9α-Fluorcortisol	16α-Hydroxy-9α-fluorcortisol	Streptomyces roseochromogenus	421
422		9α-Fluorprednisolon	16α-Hydroxy-9α-fluorprednisolon	Streptomyces roseochromogenus	421
423		Oestradiol-17α	Oestriol-17α	Streptomyces griseus	423
424		Oestradiol	Oestriol	Streptomyces griseus	423
425		Oestradiol	16α-Hydroxyoestron	Streptomyces mediocidicus	425
426		Oestradiol	Oestriol	Streptomyces mediocidicus	425
427		Oestradiol	Oestriol	Streptomyces sp.	423
428		Oestradiol-17α	Oestriol-17α	Streptomyces sp.	423
429		Oestradiol	Oestriol	Streptomyces halstedii	425
430		Oestradiol	16α-Hydroxyoestron	Streptomyces halstedii	425
431		Oestron	Oestriol	Streptomyces halstedii	425
432		Oestron	16α-Hydroxyoestron	Streptomyces halstedii	425
433		Oestron	16α-Hydroxyoestron	Streptomyces mediocidicus	425
434		Oestron	16α-Hydroxyoestron	Streptomyces bikiniensis	423
435		Oestron	Oestriol	Streptomyces mediocidicus	425
436	17α	Cortexon	17α-Hydroxycortexon	Cephalothecium roseum	436
437		Cortexon	17α-Hydroxycortexon	Trichothecium roseum	30
438		Progesteron	17α-Hydroxyprogesteron	Trichoderma viride	438
439		Progesteron	17α-Hydroxyprogesteron	Cephalothecium roseum	33
440		Corticosteron	Cortison	Trichothecium roseum	30
441		Corticosteron	Cortisol	Trichothecium roseum	30
442		Corticosteron	Cortison	Cephalothecium roseum	90
443		Corticosteron	Cortisol	Cephalothecium roseum	90
444		11-Dehydrocorticosteron	Cortison	Trichothecium roseum	30
445		11-Dehydrocorticosteron	Cortison	Cephalothecium roseum	90
446		11α-Hydroxyprogesteron	11α,17α-Dihydroxyprogesteron	Dactylium dendroides	137
447		11β-Hydroxyprogesteron	11β,17α-Dihydroxyprogesteron (?)	Dactylium dendroides	137
448	17α,6β	Cortexon	Δ⁴-Pregnen-6β,17α,21-triol-3,20-dion	Cephalothecium roseum	90
449	17α,11α	Cortexon	Δ⁴-Pregnen-11α,17α,21-triol-3,20-dion	Cephalothecium roseum	90
450		Progesteron	11α,17α-Dihydroxyprogesteron	Cephalothecium roseum	90
451		Progesteron	11α,17α-Dihydroxyprogesteron	Dactylium dendroides	137
452	19	17α-Hydroxycortexon	17α,19-Dihydroxycortexon	Corticocuri sasaki	452

Tabelle 2. (Fortsetzung.)

Lfd. Nr.	Position	Substrat	Produkt	Mikroorganismus	Literatur
453	21	Progesteron	Cortexon	Ophiobolus herbotrichus	33
454		Progesteron	Cortexon	Ophiobolus herbotrichus	178
455		Progesteron	Cortexon	Ophiobolus herbotrichus	30
456		Progesteron	Cortexon	Wojnowicia graminis	456
457		6β-Hydroxyprogesteron	6β-Hydroxycortexon	Aspergillus niger	457
458		11β-Hydroxyprogesteron	Corticosteron	Aspergillus niger	457
459		11β-Hydroxyprogesteron	Corticosteron	Hendersonia acicola	459
460		11α-Hydroxyprogesteron	Δ^4-Pregnen-11α,21-diol-3,20-dion	Aspergillus niger	457
461		11-Ketoprogesteron	11-Dehydrocorticosteron	Ophiobolus herbotrichus	30
462		11-Ketoprogesteron	11-Dehydrocorticosteron	Aspergillus niger	457
463		14α-Hydroxyprogesteron	14α-Hydroxycortexon	Aspergillus niger	457
464		17α-Hydroxyprogesteron	17α-Hydroxycortexon	Ophiobolus herbotrichus	30
465		19-Norprogesteron	19-Norcortexon	Aspergillus niger	457
466	21,11α	Progesteron	Δ^4-Pregnen-11α,21-diol-3,20-dion	Aspergillus sp.	178
467		Progesteron	Δ^4-Pregnen-11α,21-diol-3,20-dion	Aspergillus niger	235
468	21,11β	Progesteron	Corticosteron	Curvularia lunata	280
469	1β	Digitoxigenin	Acovenosigenin A	Mucorales	469
470	1β,7β(?)	Digitoxigenin	1β,7β(?)-Dihydroxydigitoxigenin	Mucorales	470
471	5β	Digitoxigenin	Periplogenin	Mucor parasiticus	471
472	5β,7β(?)	Digitoxigenin	5β,7β(?)-Dihydroxydigitoxigenin	Mucorales	470
473	6β	$\Delta^{4,17(20)}$-Pregnadien-11β,21-diol-3-on	$\Delta^{4,17(20)}$-Pregnadien-6β,21-diol-3,11-dion	Rhizopus arrhizus	473
474	7β	Digitoxigenin	7β-Hydroxydigitoxigenin	Mucorales	469
475	9α	$\Delta^{4,17(20)}$-Pregnadien-11β,21-diol-3-on	$\Delta^{4,17(20)}$-Pregnadien-9α,21-diol-3,11-dion	Helicostylum piriforme	473
476	9α	$\Delta^{4,17(20)}$-Pregnadien-11β,21-diol-3-on	$\Delta^{4,17(20)}$-Pregnadien-9α,21-diol-3,11-dion	Cunninghamella blakesleeana	473
477	11α	17α-Hydroxyprogesteron	11α,17α-Dihydroxyprogesteron	Absidia regnieri	164
478	12β	Digitoxigenin	Digoxigenin	Gibberella saubinetti	478
479		3-Dehydrodigitoxigenin	12β-Hydroxy-3-dehydrodigitoxigenin	Gibberella saubinetti	478
480		Gitoxigenin	12β-Hydroxygitoxigenin	Gibberella saubinetti	478
481		Oleandrigenin	12β-Hydroxyoleandrigenin	Gibberella saubinetti	478
482		Digitoxigenin	Digoxigenin	Fusarium lini	482
483		Digitoxigenin *	Digoxigenin	Fusarium lini	483

* 10^{-2} mol KCN hemmt, 10^{-3} und 10^{-4} mol KCN fördern, Zusatz von Cortexon beschleunigt 12β-Hydroxylierung.

Tabelle 2. (Fortsetzung.)

Lfd. Nr.	Position	Substrat	Produkt	Mikroorganismus	Literatur
484		Digitoxigenin	Digoxigenin	Gibberella fujikurvi	484
485		Digitoxigenin	Digoxigenin	Helicostylum piriforme	484
486		3-Dehydrobufalin	12β-Hydroxy-3-dehydrobufalin	Fusarium lini	288
487	15α	Cortexon*	15α-Hydroxycortexon	Fusarium lini	483
488	16β	Digitoxigenin	Gitoxigenin	Helicostylum piriforme	484
489	16β	Digitoxigenin	Gitoxigenin	Cunninghamella blakesleeana	484
490	21	11β-Hydroxy-18-carboxy-progesteron	Aldosteron	Ophiobolus herbotrichus	490

* 10^{-2} mol KCN hemmt, Gegenwart von Digitoxigenin verzögert Hydroxylierung.

Literatur zu Tabelle 2. (Die Nummern entsprechen den Literaturnummern der Tabelle.)

[1] DODSON, R. M., A. H. GOLDKAMP and R. D. MUIR: Am. Soc. **82**, 4026 (1960).
[5] DODSON, R. M., A. H. GOLDKAMP and R. D. MUIR: Am. Soc. **79**, 3921 (1957).
[9] GREENSPAN, G., C. P. SCHAFFNER, W. CHARNEY, H. L. HERZOG and E. B. HERSHBERG: Am. Soc. **79**, 3922 (1957).
[10] MCALEER, W. J., M. A. KOZLOWSKI, T. H. STOUDT and J. CHEMERDA: J. org. Chem. **23**, 508 (1958).
[11] KUSHINSKY, S.: J. biol. Ch. **230**, 31 (1958).
[12] KUSHINSKY, S.: Abstr. amer. chem. Soc. **131**, 36 (1957) [GREENSPAN, Am. Soc. **79**, 3922 (1957)].
[15] SHIRASAKA, M., M. TSURUTA, A. NAITO, S. SUGAWARA and M. NAKAMURA: Takamine Kenkyusho Nempo **11**, 52 (1960) [Chem. Abstr. **55**, 3712 (1961)].
[16] HERZOG, H. L., M. J. GENTLES, E. B. HERSHBERG, F. CARVAJAL, D. SUTTER, W. CHARNEY and C. P. SCHAFFNER: J. Am. Soc. **79**, 3921 (1957).
[18] SHIRASAKA, M., and M. TSURUTA: Arch. Biochem. **87**, 338 (1960).
[21] PERLMAN, D., E. O'BRIEN, A. P. BAYAN and R. B. GREENFIELD: J. Bact. **69**, 347 (1955).
[22] ČAPEK, A., and O. HANČ: Folia microbiol., Praha **5**, 251 (1960) [Chem. Abstr. **55**, 3728 (1961)].
[23] FRIED, J., R. W. THOMA, M. N. DONIN and J. R. GERKE: Unveröffentlicht [FRIED, J. u. a.: Recent Progr. Hormone Res. **11**, 149 (1955)].
[24] FRIED, J., R. W. THOMA, P. GRABOWICZ and J. R. GERKE: Private Mitteilung [EPPSTEIN, S. H., Vitam. and Horm. **14**, 359 (1956)].
[25] EPPSTEIN, S. H., P. D. MEISTER, H. M. LEIGH, D. H. PETERSON, H. C. MURRAY, L. M. REINEKE and A. WEINTRAUB: Am. Soc. **76**, 3174 (1954).
[26] URECH, J., E. VISCHER and A. WETTSTEIN: Helv. **43**, 1077 (1960).
[30] MEYSTRE, C., E. VISCHER u. A. WETTSTEIN: Helv. **37**, 1548 (1954).
[31] MEYSTRE, C., E. VISCHER u. A. WETTSTEIN: Helv. **38**, 381 (1955).
[32] VISCHER, E., C. MEYSTRE u. A. WETTSTEIN: Unveröffentlicht: [WETTSTEIN, A., Exper. **11**, 465 (1955)].
[33] HAYANO, M., A. SAITO, D. STONE and R. DORFMAN: Biochim. biophys. Acta **21**, 380 (1956).
[34] EPPSTEIN, S. H., P. D. MEISTER, D. H. PETERSON, H. C. MURRAY, H. M. LEIGH, D. A. LYTTLE, L. M. REINEKE and A. WEINTRAUB: Am. Soc. **75**, 408 (1953).
[35] PETERSON, D. H., S. H. EPPSTEIN, P. D. MEISTER, B. J. MAGERLEIN, H. C. MURRAY, H. M. LEIGH, A. WEINTRAUB and L. M. REINEKE: Am. Soc. **75**, 412 (1953).
[37] EPPSTEIN, S. H., L. M. MEISTER, D. H. PETERSON, H. C. MURRAY, H. M. LEIGH OSBORN, A. WEINTRAUB, L. M. REINEKE and R. C. MEEKS: Am. Soc. **80**, 3382 (1958).
[41] HASEGAWA, T., and T. TAKAHASHI: Takeda Kenkyusho Nempo **19**, 164 (1960) [Chem. Abstr. **55**, 16665 (1961)].
[42] RASPÉ, G., u. K. KIESLICH: Naturwiss. **48**, 479 (1961).
[45] SHIRASAKA, M., and M. TSURUTA: Nature **185**, 845 (1960).
[46] SUGAWARA, S., M. TSURUTA, M. SHIRASAKA and M. NAKAMURA: Arch. Biochem. **80**, 383 (1959).
[48] FRIED, J., D. PERLMAN, A. KLINGSBERG and A. P. BAYAN: Unveröffentlicht [FRIED, J. u. a.: Recent Progr. Hormone Res. **11**, 149 (1955)].
[49] MURRAY, H. C., and D. H. PETERSON: U.S. Pat. 2649400 (1953) [EPPSTEIN, S. H.: Vitam. and Horm. **14**, 359 (1956)].
[50] OSBORN, H. M. L., S. H. EPPSTEIN, H. C. MURRAY, L. M. REINEKE, R. C. MEEKS, A. WEINTRAUB, P. D. MEISTER u. D. H. PETERSON: Unveröffentlicht [EPPSTEIN, S. H.: Vitam. and Horm. **14**, 359 (1956)].
[51] PETERSON, D. H., S. H. EPPSTEIN, P. D. MEISTER, H. C. MURRAY, H. M. LEIGH, A. WEINTRAUB and L. M. REINEKE: Am. Soc. **75**, 5768 (1953).

Literatur zu Tabelle 2 (Fortsetzung).

[53] MEISTER, P. D., D. H. PETERSON, H. C. MURRAY, G. B. SPERO, S. H. EPPSTEIN, A. WEINTRAUB, L. M. REINEKE and H. M. LEIGH: Am. Soc. **75**, 416 (1953).

[55] EPPSTEIN, S. H., H. M. L. OSBORN, L. M. REINEKE, A. WEINTRAUB, H. C. MURRAY, R. C. MEEKS, P. D. MEISTER and D. H. PETERSON: Unveröffentlicht [EPPSTEIN, S. H.: Vitam. and Horm. **14**, 359 (1956).

[57] MEISTER, P. D., H. C. MURRAY, R. C. MEEKS, A. WEINTRAUB, S. H. EPPSTEIN, L. M. REINEKE, H. M. LEIGH OSBORN and D. H. PETERSON: Unveröffentlicht [EPPSTEIN, S. H.: Vitam. and Horm. **14**, 359 (1956)].

[59] HERZOG, H. L., M. J. GENTLES, A. BASCH, W. COSCARELLI, M. E. A. ZEITZ and W. CHARNEY: J. org. Chem. **25**, 2177 (1956).

[61] DJERASSI, C.: Unveröffentlicht, persönliche Mitteilung an D. H. PETERSON [Biochemistry of Steroids] 4. Int. Congr. Biochem. Wien 1958, Bd. IV.

[62] PEDERSON, R. L., J. A. CAMPBELL, J. C. BABCOCK, S. H. EPPSTEIN, H. C. MURRAY, A. WEINTRAUB, R. C. MEEKS, L. M. MEISTER, L. M. REINEKE and D. H. PETERSON: Am. Soc. **78**, 1512 (1956).

[63] KIRK, D. N., V. PETROW and M. H. WILLIAMSON: Soc. **1960**, 3872.

[65] DULANEY, E. L., E. O. STAPLEY and C. HLAVAC: Mycologia, Lancaster **47**, 464 (1955).

[66] KAROW, E. O., and D. N. PETSIAVAS: Indust. engng. Chem. **48**, 2213 (1956).

[67] FRIED, J., R. W. THOMA, J. R. GERKE, J. E. HERZ, M. DONIN and D. PERLMAN: Am. Soc. **74**, 3962 (1952).

[69] PETERSON, D. H., H. C. MURRAY, S. H. EPPSTEIN, L. M. REINEKE, A. WEINTRAUB, P. D. MEISTER and H. M. LEIGH: Am. Soc. **74**, 5933 (1952).

[72] CAMERINO, B., C. G. ALBERTI, A. VERCELLONE e F. AMMANNATY: Gazz. chim. ital. **84**, 301 (1954).

[78] MEISTER, P. D., D. H. PETERSON, S. H. EPPSTEIN, H. C. MURRAY, L. M. REINEKE, A. WEINTRAUB and H. M. L. OSBORN: Am. Soc. **76**, 5679 (1954).

[80] CAMERINO, B., C. G. ALBERTI e A. VERCELLONE: Gazz. chim. ital. **83**, 684 (1953).

[82] ZETSCHE, K.: Arch. Mikrobiol., Berlin **38**, 237 (1961).

[83] SCHUBERT, A., K. HELLER, D. ONKEN, K. ZETSCHE u. B. KLÜGER: Z. Naturforsch. **15b**, 269 (1960).

[89] GUBLER, A., and C. TAMM: Helv. **41**, 301 (1958).

[90] MEISTER, P. D., L. M. REINEKE, R. C. MEEKS, H. C. MURRAY, S. H. EPPSTEIN, H. M. L. OSBORN, A. WEINTRAUB and D. H. PETERSON: Am. Soc. **76**, 4050 (1954).

[91] SCHUBERT, A., K. HELLER, R. SIEBERT, K. ZETSCHE u. G. LANGBEIN: Naturwiss. **45**, 264 (1958).

[92] DODSON, R. M., R. T. NICHOLSON and R. D. MUIR: Am. Soc. **81**, 6295 (1959).

[93] LOOMEIJER, F. J.: Biochim. biophys. Acta **29**, 168 (1958).

[94] TAMAKI, K.: J. Biochem. **45**, 693 (1958) [Ber. Physiol. **206**, 139 (1959)].

[98] AGNELLO, E. J., R. C. OTTKE, B. M. BLOOM, G. M. SHULL, D. H. KITA and G. D. LAUBACH: Unveröffentlicht [SHULL, G. M.: Trans. N.Y. Acad. Sci. **19 II**, 147 (1956)].

[101] KAHNT, F. W., C. MEYSTRE, R. NEHER, E. VISCHER u. A. WETTSTEIN: Exper. **8**, 422 (1952).

[103] MURRAY, H. C., and D. H. PETERSON: U.S. Pat. 2703326 (1955) [DORFMAN, R. I.: Ann. Rev. **26**, 523 (1957)].

[104] MURRAY, H. C., and D. H. PETERSON: U.S. Pat. 2602769 (1952) [EPPSTEIN, S. H.: Vitam. and Horm. **14**, 359 (1956)].

[106] JUHASZ, G., u. C. TAMM: Helv. **44**, 1063 (1961).

[109] KRÁMLI, A., and J. HORVÁTH: Nature **160**, 639 (1947).

[112] KRÁMLI, A., and J. HORVÁTH: Nature **162**, 619 (1948); **163**, 219 (1949).

[113] FRIED, J., R. W. THOMA, E. F. SABO and P. GRABOWICZ: [FRIED, J. u.a.: Recent Progr. Hormone Res. **11**, 149 (1955)].

[115] MURRAY, H. C., and D. H. PETERSON: U.S. Pat. 2703326 (1955) [EPPSTEIN, S. H.: Vitam. and Horm. **14**, 359 (1956)].

[116] MURRAY, H. C., and D. H. PETERSON: U.S. Pat. 2702809 (1955) [EPPSTEIN, S. H.: Vitam. and Horm. **14**, 359 (1956)].

[118] MURRAY, H. C., and D. H. PETERSON: U.S. Pat. 2703806 (1955) [EPPSTEIN, S. H.: Vitam. and Horm. **14**, 359 (1956)].

[125] SCHUBERT, A., D. ONKEN, R. SIEBERT u. K. HELLER: B. **91**, 2549 (1958).

[127] BLOOM, B. M., and G. M. SHULL: Am. Soc. **77**, 5767 (1955).

[129] BLOOM, B. M., G. M. SHULL, W. BOEGEMANN and G. D. LAUBACH: [SHULL, G. M.: Trans. N.Y. Acad. Sci. **19 II**, 147 (1956)].

[133] MURRAY, H. C., and D. H. PETERSON: U.S. Pat. 2649402 (1953) [EPPSTEIN, S. H.: Vitam. and Horm. **14**, 359 (1956)].

[137] DULANEY, E. L., W. J. MCALEER, H. R. BARKEMEYER and C. HLAVAC: Appl. Microbiol. **3**, 372 (1955).

[148] DULANEY, E. L., W. J. MCALEER, M. KOSLOWSKI, E. O. STAPLEY and J. JAGLOM: Appl. Microbiol. **3**, 336 (1955).

[161] LINDNER, F., H. KEHL, J. SCHMIDT-THOMÉ, R. JUNK u. G. NESEMANN: DBP. 1009627 (1957) [VISCHER, E., and A. WETTSTEIN: Adv. Enzymol. **20**, 237 (1958)].

[162] SCHMIDT-THOMÉ, J.: Angew. Chem. **69**, 238 (1957).

[163] LEPETIT, SP. A.: Belg. Pat. 553590 (1957) [VISCHER, E., and A. WETTSTEIN: Adv. Enzymol. **20**, 237 (1958)].

Literatur zu Tabelle 2 (Fortsetzung).

[164] SHIRASAKA, M.: Chem. pharmaceut. Bull., Tokyo **9**, 54 152 (1961) [TAMM, C.: Angew. Chem. **74**, 225 (1962)].
[167] PETERSON, D. H., and H. C. MURRAY: Am. Soc. **74**, 1871 (1952).
[168] MANCERA, O., A. ZAFFARONI, B. A. RUBIN, F. SONDHEIMER, G. ROSENKRANZ u. C. DJERASSI: Am. Soc. **74**, 3711 (1952).
[170] SHULL, G. M., J. L. SARDINAS and J. B. ROUTIEN: Franz. Pat. 1091743 (1955) [VISCHER, E., and A. WETTSTEIN: Adv. Enzymol. **20**, 237 (1958)].
[171] SHULL, G. M., J. L. SARDINAS and J. B. ROUTIEN: Canad. Pat. 507009 (1954) [EPPSTEIN, S. H.: Vitam. and Horm. **14**, 359 (1956)].
[172] WEAVER, E. A., H. E. KENNEY and M. E. WALL: Appl. Microbiol. **8**, 345 (1960) [Chem. Abstr. **55**, 7548 (1961)].
[178] WEISZ, E., G. WIX u. M. BODÁNSZKY: Naturwiss. **43**, 39 (1956).
[182] MURRAY, H. C., and D. PETERSON: US Pat. 2695260 [VISCHER, E., and A. WETTSTEIN: Adv. Enzymol. **20**, 237 (1958)].
[183] Brit. Pat. 740858 to Chas. Pfizer and Co. (1955) [VISCHER, E., and A. WETTSTEIN: Adv. Enzymol. **20**, 237 (1958)].
[185] MCALEER, W. J., T. A. JACOB, L. B. TURNBALL, E. F. SCHOENEWALDT and T. H. STOUDT: Arch. Biochem. **73**, 127 (1958).
[194] MEISTER, P. D., D. H. PETERSON, H. C. MURRAY, S. H. EPPSTEIN, L. M. REINEKE, A. WEINTRAUB and H. M. LEIGH: Am. Soc. **75**, 55 (1953).
[195] PETERSON, D. H., A. H. NATHAN, P. D. MEISTER, S. H. EPPSTEIN, H. C. MURRAY, A. WEINTRAUB, L. M. REINEKE and H. M. LEIGH: Am. Soc. **75**, 419 (1953).
[196] PETERSON, D. H., P. D. MEISTER, A. WEINTRAUB, L. M. REINEKE, S. H. EPPSTEIN, H. C. MURRAY and H. M. L. OSBORN: Am. Soc. **77**, 4428 (1955).
[197] BOWERS, A., C. CAMPILLO and C. DJERASSI: Tetrahedron, London **2**, 165 (1958).
[198] COREY, E. J., B. A. GREGORIOU and D. H. PETERSON: Am. Soc. **80**, 2338 (1958).
[199] HAYANO, M., M. GUT, R. S. DORFMAN, O. K. SEBEK and D. H. PETERSON: Am. Soc. **80**, 2336 (1958).
[200] EPPSTEIN, S. H., D. H. PETERSON, H. M. LEIGH, H. C. MURRAY, A. WEINTRAUB, L. M. REINEKE and P. D. MEISTER: Am. Soc. **75**, 421 (1953).
[203] KENNEY, H. E., S. SEROTA, E. A. WEAVER and M. E. WALL: Am. Soc. **82**, 3689 (1960).
[205] TESTA, E.: 16. Int. Congr. Chem. Paris 1957. Bd. II, S. 270. Ann. Chim., Roma **47**, 1132 (1957) [VISCHER, E., and A. WETTSTEIN: Adv. Enzymol. **20**, 237 (1958)].
[219] CAMERINO, B., C. G. ALBERTI, A. VERCELLONE and F. AMMANNATI: Gazz. chim. ital. **84**, 301 (1954).
[235] WIX, G., E. WEISZ u. M. BODANSZKY: Acta microbiol. hung. **4**, 9 (1957).
[238] MANN, K. M., F. R. HANSON and P. W. O'CONNELL: Fed. Proc. **14**, 251 (1955).
[239] SHULL, G. M., and D. A. KITA: Am. Soc. **77**, 763 (1955).
[241] COLINGSWORTH, D. R., M. P. BRUNNER and W. J. HAINES: Am. Soc. **74**, 2381 (1952).
[242] COLINGSWORTH, D. R., J. N. KARNEMAAT, F. R. HANSON, M. P. BRUNNER, K. M. MANN and W. J. HAINES: J. biol. Ch. **203**, 807 (1953).
[243] SHULL, G. M., D. A. KITA, J. W. DAVISSON: US Pat. 2658023 (1953) [FRIED, J.: Recent Progr. Hormone Res. **11**, 149 (1955)].
[244] ZETSCHE, K.: Naturwiss. **48**, 407 (1961).
[247] MANN, K. M., F. R. HANSON, P. W. O'CONNELL, H. V. ANDERSON, M. P. BRUNNER and J. N. KARNEMAAT: Appl. Microbiol. **3**, 14 (1955).
[248] HANSON, F. R., K. M. MANN, E. D. NIELSON, H. V. ANDERSON, M. P. BRUNNER, J. N. KARNEMAAT, D. R. COLLINGSWORTH and W. J. HAINES: Am. Soc. **75**, 5369 (1953).
[249] O'CONNELL, P. W., K. M. MANN, E. P. NIELSON and F. R. HANSON: Appl. Microbiol. **3**, 16 (1955).
[251] KITA, D. H., and G. M. SHULL: Unveröffentlicht [SHULL, G. M.: Trans. N.Y. Acad. Sci. **19 II**, 147 (1956)].
[252] KITA, D. H.: Unveröffentlicht [SHULL, G. M.: Trans. N.Y. Acad. Sci. **19 II**, 147 (1956)].
[254] TAKEDA, R., J. NAKANISHI, J. TERUMICHI, M. UCHIDA, M. KATSUMATA, M. UCHIBAYASHI and H. NAWA: Tetrahedron, London **18**, 17 (1959).
[257] SHULL, G. M., D. A. KITA and J. W. DAVISSON: U.S. Pat. 2765258 (1956) [VISCHER, E., and A. WETTSTEIN: Adv. Enzymol. **20**, 237 (1958)].
[258] THOMA, R. W., J. FRIED and J. R. GERKE: Unveröffentlicht [FRIED, J.: Recent Progr. Hormone Res. **11**, 149 (1955)].
[259] DAVISSON, J. W., D. A. KITA and J. B. ROUTIEN: Unveröffentlicht [SHULL, G. M.: Trans. N.Y. Acad. Sci. **19 II**, 147 (1956)].
[262] British Pat. 769999 to Chas Pfizer and Co. (1957) Unveröffentlicht [VISCHER, E., and A. WETTSTEIN: Adv. Enzymol. **20**, 237 (1958)].
[266] BARBER, G. W., D. H. PETERSON and M. EHRENSTEIN: J. org. Chem. **25**, 1168 (1960).
[267] HANSON, F. R.: Unveröffentlicht [EPPSTEIN, S. H.: Vitam. and Horm. **14**, 359 (1956)].
[271] BLOOM, B. M., G. M. SHULL, E. J. AGNELLO, G. A. KATUCKI and G. D. LAUBACH: Unveröffentlicht [SHULL, G. M.: Trans. N.Y. Acad. **19 II**, 147 (1956)].
[279] SHULL, G. M., D. A. KITA and J. W. DAVISSON: US Pat. 2702812 (1955) [EPPSTEIN, S. H.: Vitam. and Horm. **14**, 359 (1956)].

Literatur zu Tabelle 2. (Fortsetzung.)

[280] RUBIN, B. A., C. CAMPILLO, J. HENDRICHS, F. CORDOBA and A. ZAFFARONI: Bact. Proc. **1956**, 33. [VISCHER, E., and A. WETTSTEIN: Adv. Enzymol. **20**, 237 (1958)].
[281] GUBLER, A., u. C. TAMM: Helv. **41**, 297 (1958).
[282] TAMM, C., u. A. GUBLER: Helv. **41**, 1762 (1958).
[283] TAMM, C., u. A. GUBLER: Helv. **42**, 239 (1959).
[288] TAMM, C., u. A. GUBLER: Helv. **42**, 473 (1959).
[293] SCHUBERT, A., G. LANGBEIN u. R. SIEBERT: B. **90**, 2576 (1957).
[295] HAYANO, M., M. GUT, R. I. DORFMAN, A. SCHUBERT and R. SIEBERT: Biochim. biophys. Acta **32**, 269 (1959).
[296] SCHUBERT, A., R. SIEBERT u. L. KOPPE: Angew. Chem. **70**, 742 (1958).
[297] SCHUBERT, A., u. R. SIEBERT: B. **91**, 1856 (1958).
[298] STONE, D., M. HAYANO, R. J. DORFMAN, O. HECHTER, C. R. ROBINSON and C. DJERASSI: Am. Soc. **77**, 3926 (1955).
[307] MEISTER, P. D., S. H. EPPSTEIN, D. H. PETERSON, H. G. MURRAY, H. M. LEIGH, A. WEINTRAUB and L. M. REINEKE: Abstr. amer. chem. Soc. **123** (1953) [SHULL, G. M.: Trans. N.Y. Acad. **19 II**, 147 (1956)].
[308] MANN, K. M.: Unveröffentlicht [EPPSTEIN, S. H.: Vitam. and Horm. **14**, 359 (1956)].
[314] THOMA, R. W., J. FRIED, J. E. HERZ and A. P. BAYAN: Unveröffentlicht [FRIED, J.: Recent Progr. Hormone Res. **11**, 149 (1955)].
[353] VISCHER, E., and A. WETTSTEIN: Unveröffentlicht [VISCHER, E., and A. WETTSTEIN: Adv. Enzymol. **20**, 239 (1958)].
[358] BERNSTEIN, S., L. I. FELDMAN, W. S. ALLEN, R. H. BLANK and C. E. LINDEN: Chem. and Indust. **1956**, 111.
[359] BERNSTEIN, S., M. HELLER, L. I. FELDMAN, W. S. ALLEN, R. H. BLANK and C. E. LINDEN: Am. Soc. **82**, 3685 (1960).
[360] KLÜGER, B., R. SIEBERT u. A. SCHUBERT: Naturwiss. **44**, 40 (1957).
[365] MURRAY, H. C., and D. H. PETERSON: US Pat. 2649400 (1953) [VISCHER, E., and A. WETTSTEIN: Adv. Enzymol. **20**, 237 (1958)].
[367] CAMERINO, B., R. MODELLI e C. SPALLA: Gazz. chim. ital. **86**, 1226 (1956).
[368] Brit. Pat. 773628 to the Upjohn Company (1957) [VISCHER, E., and A. WETTSTEIN: Adv. Enzymol. **20**, 237 (1958)].
[375] FRIED, J., R. W. THOMA, D. PERLMAN and J. R. GERKE: US Pat. 2753290 (1956) [VISCHER, E., and A. WETTSTEIN: Adv. Enzymol. **20**, 237 (1958)].
[398] HERSHEL, L. H., M. J. GENTLES, W. CHARNEY, D. SUTTER, E. TOWNLEY, M. YUDIS, P. KABASAKALIAN and E. B. HERSHBERG: J. org. Chem. **24**, 691 (1959).
[410] THOMA, R. W., J. E. HERZ, J. FRIED, D. PERLMAN and J. R. GERKE: Unveröffentlicht [FRIED, J.: Recent Progr. Hormone Res. **11**, 154 (1955)].
[411] VISCHER, E., J. SCHMIDLIN u. A. WETTSTEIN: Helv. **37**, 321 (1954).
[413] WETTSTEIN, A.: Exper. **11**, 465 (1955).
[416] PERLMAN, D., E. TITUS, and J. FRIED: Am. Soc. **74**, 2126 (1952).
[418] THOMA, R. W., J. R. GERKE, G. GREENSPAN, J. E. HERZ and J. FRIED: Soc. amer. Bact. N. Y. C. Branch **69** (1955) [SHULL, G. M.: Trans. N.Y. Acad. Sci. **19 II**, 147 (1956)].
[421] THOMA, R. W., J. FRIED, S. BONANNO and P. GRABOWICH: Am. Soc. **79**, 4818 (1957).
[423] STIMMEL, B. F., T. E. BUCKNELL and V. NOTCHEV: Fed. Proc. **19 I**, 115 (1960).
[425] KITA, D. A., J. L. SARDINAS and G. M. SHULL: Nature **190**, 627 (1961).
[436] MEISTER, P. D.: Unveröffentlicht [PETERSON, D. H.; in: WAKSMAN, S. A. (Hrsg.): Perspectives and Horizons in Microbiology, S. 121. New Brunswick, N. J. 1955].
[438] McALEER, W. J., and E. L. DULANEY: Arch. Biochem. **62**, 111 (1956).
[452] NISHIKAWA, M., and D. H.. PETERSON: 4. Int. Congr. Biochem. Wien 1958, Bd. IV, Biochemistry of Steroids.
[456] McALEER, W. J., and E. L. DULANEY: Arch. Biochem. **62**, 109 (1956).
[457] ZAFFARONI, A., C. C. CAMPILLO, F. CORDOBA and G. ROSENKRANZ: Exper. **11**, 219 (1955).
[459] British Pat. 767360 to Merck and Co. [VISCHER, E., and A. WETTSTEIN: Adv. Enzymol. **20**, 237 (1958)].
[469] ISHII, H., Y. NOZAKI, T. OKUMURA and D. SATOH: J. pharmaceut. Soc. Jap. **81**, 1051 (1961). — NOZAKI, Y., and T. OKUMURA: Agric. biol. Chem., Tokyo **25**, 515 (1961) [TAMM, C.: Angew. Chem. **74**, 225 (1962)].
[470] ISHII, H., Y. NOZAKI, T. OKUMURA and D. SATOH: J. pharmaceut. Soc. Jap. **81**, 1051 (1961) [TAMM, C.: Angew. Chem. **74**, 225 (1962)].
[471] ISHII, H.: J. pharmaceut. Soc. jap. **81**, 153 (1961) [TAMM, C.: Angew. Chem. **74**, 225 (1962)].
[473] HANZE, A. R., O. K. SEBEK and H. C. MURRAY: J. org. Chem. **25**, 1968 (1960).
[478] OKADA, M., A. YAMADA and M. ISHIDATE: Chem. pharmaceut. Bull., Tokyo **8**, 530 (1960).
[482] TAMM, C., E. WEISS-BERG u. G. JUHASZ: Unveröffentlicht [TAMM, C.: Angew. Chem. **74**, 225 (1962)].
[483] TAMM, C., u. E. WEISS-BERG: Unveröffentlicht [TAMM, C.: Angew. Chem. **74**, 225 (1962)].
[484] NAWA, H., M. UCHIBAYASHI, T. KAMIYA, T. YAMANO, H. ARAI and M. ABE: Nature **184**, 469 (1959).
[490] VISCHER, E., J. SCHMIDLIN u. A. WETTSTEIN: Exper. **12**, 50 (1956).

E. Hydroxylasen für Aminosäuren

Tabelle 3. *Überblick über beobachtete enzymatische Hydroxylierungen von Amino-*

Lfd. Nr.	Substrat	Produkt	Tier	Organ
1	Prolin	Hydroxyprolin	Ratte	
2	Prolin	Hydroxyprolin	Ratte	
3	Prolin	Hydroxyprolin	Meerschweinchen	Haut
4	Prolin	Hydroxyprolin	Meerschweinchen	Haut
5	Prolin	Hydroxyprolin	Huhn	Lunge
6	Prolin	Hydroxyprolin	Huhn	
7	Prolin	Hydroxyprolin	Ratte	Haut
8	Prolin	Hydroxyprolin	Meerschweinchen	Haut
9	Prolin	Hydroxyprolin	Ratte	Haut
10	Prolin	Hydroxyprolin	Meerschweinchen	Haut
11	Prolin	Hydroxyprolin	Meerschweinchen	Haut
12	Prolin	Hydroxyprolin	Meerschweinchen	
13	Prolin	Hydroxyprolin	Kaninchen, Meerschweinchen	Haut
14	Prolin	Hydroxyprolin	Meerschweinchen	Haut
15	Prolin	Hydroxyprolin	Meerschweinchen	Haut
16	Prolin	Hydroxyprolin	Meerschweinchen	Haut

und verwandte Verbindungen.
säuren und verwandten Verbindungen. (Literatur am Schluß der Tabelle, S. 1024.)

Präparation	Zusätze	Bemerkungen	Literatur
in vivo		Dem Futter zugesetztes, mit D und ^{15}N markiertes Prolin findet sich zu 15% als Hydroxyprolin im Kollagen wieder	1
in vivo		Durch Prolingaben im Futter steigt der Hydroxyprolingehalt im Blut und Urin an	2
mit „Irisch-Moos" Kollagenbildung induziert		Bei skorbutischen Tieren reichert sich ein hydroxyprolinarmer Vorläufer von Kollagen an	3
Wundheilung	Ascorbinsäure	Bei Ascorbinsäuremangel keine normale Bildung von Hydroxyprolin und Kollagen. Nach Ascorbinsäuregaben sofort normale Hydroxyprolinbildung	4
Embryo-Fibroblasten-Kultur		Embryo-Fibroblasten bilden auch ohne Ascorbinsäure hydroxyprolinhaltiges Kollagen	5
Osteoblastenkulturen		Hydroxyprolin entsteht vor der Bildung der Kollagen*fasern*	6
Polyvinylschwämmchen implantiert. Nach 2 Wochen entnommen und zerkleinert	alle Aminosäuren	Wird das Gewebe (zerkleinerte Schwämmchen) mit ^{14}C-Prolin inkubiert, so findet man im entstandenen Kollagen ^{14}C-Hydroxyprolin	7
Polyvinylschwämmchen implantiert	L-Ascorbinsäure, L-Dehydroascorbinsäure	Bei Skorbut nur geringe Hydroxyprolinbildung. Nach Injektion von Ascorbinsäure in die Schwämmchen erfolgt normale Hydroxyprolinbildung. L-Dehydroascorbinsäure ist ebenfalls aktiv, Isoascorbinsäure und Glucoascorbinsäure sind nicht aktiv	8
Granulomschnitte	Harnstoff, Glucose, Raffinose	Zugesetztes ^{14}C-Prolin wird als ^{14}C-Hydroxyprolin im Kollagen wiedergefunden. Freies Hydroxyprolin entsteht durch Abbau von Kollagen	9
durch Carrageenin Granulome induziert	Ascorbinsäure	Prolin wird während des Einbaues in das Kollagen hydroxyliert	10
durch Carrageenin Granulome induziert	Ascorbinsäure	Bei Skorbut entsteht nur wenig Hydroxyprolin. Nach Ascorbinsäuregaben erfolgt schnelle Hydroxyprolinbildung	11
durch Carrageenin Granulome induziert	Ascorbinsäure	Ascorbinsäure beeinflußt wahrscheinlich den Einbau des Prolins	12
Wundheilung, durch Talk induzierte Granulome	Ascorbinsäure	Bei Skorbut findet sich nur wenig Hydroxyprolin im neuen Gewebe. Nach Ascorbinsäuregaben erfolgt schnell Zunahme des Hydroxyprolingehaltes	13
		Die Hydroxylierung des Prolins erfolgt erst nach Einbau in einem Peptidverband und nicht in freier Form	14
Zellsuspensionen von Granulomen	Aminosäuren, Ascorbinsäure	Zellen von skorbutischen Tieren erzeugen wenig Hydroxyprolin. Ascorbinsäure stimuliert die Hydroxyprolinbildung	15
		^{14}C-Prolin wird als ^{14}C-Hydroxyprolin in ein Protein-Polysaccharid eingebaut. Vermutlich Vorstufe der Kollagenbildung	16

Hydroxylasen.

Tabelle 3.

Lfd. Nr.	Substrat	Produkt	Tier	Organ
17	Prolin	Hydroxyprolin	Meerschweinchen	Haut
18	Prolin	Hydroxyprolin	Hühnerembryo	
19	Lysin	Hydroxylysin	Ratte	Haut
20	Lysin	Hydroxylysin	Ratte	Bindegewebe
21	Lysin	Hydroxylysin	Ratte	
22	Tryptophan	5-Hydroxytryptophan	Kröte	Giftdrüse
23	Tryptamin	5-Hydroxytryptamin 7-Hydroxytryptamin	Kaninchen	Leber
24	Tryptamin	5-Hydroxytryptamin 7-Hydroxytryptamin	Ratte	Leber
25	Tryptophan	5-Hydroxytryptophan	Ratte, Meerschweinchen	Dünndarm-schleimhaut
26	Tryptamin	6-Hydroxytryptamin	Kaninchen	Leber
27	Tryptophan	5-Hydroxytryptophan 5-Hydroxytryptamin	Ratte	Leber
28	Tryptamin Skatol 3-Indolessigsäure	6-Hydroxytryptamin 6-Hydroxyskatol 6-Hydroxy-3-indolessig-säure	Ratte, Kaninchen	Leber
29	α-Methyltryptamin	6-Hydroxy-α-methyltrypt-amin, 6-Hydroxy-3-methylindolylaceton	Ratte	Leber
30	Tryptophan	5-Hydroxytryptamin	Maus	Ascites-Tumor-Zellen
31	Tryptophan	5-Hydroxytryptophan 5-Hydroxytryptamin	Maus, Meerschweinchen	Dünndarm-schleimhaut
32	Tryptophan	5-Hydroxytryptophan	Ratte	Leber
33	Tryptophan Phenylalanin	5-Hydroxytryptophan Tyrosin	Ratte	Leber
34	Tryptophan, Kynurenin, Anthranilsäure	3-Hydroxyanthranilsäure-phosphorsäureester	Ratte	Leber
35	Kynurenin	3-Hydroxykynurenin	Katze, Ratte	Leber
36	L-Kynurenin	3-Hydroxykynurenin	Ratte, Katze	Leber, Niere

Hydroxylasen für Aminosäuren und verwandte Verbindungen.

(Fortsetzung.)

Präparation	Zusätze	Bemerkungen	Literatur
Granulomschnitte	ATP, Phosphoenolpyruvat, Phosphoenolpyruvat-Kinase	In Mikrosomen wird ^{14}C-Prolin am schnellsten als Hydroxyprolin in Peptide eingebaut	17
Homogenatüberstand von 15000 × g, Mikrosomen	MgCl$_2$, ATP, Kreatinphosphat	^{14}C-Prolin wird in Mikrosomen in Peptide eingebaut und hydroxyliert	18
in vivo		Zugeführtes ^{14}C-Lysin wird als Hydroxylysin im Kollagen wiedergefunden	19
Polyvinylschwämmchen implantiert		Zugeführtes ^{14}C-Lysin wird als Hydroxylysin im Kollagen wiedergefunden	20
in vivo		Das Hydroxylysin des Kollagens entsteht aus Lysin	21
in vivo		Einsatz von ^{14}C-Tryptophan	22
Homogenat, Überstand von 9800 × g		Neben Tryptamin werden auch andere Indolderivate hydroxyliert. Nicht hingegen Tryptophan	23
Homogenatextrakte	TPNH	TPNH ist essentiell	24
Homogenat, partikuläre Fraktion (s. Text, S. 1032)	Ascorbinsäure, Cu^{++}	Die genannten Zusätze sind essentiell. Die Reaktion soll auch anaerob verlaufen. Katalase hat keinen Einfluß. Auch ohne Enzym erfolgt geringe Hydroxylierung (s. Text, S. 1032)	25
Mikrosomen	TPNH	Tryptophan wird nicht hydroxyliert. TPNH ist essentiell. p$_H$-Optimum 6,8	26
mitochondrienfreier Überstand von Homogenat	DPN, Nicotinamid	DPN ist essentiell (s. Text, S. 1032)	27
Mikrosomen		Tryptophan wird nicht hydroxyliert	28
Mikrosomen und Homogenatüberstand	TPN, Mg^{++}		29
Zellsuspension, Homogenat	Nicotinamid, DPN, Pyridoxalphosphat, p-Tolylcholinäther (Monoaminoxydase-Inhibitor)	^{14}C-Tryptophan wird von Mast-Tumorzellen schnell, von Homogenat nur wenig in 5-Hydroxytryptamin umgewandelt	30
Homogenat, Sediment von 78000 × g		Anaerob! (s. Nr. 25 und Text)	31
Enzymanreicherung		„Phenylalanin-Hydroxylase" hydroxyliert auch Tryptophan (s. Text)	32
mikrosomenfreier Überstand von Homogenat		Phenylalanin und Tryptophan werden durch das gleiche Enzymsystem hydroxyliert. K_M für Phenylalanin $2,2 \times 10^{-4}$ m für Tryptophan $2,9 \times 10^{-2}$ m	33
Homogenat			34
Mitochondrien	TPNH, TPN + Citrat, DPNH	DPNH ist weniger aktiv als TPNH (vgl. Beitrag Wiss, Band VI/B)	35
Mitochondrien	TPN, Glucose-6-		36

Tabelle 3.

Lfd. Nr.	Substrat	Produkt	Tier	Organ
37	Kynurenin	3-Hydroxykynurenin	Ratte	Leber
38	Kynurenin	3-Hydroxykynurenin	Ratte, Katze	Leber
39	Kynurenin	3-Hydroxykynurenin	Ratte	Leber
40	Tyrosin	Homogentisinsäure	Ratte	Leber
41	Tyrosin	Homogentisinsäure	Meerschweinchen	Leber
42	Tyrosin	Homogentisinsäure (nicht identifiziert)	Meerschweinchen	Leber
43	p-Hydroxyphenylbrenz-traubensäure	Homogentisinsäure	Schwein	Leber
44	p-Hydroxyphenylbrenz-traubensäure	Homogentisinsäure	Hund, Kaninchen	Leber
45	p-Hydroxyphenylbrenz-traubensäure	Homogentisinsäure	Hund	Leber
46	Phenylalanin	Tyrosin	Hund	Leber
47	Tyramin	Adrenalin	Meerschweinchen	Nebenniere
48	Phenylalanin	Tyrosin	Meerschweinchen	Leber
49	Phenylalanin	Adrenalin	Ratte	
50	Phenylalanin	Tyrosin	Ratte	Leber
51	Dopa	Dopamin und Noradrenalin	Rind	Nebennieren
52	Phenylalanin	Tyrosin	Ratte	Leber

(Fortsetzung.)

Präparation	Zusätze	Bemerkungen	Literatur
Enzymanreicherung (vgl. Beitrag WISS, Band VI/B)	phosphat, Glucose-6-phosphat-Dehydrogenase, Nicotinamid TPNH oder TPN + Glucose + Glucose-Dehydrogenase	$^{18}O_2$ wird in die Hydroxylgruppe eingebaut. Je Mol Hydroxykynurenin wird ein Mol TPNH + H$^+$ oxydiert. K_M für TPNH $2,5 \times 10^{-5}$ m, K_M für Substrat $2,3 \times 10^{-5}$ m. 10^{-2} m Azid, Chlorid, Bromid oder Thiocyanat stimuliert 3—10fach	37
Mitochondrien gelöst	TPNH	TPNH ist essentiell, kann nicht durch DPNH ersetzt werden. D-Kynurenin wird nicht hydroxyliert	38
Enzymanreicherung (vgl. Beitrag WISS, Band VI/B)		Bei Riboflavinmangelkost enthalten die Mitochondrien nur 30—50% der Enzymaktivität normaler Tiere. Der Zusatz von Riboflavinphosphat und von FAD hat keinen Einfluß	39
Schnitte		Mit ^{14}C-Tyrosin: Die Seitenkette wandert am Benzolkern	40
Schnitte, Homogenat, Überstand von 3000 × g		Skorbutische Tiere besitzen nur 15% der normalen Enzymaktivität	41
Aceton-Trockenpulverextrakt	Ascorbinsäure	Ascorbinsäure reaktiviert durch Dialyse inaktiviertes Enzym	42
Enzym 100fach angereichert	Ascorbinsäure	Ascorbinsäure oder reduziertes Dichlorphenolindophenol aktivieren, SH-Verbindungen schützen das Enzym. α,α-Dipyridyl und Diäthyldithiocarbamat hemmen 10^{-5} m das Enzym. — CO, CN$^-$ und Phenylthioharnstoff hemmen nicht	43
Aceton-Trockenpulver	Ascorbinsäure	Ascorbinsäure schützt das Enzym und hebt die Substrathemmung auf. p$_H$-Optimum 6,3 bis 7,8. Substratspezifisch: o-Hydroxyphenylbrenztraubensäure wird nicht umgesetzt. 10^{-3} m Dipyridyl hemmt vollständig, 10^{-3} m Diäthyldithiocarbamat 80%	44
Enzym angereichert, 2 Fraktionen nötig (s. Beitrag ROKA, Band VI/B)	Ascorbinsäure	Bei angereichertem Enzym stimuliert Ascorbinsäure nicht, „schützt" aber das Enzym. — Fraktion A enthält Katalase und kann durch Katalase ersetzt werden	45
durchströmt			46
Schnitte		Nur das Nebennierenmark ist aktiv, die Rinde nicht	47
Schnitte			48
in vivo		^{14}C-markiertes Substrat	49
Schnitte und partikelfreier Überstand von Homogenat	DPN oder TPN	DPN ist essentiell, TPN ist weniger wirksam. H_2O_2 ist ohne Einfluß	50
Homogenat	Pyridoxal-5'-phosphat, ATP		51
teilweise gereinigtes Enzym (vgl. Beitrag ROKA, Band VI/B), 2 Fraktionen erforderlich	DPNH, TPNH	DPNH ist Cofaktor, K_M $1,5 \times 10^{-5}$ m, K_M für Substrat 2×10^{-4} m. Katalase hemmt nicht. Die α,α-Dipyridyl-Hemmung (10^{-3} m 100%) wird durch Fe^{++} aufgehoben	52

Tabelle 3.

Lfd. Nr.	Substrat	Produkt	Tier	Organ
53	Dopamin	Noradrenalin	Rind	Nebenniere
54	Dopa, Dopamin	Noradrenalin	Rind	Nebenniere
55	Dopamin	Noradrenalin	Huhn	Nebenniere
56	Tyrosin	Dopamin, Noradrenalin und Adrenalin	(nicht angegeben)	Nebenniere
57	Tyrosin	Dopamin, Noradrenalin und Adrenalin	Rind	Nebenniere
58	Dopa	Dopamin und Noradrenalin	Rind	Nebennierenmark
59	Dopamin	Noradrenalin	Mensch	Tumoren
60	Phenylalanin	Tyrosin	Schaf, Ratte	Leber
61	Phenylalanin	Tyrosin	Schaf, Ratte	Leber
62	Phenylalanin	Tyrosin	Schaf, Ratte	Leber
63	Phenylalanin	Tyrosin	Schaf, Ratte	Leber
64	Phenylalanin	Tyrosin	Mensch	Leber
65	Phenylalanin	Tyrosin	Ratte, Schwein	Leber
66	Tyrosin, Dopa	Dopamin, Noradrenalin	Hund, Rind	sympathische Nerven
67	Tyrosin, Dopa	Dopamin, Noradrenalin	Hund, Rind	sympathische Nerven
68	Phenylalanin	Tyrosin, Dopa, o-Tyrosin	Rind, Schaf, Hase, Ratte, Mensch, Affe, Meerschweinchen	Nebennierenmark
69	Dopamin	Noradrenalin	Rind	Nebenniere

(Fortsetzung.)

Präparation	Zusätze	Bemerkungen	Literatur
Aceton-Trockenpulver	ATP, DPN, TPN	ATP und DPN oder TPN sind Cofaktoren. Dopa wird nicht hydroxyliert	53
Mark-Homogenat Überstand von 670 ×g	ATP, Glucose, $MgSO_4$	Die Zusätze sind ohne Einfluß	54
Homogenat	ATP, DPN, TPN, FAD, Nicotinamid, Methionin und α-Ketoglutarat	^{14}C-Substrat	55
Schnitte	Glucose oder Glucose-6-phosphat	^{14}C-Substrat	56
Schnitte, Homogenat	Glucose oder Glucose-6-phosphat, Pyridoxalphosphat	Tyramin wird nicht hydroxyliert. 10^{-5} m CN hemmt fast vollständig	57
Homogenat zentrifugiert bei 25000 × g	ATP, DPN, Glucose, Pyridoxalphosphat	Zur Hydroxylierung sind Partikel und Überstand erforderlich. Nur Partikel oder nur Überstand decarboxylieren nur zu Dopamin. Verf. schließt: Dopa → Dopamin → Noradrenalin und nicht über Dihydroxyphenylserin	58
Homogenat von chromaffinen Zellen	DPN, ATP und α-Ketoglutarat	^{14}C-Substrat	59
Enzym angereichert (vgl. Beitrag ROKA, Band VI/B)	TPNH oder DPNH	TPNH ist Cofaktor, DPNH ist weniger aktiv. TPN und DPN sind inaktiv. 2 Proteinfraktionen sind erforderlich	60
Enzym angereichert (vgl. Beitrag ROKA, Band VI/B)	TPNH	Labiler Nicht-Proteinfaktor ist erforderlich (Tetrahydrofolsäure?)	61
Enzym angereichert (vgl. Beitrag ROKA, Band VI/B)	TPNH, Tetrahydrofolsäure	Tetrahydrofolsäure ersetzt den labilen Cofaktor (vgl. Nr. 61)	62
Enzym angereichert (vgl. Beitrag ROKA, Band VI/B)	TPNH	Der unbekannte Cofaktor (vorhergehende Zitate) ist in der Leber von Ratte, Schaf, Kaninchen und Rind vorhanden. In der Rindernebenniere wurde er ebenfalls in geringer Konzentration nachgewiesen. In anderen Organen wurde der Faktor nicht gefunden	63
Biopsiegewebe			64
Enzymanreicherung (vgl. Beitrag ROKA, Band VI/B)		2 Enzymfraktionen erforderlich. Bei neugeborenen Ratten und Schweinen fehlt eine Komponente	65
Hackbrei	Glucose, Pyridoxalphosphat	^{14}C-Substrate. Parasympathische Nerven sind inaktiv	66
Hackbrei	Glucose, ATP, DPN, Pyridoxalphosphat, Marsilid	Monoaminoxydase-Inhibitor Marsilid erhöht die Dopaminausbeute	67
Schnitte	Ascorbinsäure	Ascorbinsäure stimuliert die Hydroxylierung. Auch nach Erhitzen ist noch Aktivität vorhanden (nichtenzymatisch?)	68
Enzymanreicherung		Nach dem Zentrifugieren bei 18000 ×g sind der Niederschlag und der Überstand aktiv. p_H-Optimum 7. 10^{-3} m o-Phenanthrolin und p-Chlormercuribenzoat hemmen die Hydr-	69

Tabelle 3.

Lfd. Nr.	Substrat	Produkt	Tier	Organ
70	Tyrosin	Dopamin, Noradrenalin	Ratte	Hirn
71	Dopamin	Noradrenalin	„verschiedene Tiere"	Hypothalamus, Nucleus caudatus
72	Dopamin	Noradrenalin		Hypothalamus, Nucleus caudatus
73	Tyrosin	Noradrenalin, Adrenalin	Katze	sympathische Thoraxnerven
74	Dopamin	Noradrenalin	Rind	Nebennierenmark
75	Dopamin	Noradrenalin, 2,4,5-Trihydroxyphenyläthylamin	Ratte	Hirnstamm
76	Phenylalanin	Tyrosin	Ratte	Leber
77	Phenylalanin	Tyrosin	Ratte, Schaf	Leber
78	Phenylalanin	Tyrosin	Ratte	Leber
79	Dopamin	Noradrenalin	Rind	Nebennierenmark
80	Dopamin	Noradrenalin	Rind	Nebennierenmark
81	Phenyläthylamin, Tyramin, Dopamin	β-Hydroxyphenyläthylamin, β-Hydroxytyramin, Noradrenalin	Rind	Nebennierenmark
82	Tyramin	β-Hydroxytyramin	Rind, Schwein, Ratte	Nebennierenmark, Hirn
83	p-Hydroxyphenylbrenztraubensäure	Homogentisinsäure	Rind, Schwein	Leber
84	p-Hydroxyphenylbrenztraubensäure	Homogentisinsäure	Rind	Leber
85	p-Hydroxyphenylbrenztraubensäure	Homogentisinsäure	Schwein	Leber
86	p-Hydroxyphenylbrenztraubensäure	Homogentisinsäure	Hund	Leber

(Fortsetzung.)

Präparation	Zusätze	Bemerkungen	Literatur
		oxylierung um 96%. Das Enzym enthält vermutlich Eisen und SH-Gruppen	
Schnitte		^{14}C-Substrat	70
Homogenate		Im Hypothalamus und Nucleus caudatus sind mit der Nebenniere vergleichbare Aktivitäten von Dopamin-β-Hydroxylase vorhanden	71
Homogenate	ATP, Nicotinamid, DPN, TPN, Pyridoxalphosphat, FMN, FAD, Cytochrom c, Coenzym A, Glucose, MgSO$_4$	Cofaktor noch unbekannt	72
ganze Nerven	mit 95% O$_2$ gesättigt	^{14}C-Substrat. Elektrisch stimulierte Nerven erzeugen neben Noradrenalin auch Adrenalin	73
Aceton-Trockenpulver, wäßriger Extrakt	ATP, Guanosintriphosphat, Uridintriphosphat, Inosintriphosphat, Cytidintriphosphat	Mit ATP 5—10fache Aktivität. Die anderen Zusätze stimulieren ebenfalls. DPN und TPN sind ohne Einfluß	74
Homogenat			75
Enzymteilreinigung (vgl. Beitrag ROKA, Band VI/B)	TPNH, Glucose-Dehydrogenase	Cofaktor angereichert. Glucosedehydrogenase stimuliert, jedoch nicht über eine TPNH-Bildung (Mechanismus unbekannt)	76
Enzymteilreinigung	TPNH	TPNH reduziert Cofaktor, ein Pteridinderivat	77
Enzymteilreinigung		Das Oxydationsprodukt des Cofaktors ist 5,6-Dihydropteridin	78
enzymhaltige Partikel gelöst (s. Text)	Ascorbinsäure	Ascorbinsäure ist als Elektronendonator erforderlich	79
Enzymteilreinigung (s. Text)	Ascorbat, Fumarat, ATP, Glucose-Dehydrogenase	Ascorbat, Fumarat, ATP und Glucosedehydrogenase stimulieren die Hydroxylierung. DPNH, TPNH, FAD und FMN sind ohne Einfluß. 6×10^{-4} m KCN hemmt die Reaktion vollständig (s. Text)	80
Enzymteilreinigung (s. Text)	Ascorbinsäure, ATP, Glucosedehydrogenase, Katalase	Ascorbat ist Wasserstoffdonator. ATP, Glucosedehydrogenase und Katalase schützen das Enzym (s. Text)	81
Schnitte		Dopamin-β-Hydroxylase hydroxyliert auch Tyramin an der Seitenkette	82
Enzym 50fach angereichert (vgl. Beitrag ROKA, Band VI/B)	Ascorbinsäure	Katalase und Reduktionsmittel (Glutathion, Dichlorphenolindophenol) sind ohne Einfluß. 2×10^{-4} m p-Chlormercuribenzoat hemmt zu 82%, 10^{-3} m Diäthyldithiocarbamat und 10^{-2} m Azid hemmen zu 95%	83
Enzym 50fach angereichert		Versuche mit ^{18}O$_2$ zeigen, daß ein ^{18}O in die Hydroxylgruppe eingebaut und das andere zu Wasser reduziert wird	84
Enzymteilreinigung (vgl. Beitrag ROKA, Band VI/B)	TPNH, DPNH, Ascorbinsäure oder Dichlorphenolindophenol	Ascorbinsäure und Dichlorphenolindophenol reaktivieren inaktives Protein. 2,5-Dihydroxyphenylbrenztraubensäure wird nicht umgesetzt (vgl. Beitrag ROKA, Band VI/B)	85
Enzymteilreinigung	Ascorbinsäure oder Dichlorphenolindophenol	Ascorbinsäure und Dichlorphenolindophenol heben eine Substrathemmung auf. K_M für Substrat $4,2 \times 10^{-5}$ m. Substratspezifisch	86

Hydroxylasen.

Tabelle 3.

Lfd. Nr.	Substrat	Produkt	Tier	Organ
87	p-Hydroxyphenylbrenz-traubensäure	Homogentisinsäure	Hund	Leber
88	Tryptophan	5-Hydroxytryptophan	Chromobacterium violaceum	
89	Phenylalanin	Tyrosin, o-Hydroxy-phenylmilchsäure	Pseudomonas fluorescens	
90	Phenylalanin	Tyrosin, Melanin	Bombyx mori	
91	Kynureninsäure	7,8-Dihydroxykynurensäure	Pseudomonas	
92	Tyrosin	Melanin (über Dopa)	Pferd	Melanome
93	Tyramin	Melanin	Mensch, Sepia	Melanome
94	Tyrosin	Melanin	Maus	Melanome
95	Tyrosin	Melanin	Maus	Melanome
96	Tyrosin	Dopa, Dopa-Chinon (nicht nachgewiesen)	Maus	Melanome
97	D- und D,L-Tyrosin Catechole	Dopa, Melanin (Produkte nicht identifiziert)	Maus	Melanome
98	Tyrosin	Melanin	Maus?	Harding-Passey-Melanome
99	Tyrosin	Melanin	Maus?	Harding-Passey-Melanome
100	Tyrosin	nicht identifiziert	Hamster	Melanome
101	Tyrosin	Dopa, Dopa-Chinon	Mehlwurm	
102	Tyrosin	Melanin	Larven und Puppen von Drosophila melanogaster	
103	Tyrosin	Dopa, Dopa-Chinon	Sepia	
104	Tyrosin, p-Kresol	Dopa-Chinon, 4-Methyl-o-chinon	Larven von Calliphora erythrocephala	
105	Tyrosin	Dopa-Chinon	Larven von Calliphora erythrocephala	
106	Tyrosin	Dopa-Chinon	Larven von Calliphora erythrocephala	
107	Tyrosin	Dopa-Chinon	Larven von Calliphora erythrocephala	

(Fortsetzung.)

Präparation	Zusätze	Bemerkungen	Literatur
Enzymteilreinigung	Ascorbinsäure oder Dichlorphenolindophenol	Ascorbinsäure und Dichlorphenolindophenol halten wahrscheinlich einen Cofaktor reduziert	87
			88
			89
		Injiziertes ^{14}C-Phenylalanin wird zu Tyrosin und Melanin	90
Enzymanreicherung	DPNH, DPN, FeSO$_4$(NH$_4$)$_2$SO$_4$		91
Extrakte			92
Homogenat			93
Enzym angereichert			94
Enzym angereichert		Die Mikrosomen enthalten den Tyrosinasekomplex (vgl. Text)	95
Enzymanreicherung		Cu-bindende Agentien (2,3-Dimercapto-1-propanol, Diäthyldithiocarbamat, Phenylthioharnstoff, Thioharnstoff) hemmen das Enzym. Cu^{++}-Zusatz reaktiviert das Enzym, andere Metalle nicht (vgl. Text)	96
Enzymanreicherung	Dopa	Dopa verkürzt die Induktionszeit. N-Acetyl-, N-Formyl-, 3-Fluor- und 3-Amino-tyrosin hemmen kompetitiv (vgl. Text)	97
Enzymanreicherung			98
Enzymanreicherung (s. Text)		Tyrosin und Dopa werden durch das gleiche Enzym oxydiert (vgl. Text)	99
Enzym 10fach angereichert		Ascorbinsäure und Dopa verkürzen die Induktionszeit	100
Enzymanreicherung		Tyrosin wird in o-Stellung zur vorhandenen OH-Gruppe hydroxyliert. pH-Optimum 6,5—7	101
Extrakt		Durch Behandlung der Larven und Puppen mit Chloroformdämpfen entsteht aktive Tyrosinase (Zerstörung eines Inhibitors?)	102
Enzymanreicherung		Gleiche Eigenschaften wie das Enzym von RAPER (vgl. Nr. 101) aus Mehlwurm. Die Hydroxylierung von Tyrosin zu Dopa geht nach Ansicht der Verfasser nichtenzymatisch	103
Mikrosomen		Die Tyrosinase ist in den Mikrosomen lokalisiert	104
	„Ecdyson"	Durch das Verpuppungshormon „Ecdyson" wird inaktives Präenzym zu aktivem Enzym	105
		Das entstehende Chinon gerbt die Haut der Larven (^{14}C-Tyrosin)	106
		Das Verpuppungshormon „Ecdyson" steuert die Tyrosinase	107

Hydroxylasen.

Tabelle 3.

Lfd. Nr.	Substrat	Produkt	Pflanze	Organ
108	Tyrosin	Melanin	höhere Pilze, Kartoffel	
109	Tyrosin	Melanin	Kartoffel	
110	Tyrosin	Melanin	Kartoffel	
111	Tyrosin	Melanin	Kartoffel, Psalliota campestris, Russula emetica	
112	Tyrosin, p-Kresol	o-Chinone	Psalliota campestris	
113	Tyrosin	Melanin	Kartoffel	
114	p-Kresol	4-Methyl-o-chinon	Psalliota campestris	
115	Phenol	Brenzcatechin, o-Chinon (nicht nachgewiesen)	höhere Pilze	
116	p-Kresol	3,4-Dihydroxytoluol, 4-Methyl-o-chinon (nicht identifiziert)	Psalliota campestris	
117	p-Kresol	3,4-Dihydroxytoluol, 4-Methyl-o-chinon	Psalliota campestris	
118	Tyrosin, Dopa, 3,4-Dimethylphenol	Dopachinon, Chinon (nicht identifiziert)	Psalliota campestris	
119	Tyrosin	Dopa, Dopa-Chinon	höhere Pilze	
120	Tyrosin, Tyramin, Phenol	o-Diphenole, o-Chinone, Melanin (nicht identifiziert)	Neurospora	
121	tyrosinhaltige Proteine	Tyrosin wird im Peptidverband zu Dopa und Dopa-Chinon	Pilz, Kartoffel	
122	p-Kresol	3,4-Dihydroxytoluol, 4-Methyl-o-chinon	Kartoffel	
123	3,4-Dimethylphenol	4,5-Dimethylcatechol, Chinon	Psalliota campestris	
124	Phenole	o-Diphenole, Chinone, Melanin		

(Fortsetzung.)

Präparation	Zusätze	Bemerkungen	Literatur
Enzymanreicherung		Gleichzeitig Oxydations- und Reduktionsprozeß (vgl. Text)	108
Enzymanreicherung		Dopa ist Zwischenprodukt bei der Melaninbildung (vgl. Text)	109
Enzymanreicherung		Dopa und Dopa-Chinon sind Zwischenprodukte der Melaninbildung	110
Extrakte		Wahrscheinlich wird Tyrosin durch Phenolase am Phenolkern oxydiert und nicht zuerst an der Seitenkette angegriffen	111
Enzymanreicherung		Zur Monophenol-Hydroxylierung ist ein o-Diphenol erforderlich	112
Enzym hochgereinigt		Eigenschaften des Enzyms vgl. Text	113
Enzymanreicherung		Cu-bindende Stoffe hemmen Mono- und Diphenoloxydaseaktivität. $1{,}25 \times 10^{-4}$ m KCN hemmt 60%, 5×10^{-5} m Diäthyldithiocarbamat hemmt 60%, 8×10^{-4} m 4-Nitrocatechol hemmt 20—60%	114
Enzymanreicherung	Diphenole oder Ascorbinsäure	o- und p-Diphenole und Ascorbinsäure verkürzen, Oxydationsmittel ($K_3[Fe(CN)_6]$) verlängern die Induktionszeit. Benzolsulfinsäure (2 mg/5 ml) bindet das Chinon und hemmt vollständig	115
Enzymanreicherung		Die Monophenolhydroxylase wird bei 25° C schnell inaktiviert	116
hochgereinigtes Enzym		Das Enzym enthält 0,25% Cu. Mono- und Diphenoloxydase lassen sich durch Elektrophorese und Ultrazentrifugieren nicht trennen (s. Text)	117
Enzymanreicherung	DPNH, Ascorbinsäure	Mit DPNH oder Ascorbinsäure keine Induktionszeit. K_M für Tyrosin 6×10^{-4} m, für Dopa 5×10^{-4} m	118
Enzymanreicherung	Ascorbinsäure, Dopa	Ascorbinsäure und Dopa heben die Induktionszeit für Monophenole auf	119
Homogenat		K_M für Tyrosin 8×10^{-4} m. p_H-Optimum 6—7. Cu-Chelatbildner Cystein und Diäthyldithiocarbamat hemmen 10^{-3} m vollständig	120
Enzymanreicherung		Auch in Proteinen wird ein Teil des Tyrosins durch den Phenolasekomplex oxydiert	121
Enzymanreicherung		Phenylthioharnstoff und 4-Chlorresorcin hemmen $4{,}2 \times 10^{-5}$ m Mono- *und* Diphenoloxydaseaktivität um 30%, 2,4-Dihydroxyphenylalanin hemmt $4{,}2 \times 10^{-3}$ m um 60%	122
Enzymanreicherung		Versuche mit $^{18}O_2$ zeigen, daß der Sauerstoff der Hydroxylgruppe der Gasphase entstammt (terminale Oxydase). CO hemmt durch Bindung an Cu^+	123
		Übersicht über Phenoloxydasen	124

Tabelle 3.

Lfd. Nr.	Substrat	Produkt	Tier oder Pflanze	Organ
125	Tyrosin	Melanin	Kartoffel	
126	3,4-Dimethylphenol	3,4-Dimethylcatechol, Chinon	höhere Pilze	
127	L-Leucyl-L-tyrosin	nicht identifiziert	höhere Pilze	
128	Tyrosin, Phenol, p-Kresol	Chinone (nicht identifiziert)	höhere Pilze	
129	Tyrosin-Peptide	Dopa- und Dopa-Chinon-Peptide	höhere Pilze	
130	Tyrosin-Peptide, Tyrosin-Proteine	Chinon-Peptide, Chinon-Proteine	höhere Pilze	
131	Tyrosin-Peptide, Tyrosin-Chinone	Chinon-Peptide, Chinon-Proteine	höhere Pilze	

Nachtrag zu Tabelle 3.

I	Prolin	Hydroxyprolin	Ratte	Haut
II	Prolin	Hydroxyprolin	Huhn	Embryo
III	Prolin	Hydroxyprolin	Huhn	Embryo
IV	Tryptamin, Indolessigsäure	6-Hydroxytryptamin, 6-Hydroxyindolessigsäure	?	Leber
V	Tyrosin	N-Acetyl-Dopamin	Larven von Calliphora erythrocephala	
VI	Phenyläthylamin, 3-Methoxy-Dopamin, D,L-p-Hydroxy-α-methylphenyläthylamin	β-Hydroxyderivate	Rind	Nebennierenmark
VII	m-Tyramin, Epinin, α-Methyltyramin, 3,5-Dimethoxytyramin, Meczalin	β-Hydroxyderivate	Rind	Nebennierenmark
VIII	Gesättigte Fettsäuren	Δ^9-ungesättigte Fettsäuren	Saccharomyces cerevisiae	
IX	γ-Butyrobetain	Carnitin	Ratte	Leber

Literatur zu Tabelle 3. (Die Nummern entsprechen den laufenden Nummern der Tabelle.)

[1] STETTEN, M. R., and R. SCHOENHEIMER: J. biol. Ch. **153**, 113 (1944).
[2] WISS, O.: Helv. **32**, 149 (1949).
[3] ROBERTSON, W. VAN B., and A. SCHWARTZ: J. biol. Ch. **201**, 689 (1953).
[4] GOULD, B. S., and J. F. WOESMER: J. biol. Ch. **226**, 289 (1957).
[5] WOESMER, J. F., and B. S. GOULD: J. biophys. biochem. Cytol. **3**, 685 (1957).
[6] SMITH, R. H., and S. F. JACKSON: J. biophys. biochem. Cytol. **3**, 913 (1957).
[7] MITOMA, C., and T. E. SMITH: Fed. Proc. **16**, 222 (1957).

Hydroxylasen für Aminosäuren und verwandte Verbindungen.

(Fortsetzung.)

Präparation	Zusätze	Bemerkungen	Literatur
hochgereinigtes Enzym		Ascorbinsäure, Hydrochinon und Homogentisinsäure heben die Induktionszeit auf. Cu-Valenzwechsel fraglich	125
hochgereinigtes Enzym		Übersicht über Phenolasekomplex. Versuche mit $^{18}O_2$ zeigen, daß der Hydroxylsauerstoff der Gasphase entstammt. Das Enzym enthält 4 Cu-Atome je Molekül (s. Text)	126
Enzymanreicherung		Monophenolhydroxylase benötigt ein Catechol zur Aktivität. Pilz-Phenolase ist stereospezifisch	127
Enzymanreicherung	Ascorbinsäure, DPNH	Mit Wasserstoffdonatoren keine Induktionszeit und größere Reaktionsgeschwindigkeit	128
Enzymanreicherung			129
Enzymanreicherung	Ascorbinsäure		130
Enzymanreicherung		Der Angriff des Phenolasekomplexes ist von der Struktur der Peptide abhängig	131
Homogenat		^{14}C-Prolin wird als Hydroxyprolin in ein Peptid eingebaut	132
„Zellfreies" System		^{14}C-Prolin wird als Hydroxyprolin in ein Peptid eingebaut	133
		^{14}C-Prolin wird besonders in Mikrosomen als Hydroxyprolin in Protein eingebaut	134
Mikrosomen	TPNH, O_2	TPNH und O_2 sind essentiell. 5- und 7-Hydroxyderivate entstehen nicht	135
			136
Enzymteilreinigung		Dopamin-β-Hydroxylase ist nicht substratspezifisch	137
Enzymteilreinigung		Dopamin-β-Hydroxylase ist nicht substratspezifisch. 10^{-5} m Benzylhydrazin hemmt das Enzym stark	138
		Gesättigte Fettsäuren werden hydroxyliert und Wasser abgespalten	139
Homogenat, Überstand von $10000 \times g$, Acetontrockenpulver-Extrakt	TPNH oder TPN + Ascorbinsäure	Die Zusätze und O_2 sind essentiell	140

[8] GOULD, B. S.: J. biol. Ch. **232**, 637 (1958).
[9] GREEN, N. M., and D. A. LOWTHER: Biochem. J. **71**, 55 (1959).
[10] ROBERTSON, W. VAN B., J. HIWETT and C. HERMAN: J. biol. Ch. **234**, 105 (1959).
[11] ROBERTSON, W. VAN B.: Ann. N.Y. Acad. Sci. **92**, 159 (1961).
[12] MITOMA, C., and T. E. SMITH: J. biol. Ch. **235**, 426 (1960).
[13] SAKATA, R.: Kumamoto med. J. **13**, 54 (1960).
[14] HAUSMANN, E., and W. F. NEUMAN: J. biol. Ch. **236**, 149 (1961).
[15] ROBERTSON, W. VAN B., and J. HIWETT: Biochim. biophys. Acta **49**, 404 (1961).

Literatur zu Tabelle 3. (Fortsetzung.)

[16] SCHULTZ-HAUDT, S. D., and N. EEG-LARSEN: Biochim. biophys. Acta **51**, 560 (1961).
[17] LOWTHER, D. A., N. M. GREEN and J. A. CHAPMAN: J. biophys. biochem. Cytol. **10**, 373 (1961).
[18] PETERKOFSKY, B., and S. UDENFRIEND: Biochem. biophys. Res. Comm. **6**, 184 (1961).
[19] SINEX, F. M., and D. D. VAN SLYKE: J. biol. Ch. **216**, 245 (1955). — SLYKE, D. D. VAN, and F. M. SINEX: J. biol. Ch. **232**, 797 (1958). — SINEX, F. M., D. D. VAN SLYKE and D. R. CHRISTMAN: J. biol. Ch. **234**, 918 (1959).
[20] BOUCEK, R. J., and N. L. NOBLE: Biochem. J. **80**, 148 (1961).
[21] PIEZ, K. A., and R. C. LIKINS: J. biol. Ch. **229**, 101 (1957).
[22] UDENFRIEND, S., E. TITUS, H. WEISSBACH and R. E. PETERSON: J. biol. Ch. **219**, 335 (1956).
[23] ICHIHARA, K., H. SAKAMOTO, K. INAMORI and Y. SAKAMOTO: J. Biochem. **44**, 649 (1957).
[24] ICHIHARA, K., and Y. SAKAMOTO: Med. J. Osaka Univ. 8, Suppl. 47 (1958).
[25] COOPER, J. R.: Ann. N.Y. Acad. Sci. **92**, 208 (1961).
[26] JEPSON, G. B., S. UDENFRIEND and P. ZALTZMANN: Fed. Proc. **18**, 254 (1959).
[27] FREEDLAND, R. A., I. M. WADZINSKI and H. A. WAISMAN: Biochem. biophys. Res. Comm. **5**, 94 (1961).
[28] SZARA, S., and F. PUTNEY: Fed. Proc. **20**, 172 (1961).
[29] SZARA, S.: Exper. **17**, 76 (1961).
[30] SCHINDLER, R.: Biochem. Pharmacol. **1**, 323 (1958).
[31] COOPER, J. R., and I. MELCER: J. Pharmacol. exp. Therap. **132**, 265 (1961).
[32] RENSON, J., F. GOODWIN, H. WEISSBACH and S. UDENFRIEND: Biochem. biophys. Res. Comm. **6**, 20 (1961).
[33] FREEDLAND, R. A., I. M. WADZINSKI and H. A. WAISMAN: Biochem. biophys. Res. Comm. **6**, 227 (1961).
[34] WISS, O., u. H. HELLMANN: Z. Naturforsch. **8b**, 70 (1953).
[35] CASTRO, F. T. DE, J. M. PRICE, and R. R. BROWN: Am. Soc. **78**, 2904 (1956).
[36] CASTRO, F. T. DE, R. R. BROWN and J. M. PRICE: J. biol. Ch. **228**, 777 (1957).
[37] SAITO, Y., O. HAYAISHI and S. ROTHBERG: J. biol. Ch. **229**, 921 (1957).
[38] SAITO, Y., O. HAYAISHI, P. K. AYENGAR and S. ROTHBERG: Med. J. Osaka Univ. 8, Suppl. 37 (1958). — SAITO, Y., O. HAYAISHI, S. ROTHBERG and S. SENOH: Fed. Proc. **16**, 240 (1957).
[39] STEVENS, C. O., and L. M. HENDERSON: J. biol. Ch. **234**, 1191 (1959).
[40] WEINHOUSE, S., and R. H. MILLINGTON: J. biol. Ch. **181**, 645 (1949).
[41] RIENITS, K. R.: J. biol. Ch. **182**, 11 (1950).
[42] SEALOCK, R. R., W. N. SUMERWELL, R. L. GOODLAND and J. M. BRIERLY: J. biol. Ch. **196**, 761 (1952).
[43] EDWARDS, S. W., D. Y. Y. HSIA and W. E. KNOX: Fed. Proc. **14**, 206 (1955).
[44] LA DU, B. N., and V. G. ZANNONI: J. biol. Ch. **217**, 777 (1955).
[45] ZANNONI, V. G., and B. N. LA DU: Fed. Proc. **15**, 391 (1956). — LA DU, B. N., and V. G. ZANNONI: J. biol. Ch. **219**, 273 (1956). Nature **177**, 574 (1956).
[46] EMBDEN, G., u. K. BALDES: B. Z. **55**, 301 (1913).
[47] SCHULER, W., u. A. WIEDEMANN: H. **233**, 235 (1935).
[48] BERNHEIM, M. L. C., and F. BERNHEIM: J. biol. Ch. **152**, 481 (1944).
[49] GURIN, S., and A. M. DELLUVA: J. biol. Ch. **170**, 545 (1947).
[50] UDENFRIEND, S., and J. R. COOPER: J. biol. Ch. **194**, 503 (1952).
[51] DEMIS, D. J., H. BLASCHKO and A. D. WELCH: J. Pharmacol. exp. Therap. **113**, 14 (1955).
[52] MITOMA, C.: Arch. Biochem. **60**, 476 (1956).
[53] NERI, R., M. HAYANO, D. STONE, R. I. DORFMAN and F. ELMADJIAN: Arch. Biochem. **60**, 297 (1956).
[54] DEMIS, D. J., H. BLASCHKO and A. D. WELCH: J. Pharmacol. exp. Therap. **117**, 208 (1956).
[55] HAGEN, P.: J. Pharmacol. exp. Therap. **116**, 26 (1956). Recent Progr. Hormone Res. **12**, 35 (1956).
[56] KIRSHNER, N., and MC. C. GOODALL: Fed. Proc. **15**, 110 (1956).
[57] GOODALL, MC. C., and N. KIRSHNER: J. biol. Ch. **226**, 213 (1957).
[58] KIRSHNER, N.: J. biol. Ch. **226**, 821 (1957).
[59] BAIN, W. A., and R. FIELDEN: Lancet 1957 II, 472.
[60] KAUFMAN, S.: Fed. Proc. **16**, 203 (1957). J. biol. Ch. **226**, 511 (1957).
[61] KAUFMAN, S.: Biochim. biophys. Acta **23**, 445 (1957).
[62] KAUFMAN, S.: Biochim. biophys. Acta **27**, 428 (1958).
[63] KAUFMAN, S.: J. biol. Ch. **230**, 931 (1958). 4. Int. Congr. Biochem. Wien 1958, Bd. XIII, S. 143.
[64] KAUFMAN, S.: Science, N.Y. **128**, 1506 (1958).
[65] KENNEY, F. T., G. H. REEM and N. KRETCHMER: Science, N.Y. **127**, 86 (1958).
[66] GOODALL, MC. C., and N. KIRSHNER: Fed. Proc. **16**, 49 (1957).
[67] GOODALL, MC. C., and N. KIRSHNER: Circulation, N.Y. **17**, 366 (1958).
[68] FELLMAN, J. H., and M. K. DEVLIN: Biochim. biophys. Acta **28**, 328 (1958).
[69] IMAIZUMI, R., H. YASHIDA, H. MATSUMOTO and T. OSAWA: Jap. J. Pharmacol. **8**, 1 (1958).

Literatur zu Tabelle 3. (Fortsetzung.)

[70] MASUOKA, D., H. S. SCHOTT and W. G. CLARK: Fed. Proc. 18, 99 (1959).
[71] CREVELING, C. R., and S. UDENFRIEND: Fed. Proc. 18, 379 (1959).
[72] UDENFRIEND, S., and C. R. CREVELING: J. Neurochem. 4, 350 (1959).
[73] DRELL, W.: Fed. Proc. 18, 218 (1959).
[74] KIRSHNER, N.: Fed. Proc. 18, 261 (1959).
[75] SENOH, S., C. R. CREVELING, S. UDENFRIEND and B. WITKOP: Am. Soc. 81, 6236 (1959).
[76] KAUFMAN, S.: J. biol. Ch. 234, 2677 (1959).
[77] KAUFMAN, S., and B. LEVENBERG: J. biol. Ch. 234, 2683 (1959).
[78] KAUFMAN, S.: J. biol. Ch. 236, 804 (1961).
[79] LEVIN, E. Y., B. LEVENBERG and S. KAUFMAN: Fed. Proc. 18, 272 (1959).
[80] LEVIN, E. Y., B. LEVENBERG and S. KAUFMAN: J. biol. Ch. 235, 2080 (1960).
[81] LEVIN, E. Y., and S. KAUFMAN: J. biol. Ch. 236, 2043 (1961).
[82] PISANO, J. J., C. R. CREVELING and S. UDENFRIEND: Biochim. biophys. Acta 43, 566 (1960).
[83] HAGER, S. E., R. I. GREGERMAN and W. E. KNOX: J. biol. Ch. 225, 935 (1956).
[84] YASUNOBU, K., T. TANAKA, W. E. KNOX and H. S. MASON: Fed. Proc. 17, 340 (1958).
[85] ROKA, L., G. KÖNIG u. H. RÜBNER: H. 313, 87 (1958).
[86] ZANNONI, V. G., and B. N. LA DU: J. biol. Ch. 234, 2925 (1959). — LA DU, B. N., and V. G. ZANNONI: Ann. N.Y. Acad. Sci. 92, 175 (1961).
[87] ZANNONI, V. G., and B. N. LA DU: Fed. Proc. 20, 5 (1961).
[88] MITOMA, C., H. WEISSBACH and S. UDENFRIEND: Nature 175, 994 (1955).
[89] KUNITA, N.: Med. J. Osaka Univ. 7, 203 (1956).
[90] FUKUDA, T.: Nature 177, 429 (1956).
[91] TANIUCHI, H., M. TASHIRO, K. HORIBATA, S. KUNO, O. HAYAISHI, T. SAKAN, S. SENOH and T. TOKUYAMA: Biochim. biophys. Acta 43, 356 (1960).
[92] GESSARD, C.: Cr. 136, 1086 (1903).
[93] NEUBERG, C.: B. Z. 8, 383 (1908).
[94] HOGEBOOM, G. H., and M. H. ADAMS: J. biol. Ch. 145, 273 (1942).
[95] LERNER, A. B., T. B. FITZPATRICK, E. CALKINS and W. H. SUMMERSON: J. biol. Ch. 178, 185 (1949).
[96] LERNER, A. B., T. B. FITZPATRICK, E. CALKINS and W. H. SUMMERSON: J. biol. Ch. 187, 793 (1950).
[97] LERNER, A. B., T. B. FITZPATRICK, E. CALKINS and W. H. SUMMERSON: J. biol. Ch. 191, 799 (1951).
[98] BROWN, F. C., and D. N. WARD: Am. Soc. 79, 2647 (1957).
[99] BROWN, F. C., and D. N. WARD: J. biol. Ch. 233, 77 (1958).
[100] POMERANTZ, S. H.: Fed. Proc. 20, 47 (1961).
[101] PUGH, C. E. M., and H. S. RAPER: Biochem. J. 21, 1370 (1927).
[102] GRAUBARD, M. A.: J. Genetics 27, 199 (1933).
[103] CALIFANO, L., and D. KERTESZ: Nature 142, 1036 (1938).
[104] KARLSON, P., u. H. SCHMID: H. 300, 35 (1955).
[105] KARLSON, P., u. E. WECKER: H. 300, 42 (1955).
[106] KARLSON, P.: H. 318, 194 (1960).
[107] KARLSON, P., u. A. SCHWEIGER: H. 323, 199 (1961).
[108] BACH, A.: B. Z. 60, 221 (1914).
[109] RAPER, H. S., and A. WORMALL: Biochem. J. 17, 454 (1923).
[110] HAPPOLD, F. C., and H. S. RAPER: Biochem. J. 19, 92 (1925).
[111] ABDERHALDEN, E., u. M. BEHRENS: Fermentforsch. 8, 479 (1925).
[112] KEILIN, D., and T. MANN: Proc. R. Soc. London (B) 125, 187 (1938).
[113] KUBOWITZ, F.: B. Z. 299, 32 (1938).
[114] GREGG, D. C., and J. M. NELSON: Am. Soc. 62, 2500 (1940).
[115] BEHM, R. C., and J. M. NELSON: Am. Soc. 66, 711 (1944).
[116] MALLETTE, M. F., and C. R. DAWSON: Am. Soc. 69, 466 (1947).
[117] MALLETTE, M. F., and C. R. DAWSON: Arch. Biochem. 23, 29 (1949).
[118] KRUEGER, R. C.: Am. Soc. 72, 5582 (1950).
[119] KENDAL, L. P.: Biochem. J. 44, 442 (1949).
[120] HOROWITZ, N. H., and S. C. SHEN: J. biol. Ch. 197, 513 (1952).
[121] SIZER, I. W.: Adv. Enzymol. 14, 129 (1953).
[122] HEYMANN, H., Z. ROGACH and R. L. MAYER: Am. Soc. 76, 6330 (1954).
[123] MASON, H. S., W. L. FOWLKS and E. PETERSON: Am. Soc. 77, 2914 (1955).
[124] MASON, H. S.: Adv. Enzymol. 16, 105 (1955).
[125] NAONO, S., N. KIMOTO, S. KATSUYA and K. ASANUMA: Med. J. Osaka Univ. 6, 161 (1955).
[126] MASON, H. S.: Nature 177, 79 (1956).
[127] HARRIS, J., and D. J. CAVENAUGH: Fed. Proc. 15, 269 (1956).
[128] KRUEGER, R. C.: Arch. Biochem. 76, 87 (1958).
[129] YASUNOBU, K. T., E. W. PETERSON and H. S. MASON: J. biol. Ch. 234, 3291 (1959).
[130] ROLLAND, M., and S. LISSITZKY: Biochim. biophys. Acta 56, 83 (1962).

Beschreibung einiger näher untersuchter Hydroxylasen für Aminosäuren und verwandte Verbindungen.

1. Tyrosinase*.

[1.10.3.1   o-Diphenol:O_2-Oxydoreductase.]

Vorkommen. Die Tyrosinase ist in den Melanocyten lokalisiert und konnte in der Mikrosomenfraktion von Melanomen[1] und Insektenlarven[2] nachgewiesen werden. In reiner Form ist sie bisher noch nicht dargestellt worden.

Eigenschaften. Die „Tyrosinasen" sind den im Pflanzenreich weit verbreiteten und recht gut untersuchten „Phenolasen" nahe verwandt. Im Gegensatz zu diesen weisen die Tyrosinasen eine gewisse Substratspezifität auf, denn sie reagieren mit L-Tyrosin und L-Dihydroxyphenylalanin (Dopa) schneller als mit anderen Phenolen[1,3,4] (s. auch S. 922).

Tyrosinasen und Phenolasen sind Kupferproteide und haben gleiche Wirkungsmechanismen; sie sind Enzyme mit doppelter Funktion:

a) sie *hydroxylieren* Monophenole zu o-Diphenolen (Tyrosinhydroxylase, Kresolase) und
b) sie *dehydrieren* o-Diphenole zu Chinonen (Catecholasen).

Diese beiden Prozesse sind eng miteinander verknüpft, denn der für die Hydroxylierungsreaktion (a) benötigte Wasserstoff wird vom Dehydrogenasesystem (b) geliefert (vgl. S. 923). Die aus der Reaktion entstehenden Chinone werden über weitere, zum Teil oxydative Prozesse in die Melanine umgewandelt.

Entstehung und Wirkung des Enzyms. Über Entstehung und Wirkung der Tyrosinoxydase geben Verpuppungsversuche mit *Calliphora erythrocephala* Aufschluß[2,5-7]. Während des Reifeprozesses der Larven bildet sich ein Präenzym, welches unter Beteiligung des Verpuppungshormons „Ecdyson" in das fertige Tyrosinoxydasesystem übergeführt wird. Die aus Tyrosin über Dopa entstehenden Chinone härten und gerben die Epidermis der Insektenlarve.

Eine eingehende Darstellung über die Bedeutung der Phenolasen und Tyrosinasen gibt MASON[8].

Anreicherung von Säugetier-Tyrosinase aus Melanomen nach BROWN und WARD[9,10].

Die Tumoren werden mit der fünffachen Menge destilliertem Wasser homogenisiert und 1 Std bei 600 ×g zentrifugiert. Der aktive Überstand wird mit Ammoniumsulfat

---

* Siehe auch den Beitrag SCHIRRMACHER-GÖLLNER, S. 901.

[1] LERNER, A. B., T. B. FITZPATRICK, E. CALKINS and W. H. SUMMERSON: J. biol. Ch. **178**, 185 (1949).
[2] KARLSON, P., u. H. SCHMID: H. **300**, 35 (1955).
[3] LERNER, A. B., T. B. FITZPATRICK, E. CALKINS and W. H. SUMMERSON: J. biol. Ch. **187**, 793 (1950).
[4] LERNER, A. B., T. B. FITZPATRICK, E. CALKINS and W. H. SUMMERSON: J. biol. Ch. **191**, 799 (1951).
[5] KARLSON, P., u. E. WECKER: H. **300**, 42 (1955).
[6] KARLSON, P.: H. **318**, 194 (1960).
[7] KARLSON, P., u. A. SCHWEIGER: H. **323**, 199 (1961).
[8] MASON, H. S.: Adv. Enzymol. **16**, 105 (1955).
[9] BROWN, F. C., and D. N. WARD: Am. Soc. **79**, 2647 (1957).
[0] BROWN, F. C., and D. N. WARD: J. biol. Ch. **233**, 77 (1958).

Literatur zu Tabelle 3. (Fortsetzung.)

[131] LISSITZKY, S., and M. ROLLAND: Biochim. biophys. Acta **56**, 95 (1962).
[132] LEVINE, M.: Fed. Proc. **21**, 169 (1962).
[133] PETERKOFSKY, B., and S. UDENFRIEND: Fed. Proc. **21**, 169 (1962).
[134] PROCKOP, D. J., B. PETERKOFSKY and S. UDENFRIEND: J. biol. Ch. **237**, 1581 (1962).
[135] JEPSON, J. B., P. ZALTZMAN and S. UDENFRIEND: Biochem. biophys. Acta, Prev. **1**, 12 (1962).
[136] KARLSON, P., C. E. SEKERIS u. K. E. SEKERI: H. **327**, 86 (1962).
[137] GOLDSTEIN, M., and J. F. CONTRERA: Exper. **17**, 447 (1961).
[138] CREVELING, C. R., J. W. DALY, B. WITKOP and S. UDENFRIEND: Biochim. biophys. Acta, Prev. **1**, 12 (1962).
[139] BLOOMFIELD, D. K., and K. BLOCH: J. biol. Ch. **235**, 337 (1960).
[140] LINDSTEDT, G., and S. LINDSTEDT: Biochem. biophys. Res. Comm. **7**, 394 (1962).

zu 10% gesättigt und mit dem gleichen Volumen Aceton versetzt. Nach Zufügen von Filter-Hilfe (Hyflo Super-Cel) wird auf einem Büchner-Trichter abfiltriert. Zum Filtrat wird nochmals das gleiche Volumen Aceton zugefügt, der Niederschlag abzentrifugiert und mit Aceton gewaschen. Dieser Niederschlag wird in Wasser gelöst und zentrifugiert. Der Überstand wird dialysiert und im Vakuum-Exsiccator über P_2O_5 eingetrocknet. Bei dieser Aufarbeitung muß der p_H zwischen 6,0 und 8,0 gehalten werden. Das Enzym ist dann bei 10—18% Ausbeute etwa zehnfach angereichert. Es kann über DEAE-Cellulose noch weiter fraktioniert werden. Dabei entstehen drei aktive Fraktionen. In der besten Fraktion ist das Enzym bis zu 150fach angereichert[1].

Bestimmung der Enzymaktivität. Die Enzymaktivität wird durch Messung der Sauerstoffaufnahme im WARBURG-Apparat bestimmt. Die Gefäße enthalten 0,95 mg L-Tyrosin, 0,05 mg Dopa und das Enzym in 0,1 m Phosphatpuffer, p_H 6,8. Das Gesamtvolumen beträgt 3 ml und die Temperatur 38° C.

2. Dopamin-β-hydroxylase.

Phenylalanin bzw. Tyrosin und Dihydroxyphenylalanin (Dopa) sind die Muttersubstanzen von Noradrenalin und Adrenalin. Tyramin konnte 1935[2] in vitro durch Inkubation mit Meerschweinchen-Nebennierenschnitten in Adrenalin überführt werden. An Ratten wurde in vivo die Umwandlung von ^{14}C-markiertem Phenylalanin zu Adrenalin gezeigt[3]. Homogenat von Rinder-Nebennierenmark wandelt Dopa in Noradrenalin um[4] und Acetontrockenpulver von Rinder-Nebennieren hydroxyliert Dopamin zu Noradrenalin[5]. Außer in den Nebennieren wurde Dopamin-β-Hydroxylase auch in sympathischem Nervengewebe[6] sowie im Hypothalamus und Nucleus caudatus nachgewiesen[7,8].

Eigenschaften. Dopamin-β-hydroxylase hydroxyliert Dopamin an der Seitenkette zu Noradrenalin. An der Reaktion ist molekularer Sauerstoff und als Wasserstoffdonator Ascorbinsäure beteiligt[9-11].

Dabei entsteht überwiegend die natürliche L-Form von Noradrenalin. Das Enzym ist nicht streng substratspezifisch, es hydroxyliert auch Phenyläthylamin und Tyramin[12,13] sowie Mezcalin und sonstige Dopaminderivate[14] am β-Kohlenstoffatom der Seitenkette.

Die MICHAELIS-Konstante für den Wasserstoffdonator Ascorbinsäure ist 6×10^{-4} m[11]. Isoascorbinsäure, Glucoascorbinsäure und D-Ascorbinsäure haben vergleichbare Aktivitäten.

---

[1] BROWN, F. C., and D. N. WARD: J. biol. Ch. **233**, 77 (1958).
[2] SCHULER, W., u. A. WIEDEMANN: H. **233**, 235 (1935).
[3] GURIN, S., and A. M. DELLUVA: J. biol. Ch. **170**, 545 (1947).
[4] DEMIS, D. J., H. BLASCHKO and A. D. WELCH: J. Pharmacol. exp. Therap. **113**, 14 (1955).
[5] NERI, R., M. HAYANO, D. STONE, R. I. DORFMAN and F. ELMADJIAN: Arch. Biochem. **60**, 297 (1956).
[6] GOODALL, MC. C., and N. KIRSHNER: Fed. Proc. **16**, 49 (1957). Circulation, N.Y. **17**, 366 (1958).
[7] MASUOKA, D., H. S. SCHOTT and W. G. CLARK: Fed. Proc. **18**, 99 (1959).
[8] CREVELING, C. R., and S. UDENFRIEND: Fed. Proc. **18**, 379 (1959).
[9] GOODALL, MC. C., and N. KIRSHNER: J. biol. Ch. **226**, 213 (1957).
[10] LEVIN, E. Y., B. LEVENBERG and S. KAUFMAN: Fed. Proc. **18**, 272 (1959).
[11] LEVIN, E. Y., B. LEVENBERG and S. KAUFMAN: J. biol. Ch. **235**, 2080 (1960).
[12] LEVIN, E. Y., and S. KAUFMAN: J. biol. Ch. **236**, 2043 (1961).
[13] PISANO, J. J., C. R. CREVELING and S. UDENFRIEND: Biochim. biophys. Acta **43**, 566 (1960).
[14] WITKOP, B.: Persönliche Mitteilung.

Dehydroascorbinsäure ist inaktiv[1]. Andere Wasserstoffdonatoren, wie Glutathion und reduzierte Pteridine, sind unwirksam.

Katalase, Glucose-Dehydrogenase, ATP und Fumarat stimulieren die Hydroxylierung. Diese Stoffe sind an der Reaktion nicht direkt beteiligt, sondern sie schützen das Enzym. Der Mechanismus dieser Schutzwirkung ist noch unbekannt. FAD und FMN haben keinen Einfluß[2].

Auch ohne Ascorbinsäure wird mit DPNH oder TPNH als Wasserstoffdonator Dopamin, nicht dagegen Tyramin oder Phenyläthylamin[2] langsam hydroxyliert, nach Zusatz von wenig Brenzcatechin werden auch Phenyläthylamin und Tyramin hydroxyliert. Das Catechol dient als Wasserstoffdonator für die Reaktion. Die entstehenden Chinone werden durch die reduzierten Pyridinnucleotide reduziert.

6×10^{-4} m KCN hemmt das Enzym vollständig[1].

10^{-3} m o-Phenanthrolin und p-Chlormercuribenzoat hemmen die Reaktion zu etwa 96 %[3].

Präparation von Dopamin-β-hydroxylase nach LEVIN, LEVENBERG *und* KAUFMAN[1].

Alle Schritte werden bei 2—4° C durchgeführt. 40—45 g Rinder-Nebennierenmark werden zerkleinert und mit der dreifachen Menge 0,02 m Phosphatpuffer, p_H 6,8, homogenisiert. Die Suspension wird 10 min bei 1000 ×g zentrifugiert und der Niederschlag verworfen. Der Überstand wird 35 min bei 100000 ×g zentrifugiert und der Überstand abdekantiert und verworfen. Das Fett in den Röhrchen wird abgewischt, der aktive Niederschlag mit Phosphatpuffer, p_H 6,8, zu 25 ml aufgenommen und homogenisiert. Bei $-20°$ C ist diese Präparation einige Wochen aktiv haltbar.

50 ml des Homogenates werden mit Phosphatpuffer, p_H 6,8, auf 100 ml verdünnt. Dann werden tropfenweise dreimal 11,1 ml einer 5 %igen Lösung des Detergens „Cutscum" (Isooctyl-phenoxy-polyäthoxy-äthanol) unter Rühren zugegeben. 10 min nach der letzten Zugabe wird 35 min bei 100000 ×g zentrifugiert und das ungelöste Sediment verworfen. Der Überstand wird mit Puffer auf 220 ml verdünnt und 123 g festes Ammoniumsulfat zugefügt. Beim Zentrifugieren (10 min, 12000 ×g) sammelt sich das Protein oben. Die Lösung wird vorsichtig abgesaugt und das Protein in 200 ml 80 % gesättigtem Ammoniumsulfatlösung suspendiert, erneut zentrifugiert und das aktive Präcipitat in 30 ml Phosphatpuffer, p_H 6,8, gelöst. Anschließend werden 600 mg Norit A eingerührt und nach 10 min durch Zentrifugieren wieder entfernt. Der Überstand wird 3 Std gegen Phosphatpuffer, p_H 6,8, dialysiert (rühren) und nochmals 10 min bei 12000 ×g zentrifugiert, um denaturiertes Protein zu entfernen.

Zu je 100 ml gelöstem Enzym werden 14,7 g Ammoniumsulfat gegeben und der abzentrifugierte Niederschlag verworfen. In den Überstand werden weitere 7,0 g Ammoniumsulfat je 100 ml Ausgangslösung langsam eingerührt und nach 10 min abzentrifugiert. Der Niederschlag wird in 20 ml 0,02 m Phosphatpuffer, p_H 6,8, gelöst, 3 Std unter Rühren gegen Puffer dialysiert und auf einen Proteingehalt von etwa 26 mg/ml verdünnt.

Das dialysierte Protein wird mit Puffer auf das Dreifache verdünnt und so lange Calciumphosphatgel (etwa 20 mg/ml) zugegeben, bis alle Aktivität adsorbiert ist (etwa 1,8 ml/ml Enzymlösung; jeweils Proben aus dem Überstand testen!). Nach 7 min wird abzentrifugiert und der Überstand verworfen. Das Sediment wird nacheinander mit je 100 ml 0,02 m, 0,05 m und 0,10 m Phosphatpuffer, p_H 6,8, eluiert. Die beiden letzten Eluate, die je etwa die Hälfte der Aktivität enthalten, werden vereinigt. Das klar gelöste Enzym bleibt bei Filtrieren durch Whatman No. 1 und beim Zentrifugieren (2 Std 100000 ×g) in Lösung.

Das Enzym kann mit Äthanol fraktioniert und so weiter gereinigt werden[2]. Die vereinigten Eluate werden bei $-5°$ C unter Rühren tropfenweise mit Äthanol versetzt bis zu 25 Vol.-% Alkohol und nach 10 min der Niederschlag abzentrifugiert. Der Überstand

---
[1] LEVIN, E. Y., B. LEVENBERG and S. KAUFMAN: J. biol. Ch. **235**, 2080 (1960).
[2] LEVIN, E. Y., and S. KAUFMAN: J. biol. Ch. **236**, 2043 (1961).
[3] IMAIZUMI, R., H. YASHIDA, H. MATSUMOTO and T. OSAWA: Jap. J. Pharmacol. **8**, 1 (1958).

wird bis zu einem Gehalt von 55% mit Äthanol versetzt und nach 10 min der Niederschlag abzentrifugiert. Dieser Niederschlag enthält den größten Teil der Aktivität. Er wird in Phosphatpuffer, p_H 6,8, gelöst (etwa $^1/_3$ des Volumens der Eluate) und 3 Std bei 4° C gegen Puffer, p_H 6,8, dialysiert.

Bestimmung der Dopamin-β-hydroxylaseaktivität nach LEVIN, LEVENBERG und KAUFMAN[1].

Der *Ansatz* zur Bestimmung der Enzymaktivität enthält bei einem Endvolumen von 0,68 ml folgende Substanzen: 100 μM Kaliumphosphatpuffer, p_H 6,4, 1,3 μM (1-Methyl-2-phenyl)-äthylhydrazin-hydrochlorid (als Monoaminoxydase-Inhibitor), 6 μM Ascorbat, 10 μM Fumarat, 12,5 μM ATP, 1 μM Dopamin-hydrochlorid, genügend Glucosedehydrogenase für maximale Stimulierung der Hydroxylierung und das zu bestimmende Enzympräparat. Die Ascorbat-, Fumarat- und ATP-Lösungen werden vorher auf p_H 5,5—6,5 eingestellt. Die Reaktionsmischungen werden in offenen Gläschen bei 35° C geschüttelt. Die Reaktionsprodukte können chromatographisch, chemisch oder fluorometrisch bestimmt werden:

Chromatographische Trennung der Catecholamine und quantitative Bestimmung mit ^{14}C-markierten Substraten. Die Reaktion wird mit 2 ml einer 3%igen Essigsäure in Äthanol gestoppt, die Lösung 5 min auf 55° C erwärmt und der Niederschlag abzentrifugiert. Der Überstand wird unter Stickstoff zur Trockne eingedampft. Der Rückstand wird mit 0,1—0,3 ml 2%iger Essigsäure in 60%igem Äthanol extrahiert und der Extrakt durch Zentrifugieren geklärt. Der Überstand dient zur Papierchromatographie. Als mobile Phase dient mit 1 n Salzsäure gesättigtes n-Butanol[2] oder Phenol-Wasser (4:1)[3]. Bei Verwendung von Phenol-Wasser werden die Catecholamine vorher in die Hydrochloride überführt und in einer HCl-Gas-Atmosphäre chromatographiert. Durch Besprühen mit 0,44%iger $K_3[Fe(CN)_6]$-Lösung werden die Catecholamine sichtbar gemacht. Stärkere Farbflecke entstehen durch anschließendes Besprühen mit einer wäßrigen Lösung von 5 g Ferrisulfat und 75 ml 85%iger Phosphorsäure in 1 l[4]. Beim Arbeiten mit ^{14}C-markierten Substanzen können die Flecken durch Messen der β-Strahlung ausgewertet werden.

^{14}C-markiertes Noradrenalin kann auch durch Perjodat-Oxydation und Messen des entstehenden radioaktiven Formaldehyds bestimmt werden[1].

Fluorometrische Bestimmung von Noradrenalin. Die Reaktion wird durch 0,34 ml 3,3%ige Trichloressigsäure gestoppt, der Niederschlag abzentrifugiert und der Überstand mit der zehnfachen Menge Wasser verdünnt. In 0,05 ml dieser Lösung wird das Noradrenalin nach v. EULER und FLODING[5] fluorometrisch bestimmt.

3. Tryptophan-5-hydroxylase.
[1.99.1.4.]

Obwohl Tryptophan stets als die Muttersubstanz von 5-Hydroxytryptophan und 5-Hydroxytryptamin (Serotonin) angesehen wurde[6], gelang es lange Zeit nicht, Tryptophan in vitro enzymatisch zu hydroxylieren[7,8]. In Dünndarmcarcinoiden entsteht wahrscheinlich 5-Hydroxytryptophan aus Tryptophan[7]. Bei der Inkubation von mitochondrienfreiem Überstand von Kaninchenleberhomogenat mit Tryptamin und anderen Indolderivaten[9] entstanden in 5- bzw. 7-Stellung hydroxylierte Produkte. Tryptophan wurde unter diesen Bedingungen nicht hydroxyliert.

---

[1] LEVIN, E. Y., B. LEVENBERG and S. KAUFMAN: J. biol. Ch. **235**, 2080 (1960).
[2] EULER, U. S. v., and U. HAMBERG: Nature **163**, 642 (1949).
[3] JAMES, W. O.: Nature **161**, 851 (1948).
[4] GOLDENBERG, M., M. FABER, E. J. ALSTON and E. C. CHARGAFF: Science, N.Y. **109**, 534 (1949).
[5] EULER, U. S. v., and I. FLODING: Acta physiol. scand. **33**, Suppl. 118, 45 (1955).
[6] UDENFRIEND, S., E. TITUS, H. WEISSBACH and R. E. PETERSON: J. biol. Ch. **219**, 335 (1956).
[7] SJOERDSMA, A., H. WEISSBACH and S. UDENFRIEND: Amer. J. Med. **20**, 520 (1956).
[8] DALGLIESH, C. E., and R. W. DUTTON: Brit. J. Cancer **11**, 296 (1957).
[9] ICHIHARA, K., H. SAKAMOTO, K. INAMORI and Y. SAKAMOTO: J. Biochem. **44**, 649 (1957).

1960[1,2] gelang durch Inkubation der Partikel-Fraktion (Sediment von 45 min 78000 ×g) von homogenisierten *Dünndarm-Schleimhautzellen* von Ratte, Maus und Meerschweinchen die Hydroxylierung von Tryptophan zu 5-Hydroxytryptophan. Kerne, Mitochondrien und Mikrosomen enthalten je etwa $^1/_3$ der Gesamtaktivität. Die Hydroxylierung erfolgt anaerob genauso schnell wie aerob. Für die Reaktion sind Ascorbinsäure und Cu^{++} erforderlich. Die Ascorbinsäure kann durch Isoascorbinsäure oder Dehydroascorbinsäure ersetzt werden. Eisen, Molybdän oder Mangan können das Kupfer nicht ersetzen. Katalase, DPN, DPNH, TPN, TPNH, FAD, FMN, ATP, Tetrahydrofolsäure, Glutathion, Cystein, Cytochrom c, Dichlorphenolindophenol oder Methylenblau hatten keinen Einfluß auf die Hydroxylierung. Der mikrosomenfreie Überstand des Homogenates enthält einen nicht dialysierbaren, die Hydroxylierung hemmenden Stoff. Die Natur dieses Inhibitors ist noch unbekannt. Außer in den Dünndarm-Schleimhautzellen ist auch in der Niere eine geringe Hydroxylierungsaktivität vorhanden. Auch nichtenzymatisch erfolgt durch das System Ascorbinsäure-Cu^{++} eine Hydroxylierung von Tryptophan.

Aus *Rattenleber* konnte ein anderes Tryptophan hydroxylierendes System erhalten werden[3]. Die Leber wurde nach dem Töten des Tieres sofort mit der doppelten Menge isotoner KCl-Lösung homogenisiert und 45 min bei 20000 ×g zentrifugiert. Der Überstand enthält das aktive Enzym. Es hydroxyliert Tryptophan und decarboxyliert das entstehende Produkt zu 5-Hydroxytryptamin (Serotonin). Bei Zugabe eines Decarboxy-

---

[1] COOPER, J. R.: Ann. N.Y. Acad. Sci. **92**, 208 (1961).
[2] COOPER, J. R., and I. MELCER: J. Pharmacol. exp. Therap. **132**, 265 (1961).
[3] FREEDLAND, R. A., I. M. WADZINSKI and H. A. WAISMAN: Biochem. biophys. Res. Comm. **5**, 94 (1961).

F. Hydroxylasen

Tabelle 4. *Übersicht über die beobachteten enzymatischen Hydroxylierungen von*

Lfd. Nr.	Substrat	Produkt	Tier	Organ
1	Acetanilid	p-Hydroxyacetanilid (m-Hydroxyacetanilid, o-Hydroxyacetanilid)	Kaninchen	Leber
2	Acetanilid	p-Hydroxyacetanilid (m-Hydroxyacetanilid, o-Hydroxyacetanilid)	Kaninchen	Leber
3	Acetanilid	p-Hydroxyacetanilid	Ratte	Leber
4	Acetanilid	p-Hydroxyacetanilid, o-Hydroxyacetanilid	Ratte	Leber
5	Acetanilid	p-Hydroxyacetanilid, o-Hydroxyacetanilid	Kaninchen, Katze, Hund	Leber
6	2-Acetylaminofluoren	7-Hydroxy-2-acetylaminofluoren, 7-Hydroxy-2-aminofluoren	Ratte	Leber
7	2-Acetylaminofluoren	7-Hydroxy-2-acetylaminofluoren, 7-Hydroxy-2-aminofluoren	Ratte	Leber
8	2-Acetylaminofluoren	7-Hydroxy-2-acetylaminofluoren, 7-Hydroxy-2-aminofluoren	Ratte	Leber
9	2-Acetylaminofluoren	7-Hydroxy-2-acetylaminofluoren, 7-Hydroxy-2-aminofluoren	Ratte	Leber
10	2-Acetylaminofluoren	7-Hydroxy-2-acetylaminofluoren, 5-Hydroxy-2-acetylaminofluoren, 3-Hydroxy-2-acetylaminofluoren, 1-Hydroxy-2-acetylaminofluoren	Hamster, Ratte, Meerschweinchen, Kaninchen, Hahn	Leber

lase-Inhibitors entsteht 5-Hydroxytryptophan. Tryptamin wird durch das System nicht hydroxyliert. Dieses System ist DPN-abhängig und benötigt molekularen Sauerstoff. Die Reaktionsprodukte wurden papierchromatographisch nach ARMSTRONG u. Mitarb.[1] identifiziert. Als mobile Phase dienten wäßrige KCl-Lösung (20%), Butanol-Eisessig-Wasser (8:1:1) und Isopropanol-Ammoniak-Wasser (8:1:1). Serotonin wurde auch biologisch an Meerschweinchen getestet. Quantitativ wurden die Hydroxyindole mit 1-Nitroso-2-naphthol nach UDENFRIEND u. Mitarb.[2] bestimmt.

UDENFRIEND u. Mitarb.[3] fanden, daß Phenylalanin-Hydroxylase (vgl. Beitrag ROKA, Band VI/B, und Tabellen) auch Tryptophan am C-Atom 5 hydroxyliert. Das Enzym wurde nach der von MITOMA[4] gegebenen Vorschrift aus Rattenleber hergestellt. Nach Zentrifugation des Homogenats bei $78000 \times g$ wurde der aktive Überstand mit Ammoniumsulfat und $CaPO_4$-Gel fraktioniert. Für die Hydroxylierung sind 2 Enzymfraktionen, TPNH sowie ein Cofaktor[5] erforderlich. Durch dieses System werden sowohl Phenylalanin als auch Tryptophan hydroxyliert. Die Hydroxylierung von Tryptophan wird durch L-Phenylalanin kompetitiv gehemmt. D-Phenylalanin hemmt nicht. Die K_M für Tryptophan ist 3×10^{-3} m gegenüber 1×10^{-5} m für L-Phenylalanin. Das Hydroxylierungsprodukt wurde papierchromatographisch isoliert und mit authentischem 5-Hydroxytryptophan verglichen.

Ob das Enzym für die Bildung von Serotonin in vivo von Bedeutung ist, bleibt bei seiner geringen Affinität zu Tryptophan fraglich (vgl. aber auch FREEDLAND u. Mitarb.[6]).

[1] ARMSTRONG, M. D., N. F. K. SHAW, M. J. GORTATOWSKI and H. SINGER: J. biol. Ch. **232**, 17 (1958).
[2] UDENFRIEND, S., H. WEISSBACH and C. T. CLARK: J. biol. Ch. **215**, 337 (1955).
[3] RENSON, J., F. GOODWIN, H. WEISSBACH and S. UDENFRIEND: Biochem. biophys. Res. Comm. **6**, 20 (1961).
[4] MITOMA, C.: Arch. Biochem. **60**, 476 (1956).
[5] KAUFMAN, S.: J. biol. Ch. **234**, 2677 (1959).
[6] FREEDLAND, R. A., I. M. WADZINSKI and H. A. WAISMAN: Biochem. biophys. Res. Comm. **6**, 227 (1961).

für Fremdstoffe.

körperfremden Verbindungen. (Literatur am Schluß der Tabelle, S. 1038.)

Präparation	Zusätze	Bemerkungen	Literatur
Mikrosomen	TPNH oder TPNH-lieferndes System	m- und o-Hydroxyacetanilid nur in Spuren nachweisbar	1
Mikrosomen	TPNH oder TPNH-lieferndes System	m- und o-Hydroxyacetanilid nur in Spuren nachweisbar	2
Mikrosomen	TPN, G-6-P, Nicotinsäureamid	Die eingesetzte „microsome preparation" enthält endogenes cytoplasmatisches Zwischenferment	3
Mikrosomen	TPNH bzw. TPNH-lieferndes System	DPNH als Wasserstoffdonator bewirkt etwa 20% der Aktivität im Vergleich zu TPNH	4
Mikrosomen	TPNH bzw. TPNH-lieferndes System	p/o-Hydroxyacetanilid werden beim Kaninchen im Verhältnis 200:1, bei Katze und Hund etwa im Verhältnis 1:1 gebildet	5
Mikrosomen	TPN, G-6-P, Nicotinsäureamid		3
Schnitte	Glucose	Homogenate hydroxylieren im Gegensatz zu Schnitten nicht	7
Homogenat	DPN, Na-succinat, Nicotinsäureamid		8
Schnitte	Glucose		9
Mikrosomen	Cytoplasma, TPNH bzw. TPNH-lieferndes System, Fluorid aktiviert	Nur beim Hamster alle N-hydroxylierten Metaboliten nachgewiesen. Bei der Ratte entsteht nur das 7-Hydroxyderivat	10

Hydroxylasen.

Tabelle 4.

Lfd. Nr.	Substrat	Produkt	Tier	Organ
11	2-Acetylaminofluoren	7-Hydroxy-2-acetylaminofluoren, 5-Hydroxy-2-acetylaminofluoren, 3-Hydroxy-2-acetylaminofluoren, 1-Hydroxy-2-acetylaminofluoren, N-Hydroxy-2-acetylaminofluoren	Ratte	Leber
12	2-Acetylaminofluoren	3-Hydroxy-2-acetylaminofluoren, 5-Hydroxy-2-acetylaminofluoren, 7-Hydroxy-2-acetylaminofluoren, 1-Hydroxy-2-acetylaminofluoren	Ratte, Maus, Meerschweinchen, Hamster	Leber
13	2-Acetylaminonaphthalin	2-Acetylamino-6-naphthol	Ratte	Leber
14	2-Acetylaminonaphthalin	2-Amino-1-naphthylschwefelsäureester, 2-Amino-6-naphthylschwefelsäureester, 2-Acetylamino-6-naphthylschwefelsäureester	Ratte	Leber
15	2-Aminofluoren	7-Hydroxy-2-aminofluoren	Ratte	Leber
16	2-Aminofluoren	N-Hydroxy-2-aminofluoren	Ratte	Leber
17	2-Aminonaphthalin	N-Hydroxy-aminonaphthalin (bzw. Nitrosoderivat)	Ratte	Leber
18	p-Aminopropiophenon	N-Hydroxy- bzw. Nitrosoderivat	Ratte	Leber
19	Anilin	p-Aminophenol	Kaninchen	Leber
20	Anilin	p-Aminophenol	Kaninchen	Leber
21	Anilin	o-Aminophenol, p-Aminophenol	Ratte	Leber
22	Anilin	o-Aminophenol, p-Aminophenol	Kaninchen	Leber
23	Anilin	p-Aminophenol	Kaninchen	Leber
24	Anilin	p-Aminophenol	Kaninchen	Leber
25	Anilin und N-Alkylderivate (Methyl-, Äthyl- und Butyl-)	Phenylhydroxylamin (bzw. Nitrosobenzol)	Ratte	Leber
26	Benzol	Phenol	Ratte	Leber
27	Benzol	Phenol	Kaninchen	Leber
28	2-Benzoylaminofluoren	7-Hydroxy-2-benzoylaminofluoren	Ratte	Leber
29	3,4-Benzpyren	8-Hydroxybenzpyren, 10-Hydroxybenzpyren, 5,8-Dihydroxybenzpyren (5,8-Benzpyrenchinon, 5,10-Benzpyrenchinon)	Ratte	Leber
30	Chinolin	3-Hydroxychinolin (6-Hydroxychinolin, 7-Hydroxychinolin)	Kaninchen	Leber

(Fortsetzung.)

Präparation	Zusätze	Bemerkungen	Literatur
Homogenat	TPN, DPN, ATP, G-6-P, Nicotinsäureamid	Metaboliten aus dem Urin isoliert und identifiziert	11
Homogenat	TPN, DPN, ATP, G-6-P, Nicotinsäureamid	Das 1-Hydroxyderivat war nur nach vorheriger Induktion mit Methylcholanthren nachweisbar	12
Homogenat, Mikrosomen (Kerne, Mitochondrien)	Cytoplasma, TPNH bzw. TPNH-lieferndes System, DPNH	Kerne und Mitochondrien inaktiv. Mit DPNH 50% der Hydroxylierungsaktivität im Vergleich zu Ansätzen mit TPNH	3
Schnitte			14
Mikrosomen	TPNH bzw. TPNH-lieferndes System		3
Mikrosomen	TPNH	N-Hydroxylierung	16
Mikrosomen	TPNH	N-Hydroxylierung	17
Mikrosomen	TPNH	N-Hydroxylierung	17
Mikrosomen	TPNH oder TPNH-lieferndes System		1
Mikrosomen	TPNH oder TPNH-lieferndes System		2
Mikrosomen	TPN, G-6-P, Nicotinsäureamid		3
Mikrosomen	TPNH bzw. TPNH-lieferndes System		5
Mikrosomen	TPNH-lieferndes System	Lipoidlöslicher Faktor erforderlich	23
gelöstes Enzym	TPNH-lieferndes System	Aufschluß von Mikrosomen mit Gift von Trimeresurus flavoviridis. Lipoidlöslicher Faktor erforderlich	24
Mikrosomen	TPNH	N-Hydroxylierung. Mono-N-alkylaniline werden schneller hydroxyliert als freies Anilin. N-Dimethylanilin nur sehr langsam	17
Mikrosomen	TPN, G-6-P, Nicotinsäureamid		3
Mikrosomen	TPNH bzw. TPNH-lieferndes System		5
Schnitte	Glucose		9
Homogenat, Mikrosomen (Kerne, Mitochondrien)	Cytoplasma, TPNH (DPNH)	Kerne und Mitochondrien inaktiv, Mikrosomen + Cytoplasma zusammen ergeben 80% der Aktivität des Homogenates. — Mit DPNH etwa 20% der Aktivität in Vergleich zu Ansätzen mit TPNH	29
Mikrosomen	TPNH bzw. TPNH-lieferndes System		2

Hydroxylasen.

Tabelle 4.

Lfd. Nr.	Substrat	Produkt	Tier	Organ
31	Chinolin	3-Hydroxychinolin	Kaninchen	Leber
32	Chinolin (und zahlreiche Chinolinderivate)	2-Hydroxychinolin (= Carbostyril)	Kaninchen	Leber
33	p-Chloranilin	p-Chlorphenylhydroxylamin (bzw. -nitrosobenzol)	Kaninchen	Leber
34	Chloroxazon	6-Hydroxychloroxazon	Ratte	Leber
35	Cumarin	7-Hydroxycumarin	Kaninchen	Leber
36	Dimethylaminoazobenzol	4-Hydroxydimethylaminoazobenzol	Ratte	Leber
37	Dimethylaminoazobenzol	4-Hydroxydimethylaminoazobenzol	Ratte	Leber
38	N,N-Dimethyltryptamin	6-Hydroxydimethyltryptamin, Dimethyltryptamin-N-oxyd, 6-Hydroxydimethyltryptamin-N-oxyd	Kaninchen	Leber
39	Diphenyl	2-Hydroxydiphenyl, 4-Hydroxydiphenyl	Kaninchen	Leber
40	Imipramin [N-(γ-Dimethylaminopropyl)-iminodibenzyl · HCl]	2-Hydroxyimipramin	Kaninchen	Leber
41	Naphthalin	1-Naphthol	Kaninchen	Leber
42	Naphthalin	1-Naphthol, 1,2-Dihydronaphthalin-1,2-diol	Ratte	Leber
43	Naphthalin	1-Naphthol, 1,2-Dihydronaphthalin-1,2-diol	Ratte	Leber
44	Naphthalin	1-Naphthol, 1,2-Dihydronaphthalin-1,2-diol	Kaninchen	Leber
45	2-Naphthylamin	2-Amino-1-naphthylschwefelsäure, 2-Amino-6-naphthylschwefelsäure, 2-Acetylamino-6-naphthylschwefelsäure	Ratte	Leber
46	2-Naphthylamin	2-Amino-6-naphthol, 2-Amino-1-naphthol	Ratte	Leber
47	2-Naphthylsulfamat	6-Hydroxy-2-naphthylsulfamat	Ratte	Leber
48	Nitrobenzol	p-Hydroxynitrobenzol	Kaninchen	Leber
49	p-Nitrotoluol	p-Nitrobenzylalkohol	Kaninchen	Leber
50	p-Phenetidin	N-Hydroxy- (bzw. Nitroso-) derivat	Ratte	Leber
51	Phenylbutazon	p-Hydroxyphenylbutazon	Kaninchen	Leber
52	Pyren	3-Hydroxypyren	Maus	Leber

(Fortsetzung.)

Präparation	Zusätze	Bemerkungen	Literatur
Mikrosomen	TPNH bzw. TPNH-lieferndes System	Es entsteht ferner eine unidentifizierte säurelabile Substanz, die bei milder Hydrolyse 3-Hydroxychinolin ergibt	5
lösliches Flavinenzym		Kein Wasserstoffdonator erforderlich! Das Enzym besitzt gleichzeitig die Eigenschaften einer Aldehyddehydrogenase	32
Mikrosomen	TPNH	N-Hydroxylierung	17
Mikrosomen	Cytoplasma, TPN, G-6-P		34
Mikrosomen	TPNH bzw. TPNH-lieferndes System		5
Homogenat	DPN, Nicotinsäureamid, Mg^{++}, Hexosediphosphat		36
Homogenat, Mikrosomen (Kerne, Mitochondrien)	Cytoplasma	Kerne und Mitochondrien nicht aktiv. Mikrosomen+Cytoplasma ergeben über 80% der Aktivität des Homogenats	37
Mikrosomen	Cytoplasma, TPN	Als Demethylierungsprodukt entsteht ferner N-Methyltryptamin (jedoch kein Tryptamin)	38
Mikrosomen	TPNH bzw. TPNH-lieferndes System		2
Mikrosomen	TPNH-lieferndes System		40
Mikrosomen	TPNH bzw. TPNH-lieferndes System		2
Mikrosomen	TPN, G-6-P, Nicotinsäureamid		3
Mikrosomen	TPNH bzw. TPNH-lieferndes System		43
Mikrosomen	TPNH bzw. TPNH-lieferndes System		5
Schnitte			45
Mikrosomen	TPN, G-6-P, Nicotinsäureamid		3
Mikrosomen	TPN, G-6-P, Nicotinsäureamid		3
Mikrosomen	TPNH bzw. TPNH-lieferndes System		2
Mikrosomen	TPNH	Seitenkettenoxydation	49
Mikrosomen	TPNH	N-Hydroxylierung	17
Mikrosomen	TPNH-lieferndes System		40
Mikrosomen			52

Tabelle 4.

Lfd. Nr.	Substrat	Produkt	Tier	Organ
53	Salicylsäure	2,5-Dihydroxybenzoesäure (= Gentisinsäure)	Kaninchen	Leber
54	Sorbinsäureamid	ε-Hydroxysorbinsäureamid	Meerschweinchen	Leber
55	Tetrahydro-2-naphthol	Tetralin-p-chinol	Ratte	Leber
56	p-Toluidin	N-Hydroxy- (bzw. Nitroso-) derivat	Ratte	Leber
57	Zoxazolamin (2-Amino-5-chlorbenzoxazol)	6-Hydroxyzoxazolamin	Ratte	Leber
58	Zoxazolamin	6-Hydroxyzoxazolamin	Kaninchen, Ratte	Leber

Literatur zu Tabelle 4. (Die Nummern entsprechen den laufenden Nummern der Tabelle.)

[1] BRODIE, B. B., J. AXELROD, J. R. COOPER, L. GAUDETTE, B. N. LA DU, C. MITOMA and S. UDENFRIEND: Science, N.Y. **121**, 603 (1955).
[2] MITOMA, C., H. S. POSNER, H. C. REITZ and S. UDENFRIEND: Arch. Biochem. **61**, 431 (1956).
[3] BOOTH, J., and E. BOYLAND: Biochem. J. **66**, 73 (1957).
[4] KRISCH, K., u. HJ. STAUDINGER: B. Z. **334**, 312 (1961).
[5] POSNER, H. S., C. MITOMA and S. UDENFRIEND: Arch. Biochem. **94**, 269 (1961).
[7] GUTMANN, H. R., and J. H. PETERS: J. biol. Ch. **211**, 63 (1954).
[8] PETERS, J. H., and H. R. GUTMANN: Arch. Biochem. **62**, 234 (1956).
[9] GUTMANN, H. R., J. H. PETERS and J. G. BURTLE: J. biol. Ch. **222**, 373 (1956).
[10] SEAL, U. S., and H. R. GUTMANN: J. biol. Ch. **234**, 648 (1959).
[11] MILLER, J. A., J. W. CRAMER and E. C. MILLER: Cancer Res. **20**, 950 (1960).
[12] CRAMER, J. W., J. A. MILLER and E. C. MILLER: J. biol. Ch. **235**, 250 (1960).
[14] BOOTH, J., E. BOYLAND and D. MANSON: Biochem. J. **60**, 62 (1955).
[16] UEHLEKE, H.: Exper. **17**, 557 (1961).
[17] UEHLEKE, H.: 1. Int. pharmacol. Meeting. Stockholm 1961. 5. Int. Congr. Biochem. Moskau 1961. Sekt. 18, S. 399.

Enzymatische Hydroxylierung körperfremder Verbindungen.

Einleitung. Im folgenden Abschnitt wird zusammenfassend über den heutigen Stand unseres Wissens auf dem Gebiet der enzymatischen Hydroxylierung körperfremder aromatischer Verbindungen berichtet. Der Ausdruck „körperfremde Verbindungen" oder „Fremdstoffe" (dem im angelsächsischen Schrifttum gebräuchlichen „foreign compounds" entsprechend) hat sich als zweckmäßig zur Abgrenzung von physiologisch im Organismus vorkommenden aromatischen Verbindungen bewährt, deren Hydroxylierung in manchen Fällen anderen enzymatischen Mechanismen folgt. Viele der zu besprechenden Substrate haben pharmakologische Wirkungen; einige finden als Medikamente therapeutische Anwendung. Eine Reihe der angeführten aromatischen Kohlenwasserstoffe ist durch carcinogene Wirksamkeit ausgezeichnet.

Frühere zusammenfassende Darstellungen zur enzymatischen Hydroxylierung stammen von MASON[1] sowie von MASSART und VERCAUTEREN[2]. Der enzymatische Abbau von Pharmaka und körperfremden Verbindungen, unter anderem auch deren Hydroxylierung, wird in einem Übersichtsreferat von BRODIE, GILETTE und LADU[3] abgehandelt.

[1] MASON, H. S.: Adv. Enzymol. **19**, 80 (1957).
[2] MASSART, L., and R. VERCAUTEREN: Ann. Rev. **28**, 527 (1959).
[3] BRODIE, B. B., J. R. GILETTE and B. N. LADU: Ann. Rev. **27**, 427 (1958). — Siehe auch Beitrag FORST in Flaschenträger-Lehnartz, Bd. II/2d.

(Fortsetzung.)

Präparation	Zusätze	Bemerkungen	Literatur
Mikrosomen	TPNH bzw. TPNH-lieferndes System		2
Mikrosomen	Nicotinsäureamid, MgCl$_2$, ATP, DPN, TPN, Isocitrat, Isocitrico-Dehydrogenase, MnCl$_2$	In einer weiteren Reaktion entsteht durch ein DPN-abhängiges cytoplasmatisches Enzym aus ε-Hydroxysorbinsäureamid Muconsäureamid	54
Mikrosomen	TPNH		55
Mikrosomen	TPNH	N-Hydroxylierung	17
Mikrosomen	Cytoplasma, TPN, G-6-P		34
Homogenat bzw. Mikrosomen	TPN bzw. TPNH-lieferndes System		58

[23] IMAI, Y., and R. SATO: Biochim. biophys. Acta **36**, 571 (1959).
[24] IMAI, Y., and R. SATO: Biochim. biophys. Acta **42**, 164 (1960).
[29] CONNEY, A. H., E. C. MILLER and J. A. MILLER: J. biol. Ch. **228**, 753 (1957).
[32] KNOX, W. E.: J. biol. Ch. **133**, 699 (1946).
[34] CONNEY, A. H., J. R. GILETTE, J. K. INSCOE, E. R. TRAMS and H. S. POSNER: Science, N.Y. **130**, 1478 (1959).
[36] MUELLER, G. C., and J. A. MILLER: J. biol. Ch. **176**, 535 (1948).
[37] KENSLER, C. J., A. MILLER and M. HYATT: Proc. amer. Ass. Cancer Res. **2**, 124 (1956).
[38] SZARA, S., and J. AXELROD: Exper. **15**, 216 (1959).
[40] LEYBOLD, K., u. HJ. STAUDINGER: Z. ges. exp. Med. **136**, 78 (1962).
[43] BOOTH, J., and E. BOYLAND: Biochem. J. **70**, 681 (1958).
[45] BOOTH, J., E. BOYLAND and D. MANSON: Biochem. J. **60**, 62 (1955).
[49] GILETTE, J. R.: J. biol. Ch. **234**, 139 (1959).
[52] HARPER, K. H., and G. CALCUTT: Nature **192**, 166 (1961).
[54] WAKABAYASHI, K., and N. SHIMAZONO: Biochim. biophys. Acta **48**, 615 (1961).
[55] HECKER, E., and G. C. MUELLER: J. biol. Ch. **233**, 991 (1958).
[58] CONNEY, A. H., N. TROUSOF and J. J. BURNS: J. Pharmacol. exp. Therap. **128**, 333 (1960).

Es ist seit langem bekannt, daß eine große Anzahl aromatischer Verbindungen nach oraler oder parenteraler Zufuhr vom Organismus in hydroxylierter Form im Harn, zum Teil gepaart mit Glucuronsäure oder Schwefelsäure, ausgeschieden werden[1-9] u.v.a. Dies gilt insbesondere auch für zahlreiche pharmakologisch oder toxikologisch wichtige Verbindungen. Eine vollständige Aufzählung aller dieser Befunde über in vivo mögliche Hydroxylierungen von körperfremden aromatischen Verbindungen kann hier nicht gegeben werden. Es wird in diesem Zusammenhang auf die umfangreiche tabellarische Darstellung von MASON[10], und das Buch „Detoxication Mechanisms" von WILLIAMS[11] hingewiesen.

[1] WILEY, F. H.: J. biol. Ch. **124**, 627 (1938).
[2] DOBRINER, K., K. HOFMANN and C. P. RHOADS: Science, N.Y. **93**, 600 (1941).
[3] SMITH, J. N., and R. T. WILLIAMS: Biochem. J. **56**, 325 (1954); **60**, 284 (1955).
[4] BURNS, J. J., R. K. ROSE, S. GOODWIN, J. REICHENTHAL, E. C. HORNING and B. B. BRODIE: J. Pharmacol. exp. Therap. **113**, 481 (1955).
[5] MANSON, L. A., and L. YOUNG: Biochem. J. **60**, ii (1955).
[6] ROBINSON, D., J. N. SMITH and R. T. WILLIAMS: Biochem. J. **59**, 153 (1955).
[7] BROOKS, C. W. J., R. P. HOPKINS and L. YOUNG: Biochem. J. **71**, 28P (1959).
[8] ELLIOT, T. H., D. V. PARKE and R. T. WILLIAMS: Biochem. J. **72**, 193 (1959).
[9] SIMS, P.: Biochem. J. **73**, 389 (1959).
[10] MASON, H. S.: Adv. Enzymol. **19**, 80 (1957).
[11] WILLIAMS, R. T.: Detoxication Mechanisms. 2. Aufl. London 1959.

Die folgende Zusammenstellung beschränkt sich auf diejenigen Hydroxylierungsreaktionen, die auch in vitro näher vom enzymatischen Standpunkt studiert worden sind. Insbesondere sind hier die Arbeiten von BRODIE u. Mitarb. zu erwähnen, denen wesentliche Erkenntnisse auf dem Gebiet des enzymatischen Abbaus von Pharmaka zu verdanken sind.

Organe. Soweit bisher bekannt, ist die Leber das einzige Organ, in dem eine enzymatische Hydroxylierung körperfremder aromatischer Verbindungen erfolgt[1-3]. Gehirn-, Nieren-, Lungen- und Muskelhomogenate sind inaktiv[2], desgleichen Milz, Herz, Dünndarm und Thymus[3].

Intracelluläre Lokalisation. Die Untersuchung der intracellulären Verteilung durch Differentialzentrifugation von Leberhomogenaten ergab in allen Fällen, daß das hydroxylierende Enzymsystem in der Mikrosomenfraktion lokalisiert ist[1-6]. Kerne und Mitochondrien enthalten keine nennenswerte Aktivität. Mikrosomen und Cytoplasma allein sind jeweils inaktiv. Erst die Kombination von Mikrosomen und Cytoplasma ergibt wieder volle enzymatische Wirksamkeit. Der erforderliche cytoplasmatische Faktor kann durch Zusatz von TPNH oder einem TPNH-liefernden System (meist Glucose-6-phosphat, TPN, Glucose-6-phosphat-Dehydrogenase) zu Mikrosomen ersetzt werden.

Molekularer Sauerstoff. Für alle mikrosomalen Hydroxylierungsreaktionen von Fremdstoffen ist charakteristisch, daß sowohl TPNH als auch molekularer Sauerstoff benötigt werden. Wie von verschiedenen Untersuchern übereinstimmend gefunden wurde, wird die Hydroxylierung aromatischer Verbindungen unter anaeroben Bedingungen vollständig gehemmt[2-4]. Der endgültige Nachweis, daß der Sauerstoff der Hydroxylgruppe tatsächlich aus molekularem Sauerstoff und nicht aus dem Wasser stammt, konnte kürzlich von POSNER u. Mitarb.[7] in Versuchen mit $^{18}O_2$ am Beispiel der Acetanilid-Hydroxylierung erbracht werden. Dieser Befund steht in voller Übereinstimmung mit dem Ergebnis von Isotopenversuchen, die HAYANO u. Mitarb.[8] bei der Hydroxylierung von Steroiden (Desoxycorticosteron→Cortisol) erhoben haben.

Wasserstoffdonatoren; Oxydation reduzierter Pyridinnucleotide durch Mikrosomen. Nach unseren bisherigen Kenntnissen ist für enzymatische Hydroxylierungsreaktionen in fast allen Fällen die gleichzeitige Oxydation eines reduzierten Pyridinnucleotides erforderlich. Die beteiligten Hydroxylasen sind nach der Einteilung von MASON[9] in die Gruppe der „mixed function oxidases" einzuordnen, für welche folgendes allgemeine Reaktionsschema angenommen werden kann:

$$A-H + O_2 + 2e \rightarrow A-OH + O^{--}(H_2O)$$

Näheres über die theoretischen Grundlagen der enzymatischen Hydroxylierung von Aromaten wird S. 932 ausgeführt.

Auf Grund zahlreicher Befunde kann heute als gesichert gelten, daß TPNH der wichtigste Elektronendonator für alle enzymatischen Hydroxylierungen körperfremder aromatischer Verbindungen ist. Kinetische Untersuchungen ergaben, daß die Bindung von TPNH an die mikrosomale Acetanilid-Hydroxylase der Beziehung von MICHAELIS und MENTEN[10] folgt[11]. Allerdings ist bei verschiedenen Reaktionen neben TPNH auch DPNH

---

[1] BRODIE, B. B., J. R. COOPER, J. AXELROD, L. GAUDETTE, B. N. LADU, C. MITOMA and S. UDENFRIEND: Science, N.Y. **121**, 603 (1955).
[2] MITOMA, C., H. S. POSNER, H. C. REITZ and S. UDENFRIEND: Arch. Biochem. **61**, 431 (1956).
[3] CONNEY, A. H., E. C. MILLER and J. A. MILLER: J. biol. Ch. **228**, 753 (1957).
[4] BOOTH, J., and E. BOYLAND: Biochem. J. **66**, 73 (1957).
[5] SEAL, U. S., and H. R. GUTMANN: J. biol. Ch. **234**, 648 (1959).
[6] KENSLER, C. J., A. MILLER and M. HYATT: Proc. amer. Ass. Cancer Res. **2**, 124 (1956).
[7] POSNER, H. S., C. MITOMA, S. ROTHBERG and S. UDENFRIEND: Arch. Biochem. **94**, 280 (1961).
[8] HAYANO, M., M. C. LINDBERG, R. E. DORFMAN, J. E. H. HANCOCK and W. v. E. DOERING: Arch. Biochem. **59**, 529 (1955).
[9] MASON, H. S.: Science, N.Y. **125**, 1185 (1957).
[10] MICHAELIS, L., u. M. L. MENTEN: B. Z. **49**, 333 (1913).
[11] KRISCH, K., u. HJ. STAUDINGER: B. Z. **334**, 312 (1961).

in gewissem Umfang als Elektronendonator wirksam; die beobachteten Aktivitäten betragen etwa 10—50% der in Gegenwart von TPNH erhaltenen Werte[1-3]. Die Hydroxylierung von Acetanilid mit DPNH läßt sich durch Zusatz von Cyanid steigern. In solchen Ansätzen mit DPNH und Cyanid (nicht aber mit TPNH oder in Abwesenheit von Cyanid) kann die Hydroxylierung durch Zusatz von Ascorbinsäure um etwa 20% gesteigert werden[2].

Wie nach der oben angeführten Gleichung zu erwarten, werden die beiden als Elektronendonatoren wirkenden reduzierten Pyridinnucleotide TPNH und DPNH durch Lebermikrosomen oxydiert. Die Reaktion läßt sich im optischen Test an Hand der Extinktionsabnahme bei der Wellenlänge 340 bzw. 366 mμ leicht verfolgen. Die Oxydation von TPNH ist vollständig cyanidresistent[2,4], verläuft also sicher nicht über das Cytochrom c-Cytochromoxydase-System. Dies geht auch daraus hervor, daß im Gegenteil durch Zusatz von Cytochrom c — und damit „Umlenkung" der Elektronen auf die Cytochromoxydase — eine starke Hemmung der Acetanilid-Hydroxylierung bewirkt wird, die in Gegenwart von Cyanid wieder weitgehend aufgehoben werden kann[2]. — Die Reaktionsgeschwindigkeit der TPNH-Oxydation wird durch Zusatz eines hydroxylierbaren Substrates, z.B. Acetanilid, nicht nennenswert beeinflußt. Zur Verfolgung der enzymatischen Hydroxylierung von Aromaten ist der optische Test daher nicht geeignet. — Die mikrosomale DPNH-Oxydation wird dagegen durch Cyanid stark gehemmt. Tatsächlich läßt sich in Mikrosomen Cytochromoxydaseaktivität nachweisen. Dieser Befund dürfte jedoch auf eine nie ganz zu vermeidende Verunreinigung der üblichen Mikrosomenpräparationen mit Mitochondrien-Bruchstücken zurückzuführen sein. — Zusammenfassend kann gesagt werden, daß bei der enzymatischen Hydroxylierung von Fremdstoffen die Oxydation reduzierter Pyridinnucleotide nur dann mit Hydroxylierungsschritten gekoppelt ist, wenn sie über eine cyanidresistente, mikrosomale Elektronentransportkette verläuft[2]. Nähere Einzelheiten hierzu, insbesondere zur Frage, welches die mit dem molekularen Sauerstoff reagierende, cyanidresistente „terminale Oxydase" der Mikrosomen ist, sind heute noch nicht bekannt.

Lipoidlöslicher Faktor. IMAI und SATO[5] beobachteten, daß Kaninchenlebermikrosomen nach Extraktion mit Aceton/Methanol/Äther (7:1:2 v/v) die Fähigkeit zur Hydroxylierung von Anilin verloren haben. Zusatz des eingeengten Lipoidextraktes zu extrahierten Mikrosomen stellte die ursprüngliche Hydroxylierungsaktivität wieder her. In gleicher Weise verhielt sich eine von diesen Autoren durch Schlangengiftbehandlung aus Mikrosomen gewonnene, lösliche Enzymfraktion[6]. Es ist zur Zeit offen, ob dieser — im einzelnen noch nicht identifizierte — lipoidlösliche Faktor auch für andere Hydroxylierungsreaktionen von Bedeutung ist. — Es ist in diesem Zusammenhang von Interesse, daß auch für die enzymatische Hydroxylierung von Anilin durch säurefeste Bakterien (*M. smegmatis*) ein lipoidlöslicher Cofaktor erforderlich ist[7,8].

Substrate und Reaktionsprodukte. In Tabelle 4 sind diejenigen körperfremden aromatischen Verbindungen zusammengestellt, deren Stoffwechsel in vitro näher untersucht worden ist und deren hydroxylierte Reaktionsprodukte eindeutig identifiziert werden konnten (chromatographische Verfahren, Ultraviolett- und Infrarot-Spektren, Schmelzpunkt, Elementaranalyse usw.). Hydroxylierungsreaktionen durch Mikroorganismen wurden nicht berücksichtigt. Durch das mikrosomale Enzymsystem werden fast ausschließlich mehr oder weniger lipoidlösliche körperfremde aromatische Verbindungen hydroxyliert. L-Phenylalanin, L-Tryptophan, Kynurenin, Anthranilsäure, Phenylessigsäure und Trypt-

---

[1] BOOTH, J., and E. BOYLAND: Biochem. J. **66**, 73 (1957).
[2] KRISCH, K., u. HJ. STAUDINGER: B. Z. **334**, 312 (1961).
[3] POSNER, H. S., C. MITOMA and S. UDENFRIEND: Arch. Biochem. **94**, 269 (1961).
[4] GILETTE, J. R., B. B. BRODIE and B. N. LaDU: J. Pharmacol. exp. Therap. **119**, 532 (1957).
[5] IMAI, Y., and R. SATO: Biochim. biophys. Acta **36**, 571 (1959).
[6] IMAI, Y., and R. SATO: Biochim. biophys. Acta **42**, 164 (1960).
[7] SLOANE, N. H.: Fed. Proc. **18**, 325 (1959).
[8] SLOANE, N. H.: Fed. Proc. **19**, 27 (1960).

amin werden nicht durch Lebermikrosomen in Gegenwart von Sauerstoff hydroxyliert[1]. Kürzlich konnten allerdings POSNER u. Mitarb. nachweisen, daß neben einer Reihe von Fremdstoffen auch Indol durch Kaninchenlebermikrosomen zu 3-Hydroxyindol hydroxyliert werden kann[2].

In vielen Fällen entstehen aus den eingesetzten Substraten mehrfach oder in verschiedenen Positionen hydroxylierte Phenolderivate. Am Beispiel der Anilin-Hydroxylierung wurde (in vivo) gezeigt, daß das Verhältnis von gebildetem p-Aminophenol zu o-Aminophenol bei einzelnen Tierarten sehr verschieden sein kann[3]. Dieser Befund wird auch durch ähnliche Beobachtungen von POSNER u. Mitarb.[2] sowie von SEAL und GUTMANN[4] und WEISBURGER u. Mitarb.[5] bestätigt. Die Tatsache, daß bei verschiedenen Tierarten unterschiedlich substituierte Hydroxylierungsprodukte aus demselben Substrat entstehen können, wird als Stütze der Auffassung herangezogen, daß wahrscheinlich verschiedene hydroxylierende Enzyme existieren[2-6] (vgl. Kapitel B, theoretische Einführung, S. 922).

KENSLER u. Mitarb.[7] berichten über Artunterschiede im Stoffwechsel von Dimethylaminoazobenzol. Das hydroxylierte Reaktionsprodukt, 4-Hydroxy-4'-dimethylaminoazobenzol, läßt sich nur bei Inkubation mit Rattenlebermikrosomen nachweisen, nicht aber beim Meerschweinchen. Dies wird darauf zurückgeführt, daß Meerschweinchen- (und Kaninchen-) Mikrosomen zunächst entstehendes 4-Hydroxy-4'-dimethylaminoazobenzol sofort in einer Sekundärreaktion zu einer unidentifizierten Verbindung umsetzen. Dagegen wird 4-Hydroxy-4'-dimethylaminoazobenzol durch Lebermikrosomen von Ratten und Mäusen nicht weiter abgebaut.

Im allgemeinen erfolgt die Hydroxylierung der angeführten Substrate durch direkte Substitution am aromatischen Ring. Ein Beispiel für die Hydroxylierung einer Seitenkette stellt die Umwandlung von p-Nitrotoluol in p-Nitrobenzylalkohol durch Mikrosomen dar, die ebenfalls TPNH-abhängig ist. In weiteren Schritten, die durch eine Alkoholdehydrogenase und eine Aldehyddehydrogenase (beide Enzyme sind cytoplasmatisch und DPN-abhängig) katalysiert werden, kann dann p-Nitrobenzoesäure gebildet werden[8]. — In ganz ähnlicher Weise scheint die ω-Oxydation des Sorbinsäureamids zu Muconsäureamid zu verlaufen, wobei als Zwischenprodukt ε-Hydroxysorbinsäureamid nachgewiesen werden konnte[9].

Während in den bisher besprochenen Fällen die Hydroxylgruppe stets an Kohlenstoffatomen eingeführt wird, sind neuerdings auch Hydroxylierungen am Stickstoffatom von Aminen beschrieben worden. CRAMER, MILLER und MILLER[10-12] isolierten nach Gaben von 2-Acetylaminofluoren aus dem Harn von Ratten das entsprechende N-Hydroxyderivat. UEHLEKE[13] konnte kürzlich eine N-Hydroxylierung von 2-Aminofluoren auch in vitro nachweisen. Auch diese Reaktion wird durch Lebermikrosomen katalysiert und benötigt TPNH und molekularen Sauerstoff. UEHLEKE studierte die N-Hydroxylierung an einer Reihe weiterer Amine und N-Alkylanilinderivate. Hierbei entstehen die entsprechenden Phenylhydroxylamin- bzw. Nitrosobenzolderivate — Verbindungen, die zur Bildung von Methämoglobin führen und stark toxische Eigenschaften haben. Anilin,

---

[1] MITOMA, C., H. S. POSNER, H. C. REITZ and S. UDENFRIEND: Arch. Biochem. **61**, 431 (1956).
[2] POSNER, H. S., C. MITOMA and S. UDENFRIEND: Arch. Biochem. **94**, 269 (1961).
[3] PARKE, D. V., and R. T. WILLIAMS: Biochem. J. **63**, 12P (1956).
[4] SEAL, U. S., and H. R. GUTMANN: J. biol. Ch. **234**, 648 (1959).
[5] WEISBURGER, J. H., E. K. WEISBURGER and H. P. MORRIS: Science, N.Y. **125**, 503 (1957).
[6] BOOTH, J., and E. BOYLAND: Biochem. J. **70**, 681 (1958).
[7] KENSLER, C. J., A. MILLER and M. HYATT: Proc. amer. Ass. Cancer Res. **2**, 124 (1956).
[8] GILETTE, J. R.: J. biol. Ch. **234**, 139 (1959).
[9] WAKABAYASHI, K., and N. SHIMAZONO: Biochim. biophys. Acta **48**, 615 (1961).
[10] CRAMER, J. W., J. A. MILLER and E. C. MILLER: J. biol. Ch. **235**, 885 (1960).
[11] MILLER, J. A., J. W. CRAMER and E. C. MILLER: Cancer Res. **20**, 950 (1960).
[12] CRAMER, J. W., and J. A. MILLER: Fed. Proc. **19**, 27 (1960).
[13] UEHLEKE, H.: Exper. **17**, 557 (1961).

Naphthylamin und 2-Aminofluoren werden nur relativ langsam umgesetzt. Mono-N-alkylanilinderivate (nicht dagegen N-Dialkylanilinabkömmlinge) werden schneller am Stickstoff hydroxyliert als Anilin; gleichzeitig findet eine N-Dealkylierung statt, wobei der Alkylrest als Aldehyd freigesetzt wird. p-Substitution von Anilin mit elektronen anziehenden Gruppen erhöht die Reaktionsgeschwindigkeit der N-Hydroxylierung[1,2].

p_H-Optima. Die p_H-Optima für die enzymatische Hydroxylierung von Fremdstoffen liegen allgemein im schwach alkalischen Bereich. Mitoma u. Mitarb.[3] geben einen Wert von 8,2 an. Booth und Boyland[4] fanden für die Hydroxylierung von 2-Acetylaminonaphthalin ein p_H-Optimum von 7,2. Seal und Gutman[5] beobachteten optimale Hydroxylierung von 2-Acetylaminofluoren bei einem p_H-Wert von 7,4. Beim Studium der Hydroxylierung von Naphthalin fanden Booth und Boyland[6] für die Bildung von 1,2-Dihydro-1,2-dihydroxynaphthalin ein p_H-Optimum von 7,5 (Pyrophosphatpuffer) bzw. 8,2 (Trispuffer). Der optimale p_H für die Bildung von 1-Naphthol betrug in Pyrophosphatpuffer 7,2 und in Trispuffer 7,6.

Inhibitoren. Einen Überblick über den Einfluß verschiedener Inhibitoren auf die enzymatische Hydroxylierung einiger körperfremder aromatischer Verbindungen gibt Tabelle 5. Die starke Hemmwirkung von p-Chlormercuribenzoat sowie von Sublimat und N-Äthylmaleinimid weist darauf hin, daß — wie bei zahlreichen anderen Enzymen auch — Sulfhydrylgruppen für die Aktivität wesentlich sind. Interessant ist die von Mitoma u. Mitarb.[3] beschriebene Hemmwirkung von α,α'-Dipyridyl, die für eine Schwermetallbeteiligung, wahrscheinlich von zweiwertigem Eisen, spricht. Im auffallenden Gegensatz hierzu fanden Seal und Gutman[5] keinerlei Hemmwirkung von α,α'-Dipyridyl auf die Hydroxylierung von 2-Acetylaminofluoren durch Rattenlebermikrosomen. Ebenso ließ sich in den Versuchen von Conney u. Mitarb.[7] die Hydroxylierung von 3,4-Benzpyren weder durch α,α'-Dipyridyl noch durch o-Phenanthrolin hemmen; Booth und Boyland[6] beobachteten sogar eine Aktivierung der Naphthalin-Hydroxylierung durch die beiden genannten Inhibitoren. Nach eigenen Beobachtungen ist neben α,α'-Dipyridyl und o-Phenanthrolin auch 8-Hydroxychinolin ein starker Inhibitor der Acetanilid-Hydroxylierung durch Rattenlebermikrosomen[8]. Angesichts dieser Diskrepanzen liegt der Schluß nahe, daß für die Hydroxylierung von Acetanilid ein anderer enzymatischer Mechanismus, und zwar unter Beteiligung eines Schwermetalles (z.B. Fe^{++}), anzunehmen ist, als für die Hydroxylierung von 2-Acetylaminofluoren, 3,4-Benzpyren und Naphthalin. Für den bekannten Chelatbildner EDTA (Dinatriumsalz der Äthylendiamintetraessigsäure, „Versene" oder „Titriplex III") wurde übereinstimmend keine wesentliche Hemmwirkung auf die enzymatische Hydroxylierung von Fremdstoffen berichtet.

Nach Booth und Boyland[6] hemmt Flavin-mononucleotid (FMN) die Hydroxylierung von Naphthalin. Ähnliche Beobachtungen wurden kürzlich von Harper und Calcutt[9] mitgeteilt. Hiernach sind FMN und Riboflavin wirksame Inhibitoren der Hydroxylierung von Pyren und Benzpyren.

Bei der Hydroxylierung von Naphthalin entstehen nach Booth und Boyland[6] sowohl 1-Naphthol als auch 1,2-Dihydro-1,2-dihydroxynaphthalin. Es wurden keine nennenswerten Unterschiede in der Hemmwirkung verschiedener Inhibitoren auf die Bildung dieser beiden Metaboliten gefunden.

---

[1] Uehleke, H.: 5. Int. Congr. Biochem. Moskau 1961, Sekt. 18, S. 399.
[2] Uehleke, H.: 1. Int. pharmacol. Meeting, Stockholm 1961.
[3] Mitoma, C., H. S. Posner, H. C. Reitz and S. Udenfriend: Arch. Biochem. 61, 431 (1956).
[4] Booth, J., and E. Boyland: Biochem. J. 66, 73 (1957).
[5] Seal, U. S., and H. R. Gutmann: J. biol. Ch. 234, 648 (1959).
[6] Booth, J., and E. Boyland: Biochem. J. 70, 681 (1958).
[7] Conney, A. H., E. C. Miller and J. A. Miller: J. biol. Ch. 228, 753 (1957).
[8] Krisch, K.: Habil.-schrift, Gießen 1962.
[9] Harper, K. H., and G. Calcutt: Nature 192, 166 (1961).

Tabelle 5. *Einfluß von Inhibitoren auf die mikrosomale Hydroxylierung von Fremdstoffen.*

	Autoren								
	Mitoma u. Mitarb.[1]		Seal und Gutmann[2]		Conney u. Mitarb.[3]		Booth und Boyland[4]		Krisch und Staudinger[5,6]
	Acetanilid		2-Acetylaminofluoren		3,4-Benzpyren		Naphthalin		Acetanilid
Inhibitor	Endkonzentration (m)	Hemmung (%)	Endkonzentration (m)	Hemmung (%)	Endkonzentration (m)	Hemmung (%)	Endkonzentration (m)	Hemmung (%)	Endkonzentration (m)	Hemmung (%)
α,α'-Dipyridyl	$1,4 \times 10^{-3}$	87	$5,0 \times 10^{-3}$	0	$1,0 \times 10^{-3}$	<15	$1,0 \times 10^{-3}$	-15***	$1,0 \times 10^{-3}$	53
p-Chlormercuribenzoat	$1,7 \times 10^{-4}$	83	—	—	$1,0 \times 10^{-4}$	80—100	$1,0 \times 10^{-4}$	60	—	—
o-Phenanthrolin	—	—	—	—	$1,0 \times 10^{-3}$	<15	$1,0 \times 10^{-3}$	-35***	$0,5 \times 10^{-3}$	95
									$1,0 \times 10^{-4}$	42
8-Hydroxychinolin	—	—	—	—	—	—	—	—	$1,0 \times 10^{-4}$	65
Diäthyldithiocarbamat	—	—	—	—	—	—	—	—	$1,0 \times 10^{-3}$	53
									$1,0 \times 10^{-4}$	18
EDTA*	$2,8 \times 10^{-3}$	0	$1,0 \times 10^{-2}$	75	$1,0 \times 10^{-3}$	<15	$2,5 \times 10^{-3}$	0	—	—
			$1,0 \times 10^{-3}$	10						
Ascorbinsäure	$1,0 \times 10^{-3}$	40	—	—	$1,0 \times 10^{-3}$	<15	—	—	$2,0 \times 10^{-3}$	15
Cystein	—	—	—	—	$1,0 \times 10^{-3}$	45	$2,5 \times 10^{-3}$	0	—	—
N-Äthylmaleinimid	—	—	—	—	$2,0 \times 10^{-2}$	0	—	—	—	—
Äthionin	—	—	—	—	—	—	—	—	—	—
Quecksilber(II)-chlorid	—	—	$1,0 \times 10^{-2}$	-10***	$1,0 \times 10^{-3}$	<15	$1,0 \times 10^{-4}$	70	$1,0 \times 10^{-3}$	TPNH 25
										DPNH—50
										***
Kaliumcyanid	—	—	—	—	$1,0 \times 10^{-3}$	<15	$1,0 \times 10^{-3}$	0	—	—
Natriumazid	—	—	$1,0 \times 10^{-2}$	20	—	—	—	—	$1,0 \times 10^{-5}$	0
Antimycin A	—	—	—	—	—	—	—	—	$1,0 \times 10^{-3}$	32
2,5-Dinitrophenol	—	—	—	—	—	—	—	—	—	—
2,4-Dichlorphenol	$8,5 \times 10^{-4}$	67	—	—	—	—	—	—	—	—
Natriumarsenat	$2,8 \times 10^{-3}$	0	—	—	—	—	—	—	—	—
Natriumfluorid	$2,8 \times 10^{-3}$	0	—	—	—	—	—	—	$1,0 \times 10^{-3}$	0
Natriumpyrophosphat	—	—	$1,0 \times 10^{-2}$	0	—	—	—	—	—	—

Auffallend ist die nur geringe Hemmwirkung von SKF 525A (Diphenylpropylessigsäureester des Diäthylaminoäthanols) auf die Acetanilid-Hydroxylierung insofern, als zahlreiche andere mikrosomale Reaktionen, wie z.B. die N-Dealkylierung von Fremdstoffen, wesentlich stärker durch diese Verbindung gehemmt werden [7-11]. Die mikrosomale TPNH-Oxydation wird dagegen durch SKF 525A und analoge Verbindungen nicht beeinflußt [10,11].

Aus den in Tabelle 4 angegebenen Daten geht ferner übereinstimmend hervor, daß Inhibitoren der Cytochromoxydase wie Natriumazid und Kaliumcyanid die enzymatische Hydroxylierung nicht oder nur unwesentlich hemmen. Dies steht in Parallele zu den im Abschnitt „Wasserstoffdonatoren" gemachten Ausführungen zur mikrosomalen Oxydation reduzierter Pyridinnucleotide.

Über Aktivatoren mikrosomaler Hydroxylierungsreaktionen ist nur wenig bekannt. Lediglich von BOOTH und BOYLAND [4] wurde ein aktivierender Einfluß von Coffein auf die Bildung von 1-Naphthol aus Naphthalin durch Rattenlebermikrosomen mitgeteilt.

Induktion. In einer Reihe von Arbeiten konnte gezeigt werden, daß die Aktivität zahlreicher, am Stoffwechsel von Pharmaka und anderen körperfremden Verbindungen beteiligter mikrosomaler Enzyme durch vorherige Gaben (meist intraperitoneale Verabfolgung) von 3,4-Benzpyren und anderen Verbindungen wesentlich gesteigert werden

Substanz									
Kupfer(II)-chlorid			60	$0,6 \times 10^{-4}$			40	$1,0 \times 10^{-4}$	
Mangan(II)-chlorid			30	$1,2 \times 10^{-4}$			0	$1,0 \times 10^{-3}$	
Eisen(II)-sulfat					80—100				20
Kaliumferricyanid					80—100				$1,0 \times 10^{-3}$
SKF 525 A**					<15				
Amphenon B		$1,0 \times 10^{-3}$				$1,0 \times 10^{-3}$			
„CIBA 4885"	17	$1,0 \times 10^{-3}$				$1,0 \times 10^{-3}$			
Aminopterin	24	$1,0 \times 10^{-3}$				$1,0 \times 10^{-3}$			
Flavin-mononucleotid (FMN)	0								
Natriumpyruvat			70	$0,8 \times 10^{-3}$					0 / $2,8 \times 10^{-3}$
Methylenblau			50	$0,6 \times 10^{-5}$			30	$2,8 \times 10^{-1}$	
Äthanol							100	1,1	

* Dinatriumsalz der Äthylendiamintetraessigsäure. ** Diphenylpropylessigsäureester des Diäthylaminoäthanols.
*** Negative Werte bedeuten Aktivierung der Reaktion.

---

[1] MITOMA, C., H. S. POSNER, H. C. REITZ and S. UDENFRIEND: Arch. Biochem. **61**, 431 (1956).

[2] SEAL, U. S., and H. R. GUTMANN: J. biol. Ch. **234**, 648 (1959).

[3] CONNEY, A. H., E. C. MILLER and J. A. MILLER: J. biol. Ch. **228**, 753 (1957).

[4] BOOTH, J., and E. BOYLAND: Biochem. J. **70**, 681 (1958).

[5] KRISCH, K., u. HJ. STAUDINGER: B. Z. **334**, 312 (1961).

[6] KRISCH, K.: Unveröffentlicht.

[7] BRODIE, B. B., J. R. COOPER, J. AXELROD, L. GAUDETTE, B. N. LADU, C. MITOMA and S. UDENFRIEND: Science, N.Y. **121**, 603 (1955).

[8] COOPER, J. R., J. AXELROD and B. B. BRODIE: J. Pharmacol exp. Therap. **112**, 55 (1954).

[9] NETTER, K. J.: Naturwiss. **46**, 606 (1959).

[10] NETTER, K. J.: 1. Int. pharmacol. Meeting, Symposium VI, Stockholm 1961.

[11] GILETTE, J. R., B. B. BRODIE and B. N. LADU: J. Pharmacol. exp. Therap. **119**, 532 (1957).

kann[1-8]. In vitro haben Benzpyren (und die anderen induktiv wirksamen Verbindungen) dagegen keinen Einfluß auf die enzymatische Aktivität. Dieser induzierte Aktivitätsanstieg kann durch gleichzeitige Gaben von Äthionin verhindert werden und wird auf eine vermehrte Synthese von Enzymprotein zurückgeführt[1,4,9,10]. Die Hemmwirkung von Äthionin kann durch gleichzeitige Gaben von Methionin wieder aufgehoben werden. Gleichzeitig wird das Wachstum der Leber stimuliert und deren Gesamtproteingehalt gesteigert[5,7]. Von anderer Seite wurden allerdings im Proteingehalt der Mikrosomen keine Veränderungen während der Induktionsperiode gefunden[8]. VON DER DECKEN und HULTIN[11] beobachteten nach Vorbehandlung der Versuchstiere mit Methylcholanthren eine, wenn auch nicht sehr hochgradige, Steigerung des Einbaus von ^{14}C-Leucin in mikrosomales Protein.

Als Induktoren sind neben 3,4-Benzpyren unter anderem weiterhin Methylcholanthren[4], 1,2,5,6-Dibenzanthracen, Phenobarbital[3], Aminopyrin, Phenylbutazon, Orphanedrin[2,6], Tolbutamid (D 860), Carbutamid (BZ 55)[8] sowie eine Reihe anderer cyclischer Kohlenwasserstoffe[6] wirksam. Durch Vorbehandlung der Versuchstiere mit 3,4-Benzpyren wird die enzymatische Hydroxylierung folgender Substrate gesteigert: 3,4-Benzpyren, Acetanilid, Zoxazolamin, Chloroxazon, Chinolin und Naphthalin. Die beobachteten Aktivitätserhöhungen sind bei verschiedenen Substraten unterschiedlich und betragen das etwa 2—12fache im Vergleich zu nicht vorbehandelten Kontrolltieren. Auch dieser Befund könnte für das Vorliegen verschiedener hydroxylierender Enzyme in Mikrosomen sprechen[2]. — Die Spezifität ist sowohl was die Induktoren, als auch die induzierten Enzymsysteme betrifft, nicht sehr groß. Neben enzymatischen Hydroxylierungsreaktionen werden auch noch eine Reihe anderer, durch Mikrosomen katalysierter Reaktionen, wie z. B. die Demethylierung von Monomethylaminoantipyrin[2] und der Abbau von Evipan[3] und anderen Barbituraten[8], durch die genannten Induktoren aktiviert.

Interessanterweise wird nach Vorbehandlung der Versuchstiere mit einer Reihe der angeführten Fremdstoffe weiterhin auch die Biosynthese der Glucuronsäure und (bei Tieren, die Ascorbinsäure synthetisieren können) auch die Bildung der Ascorbinsäure gesteigert[12]. Als Folge davon läßt sich ein starker Anstieg der Ascorbinsäureausscheidung im Harn auf das etwa 20fache der Normalwerte nachweisen[13,14]. Es kann heute noch nicht entschieden werden, inwieweit diese beiden Befunde — Steigerung der Ascorbinsäurebiosynthese und induktive Erhöhung der Aktivität pharmakaabbauender Enzyme — ursächlich miteinander verknüpft sind. Immerhin sprechen noch andere Anhaltspunkte für eine Beteiligung der Ascorbinsäure bei Hydroxylierungsreaktionen, z.B. die Tatsache, daß beim skorbutischen Tier in vivo (aber nicht in vitro) Acetanilid vermindert hydroxyliert wird[15].

Eine Reihe weiterer mikrosomaler Enzyme (Glucose-6-Phosphatase, DPNH-Diaphorase, DPNH-Cytochrom c-Reductase, TPNH-Cytochrom c-Reductase, Cytochrom b_5-Gehalt) wird durch Induktion mit Methylcholanthren nicht beeinflußt oder sogar etwas

---

[1] CONNEY, A. H., E. C. MILLER and J. A. MILLER: J. biol. Ch. **228**, 753 (1957).
[2] CONNEY, A. H., J. R. GILETTE, J. K. INSCOE, E. R. TRAMS and H. S. POSNER: Science, N.Y. **130**, 1478 (1959).
[3] REMMER, H., u. B. ALSLEBEN: Kli. Wo. **1958**, 332.
[4] CRAMER, J. W., J. A. MILLER and E. C. MILLER: J. biol. Ch. **235**, 250 (1960).
[5] ARCOS, J. C., A. H. CONNEY and N. P. BUU-HOI: J. biol. Ch. **236**, 1291 (1961).
[6] CONNEY, A. H., C. DAVISON, R. GASTEL and J. J. BURNS: J. Pharmacol. exp. Therap. **130**, 1 (1960).
[7] CONNEY, A. H., N. TROUSOF and J. J. BURNS: J. Pharmacol. exp. Therap. **128**, 333 (1960).
[8] REMMER, H.: 1. Int. pharmacol. Meeting, Symposium VI, Stockholm 1961.
[9] SHIVE, W., and C. G. SKINNER: Ann. Rev. **27**, 643 (1958).
[10] CRAMER, J. W., J. A. MILLER and E. C. MILLER: J. biol. Ch. **235**, 885 (1960).
[11] DECKEN, A. VON DER, and T. HULTIN: Arch. Biochem. **90**, 201 (1960).
[12] EVANS, C., A. H. CONNEY, N. TROUSOF and J. J. BURNS: Biochim. biophys. Acta **41**, 9 (1960).
[13] CONNEY, A. H., and J. J. BURNS: Nature **184**, 363 (1959).
[14] TOUSTER, O., R. W. HESTER and R. A. SILER: Biochem. biophys. Res. Comm. **3**, 248 (1960).
[15] AXELROD, J., S. UDENFRIEND and B. B. BRODIE: J. Pharmacol. exp. Therap. **111**, 176 (1954).

gehemmt. Lediglich die TPNH-Diaphorase (118%) und die TPNH-Cytochrom b_5-Reductase (155%) zeigten etwas erhöhte Aktivitäten gegenüber der Kontrollgruppe (100%)[1]. Auch die mikrosomalen TPNH- und DPNH-Oxydasen werden nach Untersuchungen von KRISCH und STAUDINGER[2] durch Gaben von Benzpyren nicht signifikant gesteigert. Das Ausmaß der beobachteten Aktivitätserhöhungen ist auch vom Alter der Versuchstiere abhängig. Die Enzymaktivitäten junger Versuchstiere (z.B. 50 g schwerer Jungratten) lassen sich in viel stärkerem Umfang durch Induktion stimulieren, als bei ausgewachsenen Tieren[3,4].

Substratspezifität. Wie aus Tabelle 4 hervorgeht, können Lebermikrosomen in Gegenwart von TPNH und molekularem Sauerstoff zahlreiche und verschiedenartigste, lipoidlösliche körperfremde Verbindungen hydroxylieren. Die Spezifität des hydroxylierenden Enzymsystems scheint daher nur gering zu sein. BRODIE u. Mitarb.[5] haben interessante Vorstellungen dazu entwickelt, daß die Ausbildung dieses Enzymsystems im Laufe der Phylogenese beim Übergang der Tierarten vom Leben im Wasser zum Landleben erforderlich geworden ist. Hierbei mußten relativ substratunspezifische Mechanismen ausgebildet werden, um die verschiedensten, mit der Nahrung aufgenommenen lipoidlöslichen Stoffe in polarere und damit durch die Niere ausscheidungsfähige Metaboliten zu überführen. Eine Reihe physiologischerweise im Intermediärstoffwechsel vorkommender aromatischer Verbindungen wird nicht durch das hydroxylierende Enzymsystem von Lebermikrosomen oxydiert[6]. Es kann zur Zeit noch nicht mit Sicherheit entschieden werden, wie viele Enzyme an den zahlreichen mikrosomalen Abbaureaktionen von Pharmaka und anderen körperfremden Verbindungen beteiligt sind. Es bestehen allerdings heute schon einige Anhaltspunkte für die Existenz verschiedener hydroxylierender Enzyme in Mikrosomen, beispielsweise auf Grund von Induktionsversuchen[7] und unterschiedlichen Ergebnissen mit einzelnen Inhibitoren (s. oben). Ferner spricht die Tatsache, daß bei verschiedenen Tierarten in ganz unterschiedlichem Umfang ortho- und para-hydroxylierte Metaboliten gefunden wurden, in diesem Sinne[8-10]. Die Frage nach der Substratspezifität wird, neben vielen anderen offenen Fragen zum Mechanismus der enzymatischen Hydroxylierung, endgültig erst dann zu beantworten sein, wenn es gelingt, eines der hydroxylierenden Enzyme in reiner Form aus Mikrosomen zu isolieren.

Aufschlußverfahren. Bei der Isolierung mikrosomaler Enzyme sind fast stets erhebliche Schwierigkeiten zu überwinden. Diese liegen darin, daß Mikrosomen gegen zahlreiche der üblichen Aufschluß- und Extraktionsverfahren (Ultraschall, Digitonin, Desoxycholat, Schlangengift, Ribonuclease, Butanol, wiederholtes Einfrieren und Auftauen usw.) sehr resistent sind. Weiterhin sind viele der Pharmaka abbauenden Enzyme relativ labil. Viele enzymatische Funktionen der Mikrosomen konnten daher bislang noch nicht in Lösung studiert werden. Erst in jüngster Zeit ist es gelungen, aus Lebermikrosomen Hydroxylaseaktivitäten herauszulösen. IMAI und SATO[11] berichten über die „Solubilisierung" eines Anilin-hydroxylierenden Enzymsystems aus Kaninchenlebermikrosomen durch Behandlung mit erhitztem Schlangengift von *Trimeresurus flavoviridis*.

Kaninchenlebermikrosomen wurden vor dem Aufschluß 20 Std bei $+4°$ C aufbewahrt. Danach wurden 11 ml Mikrosomen in 1,15% KCl (entsprechend 20 g Frischleber) mit 4 ml 0,5 m Tris-Puffer,

---

[1] DECKEN, A. VON DER, and T. HULTIN: Arch. Biochem. **90**, 201 (1960).
[2] KRISH, K., u. HJ. STAUDINGER: B. Z. **334**, 312 (1961).
[3] CRAMER, J. W., J. A. MILLER and E. C. MILLER: J. biol. Ch. **235**, 885 (1960).
[4] REMMER, H.: 1. Int. pharmacol. Meeting, Symposium VI, Stockholm 1961.
[5] BRODIE, B. B., R. P. MAICKEL and W. R. JONDORF: Fed. Proc. **17**, 1163 (1958).
[6] MITOMA, C., H. S. POSNER, H. C. REITZ and S. UDENFRIEND: Arch. Biochem. **61**, 431 (1956).
[7] CONNEY, A. H., J. R. GILETTE, J. K. INSCOE, E. R. TRAMS and H. S. POSNER: Science, N.Y. **130**, 1478 (1959).
[8] POSNER, H. S., C. MITOMA and S. UDENFRIEND: Arch. Biochem. **94**, 269 (1961).
[9] PARKE, D. V., and R. T. WILLIAMS: Biochem. J. **63**, 12P (1956).
[10] WEISBURGER, J. H., E. K. WEISBURGER and H. P. MORRIS: Science, N.Y. **125**, 503 (1957).
[11] IMAI, Y., and R. SATO: Biochim. biophys. Acta **42**, 164 (1960).

p_H 9,0, und 1 ml Schlangengift versetzt (1% Lösung in 0,05 m Tris-Puffer, p_H 7,4, die vorher 8 min im Wasserbad gekocht und anschließend zentrifugiert worden war). Der Ansatz wurde 16—18 Std bei $+4°$ C inkubiert. Anschließend wurde der p_H auf 7,5 gebracht und 60 min bei 105000 × g zentrifugiert. Der Überstand enthielt über 90% der Anilin-Hydroxylaseaktivität und etwa 60% des mikrosomalen Proteins.

Nachweisverfahren. Bei der Verfolgung enzymatischer Hydroxylierungsreaktionen richtet sich der entsprechende Test jeweils nach der Art des eingesetzten Substrates bzw. nach den entstehenden Reaktionsprodukten. Es können hier nur wenige Beispiele aus zahlreichen analytischen Verfahren herausgegriffen werden. Vielfach lassen sich die hydroxylierten Produkte aus den mit Trichloressigsäure „gestoppten" Reaktionsansätzen durch organische Lösungsmittel extrahieren und — wenn es sich um Phenole handelt — aus der organischen Phase wieder in Lauge zurückschütteln. Dadurch ist häufig eine Vorreinigung und Abtrennung von Begleitsubstanzen möglich. Zum Nachweis der hydroxylierten Verbindungen ist die Phenolreaktion nach FOLIN und CIOCALTEU[1-3], die Diazoreaktion[4] oder (insbesondere bei ortho-hydroxylierten Substanzen) die Farbreaktion mit 2,6-Dichlorchinon-chlorimid[5,6] geeignet.

Als Beispiel sei ein Test zur Messung der Hydroxylierung von Acetanilid angeführt[3]:

Acetanilid 4,0 μM, Nicotinsäureamid 2,0 μM, TPNH 2,0 μM (bzw. 2,0 μM TPN, 10 μM Glucose-6-phosphat + Glucose-6-phosphat-Dehydrogenase etwa 20 Einheiten, nach BÜCHER[7] + 10 μM $MgCl_2$), Lebermikrosomen entsprechend 2—4 mg Protein, in 1,0 ml 0,1 m Tris-Phosphatpuffer, p_H 8,2 werden in Schliffreagensgläsern 30 min bei 37° C inkubiert. Die Reaktion wird durch Zugabe von 0,1 ml 20% Trichloressigsäure gestoppt. Nach Zugabe von 500 mg festem Kochsalz und 10 ml Isoamylalkohol/Äther (1,5:100 v/v) wird 5 min lang ausgeschüttelt. 8 ml der organischen Phase werden in ein zweites, mit 2,0 ml 0,1 n NaOH beschicktes Schliffreagensglas pipettiert und erneut 3 min lang geschüttelt. Nach dem Trennen der Phasen (was zuweilen längere Zeit beansprucht; eventuell zentrifugieren) wird der überstehende Äther vorsichtig bis auf einen ganz kleinen Rest abgesaugt und mit 1,0 ml 10% Sodalösung (aus wasserfreiem Na_2CO_3) sowie 1,0 ml 1:5 mit destilliertem Wasser verdünntem Reagens nach FOLIN und CIOCALTEU[1] versetzt. Anschließend werden die Ansätze zur Farbentwicklung 30 min ins Wasserbad bei 37° C gestellt. Die entstandene Blaufärbung wird in 10 mm-Kuvetten bei 691 nm photometriert. Bei jeder Bestimmung werden entsprechende Leerwerte und drei Standardwerte (0,1—0,3 μM p-Hydroxyacetanilid) mitgemessen; der Verlauf der Eichkurve ist von Tag zu Tag etwas verschieden.

Die Hydroxylierungsprodukte von Chinolin und Cumarin können leicht auf Grund ihrer charakteristischen Fluorescenz nachgewiesen werden[5]. Umgekehrt ist die Abnahme der Fluorescenz von Benzpyren nach Extraktion der alkalisch gemachten Ansätze mit Petroläther zur Verfolgung der Benzpyren-Hydroxylierung geeignet[8].

Im übrigen wird hinsichtlich der Messung der einzelnen Hydroxylierungsreaktionen und der Identifizierung der Reaktionsprodukte auf die angeführte Originalliteratur verwiesen.

---

[1] FOLIN, O., and V. CIOCALTEU: J. biol. Ch. **73**, 627 (1927).
[2] SEAL, U. S., and H. R. GUTMANN: J. biol. Ch. **234**, 648 (1959).
[3] KRISCH, K., u. HJ. STAUDINGER: B. Z. **334**, 312 (1961).
[4] BRODIE, B. B., and J. AXELROD: J. Pharmacol. exp. Therap. **94**, 22 (1948).
[5] POSNER, H. S., C. MITOMA and S. UDENFRIEND: Arch. Biochem. **94**, 269 (1961).
[6] BOOTH, J., and E. BOYLAND: Biochem. J. **70**, 681 (1958).
[7] BEISENHERZ, G., H. J. BOLTZE, T. BÜCHER, R. CZOK, K. H. GARBADE, E. MEYER-ARENDT u. G. PFLEIDERER: Z. Naturforsch. **8b**, 555 (1953).
[8] CONNEY, A. H., E. C. MILLER and J. A. MILLER: J. biol. Ch. **228**, 753 (1957).

1.99.1.2	(Phenylalanin-4-Hydroxylase)	s. Band VI/B.
1.99.1.14	(p-Hydroxyphenylpyruvat-Hydroxylase)	s. Band VI/B.
1.99.2.5	(Homogentisat-Oxygenase)	s. Band VI/B.

Enzymes involved in the metabolism of myo-inositol.

By

Frixos C. Charalampous*.

Two different enzyme systems will be discussed which are involved in the metabolism of inositol: (1) the enzyme that cleaves inositol to D-glucuronic acid[1], and (2) the enzyme system that catalyzes the biosynthesis of inositol monophosphatides[2].

1. The inositol-cleaving enzyme from rat kidney.

[1.99.2.6 (*myo*-inositol oxygenase).]

This enzyme catalyzes the oxidative cleavage of inositol according to the following equation:

$$\text{Inositol} + O_2 \rightarrow \text{D-glucuronate} + H_2O.$$

Occurrence. The enzyme is present in the kidneys of many mammals (rat, rabbit, guinea pig, pig), birds (chicken, pigeon), and plants (pea roots and mung beans). It could not be detected in the liver, heart, skeletal muscle, spleen and lungs of the above animals.

Purification of inositol-cleaving enzyme from rat kidney.

The following purification procedure is highly reproducible and can be completed within 14 hr. It can be interrupted at the completion of step 4 for as long as 12 hr. without loss of activity provided the solution is kept at 0° C under nitrogen.

Step 1. Supernatant fluid. Male adult rats are decapitated, and the kidneys are removed and placed in cracked ice. The kidneys are then decapsulated, minced with a scissors, and homogenized in a Potter-Elvehjem apparatus. A 20% homogenate is prepared in a medium containing 0.1 M phosphate buffer, p_H 7.2, and 0.07 M KCl. The homogenate is centrifuged in a Spinco ultracentrifuge at 37000 r.p.m. for 30 min with the use of rotor No. 40. The clear supernatant fluid is dialyzed against 500 volumes of demineralized water at 0° C for 2 hr.

Step 2. Treatment with Dowex 1 resin. For every 100 ml of supernatant fluid, 50 g (wet weight) of Dowex 1-X10 resin (acetate form) is added, and the mixture is stirred gently at 0° C for 10 min. The resin is removed by rapid filtration through glass wool in the cold room.

Step 3. Ammonium sulfate fractionation. For every 100 ml of enzyme solution obtained from the previous step, 20.9 g of solid ammonium sulfate are added slowly with stirring at 0° C. The p_H is maintained at 7.2 by the dropwise addition of 3 N NH_4OH. The suspension is allowed to stand for 15 min at 0° C, and the precipitate is removed by centrifugation in an International refrigerated centrifuge and discarded. To the clear supernatant fluid more solid ammonium sulfate is added to give 45% saturation (for 100 ml of solution 6.2 g of ammonium sulfate were added). The suspension is placed in an ice bath for 15 min, and the precipitate is collected by centrifugation and dissolved in ice-cold demineralized water to give a protein concentration of approximately 14 mg per ml.

Step 4. Calcium phosphate gel treatment. The enzyme solution from the previous step is dialyzed against 500 volumes of demineralized water at 0° C for 2 hr. and is then treated with calcium phosphate gel. For every 100 ml of enzyme solution containing 1.3 g of protein, 37 ml of the gel suspension, containing 2.07 g (dry weight) of gel, are added dropwise with stirring at 0° C. Stirring is continued for 10 min followed by centrifugation in the International refrigerated centrifuge. The clear supernatant fluid is treated once

---

* School of Medicine, Biochemistry Department, University of Pennsylvania, Philadelphia 4, Pa.

[1] CHARALAMPOUS, F. C.: J. biol. Ch. **234**, 220 (1959).

[2] PAULUS, H., and E. P. KENNEDY: J. biol. Ch. **235**, 1303 (1960).

more with calcium phosphate gel as described above. A light yellow solution containing the enzyme system (fraction C_2) is thus obtained.

Step 5. Adsorption on alumina C_γ. The alumina C_γ suspension containing 16.1 mg of alumina (dry weight) per ml is added to the enzyme solution dropwise with stirring at 0° C. The amount of gel added is such that the ratio of gel (milligrams, dry weight) to protein is 1. After being stirred for 10 min, the enzyme solution is centrifuged and the supernatant fluid (Fraction Al) containing the enzyme system is treated once more with alumina gel so that the ratio of gel to protein is now 2. The suspension is stirred and centrifuged as before, and the precipitated alumina which adsorbed all of the enzymatic activity is used in the following step.

Table 1. *Summary of purification procedure.*

Fraction	Total units*	Specific activity units/mg protein	Yield %	$[\alpha]_D^{24}$ of Glucurono-lactone**
Spinco supernatant fluid	7	0.013	100	no rotation
Dowex 1 filtrate	19	0.033	270	no rotation
Ammonium sulfate 35—45% saturation	15	0.10	214	+6.8°
Calcium phosphate gel (C 2)	14	1.0	200	+18.6°
Alumina C_γ (A 1)	11	3.0	157	+19.0°
Alumina C_γ (E 3)	4	6.0	57	+18.7°
Norit and Dowex 1 filtrate	3	6.4	43	+18.6°

* Unit is the amount of enzyme that causes the formation of 1 micromole of glucuronate per min.
** These values refer to the rotation of the glucuronolactone prepared from the isolated glucuronates at each purification step.

Table 2. *Properties of the enzyme.*

Sedimentation constant: 4.49 S
Diffusion coefficient: 5.1×10^{-7} cm^2 sec^{-1}
Molecular weight: 6.8×10^4
K_M (inositol): 2.21×10^{-2} M
Turnover number (at 35° C and p_H 7.2): 433 moles of inositol per mole enzyme per min
p_H optimum: 7.2
Stability: Storage at 0° C for 12 hr causes complete inactivation. Freezing at −20° C under nitrogen and in the presence of glutathione preserves activity for 1 to 2 weeks.

Reversibility: Reaction irreversible
Prosthetic groups: The enzyme contains SH groups and 0.09% (by weight) of non-hemin iron
Inhibitors: p-chloromercuribenzoate, phenylmercuric nitrate, iodoacetate, Cu^{++}, Ag^+, Hg^{++}, cyanide, azide, arsenite, and nucleotides
Specificity: Highly specific for *myo*-inositol. Inactive towards L-inositol, D-inositol, scyllitol, pinitol, epi-inositol, *myo*-inosose-1, *myo*-inosose-2, D-epi-inosose-2, and L-epi-inosose-2.

Step 6. Elution of enzyme from alumina C_γ. Selective elution of the enzyme from alumina is achieved with phosphate buffer by carefully controlling the volume, the molarity, and the p_H of the buffer. After many preliminary experiments it was found that the procedure that gives the best and most reproducible results is the following. For every milligram of protein adsorbed on the alumina, 1 ml of 0.01 M phosphate buffer, p_H 7.0, is added, and the mixture is stirred gently for 10 min at 0° C. After centrifugation in the International refrigerated centrifuge, the supernatant fluid containing impurities is discarded. The residue is treated once more in an identical manner with the *same amount* (irrespective of the lesser amount of protein now remaining on the alumina) of phosphate buffer as was used in the first elution. The supernatant fluid thus obtained, containing only a trace of the enzymatic activity, is discarded. The alumina finally is suspended in the same amount of 0.05 M phosphate buffer p_H 7.0 as was used above and is stirred for 10 min at 0° C. The supernatant fluid obtained after centrifugation contained all the enzymatic activity (Fraction E 3). The enzyme solution is water-clear with a very faint yellow color at a concentration of 10 mg of protein per ml.

Step 7. Norit A and Dowex 1 treatment. The enzyme solution obtained from the previous step is treated with Norit A (1 mg per mg of protein) and is stirred gently for 10 min at 0° C. It is then centrifuged in the International refrigerated centrifuge, and the supernatant fluid containing traces of colloidal Norit is passed through a 3×0.7 cm column of Dowex 1-X 10 (acetate form) at 5° C. The filtrate containing the enzyme is water-clear and almost colorless at a concentration of 10 mg of protein per ml.

Determination of inositol-cleaving enzyme activity.

Principle:

The most convenient method of assaying this enzyme is based on the colorimetric determination of glucuronate formed from inositol. The sample containing the glucuronate is heated with the orcinol-$FeCl_3$ reagent and the intensity of the resulting color is measured at 660 mμ in the Beckman spectrophotometer.

Reagents:
1. 0.5 M inositol.
2. 1.0 M phosphate buffer p_H 7.2.
3. Enzyme solution diluted with 0.1 M phosphate buffer p_H 7.2 to give a solution containing 0.012—0.12 units/ml (see definition of unit below).
4. Orcinol-$FeCl_3$ reagent. 90 mg of $FeCl_3 \cdot 6\ H_2O$ are dissolved in 100 ml of concentrated HCl. Just before use dissolve 0.4 g of pure orcinol in 100 ml of the $FeCl_3$ solution.

Procedure:

The incubation is carried out in test tubes containing 0.1 M inositol, 0.1 M phosphate buffer p_H 7.2, 0.5 ml of enzyme solution and water to a final volume of 1 ml. The tubes are gased with oxygen and incubated at 35° C for 15 min. At the end of the incubation the tubes are immersed in boiling water bath for 2 min, cooled and centrifuged. 1 ml of the clear supernatant fluid (containing 3 to 15 μg of glucuronic acid) is pipetted into test tubes followed by the addition of 2 ml of orcinol-$FeCl_3$ reagent. After mixing, the tubes are covered with marbles and placed in a boiling water bath for 20 min, cooled to room temperature, and the intensity of the color measured at 660 mμ in the Beckman spectrophotometer.

The assay described above can be applied to crude extracts provided adequate control tubes without inositol are run at the same time to determine the color due to endogenous substances. The results are expressed in units.

Definition of unit and specific activity. One unit of enzyme is defined as that amount which causes the formation of one micromole of glucuronate per min. Specific activity is expressed as units/mg of protein.

2. Phosphatidic acid-inositol transferase.

[1.99.2.6   CDP-diglyceride:Myo-inositol phosphatidyl transferase.]

This enzyme catalyzes the transfer of phosphatidic acid from cytidine diphosphodiglyceride (CDP-diglyceride) to inositol according to the following equation:

CDP-diglyceride + inositol $\rightleftharpoons$ inositol monophosphatide + cytidine monophosphate (CMP).

Occurrence. The enzyme is present in liver microsomes and has been described in the rat, guinea pig and chicken.

Enzyme preparation. Fresh-frozen chicken livers or fresh rat livers are homogenized in four volumes of 8.5% sucrose. Debris, nuclei and mitochondria are removed by centrifugation in a Servall refrigerated centrifuge at $10\,000 \times g$ for 10 min, and the microsomes are sedimented by centrifugation at $25\,000 \times g$ for 100 min. The microsomes are washed twice with 8.5% sucrose, resuspended in 0.05 M Tris buffer p_H 7.4, and dialyzed overnight in the cold against several changes of Tris buffer.

Properties of the particulate enzyme.

K_M (inositol): 1.2×10^{-3} M.

pH optimum: 8.0.

Reversibility: The reaction is reversible but the equilibrium constant has not been determined.

Activators: Mn^{++} at 0.001 M. Mg^{++} is less effective.

Specificity: Of many polyols tested *myo*-inositol was the best substrate. *Myo*-inosose-2 and D,L-epi-inosose-2 were 25% as active as *myo*-inositol. With respect to the phospholipid part the enzyme reacts equally well with CDP-dipalmitin and CDP-dilaurin. However the nucleotide moiety is fairly specific for CTP.

Determination of phosphatidic acid-inositol — transferase activity: Radioactive method.

Principle:

Cytidine-^{32}P-P-dipalmitin reacts with inositol in the presence of the enzyme to form inositol monophosphoinositide and CM^{32}P. The latter is water soluble while the radioactive substrate is water insoluble as the free acid, but soluble in chloroform.

Reagents:
1. Inositol.
2. 0.05 M Tris (hydroxymethyl)-aminomethane, pH 7.4.
3. $MnCl_2$.
4. Cytidine-^{32}P-P-dipalmitin[1].
5. Chloroform-methanol 1:1 (v:v).
6. 0.1 N Formic acid.

Procedure:

The reaction is carried out in test tubes each containing 0.5 ml of dialyzed liver microsomes in 0.05 M Tris buffer pH 7.4, 100 mµmoles of cytidine-^{32}P-P-dipalmitin (67000 c.p.m. per µmole), 1 mµmole of inositol and 2.0 µmoles of $MnCl_2$ in a final volume of 1.0 ml. A tube containing the same reagents but without inositol is used as "blank". Incubation is carried out at 37° C for 1 hr. The reaction is stopped with the addition of 6.0 ml of chloroform-methanol, followed by 5.0 ml of 0.1 N formic acid. Appropriate aliquots of the aqueous phase are plated on stainless steel or aluminium planchets and counted in a windowless counter. After subtracting the radioactivity of the "blank" tube from that of the complete system the amount of CM^{32}P released enzymatically can be calculated in mµmoles from the specific activity of the radioactive substrate used.

Spectrophotometric method.

Principle:

The amount of CMP released enzymatically from CDP-diglyceride in the presence of inositol is measured spectrophotometrically at 280 and 260 mµ.

Procedure:

The assay conditions are the same as those described in method 1 except that 340 mµmoles of unlabeled CDP-dipalmitin and 2 µmoles of inositol are used. The reaction is stopped by the addition of 2.0 ml of 10% perchloric acid, the precipitated protein removed by centrifugation, and CMP in the clear supernatant fluid measured spectrophotometrically at 280 and 260 mµ. After subtracting the reading of the "blank" tube (see method 1 above) the mµmoles of CMP released enzymatically can be calculated from the known molar extinction coefficient of CMP at 280 and 260 mµ.

---

[1] PAULUS, H., and E. P. KENNEDY: J. biol. Ch. **235**, 1303 (1960).

GPSR Compliance

The European Union's (EU) General Product Safety Regulation (GPSR) is a set of rules that requires consumer products to be safe and our obligations to ensure this.

If you have any concerns about our products, you can contact us on

ProductSafety@springernature.com

In case Publisher is established outside the EU, the EU authorized representative is:

Springer Nature Customer Service Center GmbH
Europaplatz 3
69115 Heidelberg, Germany